ISBN 978-0-428-20371-9
PIBN 11311372

Realencyklopädie

für proteſtantiſche

Theologie und Kirche

Begründet von J. J. Herzog

In dritter verbeſſerter und vermehrter Auflage

unter Mitwirkung

vieler Theologen und anderer Gelehrten

herausgegeben

von

D. Albert Hauck

Profeſſor in Leipzig

Vierzehnter Band

Newman — Patrimonium Petri

Leipzig
J. C. Hinrichs'ſche Buchhandlung
1904

K. b. Hof- u. Univ.-Buchdruckerei von Junge & Sohn, Erlangen.

1. Biblische Bücher.

Gen = Genesis.	Pr = Proverbien.	Ze = Zephania.	Rö = Römer.
Ex = Exodus.	Prd = Prediger.	Hag = Haggai.	Ko = Korinther.
Le = Leviticus.	HL = Hohes Lied.	Sach = Sacharia.	Ga = Galater.
Nu = Numeri.	Jes = Jesaias.	Ma = Maleachi.	Eph = Epheser.
Dt = Deuteronomium.	Jer = Jeremias.	Jud = Judith.	Phi = Philipper.
Jos = Josua.	Ez = Ezechiel.	Wei = Weisheit.	Kol = Kolosser.
Ri = Richter.	Da = Daniel.	To = Tobia.	Th = Thessalonicher.
Sa = Samuelis.	Ho = Hosea.	Si = Sirach.	Ti = Timotheus.
Kg = Könige.	Joe = Joel.	Ba = Baruch.	Tit = Titus.
Chr = Chronika.	Am = Amos.	Mak = Makkabäer.	Phil = Philemon.
Esr = Esra.	Ob = Obadja.	Mt = Matthäus.	Hbr = Hebräer.
Neh = Nehemia.	Jon = Jona.	Mc = Marcus.	Ja = Jakobus.
Esth = Esther.	Mi = Micha.	Lc = Lucas.	Pt = Petrus.
Hi = Hiob.	Na = Nahum.	Jo = Johannes.	Ju = Judas.
Ps = Psalmen.	Hab = Habacuc.	AG = Apostelgesch.	Apk = Apokalypse.

2. Zeitschriften, Sammelwerke und dgl.

A. = Artikel.
ABA = Abhandlungen der Berliner Akademie.
AdB = Allgemeine deutsche Biographie.
AGG = Abhandlungen der Göttinger Gesellsch. der Wissenschaften.
ALKG = Archiv für Litteratur und Kirchengeschichte des Mittelalters.
AMA = Abhandlungen d. Münchener Akademie.
AS = Acta Sanctorum der Bollandisten.
ASB = ActaSanctorum ordinis s. Benedicti.
ASG = Abhandlungen der Sächsischen Gesellschaft der Wissenschaften.
AT = Altes Testament.
Bd = Band. Bde = Bände. [dunensis.
BM = Bibliotheca maxima Patrum Lug-
CD = Codex diplomaticus.
CR = Corpus Reformatorum.
CSEL = Corpus scriptorum ecclesiast. lat.
DchrA = Dictionary of christian Antiquities von Smith & Cheetham.
DchrB = Dictionary of christian Biography von Smith & Wace.
DLZ = Deutsche Litteratur-Zeitung.
Du Cange = Glossarium mediae et infimae latinitatis ed. Du Cange.
DZKR = Deutsche Zeitschrift f. Kirchenrecht.
FdG = Forschungen zur deutschen Geschichte.
GgA = Göttingische gelehrte Anzeigen.
HJG = Historisches Jahrbuch d. Görresgesellsch.
HZ = Historische Zeitschrift von v. Sybel.
Jaffé = Regesta pontif. Rom. ed. Jaffé ed. II.
JbTh = Jahrbücher für deutsche Theologie.
JprTh = Jahrbücher für protestant. Theologie.
JthSt = Journal of Theol. Studies.
KG = Kirchengeschichte.
KO = Kirchenordnung.
LCB = Literarisches Centralblatt.
Mansi = Collectio conciliorum ed. Mansi.
Mg = Magazin.
MG = Monumenta Germaniae historica.

MSG = Patrologia ed. Migne, series grae[ca]
MSL = Patrologia ed. Migne, series lati[na]
Mt = Mitteilungen. [Geschichtskun
NA = Neues Archiv für die ältere deut[sche]
NF = Neue Folge.
NJbTh = Neue Jahrbücher f. deutsche Theolog[ie]
NkZ = Neue kirchliche Zeitschrift.
NT = Neues Testament.
PJ = Preußische Jahrbücher. [Pottha
Potthast = Regesta pontificum Romanor.
RQS = Römische Quartalschrift.
SBA = Sitzungsberichte d. Berliner Akadem[ie]
SMA = " " b. Münchener "
SWA = " " b. Wiener "
SS = Scriptores.
ThJB = Theologischer Jahresbericht.
ThLB = Theologisches Literaturblatt.
ThLZ = Theologische Literaturzeitung.
ThQS = Theologische Quartalschrift.
ThStK = Theologische Studien und Kritike[n]
TU = Texte und Untersuchungen herau[s]geg. von v. Gebhardt u. Harn[ack]
UB = Urkundenbuch.
WW = Werke. Bei Luther:
WBEA = Werke Erlanger Ausgabe.
WWMA = Werke Weimarer Ausgabe. [Wsch
ZatW = Zeitschrift für alttestamentl. Wisse[nsch.]
ZdA = " für deutsches Alterthum.
ZdmG = " d. deutsch. morgenl. Gesellsch
ZdPV = " d. deutsch. Palästina Verein
ZhTh = " für historische Theologie.
ZKG = " für Kirchengeschichte.
ZKR = " für Kirchenrecht.
ZkTh = " für katholische Theologie.
ZkWL = " für kirchl. Wissensch. u. Lebe[n]
ZluthTh = " für luther. Theologie u. Kir[che]
ZPK = " für Protestantismus u. Kir[che]
ZprTh = " für praktische Theologie.
ZThK = " für Theologie und Kirche.
ZwTh = " für wissenschaftl. Theologie

Newman, John Henry, gest. 1890 als Kardinal der römischen Kirche, als angli=
kanischer Theolog einer der Hauptträger des sog. Oxford movement. — Litteratur:
Letters and correspondence of John Henry Newman during his life in the English church.
With a brief autobiography. Edited at Cardinal Newman's request by Anne Mozley,
2 vols, 1891 (Bd I von Febr. 1827 bis Ende Nov. 1833, 496 S., Bd II: Dez. 1833 bis
Okt. 1845, dann noch ein Nachtrag von einigen weiteren Briefen und kleineren Dokumenten,
513 S. [Das Autobiographical memoir [Bd I, 26—160] beginnt nach kurzen Notizen mit
seinem Leben im College zu Oxford 1816 und reicht bis 1832. Ueber die Kindheit und das
Schulleben N.s berichtet die Herausgeberin, die überhaupt die ganze Korrespondenz mit er=
läuternden Bemerkungen begleitet. Dem 1. Bande ist beigegeben die Photographie einer Büste
N.s aus dem Jahre 1841, dem 2. eine solche von einer Zeichnung aus dem Jahre 1844; die
Büste läßt den Asketen, die Zeichnung einen energisch auf die Welt gerichteten Mann er=
kennen. Das Werk erschien alsbald nach N.s Tod); J. H. Newman, Apologia pro Vita sua,
being a History of his Religious Opinions, zuerst 1865 (kritisch zu benutzen); Rich. H. Hutton,
Cardinal Newman, 1891 (erschienen in der Sammlung English Leaders of Religion, worin
u. a. eine Biographie von N.s Freund John Keble von W. Lock); Edwin A. Abbott, The
Anglican Career of Card. Newman, 2 vols, 1892 (wohl die sorgfältigste Arbeit über N.,
mit scharfen psychologischen Reflexionen, als Kontrolle für die Apologia am besten); R. Budden=
sieg, J. H. Newman und sein Anteil an der Orforder Bewegung, ZKG V, 1882, S. 34 ff.
(vgl. von demselben: J. H. Newman, 3 Artikel, Beilage der Allg. Zeitung 1880, Nr. 260 bis
262); M. S(ell), Kardinal Newman, Christl. Welt, V, 1892, Nr. 12 und 13. Von katho=
lischer Seite: Bellesheim, J. H. Newman als Anglikaner auf Grund seiner Briefsammlung,
Katholik 71. Bd, 1891, S. 251 ff. und 325 ff. Von dems. der Art. im Kath. Kirchenlex. Bd IX,
1895 (hier noch einige weitere Litteratur, die mir nicht bekannt geworden); G. Grappe, J. H.
Newman, Essai de psychologie réligieuse (in Les grands hommes de l'église au XIXe siècle,
Nr. II, Paris 1902); Anonymus (katholisch?), J. H. Newman, Deutsche Rundschau,
1891, S. 40 ff. u. 190 ff. (wertvoll, wiewohl überschwänglich). Natürlich sind auch die allge=
meineren Werke über die Orforder Bewegung heranzuziehen, besonders: Church, The Oxford
movement, 1891; Walsh, The secret history of the Oxf. mov. 1897, 5. ed. 1899; Nye,
The story of the Oxf. mov. 1899; Cruttwell, Six Lectures on the Oxf. mov., 1899.

Es kann hier nur die Aufgabe sein, den Lebensgang Newmans zu skizzieren und
seine Persönlichkeit zu charakterisieren. N. gilt dafür, mehr Anglikanern den Anlaß zum
Uebertritt in die römische Kirche geboten zu haben, als irgendeiner. Um so größer ist das
Interesse, welches sein eigenes Leben innerhalb der anglikanischen Kirche bis zum Bruche
mit ihr darbietet. Noch immer begleiten nachdenkliche Männer der englischen Kirche die
Entwickelung N.s mit der bangen Frage: „If Newman was right, are not we wrong?"
(Abbott, Preface). Er ist in den Anfängen der Hauptführer der Orforder Bewegung,
des „Traktarianismus" gewesen. Was diese Bewegung und ihr Ausläufer, der noch
immer, wie es scheint, vorwärts schreitende Ritualismus, in der anglikanischen Kirche be=
deutet, wird in einem besonderen Artikel dargestellt werden. Diesem Artikel ist also das
Wichtigste mit Bezug auf N.s historische Stellung zu überlassen. N. ist einer der
glücklichen Männer, die auch von ihren Gegnern schon bei Lebzeiten freundlich ge=
würdigt werden. In seinem Charakter liegen große Schwächen ziemlich deutlich am Tage.
Die Wahrhaftigkeit hat in mancher Beziehung bei ihm Not gelitten. Doch war es ihm
beschieden, eine Ehrwürdigkeit des Alters zu erlangen, die ihn zuletzt gewissermaßen aus
dem Streite rückte. Keine liebevolle Persönlichkeit, aber durchaus fein und vornehm, ein
Asket von edelen und strengen Formen, ein Denker von einer gewissen Selbständigkeit
auch nachdem er sich der unfehlbaren Kirche angegliedert hatte, besaß er in seinem Wesen
für die meisten Engländer etwas Imponierendes, einen Reiz, den auch Fernerstehende
wohl nachempfinden können. Unbestritten ist der Ruhm N.s als Prediger. Ein geistvoller

Pſycholog, ein Mann zumal, wie Abbott rühmt, of a marvellous insight into the
imperfections of human nature, hat er unmittelbar und mittelbar von ſeiner Kanzel
aus das Größte gewirkt. Er gilt für einen der beſten modernen engliſchen Stiliſten.
Seine Gedichte und Romane zeigen eine nicht gewöhnliche poetiſche Begabung. In der
5 Öffentlichkeit immer maßvoll, verfügte er über eine feine Ironie als ſeine beſte Waffe.
Das kleine litterariſche Duell zwiſchen ihm und Charles Kingsley (Hutton S. 225 ff.,
Deutſche Rundſchau a. a. O. 208 ff.) war eine Probe davon. Die Legende möchte wohl
mit der Zeit einen Heiligen aus ihm machen. Doch hat erſt Leo XIII. ganz ſeine Bedeutung für den Katholicismus gewürdigt. Ein pſychologiſches Rätſel, wozu er von
10 manchen geſtempelt worden, iſt er nur in begrenztem Maße geweſen. Für einen Ausländer iſt auffallend, wie ſehr er bloß Engländer war. Andere als engliſche Verhältniſſe
haben ihn kaum intereſſiert.

John N. wurde geboren am 21. Februar 1801 in der City zu London, ſein Vater
war Bankier. Er war das älteſte von ſechs Kindern, ungewöhnlich frühreif, von lebhaf-
15 teſter Phantaſie, grübleriſch, zu Aberglauben und Skepſis gleich ſehr disponiert. Ein
Vielleſer, wurde er ſchon als Knabe mit der Bibel und ſogar manchen theologiſchen
Büchern vertraut. Sehr verſchloſſen in ſeinem Weſen, verkehrte er mehr mit Gott, als
mit den Eltern und Geſchwiſtern und war überzeugt, daß Gott ihn „mehr liebe und
ihm näher ſei, als ſeine Eltern". Von kindlichen Spielen hielt er ſich fern. Es iſt be-
20 greiflich, daß er zumal auf der Schule zu Ealing unter den zweihundert Jungen, mit
denen er dort zuſammen war, freudloſe Jahre verbrachte. Mit fünfzehn Jahren erlebte
er dort ſeine erſte „Bekehrung" unter dem Einfluß eines Lehrers, der der „evangeliſchen"
Richtung angehörte. Er las das Werk „Doctrine of final perseverence" von Romaine
und war raſch zu überzeugen, daß er ſei predestined to salvation. Nach ſeiner eigenen
25 Meinung war die Geiſtesverfaſſung, die er jetzt gewann, eine völlig neue. Bis dahin
habe er nur gewünſcht „virtuous" zu ſein, aber nicht „religious". Jetzt ſei er für
fünf Jahre „feſt überzeugt" geweſen, daß er ſei „elected to eternal glory". Es war
ihm genug, für ſeine Perſon errettet zu ſein. „My mind did not dwell upon others …
J only thought of the mercy to myself". Der Calvinismus in einer ſehr üblen
30 Form, die doch N.s perſönlicher Grundveranlagung entgegenkam, hatte ihn gewonnen.
Von dieſer Zeit an wurde er auch „Dogmatiker". Er war in hohem Maße der Autorität zugänglich, mindeſtens dem Willen nach. Zwei Gedanken von Thomas Scott nahm
er jetzt an. Der eine lautete: holiness rather then peace, der andere: growth the
only evidence of live. Man kann finden, daß beide ihn ſtets begleitet haben. Was
35 er unter „Heiligkeit" verſtand, iſt leicht zu erkennen: Abkehr von der „Welt". Und ſein
Wille „heilig" zu leben, verdichtet ſich ihm, dem noch nicht ſechzehnjährigen, alsbald zu
dem Entſchluß, ehelos zu bleiben, freilich weſentlich unter dem Gedanken, daß Gott vielleicht von ihm verlange, als Miſſionar zu den Heiden zu gehen. Unter den Büchern, die
er im Jahre 1816 kennen lernte, waren auch Biſchof Newtons Dissertations on the Pro-
40 fecies, aus denen er erfuhr, daß der in der Bibel geweisſagte Antichriſt der Papſt ſei.
Das habe, ſagt er in der Apologia, bis 1843 ſeine imagination „befleckt" (stained).
Auch Milners Church history las er damals und begeiſterte ſich daraus für die „Kirche
der Väter". Es iſt nicht zu verkennen, daß das Jahr 1816 für ihn das grundlegende
geweſen.
45 Zu Ende dieſes Jahres trat N. in das **Trinity College** zu Oxford ein und blieb
nun, ſolange er noch Anglikaner war, im Verbande dieſer Univerſität, ſeit 1822 als
fellow, ſpäter tutor of Oriel college. Die Jahre bis 1824, wo er ſich ordinieren
ließ — er wollte urſprünglich Juriſt werden, ging aber 1821 aus äußeren Gründen zur
Theologie über —, hat er ſelbſt ſpäter charakteriſiert als ſolche gänzlicher innerer Verein-
50 ſamung. In Wirklichkeit hatte er doch Gönner und Freunde, die ſich um ihn freundlich
kümmerten, vor allem Richard Whately, ſeinen nächſten Vorgeſetzten. Er hat dieſen trefflichen Mann (er wurde hernach Erzbiſchof von Dublin) freilich ſpäter wie eine Art von
Verſucher, ja Verführer (zum Liberalismus) empfunden und mit phänomenaler Dankloſig-
keit behandelt. Wahr ſcheint, daß N. in jenen Jahren von tiefer Melancholie erfüllt
55 war, er wurde zwar vorerſt noch nicht zweifelhaft an ſeiner „Erwählung", faßt aber auch
zu Gott kein Herz. Sein Streben nach Heiligkeit wird zum Streben nach „humility".
Das ſchließt allerhand ſubtilen Ehrgeiz nicht aus. Sein Glaube wird immer dogmatiſcher. Eigen war und blieb ihm, wie auch Katholiken bemerkt haben, ein abſoluter
Glaube an die Bibel und ihre Inſpiration. Er hat dabei immer den engliſchen Text im
60 Sinn; der Urtext und gar die Kritik wurden für ihn nie von Bedeutung. Der Gedanke

an die Göttlichkeit der Schrift that zu dieser Zeit seinem Bedürfnis an Autorität noch
ausreichend Genüge. Zugleich wird er immer herber in seiner Unterscheidung von „Kirche"
und „Welt". Abbott meint, noch sei die Antithese hier „subjective and emotional"
gewesen, nur zu bald sollte sie objektiv und „sacramental" werden.

N. war um diese Zeit (auch noch als deacon, seit 1824) ein „Evangelical" 5
(Pietist, Methodist), aber eigentlich nur im parteimäßigen Sinn. Er war nie sehr in=
teressiert für Dinge, die nicht unmittelbar religiösen Charakter hatten. Zumal die Werke
der caritas haben an ihm keinen irgendwie hervorragenden Vertreter gehabt. Es ist über=
haupt merkwürdig, wie gleichgültig er in all dieser Zeit gegen die Vorgänge in der
„Welt" war. Und er war doch aufgewachsen in einer Zeit großer Erregungen, zumal 10
auch innerpolitischer (parlamentarischer und sozialer) in England. Auch theologisch er=
scheint er wissenschaftlich nicht sehr betriebsam. In Oxford herrschte die hochkirchliche
Partei, „The High and Dry", wie man sie nannte. Die Bibelexegese hatte den denkbar
dürftigsten Stand erreicht. Man hört doch nicht, daß N. das Bedürfnis an eine tiefere,
meditative Behandlung der Bibel gehabt hätte. Indeß wird ihm seine Erwählungsgewißheit 15
schwankend und dagegen beginnt die Marienverehrung für ihn ein Problem zu werden.
Er fängt an auf die „Kirche" zu reflektieren. Er „will" die „Väter" studieren und von
Belang ist ihm besonders die „apostolische Succession". Es ist die anglikanische Kirche,
an die er allein denkt. Aber schon ist Hurrell Froude sein Freund geworden und dieser ist
voll „Haß" gegen den „Protestantismus". Auch Kebles „Christian year" ist alsbald 20
von seinem Erscheinen, 1827, an sein Begleiter, es regt seine eigene Muse zu geistlicher
Dichtung an. Bis 1828 vollzieht sich allmählich der Bruch N.s mit den Evangelicals,
den „Calvinisten". Im intimeren Sinn bleibt er sich freilich durchaus gleich. Abbott
macht sehr feine Bemerkungen über den Grundzug in N.s Persönlichkeit bis an sein
Lebensende. Für ihn ist es immer die einzige innere Frage gewesen, wie der Mensch 25
seine Seele errette. Er habe später anders als früher über die Mittel und Wege gedacht,
wie die Seele ihre salvation erreiche, aber der Gedanke an Hölle und Himmel habe für
ihn stets im Vordergrunde gestanden. Ein lebhaftes Sündengefühl habe ihn begleitet.
Dazu eine gesetzliche Vorstellung von Gottes Forderungen. Die Bibel schreibe vor, was
man zu „glauben" habe, in ihr auch erfahre man, was man zu thun und zu meiden 30
habe. Wer die Seele retten will, muß die Welt und ihre Lust meiden. Abbott meint,
seit 1825, seit einer der ältesten Predigten, finde man bei ihn nicht mehr den Gedanken,
daß man Gott für weltliche Freuden „danken" solle. Alles in der Welt wird ihm viel=
mehr zum Fallstrick der Seele. Ohne Zweifel sei die Natur in gewissem Sinne gut.
Aber „gut" sei der „Wein" nur für Gesunde, für an invalide gelte, daß er sich vor 35
ihm hüten müsse. Der Mensch als Sünder sei ein „Kranker" und habe die „Welt" nur
zu fliehen. Bei dem Worte salvation dachte N. stets an die Errettung im Gerichte
vor den Strafen der Hölle, und an die Zulassung zu der Wonne des Himmels. Nicht
als ob er beides oft ausgemalt hätte. Aber die Pole Hölle und Himmel in einer durch=
aus sinnlichen Vorstellung waren ihm die sichersten Gegebenheiten. Und man stellte er 40
eben überlegsam, fast „geschäftlich", die Rechnung für die Seele auf. Es blieb ihm nicht
verborgen, daß es manche Seele in große Zweifel stürzen könne, wenn sie sich selbst durch
die Bibel hindurchfinden solle. Der Gedanke eines „stream of concordant and tradi-
tional interpretation of Scripture, handed down from the Primitive church"
scheint ihm der einzige, der „Gewißheit" geben könne, was die Bibel eigentlich verlange. 45
Von Christus hat N. nur eine dogmatische Idee. Seine Augen sehen ihn nicht selbst in der
Bibel, sondern nur die Formel über ihn.

Die Jahre seit 1828 zeigen N. in engem Verkehr mit denjenigen drei Freunden,
deren Namen mit dem seinigen in der Geschichte der Oxforder Bewegung unzertrennlich
verbunden sind, Edward Pusey, John Keble, Richard Hurrell Froude. Jeder dieser drei 50
Männer ist von eigentümlicher Bedeutung. Für die Geschichte der englischen Kirche am
bedeutendsten ist Pusey. Er wird in dem Art. Traktarianismus behandelt werden. Um ein
weniges älter als N., tritt in diesem schon seit 1823 näher, und seit 1826 wird das Ver=
hältnis vollends ein intimes. Beide jungen Männer begegnen sich in dem Gedanken,
daß die „alte Kirche" die wahrste Erscheinung der Kirche gewesen sei. Pusey war dabei 55
der gelehrtere, durch Reisen für die wissenschaftlichen Fragen bei weitem besser instruierte,
auch der offenere, innerlich freiere. Keble, der neun Jahre älter war als N., war in
dessen erster Oxforder Zeit sein „senior", wegen seiner Begabung und Charaktereigen=
schaften Objekt lebhaftester Verehrung unter den „scholars", nicht am wenigsten von
seiten N.s. Von seiner Liedersammlung „The Christian Year" will N. entscheidende 60

1*

Einwirkungen auf sein ganzes Denken empfangen haben. Er will von ihm, wie er in der Apologia näher ausführte, besonders „two main intellectual truths" gelernt haben, zuerst die Erkenntnis vom Werte der Sakramente, d. h. den Gedanken „that material phenomena are both the types and the instruments of real things unseen".
5 Sodann habe er erst durch ihn ganz begriffen, wie „the firmness of assent which we give to religious doctrine" bedingt sei, die wahre, persönlich vermittelte Art von probability in the matter of religion, der eigentliche Charakter der Autorität auf diesem Gebiete. Abbott urteilt wohl nicht mit Unrecht, daß Keble doch die Dinge anders angesehen habe, als N. gemeint. Keble habe Gemütseindrücke von seiten des kirchlichen
10 Glaubens gemeint, wo N. auf Verstandesargumente reflektierte. Immerhin sind beide Dichter gewesen und es handelt sich nur um fließende Gegensätze ihres „intellektuellen" Wesens. Tiefer erscheint ihr charaktermäßiger Gegensatz. Keble war durch und durch aufgeschlossen für das Schöne und Reine in der „Welt", zumal der Natur. Er war auch ungleich milder als N. Der letztere lernte es immer mehr, von Freunden, deren Wege
15 sich von den seinigen trennten, die ihn in dem, was er als seine „Pflicht" ansah, störten, sich in entschlossener Weise und definitiv abzuwenden. Er „vergaß" sie. Im Verhältnis zu Pusey und Keble erscheint N. als mehr oder weniger selbständig. Dagegen war Froude, man könnte sagen, der Schicksalsmann für ihn. Er war zwei Jahre jünger als N., seit 1821 im Oriel College, aber erst seit 1829 und dann bis an sein frühes Ende
20 (gest. 1836) der eigentliche Herzensvertraute N.s. An Fr. imponierte N. alles und in das, was diesem ihm in religiöser Entwickelung weit vorausgekommenen, gemütstiefen, leidenschaftlichen Mann vorschwebte, ist N. successiv mithineingewachsen. Er selbst hebt (in der Apologia) hervor als Ideen, die Fr. erfüllten, die Bewunderung für die Kirche von Rom, für ein hierarchisches System, für priesterliche Gewalt, vor allem für „full eccle-
25 siastical liberty". Froude war durch und durch highchurchman, aber ein solcher voll innerer Kraft und Glut. Er haßte die Reformatoren, zumal auch Milton, hatte nur Spott für das „rein biblische Christentum" und dagegen ostentative Verehrung für die „kirchliche Tradition" als Hauptmittel aller religiösen Unterweisung. Er verherrlichte den Cölibat, hegte die tiefste Devotion für die Mutter Gottes, die „Immerjungfrau", lebte
30 und webte in der Geschichte der Heiligen und ihrer Wunder, pries das Mittelalter mehr noch als die alte Kirche (das ist der einzige Punkt, wo N. anders urteilte und das empfand, als er), war ein Grübler und Selbstquäler („schauderte vor sich selbst", wie das auch N. in jenen Jahren von sich selbst bezeugt), fand Trost und Kraft vor allem im Glauben an die Realpräsenz Christi im Abendmahl. Theolog war Froude eigentlich nicht, am
35 wenigstens Gelehrter. Vielmehr war er Politiker, a high Tory of the Cavalier stamp. Auch nach dieser Seite wirkte er auf N.

Persönliche Erlebnisse, eine schwere Erkrankung Ende 1827, der Tod einer geliebten Schwester, hatten mit ihr Teil an der Steigerung der asketischen Neigungen N.s, an der immer festeren Richtung seiner Gedanken auf das Jenseits, auf die andere Welt. Im Jahre
40 1828 erhielt N. das Vikariat von St. Mary in Oxford, welches die letzte Staffel in der anglikanischen Kirche für ihn bleiben sollte. Unter Froudes Einfluß ergriff N. jetzt poli- tisch Partei wider die „Liberalen", die Whigs, interessanterweise im Streite um die Emanzipation der Katholiken, wobei doch zu bedenken ist, daß es sich um den ganzen Dissent handelte. In seinen Predigten tritt der Kirchengedanke, zumal der „sub-
45 mission to the church autority" immer stärker hervor. Er beginnt einen kleinen Krieg mit den Evangelicals. Es ist nicht gerade ein Beweis großer Wahrhaftigkeit, daß er sich noch 1829 zum Sekretär der Evangelical Church Missionary Society hatte wählen lassen, noch weniger erfreulich ist es, daß er den Versuch machte, diese Society unter der Hand der high church dienstbar zu machen; sein Plan wurde durchschaut
50 und er mußte die Sekretärstelle wieder fahren lassen. Im übrigen ist er als tutor am Oriel College ein ernster, auf Fleiß und sittliche Tüchtigkeit streng achtender Leiter der Jugend. Als gewisse Reformpläne, das die Ehrgeizes nicht ermangelten, scheitern, ist er bereit sich zu „demütigen". Es wird ihm klar, daß die Kirche in England in ihrem Leben der Erneuerung bedürfe. Die strikten Vertreter der high church hatten
55 den Spottnamen der „Two-bottle Orthodoxen", sie waren bekannt als trinkfeste Männer. Sein alter Freund Whately brachte es ihm einmal auf eine feine Weise zum Bewußtsein, in welche Gesellschaft er als Tory-Mann geraten sei. In der That war N. nicht stolz auf seine neuen kirchlichen und politischen Parteigenossen. Aber das macht ihn nicht irre, sondern zeigt ihm nur eine Aufgabe mit Bezug auf die „Kirche von England". Er
60 faßt in dieser Zeit „irrevocably" den Entschluß, ehelos zu bleiben. Und er will noch

mehr „religious regularity" in sein Leben bringen; er denkt dabei an Fasten und besondere Devotionsübungen.

Von Dezember 1832 bis Sommer 1833 machte N. mit Froude eine Reise nach Italien. Sie war in mehr als einer Beziehung bedeutsam für ihn. Die poetische Seite seines Wesens kam auf ihr zur vollsten Entfaltung. Er fährt zur See mit dem Freunde 5 um Spanien nach Malta, nach Corfu, nach Sizilien und von dort über Neapel nach Rom. In vollem Maße empfindet er die Schönheit des Meeres und der Landschaft. Aber es ist bemerkenswert, wie er darin zugleich alsbald eine „Versuchung" sieht. Und überall hin begleiten ihn kirchliche Gedanken. Er betrachtet kritisch das Leben des Volks zumal in Italien. Es ergibt ihm und fast noch mehr Froude mit Italien wie vielen, 10 die dem Katholicismus ihre Sympathien widmen und dem Protestantismus mißtrauen. Rom macht einen etwas würdigeren Eindruck auf beide als besonders Neapel. Doch auch Rom ist nicht die Stadt, wie sie sie sich ausgemalt. N.s Gedanken vom Papste als Antichrist werden hier noch nicht erschüttert. Nur das Einst dieser Stadt, die Zeiten, wo ein Paulus und Petrus hier Märtyrer geworden, wo ein Gregor I. hier gewaltet, greift ihm 15 in die Seele. „O Rome! that thou were not Rome!" Das ist der charakteristische Ausruf, mit dem N. von Rom scheidet. Er und Froude werden tiefer wie je davon erfüllt, daß die Kirche von England doch die hoffnungsvollste Stätte für das wahre Christentum sei. Fr. meint, möge die englische Kirche zur Zeit noch so tief gefallen sein, so tief, wie die Kirche in Italien, ja auch in Rom, steht, werde sie nie sinken. N. hört im Geist 20 in Rom die Klagelieder Jeremias über Jerusalem. Er und Fr. kehren mit dem Bewußtsein, daß gerade die Kirche von England eine Mission habe und daß es ihre Sache sein werde, diese Kirche dahin zu bringen, daß sie sich wieder auf sich selbst und die vergessenen wahrhaft „katholischen" Gedanken besinne, aus Italien zurück. Es gilt, meinen sie, auf die Zeiten des großen Erzbischofs Laud und die Traditionen der Nonjurors zurückzukehren. 25 N. geht zum Schlusse noch einmal allein nach Sizilien, wo er ein schweres Fieber durchmacht. Er fürchtet sich nicht, daß er jetzt sterben müsse. Vielmehr ist er tief davon durchdrungen, daß ihm eine „Aufgabe" in England bevorstehe. Eine Art von prophetischem Gefühl überkommt ihn. In der That war seine Rückkehr nach England das Signal für den Beginn der „Oxforder Bewegung". 30

Hier ist der Punkt erreicht, wo ich zur Ergänzung des gegenwärtigen Artikels auf denjenigen über „Traktarianismus" verweisen muß. Den Anlaß zu einer Agitation der Oxforder Freunde für ihr neualtes, unter Karl I. schon wirksam gewesenes, damals gewaltsam zurückgedrängtes hochkirchliches Ideal bot das damalige Vorgehen des Staates wider eine Reihe von Interessen und Institutionen der established church. Hatte schon die 35 Akte zur Beseitigung der Schranken des Dissent aufregend gewirkt, so vollends die 1832 geschehene Überweisung der höchsten geistlichen Jurisdiktion an einen fast rein weltlichen Gerichtshof und die 1833 wider die Stimme der Bischöfe im Parlament durchgesetzte irische Kirchengutsakte, die wieder lediglich vom politischen Interesse diktiert gewesen. Kebles berühmte Predigt vom 14. Juli 1833 (ediert als Sermon on National Apostasy), die 40 N. unmittelbar nach seiner Rückkehr aus Italien als den ersten Klang aus dem heimischen kirchlichen Leben hörte, hatte die Vorordnung der staatlichen Ideen vor den kirchlichen zum Gegenstande und stellte die Souveränität Gottes der des Staates entgegen. Sie wirkte wie ein Ruf zum Sammeln für alle, die das Wesen der Kirche begriffen. Die Frage, die in den Gemütern jetzt lebendig wurde, war die, was die Kirche einzusetzen 45 habe, um ihre Autorität und Selbständigkeit auf ihrem Gebiete zu wahren, wenn der Staat sie verlasse oder gar vergewaltige. Auf der sog. Hadleigh-Conference, 25. bis 29. Juli 1833, an der doch nur vier „Oxforder", unter ihnen Froude, nicht Newman, teilnahmen, war man einig, daß das die Idee einer besonderen Betrauung (commission) der Kirche kraft der „apostolischen Succession" in ihr sei. Was die nötigen praktischen 50 Schritte betraf, so hatte N. den Gedanken, der auch alsbald verwirklicht wurde, daß es darauf ankomme, durch populäre Traktate in der Öffentlichkeit Verständnis für die wahren kirchlichen Ideale zu erwecken und durch sie möglichst auch auf die Bischöfe zu wirken. Und schon im September 1833 erschien, von N. verfaßt, der erste der sog. Tracts for the Times. Wie von selbst, rückte N. hier in den Vordergrund. Es waren zum Teil zu- 55 fällige Gründe, die ihn zunächst zum Führer machten. Froude zumal blieb kränklich und starb bald. Auch die andern Freunde waren nicht behindert als N., sich an der Abfassung von Tracts zu beteiligen. Aus N.s Feder stammen die Nummern 1, 2, 6, 7, 8, 10, 11, 19, 20, 21, 34, 38, 41, 45, 47, 71, 73, 75, 79, 82, 83, 85, 88, 90, also im ganzen vierundzwanzig Stück; sie sind nicht gezeichnet, vgl. 60

Buddensieg, ZKG I, 63 Anm. 1. Man kann sehen, was N. selbst am meisten beschäftigt, ist der Kirchengedanke als solcher. Für die Lehre von den Sakramenten ist besonders Pusey wirksam. Tract 1 bringt alsbald „Thoughts on the Ministerial Commission,
respectfully addressed to the Clergy"; N. will dem Klerus die Bedeutung der Or-
5 dination klar machen und recht eindringlich ans Herz legen. Am berühmtesten wurden
die beiden Traktate mit der Überschrift Via media, Nr. 38 und 41, bezw. später Nr. 90.
In den beiden ersten, einem Dialog zwischen einem Laien und einem Geistlichen will N.
zeigen, daß die englische Kirche gerade die richtige Mitte halte zwischen Protestantismus
und Romanismus, freilich nicht die gegenwärtige Kirche, sondern die Kirche nach der Ab-
10 sicht der Männer, die sie von Rom lösten. Zur Zeit kommt es auf eine „zweite Reformation" an. Die erste habe die alten Creeds unangetastet gelassen und nur wider die
Irrtümer und Mißbräuche, die sich daran geschlossen und darüber gelagert hätten, protestiert. So solle man auch gegenwärtig alle Glaubensdokumente der „ersten Reformation" in Kraft lassen und dagegen „Zusätze" machen wider die Irrtümer neuerer Zeit.
15 N. exemplifiziert auf Erastianism and Latitudinarism, ebenso komme es darauf
an, den Geist des Common Prayerbook wieder zu beleben und zu „entwickeln". Alles
„Ergänzende" ist bei N. gedacht als das „Katholische", bezw. die Wiederaufnahme von
Gedanken und Sitten der alten Kirche, alles „Fehlerhafte" als „that arrogant Protestant spirit (so called) of the day". N. will den Einfluß der „sog. Reformatoren"
20 abschneiden, freilich auch dem „Romanismus" wehren. „Genf" und „Rom" bedeuten
für England gleicherweise eine „foreign interference". Die englische Kirche soll ihrem
eigenen Genius folgen. Der ausführliche 90. Traktat, Remarks on certain passages
in the Thirty-nine Articles, will zeigen, daß auch die 39 Artikel nicht so „protestantisch" sind, daß sie dem echten Katholicismus im Wege stünden. Sie sind nur antirömisch,
25 auch das nicht in dem Sinn, daß sie alle römischen Autoritäten ausschlössen, sondern nur
bestimmte. Dieser Traktat ist durch und durch juristisch gedacht. Was die 39 Artikel
nicht ausdrücklich „verwerfen", ist freigelassen. Mit einer Kunst, die unwillkürlich den
Eindruck erweckt, daß der Verfasser letztlich beweisen könne, was ihn gelüste, begrenzt er
die Gegensätze. Im Zweifelsfalle hat man die Artikel so zu interpretieren, daß das „ka-
30 tholische" Interesse gewahrt wird. Was die Autoren persönlich im Sinne gehabt haben,
ist gleichgiltig, denn sie sind für sich keine „Autorität". Bemerkenswert ist das Interesse,
das N. am tridentinischen Konzil bezeugt. Es steht ihm offenbar in der „katholischen"
Linie. Das „Römische" erscheint ihm wesentlich als eine falsche Praxis, die freilich zur
Zeit auch von „Autoritäten" gestützt wird. So ist die Infallibilität des Papstes ein
35 spezifischer Irrtum des gegenwärtigen Romanismus und seiner momentanen „Autorität".
Die Tracts riefen in steigendem Maße Widerspruch weitester Kreise hervor. Die sich
mehrenden Übertritte zur römischen Kirche schienen der deutlichste Kommentar zu ihren
Tendenzen. Der 90. erschien vollends gefährlich, nämlich wie eine Ermunterung, zwar
in der Kirche von England zu bleiben, in ihr ein Amt zu führen, aber sie von innen
40 heraus für Rom zu erobern. Es waren mehr als sieben Jahre verflossen, seit mit den
Tracts begonnen worden, der 90. erschien am 25. Januar 1841. Der Bischof von Oxford legte sich ins Mittel und verlangte, daß die Tracts jetzt ein Ende hätten. N. hatte
sich keineswegs auf die Mitarbeit an den Tracts und ihre Oberleitung beschränkt, er war
auch sonst in diesen Jahren mannigfach litterarisch thätig gewesen. Mit „The Arians
45 of the fourth century" war er schon 1833 hervorgetreten. Das Buch sollte der Vertretung des kirchlichen „Dogmas" zur Grundlage dienen. Es offenbart die ganze Härte
in der Stimmung N.s aller vermeinten „Häresie" gegenüber. Im Jahre 1837 ließ er
folgen „The Prophetical office of the Church viewed relatively to Romanism
and Popular Protestantism", ebenso seinen „Essay on the Doctrine of Justi-
50 fication". Die Gedanken dieser Schriften trifft man fast genau auch in den Tracts, die
N. verfaßt hat. Wie weit N., als er den 90. Tract schrieb, noch innerlich ehrlich Anglikaner
war, ist nicht leicht zu sagen. In einem Briefe an Manning vom 30. März 1845 deutet
er an, daß die Überzeugungen, die ihn jetzt bestimmt den Übertritt zur römischen Kirche
ins Auge fassen ließen, sich schon 1839 „geltend zu machen anfingen". Als der Bischof
55 von Oxford ein Abbrechen der Tracts verlangte, fügte sich N. sofort. Nicht ohne Interesse sind aber die Briefe an den Bischof und einen Dr. Jelf zur Erläuterung des
90. Tracts, die er im März 1841 erließ; (s. den letzteren mit einer deutschen Übersetzung
des Tracts bei Petri, Beiträge zur Würdigung des Puseyismus, 2. Heft, 1844). Er
schreibt hier: „Das Zeitalter bewegt sich nach einem gewissen Etwas vorwärts und un-
60 glücklicherweise ist die einzige religiöse Gemeinschaft unter uns, welche praktisch im Besitz

dieses Etwas gewesen ist, die Kirche von Rom. Mitten unter allen Irrtümern und Übeln ihres praktischen Systems hat sie den Gefühlen der Ehrfurcht, der Mystik, der ehrerbietigsten zärtlich-liebevollsten Hingabe, der tiefsten Andacht und andern Gefühlen, welche man vorzugsweise als katholische bezeichnen möchte, Raum gegeben". Doch sagt er in demselben Zusammenhange auch: „Mir . . . lag es am Herzen, alles was ich vermöchte 5 zu thun, um Glieder unserer Kirche, welche ich hoch verehre und welche von . . . Schwierigkeiten umdrängt waren, zu bewahren, daß sie nicht in den Schoß der römischen Kirche straucheln möchten". Er meint mit dem 90. Tract recht eigentlich der anglikanischen Kirche einen Dienst gethan zu haben. Aber er mußte sich überzeugen, daß zumal auch die Bischöfe dieser Kirche umgekehrt urteilten. Und er war zu sehr innerlich der Mann der 10 Autorität der Kirche, d. h. praktisch der Bischöfe, daß er nicht, soweit ihm möglich war, gehorcht hätte. Im Sommer 1841 verließ er Oxford, um sich in die Stille von Littlemore, wo er ein kleines Besitztum hatte, zurückzuziehen. Aber erst 1843 legte er seine Stelle an St. Mary in die Hände des Bischofs von Oxford zurück. Zugleich widerrief er in dieser Zeit alles, was er wider den Papst geschrieben. Aber noch immer war er nicht 15 zum Uebertritt entschlossen. Noch schien es ihm nicht hoffnungslos, in der anglikanischen Kirche zu bleiben, noch war er überzeugt, in ihr seine Seele retten zu können, vielleicht auch ihr den Weg wenigstens zu einer „Union" mit Rom zu ebnen. Seine fortgehenden Studien über die alte Kirche — an diejenigen über die Arianer schloß er weitere über die Monophysiten — offenbarten ihm freilich, daß die alten Häretiker deutlich ein Gegen- 20 bild an den „Protestanten" hätten. Aber die Kirche von England war ja nicht protestantisch, sondern „katholisch". Das wird ihm doch auch erschüttert durch die Übereinkunft des Erzbischofs von Canterbury mit Bunsen in Betreff eines anglikanisch-preußischen Bistums in Jerusalem (s. über dieses Bd VIII S. 693 ff.). Zuletzt spitzt sich für ihn eigentlich alles darauf zu, wo und wie das „Dogma" am besten gewahrt werde oder sei. 25 I have changed in many things, sagt er selbst von sich in der Apologia, S. 49, in this I have not: from the age of fifteen, dogma has been the fundamental principle of my religion. Eine letzte Probe darauf, ob er in der anglikanischen Kirche bleiben könnte, war ihm eine Untersuchung über die rechte Art kirchlicher Entwickelung 1844, die zu seinem Essay on the Development of Christian Doctrine 30 führte. Sie erklärte ihm das Verhältnis der Lehre Roms zu der ursprünglichen. Anfangs 1845 war er zum Übertritt entschlossen, wollte aber doch noch ein Jahr damit warten. Schließlich hatte er es doch eiliger. Am 9. Oktober 1845 vollzog er in Littlemore seinen Übertritt.

Fortan war er „im Frieden". Bis Februar 1846 blieb er noch Tutor in Oxford. 35 Dann war er gänzlich Privatmann und „Laie", unschlüssig, ob er nicht vielleicht Ingenieur werden solle. Im Oktober 1847 ging er aber nach Rom und trat in das sog. Oratorium des Philippus Neri ein, nachdem er dort vorher zum „Priester" geweiht worden. In den Jahren 1851 bis 1858 war er Rektor einer neubegründeten katholischen Universität zu Dublin. Als solcher veröffentlichte er seine Discourses on the Idea 40 of a University. Hernach lebte er in dem von ihm begründeten Oratorium zu Edgebaston, einer Vorstadt von Birmingham. Er war unermüdlich thätig als Prediger. In seinem Kloster leitete er auch eine Erziehungsanstalt für vornehme Knaben. Nicht minder wirkte er als Schriftsteller, u. a. auch um eine gesunde Philosophie zu begründen. Die Frage nach der Gewißheit in religiösen Dingen hatte ihn seit früh beschäftigt. Ab- 45 gesehen von seinem schon genannten Essay on Development ist hierfür sein Hauptwerk der Essay in Aid of a Grammar of Assent. Ich kann seine Theorie doch nicht wichtig genug finden, um sie hier zu charakterisieren. Vgl. die genaue Darstellung in Deutsche Rundschau a. a. O. 190 ff. und zumal bei Arch. MacRae, Die religiöse Gewißheit bei J. H. Newman, Jenaer philos. Dissertation, 1898. Eine ganze Reihe von 50 Predigtsammlungen erschienen schon in seiner Oxforder Zeit und ebenso in seiner katholischen Periode. Polemisch oder apologetisch gedacht war in der letzteren Zeit besonders seine Schrift Certain Difficulties felt by Anglicans in Catholic Teaching, 1850, auch seine Lectures on Catholicism in England, 1851. In dem Roman Loss and Gain, 1848, schildert er in der Gestalt des Charles Reding seinen eigenen Weg 55 nach Rom und wägt ab, was er „verlor" und „gewann". Seine Apologia pro vita sua erschien zuerst 1865 und war veranlaßt durch seine Kontroverse mit Charles Kingsley in Betreff seiner „Wahrhaftigkeit". Es ist mit dieser keine klare Sache. Daß N. sich für wahrhaft gehalten und es in seiner Weise gewesen, ist nicht zu bezweifeln. Es ist nur zu bezweifeln, daß seine Theorie von der „Economy" in der Äußerung eigener Über- 60

zeugung, von dem Rechte der Zurückhaltung von „Privatmeinungen" gegenüber den eben
herrschenden Autoritäten, nicht zu beanstanden sei. Das Werk von Abbott zeigt, daß er
jedenfalls nicht „einfach" in seinem Wesen war. Seine Gedichte hat er unter dem Titel
Lyra Apostolica gesammelt. Berühmt war auch sein altkirchlicher Roman Callista und
5 die den Tod eines frommen Katholiken behandelnde Dichtung „Der Traum des Geron=
tius". Andere Schriften (On Biblical and Ecclesiastical Miracles, noch aus der Ox=
forder Zeit, ferner eine Menge Gelegenheitsabhandlungen) übergehe ich. N.s Werke liegen
gesammelt vor in 37 Bänden, die 1889 abgeschlossen waren. S. die Gesamtliste und
die Verteilung auf die einzelnen Bände in der Apologia, S. 366 und 367. Die Pre=
10 digten füllen die ersten 12 Bände. Nicht aufgenommen sind seine Beiträge zu den Lives
of the English Saints, die er 1844 begann und mit Ordensgenossen in 14 Bänden
herausgegeben hat. Die Proklamierung der Infallibilität des Papstes war ihm bitter, er
hat sich doch damit abzufinden gewußt und sie in einem offenen Brief an den Herzog
von Norfolk, 1875, verteidigt. Manche seiner Schriften sind auch ins Deutsche übersetzt,
15 so die Apologia unter dem Titel „Geschichte meiner relig. Meinungen", Köln 1865,
„Wesen und Wirken der Universitäten", ib. 1858, „Religiöse Vorträge an Katholiken
und Protestanten" (= „Discourses addressed to mixed congregations", zuerst 1850,
Werke Bd 11) Mainz 1851, alle von G. Schündelen.
     Als N. sich zur römischen Kirche wandte, war er ein so berühmter Mann, daß
20 sein Übertritt als eine tiefe Erschütterung der anglikanischen Kirche empfunden wurde.
Seine reiche litterarische Thätigkeit auch als Katholik, seine nie propagandistisch aufdring=
liche Weise, seinen Katholicismus zu vertreten, seine vornehme asketische Persönlichkeit hielt
das Interesse für ihn wach. Im Jahre 1878 lud ihn die Universität Oxford zu einem
Besuche ein und ehrte ihn in ungewöhnlicher Weise.
25   Eine der ersten Kardinalsernennungen, die Leo XIII. vornahm, galt Newman; am
12. Mai 1879 empfing dieser in Rom aus der Hand des Papstes den roten Hut. Noch
länger als 11 Jahre durfte er sich dieser Ehrung freuen. Er starb in seinem Kloster zu
Birmingham am 11. August 1890.   **F. Kattenbusch.**

     Nibchaz (נִבְחַז), Gottheit. — Selden, De dis Syris II, 9 (1. A. 1617) mit den
30 Additam. Andr. Beyers in den spätern Ausgaben; Conr. Iken, Dissert. de Nibchas idolo
Avvaeorum (Bremae 1726) in seinen Dissertationes philologico-theologicae, Lugd. Batav.
1749, S. 143—176; Münter, Religion der Babylonier, Kopenh. 1827, S. 108—110; Winer,
RW., A. Nibchas (1848); Merx, A. Nibhas in Schenkels BL. IV, 1872; P. Scholz, Götzen=
dienst und Zauberwesen bei den alten Hebräern, 1877, S. 399f.; Schrader, A. Nibehas in
35 Riehms HW. 12. Lieferung 1879; 2. A. Bd II, 1894; Cheyne, A. Nibhaz in der Encyclopaedia Biblica III, 1902.

     Der Name Nibchaz kommt nur 2 Kg 17, 31 vor. Nach der Aussage dieser Stelle
verehrten die Avwäer, die von den Assyrern nach Ephraim deportiert waren, die Götter
Nibchaz und Tartak. Wo die Sitze der Avwäer waren, ist nicht bekannt, jedenfalls ent=
40 weder in Syrien oder in Babylonien, wahrscheinlich in Syrien; denn die Stadt der
עַוִּים (LXX Εὐαῖοι) war wohl das 2 Kg 19, 13 genannte syrische עַוָּה (Kittel zu d. St.).
In LXX L sind statt des einen Volkes der Avwäer zwei Völkerschaften genannt, die
Αιωνειμ und die Εὐαῖοι, jene als den Θαρθακ, diese als den Εβλαιεζερ verehrend.
Die beiden Volksnamen sind hier doch wohl nur Varianten eines einzigen: Αιωνειμ
45 עַוִּים aus עִוָּים für עַיָּה, עַוָּה. Das Εὐαῖοι scheint die Schreibung עַיָּים vorauszu=
setzen. Für Dublierung eines einzigen Namens in LXX L spricht die gewiß nicht ur=
sprüngliche Stellung des Gottes Tartak in L vor Εβλαιεζερ (= נִבְחַז) gegen Hebr. und
LXX AB.
     LXX B bietet statt Nibhaz: τὴν Ἐβλαζερ (ebenso Aethiop.), L Εβλαιεζερ,
50 wohl Schreibfehler statt Αβααζ(ερ) (Kittel), A hat die Dublette τὴν Ἀβααζὲρ καὶ τὴν
Ναυβάς. Zu der Form Αβααζ(ερ) statt Ναβααζ(ερ) vgl. נָבְךְ und dafür Ἀσαράχ
(s. dazu A. Nisroch § 1). Wahrscheinlich ist in Αβααζερ das N lediglich ausgefallen
unter dem Einfluß des in τὴν vorausgehenden ν (Cheyne). Dafür spricht v. 30 τὴν
Ἐργέλ, wo die Ursprünglichkeit des נ in נֵרְגַל gesichert ist (vgl. Cod. 158 Holmes=Par=
55 sons τὴν Αιβας neben τὴν Ναυβας A). In dem Artikel τὴν der LXX werden die
Gottesnamen 2 Kg 17, 30f. als Feminina behandelt, wahrscheinlich deshalb, weil nach Ana=
logie des gewohnten Ersatzes für Βάαλ durch αἰσχύνη dies Wort auch hier als Bezeich=
nung des Götzen, nämlich des Götzenbildes, hinzugedacht wurde. Dagegen werden v. 31
Ἀδραμέλεχ und Ἀνημέλεχ als Masculina behandelt wegen des folgenden θεοῖς (A).

Durch alle Lesarten der LXX (Vulg. Nebahaz) ist das ז am Ende bezeugt, sodaß eine alte masoretische Tradition kaum in Betracht kommt, wonach zu lesen wäre נִבְחַז (s. Baers Ausgabe z. b. St.). Diese Form ist wohl gebildet auf Grund der rabbinischen Ableitung des Namens vom Stamme נבח (s. unten).

Menant (bei Scholz S. 400) wollte in einer Inschrift Tiglat-Pilesers II Nibhas gelesen haben (neben Nirgal) als Namen einer von jenem König verehrten Gottheit. Nach Zimmern (in: Schrader, Die Keilinschriften und das Alte Testament³, 1903, S. 484) ist über Nibchaz aus den Keilinschriften bis jetzt nichts zu entnehmen.

Ob mit Nibchaz der als Gebieter der äußersten Finsternis bezeichnete Dämon der Mendäer Nebaz, נבאז, zusammenhängt? Norberg (Onomasticon Codicis Nasaraei cui liber Adami nomen, 1817, S. 99 ff.) las dafür willkürlich نبحاز. Talmudisten und Rabbinen stellten den Nibchaz dar als in einem Hunde verehrt, indem sie den Namen von נבח „bellen" ableiteten. Dabei würde das ז unerklärt bleiben, weshalb im Talmud die Lesung נִבְחַז vorgezogen wird. Wahrscheinlich gehört das Anfangs-ז nicht zum Stamme, wenn es überhaupt ursprünglich ist und wir es mit einem semitischen Worte zu thun haben. Obgleich wir von einem hundsköpfigen Gott der Ägypter, dem Anubis, wissen und von dem Hund als Begleiter des Mithras bei den Persern, ist von der Heilighaltung des Hundes auf syrischem oder babylonisch-assyrischem Boden nicht das mindeste bekannt. Das einstmalige Kolossalbild eines Hundes am Libanon, von welchem der Hundsfluß, der Lykos oder Nahr-el-Kelb, den Namen haben soll (der Fluß war vielleicht dem Ares geweiht, s. Baudissin, Studien zur semitischen Religionsgeschichte II, 1878, S. 162), kann nicht dafür angeführt werden, ebensowenig einige Abbildungen von Hunden auf babylonisch-assyrischen Denkmälern. Das Eintreten eines Hundes in den Tempel galt vielmehr bei den Assyrern als ein böses Omen, wenn Fr. Lenormant (Die Magie und Wahrsagekunst der Chaldäer, deutsche Ausg. 1878, S. 471 f.) zuverlässig berichtet. Daß in den Mysterien der Ssabier Hund, Rabe und Ameise als „unsere Brüder" bezeichnet werden (En-Nedim bei Chwolsohn, Die Ssabier, St. Petersburg 1856, Bd II, S. 46 f.), ist zu verstehen von irgendwelcher symbolischen Bedeutung dieser Tiere (Chwolsohn S. 355 f.) und beweist nicht ihre Verehrung, am wenigsten für die assyrische Zeit. Aus den arabischen Stammnamen Kalb „Hund", Kuleib „junger Hund", Kilâb „Hunde" ist nur zu entnehmen, daß bei den Arabern der Hund nicht verächtlich behandelt wurde, nicht aber (wie es Robertson Smith annimmt, Animal worship and animal tribes among the Arabs and in the Old Testament, in dem Journal of Philology, Bd IX 1880, S. 79 ff.) ursprüngliche Verehrung des Tieres.   **Wolf Baudissin.**

Nicänisches Konzil von 325. — Vgl. Bd II, 14/15; V, 626,46; VIII, 378,20.
Quellen: Von dem verschiedenartigen urkundlichen Material, das von einer ökumenischen, auf kaiserlichen Befehl veranstalteten Kirchenversammlung zu erwarten ist, sind amtliche Berichte, Akten, wahrscheinlich überhaupt nie vorhanden gewesen und sonst jedenfalls verloren. Dagegen sind wenigstens Verzeichnisse der nicänischen Väter in großer Zahl und in nicht weniger als sechs Sprachen auf uns gelangt. [E. Revillout (Rapport sur une mission et l'Italie, 3° série, Tome IV, Paris 1878) nimmt an, daß die ursprünglichen Synodalakten von den Arianern systematisch zerstört wurden, daß sich aber ein Teil dieser Akten durch die athanasianische Synode zu Alexandrien von 326 erhalten haben, und dann der alten Akten R. eine fast vollständige koptische Version aufgefunden hat. Von dieser alexandrinischen Rekonstruktion der Synodalakten von Nicäa stamme alles, was spätere kanonische Kollektionen als nicänisch mitteilen. Was die alexandrinische Synode wegläßt, z. B. die nicänischen Beschlüsse über Osterfeier, über die Meletianer ist uns durch Mitteilungen von Zeitgenossen Nicäas bekannt.] Alle früheren Veröffentlichungen, wie sie sich in den bekannten Konzilsammlungen finden, sind antiquiert durch die Musterausgabe: Patrum Nicaenorum nomina latine, graece, coptice, syriace, arabice, armeniace, sociata opera ediderunt H. Gelzer, H. Hilgenfeld, O. Cuntz, Adjecta est tabula geographica (Leipzig 1898). — Weitere Urkunden sind die Glaubensformel (Sokrates I, 8; Theodoret I, 12). Die Kanones (Text, Uebersetzung und Kommentar, nach Mansi und Bruns, bei C. J. Hefele, Conciliengeschichte, Freib. i. Br. 1873, I, S. 376—431). Außer diesen Urkunden dienen zu Quellen in erster Linie Berichte von Teilnehmern (Eusebius und, teilweise, Athanasius), sodann die bei Sokrates, Sozomenos und Theodoret übermittelte ältere Tradition; ferner die auf arianische Traditionen zurückgreifenden Fragmente des Philostorgius (Migne 65, p. 623). Ueber die fälschlich sogenannte Rede des Kaisers Konstantin an die heilige Versammlung Ivar A. Heikel, Eusebius Werke (in der griechischen Kirchenväterausgabe der Berliner Akademie) Bd I, p. XCI—CII, Text der Fälschung ebenda S. 149—192.

Litteratur: Außer den betreffenden Abschnitten in Hefeles Conciliengeschichte (s. o.) und der Lehrbücher (Kurtz, § 51, 13. Aufl. 1899, S. 267; Möller, 2. Aufl. (hrsg. v. H. v. Schubert) I (1902), 439 ff.; Hergenröther, 4. Aufl. 1902, S. 352) sind an speziellen monographischen Arbeiten zu verzeichnen: B. Harris Cowper, Analecta Nicaena, Lond. 1857 (Syr. u. Engl.); Battifol, Canones Nicaeni pseudepigraphi, Revue archeol. Serie III. Tom. IV, 1885, p. 133; Revillout, Le concile de Nicée d'après les Textes coptes etc., Paris 1899; Braun, De sancta Nicaena synodo, Syrische Texte (Kirchengeschichtl. Studien IV, 3), Münster i. W. 1898; Lias, The Nicene creed, London 1897; C. A. Bernoulli, Das Konzil von Nicäa, Freiburg i. Br. 1896; O. Seeck, Untersuchungen zur Geschichte des nicänischen Konzils (ZfKG XVII, 1896, S. 1—71, 319—362); Wolff, Die προεδροι auf d. Synode zu Nicäa (ZfWB 1889), S. 137—151); Bayle, L'arianismo et il concilio di Nicea, Milano 1884; F. X. Funk, Die Berufung der ökumenischen Synoden des Altertums (kirchengeschichtliche Abhandlungen I (Paderborn 1897, 39—86); die päpstliche Bestätigung der acht ersten allgemeinen Synoden (kirchengeschichtliche Abhandlungen I, 87—121), [wissenschaftlich ganz oberflächlich und borniert, weil Apologie der Synodalautorität, C. Baucher, De decretis Synodi Nicaenae, Paris 1878].

.1. Die erste Synode von Nicäa ist der exponierteste und augenfälligste Ausgangspunkt für die großen kirchlichen Lehrstreitigkeiten des 4. und 5. Jahrhunderts. Synoden mit der Befugnis dogmatischer Entscheidung in obschwebenden theologischen Streitfragen gab es längst; aber zu Nicäa vollzieht sich nun zum erstenmal der Bund der kirchlichen Gewalt der Konzilien mit der Staatsgewalt, kraft dessen die theologischen Beschlüsse der Konzilien als kaiserliche Gesetze bekannt gemacht werden und ihre Verletzung bürgerlich bestraft wird. Die früheren vornicänischen Synoden hatten sich überdies damit begnügt, die häretischen Lehren, deren Auftauchen überhaupt zu Synoden den Anlaß gab, durch Verneinungen abzuwehren; jetzt aber schreitet man von der Abwehr zu positiven Entscheidungen und kirchlichen Glaubenssätzen vor, die so peinlich ausgearbeitet und begrifflich so genau präzisiert werden, daß sie dadurch bewirkte Exklusivität und gewaltsame Verengerung des dogmatischen Spielraums den heftigsten Widerstand und die leidenschaftlichsten Parteikämpfe unvermeidlich hervorrufen mußte. Selbst strenge und unversöhnliche Antiarianer unter den bessern zeitgenössischen Kirchenlehrern sind nicht ohne Gefühl geblieben, auf was für eine gefährliche Bahn diese immer starrere und immer subtilere Formulierung ihrer Glaubensüberzeugungen führen mußte (vgl. das Urteil des Hilarius von Poitiers de trin. II, 1 bei Gieseler, KG I, II, 43). Andererseits beruht aber gerade auf der Eigenschaft, nun eben die Anfangsstation auf dieser Bahn zu bilden, das einzigartige Ansehen, das später dem ersten ökumenischen Konzil schlechthin den Pauschaltitel der magna synodus eintrug (vgl. dazu z. B. die Zeugnisse aus den Akten späterer gallischer Synoden bei Schmitz, Archiv für kath. Kirchenrecht 1894, S. 22).

In dem arianischen Lehrstreit, den die Synode alsdann schlichten sollte, lag eine große Schwierigkeit für die universalistischen Reichspläne Konstantins; denn für ihre Verwirklichung sollte die Vereinheitlichung der Gottesverehrung ein wichtiges Hilfsmittel bilden. Deshalb erhob er unverzüglich durch seinen Spezialgesandten Bischof Hosius von Korduba schärfsten Protest in Alexandrien (324); aber irgend welchen Erfolg hatte diese kaiserliche Beschwichtigungsepistel (Euseb. Vita Constant. II, 64 ff.) nicht. Der Plan, nun zu persönlicher Auseinandersetzung eine große Versammlung der Bischöfe herbeizuführen, lag um so näher, als auch noch andere kirchliche Streitfragen zu schlichten waren, so über die Osterfeier und über Stellungnahme zu den Resten der novatianischen Sekte; vor allem aber hatte Konstantin unmittelbar vorher durch den Sieg über Licinius seine politische Macht unbeschränkt aufgerichtet, so daß der neue Begriff der Reichssynode durchaus unreflektiert den drängenden Bedürfnissen der Stunde entsprang. Auf den Sommer 325 wurden die Bischöfe aus allen Provinzen zur ersten ökumenischen Synode nach Nicäa in Bithynien eingeladen. Diese Ortswahl war einem zahlreichen Besuche der Synode sehr günstig. „Hart an einem Ausläufer der Propontis, am See Askanius gelegen, war sie den Bischöfen fast aller Provinzen namentlich denen aus Asien, Syrien, Palästina, Ägypten, Griechenland und Thrazien, sehr leicht zu Schiff zugänglich, und zudem eine höchst frequente Handelsstadt im Verkehr mit allen Gegenden, auch gar nicht weit von der kaiserlichen Residenz Nikomedien entlegen und neben letzterer die angesehenste Stadt von Bithynien" (Hefele, I, 290). Die Anzahl der Synodalmitglieder läßt sich mit Sicherheit nicht bestimmen. Athanasius (Ep. ad Afros 2) nennt 318, Eusebius nur 250 (Vita Const. III, 8). Außer von diesen beiden Teilnehmern sind zuverlässige Angaben hierüber nicht auf uns gelangt. An sich sind diese Zahlen nicht schlechthin unvereinbar. Da die Besucherzahl während der über Monate hin sich erstreckenden Sitzungs-

dauer wohl innerhalb der betreffenden Ziffern geschwankt haben kann; dann wäre Eusebius' Angabe vielleicht für den Anfang der Synode zutreffend. Die andere Zahl 318
haben auch spätere, aber nicht durchaus unglaubwürdige Zeugen (Sokrates [der sonst
überall Eusebius folgt!], Hist. eccl. I, 8; Theodoret, Hist. eccl. I, 7; Epiphanius,
Haeres. 69. 11. Gelasius bei Mansi, II, p. 318; Rufinus, Hist. eccl. I, 1. Con- 5
cil. Chalcedon. Act. II). Sozomenus (Hist. eccl. lib. I, c. 17) nennt rund 320
Bischöfe". Ambrosius (de fide ad Gratian I, 1; vgl. dazu Buch I, cap. 18 § 121
p. 106) zieht zuerst die später allgemein und lange, z. B. noch bei Rupert von Deutz,
beliebte Parallele der 318 Konzilsväter mit den 318 Knechten Abrahams (Gen 14, 14).
„Die Dreihundertachtzehn" sind dem späteren Kirchenbewußtsein ein die N. S. ohne weiteres 10
bezeichnender feststehender Ausdruck geworden (vgl. Piper, JdTh 1876, S. 83—88). —
Der Herkunft nach überwogen natürlich die morgenländischen Bischöfe bei weitem. Ihrer
Stellung nach den ersten Rang nahmen die Inhaber der drei Erzstühle ein: Alexander
von Alexandrien, Eustathius von Antiochien und Makarius von Jerusalem. In poli-
tischer wie in wissenschaftlicher Hinsicht kam außerdem, wie bereits erwähnt, den beiden 15
gleichnamigen Bischöfen Eusebius von Nikomedien und von Cäsarea eine führende Stellung zu.
Die übrigen Respektspersonen des morgenländischen Episkopats waren entweder erfolgreiche
Wunderthäter, so Jakob von Nisibis, Paphnutius aus der Ober-Thebais und Spiridion aus
Cypern oder verehrte Konfessoren der jüngsten Verfolgungen, Potamon aus Heraklea in
Aegypten eines Auges beraubt, Paulus von Neocäsarea durch glühende Eisen an beiden 20
Händen gelähmt: „manche glänzten durch die apostolischen Charismata und viele trugen
die Wundmale Christi an ihrem Leibe." Es blieb auch später ein besonderer Ruhm der
N. S., daß die Verfolgungen eben erst sich beruhigt hatten und man annehmen konnte,
die versammelten Väter seien so ziemlich alle Glaubenszeugen gewesen, die noch die
Spuren der erlittenen Marter zur Schau getragen hätten (vgl. das Lob der N. S. bei 25
Chrysostomus Homil. c. Judaeos III, 3; Opp. I, 609 ©. Montf.). Ebenso Rufin
KG I, 2. Cumque in eodem concilio esset confessorum magnus numerus
sacerdotum omnes Arii novitatibus adversabantur. Vgl. dazu Gwatkin Studies
of Arianism p. 45 und ebenda p. 36 überhaupt über die anwesenden Konfessoren.
Immerhin waren auch nach der Überlieferung nicht lauter Kirchenlichter Mitglieder der 30
Versammlung (vgl. die Bemerkung des Sabinus von Heraklea in Thrazien bei Sokrates,
Hist. eccl. I, 8). — Das Abendland schickte nicht mehr als fünf Vertreter in gleich-
mäßiger Verteilung auf die Provinzen (abgesehen von der persönlichen Gesandtschaft des
Papstes, den aber nicht Bischöfe sondern nur zwei Priester vertraten): aus Italien
Marcus von Kalabrien, aus Afrika Cäcilian von Karthago, aus Spanien Hosius von 35
Corduba, aus Gallien Nicasius von Dijon und aus der Donauprovinz Domnus von
Stridon. — Selbstverständlich reisten diese kirchlichen Würdenträger nicht allein, sondern
jeder mit Gefolge, so daß Eusebius (a. a. O.) von einer fast unermeßlichen Menge be-
gleitender Priester, Diakonen und Akoluthen spricht. Unter den Gehilfen that sich im
Verlauf Athanasius, ein junger Diakon und Begleiter des Bischofs Alexander von 40
Alexandrien als der „kräftigste Kämpfer wider die Arianer" und in gleicher Weise Presbyter Alexander von Konstantinopel als Vertreter seines alten Bischofs hervor (Sokrates
a. a. O.). Vielleicht ist in irgend einer Form auch der christliche Laienstand auf ari-
anischer Seite zu Worte gekommen (Sokrates a. a. O.), woraus Rufin (I, 3) und Sozomenos (I, 18) durchaus unrichtig die arianisierende Teilnahme heidnischer Philosophen 45
folgert. Dennoch war der Laienstand natürlich durch die Person des Kaisers einzigartig vertreten, weshalb auch die Art seiner Beteiligung das Interesse besonders heraus-
fordert, leider ohne, bei dem Stande der Quellen in diesem Punkt, im selben Maße befriedigt zu werden. Über Konstantin als staatsmännische Persönlichkeit und seine Stellung
zum Christentum vgl. b. A. Konstantin d. Gr. Bd X, S. 757 ff. Man darf nun, wenn 50
man über die politische Taktik des Kaisers während seiner Anwesenheit zu Nicäa ins
klare kommen will, sich nicht vom Bericht des Athanasius, den er, übrigens 25 Jahre
später, über die Vorgänge zu Nicäa niederschrieb (De decretis Synodi Nicaenae
und Epist. ad Afros) dahin täuschen lassen, als ob es sich um eine reinlich antipodische
Spaltung in die Majorität der Homoousiuspartei und in die Anhänger des Arius ge- 55
handelt hätte. Vielmehr können wir den Angaben des Eusebius von Cäsarea in einem
die Parteiverhältnisse auf der Synode weit besser veranschaulichenden Schreiben an seine Gemeinde (uns erhalten in der KG des Theodoret I, 12) mit ziemlicher Sicherheit entnehmen,
daß die Mehrzahl der Teilnehmer, wenn sie überhaupt wußten, um was es sich eigentlich
handelte, ohne vorgefaßte Meinung erschienen und in der Hauptsache noch zu haben 60

waren. Daraus läßt sich ermessen, wie sehr das schließlich erzielte Resultat durch die diplomatischen Schachzüge der wenigen bewußt prinzipiellen Gegner zu stande gekommen sein muß. — Die Geschäftsordnung der Synode enthielt folgende Traktanden: 1. Die arianische Frage; 2. die Osterfrage; 3. das meletianische Schisma; 4. die Frage der
5 Ketzertaufe (Taufe der Novatianer und der Anhänger des Paulus von Samosata); 5. die Frage der Lapsi in der licinianischen Verfolgung (Gwatkin, Studies of Arianism S. 35). Zu erwähnen bleibt hierbei, daß orientalische Theologen später annahmen, das Konzil habe sich auch mit der Redaktion der weltlichen Reichsgesetzgebung abgegeben; es seien Sammlungen kaiserlicher Staatsgesetze für die Synode veranstaltet und von ihr
10 sanktioniert worden (vgl. was aus dem großen, arabisch erhaltenen kirchenrechtlichen Koder der alexandrinischen Kirche mitgeteilt wird bei Haneberg, Canones S. Hippolyti, München 1870, p. 3). — Die Synode begann im Mittelbau des kaiserlichen Palastes am 20. Mai und bestand zunächst aus vorbereitenden Auseinandersetzungen über die arianische Frage, wobei Arius mit einigen Anhängern, besonders Eusebius von Nikomedien, Theognis von
15 Nicäa und Maris von Chalcedon noch das große Wort geführt zu haben scheint. Eine entscheidende Bedeutung nahmen die Verhandlungen jedoch erst mit dem Eintreffen des Kaisers an, der schon am 23. Mai in Nicäa weilte (Cod. Theod. I, 2, 5), aber die Versammlung sich erst selbständig konstituieren ließ. Als er dann den Augenblick für gekommen fand, selber zu erscheinen, fiel natürlich der hohe Rang des Gastes und Gast=
20 gebers gebührend ins Gewicht, was aus der feierlichen Ceremonie hervorgeht, da ein von Eusebius nicht genannter Bischof — vielleicht er selber — den Kaiser begrüßte (Eusebius, Vit. Constant. III, 10). Konstantin antwortete in lateinischer Sprache, obwohl er griechisch konnte, in seiner Eigenschaft als römischer Kaiser; aber überdies scheint auch ein wirklicher Fortschritt im parlamentarischen Abwickelung eingetreten zu sein, so
25 daß von dem Datum seines Erscheinens an, erst von regelrechten Sitzungen gesprochen werden kann. Unzweifelhaft hat das persönlich kluge und staatsmännisch überlegene Eingreifen des Kaisers dem wüsten und planlosen Durcheinander der anfänglich herrschen= den Meinungsäußerung der Bischöfe mit kräftiger Hand ein Ende gemacht und die Debatte auf Gleise geschoben, die zu einem erreichbaren Ziele führen mußten. Auf
30 dasselbe diplomatische Geschick dürfte es ferner zurückzuführen sein, daß dann im Gegen= satz zu diesem seinem Eingreifen Konstantin in den Verlauf der Verhandlungen, nachdem er sie einmal auf ersprießliche Weise angebahnt hatte, selber sich nicht mehr gemischt zu haben scheint, sondern dem von ihm eingesetzten Geschäftsausschuß die Leitung überlassen hat. Wer nun diese προεδροι waren und wie das von ihnen ausgeübte Präsidium that=
35 sächlich funktionierte, läßt sich nicht entscheiden; wahrscheinlich ist jedoch, daß Konstantin die hervorragendsten Teilnehmer in einer engeren Kommission zusammenberief, und mit ihnen in Fühlung blieb, um auf diese Weise bei allem Anschein völliger Autonomie der Väter die Zügel eben doch in seinen Händen zu vereinigen. Vgl. P. Wolff (a. a. O. und ZKG XI, 171) sowie Friedrich, Zur ältesten Gesch. des Primats in der Kirche, Bonn 1879,
40 S. 139 ff. [Anders nimmt sich die Sache aus, wenn man mit Seeck S. 348 kann Worte des Eusebius παρεδιδου τον λογον τοις της συνοδου προεδροις übersetzt: „er gab ihnen das Wort", und nicht: „er trat ihnen das Präsidium ab"; dann hätte allerdings Konstantin der Versammlung allein präsidiert und die Notabilitäten des Konzils der Reihe nach aufgefordert sich zu äußern, wobei man entweder an die Metropoliten oder an die
45 Parteiführer oder auch an beide zu denken hätte.] Einen vollen Monat hindurch dauerte die Verhandlung; dann wurde am 19. Juni im Nicänischen Symbol ein eigentliches Reichsglaubensgesetz rechtskräftig aufgestellt.

2. Über diesen denkwürdigen Vorgang vermögen wir uns an den wenigen Anhalts= punkten, deren wir habhaft werden können, nur spärlich zu orientieren. Gegeben war in
50 der Theorie der unvereinbare Gegensatz der Orthodoxie und des Arianismus und in der Praxis vorherrschende Unklarheit oder mangelnde Urteilskraft bei der Mehrzahl der An= wesenden. Denn wenn nicht um die Majorität der Kampf erst noch zu entbrennen ge= habt hätte, so wäre nicht einzusehen, weshalb die Entscheidung mit dem so umständlichen Apparat eines Reichskonzils herbeigeführt werden mußte und warum sie, als dieser
55 Apparat einmal in Thätigkeit war, so lange Zeit in Anspruch nahm, um endgiltig getroffen zu werden. Es liegt entschieden in weitem Felde, Seeck's Beispiel folgend in der Synode einen bloßen Scheinkampf gegen den von vornherein unterlegenen und lebensunkräftigen Arianismus zu sehen, der doch in der Folgezeit hinreichende Beweise für seine Vitalität lieferte. Vielmehr kam zu Nicäa ein regelrechter Ringkampf des dog=
60 matischen Temperaments, gleichviel ob orthodoxen oder arianischen Charakters, gegen

die dogmatische Unentschlossenheit und Gleichgiltigkeit zum Austrag, und nicht umsonst
giebt von da an das Interesse am Dogma die Dominante ab für die gesamte kirchliche
Entwickelung. Nicht zu unterschätzen ist jedenfalls die Thatsache, daß das Ergebnis der
Verhandlungen sich nicht als Produkt einer vermittelnden Diagonalpolitik, sondern als
Verengerung und Verschärfung darstellt. Zunächst traten die Gegensätze einander schroff 5
und unvermittelt gegenüber. Für die arianische Lehre erklärten sich „nur zweiundzwanzig
Bischöfe, kaum ein Zehntel, der Versammlung" (Seeck 349); es ist aber nicht gesagt,
ob ein Gegenmehr für die Orthodoxen zunächst ein offenes Übergewicht ergeben hätte.
Richtig ist, daß die frühere Gönnerschaft des nun überwundenen Licinius ein unan-
genehmes Vorurteil gegen die Arianer hervorrufen mußte; aber mehr als ein nebensäch= 10
licher Umstand war auch das nicht. Sie traten dementsprechend vorsichtig auf und über-
ließen, da der Nikomedier Hofbischof des Licinius gewesen war, die Vertretung ihrer
Interessen dem Cäsareenischen Eusebius, der als Ausbund von Gelehrsamkeit und
Schönredner dem Kaiser imponierte. Er verlas also, dazu aufgefordert, das Glaubensbekenntnis der Arianer. Wenn es nun bei den Gegnern einen Entrüstungssturm hervor= 15
rief, dem kein kaiserlicher Ordnungsruf gewachsen war, und Eusebius sogar verhindert
wurde, zu Ende zu lesen, ja man ihm das Blatt entriß und zersetzte, so besagt diese Lebhaftigkeit
der Extremitäten für die Trägheit des Rumpfes nichts. Zwei für Entgegengesetztes lebhaft
interessierte Minderheiten standen einander gegenüber; dazwischen aber gähnte die Indifferenz. In deren und damit zugleich im eigenen Namen sprach dann Eusebius, als 20
er die Vertretung der Arianer fallen ließ und als Vermittler reinsten Wassers auftrat;
als er ferner seiner Erklärung die Wendung gab, es gelte vor allem die Herstellung des
kirchlichen Friedens ins Auge zu fassen, redete er zugleich dem hohen Protektor nach dem
Munde. Er legte also eine neue Formel vor, wo bei einigem guten Willen die Gegensätze unter einen Hut zu bringen waren. Daraus, daß es keine aus dem Stegreif für die 25
Bedürfnisse des Augenblicks zurechtgezimmerte Kompromißformel, sondern ein in lebendigem Gebrauch einer angesehenen Gemeinde stehendes Taufsymbol war, geht deutlich
hervor, daß damals noch zu einem blühenden Gemeindeleben bei den Orientalen ein
ausgesprochenes Interesse am Dogma nicht von nöten war. Aber um dieses Interesse
an sich wurde zu Nicäa eben gekämpft. Der Kaiser, der die rein politischen Absichten 30
einer möglichst erfolgreichen Pazifikation verfolgte, konnte sich keinen willkommeneren Antrag nicht wünschen und verstärkte ihn alsbald, indem er ihn zu dem seinen machte. Damit vergewaltigte er die Mehrheit nicht, sondern kam ihr höchst wahrscheinlich entgegen.
Denn hätte die orthodoxe Partei wirklich mit einer überwiegenden Mehrheit zu rechnen
vermocht, so hätte sie selbst die Vorliebe des Kaisers nicht verhindern können, ein eigenes 35
Bekenntnis, wenn nicht im Wortlaut so doch in der Art des von Bischof Alexander in
seinem ersten Rundschreiben aufgestellten einzubringen. Aber weit entfernt, einen derartigen Versuch zu wagen, ließ sie sich ohne Widerstand darauf ein, ihre Rechte nur in
Form amendierender Zusätze zur Geltung zu bringen. So etwas thut nur eine Minderheit, was ja den Sieg nicht auszuschließen braucht und in diesem Fall thatsächlich auch 40
nicht ausschloß. Wenn nun des weiteren sämtliche Anträge der Orthodoxen Aufnahme
fanden, so erhellt daraus weiter: einmal, daß die Arianer von Überzeugung ihrerseits in der Minderheit waren, und sodann daß die ausschlaggebende Mehrheit Ueberzeugungen dogmatischer Art nicht besaß und somit auch nicht geltend machte. Dies
sind, im allgemeinen betrachtet, die Voraussetzungen der weltgeschichtlichen Entscheidung 45
von Nicäa.

Wenden wir uns nun einigen Einzelheiten zu, so enthielt das zu Grunde gelegte
Symbol in der That Bestimmungen über den Sohn Gottes („der Logos Gottes, Gott
aus Gott, Licht aus Licht, Erstgeborenen aller Kreatur, vor allen Zeiten aus dem Vater
entstanden"), die alle Mitglieder der Synode zufrieden stellen konnten (Text bei Hort, 50
Two dissertations, Cambr. u. London 1876, p. 138/39 oder A. Hahn, Bibliothek der
Symbole, 3. Aufl., Breslau 1897, S. 160/161). Selbst Arius brauchte von seinem Standpunkt nichts dagegen zu haben. [Daß es das Symbol von Cäsarea war, sagt Euseb
allerdings nicht ausdrücklich, sondern nennt es nur „unser" Bekenntnis, woraus O. Seeck,
p. 351 folgert, aus den Einleitungsworten sei ein Schluß auf die lokale Herkunft der 55
Formel nicht statthaft.] Die Parteigänger des Bischofs Alexander dagegen involvierten
mit ihrer Unzufriedenheit den Fortschritt: die Bestimmungen waren ihnen zu weit und
zu blaß; sie verengerten und verschärften, und wenn man das amendierte Nicaenum
mit seiner Vorlage, dem Cäsareenischen, vergleicht, so sieht man, daß es zu stande kam
durch einige Abstriche aus dem 2. Artikel, der ja allein in Frage kam [τὸν τοῦ θεοῦ 60

λόγον erseßt durch τὸν υἱὸν τοῦ θεοῦ — Tilgung der Ausdrücke πρωτότοκον πάσης κτίσεως und Korrektur von πρὸ πάντων τῶν αἰώνων ἐκ τοῦ πατρὸς γεγεννημένον, die nicht jede Vorstellung einer zeitlichen Entstehung des Sohnes auszuschließen schienen — aus dem Perfekt γεγεννημένον wurde der Aorist γεννηθέντα und die
5 Worte πρὸ πάντων τῶν αἰώνων wurden gestrichen; das μονογενῆ ist an den Schluß gerückt; charakteristisch ist auch das abstraktere θεὸν ἀληθινὸν ἐκ θεοῦ ἀληθινοῦ statt ζωὴν ἐκ ζωῆς]. Diesen Weglassungen entsprachen drei nicht minder bedeutsame Zu=
säße: 1. Zur Bezeichnung des Sohnes fügte man hinzu τοῦτ' ἐστιν ἐκ τῆς οὐσίας τοῦ πατρός und 2. etwas weiter unten die Bestimmung γεννηθέντα οὐ ποιηθέντα, endlich
10 3. gleich darauf das entscheidende ὁμοούσιον τῷ πατρί: Eines Wesens mit dem Vater; vom dritten Artikel, der überhaupt damals außer allem Streit war, ließ man einfach die die Worte stehen (abhängig von πιστεύομεν) καὶ εἰς ἅγιον πνεῦμα, worauf man dann gleich die Anathematismen folgen ließ, nämlich die Verfluchung der charakteristischen Formeln, gegen welche das ganze Symbol gerichtet sein sollte. Es geschah mit den
15 Worten: „Und diejenigen, die da sagen: es gab eine Zeit, da er nicht war; ἦν ποτε ὅτε οὐκ ἦν, und bevor er (der Sohn) erzeugt war, war er nicht; und diejenigen, die be= haupten: Aus dem Nicht-Seienden entstand er, oder daß der Sohn Gottes aus einer andern Substanz (ὑπόστασις) oder Wesen (οὐσία) sei oder geschaffen, wandelbar oder veränderlich, diese verflucht die katholische Kirche."
20 So wurde aus dem von Euseb vorgelegten neutralen Taufbekenntnis seiner Gemeinde Cäsarea das schroffe antiarianische Symbol von Nicäa, dessen Text sich in dem schon ge= nannten Brief des Euseb an seine Gemeinde (s. Theodoret KG I, 12. 8 p. 65 f. ed. Gaisford), bei Athanasius u. a. erhalten hat. Auf welche Weise ist es nun aber — die Frage drängt sich in erster Linie auf — zur Annahme des Symbols durch die Synode
25 gekommen. Nach einem hohen moralischen Niveau darf man dabei nicht fragen. Auf beiden Seiten sind unbestreitbare Unredlichkeiten mit untergelaufen.
Am Verhalten des Eusebius von Cäsarea läßt sich noch einigermaßen erkennen, auf wie ganz eigentümliche Weise dieser für das dogmatisch indifferente Gesinnung der Mehrheit vorbildliche Teilnehmer der N. S. zu schieben glaubte und doch der Geschobene
30 war. Von Euseb wissen wir genug, um uns in sein persönliches Verhalten einen Ein= blick zu verschaffen: thun wir es, so haben wir aber zugleich einen Maßstab, um die überwiegende Rat= und Gesinnungslosigkeit bei der Hauptmasse der Synodalen zu be= urteilen. Ohnehin wird ein so kluger und einflußreicher und zudem nun auch beim Kaiser in so hohen Gunsten stehender Mann einen tüchtigen Anhang hinter sich gehabt haben.
35 Nun bietet uns Euseb eine vollständige Erzählung über den Verlauf der N. S. an; aber so sehr diese Mitteilungen jetzt die eigentlichen Quellen unserer Kenntnisse bedeuten, so deutlich läßt es sich ihnen anmerken, wie gerade Eusebius allen Grund hatte, den wahren Verlauf der Verhandlungen möglichst im Dunkeln zu lassen. Nach seinem Bericht hätte es den Anschein, als habe es mit dem Zustandekommen des Symbols eigentlich weiter
40 gar nichts auf sich gehabt: der Kaiser sei eben mit dem ὁμοούσιος einverstanden ge= wesen (Theodoret KG I, 18. 7), und im übrigen fährt er fort: οἱ δὲ προφάσει τῆς τοῦ ὁμοουσίου προσθήκης τήνδε τὴν γραφὴν πεποιήκασιν" (Swatfin a. a. O. p. 46 deutet die Worte so, als hätten sie unter dem Vorgeben, das ὁμοούσιος dem kaiserlichen Wunsch entsprechend einzuführen, aus dem ihnen vorgelegten Symbol ein eigenes Mach=
45 werk gemacht). Jedenfalls meint Euseb, das Homoousios sei nur unter dem Vorbehalt durchgegangen, daß man über das vom Kaiser bezeigte Interesse hinaus die Formel nicht deuten dürfe. Daß nun aber er und sein Anhang in die Lage der „Deutenden" ge= kommen sind, in die Lage derjenigen, die noch von ihrem Standpunkte ausdrücklich Vor= behalte zu machen hatten bei einer Formel, die ursprünglich doch die ihrige war, das ist
50 es, worüber man gern näheres erführe; denn damit wird stillschweigend der große Um= schwung vorausgesetzt, wonach nun die Antiarianer mit einemmal das Heft in den Händen hielten. Euseb begnügt sich nun, seiner Gemeinde ziemlich gewunden ausein= anderzusetzen, wieso er unbeschadet seiner Sympathien für Arius den Beschlüssen der Synode habe beitreten können; insbesondere das Schlagwort der Antiarianer, das
55 ὁμοούσιος und die Anathematismen gegen Arius habe er in einer Deutung angenommen, die ihm beliebte. Aber diese Deutung konnte gar nicht unehrlicher ausfallen, weil sie dem ὁμοούσιος gerade seine Spiße abbricht; denn will von den übrigen Geschöpfen will das Homoousios den Sohn unterscheiden, sondern von allem, was Geschöpf über= haupt heißt, als ein Wesen, das ganz auf die Seite der Einen über allem Erschaffenen
60 stehenden Gottheit gehört, mit welcher es nicht bloß „vergleichbar" — so deutet Euseb

das Wort — sondern von welcher es wesentlich unzertrennlich ist. Noch bedenklicher aber entschuldigt Euseb seine Annahme der Anathematismen gegen Arius: er habe jene Verdammungsformeln angenommen, weil sie den Gebrauch von Worten und Ausdrücken verböten, die der Schrift fremd seien; durch deren Mißbrauch sei überhaupt erst diese ganze Verwirrung in die Kirche gekommen. Aber war denn das Stichwort ὁμοούσιος in der ganzen Bibel irgendwo zu finden? Ferner: Die ewige Zeugung des Sohnes unterschlägt er einfach dadurch, daß er erklärt, der Satz habe gelautet, der Sohn sei auch vor seiner Menschwerdung Sohn Gottes gewesen — darüber war jedoch kein Streit gewesen; denn diesen Satz hatte sogar Arius unterschrieben. Euseb hat sich also, einmal überrumpelt, sehr unredlich aus der Sache gezogen (vgl. auch Th. Zahn, Marcell von Ancyra, S. 17). Leider liegt kein Grund vor, ihn nicht auch hierin als ein typisches Beispiel zu nehmen und bei der Mehrzahl der Synodalen dieselben Mängel an Halt vorauszusetzen, sobald erst einmal der versöhnliche Standpunkt an der Unerbittlichkeit der Gegner zu scheitern drohte.

Ohne allen Zweifel haben die Antiarianer ihren Sieg nur ihrer eigenen Energie zu verdanken. Aber auch dieses verdiente Lob verlangt nach der Seite der Aufrichtigkeit hin eine deutliche Einschränkung. Es war die gelungene Intrige einer gut geleiteten Minorität, die vor keinen Mitteln zurückschreckte. Einmal scheute man sich nicht, selbst biblische Formeln aus dem Symbol von Cäsarea auszuscheiden, welche dem dogmatischen Sprachgebrauch der Arianer und verwandter Standpunkte geläufig waren, um sodann an die Stelle dieser biblischen Formeln selbsterfundene theologische Bestimmungen zu setzen, die die schärfste Ausschließung der arianischen Christuslehre gewährleisteten. Auch aus der Mitte dieser Interessentengruppe ist uns in den Auslassungen des Athanasius ein authentisches Zeugnis erhalten, das, wiewohl nicht in so unmittelbarem Zusammenhang mit den Ereignissen entstanden, doch eine treuere Interpretation des eigentlichen Sinnes der nicänischen Beschlüsse darstellt. Einen Blick in den Werdegang gewähren jedoch auch seine gelegentlichen Reminiscenzen nicht. Wir sind also auf Rückschlüsse angewiesen. Gewiß bestand die angesponnene Intrige, die den Sieg der Antiarianer zur Folge hatte, in dem Gebrauch, den sie von ihrem gerade auf Konstantin bestehenden Einfluß gemacht haben. Dem Kaiser lag an einer endgültigen Schlichtung der aufgeworfenen Streitfrage; aber ganz allgemein, ohne Vorliebe für die eine oder die andere Auffassung, und also zunächst nicht für die von ihm dann schließlich befürwortete homoousianische Lösung der Frage. Als er aber dann wahrnehmen mußte, daß die angeblich dem Frieden förderlichen Anträge des Eusebius das Gegenteil bewirkten, da mochte er unwillkürlich überrechnen, ob er nicht schneller ans Ziel komme, wenn er sich mit den Antiarianern zu verständigen suche. An Versuchen persönlicher Vermittelung wird es kaum gefehlt haben, in erster Linie von seiten des Bischofs Hosius von Corduba, eines der entschiedensten Homoousianer und zu Zeiten des Konzils der Vertrauensmann des Kaisers in allen kirchlichen Angelegenheiten (vgl. A. Hosius v.Corduba Bd VIII 378, Z. 20—36). In den Teilnehmerlisten steht er an erster Stelle und Athanasius schreibt (Hist. Ar. p. 744 A) das Zustandekommen des Symbols ausdrücklich ihm zu. Ferner wird von einer Seite (Theodoret I, 7. 10) der „große" Eustathius von Antiochien als derjenige genannt, der den Kaiser im Namen des Königs begrüßt habe (vgl. über ihn Bd V, 626/627). Alexander von Alexandrien, und ihm zur Seite, als seine treibende Kraft, sein Diakon Athanasius fielen schon als Vertreter eines Erzstuhles ins Gewicht. Daß Athanasius bei den nicänischen Beschlüssen besonders beteiligt war, beruht auf keiner Überlieferung, sondern nur auf der Kombination seiner Anwesenheit zu Nicäa mit der überragenden Stellung, die er in nachnicänischer Zeit einnimmt; auch kann er als Nicht-Bischof nur indirekt gewirkt haben. Erblickt man außerdem auch noch einen so selbstständigen theologischen Denker wie Marcell von Ancyra (s. d. A.) im antiarianischen Lager, so kann man sich einen Begriff machen, was für eine Durchsetzlichkeit und zähe Widerstandskraft dieser Partei, so klein sie, äußerlich betrachtet, sein mochte, eben doch inne wohnte (vgl. dazu den A. Arianismus Bd II, S. 14/15, wo auch der abendländischen Herkunft des ὁμοούσιος gedacht wird). Die Anzahl der wirklichen Charaktere war nicht so stark bei den Gegnern; denn nach dem Kreuzfeuer der vierwöchentlichen Debatten blieben nur zwei Anhänger des Arius standhaft bei ihrer Weigerung: Theonas von Marmarica in Lybien und Sekundus von Ptolemais. Denn von den Dreien, auf die Arius noch hätte rechnen dürfen, unterschrieb schließlich Maris von Chalcedon noch alles, Euseb von Nikomedien und Theognis von Nicäa wenigstens den positiven Teil des Symbols ohne die Verfehmungsformeln gegen Arius. [Dem wird freilich auf Grund von Philostorg. I, 9; Epiph. haer. 68. 5

von Reynolds in Smith and Wace Dict. of Christ. Biogr. II, 365 widersprochen und
behauptet, daß Euseb und Theognis zwar alles unterschrieben und nur die Absetzung des
Arius nicht billigten. Eine Ansicht, die die Unechtheit des Briefes des Eusebius und
Theognis bei Socr. I, 14; Soz. II, 16 nach sich zieht. Dieser Ansicht pflichtet auch
5 Gwatkin bei (a. a. O. p. 49 n. 1).] Der Kaiser that nun das Seine und machte mit
seiner Drohung Ernst, wonach jeder Verbannung zu gewärtigen hatte, der nicht unter=
schrieb. Arius sowie seine zwei Getreuen Theonas und Sekundus wurden sofort nach
Illyrien verwiesen, und auch die zwei andern, der rasch um seinen Kredit gekommene
Eusebius von Nikomedien und Theognis, kamen mit ihrer Absetzung nicht davon, sondern
10 mußten ebenfalls ins Exil wandern. Die Schriften des Arius befahl der Kaiser zur
Verbrennung auszuliefern und setzte auf ihren heimlichen Besitz Todesstrafe. Ja, um
vollends ein Exempel an Arius zu statuieren, setzte ihn der Kaiser dem gefürchteten
Christenbestreiter Porphyrius gleich und wollte nur noch von Porphyrianern gesprochen
wissen. Schon die nächste Zukunft sollte bald genug lehren, wie wenig auch diese
15 äußersten Gewaltmittel den Streit aus der Welt zu schaffen vermocht hatten, ja wie
gerade unter dem Druck dieses massiven Vorgehens von jetzt an dieser Lehrstreit um die
Gottgleichheit Christi in ungeahnten Dimensionen erst recht anheben sollte. Denn eines
war allerdings zu Nicäa erreicht worden: die Gleichgiltigkeit der großen Masse gegen=
über theologischen Unterscheidungen war nun überwunden; von jetzt an war das schlimmste
20 eingetreten, was vom Standpunkt des Politikers aus zu befürchten war. Die gelehrten
Streitfragen wurden den rohen Instinkten eingeimpft. Andererseits muß allerdings auch
nicht vergessen werden, wie wenig Aussicht das morgenländische Christentum besessen
hätte, sich an Stelle des griechischen Heidentums zu setzen, wenn es wirklich das Interesse
an den Dogmen der Neugier des Volkes vorenthalten und nicht auch im vulgären
25 Glauben dem begrifflichen Teil der neuen Staatsreligion den obersten Platz ein=
geräumt hätte.

3. Nachdem am 19. Juni das Haupttraktandum erledigt war, kam in erster Linie
die Osterfrage an die Reihe. Die Rolle der N. S. in dieser Kultuskontroverse reduziert
Lightfoot in Smith a. Wace Dictionnary of Christ. Biogr. II, 314, darauf, daß den
30 Patriarchen von Alexandrien die jährliche Berechnung und Ansagung des Osterfestes über=
bunden worden sei. Daß aber die N. S. den 19jährigen Ostercyklus sanktioniert habe
(so Ambrosius Ep. 23; Cyrill. Aleg. Ep. 86; ad Leon. pap.) sei deswegen nicht glaublich,
weil Euseb. Vita Const. III, 18; Sokr. KG I, 9, nichts davon gesagt werde und
Rom und der Occident auch nach der N. S. einen älteren Cyklus brauchten. Was die
35 Sanktionierung des 19jährigen Cyklus betrifft, so leugnet sie auch Duchesne (La question de la Pâque au concile de Nicée, Revue des questions historiques
XXVIII, 37) und macht auf den Gebrauch des 8jährigen noch bei Epiphanius auf=
merksam (haer. 70, 13). Sonst aber faßt Duchesne die Regelung der Osterfrage zu
Nicäa ganz anders auf. Er bestreitet überhaupt die herrschende Ansicht, als ob die N. S.
40 irgend etwas mit dem alten Quartodecimalstreit, insbesondere mit dem kleinasiatischen des
2. Jahrhunderts noch zu thun gehabt habe (so Hilgenfeld, Der Paschastreit der alten Kirche,
S. 357 ff.; siehe auch Aubé, Les chrétiens dans l'empire Romain, Paris 1881,
p. 79). Wenn nämlich jener Streit in einer auf der Chronologie der Leidenswoche be=
ruhenden Feier des Todestages Christi statt, wie in Rom, in der Feier des darauffolgenden
45 Sonntags als des Auferstehungstages bestanden habe (S. 6 ff.). Diese Differenz mit Rom
verschwindet aber seit dem Anfang des 3. Jahrhunderts und zur Zeit der N. S. finden
wir die Diöcese Asien unter den Gebieten, die das Konzil als über die korrekte Feier
des Osterfestes geeinigt ansieht (Konstantin bei Euseb. Vita Const. III, 19, 1; Theo=
doret. I, 10, 10; Duchesne S. 25). Nimmt man nun mit Duchesne (S. 23) als Quelle
50 unserer Kenntnis an: 1. den Brief der Synode an die Alexandriner bei Theodoret KG
I, 9, 12; Sokrates KG I, 9, 12; 2. das Rundschreiben Konstantins an die Bischöfe nach
dem Konzil, Vita Const. III. 18, 19; Theodoret KG I, 10, 3 ff.; 3. Athanasius de
Synodo c. 5, Epist. ad Afros. c. 2, so läßt sich als Gebiet des von der Synode
verworfenen Brauches Syrien, Cilicien und Mesopotamien bezeichnen. Es betrifft die
55 Regelung der Differenzen in der Osterfeier, die dadurch entstand, daß jene orientalischen
Kirchen, statt sich an die selbstständige auf die Äquinoktialregel gründende Osterberech=
nung nach dem Beispiel von Alexandrien und Rom anzuschließen, sich an die Berechnung
des 14. Nisan durch die Juden hielten. Also galt es zu Nicäa nur Anomalien im
Termin zu steuern, wie sie durch den Anschluß an die jüdische Mondberechnung hervor=
60 gerufen waren. Daß aber das paläftinische Syrien und Mesopotamien nicht quartodeci=

manische Gebiete waren, ergiebt sich aus Euf. KG V, 23, 3. 4. Es wurde auch weiter
nichts hervorgehoben, als die formale Eventualität, daß wegen der schwankenden und nicht
an das Frühjahrsäquinoktium sich bindenden Berechnung des 14. Nisan bei den Juden das
Osterfest in einem Jahre zweimal und im folgenden gar nicht gefeiert zu werden Gefahr
laufe (Constit. app. V, 7; Constant. ap. Euseb. Vit. Const. III, 18, 4; Theodoret 5
h. e. I, 10, 5; Epiphan. Haer. 70, 11 p. 824 A). Allein eine überhaupt jüdische,
nicht bloß, rein nur in der Zeitbestimmung, vom jüdischen Kalender abhängige Osterfeier
würde ja gar nicht als Osterfeier anerkannt worden sein, während zu Nicäa die Art,
Ostern zu feiern, keineswegs beanstandet wurde, sondern nur der äußerliche Übelstand,
daß dies eben zweimal im Jahr geschehe, eine Gefahr, der man auch in der römischen 10
Kirche damals nicht ganz entging (Duchesne S. 41). Immerhin war insofern die Abhängigkeit einiger Gemeinden von einer jüdischen Eigentümlichkeit und wenn es auch nur
den jüdischen Kalender betraf, ohne sonst irgendwie dogmatisch abzufärben, als ein wenn
auch nur formaler Judaismus anstößig, und so hat die Behandlung der Osterfrage auf
der N. S. den Zweck verfolgt, die orientalische Kultussitte hierin den Gewohnheiten der 15
übrigen Kirchen konform zu machen, die sich nicht jüdischer, sondern eigener Berechnungen
bedienten und auf diese Weise das Osterfest ansetzten. Die N. S. hat nun aber nicht
den alexandrinischen Osterchyklus für den allein kanonischen erklärt, sie hat jedoch dem
alexandrinischen Bischof das Recht zugesprochen, alljährlich den Ostertag der römischen
Kurie mitzuteilen (Br. Krusch, Studien zur christlich mittelalterlichen Chronologie, 1880, 20
S. 70 mit Berufung auf Leo Magn., Epist. 121, 4; Hilgenfeld, Ueber den Paschastreit,
S. 369 und be Rossi, Inscript. christ. urbis Romae p. LXXXVII). Die N. S. hat
also zwar die Regelung der Osterfrage in die Hand genommen, aber sich damit begnügt,
ihren Beschluß den einzelnen Diöcesen mitzuteilen, ohne ihn als kirchliche Satzung aufzustellen
(Usener, Religionsgeschichtl. Untersuchungen I, 3). Später erhob sich dann auch hierin 25
eine Opposition gegen Nicäa (vgl. den Osterbeschluß der Synode von Antiochien von 341,
Can. I bei Hefele, 2. Aufl. I, 513). Ferner Chrysostomus 3. Homilie gegen die Juden:
adversus eos qui Pascha jejunant I, 606 Montf. Endlich die Häresie des Meso-
potamiers Audianus bei Epiph. haer. 70, 9). Aber gerade aus der Art dieser Polemik
scheint hervorzugehen, daß zu Nicäa ein anderer Übergriff als eine Kalendervariante nicht 30
bekämpft wurde. [Demgegenüber halten an der Ansicht, es habe sich um ein Wieder-
aufleben der quartodecimanischen Streitsache gehandelt, fest: Zahn, Forschungen III, 191
und Gwatkin (a. a. O. p. 35) doch ist mit Euseb. Vit. Const. III, 5, 2 weiter nichts
zu beweisen, als daß ganz im allgemeinen Osterstreitigkeiten in der Kirche von altersher
bestanden.] 35

4. Mit den Maßnahmen, die man gegen das meletianische Schisma ergriff (s. den
Art. Meletius Bd XII S. 552) und die wegen der großen Popularität der Bewegung
gegen die Anhänger äußerst milde ausfielen und auch dem Stifter nur Suspension im
Amt, nicht aber Degradation eintrugen, waren die großen Traktanden erledigt. Ihnen
ließ die N. S. noch 20 Kanones oder Disziplinarvorschriften folgen. 1. Verbot der Selbst- 40
kastration. 2. Festsetzung einer Minimalfrist für die Katechisation. 3. Verbot der Syn-
isakten. 4. Cheirotonie eines Bischofs durch mindestens drei anwesende Provinzbischöfe
und Bestätigung durch den Metropoliten. 5. Es sind jährlich zwei Provinzialsynoden zu
halten. 6. Ausnahmskompetenzen für die Stühle von Alexandrien und Rom. 7. Ehren-
rechte des Stuhls von Jerusalem. 8. Verständigung mit den Novatianern. 9.—14. Mildes 45
Strafmaß gegen die Lapsi der licinianischen Verfolgung. 15.—16. Verbot der Priester-
versetzung. 17. Verbot des Geldwuchers beim Klerus. 18. Diakone dürfen nicht vor
den Bischöfen oder Presbytern die Eucharistie nehmen. 19. Ungiltigkeit der Ketzertaufe.
20. Am Pfingstfest finden die Gebete stehend ohne Kniebeugung statt. — Von diesen Bestimmungen greifen can. 6, 7, 8 und 19 in das große Kirchenpolitik über. Can. 6: Der 50
Anteil des Papstes Silvester an der N. S. war vorhanden, darf aber nicht überschätzt
werden; seine beiden Vertreter mögen zur Symbolfrage das ihre beigetragen haben; sonst
aber hat der Papst weder die Synode zu berufen, noch ihr zu präsidieren, noch sie zu
bestätigen gehabt (Friedrich), Zur ältesten Geschichte des Primates in der Kirche, Bonn
1879, S. 134 ff.; Hefele a. a. O. I, 397 ff.; Gieseler, Lehrbuch der KG I. II. 184 und 55
194; Fr. Maaßen, Das Primat des Bischofs von Rom und die alten Patriarchalkirchen.
Ein Beitrag zur Geschichte der Hierarchie, insbesondere zur Erläuterung des 6. Kanons
des ersten allg. Konzils von Nicäa 1853. Neuerdings bestreitet Kattenbusch, Lehrb. der
vergl. Konfessionskunde, S. 82 f., daß can. 6 der N. S. die Diöcesanverfassung der Kirche
schon sanktioniere). Can. 7: Gegen Hefele (a. a. O. I, 403 ff.) will Friedrich (a. a. O. 60

155 f.) die hier dem Bischof zugesprochene τιμή auf die Traditionen der Bischofswürde
des Jakobus und der darauf ruhenden apostolischen Würde des Bischofsstuhles von Je=
rusalem gründen. S. aber dazu Overbeck, Theol. Litteraturzeitung 1880, Nr. 6 Sp. 131 f).
Can. 8 und 19: Im Prinzip bleibt der Orient auch nach der N. S. auf dem Stand=
5 punkt der Verwerfung der Ketzertaufe und jedenfalls hat die N. S. für die fortwährend
im Orient setzt schwankend bleibende Praxis nichts entschieden (Gwatkin a. a. O. 130 f.).
Als offenbares Zeugnis ihrer Unschlüssigkeit in diesem Punkt begeht die N. S. die In=
konsequenz, daß sie can. 8 Taufe und Ordination der Novatianer anerkannte, can. 19
jedoch die Neutaufe der Anhänger des Paulus von Samosata fordert (vgl. Bd XIII
10 S. 323, 54 ff.).

5. Die Konzilsväter feierten am 25. Juli 325 noch die Vicennalien des Kaisers
mit; dann gingen sie auseinander. In der Abschiedsrede gab Konstantin nochmals
deutlich zu erkennen, wie abhold er für seine Person allem dogmatischen Streite sei (Euseb.
Vit. Const. 21). Die hergestellte Einheit der Osterfeier gab er durch ein Rundschreiben
15 der ganzen Christenheit kund. Aber das triumphierende Bewußtsein des Sieges hielt
nicht lange vor. Schlag auf Schlag erlebte der bis jetzt vom Glück verwöhnte Kaiser
Enttäuschungen und Unglücksfälle, von denen mehr als einer ihm wie eine Strafe für
die zu Nicäa geübte Gewaltthätigkeit erscheinen mußte. So erfuhr denn die N. S. noch
ein stilles und der ersten Session an Einfluß und Ruhm nicht ebenbürtiges Nachspiel im
20 Jahre 327 (Euseb. Vita Const. III, 23: καὶ δεύτερον ἐκάλει καὶ πάλιν ἐμεσίτευε
τοῖς αὐτοῖς; da also dieselben Bischöfe zusammentraten war es kein zweites Konzil,
sondern nur eine Fortsetzung des ersten. Seeck a. a. O. S. 70 und S. 356—362). Dort
wurde nun faktisch, wenn es auch der Form nach nicht offen eingestanden wurde, alles
wieder in Frage gestellt, worauf sich die N. S. etwas zugute gethan hatte. Die Volks=
25 bewegung für den Modemärtyrer, den Arianervater Lucianus, an der Konstantin teil=
nahm, half sowohl Arius und seinen mitbestraften Freunden, wie auch den Meletianern
so ziemlich alle jene Rechte wieder erlangen, deren sie verlustig gegangen waren. — Damit
nahmen die von da ab über hundert Jahre lang hin und her schwankenden Lehr=
streitigkeiten noch zu Nicäa selbst wieder ihren Anfang, wo man sie doch eben hoffte
30 endgiltig beigelegt zu haben.   **Carl Albr. Bernoulli.**

Nicänisches Konzil von 787. — Die Quellen (vgl. besonders die vollständig erhaltenen
Akten der Synode bei Mansi XII. XIII) und Litteratur (vgl. bes. Walch, Historie der Ketze=
reien X, 419 ff. und Hefele, Conciliengesch.⁸ III, 441 ff.) s. in d. Artt. Bilderverehrung und
Bilderstreitigkeiten Bd III, 221 f.
35   Durch die durchgreifenden Maßregeln Konstantins V. schien die Bilderverehrung unter=
drückt. Leo IV. teilte seines Vaters bilderfeindliche Gesinnung, und dessen Gemahlin
Irene hatte Konstantin die Verwerfung der Bilder feierlich beschwören lassen. Dennoch
waren mit Irenes Hilfe schon bei Lebzeiten Leos bilderfreundliche Mönche in einflußreiche
Stellungen gelangt, und nach dessen frühem Tod nahm sie als Vormünderin und Mit=
40 regentin ihres Sohnes aus persönlicher Neigung wie wohl auch aus politischer Erwägung
die Restauration der Bilderverehrung in Angriff. Der Patriarch Paulus entsagte, an=
geblich freiwillig, und der bisherige kaiserliche Sekretär Tarasius, also ein Laie, rückte
Weihnachten 784 an seine Stelle. Als Bedingung seiner Annahme der Würde forderte
er die Wiederherstellung der Gemeinschaft mit den übrigen Kirchen, d. h. die Wieder=
45 anerkennung der Bilder. Ein dem Anspruch nach ökumenisches Konzil hatte aber die
Bilderverehrung beseitigt; so sollte auch ein an dessen Stelle tretendes ökumenisches Konzil
sie wiederaufrichten. Es hat in Konstantinopel selbst an, erfolglosem, Widerspruch gegen
ein solches offenbar nicht gefehlt (Hefele S. 444). Aber in Rom stimmte Papst Hadrian,
den der Patriarch wie der Hof zur Teilnahme bringen einluden, natürlich freudig zu, —
50 jedoch nicht ohne die Erhebung eines Laien zum Patriarchen zu rügen. Den orientali=
schen Patriarchen konnte man nicht einmal die für sie bestimmte Einladung zukommen
lassen. Als ihre Vertreter traten ein angeblicher Synkelle, nach Theophanes der des
antiochenischen Patriarchen, und ein ägyptischer Mönch. Die Legaten Roms waren ein
römischer Archipresbyter und ein Abt, beide mit Namen Petrus.
55   786 trat die Synode in Konstantinopel zusammen in der Apostelkirche. Ein Teil
der Bischöfe hatte aber schon zuvor Gegenversammlungen zu halten versucht; im Ein=
verständnis mit ihnen drangen Truppen in die Versammlung und erzwangen ihre Auf=
lösung. Die Regierung wußte durch List sich zu helfen. Unter dem Vorgeben eines
Feldzugs entfernte sie die bilderfeindliche Leibwache aus der Hauptstadt, entwaffnete sie

und schicke sie nach Hause. Die bereits abgereisten päpstlichen Legaten wurden nun
zurückberufen und eine neue Synode ausgeschrieben, aber nicht nach Konstantinopel, dessen
man doch noch nicht sicher war, sondern nach Nicäa; das Konzil trat dadurch zugleich
in Parallele mit der gefeierten ersten nicänischen Synode. Am 24. September 787 wurde
es eröffnet. Etwa 350 Mitglieder zählte die Synode; unterzeichnet haben 308 Bischöfe 5
oder deren Stellvertreter. Die Akten der Synode sind vollständig erhalten; eigentüm=
licherweise nehmen die „karolinischen Bücher" Rücksicht auf eine zum Teil abweichende
Textgestalt (eine Tabelle zur Vergleichung mit den Akten bei Hefele S. 709 ff.). Die
Angabe der karolinischen Bücher II, 27 z. B., daß nach dem nicänischen Konzil wie die
Früchte der Erde in das Abendmahl übergehen, so die Bilder in die Verehrung der ab= 10
gebildeten Personen (MSL 98, 1093 C) kann nicht wohl aus dem zu Nicäa vorgelesenen
Horos der Synode von 754, aber auch schwerlich aus großer Nachlässigkeit (so Hefele
S. 703), erklärt werden. Die Leitung der Verhandlung hatte Tarasius, werden gleich
in den Akten die römischen Legaten obenan genannt. Von einer freien Erörterung der
Bilderfrage war natürlich keine Rede. Aber auch kein Versuch eines Widerspruchs scheint 15
gemacht worden zu sein, obwohl noch 786 die Zahl der Bilderfeinde keine geringe war.
Es muß also in der Zwischenzeit nachdrücklich an der Umstimmung gearbeitet worden
sein. Auf der Synode erschienen die Gegner der Kirche von vornherein als Abgewichene,
aber auf ihr reumütiges Bekenntnis wurde ihnen Vergebung und Belassung in ihren
Stellen und Anerkennung ihrer Weihen gewährt. Sieben Sitzungen hatten zu Nicäa 20
statt. Der Beweis für das Recht der Bilderverehrung wurde aus Ex 25, 17 ff.; Nu 7, 89;
Ez 41; Hbr 9, 1 ff.; Ge 32, 24, besonders aber durch eine Reihe verlesener Väterstellen —
für die Patristik sind dadurch die Akten der Synode sehr wertvoll — gegeben; die Auto=
rität der Väter entschied die Sache. Eine sehr eingehende Widerlegung ward in˙ der
6. Sitzung dem Horos der Synode von 754 gewidmet. In der 7. Sitzung wurde dann 25
der eigene Horos der Synode aufgestellt. Sie bestimmte (Mansi XIII, 377 C ff.) „mit
aller Sorgfalt, daß wie das ehrwürdige und Leben spendende Kreuz nachgebildet wird,
so auch die zu verehrenden und heiligen Bilder — mit Farbe, aus Stein oder anderer
geeigneter Materie — aufgestellt werden sollen in den heiligen Kirchen Gottes, an heiligen
Geräten, Gewändern, an Wänden und auf Tafeln, in den Häusern wie auf den Wegen; 30
nämlich das Bild unseres Herrn, Gottes und Erlösers J. Chr. und unserer unbefleckten
Herrin, der hl. Gottesmutter, der ehrwürdigen Engel und aller heiligen und frommen
Männer. Denn je anhaltender sie in ihrer Wiedergabe durch das Bild betrachtet werden,
um so mehr werden die sie Anschauenden zu brünstigem Gedächtnis der Urbilder erweckt.
Daher gehört es sich, ταύταις ἀσπασμὸν καὶ τιμητικὴν προσκύνησιν (die sich in der 35
Darbringung von Räucherungen und Kerzen äußert) ἀπονέμειν, οὐ μὴν τὴν κατὰ
πίστιν ἡμῶν ἀληθινὴν λατρείαν, ἣ πρέπει μόνῃ τῇ θείᾳ φύσει . . ἡ γὰρ τῆς
εἰκόνος τιμὴ ἐπὶ τὸν πρωτότυπον διαβαίνει, καὶ ὁ προσκυνῶν τὴν εἰκόνα προσ=
κυνεῖ ἐν αὐτῇ τοῦ ἐγγραφομένου τὴν ὑπόστασιν.

Das gleiche Dekret ist dann feierlich bekannt gemacht worden in der 8. Sitzung (am 40
23. Okt.), die zu Konstantinopel in Gegenwart der Herrscher gehalten wurde. — Man
darf jene deutliche Unterscheidung zwischen der den Bildern und der Gott zu erweisenden
Verehrung wohl als einen Erfolg der bildergegnerischen Reform beurteilen. Ebenso sollen
auch die Verordnungen der 22 zu Konstantinopel aufgestellten Kanones (Hefele S. 475 ff.)
einer kirchlichen Reform dienen (Harnack, DG³ II, 459). Sorgfältige Einhaltung der 45
älteren synodalen Bestimmungen, Schriftkenntnis der Geistlichen, Fürsorge für einen christ=
lichen Wandel wird gefordert. Kleriker sollen nicht durch Weltliche gewählt, keine Form
der Simonie geduldet, jährlich Provinzialsynoden gehalten werden. Neben der Forderung
der Auslieferung der bilderfeindlichen Schriften, der Ausstattung aller Kirchen mit Reli=
quien, strenger Aufsicht über die getauften Juden, der Wiederherstellung eingezogener 50
Klöster treten Verordnungen gegen den Übergang von Klerikern in weltliche Dienste,
gegen die Verschleuderung von Kirchengut, gegen die Errichtung von neuen Doppelklöstern,
gegen die unbesonnene Gründung eigener kleiner Klöster, gegen die Prunksucht der Kleriker,
die Forderung der Anstellung bischöflicher und klösterlicher Ökonomen, Anordnungen über
das Verhalten der Mönche gegen Frauen u. s. w. Das Bedürfnis einer Erneuerung des 55
kirchlichen Lebens ist erwacht; die Persönlichkeit eines Theodor von Studion ist der Be=
weis für die Stärke, die es gewonnen.

Die päpstlichen Legaten stimmten den Beschlüssen über die Restitution der Bilder
völlig zu. Der Patriarch berichtete über den Verlauf des Konzils an Hadrian. Dieser
ließ sofort eine Übersetzung der Konzilsakten anfertigen, die später der Bibliothekar Ana= 60

2*

stastus durch eine bessere ersetzt hat. Über den Widerspruch gegen das Konzil von seiten der „karolinischen Bücher" s. d. A. Bd X, 88 ff. **Bonwetsch.**

Nicephorus Callistus Xanthopoulus, Kirchenhistoriker, um 1320. — Litte=
ratur: Schriften: Kirchengeschichte lat. von J. Lange, Basel 1555 (nicht 1553) u. ö., franz.
5 1567, deutsch 1588, gr.=lat. von Fronton le Duc, Paris 1630. — Predigten auf die hl. Maria
Magdalena bei Banbini, Bibl. Laurent. I, 446—455; auf die h. Euphrosyne soll AS zum
8. Nov. ediert werden; über die Wunder der Madonna von Pigi bei Lambeck, Bibl. Caes.
VIII, 56 und Wien 1802. — Dichtungen in Theodori Prodromi epigr., Basel 1536 u. ö.
Aeltere Einzeldrucke s. RE² X, 539; zusammenfassende Ausgabe MSG 145—147; dazu Aus=
10 legung des Octoёchus, ed. Athanasiades, Jerus. 1862. — Vieles noch unediert, s. Fabricius=
Harles, Bibl. graec. VII, 442 und die Kataloge, besonders der Athoshandschriften von Lam=
bros, der Bibliothek von Jerusalem von Papadopoulos=Kerameus. — Haupthandschriften Bodl.
misc. 79 und Hier. s. Sab. 150.

Quellen: Außer den eigenen Schriften, besonders h. e. I, 1, die Korrespondenzen des
15 Nicephorus Chumnus bei Boissonade, Anecd. nova, des Theodorus Metochites (Edition von
M. Treu geplant), des Michael Gabras (Marc. 446, vgl. Krumbacher, Byz. LG² 482), deren
hohle Phrasenhaftigkeit aber kaum eine Ausbeute an konkreten, biographischen Einzelzügen
gewährt.

Litteratur: Fabricius=Harles, Bibl. graeca VII, 437; Krumbacher, Byz. LG ² 291 ff. u.ö.,
20 136 (Ehrhard), Ehrhard in Wetzer und Weltes Kirchenlexikon ² IX, 259—262; C. F. Stäublin,
Gesch. und Litt. der Kirchengesch., 1827, 111—124; F. C. Baur, Die Epochen der kirchl. Ge=
schichtsschreibung, 1852, 32—34; Fischer, De patr. Const. catal., comm. phil. Jenens. III,
1884, 265; C. de Boor, Zur Kenntnis der Handschriften der griechischen Kirchenhistoriker,
cod. Barocc. 142, ZKG VI, 1884, 478—494; J. Bidez und L. Parmentier, De la place de
25 Nicéphore Callistos Xanthopoulos dans la tradition manuscrite d'Evagrius, Revue de l'in=
struction publ. en Belgique XL, 1897, 161—178; L. Jeep, Quellenuntersuchungen zu den
griech. Kirchenhistorikern, Jahrb. f. klass. Philol. Suppl. XIV, 1884, 98 f.; Zur Ueberlieferung
des Philostorgius, LU NF II, 3b, 1899; A. Papadopoulos=Kerameus, Νικηφόρος Κάλλιστος
Ξανθόπουλος BZ XI, 1902, 38—49.

30 Die Familie Xanthopoulos hat unter den Paläologen mehrere kirchliche Schriftsteller
geliefert. Ein von Ehrhard vermuteter älterer Nicephorus Callistus Xanth. ist allerdings
von zweifelhafter Existenz (cod. Flor. B. N. conv. soppr. B 1 ist aus dem 14., nicht
12. Jahrh., s. Anal. Boll. XV, 406, Bodl. misc. 79 wohl ebenso). — Gegen Ende
des 14. Jahrhunderts verfaßten zwei Brüder, Callistus und Ignatius Xanth. als Athos=
35 mönche eine von Symeon von Thessalonich sehr empfohlene Methodik der Askese; ersterer
wurde 1397 Patriarch (Hieros. Bibl. I, 293, 424; II, 193, 517, 635). — Unter den
jüngeren Kirchenliederdichtern wird ein Gabriel Xanth. genannt (ebb. I 248. 474; IV, 358).

Am bekanntesten ist Nicephorus Callistus Xanthopoulus, der Kirchenhistoriker. Von
seinem äußeren Leben wissen wir nur sehr wenig. Er widmete zwei seiner Werke dem
40 Andronicus II. Paläologus in dessen Alter; die Kaiserliste muß vor 1320 geschrieben
sein, als noch Andreas' Sohn Michael lebte und sein Enkel Andronicus III. bereits ein
Jüngling war. Wie es scheint in Konstantinopel geboren, wuchs er in der Nähe der
Sophienkirche auf, mit ihrer Bibliothek von Jugend auf vertraut. Vielleicht war er noch
Schüler des gefeierten Georgius von Cypern (Patriarch Gregor 1283—1289); wenigstens
45 gehörte er samt seinem Bruder Theodor in den Freundeskreis des Nicephorus Chumnus,
Theodorus Metochites, Maximus Planudes, Michael Gabras, Humanisten, die ähnlich
ihren abendländischen Nachfolgern des 15. Jahrhunderts den Kultus des Stils und der
Phrase bis zu völliger Inhaltslosigkeit trieben, mit klassischen Reminiscenzen koquettierten
und dahinter vielfach unglaubliche Unwissenheit verbargen. So redet ein Gedicht des
50 N. C. X. von dem Brief des Apostels Paulus an die Rhodier, die er nach dem Koloß
Kolossä nenne; von der Stadt Kolossä, die damals allerdings Chonai hieß, und ihrer
Verfasser offenbar nichts. Dem Kaiser Andronicus stand dieser Kreis nahe, gerade weil
er im Gegensatz zu der Unionspolitik seines Vaters Michael, des λατινόφρων, Griechentum
und Orthodoxie aufrecht erhielt, darum χριστιανός (Niceph. patr. opp. ed. de Boor
55 234). Die Dedikation der Kirchengeschichte an diesen Kaiser ist ein Beispiel abgeschmack=
testester byzantinischer Schmeichelei.

Nic. C. X. ist ein bei den späteren Griechen gern gelesener Schriftsteller; es giebt
mancherlei neugriechische Übertragungen seiner Schriften. Sein Name übte daher auch
Anziehung auf Produkte namenloser Autoren aus. Wie er in cod. Barocc. 142 mehreren
60 Stücken nachträglich beigefügt wurde, so sind allerlei Texte in Prosa und Versen unter
demselben in Umlauf. Was wirklich Nic. C. X. gehört, bedarf noch sorgfältiger, kritischer

Prüfung. Genannt seien Predigten auf Maria Magdalena, auf die hl. Euphrosyne, auf die Wunder des hl. Basilius (cod. Cosinitza 344), Predigt und Liturgie für das Kirch=weihfest der Marienkirche von Pigi in Konstantinopel. Die Gebete mögen teilweise dem Patriarchen Callistus angehören; von Nic. C. X. ist aber wohl das Bußgebet, das ebenso überschwänglich ist in den Selbstanklagen, wie jene Dedikation in der Schmeichelei. Auf 5 Nic. C. X. muß ferner die Bearbeitung der sog. Synaxarien des Triodions und des Pentekostarions zurückgehen, d. h. der die Bedeutung der Feste erklärenden Leseabschnitte für das bewegliche Kirchenjahr, welche in Parallele stehen zu den älteren Lektionen der Heiligenviten zu den festen Kalendertagen der Menäen (f. Leo Allatius, De libris liturg. graec. bei Fabricius Bibl. graeca V, Nilles, Kalendarium manuale² I, XLIX); sie 10 führen seinen Namen in Handschriften des 14. und 15. Jahrhunderts und sowohl das Typicon des Sabasklosters als Gennadius von Konstantinopel nennen ihn als Verfasser. (Der Nicephorus von Mitylene, an den Ehrhard denkt, ist wohl der Dichter Christophorus von Mit., Krumbacher 739). Daß Nic. C. X. auch die Lektionen für die Heiligenfeste ver=faßt oder bearbeitet habe, hat H. Delehaye, Synaxarium ecclesiae Constantinopoli= 15 tanae p. LVI mit Recht abgelehnt. Eine Schrift des Nic. C. X. περὶ ἀζύμου καὶ ἐνζύμου erwähnt ein Polemiker des 15. Jahrhunderts, Angelus Gregorius (Hier. Bibl. IV, 262). Nic. C. X. hat auch einzelne Teile der Liturgie wie die Stufenpsalmen des Octoëchos und das τιμιωτέρα kommentiert. Seine Deutung technischer Ausdrücke wie κοντάκιον, οἶκος ist von sehr zweifelhaftem Wert (Krumbacher 668). Unsicher sind ein Psalmen= 20 kommentar (Par. 149, Scor. 503), Scholien zu 30 Reden Gregors des Theologen (Marc. 76. 77) u. a.

Nic. C. X. war auch selbst als Dichter thätig: der Kanon zur Kirchweihe von Pigi trägt als Akrostich seinen Namen; ein Lied auf die Gottesmutter gefiel so, daß es dem Pentecostarion nachträglich eingefügt wurde (Krumbacher 678); ein Dogastikon auf die 25 drei Hierarchen zum 30. Januar fand Eingang in die Menäen. In Jamben erzählte Nic. auch 9 von dem Metaphrasten nicht erwähnte Wunder des hl. Nikolaus (Anal. Hier. IV, 357—396). Dichtung kann man diese versifizierte Prosa kaum nennen. Das meiste ist ziemlich elende Versmacherei, die z. T. im Dienste großer Herren wie des Marchese Theodor von Montferrat, eines Sohnes des Andronicus II., Geschenkepigramme fabriziert, 30 nach Art des Betteldichters Philes.

Es war damals Mode, alles mögliche in zwölfsilbige jambische Trimeter zu bringen. So finden wir bei Nic. C. X. unter dem Titel σύνοψις θείας γραφῆς eine Reimbibel, welche die historischen Bücher von Gen bis Makk umfaßt, bis auf die Zerstörung Jeru=salems nach Josephus fortgeführt. Daran schließen sich versifizierte Listen der Urväter, 35 Richter, Propheten, Könige, auch der babylonischen, griechischen, römischen, zuletzt der christlichen Kaiser und der Patriarchen von Konstantinopel. Dazu kommt ein Heiligen=verzeichnis nach dem Kalender, Listen der Kirchenschriftsteller, der Kirchenliederdichter. Auf eine Hofrangliste in Versen hat vielleicht der Kammerherr Joh. Phakrases begründeteren Anspruch. Man schätzt diese Machwerke noch zu hoch ein, wenn man ihnen die praktische 40 Bedeutung von versus memoriales beimißt: es sind nur Silbenzählfertigkeitsübungen. Eine charakteristische Spielerei sind die sog. erbaulichen Alphabete.

Nicephorus' Hauptwerk ist die Kirchengeschichte, die er im Alter von 36 Jahren be=gann (nicht: vollendete, Lange übersetzt hier falsch). Sie behandelt in 18 Büchern die Zeit von Christi Geburt bis auf Phokas (610). Mit der Inhaltsangabe zu 5 weiteren 45 Büchern, die bis auf 911 reicht, hat es seine eigene Bewandtnis (f. u.). Seit dies Werk 1555 in lateinischer Übersetzung durch Joh. Lange dem Abendland bekannt wurde, hat es eine große Rolle in der Kontroverslitteratur gespielt. Es war eine wertvolle Rüst=kammer für die Verteidiger der Bilder, Reliquien und ihrer Legenden. Protestantischer=seits wurde es dagegen als ein Fabelbuch abgelehnt, nicht ein neuer Thucydides wie der 50 Autor selbst wolle, sondern theologorum Plinius (Joh. Gerhard). Auch Leo Allatius und Baronius übten daran scharfe dogmatische und historische Kritik. F. C. Baur hat es dann noch einmal zu Ehren gebracht, indem er — von der Ausführung absehend — das Universelle des schriftstellerischen Planes bei Nicephorus als epochemachend bezeichnete (vgl. Bd X, S. 380, 15). Er hat sich von den hochtrabenden Worten der Vorrede irreführen 55 lassen. Wie de Boor gezeigt hat und meine Beobachtungen an der Abgarlegende be=stätigen, hat Nic. thatsächlich nur ein älteres Werk aus den Jahren 911—920 sprachlich im Geschmack des 14. Jahrhunderts mit affektierter Anlehnung an den Stil des Thucy=bides umgearbeitet. Die 784 Kapitel seines Werkes sogar werden denen der Vorlage entsprechen, die 1000 umfaßte; der Rest von 216 paßt gerade .auf jene 5 Bücher, die 60

Nic. nicht mitbearbeitete. Von ihm stammt nur die Einteilung in 18 Bücher mit dem Akrostich *Νικηφόρου Καλλίστου*, worin er, wie ich vermute, Philostorgius (auf Grund der Notiz bei Photius bibl. 40) nachahmte; möglicherweise fügte auch erst Nic. die Philostorgiusabschnitte bei, die er aber nicht aus dem Originalwerk, sondern nur in dem Auszug des Photius kannte (Joep); ferner etliche sehr bedenkliche Nachrichten über konstantinopolitanische Heiligtümer, deren Quellen noch nicht nachgewiesen sind. Wir würden gewissermaßen einen Einblick in N.s' Arbeit gewinnen, wenn Bidez und Parmentier recht hätten, daß cod. Barocc. 142 mit den wichtigen Excerptensammlungen sein Handexemplar sei. Aber diese auf Beobachtungen am Evagriustexte gebaute Vermutung hält nicht stich (s. meine Christusbilder 271**), so gewiß eine nahe Verwandtschaft zwischen jenem Sammelband und Nicephorus auch aus den Beobachtungen Dieckamps (Hippolyt von Theben p. XXXIV ff.) erhellt. Für die wirkliche Geschichte hat N.s' Werk kaum Wert; selbst zur Textkritik der älteren Quellen macht ihn seine Paraphrastenmanier fast unbrauchbar. Um so mehr Ausbeute liefert er für alles Apokryphe.　**von Dobschütz.**

Nicephorus, Patriarch von Konstantinopel, gest. 829. — Litteratur: Schriften: a) Theologische: A. Mai, Nova Patrum Bibliotheca V, 1849, 1, 1—144; 2, 1—142; 3, 1—271 = MSG 100, 205—850; Pitra. Spicil. Solesm. I, 1852, 302—503; IV, 1858, 233—380. Unaufgeklärter Weise sind diese Schriften teilweise unter dem Namen des Theodorus Graptus überliefert. — b) Kirchenrechtliche: Kanones MSG 100, 851—864, Pitra IV, 389—415, Rhalles und Potles, Syntagma IV, 427—431 c; Typicon Pitra IV, 381—388. — c) Historische: ältere Ausgaben bei Krumbacher, Byz. LG.² 72. 351. MSG 100, 856—1061; grundlegend neu de Boor, Nicephori archiep. CPolitani opuscula historica (bibl. Teubn.), Leipzig 1880; ja Burckhardt, Der Londoner Kodex des Breviarium des Nic. Patr. BZ V, 1896, 465 ff.: cod. Br. add. 19 390 vom 9. Jahrh. enthält die urspr. Form des Chron. und die Materialsammlung für das Brev.; K. Prächter, BZ VI, 1897, 231 ff. Wie Gesamtausgaben von Combefis und Banduri, so ist auch ein von Pitra angekündigter weiterer Band nie erschienen.

Quellen: Vita von dem Diakon u. Skeuophylakos Ignatius, einem Schüler, doch wohl nicht gleich nach N.s Tode, sondern zwischen 843 und 846 geschrieben, schwülstig und mönchischeinseitig: AS 13. März II, 704—726; MSG 100, 41—160, be Boor 139—217; Rede über Exil und Translation von dem Presbyter Theophanes, unbedeutend, bald nach 846: ed. Theoph. Joannu *Μνημεῖα ἅγιολ*. 115—128, lat. MSG 100, 159—168. Auf diesen beiden an historischem Material verhältnismäßig armen Reden ruhen die Menäenlektionen zum 2. Juni und 13. März. Ergänzend treten hinzu die Biographien des Theodor von Studion MSG 99, 233—328; 113—232, und dessen Korrespondenz, besonders MSG 99, 988. 1005, 1173, 1317; ferner wertvolle Notizen bei dem Chronisten Theophanes und dessen Fortsetzern und Ausschreibern, Leo gramm., Georg. mon., Kedrenus u. a. Die Malvorschrift für sein Bild giebt Coisl. 296 Fol. 71, vgl. BZ XII, 1903, 542 und Synaxarium eccl. CPolitanae ed. Delehaye p. 725.

Litteratur: Fabricius-Harles, Bibl. graeca VII, 603 ff.; Prolegomena v. Mai u. Pitra; Ehrhard in Wetzer und Weltes Kirchenlexicon², IX, 249—259; Krumbacher, Byz. LG.² 1897, 71 ff. (Ehrhard), 349 ff. 965 f. (Gelzer); Finlay, Hist. of the byz. empire I², 113 ff.; J. Hergenröther, Photius I, 261—286; Muralt, Essai de chronogr. byz. 391 ff.; K. Schwarzlose, Der Bilderstreit, 1890, 124; C. Thomas, Theodor von Studion und sein Zeitalter 1892, 67—138; H. Gelzer, Das Verhältnis von Staat und Kirche in Byzanz, HZ 86, 1901, 231 ff.; K. A. Krebner, Zur Geschichte des Kanons. 1847, 95 ff.; Th. Zahn, Geschichte des ntl. Kanons, II, 295; H. Gelzer, Julius Africanus II, 1885, 384 ff.; K. Holl, Enthusiasmus und Bußgewalt, 1898, 282. 319; von Dobschütz, Christusbilder, 1899, 102*, 112*, 198*, 267*. Vgl. den A. Bilderverehrung und Bilderstreitigkeiten Bd III, S. 221—226.

Nicephorus ist einer der gefeiertsten griechischen Kirchenfürsten, einer der Vorkämpfer der Orthodoxie in der zweiten Phase des Bilderstreites. Geboren zu Konstantinopel um 758(?) als Sohn des streng kirchlich gesinnten kaiserlichen Geheimsekretärs Theodor und seiner eifrig frommen Frau Eudokia, wuchs er auf unter den Eindrücken der Verfolgung der Bilderfreunde unter Konstantin Kopronymus: sein eigner Vater starb, um seines Glaubens willen des Amtes entsetzt, im Exil. Doch widmete sich auch N. zunächst dem Staatsdienst, wurde gleichfalls Kabinetssekretär (a secretis) und nahm unter Irene als kaiserlicher Kommissar an der bilderfreundlichen Synode von 787 teil. Dann aber zog er sich, wie es scheint nur durch fromme Erwägungen bestimmt, in ein von ihm begründetes Kloster an der Propontis zurück, wo er sich philosophischen Studien widmete. Wegen seiner eifrigen Armenpflege zum Leiter des größten Armenhauses bei Konstantinopel ernannt, wurde er, obwohl noch Laie, nach dem Tode des Patriarchen Tarasius auf Wunsch des Kaisers Nikephorus einstimmig zu dessen Nachfolger erwählt und, nachdem er von den Händen des Kronprinzen die Tonsur empfangen hatte, am Osterfest 12. April 806 feierlich inthronisiert. Die streng klerikale, zu Rom haltende Partei der Studiten, der alte Platon und seine Neffen Theodor und Joseph, opponierten zwar gegen das unkanonische dieser Wahl — sie haßten den Kaiser Nicephorus und sahen in dem gleichnamigen Patriarchen dessen Kreatur — und ihre Opposition ging in offenen Bruch über, als der 5 Patriarch auf des Kaisers Wunsch den Abt Joseph, der einst gegen die Kanones die Ehe des geschiedenen Konstantin VI. mit Theodote eingesegnet hatte (796) und deshalb aus dem geistlichen Stande ausgestoßen war, rehabilitierte (810). Dafür mußten jene von Studion weichen. Ihre Forderung einer absoluten Autonomie der Kirche nach römischem Muster bedeutete thatsächlich eine Neuerung gegenüber dem althergebrachten byzantinischen 10 Prinzip des Staatskirchentums, an dem zunächst der Patriarch so gut wie der Kaiser festhielt. Übrigens war der Patriarch keineswegs lax: sein Biograph, der diese Streitigkeiten allerdings ganz verschweigt, erzählt, daß er gegen Unsittlichkeit unter den Mönchen vorging und einem Taurerfürsten die Ehescheidung verbot. In den Maßregeln gegen Juden und Ketzer ließ aber der Kaiser seinem Patriarchen offenbar nicht völlig freie Hand. 15 Als dann Nicephorus, durch harten Steuerdruck immer verhaßter geworden, am 26. Juli 811 gegen die Bulgaren fiel, sein Sohn Staurakios keine Garantien zur Restitution der geraubten Kirchengüter geben wollte, wirkte der Patriarch mit einer Hofpartei zusammen dahin, daß Staurakios' Schwager, Michael Rhangabe auf den Thron kam (2. Okt. 811), ein ebenso bigoter wie unfähiger Regent, der sich sofort verpflichtete, keinen 20 Kleriker zu strafen, dem Patriarchen, trotz des Widerspruchs einzelner Theologen, den weltlichen Arm zur Verfolgung der Paulikianer und Athinganer (f. Gelzer, HZ 1901, 86, 225) ließ, bald aber ganz unter den Einfluß des zurückgerufenen Studitenabtes Theodor geriet und gegen den Rat des Patriarchen, der Minister und Generale einen höchst verderbliche, kurzsichtige Politik trieb. [Eine Ausnahme hiervon macht nur die Anknüpfung von Beziehungen 25 mit Karl d. Gr., infolge deren nunmehr auch der Patriarch die seit Tarasius unterbrochene Verbindung mit Rom wieder aufnehmen durfte: die verspätete Inthronistica an Leo III. vom Jahre 811 ist erhalten, ein höchst beachtenswertes Dokument, MSG 100, 169—200.] Das Heer empörte sich gegen die unfähige klerikale Kriegsleitung; Erinnerungen an die glänzenden Tage der isaurischen Soldatenkaiser wurden wach und der Oberkommandierende 30 der anatolischen Truppen, der Armenier Leo, ward von seinen Soldaten zur Usurpation gedrängt. Anfangs scheint dieser nicht bilderfeindlich gewesen zu sein: über seine Rechtgläubigkeit beruhigt, begrüßte ihn der Patriarch als Reichsretter. Aber die Verhältnisse drängten zur Erneuerung der Politik der Isaurer auch im Innern: Kampf gegen das Mönchtum und seine Bilder. Leo hatte schon bei der Krönung am 12. Juli 813 die 35 Unterschrift des Glaubensbekenntnisses verweigert — später erzählte man sich, Nicephorus habe bei der Krönung einen stechenden Schmerz empfunden, als griffe er in Dornen —, dann versuchte er den Patriarchen für Beseitigung des Bilderdienstes zu gewinnen; doch Nicephorus trat nun mit der Mönchspartei der Studiten in engste Beziehung zu gemeinsamem Widerstand. Der Angriff der Staatsgewalt auf den Glauben der Kirche ließ ihn das 40 Recht der von jenen vertretenen Forderung kirchlicher Selbstständigkeit erkennen. Im Dezember 814 versuchte man zunächst beiderseits noch eine gütliche Einigung. Private und öffentliche Disputationen vor dem Kaiser verliefen resultatlos. Vergeblich wandte sich der Patriarch an die Kaiserin und hohe Palastbeamte. Dann ging man zu Chikanen über. Leo setzte ihm einen bilderfeindlichen Skeuophylax zur Seite, versagte ihm Predigt 45 und gottesdienstliche Funktionen; Nicephorus verweigerte dafür jede Verhandlung mit der von dem Kaiser einberufenen Synode. Von dieser entsetzt, antwortete er mit dem Kirchenbann. Schließlich siegte die äußere Gewalt: N., schwer leidend, erbot sich, um größeres Unheil zu verhüten, zur Abdankung und wurde nächtlicherweile durch Soldaten aus dem Patriarchat fortgeschafft und zu Schiff nach seinem Kloster τῶν ᾿Αγαθοῦ überführt 50 (13. März 815), später nach dem gleichfalls von ihm gegründeten Theodorskloster, eine Maßregel, die in den Augen der Späteren schnöde Mißhandlung, faktisch wohl eher ein Schutz war, da die aufgeregte bilderfeindliche Menge das Patriarchat zu stürmen drohte. Von seinem Kloster aus kämpfte der Expatriarch litterarisch für die Sache der Bilder gegen die von seinem Nachfolger Theodotos Kassiteras 815 gehaltene Synode. Bei dem 55 Thronwechsel am 25. Dezember 820 suchte er den neuen Kaiser Michael durch ein Schreiben zu gewinnen, erzielte aber nur das Versprechen der Toleranz unter der Bedingung, daß die Parteien alles Streiten über die Frage einstellten. Nach 9 jährigem Patriarchat und 14 Jahren Exil starb N. etwa 70 jährig am 2. Juni 829, gefeiert als „Bekenner“. Nach der Restitution der Orthodoxie unter Michael und Theodora im Jahre 60

843 brachte der Patriarch Methodius im Jahre 847 N.s Leiche feierlich nach Konstantinopel zurück, wo sie nach kurzer Aufbahrung in der Hagia Sophia in der Apostelkirche
neben den Kaisergräbern beigesetzt ward. Jährlich am Ostermontag hatten hier nach dem
Ceremoniale des Konstantin (I, 10 p. 77) Kaiser und Patriarch an den Särgen des N.
5 und Methodius gemeinsam zu beten. Die griechische Kirche feiert N. außer am Fest der
Orthodorie am 2. Juni, und dazu seine Translation am 13. März, an welchem Tage
sein Name auch im römischen Kalender erscheint (Nilles, Kalend. I² 120, 170).

Verglichen mit seinem Zeitgenossen, anfänglichen Gegner und späteren Bundesgenossen Theodor von Studion erscheint N. als ein Mann der Vermittelung: streng kirch-
10 lich, aber kein Zelot wie jener, weiß er sich den Umständen anzupassen und wo sie ihm
zu stark werden, zieht er sich zurück. Theodor ist ein heißblütiger Kanonist, N. mehr
ein gelehrter Patristiker: jener ist herausfordernd, dieser mehr verteidigend. Das zeigt
auch ihre Sprache: N. hat nicht das feurige Pathos des Studiten, er schreibt würdevoll,
ruhig, für einen Byzantiner einfach — wie schon Photius bibl. cod. 66 lobend her-
15 vorhebt. Aus seinen kirchlichen Gesetzen (Canones) und Klosterregeln spricht der Geist
der Milde; in seinem historischen Hauptwerk, der Geschichte der Jahre 610 bis 769
(ἱστορία σύντομος, breviarium), giebt er, allerdings ohne tieferes Eindringen, eine
ruhige objektive Darstellung der Hauptereignisse, die in ihrem Ton vorteilhaft von vielen
andern byzantinischen Geschichtswerken absticht. Es ist dieselbe Gerechtigkeitsliebe, die
20 ihn auch die Regententüchtigkeit seines Gegners Leo nach dessen Tode anerkennen ließ.
Die Tabellen über die Weltgeschichte (χρονογραφικὸν σύντομον) haben sich, besonders
in einer erweiternden Bearbeitung vom Jahre 850, bei den Byzantinern sehr beliebt gemacht und sind in der Übersetzung des Anastasius auch im Abendland weit verbreitet
gewesen. Das Traumbuch in Versen, das in vielen Handschriften Nicephorus beigelegt
25 wird, ist gewiß nicht von dem Patriarchen, der neben der Paulusapokalypse auch die
Brontologia, Selenodromia, Kalandologia u. ä. verbot (MSG 100, 852). Die Hauptwerke des N. sind die auf den Bilderstreit bezüglichen, die ich im Anschluß an Ehrhard
folgendermaßen zu ordnen suche. Wohl noch der Zeit vor Leos entschiedenem Auftreten
gehört der für Laien bestimmte, hauptsächlich geschichtlich über die Tradition und die erste
30 Phase des Bilderstreites orientierende **Apologeticus minor** (MSG 100, 833—850) an,
der c. 120 Jahre nach dem Quinisertum von 692 geschrieben ist (100, 845 c) und mit
der Berufung auf eine neue ökumenische Synode schließt. Das Hauptwerk, dessen beide
Teile A. Mai ungeschickterweise umgestellt hat, ist der **Apologeticus maior** (100,
533—832) mit den drei **Antirrhetici** gegen Mamonas d. h. den Gegner Gottes Konstantin
35 Kopronymus (100, 205—533); hier giebt N. zunächst eine umfassende Darstellung des
rechten Glaubens, mit einem großen Aufgebot von Schriftbeweisen den Vorwurf des
Götzendienstes zurückweisend; sodann widerlegt er Schritt um Schritt die Angriffe in einer
Schrift unter dem Namen jenes Kaisers, 1. die christologische Grundlage der Bilderverehrung, 2. die Abbildbarkeit des Göttlichen in der Person Christi, das περιγραπτὸν
40 εἶναι, 3. die Bedeutung der Tradition feststellend. Wie er — dem Beispiele des Da-
mascenus folgend — den ersten Teil mit 26 Belegstellen aus den Vätern abschließt
(MSG 100, 812), so das ganze mit einer Sammlung von 79 Citaten (Pitra I, 336).
Hieran schließt sich unmittelbar die von Pitra (I, 371; IV, 292) edierte ausführliche
Erörterung der von den Gegnern beigebrachten Schriften des Eusebius und Epiphanius
45 (N. liest Epiphanides und unterscheidet diesen als einen Doleten von dem Bischof von
Salamis). In gleicher Weise wird auch ein großes Stück aus des Makarius Dialog
Magnes von N. kommentiert (Pitra I 302), ebenso Stellen aus der Schrift, Chrysostomus
und Methodius (Pitra IV, 233). Ein anderes umfassendes Werk gegen die Synode von
754, dessen Inhalt Banduri angiebt (MSG 100, 31) ist noch unediert. Obwohl N. sich
50 dabei offenbar viel wiederholt, hoffen wir doch auf eine baldige Ausgabe durch de Boor. Denn
erst hiernach wird ein abschließendes Urteil über N.s Schriftstellerei möglich sein und das
zeitliche Verhältnis seiner Schriften zu einander und den ähnlichen des Studiten sich
genau feststellen lassen. So unberechtigt die Hintansetzung des N. bei Schwarzlose und
Kattenbusch ist, so spricht ihm andererseits doch wohl Gaß in RE² X, 537 zu viel
55 Originalität zu: nicht N. hat das Thema der Bilderverehrung zu einem schwierigen religiös-
philosophischen und ästhetischen Problem gemacht; was er an Erörterungen über das Bildliche
überhaupt, Verhältnis von Bild und Sache, εἰκών und εἴδωλον, Abbildbarkeit des
Übersinnlichen beibringt, hat alles schon Johannes von Damaskus; die christologischen
Beziehungen sind von dessen Nachfolgern in der Zeit des Kopronymus, zwischen den
60 Synoden von 754 und 787 aufgewiesen worden. N. zeigt seine Abhängigkeit schon in

der vielfach unbestimmten Art der Citation; auch daß er zuweilen mit gefälschten Texten arbeitet, wird nicht seine Schuld sein (Christusbilder 112*f.).   Sein Verdienst ist die Gründlichkeit, mit der er besonders dem Schrift= und Traditionsbeweis nachgegangen ist; seiner eingehenden Widerlegung verdanken wir die Kenntnis wichtiger Beweisstücke der Gegner, z. T. aus alter christlicher Litteratur.   **von Dobschütz.** 5

Nicetas, Akominatos, gest. um 1200. — Litteratur: Th. Uspensky, Der byz. Schriftsteller Nicetas Akominatos Chon., Petersburg 1874 (russisch); Ehrhard bei Krum= bacher, Geschichte der byz. Litteratur 1897, S. 91f. und Krumbacher selbst ebenda S. 281ff.

Nicetas, nach seiner Vaterstadt Choniates (Chonae, das alte Kolossae) oder mit seinem Familiennamen Akominatos genannt, war der jüngere Bruder des Michael Akominatos und 10 beide bilden ein in der griechischen Litteraturgeschichte des 12. Jahrhunderts wohlbekanntes Brüderpaar. Während sich Michael zum praktischen Kleriker und Bischof ausbildete, er= gab sich Nicetas außer der Theologie besonders historischen und juristischen Studien, welche ihn zu bedeutenden Staatsämtern befähigten. Er stieg unter den Kaisern aus dem Hause Angelos zu den höchsten Würden empor. Als Statthalter der Provinz Philippo= 15 polis hatte er 1189 während des Durchzuges des Kaisers Friedrich Barbarossa große Schwierigkeiten zu bestehen. Noch Härteres war ihm vorbehalten. Denn als 1203 die Lateiner unter wilden Gewalthaten Konstantinopel eroberten, mußte er mit vielen an= deren nach Nicäa fliehen, woselbst er auch nach 1210 gestorben ist.

Nicetas gehört zunächst in die Reihe der byzantinischen Historiker. Seine Histor. 20 byzant. libri XXI, umfassen den Zeitabschnitt von 1180—1205 und zeichnen sich durch gutes Urteil und Zuverlässigkeit aus; die persönliche Teilnahme des Verfassers an vielen Ereignissen giebt ihnen einen bedeutenden Quellenwert. Seine theologischen Studien hat Nicetas aber in den 27 Büchern eines Θησαυρὸς ὀρθοδοξίας niedergelegt. Ull= mann stellt dieses Werk mit der Πανοπλία des Euthymius zusammen, da beide den 25 Standpunkt der dogmatischen Strenge und dogmenhistorischen Gelehrsamkeit in diesem Zeitalter der griechischen Kirche repräsentieren, giebt ihm aber mit Recht vor jenem den Vorzug. Nicetas verfährt selbstständiger, denkender und genetischer in der Begründung der Lehre und in der Herleitung der Häresien und bezeugt große Achtung vor der Philo= sophie. Er beginnt mit der Darstellung des Juden= und Griechentums und seiner mytho= 30 logischen und philosophischen Erzeugnisse. Dann folgen die kirchlichen Hauptlehren, zwar wesentlich gebaut auf die dogmatische Überlieferung der griechischen Väter, aber nicht ohne eigentümliche Gesichtspunkte, namentlich in der Anthropologie und Psychologie. Das vierte Buch eröffnet die Polemik gegen die Häretiker von Simon Magus an, und dieser kritische Bericht führt nicht allein durch die bekannten Regionen, sondern berührt auch 35 dunkle Punkte und erwähnt schwer verständliche und sonst kaum angeführte Ketzernamen. In den letzten Büchern kommen der Gegensatz zum Islam, die Kontroversen mit den Lateinern und die Meinungskämpfe innerhalb der griechischen Kirche zur Sprache. Ver= glichen mit den älteren häresiologischen Schriften ist es nicht allein der Umfang, welcher diesem „Schatze der Rechtgläubigkeit" einen Wert verleiht, sondern das Werk bildet auch 40 eine unentbehrliche Quelle für die Kenntnis der häretischen Bewegungen des 12. Jahr= hunderts. — Übrigens ist unsere Kenntnis des Werkes eine sehr unvollständige. Nur die ersten fünf Bücher sind in lateinischer Übersetzung von Petrus Morellus ediert worden: Paris. 1561. 1579, Genev. 1629. Bibl. Patr. Lugdun. XXV, p. 54; dazu griechisch ein Fragment des 20. Buches gegen die Agarener in Sylburgi Saracenicis, Heidelb. 45 1595, p. 74 u. ö., Tafel, Annae Comnenae Supplementum, Tübingen 1832; Th. Uspensky, Skizzen zur Geschichte der byz. Kultur, Peterburg 1892. Das Meiste wieder abgedruckt bei Migne P. Gr. Bd 139, 1101—1144, Bd 140, 9—281. Eine vollständige Ausgabe wäre höchst erwünscht.   (Gaß †) **Ph. Meyer.**

Nicetas, David, gest. 880. — Litteratur: Ehrhard bei Krumbacher, Gesch. der byz. 50 Litteratur 1897, S. 167; Krumbacher, ebenda S. 679 und sonst; Leo Allatius, Diatriba de Nicetis, ed. A. Mai in Nova Patr. Bibl. 6, 2, 3—8; Hankius, De Byz. rer. scriptoribus, Leipzig 1677, S. 261 f.; Fabricius-Harles, Bibl. Gr. VII, 747—749; Lipsius, Die apokryphen Apostelgeschichten und Apostellegenden 1883, Bd I, 182 und sonst oft; Ph. Meyer, J. P. Th. 1896, S. 386 ff.; Byz. Zeitschr. 1900, S. 268 ff. Die Werke des N. sind zuletzt gedruckt bei 55 Migne, Patr. Gr. B. 105, S. 15—582; B. 38, S. 842—846; B. 4, S. 682—842.

David Nicetas, auch Paphlago und Philosophus genannt, war Bischof von Dadybra in Paphlagonien. Er gehört zu den bedeutendsten Panegyrikern unter den Byzantinern.

Besonders hat er den Aposteln seine Enkomien gewidmet, unter denen zu nennen sind
das auf Petrus und Paulus wie auf den Petrus allein, auf den Jakobus Zebedäi, Al-
phaei und den Adelphotheos, auch Johannes, Philippus, Bartholomäus, Matthäus, Simon
Zelotes, Judas Thaddäus, Markus und Timotheus. Der geschichtliche Kern dieser Reden
5 ist gering. „In einen unendlichen Redeschwall sind die wenigen Notizen eingehüllt, welche
N. birekt oder indirekt aus älteren Apokryphen geschöpft hat" (Lipsius). Nicht wertvoller
sind die Reden auf einige Heilige, obwohl auch diesen geschichtliche Quellen zu Grunde
liegen. Unter seinen sonstigen Werken ist neben umfangreicheren Erklärungen zu Gedichten
des Gregor von Nazianz seine Vita des Patr. Ignatius von Konstantinopel zu nennen,
10 in der N. gegen Photius Partei nimmt. Diese Schrift hat bedeutenden historischen Wert.
Neuerdings hat Papadopulos Kerameus (Byz. Zeitschr. a. a. O.) sie dem N. abgesprochen
und einem späteren römischen Fälscher zuschreiben wollen. Es ist ihm dies von W. Vasiljevskij scheinbar mit Recht bestritten, wie auch der Referent der Byz. Zeitschrift, Ed. Kurtz,
urteilt.   Ph. Meyer.

15   Nicetas, Pectoratus, um 1050. — Litteratur: Leo Allatius, Diatriba de Nicetis,
ed. A. Mai, Nova patr. bibl. 6, 2, 10—13; Fabricius-Harles, Bibl. Graeca VII, 753 ff.;
Gieseler, Lehrbuch der Kirchengeschichte, II, 1, 4. Aufl. 1846, S. 382 ff.; Demetracopulos,
ιστορία τοῦ σχίσματος 1867, S. 24; Ehrhard bei Krumbacher, Gesch. der byz. Litteratur 1897,
namentlich S. 81, 153, 154; Holl, Enthusiasmus und Bußgewalt beim griech. Mönchtum, 1898,
20 S. 3 ff. Dazu Ph. Meyer, GgA 1898 Nr. 11 S. 846 ff.
    Nicetas Pectoratus (Νικήτας Στηθάτος) war Priestermönch in Studion und Schüler
Symeons, des neuen Theologen, welcher letztere erst später in das Mamaskloster übertrat. Von
diesem hat er die Mystik übernommen, die sich in den Bahnen der späteren Hesychasten
bewegt, nur daß die älteren Vorgänger noch nicht die künstliche Methode benützen, die
25 Vision hervorzurufen. Mystisch-asketischen Inhalts sind eine Reihe von Schriften des
Nicetas, namentlich die 300 κεφάλαια, die Nicodemus Hagiorites zuerst in dem großen
asketischen Sammelwerk Φιλοκαλία, Venedig 1782 Fol., dann Migne, P. Gr. B. 120,
S. 852—1009 herausgegeben hat. Dem Symeon hat N. auch ein Denkmal gesetzt, indem
er seine Vita schrieb, „eine Quelle ersten Ranges" (Holl). Sie ist nur in volksgriechischer
30 Übersetzung gedruckt und zwar vor den Werken Symeons, des neuen Theologen, herausgegeben von Dionysios Zagoraios 1790 und 1886, doch hat Holl (a. a. O. S. 3 ff.) sie
wissenschaftlich behandelt. Dazu hat N. die Werke Symeons gesammelt. Doch war N.
nicht nur ein bedeutender Asket, sondern auch ein von seiner Kirche anerkannter Polemiker
gegen die feindlichen Kirchen. Als im Jahre 1054 die römische Gesandtschaft in Kon-
35 stantinopel erschien, an deren Spitze der Kardinal Humbert stand, war N. einer derjenigen, die bereits den litterarischen Kampf gegen Rom aufgenommen hatten. Gegen
seine Schrift περὶ ἀζύμων καὶ σαββάτων νηστείας καὶ τοῦ γάμου τῶν ἱερέων (bei
Demetracopulos, Bibl. Eccles. 1866, S. 18 ff.) richtete sich namentlich der Zorn Humberts, der in seiner Brevis commemoratio (auch bei Gieseler a. a. O. S. 388) sich
40 rühmt, den Griechen auch in einer mündlichen Disputation so überwunden zu haben,
daß auf Befehl des Kaisers die Schrift öffentlich verbrannt wurde. Dies ist von griechischen Schriftstellern als eine Lüge Humberts hingestellt, so von Dositheos in seiner ιστορία
περὶ τῶν ἐν Ἱεροσολύμοις πατριαρχευσάντων S. 758 mit der Begründung, daß ja
dann die Schrift des N. nicht habe erhalten bleiben können. Eine ähnliche Schrift des
45 N. gegen die Armenier und Römer περὶ ἐνζύμων καὶ ἀζύμων hat Hergenröther in
den Monumenta graeca ad Photium . . spectantia 1869, S. 139 ff. herausgegeben.
Übrigens ist das wenigste von den Schriften unseres N. gedruckt. Ein reichhaltiges Verzeichnis seiner Schriften (27 Nummern) bei Demetracopulos, Bibl. eccl. S. ϛ ff.
                                                                            Ph. Meyer.

50   Niceta, Missionsbischof von Remesiana, ca. 345—420. — Schriften: De
ratione fidei, de spiritus sancti potentia, de diversis appellationibus domino nostro Jesu
Christo convenientibus (A. Mai, Scriptor. veter. n. coll. VII, 314—332), explanatio symboli ad competentes habita (Caspari, Anecd. 341—360).
    Behandlungen: Braida, Dissertatio in S. Nicetam (Migne s. l. LII, 875—1134);
55 F. Kattenbusch, Beiträge zur Geschichte des altkirchlichen Taufsymbols im Gießener Univer-
sitätsprogramm vom J. 1892, S. 34—52; Th. Zahn, Das apostol. Symbol 1894, S. 107—130;
G. Morin, Nouvelles recherches sur l'auteur du „Te deum" in Revue bénédict. 1894, XI,
Heft 2; E. Hümpel, Niceta, Bischof von Remesiana, Bonn 1895 (zuerst erschienen in ZdTh
1895, S. 275—343, 416—469); Th. Zahn, Neuere Beiträge zur Geschichte des apostol. Symbols
60 in N. k. Zeitschrift 1896, S. 93 ff.; F. Kattenbusch, Recension der Schrift Hümpels in ThLZ
1896, S. 297—303.

Über das Geburtsjahr und die Lebensdauer dieses Bischofs ist absolut Sicheres nicht bekannt. Auch sonst hat die Identifikation dieses Bischofs Niceta mit Trägern dieses oder eines ähnlichen Stammes verwirrend gewirkt. Doch steht zunächst soviel fest, daß er im Jahre 398 und dann vier Jahre später dem Bischof Paulinus von Nola einen Besuch gemacht hat, der diesem eine erwünschte Gelegenheit gab, den um manche Jahre älteren 5 Kollegen in schwunghaften Versen zu feiern. Als direkte Quellen kommen für Niceta von Remesiana nur in Betracht: Gennadius, De vir. ill. op. XXII (Vallarsi, Hieronymi opera II, 2, 967—1016, Venet. 1767) und Paulinus von Nola (Epist. XXIX, 14; carm. XVII und XXVII = Migne Patrol. s. l. LXI col. 321, 483—90, und 651—663. In der Epistel Paulins wird er beschrieben als episcopus, qui ex Dacia 10 ... advenerat. Mit diesem Dacia meinte er nicht die gesamte dioecesis Daciae, welche am Ende des 4. Jahrhunderts 5 Provinzen umfaßte, sondern es können, wie auch carm. XVII. 189 ff. und 249 ff. beweisen, die Teilprovinzen Dacia mediterranea und Dacia ripensis höchstens gemeint sein. Seine Bischofsstadt, die zugleich seine Vaterstadt war (carm. XVII, 55 f. 319 f. 187 f.), lag Scupi (carm. XVII, 195 f.) benachbart, der 15 mächtigen Metropole Dardanias, ohne selbst noch zu Dardanien zu gehören. Das Dardanus hospes schließt eine Lage des niceteischen Bischofssitzes in Dardania wie in Dacia ripensis, das weit von Scupi entfernt an der Donau liegt, aus. Es kommt also nur Dacia mediterranea in Betracht. Hier befand sich die Stadt Remesiana, die nach Gennadius (op. XXII: Niceta [oder Niceas] Romatianae [oder Romacianae, Ro- 20 maniciae] civitatis episcopus) um jene Zeit einen Bischof Niceta aufwies. Die richtige Schreibweise für den von den Türken jetzt Ak = Palanka, von den Serben Bela = Palanka genannten Ort: Remesiana bietet zum Überfluß eine sehr alte Handschrift des Gennadius nach dem einwandsfreien Zeugnis des Dominikaners M. Lequien (Oriens christ. II, 305). 25

Die Völker, denen der Bischof Niceta seine missionarische Thätigkeit zuwandte, waren die Bessen, Skythen, Geten und Daken (carm. XVII, 205—244. 245 ff. 249 ff.). Von Naissus und Sardika an über Pautalia und Germania bis herunter nach Philippi, dann weiter nach Osten über den westlichen und mittleren Hämus und über die ganze Rhodope breitete sich die bessische Nation um 400 p. Chr. aus. Das Gebiet der Skythen deckte 30 sich fast überall mit dem der heutigen Dobrudscha. Die Wohnsitze der Daken sind in Dacia ripensis und D. mediterranea zu suchen. Demnach reichte sein Missionsgebiet im Norden bis an die Donau, im Osten bis an den Pontus, im Süden bis ans ägäische Meer und im Westen bis an die Grenzen von Dalmatien und Illyrien. Trotz der ungeheuren Größe dieses Missionsgebietes schlug das Evangelium tiefe Wurzel. Klöster für 35 Männer und Frauen erstanden in dem unwirtlichen Gebiete (carm. XVII, 85 ff. 219 f.). Die Barbaren lernen Christum in lateinischer Sprache bezeugen und in Sittenreinheit ein stilles und geruhiges Leben führen (carm. XVII, 261 ff.).

Lange Zeit hindurch wurde die Gleichsetzung des Missionsbischofs Niceta in partibus orientalibus mit dem Schriftsteller Niceta beanstandet. Aber abgesehen von dem 40 oben Angeführten fordert diese Identifikation die merkwürdige Übereinstimmung von Fragment III (N. coll. p. 339) mit Paulinus Nolabus (carm. XVII, 213 ff. und 269 ff.) im Zusammenhalt mit jener Aufforderung: Si gentiles suadent, multos patres iterum colere, tu retine beatam professionem (K. Anecd. p. 354), eine Stelle, die auf einen erst christianisierten Leserkreis hinweist. 45

Während die Bedeutung des Bischofs Niceta als Missionar darin beruht, daß er sich die planmäßige Bekehrung der Gebirgsvölker des Hämus zur Lebensaufgabe machte, einer Aufgabe, der er nach dem Schweigen Paulins über andere missionarische Versuche im Hämus sich zuerst und allein gewidmet, und die er mit unleugbarem Erfolge durchgeführt haben muß, wie man trotz allen rhetorischen Überschwanges aus zwei fast gleich- 50 zeitigen Briefen des Hieronymus vom J. 396 (Hieron. opp. ed. Vall. I, 334 epist. LX und I, 679 epist. CVII) erfahren kann, beruht seine Bedeutung als Schriftsteller darin, durch seine von praktisch-kirchlichem Geiste durchhauchten Schriften die Homousie des Sohnes und des Geistes nachdrücklich verteidigt und durch seine energische Betonung des Symbols die ihm anvertrauten Seelen vor der Gefahr der Häresie zu bewahren versucht 55 zu haben. Denn in dem großen Kampfe seiner Zeit bekämpft er von dem Boden des Nicänums aus Arianer wie Macedonianer. Seine Stellungnahme zu ihm wie zum Symbol ist bedingt in seinem Verhältnis zur Schrift, die in den Behauptungen der Gegner nicht zu ihrem Rechte kommt (N. coll. p. 330 f. 320. 314. 319. 323).

Was seine Schriften im besonderen anlangt, so werden ihm von Gennadius 6 für 60

die Unterweisung von Taufbewerbern bestimmte Büchlein zugeschrieben. Das 5. Büchlein
De symbolo ist zweifellos identisch mit der explanatio symboli, die als das Werk
eines Bischofs Niceta handschriftlich überliefert ist. Es ist ferner sicher, daß das 3. bei
Gennadius genannte Schriftchen De fide unicae maiestatis identisch ist mit den beiden
5 Traktaten De ratione fidei und de spiritus sancti potentia. Cassiodor (instit. div.
litt. op. 16) hat sie noch als eine einzige Schrift eines Bischofs Nicetus mit dem Titel
De fide gekannt. Außerdem sind von ihm 6 Fragmente erhalten (N. coll. VII, 339 f.).
Auch wird ihm angehören das Traktätchen De diversis appellationibus domino nostro Jesu Christo convenientibus. Die übrigen bei Gennadius genannten Schriftchen
10 sind verloren.

Für die Geschichte des apostolischen Taufsymbols ist die zuerst genannte Schrift von
Bedeutung geworden. In ihr taucht zum ersten Male als Stück des Bekenntnisses die
communio sanctorum auf. Nach seinem Bekenntnis zur „heiligen katholischen Kirche"
und nach einer längeren Darbietung seines Verständnisses von diesem Stück fährt Niceta
15 fort: Ergo in hac una ecclesia crede te communionem consecuturum esse
sanctorum. Scito unam hanc esse ecclesiam catholicam in omni orbe terrae
constitutam; cuius communionem debes firmiter retinere. Eine faktische Deutung
wird damit nicht gegeben. Vielmehr macht Niceta nur den Versuch, die communio
sanctorum seinen Lesern mit Rücksicht auf die Zeitströmung des Arianismus verständlich
20 und ihnen die energische Festhaltung an der heiligen katholischen Kirche zur unerläßlichen
Pflicht zu machen. Demnach muß die geprägte Symbolformel der communio sanctorum jedenfalls noch viel älter sein als die Schrift, die sie in dieser Weise zu erläutern
unternimmt (vgl. Th. Zahn, D. ap. Symb. S. 88 f.).

Eine große Bedeutung würde Niceta von Remesiana für die Geschichte der Hymno-
25 logie gewinnen, wenn es sich bewahrheiten sollte, daß Niceta, wie Morin und Zahn
wollen, als der Verfasser des Te deum laudamus und der beiden Schriftchen De vi-
giliis servorum dei und De psalmodiae bono anzusehen wäre. Aber so einleuchtend
auch manche insonderheit von letzterem Gelehrten vorgebrachten Gründe sind (R. L. Z.
p. 106 ff.), so erfordert doch die definitive Verabschiedung dieser Frage eine eingehendere
30 Untersuchung, als sie an obigem Orte beabsichtigt war.   **Hümpel.**

Nicetas, Heinrich s. d. A. Familisten Bd V, S. 750,54.

Nicolai, Philipp, gest. 1608. — L. Curtze, D. Philipp Nicolais Leben und Lieder,
Halle 1859 (grundlegend); H. H. Wendt, Vorlesungen über Ph. N., gehalten auf Veranstaltung des Vereins f. Hamburgische Geschichte, Hamburg 1859; R. Rocholl, Leben Nicolais,
35 Berlin 1860; Victor Schultze, Waldeckische Reformationsgeschichte, Leipzig 1903. Dazu die
hymnologische Litteratur, bes. Koch, Geschichte des Kirchenlieds u. s. w., 3. Aufl., Stuttgart
1866. Ein Verzeichnis der Ausgaben seiner Schriften bei Curtze, S. 262 ff.

Philipp Nicolai, lutherischer Theologe, Prediger, Schriftsteller und Liederdichter des
16. Jahrhunderts, ist geboren den 10. August 1556 in der Stadt Mengeringhausen in
40 Waldeck. — Sein Vater, Dietrich Rafflenboel (oder wie er nach dem Vornamen seines
Vaters, eines westfälischen Hofbesitzers, Nikolaus Rafflenboel, sich nennt: Theodoricus,
Nicolai F., Raffelembolius; der Vorname des Großvaters wurde bei dem Enkel Fa-
milienname), war seit 1539 Pfarrer zu Herdecke in der Grafschaft Mark gewesen, 1543
mit einem Teil seiner Gemeinde von der katholischen zur lutherischen Kirche übergetreten,
45 1550 wegen Nichtannahme des Interims vertrieben worden und hatte dann durch Verwendung des Grafen Johann von Waldeck eine Anstellung in Mengeringhausen gefunden (Schultze S. 313 ff.). Mit kräftigem Körper und trefflichen Geistesgaben ausgerüstet, zeigte Philipp N. großen Eifer im Lernen; daher ließ sein Vater sich entschloß, ihn
(wie noch drei Brüder) „dem lieben Gott und seiner Kirche" zu widmen, d. h. Theologie
50 studieren zu lassen. Nachdem er den ersten Unterricht von seinem Vater erhalten, besuchte
er nacheinander die Schulen zu Rhoden, Kassel, Hildesheim, Dortmund, Mühlhausen,
Corbach, erwarb sich vielfache Kenntnisse und übte sich insbesondere auch in lateinischer
Poesie und Musik (in einem lateinischen Jugendgedicht Certamen cervorum cum co-
lumbis behandelt er die theologischen Streitigkeiten jener Zeit). Im 19. Lebensjahre
55 1575 bezog er die Universität Erfurt, wo er durch lateinische Gelegenheitsgedichte einen
Teil seines Unterhaltes sich verdienen mußte. Im Mai 1576 durch den Tod seiner
Mutter nach Hause gerufen, konnte er erst im Herbst dieses Jahres sein Studium in
Wittenberg fortsetzen, das kurz zuvor nach dem Sturz der Philippisten mit streng luthe-

rischen Theologen, unter denen bef. P. Leyser, war besetzt worden. Nach vollendetem theologischen Studium hielt er sich einige Zeit in dem waldeckischen Kloster Volkhardinghausen auf, wo er mit seinem Bruder Jeremias (geb. 1558, gest. 1632 als Superintendent) wissenschaftlichen Arbeiten oblag und zugleich seinen alten Vater im Predigen unterstützte. In dieser Zeit entstand sein Jugendwerk Comment. de rebus antiquis Germ. gentium libri VI, 1575 erschienen, abgedruckt in den Opp. lat. II, 226 sqq., eine hist.-antiq. Arbeit, die zwar jetzt keinen Wert mehr hat, aber interessant ist durch die patriotische Begeisterung, mit der sie geschrieben ist. Von da wurde er 1583 als evangelischer Prediger nach dem noch halbkatholischen Herdecke in Westfalen, in das frühere Arbeitsfeld seines Vaters, berufen. Er hatte hier einen schweren Stand, weil der Rat katholisch und sein Kollege, ein Prediger Tacke, unzuverlässig war. Ein Einfall der Spanier aus den Niederlanden (es war die Zeit des Kölner Kriegs unter Kurfürst Gebhard II. 1583 ff.) nötigte Nicolai zur Flucht in das Städtchen Wetter, wo er eine förmliche Belagerung auszustehen hatte. Nach dem Abzug der Spanier kehrte er nach Herdecke zurück, mußte dieses aber, da indessen die katholische Messe wieder eingeführt war, aufs neue verlassen, bediente eine Zeit lang als Hausprediger die heimlichen Lutheraner in Köln und folgte dann 1587 einem Rufe als Diakonus nach Nieder-Wildungen im Waldeckischen. Im November 1588 wurde er auf den Wunsch seiner Gönnerin, der verwitweten Gräfin Margarethe zu Waldeck, auf die Stadtpfarrstelle zu Alt-Wildungen versetzt und diente von hier aus der frommen und eifrig lutherischen Gräfin zugleich als Hofprediger und Erzieher ihres Sohnes, des Grafen Wilhelm Ernst zu Waldeck, der frühe durch Gottesfurcht und eifriges Studium sich auszeichnete, aber schon 1598 auf der Universität Tübingen starb (Schultze S. 408 ff.). Als eifriger Lutheraner und Ubiquitist (im Sinne von Brenz, Andreä, Leyser, Hunnius 2c.) wurde Nicolai in den folgenden Jahren, zur Zeit des damals nach dem Abschluß des Konkordienwerkes in Kursachsen, Hessen u. a. a. O. neu sich erhebenden Streits zwischen Lutheranern und Calvinisten oder Kryptocalvinisten, in heftige Kämpfe verflochten. Er beteiligte sich an dem Streit mit mehreren Schriften, z. B. fundamentorum Calvinianae . . sectae detectio, Tübingen 1586 mit Vorrede der theologischen Fakultät; de controversia ubiquitaria ad Dan. Hofmannum epistola 1590; de duobus Antichristis 1590; resp. ad Sadeleis libellos 1591. Auch in Waldeck kam es zu wiederholten Verhandlungen über die einschlägigen Fragen auf mehreren Synoden zu Wildungen 1589—1592 mit zwei Predigern, Justus und Heinrich Crane, sowie mit einem gräflichen Kanzleirat Backbier, dem Nicolai wegen angeblich calvinistischer Anschauungen das Abendmahl verweigerte (Schultze S. 348 ff.). Bei dem Grafen Franz von Waldeck sowie bei dem Landgrafen Wilhelm von Hessen erregte N. durch seinen lutherischen Eifer vielfachen Anstoß. Der Landgraf verbot der Marburger Fakultät 1590, ihn zum Dr. theol. zu promovieren, wenn er nicht sein anticalvinisches Buch fund. Calv. detectio widerrufe (vgl. Heldmann in den „Geschichtsblättern für Waldeck und Pyrmont, 2. Bd, Mengeringhausen 1902, S. 35 ff.), ja nach dem Regierungsantritt des Landgrafen Moritz drohte ihm sogar Absetzung und Gefangennehmung, wovor gegen er aber bei der Gräfin Wittwe Schutz fand. In dieser Zeit des Streites und der Anfechtung dichtete Nicolai sein der Gräfin gewidmetes Lied: „Der christlichen Kirche zu Gott Klag über die Calviner und Rottengeister", worin er klagt: „Viel Backenstreich und Natternstich auf mich geschwind gerichtet sind von Freunden und von Feinden. Dein Abendmahl und ewig Wahl, dein Majestät und Herrlichkeit sind Stein des Anstoß worden." Der Umschlag aber, der in Kursachsen 1591 mit dem Tod des Kurfürsten Christian I. und dem Sturz des Kryptocalvinismus erfolgte, machte auch anderwärts sich fühlbar: Nicolai behielt sein Amt, die waldeckischen Prediger bekannten sich 1593 auf einer Synode zu Mengeringhausen zur Konkordienformel und unterschrieben später sogar die kursächsischen Visitationsartikel. Auch Nicolai erhielt jetzt 1594 in Wittenberg die ihm zuvor in Marburg versagte theologische Doktorwürde unter dem Präsidium von Agid. Hunnius durch eine Disputation de libero arbitrio und fuhr nun um so eifriger fort in seiner Bekämpfung des Calvinismus. Im Jahre 1596 erschien sein „Notwendiger und ganz vollkommener Bericht von der ganzen calvinischen Religion nach Ordnung der 5 Hauptstücke", Frankfurt 1596; 2. A. 1597, und sein Methodus controversiae de omnipraesentia Christi secundum naturam ejus humanam, letztere Schrift mit einer Widmung an seinen gräflichen Zögling Wilhelm Ernst von Waldeck, der darin vor der calvinischen Irrlehre ernstlich verwarnt wird, zumal da jetzt Calvins Reich durch viele Gegenden sich verbreite.

Nach zehnjähriger Wirksamkeit in Wildungen folgt Nicolai 1596 einem Ruf als

Prediger nach Unna in Westfalen, wo die Lutheraner soeben nach langen Kämpfen mit
den aus den Niederlanden und Ostfriesland eingewanderten Reformierten die Oberhand
erhalten hatten und den „als harten Ubiquisten und Erzfeind der Calvinisten" längst be=
kannten Nicolai als Führer begehrten. Neue Kämpfe und schwere Trübsale erwarteten
5 ihn hier. Zuerst ein Angriff von seiten der Reformierten, die ihn 1597 bei den Räten
in Cleve verklagten und eine Streitschrift wider ihn herausgaben unter dem Titel: „Entsatz
des ubiquistischen Hammerschlags Dr. Nicolai", die dann N. in einer neuen, katechismus=
artig in Frage und Antwort abgefaßten Streitschrift beantwortete u. d. T.: Kurzer Be=
richt von der Calvinisten Gott und ihrer Religion, 1598 (Vorrede datiert Unna 1. Fe=
10 bruar 1597). Es ist das wohl die derbste von allen anticalvinistischen Streitschriften
Nicolais, überhaupt eines der schlimmsten Produkte der interkonfessionellen Streitlitteratur
des 16. Jahrhunderts. M. Goeze schrieb noch 1770 eine eigene Verteidigungsschrift für
Nicolai gegen die Angriffe eines reformierten Predigers zu Worms (vgl. Curtze S. 190 ff.).
Die Antworten der Reformierten auf Nicolais „Schandbuch" waren freilich auch
15 nicht allzu fein: sie nannten ihn ein um sich hauendes Wildschwein, einen Rasenden, der
an die Kette gelegt werden müßte, ja sie streuten allerhand üble Nachreden über seinen
Lebenswandel aus. Zu diesen Anfechtungen, die er sich selbst durch die Maßlosigkeit
seiner Polemik zuzog, kamen aber bald noch andere Heimsuchungen: Todesfälle in seiner
Familie, besonders aber eine fürchterliche Pest, von welcher die Stadt Unna 1597 heim=
20 gesucht wurde. Der Würgengel ging von Haus zu Haus, Hunderte starben von Woche
zu Woche, Leichen über Leichen sah er einscharren, sein eigen Haus war von Pesthäusern
umgeben. Die Not trieb ihn, „mit Hintansetzung aller Streitigkeiten", die ganze Zeit
im Gebet hinzubringen und im Nachdenken über das ewige Leben und den Zustand der
treuen Seelen im himmlischen Paradies. Die Frucht dieser Todes= und Lebensbetrach=
25 tungen war sein 1599 in den Druck gegebenes, seinen trauernden Gemeindegliedern ge=
widmetes, „von lauter Himmelsblumen duftendes" Buch u. d. T.: Freudenspiegel des
ewigen Lebens, d. i. gründliche Beschreibung des herrlichen Wesens 2c., allen betrübten
Christen zum seligen und lebendigen Trost zusammengefaßt durch D. Ph. N., Frankfurt
1599, 8° (Neue Ausgaben von 1617, 1633, 1649, 1707, von Mühlmann 1854; einen
30 Anhang der ersten Auflage des Freudenspiegels bilden drei geistliche Lieder s. u.) In
die Zeit des Aufenthaltes in Unna fällt endlich auch noch eine biblisch=theologische oder
historische Arbeit: Commentariorum de regno Christi, vaticiniis proph. et apost.
accommodatorum, libri II (Frankfurt 1597 und 1607; deutsch von Artus in Danzig
s. Curtze S. 165 ff.) ein merkwürdiges Werk, worin N. eigentümliche apokalyptisch=chilia=
35 stische Ideen ausspricht und den Weltuntergang aufs Jahr 1670 prophezeien will. Kaum
war die Pestzeit vorüber, so kamen neue Gegenschriften der Reformierten, weshalb
N. auf seinen Freudenspiegel noch in demselben Jahr einen „Spiegel des bösen Geistes,
der sich in der Calvinisten Büchern regt", Frankfurt 1599, 2. Aufl. 1604, folgen ließ.
Und zu dem Federkrieg kam auch bald wieder äußere Kriegsnot: ein Einfall der Spanier
40 nötigte N., auf den Wunsch des Rates, mitten im Winter Unna zu verlassen und ins
Waldeckische sich zu flüchten, wo er ein Vierteljahr als Vertriebener zubrachte. Erst zu
Ostern 1599 konnte er nach Unna zurückkehren, wo er nun, 44 Jahre alt, in die Ehe
trat mit der Witwe eines Pfarrers Dornberger aus Dortmund (Januar 1600, dazu
Vict. Schultze in den „Geschichtsblättern für Waldeck und Pyrmont" 1. Bd S. 139 ff.).
45 Er entschloß sich jetzt, von aller Polemik eine Zeit lang sich entfernt zu halten und be=
schäftigte sich mit einer größeren dogmatischen Arbeit „über den mystischen Tempel Gottes".
Eine durch David Chyträus an ihn gelangte Berufung nach Rostock in ein kirchliches oder
akademisches Amt zerschlug sich; dagegen wurde er 1601 in Hamburg, wo seine Schriften,
besonders sein Freudenspiegel, ihm Freunde gewonnen, zum Hauptpastor an der St. Ka=
50 tharinenkirche gewählt — als Nachfolger des 1601 verstorbenen Seniors Stamke, als
zweiter Nachfolger von Joach. Westphal. Hier war ihm noch eine siebenjährige, im ganzen
ruhige und friedliche, aber arbeitsvolle und gesegnete Wirksamkeit beschieden. Er predigte
jeden Sonn= und Donnerstag vor dichtgefüllter Kirche und übte durch sein Wort und
durch sein persönliches Wirken auf seine Gemeinde, seine Kollegen, wie auf die ganze
55 Stadt einen gesegneten Einfluß, als ein „anderer Chrysostomus", als gottseliger Mann
und treuer Seelenhirt, als geistreicher Stribent, als Säule der lutherischen Kirche in
weiten Kreisen verehrt und gepriesen. Ein besonderes Anliegen war es ihm, den kirch=
lichen Frieden und die Einheit des Bekenntnisses, die reine evangelische Lehre wie sie in
göttlicher Schrift gegründet und im Konkordienbuch von 1580 und dessen Apologie be=
60 zeugt und wiederholt war, unter den Hamburger Predigern zu erhalten und zu befestigen,

aber auch, wo es not that, wider allerlei Korruptelen und Rotten mit dem Schwert des Geistes zu verteidigen. Auch seine schriftstellerische Thätigkeit setzte er in Hamburg rüstig fort: 1602 erschien sein bedeutendstes dogmatisches Werk: Sacrosanctum omniprae- sentiae J. Chr. mysterium libris II solide et perspicue explicatum; das erste Buch handelt von der Omnipräsenz Christi nach seiner Gottheit, das zweite de omni- 5 praesente Christo secundum humanitatem ejus. Darauf folgt 1603 ein Bericht von der Gegenwart des Leibes und Blutes Christi im Abendmahl und mehrere Streit- schriften gegen den reformierten Prediger Pierius in Bremen, gegen den Socinianer Ostorodt pro divina Christi gloria, gegen einen kryptocalvinischen Prediger Joh. Cuno, gegen einen reformierten Prediger Peter Plancius in Amsterdam. Eine deutsche Bear- 10 beitung der lateinischen Schrift von der Omnipräsenz ist die 1604 erschienene, in Frage und Antwort abgefaßte „Grundfeste und richtige Erklärung des streitigen Artikels in der Gegenwart J. Chr. nach beiden Naturen 2c.", der Königin Katharina von Schweden ge- widmet. Ein Gegenstück zu seinem „Freudenspiegel" aber bildet die 1605 während einer ähnlichen Pestzeit in Hamburg zu seiner und seiner Gemeindeglieder Stärkung und Tröstung 15 geschriebene, im Jahr 1606 im Druck erschienene „Theoria vitae aeternae oder histo- rische Beschreibung des ganzen Geheimnisses vom ewigen Leben" in 5 Büchern (1. von des Menschen Erschaffung zum ewigen Leben, 2. von unserer Erlösung zum ewigen Leben, 3. Wiedergeburt, 4. von der wiedergeborenen Seele Heimfahrt, 5. von der Auferstehung des Fleisches zum ewigen Leben); spätere Auflagen von 1611, 1628, 1651 u. s. w. Noch 20 zwei Monate vor seinem Tode beendigte N. seine letzte anticalvinistische Streitschrift (Sieg und Freudentritt der Wahrheit christl. Religion 2c., Hamburg 1608), und noch in den letzten Wochen beschäftigte ihn eine Streitschrift gegen einen Jesuiten Heinrich Neverus in Altona de Antichristo Romano, nach seinem Tod herausgegeben von seinem Bruder Jeremias, Rostock 1609. Mitten in seiner rastlosen Thätigkeit wurde der bisher gesunde 25 und kräftige Mann (sein Bildnis bei Schultze S. 347) „von einem bösen Fluß des Hauptes befallen", der ihn im Predigen hemmte und aufs Krankenbett warf. Nachdem er noch am 22. Okt. 1608 einen neuen Kollegen ordiniert, erkrankte er lebensgefährlich. Nachdem er die Seinen gesegnet und dem ihm innig verbundenen Diakonus Dedeken ein schönes Bekenntnis seines Glaubens abgelegt, ist er am 26. Okt. sanft und selig im Herrn ent- 30 schlafen. Bestattet wurde er im Chor der Katharinenkirche in demselben Grabe mit J. West- phal. Dedeken hielt ihm die Leichenrede über seinen Lieblingsspruch Off 14, 13 und hat nachher seine zahlreichen Schriften gesammelt und herausgegeben — die lateinischen in zwei, die deutschen in vier Foliobänden, Hamburg 1611—17.

Seinen christologischen Schriften (s. omnipr. mysterium 1602, Grundfeste 2c. 1604, 35 Synopsis articuli de omnipr. Chr. 1607 u. a.) ist neuerdings ein Ehrenplatz in der Geschichte der Christologie angewiesen worden von Thomasius, Christi Person und Werk, 3. Aufl. II, 480 ff.; Dorner, Entwicklungsgeschichte 2c., 2. Aufl. II, 779 ff.; Steitz, Art. Ubiquität in der RE, 1. Aufl., Bd XVI, 605 ff. Ihr Grundgedanke ist die Paralleli- sierung der Unio personalis in Christo mit der Unio pneumatica der Gläubigen mit 40 Christo und die hieraus sich ergebende ethische Verwertung der Lehre von der communi- catio idiomatum, — ein Versuch, den spinosen Gegenstand nicht bloß in anziehenderer, sondern auch in fruchtbarerer Weise zu behandeln, als es gewöhnlich geschah, und den lutherischen Grundsatz „finitum est capax infiniti" in der Konstruktion des ganzen dog- matischen Systems (Theologie, Christologie, Soteriologie) zu verwerten, vgl. Nocholl, Real- 45 präsenz, S. 199 ff.

Von Nicolais Predigten sind nur wenige gedruckt, meist solche aus der Hamburger Zeit; s. Dedeken in der Ausg. der deutschen Schriften, II, 313; Wendt, 76 ff., der einige charakteristische Auszüge daraus mitteilt, aus denen teils die homiletische Gewandtheit, der Gedanken- und Bilderreichtum des Verf., teils aber auch die Manier des Allegorisierens 50 und Polemisierens auf der Kanzel, die N. mit den meisten seiner Zeitgenossen teilt, sich erkennen läßt. Auch von Nicolais Briefwechsel scheint verhältnismäßig wenig erhalten. Was aber seinen Namen im Gedächtnis der evangelischen Kirche wie in der Geschichte der deutschen Dichtung unvergeßlich macht, sind die vier geistlichen Lieder, die uns von ihm aufbehalten sind (Anderes ist ihm mit Unrecht beigelegt worden) und die sämtlich 55 aus der Wildunger Zeit 1588—96 herstammen: 1. „Mag ich Unglück nicht widerstan", ein kirchliches Parteilied gegen die Calvinisten, Akrostich auf Margaretha von Waldeck, geb. von Gleichen, gedruckt zuerst 1596, bei Curtze S. 76 ff.; 2. „So wünsch ich nun ein gute Nacht 2c.", „der Welt Abbank für eine himmeldürstige Seele", über Psalm 42 (vgl. Curtze S. 139 ff.); 3. „Wie schön leuchtet der Morgenstern 2c.", ein geistlich Braut- 60

lied der gläubigen Seele von Jesu Christo ihrem himmlischen Bräutigam, über Pf 45,
Akrostich auf Wilhelm Ernst Graf und Herr zu Waldeck, hierüber ausführlich Curtze S. 80 ff.;
4. „Wachet auf, ruft uns die Stimme ꝛc.", ein geistlich Lied von der Stimme zu Mitternacht und von den klugen Jungfrauen nach Mt 25, 1 ff. Von diesen vier Liedern sind
5 es besonders die beiden letztgenannten, welche zu den Kleinodien des evangelischen Lieder-
schatzes gehören. Mit beiden beginnt eine neue Periode des evangelischen Kirchenlieds
insofern, als einerseits die Glut subjektiver Glaubens- und Liebesinnigkeit, andererseits
der poetisch-musikalische Schwung, der sich schon in den neuen Versmaßen ankündigt,
namentlich auch die farbenreiche Schilderung überirdischer Zustände, den Liedern der Re-
10 formationszeit noch fremd ist. Während er durch den Gebrauch lateinischer Wörter wie
durch die Anlehnung an die hl. Schrift, auch durch seine beiden polemischen (1 und 2)
Lieder noch an die ältere Zeit erinnert, so eröffnet er dagegen durch den hohen Schwung
und die innige Liebesglut seines geistlichen Brautliedes wie durch den Prophetenton seines
geistlichen Wächterlieds eine neue Zeit in der Entwickelung des evangelischen Kirchenliedes,
15 die Periode der Subjektivität (vgl. Curtze S. 146 ff.). Diese beiden vielbewunderten und
„wunderbaren" Lieder übten denn auch eine mächtige Wirkung auf die Zeitgenossen und
fanden bald die weiteste Verbreitung und den ihnen gebührenden Platz in den evangel.
Kirchengesangbüchern, nachdem sie 1604 in dem von den vier Hamburger Organisten
Jakob und Hieron. Prätorius, Scheidemann und Decker herausgegebenen „Melodeyen-
20 Gesangbuch" zum erstenmal mit ihren an Hoheit und Feuer ebenbürtigen Melodien erschienen waren. Die früher von Winterfeldt, Ev. KG I, 90 ausgesprochene, von Vielen
nachgesprochene, aber von niemand bewiesene Meinung, N. habe sein Lied vom Morgenstern einem weltlichen Volks- und Liebeslied nachgebildet, ist durch Curtze u. a. widerlegt;
dagegen ist es sehr wahrscheinlich, daß die Melodie dem Volksgesang entnommen ist. Das
25 Versmaß und die Melodie von: Wachet auf ꝛc. (der „König der Choräle", wie Palmer
sie nennt) ist wahrscheinlich von Nicolai selbst zugleich mit dem Liede erfunden, doch so,
daß er sich dabei entweder (wie Winterfeldt meint) an eine ältere Kirchenweise, den sog.
fünften Ton des Magnifikat, angeschlossen, oder (wie Palmer meint) die Weise eines
Wächterhorns in idealisierter Gestalt zum Anfang dieser Liedweise verwendet hat. (Weiteres
30 über die Entstehung und Verbreitung von Lied und Melodie s. bei Curtze S. 126.)

(Wagenmann †) Victor Schultze.

Nicolas, Michel, französischer protestantischer Theologe, gest. 1886. — E. Rabaud,
Michel Nicolas, sa vie, ses oeuvres, Paris, Fischbacher 1888; Edm. Stapfer, Michel Nicolas,
critique biblique in Etudes de théologie et d'histoire publ. par Mm. les professeurs de la
35 Faculté de théologie protestante de Paris en hommage à la Faculté de théologie de Montauban à l'occasion du Tricentenaire de sa fondation, Paris, Fischbacher 1901. Seine
Schriften: Dissertation sur la forme de la poésie hébraïque 1833; Rapport de l'Ancienne
à la Nouvelle Alliance 1836; Essai d'herméneutique 1838; Réponse à la lettre de M.
l'abbé Lacordaire sur le Saint Siège 1838; De la destination du savant et de l'homme
40 de lettres par J. G. Fichte (Uebersetzung) 1838; De l'eclectisme 1840; Quelques considérations sur le Panthéisme 1842; Jean-Bon, Saint-André. Sa vie, ses écrits 1848; L'idée
et le développement historique de la philosophie chrétienne par Henri Ritter (Uebersetzung)
1851; Introduction à l'étude de l'histoire de la philosophie, 2 Bde 1849—50; Histoire littéraire de Nîmes et des localités voisines, 3 Bde, 1854; Les doctrines religieuses des Juifs
45 pendant les deux siècles antérieurs à l'ère chrétienne 1860; Etudes critiques sur la Bible.
Ancien Testament 1861; Etudes critiques sur la Bible. Nouveau Testament 1863; Essai
de philosophie et d'histoire religieuse 1863; Etudes sur les Evangiles apocryphes 1865;
Le symbole des apôtres. Essai historique 1867; Histoire de l'ancienne Académie de Montauban 1885.
50 Michel Nicolas, in Nîmes am 22. Mai 1810 geboren, widmete sich von 1827 bis
1832 in Genf und dann noch zwei Jahre in Deutschland dem Studium der Theologie.
Nach kurzer Thätigkeit als Hilfsprediger in Bordeaux war er von 1835—1838 reformierter Pfarrer in Metz. Während seines Metzer Aufenthalts erwarb er sich in Straßburg 1836 den Licentiatengrad und 1838 die theologische Doktorwürde. 1839 wurde er
55 vom französischen Unterrichtsminister als Professor der Philosophie an die protestantisch-
theologische Fakultät in Montauban berufen. Hier hat er fast ein halbes Jahrhundert
lang in erfolgreicher Lehrthätigkeit und stiller, unermüdlicher Gelehrtenarbeit gewirkt. Das
weite Feld der Philosophie und der Theologie mit gleicher Sicherheit überschauend hat er
auf beiden Gebieten Hervorragendes geleistet.
60 Zu seinem philosophischen Lehrauftrag brachte N. außer einem gesunden und treffen-
dem Urteil vor allem eine im damaligen Frankreich seltene, auf selbstständigen Quellen-

ftudien beruhende Kenntnis der deutschen Philosophie mit. Seine erste große Veröffent=
lichung war eine Übersetzung von Fichtes „Das Wesen des Gelehrten". Auch Heinrich
Ritters christliche Philosophie hat er dem französischen Publikum zugänglich gemacht. Ohne
große systematische Bedürfnisse fand er seine eigene philosophische Stellung im Anschluß
an die damalige französische Modephilosophie, den Eklekticismus Viktor Cousins, für den 5
er auch litterarisch Partei ergriff. 1850 erschien seine Introduction à l'étude de
l'histoire de la philosophie. Wenn auch in der Stellung und Lösung der Probleme
teilweise veraltet, ist dieses aus der Lehrpraxis hervorgegangene und auf solidem Wissen
begründete Werk heute noch eine für Studenten wohl brauchbare kritische Darstellung der
verschiedenen philosophischen Systeme. 10

Den Übergang von den philosophischen zu den theologischen Arbeiten N.s bildet eine
bedeutsame religionsphilosophische Studie über die Mystiker des 14. und 15. Jahrhunderts
(Les mystiques rationels et les mystiques irrationels in der Revue de théolo=
gie de Strasbourg 1859—1864), eine lichtvolle Entwickelung der Grundgedanken der
Mystik, die er nach ihrer ethischen oder metaphysischen Orientierung unterscheidet und in 15
ihren Hauptvertretern (auf der einen Seite Gerson, auf der andern Eckart, Tauler, Mo=
linos, die heilige Therese und Antoinette Bourignon) schildert. Von 1860 an wandte
N. seine ganze Kraft der Theologie zu und hier sind es vor allem zwei Disziplinen, die
ihm reiche Förderung verdanken: die Einleitungswissenschaft und die Kirchengeschichte.

Durch seine historisch=kritischen Untersuchungen über die Schriften des A und NT 20
ist N. mit Reuß, Colani, A. Reville in protestantischen Frankreich einer der Erneuerer
der wissenschaftlichen Theologie geworden, die seit der Mitte des 17. Jahrhunderts ver=
stummt war. Ihr Organ wurde die Straßburger Recueil de Théologie. Sie trat von
Anfang an in scharfer Opposition gegen die Theologie des Recueil, als deren Hauptwerk
Gaussens „Theopneustie" (s. Bd VI S. 382 ff.) noch größtenteils das theologische Denken 25
beherrschte. Unbefriedigt von der orthodoxen Lösung des Problems der Schriftautorität
und unter dem Einfluß der zeitgenössischen deutschen Theologie, der die Straßburger theo=
logische Fakultät auch unter der französischen Herrschaft viel näher stand als der Geistes=
richtung von Genf und Montauban, unternahmen es jene Männer, die Grundlagen der
religiösen Gewißheit mit den Mitteln der historischen Kritik zu revidieren und das Christen= 30
tum als geschichtliche Größe unter dem Gesichtspunkt der Entwickelung zu begreifen. An
dieser Arbeit nahm Nicolas trotz den der modernen Theologie wenig günstigen Tradi=
tionen der Montaubaner Fakultät hervorragenden Anteil. Nicht nur so, daß er den
Ertrag der deutschen theologischen Wissenschaft der reformierten Kirche Frankreichs ver=
mittelt hätte. Er hat auch wertvolle originale Beiträge zur Bibelkritik geliefert. Im 35
Jahre 1861 trat N. mit dem ersten Band seiner Etudes critiques sur la Bible vor
das französische Publikum. Er enthält vier Abhandlungen über alttestamentliche Probleme
(Was ist der Pentateuch? Die Grundgedanken des Mosaismus. Der Mosaismus vom
Tod Josuas bis zum Ende der Monarchie. Wer waren die Propheten?) und trägt im
wesentlichen die an die Namen Graf und Wellhausen geknüpfte Auffassung über die Ent= 40
stehung des AT vor auf Grund einer durchsichtigen Analyse der Dokumente, zu der N.
durch seine gründliche Kenntnis des Hebräischen und seine völlige Vertrautheit mit dem
Stand der deutschen Forschung vorzüglich befähigt war. Nach dem AT nahm N. die
kritische Untersuchung der neutestamentlichen Schriften in Angriff. Die dazwischen liegende
Periode hatte er schon 1860 in seiner Histoire des doctrines religieuses des Juifs 45
pendant les deux siècles antérieurs à l'ère chrétienne dargestellt. Das Buch,
wohl heute noch die einzige vollständige Darstellung des vorchristlichen Judentums aus
der Feder eines protestantischen Gelehrten in Frankreich, erlebte 1869 eine zweite Auf=
lage. Das Studium der jüdischen Religionsvorstellungen hatte N. zu der Überzeugung
geführt: „Le christianisme n'est pas un fait isolé dans l'histoire. On constate 50
diverses manifestations religieuses qui ont contribué à préparer l'avènement
du christianisme et qui servent pour ainsi dire de lien entre celui-ci et le
prophétisme. La forme historique de la religion nouvelle a été déterminée en
partie par le milieu dans lequel elle est née et par les antécédents auxquels
elle se rattache." 1863 erschienen dann die auf das NT sich beziehenden Etudes 55
critiques sur la Bible. Die Lösungen, die hier Nicolas bietet für das synoptische und
das johanneische Problem, für die Fragen des apostolischen Christentums und der Bil=
dung des Kanons, sind ja wohl heute großenteils überholt, aber Nicolas selbst hat zum
Fortschritt der Forschung mitgewirkt und Edm. Stapfer z. B. (a. a. O. 153—185) hält
die Nicolassche Lösung der johanneischen Frage, wonach ein früherer heidnischer Gnostiker 60

beim Apostel Johannes Jesus als „das göttliche Wort" kennen gelernt und dann Jesu
Leben unter den gnostischen Kategorien „Licht, Finsternis, Leben, Tod, Präexistenz u. s. w."
in unhistorischer Weise dargestellt habe, heute noch für die einzig mögliche. Den Abschluß
der historisch-kritischen Arbeiten N.s bildet eine Untersuchung über „Les Evangiles apo-
5 cryphes" 1865 und eine Abhandlung über Le symbole des apôtres 1867.

Mit diesen Schriften — sagt sein Biograph — enthüllte Nicolas dem protestantischen Frankreich eine neue Welt. Deutschland besaß schon eine reiche Litteratur über
diese Fragen, als man in Frankreich noch nicht einmal die Existenz solcher Probleme
kannte. „N. hat das doppelte Verdienst, daß er die Ergebnisse der deutschen Wissenschaft
10 ins Französische übersetzt und durch seine eigenen Forschungen bereichert hat" (Rabaud,
a. a. O. S. 40).

Nicolas kannte nur eine Art der Erholung: die Abwechslung in der Arbeit. So
widmete er jede freie Stunde der großen Vergangenheit der französischen Hugenottenkirche. In den Ferien durchstöberte er die Bibliotheken von Paris, Genf, Schweden,
15 Holland und England nach Dokumenten über die Geschichte des reformierten Frankreichs
und wie groß war seine Freude, wenn er etwa nach den verstaubten Urkunden eines
städtischen Archivs oder Standesamts die authentische Schreibweise eines alten Hugenotten-
namens feststellen konnte! In seinem Nachlaß fanden sich zehn dicke Bände mit handschriftlichen Notizen über die Geschichte des französischen Protestantismus. Es war beson-
20 ders ein Gebiet, das seinen Gelehrtenfleiß und seinen Spürsinn anzog: die Geschichte des
Unterrichtswesens in der Hugenottenkirche. Schon 1854 hatte er eine dreibändige Histoire
littéraire de Nîmes et des localités voisines erscheinen lassen. Seine Studien über
das reformierte Schulwesen legte er in zahllosen Beiträgen zum Bulletin de la Société
de l'histoire du protestantisme français, zu Lichtenbergers Encyclopédie des
25 sciences religieuses, zur zweiten Ausgabe der France protestante der Gebrüder
Haag und andern Zeitschriften nieder. Auf Grund dieser Vorarbeiten schrieb er 1885
seine Histoire de l'ancienne Académie de Montauban (1598—1659) et de Puy-
laurens (1660—1685), ein lebensvolles Bild von den Einrichtungen und Schicksalen,
den Lehrern und Studenten der berühmten reformierten Hochschule.

30 Dieses Werk bildet den Abschluß der wissenschaftlichen Thätigkeit Nicolas'. Das erste
Exemplar desselben wurde ihm überreicht kurz vor dem Ausbruch der Krankheit, die ihn
nach langem schmerzvollen Leiden am 28. Juli 1886 der liebgewonnenen Arbeit entzog.
Der größte Teil seines handschriftlichen Nachlasses, für die Geschichte des französischen
Protestantismus höchst wertvolles Material, harrt als collection des papiers de Ni-
35 colas in der Bibliothek der „Société de l'Histoire du protestantisme français" in
Paris des künftigen Bearbeiters, noch kommenden Geschlechtern ein Zeichen des rastlosen
uninteressierten Fleißes des Mannes, den seine Freunde einen bénédictin de la science,
eine encyclopédie vivante zu nennen liebten. Das Lebenswerk des stillen, bescheidenen
Mannes, der in seiner schlichten, wortkargen, aller Pose und Phrase abholden Frömmig-
40 keit an die austérité seiner hugenottischen Vorfahren, in seiner wissenschaftlichen Gründlichkeit an den deutschen Gelehrten erinnerte, wird in der Geschichte des französischen
Protestantismus unvergessen bleiben.   Eugen Lachenmann.

Nicole, Peter, gest. 1695. — Quellen: (Besoigne) Histoire de l'Abbaye de Port-
Royal, Bd V; Goujet, Vie de Nicole; Dom Clémencet, Hist. générale de Port-Royal;
45 Die Mémoiren von Lancelot, Fontaine, du Fossé; Sainte-Beuve, Port-Royal Bd IV u. auch
Bd III an verschiedenen Orten.

Nicole, Peter, geboren in Chartres den 13. Oktober 1625, war einer der drei
Männer von Port-Royal, die mit ihrer Feder den Jesuiten so empfindliche Schläge versetzten, daß sie sich in zwei Jahrhunderten nicht davon erholt haben. Arnaud, Nicole,
50 Pascal sind in ihrer Verschiedenartigkeit kurz und treffend von Daunou folgendermaßen
gezeichnet worden: „La vertu d'Arnaud, les moeurs de Nicole, le génie de Pascal". Nicole hatte eine vortreffliche Begabung und wurde frühe vorbereitet zu der Aufgabe, die ihm gestellt wurde. Sein Vater, ein Advokat des Parlaments, war sein erster
und zwar ein vortrefflicher Lehrer; mit vierzehn Jahren hatte Nicole alle lateinische und
55 griechische Autoren, die sich in seines Vaters Bibliothek befanden, gelesen; er war nicht
ein Mann unius libri, sondern hatte eine unersättliche Wißbegierde. „Ich kenne,
— so schreibt Brienne, der nicht sein Freund war, — keinen Menschen auf der Welt, der
so viele Bücher und Reisebeschreibungen gelesen hätte, als er; dazu alle griechischen und
lateinischen Klassiker, Dichter sowohl als Redner und Historiker; alle Kirchenväter, von

Sankt Ignaz und Sankt Clemens Papst bis zu Sankt Bernhard; alle Romane von
Amadis de Gaule bis zur Clélie und zur Princesse de Clèves; alle älteren und neueren
Häretiker, von den alten Philosophen bis zu Luther und Calvin, Melanchthon und Chamier, deren Schriften er exzerpierte; alle Streitschriften von Erasmus bis zum Kardinal
du Perron und den zahllosen Schriften des Bischofs von Belley; endlich alles, was 5
während der Fronde geschrieben worden, alle eingeschmuggelten Bücher und alle Traktate
von Goldast bis zu Isola". Nachdem er den Unterricht seines Vaters genossen, studierte
er (1642) die Philosophie in dem Collège d'Harcourt und widmete sich alsdann ausschließlich dem Studium der Theologie. Sein Hauptlehrer, der am meisten Einfluß auf
ihn hatte und ihm seine Richtung und sein Gepräge gab, war Sainte-Beuve, ein reiner 10
"Sorbonnist", der Augustin, in der Lehre der Gnade, die damals so viel Rumor machte,
befolgte, ihn jedoch zu mildern und möglichst mit Thomas Aquino zu vergleichen strebte.
Das Ziel, das Nicole sich vorgesteckt hatte, war, Doktor zu werden und einmal in die
Sorbonne einzutreten; doch hat er es nicht weiter als zum Baccalaureus gebracht, da
seine Verbindung mit Port-Royal und der immer heftiger werdende Streit über die "fünf 15
Sätze des Jansenius" ihn von der Universität entfernten. Frühe war er mit Port-Royal
in Verkehr getreten, woselbst seine Tante, Mère Marie des Anges Suireau Ordens-
schwester war. Die "Herren" (messieurs, wie sie sich zu nennen pflegten) von
Port-Royal stellten ihn an ihren vortrefflichen Schulen an, wo er bald einer der bedeutendsten Lehrer wurde. Als er nach Port-Royal-des-Champs zog, arbeitete er mit an 20
allem, was geschrieben wurde, hatte oft die Aufgabe, Bücher zu durchlesen und Material
herbeizuschaffen (s. z. B. für die Provinciales von Pascal); er verband sich am innigsten mit Anton Arnaud und mit Pascal; letzterer soll am meisten Einfluß auf ihn gehabt
haben; Brienne nennt Nicole einen "pascalin" und wirft ihm vor, Pascals Art, auch
seine Fehler, kopiert zu haben. Doch scheint dieser Einfluß mehr ein moralischer, als ein 25
theologischer gewesen zu sein. "Nicole, schreibt Sainte-Beuve, était le moraliste ordi-
naire de Port-Royal, tandisque Pascal a été le moraliste de génie". Er wurde
ganz besonders der Mitarbeiter und Mitstreiter Anton Arnauds, dem er zur Seite blieb
auf Reisen, auf der Flucht und in den Verstecken, wo er sich oft verbergen mußte; doch
wurde er schließlich dieses Kampfesleben, das seiner Natur zuwider war, überdrüssig und 30
sehnte sich nach Ruhe, worauf er von Arnaud die heroische Antwort erhielt: "Nous
avons l'éternité pour nous reposer". Er beklagt dieses unstäte Leben: "Ich bin
wie ein Mann, der, auf einer Spazierfahrt im kleinen Kahne von dem Sturm in die
hohe See geworfen würde und um die ganze Welt herum getrieben". Darum ließ er
endlich den eisernen Kämpfer, da er ihm ins Exil nach Holland folgen sollte, im Stich 35
und ersuchte den Erzbischof Harlai von Paris um Erlaubnis, nach Paris zurückzukehren.
Er zog sich dadurch den scharfen Tadel seiner Freunde von Port-Royal zu und suchte
sich gegen sie in Briefen und in einer "Apologie" zu rechtfertigen. In dem Orden hat
es Nicole nicht weiter als bis zu einem Clerc tonsuré gebracht; im Jahre 1676 hatte
er wohl versucht, die Priesterweihe zu erhalten; doch verweigerte ihm der Bischof von 40
Chartres die dazu nötige Einwilligung; daher Abbé Voisenon in seinen Anecdotes
littéraires behauptet, er sei im Examen durchgefallen und als unfähig (incapable)
abgewiesen worden, was nicht nur unrichtig, sondern geradezu lächerlich ist. — Nicoles
Schriften sind sehr zahlreich, so daß wir hier nur die wichtigsten hier erwähnen können;
ein vollständiges Verzeichnis derselben befindet sich in dem Leben Nicoles, von Abbé 45
Goujet, am Anfang des XIV. Bandes der Essais de Morale. — Mit Arnaud
hat Nicole die berühmte Logique de Port-Royal (La Logique ou l'art de penser,
Paris 1659) verfaßt. — Pascals Provinciales übersetzte er, mit beißenden Noten
und Kommentar ins Lateinische unter dem Pseudonym (als von einem deutschen Gelehrten verfaßt), Wendrock (Köln 1658). Diese Noten und Kommentar wurden 50
von einem Fräulein de Joncoux ins Französische übertragen und fanden sehr großen Beifall. — Ferner schrieb Nicole: La perpétuité de la foi de l'Eglise catholique touchant l'Eucharistie (1664), auch Petite perpétuité genannt; in dieser Schrift sucht
er Port-Royal von der Anklage des Calvinismus zu reinigen. Er geht in keinerlei
Schriftbeweis mit seinen Gegnern ein; folgender Hauptgrund genügt ihm: "Im 11. Jahr- 55
hundert hat sich die Kirche gegen Berengar und gegen seine in calvinistischem Sinne gefaßte Abendmahlslehre ausgesprochen; die Kirchenlehre des 11. Jahrhunderts muß demnach
auch die Kirchenlehre der vorhergehenden Jahrhunderte gewesen sein. Es ist unmöglich,
daß die Kirche in einem so wesentlichen Lehrpunkte variiert habe; solche Variation hätte
Störungen und Kämpfe herbeigeführt, die nicht spurlos vorübergegangen wären". Claude 60

3*

erwiderte ihm, indem er die calvinistische Lehre auf die Schrift gründete und mit einigen Beispielen nachwies, daß es in der Kirche auch graduelle Abänderungen gegeben habe. Auf diese Erwiderung antwortete Nicole in der Grande perpétuité: Perpétuité de la foi de l'Eglise catholique sur l'Eucharistie (1669—1676), von welcher er die drei 5 ersten Bände schrieb. — Lettres sur l'hérésie imaginaire (1664), auch Imaginaires genannt, zehn geistreiche Briefe in der Art der Provinciales; wahrscheinlich um der Zahl der achtzehn Provinciales gleich zu kommen, schrieb er noch acht andere Briefe, les Visionaires (1665—1666). Beide zusammen wurden mit dem Traité de la foi humaine in einem schönen Bande in Köln herausgegeben (1704). — Essais de Morale, 1671 u. ff. 10 in 13 Bänden, denen ein 14. beigefügt worden, mit Nicoles Leben von Abbé Goujet. Diese Bände fanden große Anerkennung, Mme de Sévigné spricht sich mit steigernder Begeisterung über dieselben aus. Heute muß man sich darüber wundern. Joseph de Maistre beurteilt diese Essais mit leidenschaftlich übertriebener Schärfe: „Nicole, dieser Moralist von Port-Royal, ist der kälteste, der farbloseste, der bleiernste (le plus plomb), 15 der unerträglichste von allen langweiligen Männern dieses großen langweiligen Hauses". Sainte-Beuve nennt ihn jedoch auch „le plus terne et le plus attristé des moralistes". Nicole, der mit dem Dogmatismus der Pensées von Pascal (über welche er sich übrigens sehr wenig anerkennend ausspricht) sehr unzufrieden war, wiederholt gerne in seinen Essais dieses Wort: „Omnis sermo vester dubitationis sale sit conditus". 20 — Gegen die Calvinisten polemisierte er mit äußerster Bitterkeit, ja mit Gehässigkeit; er geht darin noch viel weiter als die anderen Jansenisten; er will eben, daß man ihm seine Verbindung mit Port-Royal und seinen übrigens mehr als gelinden Jansenismus verzeihe. Er schrieb: Préjugés légitimes contre le Calvinisme (1671). Prétendus réformés convaincus de Schisme (1684). Unité de l'Eglise (1687). Nicht mit 25 Unrecht ist gesagt worden, er habe seine Feder in Galle getaucht. — Wir erwähnen sodann eine Reihe von lehrhaft-erbaulichen Schriften: Traité sur l'oraison (1679), später unter dem Titel Traité de la prière gedruckt. — Instructions théologiques sur les Sacrements (1700). — Instructions théologiques et morales sur le Symbole (1706). — Instructions théologiques et morales sur l'oraison dominicale, la 30 salutation angélique, la sainte Messe et les autres prières de l'Eglise (1706). — Instructions théologiques et morales sur la décalogue (1709). Diese Schriften werden zum Teil heute noch gelesen. — Nicole war weder ein tiefer Denker, noch ein großer Charakter; er war ein feiner, gewandter Geist in der Art der Humanisten, von großer Gelehrsamkeit; Sainte-Beuve nennt ihn „un homme de lettres chrétien". Von 35 Natur war er sehr schüchtern; sobald er die Feder niedergelegt und seinen Schreibtisch verlassen hatte, entschwunden ihm die Ideen und Argumente, und er verlor alle Geistesgegenwart. Arnaud hatte ihn in viele Kämpfe mit hineingezogen, und doch war er dieses Streitens so müde, das ihm zuweilen vorgeworfen wurde, als ob er seine Lust daran hätte; da stimmte er in Ciceros Klage ein: „Quod est igitur meum triste con- 40 silium? ut discederem fortasse in aliquas solitudines". „Ich bin", schreibt er in seinen Nouvelles Lettres, „von Natur unruhig und hastig, leicht in Verwirrung und Bestürzung zu bringen. Das Urteil der Menschen und ihr Widerspruch wirkt gewaltsam auf mich". Darin war er von seinen Genossen von Port-Royal grundverschieden; dieselben waren auch zuweilen sehr entrüstet über ihn: „Zweihundert Personen, rief ihm 45 einst Einer zu, seufzen über Ihre Eitelkeit", und entschuldigte sich hernach: „was er gesagt habe, sei wohl die Wahrheit, doch hätte er es nicht sagen sollen". Sainte-Beuve, der in dem vierten Bande seines Port-Royal (Livre cinquième, chap. VII et VIII) eine vollständige und sehr feine Skizze von Nicole giebt, vergleicht ihn mit Bayle, nennt ihn „un Bayle chrétien, un Bayle janséniste, un Baylo qui, emprisonné dans les 50 quatre Fins de l'Homme, n'a pas osé avoir toute sa critique et toute sa raison". In seinem Alter wollte Nicole nicht mehr wider die Jesuiten schreiben; darüber zur Rede gestellt, sprach er: „Ich fühle in mir keinen Beruf dazu; auch bin ich ein zu schlechter Arzt, um sie zu heilen". Dagegen beschäftigte er sich mit den Quietisten; eben hatte er eine Schrift gegen sie vollendet, als er durch einen Schlaganfall gelähmt 55 wurde; nach fünf Tagen starb er den 16. November 1695, im Alter von siebenzig Jahren. C. Pfender.

Rider, Johann s. Bd III S. 472,25 ff. Bd VIII S. 33,38 ff.

Niederlande s. Holland Bd VIII S. 263.

Niederländisch-reformierte Kirche, Begründung der. — Litteratur: C. Hooijer, Oude Kerkordeningen der Ned. Herv. gemeenten (1563—1638), Zaltbommel 1865; F. L. Rutgers, Acta van de Ned. synoden der zestiende eeuw, 's Grav. 1889; derf., De geldigheid van de oude Kerkenordening der Ned. Geref. Kerken, Amst. 1890; Werken der Marnix-Vereeniging, 3 Ser., 12 dln, Utrecht 1870—89; Ecclesiae Londino-Batavae Archivum. Tom. II, Epistolae et tractatus cum reformationis tum ecclesiae Londino-Batavae historiam illustrantes, ed. J. H. Hessels, Lond. 1889; Philips van Marnix van St. Aldegonde, Godsdienstige en Kerkelijke geschriften, voor het eerst of in herdruk uitgegeven door J. J. van Toorenenbergen, 3 dln, 's Grav. 1871, 73, 91; M. F. van Lennep, Gaspar van der Heyden, 1530—1586 (Acad. proefschrift) Amst. 1884; J. Reitsma en S. D. van Veen, Acta der Provinciale en Particuliere synoden, gehouden in de Noordelijke Nederlanden, gedurende de jaren 1572—1620, 8 dln, Gron. 1892—99; B. van Meer, De synode te Emden 1571 (Acad. proefschrift) 's Grav. 1892; C. Meiners, Oostvrieschlandts Kerkelyke geschiedenisse, 2 dln, Gron. 1738, 39; Joh. Wtenbogaert, Kerckelicke Historie enz. 1647; Jac. Triglandius, Kerckelycke geschiedenissen enz, Leiden 1650; G. Brandt, Historie der Reformatie en andere kerkelyke Geschiedenissen in en ontrent de Nederlanden, 4 dln, Amst. 1671—1704; J. G. de Hoop Scheffer, Geschiedenis der Kerkhervorming in Nederland van haar ontstaan tot 1531, Amst. 1873; I. M. J. Hoog, De Martelaren der Hervorming in Nederland tot 1566 (Acad. proefschrift), Schiedam 1885; C. P. Hofstede de Groot, Honderd jaren uit de geschiedenis der Hervorming in de Nederlanden (1518—1619), Leiden 1883; A. Ypey en I. J. Dermout, Geschiedenis der Ned. Herv. Kerk, 4 dln., Breda 1819—1827; J. Reitsma, Geschiedenis van de Hervorming en de Herv. Kerk der Nederlanden, Gron. 1893, 2do uitg. 1899.

Die Begründung der reformierten Kirche in den Niederlanden erfolgte unter sehr eigenartigen Verhältnissen. Die Anhänger der „neuen Lehre" wurden von Anfang an auf alle Weise verfolgt, jedoch die strengen Befehle, durch die das Lesen der Schrift und die Predigt des Wortes Gottes verboten wurden, haben ebensowenig wie Schaffotte und Scheiterhaufen die Saat der Reformation zu ersticken vermocht. Trotz der Wachsamkeit und des Eifers der Inquisition nahm die Zahl der Freunde der Reformation stets zu; auch hier war das Blut der Märtyrer der Same der Kirche. An vielen Orten entstanden Gemeinden, und nachdem es einen Augenblick den Anschein gehabt hatte, als würden Sakramentarier und Anabaptisten die Oberhand gewinnen, brach sich die reformierte Grundrichtung doch bald unter dem Volk Bahn, und allerlei Ursache wirkten mit, dem Calvinismus den Sieg zu verschaffen. Die große Mehrzahl der Gegner Roms war denn auch schon calvinistisch gesinnt, als 1567 Alba in den Niederlanden eintraf, um die Ketzerei auszurotten. Wozu die Inquisition nicht im stande war, sollte der „Raad van Beroerte", der sog. Blutrat vollbringen. Es schien abgesehen zu sein auf den Untergang des ganzen niederländischen Volkes. „Haeretici fraxerunt templa, boni nihil faxerunt contra, ergo debent omnes patibulare", hatte in schlechtem Latein Juan de Vargas gesprochen (Brandt I S. 466), und demgemäß wurde auch gehandelt. Schrecklich wütete die Verfolgung, und mit Recht wurden die Gemeinden, die nur im Geheimen und selbst dann noch nur unter großen Gefahren sich versammeln konnten, „Gemeinden unter dem Kreuz" genannt. Schon früher hatten viele das Vaterland verlassen, aber seit Albas Ankunft in den Niederlanden wuchs die Zahl der Flüchtlinge immer mehr. Sie gingen nach Deutschland, England und Frankreich. Besonders Deutschland wurde vielen eine Zuflucht, und in einer Reihe von Städten, wie in Emden, Wesel, Köln, Aachen, Frankenthal, Frankfurt a/M. entstanden niederländische Flüchtlingsgemeinden. Aber obwohl die Brüder in der Fremde dasselbe reformierte Bekenntnis hatten wie die Gemeinden unter dem Kreuz in der Heimat, empfanden sie immer tiefer den Mangel der kirchlichen Gemeinschaft, die sich darstellte in der Einheit des Kirchenverbandes. In der Zerstreuung und unter dem Kreuz entbehrte man die Gelegenheit, sich zu organisieren, wie man es zum Wohlsein der Kirche für nötig erachtete. Zu einer solchen Organisation wurde nun 1571 zu Emden durch die dort gehaltene Synode der Grund gelegt. Dieses Jahr ist das Begründungsjahr für die reformierte Kirche in den Niederlanden.

Schon in der Einrichtung von Konsistorien hatte sich das Bewußtsein ausgesprochen, daß die Glieder einer Ortsgemeinde zusammengehörten, nun galt es, das Bedürfnis zu befriedigen, auch mit den Gemeinden an anderen Orten zusammenzuleben. Im engeren Kreis suchte man diesem Bedürfnis wenigstens einigermaßen durch Veranstaltung von Provinzialsynoden zu genügen. So wurden schon 1563 durch die Wälschen Gemeinden in den südlichen Niederlanden drei solcher Zusammenkünfte gehalten (Hooijer, blz. 7—13), und auch in den folgenden Jahren kam man einigemale zu Antwerpen synodaliter zusammen (Hooijer blz. 13—23), aber es war dies doch noch nicht, was man wollte. Die Schwierigkeiten,

die die Gemeinden drückten, brachten mancherlei Fragen mit sich, über die man mit ein=
ander zu beraten wünschte. Man wußte sich eins im Glauben und im Bekenntnis. Aber
diese Einheit drängte auch zu möglichster Einheit im Handeln, und so entstand unwill=
kürlich das Verlangen nach einer festen Organisation zugleich mit dem Streben, auch die
5 Einheit in der Lehre auszusprechen (Trigland S. 161).

Dies erhellt bereits aus dem Konvent zu Wesel. Am 3. November 1568 traten
dort etwa 40 Flüchtlinge zusammen, sämtlich Prediger und Älteste niederländischer Gemein=
den, darunter Petrus Dathenus, Herman Moded, Marnix van St. Aldegonde, Willem van
Zuylen van Nijeveld u. a., in der Absicht, eine Kirchenordnung zu entwerfen, die nach er=
10 kämpfter Freiheit in Kraft treten könnte. Einen besonderen Auftrag zu ihrem Werk hatten
diese Männer, deren Vorsitzender Petrus Dathenus gewesen zu sein scheint, nicht empfangen,
ebensowenig das Recht, eine Kirchenordnung mit bindender Kraft aufzustellen. Sie suchten
denn auch nur die Linien aufzuzeichnen, denen man später folgen könnte. Wegen der
vorläufigen Bestimmungen, die sie zu treffen wünschten, hatten sie jedoch vorher mit ver=
15 schiedenen Gemeinden beraten („capita, de quibus apud optime reformatas eccle=
sias consultatum est"). Daß sie diese Bestimmungen in der That als bloß vorläufige
betrachteten, geht deutlich hervor aus Cap. I 8: „videtur aliqua esse ineunda ac
certis capitibus consignanda ratio, quam pro se quisque in ea cui praefectus
erit ecclesia tantisper sequatur, donec coacta Synodo rectius aliquid atque
20 perfectius constitutum fuerit". Die Thatsache, daß diese Weseler Artikel durch nicht
weniger als 63 Personen unterzeichnet sind, beweist klar, daß ein solcher Entwurf von
vielen für nötig gehalten wurde. (Die Handschrift dieser Artikel ist zu finden in dem Oud=
synodaal archief zu 's Gravenhage und nach dem lateinischen Text herausgegeben von
Rutgers, Acta blz. 9—41.)

25 Indessen was zu Wesel vorläufig angenommen war, mußte offizielle Geltung ge=
winnen; der dort gehaltenen Zusammenkunft einiger interessierter Männer mußte eine
Synode folgen, aus Abgeordneten der Gemeinden bestehend und befugt, bindende Be=
schlüsse zu fassen für die ganze Kirche. Mit dem Bau der Kirche hatte man begonnen,
nun wartete das begonnene Werk auf Vollendung, und für das letztere hat niemand mit
30 so viel Kraft gearbeitet als Marnix van St. Aldegonde (s. d. Art. XII S. 347—355);
vor allem seinem unermüdlichen Eifer ist es zu verdanken, daß die Synode zu Emden zu
stande kam (van Meer blz. 44—78).

Marnix war tief durchdrungen von der Notwendigkeit einer allgemeinen Synode. Er
glaubte an die Einheit des Leibes Christi (Meiners I 422). Die Zeit seiner Ge=
35 fangenschaft in Deutschland — seit 1567 — hat er denn auch auf jede Weise dazu ver=
wendet, für die Verwirklichung seines Ideals zu arbeiten. Davon zeugt u. a. ein Rund=
schreiben, abgesandt im Namen der Gemeinden zu Heidelberg und Frankenthal an „de
Eerbare ende Godsalige mannen, de Dienaren ende Ouderlingen der Neder=
duytscher gemeynten tot Londen, Zandwijck, Nordwijck, Emden etc." (v. Too=
40 renenbergen, Marnix. Aanhangsel blz. 3—38). Dieser höchstwahrscheinlich durch Marnix
verfaßte Brief ist von ihm und Gaspar van der Heyden am 21. März 1570 unter=
zeichnet. Es handelt sich in dem Schreiben um die Heranbildung von Predigern, den
Verkehr der zerstreuten Gemeinden untereinander und die Versorgung reisender Glaubens=
genossen, und bei dieser Gelegenheit äußert Marnix sein Verlangen, „alle Gemeinden der
45 Niederlande zu einem Leibe zu vereinigen" und so eine niederländisch=reformierte Kirche
zu gründen. Daß dies nicht sein und van der Heydens Wunsch allein war, sondern
vieler mit ihm, erhellt 1. hieraus, daß Marnix den Brief unterzeichnet hat „im Namen
und Auftrag der niederländischen Brüder zu Heidelberg", und v. d. Heyden zunächst im
eignen Namen und dann namens der Brüder in Frankenthal; und 2. aus der Thatsache,
50 daß dieser Brief, von dem feststeht, daß er in England, in Emden, Kleve, Köln und
Aachen angekommen ist und zirkuliert hat, den Stoß gab zur Vorbereitung der Synode
zu Emden. Beachtenswert ist es denn auch, daß die von Marnix in diesem Brief aus=
gesprochenen Hauptgedanken auf der Emder Synode nicht nur behandelt sind, sondern
zu bestimmten Beschlüssen Veranlassung wurden. Darum ist jener Brief ein wichtiges
55 Dokument der Vorgeschichte der Emder Synode und der Gründung der niederländisch=
reformierten Kirche.

Marnix äußerte jedoch in seinem Brief nicht nur den Wunsch nach größerer Einheit,
er gab zugleich ein Mittel an, das Ziel zu erreichen. Er lud nämlich die Gemeinden ein,
an die er schrieb, aus ihrer Mitte Männer zu einer Zusammenkunft in Frankfurt abzu=
60 ordnen, um über die Heranbildung von Predigern zu verhandeln. „So bidden ende

begeeren wy dat ghy doch wilt de naevolgende Franckfortsche Misse desen volgenden Septembri een of twee ofte meer bequaeme ludens nae Franckfort opseynden, welcke vollen last ende commissie hebben de saecke met den gesanden van andere gemeynten, die hier oock wesen sullen, ten vollen te beraetslagen, te verhandelen ende gantschelijck te besluyten, opdat alsoo met 5 ghemeyne verwillinge ende overeencominge de Kercke Christi Jesu opgebouwet werden mach. Ende wilt desen onsen brief den naestliggenden ghemeynten uwen naeburen, ofte ymmers anders copie desselven overseynden, opdat sy oock van haerentwegen hetselve moghen doen ende haere gedeputeerde opseynden, op datter een eyndelijck besluyt van gemaeckt mach werden tot 10 lof ende prijs des naems Godes en tot opbouwinge der Kercken Christi Jesu."

Die Zusammenkunft in Frankfurt fand statt im September 1570. Leider sind uns keine offiziellen Bescheide über das dort Verhandelte erhalten geblieben, aber wir dürfen mit Sicherheit annehmen, daß die Notwendigkeit einer Generalsynode dort besprochen wurde, und daß die Synode von Emden die Frucht dieser Zusammenkunft ist. Ein defi= 15 nitiver Beschluß wurde jedoch nicht gefaßt, dennoch sind die von jener Versammlung aus= gegangenen Antriebe zweifellos nicht vergeblich gewesen. Der Gedanke an eine General= synode wurde lebendiger, das Bedürfnis nach einer solchen mehr empfunden, man fing an, mehr darüber zu reden und zu schreiben. Einige Flüchtlinge, wahrscheinlich aus dem Jülicher Land, machten sich ans Werk, reisten nach Heidelberg und Frankfurt und berieten 20 den Plan einer zu veranstaltenden Synode mit den hervorragendsten Predigern und anderen Brüdern, die alle den Gedanken „heilig, gut und notwendig" fanden. Die Prediger von Heidelberg schrieben deswegen nach Wesel und an sonstige Gemeinden und drangen auf Unterstützung der Sache. Die Urheber des Entwurfs besuchten den Prinzen von Oranien, bei dem sich Marnix damals gerade aufhielt, um sein Urteil zu vernehmen, und sie fanden, 25 daß er ihren Plan billigte und sogar seine Hilfe zusagte. Dann kehrten sie wieder zurück und suchten eine Versammlung zusammenzubringen zur näheren Besprechung. Diese Versammlung, die Provinzialsynode zu Bedbur, fand am 3. und 4. Juli 1571 statt. (Die Akten der Synode siehe „Werken der Marnix-Vereen. Serie II Dl. 2 blz. 3—7.) Außer den Deputierten der Jülicher Gemeinden waren hier auch andere Abgesandte aus 30 Deutschland und Braband anwesend. Auch Marnix war zugegen mit dem bestimmten Auftrag des Prinzen von Oranien, auf die Veranstaltung einer Generalsynode hinzu= arbeiten. Ihm ists denn auch zu verdanken, daß zu Bedbur einstimmig der Beschluß einer Generalsynode gefaßt wurde. Zeit und Ort wurden noch nicht bestimmt, sondern zwei Abgeordnete, Gerard van Kuilenburg und Willem van Zuylen van Nijevelt beauf= 35 tragt, darüber mit der Gemeinde in Emden in Beratung zu treten. Mit Briefen von Marnix versehen reisten die beiden nach Emden, nachdem sie sich auch von den Gemeinden zu Wesel und im Klever Land die Versicherung hatten geben lassen, daß sie den Be= schlüssen zustimmten. Auch in Emden gelang es den beiden Deputierten, nach vielen Besprechungen die Zustimmung zu dem Plan zu gewinnen. Der Erfolg dieser Beratungen 40 war, daß ihnen noch vier Männer zur Seite gestellt wurden, um die Vorbereitungen der Generalsynode zu regeln.

Diese Kommission wählte Emden als Versammlungsort der Synode und beschloß, daß sie zum 1. Oktober 1571 berufen werden sollte. Den Gemeinden in England war schon am 24. Juli brieflich von dem Plan Kenntnis gegeben (Eccl. L.-B. Arch. p. 378 45 —387) mit der Bitte, Deputierte zur Generalsynode zu senden. Daß letzteres doch nicht geschah, lag an der Kürze der Zeit. An Neigung dazu hat es in England nicht gefehlt, denn aus einem Brief von Herm. Modeb, datiert Emden den 14. Oktober 1571 (v. Meer blz. 262—265) erhellt, daß verschiedene Prediger der Gemeinden in England nach einer all= gemeinen Synode verlangten. Merkwürdig ist aber, daß man gerade bei den Gemeinden 50 in den Niederlanden auf Widerstand stieß, und zwar so, daß von dieser Seite sogar ver= sucht wurde, die Berufung der Synode zu verhindern. Aus welchen Gründen man sich weigerte, zur Veranstaltung der Synode mitzuwirken, ist nicht bekannt, jedenfalls wurden die Gründe für belanglos gehalten. Die Gemeinden zu Köln — Wallonische sowohl wie Vlaamsche — urteilten, daß „Satan die Tagung der Synode zu vereiteln trachte und 55 sich zu diesem Zwecke der holländischen Brüder als seiner Werkzeuge bedienen wolle". (Werken Marn. Vereen. Serie III Dl. V blz. 6—7). Diese Gemeinden baten den Prinzen von Oranien um Hilfe und ersuchten ihn, durch seine Autorität die Holländer zu bewegen, sich bei der Synode vertreten zu lassen (Werken Marn.-Vereen. Serie III Dl. V blz 3—6). Was der Prinz gethan hat, wissen wir nicht, aber der Widerspruch 60 aus Holland wurde offenbar zurückgezogen, denn der Synode zu Emden haben mehrere Prediger von Gemeinden unter dem Kreuz aus Holland beigewohnt.

In Emden, der „Herberge der Gemeinde Gottes", wo Gott seiner verfolgten und verjagten Kirche Trost gegeben hat, kam die erste allgemeine Synode der Ned. Geref.
5 Kerken am 4. Oktober 1571 zusammen (nicht am 1. Oktober, weil man noch auf die — allerdings nicht erschienenen — Deputierten aus England wartete und weil man auch in Emden noch nicht ganz bereit war). Bis zum 13. Oktober blieb man zusammen. Gaspar van der Heyden, Prediger zu Frankenthal, war Vorsitzender, Jean Taffin, Prediger der Wallonischen Gemeinde zu Heidelberg Beisitzer, und Joannes Polyander, Prediger der
10 Wallonischen Gemeinde zu Emden Schriftführer. Im ganzen waren 29 Personen anwesend, darunter fünf Älteste. Unter ihnen finden wir Abgesandte von Gemeinden unter dem Kreuz und von Flüchtlingsgemeinden, von Niederdeutschen und Wallonischen Kirchen, alle mit Instruktionsschreiben versehen. Man hat die Frage aufgeworfen, ob die Versammlung von Emden wirklich eine Synode sei, und wenn ja, ob sie auf den Namen einer
15 Generalsynode Anspruch erheben darf. Die hiergegen eingebrachten Bedenken sind hinlänglich widerlegt von van Meer (blz. 152—154, 177—181); außerdem erhellt aus den Akten der Synode selbst (vgl. Rutgers, Acta blz. 55—119, und van Meer blz. 229—261), daß sie sich selbst als eine allgemeine, d. h. nationale Synode betrachtete; zudem hat auch die Synode zu Dordrecht 1574 sie als solche anerkannt.
20 Die Emdener Synode hat den Grund gelegt zur Organisation der nied. reform. Kirche. Sie war zusammenberufen, um die äußere Einheit der Kirche zu Wege zu bringen. Daher nimmt auch in den Verhandlungen alles auf die Verbindung der Kirchen Bezügliche die Hauptstelle ein. Wer diese Verhandlungen liest und die festen Grenzen beobachtet, die darin hinsichtlich der Kirchenregierung gezogen werden, ahnt kaum, daß die
25 Kirchen, deren Abgeordneten sich in einem solch bestimmten Ton aussprachen und Beschlüsse von so weittragenden Folgen faßten, noch unter dem Druck der Feinde oder in der Fremde und in der Verbannung lebten. Während man zu Wesel lediglich auf eigene Verantwortung hin zusammengekommen war und somit nur beratend auftreten konnte und durfte, waren sich die Brüder in Emden bewußt, daß sie berufen waren, bindende
30 Beschlüsse zu fassen, und daß sie als Beauftragte ihrer Kirchen dazu berechtigt waren. Obgleich in den Acta Emdana von dem Weseler Konvent nicht die Rede ist, dürfen wir doch voraussetzen, daß man die Weseler Artikel sehr wohl erwogen haben wird, und zwar 1. auf Grund der Thatsache, daß einzelne Emdener Artikel (Art. 19, 20, 21) denen von Wesel entlehnt zu sein scheinen, und 2. weil 6 Glieder der Synode auch in Wesel
35 zugegen gewesen waren, und kaum anzunehmen ist, daß man dann die Weseler Artikel, an denen sie mitgearbeitet hatten, völlig sollte übersehen haben. Sicher ist aber, daß man die französische Kirchenordnung von 1559 gebraucht hat. Zwischen dieser und den Acta Emdana herrscht eine große oft wörtliche Übereinstimmung. Doch ist andererseits wieder zu viel Verschiedenheit vorhanden, z. B. in Betreff des Klassikalverbandes, als daß man
40 die Acta Emdana nur eine weitere Ausarbeitung der französischen Kirchenordnung nennen könnte.

In welcher Weise wurde nun in Emden die kirchliche Gemeinschaft organisiert? Die Acta Emdana tragen ein sehr bestimmt calvinistisches Gepräge, und die beschlossene Einrichtung der Kirche ist presbyterial-synodal. Zu allererst wird (Art. 1) protestiert gegen
45 jede Hierarchie in der Kirche. Von einem „primatus seu dominatio" darf keine Rede sein und jeder soll sich hüten „ab omni et suspitione et occasione", eine Herrschaft in der Kirche zu führen. Das Band der Gemeinschaft zwischen den verschiedenen Kirchen ist der „consensus in doctrina". Diese Gemeinschaft wird aber auch gesucht mit den Kirchen anderer Länder, vorausgesetzt, daß sie das reformierte Bekenntnis hatten. Darum
50 beschloß die Synode, daß nicht bloß die Confessio Belgica, sondern auch das französische Bekenntnis sollte unterzeichnet werden „ad testandum harum Ecclesiarum cum Ecclesiis Regni Galliae consensum et coniunctionem", in der Hoffnung, die französischen Kirchen möchten dasselbe thun hinsichtlich der Confessio Belgica. Über den Unterricht in der Lehre wurde bestimmt, daß in Gemeinden französischer Zunge der Genfer
55 Katechismus gebraucht werden solle, in den niederdeutschen Gemeinden der Heidelberger Katechismus, „sic tamen, ut si quae Ecclesiae alia Catechismi formula verbo Dei consentanea utantur, necessitati illius mutandae non astringantur". Man wollte also möglichste Freiheit lassen, wenn man sich nur hielt an Gottes Wort. Außerdem waren die äußeren Zustände noch nicht dazu angethan, in dieser Beziehung schon eine
60 allgemein giltige Vorschrift ausführen zu können. Die einzelnen Kirchen waren sich noch

zu viel selbst überlassen gewesen und konnten erst allmählich zu einheitlichem Handeln gebracht werden. Wohl aber wurde die Einheit der Kirchenleitung von der Synode jetzt schon eingeführt. Die Kirchenleitung sollte ausgehen von verschiedenen Körperschaften: von Konsistorien, Klassen, Synoden und Nationalsynoden. Auch hier wurde jede Hierarchie ferngehalten. Außer den Konsistorien, die aus ständigen Mitgliedern bestehen sollten, 5 kannte man keine ständigen Körperschaften. Die Glieder der Klassikal- und Synodalversammlungen mußten jedesmal neu "ad hoc" deputiert werden und konnten Beschlüsse nur fassen kraft des ihnen durch ihre Kirchen erteilten Auftrags. Nach Ablauf der Versammlung war auch ihr Mandat beendet: "officium cum actione finitur". Jede Kirche oder Gemeinde sollte ein Konsistorium haben, zusammengesetzt aus Predigern, Ältesten 10 und Diakonen. Diese Konsistorien hatten mindestens eine wöchentliche Versammlung. Nach je drei oder sechs Monaten sollte jedesmal eine Klassikalversammlung stattfinden "vicinarum aliquot Ecclesiarum". Ferner wurde bestimmt, daß jährlich eine Synode der zerstreuten Gemeinden in Deutschland und Ostfriesland, eine Synode der englischen Gemeinden und eine Synode aller Gemeinden unter dem Kreuz zu halten sei. Endlich sollte 15 alle zwei Jahre etwa eine Nationalsynode zusammenkommen, "omnium simul Ecclesiarum Belgicarum". Zugleich entwarf die Emdener Synode eine Verteilung der Klassen. Die beiden Gemeinden zu Frankfurt, die Gemeinde zu Schonau, die französische Gemeinde zu Heidelberg, die Gemeinden zu Frankenthal und zu St. Lambert sollte eine Klassis bilden, ebenso die beiden Gemeinden in Köln und die beiden in Aachen, die 20 Gemeinden in Mastricht, Limburg, Neuß und des Jülicher Landes. Eine dritte Klassis bestand aus den Gemeinden zu Wesel, Emmerich, Goch, Rees, Genney und des übrigen Klever Landes, auch die Gemeinden zu Emden mit den fremden Dienern am Wort und Ältesten aus Braband, Holland und Westfriesland sollten eine Klassis bilden. Unter dem Kreuz sollten folgende Klassen sein: 1. die beiden Gemeinden zu Antwerpen und die Ge- 25 meinden zu 's Hertogenbosch, Breda, Brüssel und die übrigen Gemeinden der Provinz Braband; 2) die Gemeinden zu Gent, Ronsen, Oudenaarde, Comen und im übrigen Ost- und Westflandern; 3. die Gemeinden zu Doornik, Ryssel, Atrecht, Armentiers, Valenciennes und die übrigen Wallonischen Gemeinden; 4. die Gemeinden zu Amsterdam, Delft und im übrigen Holland, Overyssel und Westfriesland. Auch seien die Brüder in England 30 zu ermahnen, ihre Gemeinden · in Klassen zu verteilen. — Hinsichtlich dieser Versammlungen wurden in besonderen Kapiteln nähere Bestimmungen getroffen. Der Grundgedanke war offenbar der, daß alle niederländischen Gemeinden eine Einheit bildeten, und daß jede Gemeinde zwar selbstständig war, doch nur als Glied eines organischen Ganzen. Als solches war sie auch gebunden an die Beschlüsse der Klassis, der Synode und Generalsynode. Dabei 35 lag aber die Vorstellung zu Grunde, daß die Gemeinde selbst zu diesen Beschlüssen mitgewirkt hatte durch die Deputierten, die sie direkt oder indirekt zu der betreffenden Versammlung abgeordnet hatte. Jede Versammlung durfte nur das behandeln, was in ihren Wirkungskreis gehörte, und nur was in den niederen Versammlungen nicht erledigt werden konnte, durfte in einer höheren zur Behandlung kommen. Von einer niederen Versamm- 40 lung konnte man sich berufen auf eine höhere, vom dem Konsistorium auf die Klassis, von der Klassis auf die Provinzialsynode und von dieser wieder auf die Generalsynode, aber dem Beschluß der letzteren mußte sich schließlich die ganze Kirche unterwerfen.

Die Emdener Synode faßte sodann noch eine Reihe von Beschlüssen, die sich auf die innere Ordnung der reformierten Gemeinden bezogen; z. B. über die Berufung der Pre- 45 diger, die Wahl der Ältesten und Diakonen und die Dauer ihrer Amtsverwaltung, über die Taufe, das Abendmahl, die Eheschließung, die Kirchenzucht, die Kirchenzeugnisse und über die Studenten, Beschlüsse, die wir hier nicht näher auszuführen brauchen. Auch auf eine Anzahl besonderer Fragen wurde Antwort gegeben als Wegweiser für spätere Fälle. Schließlich wurde bestimmt, daß im Frühjahr 1572 abermals eine Generalsynode gehalten 50 werden sollte, falls die englischen Gemeinden bereit und im stande wären, Abgeordnete dahin zu senden. Wenn sie dies nicht wollten oder nicht könnten, sollte die Synode bis zum Frühjahr 1573 verschoben werden. Zugleich wurde die Pfälzer Klassis angewiesen, diese Generalsynode zu berufen. Jedoch fand diese Synode nicht statt. Es stellte sich heraus, daß die Brüder in England wohl geneigt waren, Klassen zu bilden und Deputierte zu 55 einer Generalsynode zu senden, allein die englische Regierung verweigerte ihnen die dazu nötige Erlaubnis. Hieraus sowie aus anderen Thatsachen erhellt, daß man in England wenigstens in den Hauptsachen den Acta Emdana zustimmte. Auf den nationalen Synoden zu Dordrecht 1578 und zu Middelburg 1581 waren denn auch Deputierte aus England zugegen (Rutgers, Acta blz. 304—306, 360), während auf dem Kolloquium zu 60

London am 28. August 1599 noch einmal beschlossen wurde, die niederländische Kirchen=
ordnung, deren Grundlage die Emdener Beschlüsse bildeten, soweit als möglich aufrecht
zu erhalten. Auch in den Flüchtlingsgemeinden der Pfalz, in Emden, der Kölner Klassis,
in Jülich und Berg und in der Weseler Klassis sind die Acta Emdana angenommen
5 worden und gehandhabt, soweit es die Umstände erlaubten. Allmählich aber, hier früher
dort später, haben diese Gemeinden ihren eigentümlichen holländischen Charakter verloren,
und das Band mit der niederländischen reformierten Kirche löste sich.

Als sich die Synode zu Emden versammelte, konnte man noch nicht ahnen, daß die
Erlösung der Niederländer von dem spanischen Joch und die Freiheit der Kirchen schon
10 so nahe war. Noch kein halbes Jahr war seit der Synode verflossen, als man begann,
das Joch abzuwerfen. Am 1. April 1572 wurde Brielle durch die Wassergeuzen erobert,
eine holländische Stadt nach der anderen machte sich von der spanischen Gewalt frei.
Bald waren in Holland und Zeeland nur noch wenige Städte übrig, u. a. Amsterdam
und Haarlem, two man sich nicht auf die Seite Oraniens und der Freiheit gestellt hatte.
15 Die Vertreibung der Spanier hatte überall die Gründung reformierter Gemeinden zur
Folge, oder wo solche Gemeinden bereits in der Verborgenheit bestanden, konnten sie jetzt
öffentlich auftreten. Das Volk schien überall nach der lauteren Predigt des Wortes
Gottes begierig zu sein. Die römischen Kirchen wurden an den meisten Orten für den
reformierten Gottesdienst in Gebrauch genommen. Viele Flüchtlinge kehrten aus Deutsch=
20 land, England und Frankreich ins Vaterland zurück, und unter ihnen eine Reihe von
Predigern, die früher geflohen waren und nun wieder ihren Dienst thun konnten. Die
Staaten von Holland kamen schon am 15. Juli 1572 zu Dordrecht zusammen. Auch
Marnix war als Abgesandter des Prinzen von Oranien hier anwesend und teilte den Wunsch
des Prinzen mit, daß Römischen und Reformierten freie Ausübung des Gottesdienstes
25 zugestanden würde, den ersteren jedoch nur so lange, als die römische Geistlichkeit sich
nicht der Untreue und Feindschaft gegen die Freiheit des Landes schuldig machte. Die
Staaten beschlossen demgemäß, sahen sich aber bereits im folgenden Jahr genötigt, die
öffentliche Ausübung der römischen Religion zu verbieten. Verschiedene Gründe zwangen
die Staaten zu diesem Beschluß: z. B. daß viele Priester und Laien es mit dem
30 Feind hielten und sich verschworen gegen die Freiheit; die von den Spaniern zu
Mecheln, Zütphen und Naarden angerichteten Metzeleien; die Erbitterung des Volkes
über die Grausamkeiten Albas und seiner Truppen; der Haß gegen die römische „Ab=
götterei", wie er sich in dem Bildersturm in verschiedenen holländischen Städten offen=
barte u. s. w. Im Oktober 1573 trat der Prinz von Oranien öffentlich zur reformierten
35 Kirche über, und am 18. Dezember desselben Jahres verließ der Herzog von Alba, der
Henker von Tausenden, mit dem Fluch von Römischen und Nichtrömischen beladen, die
Niederlande, die er unter seiner Verwaltung so schrecklich hatte leiden lassen.

Bei dieser unerwarteten Änderung der Verhältnisse war es ein großes Glück, daß
die Synode von Emden so zeitig gehalten war. Nachdem die reformierte Kirche Hollands
40 ihre Freiheit erlangt hatte, und es ihr unter dem wohlwollenden Schutz der Staaten er=
möglicht war, sich kräftig zu entwickeln, mochte man es wohl besonders dankbar begrüßen,
daß ihre Organisation fertig war, so daß man das in Emden Beschlossene nur anzu=
wenden brauchte. Schon im August 1572 versammelte sich die erste Synode von Nord=
holland (aus Art. 1 und 3 der Akten der Synode von Alkmaar 1573 erhellt, vgl. Reitsma
45 und van Veen, Acta I blz. 4—5, daß dies die erste Synode war und nicht die zu Hoorn,
wie Reitsma, Geschiedenis 2 Uitg. blz. 122 meint), two verschiedene Bestimmungen getroffen
wurden über die Zulassung ehemaliger Priester zum Predigtamt, über die Kindertaufe,
die Eheschließung und die Leichenpredigten. Von der darauf folgenden Synode zu Hoorn
ist nur bekannt, daß sie stattfand, aber wegen der unruhigen Zeiten nichts besonderes be=
50 handeln konnte. Die dritte Synode jedoch zu Alkmaar im März 1573 faßte schon wich=
tigere Beschlüsse, nämlich daß die Confessio Belgica von den Brüdern unterzeichnet und
der Heidelberger Katechismus gelehrt und in den Kirchen gepredigt werden sollte. Zu=
gleich wurde hier im Anfang ein Anfang gemacht mit der Verteilung von Nordholland in Klassen.
Bei der Synode war auch ein Schreiben eingelaufen von Herm. Moobed, der damals
55 als Prediger in Zierikzee wirkte, mit der Bitte eine Provinzialsynode zu veranstalten.
Einstimmig beschloß man jedoch, darauf jetzt nicht einzugehen, 1. weil das Reisen
in dieser Zeit zu gefährlich wäre und 2. weil, man unter den augenblicklichen Verhält=
nissen die Prediger nicht so lange entbehren könnte (Reitsma und van Veen, Acta I
blz. 10).

60 Kaum ein Jahr später, im Juni 1574, wurde eine solche Provinzialsynode gehalten

zu Dordrecht unter Leitung des Vorsitzenden der Emdener Synode, Gaspar von der Heyden, jetzt Prediger in Middelburg. Diese Synode nannte sich zwar selbst nur Provinzialsynode, trug aber in Wirklichkeit den Charakter einer nationalen Synode.. (Ihre Akten sind herausgegeben von Rutgers, Acta blz. 120—220, und durch Reitsma und van Veen, II, blz. 127—157.) Sie war zusammenberufen durch die drei Provinzen, die von dem spanischen Joch frei geworden waren, Südholland, Nordholland und Zeeland. Nur in diesen Provinzen war die Reformation eingeführt. Daß die sieben Prediger aus Nordholland, die von der Synode zu Grootebroek abgesandt waren (R. und v. Veen I blz. 25), verhindert wurden, ihr beizuwohnen, spricht nicht gegen ihren nationalen Charakter, da diese von vornherein erklärt hatten, die Beschlüsse der Synode billigen zu wollen. Aus Südholland und Zeeland waren viele Prediger, einzelne Älteste und ein Diakon anwesend. Die Kirchenordnung von Emden wurde hier in der Hauptsache gebilligt; beschlossen wurde, daß in Zukunft nur die Confessio Belgica sollte unterschrieben werden und nicht auch, wie in Emden bestimmt, das französische Glaubensbekenntnis, weil man auf einen durch Taffin an Beza geschriebenen Brief mit der Frage, ob man in Frankreich auch beide Bekenntnisse unterzeichnen wolle, keine Antwort empfangen hatte. Sodann wurde festgesetzt, daß forthin bloß der Heidelberger Katechismus zu brauchen und öffentlich zu lehren sei. Und endlich ergab sich, daß man überall mit der Bildung von Klassen schon begonnen hatte, während die Synode jetzt eine Einteilung derselben feststellte.

Es dauerte bis 1578, ehe eine nationale oder allgemeine Synode gehalten wurde. Die Pacifikation von Gent 1576 war der Ausbreitung der Grundsätze der Reformation in den südlichen Niederlanden günstig, und auch in den nördlichen Provinzen wurde mehr gefragt nach der reinen Predigt des Evangeliums. Auch in den Gegenden außerhalb Hollands, in Brabant, Gelderland, Utrecht, Overysel, und Friesland kamen die Reformierten öffentlich oder in der Stille zusammen zum Anhören der Predigt des Worts, während die Obrigkeiten entweder nichts sehen wollten oder sogar zustimmten. Überall entstanden neue Gemeinden; man empfand die Notwendigkeit, eine Nationalsynode zu berufen, um die Einheit in der Lehre und die Gleichförmigkeit in der Kirchenregierung zu fördern. So sollten dann, wenn eben möglich, nicht nur Deputierte der Klassen von Holland und Zeeland zusammenkommen, sondern auch Abgesandte aus den anderen Provinzen und aus den niederländischen sowohl wie wallonischen Gemeinden, die in der Fremde waren. Vom 2.—18. Juni 1578 versammelte sich diese erste nationale Synode auf niederländischem Boden zu Dordrecht. Petrus Dathenus war Vorsitzender. Die niederländischen und wallonischen Kirchen waren vertreten. Mit den Klassen von Holland und Zeeland hatten auch die von Brabant und Ost- und Westflandern ihre Abgeordneten gesandt. Auch aus Gelderland scheinen Vertreter zugegen gewesen zu sein. Von den Kirchen außer Landes waren aus den Klassen der Pfalz, von Kleve und aus England Abgesandte erschienen. Die Kölnische Klassis hatte keine Vertreter schicken wollen, weil sie diese Synode nicht für eine Synode sondern für eine Privatversammlung meinte halten zu müssen. Die Synode hat sich aber an dem Protest der Klassis Köln gekehrt (vgl. Rutgers, Acta blz. 310—313). Die Beschlüsse von Emden und Dordrecht 1574 wurden verlesen und daraus eine Kirchenordnung zusammengestellt, deren Grundsätze durchaus mit der von Emden übereinstimmen und die nur in einigen Punkten z. B. hinsichtlich der Klassen näher ausgeführt wurde. Besonders der Abschnitt über die Kirchenregierung wurde ausführlich behandelt und geordnet. Damit die Reinheit der Lehre bewahrt bleibe, sollten auch die Professoren der Theologie — 1575 war die Universität zu Leiden gegründet worden — verpflichtet sein zur Unterzeichnung der Confessio Belgica, während ebenso wie zu Wesel und Emden den wallonischen Gemeinden der Gebrauch des Genfer Katechismus zugestanden wurde. Die niederländischen Gemeinden sollten den Heidelberger Katechismus gebrauchen und bei der Unterweisung derer, die Glieder der Gemeinde werden wollten, auch das „corte ondersoeck des gheloofs". Außerdem wurde für alle niederländischen Provinzen eine Einteilung in besonderen Synoden entworfen (vgl. Rutgers, Acta blz. 221—338).

Die Pacifikation von Gent, die dem friedlichen Zusammenleben von Römischen und Reformierten dienen sollte, hatte keine Partei befriedigt. Auf beiden Seiten nahm man Maßregeln, sich zu stärken, und die Spannung wurde nicht geringer. Auch der Entwurf des Religionsfriedens, der von Oranien aufgestellt am 22. Juli 1578 im Namen der Generalstaaten verkündigt war und volle Gewissensfreiheit und ein gewisses Maß von Religionsfreiheit zugestand, konnte den schroff sich bekämpfenden Parteien unmöglich genügen. „L'exaltation, de part et d'autre, ne permettait plus les termes moyens" (Groen van Prinsterer, „Archives de la maison d'Orange-Nassau" VI, 389). Es mußte zu einer Scheidung kommen zwischen den südlichen Niederlanden, wo die Römischen immer mehr Gebiet zurückeroberten, und den nördlichen Provinzen, wo die Reformation sich immer mehr ausbreitete und festen Fuß gewann.

5 Im Mai 1578 war Amsterdam und im Juni desselben Jahres Haarlem von den Spaniern frei geworden. Im März 1578 war Graf Jan van Nassau, ein entschiedener Calvinist und Bruder Oraniens, Statthalter von Gelderland geworden und zugleich die reformierte Kirche als herrschende anerkannt. Zwar waren noch viele Orte dieser Provinz in den Händen des Feindes, und der bei weitem größte Teil der Landbevölkerung hing 10 noch der römischen Kirche an, aber allmählich wurde, vor allem durch die unermüdliche Wirksamkeit des Arnheimer Predigers Joh. Fontanus, die reformierte Kirche auch in dieser Provinz fest gegründet. Schon im August 1579 wurde die erste Synode zu Arn= heim gehalten, die die Beschlüsse der Dordrechter Nationalsynode von 1578 als „richtig und in Uebereinstimmung mit der hl. Schrift" anerkannte (R. u. v. B. IV blz. 1; ferner 15 vgl. C. Hille Ris Lambers, „De Kerkhervorming op de Veluwe", 1890; sowie L. H. Wagenaar, „De hervormer van Gelderland. Levensbeschrijving van Joh. Fontanus", 1898). 1582 verboten die Staaten von Gelderland ausdrücklich den „Götzendienst" der Römischen. — Overyfel hatte sich dem Religionsfrieden angeschlossen, und in den drei bedeutendsten Städten, Zwolle, Kampen und Deventer erlangten die 20 Reformierten die Oberhand. 1579 finden wir in dieser Provinz schon drei Klassen, Zwolle, Kampen und Deventer, und im Februar 1580 wurde die erste Overyfelsche Synode zu Deventer gehalten (R. u. v. B. IV blz. 9—10, V blz. 191—376). — In Friesland wurde im März 1577 die Pacifikation von Gent verkündigt. Die Verbannten kehrten zurück und die spanisch gesinnten Obrigkeiten wurden abgesetzt. Genau ein Jahr später wurde der Bischof 25 von Leeuwarden, Cunerus Petri, gefangen genommen und seines Amtes entsetzt. Die Reformation gewann täglich mehr Einfluß. Bald entstanden an verschiedenen Orten Gemeinden, die durch zurückgekehrte reformierte Prediger bedient wurden. Friesland schloß sich der Union von Utrecht an, und im März 1580, nachdem sich der römische Statthalter Graf van Rennenberg verräterischerweise auf Seite der Spanier gestellt hatte, 30 verfügten die Staaten, den römischen Gottesdienst zu verbieten, alle römischen Geistlichen als abgesetzt zu erklären, und die Güter der alten Kirche für den Unterhalt reformierter Prediger und Schullehrer zu verwenden, die nun in allen Gemeinden angestellt werden mußten. Hiermit war die römische Kirche endgültig überwunden, und die reformierte Kirche zur Herrschaft gebracht (Reitsma, „Honderd jaren uit de geschiedenis der 35 Hervorming en de Herv. Kerk in Friesland", Leeuwarden 1876, blz. 175—217). Schon im Mai 1580 versammelte sich die erste friesische Synode zu Sneek (R. u. v. B. I blz. 73 enz., VI blz. 1—290).

Wie wir sahen, konnte weder die Pacifikation von Gent noch der Religionsfrieden von 1578 die aufgeregten Gemüter beruhigen. In den südlichen Niederlanden schritt die 40 Sache der Reformation nicht vorwärts (A. Ch. J. van Maasdijk, „De oorzaken van den ondergang der Hervorming in België", Utrecht 1865). Die Führer der römischen Bewegung schlossen am 6. Januar 1579 die Union von Atrecht, einen Geheim= vertrag zwischen Römischen von Atrecht, Henegouwen und Douay, zur Verteidigung des römischen Gottesdienstes und der Autorität des Königs. Demgegenüber wurde am 45 29. Januar 1579 die Union von Utrecht veröffentlicht, die dort sechs Tage vorher zwischen Gelderland, Holland, Zeeland, Utrecht und Groningen geschlossen war. Die Union war das Werk von Jan van Nassau, der dazu, wenn auch nicht ohne Mühe, die Einwilligung Oraniens erlangt hatte, dessen bis dahin auf Versöhnung von Römischen und Nichtrömischen gerichtete Politik hierdurch eine völlige Aenderung erfuhr. (Die Bestim= 50 mungen dieser Union siehe bei Bor, Ned. Hist. II blz. 26—29.) Der dreizehnte Artikel des Vertrags handelte über den Gottesdienst und bestimmte, daß Holland und Zeeland, wo der römische Gottesdienst bereits verboten war, wie bisher nach eigenem Gutdünken vorgehen könnten, und daß die anderen Provinzen in dieser Hinsicht solche Anordnungen treffen dürften, wie sie im Interesse des Landes und der Ruhe im Inneren für nötig 55 erachten würden, „mits dat een yder particulier in syn religie vry sal mogen blyven ende dat men niemant ter cause van de religie sal mogen achterhalen of ondersoecken volgende de Pacificatie tot Gent ghemaeckt." Es war voraus= zusehen, daß diese Bestimmung der römischen Kirche großen Abbruch thun und den Re= formierten zu Gute kommen würde, wie auch geschehen ist. Wie die Embener Synode 60 den Grund gelegt hat zur Aufrichtung der einen niederländisch=reformierten Kirche, so hat die Union von Utrecht der Größe der vereinigten Provinzen den Weg gebahnt, in denen die reformierte Kirche zur Blüte gekommen ift. Zwei Jahre fpäter, am 26. Juli 1581, fagten die Generalftaaten dem König von Spanien den Gehorfam auf und verwarfen ihn feierlich als Herrn der Niederlande.

Es dauerte aber noch geraume Zeit, bis in allen Provinzen die kirchlichen An= 5
gelegenheiten gut geordnet waren. In der Provinz Utrecht konnte infolge verfchiedener Umftände keine befriedigende Organifation zu ftande kommen, und von einer geordneten fynodalen Einrichtung war keine Rede (vgl. H. J. Royaards, „Geschiedenis der Hervor-ming in de stad Utrecht", Leiden 1847; J. Wiarda, „Huibert Dufhuis", Amfterb. 1858). Sowohl kirchliche wie politifche Urfachen wirkten dabei mit. In der Bevölkerung 10
herrfchte große religiöfe Zerrifenheit, und in der Kirche maßten fich die Regenten alle Gewalt an, fo daß die Kirchlichen felbft in kirchlichen Dingen nicht den geringften Ein= fluß konnten geltend machen. Erft 1618 trat hierin eine entfchiedene Änderung ein, und nach der großen Synode von Dordrecht 1618—1619 wurde die dort feftgeftellte Kirchenordnung für die Kirche jener Provinz maßgebend (R. u. v. B. VI, Einleitung 15
blz. VIII—X).

Die Provinz Groningen war 1580 durch den Verrat von Rennenberg in die Hände der Spanier gefallen, und erft nach der Eroberung der Stadt Groningen durch Prinz Morih 1594 war es möglich, daß auch hier eine kirchliche Organifation zu ftande kam. Diefe Organifation gefchah durch eine Kirchenordnung, die von den Staaten am 27. Februar 20
1595 feftgeftellt wurde und offiziell bis 1816 in Kraft geblieben ift. In der Hauptfache jedoch ftimmte die Groninger Kirchenordnung mit der von Emden überein. Die erfte Synode von Groningen fand ftatt am 17. bis 19. Juli 1595 (R. u. v. B. VII, vgl. S. D. v. Veen, „De Geref. Kerk van Groningen voor en na de Reductie", in „Gedenkboek der Reductie van Groningen in 1594", Gron. 1894, blz. 169—206). 25
Die Befreiung Groningens brachte auch Drenthe die Freiheit. Graf Wilhelm Ludwig von Naffau ordnete auch hier als Statthalter die kirchlichen Angelegenheiten, und am 12. Auguft 1598 wurde die erfte Klaffikalverfammlung zu Rolde gehalten. (R. u. v. B. VIII.)

Während man in den genannten Provinzen die kirchliche Ordnung aus mancherlei 30
Gründen noch nicht durchführen konnte, hatte man doch fortgefahren, Nationalfynoden zu veranftalten. Auf der zu Middelburg 1581, wo auch Flandern, die Gemeinden in England und die Klaffis Köln vertreten waren, wurde aus den Artikeln der Synode von Dord-recht 1578 ein Corpus disciplinae oder eine Kirchenordnung feftgeftellt, die der Obrig- keit vorgelegt wurde, um von ihr Rechtskraft zu erlangen (vgl. Rutgers, Acta blz. 376— 35
401, 402). Diefe Kirchenordnung ging von dem Grundfah aus, daß die Kirche fich felbft regieren foll und daß der Obrigkeit kein Recht zufteht, die Kirche zu regieren. Die Obrigkeit wollte fich aber hierauf nicht einlaffen und gewährte die erbetene Zuftimmung nicht. Schon 1576 hatten die Staaten von Holland und Zeeland einige „Kerkelijke Wetten" entworfen (Hooijer blz. 121—131), in denen der Obrigkeit eine große Macht in 40
kirchlichen Dingen zuerkannt und der Klaffen und Synoden nicht einmal gedacht war. Es war aber bei dem Entwurf geblieben. Ein neuer Entwurf der Staaten von Holland 1583 (vgl. Hooijer blz. 233—246) geftand der kirchlichen Partei zwar einige Mitwirkung zu und befahl auch das Halten von Klaffikal= und Synodalverfammlungen, ging aber von denfelben politifchen Grundgedanken aus wie der Entwurf von 1576. Allein zum 45
Glück für den Frieden der Kirche wurde auch diefe Vorlage nicht Gefetz, aus Furcht vor großem Streit wagte man nicht, fie zu veröffentlichen. Endlich gelang es der National-fynode von 's Gravenhage 1586, wo keine fremdländifchen Gemeinden zugegen waren, eine Kirchenordnung feftzuftellen (Rutgers, Acta blz. 487—506), die fich von der Middelburger Kirchenordnung wenig unterfchied, aber den von der Obrigkeit erhobenen Bedenken 50
wenigftens einigermaßen entgegenkam und ihr gewiffe Rechte in kirchlichen Dingen zuer- kannte. Die Staaten von Holland und Zeeland nahmen diefe Kirchenordnung an. Die Prediger des Stifts Utrecht, die fich widerfetzten, wurden ihres Amtes enthoben. Auch die Staaten von Gelderland und Overyfel nahmen die Kirchenordnung an. Die Kirchen- ordnungen der übrigen Provinzen ftimmten im wefentlichen mit ihr überein, die Ab= 55
weichungen betrafen nur Nebenfachen. Die Haagfche Synode hat alles gethan, was fie konnte, alle reformierten Gemeinden der Niederlande zu einem gefchloffenen Ganzen zu vereinigen und die nun ihr feftgeftellte Kirchenordnung, die im Grunde diefelbe ift wie die von Emden, obwohl in manchen Punkten weiter ausgeführt und den Zeitumftänden angepaßt, ift die Grundlage geblieben für die Ordnung und Regierung der Niederl. Ref. Kirche. 60

So war also die reformierte Kirche in den Niederlanden gegründet und eingewurzelt. Die **Confessio Belgica** und der Heidelberger Katechismus waren ihre Bekenntnisschriften; sie besaß eine Kirchenordnung, die die Verwaltung der Kirche aufs trefflichste regelte; sie war eingeteilt in Klassen und Synoden, die regelmäßig zusammenkamen und die Inter-
5 essen der Kirche mit großer Sorgfalt wahrnahmen; unter der Leitung ihrer Konsistorien (Kerkeraden) gelangten die Gemeinden immer mehr zu geordneten Verhältnissen; der in der ersten Zeit noch sehr fühlbare Mangel an Predigern ließ nach, als verschiedene Hochschulen ihre Zöglinge entließen (Leiden 1575, Franeker 1585, Groningen 1614). Die Predigt des Worts blieb nicht unfruchtbar, so daß die Zahl der Reformierten stets
10 zunahm. Die Obrigkeit beschirmte den reformierten Kultus und unterstützte die Kirche, indem sie ihren Predigern Gehalt gab, Schulen und Lehrer unterhielt und die Kosten der kirchlichen Versammlungen bezahlte. Zwar war noch nicht in allen Stücken Friede, auf kirchlichem und theologischem Gebiet herrschte nicht überall völlige Übereinstimmung. Der calvinistische Charakter der reformierten Kirche wurde noch von den Remonstranten angetastet.
15 Durch deren Verurteilung und Ausschließung aus der Kirche hat die Nationalsynode zu
. Dordrecht 1618/19 diesen Charakter behauptet und die zu Emden gesuchte, zu 's Gravenhage erreichte Einheit der Kirche kräftig gestärkt.   **S. D. van Been.**

Niedersächsische Konföderation. — Dr. theol. Th. Hugues, Die Konföderation der reformierten Kirchen in Niedersachsen. Geschichte u. Urkunden, Celle 1873; Dr. theol. Fr. H.
20 Brandes, Geschichte d. Konföderation u. s. w. — Die Synodalakten der Konföderation seit 1703, in den Archiven der einzelnen Kirchen. — Glaubensbekenntnis und Kirchenordnung der ref. Kirche Frankreichs, übersetzt und abgedruckt für die Konföderation, Heidelberg 1711. — (Revidierte) Kirchenordnung der Konföderation von 1839. — D. Brandes, Zusätze und Erläuterungen zu der Kirchenordnung von 1839 infolge von Synodalbeschlüssen bis zum Jahre 1893
25 zusammengestellt. — Statut über die vereinigte Witwen= und Waisenkasse der Konföderation, Braunschweig 1882; Aschenbach, Gesch. der ref. Gemeinde zu Göttingen 1853; D. Brandes, Gesch. d. ref. Gem. zu Göttingen; ders., Gesch. d. franz. Kolonie zu Bückeburg; ders., Gesch. der franz. Kolonie zu Braunschweig; ders., Geschichte der ref. Gemeinde zu Stadthagen; ders., Gesch. d. ref. Waisenhauskasse zu Bückeburg; Deiß, Gesch. d. ref. Kirche zu Lübeck; Prof. Dr.
30 Piper, Die Reformierten in Altona; Vilaret, Die ref. Gemeinde zu Hameln betreffende Aufsätze in der Zeitschr. "Die Colonie", herausgeg. von Landgerichtsrat Dr. Béringuier 1900; Dr. Walte, Gesch. d. ref. Kirche in Hann. Münden (Mscr.); H. Tollin, Gesch. d. ref. Kirche in Celle; ders., Die Hugenotten am Hofe zu Lüneburg; ders., Die Hugenottischen Pastoren in Lüneburg; Albrecht, Gesch. d. ref. Kirche in Altona; Vilaret, Gesch. d. franz. Kolonie in
35 Hameln. — Ueber die einzelnen Gemeinden s. die betr. Archive und Tollin, in Geschichtsblätter des deutschen Hugenottenvereins: Urkunden in Bd III, Heft 10, S. 41 ff.; IV, 10, S. 57 ff.; V, 10, S. 17 ff. 32 ff.; VIII, 10, S. 9 ff. 14 ff. 18 ff. 28. 42. 51.

Die Konföderation reformierter Kirchen in Niedersachsen besteht seit 200 Jahren. Sie ist hugenottischen Ursprungs, jedoch so, daß von Anfang ihrer Gründung an auch
40 deutsche reformierte Gemeinden innerhalb ihres Bereiches sich ihr angeschlossen haben. Sie darf als diejenige Kirchengemeinschaft in Deutschland bezeichnet werden, in welcher die presbyterianische Kirchenordnung zu reiner Geltung und Durchführung gekommen ist. In den kurhannoverschen Städten Celle, Lüneburg, Hameln und Hannover hatten Hugenotten, welche um ihres Glaubens willen aus Frankreich geflohen waren, Aufnahme
45 gefunden und "Kolonien" d. h. Gemeinden gebildet. Von seiten der Landesherrschaft, damals vertreten durch die dem reformierten Bekenntnisse zugethane Kurfürstin Sophie von Hannover, eine Tochter des als "Winterkönig" bekannten Kurfürsten Friedrich V. von der Pfalz, waren diesen Flüchtlingen weitgehende Privilegien erteilt worden. Und auch in den benachbarten Territorien von Schaumburg=Lippe und Braunschweig waren unter
50 den gleichen Vergünstigungen hugenottische Gemeinden entstanden. Als nun am 13. November 1699 der von den Hugenotten zu Hannover erbaute "Tempel" eingeweiht wurde und zu diesem Zwecke Pastoren und Älteste aus den benachbarten "Kolonien" sich eingefunden hatten, beschloß man, einen engeren Verband zwischen zerstreuten Gliedern der reformierten Kirche herzustellen, weil es, wie schon die im Jahre 1644 zu Charanton ab-
55 gehaltene Nationalsynode "angemerkt" habe, "gewiß eine gefährliche Sache sei, wenn eine jegliche besondere Kirche sich allein nach eigenem Verstande regieren wolle, es könnten auf diese Weise leicht ebensoviele Religionen, als Kirchspiele, entstehen". Auch wurde hier schon gleich der Entwurf einer "Kirchenunions" oder Vereinigungsakte" aufgesetzt, der dann der zu berufenden konstituierenden Synode vorgelegt werden sollte.
60 Neben diesen französisch=reformierten Gemeinden hatten sich in Hannover, Celle und

Bückeburg aber auch schon deutsch-reformierte Gemeinden mit obrigkeitlicher Erlaubnis gebildet, in Hannover und Celle getragen von der Gunst der bereits erwähnten Kurfürstin Sophie, während in Bückeburg schon im Jahre 1636 durch Otto V., den letzten Sprossen aus dem Mannesstamme der Schaumburgischen Grafen, eine reformierte Gemeinde, mit dem Gottesdienste in der Schloßkirche, war errichtet worden. Otto V. war 5 der Sohn einer Tochter des Grafen Simon VI. zur Lippe, desselben, durch welchen in der Grafschaft Lippe das reformierte Bekenntnis eingeführt worden ist, und als nun in der Grafschaft Schaumburg, als Nachfolger des Fürsten Ernst, ein Katholik, Jobst Hermann zur Regierung kam, floh Ottos V. Mutter, Elisabeth, mit ihrem kleinen Sohne zu ihrem Bruder Simon VII. nach Detmold, um das Kind den Fängen der Jesuiten zu 10 entziehen. So wurde Otto V. im reformierten Bekenntnisse erzogen, und als Jobst Hermann kinderlos gestorben war und Otto als einziger Erbe die Regierung der Grafschaft antrat, brachte er die reformierte Glaubens- und Lebensordnung mit nach Bückeburg und richtete für sich und die Reformierten der Stadt einen dementsprechenden Gottesdienst in der Schloßkirche ein, jedoch ohne der lutherischen Bevölkerung der Grafschaft einen 15 Übertritt zur reformierten Richtung zuzumuten. Der erste reformierte Hofprediger, den er berief, war Johann Appelius, der aus dem Anhaltischen stammte, und seit der Zeit besteht in Bückeburg eine reformierte Gemeinde mit ihrem Gottesdienst in der Schloßkirche. Diese reformierten Gemeinden schlossen sich nun aber sofort auch der herzustellenden Konföderation an, während denn freilich andere hugenottischen Kolonien in der Nachbar- 20 schaft, die auch zum Beitritt aufgefordert wurden, wie die zu Bremen und zu Preußisch Minden, wohl aus territorialistischen Bedenken, welche die betreffenden Landesregierungen entgegensetzten, den Anschluß an die Vereinigung ablehnten.

Von seiten der Braunschweigisch-Lüneburgischen (Hannoverschen), sowie auch der nunmehr Schaumburg-Lippeschen Landesregierung aber kam man dem Einigungsbedürfnis 25 der reformierten Kirchen in ihren Gebieten mit allem Wohlwollen entgegen. Hatte man den einzelnen Gemeinden bereits die zu ihrer Konstituierung neben den lutherischen Kirchen des Landes nötigen Privilegien verliehen, so gab man ihnen nun auch die Erlaubnis, einen Kirchenbund miteinander zu schließen und zwar auf dem Grunde der aus Frankreich mit herübergebrachten presbyterianischen Kirchenordnung, der discipline ecclésiastique 30 des Eglises reformées de France, und zwar so, daß man dieser Vereinigung und den zu ihr gehörigen Gemeinden das volle Recht der Selbstverwaltung verlieh, nur, daß sich die Landesregierung die sog. jura circa sacra vorbehielt, „soweit es die reformierte Glaubenslehre und Kirchendisziplin nicht konzerniert." So wurde denn die erste Synode der vereinigten reformierten Kirchen in Niedersachsen im Juli des Jahres 1703 35 zu Hameln unter dem Vorsitze des Bückeburger Hofpredigers Crsgut gehalten und hier nicht bloß eine Unionsakte beschlossen, der die sämtlichen dort versammelten, bezw. vertretenen Presbyterien zustimmten, sondern auch ausdrücklich beschlossen, daß die Kirchenordnung der Hugenotten und deren Glaubensbekenntnis, das von la Rochelle, dieser Vereinigung zu Grunde gelegt, auch eine Übersetzung dieser beiden Urkunden ins Deutsche 40 angefertigt werden solle, welche letztere, ein Werk des damaligen Predigers der deutschen ref. Gemeinde zu Hannover, Noltenius, dann auch i. J. 1711 zu Heidelberg im Drucke erschien. Versammelt waren in Hameln die Prediger und Ältesten der französischen und deutschen reformierten Kirchen zu Celle, Hannover, Hameln, Lüneburg und Bückeburg, und in der „Unionsakte" hieß es ausdrücklich, daß diese Einigung geschlossen sei „in der 45 Absicht, die Reinigkeit der Lehre und des Lebens unter uns zu erhalten" und daß man „sich verbinde und angelobe, das Glaubensbekenntnis und die Kirchendiszipin der reformierten Kirchen von Frankreich heilig und unverbrüchlich zu bewahren, sich untereinander beizustehen, sich auf eine besondere Weise als Glieder eines Leibes zu betrachten und vermöge dieser Kirchenkonföderation einen eigenen Synodus oder Kolloquium zu formieren, 50 welche Versammlung man so oft, als nötig und möglich sei, zu halten sich bemühen wolle." Für die Stellung aber, welche sich selbst die Staatsregierung zu dieser Konföderation und ihren Synoden und Gemeinden gegeben hat, ist zu beachten, daß es in dem Schreiben der Hannoverschen Regierung vom 21. Mai 1703, durch welches die Konföderation privilegiert wurde, ausdrücklich heißt: „Wir erlauben ihnen durch das gegenwärtige Schreiben, in 55 dem genannten Kolloquio über alles dasjenige zu verhandeln, was sie zur Erbauung ihrer Kirchen für notwendig halten werden, und darin vorzuschlagen, zu beraten und einzurichten nach der Haltung ihrer Kirchenordnung, was sie für nützlich und angemessen erachten werden", und daß ferner dem landesherrlichen Kommissar, welcher jeder Synode beizuwohnen haben soll, ausdrücklich eingeschärft wird, er solle sich nicht etwa 60

eine beratende Stimme in dieser Versammlung anmaßen (prétendre), d. h. wohl Sitz,
aber kein Votum auf der Synode haben, eine Instruktion, welche dann in einer dem
Grafen von Dohna als landesherrlichem Kommissar aufgegebenen Verfügung vom 16. Sept.
1725 wiederholt und dahin erläutert wurde, daß „diejenigen Sachen, welche die refor=
5 mierte Glaubenslehre und Kirchendisziplin, deren Gebrauch wir gnädigst konzediert, be=
treffen, an die in Gegenwart Unsers dazu zu benennenden Kommissarii zu haltende
Synode verwiesen, allda examiniert und bezidiert werden, gestalt Wir dann des festen
Vorsatzes bleiben, die reformierten Synodalbeschlüsse in quantum de jure handhaben
und bei Kräften erhalten helfen wollen", nur daß „das vi superioritatis territorialis
10 Uns kompetierende jus circa sacra Uns expresse reserviret" bleiben soll. So erscheint
denn hier das Verhältnis dieser Kirchengemeinschaft zum Staate, wie wir heute es nennen,
so geordnet, daß beiden Teilen das Ihrige gegeben wird, der Kirche, was ihr gehört:
Selbstverwaltung und Staatsschutz, und dem Staate das, was seines Amtes ist: die
Rechtsverwaltung, wo es sich um Rechtsfragen handelt: ausdrücklich wird hier gesagt,
15 daß in solchen Fällen „diejenigen, so sich graviert zu sein vermeinen, ihren Rekurs an
das Gericht, wohin die Sache ihrer Natur nach gehört, nehmen, auch sich aller und
jeder, in Unsrer Gerichtsordnung erlaubten beneficiorum juris gleich Unsern anderen
Landes=Unterthanen zu gebrauchen Macht haben sollen."

Zu den acht Gemeinden, fünf französischen und drei deutschen, welche im Anfange
20 die Konföderation bildeten, kamen im Laufe der Zeit noch einige andere. Schon im
Jahre 1708 schloßen sich die beiden in Braunschweig entstandenen Gemeinden an,
eine deutsch=holländische und die hugenottische, wozu dann auch noch die aus Pfälzer
Flüchtlingen gebildete Gemeinde zu Veltenhof bei Braunschweig kam, die als Filiale der
deutschen reformierten Kirche zu Braunschweig angeschlossen wurde. Ebenso trat im
25 Jahre 1711 die deutsche ref. Gemeinde zu Hann. Münden der Vereinigung bei, eine von
Bremen aus durch dortige Kaufleute gebildete Gemeinde. Bremer Kaufleute hatten in
Münden ihre Comptoirs und benutzten das „Tempe von Deutschland", wie Goethe es
einmal genannt hat, als Sommerfrische; so wollten sie denn auch dort ihre Gottesdienste
haben. Und auch in der Universitätsstadt an der Leine, in Göttingen, hatten sich zahl=
30 reiche Reformierte eingefunden, die, anfänglich von Münden aus versorgt, dann, haupt=
sächlich durch Vermittelung Albrechts von Haller, die Erlaubnis bekamen, sich zu einer
selbständigen Gemeinde zusammenzuschließen. Das im Jahre 1753 ausgestellte
Privileg erwähnt ausdrücklich französische und deutsche Universitätsverwandte, denen ge=
stattet wurde, öffentlichen Gottesdienst zu halten, und auch die so entstandene Gemeinde
35 wurde ein Mitglied der Konföderation. Am spätesten hat sich die Gemeinde zu Altona
angeschlossen, nämlich erst im Jahre 1890. Sie war freilich schon im Jahre 1602
durch den Grafen Ernst zu Schaumburg und Holstein mit den nötigen Privilegien ver=
sehen, hatte aber bis gegen das Ende des 19. Jahrhunderts ihr Leben auf Grund der
presbyterianischen Kirchenordnung für sich allein geführt. Die Gemeinden zu Lübeck und
40 zu Stadthagen, letztere durch den Grafen Albrecht Wolfgang von Schaumburg-Lippe im
Jahre 1733 gestiftet, hatten auch die Synode der Konföderation ein paarmal beschickt,
doch wandten sie sich bald wieder ab, Lübeck, weil die Entfernung und damit die Kosten
zu groß waren, um die Synoden regelmäßig zu beschicken, und Stadthagen, weil diese
Gemeinde die für jene Zeit freilich nicht unbedeutende Geldsumme nicht meinte aufbringen
45 zu können, die erforderlich war, um sich in die Wittwenkasse des Verbandes einzukaufen.
Dann aber hörten auch im Laufe der Zeit einzelne Gemeinden des Verbandes auf über=
haupt zu bestehen und zwar eben diejenigen, welche ursprünglich der Grund der Stiftung
gewesen waren, die der Hugenotten. Die Gemeinde in Lüneburg war von Anfang an
nichts anderes, als die Hofgemeinde der verwitweten Herzogin zu Celle, der Eleonore
50 d'Olbreuse, die dort ihren Wittwensitz genommen hatte, und mit dem Tode der Herzogin
verschwand diese Gemeinde von selbst wieder. Ein Gleiches geschah aber auch mit den
übrigen Hugenottengemeinden. Sie konnten in den Orten, wo sie ihre erste Zu=
flucht gesucht hatten, ihren Lebensunterhalt, weil sie den Absatz für ihre Industrieprodukte
nicht fanden, so zogen sie denn bald anders wohin, wo sie meinten, sich besser er=
55 nähren zu können, meistens nach Berlin oder in andere verkehrsreichere Städte, und so
wurden gerade die Hugenottengemeinden des Verbandes immer kleiner und — mit den
deutschen Gemeinden ihres Ortes schließlich vereinigt. Die erste, mit der dies schon im
Jahre 1755 geschah, war die zu Bückeburg, dann aber folgten zu Anfang des 19. Jahr=
hunderts auch die zu Braunschweig (1811), zu Hannover (1812) und zu Celle (1805),
60 während die Gemeinde zu Hameln zu Anfang des 19. Jahrhunderts ganz aufgelöst

wurde. Freilich hatte sich auch in Hameln eine nicht unbedeutende Anzahl von deutschen
Reformierten der dortigen Hugenottengemeinde angeschlossen, so daß der Pastor Catel, welcher
die Gemeinde gegen Mitte des 18. Jahrhunderts bediente, an die Synode berichten konnte,
er sei der Pastor der deutschen und der französischen Gemeinde zu Hameln, und wenn
die Mehrzahl der Hugenotten auch von Hameln fortgezogen war, so gab es zu Anfang 5
des 19. Jahrhunderts doch immer noch, wie auch noch heute, eine Anzahl von diesen, und
die Zahl der aus ihnen und den deutschen Reformierten bestehenden Kommunikanten war
doch immer noch groß genug, so daß von einem Verschwinden der Gemeinde nicht die
Rede sein durfte. Aber freilich, ursprünglich waren die Privilegien den Hugenotten gegeben
worden, und als nun der Magistrat von Hameln an die Regierung zu Hannover be- 10
richtete, die Hugenottengemeinde sei aufgelöst, und die Bitte hinzufügte, man möge das
Vermögen der Gemeinde, Kirche und Pfarrhaus, der Stadt Hameln überweisen, die durch
die napoleonischen Kriege ja freilich viel gelitten hatte, da geschah dies über den Kopf
der Konföderation hinweg, und alle Bemühungen der letzteren, diese Verfügung rück-
gängig zu machen, sind vergeblich gewesen. Der Erfolg aber war, daß der Magistrat 15
zu Hameln das Pfarrhaus der Hugenotten für eine Zeit lang einem römisch-katholischen
Priester zur Wohnung überlassen konnte und daß die deutschen Reformierten in Hameln
ohne Seelsorger waren.

Die Konföderation bestand seitdem denn nun aus den Gemeinden zu Braunschweig,
Bückeburg, Celle, Hannover, Göttingen und Münden, wozu seit 1890 auch Altona kam, 20
und — auf der Synode zu Göttingen im Jahre 1839 nahm sie eine Revision ihrer
bisherigen Kirchenordnung vor, durch welche zusammengestellt werden sollte, was von
den Bestimmungen der alten Discipline eccléslastique noch in Kraft und Geltung bestehe. So entstand die neue Kirchenordnung von 1839, zu welcher durch den Pastor
D. Hugues zu Celle der Entwurf geliefert worden war und die dann auch von den drei 25
in Frage kommenden Regierungen zu Hannover, Bückeburg und Braunschweig die landesherrliche Bestätigung empfing, nachdem auch schon durch ein Dekret des Königs Georg IV.
von Großbritannien und Hannover vom Jahre 1824 die im Königreiche Hannover
wohnenden Gemeinden der Konföderation als vollberechtigte Kirchen anerkannt und der
lutherischen Kirche des Königreiches als völlig gleichberechtigt zur Seite gestellt worden 30
waren. Anfänglich waren die Gemeinden im Königreiche Hannover — nicht die in Braunschweig und Bückeburg — gewissen Beschränkungen zu Gunsten der lutherischen Kirchen
dieses Landes unterworfen gewesen. Sie durften keine Glocken haben; die Gemeinde zu
Göttingen hatte eine solche im Jahre 1753 freilich auf ihren Turm gehängt, durfte sie
aber nicht läuten; und was die Hauptsache war, die Gebühren mußten an die lutherische 35
Geistlichkeit entrichtet werden, wie von diesen auch die Kirchenbücher geführt wurden.
Das war denn freilich unter dem Königreiche Westfalen anders geworden. Da durften
die Göttinger Reformierten, und zwar am 1. Januar 1808 zum erstenmale, ihre Glocken
ertönen lassen, und die reformierten Prediger bezogen auch jetzt die Gebühren von ihren
Gemeindegliedern und führten ordnungsmäßig die Kirchenbücher für sie, bis — König 40
Jérome dann vertrieben wurde. Da machten die lutherischen Geistlichen wieder ihre
früheren „Rechte" geltend und — den Göttingern wurde von dem dortigen General-
Superintendenten Treffurt das Läuten wieder untersagt. Eben diesem Zustande sollte
das königliche Edikt von 1824 ein Ende machen. Es wurde in diesem verordnet, daß
die Vorrechte der einen Kirche vor der andern im Königreiche Hannover in Zukunft 45
aufhören sollten, es solle im Gegenteil der Unterschied, der bisher bestanden habe, zwischen
einer herrschenden Kirche und bloß geduldeten Kirchen neben ihr völlig aufhören, und die
reformierten Kirchen der Konföderation wurden in alle diejenigen Rechte eingesetzt, welche
in früheren Zeiten den „Landeskirchen" zugestanden haben, die den lutherischen Geistlichen
aber bisher zu zahlenden Gebühren wurden, und zwar auf Kosten der Landesherrschaft, 50
abgelöst, die reformierten Kirchen der Konföderation damit ausdrücklich zu Landeskirchen
reformierten Bekenntnisses innerhalb der Territorien erhoben, in welchen sie ihr Domizil
hatten, d. h. die vier Städte und deren Umkreise, wie es ausdrücklich in der landesherrlich
bestätigten Kirchenordnung von 1839 heißt (§ 72), „in welchen diese Kirchen sich be-
fänden": sie waren „Ecclesiae publice receptae" mit allen Berechtigungen solcher 55
Kirchen, und sind von seiten der königlich hannoverschen Regierung auch alle Zeit als
solche behandelt werden. Die Kirchenordnung von 1839 aber, wenn ihr auch einzelne
überaus wichtige Bestimmungen fehlen, wie u. a. auch eine den Prozeßgang genau fest-
legende Disziplinarordnung, hat alle die Merkmale einer presbyterianischen Kirchenordnung,
auch im Unterschiede von der independentistischen, zu bewahren gewußt. Nach ihr (§ 5) 60

darf zwar „keine Kirche irgend eine Herrschaft über die andere haben und ausüben, sondern es soll die vollkommenste Gleichheit unter ihnen herrschen", aber (§ 6) „eine jede Kirche hat die Synode der ganzen Konföderation als ihre kompetente Behörde anzusehen, von deren Beschlüssen in Sachen der Kirchendisziplin und Glaubenslehre keine Appellation stattfindet", mit Ausnahme der de abusu an die betreffende Landesregierung, bezw. wo die Rechte von Privaten in Frage kommen, an die ordentlichen Gerichte, und (§ 7) „wie die Synode die Angelegenheiten der konföderierten Kirchen zu leiten hat, so leiten Pres=byterien, unter steter Verantwortlichkeit gegen die Synode, die einzelnen Gemeinden."

„Die ordnende und leitende Kirchengewalt aber über die einzelnen Gemeinden der Kon=föderation (§ 21) steht", wie dies auch wiederholt, und zwar auch von seiten des preußi=schen Kultusministeriums anerkannt worden ist, „nur der Synode zu, und wichtige Be=schlüsse, welche Gesetzeskraft haben sollen, können nur auf einer Synodalversammlung gefaßt werden." Der Moderator aber, wenn er auch, nach § 25, „kein vorzügliches An=sehen vor den übrigen Predigern, auch keine Autorität in der Konföderation hat", ist (§ 21) „jeder Zeit zum Wächter über die Synodalordnung in der Konföderation bestellt" und soll darauf sehen, daß „die Verbindung zwischen den einzelnen Gemeinden erhalten bleibe", soll also vor allem auch darauf achten, daß nicht etwa durch diese oder jene Umtriebe Gemeinden verleitet werden, die Verbindung mit der Konföderation zu lösen. Er hat zwar „keine selbständige Wirksamkeit", sondern ist „gebunden an die Beschlüsse der Synode", ist aber „deren exekutives Organ", und „kann mit einer Staatsregierung wohl Verhandlungen einleiten und unterhalten, aber immer nur, die Synode repräsentierend, durch speziellen Auftrag und für den einzelnen Fall dazu autorisiert", „innerhalb des Verbandes aber er sich nur als der Vermittler der zu unterhaltenden Gemeinschaft=lichkeit in Anordnung und Besorgung der kirchliche Angelegenheiten zu betrachten" (Be=schluß der Synode zu Münden 1853). Als „der Wächter über die Synodalordnung" hat er (§ 22) aber auch von sich aus Anträge bei den konföderierten Gemeinden durch Umlaufschreiben zu stellen, namentlich aber (§ 76), wo „Beschwerden von Gemeinde=gliedern wider ein Presbyterium vorliegen oder auch wo „unter den Gliedern eines Presbyteriums selbst, zu denen (§ 35) auch der Pastor und zwar als dessen Vorsitzenden gehört, „Irrungen entstehen", da „sind diese bei dem Moderator anzubringen, welcher nach den Umständen entweder selbst oder durch einen auf Kosten der Klagenden abzusendenden Kommissarius, oder durch Mitteilung an die ganze Konföderation, unter eventueller Beantragung einer außerordentlichen Synodalversammlung die Irrungen beilegen wird", und nach einem Beschlusse der Synode zu Celle, 1859, der von den betr. Landesregie=rungen bestätigt worden ist, hat die Synode solche Streitigkeiten, wenn sie etwa im Schoße der Presbyterien oder zwischen Gemeinde und Presbyterien ausgebrochen sein sollten, entweder beizulegen oder zu entscheiden. So haben wir es denn hier mit einer Kirchen=gemeinschaft zu thun, in welcher das Bedürfnis der Selbständigkeit der einzelnen Ge=meinden gegeneinander, wie auch das der Unterordnung unter die Gesamtheit der zu ihr gehörenden Kirchen gleichmäßig gewahrt, den Kirchen und ihrer Gesamtheit aber auch das Recht der Selbstverwaltung in vollem Maße gewährleistet worden ist, und zwar ohne daß sie eine geordnete Verbindung mit der Staatsgewalt, durch welche auch dieser die ihr aus der Territorialgewalt fließenden Rechte zugesprochen werden, vermissen ließe. Nach § 12 ist „der hohen Landesregierung nicht bloß zu rechter Zeit Anzeige da=von zu machen", wenn eine Synode gehalten werden soll, sondern diese auch um die Er=laubnis dazu zu bitten, sowie auch darum, einen Kommissar zu ernennen, „welcher abseiten der Regierung dazu abgeordnet wird, der Synode beizuwohnen, um darauf zu achten, daß in der Versammlung nichts den Rechten des Landesherrn und der Landesverfassung entgegen vorgenommen und beschlossen werde, der aber übrigens keine Stimme, noch sonst einige Autorität hat." Die Beschlüsse der Synode müssen dann der betr. Landesregie=rungen vorgelegt werden und erhalten Gesetzeskraft erst dann, wenn sie von diesen bestätigt worden sind. Ebenso bedurfte die Wahl eines Pastors früher der Bestätigung durch die Regierung und in Preußen jetzt nach den allgemeinen Landesgesetzen der Anzeige bei dem betr. Oberpräsidenten, der das Recht hat, innerhalb von dreißig Tagen Einsprache gegen die Wahl zu erheben, und was besonders auch von Wichtigkeit ist, bei Urteilen der Synoden in Disziplinarsachen steht, wie schon erwähnt, den Betroffenen das Recht der Appellatio de abusu bei der in Frage kommenden Landesregierung, in Preußen bei dem Kultusministerium zu. Da kann doch nicht gesagt werden, daß dem Staate nicht das Seinige gegeben sei, d. h. eben das, was ihm der Natur der Sache nach ge=bührt. „Wir wollen," sagt Hugues a. a. O. S. 4, „keine Trennung der Kirche vom Staate,

Aufsicht, Schutz und Beistand erbittet sich die Kirche von der Staatsgewalt, nicht aber Oberherrschaft und Regierung!"

Und daß es auch in den Formen der presbyterianischen Kirchenordnung geht, das hat die Konföderation durch die zwei Jahrhunderte ihres Bestehens hindurch bewiesen. Nicht daß nicht auch in ihrem Gebiete das eine oder das anderemal Irrungen und Ver- 5 wirrungen entstanden wären: dazu sind es doch eben Menschen, die auch in diesen Formen ihr Leben zu führen haben. Aber wo solche Wirrnisse und Streitigkeiten hervortraten, da hat die Konföderation noch jeder Zeit es verstanden, sie zu beseitigen und den Frieden, wo er bedroht war, in ihren Gemeinden wieder herzustellen. So im Verlaufe des 18. Jahrhunderts in Hannover und in Celle, wo Mißhelligkeiten gelegentlich der Pfarr- 10 wahlen entstanden waren, so auch noch im 19. zu Braunschweig, wo es sich darum handelte, den Frieden in der Gemeinde herzustellen, der durch taktloses Benehmen ihres Pastors gestört war, und in Göttingen, wo es darum zu thun war, die Gemeinde gegen die Unrechtfertigkeiten eines lange mit Geduld getragenen Lehrers zu schützen. Immer geschah es im Geiste der Liebe und des Friedens und so, daß das Wohl der Gemeinde 15 zwar als der leitende Gesichtspunkt galt, aber ohne die begründeten Bedürfnisse auch des Einzelnen nicht auch zu berücksichtigen. Dagegen aber was das kirchliche Leben und auch das Schulwesen angeht, so darf gesagt werden, daß die Presbyterien und die Synoden es redlich zu pflegen sich bemüht haben, und — hinsichtlich der Fürsorge für die materiellen Grundlagen der Gemeinschaft darf die Konföderation sagen, daß sie in 20 der That Anerkennenswertes geleistet hat. Die Presbyterien verstehen es zu verwalten, das zeigt die Geschichte dieses Verbandes. Im Beginne hatten sie sämtlich mit des Lebens Notdurft hinreichend zu kämpfen, jetzt aber steht es so, daß die Mehrzahl der Gemeinden sich eines Kirchenvermögens erfreuen, aus welchem ihre Bedürfnisse auch ohne Kirchensteuern gedeckt werden können. Und schon früh, schon im Anfange ihres Bestehens 25 hat die Konföderation auch auf Mittel gedacht, um die Hinterbliebenen ihrer Pastoren (und später auch ihrer Lehrer) versorgen zu können. Die im Jahre 1706 gestiftete Wittwenkasse begann mit sehr geringen Mitteln, mit dem „zehnten Pfennige" aus dem Sonntagsopfer, der zu diesem Zwecke zurückgelegt wurde, jetzt hat sie ein Vermögen, nach welchem auf jede zu ihr gehörende Gemeinde nahe an 60 000 Mk. kommen würden, sollte das Kapital 30 verteilt werden, und das verdankt sie der umsichtigen und unentgeltlichen Verwaltung durch das Presbyterium zu Braunschweig! Und auch im Frieden mit ihren lutherischen Nachbarn hat die Konföderation zu leben sich redlich bemüht. Gleich in den Abdruck der Kirchenordnung von 1711 nahm die Synode jenen Beschluß der Versammlung von Charenton aus dem Jahre 1631 auf, nach welchem Lutheraner, wenn sie im Geiste der 35 Liebe und des Friedens kämen, weil sie im Grunde der wahren Religion mit den Reformierten übereinstimmten, ohne alles Ablegen ihrer besonderen Meinungen an den Sacris der reformierten Kirche sollten teilnehmen können, ein Beschluß, wie er in einer konfessionell gemischten Bevölkerung den Familienbedürfnissen entgegen kam, ohne das eigene kirchliche Bekenntnis aufzugeben, und der im Einklange stand mit dem Aufrufe, den der König 40 von Preußen, Friedrich Wilhelm III., ein Jahrhundert später erließ, um in seinem Lande den konfessionellen Frieden herzustellen. Nach diesem allen aber darf die Konföderation denn wohl darauf bestehen, daß sie auch in Zukunft erhalten bleiben möge! In der letzten Zeit ist die Gemeinde zu Hannover aus ihr geschieden, doch fehlt hier der Raum, im einzelnen darzulegen, wodurch und durch wen das veranlaßt worden ist. Die 45 Angelegenheit ist auch noch nicht völlig abgeschlossen, und daher darüber hier denn kein weiteres Wort.   **D. Braudes.**

Niedner, Christian Wilhelm, gest. 1865, einer der bedeutendsten protestantischen Kirchenhistoriker, wurde geboren den 9. August 1797 zu Oberwinkel bei Waldenburg in Sachsen. Nachdem er in Leipzig (1816 ff.) Theologie studiert hatte, habilitierte er sich 50 daselbst in der philosophischen Fakultät als Privatdocent (De loco commentar. Luc. 16, 1—13 diss., Lips. 1626) und ward 1828 Baccalaureus der Theologie. Die drei Leipziger Docenten, Theile, Hase und Niedner, erregten damals Begeisterung unter der studirenden Jugend; an dem letzteren wurde besonders „die für sein Lebensalter fast unglaubliche Gelehrsamkeit in der historischen Theologie" bewundert, nur wünschte man ihm einen 55 „aufgelösteren Stil" (Allg. Kirchenzeitung 1829, S. 109 f.). Nach dem Tode H. G. Tschirners, seines Lehrers, gab Niedner von dem unter dem Titel „Der Fall des Heidentums" hinterlassenen Werke desselben den ersten Band heraus (Leipzig 1829), konnte sich aber nicht entschließen, den unvollendet gebliebenen zweiten Band selbstständig zu beendigen.

4*

Noch im Jahre 1829 wurde er außerordentlicher Professor und 1838 Doktor und ordent=
licher Professor der Theologie. Gleichzeitig erschien seine „Philosophiae Hermesii Bon-
nensis novar. rer. in Theologia exordii explicatio et existimatio (Lips. 1838. 39).
Diese Schrift ragt durch Gründlichkeit und Schärfe aus der reichen Litteratur über Hermes
5 hervor und ist charakteristisch für den Verfasser selbst. Es war eine Haupteigentümlichkeit
Niedners, daß er mit dem Interesse für Theologie, insbesondere Kirchengeschichte, ein ganz
gleiches Interesse für Philosophie und deren Geschichte verband, ohne sich einem bestimmten
philosophischen System anzuschließen. Seine kirchengeschichtlichen Vorlesungen waren durch=
drungen von philosophischem Geist. Die Dogmengeschichte las er als „Geschichte der Philo=
10 sophie und Theologie christlicher Zeit". Außerdem hielt er Vorlesungen über Geschichte
der alten Philosophie und Geschichte der neueren Philosophie seit Kant. Über alle diese
Disziplinen gab er seinen Zuhörern sorgfältig gefertigte und wiederholt überarbeitete
Kompendien in die Hand, welche er als Manuskripte auf eigene Kosten drucken ließ.
Neben seinen Vorlesungen hielt er Examinatorien über Kirchengeschichte und leitete er ein
15 historisch=theologisches Seminar. Zu diesen anstrengenden Arbeiten übernahm er noch nach
Prof. Illgens Tode (1844) das Präsidium der von dem letzteren 1814 gegründeten (1875
aufgelösten) historisch=theologischen Gesellschaft und die Herausgabe der „Zeitschrift für die
historische Theologie". Nach langem Zögern entschloß er sich zur Veröffentlichung seines
Lehrbuchs der „Geschichte der christlichen Kirche" (Leipzig 1846). Mit Recht ist an diesem
20 Werke der Umfang und die Tiefe der Forschung, die selbständige und scharfsinnige Durch=
bringung der gewaltigen Stoffmasse bewundert, mit Recht freilich auch die schwerfällige
scholastische Form der Darstellung, die mangelhafte Durchführung der „leitenden Idee"
des Ganzen, zu welcher „der sittliche Geist des Christentums" erwählt wird, getadelt
worden (vgl. Baur, Die Epochen der kirchlichen Geschichtschreibung, S. 244 f.). Niedner
25 trat mit diesem Werke sofort an die Seite von Neander, Gieseler und Hase. Gemeinsam
ist diesen vier Gelehrten die selbständige umfassende Quellenforschung. Während aber
Neander mit gemütvoller Begeisterung sich in erbaulichen Charakterschilderungen ergeht,
Gieseler mit nüchterner Verständigkeit eine summarische Erzählung verfaßt und aus den
Quellen kommentiert, Hase mit künstlerischem Sinne lebensvolle Bilder entwirft und an=
30 einanderreiht, hat Niedner mit philosophischem Geist, bei strengster Objektivität, die Menge
der einzelnen Erscheinungen übersichtlich zusammenzufassen und deren innerstes Wesen
darzulegen gestrebt, ja selbst dem Äußeren seiner Darstellung durch die „streng systema=
tische Form" und eine eigentümliche Terminologie ein philosophisches Gepräge gegeben.
Niedner gehörte der damals herrschenden „Theologen=Schule", der großen Partei der ver=
35 mittelnden Theologie an; der von Strauß, Baur und dessen nächsten Schülern eingeschla=
genen Richtung war er entschieden abgeneigt, nicht minder abgeneigt auch der konfessio=
nellen Theologie. Seiner theologischen Überzeugung hat er Ausdruck gegeben in der
geistvollen Rede über die beiden Prinzipien des Protestantismus, welche er bei der aka=
demischen Gedächtnisfeier Luthers an dessen dreihundertjährigem Todestage hielt (gedruckt
40 als „Vorlesung zur akademischen Gedächtnisfeier" 2c., Leipzig 1846). Einige inhaltsreiche
Sätze mögen hier Platz finden. S. 7: „Nur die Nacht wirft keine Schatten. Die Refor=
mation aber fiel als ein Licht in die Finsternis, war eine Gabe Gottes in Menschenhand
gegeben: die Empfänger erreichen den Geber nicht; die Wirklichkeit der Welt ist die Ironie
Gottes, das Denkmal seiner Güte und nicht das Nachbild seiner Größe." S. 9: „Weiter
45 teilen sich alle noch christliche nach Luther Benannte in materielle und in prinzipielle
Lutheraner. — Mit Unrecht klagen die Materiellen die Prinzipiellen an, daß sie einen
Wald ohne Bäume wollen. Nein, so ist das Verhältnis nicht. Wir glauben an einen
dreihundertjährigen Wald, nur nicht an durchaus dreihundertjährige Bäume." S. 12:
„Noch gegenwärtig ist Unwissenheit über den Sinn des augustinischen wie des lutherischen
50 Augustinismus bemüht, auch den echten „Synergismus" zu verrufen: auch den, welcher
nur ein Mitwirken ohne Bewirken oder Verdienen, und selbst jenes ebensosehr als Pflicht=
folge setzt wie als notwendigen Erfolg, wo Geist auf Geist wirkt." S. 13: „Wahrlich,
es hat keine Gefahr, daß wir dem Unendlichen zu nahe kommen, wenn wir ihm näher
kommen." S. 16: „Die noch bis jetzt fortwährende Verwechselung Calvins mit Zwingli,
55 welche auch Luthern untergeschoben wird, sie ist die mächtigste unter mehreren Ursachen
gewesen, daß die Nichteinheit evangelischer Kirche konfessioniert und sanktioniert worden."
S. 17: „Wir wollen Lehren, welche geglaubt und gelebt werden, denn das ist protestan=
tisch; nicht Lehren, welche nur geboten und erzählt werden, denn das ist selbst nicht katho=
lische Theorie, nur katholische Praxis gewesen." S. 18: „Die Reformatoren haben wirklich
60 eine nicht auf ihnen persönlich stehende, sondern eine nach ihnen auf demselben Schrift=

grund fortschreitende Kirchenverbesserung gewollt; ihre Fassung des Schriftprinzips wollte nichts anderes sein, als was sie nach ihm sein durfte." S. 32 f.: „Die gegenwärtige Zeit fragt: Buchstabe oder Geist? Die Frage ist falsch. Auf sie giebts nur eine halb falsche Antwort: Keines von Beidem; weil Keins ohne das Andere. Schon Christus selbst ist für uns da nur zusammen mit seinem leiblichen Erscheinen." — Nehmet auch von 5 der hl. Schrift immerhin die Schale weg. Aber es liegt noch etwas zwischen dem Kern und der Schale. Durch dies Zwischenliegende sich durcharbeiten, das nennt man Schrift= wissenschaft und Religionsgesinnung. — Sittlicher und also religiöser Sinn, und wissen= schaftlicher Bildungssinn, beide einander bestimmend und tragend, beide zusammen sind der „Geist". — Selten trat Niedner so, wie mit dieser Rede, in die Öffentlichkeit, seine 10 Hauptbeschäftigung blieb die stille, gelehrte Forschung. Aus solcher sind die scharfsinnigen Abhandlungen „De subsistentia τῷ θείῳ Λόγῳ apud Philonem tributa" (Lips. 1848. 49) hervorgegangen, deren Kern in dem Satze enthalten ist: Τὸν θεῖον λόγον a Philone dici arbitror non aliam praeter deum subsistentiam, sed ipsum unum deum, quatenus in manifestatione sui tanquam prodierit, itaque modum 15 subsistendi alium quam quo per se est susceperit". — Diese Arbeit ist die letzte, welche Niedner in Leipzig veröffentlicht hat. Bereits war die Revolution von 1848 aus= gebrochen, welche den fast nur in seinem Studierzimmer und Auditorium lebenden Mann sehr erregte und verwirrte. Er hielt sich und seine kostbare, die seltensten Quellenwerke enthaltende Bibliothek für gefährdet, schloß sich, nur äußerlich, einem ultrademokratischen 20 Vereine an, und flüchtete aus seiner an einem freien Platze gelegenen Wohnung in ein Hoflogis, in welchem er sich „sicherer fühlte". Einer immerfort wachsenden Schar von wirklich oder angeblich brotlosen Arbeitern spendete er so reichliche Gaben, daß er endlich, „um sich nicht ganz zu erschöpfen", eine Ferienreise fingierte und sich einige Wochen lang in seine Zimmer einschloß. Durch die Behandlung, welche die Universität infolge ihrer 25 teilweisen Opposition gegen den oktroyierten Landtag von 1850 erfuhr, ward er dermaßen verstimmt, daß er seine Professur niederlegte (sogar mit Verzichtleistung auf seine Pension, welche ihm erst später auf Anregung des edlen Prof. Weiße von dem Staatsminister v. Falkenstein förmlich aufgenötigt wurde) und nach Wittenberg übersiedelte. Hier lebte er zurückgezogen als Privatgelehrter, hauptsächlich beschäftigt mit der Herausgabe der Zeit= 30 schrift für historische Theologie. In dieser veröffentlichte er damals zwei wertvolle Ab= handlungen: die eine über „Das Recht der Dogmen im Christentum, in geschichtlicher Betrachtung" (Jahrg. 1851, H. 4), die andere über „Richtungen und Aufgaben der Dog= matik in gegenwärtiger Zeit" (eine kritische Besprechung der dogmatischen Werke von Joh. Peter Lange und Martensen, Jahrg. 1852, H. 4). Erst nach Anbruch der „neuen Aera" 35 in Preußen wurde Niedner als ordentlicher Professor der Theologie und Konsistorialrat nach Berlin berufen (1859). Hier hat er noch sechs Jahre gewirkt mit altem Eifer und neuem Erfolg, hochbefriedigt von seiner Stellung. Aufsehen erregte seine Beteiligung an dem Protest gegen Schenkels „Charakterbild Jesu", zumal er selbst eine sehr freie Stel= lung zur evangelischen Geschichte einnahm. Hase hat bei den Namen, von denen er in 40 seiner Kirchengeschichte sagt, daß sie „eines besseren Geschickes wert, jenem Protest ver= fallen seien", sicher auch an den Namen seines Freundes Niedner gedacht. Doch soll dieser, obwohl er bei seinem tadelnden Urteil über Schenkels Buch verharrte, jene auf= regenden „Demonstrationen" gegen dasselbe hinterher gemißbilligt und ausdrücklich erklärt haben, daß es ihm fern liege, „irgend welcher Antastung der akademischen Lehrfreiheit 45 zuzustimmen" („Bemerkungen über Niedners Charakter", ZhTh 1866, S. 433). Bald darauf starb er an einem Fußleiden, den 13. August 1865. — Niedner war ein Mann von tiefer, fast kindlicher Frömmigkeit, wohlwollend und wohlthätig, bei allem Selbst= gefühl demütig und bescheiden, nicht ohne Empfindlichkeit, aber dankbar für die kleinste Aufmerksamkeit. Er besaß einen staunenswerten Fleiß, hat zu Zeiten nur eine Nacht 50 um die andere geschlafen, gönnte sich selten einen Spaziergang, selten auch ein geselliges Vergnügen, obwohl er dann geistvoll und witzig zu unterhalten wußte und im Gespräch mit jüngeren Freunden, die er zum Abendessen geladen, gern die Mitternachtsstunde ver= rinnen ließ, auch dann noch oft zum Arbeitstisch eilend. Selten hat er eine kleine Reise unternommen, nur einer Kur wegen. Auch zum Heiraten „hatte er keine Zeit". Trotz 55 seines immensen Wissens kannte er doch die wirkliche Welt nur wenig, und fast gänzlich fehlte ihm Sinn und Interesse für Kunst. Hieraus erklären sich viele Mängel seiner Darstellungsweise. Er war ein großer Geschichtsforscher, aber kein Geschichtschreiber. Mit seinem Lehrbuch der Kirchengeschichte vom Jahre 1846 hat er sich ein bleibendes Denkmal gesetzt. Die nach seinem Tode erschienene zweite Ausgabe dieses Werkes (Berlin 60

1866) würde in der vorliegenden Gestalt von ihm selbst nicht veröffentlicht worden sein, jedenfalls macht sie die erste Ausgabe nicht entbehrlich.   Dr. P. M. Tzschirner †.

Nieheim, Niehm s. Dietrich von Niem Bd IV S. 651.

Niemeyer, August Hermann, gest. 1828, Professor, Kanzler der Universität und
5 Direktor der Franckeschen Stiftungen in Halle. — Jacobs und Gruber, A. H. Niemeyer. Zur Erinnerung an dessen Leben und Wirken (Gedächtnisrede auf N. von J. im Ton eines Panegyrikus und biographische Notizen, letztere durch G. ergänzt, S. 432 ff. Verzeichnis der sehr zahlreichen Schriften Niemeyers), Halle 1831; W. Schrader, Gesch. der Friedrichs-Universität zu Halle, 2 Bde, 1894; W. Fries, Die Franckeschen Stiftungen in ihrem zweiten
10 Jahrhundert, Halle 1898 (hier S. 252 f. sonstige Einzelschriften über N.); A. Schürmann, Zur Geschichte der Buchhandlung des Waisenhauses und der Cansteinschen Bibelanstalt in Halle a. S., Halle 1898, S. 175 ff.; F. Bosse, Der Garnisonprediger und Schuldirektor F. A. Junker zu Braunschweig in seinen Beziehungen zu dem Universitätskanzler A. H. N. in Halle, sowie zu andern Schulmännern und Gelehrten seiner Zeit (Nachrichten über das her-
15 zogl. Lehrerseminar zu Braunschweig), Braunschweig 1901.

Geboren in Halle den 1. September 1754 als jüngster Sohn des dortigen Archidiakonus an der Hauptkirche U. L. Fr. und Urenkel August Hermann Franckes (seine Mutter war eine Tochter Freylinghausens), stand August Hermann N. früh verwaist unter dem erziehlichen Einfluß der Witwe eines Arztes Lysterius, geb. von Wurmb, Tochter
20 eines Schwagers von Francke, die durch Gaben und Kenntnisse ausgezeichnet war und N. auch pekuniär reich ausgestattet hat. Er studierte nach dem Besuche des Pädagogiums von 1771 an Theologie unter Semler, Nösselt (dem er 1809 eine Biographie gewidmet hat), Griesbach und seinem Oheim G. A. Freylinghausen und wirkte unter letzterem einige Jahre an den deutschen Schulen und der Latina der Franckeschen Stiftungen, denen er
25 ein zweiter Gründer werden sollte. Durch die „Charakteristik der Bibel", die in 5 Bänden erschien (1775—1782), hat er seinen schriftstellerischen Ruhm begründet. Er hielt seit 1777 (Dr. phil.) philologische Vorlesungen über Cäsar, griechische Tragiker, Horaz u. s. w., auch nach seiner Ernennung zum a.o. Professor der Theologie und Inspektor des theol. Seminars (1779), und besorgte eine selbst von Fr. A. Wolf (dort seit 1783) anerkannte
30 Ausgabe der Ilias, wie später von Sophokles. 1778 gab er einen Quartband „Gedichte" heraus (mit Vignetten von Chodowiecki), „Herrn Klopstock zugeeignet", dem er mancherlei verdankte; die Sammlung enthielt religiöse Dramen und Oden und ist in vermehrter Ausgabe bis in sein Alter wiederholt (Karlsruhe 1783, Halle u. Berlin 1814. 1818. 1820). Die Dramen (Oratorien), unter denen „Lazarus, oder die Feyer der Auferstehung" das wirkungsvollste
35 ist, gelangten in der Komposition des Musikdirektors Rolle in Magdeburg zur Aufführung (W. Kawerau, Aus Magdeburgs Vergangenheit, Halle 1886, S. 226 ff.). 1784 wurde N. ordentlicher Professor der Theologie und im Oktober desselben Jahres Inspektor des Pädagogiums, 1785 neben G. Chr. Knapp (s. den A. Bd X S. 588) dem Direktor der Stiftungen J. L. Schulze als Mitdirektor gesetzt. Seine stark besuchten theologischen
40 Vorlesungen behandelten die christliche Moral, die Einleitung in das AT., das Leben Jesu, Homiletik, „biblisch-praktische Theologie", Einleitung in die theologischen Wissenschaften und Encyklopädie, nicht zum wenigsten auch Pädagogik, für die er 1787 bei gleichzeitiger Errichtung eines pädagogischen Seminars einen besonderen Lehrauftrag erhielt und worin er wirklich Hervorragendes und Bleibendes geleistet hat. In zahlreichen Schriften, die
45 immer von neuem aufgelegt sind, hat er diese angewandten Fächer von rationalistischem Standpunkt aus behandelt und sich für seine Zeit als selten fruchtbarer Schriftsteller erwiesen. „Erziehung des Menschen zur Sittlichkeit unter harmonischer Entwickelung seiner allgemeinen Geistesanlage auf Grund des Christentums und nach Maßgabe der Vernunft . . war das Ziel, dem er während einer fünfzigjährigen Wirksamkeit in Amt und
50 Wissenschaft mit unermüdlichem Fleiße und stets wachsender Erfahrung nachstrebte" (Schrader I, 487; vgl. 497 über das Verhältnis seines theologischen Standpunkts zu dem seiner Vorgänger). Zu seinen zahlreichen Schülern auf den Stiftungen und der Universität gehörte z. B. der Kirchenhistoriker Gieseler (s. Bd VI S. 663). Der Schwerpunkt seiner Thätigkeit lag in der praktischen Theologie, das Wort in weiterem Sinne genommen.
55 Eine eigentlich selbstständige Stellung in theologischer Beziehung hat er nicht eingenommen. Gelehrten Systemen und Terminologien war er abgeneigt; die Fortschritte der neueren Philosophie über Kant hinaus, dessen philosophischer Behandlung der Kirchenlehren er widerstrebte, hat er nicht mitgemacht, ist aber zu Schleiermacher (1804—1807 in Halle) in ein leidlich freundliches Verhältnis getreten (Jacobs S. 348). Er meinte, das In-

teresse des Herzens und des Kopfes trennen, zwischen Lehre und Vorstellungsart von der
Lehre unterscheiden zu können und nur das dem allgemeinen und praktischen Verständ=
nisse nach seinem Dafürhalten unmittelbar Dienliche in der Darstellung der christlichen
Lehre und des neutestamentlichen Schriftinhalts hervorheben zu müssen. Seine Schriften
sind im Geist und in der Richtung der Zeit verfaßt, der alles, was über nüchternverstän= 5
dige Darstellung mit moralischer Abzweckung hinausging, des Mysticismus oder gar Ob=
skurantismus verdächtig vorkam. Es ist der Standpunkt eines ehrlichen Rationalismus
älterer Observanz, den N. einnimmt, eines Rationalismus, der eigentlich bloß in seiner
zeitgemäßen Ausdrucksweise vom biblischen Christentum abzuweichen glaubt, der die Kirchen=
lehre nicht antasten, sondern nur eins und anderes auf sich beruhen lassen will (vgl. z.B. 10
Lehrbuch für d. ob. Kl. § 124 und § 141). Wie Niemeyer in der Pädagogik die Hu=
manität zum Prinzip macht, so ist ihm auch an Christus und dem Christentum die hu=
mane Seite die Hauptsache. In dieser Beziehung ist schon die „Charakteristik der Bibel"
von Interesse, die 1794 bereits in 5. Auflage erschien und 1787 eine Streitschrift her=
vorgerufen hatte (vgl. Diestel, Gesch. des A.T.s, S. 739). N. suchte die Charaktere der 15
biblischen Personen schärfer zu zeichnen, was ihm auch im ganzen gelungen ist; dabei
forderte er von seinen Lesern, unter denen er sich auch Frauen dachte, „richtige Erkenntnis
der stufenweise erfolgten Vervollkommnung des menschlichen Geschlechts". Der erste Band
enthielt die Charaktere des N.T.s, die übrigen diejenigen des A.T.s, unter denen besonders
David stark apologetisch behandelt wird. Für die Tendenz Niemeyers ist hervorzuheben, 20
daß ihm die Bibel, so wenig er ihre Göttlichkeit antasten will (vgl. Vorrede S. X in
der Aufl. von 1830, 1. Bd) doch vornehmlich als Material zur Menschenkenntnis dient
und an die darin vorkommenden Personen ein rein menschlicher Maßstab gelegt wird und
daß ihm gerade dies Verfahren für apologetische Zwecke dienen soll (ebend. S. 13 ff.),
indem die Möglichkeit, aus den biblischen Erzählungen ein in sich wahres Charakterbild 25
zu gewinnen, die geschichtliche Wahrheit derselben wesentlich mit verbürge. Entgegen seiner
ursprünglichen Absicht konnte er sich aber trotz öfterer Aufforderungen nicht dazu ent=
schließen, unter diese Charakterbilder auch den Herrn selbst mitaufzunehmen; ein deutlicher
Beweis, daß er, ob auch seine Theologie hiergegen nichts zu erinnern haben konnte, per=
sönlich doch ein Höheres und Höchstes in der Person Jesu erkannte und heilig hielt. So 30
gewiß ihm die Sittlichkeit der Weg zur Glückseligkeit und für seine Person von der
Perfektibilität der menschlichen Natur überzeugt war, so gewiß erhoffte er ihre Bethätigung
am sichersten auf der Grundlage religiöser Ueberzeugungen, deren Abgrenzung nach seiten
der sittlichen Bethätigung freilich nicht mit gehöriger Bestimmtheit und Würdigung der
Eigenkraft des Religiösen erfolgte; vgl. die Erbauungsschriften: Philotas, Ein Versuch 35
zur Belehrung und Beruhigung für Leidende und Freunde der Leidenden 1779. 1782;
Timotheus, zur Erweckung und Beförderung der Andacht nachdenkender Christen an den
geheiligten Tagen ihrer Religion 1784. 1790; Feyerstunden während des Krieges, Ver=
suche über die religiöse Ansicht der Zeitbegebenheiten, Den Freunden und Lehrern der
Religion gewidmet, 1808 (N. warnt hier die Zeitgenossen, ihre Ansicht der Begebenheiten 40
zur Ansicht der Vorsehung zu machen, schränkt den Begriff der letzteren ein und möchte
an Stelle knechtischer Furcht allseitige erzieherische Wirksamkeit zur Abhilfe der gegenwärtigen
Schäden setzen). Über seine theologischen Hauptschriften referiert treffend Schrader S. 488 ff.;
1790 erschien seine „Homiletik, Pastoralanweisung und Liturgik", 1792 seine „populäre
und praktische Theologie oder Materialien des christlichen Volksunterrichts", jene als 45
zweiter, diese als erster Teil eines „Handbuchs für christliche Religionslehrer", welches
zeitweilig unter dem Ministerium Wöllner verboten war, aber doch mehrere Auflagen
erlebt hat (die 4. schon 1799. 1800; die 6., noch von ihm selbst besorgte, 1823. 1827).
Die dogmatischen und ethischen Aussagen fließen in diesem Buche (1. Teil) nach Maß=
gabe der oben dargelegten Grundsätze bedenklich ineinander über, wiewohl sich N. der 50
durch G. Calixt erfolgten Trennung beider systematischen Gebiete bewußt ist. Zur näheren
Erläuterung dienen seine „Briefe an christliche Religionslehrer" in drei Sammlungen
(1796—1799, 2. Aufl. 1803), Nösselt, Spalding und Sack gewidmet; zur weiteren Ver=
breitung seines Systems das „Lehrbuch für die oberen Religionsklassen in Gelehrtenschulen"
1801 (in 15. Aufl. 1827), dem ein Anhang über die Vorteile, Gefahren und Pflichten 55
des akademischen Lebens beigegeben ist; das Buch ist erst unter dem Ministerium Eich=
horn außer Gebrauch gekommen. Einer ähnlichen Verbreitung erfreute sich sein „Gesang=
buch für höhere Schulen und Erziehungsanstalten" (1. Aufl. 1785), das auch viele seiner
eigenen Lieder enthielt; auch seine „Beschäftigungen der Andacht und des Nachdenkens
für Jünglinge" sind hier zu nennen (1. Sammlung 1787). Von größter Bedeutung und 60

bleibendem wissenschaftlichen Wert sind seine „Grundsätze der Erziehung und des Unter=
richts", ursprünglich (1796) für die Bildung des Hauslehrers berechnet und dann durch
Hineinbeziehung des öffentlichen Schulwesens (seit der 3. Aufl.) zu zwei Bänden erweitert
(1799; 8. Aufl. 1827), — die erste wirklich systematische Darstellung der Pädagogik auf
5 deutschem Boden. Sie basieren auf N.s vieljährigen Erfahrungen und gehen von ge=
sunden psychologischen und ethischen Anschauungen aus. Alle Künstlichkeit suchte er aus
dem Gebiete der Erziehung fernzuhalten; eine für alle Zeit giltige Methode (z. B. die
Pestalozzische) wies er zurück. Noch heute gilt N. als vortrefflicher Gewährsmann in
allen Fragen der eigentlichen pädagogischen Technik sowie als Systematiker der Päda=
10 gogik; 1878 sind die Grundsätze gleichzeitig von G. A. Lindner in Wien in der Pädag.
Bibl. Bd IV und V und W. Rein in der Bibl. pädagogischer Klassiker (Langensalza)
nachgedruckt.

Weniger genügend ist die wissenschaftliche Form, die Niemeyer der praktischen Theo=
logie gegeben hat. (Eine bündige Kritik über diesen Punkt s. bei Nitzsch, Praktische Theol.,
15 I, S. 85, und bei Moll, S. 25.) Es ist schon nicht entsprechend, daß alles unter den
Begriff eines „Handbuchs für christliche Religionslehrer" subsumiert wird, als ob die
praktische Theologie nur den Geistlichen zu instruieren hätte und dieser auch in Liturgie
und Seelsorge nur Religionslehrer, sowie als ob außer ihm sonst niemand Religionslehrer
wäre. Als solcher soll der Geistliche statt bloßer Kopfgelehrsamkeit das „echte Humani=
20 tätsgefühl" (Handbuch II, S. XXVIII), statt der Anmaßung, Vermittler zwischen Gott
und Menschen zu sein, reinen Pflichteifer haben; was der savoyische Vikar in Rousseaus
Emil über das Schöne des geistlichen Amtes sagt, hat Niemeyers volle Zustimmung. Um
populär zu sein, soll der Prediger und Katechet die vielen Orientalismen der Bibel=
sprache, Ausdrücke wie „Christum anziehen", „Kinder des Lichts", „Kräfte der zukünftigen
25 Welt" u. s. w., in landesübliche Münze umprägen (ebend. II, S. 184). Schief ist es
ferner, als ersten Teil dieser Wissenschaft eine Dogmatik und Moral, in dem Umfang
und in der Form, wie beides für den Volksunterricht zu behandeln sei, einzureihen und
diese „Materialien" die „populäre und praktische Theologie" zu nennen; sowie auch die
übrigens nicht weiter ausgeführte Asketik (II, S. 20) ganz ungehörigerweise in eine Reihe
30 mit Homiletik, Katechetik, Pastoralwissenschaft und Liturgik gestellt ist.

Und dennoch müssen wir uns wohl hüten, über diesen Mängeln theologischen In=
halts und theologischer Form das Tüchtige zu übersehen oder zu unterschätzen, das Nie=
meyer in sich trug und geleistet hat. Er gehörte unter die nicht wenigen Männer jener
Zeit, in denen mehr Christentum war, als sie zu sagen wußten; die eine lederne Sprache
35 führten in Prosa und Poesie, aber dabei einen Ernst in der Überzeugung und eine sitt=
liche Entschiedenheit des Charakters hatten, wie sich dies, auch wo man von allen himm=
lischen Dingen mit überschwenglicher Salbung zu reden weiß, nicht immer findet. Und
daß unter der flachen Decke nüchterner Verständigkeit eine tiefere religiöse Innigkeit fast
unbewußt ruhte, davon geben einzelne Laute — wie Niemeyers Lied: „Ich weiß, an wen
40 ich glaube", wenn es auch dogmatisch den elften Artikel des Symbolums nicht vollständig
repräsentiert — ein immerhin schönes Zeugnis. Was aber die Systematisierung der prak=
tischen Theologie anbelangt, so muß, um Niemeyers Leistung zu würdigen, im Auge be=
halten werden, daß sich zu seiner Zeit die praktische Theologie noch gar nicht aus der
Pastoraltheologie, d. h. der für den Pfarrer bestimmten Pastoralanweisung, herausgewunden
45 hatte; derselbe wissenschaftliche Trieb und ordnende Verstand, der Niemeyer zum Vater
wissenschaftlicher Pädagogik gemacht, hat auch dort, nur weniger glücklich, doch einmal
etwas einigermaßen Abgerundetes, Ganzes und Gegliedertes von praktischer Theologie
zustande gebracht; hat namentlich für die gottesdienstliche Funktion (freilich auch nur
mehr mit dem Zwecke der „Veredlung" in damaligem Geiste) einen selbständigen Ort,
50 die Liturgik, ausgemittelt.

Höher indessen, als die wissenschaftliche Bedeutung des Mannes ist jedenfalls das
zu stellen, was er für Halle und seine Institute gethan. Nachdem N. 1792 zum Kon=
sistorialrat ernannt und 1793/94 mit dem Prorektorat der Universität betraut war und
sich in dieser Stellung aus Anlaß der Sendung einer Examinationskommission auf Be=
55 trieb Wöllners des Vertrauens des Königs wie der Studentenschaft zu erfreuen gehabt,
am Schlusse dieses Amtsjahres auch die Würde eines Dr. theol. erhalten hatte, fiel ihm
und seinem Kollegen Knapp, dem Kondirektoren, 1799 mit dem Tode Schulzes das Di=
rektorat an den Anstalten zu. Beide Naturen ergänzten sich in diesem Amte glücklich.
N. hat später bei Erneuerung seiner Würde als Oberkonsistorialrat (vordem 1804, da
60 er zugleich Mitglied des Berliner Oberschulkollegiums wurde) und Ernennung zum Mit=

gliede des Magdeburger Konsistoriums (1816) sich zur Annahme der Würde nur für den Fall bereit erklärt, daß sie auch Knapp erhielte. Die unmittelbare Leitung über das Pädagogium hat N. auch nach 1799 beibehalten (bis 1820) und sich durch eine Darstellung seiner Geschichte (1796) wie Mitbegründung einer Zeitschrift „Franckens Stiftungen", einer hauptsächlichen Quelle für deren Geschichte (1792—98), verdient gemacht. Es ist seiner 5 Geschäftsgewandtheit und vielfachen persönlichen Verwendung zu verdanken, daß seit 1778 die Unterstützungen durch die preußische Regierung reichlicher flossen und auch während der westfälischen Zeit günstig fortliefen. Damit gewannen die Stiftungen sozusagen öffentlichen Charakter.

Nach der Schlacht bei Jena hatte Napoleon am 20. Oktober 1806 die Universität 10 aufgehoben und die Studierenden ausgewiesen. Niemeyer hatte sofort einzig seinen Studien gelebt, als er plötzlich in der Morgenfrühe des zweiten Pfingstfeiertages 18. Mai 1807 geweckt und mit vier anderen angesehenen Männern als Geisel nach Paris deportiert wurde (vgl. seine „Beobachtungen auf einer Deportationsreise nach Frankreich im Jahre 1807", Halle 1824). Seinen dortigen Aufenthalt benützte er, um an maßgebender Stelle 15 für die Wiederherstellung der Universität und für die Franckeschen Stiftungen, die unter den letzten Katastrophen sehr gelitten hatten, vorläufige Schritte zu thun. Als er im Oktober desselben Jahres nach halbjährigem Exil heimkehren durfte, war inzwischen durch den Frieden von Tilsit Halle von Preußen abgerissen und zum Königreich Westfalen geschlagen worden. Nach dem, was N. schon in Paris vorgearbeitet, gelang es um so eher, 20 daß von Kassel aus die Herstellung der Universität und Hilfe für die Franckeschen Stiftungen zugesagt wurde; Niemeyer selbst war bei Jérôme so empfohlen, daß er von diesem zum Kanzler und Rector perpetuus der Universität eingesetzt wurde (1. Januar 1808). Das Gehässige der letzteren, mit dem Geiste der deutschen Universitäten schlechthin unverträglichen Würde konnte damals, als vor der Barbarei der welschen Räuber nichts 25 sicher noch heilig war, nicht wie zu anderen Zeiten gefühlt werden; jedenfalls wußte man, daß Niemeyer seine Stellung nie anders als zum Besten der Universität anwenden werde. So war es auch Treue gegen die ihm anvertrauten Institute, daß er, so sehr er Preußen zugethan war, doch den Ruf nach Berlin an die neuerrichtete Universität, sowie als Staatsrat in der Leitung des öffentlichen Unterrichts ablehnte (1807). Die Würde eines 30 Kanzlers an der hallischen Universität war übrigens schon im vorhergehenden Jahrhundert stellenweise von Professoren versehen (über die Funktionen in der westfälischen Zeit s. Schrader II, 14). Allein die Gunst des Kasseler Hofes währte nicht lange. Man merkte wohl, wohin die Herzen sich neigten; und als dem Rufe Preußens im Februar 1813 eine Menge Studierender von Halle folgte, als persönliche Verleumdungen das Ihrige 35 gethan hatten, da verhehlte der Schattenkönig bei einer Durchreise seinen Groll nicht mehr; er hatte die Stirn, Niemeyern mit dem Galgen zu drohen. Dennoch gelang es diesem, noch gute Worte für Halle von Jérôme zu bekommen; allein der kaiserliche Bruder war weniger gnädig und geruhte die abermalige Aufhebung der Universität zu befehlen (15. Juli 1813). Der Oktober kam heran, es erschienen preußische Truppen in Halle, 40 die mit Jubel aufgenommen wurden; vor der Leipziger Schlacht logierte Blücher bei Niemeyer und lud sich, falls er verwundet würde, zur Pflege in dessen Haus ein.

Bei der Neuorganisation unter der preußischen Regierung im Jahre 1815, wo die Vereinigung Wittenbergs mit Halle ins Werk gesetzt wurde, führte N. in der aus Professoren beider Universitäten zusammengesetzten Kommission den Vorsitz, legte aber das 45 Rektorat nieder und behielt nur, als Kanzler, die Oberaufsicht über die äußere Verwaltung. Die Maßregeln, die man 1819 wegen Demagogie gegen die Universitäten zu nehmen für gut fand, trafen auch Niemeyer insofern, als ein außerordentlicher Kommissar die ihm zustehenden Funktionen zu besorgen erhielt. Damit sah er mit stillschweigend abgesetzt und benützte die nun gewonnene Muße zur Ausarbeitung seiner „Beobachtungen 50 auf Reisen in und außer Deutschland" (I, 1820 und II, 1821, 2. Aufl. 1822 England, III, 1823, 2. Aufl. 1824 einen Teil von Westfalen und Holland, IV 1, 1824; 2, 1826 die Deportationsreise nach Frankreich betreffend), die gern gelesen wurden, so nüchtern uns diese Schilderungen auch heute anmuten. Auch sonst hat N. viele Reisen unternommen, z. B. 1811 mit Lafontaine nach Italien; der Rückweg über Wien veranlaßte 55 ihn, Erzherzog Karl aufzusuchen. Überhaupt ist er auf seinen Reisen bemüht gewesen, alte Bekanntschaften mit bedeutenden oder hochgestellten Männern zu erneuern oder neue anzuknüpfen. Das entsprach der großen Beweglichkeit seines Geistes und dem hervorragenden Interesse für Menschenkenntnis, das ihn von Jugend auf beseelte; dazu stimmt auch seine Vorliebe für Biographien, deren er mehrere selbst verfaßt hat (seines Vaters 60

1772, Freylinghausens 1786, Übersetzung eines Lebens Wesleys 1793). Vor allem setzten
ihn die so geschlossenen Verbindungen in den Stand, zum Besten der Institute einzu=
treten. Er wußte wie sein Ahnherr Francke die Umstände zu benutzen und verschmähte
die Gunst der Mächtigen nicht. Dessen Ziel, „die Erneuerung des ganzen Volkslebens
5 auf dem Grunde einer aus lebendiger christlicher Erkenntnis wiedergeborenen Bildung"
(Fries S. V), kann in gewissem Sinne noch als das seinige bezeichnet werden, so ver=
schieden die Intensität des religiösen Gefühls auf beiden Seiten war. Auch die nähere
Aufgabe Franckes, durch sein **Seminarium praeceptorum** geschickte Lehrer heranzuziehen,
wovon die Anstalt selbst in erster Linie Nutzen zog, ist von N. weiter gepflegt. Nicht
10 weniger hat er das lokale Interesse für Halle und seine Bewohner bethätigt (Familien=
fürsorge, vgl. Jacobs S. 201; Zuschrift an die Halloren und Fischer zu Halle: Über
den Aberglauben bei Ertrunkenen 1783; Gründung des hallischen patriotischen Wochen=
blattes 1799 zusammen mit Wagnitz, das fast ein Jahrhundert lang bestanden hat; Ab=
schiedsworte an seine Mitbürger am Tage seiner Wegführung 1807, von Cönnern aus,
15 worin er sie zur Ruhe ermahnt). Sein Haus, worin ihm seit 1786 Agnes Wilhelmine
von Köpken, Tochter eines Hofrats in Magdeburg, zur Seite stand, war durch beider=
seitiges Verdienst der Mittelpunkt eines regen geistigen Lebens. Mit den Weimarer
Dichtern und anderen Größen kam N. in nahe Berührung, Fürsten und Könige waren
in seinem Hause Gäste. Daß das Bewußtsein der Stellung, die er einnahm, und die
20 Verehrung, die ihm allenthalben entgegenkam, in seiner äußeren Haltung, die noch würde=
voller gewesen sein muß, als nötig und angenehm war, etwas zu merklich wurde (Äuße=
rungen von Harleß, Ruge u. a. bei L. Witte, Das Leben . . . Tholuck II, S. 10 ff.;
auch Karl Ritters, der in seinem Hause wohnte, vgl. dessen Biographie von Kramer, und
Rankes vgl. dessen Jugenderinnerungen 1877, S. 93), läßt sich als menschliche Schwäche
25 wohl begreifen; es wird aber von den Freunden, die diesen Zug erwähnen (Jacobs S. 254 ff.,
vgl. Fries S. 112), beigefügt, daß den näher mit ihm Verkehrenden bald nur ein reines
Wohlwollen fühlbar gewesen sei — jene Humanität, die den Prediger er als Theolog und
Pädagog gewesen ist. Aus dem Bilde der Malerin Karoline Bardua (vgl. deren „Jugend=
leben" von W. Schwarz, Breslau 1874) spricht nur das wirklich Imponierende dieser
30 Persönlichkeit, welcher Selbstbeherrschung, Klarheit und Harmonie aufgeprägt war. Durch
fließende Rede zeichnete er sich aus. Er lebte und schrieb für die Gebildeten seiner Zeit,
denen er, wie die zahlreichen Auflagen seiner Schriften beweisen, Genüge that; diese
mußten, sobald man nach Geschlossenerem und Tieferem verlangte, samt seinen Liedern
in Vergessenheit geraten. Von bleibendem geschichtlichem Werte ist die Biographie Nösselts
35 (1809) und seine Abhandlung aus Anlaß des Reformationsfestes über „die Universität
Halle nach ihrem Einfluß auf gelehrte und praktische Theologie in ihrem ersten Jahr=
hundert" (1817; auch als Einleitung zu den Akadem. Predigten und Reden 1819). Die
allgemeine Teilnahme, welche N. bei seinem Dienstjubiläum im Jahre 1827 fand — auch
Schleiermacher war aus Berlin zugegen —, zeugte von der vielseitigen Verehrung und
40 Anerkennung, die er sich durch ein rastlos thätiges Leben hindurch erworben; am Vor=
abende der Feier ließ ihm der König die Kunde zugehen, daß zum Neubau einer Aula,
den Niemeyer längst gewünscht und betrieben hatte, die erforderliche Summe angewiesen
sei. Als glücklicher Greis, wie er sich selbst nannte, ist er am 7. Juli 1828 gestorben.

(Palmer †) E. Hennecke.

45 **Niemeyer,** Hermann Agathon, gest. 1851, außerordentlicher Professor der Theo=
logie und Direktor der Stiftungen in Halle. — Fr. A. Eckstein, Gedächtnisrede auf N. im
Programm der Lat. Hauptschule von 1852 (= Hallisches patriot. Wochenblatt 1852, Nr. 47 f.);
AdB XXIII (1886), S. 682—687 (von Rasemann); Fries, Die Franckeschen Stiftungen,
S. 130 ff.; Schürmann, Zur Gesch. der Buchhandlung des Waisenhauses, S. 223 ff. 247 ff.

50 Hermann Agathon N. wurde als neuntes von fünfzehn Kindern des Aug. Herm. N.
am 5. Januar 1802 zu Halle geboren, studierte daselbst und in Göttingen Theologie,
habilitierte sich nach seiner 1823 erfolgten Promotion (Abhandlung de docetis) im Jahre
1825 mit der Schrift über Isidor von Pelusium (s. Bd IX S. 444,25), wurde 1826
außerordentlicher Professor der Theologie in Jena und, nach seiner Ernennung zum Dr. theol.
55 aus Anlaß des väterlichen Jubiläums, 1829 in Halle, wohin er als Kondirektor der
Stiftungen berufen wurde. Er hat in seinen akademischen Vorlesungen außer der Exegese
und Teilen der älteren KG allgemeinere theologische Fächer, auch die Pädagogik, behandelt
und mehrere Schriften seines Vaters, dessen Glaubensrichtung er teilte, neu herausgegeben
(1830/31 die „Charakteristik der Bibel"; 1834, 9. Aufl. der „Grundsätze der Erziehung";

1813 eine 18. Aufl. des Lehrbuchs für die oberen Religionsklassen). Er war wie jener mehr Pädagog als Theolog und eine hervorragende Lehrkraft, in der Sorge für den Ausbau und weitere Reformen an den Erziehungsanstalten unermüdlich, in allen ihm aus seinem Schulamt und Direktorat erwachsenden Geschäftszweigen — letzteres mußte er 1830—1833 und 1841—1849 ohne Kondirektor führen — von rastlosem Eifer, durch 5 Neuausdehnung des buchhändlerischen Betriebes der Anstalt ein zweiter Gründer ihrer Buchhandlung und um Hebung ihres wissenschaftlichen Lehrkörpers mit Erfolg bemüht, dazu noch in anderen Ämtern thätig (seit 1839 Stadtverordneter, zeitweilig sogar mit dem Vorsitz betraut; 1848 Mitglied der konstituierenden Nationalversammlung, deren Verhandlungen ihn enttäuschten). Neben rastloser Arbeitsamkeit und klarem Urteil werden 10 ihm schlichte Gemütstiefe und Innigkeit des Glaubenslebens, Feinheit des Geschmacks und Adel des Empfindens, sowie Hingebung als Grundzüge des Wesens nachgerühmt. Für litterarische Thätigkeit blieb ihm außer seiner sonstigen, auch akademischen, wenig Raum. Verdienstvoll und noch heute geschätzt ist seine (ursprünglich von M. Röbiger geplante) Collectio confessionum in ecclesiis reformatis publicatarum, Lips. 1840 (mit 15 einer Appendix von demselben Jahre), von grundlegender Bedeutung die kritische Herausgabe von Luthers Bibelübersetzung (nach der letzten Originalausgabe von 1545), für die er sich mit dem Universitätsbibliothekar H. E. Bindseil in Verbindung setzte (7 Teile in 3 Bdn, Halle 1845—55); seine eigene Mitarbeit an diesem Werke wurde durch frühzeitigen Tod (6. Dezember 1851) abgeschnitten. 20

Zu den Männern, welche unter Ns Direktorat an den Stiftungen Anstellung fanden, gehörte Hermann Adalbert Daniel (1812—71), Verfasser einer Monographie über Tatian (1837) sowie der beiden Sammelwerke Thesaurus hymnologicus in 5 Bdn 1841—56 und des Codex liturgicus ecclesiae universae in epitomen redactus in 4 Bdn, 1847—54, daneben eines sehr verbreiteten geographischen Handbuchs (Schürmann, 25 S. 233 ff.). **E. Hennecke.**

Nightingale, Florence, geb. im Mai 1820. — Litteratur: Monod, Les heroïnes de la Charité, Par. 1873; G. Barnett Smith, Noble Womanhood, Lond. 1894; Wintle, Fl. N., the heroine of the Crimea, Lond. 1896; Engl. Cyclopaedia ed. Knight, Lond. 1856 vol. III; Chambers' Encycl., Philadelphia 1901, vol. VII. 30

In Florenz, von dem sie ihren Vornamen hat, wurde F. N. als Tochter des in Derbyshire begüterten Grundbesitzers William Shore N., der mit seiner Familie viel reiste, im Mai 1820 geboren; ihr Großvater mütterlicherseits war der aus der Antisklavereibewegung bekannte Will. Smith. In dem epheuumrankten alten Herrnsitze Lea Hurst verlebte sie Kindheit und Jugend. Sie war eine dem Innenleben zugewandte Natur. 35 Als Kind schon gewann sie durch Hausbesuche, Pflege von Menschen und Tieren die Herzen ihrer ländlichen Umgebung als „der gute Engel der Armen und Kranken".

In ihrem 10. Jahre, auf einem Spazierritte mit dem Dorfpfarrer, den sie auf seinen Hausbesuchen zu begleiten pflegte, „entdeckte sie die Eigenart ihrer Natur" — an einem verwundeten Schäferhund, dem sie mit Hingabe und Geschick die gequetschte Pfote wiederherstellte. — 40 Ihr Vater gab ihr eine sorgfältige Erziehung, führte sie, als sie, 18 Jahre alt, zum Typus des wohlerzogenen englischen Mädchens herangebildet war, in die Gesellschaft und stellte sie am Hofe vor.

Nun stand Welt und Leben mit reichen Verheißungen vor ihr. Aber in dem Köpfchen voll krauser Haare trug sie heimliche Gedanken; ihre Seele, in der die phi= 45 lanthropischen Überlieferungen der mütterlichen Familie nachwirkten, verlangte nach Besserem. Bei Tanz und Unterhaltung konnte sie die Erinnerungen der Kinderjahre, an das wirtschaftliche Elend und die Hülflosigkeit der Armen in Krankheitsfällen nicht los werden. So entschloß sie sich, Krankenpflegerin zu werden — zuerst gegen den Wunsch ihrer Eltern, die ihr Kind nicht einem Berufe überlassen zu dürfen glaubten, der damals den 50 üblen Ruf, in dem er stand, in alle Wege rechtfertigte; alle Welt, nicht bloß die oberen Tausend, sahen auf den Pflegerinnendienst als für ein anständiges Mädchen ungeeignet herab; wandte sich ein Dienstmädchen ihm zu, so geschah das nach der Meinung aller, weil sie nichts leistete oder sittlich anfechtbar war. Dies Vorurteil, daß sie als junges Mädchen unter Frauen gehen wollte, als deren Typus in jenen Jahren die berüchtigte 55 Sairey Gamp, eine durch Whisky und Laster heruntergekommene Hospitalpflegerin, galt, zu überwinden, wurde der schwerste Kampf ihres Lebens.

Zuletzt gaben ihre Eltern nach; für den Hochflug ihres Lebensideals hatten sie kein Verständnis. Die junge Menschenfreundin ging nun in die Hospitäler ihrer Heimat, später

in die großen Londoner Häuser, um Erfahrungen zu sammeln. Elisabeth Fry, die ihr
Leben dem Dienste der Gefangenen gewidmet hatte, begegnete ihr damals. Sie machte,
sich und dem Tode nahe, durch den Zauber ihrer milden und energischen Persönlichkeit
einen tiefen Eindruck auf F. N., die eben den Aufstieg zu den Höhen ihres Lebens
5 begann.

Nachdem sie in Edinburgh und Dublin weiter gelernt und, die neuen mit den alten
Erfahrungen vergleichend, erkannt, daß, um einmal Tüchtiges zu leisten, sie das Grund=
übel der englischen Pflege, den Mangel an systematischer Schulung, an der Wurzel fassen
müsse, ging sie auf Reisen nach Frankreich, Deutschland, Italien bis nach Ägypten, um
10 an Vorbildern, die besser als das englische waren, zu lernen. Hier fand sie Frauen, die,
oft aus glänzenden Verhältnissen heraus, um Christi und der Armen willen ihr Leben
den Elenden weihten und durch Entsagungen und strengen Dienst sich sorgfältig auf ihre
Aufgabe vorbereiteten. In England war eben unbekannt und unerhört, daß Frauen aus edlem
Stande als schlichte Pflegerinnen in die Hospitäler gingen, um ein Heldentum der Liebe
15 zu üben. F. N. aber empfand unter den Einwirkungen, die das Vorbild El. Frys und
der Kaiserswerther Schwestern auf ihre empfängliche Seele gemacht, daß ein edles Ver=
langen an Vorurteilen nicht scheitern dürfe. Frauen, meinte sie, haben ein Recht zum
Dienste im Reiche Gottes; wer aber andern Leiter und Meister werden will, muß selbst ge=
dient haben und sich vertraut machen mit dem, was Berufene vorbildlich ins Werk ge=
20 setzt haben.

In Verfolg dieser Erwägungen trat sie 1849 als freiwillige Krankenpflegerin bei
Fliedner in Kaiserswerth ein, in dessen Anstalten sie eine relativ vollkommene Organisation
des Pflegedienstes gefunden hatte; von ihm lernte sie freudig, und zu ihm kehrte sie von
ihren Streifzügen nach Paris (1851 zu den Petites Soeurs), Brüssel, Lyon, Marseille,
25 Rom und Konstantinopel, von denen sie reiche, fruchtwirkende Eindrücke heimbrachte, immer
wieder zurück. Eine Krankheit zwang sie zur Rückkehr in die Heimat. Nach kurzer Er=
holung in Lea Hurst übernahm sie die Leitung des vor dem finanziellen Ruin stehenden
Home for Sick Governesses in London und gab ihm in kurzen 3 Jahren eine ge=
sunde Grundlage und feste Organisation.

30 So kamen die Lehrjahre zu Ende. Als die Not an ihre Tür klopfte, war sie bereit:
hier bin ich, nehmt mich hin. Im Frühling 1854 erklärten die Westmächte Rußland
den Krieg; die blutige Schlacht an der Alma am 20. September überfüllte die ganz
ungenügend versorgten Hospitäler am Bosporus mit Kranken und Verwundeten, daß
binnen kurzem ihre Sterbeziffer die der Schlachtfelder weit übertraf. Die glühenden Be=
35 richte des Timeskorrespondenten Russell (13. Oktober ff.) rüttelten das englische Volk auf;
in 3 Monaten war eine Summe von 1½ Millionen Pfd. St. gesammelt. Vorräte, Betten,
Kleidung, medizinische Instrumente, Arzneien und Ärzte gingen unter einem Kommissar
nach der Krim ab; aber Russell hatte auch, auf Grund seiner Erfahrungen mit den
französischen Schwestern in Skutari, in flammender Sprache „die Töchter Englands in
40 dieser Stunde schlimmster Not zu den Werken des Erbarmens aufgerufen". Nicht
umsonst. Viele junge und reiche Frauen gaben große Summen, F. N. mit dem Helden=
tum reiner Menschenliebe sich selbst.

Ihr Brief, in dem sie am 15. Oktober dem Kriegsminister Herbert ihre Dienste
als Kriegskrankenpflegerin anbot, kreuzte sich mit der von Sir Sidney an sie gerichteten
45 Frage, ob sie bereit sei, die Führung einer Pflegerinnenkolonne zu übernehmen. 6 Tage
später schiffte sie sich, mit reichen Vorräten versehen und von ungeheurem Enthusias=
mus getragen, mit 38 Schwestern, darunter 10 katholischen, ein. Nun wurden
Stimmen laut, die über das junge unverheiratete Mädchen, das an die Betten ver=
wundeter Soldaten ging, spotteten und an der Konfessionslosigkeit der Kolonne Anstoß
50 nahmen. Indes vor dem sichtbaren Segen, der die Liebesarbeit begleitete, verstummten
die Verkleinerer.

Am 5. November, dem Tage der heißen Schlacht von Inkerman, kam sie in
Skutari, der „silbernen Stadt", die viele für das schönste Stück Erde halten, an.
Welch ein Gegensatz: in den Baracken das furchtbarste Elend und Aufgaben, die Menschen=
55 kräfte zu übersteigen schienen! Indes F. N. wuchs an den Schwierigkeiten der Arbeit.
Bis Ende November hatte sie 3000, im Januar 1855 über 10000 Verwundete unter
ihrer Fürsorge; auch die Zahl ihrer Pflegerinnen wuchs rasch auf 85. Sie gab dem
Verband feste Formen, verlangte als erste Pflicht unbedingten Gehorsam, richtete gegen
den orientalischen Schmutz in jedem Hospital eine Waschanstalt und eine Küche ein, be=
60 kämpfte die Ungeziefer= und Rattenplage der türkischen Krankenhäuser und sorgte für Er=

holungsstätten der Genesenen. So schuf sie in der Schule einer starken Not ihrem Vater=
lande, was Deutschland und Frankreich längst besaßen: ein organisiertes System der
Kriegskrankenpflege.

Durch Sanftmut und Schweigen, durch die Kraft eines reinen, liebreichen Her=
zens, nicht minder als durch die großen Vollmachten, die sie von der Regierung 5
hatte, war es ihr nun gelungen, die anfänglichen Widerstände, auch der Ärzte und
Sanitätsoffiziere, zu brechen. Denn mächtiger noch als ihre Organisation wirkte ihr
eignes Thun. Selbstlos stellte sie ihre Persönlichkeit hinter ihrem Werke zurück; die
meisten Kranken wußten kaum ihren Namen; ihnen war sie, wenn sie bei ihren näct=
lichen Gängen, mit der einen Hand das Licht der Ampel vor den Kranken beschattend, 10
lautlos durch die Bettreihen der Lazarette huschte, „die Dame mit der Lampe"; so sah
sie Longfellow, als er zu ihrem Preise seine (übrigens recht schwächliche) Santa Filomena
schrieb. Ihre Pfleglinge verehrten sie wie ein überirdisches Wesen. Sie vorbeigehen sehen
war Beglückung; „zu Tausenden lagen wir dort, aber wir hätten ihren vorüberhuschenden
Schatten küssen und dann unser Haupt beglückt auf die Kissen zurücklegen können", schreibt 15
ein Soldat von ihr.

So hat sie, in der steten Gefahr der Ansteckung und des geistigen und körperlichen
Zusammenbruchs durch ihr Gottvertrauen als durch eine starke Mauer gedeckt, für eine
große Sache, die Elenden zu erlösen, gekämpft, ohne je an ihrem endlichen Siege zu
zweifeln. 20

Im Frühling 1855 besuchte sie die Laufgräben von Sebastopol, setzte die Reform
der Feldbaracken durch, überwand einen schweren Anfall des gefährlichen Krimfiebers
und nahm mit todesverachtender Energie ihre Arbeit wieder auf. Als der Friede
(30. März 1856) geschlossen war, behielt sie die Leitung des Hospitals in Skutari noch
5 Monate, bis sich die Thore hinter dem letzten englischen Soldaten geschlossen hatten. 25
Auf Umwegen und in der Stille (unter dem Decknamen einer Mrs. Smith) kehrte sie
am 8. September 1856 nach Lea Hurst zurück, nach einer zweijährigen Arbeit, die ihren
Namen unvergeßlich gemacht hat.

Allen Ehrungen und Aufdringlichkeiten entzog sie sich; in der ländlichen Ab=
geschiedenheit schrieb sie 1857, vom Kriegsgesundheitsamt aufgefordert, ihre Erfahrungen 30
aus dem Kriege nieder, und 1858 veröffentlichte sie ihr am meisten verbreitetes Buch
Notes on Nursing, praktische Ratschläge über gesunde Wohnungen, Lüftung, Heizung,
Beleuchtung, Schlafstätten und Nahrung; 1859 die Notes on Hospitals, die für
die baulichen Einrichtungen der Krankenhäuser in der Folgezeit von maßgebendem Einfluß
wurden; 1874 Life and Death in India, endlich in demselben Jahre Rural Hygiene; 35
im übrigen hat sie sich je und dann in kleineren Aufsätzen zu den sanitären Tages=
fragen geäußert.

Indes die Wurzeln ihrer Kraft ruhten auch nach dem Kriege nicht in diesen Ver=
öffentlichungen, sondern in ihrem persönlich praktischen und vorbildlichen Wirken. Will=
fährig flogen ihr Liebe und Lob entgegen; von der Königin wurde sie durch Hand= 40
schreiben und Ordenskreuz (the Nightingale Jewel), ebenso durch den Sultan aus=
gezeichnet, und die dankbare Nation überwies ihr 50000 Pfd. St. zur Einrichtung
eines Diakonissenhauses, das unter dem Namen Nightingale Home als Teil des großen
St. Thomas-Hospitals (gegenüber dem Parlament an der Themse) von ihr erbaut und
eingerichtet wurde; ihr Wunsch, das große Haus zu leiten und nach dem Vorbild von 45
Kaiserswerth zu einer Musteranstalt zu machen, scheiterte indes an ihrer durch die Be=
schwerden des Krieges geschwächten Gesundheit.

Sie zog nach dem stillen Lea Hurst zurück und mußte sich damit begnügen, mit
ihrem maßgebenden Worte in den oben genannten Schriften die öffentliche Behandlung
der volksgesundheitlichen Fragen in die rechten Bahnen zu leiten. — 50

Seit einer Reihe von Jahren wohnt sie, jetzt 83 Jahre alt, in London, in
ihrem Stadthaus am Hydepark; sie empfängt keine Besucher, läßt die Zeitungsschreiber
nicht vor und hat bislang in ihrer angebornen Scheu vor lautem Lobe mit Erfolg die
Veröffentlichung ihres Lebens und ihrer Briefe verhindert. „Habt Geduld, bis ich nicht
mehr bin, dann mögt ihr schreiben", damit hat sie vor nicht langer Zeit die Dränger 55
abgewiesen. In Demut und Stille wartet sie darauf, daß der Meister, dem sie, ein
reiner Typus mitleidenden, opferbereiten Christentums, ihr Leben hindurch treu und fromm
gedient, sie heimhole.   **Rudolf Buddensieg.**

Nihilianismus s. d. A. Lombardus Bd XI S. 639, 28 ff.

Nikodemus Hagiorites, gest. 1809. — Litteratur: Sein βίος ἐν συνόψει von dem
Zeitgenossen Onuphrios, dem Athosmönch, in der Einleitung des unten zu nennenden Συνα-
ξαριστής; Sathas, *Νεοελληνικὴ Φιλολογία* 1868, S. 624 ff.; Nicolai, Gesch. der neugriechischen
Litteratur 1872, S. 173 und sonst; Ph. Meyer, ZKG XI S. 560 ff., 573 ff.; L. Petit, La
5 grande Controverse des Colubes in den Echos d'Orient 1899, S. 321 ff.; A. D. Kyriakos,
Gesch. der orient. Kirchen, übersetzt von Rausch 1902, S. 155.

Nikodemus, oder wie er mit seinem weltlichen Namen hieß, Nikolaos, ist geboren
1748 auf Naxos, daher auch *Νάξιος* genannt. Er wurde Mönch in dem Athoskloster
Dionysiu und hat bis zu seinem Ende den Athos kaum verlassen. Hier lebte er zuletzt
10 in dem Kellion τῶν Σκουρταίων oberhalb Karyes. Sein Leben verlief im ganzen ruhig,
nur daß er in den Kolywastreit verwickelt wurde, der in der zweiten Hälfte des 18. Jahrhunderts die Ruhe des heiligen Berges arg störte und in dem es sich darum handelte,
ob die Gedenkfeiern für die Toten am Sonnabend (so die Meinung der Strengen nach
alter Anschauung) oder am Sonntag (so die „Modernen") gefeiert werden sollten. N.
15 gehörte der strengen Richtung an und hatte daher manche Anfechtung zu erleiden, wurde
aber schließlich gerechtfertigt. Auf diese seine Erlebnisse bezieht sich seine kleine Schrift
Ὁμολογία πίστεως, gedruckt Venedig 1819, die auch einen interessanten Einblick in das
Leben auf dem Athos thun läßt.

Die Bedeutung des N. liegt in seiner ausgebreiteten Schriftstellerei. N. war kein
20 neuschaffender Geist, er reproduzierte vielmehr das alte genuin Griechisch-Orthodoxe. Diesem
gab er das Gewand der volksgriechischen Sprache und machte es dadurch zum Gemeingut
der kirchlichen Kreise, gab aber auch der späteren Wissenschaft manchen neuen Anstoß.
Seine Hauptgebiete sind die Hagiographie, die Asketik und Mystik, das Liturgische, das
Kirchenrecht und die praktische Exegese.

25 Unter seinen hagiographischen Schriften ist die bedeutendste der schon genannte Συν-
αξαριστὴς τῶν δώδεκα μηνῶν τοῦ ἐνιαυτοῦ, eine selbständige Bearbeitung eines
älteren Werkes von dem Diakonen Μαυρίκιος, zuerst erschienen 1819 in Venedig, 3 Bde,
1841 ff. in Konstantinopel, 12 Bde, 1868 in Zakynth, 3 Bde und neuerdings in Athen;
eine Fundgrube für das Studium des Heiligenkultus in der griechischen Kirche. Samm-
30 lungen von ausführlichen Heiligenleben enthalten das *Νέον ἐκλόγιον*, Venedig 1803
und das *Νέον Μαρτυρολόγιον*, Venedig 1799. Das Mönchtum der alten Kirche brachte
er seiner Zeit nahe durch die Herausgabe der Συναγωγὴ τῶν θεοφθόγγων ῥημάτων
καὶ διδασκαλιῶν τῶν θεοφόρων καὶ ἁγίων Πατέρων von Paulos, dem Gründer
des Klosters τῆς Εὐεργετίδος, Venedig 1782. Dies Werk, das bei den Griechen meistens
35 der Euergetinos genannt wird, steht etwa in einer Linie mit der Historia Lausiaca
des Palladius. Die Heiligen des Athos verherrlichte er mit einer großen Akoluthie, die
manches Historische enthält, herausgegeben in Hermupolis 1847.

Auf dem Gebiet der Askese und Mystik verfolgt N. ein ganz klares Ziel. Er will
die alte, nie ganz ausgestorbene Mystik der Hesychasten wieder beleben. Dieser Absicht
40 dient vor allem sein *Ἐγχειρίδιον συμβουλευτικόν*, s. l. (Wien?) 1801, dessen Gedankengang ich ZKG a. a. O. S. 419 ff. näher angegeben habe. Ebendahin gehört der von
N. bearbeitete *Ἀόρατος πόλεμος*, Venedig 1796. Er stützte sein Theorie von der νοερὰ
προσευχή, die zur Vision führt, historisch durch die Herausgabe der *Φιλοκαλία τῶν
ἱερῶν Νηπτικῶν*, Venedig 1782, eines großen Sammelwerks, in dem die namhaftesten
45 Vertreter der alten Mystik ihren Platz fanden. Es ist ganz oder teilweise von Migne in
PSG wieder abgedruckt. N. ist auch bei der Herausgabe der Schriften Symeons des
neuen Theologen beteiligt gewesen. Für allgemeinere Zwecke ist die Χρηστοήθεια τῶν
Χριστιανῶν, Venedig 1803, auch Hermupolis 1838 und Chios 1887, berechnet. Es ist
eine der wenigen neueren Schriften der griechischen Kirche, in 13 großen Abhand-
50 lungen eine asketische Sittenlehre vortragend, auch kulturhistorisch interessant. Ein selt-
sames Buch sind die Γυμνάσματα πνευματικά (Exercitia spiritualia), Venedig 1800,
in denen N. eine abendländische Vorlage orthodox umgearbeitet hat, nach dem Urteile
einiger Athosmönche des Katholizismus verdächtig, trotzdem 1869 neu aufgelegt. Onuphrios der Biograph und Sathas schreiben dem N. auch das Schriftchen Περὶ τῆς συν-
55 εχοῦς μεταλήψεως τῶν ἀχράντων τοῦ Χριστοῦ μυστηρίων, Venedig 1783, später
Athen 1887 zu, das den täglichen Abendmahlsgenuß empfiehlt und seiner Zeit viel Aufsehen machte (vgl. Ph. Meyer, Die Haupturkunden zur Gesch. der Athosklöster 1894,
S. 78 f.). Es stammt aber wohl von Makarios, dem früheren Erzbischof von Korinth,
einem Freunde des N.

60 Dem kirchlichen Gebrauch im engeren Sinne diente N. mit seinem Ἐξομολογητάριον

1794, 7. Ausgabe 1854, das bis heute ein gesuchtes Beichtbuch ist. Er gab auch 1799 das große Euchologion heraus. Das größte Ansehen aber erwarb er sich durch die Bearbeitung des Corpus des griechischen Kirchenrechts, die in dem Πηδάλιον τῆς νοητῆς νηὸς τῆς μιᾶς ἁγίας καθολικῆς καὶ ἀποστολικῆς τῶν ὀρθοδόξων ἐκκλησίας vorliegt. Die erste Ausgabe, Leipzig 1800, wurde ihm zwar dadurch verdorben, daß sein 5 hinterlistiger Korrektor, der Hagiorit Theodoritos in Leipzig ihm allerlei Ketzereien in das Buch hineinkorrigierte. Die späteren Ausgaben, die von diesen Zuthaten gereinigt sind, fanden aber allgemeine Billigung. Das Buch hat noch jetzt eine weite Verbreitung.

Zu seinen exegetischen Arbeiten sind schon zu rechnen der Κῆπος χαρίτων, eine Erklärung der sogenannten 9 Oden, mit mystischen Traktaten und einem praktischen Brief= 10 steller im Anhange dem Publikum noch anziehender gemacht, Venedig 1819 und die Νέα Κλῖμαξ, ἤτοι ἑρμηνεία εἰς τοὺς ἑβδομήκοντα πέντε ἀναβαθμοὺς τῆς Ὀκτωήχου, Konstantinopel 1844. Rein exegetische Zwecke verfolgt seine interessante Erklärung der Katholischen Briefe, Venedig 1819, in der N. die mittelalterlichen Exegeten seiner Kirche, auch den Metrophanes von Smyrna bearbeitet. Großen Fleiß verrät seine Übersetzung 15 des Psalmenkommentars des Euthymios Zygabinos ins Volksgriechische, die 1819—1821 in 2 starken Quartbänden von der Patriarchatsdruckerei in Konstantinopel herausgegeben wurde.

Das sind die hauptsächlichsten Werke des N. Andere werden noch bei Sathas und Onuphrios genannt, wie Ἀλφαβηταλφάβητος, Γρηγορίου Παλαμᾶτζα σωζόμενα, Ἐγ= 20 κώμια Ἐπιταφίον, Νέον Θεοτοκάριον, Ἐπιστολαὶ τοῦ ἀποστόλου Παύλου, Βαρσανούφιος, Ἑορτοδρόμιον. Diese sind mir unbekannt geblieben. Auch hat N. noch eine große Reihe von Akoluthien und sonstigen Gelegenheitsschriften verfaßt. Doch mögen die oben angeführten genügen, um auf die Bedeutung dieses zu wenig bekannten Hagioriten hinzuweisen, der dazu seinem Charakter nach eine höchst angenehme Erscheinung war. 25 (Onuphrios a. a. O. S. ιδ').   **Ph. Meyer.**

Nikolaiten. — Vgl. die Komment. zur Apk des Jo von Grotius 1644; Vitringa 1705; Bengel 1740; Herder 1779; Eichhorn 1791; Ewald 1828; Züllig 1834; de Wette 1848; Hengstenberg 1848. 61; Ebrard 1853; Düsterdieck 1859. 65; Bleek 1862; Volkmar 1862; Kliefoth 1874; B. Weiß 1891; Holtzmann 1893²; Bousset 1896. Ferner: Janus, Diss. de Ni= 30 colaitis 1723; Walch, Historie der Ketzereien 1862 I, 167 ff. (mit sehr vollständ. Angabe der älteren Auffassungen); Schröckh, Kirchengesch. II, 1770, 312 ff.; Münscher in Gablers Journal f. th. Litt. 1803, V, 17 ff.; Neander, Kircheng. I, 2, 1826, 774 und Gesch. d. Pflanz. II, 1847, 620 f.; Ritschl, Entst. d. altk. K. 1857, 134 ff.; Hilgenfeld, ZwTh 1872 und Einl. NT 35 413 ff.; Renan, St. Paul 1869, 304 ff.; Thiersch, K. im ap. Zeitalt. 1879², 245 ff.; Gebhardt, Lehrb. der Apk 1873, 217 ff.; Völter, Entsteh. d. Apk 1882, 10 ff. und Probl. d. Apk 1893, 408 ff.; Spitta, Off. des Joh. unters. 1889; Schürer, D. Prophetin Isabel in Th. Abh. Weizsgew. 1892, 39 ff.; Seesemann, Die Nikolaiten, ThStK 1893, 47 ff.; Wohlenberg, Nikolaos v. Ant. u. d. Nik., NkZ 1895, 923 ff.; Weizsäcker, ap. Zeitalt. 1902³, 528; Zahn, Einl. in NT 1899, II, 604 ff. 40

1. In der Apk des Jo wird mit dem Namen N. eine Partei bezeichnet, welche in einigen der zum ursprünglichen Leserkreise des Buches gehörigen sieben kleinasiatischen Gemeinden mehr oder weniger Anhang hatte. Die Gemeinde von Ephesus erhält in dem für sie bestimmten Sendschreiben das Lob 2, 6: „das hast du, daß du hassest die Werke 45 der N., die auch ich hasse". Dagegen wird in dem Sendschreiben an den „Engel" der Gemeinde von Pergamus dieser mit den Worten getadelt 2, 14 f.: „ich habe wider dich etwas Weniges, daß du daselbst hast, die sich an die Lehre Bileams halten, der den Balak lehrte, Anlaß zur Sünde zu geben den Söhnen Israels, zu essen Götzenopfer und Unzucht zu treiben: so hast auch du solche, die sich an die Lehre der N. halten gleicher= weise". Ohne Frage bezieht sich hier das „so auch du" nicht auf Ephesus zurück (de W., 50 Völt.), sondern zusammen mit „gleicherweise" auf die durch Bileam verführten Israeliten. Jene Worte rechtfertigen daher nicht die Annahme, in Pergamus hätten „Bileamiten und N." als zwei verschiedene Richtungen bestanden (Thiersch 246, de W., Völt). Vielmehr wird nur ein Vergleich angestellt zwischen der Verlockung der Israeliten zum Götzenopfer und zur Unzucht, wie sie infolge des von Bileam dem Moabiterkönige ge= 55 gebenen Rates eintrat (Nu 25, 2; 31, 8. 16) und der Verführung von Mitgliedern der Gemeinde von Pergamus durch die N. Die Lehre der N. ist also auch inhaltlich mit dem Rate Bileams übereinstimmend gedacht, insoweit er hier mit Übergehung des eigentlichen Götzendienstes (Nu 25, 1) angegeben ist. Daher sind die den N. vorgeworfenen Laster nicht bildlich zu deuten als allgemeine Sittenlosigkeit und Irrlehre (Herb., Eichh., 60

Züll., ähnl. Vitr.). Und die Unzucht kann nicht bloße Gleichgiltigkeit gegen die mosaischen Eheverbote (Ritschl 135) sein. Sondern im eigentlichen Sinn wird Unzucht und
Genuß von Götzenopferfleisch den N. vorgeworfen samt der entsprechenden „Lehre", also
der theoretischen Rechtfertigung.

5 Danach ist es zweifellos, daß auch in dem Sendschreiben an den Engel der Gemeinde von Thyatira, ohne daß hier der Name der N. genannt wird, doch die gleiche
Partei gemeint ist, wenn es hier heißt 2, 20 ff.: „ich habe wider dich, daß du gewähren
lässest dein Weib Isabel, die sich Prophetin nennt und lehrt meine Knechte Unzucht zu
treiben und Götzenopfer zu essen" u. s. w. Daß es hier (V. 20) nicht „das Weib"
10 sondern „dein Weib" heißt, ist wegen der besseren Bezeugung (durch die Kodices A B)
und der scheinbar weit größeren Schwierigkeit dieser Lesart gewiß (vgl. Wohl., Zahn).
Dann aber geht es nicht an, hier an irgend ein der Gemeinde angehöriges Weib zu
denken, mag man ihm dabei den Namen Isabel (Wlf., Beng.) oder einen anderen zuschreiben (a Lap., Herd., Ew., de W., Düst., Holzm., Wß., Sp., Bouss.). Noch weniger
15 ist es statthaft, Isabel als Bezeichnung für die Priesterin am Heiligtum der chaldäischen
Sibylle Sambethe in Thyatira zu fassen (Schür., Völt. Probl. 415); dagegen entscheidet
außer anderem (vgl. Zahn) die deutliche Zugehörigkeit der Isabel zu den innerhalb der
chr. Gemeinde stehenden N. Vielmehr könnte man, wenn man die Beziehung auf ein
wirkliches Weib annimmt, darunter nur die Ehefrau des als „Engel" bezeichneten Re-
20 präsentanten der Gemeinde, also etwa des Bischofs, verstehen (Grot., Klief., Füll., Zahn,
Wohl.). Allein, daß diese in Thyatira ungestört ein so lasterhaftes Leben geführt und
dazu andere Gemeindeglieder verlockt hätte, ist unbedingt schon wegen des Lobes, das der
„Engel" und in ihm die Gemeinde um ihres Fortschrittes willen in chr. Werken erhält,
Mithin kann überhaupt nicht von einem wirklichen Weibe die Rede sein. Sondern es
25 liegt hier ein ähnlicher Vergleich vor wie 2, 2, nämlich zwischen der Art, wie König Ahab
sein götzendienerisches Weib Isabel in Israel herrschen ließ, und der Schwäche der Gemeindeleitung gegenüber der Partei der N. (vgl. Ebr.), so faßt Isabel als der Typus für diese
gedacht ist. Infolge davon wird dann auch das angedrohte Gericht über die Partei, ihre
Angehörigen und Anhänger in dem Bilde einer Strafe über die götzendienerische Königin,
30 ihre Kinder und Buhlen dargestellt (vgl. Vitr., Eich., Hengst., Seef.). Daß dabei die
2, 14 durch Vergleichung des Rates Bileams gemachte Angabe über die Lehre der N.
hier in Bezug auf die Lehre der Isabel einfach wiederholt wird 2, 18, beweist, daß wir
hier nicht eine verschiedene Form der Irrlehre (Thiersch), sondern dieselbe Partei der N.
vor uns haben. Nur ihr Erfolg in den Gemeinden ist verschieden. Während sie in Ephesus
35 auf energischen Widerstand gestoßen ist, in Pergamus einzelne Anhänger gefunden hat,
übt sie in Thyatira bei der Schwäche, welche die gegenüber der Gemeindeleitung beweist,
einen weitgehenden Einfluß aus (vgl. Ebr., Klief.), und zwar hier wohl besonders durch
Beförderung unzüchtigen Wesens (vgl. die Voranstellung der Unzucht in 2, 6 im Unterschiede von 2, 14). Auch mochten ihre Führer hier mit dem Anspruch hervortreten, prophe-
40 tische Inspiration zu besitzen (2, 20) und mit deren Hilfe „die Tiefen des Satans" zu erkennen (2, 24). Mag dieser Ausdruck der Redeweise der N. selbst entnommen (Neand.,
Hengst., Gebh., Sp., Bouss., Zahn) oder als ironische Bezeichnung sei es der übrigen
Gemeindeglieder (Züll., Ebr.), sei es des Apokalyptikers (Beng., Herd., Eich., de W.,
Ew., Düst., Holzm., Hilg.) für die nach ihrem Vorgeben erforschten „Tiefen der Gott-
45 heit" (vgl. 1 Ko 2, 10; Rö 11, 33) gebraucht sein, jedenfalls ist damit wohl eine dua-
listische Spekulation gemeint, welche das Böse mit Aufhebung der menschlichen Schuld
auf überweltliche Mächte zurückführte.

Weiter aber sind auf die N. auch, was weniger allgemein anerkannt ist, die Worte
im Beginn des ephes. Sendschreibens zu beziehen 2, 2 „ich weiß — daß du die Bösen nicht
50 tragen kannst und daß du geprüft hast, die sich selbst Apostel nennen und es doch nicht sind,
und sie als Lügner befunden hast". Daß die hier Genannten nicht jüdische Lehrer (Züll.)
sind, beweist ihr Anspruch Apostel sein zu wollen, und auf Johannesjünger zu raten
(Eich.) ist willkürlich. Eher könnte man an judaistische Parteiführer denken (Ew., Gebh.,
Sp.) mit Berufung darauf, daß Paulus solche als übergroße, falsche Apostel bezeichnet
55 hatte (2 Ko 11, 5. 13; 12, 11). Doch konnten ebensogut auch andere Vertreter härc-
tischer Lehren sich den Beruf von Aposteln anmaßen. Und von judaistischem Wesen der
Apk 2, 2 genannten Leute ist gar nichts angedeutet. Überhaupt fehlt es hier zu ganz
an einer deutlichen Kennzeichnung derselben, daß man eine solche im Folgenden erwarten
muß. Andererseits wäre es auffallend, wenn der Hinweis auf die N., der in den anderen
60 Sendschreiben im Vordergrunde steht, in dem ephesinischen erst am Schlusse 2, 6 beiläufig

nachschleppen sollte. Daher ist anzunehmen, daß nach der kurzen Anerkennung der Ge=
duld der Gemeinde und ihres Gegensatzes gegen die falschen Apostel der erste Teil dieses
Lobes in B. 3, der zweite in B. 6 mit ausdrücklicher Nennung der N. wieder aufgenom=
men wird. Gegen diese Auffassung ist nicht etwa auf den Wechsel zwischen dem aoristi=
schen Ausdruck „du hast geprüft, hast befunden" 2, 2 und der präsentischen Aussage „du 5
hassest" 2, 6 hinzuweisen, als ginge daraus hervor, daß die falschen Apostel der Ver=
gangenheit, die N. dagegen der Gegenwart angehören (Gebh. 221, Seef.; vgl. Völt. 36,
Sp. 32. 250, Holtzm. 281). Denn die präsentischen Worte: „du kannst nicht die Bösen
ertragen" 2, 2 sind offenbar dem Zusammenhange nach in bestimmter Beziehung auf die
N. gemeint, zugleich aber so enge mit jener aoristischen Aussage verbunden, daß das 10
gegenwärtige Nichttragenkönnen und Hassen nur als die andauernde Folge des un=
mittelbar vorangegangenen auf das gleiche Objekt bezüglichen Prüfens und Befindens
gedacht sein kann. Die falschen Apostel sind also mit den N. identisch.

2. Aus diesen Hinweisungen auf die Partei der N. ergiebt sich ein deutliches Bild
von ihnen, das demjenigen des antinomistischen Libertinismus in Korinth nach den Ko= 15
Briefen sehr ähnlich ist. Von paulinischer freierer Erkenntnis (1 Ko 8, 1) ausgehend
und im Zusammenhange mit der in der kor. Gemeinde ausgebildeten Neigung zu Weis=
heitsdünkel (1 Ko 4, 6 ff.; 5, 2; 8, 1) hatte diese Richtung im Gegensatz gegen jüdische
Gesetzlichkeit zu mannigfachem Rückfall in heidnische Denkart und Sitte geführt. Man
verflüchtigte die chr. Auferstehungslehre (1 Ko 15, 13 ff.), entweihte die chr. Liebesmahle 20
durch Schmausereien nach Art der heidnischen Kultvereine 11, 17 ff., und indem man den
auf die Lehre des Paulus von der chr. Freiheit begründeten Satz „alles ist erlaubt" in
der unstatthaftesten Weise ausbeutete (6, 12; 10, 23), scheute man sich nicht vor dem
Genusse von Opferfleisch selbst bei Opfermahlzeiten in heidnischen Tempeln, noch vor
Ausschweifung und Unzucht bis zu deren widerwärtigsten Formen. Die Ähnlichkeit 25
dieser korinthischen Richtung mit den N. macht es zweifellos, daß beide in geschichtlichem
Zusammenhange stehen und daß auch die letzteren dem Boden des paul. Heidenchristen=
tums entstammen. Was aber dort in Korinth noch eine bloße Richtung war, ist hier
eine von Agitatoren geleitete Partei geworden. Hier und dort finden wir die gleichen
Unsitten des Götzenopferessens und der Unzucht in Verbindung mit dem Anspruch auf 30
besonders hohe Erkenntnis. Aber aus der einfachen Beschönigung jener Sünden durch
Berufung auf die paul. Freiheitslehre ist hier eine mit dualistischer Spekulation verbun=
dene „Lehre" geworden. Dem entsprechend hat sich die geistige Überhebung der Liberti=
nisten weiter entwickelt zu dem Anspruch ihrer Führer auf prophetische Begabung 2, 20
und auf die Würde von Aposteln 2, 2, was wohl im weiteren Sinne von selbstständigen 35
geistbegabten Wanderlehrern (Didache 11, 3) auch gemeint sein kann. Dieser Zug tritt in dem Bilde
einer sonst sehr verwandten Erscheinung, der Irrlehre des Judasbriefes (s. d. A. Bd IX
S. 589) nicht hervor, während sich da andererseits etwas entwickeltere Konsequenzen des
dualistischen Gottesbegriffs zeigen.

Ebenso sicher aber wie die Auffassung der N. als eines heidenchr., die paul. Frei= 40
heitslehre überspannenden, Libertinismus, zu behaupten, ist die Meinung abzuweisen, die
Apk bekämpfe an den betreffenden Stellen zugleich oder auch gerade besonders den Apostel
Paulus mit seinen Gehilfen (Köstlin, Joh. Lehrb. 486; Baur, Christ. u. K. d. 3 ersten
Jahrh. 2, 75 ff.; Schwegler, Nachap. Z. 172; Volkm., Holtzm., Ren., Hilg., Hausr. vgl.
dagegen Neand., Düst., Ritschl, Mang., B. Weiß, Gebh., Weizs.). Man hat sich dafür wohl 45
gar auf Apk 2, 9 berufen (Ren. 305), als ginge aus dieser Stelle hervor, daß die N.
bei ihrem heidenchr. Charakter doch jüdischer Abstammung wären, was dann freilich auf
Paulus führen könnte. Aber die hier genannten Leute sind nicht die N. sondern Feinde
der Christen, denen diese Lästerung und Verfolgung zu erdulden (2, 9) und schlim=
mere Leiden bis zur Gefahr des Lebens zu erwarten haben (2, 10); es ist dies die dem 50
Evangelium feindselige, ihres Judennamens sich unwürdig machende Synagoge (vgl. Hilg.,
Einl. 417 ff.). Aber auch die allerdings auf die N. bezüglichen Worte Apk 2, 2 können
nicht auf Paulus und seine Gehilfen gehen. Denn es selbst wird nicht mehr am Leben,
während alle die betreffenden Aussagen der Apk sich auf eine gegenwärtige Erscheinung
beziehen (s. oben Nr. 1), seine Gehilfen aber erhoben nicht den Anspruch auf apostolische 55
Würde. Und was in der Apk von den Sünden der N. gesagt wird, kann jene Be=
ziehung auf Paulus nur geradezu ausschließen. Denn dieser hat dieselben Sünden um
nichts weniger scharf bekämpft, die Unzucht schon in seinem verloren gegangenen Send=
schreiben an die korinthische Gemeinde (1 Ko 5, 9) und dann im 1. Ko=Brief (5, 1 ff.;
6, 12 ff.). Und in enger Verbindung damit verbietet er entschieden auch jeden bewußten 60

Genuß von Götzenopferfleisch und zwar nur in seinen unbedenklicheren Formen lediglich
aus Rücksicht auf die schwachen Gewissen (9, 1 ff.), dagegen für den Fall, der in der Apk
nach 2, 14 wohl allein ins Auge gefaßt ist, daß damit irgend eine Art von Beteiligung
am Götzendienste verknüpft wäre, an und für sich, nämlich wegen der dadurch herbei-
5 geführten Abwendung von der Gemeinschaft mit dem Herrn zur Gemeinschaft mit den
Dämonen (10, 15 ff.). Und er weist in seiner Warnung vor der Unzucht bereits auf
dasselbe abschreckende Beispiel hin wie später die Apk, auf die durch Bileams Rat veranlaßte Verführung der Israeliten zur Teilnahme an den unzüchtigen heidnischen Opfer-
gelagen (10, 8). Endlich versäumt er es auch im 1. Ko-Brief, wo er vorwiegend nur mit
10 den judaistischen Gegnern zu thun hat, keineswegs, auch die libertinistische Richtung schnei-
dend abzufertigen (6, 14 ff. 12, 20—13, 10). Danach könnte Paulus unmöglich in der
Apk beschuldigt werden, Götzenopferwesen und Unzucht gelehrt zu haben. Wenn man
aber meint, die Apk beziehe sich mit ihrem Vorwurf der Verführung zur Unzucht auf
1 Ko 7, 12 f., wo Paulus die Ehe von Christen und Heiden erlaube (Vlm. 83) oder
15 auf 1 Ko 7, 39 f., wo er „im Gegensatz gegen strengere Pneumatiker" die Wiederverhei-
ratung ihrer Witwen gestattet (Hilg., Einl. 415), so steht dem der Ausdruck der Apk
(πορνεύειν) entgegen. Ganz haltlos ist auch die Behauptung (Völt, 1882), unter den
Pseudoaposteln, den Bileamiten und der Prophetin Isabel Apk 2, 14 seien die Montanisten, unter den von jenen zu unterscheidenden N. aber die Gnostiker nach Art der
20 Ophiten aus derselben Zeit (160—170) zu verstehen. Schon die Trennung der beiden
Gruppen ist unstatthaft (s. oben). Eine Beziehung auf die Montanisten wird weder durch
den Anspruch auf Prophetie noch dadurch gefordert, daß Epiphanius einmal in seiner
Verteidigung der Apk gegen die Aloger (adv. haer. 51, 33) zu der Behauptung flüchtet,
dieselbe enthalte eine Weissagung auf montanistische Prophetinnen, ausgeschlossen aber
25 durch den Vorwurf der Unzucht und des Götzenopferessens, der zu der asketischen Moral
der Montanisten doch gar zu schlecht stimmt und nicht ohne reine Willkür als allgemeine
Bezeichnung ungöttlichen Wesens (Völt) gefaßt werden kann. Und auf die Gnostiker
des 2. Jahrhunderts führt nichts. Nicht weniger grundlos ist die Vermutung, die Sätze,
in denen die N. genannt werden, seien eine spätere Interpolation (Völt. 1893).
30 3. Was die Kirchenväter über die N. sagen, spricht nicht dafür, daß die N. erst im
2. Jahrhundert entstanden seien oder daß es überhaupt abgesehen von dem N. der Apk
im 2. Jahrhundert, sei es nun im Zusammenhang mit diesen (Neand.) oder ohne einen
solchen (Mosh.), eine Sekte desselben Namens gegeben habe. Wenn die N. bei Hegesipp
und Justin noch gar nicht, sondern erst von der Zeit des Irenäus an unter den Ketzern
35 genannt werden, so geschieht das nicht darum, weil sie erst inzwischen aufgetreten oder
wieder neu hervorgetreten wären, sondern infolge des zunehmenden Eifers, sämtliche Ketzer
der apost. und späteren Zeit möglichst vollständig aufzuzählen. Freilich werden die N.
in allen patr. Ketzerverzeichnissen nach Basilides und Satornil genannt. Aber daraus zu
schließen, daß sie zeitlich auf diese folgen, ist ungerechtfertigt. Denn die Reihenfolge in
40 den Ketzerverzeichnissen der KV. ist durchaus keine völlig chronologische (vgl. Lipsius,
Quellen der ält. Ketzerg. 28, 35, 47; Harnack 48) und ihre relative Uebereinstimmung
erklärt sich aus dem litterarischen Abhängigkeitsverhältnis, in dem die Verzeichnisse untereinander, besonders die späteren, von dem des Irenäus oder der Quelle desselben stehen.
Irenäus sagt ausdrücklich 3, 11, 1, die N. hätten „viel früher" als Kerinth eine ähn-
45 liche Lehre wie dieser gehabt und gegen beide habe Jo sein Evangelium geschrieben. Er
setzt sie also in die apost. Zeit und läßt sie auf Basilides und Valentin ja auf Kerinth
und die Ebioniten in der Aufzählung nicht darum folgen, weil er sie für zeitlich später
hält, sondern weil er an Kerinth, wie um der ähnlichen Christologie willen die Ebioniten,
so jene wegen sonstiger Verwandtschaft anreihen will. Danach ist denn auch seine un-
50 bestimmte Angabe, daß die N. ohne Unterscheidung leben (1, 26, 3) und daß sie ein Zweig
der fälschlich sogenannten Gnosis seien (3, 11, 1), nicht aus der Kenntnis ihrer gegenwärtigen Verhältnisse sondern um so mehr aus bloßer Benutzung der Apk (2, 14. 24)
abzuleiten, da er sich nur auf diese für die Charakteristik der N. beruft. Es ist daher
möglich, daß auch seine Behauptung, die N. hätten den Nikolaos, einen der sieben Diakonen
55 der Urgemeinde, zum Lehrer gehabt (1, 26, 3), auf einer ähnlichen bloßen Vermutung beruht,
wie die patr. Angabe über Ebion als Urheber der ebionitischen Häresie, wobei es dann
begreiflich wäre, daß man auf den einzigen Nikolaos riet, der im NT erwähnt ist. Wie
wenig Irenäus aber von anderen N. weiß, als denen der apost. Zeit, ergiebt sich auch
daraus, daß er an Basilides und Karpokrates sich anschließende spätere Häretiker, die er
60 ebenso schildert wie die N., dennoch mit diesen in keine Verbindung bringt (1, 28, 2).

Noch deutlicher ist alles, was Tertullian über die N. sagt (praescr. 33, adv. Marc. 1, 29, de pud. 19) bloß aus der Apk geschöpft, und daß es zu seiner Zeit eine Sekte dieses Namens gegeben habe, wird geradezu ausgeschlossen durch seine Bemerkung (praescr. 33), es gebe auch jetzt N., nur anderer Art, die Häresie des Gajus genannt würden. Es ist also nur eine sachliche Verwandtschaft, die er zwischen den N. der Apk 5 und einer anderen, auch anders genannten, Häresie seiner Zeit konstatieren will. Die Aussagen des Hippolyt über die N. in den Philosophumena 7, 36 (im Summarion des 10. Buches übergeht er sie) gründen sich ganz auf die des Irenäus. Das gilt nicht bloß von seiner Angabe, Nikolaos, dessen Anhänger in der Apk bekämpft würden, habe, von der rechten Lehre abgefallen, Unterscheidungslosigkeit in Leben und Nahrung gelehrt, son= 10 dern auch von seiner Behauptung, Nikolaos sei der Urheber von mannigfachen Irrungen der Gnostiker geworden. Letzteres hat er aus Irenäus 3, 11, 1 entnommen, indem er dabei mißverständlich unter dem Gnostikern nach der auch sonst vorkommenden engeren Bedeutung des Wortes speziell die Anhänger der syrischen Vulgärgnosis verstand. Mehr selbständigen Wert scheint es zu haben, wenn er einmal (in dem syr. Fragm. seiner 15 Schrift über die Auferstehung bei Pitra anal. syr. IV, 61. 330) bemerkt, Nikolaos habe die nach ihm benannte Sekte durch die Lehre hervorgerufen, daß die Auferstehung schon in der Bekehrung und Taufe erfolgt sei. Indessen seine hinzugefügte Äußerung, dadurch seien die Gnostiker entstanden, zu denen auch Hymenäus und Philetus gehörten, legt die Vermutung nahe, daß dies alles nur eine Kombination aus 2 Ti 2, 17 sei. Eine 20 allgemeine Bemerkung aber über die Begründung gnostischer Irrlehren durch Nikolaos hat Hippolyt wahrscheinlich in seinem verloren gegangenen Syntagma gemacht und ebenda hat er wohl auch berichtet, der Abfall des Nikolaos sei aus Eifersucht auf sein schönes Weib hervorgegangen, das er, von sich selbst aus schließend, des unmoralischen Lebens beschuldigt habe. Man kann das — abgesehen von der ausdrücklichen Zurückführung des 25 letzten Zuges auf Hippolyt von seiten des Stephan Gobarus bei Photius (bibl. 232) — aus den (wie Lipsius nachgewiesen hat) auf das Syntagma des Hippolyt sich grün= denden Ketzerkatalogen des Epiphanius, Philastrius und Pseudotertullian ersehen, von welchen Epiphanius (haer. 1, 2 h. 25) beiderlei Angaben des Hippolyt mit starker Ausführung der Eifersucht und Sinnlichkeit des Nikolaos wiedergiebt, Philastrius (haer. 30 33) die Ableitung des Gnosticismus von Nikolaos aufnimmt und Pseudotertullians (praescr. 46) Lehren von unreiner Vermischung des Lichtes mit der Finsternis, welche Hippolyt (bei Epiphan. und Philastr.) einer der späteren gnostischen Sekten zuschrieb, ge= radezu dem Nikolaos in den Mund legt, an den nun hier die Ophiten angereiht werden. Das Einzige, was in allen diesen patr. Nachrichten über die N. als eine von der Apk 35 unabhängige, geschichtliche Überlieferung angesehen werden könnte, ist der schon bei Hippolyt nachweisbare Zug, daß der Diakon Nikolaos durch Eifersucht auf sein Weib zu schlimmen Verirrungen geführt worden sei. Indessen kann sich derselbe auch leicht sagenhaft ge= bildet haben, wenn einmal die Zurückführung der nik. Häresie auf einen Diakonen Ein= gang gefunden hatte. Eine bloße Variation desselben ist aber, was Clemens von Alex. 40 mit Berufung auf ein allgemeines „man sagt" von Nikolaos erzählt (Strom. 2, 20, 118; 3, 4, 25), er habe, von den Aposteln wegen seiner Eifersucht auf seine schöne Frau gerügt, sie entlassen und jedem freigestellt, sie zu heiraten, indem er seine Handlungsweise mit dem Grundsatz gerechtfertigt habe, man müsse das Fleisch mißhandeln; dies hätten seine Anhänger irrtümlich in dem Sinne gefaßt, daß man sich den Lüsten hingeben müsse, 45 und dadurch seien sie zu ihrem schamlos unzüchtigen Wesen veranlaßt worden, während Nikolaos es im entgegengesetzten Sinne gemeint hätte. Daß Clem. hier nichts vom Götzenopferessen der N. sagt, hat seinen Grund im Zusammenhang, in dem es sich das eine Mal um die Lust, das andere Mal um die Ehe handelt, ist also nicht ein Beweis dafür, daß er eine von der Apk unabhängige Kenntnis einer ihm gegenwärtigen Erschei= 50 nung hätte. Auf eine solche führt nichts, auch nicht die präsentische Darstellungsweise, die sich auch bei Irenäus findet; gleich diesem weiß auch Clem. nur von den N. der Apk und er variiert die von Hippolyt vertretene Überlieferung über Nikolaos offenbar in der Tendenz, diesen möglichst von der Schuld der Sektenstiftung zu reinigen, gelangt aber damit zu der Unwahrscheinlichkeit, daß eine Häresie aus einem leicht aufzuklärenden Miß= 55 verständnis entstanden sei. Von Clemens ist jene Geschichte weiter auf Eusebius, nach dem die Sekte der N. nur ganz kurze Zeit bestanden hat (h. e. 3, 30), Augustin (haer. 5), Theodoret (haer. l. 3, 1) u. a. übergegangen, und auf ihr beruht auch die Angabe in den apost. Konstitutionen (6, 8): Andere treiben schamlos Unzucht, wie die jetzigen (auf die Zeit des hier redenden Petrus bezogen) sogen. N.; vgl. 6, 10. 60

5*

Sollte aber auch selbst die patr. Zurückführung der N. auf den Diakon Nikolaos nur auf einer Vermutung beruhen, so wäre damit noch nicht gesagt, daß diese unrichtig sei. Allerdings wird es wohl kaum auf einem dem Apokalyptiker unbewußten, rein zu= fälligen Zusammentreffen beruhen, daß der dem Namen der N. zu Grunde liegende Name
5 ihres Hauptes Nikolaos seiner Bedeutung nach (einer, der das Volk in seine Gewalt zu bringen weiß) dem hebräischen Namen Bileam entspricht nach einer nahe liegenden und nicht unmöglichen (Fürst, Handwörterb. I, 194) Ableitung dieses Wortes (von בלע ver= schlucken, bildlich in Besitz haben Hi 20, 15. 18, in seine Gewalt bringen Jer 51, 34 und עם das Volk, vgl. Sanhedrin 105a, Renan 304). Aber hieraus ist dann nicht zu
10 schließen, daß der Name N. in der Apk nur von Bileam als ein symbolischer abgeleitet sei (Vitr., Wetst., Eichh., Herd., Züll., Hengst., Düst.), sondern nur, daß die etymolo= gische Verwandtschaft der Namen den Apokalyptiker mit dazu veranlaßte, das Beispiel Bileams herbeizuziehen. Denn da in der Apk der Name der N. als ein den Lesern bereits bekannter vorausgesetzt zu sein scheint (2, 6), so ist es ziemlich wahrscheinlich, daß
15 diese Partei so nach ihrem Führer hieß. Und dann ist es nicht unmöglich, daß man an den Diakonen Nikolaos zu denken hätte, der Proselyt also früher Heide gewesen war und aus Antiochia stammte, mithin nach Kleinasien zurückgekehrt und dort in eine liber= tinistische Richtung geraten sein könnte.   Sieffert.

Nikolaus I., Papst, 858—867. — Eine neue Ausgabe der Briefe bereitet Schneider
20 vor für MG Epistolae; ältere Drucke, sämtlich sehr ungenügend: Mansi 15, S. 144 ff.; MSL 119, S. 769 ff.; Jaffé 1², S. 341—368. Zur Biographie: Liber Pontificalis ed. Duchesne II. Weiteres in den Darstellungen — meist wertlos — ver= zeichnet Chevalier, Répertoire und Supplément sub voce. Von den neueren Arbeiten hebe ich hervor: R. Baxmann, Die Politik der Päpste 2, S. 1—28; E. Dümmler, Geschichte
25 des Ostfränkischen Reiches 2¹, S. 52—217; B. Niehues, Geschichte des Verhältnisses zwischen Kaisertum und Papsttum im Mittelalter 2, S. 199—316; Gregorovius, Geschichte der Stadt Rom im MA 3. Bd; Langen, Geschichte der römischen Kirche von Nikolaus I. bis Gregor VII. S. 1—113; Jules Roy, Principes du pape Nicolas I er, in Etudes d'histoire du Moyen âge dédiées à Gabriel Monod S. 95—105; Hauck, Kirchengeschichte Deutschlands 2², S. 533 bis
30 557; J. Richterich in Revue internationale de théologie 9, S. 560 ff. 735 ff.; 10, S. 116 ff. 512 ff.; 11, S. 46 ff.; derselbe hat auch eine neue Biographie in Aussicht gestellt. Vgl. auch Hefele, Conciliengeschichte 4² und die Litteratur zu den AA. Hinkmar Bd VIII, S. 86 und Photius.

Auf die Kunde vom Tode Papst Benedikts III. (7. April 858) eilte Kaiser Ludwig II.
35 sofort nach Rom, um die Erhebung eines ihm genehmen Kandidaten durchzusetzen. Er langte in der That noch zeitig genug an, um der Wahl beiwohnen zu können, und es ist wohl möglich, daß er, wie man im Frankreiche behauptete, nach dem Berichte des Priesters Hadrian (f. Bd VII, S. 306) die Wahl auf den Diakonen Nikolaus lenkte, der, wie es scheint, für einen Anhänger der kaiserlichen Partei galt. Allein wenn der
40 neue Papst nach seiner Weihe (24. April) sich auch gegen die kaiserliche Partei erkenntlich zeigte (vgl. Duchesne S. 167 Anm.), so beweist er doch bald, daß er sich keineswegs als Unterthan des Kaisers fühle. — Geboren zu Rom als der Sohn des vornehmen Defensors Theodor, seit Sergius II. (844—847) als Subdiakon, seit Leo IV. (847—855) als Diakon im „Patriarchium des Lateran" thätig, hatte Nikolaus durch seine ausgezeichnete
45 Bildung, seine Schönheit, Beredsamkeit, Klugheit schon frühe Aufmerksamkeit erregt, so daß er bereits unter Benedikt III. den größten Einfluß auf die Leitung der Kirche aus= übte (f. Bd II, S. 558, 45 ff.). Als Papst gewann er bald ganz die Liebe des römischen Volkes. Denn er blieb mönchisch einfach in seinen Gewohnheiten wie in seinem Auf= treten, erwies sich als ein großer Wohlthäter der Armen, als ein überaus sorgsamer Regent
50 und auch als ein sehr frommer und fleißiger Bauherr. Aber die weltgeschichtliche Be= deutung seines Pontifikates beruht nicht auf dem, was er in Rom und für Rom schuf, sondern auf der Stellung, die er in den großen kirchlichen Streit= und Zeitfragen ein= nahm. Indem er diese Fragen vor sein Forum zog, hat er 1. eine neue Anschauung von der Würde und der Macht des Papsttums begründet und zugleich 2. in eindrucks=
55 vollster Weise diese neue Anschauung praktisch geltend gemacht und dem Papsttum eine Weltstellung erobert, wie es sie nie zuvor im Abendlande besessen hatte.

In der berühmten Dekretale Duo quippe hatte Papst Gelasius I. in klassischer Weise die Ansprüche formuliert, zu denen das Papsttum im Verlaufe der altkirchlichen Entwickelung gelangt war: der Papst, der von Gott erkorene Regent der Kirche, als
60 solcher dem Kaiser ebenbürtig an Rang und von ihm unabhängig, jedoch in weltlichen

Dingen dem Kaiser unterthan, wie der Kaiser in geistlichen Dingen der Kirche. Diese Ansprüche waren, als Nikolaus zur Regierung kam, nicht vergessen, aber faktisch außer Geltung gesetzt. Erst Nikolaus hat sie in vollem Umfange bis in ihre letzten Konsequenzen erneuert. Der Papst, behauptet er, ist der unumschränkte Herrscher der Gesamtkirche, die Bischöfe sind abhängige päpstliche Beamte, die Synoden Organe zur Verkündigung und Ausführung des päpstlichen Willens. Das kirchliche Recht kann nur insoweit als Recht gelten, als es päpstliches Recht oder von den Päpsten gebilligt ist. Der Papst ist also geradezu das lebendige Gesetz und zugleich Inhaber der obersten Gerichtsbarkeit, persönlich aber als Stellvertreter Christi, Sprachrohr des hl. Geistes, Organ der göttlichen Weltregierung, selbstverständlich keinem menschlichen Gerichte unterworfen. — Diese Anschauungen hätten zweifellos nirgends Anerkennung gefunden, hätte ihnen nicht in der mächtigsten Kirche des Abendlandes, in der fränkischen Reichskirche, die Pseudo-Isidora den Weg bereitet. Aber Nikolaus hat sie nicht erst aus der Pseudo-Isidora geschöpft. Sie sind das Produkt seines eigenen Nachdenkens und von ihm zunächst ohne Bezugnahme auf die große Rechtsfälschung begründet worden. Erst seit 864 hat er diese neue Quelle verwertet. Ob er dabei in gutem Glauben handelte, ist eine viel erörterte Streitfrage. 858 beantwortete er eine Anfrage des Abts Lupus von Ferrières in Betreff einer gefälschten Dekretale des Melchiades mit Stillschweigen. Erst nach der Ankunft des Bischofs Rothad von Soissons in Rom Sommer 864 verrät er Kenntnis der Fälschung, behauptet aber dann alsbald, daß die unechten Dekretalen „von alten Zeiten her in den Archiven der römischen Kirche aufbewahrt und ihm überliefert seien." Danach ist die Annahme kaum von der Hand zu weisen, daß erst Rothad die Pseudo-Isidora nach Rom gebracht hat und jene Versicherung des Papstes eine bewußte Lüge ist. Es fragt sich nur, ob einem Manne, dem sonst nichts Kleinliches anhaftet, eine solche Lüge zugetraut werden kann. Hauck verneint S. 542 Anm. 4 diese Frage. Erwägt man aber, mit welch skrupelloser Sophistik Nikolaus die kirchliche Überlieferung für seine Zwecke ausbeutet (vgl. die berühmt gewordene Deutung des Kanon 17 von Chalcedon Epist. 8 Mansi p. 201 primas dioeceseos = der Papst, nicht der Exarch = Obermetropolit der Provinz; denn der Singular dioeceseos ist die hier für den Plural nur deshalb gesetzt, „um der Einheit des Glaubens und Friedens Ausdruck zu geben!" Durch diese Deutung wird der Kanon aus einer Angriffswaffe gegen Rom ein Beweisstück für die römischen Ansprüche), so wird man ihn doch einer Unwahrheit nicht für unfähig halten können. Denn von der Sophistik bis zur Lüge ist nur ein Schritt. — Allein Nikolaus geht noch weiter als die Pseudo-Isidora. Er begnügt sich nicht mit dieser die völlige Unabhängigkeit der Kirche von aller weltlichen Gewalt zu proklamieren, alle Staatsgesetze, die kirchlichen Rechten entgegenstehen, für unverbindlich zu erklären, die Bischofswahlen, die Gerichtsbarkeit über Geistliche, die Einberufung und Abhaltung von Synoden, ja selbst die Verfügung über die Pfarrkirchen und damit über das Kirchengut für die Kirche resp. für den Papst zu beanspruchen, er fordert auch unverhüllt den Ehrenvorrang vor allen weltlichen Fürsten und faktisch sogar eine förmliche Oberhoheit über alle weltlichen Gewalten. Die erstere Forderung ergiebt sich schon aus der Thatsache, daß er in Briefen an Fürsten seinen Namen in der inscriptio stets an erster Stelle nennt und es energisch rügt, wenn die Fürsten in ihren Briefen diese Regel der Etikette nicht respektieren; die letztere, der Anspruch auf faktische Oberhoheit geht aus seinem ganzen Verhalten den Fürsten gegenüber hervor: er mischt sich sehr häufig in ihre Angelegenheiten und nicht etwa bloß um ihnen zu raten, sondern um ihnen zu befehlen, was ihm gut dünkt, und selbst wenn er einmal bloß bittet, bittet er so, als habe er ein Recht dazu. Danach kann es nicht Wunder nehmen, daß schon er den Kaiser gleichsam als Lehnsmann des hl. Petrus betrachtet und Salbung, Krönung und Bestätigung durch die apostolische Autorität für die Erlangung der Nachfolge im Reiche für mindestens ebenso wesentlich hält, wie die Zugehörigkeit zur stirps regia. Von dieser Anschauung bis zu dem Anspruche Gregors VII. auf die Weltherrschaft ist nur noch ein Schritt. Man sagt daher nicht zu viel, wenn man behauptet: Nikolaus hat die mittelalterliche Papstidee geschaffen. Denn die ganze weitere Entwickelung dieser Idee bewegt sich in der Richtung, die schon er ihr mit unverzagter Konsequenz gewiesen hat. — All diese Ansprüche bedeuteten gegenüber dem faktisch bestehenden Rechtszustande eine revolutionäre Neuerung. Eben darum wird Nikolaus nicht müde, sie darzulegen und zu begründen, so daß seine Briefe oft geradezu zu Abhandlungen werden. Als solche, als Kundgebungen des neuen Dogmas von dem göttlichen Beruf des Papsttums zur Herrschaft über die Kirche und die Welt, haben sie denn auch auf Mit- und Nachwelt aufs stärkste gewirkt. Als solche gehören sie ebenso

zu den Thaten des großen Papstes wie die praktischen Verfügungen, durch die er jenem
Dogma im Morgen= und Abendlande Anerkennung und Geltung zu verschaffen suchte.
　　Nikolaus hatte das seltene Glück, daß er seinen hierarchischen Ehrgeiz stets befriedigen
konnte, indem er äußerlich als Anwalt der bedrängten Unschuld auftrat. Zum ersten=
5 male wurde ihm diese dankbare Rolle angetragen im Jahre 860, und zwar von Byzanz.
Der unschuldig Bedrängte und Verdrängte war in diesem Falle der abgesetzte Patriarch
Ignatius, die ungerechten Verfolger der Caesar Bardas und der von Bardas eingesetzte
Patriarch Photius (s. d. A. Photius). Nikolaus beantwortete das Antrittsschreiben des
Photius und die Bitte des Kaisers, ihm bei der Beilegung der Wirren im Patriarchate
10 von Konstantinopel behilflich zu sein, damit, daß er eine Gesandtschaft nach Byzanz ab=
ordnete, nicht um den neuen Patriarchen zu unterstützen, sondern um die Vorgänge bei
seiner Erhebung zu untersuchen. Zugleich benützte er die gute Gelegenheit, um in Byzanz
eine ganze Reihe alter römischer Forderungen von neuem geltend zu machen: Wieder=
herstellung des päpstlichen Vikariats Thessalonich, Abtretung des Erzbistums Syrakus,
15 Wiedererstattung der von Kaiser Leo dem Isaurier in Sizilien und Kalabrien dem
hl. Petrus entrissenen Patrimonien. In Byzanz nahm man diese Forderungen überhaupt
nicht ernst. Den unbequemen Ansprüchen des Papstes in der strittigen Rechtsfrage aber
ging man dadurch aus dem Wege, daß man seine Legaten gewann. Mit ihrer Zustim=
mung erklärte sich im Mai 861 ein großes Konzil zu Konstantinopel gegen Ignatius
20 und für Photius. Aber Ignaz appellierte an den Papst und bot so diesem Gelegenheit,
von neuem sich in die byzantinischen Angelegenheiten zu mischen. In einem feierlichen
Rundschreiben an die Patriarchen des Ostens (8. Mai 862) wurden sämtliche orientalische
Bischöfe angewiesen, Photius nicht als Patriarchen anzuerkennen. Als dies nichts half
und auch ein neuer Appell an Kaiser Michael und Photius nichts fruchtete, griff Nikolaus
25 endlich zu der ultima ratio paparum: Auf einer römischen Synode im April 863
erklärte er „kraft Urteils des hl. Geistes, der durch ihn rede", Photius für abgesetzt und
exkommuniziert. Im Orient machte dies Verdikt ebensowenig Eindruck, wie die lang=
atmigen Briefe, die der Papst ihm nachschickte. Erst als die römischen Priester in die
Bulgarei eindrangen, entschloß sich Photius zu einem kräftigen Gegenschlage, indem er
30 auf einer großen Synode zu Konstantinopel 867 seinerseits Nikolaus als Tyrann und
Irrlehrer absetzen und exkommunizieren ließ. Die plötzliche Wendung in diesem echt by=
zantinischen Intriguenspiel, den Sturz des Photius und die Restitution des Ignaz, erlebte
zwar Nikolaus noch, aber als die Nachricht davon in Rom anlangte, war er bereits
verschieden. In diesem größten seiner Kämpfe mußte er also bei seinem Ende Rom für
35 besiegt halten.
　　Einen ähnlichen Kampf für die bedrängte Unschuld und zugleich für die Interessen
Roms hatte er mit dem Erzbischof Johann von Ravenna zu bestehen. Schon Leo IV.
hatte diesen gewaltthätigen Mann und seinen Bruder, den Dux Georg, wegen grausamer
Behandlung päpstlicher Unterthanen unter Strafe bedrohen müssen. Jetzt beschwerten sich
40 insbesondere die Bischöfe der Ämilia über unrechtmäßige Geldforderungen und andere
Bedrückungen. Entschlossen die Autonomie Ravennas, soweit sie noch bestand, für immer
zu beseitigen, nahm Nikolaus sofort für die Geschädigten Partei, lud Johann dreimal
vor sein Gericht, exkommunizierte ihn, als er nicht erschien, und ging sogar selbst nach
Ravenna um auf einer Synode den Anklägern Johanns zu ihrem Rechte zu verhelfen.
45 Nun wandte sich Johann an den Kaiser und suchte durch diesen den Papst einzuschüchtern.
Vergebens! Nikolaus blieb fest, so daß sich der stolze Erzbischof endlich am 18. November
861 auf einer Synode im Lateran unterwerfen und auf alle die Vorrechte, die er bisher
vor den mittelitalischen Metropoliten besessen hatte, verzichten mußte. Er fügte sich frei=
lich nicht lange. Schon im März 862 wurde er wegen Irrlehre und Ungehorsams wieder
50 exkommuniziert und noch im Jahre 863 begegnet er uns unter den Gegnern des Papstes.
Aber schließlich hielt er es doch für geraten, seinen Frieden mit Nikolaus zu machen
und sich mit der untergeordneten Stellung zu begnügen, die dieser dem mächtigsten
Metropoliten Mittelitaliens unter den Untergebenen des hl. Stuhles anwies. — Ein
ähnliches Schicksal bereitete Nikolaus dem mächtigsten Metropoliten Westfrankens, Hinkmar
55 von Reims (s. Bd VIII, S. 88). Nur war Hinkmar klüger als Johann. Er fügte sich
in der Sache Rothads von Soissons unbedingt, in dem Prozesse Wulfad und Genossen
versprach er 866 wenigstens, binnen Jahresfrist Nikolaus' Befehl nachzukommen. Hätte
der Papst nicht infolge der Vorgänge in Konstantinopel die moralische Unterstützung
Hinkmars gebraucht, so hätte er sich kaum mit dieser Erklärung zufrieden gegeben. Aber
60 das, worauf es ihm hauptsächlich ankam, hatte er doch erreicht: der mächtigste fränkische

Hierarch hatte sich vor ihm beugen müssen. Nun galt es, die fränkische Kirche gegen Photius und die Griechen mobil zu machen. Und auch das glückte vollständig. Die Kirche, die einst Karl d. Gr. gehorchte, gehorchte jetzt ebenso unbedingt dem Papste. — Aber noch eindringlicher sollte es den lotharischen Bischöfen und dem Könige Lothar von Lotharingien zum Bewußtsein kommen, daß jetzt nicht mehr der König, sondern der Papst 5 der Gebieter der Kirche sei. Die unschuldig Verfolgte, für die Nikolaus in diesem Falle eintrat, war Thietberga, die verstoßene Gemahlin König Lothars, ihre Verfolger König Lothar, seine Buhlerin Waldrada und der feile lotharische Episkopat. Auf den Hilferuf der unglücklichen Königin ordnete der Papst 863 eine Gesandtschaft nach Lotharingien ab, um den Handel an Ort und Stelle durch eine Synode beilegen zu lassen. Allein die 10 Legaten ließen sich von dem König überreden und bestechen. Auf der Synode zu Metz im Juni 863 bestätigten sie die früher wider die Königin ergangenen Urteile. Der Zustimmung des Papstes glaubte man danach sicher zu sein. Allein man täuschte sich. Nikolaus empfing die Führer des lotharischen Episkopates, die Erzbischöfe Günther von Köln und Thietgaud von Trier, zwar zunächst, wie es heißt, ganz freundlich. Aber es 15 fiel doch schon auf, daß er sie volle drei Wochen auf Antwort warten ließ, und wie überraschte er sie dann, als er sie endlich Ende Oktober 863 zu einer Synode in den Lateran berief! Bei verschlossenen Thüren hielt er über die ganze lotharische Kirche Gericht, kassierte den Metzer Beschluß, bannte und entsetzte die beiden Erzbischöfe ihres Amtes, ja stieß sie für immer aus dem geistlichen Stande. Die übrigen Bischöfe aber 20 bedrohte er mit der gleichen Strafe, falls sie dies Urteil nicht anerkennen und unverzüglich in Rom ihre Unterwerfung anzeigen würden. — So gewaltig aber zugleich auch so gewaltsam war noch nie von einem Papste ein König und eine ganze Kirche gemaßregelt worden. Der Eindruck dieses Gerichtstages war denn auch ungeheuer. Die beiden Erzbischöfe, die sich nicht mit Unrecht als Opfer eines Überfalls betrachteten, empörten sich allerdings 25 gegen das formell sehr anstößige Urteil und bewogen sogar Kaiser Ludwig mit seinem Heere in Rom einzurücken, um den anmaßenden Papst zur Vernunft zu bringen. Aber Nikolaus ließ sich auch durch die Gewaltthaten des kaiserlichen Gefolges nicht um= stimmen. Nicht er, sondern der Kaiser gab schließlich nach. Die gebannten Erzbischöfe mußten, nachdem sie noch mit Gewalt einen schriftlichen Protest gegen das päpstliche Ur= 30 teil auf dem Grabe des hl. Petrus hatten niederlegen lassen, in ihre Heimat zurückkehren. Hier aber hatte das päpstliche Urteil wie ein Donnerschlag gewirkt. König Lothar hatte zwar Waldrada nicht entlassen, aber die Absetzung seiner Erzbischöfe anerkannt und der lotharische Episkopat beeilte sich, seinen Frieden mit dem Papste zu machen. Dies Er= gebnis genügte Nikolaus selbstverständlich nicht. Er plante jetzt noch eine gewaltigere 35 Demonstration gegen König Lothar: eine große Synode italischer und fränkischer Bischöfe. Allein seiner ersten Einladung leistete kein einziger fränkischer Bischof Folge und als er Ende 864 seine Aufforderung erneuerte, traten ihm plötzlich Ludwig d. Deutsche und Karl d. Kahle hindernd in den Weg. Besorgt um die Selbstständigkeit ihrer Kirchen verständigten sich die beiden Fürsten im Februar 865 zu Thousey über ein gemeinsames Vorgehen in der 40 Sache Lothars: sie versagten ihren Bischöfen den Urlaub zur Romreise, versprachen aber dafür dem Papste Lothar zur Entlassung der Waldrada zu bestimmen. Nikolaus verbarg seine Enttäuschung über das Mißlingen seines Planes nicht. Aber dafür hatte er die Genugthuung, daß Lothar, auch von Ludwig dem Deutschen im Stiche gelassen, sich am 3. August 865 zu Vendresse bei Sedan in Gegenwart des päpstlichen Legaten Arsenius 45 mit Thietberga versöhnte und in feierlichster Form gelobte, sie fortan als seine Ehefrau und Königin zu haben und zu halten. Dem Legaten wurde dann noch die angenehme Aufgabe zu teil, Waldrada und eine andere Ehebrecherin, die Nikolaus viel Arbeit gemacht hatte, die Gräfin Engeltrud, über die Alpen zu bringen. Aber beide entzogen sich durch die Flucht ihrem Schicksal. Schon Ende 865 war Waldrada wieder mit Lothar ver= 50 einigt. Damit erneuerte sich das alte Spiel. Die unglückliche Thietberga sah jetzt keinen anderen Ausweg, als Scheidung der unseligen Ehe. Aber Nikolaus wollte nichts von Scheidung wissen. Er war entschlossen, den Ungehorsam Lothars zu brechen. In Lotha= ringien erwartete man allgemein schon die Exkommunikation des Königs, als der Tod des Papstes plötzlich die ganze Situation änderte. — Dieser ganze Ehehandel ist nicht nur 55 darum sehr lehrreich, weil sich in ihm Nikolaus' Persönlichkeit in ihrer ganzen Größe offenbart, sondern auch weil er zeigt, daß der Kampf dieses Papstes um die Herrschaft in der Kirche zugleich ein Kampf verschiedener Rechtsanschauungen war: die fränkische und römische Auffassung von der Stellung des Papsttums, fränkisches und römisch-kirchliches Eherecht standen sich in ihm gegenüber. Aber der Papst hatte dennoch auch im Reiche 60

Lothars die öffentliche Meinung für sich. Denn er trat nicht nur ein für eine bestimmte Rechtsanschauung, sondern für den Bestand der heiligsten sittlichen Ordnungen. — Wenn etwas für Nikolaus charakteristisch ist, so ist es die großartige Umsicht, mit der er nach allen Seiten hin die Machtsphäre des hl. Stuhles zu erweitern suchte. Diese Eigenschaft bewährte
5 er nicht zuletzt in seinen Maßnahmen auf dem Missionsfelde. In Bulgarien hat er allerdings erst auf Antrag des Fürsten Boris die römische Mission begründet, aber er verfuhr dabei wie die berühmten responsa ad consulta Bulgarorum zeigen, mit solcher Weisheit, daß er als Missionsorganisator Gregor d. Gr. an die Seite gestellt werden darf. In Mähren hat er auch nicht den Anstoß zur Mission gegeben, aber indem er Konstantin
10 und Method zu sich entbot, bewirkte er, daß die junge mährische Kirche nicht der griechischen, sondern der lateinischen Kirche sich anschloß. — Nikolaus hat schon auf die Zeitgenossen einen überwältigenden Eindruck gemacht. Wenn Regino von Prüm ihn mit Elias und mit Gregor d.Gr. verglich, so gab er nur dem allgemeinen Urteile Ausdruck, und wenn die Enkel und Urenkel Karls d. Gr. so demütig mit ihm reden, als wären sie
15 seine Untergebenen, so zeigt das, daß er das Ziel seiner Lebensarbeit vollständig erreicht hatte: nicht der Kaiser sondern der Papst galt, als er am 13. November 867 starb, im Abendlande als das Haupt der Christenheit. Zum Schlusse sei noch hervorgehoben, daß er auch, was geistige Bildung anlangt, eine Ausnahmeerscheinung unter den römischen Bischöfen darstellt: er hat nicht nur die Dekretalen seiner Vorgänger emsig studiert,
20 sondern kennt auch das Justinianische Rechtsbuch und besitzt eine beachtenswerte Belesenheit in den Kirchenvätern. Ebendarum hatte er auch eine hohe Meinung von dem Einflusse der Litteratur auf das kirchliche Leben: er ist der erste Kirchenfürst, der die Einrichtung einer geistlichen Bücherzensur ernstlich ins Auge gefaßt hat.   **H. Böhmer.**

Nikolaus II., Papst 1058—1061. — Schriften: Diplomata, epistolae, decreta:
25 MSL 143 S. 1301—1366; A. Potthast, Bibliotheca historica medii aevi, 2. Aufl., Berlin 1896, 2. Bd S. 854 f. 1492; Ph. Jaffé, Regesta pontificum Romanorum, Ed. II, Lipsiae 1885, tom. I S. 557—566, t. II S. 750; J. v. Pflugk-Harttung, Acta pontificum Romanorum inedita I, Tübingen 1881, S. 27 ff., II, 1884, S. 84 ff., III, 1886, S. 9 ff.; derselbe, Die Bullen der Päpste bis zum Ende des 12. Jahrhunderts, Gotha 1901; K. Kehr,
30 Nachrichten von der Königlichen Gesellschaft der Wissenschaften zu Göttingen, phil.-hist. Klasse, 1898, H. 1 S. 30 f., H. 3 S. 266 f.

Litteratur: Fr. Cerroti, Bibliografia di Roma medievale e moderna, vol. I, Roma 1893, p. 386 ff.; Ulysse Chevalier, Répertoire des sources historiques du moyen âge, Paris 1877 ff., S. 1640 f.; derselbe, Supplément, Paris 1888, S. 2751; J. M. Watterich, Ponti-
35 ficum Romanorum vitae tom. I, Lipsiae 1862, S. 206 ff., 738 f.; C. Höfler, Die deutschen Päpste, 2.Abt., Regensburg 1839, S. 289—360; A. Fr. Gfrörer, Papst Gregor VII. und sein Zeitalter, 1. Bd, Schaffhausen 1859, S. 578 ff.; R. Baxmann, Die Politik der Päpste von Gregor I. bis auf Gregor VII., 2. Tl, Elberfeld 1869, S. 269 ff.; P. Hinschius, Kirchenrecht der Katholiken und Protestanten, 1. Bd, Berlin 1869, S. 248—261; W. Köpffel, Die Papst-
40 wahlen u. s. w., Göttingen 1871; F. Gregorovius, Geschichte der Stadt Rom im Mittelalter, 4. Bd, 3. Aufl., Stuttgart 1877, S. 105 ff.; P. Scheffer-Boichorst, Die Neuordnung der Papstwahl durch Nikolaus II., Straßburg 1879; derselbe, Hat Nikolaus II. das Wahldekret widerrufen? Mitt. des Instituts f. österr. Gesch., VI. Bd, S. 550 ff., XIII, S. 107 ff.; C. J. v. Hefele, Conciliengeschichte, 4. Bd, 2. Aufl., Freiburg i. Br. 1879, S. 798 ff.; H. Grauert, Das Dekret
45 Nikolaus II. von 1059: HJG 1880, 502 ff.; W. v. Giesebrecht, Geschichte der deutschen Kaiserzeit, 3. Bd, 5. Aufl., Leipzig 1885, S. 23 ff.; W. Martens, Die Besetzung des päpstlichen Stuhles unter den Kaisern Heinrich III. und Heinrich IV., Freiburg i. Br. 1887, ZKR XX, S. 204 ff.; derselbe, Gregor VII. sein Leben und Wirken, 2 Bde, Leipzig 1894; Annalen des deutschen Reichs im Zeitalter der Ottonen und Salier, 1. Bd von G. Richter und H. Kohl (= An-
50 nalen der deutschen Geschichte im Mittelalter von G. Richter III. Abt.), Halle a. S. 1890, S. 8; G. Meyer von Knonau, Jahrbücher des deutschen Reichs unter Heinrich III. und Heinrich IV., 1. Bd Leipzig 1890, S. 91 ff., 678 ff., 3. Bd, 1900, S. 653 ff.; J. Langen, Geschichte der römischen Kirche von Nikolaus I. bis Gregor VII., Bonn 1892, S. 502—532; K. Panzer, Das Wahldekret Papst Nikolaus' II. und sein Rundschreiben „Vigilantia universalis": ZKR
55 XXII, S. 400 ff.; L. v. Heinemann, HZ LXV, S. 44 ff.; Th. Mirbt, Die Publizistik im Zeitalter Gregors VII., Leipzig 1894; L. v. Heinemann, Geschichte der Normannen in Unteritalien und Sicilien, 1. Bd, Leipzig 1894, S. 177 ff.; A. Hauck, Kirchengeschichte Deutschlands, 3. Tl, Leipzig 1896, S. 678 ff.; H. Gerdes, Geschichte der salischen Kaiser und ihre Zeit (Geschichte des deutschen Volkes und seine Kultur im Mittelalter, 2. Bd), Leipzig 1898, S. 139 ff.

60   Kaum hatte der römische Adel davon Kenntnis erhalten, daß Papst Stephan X. im Hause seines Bruders, des Herzogs Gottfried, am 29. März 1058 in Florenz gestorben war, so sorgte er in größter Eile für die Neubesetzung durch eine ihm genehme Per-

sönlichkeit. Bereits am 5. April wurde Bischof Johann von Velletri, der als Papst den Namen Benedikt X. (vgl. d. Art. Bd II, S. 564) annahm, inthronisiert. Die durch diese Erhebung heraufbeschworene Gefahr einer Wiederkehr der Zustände, die einst das Eingreifen Heinrichs III. notwendig gemacht hatten, erkannte Hildebrand sofort, als er auf der Rückreise von Deutschland von den römischen Vorgängen Nachricht erhielt (vgl. d. Art. Bd VII S. 101). Aber er ist der schwierigen Situation Herr geworden. Nachdem er sich mit Herzog Gottfried über Bischof Gerhard von Florenz als Ersatzmann für Benedikt X. geeinigt hatte, wußte er dem letzteren einen Teil der Römer abspenstig zu machen und für Gerhard zu gewinnen. Darauf bediente er sich eben dieser römischen Partei, um seinem Kandidaten den Schutz des deutschen Hofes zu verschaffen. Auf dem Reichstag zu Augsburg erschien Juni 1058 ein von dieser Gruppe abgesandter Bote und erlangte die Gewißheit, daß die Kaiserin der Wahl des in Vorschlag gebrachten Bischofs Gerhard zustimmen würde (Annales Altahenses maiores SS XX 809, Hauck S. 680, Meyer von Knonau S. 674 ff.). Da die Rüstungen zum Zweck der gewaltsamen Beseitigung des Adels-Papstes erst im Herbst d. J. zum Abschluß gelangten, ist jedoch erst im Dezember 1058 die eigentliche Wahl des Bischofs Gerhard zum Papst in Siena vollzogen worden, wohin die bei der Erhebung Benedikts aus Rom flüchtig gewordenen Kardinäle zusammenberufen worden waren. Nach einer in Sutri abgehaltenen Synode, an der Herzog Gottfried und Kanzler Wibert teilnahmen, gelang es, im Januar 1059 Benedikt X. aus Rom zu vertreiben und Bischof Gerhard am 24. Januar durch die Kardinalbischöfe im Beisein von Klerus und Volk regelrecht auf dem Stuhl Petri zu inthronisieren. Der Neugewählte, von Geburt ein Lothringer, gehörte vielleicht zu den von Leo IX. nach Italien gezogenen Klerikern (vgl. d. Art. Bd XI S. 379) und bekleidete schon unter diesem Papst das florentinische Bistum. Daß er den Namen Nikolaus II. erhielt, war bezeichnend für die Absichten der hildebrandinischen Reformpartei, die hinter ihm stand und durch das gewichtige Wort Petrus Damiani's (vgl. d. Art. Bd IV S. 431) die Agitation zu seinen Gunsten aufnahm.

Gegenüber den Normannen in Unteritalien hatten die Päpste seit Leo IX. eine wechselnde Politik verfolgt, aber sie hatten nicht vermocht, ihrem Vordringen Grenzen zu setzen. Vielmehr wuchs noch die Normannengefahr, denn Robert Guiscard wurde 1057, nach dem Tode des Grafen Humfried, Graf von Apulien und Graf Richard von Aversa gründete sich in Capua ein Fürstentum. Daß der römische Stuhl erkannte, die Normannen nicht verdrängen zu können, bewies ein klares Urteil; daß er sie zu seinem Bundesgenossen machte, war ein politisches Meisterstück, das wir den besten Leistungen Hildebrands zurechnen dürfen. Schon am Anfang des Jahres 1059 war er mit den Normannen in Verbindung getreten, hatte den Fürsten Richard in Capua aufgesucht und mit ihm das Abkommen getroffen, daß Nikolaus II. ihn in seinem Fürstentum anerkannte und daß Richard ihm den Treueid leistete. Die erste Frucht dieses Vertrages war, daß der Papst mit normannischen Truppen den Kampf gegen Benedikt X. in der Campagna eröffnen konnte, freilich ohne zunächst einen entscheidenden Erfolg davon zu tragen und ohne den Gegenpapst aus Galera zu vertreiben. Ende August desselben Jahres erfolgte dann der Abschluß des Bündnisvertrages und zwar in Melfi, der Hauptstadt des normannischen Apuliens. Nikolaus II. hatte sich persönlich hier eingefunden, begleitet u. a. von Hildebrand, Kardinal Humbert und Abt Desiderius von Monte Cassino, der bereits an den Vorversammlungen im Frühjahr beteiligt gewesen zu sein scheint. Der Papst belehnte hier Herzog Robert Guiscard mit Apulien, Calabrien und Sizilien und Fürst Richard mit Capua und empfing dafür von ihnen den Lehenseid. Robert — und Richard wird das gleiche geschworen haben — versprach (die Eidesformeln Roberts: Watterich I, S. 233 f.): Dem Papst Treue zu halten und an keinem Ratschlag und keiner That gegen das Leben des Papstes sich zu beteiligen; der römischen Kirche bei der Festhaltung ihrer Hoheitsrechte und Besitzungen beizustehen; dem Papst Nikolaus zu helfen, daß er sicher und in Ehren das römische Papsttum, das Land und das Fürstentum des hl. Petrus festhalte; endlich im Falle des Todes Nikolaus' II. oder seiner Nachfolger auf die Mahnung der Kardinäle seine Hilfe darzubieten, daß ein Papst gewählt und eingesetzt würde zur Ehre des hl. Petrus. Außerdem versprach Robert in einem zweiten Eid, um das Vasallenverhältnis zum Ausdruck zu bringen, jährlich für jedes Joch Ochsen 12 Denare dem Papst zu entrichten. Jede der beiden den Vertrag abschließenden Parteien kam somit auf ihre Rechnung und erreichte, was sie erstrebte: die Normannen erhielten die Anerkennung der Früchte ihrer Eroberungspolitik und die Anwartschaft auf weitere Gebietsvergrößerungen, der Papst aber fand die militärische Unterstützung, die ihn gegenüber dem abendländischen wie dem

morgenländischen Kaisertum unabhängig machten, und zwar in dem Grade, daß er es
wagen konnte, jene Gebiete als Lehen zu vergeben, obwohl er auf sie keinen anderen Anspruch hatte, als den der konstantinischen Schenkung entnommenen. Mit normannischer Hilfe
wurde noch im Herbst d. J. der Papst Benedikt X. zur Kapitulation in Galera gezwungen
5 und damit das Adelspapsttum beseitigt. Über die weiteren Schicksale Benedikts vgl. den
Art. Bd II S. 564.

Diesem Bündnis mit den Normannen trat ein anderes mit der Pataria (vgl. d. A.)
in Oberitalien zur Seite. Bereits unter Stephan X. war es durch Hildebrand und Anselm von Lucca bei ihrem Aufenthalt in Mailand als päpstliche Legaten im November
10 1057 angebahnt worden, unter Nikolaus II. gelangte es zum Abschluß. Von Mailand
aus erging nämlich jetzt an den Papst die Bitte, ihrer bis auf den Grund zerrütteten
Kirche sich anzunehmen. Daraufhin entsandte Nikolaus II. im Frühjahr 1059 als Legaten den Kardinal Petrus Damiani und den Bischof Anselm von Lucca nach Mailand
und erzielte durch deren geschicktes Wahrnehmen der römischen Interessen einen vollen
15 Erfolg (Bericht des P. Dam. über die Legation an Hildebrand: Actus mediolani, de
privilegio Romanae ecclesiae, opusc. V). Als es nämlich zu einer Erhebung des
antipaterenischen Volkes kam, während der Klerus in dem erzbischöflichen Palast versammelt war, verstand Petrus Damiani den Sturm zu beschwichtigen und erreichte, daß Erzbischof Wido von Mailand und die Domgeistlichkeit der Simonie und dem Nikolaitismus
20 durch einen Eidschwur öffentlich entsagten. Diese Scene war ein Triumph der patareni-
schen Bewegung, in noch höherem Grade aber der römischen Kurie, denn sie bedeutete
die Unterwerfung Mailands unter den Stuhl Petri. Arnulf, der Geschichtschreiber der
Mailänder Kirche, hat den Vorgang in der Kathedrale richtig eingeschätzt, als er das
Fazit zog: Dicetur in posterum subiectum Romae Mediolanum (gesta archi-
25 episcoporum Mediolan. lib. III, c. 15, MG SS VIII, S. 21). Denn schon nach
wenigen Wochen wurde Erzbischof Wido zu der Ostersynode nach Rom zitiert und hat,
wie Bonizo von Sutri sagt (liber ad amicum VI, libelli de lite imperatorum ac
pontificum t. I, p. 593,41 ff.), volens nolens dem Rufe Folge leisten müssen, mit ihm
die „hartnäckigen Stiere", die lombardischen Bischöfe.
30   Die Wirkungen dieser Bündnisse mit den Normannen und mit der Pataria zeigte
die Lateransynode Nikolaus II. im April d. J. 1059. Ihrer Zusammensetzung nach
konnte sie nicht als Vertreterin der Gesamtkirche gelten, denn es waren fast nur italienische Kleriker anwesend, Frankreich und vor allem Deutschland waren unvertreten; die
Zahl von 113 Teilnehmern wird von Nikolaus II. selbst und von Bonizo genannt. Der
35 wichtigste Beschluß dieser Synode war die Annahme des berühmten Gesetzes über die
Papstwahl, das für die Besetzung des päpstlichen Stuhles neue Rechtsnormen aufstellte
(der Text ed.L. Weiland: MG LL Sect. IV, Constitutiones imperatorum, Hannover 1893,
S. 538 ff.; Abdruck: C. Mirbt, Quellen zur Geschichte des Papsttums, 2. Aufl. Tübingen 1901,
Nr. 181 S. 97 f.). Dieses Gesetz bestimmte (§ 1), daß nach dem Ableben eines Papstes
40 zunächst die Kardinalbischöfe zusammentreten sollen, um über die Person des Nachfolgers
zu beraten, daß sie biese sodann, wenn sie sich geeinigt haben, die Kardinalkleriker heranziehen
und zusammen mit diesen die Wahl vollziehen; daß endlich der übrige Klerus und das
Volk von Rom zum Schluß ihre Zustimmung erteilen. (§ 2) Die Kardinalbischöfe und
Kardinalkleriker sind bei der Wahl die Führer, die übrigen Teilnehmer folgen ihnen.
45 (§ 3) Der Kandidat für die päpstliche Würde ist zunächst innerhalb des römischen Klerus
zu suchen, findet sich aber hier keine geeignete Persönlichkeit, dann darf er auch anderswoher genommen werden. (§ 5) Als Ort der Wahl gilt an erster Stelle Rom, für den
Fall jedoch, daß ausnahmsweise durch die Verkehrtheit schlechter Menschen hier eine reine,
unverfälschte Wahl nicht stattfinden kann, sollen die Kardinalbischöfe das Recht haben, mit
50 den Kardinalklerikern und frommen Laien, wenn auch nur wenigen, an einem Orte
den Papst zu wählen, der ihnen angemessener erscheint. (§ 6) In dem Fall, daß nach
vollzogener Wahl Kriegssturm oder irgend ein böswilliger Anschlag verhindert, daß der
Gewählte dem Herkommen gemäß auf dem apostolischen Stuhl inthronisiert werden kann,
so soll trotzdem der Gewählte wie ein Papst die gesamte kirchliche Machtvollkommenheit
55 besitzen. Dazu kommt noch der Königsparagraph (§ 4): „Dabei soll die schuldige Ehre
und Achtung vor unserem geliebten Sohne Heinrich erhalten bleiben, welcher gegenwärtig
König ist, und von dem die Hoffnung besteht, daß er mit Gottes Hilfe künftig werde
Kaiser werden, so wie wir ihm das schon zugestanden haben wie seine Nachfolgern, die
von diesem apostolischen Sitze dieses Recht (das Kaisertum) erlangt haben" (Meyer v. Knonau
60 I, S. 135 ff.). — Diese Neuordnung der Besetzung des päpstlichen Stuhles verfolgte zu-

nächst den Zweck, in der Form eines Gesetzes das bei der Erhebung Nikolaus II. im Drang der Not tatsächlich beobachtete Verfahren zu legalisieren, aber war zugleich das Mittel, die Papstwahlen dauernd neuen Faktoren zu überweisen und bezeichnet, da diese Absicht auch erreicht worden ist, einen Wendepunkt in der Geschichte der Papstwahlen. Daß hier ein neues Recht geschaffen wurde, unterliegt keinem Zweifel, wenn auch durch 5 Rückverweisung auf Leo I. der Versuch gemacht wird, die Änderung als Wiederherstellung alten Herkommens darzustellen. Daß das Wahlrecht dem Klerus und dem Volk entzogen, daß den Kardinälen die Wahlbefugnis zugesprochen, daß der bisherige Anteil des Kaisers bei der Besetzung des päpstlichen Stuhles beiseite geschoben wird, wenn auch in unbestimmten und mehrdeutigen Ausdrücken sein „Recht" nicht bestritten wird, waren 10 offenbare Abweichungen von der geltenden Praxis, und wurden, da sie eine Umwälzung des ganzen Wahlverfahrens zur Folge hatten, die Grundlage für ein neues Papstwahlrecht. Die starke Bevorzugung der Kardinalbischöfe in diesem Wahlgesetz weist darauf hin, daß wir in ihrer Mitte seinen geistigen Urheber zu suchen haben; dann aber spricht die größte Wahrscheinlichkeit für Humbert, den Kardinalbischof von Silva Candida. Die 15 Frage, ob die sogenannte kaiserliche Fassung oder die päpstliche Recension als echt anzusehen ist, ist seiner Zeit durch die Untersuchung von Scheffer-Boichorst zu Gunsten der letzteren entschieden worden. Als Konzipient der Fälschung ist der Kardinalpriester Hugo der Weiße (vgl. b. Art. Bd VIII S. 431) anzusehen (Meyer v. Knonau III, S. 653 ff.).

Die Regelung der Besetzung des Stuhles Petri war nicht die einzige Angelegenheit, 20 die die Lateransynode beschäftigt hat. Es wurden auch ernste Maßregeln zur Durchführung des Priestercölibats beschlossen (Mirbt, Publizistik S. 265 f. 435. 448); ein Gesetz gegen die Laieninvestitur wurde erlassen (ebend. S. 475); Berengar v. Tours (vgl. b. Art. Bd II S. 607) mußte ein Glaubensbekenntnis unterzeichnen, das die bisher von ihm vertretene Auffassung vom Abendmahl in schärfster Form verwarf; die auf dem Reichstag 25 zu Aachen unter Ludwig dem Frommen 817 erlassenen Verordnungen über das Leben der Kanoniker und Nonnen wurden aufgehoben, da sie den Besitz von Privateigentum und den Genuß so reichlicher Nahrung gestatteten, daß sie, wie die Bischöfe entsetzt ausriefen, für Matrosen aber nicht für Kleriker paßten.

Die Beschlüsse dieser Synode wurden von Nikolaus II. in einem an alle Christen 30 gerichteten Manifest veröffentlicht (Jaffé 4405) und werden daher im Sommer 1059 in Deutschland bekannt geworden sein. Die offenbare Ignorierung der Rechte des Kaisers auf die Ernennung des Papstes mußte hier um so tiefer empfunden werden, als zu gleicher Zeit jene Belehnung der Normannen erfolgt war, die keinen geringeren Übergriff darstellte, und auch keine andere Gelegenheit von der Kurie versäumt wurde, um Deutsch- 35 land zu zeigen, daß sie keinen Anlaß habe, Rücksichten zu nehmen; dem Erzbischof Siegfried von Mainz wurde das Pallium verweigert (P. Damiani, ep. VII) und Erzbischof Anno v. Köln empfing eine Zurechtweisung (Deusdedit, Libellus contra invasores c. 11). Ein deutscher Protest gegen die Maßnahmen Nikolaus II. ist aber zunächst unterblieben, denn eine auf Weihnachten 1059 nach Worms einberufene Synode kam nicht zu stande 40 (Lambert, Annales z. J. 1060, MG SS V, S. 161).

Im Frühjahr 1060 tagte eine neue Lateransynode (Hauck S. 699 ff.; Meyer v. Knonau I, S. 177 ff.), auf der ein Beschluß gegen die Simonisten gefaßt (Mirbt, Publizistik S. 435. 440) und Benedikt X. feierlichst seiner Würden entkleidet wurde, auch das Wahlgesetz eine Bestätigung erfuhr. Bald nach dieser Synode, der Zeitpunkt ist kontrovers, ging ber 45 Kardinalpriester Stephan vom Titel des hl. Chrysogonus als Legat des Papstes an den deutschen Hof, um den hier herrschenden Unwillen zu beschwichtigen. Schon Ende Dezember 1059 war Anselm von Lucca als päpstlicher Legat dort angelangt, aber wir kennen den Inhalt seiner Mission nicht, von der nur zu vermuten ist, daß sie wahrscheinlich nicht die Ostersynode 1059 betraf. Kardinal Stephan ist überhaupt nicht empfangen worden, und 50 hat, nachdem er 5 Tage lang vergeblich auf eine Audienz gewartet, unverrichteter Sache, ohne das päpstliche Schreiben übergeben zu haben, wieder abreisen müssen (Meyer v. Knonau I, S. 684 ff.). Dieser schroffen Abweisung des Hofes ist, vielleicht erst Anfang 1061, die antikuriale Kundgebung des deutschen Episkopats gefolgt. Ort und Zeit dieser Versammlung sind unbekannt, auch über ihre Zusammensetzung bestehen Zweifel. Sie be- 55 schloß, nicht nur alle Anordnungen des Papstes (Wahlgesetz) zu kassieren (P. Damiani, Disceptatio synodalis), sondern ihn abzusetzen und seinen Namen aus dem Kirchenkanon zu streichen (Deusdedit, Libellus contra invasores I, c. 11). Politische oder kirchliche Wirkungen hat dieses Vorgehen des deutschen Episkopats jedoch nicht gehabt, denn es fehlte der Wille und die Kraft zu einheitlichem Handeln und die Kurie war über die verworrenen 60

Verhältnisse in Deutschland (vgl. b. Art. Anno v. Köln Bd I S. 556) viel zu gut unterrichtet, um etwa durch scharfe Gegenkundgebungen seinen auseinanderstrebenden politischen Gruppen ein gemeinsames Ziel zu stecken.

1061 ist Nikolaus II. in seiner alten Bischofsstadt Florenz gestorben, nach dem Ne=
5 krologium von Monte Cassino am 19. Juli (Muratori, Scriptores rer. Ital. VII, S. 944) nach Bernolds Chronik am 27. Juli (MG SS V, S. 427). Es war kein bedeutender Papst, aber da er, wie P. Damiani, Epist. I, 7 sagt, in Kardinal Humbert; dem Bischof Bonifatius von Albano und Hildebrand acutissimi et perspicaces oculi besaß, ist trotzdem sein kurzer Pontifikat durch bedeutsame und folgenreiche Ereignisse ausgezeichnet.
10   Carl Mirbt.

Nikolaus III., Papst 1277—1280. — Quellen: Les Registres de Nicolas III (1277—1280), Recueil des bulles de ce pape publiées ou analysées d'après les manuscrits originaux des archives du Vatican par Jules Gay (= Bibliothèque des écoles françaises d'Athènes et de Rome, 2. série XIV, 1) fasc. 1, Paris 1898; dieses Heft enthält 302 Num=
15 mern, vom 15. Januar bis 24. Mai 1278. Mitteilungen aus dem Vatikanischen Archive, herausgegeben von der kaiserlichen Akademie der Wissenschaften: 1. Bd, Aktenstücke zur Ge= schichte des deutschen Reiches unter den Königen Rudolf I. und Albrecht I., Wien 1889, herausgegeben von F. Kaltenbrunner; 2. Bd, Eine Wiener Briefsammlung zur Geschichte des deutschen Reichs und der österreichischen Länder in der zweiten Hälfte des XIII. Jahrhunderts,
20 Wien 1894; Annales Placentini MG SS XVIII, p. 569 sq.; Annales Parmenses maiores ib. p. 687 sq.; Martini Oppaviensis chronicon pontificum et imperatorum, Continuatio Ro= mana: ib XXII p. 476 sq.; O. Posse, Analecta Vaticana, Oeniponti 1878, S. 74 ff.; A. Pott= hast, Regesta pontificum Romanorum vol. II, Berolini 1875, S. 1719—1755; Vita Ni= colai III. von Bernardus Guidonis: L. A. Muratori, Rerum italicarum scriptores tom. III
25 p. 606 f.; Ptolemaei Lucensis historia eccles. c. 26 ff.: ib. tom. XI p. 1179; Ray= naldus, Annales ecclesiastici ad a. 1277—1280; J. F. Böhmer, Regesta imperii VI. Die Re= gesten des Kaiserreichs unter Rudolf, Adolf, Albrecht, Heinrich VII. 1273—1313. Neu herausg. von O. Redlich, 1. Abt. (1273—1291), Innsbruck 1898.

Litteratur: Chr. W. Franz Walch, Entwurf einer vollständigen Historie der röm. Päpste,
30 2. Ausg., Göttingen 1758, S. 295 ff.; Archibald Bower, Unparteiische Historie der röm. Päpste, übersetzt von Rambach, 8. Thl, Magdeburg und Leipzig 1770, S. 183 ff.; Sugenheim, Ge= schichte der Entstehung und Ausbildung des Kirchenstaates, Leipzig 1854, S. 176 ff.; Reumont, Geschichte der Stadt Rom, 2. Bd, Berlin 1867, S. 593 ff.; O. Lorenz, Deutsche Geschichte im 13. und 14. Jahrhundert, 2. Bd, 1. Abth., Wien 1866; J. Ficker, Forschungen zur Reichs=
35 und Rechtsgeschichte Italiens, 2. Bd, Innsbruck 1869, Nr. 385. 386, S. 453 ff.; Kopp, Ge= schichte von der Wiederherstellung und dem Verfall des heiligen römischen Reichs, 2. Bd, 3. Abschn., bearbeitet von Busson, Berlin 1871, S. 22 ff. u. S. 161 ff.; J. Heller, Deutsch= land und Frankreich in ihren politischen Beziehungen bis zum Tode Rudolfs von Habsburg, Lübeck 1874, S. 72 ff.; F. Gregorovius, Geschichte der Stadt Rom im Mittelalter, 5. Bd,
40 3. Aufl., Stuttgart 1878, S. 454 ff.; Fr. Wertsch, Die Beziehungen Rudolfs von Habsburg zur röm. Kurie bis zum Tode Nikolaus III., Bochum 1880, S. 26 ff.; A. Busson, Zu Niko= laus III. Plan einer Teilung des Kaiserreichs: Mitth. Instituts f. Oester. Geschichtsforschung VII (1886) S. 156 ff.; ders., Die Idee des deutschen Erbreichs und die ersten Habsburger: SWA XXVIII, 1877, S. 657 ff.; Fr. Cerroti, Bibliografia di Roma medievale e moderna,
45 vol. I, Rom 1893, S. 388; J. B. Sägmüller, Die Thätigkeit und Stellung der Kardinäle bis Papst Bonifaz VIII., Freiburg i. Br. 1896; W. Norden, Das Papsttum und Byzanz, Berlin 1903, S. 580 ff. — Nach dem Abschluß der Revision dieses Artikels ist erschienen: A. Demski, Papst Nikolaus III. (= Kirchengeschichtliche Studien, herausgegeben von Knöpfler, Sebiors, Sdralet, VI. Bd, 1. u. 2. H.), Münster i. W. 1903.

50 Johann Gaetani Orsini, Sohn des römischen Senators Matthäus Rubeus, stammte mütterlicherseits aus dem Hause der Gaetani. Ihn erhob Innocenz IV. 1244 zum Kar= dinaldiakon von St. Nikolai in carcere Tulliano. Als Kardinal investierte er mit drei anderen Kardinälen im Auftrage Clemens' IV. am 28. Juni 1265 Karl von Anjou mit der Krone Siziliens; durch Urban IV. erhielt er (1262) das Amt eines Generalinquisi=
55 tors. Zuerst Anhänger des Königs von Sizilien wurde er diesem feind, als er nach dem Hintritt Innocenz' V. die Konklaveordnung Gregors X. in ihrer ganzen Härte zur Geltung brachte, d. h. die Kardinäle, um die Wahl zu beschleunigen, mit Wasser und Brot speiste. Die Erhebung des Johann Gaetani auf den Stuhl Petri, die am 25. November 1277 zu Viterbo erfolgte, beschloß die nach dem Tode Johanns XXI. eingetretene sechsmonat=
60 liche Sedisvakanz.

Bald nach seiner Wahl forderte er vom deutschen Könige, Rudolf von Habsburg, die Übergabe der schon von seinen Vorgängern geheischten Gebiete der Pentapolis und des Exarchats von Ravenna. Um alle seine Krönung zum Kaiser verzögernden Bedenken

der Kurie zu zerſtreuen, ſowie um dieſe einerſeits in ſeinem Kampfe mit Ottokar von
Böhmen, andererſeits in ſeinen Auseinanderſetzungen mit Karl von Anjou auf ſeine Seite
zu ziehen, ging Rudolf auf dieſes Begehren ein, das dem Reich Provinzen entzog, die
durch Jahrhunderte mit ihm verbunden geweſen waren. Als der Geſandte des Königs
am 30. Juni 1278 zu Viterbo dem Papſt eine Urkunde über die Abtretung der gefor= 5
derten Gebiete ausgeſtellt, wünſchte letzterer, um dem Reich für alle Zukunft jedes An=
recht auf dieſelben zu nehmen, daß Rudolf ſelbſt die Ceſſion in einer mit einer goldenen
Bulle verſehenen Urkunde nochmals beſtätige, ſowie daß die Kurfürſten in ihrer Geſamt=
heit und außerdem jeder Einzelne von ihnen in der Form eines Willebriefes ihre Zu=
ſtimmung zu derſelben erteilten. Der König und die Kurfürſten, Mainz und Trier aber 10
nur mit Widerſtreben, willfahrten auch dieſem Anſinnen des Papſtes. Auf dieſe Weiſe
kam die Romagna an den römiſchen Stuhl.

Noch ſchwerer als Rudolf mußte Karl von Anjou die gewaltige Hand dieſes ge=
wandten Politikers fühlen. Nikolaus III. zwang ihn 1278, auf die Reichsſtatthalterſchaft
in Toskana und auf die Würde des römiſchen Senators zu verzichten. Damit aber hin= 15
fort die Kurie in Rom unabhängig, die Papſtwahl unbehelligt bleibe, gebot er in einer
Konſtitution vom 18. Juli 1278, daß in Zukunft nur Bürger Roms, aber kein Kaiſer, kein
König, keine fürſtliche Perſönlichkeit die ſenatoriſche Gewalt ausüben oder andere ſtädtiſche
Ämter bekleiden dürfe und ließ ſie ſich ſelbſt übertragen. Der Lohn, den Karl von Anjou
vom Papſte für ſeine Fügſamkeit empfing, beſtand in dem von letzterem angebahnten 20
Ausgleich Neapels mit dem deutſchen Könige. Auch im Orient ging die Politik des
Papſtes dahin, die Macht des ſiziliſchen Königs zu beſchränken und dadurch einen Aus=
gleich mit dem byzantiniſchen Kaiſer anzubahnen. Infolge der Bemühungen Nikolaus' III.
kam 1280 ein Friede zu ſtande, in welchem Karl von Rudolf die Provence und Forcal=
quier als Lehen des Reiches empfing. Von dem Gefühl ſeiner Macht und Stellung war 25
dieſer Papſt ſo ſehr durchdrungen, daß er an eine völlige Umgeſtaltung des römiſchen
Kaiſerreichs dachte, an eine Zerteilung desſelben in vier Königreiche: Deutſchland ſollte
das Erbe der Nachkommen Rudolfs von Habsburg bilden, das Königreich Arelat ſollte
an deſſen Schwiegerſohn, Karl Martel von Anjou, übergehen und aus den Gebieten,
welche in Italien bisher noch dem Reiche gehörten, wollte er zwei Königreiche, ein lom= 30
bardiſches und ein tusciſches erſtehen laſſen. Das gewaltige Anſehen, das Nikolaus III.
„als durchgreifender Politiker mit weitreichenden Ideen und unübertroffener diplomatiſcher
Geſchäftskenntnis" insbeſondere dadurch errungen, daß er Rudolf von Habsburg durch
Karl von Anjou und dieſen durch jenen im Schach hielt, büßte er zum Teil wieder durch
ſeine ungezügelte Prachtliebe, mehr aber noch durch ſeinen bei jeder Gelegenheit bewieſenen 35
Nepotismus ein. Dante wies ihm ſeinen Platz in der Hölle an.

Obwohl Nikolaus ſelbſt einen ſolchen Aufwand trieb, daß er ſich zu ſeiner Beſtreitung
das Vermögen der Kirche anzugreifen genötigt ſah, ſo ergriff er doch 1279 in dem Streite
zwiſchen der laxen und der ſtrengen Richtung der Franziskaner, der ſich um die richtige
Auslegung der Regel des heiligen Franz von Aſſiſi drehte, mit der Bulle Exiit, qui 40
ſeminat für letztere Partei, indem er erklärte, daß die Verzichtleiſtung auf alles Eigen=
tum, ſei es nun eines ſolchen, was dem Einzelnen als Privatbeſitz, oder was ihm als
Mitglied eines Ordens gehört, verdienſtlich ſei, da Chriſtus dieſen Weg der Voll=
kommenheit gelehrt und durch ſein Beiſpiel bekräftigt habe. Nikolaus III. ſtarb am
22. Auguſt 1280 in Salerno.   (R. Zöpffel†) C. Mirbt. 45

Nikolaus IV., Papſt, 1288—1292. — Quellen: Les Registres de Nicolas IV.
Recueil des bulles de ce pape publiées ou analysées d'après les manuscrits originaux
des archives du vatican par Ernest Langlois (= Bibliothèque des écoles françaises d'Athènes
et de Rome, 2. série V 1—9) fascicule 1—9, Paris 1886—1893 enthalten 7652 Nummern.
Mt. aus dem Vatikaniſchen Archiv, herausgegeben von der kaiſerlichen Akademie der Wiſſen= 50
ſchaften: 1. Bd, Aktenſtücke zur Geſchichte des Deutſchen Reiches unter den Königen Rudolf I.
und Albrecht I., Wien 1889, hrsg. von F. Kaltenbrunner; Annales Parmenses maiores: MG
SS XVIII p. 703 ff.; Theodoricus de Niem, Vitae pontificum Rom.; Eccard, Corpus hist.
medii aevi, t. I p. 1462sq.; A. Potthaſt, Regesta pontificum Romanorum vol. II, Berolini
1875, S. 1826—1915. Vita Nicolai IV. von Bernardus Guidonis: L. A. Muratori, 55
Rerum italicarum scriptores tom. III pars I p. 612 f.; Ptolomaei Lucensis historia ecclesiastica c. 20 ff.; ib. tom. XI p. 1194 ff.
Litteratur: Archibald Bower, Unparth. Hiſtorie der röm. Päpſte, überſetzt von Ram=
bach, 8. Tl., Magdeb. u. Leipz. 1770, S. 215 ff.; A. v. Reumont, Geſch. d. Stadt Rom, 2. Bd,
Berlin 1867, S. 611 ff.; J. E. Kopp, Geſch. v. d. Wiederherſtellung u. b. Verfall des hl. röm. 60

Reiches, 2. Bd, 3. Abschn., herausgegeben von Busson, S. 288 ff.; F. Gregorovius, Gesch. der
Stadt Rom, 5. Bd, 3. Aufl., Stuttgart 1878, S. 483 ff.; J. P. Kirsch, Die Finanzverwaltung
des Kardinalkollegiums im 13. u. 14. Jahrhundert (= Kirchengeschichtliche Studien herausg.
von Knöpfler ꝛc. II 4) 1895, S. 425; J. B. Sägmüller, Die Thätigkeit und Stellung der
5 Kardinäle bis Papst Bonifaz VIII, Freiburg i. Br. 1896; R. Röhricht, Gesch. des Königreichs
Jerusalem (1100—1291), Innsbruck 1898, S. 1003 f. 1029; W. Norden, Das Papsttum und
Byzanz, Berlin 1903, S. 648 ff.

    Hieronymus, aus Askoli gebürtig, Sohn eines Schreibers, trat in den Franziskaner-
orden, dessen General er 1274 wurde. Schon vorher (1272) hatte ihn Gregor X. mit
10 einer die Zurückführung der Griechen zur römischen Kirche bezweckenden Mission betraut.
Nikolaus III. erhob ihn 1278 zum Kardinal vom Titel der hl. Pudentiana und Martin IV.
1281 zum Kardinalbischof von Präneste. Das nach dem Tode Honorius' IV. zusammen-
tretende Konklave, das fast 11 Monate gebrauchte, um sich über den Nachfolger schlüssig
zu machen, wählte schließlich am 22. Februar 1288 den Kardinalbischof von Präneste,
15 der sich zu Ehren Nikolaus' III. Nikolaus IV. nannte. Er ist der erste Franziskaner,
der den Stuhl Petri bestiegen hat. Sein Pontifikat weist keine großen Züge auf.
Zwischen den römischen Adelsfamilien der Orsini und Colonna, deren unaufhörliche Reibungen ihm den Aufenthalt in Rom verleideten, suchte er zu lavieren, indem er zu Beginn
und gegen Schluß seiner Herrschaft über Rom die Fraktion der Orsini, in der zwischen-
20 liegenden Zeit aber die der Colonna begünstigte. Von der letzteren war er so abhängig,
daß ihn der römische Volkswitz von einer Säule — dem Wahrzeichen der Familie —
umschlossen abbildete, aus der nur sein mit der Tiara bedecktes Haupt herausschaute.
Vergeblich suchte Rudolf von Habsburg die Fixierung eines nahen Termins zur Kaiserkrönung von Nikolaus IV. zu erlangen; der Papst schob sie so lange hinaus, bis der
25 König 1291 ins Grab stieg. Glücklicher war Karl II. von Anjou, der am 29. Mai 1289
zu Rieti von Nikolaus IV. die Krone von Neapel und Sizilien erhielt, nachdem er sich
ausdrücklich als Lehnsmann der Kirche bekannt, sowie versprochen hatte, in Rom und
dem Kirchenstaate kein städtisches Amt zu bekleiden. Wohl war damals Karl II. von
Anjou im Besitze Neapels, aber nicht in dem Siziliens, das Jakob, dem Sohne Peters
30 von Aragonien, gehorchte; den Sizilianern Karl II. von Anjou aufzudrängen, war nun
das Ziel des Papstes, der in dem auf sein Betreiben zwischen Alfons III. von Aragonien
(dem Bruder Jakobs von Sizilien), Karl II. von Neapel und Philipp IV. von Frankreich zu Tarascon am 19. Februar 1291 geschlossenen Frieden von dem an erster Stelle
genannten Fürsten das Versprechen erlangte, daß er seinen Bruder in dem Kampf um
35 Sizilien nicht weiter unterstützen wolle. Um diesen Preis, der noch durch das Gelöbnis,
als Vasall des römischen Stuhles 30 Unzen Gold zu zahlen und sich an dem in Aussicht genommenen Kreuzzug zu beteiligen, erhöht wurde, löste Nikolaus IV. den König
Alfons III. von Aragonien von dem schon 1282 über Peter III. verhängten Bann und
sein Land vom Interdikt. Als bald darauf Alfons starb und ihm als Beherrscher Aragoniens
40 sein Bruder Jakob von Sizilien gefolgt war, wurde dieser von Nikolaus IV. aufgefordert,
jetzt endlich auf Sizilien Verzicht zu leisten, und, als er auf dieses Ansinnen nicht ein-
ging, wie vorher sein Vater und sein Bruder gebannt. Das Bemühen Nikolaus' IV.,
nach dem Falle von Ptolemais 1291 einen allgemeinen Kreuzzug zu stande zu bringen,
blieb ohne jedes Resultat. Daß er durch die Konstitution vom 18. Juli 1289 die Hälfte
45 aller Einkünfte des römischen Stuhles den Kardinälen zusprach und ihnen auch Anteil
an der Finanzverwaltung gewährte, bedeutete eine erhebliche Stärkung des Kardinalkollegiums zum Nachteil des Papsttums. Er starb am 4. April 1292 zu Rom.

(R. Zöpffel †) C. Mirbt.

Nikolaus V., Gegenpapst von Johann XXII., 1328—1330. — Quellen:
50 Heinrici Rebdorfensis Annales Imperatorum et Paparum bei Böhmer, Fontes Rerum Ger-
manic., 4. Bd, S. 517 ff.; Nikolaus Minorita, De controversia paupertatis Christi, ibid.
p. 590; Albertini Mussati, Ludovicus Bavarus bei Böhmer, Fontes Rer. Germ., I. Bd,
p. 176 sq.; Johannis Vitodurani chronicon im Archiv für schweizerische Geschichte, Zürich
1856, S. 78; Villani, Historie Fiorentine X, 72 sq.; Baluze, Vitae paparum Avenionen-
55 sium, tom. I, p. 141 sq., p. 705; Raynaldus, Annales eccles. ad annos 1328—1330; Böhmer,
Regesta imperii inde ab anno 1314—1347, p. 60 sq.; etc.

    Litteratur: Archibald Bower, Unpartheiische Geschichte der röm. Päpste, 8. Thl., Magde-
burg und Leipzig 1770, übersetzt von Rambach, S. 362 ff.; Christophe, Geschichte des Papst-
thums während des 14. Jahrhunderts, übersetzt von Ritter, 2. Bd, Paderborn 1853; Papen-
60 cordt, Geschichte der Stadt Rom im Mittelalter, Paderborn 1857, S. 373 ff.; Kopp, Geschichte

von der Wiederherstellung und dem Verfall des hl. römischen Reiches, 5. Bd., 1. Abt., Luzern 1858; Hefele, Conciliengeschichte, VI. Bd, Freiburg i. Br. 1867; Reumont, Geschichte der Stadt Rom, 2. Bd, Berlin 1867, S. 805 ff.; O. Lorenz, Papstwahl und Kaiserthum, Berlin 1874, S. 189; Marcour, Anteil der Minoriten am Kampfe zwischen König Ludwig IV. von Bayern u. Papst Johann XXII., Emmerich 1874, S. 61 ff.; Riezler, Die litterarischen Wider= 5 sacher der Päpste zur Zeit Ludwig des Baiern, Leipzig 1874; Höfler, Die romantische Welt und ihr Verhältnis zu den Reformideen des Mittelalters, SWA phil.=hist. Klasse 91, 1878, S. 342 ff.; Gregorovius, Geschichte der Stadt Rom im Mittelalter, VI, 3. Aufl., Stuttgart 1878, S. 152 ff.; Müller, Der Kampf Ludwigs des Baiern mit der römischen Kurie, I, Tübingen 1879, S. 192; Altmann, Der Römerzug Ludwigs d. B., Berlin 1880; Eubel, Der 10 Gegenpapst Nikolaus V. (HJG XII, [1891]).

Petrus Rainalducci, aus Corbara gebürtig, trat um 1310 in den Orden der Minoriten, indem er sich von seiner Gattin trennte, mit der er fünf Jahre in der Ehe gelebt hatte. In Rom, wo er sich im Kloster Ara Coeli aufhielt, gewann er als hervorragender Prediger Ansehen. Grundlos haben die Anhänger Johanns XXII. seinem Lebenswandel 15 allerhand Makel angehängt. Ihn erhob der deutsche König, Ludwig der Baier, der in Rom von Sciarra Colonna am 17. Januar 1328 die Kaiserkrone empfangen und am 18. April d. J. seinen unversöhnlichen Gegner, Papst Johann XXII., als Häretiker und Majestätsverbrecher abgesetzt hatte, am 12. Mai in einer Volksversammlung auf dem St. Petersplatz als Nikolaus V. auf den Stuhl Petri. Der Neugewählte ließ sich am 20 21. Mai 1328 in St. Peter weihen und bestätigte darauf am gleichen Tage Ludwig den Baiern als Kaiser. Aber schon am 4. August mußte der die Anerkennung der Fürsten und Völker vergeblich suchende Gegenpapst mit Ludwig dem Baiern Rom verlassen, welches wieder zu Johann XXII. überging. Als der Kaiser schließlich Italien den Rücken kehrte, war der tief gedemütigte Nikolaus V., dessen verlassene Gattin in einer Klage 25 ihren nunmehr auf dem Stuhle Petri sitzenden Gemahl reklamiert und durch bischöfliche Entscheidung zugesprochen erhalten hatte, genötigt, bei dem Grafen Bonifatius von Donoratico in der Nähe von Pisa Zuflucht zu suchen. Dieser, vom Papste zur Auslieferung seines Schützlings aufgefordert, zeigte sich zu derselben unter der Bedingung bereit, daß letzterem das Leben garantiert werde. Darauf hin verstand sich auch Nikolaus V., 30 Johann XXII. in einem Schreiben um Gnade zu bitten; 1330 legte er zuerst in Pisa vor dem dortigen Erzbischof und dann noch in Avignon vor Papst und Kardinälen ein Sündenbekenntnis ab, das ihn jedoch nicht vor Gefangenschaft schützte. Dieser soll bald den Tod ein Ende gemacht haben.   (R. Zöpffel †) Benrath.

Nikolaus V., Papst, 1447—1455. — Quellen: Manetti, Vita Nicolai V. bei 35 Muratori, Rer. Ital. scr. t. III, 2, 907 sq.; das „Testament" im dritten Buch ist wohl in den Grundgedanken, sicher nicht in der dort vorliegenden Form authentisch (vgl. Pastor, Päpste, I, S. 386 [1886] und Creighton, Papacy, II, S. 521); Vespasianus Florentinus, Vita Nicolai V. ibid. t. XXV, p. 267 sq.; Platina de vitis Pontificum Roman., Coloniae Agrippinae 1626, p. 291 sq.; Aeneas Silvius, De vita et rebus gestis Friderici III. bei Kollar, 40 Analecta Monumentorum omnis aevi Vindobonensia, t. II, p. 139 sq.; Pietro de Godi, Dyalogon de conjuratione Porcaria, herausgegeben von Perlbach, Greifswald 1879; Georgius, Vita Nicolai V., Romae 1742; der Verfasser war Kaplan Benedikts XIV.; Mansi, Conciliorum nova et amplissima collectio t. XXIX; Theiner, Codex diplomaticus dominii temporalis S. Sedis, t. III; Raynaldus, Annales eccles. ad annos 1447—1455; einiges archiva= 45 lisches Material fügt Pastor hinzu, bes. im „Anhang" zu Bd 1. Ueber die Litteratur betr. die Verschwörung des Porcaro s. Creighton II, 522; vgl. Pastor S. 420—437.

Litteratur: Ciaconii vitae et res gestae Pontificum Rom. ab Oldoino recognitae, t. II, Romae 1677, p. 949 sq.; Georgius, Vita Nicolai V., Romae 1742; Chr. W. Franz Balch, Entwurf einer vollständigen Historie der römischen Päpste, Göttingen 1758, S. 348 ff.; 50 Archibald Bower, Unpartheiische Historie der röm. Päpste, 9. Thl., übersetzt von Rambach, Magdeburg und Leipzig 1772, S. 284 ff.; Voigt, Stimmen aus Rom über den päpstlichen Hof im 15. Jahrhundert, in Raumers historischem Taschenbuch, IV, 1833; Chmel, Geschichte Kaiser Friedrich IV. (III.), 2. Bd, Hamburg 1843; Wessenberg, Die großen Kirchenversammlungen des 15. u. 16. Jahrhunderts, 2. Bd, neue Ausgabe, Konstanz 1845, S. 517 ff.; Papen= 55 cordt, Geschichte der Stadt Rom im Mittelalter, Paderborn 1857, S. 499 ff.; Christophe, Hist. de la Papauté pendant le XVe. siècle, vol. I, Lyon et Paris 1863; Voigt, Enea Silvio de'Piccolomini als Papst Pius II. und sein Zeitalter, 2. Bd, Berlin 1862; Reumont, Geschichte der Stadt Rom, 3. Bd, 1. Abth., Berlin 1868, S. 110 ff.; Burckhardt, Geschichte der Renaissance in Italien, 3. Aufl. 1890 f.; Munz, Les arts à la cour des papes pendant 60 le XVe et le XVIe siècle, 1. Bd, Paris 1879; Dehio, Die Bauprojekte Nikolaus V. und L. B. Alberti, im Repertorium für Kunstwissenschaft III (1880); Gregorovius, Geschichte der Stadt Rom im Mittelalter, 7. Bd, 3. Aufl., Stuttg. 1880; Creighton, History of the Papacy during the period of the Reformation, II (London 1882); Pastor, Geschichte der Päpste im Zeitalter der Renaissance (Freiburg 1886, 2. Aufl. 1891).

Thomas Parentucelli, aus Sarzana gebürtig, wo sein Vater Arzt war, studierte in Bologna. Hier nahm sich seiner der Bischof Nikolaus Albergati an, und gab ihm auch
5 später Gelegenheit auf Reisen durch Deutschland, England und Frankreich, sein encyklopädisches Wissen zu erweitern. Für Kodices hatte er schon damals eine solche Leidenschaft, daß, wenn es sich um ihren Besitz handelte, er sich nicht scheute, sich in Schulden zu stürzen. Eugen IV. erhob ihn, dessen Tüchtigkeit und Gelehrsamkeit er auf dem Konzil zu Florenz schätzen gelernt, 1444 zum Erzbischof von Bologna; auch wählte er ihn zu
10 einem der Boten für den Frankfurter Konvent, denen er die Verständigung mit dem deutschen Reiche über die Reformdekrete des Basler Konzils übertrug. Diese schwierige Aufgabe löste Thomas in einer dem römischen Stuhle so vorteilhaften Weise, daß ihn bei seiner Rückkehr Eugen IV. mit dem Purpur empfing. Die nach dem Tode des genannten Papstes zum Konklave am 4. März 1447 zusammentretenden Kardinäle gaben diesem schon
15 am 6. dieses Monats einen Nachfolger im Kardinal Thomas, der sich, um das Andenken seines Wohlthäters, Nikolaus Albergati, zu ehren, Nikolaus V. nannte. Sein Pontifikat ist gleich beachtenswert in politischer wie in wissenschaftlicher und künstlerischer Beziehung. Mit dem deutschen Könige Friedrich III. schloß er das berüchtigte Aschaffenburger oder Wiener Konkordat am 17. Februar 1448, welches Deutschland um die besten Früchte des
20 Basler Konzils brachte, indem es dem Papste Annaten und Reservationen, sowie die menses papales zugestand (s. d. A. „Konkordate" Bd X, S. 710). Eine noch größere Errungenschaft Nikolaus V. war die Beilegung des Schismas. Felix V. verzichtete am 7. April 1449 auf seine Würde, und das Basler Konzil, welches diesen gewählt, nun aber in Lausanne nur noch ein Scheindasein führte, leistete Nikolaus V. Obedienz, aber
25 erst nachdem dieser in einer Bulle alle Maßnahmen seines Vorgängers gegen die Basler Kirchenversammlung annulliert hatte. Jetzt konnte das über das Schisma triumphierende Oberhaupt der Kirche 1450 ein Jubeljahr in Rom abhalten, zu dem sich unzählige Pilger hinzudrängten, die mit ihren Opfergaben den Papst in den Stand setzten, Gelehrte und Künstler mit großen Summen zu unterstützen. Nikolaus V. hat zum letztenmal einem
30 deutschen Könige die Kaiserkrone aufgesetzt, ein würdiger Papst einem würdelosen Herrscher. Am 18. März 1452 ward Friedrich III. zum Kaiser in St. Peter gekrönt, und am folgenden Tage stellte der Papst diesem eine Urkunde über die vollzogene Kaiserkrönung „in der Sprache eines Landesherren" aus, „der ein Gnadendiplom erteilt". Und dieser Nachfolger Petri, der einen kirchenpolitischen Triumph nach dem andern feierte, war zu=
35 gleich ein so namhafter Gelehrter und Vertreter des Humanismus, daß Äneas Silvius von ihm sagen konnte, „was diesem unbekannt ist, liegt außerhalb des menschlichen Wissenskreises". Hunderte von Kopisten schrieben für ihn Kodices ab, Gelehrte sandte er auf die Suche nach handschriftlichen Schätzen; die Übersetzer griechischer Autoren belohnte er mit hohen Summen, für eine metrische Übersetzung des Homer bot er allein
40 10 000 Goldgulden; mit c. 9000 Bänden legte er den Grundstock zur vatikanischen Bibliothek. Und neben der Beschäftigung mit der Wissenschaft fand er noch die Muße, sich mit großartigen Plänen zur Befestigung und Verschönerung Roms zu tragen. 1451 ließ er die Mauern Roms wieder herstellen, zahlreiche Kirchen in Rom wurden von ihm restauriert; den Neubau des Vatikans und der Peterskirche nahm er nach Plänen,
45 die Leon Battista Alberti entworfen, in Ausführung, nur der Tod hinderte ihn an ihrer Vollendung. Nicht Prachtliebe, auch nicht das Haschen nach Nachruhm, sondern das Streben, das Ansehen des apostolischen Stuhles bei dem Volke, welches, wie er meinte, nur „durch die Größe dessen, was es sehe, in seinem schwachen Glauben bestärkt werden könne", zu erhöhen, leitete ihn bei seinen Entwürfen. Doch fand er bei den Römern
50 wenig Verständnis; unter Führung des Stephanus Porcaro verschworen sie sich zu seinem und des ganzen Papsttums Sturze. Aber der Plan wurde verraten; am 9. Januar 1453 mußte Porcaro sein kühnes Unterfangen mit dem Tode büßen. Die nach Entdeckung der Verschwörung ohnehin gedrückte Stimmung Nikolaus V. wurde eine noch finsterere, als ihn die Kunde von der Eroberung Konstantinopels durch die Türken (28. Mai 1453)
55 erreichte. Gern hätte er seine Würde und Bürde niedergelegt, nur die Furcht, der Welt ein Aergernis zu geben, hielt ihn davon ab; aber er klagte: „als Thomas von Sarzana habe ich in einem Tage mehr Freude als jetzt in einem Jahre gehabt". Eine Folge der Schreckenskunde war es, daß er nun, da Konstantinopel schon für die Christenheit — nicht ohne sein und seiner Vorgänger Verschulden — verloren gegangen, einen Kreuzzug
60 predigte, in Rom einen Friedenskongreß 1454 zur Einigung der italienischen Staaten

gegenüber dem auch Italien bedrohenden Feinde der Christenheit hielt, daß er 1454 der Liga von Lodi, die die Verteidigung gegen jeden auswärtigen Feind bezweckte, beitrat. Als er seinen Tod, der am 24. März 1455 eintrat, herannahen fühlte, rief er die Kardinäle an sein Sterbelager und legte ihnen in einer ausführlichen Rede, seinem „Testament", die Grundsätze dar, nach denen er in seinem Pontifikate gehandelt. Die Grabschrift (bei 5 Raynald ad a. 1455 nr. 16) dichtete dem im St. Peter Beigesetzten sein späterer Nachfolger Enea Silvio Piccolomini.   **Benrath.**

Nikolaus von Basel s. Rulmann Merswin.

Nikolaus von Clémanges s. Clémanges Bd IV S. 138.

Nikolaus von Cues s. Cusanus Bd IV S. 360.   10

Nikolaus von Lyra s. Lyranus Bd XII S. 28.

Nikolaus von Methone. — Ausgaben: Bei MSG 135 Sp. 509—514 nur die Schrift über die Eucharistie (zuerst gedruckt Paris 1560). Initia philosophiae ac theologiae ex Platonicis fontibus ducta etc. IV. Nicolai Methonensis Refutatio institutionis theologicae Procli Platonici (Ἀνάπτυξις τῆς θεολογικῆς στοιχειώσεως Πρόκλου Πλατωνικοῦ) ed. J. Th. 15 Voemel, Frankf. a. M. 1825. Nicolai Method. anecdoti pars 1. 2 ed. Voemel, Frankfurt 1825. 26 (2 Schulprogramme). Konst. Simonides, Ὀρθοδόξων Ἑλλήνων θεολογικαί γραφαί τέσσαρες. 1. Νικολάου ἐπισκόπου Μεθώνης λόγος πρὸς τοὺς Λατίνους περὶ τοῦ ἁγίου πνεύματος etc., London 1859, S. 1—35 und in f. (mir unbekannten) Ztschr. „Memnon", Heft 3. A. Demetrakopulos, Νικολάου ἐπισκ. Μεθώνης λόγοι δύο κατὰ τῆς αἱρέσεως τῶν λεγόντων 20 τὴν σωτήριον ὑπὲρ ἡμῶν θυσίαν μὴ τῇ τρισυποστάτῳ θεότητι προσαχθῆναι, ἀλλὰ τῷ πατρὶ μόνῳ, Leipzig 1865 und Ἐκκλησιαστικὴ βιβλιοθήκη, Leipzig 1866, S. 199—380. W. Basiljevskij, Νικολ. ἐπισκ. Μεθ. καὶ Θεοδώρου τοῦ Προδρόμου ... βίοι Μελετίου τοῦ Νέου im Pravoslavnyj Palestinskij Sbornik, Bd VI, 2, St. Petersburg 1886. Noch weitere Schriften nennen Simonides und Demetrakopulos, aber teilweise nicht dieselben. Abhandlungen: 25 Ullmann, Nik. v. Meth., Euthymius Zigabenus und Nicetas Choniates, oder die dogmatische Entwickelung der griechischen Kirche im 12. Jahrhundert, StKr 1833, S. 647 resp. 701—743. Dräseke, ZKG 9 (1888), 405—31. 565—90. 18 (1898), 546—571. Arch. f. Gesch. d. Philos. 4 (1891), 243—50. Byz. Ztschr. 1 (1892), 438—78 (Nik. v. M.). 6 (1897), 55—91 (Prokopios' v. Gaza „Widerlegung des Proklos"). StKr 68 (1895), 589—616. ZwTh 41 (1898), 402—411. 30 43 (1900), 105—141. 45 (1902), 369f. Russos, Τρεῖς Γαζαῖοι, Leipziger Diss. 1894, S. 59 ff. (Konstant. 1893). Lambros, Byz. Ztschr. II, 609 ff. J. Stiglmayr, Die „Streitschrift des Prokopios v. Gaza" gegen den Neuplatoniker Proklos, Byz. Ztschr. 8 (1899), 263—301. Arsenij, Nik. v. Meth., Christianskoe Ctenie 1883, 11 ff. 308 ff., blieb mir unzugänglich. Ehrhardt bei Krumbacher, Litt. Gesch.², S. 86 f. 126.   35

Nikolaus war Bischof von Methone (dem heutigen Modon) in Messenien. Er hat vornehmlich zur Zeit des Kaisers Manuel I. Komnenus gewirkt, an den er, bereits ein Greis, wohl 1159 bald nach der Synode von 1158 (Dräseke, ZKG 9 S. 426 ff.) ein Beglückwünschungsschreiben richtet. Die Vita des Meletius hat er nach S. 21 ed. Vasiljevskij 36 Jahre nach dem Tod des Heiligen, also (Vas. S. IV) wohl 1141 verfaßt. Zur Zeit 40 der Synode von 1166 dürfte er bereits gestorben gewesen sein. Die genauen Angaben über sein Leben, die Simonides S. ε' seiner Ausgabe bietet, verdienen nicht mehr Zutrauen als sein angeblich von einem Gemälde auf dem Athos ihr vorangestelltes Bild. — Nikolaus hat eine sehr reiche schriftstellerische Wirksamkeit entfaltet. Seine Schriften sind jedoch alle, außer der über die Gegenwart des Leibes und Blutes Christi im Abendmahl, 45 erst im 19. Jahrhundert gedruckt. Andere sind noch ungedruckt. Die von Demetrakopulos in λόγοι δύο etc. S. θ' dem Nikolaus, nur weil sie bessern Werken folgen, zugewiesenen beiden Schriften gegen die Lateiner, inzwischen von Arsenij herausgegeben, gehören erst der Zeit des lateinischen Kaisertums an (E. Kurtz, Byz. Ztschr. 4 [1895], S. 370). Unbegründet ist die zuletzt von Dräseke, ZKG 18 (1898), S. 567 ff. vertretene 50 Unterscheidung eines jüngeren Nikolaus von Methone im folgenden Jahrhundert von dem älteren; diesem gilt vielmehr das δεῦτε πρόσιτε τῷ σοφῷ διδασκάλῳ Νικολάῳ λάμψαντι νέῳ Μεθώνης im Gedicht des Nicephorus Blemmydes, Dräseke l. c. 568, im Unterschied von dem berühmten Nikolaus (s. d. folg. A.). — Der Inhalt der Schriften des Nikolaus (eine Übersicht über dieselben giebt Dräseke, ZKG 9 S. 565 ff.) ist ein 55 mannigfaltiger und gewährt einen Einblick in die griechische Theologie des 12. Jahr-

hunderts. Die Polemik gegen die Lateiner, die Erörterung zum Teil subtiler theologischer
Fragen, aber auch die Apologetik beschäftigten ihn. Der letzteren ist seine Ἀνάπτυξις
gegen Proklus gewidmet. Auf sie hat Ullmann vorzüglich seine Zeichnung der Theologie
des Nikolaus gegründet. Nun hat Russos darauf hingewiesen, daß Kap. 146 dieser
5 Refutatio sich wörtlich deckt mit dem von Mai, Class. Auct. IV, 274 aus Cod. Vat.
1096 edierten Fragment: Ἐκ τῶν εἰς τὰ τοῦ Πρόκλου θεολογικὰ κεφάλαια ἀντιρ-
ρήσεων Προκοπίου Γάζης ἀντίρρησις κεφαλαίου ρμςʹ. Dräseke hat daraufhin den
Beweis unternommen, StKr l. c. und Byz. Ztschr. 1897, 55 ff., daß gar nicht Nikolaus,
sondern vielmehr Prokopius der Verfasser der Refutatio sei. Hiergegen hat jedoch Stigl-
10 mayr m. E. überzeugend gezeigt, daß die Schrift gegen Proklus ebensosehr von der sonst
bekannten Art des Prokopius abweicht, wie sie der des Nikolaus entspricht. Die Weise
der Bezugnahme auf Dionysius ist bei diesem ebenso natürlich, wie bei Prokop unverständlich. Entscheidend sind die sehr wahrscheinlichen Beziehungen der Widerlegung des
Proklus zu Johannes von Damaskus, die vielfache Betonung des Ausgangs des Geistes
15 nur vom Vater (was auf die Zeit nach Photius weist), die die monotheletischen Streitigkeiten voraussetzende Redeweise Kap. 16 S. 32 ed. Voemel von zwei Energien in
Christus (λόγον ... τὴν τῇ οὐσίᾳ κατάλληλον δύναμίν τε καὶ ἐνέργειαν ἀσύγχυτον
καὶ ἀναλλοίωτον σώζοντα) und der Kap. 97 S. 123 erwähnte Eustratius (σοφωτάτου
μάρτυρος Εὐστρατίου), welches der Metropolit von Nicäa (gest. um 1120) sein wird.
20 Nikolaus kann aber auch nicht etwa jenes Kapitel nur unverändert in seine Ἀνάπτυξις
aufgenommen haben. Freilich hat schon Hergenröther in Photii De spir. s. mystagogia
(Regensburg 1857), S. XXIV und 115 ff. auf die wörtliche Benutzung der Syllogismen
des Photius in der Schrift des Nikolaus gegen die Lateiner über den Ausgang
des Geistes vom Vater und Sohn (Demetrak., Bibl. eccles. S. 359 ff.) hingewiesen;
25 doch wird diese Schrift auch (in Cod. Monac. 66) als Zusammenfassung der Argumente
des Photius durch Nikolaus bezeichnet. In den „Theologischen Fragen und Antworten"
(Ἐρωτήσεις καὶ ἀποκρίσεις θεολογικαί ed. Voemel) ist S. 4—16 die ganze positive
Darlegung der kirchlichen Christologie aus des Theodor von Raïthu Schrift De incar-
natione domini (ed. J. B. Carpzov, Helmstädt 1779 f.), S. 36—67 so gut wie wort-
30 getreu ausgeschrieben (ohne ihn zu nennen); eine Thatsache, auf die bereits Demetrakopulos, Bibl. eccl. καʹ aufmerksam gemacht hat. Demetr., Bibl. eccl. 237 f. 250
stammt aus Germanus MSG 98, 113. 116. 108. Das Gleiche ist jedoch nicht etwa auch
in Kap. 146 der Ἀνάπτυξις mit einer Schrift des Prokop der Fall. Denn dieses Kapitel
gleicht in Bezug auf Sprache, Wortschatz, Periodenbau, Art der dialektischen Entwickelung
35 durchaus dem übrigen Buch. Daher ist die Zurückführung jenes Kapitels auf Prokop in
Cod. Vat. 1096 wohl sicher ein Irrtum, zumal sich sonst keinerlei Spur einer derartigen Schrift Prokops erhalten hat (Stiglm. S. 274 ff.). Reste des alten Heidentums
hatte Nikolaus natürlich nicht mehr zu bekämpfen. Aber neben dem Streben, seine
Wissenschaftlichkeit auch in Widerlegung hellenischer Philosophie zu bewähren, mag doch
40 auch die praktische Tendenz einer Bekämpfung von Anschauungen mitgewirkt haben, die
mit der erneuten Pflege des Studiums der heidnischen Autoren Eingang gewonnen.
Der Bekämpfung der Lateiner gewidmet ist die von Simonides 1859 herausgegebene
Schrift über den Ausgang des hl. Geistes (ihr Inhalt wiedergegeben bei Dräseke, Byz.
Ztschr. 1892, S. 459 ff.), die von ihm (im „Memnon") und von Demetrakopulos edierten
45 Κεφαλαιώδεις ἔλεγχοι τοῦ παρὰ Λατίνοις καινοφανοῦς δόγματος, τοῦ ὅτι τὸ
πνεῦμα τὸ ἅγ. ἐκ τοῦ πατρὸς καὶ τοῦ υἱοῦ ἐκπορεύεται, die von Simonides erwähnten Ἀπομνημονεύματα aus verschiedenen Schriften gegen die Lateiner über den
Ausgang des Geistes. An noch unveröffentlichten Abhandlungen des Nikolaus gegen
die Lateiner werden genannt solche über die Azymen, das Sonnabendfasten und über
50 den Primat des Papstes. Bekkus hat seine Polemik zu Gunsten einer Union mit dem
Abendland besonders auch gegen Nikolaus von Methone gerichtet (Dräseke, ZwTh 1900,
S. 105 ff.). Der Verteidigung der Absetzung des Patriarchen Kosmas, der sich durch
sein Verhalten gegen den Wortführer der Bogomilen, den Mönch Nephon, selbst verdächtig gemacht, und der Ernennung seines Nachfolgers, zuvor zeitweilig Erzbischof von
55 Cypern, ist die an Kaiser Manuel gerichtete Schrift Περὶ τῆς ἐπὶ τῇ καταστάσει τοῦ
πατριάρχου ἀντιλογίας καὶ περὶ τῆς ἱεραρχίας (Bibl. eccl. S. 266—292) gewidmet.
Auch seine Schrift über die Eucharistie mag dem Gegensatz gegen bogumilische Anschauungen gelten; Nikolaus redet hier von einer μεταβολή des Brotes und Weines in
Christi Leib und Blut, wodurch uns die Teilnahme an Christus und dem ewigen Leben
60 werde. Eine vom Großdomestikus des Kaisers gestellte Frage sucht die Schrift zu beantworten:

Warum werden die Apostel, wenn ihnen (nach Gregor) auch der Geist wesenhaft einwohnte, nicht auch Christusse genannt, und wenn nicht, welches ist der Unterschied der Einwohnung? Den letzten Lebensjahren des Nikolaus gehören an die beiden Schriften (λόγοι δύο etc.) Κατὰ τῆς ἀρτιφανοῦς αἱρέσεως τῶν λεγόντων τὴν σωτήριον ὑπὲρ ἡμῶν θυσίαν μὴ τῇ τρισυποστάτῳ θεότητι προσαχθῆναι, ἀλλὰ τῷ πατρὶ μόνῳ und die Ἀντίῤῥησις 5 πρὸς γραφέντα παρὰ Σωτηρίχου τοῦ προβληθέντος πατριάρχου Ἀντιοχείας περὶ τοῦ Σὺ εἶ ὁ προσφέρων καὶ προσφερόμενος καὶ προσδεχόμενος. Im Anschluß an die liturgische Formel Σὺ εἶ etc. fanden nämlich Synodalverhandlungen (herausgeg. von Mai, Spicil. Rom. X, S. 1 ff.) darüber statt, 1156 und (vgl. Dräseke, ZKG 1888, 414 ff.) 1158, ob die ganze Trinität, auch der Sohn, Empfänger des Abendmahlsopfers ist. Soterichus, 10 erwählt zum Patriarchen von Antiochia, der Bedenken ausgesprochen, wurde vom Kaiser abgesetzt. Während andere das Vorgehen des Kaisers tadelten, hat Nikolaus den Soterichus zu überführen gesucht. — Das Problem der Vorherbestimmung behandeln die Untersuchungen Εἰ ἔστιν ὅρος ζωῆς καὶ θανάτου καὶ πῶς, τούτου δοθέντος, οὐκ ἂν εἴη κακῶν αἴτιος ὁ θεός (Bibl. eccl. 219—265). Eine andere hat es mit der Be- 15 günstigung zu thun, die die Worte 1 Ko 15, 28 einerseits der arianischen Christologie, andererseits der Lehre des Origenes von der Apokatastasis zu geben schienen. Verwandt ist die Erörterung über Jo 14, 28 auf der Synode von 1166.

Die Theologie des Nikolaus ist keine originale. An Gregor von Nazianz und Pseudodionysius schließt sie sich vornehmlich an. Gott ist ihr dem entsprechend das Absolute 20 und schlechthin Ursächliche, und in Bezug auf die Trinitätslehre und Christologie hält sie sich genau an die kirchlichen Festsetzungen. Aber auch in der Heilslehre überschreitet sie nicht die Linie griechischer Theologie. Der von Gaß (in b. 2. Aufl. dieser Encykl.) im Gegensatz zu Ullmann vermutete abendländische Einfluß ist m. E. abzulehnen. Nur der Gottmensch konnte uns erlösen, damit wir in rechtmäßiger Weise von der Macht des Satans 25 und vom Tode erlöst (Anecdot. 1 p. 31) und zu göttlichem Wesen vollendet (Refut. p. 163) würden (Ullmann S. 738 ff. 734 f.). Eine zusammenhängende Untersuchung der Theologie des Nikolaus, die zugleich das Maß seiner Abhängigkeit von Früheren feststellte, steht noch aus.   Bonwetsch.

Nikolaus, Bischof von Myra in Lycien (S. Nicolaus Confessor et Thau- 30 maturgus). — Die ältere legendarische Tradition, hauptsächlich nach Sym. Metaphrastes, faßt zusammen die Vita s. Nicolai episc. Myrensis, lat. versa a Leonardo Justiniano, Venet. 1502 (4°). 1513. Dieselbe auch in den größeren hagiolog. Sammlungen von Lipomanus (1551 f.) und Surius (in lat. späterer unterm 6. Dezember in t. VI. p. 795—810. Eine lat. Vita per Joannem Diaconum gab Mai heraus: Spicileg. Rom. IV, 324—339. Acta primi- 35 genia, nuper detecta et eruta ex unico cod. mbr. Vatic. (no. 821) edierte Nic. Carminius Falconius, Neapel 1751 (fol.). Miracula s. Nicolai ex cod. Namurc. n. 15 in den Anal. Boll. II, 1883, p. 151—156; vgl. Wattenbach, NA 1885, 407 f. Näheres über diese u. sonstige ält. Litt., auch betreffend die Translatio des Heiligen nach Bari, bietet Potthast², II, 1491 ff. 40

Aus der übergroßen Zahl jüngerer biographischer und hagiologisch-kultgeschichtlicher Darstellungen (s. ebb.) heben wir hervor: Anton. Beatillo, Storia della vita di S. Nicolo il Magno, arcivesc. di Mira, Neapel 1645. 1652 (auch Mailand 1696; Vened. 1705; Rom ꝛc.). Eug. Schnell, St. Nikolaus, d. hl. Bischof und Kinderfreund, sein Fest und s. Gaben, Brünn 1883; n. Ausg. Ravensburg 1886; Joh. Pragmarer, D. hl. Nik. u. s. Verehrung, Münster 1894. 45 P. Rayata, Monographie de l'église grecque de Marseille et Vie de S. Nicolas de Myre, Marseille 1901.

Über den hl. Nikolaus liegen kaum irgendwelche historisch verbürgte Nachrichten vor — jedenfalls nicht einmal so viele wie über St. Georg. Und dennoch wetteifert er mit diesem „Großmärtyrer", was die Ausdehnung seines Kultus im Morgen- wie im Abend- 50 land und die Fülle der sein Gedächtnis verherrlichenden Sagen betrifft. Die Legende läßt ihn zu Patara in Lycien als Sohn des frommen Elternpaares Epiphanius und Johanna geboren sein, bereits als Säugling seine besondere Frömmigkeit durch zweimalig wöchentliches Fasten bethätigen, als heranwachsendes Kind eine außerordentliche Weisheit und Herzensgüte beweisen und während der gegen das Jahr 300 ganz Lycien verheeren- 55 den Pest großartige Wunder aufopfernder Liebe und Wohlthätigkeit vollbringen. Nach einer Wallfahrt nach Ägypten und Palästina wird er — als zweiter Nachfolger seines ihm gleichnamigen Oheims, der auf seine Erziehung und Vorbildung für den geistlichen Stand hauptsächlichen Einfluß geübt hatte — Bischof von Myra und fährt in diesem Amte fort Wunder aller Art, vor allem solche der barmherzigen Liebe zu wirken. Der 60 Metaphrast läßt ihn während der ganzen diokletianischen Verfolgungsepoche kerkerhaft

6*

erleiden und erst unter Konstantin befreit und seinem Bischofssitze zurückgegeben werden.
Er soll dann am Nicänischen Konzil teilgenommen haben, woselbst (wie das Menologium
der Griechen berichtet) „Christus durch ihn des Arius Anmaßung und Hochmut nieder=
warf"; — die alten Listen der Väter dieses Konzils lassen freilich seinen Namen ver=
5 missen. Als sein Todestag gilt im Orient wie im Occident der 6. Dezember; die Versuche,
sein Sterbejahr zu bestimmen, schwanken zwischen 345 und 352. Für das hohe Alter
des ihm gewidmeten Kultus bei den Griechen, die ihn mit dem Prädikat ὁ θαυμα=
τουργός ehren, spricht u. a. die auf ihn bezügliche Invokation in der Chrysostomus=
liturgie, sowie daß Kaiser Justinian I. eine ihm (zusammen mit St. Priskus) geweihte
10 Kapelle in Konstantinopel, nahe der Blachernenkirche, errichten ließ. Lobreden auf ihn
bilden eine nicht seltene Erscheinung in der byzant.=theol. Litteratur; wichtig sind besonders
die von Erzb. Andreas von Kreta (in dessen Opp. ed. Combefis) und vom Kaiser Leo
d. Weisen (vgl. Krumbacher, Byz. Litt.=Gesch.², S. 165. 168).

Wie Nikolaus als Lebender staunenerregende Wunderthaten aller Art (Beschwichti=
15 gung heftiger Stürme, wunderbare Errettung gefangener Krieger, Vermehrung von Ge=
treide zur Zeit einer Hungersnot, Besessenenheilungen, Wiederbelebung eines verbrannten
Kindes ꝛc.) gewirkt haben soll, so weiß die Legende verschiedene miracula post mortem
von ihm zu berichten. Heilender Balsam soll aus seinem Grabe geflossen sein — nicht
bloß bald nach seinem Tode, sondern auch wieder bei der Translation seines Leichnams
20 aus dem Morgenlande nach Bari in Apulien. Mit dieser, angeblich 1087 unter Papst
Viktor III. erfolgten Überführung der Nikolausreliquien nach Italien, soll, gewöhnlicher
Angabe zufolge, die Ausbreitung des dem Heiligen gewidmeten Kultus auch im Abend=
lande begonnen haben. Es steht jedoch fest, daß der abendländische Nikolauskult schon
um ein volles Jahrhundert älter ist. Bereits Kaiser Ottos II. griechische Heirat hat
25 Italienern wie Deutschen die Kunde von diesem Schutzheiligen ersten Ranges vermittelt.
Schon unter ihm verfaßte Bischof Reginald von Eichstätt (gest. 991) seine metrische Vita
S. Nicolai; schon Otto III. weihte zu Burtscheid dem Heiligen ein Kloster. Nikolaus=
Reliquien und =Kirchen befinden sich während des 11. Jahrhunderts sich in Stablo,
St. Maximin, Gorze, St. Vannes, Zwisalten, Benediktbeuern, Quedlinburg u. s. f. (Hauck,
30 KG. Deutschlands, IV, 1, S. 71). Zahlreiche und großenteils kunstgeschichtlich bedeutende
Kirchen wurden dem Heiligen, der insbesondere als Beschützer der Schiffer und Fischer
angerufen wurde, in den Seestädten des deutschen und skandinavischen Nordens gewidmet.
Die Nikolaikirchen wetteifern fast in jeder berühmten Hansestadt an Größe und reichem
Altarschmuck mit den der hl. Jungfrau geweihten Gotteshäusern; sie verdunkeln oft genug
35 die Jakobi=, Petri=, Johanneskirchen u. s. f.

Die darstellende Kunst kennzeichnet den Heiligen bald durch das Attribut des Ankers
(als Patron der Schiffer), bald durch drei Brote (als Patron der Bäckerzunft), bald durch
Zusammenstellung mit drei Kindern, welche bittend die Hände zu ihm erheben (als Be=
schützer und Freund der Kinder), bald endlich durch drei goldene Kugeln, bezw. kugel=
40 förmige Geldbörsen (als Wohlthäter der Armen). Mit dem letzten dieser Attribute malte
ihn schon Cimabue; später Andrea del Sarto (berühmtes Gemälde im Palazzo Pitti zu
Florenz), Mich. Wohlgemut in Nürnberg, Zeitblom in Münster, Schraudolph in München
u. s. f. Andere namhafte Darstellungen sind die von Tizian (Altarbild in San Sebastiano
in Venedig), Paolo Veronese (London), de Bernard (Braunschweig). Ganze Cyklen zur
45 Darstellung von Wundern des hl. Nikolaus malten u. a. Fiesole (zwei Bilder im Vatikan
und fünf dgl. in Perugia) und Giottino (Fresken in der Kapelle der Unterkirche zu
Assisi). Demselben Gegenstande sind 18 Bilder auf einem Altarwerk der Danziger
Marienkirche (von einem deutschen Meister um 1525) gewidmet. Anderes Derartige be=
findet sich in Chartres (Glasgemälde in der Kathedrale), in der Nikolaikirche zu Soest,
50 in St. Cunibert zu Köln, auf einer Casula zu St. Paul im Lavanttale (Kärnten) ꝛc.
Vgl. überhaupt W. Detzel, Ikonogr. II, 548—550. — Wegen des auf St. Nikolaus
als Wohlthäter der Kinder bezüglichen Sagenkreises und Festcyklus vgl. außer Schnell
bes. auch G. Rietschel, Weihnachten in Kirche, Kunst und Volksleben, Bielefeld 1902,
S. 112 ff.   **Zöckler.**

55 **Nikolaus von Straßburg.** 1. Dominikaner, gest. nach 1329. — Litteratur:
K. Schmidt, Joh. Tauler, S. 5 f., 1841; Frz. Pfeiffer, Deutsche Mystiker I, XXII—XXV,
1845; W. Preger, Gesch. der deutschen Mystik im Mittelalter II, 67—70, 1881; Denifle,
Aktenstücke zu Meister Eckarts Prozeß in ZGA XXIX, 259 ff., 1885; ders., Der Plagiator Ni=
kolaus v. Str., ALKG IV, 312—329, 1888.

N. wird zu den älteren deutschen Mystikern gezählt, ohne eben einen hervorragenden Platz unter ihnen zu behaupten. Von seinem Leben ist weniges bekannt; gewiß ist, daß er sich eine Zeit lang in Paris aufgehalten hat (vermutlich vom Orden des Studiums wegen dahin gesandt), und daß er als Lesemeister der Dominikaner in Köln gewirkt hat, vgl. seine eignen Worte an Eb. Balduin von Trier, ALKG IV, 318. Im Jahre 1325 erteilte Johann XXII. dem Professor der Theologie Benedikt von Como und dem N. v. Str., der als früherer Lektor zu Köln bezeichnet wird, den Auftrag, die Dominikaner- klöster der Provinz Teutonia zu visitieren und allerlei vorgekommene Unordnungen abzu- stellen (Text a. a. O. 315 f.). Wenn der Papst ihnen diesen Auftrag durch Vermittlung des Ordensgenerals zugehen ließ, und diesen selbst anwies, sie zu seinen Stellvertretern zu ernennen, so geschah das wohl, um dessen Autorität in der Form zu schonen; es wurde ihm aber ausdrücklich verboten, sie ohne päpstliche Erlaubnis von ihrer Kommission abzurufen. Von einer Ernennung derselben zu Inquisitoren gegen Häresie ist nicht die Rede, wohl aber lautet die päpstliche Vollmacht so allgemein, daß Nik. v. Str., der, wie es scheint, allein den Auftrag ausgeführt hat, sich wohl für berechtigt halten durfte, auch über Anklagen dieser Art zu entscheiden. Dadurch wurde er in den Prozeß Eckarts ver- wickelt (s. hierzu Bd V S. 145, wo jedoch Z. 24 f. nach dem eben Bemerkten zu berichtigen ist). Von der in Köln über ihn verhängten Exkommunikation dispensierte ihn Johann, um ihm die Teilnahme als Definitor am Generalkapitel des Ordens zu Perpignan 1327 zu ermöglichen. Läßt dies schon auf Fortdauer der päpstlichen Gunst schließen, so scheint auch der Ausgang der Untersuchung gegen Eckart für ihn keine nachteiligen Folgen gehabt zu haben, da er noch nach dieser Zeit als Vikar (für Teutonien) bezeichnet wird, s. ALKG IV, 317 A. 1.

Von N. ist außer einigen Predigten eine Schrift De adventu Christi erhalten (in Hdschr. zu Berlin und Erfurt, beide mit Widmung an Eb. Balduin von Trier, während die in Straßburg verbrannte Hdschr. eine Dedikation an Johann XXII. als Erkenntlich- keit für den im Jahre 1325 erteilten Auftrag enthielt). Nun hat der Denifle nach- gewiesen, daß diese Schrift in ihrem ersten und dritten Teile nichts anderes ist als eine z. T. anders geordnete und mit Kapiteleinteilung versehene, sonst aber fast genaue Wieder- gabe zweier Abhandlungen des Dominikaners Magister Johann von Paris (mit dem Bei- namen Qui dort) De adventu Christi secundum carnem und De antichristo, und man wird D. zustimmen müssen, daß danach auch für den zweiten Teil, obwohl hier eine Vorlage nicht nachgewiesen ist, doch die geistige Autorschaft des N. mindestens in Frage steht. Wie weit die moralischen Vorwürfe, die D. daraufhin gegen N. erhebt, begründet sind, mag dahingestellt bleiben; ich bemerke nur, daß in der Widmung an Balduin a. a. O. S. 318, N. es absichtlich zu vermeiden scheint, sich als Verfasser der Schrift zu bezeichnen — jedenfalls aber geht es bei dieser Sachlage nicht an, den Inhalt der Schrift zur Charakteristik des N. zu verwenden. So bleiben nur die Predigten.

Diese 13 Predigten, von Pfeiffer a. a. O. S. 261—305 herausgegeben, von Preger am eingehendsten gewürdigt, sind z. T., nach Angaben der Hdschr., vor Dominikaner- nonnen in Freiburg und dem benachbarten Adelhausen gehalten worden. Die Zuhörer- schaft war also wenigstens z. T. eine ähnliche wie bei Eckart, doch ist der Unterschied in den Reden selbst erheblich. Zwei Dinge sind es, die die Predigten der sog. deutschen Mystiker besonders charakterisieren, einmal das Dringen auf Innerlichkeit und innere Wahrheit des religiösen Lebens überhaupt, dann die im eigentlichen Sinne mystischen Gedanken, vom Seelenfunken, von der Geburt des Sohnes Gottes im Menschen, von der Gelassenheit u. s. w. Von den letzteren findet sich nun bei N. nur wenig, und während Eckart, da wo er auf die Tiefen der Mystik kommt, sich recht eigentlich in seinem Elemente fühlt, so berührt N. sie nur eben kurz und da, scheut er sich bei ihnen zu verweilen. Um so mehr tritt das andere Moment hervor. Zwar läßt N. alle kirchlichen Einrich- tungen, Büßungen, Ablaß u. s. w. in ihrer Ehre, aber das ganze Gewicht legt er auf die innere aufrichtige Buße und Bekehrung; sie ist es, die sich das Verdienst Christi an- eignet, und dieses ist so überschwänglich groß, daß in ihm allein die vollkommene Tilgung aller Schuld gegeben ist; besonders setzt er dies in der neunten Predigt auseinander, die in den bezeichnenden Satz ausgeht: er ist wol ein töre, der mit siner eigenen Koste giltet (bezahlt) und wol mit frömder Koste gelten möhte. Auch legt er auf Pflicht- erfüllung im Beruf und auf geduldiges Tragen der von Gott zugeschickten Leiden größeres Gewicht als auf besondere fromme Werke und Büßungen. — Wenn N. die Schönheit der Sprache Eckarts bei weitem nicht erreicht, so ist er ihm doch an Popularität über- legen. Durch die Form von Frage und Antwort, durch Beispiele, Gleichnisse, einmal auch durch eine Tierfabel, weiß er, bei einfach verständlicher Darstellungsweise den Hörern seine Gedanken einleuchtend zu machen. Ist er kein Großer unter den Mystikern, so verdient er doch als Prediger nicht gering geschätzt zu werden.   S. M. Deutsch.

Nikolaus v. Str. 2. Karthäuser (Nikolaus Kempf de Argentina), gest. 1497. —
Litteratur: Biographische Notizen von B. Pez in der Vorrede zu Teil IV der Biblioth. ascetica und von Baillie (Abt des Schottenklosters zu Regensburg), ebenda Vorrede zu T. XI; Nik. Paulus, Der Karthäuser N. v. St. und seine Schrift De recto stadiorum fine ac ordine („Katholik" 1891, II, 346 ff.); Augustin Rösler, Der Karth. N. Kempf (Bibl. d. kath. Pädagogik VII, 261 ff., 1894).

N., geboren zu Straßburg i. E. 1397, hat in Wien besonders unter Nikolaus von Dinkelsbühl Theologie studiert; auch Heinrich von Langenstein ist sein Lehrer gewesen; später lehrte er selbst mit Beifall, trat aber 1440 in den Karthäuserorden ein, in dem niederösterreichischen Kloster Gaming (damals Gemnik, daher wird er zuweilen Gemnicius genannt, woraus der Irrtum entstanden ist (RE.² u. a.), er sei Karthäuser in Chemnitz gewesen. Lange Jahre hindurch hat er dann das Priorat verschiedener Klöster verwaltet, bis das Generalkapitel von 1490 endlich dem 93jährigen die Bitte gewährte, fortan in Ruhe leben zu dürfen; seine letzten Jahre brachte er in Gaming zu. Seine ziemlich zahlreichen Schriften (Pez verzeichnet 36, von denen einige jedoch zweifelhaft) gehören mit Ausnahme von zweien, den regulae grammaticales und den disputata super libris posteriorum Aristotelis wohl sämtlich der Zeit seines Mönchsstandes an und betreffen z. T. Gegenstände des Mönchslebens überhaupt oder der Karthäuser insbesondere, wie der Tractatus de tribus essentialibus omnis religionis und der Tr. super statuta ordinis Carthusiensis, teils sind sie von allgemein erbaulichem oder auch mystischem Inhalt. N. ist also zu den mystischen Theologen des 15. Jahrhunderts zu zählen; besonders hoch stellt er Joh. Gerson, an den auch die Mahnung zu ernstlichem Bibelstudium (unter Empfehlung der Erklärungen des Nik. v. Lyra) erinnert. Im ganzen dürfte seine Richtung der seines berühmteren, gelehrteren und wohl auch mit weiterem und freierem Blicke begabten Ordensgenossen Dionysius (s. d. A. Bd IV S. 698 ff.) nicht fern stehen. Gedruckt ist von seinen Schriften der Tr. de modo perveniendi ad veram ... dilectionem schon um 1470 zu Basel; drei andere finden sich bei Pez, nämlich Dialogus de recto studiorum fine ac ordine (IV, 257—492), Tr. de discretione (IX, 379 bis 532) und die Expositio mystica in canticum cant. (XI—XII). Der Dialog ist zum größten Teil ins Deutsche übersetzt von Rösler a. a. O. S. 280—348.
S. M. Deutsch.

Nikolaus de Tudeschis s. Panormitanus.

Nikon, russischer Patriarch, gest. 1681. — Litteratur: Philaret, Gesch. d. Kirche Rußlands, übersetzt von Blumenthal II, Frankf. a. M. 1872, S. 22 ff. 119 ff.; W. Palmer, The Patriarch and the Tsar, 6 Bde, London 1871—1876. Hier sind auch ganze Abhandlungen in engl. Uebersetzung wiedergegeben, z. B. des Nikon Erwiderungen auf die Fragen des Bojaren Stréschnev und die Antworten des Paisius Ligarides, des Paulus von Aleppo Reise des Patriarchen Makarius von Antiochien, des Paisius Ligarides Geschichte der moskauschen Synode gegen den Patr. Nikon, Schuscherins Nachricht von der Geburt und dem Leben des Patr. Nikon. Auch sind umfangreiche Auszüge aus russischen Darstellungen aufgenommen. Subbotin, Materialien zur Geschichte des russischen Schismas (russisch), 8 Bde, 1875—1887; Makarij, Metropolit von Moskau, Geschichte der russischen Kirche Bd XI, 162 ff. XII, St. Petersburg 1882 f. Das urkundliche Material zur Geschichte Nikons ist in weitem Umfang erhalten und von Makarij ausgiebig benutzt. S. auch den Art. Raskol.

Das Emporkommen des moskowischen Großfürsten hatte kräftige Förderung von seiten des Hauptes der russischen Kirche erfahren. Die Metropoliten von Moskau waren stets ebenso bereit, ihre geistlichen Mittel dem Großfürsten zur Verfügung zu stellen, wie es ihnen fern lag, die weltliche Gewalt von sich abhängig zu machen. Seit 1589 gab es zu Moskau einen Patriarchen. Auch dieser suchte nicht seinen Einfluß gegenüber der zarischen Macht zu erweitern. Aber von selbst ward dem Patriarchen eine Einwirkung auch in das staatliche Gebiet hinüber, als der Vater des noch jugendlichen Zaren Michael Romanov nach seiner Befreiung aus der polnischen Gefangenschaft 1619 zum Patriarchen erwählt wurde. Nicht minder wie der Zar hieß auch Philaret „gebietender Herr". Die Autorität, die Philaret durch sein persönliches Verhältnis zum Zaren gewonnen, wirkte doch wohl in etwas auch für die Stellung seiner Nachfolger nach, und der dritte berselben, Nikon, war die Persönlichkeit, dem Leiter der russischen Kirche eine Selbständigkeit zu erringen, wenn eine solche auf diesem Boden sich überhaupt erreichen ließ. Sein Patriarchat bezeichnet die einzige Epoche in der Geschichte der russischen Kirche, wo von einer Rivalität der geistlichen und weltlichen Gewalt geredet werden kann.

Nikon, vor seinem Mönchwerden Nikita, wurde 1605 in einem Dorf des heutigen 5 Gouvernements Nischnij-Novgorod geboren. Vor einer bösen Stiefmutter in ein Kloster entwichen, wird er dort mit dem kirchlichen Dienst vertraut. Seit seinem 20. Jahr ist er verheiratet und Geistlicher, erst in einem Dorf, dann in Moskau. Aber nach zehnjähriger Ehe, als der Tod ihn seiner Kinder beraubt, bestimmt er seine Frau zum Eintritt in ein Kloster und wird selbst Mönch auf einer Insel des Weißen Meeres. Wegen 10 Differenzen mit seinem Abt vertauscht er bald die erste Einsiedelei mit einer anderen, deren Abt er 1643 wird. Bei einer Anwesenheit in Moskau machte er auf den jungen Zaren Alexei einen tiefen Eindruck und wurde von ihm 1646 zum Archimandriten des Nowospasschen Klosters in Moskau erhoben. Als solcher stand er in naher Beziehung zum Zaren, dem er u. a. die an ihn gerichteten Bittschriften zu übermitteln hatte. Schon 15 1649 rückte er durch das Vertrauen des Zaren in die Stellung des Metropoliten von Novgorod, die höchste nach der des Patriarchen, ein. Hier bewährte er sich glänzend durch die Gründung von Armenhäusern, Versorgung der Notleidenden in einer Hungersnot und Mitwirkung zur Unterdrückung eines Aufstandes (1650); zugleich stand er mit dem Zaren in stetem brieflichen Verkehr und weilte alljährlich längere Zeit an seinem 20 Hofe. Als der Patriarch Joseph 1652 starb, war daher die Übertragung des Patriarchats an ihn selbstverständlich; seine anfängliche Weigerung sollte nur ihm wertvolle Zugeständnisse einer weitgehenden kirchlichen. Unabhängigkeit erzielen.

Nur 6 Jahre hat in Wirklichkeit (nominell 14 Jahre) Nikon die Patriarchenwürde inne gehabt, aber jene Jahre sind von tiefgreifender Bedeutung für die Geschichte der 25 russischen Kirche geworden. Sie sind zunächst bezeichnet durch die Vereinigung der klein- und weißrussischen Kirche mit der großrussischen und durch die energische Inangriffnahme der Verbesserung der liturgischen Bücher und gottesdienstlichen Ordnungen. Die Brester Union von 1596, welche die westrussischen Gebiete mit Polen enger hatte verbinden sollen, hatte vielmehr thatsächlich in jenen das Streben nach einem Anschluß an Moskau 30 wachgerufen und hielt es lebendig (vgl. Makarij XI, 315 ff.). Durch den Hetman Chmelnitzkij vollzog sich der Anschluß von Kleinrußland an Moskau. Nikon konnte sich den Patriarchen von Groß-, Klein- und Weißrußland nennen. Doch hat er nicht gewagt in die vielmehr selbständige innere Verwaltung der Kiewschen Metropole einzugreifen (Makarij XII, 104 ff.). — Unter Nikon hatte ein lebhafter Verkehr mit den orienta- 35 lischen Patriarchen statt wie nie zuvor, ebenso wurden zahlreiche Synoden zu Moskau gehalten. Die dabei behandelten Fragen betrafen die gottesdienstlichen Gebräuche und die liturgischen Bücher. Bei der Wertung der kultischen Formen als der Vermittler göttlichen Lebens mußte jede Änderung an der von den Vätern überkommenen Form als eine Gefährdung des Christentums erscheinen. Daraus ergab sich ebensosehr die Pflicht, 40 jede eingeschlichene Abweichung durch energische Reform zu beseitigen, wie jeder Verletzung des sakramentlichen Heilsgutes durch eine nur vermeintliche Verbesserung entgegenzutreten. Nun hatten im Laufe der Zeit in der altslavischen Gestalt der von den Griechen empfangenen Glaubensformeln, Kirchengebete und liturgischen Ordnungen Änderungen Eingang gefunden, die schon im 16. Jahrhundert von russischer Seite einem Maxi- 45 mus, dem „Griechen", vorzuhalten, daß er durch seine Verbesserung derselben die Achtung vor den „ehrwürdigen Wunderthätern" verletze, da sie eben auf Grund dieser Bücher von Gott mit seinen Gaben begnadigt worden seien (Kostomarov, Russ. Gesch. in Biographien Bd 1, übers. von Henckel, Gieß. 1891, S. 369 f.). Die sog. Stoglavsche Synode von 1551 hatte die in Rußland herrschend gewordene Form sanktioniert. Dennoch war die 50 Frage nach der Herstellung richtiger liturgischer Bücher und Gebräuche immer wieder hervorgetreten, da die Drucklegung jener Bücher stattfinden mußte. Noch unter dem der Reform abgeneigten Patriarchen Joseph, aber schon unter dem Einfluß Nikons, wurden Gelehrte aus Kiew zur Durchsicht der Bibel und der liturgischen Bücher berufen, die Korrektur der sog. Wochen(Sechstags-)agende auch bereits ins Werk gesetzt. Ferner wurde 55 nach Einholung des Urteils des Patriarchen von Konstantinopel auf einer Synode untersagt, daß — wie üblich geworden — behufs Verkürzung des Gottesdienstes gleichzeitig Lektion, Gebet und Gesang stattfinde. Auch sandte man den Arsenij Suchanov zum Dreifaltigkeitskloster zu den Griechen, sich dort über die rechten Formen zu orientieren. Doch kehrte dieser (1650) schon unterwegs um und wußte nur von seinem Zwist mit 60

ben Griechen über die Form des Kreuzschlagens und davon zu berichten, daß die Mönche
auf dem Athos die sich nur mit 2 Fingern Bekreuzenden verurteilt und ihre Bücher, die
dies lehrten, als ketzerisch verbrannt hätten. Nikon nahm als Patriarch die kultische Reform
sofort energisch in Angriff. 1653 erließ er von sich aus eine Anordnung zur Verminde=
5 rung des häufigen Sichniederwerfens zur Erde während der kirchlichen Gebete und darüber,
mit drei Fingern das Kreuz zu schlagen. Heftiger Widerspruch, besonders der Protopopen
Neronov und Awwakum, die schon der Ernennung Nikons zum Patriarchen entgegen=
gewirkt, war die Folge. Zu weiteren Maßregeln veranlaßte er daher 1654 die Berufung
einer Synode, auf der er auf mehrfache Abweichungen von dem älteren Ritus hinwies
10 und den Grundsatz der Rückkehr zu der von den griechischen und alten slavischen Büchern
vorgeschriebenen Form festistellen ließ. Der Bischof Paul von Kolomna, der allein einen
gewissen Widerspruch wagte, wurde abgesetzt, ausgepeitscht und verschickt (Makarij XII,
146). Schon vorher waren Neronov und Awwakum verbannt worden. Arsenij ward
aufs neue abgesandt, griechische Handschriften, aus denen man sich belehren konnte, zu
15 bringen. Die Anwesenheit der Patriarchen von Antiochien und von Serbien unterstützte
die Sache. Zunächst wurden die nach lateinischer oder „fränkischer" Weise gemalten
Bilder ihren Besitzern, vornehmen Bojaren, genommen, der Nimbus entfernt, die Augen
ausgestochen, und die Bilder vom Patriarchen so auf den Boden der Kirche ge=
schleudert, daß sie zerbrachen; der Vorwurf eines „Bilderstürmers" blieb dafür Nikon
20 freilich nicht erspart. Eine neue Synode von 1655 behandelte eine Reihe liturgischer Ab=
weichungen von der griechischen Praxis, darunter die Differenz in der Form des Symbols
und in der Kreuzesbezeichnung; ein neues Missale (Služebnik) und eine Gottesdienst=
ordnung mit deren Erklärung (Skrižal) wurde vorgelegt. Dann traf das erbetene
Schreiben des Patriarchen von Konstantinopel ein, das die rechte Form und die Deutung
25 der Liturgie und die Notwendigkeit einer Übereinstimmung entwickelte (griechisch und sla=
visch in „Christliche Lektüre" 1881, I, 303 ff. 539 ff.). Synoden des Jahres 1656 be=
stätigten die früheren Beschlüsse, sprachen das Anathema über die sich nicht mit drei Fingern
Bekreuzenden und beseitigten in Betreff der Römisch-Katholischen die Wiedertaufe. Es
wurden (Makarij S. 198) noch weiter (1656) verbessert herausgegeben ein Fastentriod,
30 ein Irmolog, ein Horengebetbuch (Casoslov) und vorbereitet ein Ritualbuch (Trebnik,
erschienen 1658), 1657 ein Festtagspsalter und anderes. Gleichzeitig revidierte Nikon die
kirchlichen Gebräuche. An Widerspruch fehlte es zwar nicht, aber angesichts der eisernen
Energie des Patriarchen wagte er sich nur wenig zu äußern; selbst Neronov unterwarf
sich und erhielt den Gebrauch der alten Bücher gestattet. — Dieser Widerspruch wurde
35 aber um so stärker laut, als Nikon sich durch sein rücksichtsloses Streben nach kirchlicher
Selbständigkeit um die Gunst des Zaren gebracht hatte. Nikon ist nämlich wie um die
liturgische Reform, so nicht minder entschlossen bemüht gewesen, der Kirche die Selbst=
ständigkeit neben der staatlichen Gewalt zu erringen. Durch die Uloženie des Zaren Alexei
war ein besonderer Klostergerichtshof aus weltlichen Richtern eingesetzt worden, welcher in
40 allen bürgerlichen Sachen die Gerichtsbarkeit über den Klerus auszuüben hatte. Nikon
hatte aber schon als Novgoroder Metropolit erreicht, daß ihm das Gericht nicht nur über
den Klerus, sondern auch über die Bauern der Kirchengüter seiner Eparchie überlassen
wurde. Bei seinem Antritt des Patriarchats ließ sich Nikon vom Zaren die Einhaltung
der kirchlichen Regeln geloben. Der Herausgabe des kirchlichen Rechtsbuchs, der Korm=
45 čaja, fügte er eine Darlegung der kirchlichen Unabhängigkeit des russischen Patriarchats
und die Donatio Constantini bei (1653). Die Ernennung der Äbte und Bischöfe nach
dem Willen des Zaren und die Appellationen an diesen hörten auf. Der Patriarch hatte
die Gerichtsbarkeit über alle irgendwie zur Kirche Gehörenden seiner Eparchie. Drei von
ihm gegründete große und reich ausgestattete Klöster galten als sein persönliches Eigentum,
50 unter ihnen das Auferstehungskloster oder Neujerusalem bei Moskau. — Sein Einfluß
wurde noch dadurch gesteigert, daß der Zar ihn wiederholt während seiner längeren Ab=
wesenheit mit seiner Stellvertretung betraute. Der Patriarch war mehr gefürchtet als
der Zar. Mit den vornehmsten Bojaren verkehrte er als mit Untergeordneten, und über
seine kirchlichen Untergebenen waltete er mit großer Strenge, ja Härte. Er hatte es
55 thatsächlich erreicht, daß der Patriarch eine selbstständige Macht neben dem Zaren ge=
worden war.

Es war die Frage, ob sich dies Verhältnis behaupten ließe. Durch sein Vorgehen
in der Sache der „fränkischen" Bilder und in der der liturgischen Bücher und rituellen
Ordnungen, durch seine Strenge und sein stolzes Auftreten hatte Nikon sich viele Gegner
60 geschaffen. Sie wagten aber nicht ihn offen anzugreifen. Seinen Sturz hat vielmehr

Nikon selbst herbeigeführt. Er verkannte, daß er seine Macht doch im Grunde nur der Person des Zaren verdankte, daß sie daher auch nur durch die Gunst des Zaren zu. erhalten war. Das Älterwerden des Zaren, seine wiederholte längere Abwesenheit von Moskau, seine kriegerischen Erfolge hatten dessen Selbstbewußtsein gesteigert, in seiner Umgebung war man bestrebt, dem Einfluß des Patriarchen entgegenzuarbeiten. Wie es scheint, hatte Nikon schon mehrfach seinen Willen beim Zaren durchgesetzt durch die Drohung, sein Amt niederzulegen. Zu diesem Mittel griff er auch, als man ihn 1658 bei der Einladung zur kaiserlichen Tafel übergangen hatte und ihm für die Beleidigung seines Abgesandten die geforderte Genugthuung nicht gewährte, der Zar vielmehr an den nächsten Festtagen dem Gottesdienst fern blieb. Nikon legte feierlich die Würde des Patriarchen von Moskau nieder und begab sich in das Auferstehungskloster. Seine Erwartung, hierdurch den Zaren zum Nachgeben zu bestimmen, erfüllte sich nicht. Vielmehr hatte er sich so selbst der Möglichkeit, ferner auf den Zaren persönlich einzuwirken, beraubt und seinen Gegnern das Feld überlassen. Seine Bemühungen, es wieder zu einer vertraulichen Aussprache mit dem Zaren zu bringen, blieben vergeblich. Aber Nikon, für den leben wirken war, konnte sich nicht an der Verwaltung seiner Klöster genügen lassen; vielmehr ging nun sein ganzes Streben darauf, seine Ansprüche trotz seiner Entsagung zu behaupten und wo möglich wieder in die frühere Stellung einzurücken. Seit der Synode von 1660 wird die Frage nach der Ernennung eines neuen Patriarchen an seiner Stelle verhandelt. Nikon verzehrt sich in fruchtloser Opposition, und selbst zu heftigen Invektiven gegen den Zaren läßt er sich jetzt hinreißen. Die Führung im Kampf gegen ihn übernimmt ein Grieche, der nominelle Metropolit von Gaza, Paisius Ligarides; er vornehmlich betreibt die Ersetzung Nikons durch einen neuen Patriarchen. Nikon nimmt gelegentlich seine Zuflucht selbst zu der Drohung mit einer Appellation an den Papst und zur Berufung auf von ihm ausführlich mitgeteilte Visionen. Auf den Rat des Ligarides eingeholte Gutachten der orientalischen Patriarchen fielen gegen Nikon aus. Dessen Versuch (Ende 1664), durch plötzliches Erscheinen zu Moskau eine Wendung der Dinge herbeizuführen, mißlang. Ueber die Bedingungen seiner definitiven Entsagung kam es zu keiner Einigung. Nach dem Eintreffen der Patriarchen von Alexandrien und Antiochien wurde Nikon der Prozeß gemacht. Der Zar selbst trat als Ankläger auf. Nikon verteidigte sich bestimmt und unerschrocken, wurde aber in der 8. Sitzung der Patriarchenwürde entsetzt und in das Kloster des Therapontius am Weißen Meer verbannt, von wo er 1675 in das Kyrilluskloster übergeführt ward. Erst der Zar Theodor erlaubte ihm die Rückkehr in das Auferstehungskloster. Noch unterwegs, am 17. August 1681, ereilte ihn der Tod, aber mit den Ehren eines Patriarchen wurde er bestattet und in der Würde eines solchen wieder anerkannt. Sein Zurücktreten vom Patriarchat war der Anlaß für die Gegner seiner Reform geworden, mit ihrer Opposition offen hervorzutreten und führte somit das große Schisma, den Raskol (s. d. A.), herbei. Einen Kirchenfürsten wie ihn, den russischen „Chrysostomus", hat Rußland nicht wieder gehabt. **Bonwetsch.**

Nilus. — Leo Allatius (gest. 1669), Diatriba de Nilis et eorum scriptis (ad calcem editionis epistolarum S. Nili Sinaïtae) Romae 1668 (s. u.). J. Alb. Fabricius, Biblioth. Graeca, vol. X, p. 3—17.

1. **Nilus der Sinaite (S. Nilus asceta s. abbas).** — S Nili opera quaedam nondum edita gr. et lat. edid. Petr. Possinus, Paris. 1639. S. Nili abbatis tractatus s. opuscula (omissis eis, quae ediderat Possin.) gr. et lat. ed. Jos. Maria Suaresius, Rom. 1673. S. Nili epistolae gr. et lat. ed. P. Possinus, Par. 1657. S. Nili ascetae epistolarum libri IV gr. et lat. ed. Leo Allatius, Rom. 1668 (vgl. u. im Text). Den Inhalt dieser früheren Editionen vereinigt die Ausg. in MSG t. 79 (Par. 1865). Der Text sowohl des griech. Originals wie der lat. Version liegt sehr im argen insbes. bei den Episteln, und die Echtheitsfrage erscheint bei nicht wenigen der unter Nilus' Namen überlieferten Schriften mehr oder weniger zweifelhaft — weshalb für eine spätere krit. Ausg. vieles zu thun bleibt. Ueber den die betr. litterarkritische Untersuchung besonders erschwerenden Umstand, daß mehrere dem Nilus beigelegte Schriften auch unter dem Namen seines Zeitgenossen Evagrius Pontikus überliefert sind, s. Zöckler, Evagr. Pont. (Bibl. und kirchenb. Studd. IV, 1893), S. 43—48. Teils kürzere teils umfassendere Abhdlgen. über diesen ältesten und schriftstellerisch bedeutendsten Träger des Nilusnamens s. bei Tillemont, Mém. t. XIV, p. 189—218; Ceillier, Hist. gén. t. XIII, ch. III; J. A. Fabricius l. c.; bes. bei Feßler-Jungmann, Institutiones patrol.², II, 2, p. 108—126. Ueber Nilus' Stellung zu den dogmat. Fragen seines Zeitalters handelt J. Kunze, Marcus Eremita (Lpz. 1895), S. 129 ff. Ueber N. als Sentenzenschriftsteller und Ethiker: Zöckler, Das Lehrstück von d. 7 Hauptsünden (Bibl. rc. Studd. III), S. 28—34.
2. **Nilus von Rossano (N. der Jüngere).** — Vita S. Nili abbatis Cryptae Fer-

ratae in agro Tusculano Italiae, auctore sancti discipulo, fortasse b. Bartolomeo, gr. et
lat. ed. J. Matth. Caryophilus, Rom. 1624. Dieselbe Vita in ASB t. VII Sept. 283—343
(bloß lat. in MSL t. 71, p. 509—588; nur auszugsweise in MGS IV, 616—618). Vgl.
G. Minasi, San Nilo di Calabria, monaco basiliano nel 10. secolo, con annotaz. storiche,
5 Napoli 1892; Wattenbach, Deutschlds. Geschichtsqu.⁶, I, 435; Neander, Gesch. der chr. Rel. u.
Kirche³, II, 230 ff.; Krumbacher, Byz. Litt.-G.², 195. 198.
    3. **Nilus Doxopatrius.** — Vgl. Eman. Schelstrate, Antiqu. eccl. illustr., Rom.
1697, II; Schröckh, KG Bd 29. S. 375.
    4. **Nilus Damylas.** — S. Fabricius, Bibl. gr. X, p. 19. Vgl. Byz. Z. I, 1892,
10 S. 354 und Krumbacher², 110. 319. 510.

    1. Von den 21 Trägern des Namens Nilus ($N\varepsilon\tilde\iota\lambda o\varsigma$), welche Leo Allatius aufzählt
und wovon ungefähr die Hälfte auch in Krumbachers Byz. Litt.-G.² Erwähnung gefunden
hat, ist der älteste und bedeutendste der hl. Nilus vom Sinai (gest. c. 430). Gleich
seinen Zeitgenossen Markus Eremita, Isidorus Pelusiota und Proklus (Patriarch v. Kon-
15 stantinopel, 434—446) gehörte er zu den Schülern und treuen Verehrern des Chrysostomus, dessen unverdientes Schicksal er beklagte. Das griechische Menologium berichtet,
daß er, aus vornehmer Familie stammend, in der Hauptstadt zu hohen bürgerlichen Ehren
und selbst zu der Würde eines Exarchen emporstieg und eine glückliche und glänzende Ehe
schloß, welche mit zwei Kindern gesegnet wurde. Er gab aber diese Güter preis, um dem
20 Beruf eines Anachoreten zu folgen. Mit seinem Sohne Theodulus begab er sich (nach
Feßler-Jungm. schon kurz vor dem Jahre 400, also während Chrysostomus noch Bischof
von Konstantinopel war) nach dem Berge Sinai und lebte daselbst als Mönch, während
seine Frau mit ihrer Tochter, — nach anderer Nachricht war es der jüngere Sohn —
in die ägyptischen Klöster wanderte. Wie seine autobiographischen $\Delta\iota\eta\gamma\eta\mu\alpha\tau\alpha$ (vgl. unten)
25 berichten, wurde er einst von einer heidnischen Barbarenhorde überfallen; sein Sohn geriet
in deren Gefangenschaft, soll aber von einem Bischof losgekauft und zum Diakonus
geweiht worden sein. Sein Tod kann nicht erst (wie Gaß in der früheren Auflage d.
Artikels annahm) um 440 erfolgt sein, sondern ist, da N.* des 3. ökumenischen Konzils
nicht Erwähnung thut und nur die ersten Anfänge der nestorianischen Streitigkeiten mit
30 erlebt zu haben scheint, wohl um 430 anzusetzen (s. einerseits Feßler-Jungmann l. c.,
andererseits Kunze S. 130 f.).
    Nilus war ein fruchtbarer Schriftsteller, und er ist des Lobes einer gehaltvollen Be-
redtsamkeit, das ihm Photius Cod. 201 erteilt, würdig. Es werden ihm, außer zahlreichen Briefen und kürzeren Sentenzen, 12—14 Schriften oder Abhandlungen beigelegt,
35 die, soweit sie echt sind, wohl in seine mönchische Periode gehören. Sie betreffen teils
das christlich-ethische Lehr- und Lebensgebiet im allgemeinen, teils die besonderen Verhältnisse und Pflichten des Asketenlebens. Mit Feßler-Jungm. (S. 111 ff.) lassen sich überhaupt drei Gruppen Nilusscher Schriften unterscheiden:
    I. **Traktate über Tugenden und Laster der Christen**: 1. $\Pi\varepsilon\rho\iota\sigma\tau\acute\varepsilon\rho\iota\alpha$
40 $\pi\rho\dot o\varsigma$ $'A\gamma\acute\alpha\theta\iota o\nu$ $\mu o\nu\acute\alpha\zeta o\nu\tau\alpha$ (Peristeria ad Agathium, seu Tractatus de virtutibus
excolendis et vitiis fugiendis): Migne p. 811—968; 2. $\Lambda\acute o\gamma o\varsigma$ $\pi\varepsilon\rho\iota$ $\pi\rho o\sigma\varepsilon\upsilon\chi\tilde\eta\varsigma$ (Tractatus de oratione: ib. p. 1176—1200 — diese beiden die bedeutendsten dieser Gruppe;
3. $\Pi\varepsilon\rho\iota$ $\tau\tilde\omega\nu$ $\dot o\kappa\tau\dot\omega$ $\pi\nu\varepsilon\upsilon\mu\acute\alpha\tau\omega\nu$ $\tau\tilde\eta\varsigma$ $\pi o\nu\eta\rho\iota\alpha\varsigma$ (Tract. de octo spiritibus malitiae:
M. p. 1145—1164) — wohl eine freie Nachbildung des Traktats ähnlichen Inhalts
45 von Evagrius Pontikus (s. Zöckler, l. c. S. 29 ff.); 4. $\Lambda\acute o\gamma o\varsigma$ $\pi\rho\dot o\varsigma$ $E\dot\upsilon\lambda\acute o\gamma\iota o\nu$ $\pi\varepsilon\rho\iota$
$\tau\dot\alpha\varsigma$ $\dot\alpha\nu\tau\iota\zeta\acute\upsilon\gamma o\upsilon\varsigma$ $\tau\tilde\omega\nu$ $\dot\alpha\rho\varepsilon\tau\tilde\omega\nu$ $\kappa\alpha\kappa\iota\alpha\varsigma$ (Tract. ad Eulogium de vitiis, quae oppo-
sita sunt virtutibus): M. p. 1140—1144 — wohl unecht, wie sich aus der von
Nilus' Schreibweise abweichenden, schwülstigen und üppig bilderreichen Diktion zu ergeben
scheint (Zöckler S. 33 f.); 5. $\Pi\varepsilon\rho\iota$ $\tau\tilde\omega\nu$ $\dot o\kappa\tau\dot\omega$ $\tau\tilde\eta\varsigma$ $\kappa\alpha\kappa\iota\alpha\varsigma$ $\lambda o\gamma\iota\sigma\mu\tilde\omega\nu$, De octo vitio-
50 sis cogitationibus): M. 1435—1472 — als Kompilation eines späteren Nachahmers
von Nilus betrachtet von Dupin, Ceillier (p. 162), auch von Migne l. c.; 6. $K\varepsilon\varphi\acute\alpha$-
$\lambda\alpha\tilde\iota\alpha$ $\kappa\zeta'$ $\pi\varepsilon\rho\iota$ $\delta\iota\alpha\varphi\acute o\rho\omega\nu$ $\pi o\nu\eta\rho\tilde\omega\nu$ $\lambda o\gamma\iota\sigma\mu\tilde\omega\nu$ (Capita 27 de diversis malignis
cogitationibus): M. 1200—1234 — von den neueren Herausgg. allgemein als echt
anerkannt; 7. Homilie über Lc 22, 36: M. 1263—1280.
55   II. **Traktate über mönchische Verhältnisse und Pflichten**: 1. Sieben
Erzählungen ($\delta\iota\eta\gamma\eta\mu\alpha\tau\alpha$), betreffend die Ermordung einiger Sinai-Mönche durch Barbaren und die zeitweilige Entführung von Nilus' Sohn Theodul durch ebendieselben:
M. 590—694; 2. $E\dot\iota\varsigma$ $'A\lambda\beta\iota\alpha\nu\dot o\nu$ $\lambda\acute o\gamma o\varsigma$, Lobrede auf den Nitrischen Einsiedler Albianus,
der als ein Muster asketischen Tugendlebens hingestellt wird; 3. $\Lambda\acute o\gamma o\varsigma$ $\dot\alpha\sigma\kappa\eta\tau\iota\kappa\acute o\varsigma$ (eine
60 Lobrede auf das Asketentum als die allein wahre Fortsetzung des ursprünglichen Christen-

tums); 4. *Λόγος περὶ ἀκτημοσύνης* (Lehr= und Mahnschreiben `an die ancyranische Diakonissin Magna: M. 968—1060); 5. Traktat von den Vorzügen des Einsiedlerlebens vor dem Cönobitenleben, gewöhnlich citiert: De monachorum praestantia: M. p. 1061 bis 1094; 6. *Λόγος πρὸς Εὐλόγιον μοναχόν:* M. 1093—1140.

III. Sprüche und Briefe. Zwei Reihen kurzer ethisch=asketischer Sentenzen, die unter Nilus' Namen überliefert sind (die erste 99, die andere 139 Nummern enthaltend) teilt die Mignesche Ausg. (1239—1262) aus älterer Überlieferung mit; schon Suares (Opp. S. Nili, p. 543 ff.) kannte fünf solcher Sammlungen, doch rührt wohl keine der= selben unmittelbar von dem Sinai=Abte her (Feßler=Jungm. S. 118 f.). — Von den beiden seinen Namen tragenden Sammlungen von Briefen bietet die von Poussin edierte 355, die elf Jahre nachher von Allatius herausgegebene sogar 1061 Nummern (geteilt in 4 Bücher). Aber mit Recht urteilt über den Inhalt dieser letzten, zahlreiche Brieflein von unbedeutendster Kleinheit umschließenden Sammlung Bardenhewer (Patrol.', 336): „Von diesen 1061 Briefen können nur sehr wenige in der vorliegenden Gestalt Anspruch auf Ursprünglichkeit erheben, alle übrigen sind offenbar Excerpte aus Briefen oder anderen Schriften".

Gewiß wird die mönchische Lebensrichtung in diesen Schriften (die wenigstens in ihrer Mehrzahl als echt gelten dürfen) auf sehr achtungswerte Weise vertreten. Bei aller Verehrung dieses Standes war Nilus doch besonnen und verständig genug, sich über dessen Gefahren nicht zu täuschen. Er warnt nicht allein vor den Abwegen des Hoch= muts und der Unthätigkeit (s. bes. die oben unter I, 3 u. 6 genannten Traktate — über deren Inhalt in m. Schrift „V. den sieben Hauptsünden" l. c. näher gehandelt ist), sondern giebt auch unumwunden Zeugnis von den Seele und Leib zerrüttenden, selbst= mörderischen Folgen mönchischer Überspannung; er kannte den geheimen Sitz einer un= entfliehbaren Versuchung (lib. I, epist. 295; lib. II, epist. 140). Seine Werke geben ein reichhaltiges Bild des mönchischen Lebens, seiner Zwecke und Mittel, seiner inneren Erfahrungen und Kämpfe und des gesamten aus demselben hervorgehenden Gedanken= kreises (besonders wichtig sind in dieser Hinsicht die unter II, Nr. 3—5 genannten Trak= tate). Die Weisheit des Nilus liebt die Form des Spruches; gern ergeht er sich in Spruchreihen, die in ihrer eleganten, die Rhythmik des Siraciden nachahmenden Form an jüdisch=hellenistische Vorbilder erinnern und denen wir das Lob der Sinnigkeit, des Ernstes und der feinen Wahrnehmungsgabe nicht versagen werden. „Arbeitsam", sagt er in seinen Sentenzen, „ist jener, dem die Zeit niemals überflüssig ist". — Du sollst nicht die Gestalt, sondern die Seelenrichtung eines christlichen Mannes dir aneignen. — Bei jeder Handlung fasse vor dem Anfang schon das Ende ins Auge. — Unser Gebet sei mit Nüchternheit verbunden, damit wir nicht von Gott erbitten, woran er keinen Ge= fallen hat. — Zähme dein Fleisch mit nützlichen Beschäftigungen, denke nicht daran, es vollständig zu vernichten. — Den bösen Gedanken tritt mit anderen und besseren in den Weg. — Halte die Trägheit (*ἀθυμία*) für die Mutter aller Übel, denn sie raubt dir das Gute, was du hast, und was dir fehlt, läßt sie dich nicht erwerben. — Vergleiche das Traurige wie das Glänzende des Lebens mit einem Schatten und Rade, denn wie ein Schatten vergeht es und wie ein Rad rollt es dahin. — Die „Philosophie" ist ein ausgezeichnetes Gut für die Menschen; aber da sie einzig ist, will sie auch von ihrem Besitzer allein besessen und festgehalten sein (*οὖσα δὲ μονογενής, μόνη μόνῳ συνεῖναι τῷ κεκτημένῳ βούλεται*). — Beherrsche du deinen Bauch, dann auch deine Zunge, damit du nicht des einen Knecht und in der anderen ein unverständiger Freier werdest. — Heilig ist der Altar des Gebets, denn es zieht das Allerheiligste auf heilige Weise an uns heran. — Gutes reden muß auch, wer nicht gut handelt, damit er mit seinen Worten seine Werke beschämen lerne. — Die Thräne des Gebets ist ein heilsames Bad der Seele; aber nach dem Gebet erinnere dich, weshalb du geweint hast. — Wer nicht auch unter Sündern die Sünde haßt, wird auch, wenn er sie selbst nicht ausübt, verurteilt.

In diesen und ähnlichen Sentenzen sind klassische und altphilosophische Anklänge mit christlichen Gedanken und asketischen Neigungen auf merkwürdige Weise gemischt. Es be= greift sich, daß man im Hinblick auf diese seine klassischen Inklinationen ihm sogar eine Bearbeitung des Epiktetschen Manuale fürs Bedürfnis christlicher Leser beizulegen vermocht hat (s. diese Schrift unter den Opusc. spuria, b. Migne, p. 1286—1316). — Tiefer werden wir anderwärts in die asketischen Grundsätze eingeweiht. Denn ungeachtet aller Besonnenheit nimmt Nilus doch keinen Anstand, sein mönchisches Prinzip unmittelbar von Christus abzuleiten. Christus ist, laut jenem *λόγος ἀσκητικός* (cap. 1 sq.), der alleinige Weisheitslehrer; er hat in den Aposteln und diese wieder in den *μονάζοντες* ihre wahren Nachfolger. Der christliche „Philosoph" muß frei sein von Affekten, irdischen Sorgen und körperlichen Hemmnissen; Freiheit und brüderliche Gleichheit sind nur in dieser Form vollkommen darstellbar. Denn alle Abwendung von irdischen Gütern und sinnlichen Begierden gilt zugleich als Mittel einer inneren Seelenbefreiung, welche den unmittelbarsten Verkehr mit Gott und die werdende geheimnisvolle Einverleibung mit Christus möglich macht. Ruhe und genießende Betrachtung bezeichnen das Ziel eines Kampfes, der den Geist auf seinen Herrschersitz erhebt. Die Weltvergessenheit der Mönche soll so weit reichen, daß der Entsagende seiner eigenen Blutsverwandten nicht mehr gedenken darf (λόγ. ἀσκ. c. 44). Welche unnachsichtliche Strenge also im Prinzip! Um so mehr kontrastiert es damit, wenn Nilus von der Höhe seiner Idee zu deren Ausführung herabsteigt. Denn in solchen Fällen muß er die unerbittliche Naturgewalt und das unabweisbare Recht der Natur, das er eben verleugnet, selbst anerkennen; er muß das einreißende Verderben seines Standes, der vielfach von der Gottseligkeit nur ein Gewerbe machte, aufdecken, die Unberufenen zurückweisen, die trägen Herumläufer schelten, durch heilsame Ratschläge die Übungen erleichtern, die Macht der Gewohnheit, die mit der Zeit eine neue Natur an die Stelle der alten zu setzen vermöge, zu Hilfe nehmen und überhaupt auf das Gebiet der natürlichen Seelenkunde und der individuellen Neigung und Fähigkeit eingehen, zu welchen seine Theorie sich von vornherein in ein abstraktes Verhältnis gesetzt hatte (lib. III, epist. 119; vgl. λόγ. ἀσκ. c. 51). — In dieser letzteren Beziehung gerade liefern seine Briefe eine interessante Ausbeute. „Hinweg", ruft er, „mit denen, die als Mönche nur der Arbeit und Anstrengung oder der bürgerlichen Pflicht entfliehen wollen; es ist ihre eigene Eitelkeit, die sie mit dem Mönchsgewande verdecken! Das Gute trägt in sich selber die beste Frucht; nicht Lohn und Ehre vor der Welt noch Furcht vor der Strafe machen es erstrebenswert. Daher auch kein besseres Gebet als das um ein reines Herz als das wahre Merkmal der Gotteskindschaft, zu welcher wir durch Geduld und Buße erzogen werden". — Die Briefe (über deren Textverhältnisse, in Ermangelung einer gründlichen krit. Monographie, einstweilen Feßler-Jungm. p. 120 ff. zu vergleichen ist) sind fast alle an uns unbekannte Personen, Männer und Frauen, Laien, Kleriker und Bischöfe, Äbte und Mönche gerichtet. Sie beweisen, wenn auch nur der größere Teil von ihnen echt sein sollte, an wie vielen Fäden damals ein hochgeehrter Anachoret mit der von ihm verlassenen Welt noch zusammhing. Besondere Beachtung verdient der zur Verteidigung des Chrysostomus abgefaßte Brief in Buch I, Nr. 309 (M., p. 193 f.). An einer anderen Stelle will er einen schon damals überhandnehmenden kirchlichen Bildergebrauch Schranken setzen; doch wünscht auch er, daß im Sacrarium gegen Osten ein Kreuz aufgerichtet, der innere Raum der Kirche aber mit künstlerischen Darstellungen aus der heiligen Geschichte ausgestattet werde, damit die des Lesens Unkundigen durch Betrachtung der Gemälde an die Tugenden der Frommen gemahnt und zur Nacheiferung erweckt werden mögen (L. IV, ep. 61 ad Olympiodorum).

Von den übrigen zwanzig Nilus, welche Allatius kennt, gilt es hier noch einige Bemerkenswerte namhaft zu machen. Abgesehen von einem ägyptischen Bischof und Märtyrer, welchen Eusebius, De mart. Palaest. c. 13 erwähnt und dessen Andenken sich in dem Menol. Graecor. die 17. Sept. erhalten hat, sind alle jünger als der eben Besprochene. Nämlich zunächst:

2. **Nilus aus Rossano in Kalabrien** (auch N. von Gaëta oder von Grottaferrata genannt, nach seinen letzten Hauptwohnorten; oder N. d. Jüngere, zum Unterschied von Nr. 1). Laut der ausführlichen Vita, die ihm einer seiner Schüler — wahrscheinlich Abt Bartholomäus von Grottaferrata (gest. 1065) — gewidmet hat, wurde er 910 zu Rossano in Kalabrien von griechischen Eltern geboren und lebte als Mönch nach basilianischer Regel abwechselnd in mehreren Klöstern Unter- und Mittelitaliens — zeitweilig auch im Alexiuskloster zu Rom sowie in Monte Caffino, zuletzt hauptsächlich in der Einsiedelei Valleluce bei Gaëta und dann in St. Agatha bei Frascati, von wo aus er das nahe benachbarte Kloster **Crypta ferrata** (Grotta ferrata) gründete, als dessen erster Abt er gilt. Er starb 95jährig, am 27. Dezember 1005. Der wilde Geist der damaligen Zeit verlangte nicht wie vordem ein müßiges und beschaulich-philosophisches Mönchtum, sondern vielmehr ein Mönchtum der Demut, Bekehrung und Sittenreinheit, und in diesem Sinne wollte Nilus, wozu ihn seine Erziehung hingeleitet hatte, Nachfolger eines Antonius und Hilarion sein. Wie er selbst schwere Bußkämpfe zu bestehen hatte, so legte er sie auch anderen auf und wirkte als vielgesuchter, im Rufe besonderer Heiligkeit und Wunderkraft, auch Sehergabe stehender Gewissensrat unter den Verderbnissen der höheren Stände. Als nach der Vertreibung des Papstes Gregor V. durch Crescentius der

Erzbischof Philagotus oder Johann von Piacenza, ebenfalls von griechischer Abkunft, sich in die päpstliche Würde eindrängte, warnte ihn Nilus vor dem ehrgeizigen Unternehmen, und der Erfolg bewies, wie sehr er Recht hatte. Kaiser Otto III. setzte 998 Gregor wieder ein und strafte den Erzbischof mit Ausstechung der Augen und grausamer Verstümmelung. Nilus aber machte dem Kaiser die kräftigsten Vorhaltungen und setzte die 5 Freilassung des öffentlich geschändeten Freundes durch (Vita, c. 189 ff.; vgl. Neander, S. 231 f.; Barmann, Die Politik d. Päpste II, 153 ff.).   Seinem ernsten und sanftmütigen Charakter blieb er bis ans Ende getreu. — Besondere Verehrung ist ihm seitens der noch heute der Basiliusregel zugethanen Mönche von Grotta ferrata (vgl. Rocchi, De coenobio Cryptoferratensi, 1893) erwiesen worden. In der Niluskapelle der Abtei= 10 kirche daselbst stellt ein Freskenzyklus von Domenichino aus dem Jahre 1610 verschiedene Scenen aus dem Leben des Heiligen dar, u. a. seine Begegnung mit Otto III. Ein Altargemälde von Annibale Caracci ebendaselbst bildet die Heiligen Nilus und Bartholomäus (vgl. o.) als Empfänger einer Erscheinung der hl. Jungfrau ab, welche sie zum Bau der Kapelle auffordert (vgl. W. Detzel, Ikonogr. II, 564). 15

3. Nilus der Archimandrit, mit dem Zunamen Doxopatrius, lebte gegen die Mitte des 11. Jahrhunderts und wurde nacheinander Notar des Patriarchen von Konstantinopel, Protoproëdrus Syncellorum und Nomophylax des Reichs. Auch brachte er einige Zeit in Sizilien während der Herrschaft des Königs Roger zu. Auf den Antrag des letzteren wurde von ihm die Schrift: Syntagma de quinque patri= 20 archalibus thronis um 1143 abgefaßt, welche Steph. le Moyne, Var. sacra I, p. 211 herausgegeben hat. Es ist dies eine merkwürdige und ganz im griechischen Interesse entworfene kirchlich-historische Deduktion, welche ausgehend von der Verteilung der Weltreiche und dem Ursprung des christlichen Episkopats, zunächst die drei ältesten Patriarchate von Antiochien, Rom und Alexandrien nebeneinander ordnet und dann das 25 spätere Hinzutreten von Jerusalem und Konstantinopel erklärt. Der römische Sprengel wird durchaus auf Europa beschränkt. Ein vermeintlicher Primat des Petrus kann nicht aufkommen gegen die synodalen Bestimmungen, welche dem kirchlichen Sitz von Konstantinopel dem römischen völlig gleichgestellt haben. Die Fünfzahl der Patriarchen von gleicher Würde und ungleichem Range wird mit den fünf Sinnen verglichen, welche 30 den einheitlichen Bestand und die Regierung des menschlichen Körpers bedingen. Aus diesen Andeutungen ist die Anschauung des ganzen ersichtlich. Der Verfasser geht sehr ins Einzelne und ist unbefangen genug, bei der Aufzählung der kirchlichen Distrikte auch solche Ortschaften zu nennen, welche keiner kirchlichen Oberhoheit förmlich und rechtlich zugeordnet waren. Römischen Augen war natürlich das Produkt anstößig, nicht minder 35 dem Leo Allatius (vgl. Schelstrate und Schröth a. a. O.).

4. Nilus Damylas (Damila), Abt auf Kreta zu Anfang des 15. Jahrhunderts, gehört zu den späteren byzantinischen Polemikern gegen Rom. Für ein von ihm gestiftetes Nonnenkloster verfaßte er eine Τυπική παράδοσις, welche im cod. Parisin. gr. 1295 erhalten, aber noch nicht ediert ist. Das von ihm hinterlassene Testament (aus 40 dem Jahre 1417) enthält eine Liste byzantinischer Schriften von litteratur- und kulturgeschichtlichem Interesse (ediert zuerst durch E. Legrand in der Rev. des études grecques 1891, p. 178—185, dann korrekter durch Spyridion P. Lambros: „Das Testament des Neilos Damilas": BZ. 1895, S. 585 ff.

Über Nilus, Erzbischof von Rhodos (gest. nach 1379), der auf dogmatischem und 45 hagiographischem Gebiete schriftstellerisch thätig war, sowie über den Homiletiker Nilus, Patriarchen von Konstantinopel (1379—1387) handelt Ehrhard bei Krumbacher, Byz. Litteratur-Geschichte[2], 109 und 174 f. — Wegen des Nilus Kabasilas s. d. Artikel: IX, S. 667—669.   (Gaß †) Zöckler.

Nimes, Edikt von, und die Aufhebung des Edikts von Nantes. — 50 Litteratur. Das Hauptwerk ist immer noch wegen seiner Ausführlichkeit und der zahlreichen Dokumente: Histoire de l'Edit de Nantes, T. 1—3. Delft 1693—95 von Elie Benoit; eine wichtige Ergänzung dazu ist: Eclaircissements historiques sur les causes de la révocation de l'édit de Nantes et sur l'état des Protestants de France. T. 1. 2, Paris 1788 von Rulhière, parteiisch für Ludwig XIV. — Neuere Schriften: G. Weber, Geschichtliche Dar= 55 stellung des Calvinismus im Verhältnis zum Staat in Genf und Frankreich bis zur Aufhebung des Ediktes von Nantes, Heidelberg 1836; E. Stähelin, Der Uebertritt K. Heinrichs IV. von Frankreich zur römisch-katholischen Kirche, Basel 1856; G. v. Polenz, Geschichte des französischen Calvinismus, Bd 4 und 5, Gotha 1864—69; Döllinger, Die einflußreichste Frau in der französischen Geschichte, Allgemeine Zeitung 1886, Nr. 185 ff. Beil.; F. Sander, Die 60

Hugenotten und das Edikt von Nantes, Breslau 1885, durch die angehängten (übersetzten)
Beilagen wertvoll; und Th. Schott, Die Aufhebung des Ediktes von Nantes im Oktober
1885, Halle 1885 (H. 10 der Schriften des Vereins für Reformationsgeschichte), wo die übrige
in Betracht kommende Litteratur verzeichnet ist. Die 200jährige Wiederkehr der Aufhebung
5 des Ediktes im Jahre 1885 rief eine sehr reiche litterarische Thätigkeit über diesen Gegenstand
hervor; die Erzeugnisse derselben sind mit beinahe vollständiger Genauigkeit zusammengestellt
im Bulletin de la société de l'histoire du protestantisme français 1885, p. 565 ff. 609 ff.
und 1886 p. 182 ff., vgl. ferner: ThJB herausgegeben von Lipsius Bd 5 (1886), S. 242 ff.
        Das Edikt von Nantes (s. den A. Bd XIII S. 645 ff.) war ein Kompromiß, ab-
10 geschlossen von König Heinrich IV. zwischen der katholischen Staatsreligion und der
Konfession der Minderheit der Bevölkerung; als der numerisch schwächere war die letztere
durch Garantien (Sicherheitsplätze rc.) geschützt; ihr größter Schutz bestand in der Loyalität der Protestanten gegen das Königtum und in der unparteiischen Stellung des
letzteren über den Konfessionen. Stellte sich das Königtum auf die Seite der Katholiken
15 oder traten die Protestanten selbst feindlich gegen dasselbe auf, so waren die größten
Gefahren für die Erhaltung des Ediktes und für den Fortbestand des Protestantismus
heraufbeschworen. So lange Heinrich IV. lebte, war keines von beiden zu befürchten; in
großartiger Weise ging er den Weg der Versöhnung, im Bewußtsein seiner Überlegenheit
gewährte er den Reformierten am 1. August 1605 ihre Sicherheitsplätze noch auf weitere
20 vier Jahre. Allerdings fehlte es auch unter seiner Regierung nicht an Klagen und Beschwerden von beiden Seiten und die Reformierten konnten manche Verletzung des Edikts
von Nantes nachweisen, doch war die Zeit bis zu seinem Tode eine glückliche und friedliche und Duplessis-Mornay konnte mit Recht ausrufen: Wie lange haben wir und unsere
Väter nach einer Freiheit geseufzt, welche wir jetzt besitzen. Heinrichs jäher Tod (1610)
25 änderte die Sachlage völlig, er war ein schwerer Schlag für die Protestanten; denn von
diesem Augenblicke an beginnen die ernsthaften Angriffe gegen das Edikt, die Versuche,
es zu beschränken und ungiltig zu machen; offen und versteckt währte dieser Krieg, geführt mit allen Mitteln der List und der Macht rabulistischer Gesetzesauslegung und
offener Gewaltthat bis zum Oktober 1685 und die ganze Geschichte des französischen
30 Protestantismus dreht sich um diesen Punkt. Alle die Konflikte, welche in der Stellung
und Zusammensetzung der beiden konfessionellen Parteien, im Verhältnis der Protestanten
zur Regierung und zur Nation verborgen lagen, brachen in der Zeit nach Heinrichs
Tode hervor. Mit Recht mißtrauten die Protestanten der bigotten, Spanien zugeneigten
Regentin Maria von Medici und ihrem gleichgesinnten Sohne Ludwig XIII. und wenn
35 auch am 22. Mai 1610 das Edikt von Nantes feierlich bestätigt wurde, so kamen doch
bald offene Verletzungen desselben vor. An den Aufständen der ehrgeizigen Großen
(Condé) beteiligten sie sich nicht, erst als 1620 Béarn der Gesamtmonarchie einverleibt
und der Katholicismus dort unter rohen Gewaltthaten wieder hergestellt wurde, griffen
sie, gereizt durch zahlreiche Quälereien, zu den Waffen, 1621; es war der Wendepunkt
40 ihres Geschicks um dieselbe Zeit, da auch in Deutschland in der Schlacht am weißen
Berge ein solcher für den deutschen Protestantismus eintrat. Denn die Religionskriege,
welche jetzt begannen, hatten einen anderen Charakter als die früheren; es beteiligte sich
bei weitem nicht der ganze französische Calvinismus, der Norden, Poitou und Dauphiné
entsprachen nur sehr schwach dem Aufgebote; nach den langen Kriegsjahren war natur-
45 gemäß eine Ermattung eingetreten, der kriegerische Eifer hatte während der Friedens-
zeiten nicht zugenommen; die alten Hugenottenstädte Montpellier, Montauban, La Rochelle
zeigten zwar durch ihre Verteidigung, daß ihre Bürger so tapfer seien, wie ihre Ahnen,
aber der ganzen Partei fehlte eine Autorität wie Coligny und Heinrich von Navarra
gewesen waren; unter den Großen (Rohan, Soubise, Bouillon, Tremoille, Châtillon,
50 Lesdiguières) herrschte Eifersucht, Zwietracht und Lauheit. Das protestantische Deutschland, selbst um seine Existenz kämpfend, konnte keine Hilfe senden, die von England war
schlecht geführt und daher wirkungslos und die unseligen Beschlüsse der politischen, verbotenen Versammlung zu La Rochelle (10. Mai 1621), welche die protestantische Gemeinschaft
in Kreise teilte, sie militärisch und finanziell organisierte und das Bild eines Staatenbundes,
55 etwa wie die Republik der Niederlande erscheinen ließ, zeigte der Regierung, trotzdem daß
der Bund nur auf dem Papiere bestand, eine drohende Gefahr, und gab ihr das Recht,
die Protestanten als schlimme Rebellen zu behandeln. Der Krieg, mit großer Grausamkeit geführt, war zwar in den Jahren 1621 und 1622 durch die heldenmütige Verteidigung von Montauban und Montpellier günstig für die Hugenotten, aber die Schild-
60 erhebung der Protestanten im Jahre 1625 und die darauf folgenden Kriege 1625—1628
endeten unglücklich für sie. Richelieus staatsmännische Überlegenheit gab der Krone den

Sieg. Als das halbverhungerte Rochelle am 28. Oktober 1628 dem König seine Thore öffnete, war der lange mit Erbitterung geführte Kampf zu Ende, die Hugenotten waren völlig besiegt; noch kurze Zeit währte der Bürgerkrieg in Guienne und Languedoc, aber es waren nur Todeszuckungen eines sterbenden Gegners; der edle Herzog Heinrich von Rohan, der letzte der großen Adeligen, welche ihren Degen für die Sache der Religion 5 ihrer Väter zogen, mußte die Waffen strecken. Der Frieden von Alais am 28. Juni 1629, dem Juli 1629 das Gnadenedikt von Nîmes folgte, beendete die Religionskriege, war aber zugleich der Anfang einer neuen Epoche in der Geschichte des französischen Protestantismus.

Das Gnadenedikt von Nîmes gewährte zwar den besiegten Unterthanen völlige 10 Verzeihung für ihre aufrührerischen Thaten, bestätigte das Edikt von Nantes in allem, was die Gewissensfreiheit, freie Religionsübung, persönliche Sicherheit und alle bürgerlichen Rechte der Protestanten betraf, aber es nahm ihnen alle materiellen Garantien für die Bewahrung dieser Rechte; alle Sicherheitsstädte wurden ihnen entrissen, ihre Festungen geschleift, ihre politischen Versammlungen verboten, die Reformierten hörten auf, eine 15 politische Partei, ein Staat im Staate zu sein. Noch hatte die französisch-reformierte Kirche ihre volle Freiheit und Unabhängigkeit, aber dieselbe hing ab von der königlichen Gnade; denn recht bezeichnend für die veränderte Lage war, daß in den begründenden Eingangsworten dieses Ediktes nicht der königliche Wille, einem Teil der Unterthanen zu ihrem Rechte zu verhelfen, als bestimmendes Motiv hervorgehoben wurde, sondern stets 20 nur die königliche Gnade, das Mitleid mit dem Elend der Unterthanen betont wurde, und mit Recht heißt es darum stets: das Gnadenedikt. Ein Zeichen, wie diese Gnade zurückgezogen werden könne, war, daß der von Heinrich IV. und eine Zeit lang auch von Ludwig XIII. den Geistlichen gezahlte Gehalt nun wegfiel; ein weiteres Zeichen dessen, was die Protestanten zu gewärtigen haben, war die im Edikt mehrfach aus- 25 gesprochene bestimmte Hoffnung und Erwartung ihrer Wiedervereinigung mit der römischen Kirche. Der französischen kirchlichen Politik schwebte seitdem dies Ziel als ein erreichbares und um jeden Preis zu erreichendes immer vor Augen, alle Wege, welche dazu führten, wurden von ihr allmählich eingeschlagen. Es fehlte in den folgenden Jahrzehnten nicht an theologischen Disputationen, Religionsgesprächen, Unionsversuchen, jedoch 30 ohne Erfolg; wichtiger und verhängnisvoller für die Protestanten waren die zahlreichen Uebertritte besonders der vornehmen Adeligen, meistens durch weltliche Vorteile, Ehrenstellen, Aemter ꝛc. herbeigeführt (z. B. Lesdiguières, Châtillon, Bethune, Bouillon, Duperron, Palma Cayet).

Richelieu war ein zu klar blickender Staatsmann, um damals, wo Frankreich, der 35 inneren Unruhen ledig, sich anschickte, eine Weltstellung zu gewinnen, der von Rom aus an ihn gestellten Forderung, der Ketzerei gewaltsam ein Ende zu machen und das Edikt von Nantes einfach aufzuheben, Folge zu geben und dadurch einen intelligenten, fleißigen, wohlhabenden und zahlreichen Teil der Bevölkerung zur Verzweiflung zu bringen; aber unter ihm begann eine systematische Thätigkeit, der reformierten Kirche und ihren Be- 40 kennern ein Recht und Besitztum um das andere zu beschränken und zu entziehen und diese dadurch zu schwächen: am 6. März 1631 wurde durch Beschluß des Staatsrats die Ausübung des reformierten Gottesdienstes in Rioux (Saintonge) verboten, seitdem verging kaum ein Jahr, in welchem nicht ein protestantisches Gotteshaus geschlossen oder ein Ort des Rechtes des Gottesdienstes beraubt worden wäre, sei es infolge richterlicher 45 Entscheidung oder durch Beschluß des Staatsrates, alle möglichen, auch die schwächsten Gründe mußten dazu dienen. 1633 wurde bestimmt, daß die von den Protestanten gegründeten Schulen (Collèges) zur Hälfte den Katholiken gehören sollten; in Metz wurde den Protestanten verboten, eine höhere Schule zu errichten (1635), in Valence wurde verordnet, daß die evangelischen Geistlichen nur an dem Orte ihrer Residenz predigen 50 dürfen, die Filialgemeinden waren dadurch ihres Gottesdienstes beraubt; in Dijon wurde den Protestanten befohlen, bei katholischen Festen ihre Häuser zu schmücken; das Parlament in Bordeaux verbot den protestantischen Eltern, ihre Kinder zum Besuch des evangelischen Gottesdienstes zu zwingen (1636); die Benennung „angeblich reformiert" wurde unbedingt offiziell, ihre Gotteshäuser durften die Protestanten nicht „Kirchen" (églises) 55 heißen, die protestantischen Mitglieder des Parlaments von Castres durften nicht den roten Rock, nicht die mit Pelz verbrämte Kappe tragen u. ä.

Auch nach dem Tode Richelieus und während der Minderjährigkeit Ludwigs XIV. wurde dies unheilvolle System fortgeführt, allerdings in viel geringerem Maße; während der großen politischen Unruhen der Fronde fürchtete die Regierung, die Protestanten 60

möchten sich auf die Seite ihrer Gegner schlagen, um vielleicht im Verein mit denselben
die alte politische Unabhängigkeit wieder zu gewinnen. Aber die Protestanten blieben der
Regierung vollständig treu, so daß Ludwig XIV. selbst in einem Erlasse vom 21. Mai
1652 in den schmeichelhaftesten Ausdrücken ihre Treue und Anhänglichkeit anerkannte,
5 auch einige Beschränkungen zurücknahm und Erleichterungen gewährte. Die Jahre 1649 bis
1656 waren die glücklichsten für den französischen Protestantismus, „die Herde weidete,
nach einem Mazarin in den Mund gelegten Worte, abseits, aber sie weidete friedlich",
dagegen beginnen von 1656 an wieder die Gewaltthätigkeiten gegen die Reformierten,
die Beschränkungen des Ediktes von Nantes (königliche Deklaration vom 18. Juli 1656),
10 1659 wurde den Reformierten noch einmal gestattet, eine Nationalsynode zu halten, diese
aber für die letzte erklärt und damit ihr kirchlicher Organismus seiner Spitze, seiner
höchsten Repräsentation, seiner letzten Instanz in allen Fragen der Lehre und der Disziplin beraubt; es war die Einleitung zu der systematischen Bedrückung und Verfolgung
der Protestanten, welche von der Selbstregierung Ludwigs XIV. an datiert und zur Auf-
15 hebung des Ediktes von Nantes führte.

Ein treuer Sohn seiner Kirche, deren äußerliche Forderungen er auch in den Zeiten
eines ausschweifenden Lebens pünktlich erfüllte, in religiösen Fragen ziemlich unwissend,
jeder Selbständigkeit auf religiösem und kirchlichem Gebiete durchaus feind, erfüllt von
einem maßlosen Selbstbewußtsein als Monarch und Katholik, überzeugt, daß die Einheit
20 der Konfession ein Haupterfordernis eines geordneten Staatswesen sei, war er von Anfang
seiner Regierung an entschlossen, seinen Krönungseid wahr zu machen, die Ketzer nach
Kräften aus seinem Gebiete auszurotten; nicht eine Vereinigung beider Konfessionen —
denn alle Vorschläge dazu kamen über die ersten Schritte nicht hinaus — sondern eine
Aufsaugung der Protestanten durch den Katholicismus plante er. Klar sprach er sich
25 darüber in seinen Memoiren aus, welche er für seinen Nachfolger als Richtschnur im
Regieren aufsetzte: auf keine Weise wolle er durch irgend eine neue Gewaltmaßregel
seine protestantischen Unterthanen bedrücken, sondern das beobachten, was seine Ahnen
ihnen zugestanden haben, aber keinesfalls etwas darüber bewilligen, vielmehr die Ausübung davon in die engsten Grenzen einschränken, welche Gerechtigkeit und Anstand ge-
30 statten. Gnaden aber gewähre er ihnen keine, um sie dadurch ohne Gewalt zu veran-
lassen, von Zeit zu Zeit leidenschaftslos an sich zu denken, warum sie sich freiwillig der
Vorteile berauben, welche die übrigen Unterthanen genießen. Gelehrige suche er durch
Belohnungen zu gewinnen, aber, heißt es am Schlusse, er habe bei weitem nicht alle
Mittel erschöpft, um sie auf sanfte Weise von ihren verderblichen Irrtümern zurück-
35 zuführen. Die Worte lassen über einen wohlerwogenen Plan keinen Zweifel, nie verlor Ludwig
sein Ziel aus den Augen, die Forderungen der Politik, der Widerstand der Protestanten
selbst, welchen man sich nicht so nachhaltig gedacht hatte, führte Änderungen und Verzögerungen herbei; nimmt man noch hinzu, was Ludwig 1664 dem deutschen Kaiser
schrieb: er habe kein anderes Bestreben, als die Ketzerei auszurotten, und wenn Gott ihm
40 das Leben erhalte, werde man in Frankreich nach wenig Jahren ihr Erlöschen sehen, —
Äußerungen, welche seine innersten Gedanken verraten, so steht unumstößlich fest, daß
Ludwig von Anfang seiner Regierung an entschlossen war, den Protestantismus in seinem
Lande zu vernichten; alle Versicherungen, die Giltigkeit und den Bestand des Ediktes von
Nantes betreffend, waren im Grunde nur leere Förmlichkeiten. Ludwig wußte sich dabei in
45 Übereinstimmung mit dem weitaus größten Teile seiner katholischen Unterthanen, dem die
Protestanten unsympathisch, etwas fremd, ein Volk im Volk, gegenüberstanden; er war
unterstützt von ihm ergebenen Beamten, welchen des Königs Wille oberstes Gesetz war; diese
antiprotestantische Stimmung bei König und Volk wurde geleitet und stets aufs neue an-
gefacht durch den katholischen Klerus, der mit fanatischer Energie und eiserner Beharrlichkeit
50 die Ausrottung des Protestantismus betrieb, und seine reichen Geldmittel in dem der Krone
regelmäßig dargebrachten „freiwilligen Geschenke" dazu benützte, um derselben jedesmal
einige Zugeständnisse, einige Maßregeln gegen die Protestanten abzupressen. Es war ein
förmlicher Schacherhandel zwischen den königlichen Ministern und den Vertretern des
Klerus, dessen Kosten die Protestanten zu bezahlen hatten; heuchlerisch verstand die katho-
55 lische Kirche, stets sich als die angegriffene, unterdrückte darzustellen, genau wurde jede
wirkliche oder scheinbare Übertretung des Ediktes von Nantes und der anderen Verordnungen berichtet, sorgfältig auf jede Lücke in der Gesetzgebung, welche eine Schädigung der
Protestanten möglich machte, aufmerksam gemacht; alle Beschränkungen, welche die Protestanten trafen, finden sich zuerst in den Bitten des Klerus an den König. Es ist nicht
60 nachzuweisen, daß bei der Regierung von Anfang an ein streng formulierter Plan feststand,

wie dem Protestantismus ein Ende gemacht werden könne, doch gab ein von dem
Jesuiten Meynier verfaßtes Büchlein Anleitung dazu.   Das Verfahren war im allgemeinen folgendes: Man entzog seinen Bekennern unter mehr oder weniger guten
Gründen ein Recht um das andere, schränkte sie nach allen Seiten ein, stellte ein Netz
von königlichen Verordnungen ihnen gegenüber, deren Übertretung furchtbare, grausame 5
Strafen nach sich zog, zerstörte die kirchliche Organisation in allen Teilen, machte ihnen
die Ausübung ihres evangelischen Glaubens eigentlich unmöglich und zwang die Ein-
geschüchterten, Hilflosen endlich gewaltsam zum Übertritte.   Ein vielangewandter Kunstgriff
bei diesem Verfahren war, Maßregeln gegen die Protestanten zuerst nur in einer Gemeinde oder Stadt durchzusetzen, dann sie auf eine Provinz anzuwenden und endlich 10
ihre Geltung für das ganze Königreich zu gebieten.   Durch die Natur der Dinge lief
der Weg von rabulistischen Auslegungen des Ediktes von Nantes in offene Mißachtung
desselben, von beispielloser Willkürlichkeit in Gesetzgebung und Verwaltung zu nackter,
brutaler Gewalt und barbarischer Mißhandlung aus; von diesem Gange sei nur eine
ganz kurze Skizze gegeben. 15
Der erste Schlag traf die Gotteshäuser; eine am 15. April 1661 ernannte Kommission hatte überall die Berechtigung der Protestanten zur Ausübung des Gottesdienstes
zu untersuchen, infolge davon sanken 1663: 140, 1664: 41, 1666: 16 Kirchen und
Kirchlein in den Staub, den Gemeinden ward damit aber der öffentliche Gottesdienst, den
Geistlichen Stellung und Einkommen entzogen; diese Schließungen und Zerstörungen, 20
oft aus den willkürlichsten, nichtigsten Gründen, setzten sich seitdem fort und verringerten
jedes Jahr den Bestand der evangelischen Kultusstätten; neue zu errichten war streng
verboten; den Adeligen wurde das Recht zum Gottesdienst auf die Zeit ihres faktischen Aufenthaltes beschränkt.   Die Geistlichen durften sich nicht mehr pasteur und
nicht Doktor der Theologie nennen (6. Mai 1662), auf der Straße nicht den Amtsrock 25
tragen, keine Gast- und Gelegenheitspredigten an anderen Orten halten, überhaupt nur
an ihrer Residenz predigen.   Mit den Kirchen wurden immer zugleich auch die Schulen
geschlossen; an andern Orten wurde der Unterricht auf die Elementarfächer beschränkt;
die Leitung der protestantischen Schule in Nîmes wurde den Jesuiten übergeben, die
theol. Fakultät dort aufgehoben, die Wirksamkeit der Provinzialsynoden wurde beschränkt, 30
die Provinzen isoliert, keine durfte mit der andern verkehren oder sie materiell unterstützen.   Der Übertritt zur reformierten Konfession wurde den Mönchen, Nonnen und
Priestern auf das strengste verboten, ebenso der Rücktritt einmal Übergetretener („Bekehrte" wurden sie stets genannt), der Übertritt zur katholischen Kirche dagegen auf alle
Weise begünstigt, das Recht der Neubekehrten, einige Jahre Frist zur Bezahlung ihrer 35
Schulden zu erhalten, allmählich auf das ganze Land ausgedehnt, das Jahr, in welchem
die Kinder eine giltige Willenserklärung in Betreff ihres Übertritts abgeben konnten, für
die Mädchen auf das 12., für die Knaben auf das 14. Lebensjahr festgesetzt (infolge davon nahm der Kinderraub eine entsetzliche Ausdehnung an); in die Meisterbriefe wurden
Klauseln eingeschoben, welche die Zugehörigkeit zur katholischen Kirche als Bedingung 40
forderten, in Städten mit überwiegend protestantischer Bevölkerung wurden die Behörden
in gleicher Zahl mit Angehörigen beider Konfessionen besetzt; die Protestanten durften in
den Sitzungen nicht präsidieren, in den Kirchen durften sie keinen Ehrensitz haben, bei
Taufen und Hochzeiten nur in beschränkter Zahl sich einfinden, zu den Sterbenden durften
die katholischen Geistlichen, auch ungerufen, kommen, um zu erfahren, ob sie in der refor- 45
mierten Religion beharren wollten.   Die Toten durften nicht ausgestellt, die Beerdigungen
an den Orten, wo kein evangelischer Gottesdienst bestand, nur bei Tagesanbruch oder mit
Eintritt der Nacht, wo er bestand, Sommers um 6 Uhr morgens oder abends. Winters
um 8 Uhr morgens oder 4 Uhr abends vorgenommen werden, auch die Begleitung war
beschränkt. 50
Einer königlichen Erklärung vom 2. April 1666, welche die Rechte der Protestanten
zusammenfaßt, ist die obige Schilderung größtenteils entnommen; die Folge dieser Bedrückung war eine seit dem Jahre 1660 immer zunehmende Auswanderung, welcher kein
auch noch so strenges Verbot Einhalt thun konnte.   Die üblen Folgen derselben für das
Land, sowie die Vorstellungen des großen Kurfürsten (13. August 1666) bewirkten zwar 55
keine Änderung der Lage überhaupt, aber waren doch Veranlassung zu einigen Erleichterungen (Deklaration vom 1. Februar 1669); in der administrativen Zerstörung des
Calvinismus trat zwar kein Stillstand ein, doch ist eine gewisse allerdings nur vorübergehende Mäßigung, eine Verlangsamung dieses unheilvollen Prozesses zu erkennen.   Die
Theologie nahm damals den Kampf auf, die bedeutendsten Vertreter derselben in beiden 60

Konfessionen traten sich gegenüber. Bossuets Buch Exposition de la doctrine de l'église catholique zeichnete einen idealen Katholicismus, der auf Turennes Übertritt zu dieser Religion Einfluß gehabt haben soll; Nicole griff in Préjugés légitimes contre les Calvinistes die Calvinisten an: gegen ihn trat Jean Claude auf in La défense
5 de la réformation, gegen Arnauld schrieb Jurieu in Justification de la morale des Réformés contre les accusations de M. Arnauld, des Heeres von Streit- und Gelegenheitsschriften nicht zu gedenken, welche z. B. den gewöhnlichen Mann in den Stand setzen sollten, seinen Glauben gegen die Angriffe der zahlreichen, überall sich eindrängenden Missionare zu verteidigen. Eine neue Art von Bekehrung war die um bares Geld,
10 ein schmachvoller Seelenhandel, welchen der Renegat Paul Pélisson (geb. 1624, übergetreten 1670, gest. 1693) mit den Einkünften der altehrwürdigen Abtei Clugny und anderen Pfründen 1676 ins Leben rief; die Menschenseele hatte ihren Preis, der nach Stand und Provinz wechselte, die Quittung für das empfangene Geld enthielt auch eine Abschwörungsformel. Jahre lang trieb diese „wunderthätige Kasse" ein frevelhaftes
15 Spiel mit den heiligsten Dingen, die Zahl der Übergetretenen soll bis 1682 auf 58 130 gestiegen sein. Die Schande dieses Schachers trifft aber nicht bloß die Protestanten, von welchen begreiflicherweise nicht die tüchtigsten so gewonnen wurden, sondern noch mehr den Urheber, der seinen Bekehrungseifer zeigen und dem Könige schmeicheln wollte, ebenso den Monarchen, dem die Listen vorgelegt wurden, die Geistlichkeit, welche sich bei dem
20 schmutzigen Handel beteiligte und den Papst Innocenz XI., welcher durch ein Breve Pélisson seinen Dank ausdrückte.

Gegen Ende der siebenziger Jahre verschlimmerte sich die Lage der Protestanten wesentlich; der Frieden von Nymwegen 1679 hatte Ludwig XIV. von seinen Gegnern befreit, er stand auf der Höhe seiner Macht, aber auch seine Selbstsucht, Anmaßung und
25 Gewaltthätigkeit hatten zugenommen; die Abweichung der Hugenotten von dem Glauben, welchen er bekannte, faßte er immer mehr als persönliche Beleidigung, als Majestätsverbrechen auf. Der Klerus verstand, durch glänzende Redner die bisherigen Thaten des Königs gegen die Ketzerei mächtig zu preisen, und die Aufforderung an den König, seinen Glaubenseifer, seine Dankbarkeit für die Siege durch die Vernichtung der Hydra der
30 Ketzerei zu zeigen, blieb bei Ludwig nicht wirkungslos, zumal da die Worte durch das große „Geschenk" von 4½ Millionen Livres (1675) unterstützt waren. In jene Zeit fiel auch die sog. „Bekehrung" des Königs; die groben Ausschweifungen hörten auf, der Hof hüllte sich in das Gewand der Anständigkeit, der strengeren Sitte, während die Vergnügungssucht, die Verschwendung, besonders durch Bauten, in ungehemmten Maße fort
35 dauerten. Den Haupteinfluß auf diese Änderung und auf den König hatte seit 1675 Frau von Maintenon, die Enkelin des Hugenottenführers Agrippa d'Aubigné, evangelisch erzogen, aber mit dem 14. Jahr bekehrt; ihr gelang es durch den Zauber ihrer gewinnenden geistreichen Persönlichkeit, durch gewandte Unterhaltungen den König zu bekehren, die religiösen Antriebe sollten die herrschenden seines Lebens werden; sie stand in
40 engster Verbindung mit den Häuptern der strengen Kirchenpartei Bossuet, Bourdalou, Noailles, Gobelin, sie hat als die Vertraute des Königs unleugbar einen großen, gewaltigen Einfluß, besonders auf die kirchlichen Geschicke Frankreichs ausgeübt, auch der Protestantismus hatte dies zu empfinden. Zwar jene häufig wiederholte Behauptung, sie trage die Hauptschuld an der Aufhebung des Ediktes von Nantes, sie habe es über
45 nommen, Ludwig dazu zu bewegen, um dagegen der Mitwirkung der Geistlichkeit bei ihrem Streben nach des Königs Hand sicher zu sein, ist völlig unhaltbar. Das Zerstörungswerk, dem das Edikt von Nantes erlag, war schon lange angefangen, ehe sie zu Macht und Einfluß kam, aber sie hat den König in nichts gehindert, auch nicht in seinen grausamsten Maßregeln, sie hat ihn bigotter und fanatischer gemacht, an dem allgemeinen
50 Bekehrungseifer in hervorragender Weise teilgenommen, sie ist aus Überzeugung, gehorsam den Weisungen ihres strengen Beichtvaters Gobelin, und geleitet von dem Bestreben, die königliche Gunst zu behalten, ganz in die Anschauungen Ludwigs eingegangen (ihr Gutachten vom Jahre 1697 atmet eine auffallende Härte) und hat an der Auflösung und Vernichtung des Protestantismus redlich Teil gehabt. Die protestantische
55 Frage war die wichtigste innere politische Angelegenheit geworden, die Stimmung des Königs drängte immer mehr auf ihre Lösung, er wollte durch diese That seinen Glaubenseifer zeigen und sich über seine Ahnen stellen; gewaltthätiger, willkürlicher und grausamer wurden die angewandten Mittel. Denn die oberste Stelle im königlichen Rat nahm der erbarmungslose, heftige, streng katholische Louvois ein, ihm zur Seite stand sein bigotter Vater,
60 der Kanzler Le Tellier, der mit seinem Hasse gegen die Protestanten die Gerichtshöfe er

füllte und seine eminente Rechtskenntnis beinahe stets zum Schaden der Protestanten verwandte, und der königliche Beichtvater La Chaise, dem die Zugehörigkeit zu den Jesuiten seinen Pfad vorschrieb und der die Gewissensbisse des Königs durch den Hinweis auf seinen jetzigen Eifer beschwichtigte.

Die Schließungen der Kirchen (1679: 26; 1681: 28; 1682: 58; 1683: 46; 1684: 76) 5 und der Schulen nahmen zu; durch die Aufhebung der Kammern des Ediktes (Juli 1679) wurden die Protestanten ihrer eigenen Gerichtsbarkeit beraubt; Schlag auf Schlag fielen die Verordnungen, welche sie allmählich von allen Ämtern und Stellen ausschlossen; die Edelleute durften keine protestantischen Gerichtsbeamten anstellen (11. Januar 1680), die protestantischen Frauen mußten den Hebammendienst (20. Februar 1680), die niederen 10 Justizbeamten ihre Stellen aufgeben (23. August 1680), ebenso die Notare, Anwälte, Gerichtsvollzieher (28. Juni 1681); das Edikt vom 11. Juni 1680 schloß die Protestanten von allen Finanzstellen, von allen Pachtungen aus; am 4. März 1683 erhielten alle protestantischen Beamten des königlichen Hauses im weitesten Sinne den Befehl, ihre Stellen niederzulegen, ebenso die Offiziere in Armee und Marine, die Räte des Parlaments 15 (25. Juni 1685), endlich wurde den Protestanten verboten, katholische Dienstboten zu halten, den juristischen Doktorgrad zu erwerben, Apothekern, Chirurgen, Buchhändlern, Buchdruckern wurde die Ausübung ihres Gewerbes verboten, die Bücher einer strengen Zensur unterworfen und die anstößigen aus den Bibliotheken genommen (9. Juli 1685), den Kindern wurde mit 7 Jahren der Übertritt gestattet (17. Juni 1681), für die Über= 20 getretenen hatten die Eltern ausreichende Pensionen zu geben, die Geistlichen durften an den Orten, wo der Gottesdienst verboten war, nicht mehr wohnen (13. Juli 1682), länger als 3 Jahre durfte keiner dieselbe Stelle verwalten (August 1684). Ein allge= meiner Bekehrungseifer ergriff Frankreich, besonders die vornehmen Kreise wetteiferten darin, ihre Verwandten und Untergebenen für die katholische Kirche zu gewinnen; Missio= 25 nare durchzogen in Scharen das Land, die Kongregation „von der Verbreitung des Glau= bens" entfaltete in allen größeren Städten ihre Thätigkeit, Kinderraub unter irgend einem Vorwand war an der Tagesordnung, überall waren Häuser für die Neukatholiken und Katholikinnen gegründet worden; wer hier oder in einem Kloster untergebracht wurde, war meistens für Glauben und Verwandtschaft verloren; daß auch die Sterbenden mit 30 Bekehrungsversuchen gequält wurden, lag in der Natur der Sache.

Zu diesen administrativen, mit einem gesetzlichen Scheine umkleideten Maßregeln, kamen allmählich offene Gewaltthaten: Kirchen wurden erbrochen, die Bibeln darin ver= brannt und andere Exzesse begangen (1681 in Aouste, Houban, Grenoble), aus einigen Orten wurden die Protestanten geradezu ausgewiesen (Dijon). 1681 schlug der Intendant 35 Marillac vor, durch Einquartierung die Reformierten in Poitou zum Religionswechsel zu zwingen; am 18. März erließ Louvois jene berüchtigte Ordonnanz, welche die Haupt= einquartierungslast den Protestanten zuwies, die, welche sich bekehrten, waren für 2 Jahre von Einquartierung frei. Die Soldaten, welchen außer Quartier und Kost noch ein hoch= bemessener Sold gereicht werden mußte, kannten die Absicht der Regierung gut genug, 40 um ihr Benehmen danach einzurichten; alle Willkür, Übermut und Brutalität hatten die unglücklichen Quartiergeber zu erdulden, die schlimmsten Gewaltthaten und Grausamkeiten kamen vor, die Familien, denen 10, 20 und noch mehr Soldaten gegeben wurden, waren finanziell ruiniert, einer geplünderten Stadt glich der Ort, in welchen die Dragonaden (denn Dragoner waren die ersten Soldaten, welche man zu diesem frommen Werke ge= 45 brauchte) gehaust hatten; die, welche sich bekehrten, wurden sogleich von der schrecklichen Last befreit. Acht bis neun Monate (März bis November 1681) hausten diese Unholde in Poitou, die heftigen Klagen der Reformierten fanden bei Hofe lange Zeit taube Ohren, den Soldaten wurde nur eingeschärft, sie sollen keine bedeutenden Unordnungen be= gehen. Der Abzug der Truppen wurde erst befohlen, als die Auswanderung in er= 50 schreckender Weise zunahm, und das englische Parlament von diesen Vorkommnissen Notiz nahm. Aber als dies endlich geschah, war der Protestantismus in Poitou vernichtet; Tausende traten über, um der Qual und Angst zu entgehen; in Fossay z. B. an einem Tage 300; ganze Ortschaften bekehrten sich auf die bloße Nachricht von dem Anmarsche der Truppen; doch fehlte es auch nicht an Beispielen heroischen Glaubensmutes bei Män= 55 nern und Frauen.

Mit beispielloser Geduld und Loyalität hatten die Protestanten alle die namenlosen Quälereien, Zurücksetzungen und Mißhandlungen ertragen; Tausende waren allerdings übergetreten, besonders die adelige Welt wandte sich immer mehr dem Katholicismus zu, aber bei weitem die Mehrzahl harrte in dem angefochtenen, verfolgten Glauben aus, auf 60

7*

beſſere Zeiten hoffend, der Macht Gottes vertrauend, welcher ihre Kirche ſchon aus mehr
ſolch ſchweren Prüfungen errettet hatte. Die Lockungen, mit welchen der Hirtenbrief des
franzöſiſchen Nationalkonzils vom 1. Juli 1682 die „Brüder" zur Vereinigung mit der
Mutterkirche einlud, verfing ſo wenig bei ihnen als die Schlußdrohung, daß ſie für un=
5 beugſame Hartnäckigkeit die unausbleiblichen ſchlimmen Folgen zu tragen haben. Die
Angriffe des Klerus auf die Proteſtanten blieben auch dieſelben und die gallikaniſche
Oppoſition, welche 1682 unter Boſſuets Führung ſo energiſch gegen den Papſt auftrat,
ſuchte in dem Verhalten gegen die Ketzer ihre Rechtgläubigkeit zu beweiſen; jene Ver=
ſammlung war zwar nicht die Veranlaſſung zur Aufhebung des Edikts von Nantes, aber
10 den ſchon lange im Gange befindlichen Prozeß hat ſie beſchleunigt. Raſch näherte ſich
dieſer dem Ende; Sommer 1683 kam es in den Cevennen, im Vivarais und Dauphiné
zu Gewaltthaten zwiſchen den beiden Konfeſſionen, mit erbarmungsloſer Härte ſchritt die
Regierung ein, die angerichtete Zerſtörung „ſollte die Religionäre belehren, wie gefähr=
lich es ſei, ſich gegen den König zu empören", grauenvolle Exekutionen (Chamier,
15 Iſaak Homel am 20. Oktober 1683 lebendig gerädert) gaben die Illuſtration zu dieſer
Erklärung.

Völlig machtlos, eingeſchüchtert durch die Maßregeln der Regierung, ohne Organi=
ſation, Leitung und Zuſammenhang, ohne Kirchen, Schulen und Geiſtliche, ausgeſchloſſen
von jedem höheren Berufe und Gewerbe, umgeben von jenem Netze von Verordnungen,
20 deren Übertretungen mit den ſchwerſten Strafen bedroht war, durch harte Auswanderungs=
geſetze (Auguſt und 2. Oktober 1669, 18. Mai 1682) an ihr Vaterland gebannt, in
welchem ſie kaum mehr ihres Glaubens leben konnten, dies war die Lage der Proteſtanten
ſeit 1684; dabei wurde die Fiktion immer noch aufrecht erhalten, das Edikt von Nantes
mit ſeinen Wohlthaten ſei noch in Giltigkeit! Seit Auguſt 1684 war in den leitenden
25 Kreiſen die Aufhebung in Ausſicht genommen, ſeit Januar 1685 machten ſich weiter
blickende Proteſtanten mit dem Gedanken vertraut, Foucault, der Intendant von Béarn
brachte den Stein ins Rollen, indem er mit königlicher Vollmacht die 20 Kirchen ſeiner
Provinz ohne weiteres ſchloß, die Geiſtlichen vertrieb und zur Unterſtützung der Miſſio=
näre ſich Truppen erbat (18. April 1685). Damit begann die große allgemeine Dra=
30 gonade; ſchon der Schrecken vor den Soldaten wirkte in verhängnisvoller Weiſe, denn
Hunderte bekehrten ſich aus Furcht; bis 16. Juli waren 16 000 übergetreten, im Auguſt
zählte Béarn, früher ein feſtes Bollwerk des Proteſtantismus, nur noch 3—400 Bekenner
dieſes Glaubens. Die damals tagende Verſammlung des Klerus floß über von Lob= und
Dankſprüchen gegen den König, „den Wiederherſteller des Glaubens, der den Ketzern einen
35 Weg mit Blumen beſtreut geöffnet habe"; ſie wagte nicht geradezu den Wunſch nach
Aufhebung des Ediktes von Nantes auszuſprechen, auch die Regierung zog vor, zuerſt die
Maſſenbekehrung durch die Truppen über das ganze Land auszudehnen (7. Juli). Die
Truppen in Béarn erhielten den Befehl, die große Zahl der Religionäre in den Gene=
ralitäten von Bordeaux und Montauban ſo viel als möglich zu vermindern; nur bei
40 Proteſtanten durften ſie einquartiert werden, ſo lange ſollten ſie an einem Orte bleiben,
bis der größte Teil bekehrt ſei oder die Zahl der Katholiken die der Proteſtanten um
das zwei= oder dreifache überſteige; der Wille des Königs, ſeine Religion anzunehmen,
galt als alleiniger Grund dieſes Befehls (31. Juli). Von den Höhen der Pyrenäen herab
breitete ſich die Dragonade über ganz Frankreich aus, Maſſenbekehrungen zu ſtande bringend,
45 wie in keiner Gegend der Welt weder vorher noch nachher; der dumpfe, zermalmende
Schrecken, welcher die Soldaten begleitete und ihrem Erſcheinen vorherging, bewirkte am
meiſten das „Wunder"; häufig genügte die Drohung ihres Einrückens, manchmal der bloße
Hinweis auf den königlichen Befehl; in Montauban rückten die Soldaten ein mit bloßen
Säbeln, binnen einer Woche war die Stadt bekehrt; Montpellier brachte Bâville durch
50 16 Kompagnien binnen 24 Stunden zum Übertritt. Für dieſen genügte anfangs das
einfache „ich trete über" oder das Herſagen des lateiniſchen Vaterunſers oder das Zeichen
des Kreuzes, ſpäter wurde eine ausführlichere Abſchwörungsformel, welche indeſſen die
ſchroffſten Unterſcheidungslehren nicht enthielt, verlangt; oft wurde von den Kanzeln herab
die Abſolution erteilt. Dies Schauſpiel wiederholte ſich in ganz Frankreich (auch das
55 Land Orange wurde ebenſo behandelt) und Herbſt 1685 war der Proteſtantismus auf
kleine zerſtreute Häuflein und einzelne Familien zuſammengeſchmolzen, als Geſamtheit
und Kirche vernichtet. Der Schrecken, welcher mit der Gewalt einer anſteckenden Seuche
ſich verbreitete, verbunden mit der ſicheren Ausſicht materiellen Ruins und mit wirklichen,
zahlloſen Gewaltthaten und Grauſamkeiten, hatte bei den rat= und hilfloſen, von jeder=
60 mann verlaſſenen Proteſtanten dieſe Wirkung hervorgebracht. Beiſpiele großer heroiſcher

Standhaftigkeit im Ertragen von Martern sind zu berichten, auch lassen sich manche schöne
Züge von seiten der Katholiken anführen.

Nun war die Zeit gekommen, den letzten Schritt gegen das Edikt von Nantes zu
thun; gab es keine Protestanten mehr oder nur noch sehr wenige in Frankreich, so hatte
es seinen Gegenstand und damit seine Berechtigung verloren; vom Auslande hatte Lud= 5
wig XIV. keine Einsprache zu fürchten, Jakobs II. war er vollständig sicher, noch weniger
drohten innere Unruhen. In einem Gewissensrate in Gegenwart des Königs hielten die
Theologen die Aufhebung des Ediktes für eine religiöse Pflicht, der Generalprokurator
des Pariser Parlaments erklärte sie juristisch für erlaubt. Le Tellier verfaßte den Ent=
wurf, den Ludwig am 15. Oktober las und in einigen Punkten änderte. Am 16. oder 10
17. Oktober 1685 wurde das Edikt vom Könige in Fontainebleau unterzeichnet, den 18.
in Paris publiziert und zugleich in alle Generalitäten geschickt, den 22. im Pariser Par=
lamente registriert und hatte damit seine volle rechtliche Giltigkeit. Es war Le Telliers
letzte Amtshandlung gewesen; seinen nahen Tod ahnend, hatte er die Angelegenheit be=
schleunigt; als er das große Siegel unter die Urkunde drückte, rief er: Herr nun lässest 15
du deinen Diener in Frieden fahren; am 30. Oktober starb er. Die Hauptbestimmungen
des Ediktes waren: Da der bessere und größere Teil der Reformierten die katholische
Religion angenommen habe und dadurch die Ausübung des Ediktes von Nantes unnötig
geworden sei, habe der König für gut gefunden, es ganz aufzuheben, um dadurch auch
das Andenken an alle Unordnungen, Unruhen und Übel zu verwischen, welche mit dem 20
Wachsen der falschen Religion verbunden gewesen seien; die Edikte vom April und Mai
1598 und vom Juli 1629 werden mit allen andern darauf bezüglichen Erlassen für un=
giltig erklärt; alle Tempel der reformierten Religion sollen unverzüglich zerstört werden;
jeder reformierte Gottesdienst, auch in Privathäusern, wird untersagt; alle nicht über=
tretenden Prediger haben binnen 14 Tagen das Königreich zu verlassen; die, welche über= 25
treten, erhalten einen Jahrgehalt, Befreiung von Einquartierung und Steuern; die evan=
gelischen Schulen wurden aufgehoben; die Kinder sollen katholisch getauft werden, die
Auswanderung wurde bei schwerer Strafe (Galeere für die Männer, Einsperrung für die
Frauen) verboten. Den Schluß bildete die merkwürdige Klausel, daß die noch vorhan=
denen Bekenner der reformierten Religion „bis es Gott gefalle, sie zu erleuchten", un= 30
angefochten im Königreiche verweilen und dort Handel und Wandel haben sollten, ohne
jede Ausübung einer Kultushandlung.

Eine der folgenreichsten, verhängnisvollsten Maßregeln in der langen Regierung
Ludwigs XIV. bildet diese Aufhebung; von dem ganzen katholischen Frankreich wurde
diese That mit Zustimmung und Lob begrüßt; auch die großen Geister der Zeit (Fénelon, 35
Massillon, Lafontaine, La Bruyère, Frau von Sévigné 2c.) stimmten mit ein; das katho=
lische Ausland und der Papst waren gleicher Meinung (Breve vom 13. November 1685),
nur wenige abweichende Äußerungen finden sich (z. B. Vauban). Der katholischen Kirche
war eine große Schar von neuen Bekennern, eine Reihe vornehmer Familien, erlauchter
Namen zugeführt worden, Frankreich hatte seine religiöse Einheit wieder gewonnen, aber 40
um welchen Preis! Vor allem mußte die Regierung den Weg der Gewalt, der Verbote
und grausamen Strafen, welchen sie betreten hatte, weitergehen; eine französisch-reformierte
Kirche gab es nicht mehr, aber einzelne Protestanten, welche nicht übergetreten waren,
und eine große Zahl hing innerlich ihrem alten Glauben noch an, kehrte auch öffentlich
oder insgeheim wieder zu demselben zurück. Das Bedürfnis des Gottesdienstes, der ge= 45
meinsamen Erbauung brach unaufhaltsam hervor; unmittelbar nach der Aufhebung be=
ginnen die geheimen Versammlungen. Ströme von Blutes vergossen die Intendanten,
um dieselben zu unterdrücken, Geistliche wurden gehenkt, die Männer wanderten auf die
Galeeren, die Frauen in die Klöster und Gefängnisse, aber es gelang Männern, wie
Brousson, A. Court, P. Rabaut (s. die Art. RE. Bd III, 421 ff., IV, 306 ff., mit 50
einer Aufopferung ohne gleichen, „in der Kirche der Wüste" das glimmende Docht des
evangelischen Glaubens zu erhalten, und die einzelnen Gläubigen zu Gemeinden und
diese zu einer Kirche zu sammeln. Das Toleranzedikt Ludwigs XVI. von 1787 gab Be=
kenntnis und Kultus wieder frei und erkannte die reformierte Kirche wieder an, aber die
Spuren der Aufhebung sind noch nicht vertilgt; nie mehr erreichten die französischen Re= 55
formierten an Zahl den Bestand von 1660 (16—1700 000 jetzt c. 600 000), in manchen
Gegenden konnten sie nicht mehr Wurzel fassen, sie haben unter dem hohen Adel fast
keinen Vertreter mehr, der niedere Adel, der Gelehrten=, Beamten=, Kaufmannsstand, im
Süden auch die ländliche Bevölkerung, bilden ihre Bestandteile, als Ganzes haben sie in
keiner Weise Einfluß. In ihren katholischen Glauben, zu welchem sie gewaltsam ge= 60

zwungen wurden, brachten ferner die Neubekehrten eine gewaltig auffsproßende Saat von Heuchelei und religiöser Gleichgiltigkeit hinein, in der Frivolität der Regentschaft, in der Freigeisterei unter Ludwig XV., im Unglauben der Encyklopädisten traten die Früchte davon hervor, die blutigen Scenen der Revolution von 1793 stehen in einem tiefen ur-
5 sächlichen Zusammenhang mit den Greueln der Protestantenverfolgung. Die französische Theologie, deren bedeutendste Vertreter sich auch durch Teilnahme an den Verfolgungen bemerklich machten, verlor mit der Vernichtung ihrer reformierten Gegner ihren Ernst und ihre Wissenschaftlichkeit, an ihre Stelle trat die liederliche Wirtschaft der galanten Abbés, welche das 18. Jahrhundert kennzeichnet. Unwiederbringlich waren die Verluste Frankreichs;
10 trotz der furchtbarsten Strafen (nur wenigen, z. B. dem Marschall Schomberg, dem Marquis Ruvigni, war die Auswanderung gestattet, der Admiral Duquesne durfte im Lande bleiben) wanderten in den Jahren 1680—1700 gegen 300 000—350 000 Personen aus, sie gehörten beinahe ausschließlich dem intelligenten, wohlhabenden und fleißigen Teile der Bevölkerung an, mit ihnen wanderte unendlich viel Kapital, Arbeitskraft, Unter-
15 nehmungsgeist, Tapferkeit und Talent in das Ausland; wie die Handelsbilanz in jener Zeit sich zu Ungunsten Frankreichs stellte, wie es keinen Zweig in Handwerk und Landbau gab, in welchem es nicht geschädigt wurde, so stellten sich auch die politischen Verhältnisse ungünstiger. Das Jahr 1685 bildet einen Wendepunkt in Ludwigs Regentenlaufbahn; von dort an sank sein Stern, die Mittelmäßigkeit wurde durch Frau von Maintenon be-
20 günstigt, die Willkür und Gewaltthätigkeit, welche Ludwig sich gegen seine eigenen Unterthanen erlaubte, zeigte, was das Ausland von ihm als Feind zu erwarten habe (Verheerung der Pfalz). Das religiöse Motiv trat bei den politischen Beziehungen der Zeit mächtig hervor, Wilhelm von Oranien und der große Kurfürst waren nicht bloß die Pfeiler und Stützen des Protestantismus, sondern auch der politischen Unabhängigkeit.
25 Der Zug Oraniens nach England, die Verjagung des katholischen Jakob II., der Sieg am Boyne, den zu erringen französische Hugenotten, welche im Heere Wilhelms zu Tausenden dienten, wesentlich beitrugen, sind die protestantische Antwort gegen Ludwigs frevelhafte Handlung. Es bleibt das Stück Mittelalter, welches Frankreich damals in seinen Grenzen heraufführte, mit seinen Gefängnissen, in deren abscheulichsten Löchern glaubens-
30 treue Protestanten schmachteten, mit seinen Klöstern und Neukatholikenhäusern, in welchen Unzählige, denen man nur vorwerfen konnte, daß sie protestantisch glaubten, lebten, beteten, ihr Leben vertrauerten, mit seinen Galeeren, auf deren Ruderbänken Hunderte von wackeren, unbescholtenen Leuten Jahrzehnte lang die Sklavenarbeit verrichteten, weil sie zu fliehen versucht hatten oder in einer religiösen Versammlung betroffen worden waren
35 (man berechnet die Zahl der in Gefängnissen, Klöstern, Galeeren eingesperrten Protestanten auf 40 000!), einer der dunkelsten Flecken in der Geschichte Frankreichs.

Die erfreuliche Kehrseite davon ist die beispiellose Gastfreundschaft und Opferwilligkeit, mit welcher die französischen Flüchtlinge von ihren Glaubensbrüdern in den evangelischen Ländern aufgenommen wurden. Man vergl. hierüber den Art. Refuge.
40   Th. Schott †.

Nimrod. — Litteratur: Budde, Biblische Urgeschichte (1883), S. 390 ff.; A. Jeremias, Izdubar-Nimrod 1891; die Kommentare zur Genesis.

Über ihn berichtet Gen 10, 8—12: [8]„Kus zeugte den Nimrod; der war der erste Gewaltige auf Erden. [9]Der war ein gewaltiger Jäger vor Jahve; deshalb sagt man:
45 ein gewaltiger Jäger vor Jahve wie Nimrod. [10]Der Anfang seines Reiches waren Babel, Erech, Akkad, Kalne im Lande Sinear. [11]Von diesem Lande aus ging er nach Assur und baute Ninive, Rehobot-Jr, Kelach [12]und Resen zwischen Ninive und Kelach: das ist die große Stadt".

Die Verse enthalten, wie man deutlich sieht, zwei Bestandteile. V. 8, 10—12
50 schildern Nimrod als Gründer zweier großer Reiche, V. 9 hingegen erwähnt, daß er ein gewaltiger Jäger gewesen sei. Wir werden hierin eine doppelte Überlieferung, die sich an den Namen Nimrod anknüpfte, zu erkennen haben. Wahrscheinlich stammt dieselbe auch litterarisch aus zwei verschiedenen Urkunden. Andernfalls wäre wohl anzunehmen, daß die Mitteilung über Nimrod als Jäger an den Schluß verwiesen wäre, während sie
55 jetzt den Zusammenhang der Mitteilungen über Nimrod den Reichsgründer sprengt. Hierin ist die Hand eines Redaktors oder Bearbeiters zu spüren.

a) Nimrod der Reichsgründer. Hier ist es zunächst von großem Interesse zu sehen, wie die Reihenfolge Babel-Assur eingehalten wird. Die biblische Geschichte leitet uns sonst im allgemeinen auf die Reihenfolge Assur-Babel hin. Auf das assyrische Welt-

reich folgt das babylonische. Es ist aber längst durch die Ausgrabungen festgestellt, daß
das in der Bibel uns entgegentretende babylonische Weltreich genauer nur das neubaby=
lonische zu heißen hätte, und daß dem Aufkommen des Assyrerreiches eine lange und
selbstständige Blüte Babyloniens vorangeht. Hier ist an das altbabylonische Reich ge=
dacht, von dem das Assyrerreich sich erst abgezweigt hat. Unser Berichterstatter zeigt sich 5
also· in diesem Punkte wohl informiert. Weiter entspricht es der Wirklichkeit, daß die
älteste babylonische Geschichte sich in einzelnen Stadtkönigtümern abspielte, welche erst im
Laufe der Zeit zu einer Einheit zusammengefaßt werden. Als der erste Herrscher Ge=
samtbabyloniens gilt Hammurabi (ca. 2250). Irrig hingegen ist, soweit wir zur Zeit ur=
teilen können, die Annahme, daß zu irgend einer Zeit des frühsten Altertums die Grün= 10
dung eines babylonischen und eines assyrischen Reiches auf eine und dieselbe Person
zurückgehe; wohl aber kann die Gründung der hauptsächlichsten Städte Assurs auf eine
in sehr früher Zeit erfolgte Kolonisierung von Babylonien her zurückzuführen sein.
Sollte unsere Stelle diesen Hergang im Sinne haben, so würde sie auch in diesem Punkte
eine richtige Nachricht wiederspiegeln. Jedenfalls aber giebt unser Autor die wichtigsten 15
Stadtgründungen des ältesten Babylonien und Assyrien richtig wieder.

Außer Babylon selbst tritt hier zunächst auf Erech. Es ist das heutige Warka,
südöstlich von Babylon am linken Euphratufer, im Altertum Uruk, griechisch Ὀρχόη,
ein uralter Sitz der Istarverehrung und der Schauplatz des Gilgamešepos. — Ihm folgt
Akkad, das schon dadurch als ein uraltes babylonisches Centrum erwiesen ist, daß die alt= 20
babylonischen Könige sich Herren von Sumer und Akkad nennen. Genauer ist Akkad, die
altbabylonische Bezeichnung für das nördliche Babylonien, während Sumer die südliche
Hälfte des Landes ausdrückt. Als Stadt ist Akkad höchst wahrscheinlich identisch mit
Agade, der Heimat jenes ältesten babylonischen Königs Sargon (I.) von Agade. — Als
vierte Gründung Nimrods in Babylonien schließt sich an Kalne. Dasselbe hat jedenfalls 25
nichts zu thun mit dem in Syrien zu suchenden Kalno von Jes 10, 6, wohl auch nichts
mit dem Kalne von Am 6, 2, (das wahrscheinlich mit Kalno zusammengehört). LXX giebt
es wieder mit Χαλαννη (= כַּלְאַנֵּה), was zu der Vermutung Hommels (Semit. Völker
I, 234 f.), Kalne, in der Form Kalno = כַּלְנֹה sei das alte Kulunu = Zirlaba, lautlich
wohl stimmen würde, wenn ausreichende sachliche Gründe für diese Gleichung sprächen. 30
Vgl. Cheyne in der Encycl. Bibl. Hingegen widerrät die Übereinstimmung von LXX
und Massoretentext in Beziehung auf die Konsonanten כלכה bezw. כלבי die Vermutung
eines Textfehlers und die Lesung כלבה = Kullaba (so Jensen in ThLZ 1895, 510).
Die bloße Thatsache, daß Kullaba eine altbabylonische Stadt war, kann schwerlich aus=
reichen, jene Gleichung zu stützen. Beachtung verdient dagegen immer wieder die tal= 35
mudische Überlieferung (Joma ˙10ᵃ), Kalne sei das alte Nippur, dessen Bedeutung, wie
sie durch die amerikanischen Ausgrabungen neuerdings allgemein bekannt geworden ist,
seine Nennung unter den hervorragendsten Städten Babyloniens durchaus rechtfertigen
würde. Ob diese Gleichung sich damit stützen läßt (Hommel), daß in Kalne selbst der
sumerische Name für den in Nippur besonders verehrten Bel, Enlil (Ἴλλινος), stecke, 40
mag bis auf weiteres dahingestellt sein; aber die Thatsache, daß der Talmud seiner baby=
lonischen Herkunft wegen über die noch in später Zeit bestehenden Städte, zu denen Nip=
pur gehörte, wohl unterrichtet sein kann, darf mit Grund betont werden. Vgl. noch
Hilprecht, Excavations in Bible lands (1903), p. 410 f.

Als assyrische Gründungen Nimrods nennt unser Text außer Ninive, der eigentlichen 45
Hauptstadt Assurs, zunächst Rehobot-Ir. Seiner hebräischen Benennung nach würde
der Ort etwa „offene Städte" zu bedeuten haben. Es läßt sich aber bis jetzt nicht sagen,
welcher assyrische Name dem hebräischen entspricht. Delitzsch (Paradies 261) rät auf eine
Vorstadt Ninives rêbit ninua. Wohl bekannt dagegen ist Kelach. Es ist das heutige
Nimrud, südöstlich von Ninive, im Altertum Kalhu genannt. Seine hohe Bedeutung er= 50
hellt aus dem Umstande, daß die gewaltigen Paläste Assurnasirpals, Tiglat-Pilessers III.
und Assarhaddons hier standen. Es war lange Zeit hindurch die Residenz der assyrischen
Könige. Wenig gesichert ist jedoch die Lage von Kelach. Mehr als unser Text selbst uns
sagt, nämlich daß es zwischen Ninive und Kelach gelegen sei, wissen wir auch heute nicht.
Schwierigkeit bietet der Zusatz: „Das ist die große Stadt". Soll er nur auf Resen gehen, 55
so wundert man sich, daß er der an vierter Stelle genannten Stadt zukommt und nicht
etwa Ninive. Soll er aber auf alle vier assyrischen Städte gehen, so müßte er besagen,
daß sie alle einmal einen einzigen Stadtbezirk ausmachten, eine Vorstellung, die bei der
nicht ganz geringen Entfernung Nimruds von Mosul (Ninive) befremdlich ist. Schrader
KAT² 99 f. hat gemeint, sie inschriftlich belegen zu können und hat aus der von ihm 60

angenommenen Thatsache, der ganze Städtekomplex habe seit Sanherib eine Einheit unter
dem Namen Ninive dargestellt, die Zeit unseres Textes genau ermitteln wollen. Allein
seine Gründe haben wenig Anklang gefunden, so daß die Frage mindestens offen bleiben
muß. Sicher ist soviel, daß unser Text die älteste Hauptstadt Assyriens, Assur selbst,
nicht nennt; daraus wird man auf relative Jugend schließen dürfen.

Wer ist nun der babylonisch-assyrische Reichs- und Städtegründer Nimrod? Einen
babylonischen König oder Heros dieses Namens kennen wir bis jetzt nicht; der biblische
Autor — mindestens aber die Massora — leitet den Namen höchst wahrscheinlich von
מרד „sich empören“ ab; die Vorstellung der babylonischen Reichsgründung wird mit der
vom Turmbau zusammen unter den Begriff der Auflehnung gegen Gottes Oberhoheit gebracht. Wie der Name ursprünglich lautete, und was sein Sinn war, läßt sich zur Zeit
nicht sagen; man würde etwa eine Form Namrabu erwarten. Nun hat man allerdings
in neuerer Zeit vielfach unseren Nimrod mit dem babylonischen Gilgames (Izdubar) zu-
sammenbringen wollen. Doch läßt sich eigentlich für diese Gleichung nichts weiter ins
Feld führen, als daß Gilgames seinen Sitz in Erech hatte. Erst die syrische Schatzhöhle
erzählt in viel späterer Zeit einige Züge von Nimrod, die an das Gilgamesepos erinnern.
Aber es kann sich fragen, ob hier nicht eine spätere Übertragung von Zügen der bekannten,
allgemein geläufigen Gilgames-Gestalt auf die minder bekannte Gestalt Nimrods stattgefunden hat. — Eine andere Hypothese, die mindestens dieselbe Wahrscheinlichkeit für
sich hat, trägt Wellhausen vor (Kompos. des Hexat.³ 308). Nach ihm wäre Nimrod
mit Marduk zusammenzustellen. Die Hebräer und Aramäer sahen in Marduk eine Ableitung von מרד mit der Endung ut, ot, die sich auch sonst im AT findet: Arioch Nisroch
Phalloch. Die Aramäer bildeten nun in ihrer Weise von מרד ein Imperf. mit ו und durch
sie kam Marduk in der Gestalt des Nimrod nach Palästina. Dann wäre, wie Wellhausen sagt, Nimrod nichts anderes als der hebraisierte oder aramaisierte Nationalgott
Babels, Marduk, und als solcher Gründer des babylonischen Weltreiches.

Schwerlich begründet ist die von Ed. Meyer vorgetragene Deutung (ZAW 1888,
47 f.). Er bringt Nimrod zusammen mit dem ägyptisch-libyschen Namen Nmrt oder
Nmrϑ. Allein der enge Zusammenhang mit Babel und Assur, der auch Mi 5, 5 heraus-
tritt, wird schwerlich erst ein Erzeugnis später Übertragung aus Ägypten nach Babel-
Assur sein. Eine solche könnte allenfalls ihre Stütze in der Notiz finden, daß Nimrod
ein Sohn des Kusch sei, sofern Nmrt ein kuschitischer Name wäre. Dies ist aber nicht
der Fall; an das sonst bekannte äthiopische Kusch wird also auch bei dieser Hypothese
kaum zu denken sein und das Rätsel der kuschitischen Abkunft Nimrods bedarf somit
doch einer selbstständigen Lösung. Man hat vielfach an eine Verbindung zwischen dem
afrikanischen Kusch und Babylonien gedacht, etwa in der Weise, daß schon in alter Zeit
Wanderungen von Afrika nach Arabien, und von hier aus weiterhin nach Babylonien
stattgefunden hätten. Aber weit näher liegt es, zwei verschiedene Kusch anzunehmen und
in diesem babylonischen Kusch die Kossäer oder Kassiten zu sehen, einen vor der Mitte
des 2. Jahrtausends von Elam her in Babylonien eingedrungenen Volksstamm, der bis
zum 12. oder 11. Jahrhundert die Herrschaft dort inne hatte.

b) Nimrod der Jäger. Eine ursprünglich selbstständige Figur ist nun wohl
neben Nimrod dem Reichsgründer der gewaltige Jäger oder Jagdriese Nimrod. Jagd-
scenen finden wir vielfach in Babylonien in Verbindung mit historischen wie mit mythologischen Personen. Insofern könnte man den gewaltigen Herrscher, der die
wichtigsten babylonischen und assyrischen Städte gegründet hatte, sich sehr wohl zugleich
auch als gewaltigen Jäger vorgestellt haben. Es wäre dies besonders in dem — freilich
oben nicht besonders wahrscheinlich befundenen — Falle möglich, daß Nimrod mit Gilgames eine und dieselbe Gestalt sein sollte. Denn gerade Gilgames wird uns in dem
von ihm handelnden Epos als großer Jäger geschildert. Allein da, wie oben schon betont ist, der V. 9 den Zusammenhang der kurzen Mitteilung über Nimrod in auffallender Weise durchbricht, und da weiterhin auf diesen Jäger Nimrod und seine Thaten gar
nicht mehr zurückgegriffen wird, so muß mindestens angenommen werden, daß er eine
selbstständige Traditionsschicht repräsentiert, mag der Jagdriese auch in letzter Linie mit
dem Stadtgründer zusammenfallen.

Da auch Gen 6, 1—4 von gewaltigen Recken der Art, wie Nimrod hier gedacht ist,
redet, so liegt der Gedanke nahe, Nimrod sei für den Verfasser von Gen 10, 9 einer der
Recken von Gen 6 gewesen. In diesem Falle könnte auch der merkwürdige Zusatz „vor
Jahve“ verständlicher werden. Er würde dann bedeuten, daß Nimrod der Jagdheros
eines jener aus göttlichem Geschlecht stammenden und darum der Gottheit noch näher-

stehenden Wesen, der Heroen, sei. Er könnte dann ursprünglich ein in der Umgebung der Gottheit weilender himmlischer Jägersmann gewesen sein. Ein solcher himmlischer Jäger war den Griechen Orion. In der That haben ihn spätere Überlieferungen mit Nimrod zusammengebracht. Dazu würde es stimmen, daß bei den syrischen Arabern Orion den Namen גַּבָּר „Recke" (gabbârun) führt. Der die Plejaden vor sich her 5 scheuchende Jagdriese Orion der Griechen könnte demnach recht wohl der babylonische Nimrod sein. Daß der Orion bei den Israeliten sonst כְּסִיל Thor heißt, würde wohl hierzu stimmen, da ja die Israeliten auch mit Nimrod, das sie von מרד (s. o.) herleiteten, den Gedanken an einen widergöttlichen Titanen verbanden.   **Kittel.**

Rind, Carl Wilhelm Theodor, gest. 1887. — Vgl. Allg. Evang.=Luth. Kirchen= 10 zeitung 1887, Nr. 38, Sp. 935; Theodor Nottebohm, Carl Rind, ein kurzes Lebensbild, Hamburg 1888 (erweiterter Abdruck aus der Allg. Konserv. Monatsschrift); F. Cunz, Carl W. Th. Rind, ein Lebensbild, Herborn 1890; Theodor Schäfer, Evangelisches Volkslexikon, Bielefeld u. Lpz. 1900, S. 553 f.; Ferdinand Wilh. Heinr. Koopmann in: Bilder aus der christlichen Liebesthätigkeit in Hamburg, Berlin u. Hbg. o. J. [? 1899], S. 85 ff. — Die von 15 Senior D. Behrmann am Sarge Rinds gehaltene Rede ist abgedruckt in: Der Nachbar, 39. Jahrgang, Hbg. 1887, S. 322 ff.

Carl Wilh. Theod. Rind wurde am 28. Mai 1834 geboren zu Staffel bei Limburg im Lahnthale im derzeitigen Großherzogtum Nassau. Sein Vater, Georg Carl R., war seit etwa einem Jahre dort Pastor, seine Mutter war eine geborene Reuß, Tochter 20 eines Pastors zu Burbach bei Siegen. Im Herbste 1837 siedelte der Vater nach Herborn über, wohin er als zweiter Prediger und zugleich als Professor am Predigerseminar berufen war. Hier empfing unser R. seinen ersten Schulunterricht. Doch war des Vaters Aufenthalt in Herborn nur von kurzer Dauer. Nachdem ein böser Typhus ihn und einige seiner Hausgenossen ergriffen hatte, fühlte er sich, auch nachdem ein auswärtiger 25 Aufenthalt ihm Genesung gebracht hatte, den Anforderungen des doppelten Amtes nicht mehr gewachsen; auf sein Ersuchen ward er in eine geeignete Landstelle versetzt; im Februar 1841 zog er mit den Seinen in das Dorf Bergebersbach. Hier im einsamen Pfarrhaus, fern von der Welt und ihrem Treiben, verlebte R. von seinem siebenten bis zu seinem fünfzehnten Jahre eine glückliche Kindheit. Hier lernte er, wofür er sein 30 Lebenlang dankbar blieb, Feld und Wald, aber auch ein tüchtiges und frommes Volk in seiner Eigenart kennen und ward befähigt, das Denken und Fühlen des Volkes zu verstehen. Daß er Pfarrer werden wollte, war bald selbstverständlich; der Vater wollte ihn, nachdem er bis zu seinem zehnten Jahre die Volksschule besucht, durch Privatunterricht auf die Tertia des Gymnasiums vorbereiten. Da aber dem Lehrer oft die Zeit 35 dazu fehlte und der Schüler, sobald der Vater den Rücken gewandt hatte, auch auf und davon lief und mehr Neigung zu allerlei Streichen als zu ernster Arbeit hatte, war es erklärlich, daß er, als der Vater ihn Ostern 1849 auf das Gymnasium in Weilburg brachte, nur für Quarta aufgenommen werden konnte; doch holte er das früher Versäumtes nach. Im Jahre 1852 wurde sein Vater Dekan und Pfarrer in Hachenberg. Von hier 40 aus bezog R., nachdem er in Weilburg das Maturitätsexamen wohl bestanden hatte, Ostern 1854 die Universität Halle. Tholuck und Julius Müller waren hier vorzüglich seine Lehrer. R. wurde Salinger und war ein fröhlicher Student voll überschäumenden Jugendmutes; aber er verlor dabei, wie sein ernstgesinnter, frommer Vater bald merkte, den Glauben seiner Kindheit, und im Herbst 1855 erklärte er seinem Vater, er könne wegen 45 seiner Zweifel nicht weiter Theologie studieren. Der Vater verlangte, daß er zunächst noch ein Jahr auf einer andern Universität dem theologischen Studium obliegen solle, und wenn er dann in dem Examen für das Predigerseminar zu Herborn den Beweis geliefert habe, daß er fleißig gewesen sei, solle es ihm, falls er es dann noch wünsche, freistehen, einen andern Beruf zu ergreifen. Doch noch ehe er wieder eine Universität bezog, ward er durch 50 den plötzlichen Tod eines jungen Mädchens, das seinem elterlichen Hause nahe stand und auch ihm besonders lieb war, vor die Frage gestellt, was aus ihm werden solle, wenn Gott auch ihn so schnell in der Jugend abriefe; sie brachte ihn zu ernster aufrichtiger Buße und ließ ihn dem heiligen Geiste Gottes in seinem Herzen und Leben Raum geben. Er hat dann in Erlangen noch ein Jahr eifrig studiert; der Umgang mit Delitzsch, Tho= 55 masius, Hofmann und die Arbeit im theologischen Verein waren ihm sehr fördernd. Im Herbst 1856 absolvierte er nach nur 2½ jährigem Universitätsstudium sein erstes theologisches Examen und ward in das Seminar zu Herborn aufgenommen. Er hat hier noch besonders Kirchengeschichte getrieben, sich aber auch eifrig an den Versammlungen

der christlichen Gemeinschaften in der Herborn=Dillenburger Gegend beteiligt. Im Herbst
1857 machte er in Wiesbaden sein zweites Examen, und darauf wurde er am 1. Advent
vom Bischof Wilhelmi ordiniert. Es war seine Absicht zunächst ein Jahr sich als Bruder
im Rauhen Hause noch auf das praktische Amt vorzubereiten; aber wegen des Mangels
.5 an Kandidaten mußte ihm die hierzu erteilte Erlaubnis wieder genommen werden:
er ward am 19. April 1858 mit der Befugnis zu selbständiger Wirksamkeit als Kaplan
nach Westerburg berufen. Die Stelle bot besondere Schwierigkeiten; aber durch seinen
Eifer und seine Treue gewann er nicht nur das Vertrauen des alten, ganz rationalistischen
Kollegen, sondern fand auch in der Gemeinde Eingang. Schon hier nahm er sich, wie
10 auch in seinen späteren Stellungen, besonders der Kinder an, zu denen ihn immer eine
besondere Liebe hinzog, und mit denen zu verkehren er eine ungewöhnliche Gabe hatte;
für sie sorgte er auch durch Unterricht und Gründung einer Kleinkinderschule. Missions=
feste, die er veranstaltete, weckten den Missionssinn in der ganzen Gegend, und nachdem
er am 1. Juli 1862 durch seine Verheiratung mit Anna Klein aus Barmen die rechte
15 Gehilfin gefunden, ward sein Haus immer mehr weit über die eigne Gemeinde hinaus
zum Mittelpunkt mannigfacher Bestrebungen zur Weckung und Erhaltung kirchlichen
Lebens. Im Jahre 1865 wurde N. nach Frücht bei Bad Ems versetzt; er trat diese
Stelle am 1. September an. Hier wurde es ihm wegen des Druckes äußerer Arbeit und
Sorgen, unter denen die Leute standen, viel schwerer gemacht, solche Erfolge zu erreichen,
20 wie in seiner ersten Gemeinde, und zu manchem, was er dort eingerichtet, kam es hier
gar nicht; auch war diese Gemeinde viel kleiner; und so konnte N. nun Zeit und Kraft
an ein Werk wenden, von dessen Notwendigkeit er sich immer mehr überzeugte. Schon
in Westerburg hatte er einen Kolportageverein gegründet, der ein Zweigverein des evange=
lischen Landesvereins in Nassau wurde und in großem Segen wirkte. N. ward Geschäfts=
25 führer und Sekretär dieses Nassauischen Kolportagevereins, dessen Hauptniederlage nun in seinem
Hause in Frücht war. Eine Hauptarbeit war für N. die Auswahl der geeignetsten Schriften;
nur das Beste sollte unter dem Volke verbreitet werden; namentlich mußten die von
anderen Gesellschaften herausgegebenen Traktate einer unerbittlichen Zensur unterworfen
werden. Die Schriften wurden teils gekauft, teils besonders gedruckt. Die Ballen nach
30 dem hochgelegenen Frücht zu befördern und dann die für die einzelnen Agenturen und
Kolporteure gewissenhaft ausgesuchten Schriften in kleineren Traktaten auf die Post oder
Bahn in Ems zurückzubringen bereitete dann wieder viel Mühe; einen großen Teil auch
dieser Arbeit erledigte N. selbst, wenn auch die Kolporteure und bald auch ein besonders
angestellter Buchbinder zeitweilig halfen. Erst im Jahre 1869 ward ein besonderer Ex=
35 pedient angestellt. Der Verein breitete seine Thätigkeit in jedem Jahre weiter aus, und
als N. im Jahre 1873 Frücht verließ, hinterließ er infolge seines außerordentlichen
praktischen und auch finanziellen Geschickes den Verein in gesicherter Gestalt; die Haupt=
niederlage befindet sich jetzt in Scheuern, wo der Verein nun längst ein eigenes Haus
hat, und von wo aus er noch eine ausgedehnte und gesegnete Wirksamkeit ausübt. Von
40 Frücht aus war N. auch als Lazarett= und Feldprediger in den Kriegen 1866 und
1870 u. 71 thätig; namentlich im französischen Kriege hat er zunächst in der Nähe von
Metz und sodann seit November 1870 in Straßburg nach vielen Richtungen hin eine
fast die Kraft eines Einzelnen übersteigende Thätigkeit entwickelt und in reichem Segen
gewirkt; ihm wurde auch das eiserne Kreuz zu teil. Zwischen beide Kriege fiel N.s
45 erfolgreiche Mitwirkung zur Umwandlung eines Rettungshauses in Scheuern in eine
Idiotenanstalt, die am 1. Mai 1870 eröffnet ward und an deren Leitung N. dann auch
fortan beteiligt war. Während so der Kreis seiner Arbeiten ein immer umfang=
reicherer ward, wurde im Juli 1872 an ihn die Anfrage gerichtet, ob er Freudigkeit
habe, Pastor an der Anscharkapelle in Hamburg zu werden. Die Anscharkapelle
50 war in der großen St. Michaelisgemeinde in Hamburg für Arbeiten der inneren
Mission gegründet und im Mai 1860 eingeweiht; sie war keine Parochialkirche, aber es
sammelte sich in ihr eine Personalgemeinde. Vom Jahre 1865 an hatte Wilhelm
Baur an ihr gestanden, war dann aber 1871 einem Ruf als Hofprediger nach Berlin
gefolgt. Es war schwer einen Nachfolger zu finden; ein Hamburger, der als Badegast
55 in Ems N. kennen gelernt hatte, machte den Vorstand der Anscharkapelle auf ihn auf=
merksam, und der Vorstand überzeugte sich dann, daß N. der für die geforderte Thätig=
keit Geeignete sei. Und auch N., der anfänglich nicht geneigt war, Frücht zu verlassen,
kam allmählich zu der Erkenntnis, daß gerade eine solche Arbeit, wie die ihm angebotene,
seinen Neigungen und doch auch den ihm verliehenen Gaben entspreche. Aber nachdem
60 er sich zur Annahme eines Rufes bereit erklärt hatte, hielt ihn noch der Ausbruch einer

Diphtheritisepidemie in Frücht zurück, so daß er erst im Dezember zur Wahlpredigt nach Hamburg kommen konnte, und so geschah es, daß er erst im März 1873 nach Überwindung aller sachlichen und persönlichen Hindernisse dorthin übersiedelte und sein neues Amt antrat. Er war nun 39 Jahre alt und stand, soweit man wahrnehmen konnte, in der Fülle seiner Kraft. Durch seine bisherige Thätigkeit war er in vieler Hinsicht ganz [5] besonders für die Aufgaben, vor die er sich jetzt gestellt sah, oder die er sich, wie es bei einem großen Teil von ihnen der Fall war, selbst stellte, vorbereitet; und es ist erstaunlich, was er alles gethan hat. Sein großes Organisationstalent kam ihm dabei sehr zu statten; machte dieses ihm einerseits zwar fast unmöglich mit Kollegen zusammen zu arbeiten, er war ohne Frage ein „Einspänner", so wußte er doch andererseits sich überall [10] geeignete männliche oder weibliche Hilfskräfte zu schaffen, die seiner Leitung willig folgten, auch wo er große Ansprüche an ihre Arbeitskraft stellte. Er selbst verzehrte sich in seiner Arbeit; ihn drang die Liebe Christi; ein Feuereifer, dem Heilande die Seelen zu gewinnen, erfüllte ihn, und wenn er auch manchmal in seinen Forderungen hart schien, überwand seine unvergleichliche Liebenswürdigkeit doch alles Mißbehagen und gewann [15] ihm die Herzen. Es giebt wohl kaum ein Gebiet in der Arbeit der inneren Mission, auf dem er nicht thätig gewesen ist; es soll hier nur weniges noch hervorgehoben werden, vor allem solches, worin sich seine Eigentümlichkeit am meisten zeigte. Für die Gemeindepflege, d. h. die Arbeit unter den Kranken und Armen, bildete er sich Gemeindeschwestern aus. Sie sollten nicht Diakonissen sein in dem Sinne, wie Fliedner u. a. [20] sie ausbildeten, sondern „aus der Gemeinde für die Gemeinde". Wie er sie sich dachte, sprach er 1881 in einem Aufsatze aus, der unter dem Titel „Unsere Gemeindepflege" in der Monatsschrift für die evangelisch-lutherische Kirche im hamburgischen Staate, herausgegeben von G. Behrmann, 1. Jahrgang, 1881, S. 325 ff., von ihm veröffentlicht ist. Damals hatte er für seine Schwestern gerade das Diakonissenheim Bethlehem gebaut und [25] mit der Einrichtung dieses Hauses schwand der Unterschied von andern Diakonissenhäusern immer mehr, bis er (nach Rincks Tode) wohl völlig aufgegeben ist. An Bethlehem schloß sich dann im Laufe der Jahre eine ganze Kolonie von Anstalten, die N. auf der Anscharhöhe bei Eppendorf (auf holsteinischem Gebiet) nach und nach errichtete, die für sittlich gefährdete Mädchen und für Sieche, teilweise auch für emeritierte Diakonissen und anderes [30] bestimmt sind. Als eine Anstalt für sich gründete N. den Louisenhof, der jungen Mädchen, die zum erstenmal gefallen sind, eine Zufluchtstätte eröffnet. Besonders eingreifend war seine Thätigkeit in der „Niedersächsischen Gesellschaft zur Verbreitung christlicher Schriften", zu deren Leiter er berufen ward. Hier verwertete er seine früher gemachten Erfahrungen. Er befreite die Gesellschaft von dem englischen Einfluß und [35] sorgte für wirklich gediegene und gesunde Schriften und Traktate. Einen großen Einfluß gewann er in weiten Kreisen durch die Herausgabe des „Nachbar", eines christlichen Volksblattes, dem er aus einer ganz kümmerlichen Existenz zu einer Verbreitung in 100 000 Exemplaren verhalf. Die Leser dieses Blattes sah er als seine „Nachbargemeinde" an und je größer sie wurde, desto ernster nahm er es auch mit der Pflicht, [40] ihr nur mit dem Besten, was er hatte, zu dienen. Außer dem Nachbar gab er noch den „Kinderfreund" heraus, ein Blatt, in welchem sich seine Gabe zu den Kleinen zu reden und mit ihnen zu verkehren in glänzender Weise zeigte. Fragt man, wie er zu den genannten und anderen Unternehmungen (z. B. Trinkerasyl, Seemannsheim) die Mittel aufbrachte, so ist zu sagen, daß er nicht kollektierte (wie Fliedner u. a.), auch nicht [45] eigentlich sammelte, aber wohl mitunter diesen oder jenen und namentlich solche, die über reiche irdische Mittel geboten, um Gaben für bestimmte Zwecke bat, im ganzen aber flossen ihm die Gaben freiwillig zu; er genoß ein so großes Vertrauen, daß ihm, sobald seine Absichten und Wünsche bekannt wurden, die Mittel auch zur Verfügung gestellt wurden, und reich und arm gab dabei nach Vermögen seinen Beitrag. Und er [50] war bei größter persönlicher Anspruchslosigkeit ein geschickter Verwalter, der keine Schulden machte und seine Gründungen in bescheidener Weise finanziell sicher stellte. Seinen Stiftungen kam dann auch der Ertrag seiner litterarischen Thätigkeit zu gute. — Eine ganz besondere Freude war es für N., daß er eine Reise nach Palästina machen konnte (4. Febr. bis 10. April 1884); mehrere Freunde aus verschiedenen Berufsarten begleiteten ihn; die [55] Hinreise ging über Ägypten, die Rückreise über Athen und Konstantinopel. Nach Hause zurückgekommen arbeitete er eine umfängliche Reisebeschreibung aus, in der er den Ertrag seiner Studien und was er selbst erlebt hatte in einer jedem Gebildeten verständlichen Weise zusammenfaßte; das Werk erschien unter dem Titel „Auf biblischen Pfaden", zuerst Hamburg 1885 (508 S. 4°), hernach noch in 2. u. 3. Auflage, und ist mit vielen [60]

Illustrationen geschmückt. N. schrieb es vorzüglich, „um die Liebe zum heiligen Lande, das Verständnis der heiligen Schrift und das Interesse für die evangelische Mission in weiteren Kreisen fördern zu helfen"; und dazu ist es noch heute wie kaum ein anderes geeignet. — Schon in Straßburg war N. an einem Herzleiden erkrankt, das dann im Jahre 1876 wiedergekehrt war und zwar so ernst, daß man sein Ende nahe glaubte. Im Sommer 1887 ward er wieder von ihm besonders schlimm befallen. Er zog sich auf die Anscharhöhe zurück, weil er von der frischen Luft dort eine gute Einwirkung hoffte. Aber es kam eine schwere Leidenszeit für ihn, in der es für ihn galt, sich immer wieder zum Glauben an das Erbarmen seines Gottes und Heilandes durchzukämpfen und seinen Herrn durch sein Leiden zu preisen. Am 17. September 1887 morgens ward er heimgerufen. Die Beerdigung fand von der St. Michaeliskirche aus statt; die Beteiligung der Bevölkerung bei der Trauerfeier und auf dem weiten Wege zum Friedhof war so groß, wie es wohl nie sonst in Hamburg vorgekommen sein mag; es war ein Großer in Israel gestorben.　　　　　　　　　　　　　　　　　　　　**Carl Bertheau.**

Rinian, Rynia f. b. A. Keltische Kirche Bd X S. 221, 7 ff.

Niniveh und Babylon. — Litteratur: Zur Geschichte der Ausgrabungen: Botta et Flandin, Monuments de Ninive, 5 vol. avec 400 plates, Paris 1846—1850. — Botta, le monument de Niniveh, Paris 1849—50; Layard, Niniveh and its remains, a Narrative of a first Expedition to Niniveh, London 1848 (deutsch von Meißner, Ninive und seine Ueberreste, Leipzig 1850); Layard, the monuments of Niniveh, London 1849—53; Layard, Discoveries in the Ruins of Niniveh and Babylon, the Result of a second Expedition, London 1853 (deutsch von Zenker, Niniveh und Babylon, Leipzig 1856, Dyksche Buchhandlung); Felix Jones, Topography of Niniveh; Loftus, Travels and Researches in Chaldaea and Susiana, London 1857; J. Oppert, Expédition scientifique en Mésopotamie, exécutée 1851—54 par Fresnel, Thomas, Oppert, Paris, T. I 1862; T. II 1859; Victor Place, Ninive et l'Assyrie, avec des essais de restauration par F. Thomas. 1 vol. Texte et 2 vols. Planches, Paris 1866—69; George Smith, Assyrian Discoveries, London 1873—74; Hormuzd Rassam, Excavations and Discoveries in Assyria (Transactions of the Soc. of Bibl. Arch. VII und VIII, London 1880 und 1881). — Ueber die Ausgrabungen der Deutschen Orientgesellschaft in Babylon berichten deren Mitteilungen und das erste Sendschreiben von Fr. Delitzsch, Babylon (2. erweiterter Abdruck, Leipzig J. C. Hinrichs 1902). — Hilprecht, Explorations in Bible Lands, 1903 giebt eine allgemeine Uebersicht über die archäologischen Forschungen in Ägypten und Vorderasien (deutsche Uebersetzung des ersten Teiles bei J. C. Hinrichs in Vorbereitung).

Zur Topographie Ninivehs: Jones, Topography of Nineveh; Billerbeck u. A. Jeremias in Beiträgen zur Assyriologie III, 1 (mit ausgezeichneten Karten!). — Zur Topographie Babylons: Friedrich Delitzsch, Im Lande des Paradieses, Stuttgart, Deutsche Verlagsanstalt 1903 und die oben erwähnte Schrift desselben Verfassers: Babylon.

Zur Geschichte Babyloniens und Assyriens: Die Geschichtswerke von C. P. Tiele, Hommel, Maspero (Histoire ancienne I, Paris 1895); das neueste ist Rogers, History of Babylonia and Assyria. Der erste Kenner der Geschichte des Zweistromlandes ist H. Winckler. Seine „Geschichte Babyloniens und Assyriens", Leipzig, Ed. Pfeiffer 1892 bedürfte dringend der Neubearbeitung auf Grund des neuen Materials. Einen kurzen Abriß schrieb W. für die von H. F. Helmolt herausgegebene Weltgeschichte des Bibliographischen Instituts Bd III, 1. Einstweilen vgl. den Abriß Wincklers in Schrader, Keilinschriften und AT³. — Eine populäre Darstellung giebt C. Bezold in Velhagen und Klasings Monographien zur Weltgeschichte.

Zur Kunstgeschichte: Perrot et Chipiez, Histoire de l'art dans l'Antiquité, Paris 1884. Die Keilschrifturkunden von Niniveh sind katalogisiert von C. Bezold, Catalogue of the Cuneiform Tablets, London 1889—99, 5 Bde, und z. T. herausgeg. von H. Rawlinson, Cuneiform Inscriptions of Western Asia Bd I—V (daß die Bände vergriffen sind, erschwert den Zugang zu den Studien; neuerdings werden die Publikationen systematisch fortgesetzt im Auftrag des Britischen Museums: Cuneiform Texts from Babylonian Tablets in the British Museum. — Eine Sammlung von Uebersetzungen der historischen Inschriften bietet Schrader, Keilinschriftliche Bibliothek Bd 1—3.

Zur Religion der Babylonier und Assyrer vgl. die Monographien von A. Jeremias über Marduk, Nebo, Nergal (s. auch die betreff. Artikel in diesem Werke) in Roschers Lexikon der Mythologie, F. Jeremias in Chantepie de la Saussaye, Religionsgeschichte (3. Auflage in Vorbereitung); H. Zimmern in Schrader, Keilinschr. und das AT³; M. Jastrow, Religion Babyloniens u. Assyriens, Gießen, Ricker; Fr. Hommel in J. v. Müllers Handb. der klass. Altertumswissenschaft III, 1. 2. Aufl. (1903 in Vorbereitung).

Die Beziehungen der babylonisch-assyrischen Geschichte zur Bibel behandelt H. Winckler bei Schrader, Keilinschriften und AT³. — Ein biblisch-babylonisches Handbuch von A. Jeremias unter dem Titel „Das Alte Testament im Lichte des Alten Orients"

(Leipzig, J. C. Hinrichs) befindet sich in Vorbereitung. — Die Keilschrifttexte, die für die Ge=
schichte Israels in Betracht kommen, hat H. Winckler in seinem „Keilinschriftlichen Textbuch"
zusammengetragen. — Die Litteratur über „Babel und Bibel" findet man bei Friedr. De=
litzsch, Babel und Bibel, Leipzig, J. C. Hinrichs in den neuen Auflagen.

Von Sammelwerten sind zu nennen: Zeitschrift für Assyriologie, herausgegeben von [5]
C. Bezold; Delitzsch und Haupt, Assyriolog. Bibliothek und Beiträge zur Assyriologie — beide
Werke bei J. C. Hinrichs; H. Winckler, Altorientalische Forschungen, Leipzig, Ed. Pfeiffer;
Mitteilungen der Vorderasiatischen Gesellschaft, Berlin, Peisers Verlag. — „Der Alte Orient",
Gemeinverständliche Darstellungen herausgegeben von der Vorderasiatischen Gesellschaft zu
Berlin (jährlich vier Hefte, 2 Mark, J. C. Hinrichs). [10]

Wer sich näher über die Litteratur orientieren will, schlage die Bibliographie in der von
C. Bezold herausgegebenen Zeitschrift für Assyriologie nach.

I. **Babylon.** — Die nordbabylonische Stadt Babylon (babylonisch Tintir, d. h.
„Ort des Lebens" oder Babilu, Babili d. h. „Pforte Gottes") ist seit Hammurabi die
Metropole des babylonischen Reiches und später nach dem Fall Ninivehs Metropole des [15]
babylonisch=chaldäischen Weltreichs („Mutter der Chaldäer" Jer 50, 12, **Chaldaicarum
gentium caput** bei Plinius, hist. nat. 6, 30). Aber auch während der dazwischen
liegenden assyrischen Vorherrschaft ist Babylon anerkannt als politischer und kultureller
Mittelpunkt. Die assyrischen Könige ergreifen „die Hände Bels" (Marduk) in Babylon
und proklamieren sich durch diese feierliche Ceremonie als Herren des Weltreichs. „König [20]
von Babylon" blieb seit Hammurabi für alle Zeiten der wichtigste Titel der vorderasia=
tischen Könige. Das Land Babylonien, das nach seiner Metropole Babylonien genannt
wurde (in der Bibel Sinear) ist das erste Kulturland der alten Welt, vor allem deshalb,
weil es den Weg nach Indien beherrschte und den Austausch der Natur= und Kunstschätze
beider Hälften der alten Welt vermittelte. [25]

Die älteste Geschichte Babylons ist noch unbekannt. Der Gründer der Stadt war
vielleicht jener Sargon von Agade, dessen Geschichte als die eines Dynastienbegründers von
Sagen umwoben ist. Die von Thureau Daugin veröffentlichten Datierungen Sargons I.
erwähnen Babylon; die Omina Sargons scheinen an einer allerdings verstümmelten
Stelle von der Erbauung der Stadt zu sprechen. Sicherlich hat Sargon Babylon zu [30]
einer führenden Rolle erhoben. Von jeher hat Babylon mit Borsippa eine Doppelstadt
gebildet. Erst seit der Vereinigung der Stadtkönigtümer Süd= und Nordbabyloniens durch
Hammurabi — also in verhältnismäßig später Zeit — gewinnt Babylon die entscheidende
weltgeschichtliche Bedeutung, die uns bei Nennung des Namens vorschwebt.

In der assyrischen Periode führt der Widerspruch, der zwischen der kulturellen bzw. [35]
hierarchischen Bedeutung Babylons und seiner politischen Abhängigkeit von der weltlichen
Herrschaft klafft, nicht selten zu schweren Konflikten. Sanherib machte den gewaltsamen
Versuch, die Ansprüche Babylons auf die geistige Führung zu beschränken. Um Niniveh
zur Hauptstadt des gesamten Reiches und zum Mittelpunkt des Welthandels erheben
zu können, zerstörte er 682 Babylon in barbarischer Weise, erklärte das Stadtgebiet zum [40]
Oedland und führte die Götterstatuen nach Assyrien. Der Schlag fiel auf ihn selbst
zurück. Als er von einem verhängnisvollen Feldzuge nach dem Westlande (s. unten
S. 113) heimkehrte, fiel er auf Anstiften der babylonischen Priesterschaft durch Mörder=
hand. Sein Sohn Asarhaddon, der Sohn einer Babylonierin, stand auf seiten der baby=
lonischen Hierarchie. Er erkämpfte sich 681 von Babylon den Thron und gab Befehl, [45]
die zerstörte Stadt wieder aufzubauen. Seinen Plan, Babylon zum Mittelpunkte des
Reiches zu machen, durchkreuzte freilich die assyrische Partei. Sie zwang ihn, seinen Sohn
Asurbanipal zum Mitregenten zu machen (er wurde 668 sein Thronerbe). Die Ernennung
des zweiten Sohnes Samaš-šum-ukin zum Sonderkönig von Babylon machte den
Bruderkrieg unvermeidlich. Nach schweren Kämpfen, bei denen die Elamiter als Helfer [50]
der Babylonier eine große Rolle gespielt haben, wurde Babylon erobert und Asurbanipal
ließ sich unter dem Namen Kandalanu zum König von Babylon krönen. Aber in dem
Siege lag der Keim des Untergangs für die assyrische Macht. Die Vernichtung des Erb=
feindes Elam hatte den Damm niedergerissen, der den Strom der indogermanischen Völker
aufgehalten hatte (s. den A. Medien Bd XII S. 489). [55]

Nach dem Sturze Assyriens begann für Babylon eine neue glänzende Epoche. Seit
dem 11. Jahrhundert etwa hatten sich in Babylonien chaldäische Stämme angesiedelt,
wohl von Ostarabien her. Sie haben zunächst unter eigenen Fürsten die Landbevölkerung
gebildet, haben aber von jeher danach gestrebt, die Schutzherrschaft über Babylon und
damit den Anspruch auf die Weltherrschaft zu gewinnen. Nachdem wiederholt in Babylon [60]
chaldäische Könige vorübergehend regiert haben, erreichten sie definitiv ihr Ziel während

der assyrischen Wirren unter Nabopolassar. Unter der mit ihm beginnenden chaldäischen
Dynastie wurde Babylonien wieder selbständig und verbündete sich mit dem neu erstandenen medischen Reiche. Nach dem Fall Ninivehs wurde die Beute zwischen Babyloniern und Medern geteilt. Das chaldäisch-neubabylonische Reich Nebukadnezars (605
5 bis 562), das so entstand, bildete die Fortsetzung des assyrischen Reiches. Nebukadnezar
(Nabu-kudurri-uṣur, d. h. „Nebo, schütze meine Grenze") — von dem soeben authentische
Bildnisse im Felsen von Wadi Brissa gefunden wurden, die ihn darstellen, wie er „Cedern
fällt mit reiner Hand", — legte große Befestigungen und Wasserwerke an, erneuerte die
Tempel, vor allem den Marduk-Tempel Esagila mit dem Stufenturm E-temen-an-ki
10 (d. h. Haus des Fundamentes Himmels und der Erde) und erbaute sich einen riesigen
Palast (zur Geschichte des Tempels Esagila und des Palastes, s. Mt der Deutschen Orient-
Gesellschaft Nr. 7 und das erste Sendschreiben: Babylon von Friedrich Delitzsch). Aber
sein Sohn und Nachfolger Amel-Marduk (Evilmerodach 2 Kg 25, 57; Jer 52, 31; 560
bis 570) kam mit der Chaldäerpartei, auf die sich seine Vorgänger gestützt hatten, in
15 Konflikt (eine seiner ersten Regierungshandlungen war die Freilassung Jojakins und die
formelle Erneuerung eines jüdischen Königtums 2 Kg 25, 5 f. s. unten S. 120) und
wurde von ihr gestürzt. Das schlechte Urteil über ihn, das uns Nabonid und Berossus
übereinstimmend hinterlassen haben, stammt offenbar von dieser feindlichen Partei. Nach
kurzer Regierung Nergal-šar-uṣurs (Neriglissar), des Schwagers Amel-Marduks und
20 seines jugendlichen Sohnes Labaši-Marduk nahm Nabu-na'id, obwohl er Babylonier
und nicht Chaldäer war, die Politik Nebukadnezars wieder auf. Gleichwohl hat die Chaldäerpartei, wohl mißtrauisch gemacht durch seine reichlichen Tempelbauten zu gunsten der
Hierarchie und durch seine archaistischen Neigungen, ihn nicht auf die Dauer als ihren
Mann anerkannt. Sie hielten ihn in einer Art Gefangenschaft und betrauten seinen
25 Sohn Bel-šar-uṣur (Belsazar) mit der Führung des Heeres und mit der Leitung der
Regierung. Die Gegenpartei verband sich mit Cyrus. Sie hoffte von ihm die Wiederbelebung der alten babylonischen Kulturherrschaft. Die Inschrift des Cyruszylinders zeigt,
wie er als Retter begrüßt wurde. Cyrus schlug das Heer Belsazars, besetzte Babylon am
15. Tischri 539; „ohne Kampf und Schlacht" zog er ein, nachdem ihm die Stadt durch Verrat
30 übergeben worden war. Nabonid war dadurch frei geworden. Wenn er die Freiheit benützte, um Cyrus Widerstand zu leisten, so mag es geschehen sein, um die Selbständigkeit Babylons für die Zukunft zu retten. Bei Opis, an der durch Nebukadnezar be-
festigten Grenze des engeren Königreiches Babylonien, wurde sein Heer besiegt. Nabonid
hatte sich nach Borsippa zurückgezogen und ergab sich hier dem Cyrus, der ihn in leichte
35 Verbannung nach Karmanien schickte. Noch einmal erwies die babylonische Kultur ihre
unverwüstliche Kraft durch Unterwerfung des Siegers. Cyrus selbst wurde „Babylonier".
Nach einem verunglückten Versuch, seinen Sohn Kambyses in Babylon als König zu na-
turalisieren, übernahm er selbst die Würde eines „König von Babylon" und gab damit
die Absicht kund, sein Weltregiment, das vom nördlichen Indien bis an die Grenze Ägyp-
40 tens sich erstreckte, auf die alten Rechtsansprüche Babylons zu gründen. Die uns erhaltene Inschrift berichtet vor allem von seiner Wiederherstellung der alten babylonischen
Kulte. Eine entgegengesetzte Politik schlug Darius ein. Er wollte der östlichen Reichs-
hälfte das Übergewicht verschaffen, betonte deshalb den persischen Kult des Ahuramazda
gegenüber dem babylonischen Marduk-Kult und machte Susa, die alte Hauptstadt der
45 Elamiter, der Erbfeinde Babyloniens, zur Metropole. Eine Empörung Babylons unter
Nidintu-Bel, der sich Nebukadnezar (!) nannte, wurde niedergeschlagen. Babylon öffnete
Darius die Thore und ein Teil der Befestigungen wurde geschleift. Die Berichte
Herodots über die Belagerungen des Cyrus und Darius sind mit Fabeln, die Herodot
für bare Münze nahm, ausgeschmückt. Bald nach dem Tode des Darius hat Ba-
50 bylon seine Bedeutung, die ihm bisher neben Susa gewahrt blieb, eingebüßt. Den
Anstoß gab ein Aufstand, der wahrscheinlich während des Aufenthaltes des Xerxes
in Griechenland ausbrach, unter Führung eines Königs Samaš-irbá. Der Tempel
Esagila wurde zerstört, die Statue Marduks wurde nach Susa geschleppt (Herodot I,
183). Babylon verlor dadurch seine politische und religiöse Bedeutung. Der Titel
55 „König von Babylon" verschwindet seit Xerxes, die Centrale des Handels übernahm
Opis, später Seleucia, schließlich Bagdad. Babylon ad solitudinem rediit exhausta
vicinitate Seleuciae, sagt Plinius. Noch einmal flackerte die Leuchte Babylons auf,
als unter Alexander dem Großen die griechische Kultur ihren Zug nach dem Osten hielt.
Babylon hat Alexanders Politik anerkannt und erwartete, daß Alexander ihm die alten
60 Rechte verschaffen würde. Alexander hat in der That begonnen, den Marduk-Tempel

wieder aufzubauen und den Euphrat stromabwärts wieder schiffbar zu machen; er hat im Palast Nebukadnezars seine Residenz aufgeschlagen in der Absicht, Babylon zur Metropole seiner Weltherrschaft zu machen. Er starb in Babylon. Seleukos begründete Seleucia, die Erbin von Opis, und verlegte die Residenz nach Antiochien in Syrien. Damit verzichtete der Hellenismus auf Wiederbelebung des altorientalischen Weltreichs. Solange 5 „Alexander, der Sohn Alexanders" lebte, haben die Marduk-Priester in Babylon die Hoffnung aufrecht erhalten. Dann verlosch der letzte Schimmer. Die Partherherrschaft hat mit der Bedeutung Babylons vollends aufgeräumt. Aber das Marduk-Heiligtum muß mit seiner Priesterschaft noch lange eine Rolle gespielt haben. Berossus war Bels-Priester in Babylon und schrieb hier 275 sein Antiochus Soter gewidmetes Werk über 10 babylonische Geschichte auf Grund der im Belstempel aufbewahrten Urkunden.

Die Trümmer von Babylon liegen in der Nähe des Städtchens Hillah. Wie sie einst den Steinbruch für den Bau von Seleucia, Ktesiphon, Bagdad gebildet haben, so werden ihre Ziegel noch heute zu Bauten verschleppt. Große Trümmerhügel bezeichnen die Stätte der Riesenstadt, die das „Hirn der vorgriechischen Welt" gewesen ist. Die 15 wichtigsten sind: 1. Babil, ein großer viereckiger Hügel, dessen Seiten 183—124 Meter lang sind nach Richs Messungen und dessen Höhe an der Nordostecke 43 Meter beträgt. Die jüdische Tradition hielt ihn für die Stätte des Nebukadnezar-Palastes und zeigte zur Zeit Benjamin von Tudelas die Stelle des feurigen Ofens, in den Sadrach, Mesach, Abednego geworfen wurden. Layard fand hier Fragmente von Götterfiguren, die zum ersten- 20 male zeigten, daß die babylonischen Kulte sich mit den assyrischen decken. 2. Kasr, eine halbe Stunde südlich von Babil, von den Arabern früher Mudschelibe, d. h. „die eingestürzte" genannt, 640 Meter ins Gebiet. Hier wurden die Trümmer des Nebukadnezar-Palastes neuerdings bloßgelegt. 3. Dschumdschuma, von den Arabern Amran ibn Ali genannt. Hier wurden vor 50 Jahren die ersten hebräischen Zauberschalen gefunden und 25 1876 in Krügen, die mit Asphalt verschlossen waren, mehr als 3000 Täfelchen kaufmännischen Inhalts, Urkunden des Handelshauses Egibi aus der chaldäischen Periode. Wenn Herodot angiebt, Babylon habe einen Umfang von 90 Kilometer gehabt, so ist mindestens Borsippa, vielleicht auch Kutha, wo Babylons Totenstadt zu suchen sein dürfte, eingeschlossen zu denken. Die weitere Angabe, nach der die (zu Herodots Zeiten schon 30 abgetragene) Mauer von Babylon 105 Meter hoch und 26 Meter breit gewesen (200, bezw. 50 babylonische Ellen), so mag das, wie Billerbeck meint, ein Schreibfehler oder eine Verwechslung von Höhe und Breite sein, s. Der alte Orient I, 4² S. 7.

Bereits 1812 hat Claudius James Rich, der politische Resident der East-India-Company in Bagdad in den Wiener Mines de l'Orient die Ruinen von Babylon be- 35 schrieben. Systematische Ausgrabungen wurden 1849—55 durch Loftus und Taylor, versuchsweise auch durch Layard betrieben, 1851—54 durch die Franzosen Fresnel und Oppert, deren kostbare Funde am 23. Mai 1855 im Tigris untergegangen sind. Im Jahre 1879 begannen planmäßige Ausgrabungen, durch die Brunnenanlagen und Wasserleitungen, Pfeiler und Terrassentrümmer (hängende Gärten der Semiramis?) in Babylon 40 bloßgelegt wurden und denen die Auffindung des Cyrus-Cylinders durch Hormuzd Rassam zu danken ist. Gekauft wurden ferner als Beute des Raubbaus auf den Märkten von Hillah, Bagdad u. s. w. für das Britische Museum: eine doppelsprachige Inschrift Hammurabis, eine große Basalttafel mit Bauinschriften Nebukadnezars, die babylonische Königsliste, die babylonische Chronik (von Nabonassar bis Asarhaddon die wichtigsten Ereignisse 45 aufzählend), die Annalen des Nabonid.

Seit Ostern 1899 hat die deutsche Orientgesellschaft, für die Kaiser Wilhelm II. später die Protektion übernahm, begonnen, in Kasr systematisch zu graben. Man stieß auf die 7¹/₄ Meter dicke Mauer Imgur-Bel, und legte Gemächer des Palastes Nebukadnezars, deren Außenwände mit buntglasierten Ornamenten geschmückt sind, bloß, ferner 50 den Hauptzugang (das Istar-Thor), dessen Pfeiler mit dem Bilde des Drachen und des rêmu geschmückt sind, und entdeckte die mit farbenprächtigen Emaillebildern geschmückte Prozessionsstraße zum Tempel Esagila, und fand einige Inschriften (s. F. H. Weißbach, Babylonische Miscellen, Wissenschaftl. Veröffentlichungen der DOG, Heft 4, J. C. Hinrichs 1903). Sehr erfolgreich war die Ausgrabungsarbeit bisher nicht. Assyriologische Sach- 55 verständige bedauern, daß zu Gunsten architektonischer Grabungen im Kasr die für die babylonische Altertumskunde und Epigraphik nötigen Aufgaben zurückgestellt werden.

II. Niniveh, assyrisch Ninua, Ninâ, hebr. נינוה (zu der eigentümlichen Schreibung mit ê s. Frz. Delitzsch, Neuer Kommentar zu Genesis § 215), LXX Nιvεví, bei den Klassikern ἡ Νίνος, hat den Namen wahrscheinlich von der Göttin Nin d. i. Istar von Niniveh. 60

Nach der Gen 10, 11 vorliegenden Überlieferung gründete Nimrod (Ktesias sagt Ninus) von Babel aus in der Landschaft Asur die Stadt Niniveh. Dazu stimmt Mi 5, 5, wo „Land Nimrods" mit Hitzig exegetisch zu Assyrien gehört, nicht etwa Sinear-Babylonien im Gegensatz zu „Land Assur"; vgl. auch Clemens, Rekognitionen I,
5 30. Da der vorhergehende Vers Gen 10, 7 uns nach Arabien führt (die „Söhne Kuschs" sind arabische Landschaften; Kusch selbst ist Bezeichnung der arabischen Gegend, die in der Richtung nach dem afrikanischen Kusch-Äthiopien liegt, wie ein anderer Teil Arabiens als Durchgangsland für Mizraim-Ägypten Muzri heißt), so ist nach der Meinung des Verfassers von Gen 10 Nimrod von arabischer Herkunft. Die arabische Nimrod-Tra-
10 dition, die besonders in der Nähe von Nineve lebendig ist, kann übrigens nicht ausschließlich biblischen Ursprungs sein.

Die geschichtlichen Zeugnisse führen uns nicht bis an den Ursprung Ninivehs zurück. Von altersher mag die Ortschaft an der Karawanenstraße, die an der Chosermündung über den Tigris führt, als Handelskolonie und dann natürlich auch als Kultort von Bedeutung
15 gewesen sein. Ursprünglich ist es wohl Filiale einer babylonischen Stadt gleichen Namens. Die altbabylonische Litteratur aus Gudeas und Hammurabis Zeit kennt ein babylonisches Ninua-ki, das immer in Verbindung mit Ki-nu-nir-ki (Borsippa?) zusammen genannt wird und das wohl identisch ist mit dem Ninua-ki der Tempellisten von Telloh, wenn man nicht annehmen will, daß es zwei babylonische Niniveh gegeben hat (auch der arabische
20 Geograph kennt noch ein babylonisches Ninawâj). Wenn der südbabylonische König Gudea (um 2000?) erzählt, er habe in Nineve einen Istartempel gebaut, so mag das babylonische Niniveh gemeint sein. Aber auch das assyrische Niniveh war damals bereits von Bedeutung. Im Louvre befindet sich eine Inschrift des zweiten Königs von Ur (Dungi um 2700), die in Niniveh gefunden wurde und von der Erbauung eines Nergaltempels be-
25 richtet, die kaum nachträglich dahin geschleppt sein kann. Und nach den Votivschalen Salma-nassars I., deren Angaben durch die historischen Reminiscenzen der Annalen Tiglat-pilesers I. ihre Ergänzung finden, hat schon der assyrische König Samsi-Ramman I., Sohn Isme-Dagans (um 1820) den Istartempel in Niniveh renoviert, den dann Asuru-ballit und Salmanassar I. selbst (um 1300) erneuert hat. Gleichwohl ist es sicher, daß
30 das Niniveh der ältesten uns bekannten Zeit weder babylonisch noch assyrisch war. Viel-mehr ist es der Mittelpunkt der selbständigen Staatenbildungen gewesen, die im eigentlichen Mesopotamien lagen, eine Zeit lang das Reich kissati gebildet haben (s. A. Mesopotamien Bd XII S. 657), und die als Vermittler babylonischer Kultur zu den angrenzenden Völkern, besonders den Assyrern, eine wichtige Rolle gespielt haben. In der
35 Amarnazeit (um 1450) gehört Niniveh zu dem Reiche der (hethitischen) Mitanni, die das Kissati-Reich überflutet haben. Der Mitannikönig Tusratta muß Niniveh besessen haben; denn er schickt eine Statue der Stadtgöttin als Huldigung nach Ägypten und in einem anderen Mitannibriefe heißt Niniveh die Stadt der Göttin Sa-uš-(bi), das ist aber der Mitanni-Name der Istar. Dann haben die Assyrer Niniveh erobert, frühestens unter Asur-
40 uballit. Die assyrischen Könige des 14.—12. Jahrhunderts erwähnen wiederholt Tempel-bauten in Niniveh (die Annahme Friedr. Delitzsch's in der 2. Auflage dieses Werkes, Salmanassar I. um 1300 habe in Niniveh einen Königspalast erbaut und Niniveh vor-übergehend zur Residenz erhoben, kann nur auf einer Verwechslung mit den berichteten Tempelbauten beruhen). Die Hauptstadt Assyriens und Residenz bei Asur,
45 14 Wegstunden südlich von Niniveh gelegen (die Ruinenstätte Kal'a Serkat, wurde vom Sultan dem Deutschen Kaiser 1902 zur Ausgrabung geschenkt; sie verspricht reiche Kunde von der ältesten Geschichte Assyriens), und später Kelach. Niniveh blieb vorläufig ein armseliges Nest. Eine Handelsfaktorei, Tempel und Kapellen, ein Zeughaus, die zum Schutze nötigen Befestigungen — das waren die Hauptbauwerke. Nicht einmal Trink-
50 wasser war da, die Bewohner „mußten ihre Augen zum Regen des Himmels richten", da das Wasser des Tigris ungenießbar war, bis die Wasserleitung gebaut wurde, deren imposante Anlage die Felseninschriften von Bavian preisen. Der erste König, von dem wir bestimmt wissen, daß er seine Residenz nach Niniveh verlegte, ist Asur-bel-kala, einer der Söhne Tiglatpileser I. Eine in Niniveh gefundene nackte Istar-Statue trägt eine In-
55 schrift des Königs. Jedenfalls hat Asurnazirpal um 880 Kelach wieder aufgebaut und von neuem zur Residenz erhoben. Seine Glanzzeit verdankt Ninive dem König San-herib. Er hatte Babylon zerstört und wollte Niniveh zur ersten Stadt des Orients er-heben. An Stelle des alten, ärmlichen Palastes am Ufer des Tebilti, der durch Über-schwemmungen so gelitten hatte, daß die Särge der Könige herausgeschwemmt worden waren,
60 errichtete er den „Palast ohne Gleichen", zur Hälfte im „Hethiterstil" (also an die alten

Zeiten erinnernd), zur anderen Hälfte im „Assyrerstil", und verband ihn mit einem großen Tier- und Pflanzenpark. Ferner erneuerte er die Mauern, richtete „bergegleich" Mauern und Wälle auf, erbaute Marstall und Zeughaus und schlug eine neue Brücke über den Choser. In einer seiner Bau-Inschriften heißt es: „Damals vergrößerte ich den Umfang meiner Residenz Niniveh. Ihre Straße — den Weg „Königstraße" — änderte ich und baute sie 5 herrlich. Wall und Mauer baute ich kunstvoll und berghoch, 100 große Ellen machte ich ihren Graben weit. Auf beiden Seiten ließ ich Inschriften anbringen: 62 große Ellen habe ich die Breite der Königstraße bis zum Parkthore gemessen. Wenn je einer von den Einwohnern Ninivehs sein altes Haus umbaut und ein neues baut, und damit mit dem Fundament seines Hauses in die Königstraße einrückt, den soll man auf seinem 10 Hause an einen Pfahl hängen." Unter den Nachfolgern Sanheribs haben besonders Asarhaddon und Asurbanipal zur Vervollkommnung Ninivehs beigetragen. Asarhaddon baute einen neuen Palast und ein großes Zeughaus für Kriegsgerät und Kriegsbeute in dem Teil, dessen Trümmerhügel heute Nebi Junus heißt, Asurbanipal errichtete Palast-bauten in andern Teile der Doppelstadt, die heute Kujundschik heißt. 15

So ward Niniveh zur großen „erhabenen Stadt". Als die schönste und vielleicht größte Stadt des Orients hat sie hundert Jahre lang die Welt mit Staunen und Schrecken erfüllt. Von hier aus zogen die siegreichen Heere und die tributfordernden Boten (Na 2, 14) durch die Welt. Sie war der Mittelpunkt des Handels (Na 3, 16 „Ninivehs Kaufleute zahlreicher als die Sterne des Himmels"). Der ganze Haß und Zorn 20 der von Assyrien geknechteten Völker entlud sich über Niniveh. Nicht den Juden allein wird sie als „Stadt der Blutschulden, ganz mit Lug und Trug erfüllt und endlosem Raub" gegolten haben oder als „die Löwenhöhle, die mit Raub und Zerrissenem erfüllt ist, ohne daß jemand die Brut zu stören wagt" (Na 2, 12f.).

Bald aber ging es abwärts. Im Dezember 683 (oder 682) wurde Sanherib von 25 einem seiner Söhne ermordet. Die babylonische Chronik erzählt: „Am 20. Tebet tötete den Sanherib, den König von Assyrien, sein Sohn in einem Aufruhr". Der Ort der Ermordung wird Babylon gewesen sein. Denn Asurbanipal erzählt, er habe bei der Eroberung Babylons bei den Bildern der Schutzgottheiten (also am Tempeleingang), bei denen Sanherib ermordet wurde, Leute als Totenopfer hingeschlachtet. Man wird aber 30 kaum annehmen wollen, daß sie zu dem Zwecke nach Niniveh geschleppt wurden. Der spezielle Thatort wird der Marduk-Tempel gewesen sein. Der biblische Bericht wider-spricht dem nicht: „Er kehrte zurück und blieb in Niniveh. Und als er anbetete im Tempel Nisroks, seines Gottes, da erschlugen ihn..." Zwischen den beiden Sätzen wird eine Lücke zu setzen sein. Der Name Nisrok aber ist absichtlich aus Marduk verstümmelt (s. d. Art. 35 Merodach Bd XII S. 644, 22). Die zwei Söhne des biblischen Berichts beruhen auf Miß-verständnis; die Bibel hat wahrscheinlich zwei Namen derselben Person überliefert (siehe H. Winckler in Schrader, Keilinschr. und AT.³, S. 84f.).

Unter Sanheribs Sohn und Nachfolger Asarhaddon und unter Asurbanipal begannen die Erschütterungen, die das assyrische Reich zerstörten um 608. Wir haben Bd XII, 40 S. 490f. im Artikel Medien den Hergang bereits geschildert. Unter Asurbanipal mag sich der Völkerhaß gegen Niniveh noch gesteigert haben. Niniveh wurde damals wirklich zu einer „Stadt der Bluthaten" (Na 3, 1). In eisernen Käfigen am Ostthor von Nini-veh waren, wie die Tafelschreiber Asurbanipals erzählen, arabische Könige an Ketten gelegt, der eine von ihnen grausam verstümmelt. Den Kopf des elamitischen Königs 45 Teuman hing er einem gefangenen Gambuläerfürsten um den Nacken. Dann stellte er den Kopf auf einer Stange am Stadtthor auf und ließ dem Gambuläer die Haut abziehen. Zwei andere Gambuläerfürsten mußten im Käfig des Ostthors die Gebeine ihrer Vor-fahren zerklopfen. Eben derselbe König hat Niniveh vor seinem Untergang einen Ruhmes-titel ohne Gleichen verschafft. Er hat Niniveh zu einer Hochschule „chaldäischer Weis= 50 heit" bis auf unsere Tage gemacht. Denn er errichtete in seinem Palaste eine Bibliothek der babylonischen Litteratur, in deren Schätzen wir noch heute die babylonisch-assyrische Geisteswelt studieren.

Asurbanipals Sohn machte noch einmal Kelach zur Residenz. Unter seinem Sohne Saraîos wurde Niniveh 607/606 zerstört, s. Art. Medien. Daß es nicht von Grund 55 aus vernichtet wurde, beweist der Zustand der Trümmerhügel. Der Dialog bei dem aus Samosata (!) stammenden Lucian zwischen Merkur und Charon: „Mein guter Fährmann, Niniveh ist so zerstört, daß man nicht sagen kann, wo es gestanden hat; keine Spur ist übrig geblieben", beruht auf Übertreibung.

Die Trümmerhügel, die das alte Niniveh bergen, liegen gegenüber der heu= 60 tigen Stadt Mosul, auf dem linken Tigrisufer an der Mündung des Choser. Daß hier Niniveh zu suchen ist, hat man von jeher gewußt. Carsten Niebuhr hat die Ruinenfelder zum erstenmale durchforscht und die Tradition, nach der sie das nahe Niniveh bergen sollten, wissenschaftlich begründet. Derselbe Niebuhr hat dann später, als er sich durch die Studien der altpersischen Inschriften fast blind gearbeitet hatte, die prophetischen Worte niedergeschrieben: „Niniveh wird das Pompeji Mittelasiens werden, eine unermeßliche und noch unberührte Fundgrube für unsere Nachkommen. Bereitet den Weg, die ihr es vermögt, zur Entzifferung auch der assyrischen Keilschrift". Der Bahnbrecher für die Ausgrabung Ninivehs war der oben S. 111 erwähnte James Rich, der 1820 die Ruinenhügel untersucht hat. Die von ihm entworfenen Pläne wurden samt einer von ihm gefundenen Keilschrifttafel nach seinem Tode 1836 veröffentlicht: Narrative of a residence in Koordistan and on the site of ancient Niniveh. Die eigentliche Geschichte der Ausgrabung von Niniveh ist mit den Namen der beiden französischen Konsuln von Mosul, Emil Botta und Victor Place und vor allem mit dem des Engländers Austen Henry Layard verbunden. Die Ausgrabung ist auch heute nur bis zur Hälfte gediehen. Aus der Situation der zwei Hügel, Kujundjik und Nebi Junus (der letztere gilt den Arabern als Grabmal des Propheten Jona; die abergläubische Scheu verhindert die systematische Ausgrabung, hält aber die Araber nicht ab, Raubbau auf Altertümer zu treiben), dürfte zu schließen sein, daß Niniveh eine Doppelstadt gewesen ist, wie Babylon und Borsippa, Sepharvajim d. i. Sippar u. a. Botta wurde durch die ersten Ausgrabungen in Kujundschik, die im Dezember 1842 begannen, zunächst enttäuscht. Ein Bauer lenkte seine Aufmerksamkeit auf sein Dörfchen Khorsabad, das vier Stunden nördlicher lag. Hier wurde, nachdem die Einwohner expropriiert waren, ein Palast bloßgelegt — man befand sich, wie man später erfuhr, an der Stätte der glänzenden Residenz Sargons, und bald tauchte unter prachtvollen Alabasterreliefs der Palasthallen neben den wertvollsten Geschichtsurkunden das Riesenbildnis dieses Königs auf, der einst (722) Samarien erobert hat. Inzwischen fand Henry Layard, später in der Arbeit verbunden mit dem englischen Konsul von Mosul Hormuzd Rassam, südlich von Niniveh in Nimrud (der Stätte des biblischen Kelach) die Reste von drei assyrischen Königspalästen (Asurnasirpal, Salmanassar II., Asarhaddon), später auch die Reste eines Tempels und Etagenturms aus Asurnasirpals Zeit, und dann in der Nähe Ninivehs selbst, unter dem Hügel Kujundschik, den Palast Sanheribs mit 71 Räumen, deren Wände fast sämtlich in prachtvollen Reliefs die Kriegs- und Jagdzüge und das häusliche Leben der assyrischen Großkönige illustrierten. Nebenher stellte er fest, daß unter Nebi Junus die Paläste Ramanniraris, und je ein anderer Palast Sanheribs und Asarhaddons liegen, und bei einer besonderen Campagne fand er in Kal'a Serkat, wo demnächst die deutsche Orientgesellschaft die Ausgrabung fortsetzen wird, die Funde des Palastes Tiglatpilesers I. nebst den Annalen dieses Königs. Nachdem 1851 Layards Thätigkeit zu Ende war, setzte Hormuzd Rassam die Arbeiten fort. Er fand in Kal'a Serkat Duplikate der wichtigen Tiglatpileser-Annalen, in Nimrud die oben S. 690 erwähnten Statuen und die Glorifizierung des Nebo. Als er dann aber im nördlichen Kujundschik, das eigentlich den Arbeiten von Victor Place reserviert war, zu graben begann, überstiegen seine Funde alles bisher Dagewesene. Er stieß 1854 auf den Palast Asurbanipals, des biblischen Sardanapal. In dem Löwenjagdsaale fand er in Tausenden von gebrannten Backsteinscherben einen Teil von Asurbanipals königlicher Bibliothek, — eine Bücherei ohne gleichen, in der der hochgesinnte König, wie wir jetzt wissen, die Litteraturschätze nicht nur der Assyrer, sondern auch vor allem der Babylonier, denen ja auch Niniveh seine Kultur verdankt, in Abschriften niederlegen ließ. Erst lange nachher wußte man die Fundgrube voll zu würdigen. Unter den Bruchstücken, die nach London kamen, fand 18 Jahre später (1872) George Smith, einer der gelehrten Beamten des britischen Museums, ein Bruchstück des assyrischen Sintflutberichtes mit unzweifelhaften Parallelen zur biblischen Erzählung. Die Erregung über den Fund ist unbeschreiblich gewesen. „Wohl nur wenige wissenschaftliche Entdeckungen machten von sich reden, wie die des babylonischen Sintflutberichtes", mit diesen Worten begann damals der Franzose Francois Lenormant seine Abhandlung „über die Sintflut und die babylonische Epopoe". Eine große Londoner Zeitung, der Daily Telegraph, schickte Georg Smith auf ihre Kosten nach Mosul und unter den massenhaften Funden in den Trümmern der Bibliothek, über die sich jene generöse Zeitung depeschieren ließ, befanden sich auch die Bruchstücke der sieben Tafeln des babylonischen Schöpfungs-Epos. Dieser Fund von Niniveh bildet noch heute „das höchste Kleinod der Keilschriftforschung". Die Arbeiten von Layard und George Smith sind dann noch einmal von Hormuzd Rassam aufgenommen worden. Er fand in Balawat fünf Stunden östlich von Niniveh die Broncethore mit den prachtvollen getriebenen Kriegsdarstellungen Salmanassars. In Kujundschid erbeutete er etwa 2000 Fragmente der Bibliothek, die Annalen Asurbanipals und Sanheribs. Mißhelligkeiten zwischen England und der Türkei haben verschuldet, daß die Palasttrümmer wieder zugeschüttet werden mußten. Nur ein geringer Teil der Bibliothek, allerdings bereits Zehn- 5 tausende von Fragmenten umfassend, ist bisher ins britische Museum gerettet worden. Wenn es einer ersehnten glücklichen Zukunft gelungen sein wird, die unterbrochene Ausgrabung der Bibliothek von Niniveh zu vollenden, so wird ein großartiges Material zur Erforschung babylonischen Geisteslebens vorliegen. Aber auch dann wird für unsere Kenntnis der Religion das wichtigste fehlen: die Tempelüberlieferungen, die 10 uns über die Geschichte der babylonischen Kulte Aufschluß geben. Tempelarchive werden erst gefunden werden, wenn der Zauberstab des Spatens die Geheimnisse all der Trümmerhügel berühren wird, deren Städte und Tempel in vieltausendjährigem Schlafe drüben unter dem Sande der Wüste liegen.

Die Ausdehnung und Größe der alten Stadt Niniveh läßt sich nach den 15 Ausgrabungen zur Zeit noch nicht angeben. Die Angabe Jonas 3, 7, sie habe 120000 Einwohner gehabt, wird kaum übertrieben sein. Hingegen beruht die Annahme des uns vorliegenden Textes von Gen 10, 12: „Niniveh und Rehoboth-Jr und Kalah, und Resen zwischen Niniveh und Kalah — das ist die große Stadt", auf einem Irrtum des Glossators. „Das ist die große Stadt", ist nachträglich eingeschoben. Rehoboth-Jr ist wahr- 20 scheinlich das ribit Nina der Keilinschriften und ist wohl an der Stelle des heutigen Mosul gegenüber von Niniveh zu suchen, Kalah ist Kelach, die oben S. 114 besprochene Stadt unter dem Trümmerhügel Nimrud; Resen ist ebenfalls ein selbstständiger Ort, der unter einem der kleinen Trümmerhügel zwischen Niniveh und Nimrud zu suchen sein wird; es wird identisch sein mit dem von Xenophon erwähnten Larissa. 25

III. Die politischen Beziehungen der Reiche am Euphrat und Tigris zu Israel-Juda. Das Volk Israel ist in der mittleren Königszeit von den politischen Ereignissen des Zweistromlandes lebhaft berührt worden. Von jeher gingen durch Kanaan die Karawanenstraßen, auf denen vom Euphratlande her sich die Handels- und Kriegszüge bewegten, die Arabien und Ägypten zum Ziele hatten. Die ägyptischen und assyrischen 30 Königsbilder und Inschriften am Nahr el Kelb bei Beirut sind noch heute lebendige Zeugnisse dieses Verkehrs. Seit den Zeiten Asurnasirpals galt als eines der Hauptziele der assyrischen Reichspolitik der „Zug nach dem Westen". Die Großkönige brauchten freie Bahn nach den Häfen des Mittelmeers. Den kriegerischen Verwickelungen, die sich hieraus für die palästinensischen Kleinstaaten ergaben, fiel das Nordreich unter Salmanassar und Sargon 35 und später das Reich Juda unter Nebukadnezar zum Opfer. Darum sind die sog. Geschichtsbücher des Alten Testaments und insbesondere die Schriften der Propheten, die in Niniveh und Babylon nacheinander die Zuchtruten Gottes für ihr Volk sehen mußten, voll von Beziehungen zu den großen Reichen am Euphrat und Tigris. Und seit die Paläste von Niniveh und Babylon mit ihren zahlreichen Reliefs und Kriegsannalen zu 40 Tage getreten sind, ist unser Verständnis der Geschichtsbücher und der prophetischen Bilderreden und Weissagungssprüche in erwünschter Weise gefördert worden. Fragt man nach der Übereinstimmung der assyrischen und biblischen Geschichtsangaben, so gilt noch heute Eberhard Schraders Urteil: die Konkordanz der Thatsachen ist eine zwar nicht absolute, aber im großen und ganzen durchaus befriedigende. 45

Von unschätzbarem Werte für die Vergleichung der assyrischen und israelitischen Geschichte erwies sich die Auffindung der assyrischen Königslisten-Fragmente (das erste Stück entdeckte Henry Rawlinson 1862 unter den Bruchstücken der Bibliothek Asurbanipals). Nach einer bis jetzt nur in Assyrien nachgewiesenen Sitte sind in diesen Listen die einzelnen Jahre der Reihe nach durch je einen der obersten Staatsbeamten (limmu) bezeichnet, so 50 daß man die Datierung der Urkunden demnach bestimmen konnte. Was die Archontenverzeichnisse für das Studium der hellenischen Geschichte und die Konsularfasten für die römische Geschichte bedeuten, das bedeuten die assyrischen Limmulisten (man hat sie nach dem griechischen Vorgang Eponymenkanon genannt) für die Geschichte der Mittelmeervölker. Die bisher gefundenen Listen umfassen die Jahre 893—666 v. Chr., ergänzen also den ptole- 55 mäischen Kanon, der von 747—555 bez. 538 reicht. Von besonderer Wichtigkeit ist der Teil der Listen, der in einer besonderen Rubrik die wichtigsten Ereignisse des betreffenden Jahres angiebt. Hier wird für das 9. Jahr des Königs Asurdan III. bemerkt: „Im Monat Siwan (Juni) erlitt die Sonne eine Verfinsterung." Nach astronomischer Berechnung kann nur die totale Sonnenfinsternis gemeint sein, die in Niniveh am 26. Juni 763 60

8*

gesehen worden ist. Mit dieser Angabe ist also der feste Punkt für die Geschichtsberech=
nung gegeben. Aßurdan III., dessen Regierungsjahre man vor und nach dieser Angabe
(es sind je neun) abzählen kann, regierte also 772—754 v. Chr. Man kann demnach seine
Regierungszeit wie die der vorhergehenden und nachfolgenden in der Liste genannten Könige
5 unter der Voraussetzung der Richtigkeit des Anfangs unserer Zeitrechnung mit derselben Ge=
nauigkeit angeben, wie die Regierungszeit eines deutschen Königs. Man wird ermessen, wie
wichtig das für die Bibelforschung ist. Denn gerade für die mittlere Königszeit sind die
assyrischen Listen ziemlich vollständig. Das ist um so willkommener, weil wir wissen, daß
die biblischen Geschichtschreiber hie und da auf eine peinliche Chronistik zu Gunsten ihrer
10 Vorliebe für heilige Zahlen verzichtet haben. Das verrät bekanntlich der in der Septu=
aginta zu 1 Kg 6, 1 befindliche Zusatz, es seien 480 Jahre, d. h. 12×40 Jahre vom
Exil bis zur Tempelweihe Salomos verflossen.

Wir verzichten auf einen vollständigen Abriß der Geschichte Assyriens, wie er in der
2. Auflage unter Sanherib von Friedrich Delitzsch gegeben worden ist. Inzwischen sind
15 größere, zuverlässige Geschichtsdarstellungen erschienen, auf die in den Litteraturangaben
verwiesen wurde. Hingegen wird es dem Zweck dieser theologischen Encyklopädie ent=
sprechen, wenn wir die Abschnitte assyrischer Geschichte skizzieren, die für das Verständnis
der biblischen Angaben von Belang sind (ausführlicher wird das geschehen in meinem in
Vorbereitung befindlichen biblisch-babylonischen Handbuche: Das Alte Testament im Lichte
20 des alten Orients). Die Annalen von Niniveh und Babylon zeigen, daß die kleinen
Staaten Israel und Juda mit hohem politischem Interesse beobachtet wurden, ein großer
Teil der biblischen Könige wird in den Inschriften mit Namen genannt.

Bei Salmanaffar II. (860—825) wird für das 3. Eponymenjahr als Haupt=
ereignis bemerkt: „Zug nach dem Westen". Unter den Gegnern, die er in der Schlacht
25 bei Karkar (854) besiegt, wird in den Annalen, die die Westlandszüge beschreiben,
ausdrücklich Ahab, König von Israel (A-ḫa-ab-bu Sir'-la-ai) genannt, der mit
2000 Wagen und 10 000 Kriegern beteiligt war. Bei einem späteren Zuge nach Ahabs
Tode hatte in Israel die assyrische Partei die Oberhand: Jehu von Israel (Ja-u-a
mar Humri) huldigt dem Salmanaffar und schickte ihm Tribut. „Haus Omri" heißt
30 Israel ständig bei den assyrischen Tafelschreibern (die Könige „Sohn Omris", weil die
Dynastie Omri regierte, als Assyrien zum erstenmale Anspruch auf Israel erhob. Juda
wird vorläufig nicht erwähnt; es ist bis Jotam und Ahas immer stillschweigend zu
Israel, zu dem es in einer Art Vasallenverhältnis stand, hinzuzudenken. Die Tribut=
sendung Jehus ist auf dem schwarzen Obelisken Salmanaffars illustriert. Die Abordnung
35 Jehus ist an dem Typus der Gesichter erkennbar und wird durch die Beischriften aus=
drücklich als solche bestätigt. Die Beischriften lauten: „Tribut Jehus, Sohnes des Omri:
Silber= und Goldbarren, šaplu (Fußschemel?) aus Gold, zukut aus Gold, Becher (?)
aus Gold, dalâni aus Gold, Bleibarren, ḫukuttu (Holzgegenstände) für die Hand des
Königs, budilḫâti (ebenfalls Holzgegenstände) empfing ich von ihm".

40 Salmanaffar hat sich in den letzten Zeiten seiner Regierung ebenso wie seine Nach=
folger wenig um das Westland kümmern können. Abadnirari III. aber (812.—783)
berichtet auf der einzigen Inschrift, die wir von ihm haben, daß er Tyrus, Sidon, Omri=
land, Edom, Philistäa, Tribut auferlegt habe. Die assyrische Partei in Israel hat da=
mals die Assyrer als Befreier begrüßt. „Es erstand ihnen ein Retter", heißt es 2 Kg 13,5,
45 das ist Abadnirari. Jedenfalls hat der Assyrerkönig dem Staate Israel zum alten
Besitzstand verholfen, der es durch den 2 Kg 8, 12 angedeuteten Rachezug der Damas=
cener verloren hatte.

Am kräftigsten hat unter den assyrischen Königen Tiglatpileser III. (745—727)
oder Pul (das ist sein babylonischer Name) in das Westland eingegriffen. Was 2 Kg 16
50 von der Vernichtung des Staates Damaskus berichtet, stimmt mit den Keilinschriften
überein. Während Menahem (Me-ni-ḫi-im-me alu Sa-me-ri-na-ai) und Pekach
(Pa-ka-ḫa) von Israel sich zu Damaskus hielten (Menahem hatte vorher zum Schein
gehuldigt 2 Kg 15, 19), tritt Juda zur Partei Assyriens. Juda tritt bei dieser
Gelegenheit zum erstenmale in den Inschriften auf. Ahas von Juda (die
55 Inschriften nennen einmal den vollen Namen Ja-u-ḫa-zi Jaudai) hat — schon sein
Vater Jotam war dazu geneigt gewesen — Assyrien gehuldigt, um von der Vormund=
schaft Israels loszukommen und um mit Hilfe Assyriens das Davidsreich wieder aufzu=
richten. Als Rezin von Syrien und Israel sich dafür rächen wollten, hat
Juda direkt bei Phul um Hilfe nachgesucht (2 Kg 16, 7). Jesaias hat ihn ermutigt.
60 Der Zug Phuls nach dem Westlande 734 hat Ahas aus der Not befreit. Er zieht Ga=

liläa und das Gebiet Manasse als damascenisches Gebiet · ein und faßt es mit Teilen des Hauran zur Provinz Soba zusammen. In einer Inschrift, die die Ereignisse des Jahres 733 schildert, sagt Phul, er habe alle Städte des „Hauses Omri" auf den früheren Feldzügen zum Gebiete seines Landes gezogen, die Bewohner in die Gefangenschaft geführt und nur Samarien (Ephraim) übrig gelassen. Die Bibel berichtet diese Wegführung 5 2 Kg 15, 29. Die nördliche Hälfte Israels, Manasse, war also ganz assyrisch. Deshalb sagt wohl Hosea fast nur Ephraim und nicht mehr Israel. Während nun Phul 733 gegen Gaza vorrückte, wurde Pekach in Samarien gestürzt und Hosea (A-u-si') übernahm mit Genehmigung des assyrischen Königs die Herrschaft. Es heißt in den Inschriften Phuls: „Pekach ihren König stürzten sie, Hosea setzte ich [zur Herrschaft] über 10 sie. Zehn Talente Gold . . . Talente Silber empfing ich als Geschenk". Durch diese Angabe wird die Situation in 2 Reg 15, 30 („Hosea zettelte eine Verschwörung wider Pekach an, ermordete ihn und ward König an seiner Statt") bestätigt und erläutert. Auch ergiebt sich daraus, daß 2 Kg 17, 3 Salmanassar korrigiert werden muß in Phul. Ahas von Juda erfüllte dann im folgenden Jahre 733 seine Lehnspflicht gegenüber Assyrien, 15 als Phul zum Vernichtungskampf gegen das isolierte Damaskus heranzog. Wir haben uns vorzustellen, daß Ahas persönlich sich im Gefolge Tiglatpilesers befunden hat während des Siegeszuges, von dem die Tafelschreiber ausführlich erzählen. Die Belagerung von Damaskus, von der 2 Kg 16, 9 summarisch berichtet wird, scheint sich durch zwei Jahre hingezogen zu haben (733 und 732). Nach der Eroberung der Stadt standen 20 die phönizischen Häfen dem assyrischen Großkönig offen. Lange hat sich dann auch der Rest des Staates Israel nicht halten können.

Hosea von Israel muß bald nach Phuls Tode Salmanassar IV. (Tebet 726 bis Tebet 722) im Einverständnis mit Tyrus und anderen Besitzern von Mittelmeerhäfen Tribut verweigert haben. Wir besitzen leider keine Inschriften aus der Zeit. · Sie 25 müßten vom Strafzug gegen das Westland und von der dreijährigen Belagerung Samariens (2 Kg 17, 5) erzählen. Die Übergabe der Stadt erfolgte erst unter seinem Nachfolger, dem Usurpator Sargon (722—705). Seine Annalen erzählen gleich im Anfang den Fall Samariens: „Im Anfang meiner Regierung (722) und in meinem ersten Regierungsjahr . . . Samaria belagerte und eroberte ich . . . (3 Zeilen fehlen) . . . 27 290 30 Einwohner schleppte ich fort, 50 Streitwagen als meine königliche Streitmacht hob ich dort aus, . . . stellte ich wieder her und machte es wie früher. Leute aus allen Ländern, meine Gefangenen, siedelte ich dort an. Meine Beamten setzte ich als Statthalter über sie. Tribut und Abgabe wie den assyrischen legte ich ihnen auf." Wir nennen dieses Ereignis „die Wegführung der 10 Stämme". In Wirklichkeit war die Hauptsache 11 Jahre 35 früher geschehen. Der Bericht 1 Chr 5, 26 u. 6 wirft die Berichte der beiden Wegführungen 733 und 722 zusammen. Zwei Jahre später hat der Rest der alten Einwohnerschaft unter Führung des Aramäerstaates Hamat noch einmal sich an einer Erhebung gegen Assyrien beteiligt. Der Erfolg war, daß auch Hamat und damit der Rest des großen Aramäerstaates assyrische Provinz wurde. 40

Die Hoffnungen, die Juda auf Assyriens Eingreifen gesetzt hatte, erfüllten sich nicht. Die Assyrer halfen nicht zur Wiederaufrichtung des Davidreiches. Die Begeisterung für Niniveh wird sich schon zu Ahas Zeiten abgekühlt haben. Hiskia, sein Nachfolger, verband sich dann auch mit Assyriens Feinden. Sicher ist, daß Juda bei den Empörungen, die 713—711 in Mittelsyrien unter Führung von Asdod ausbrachen, beteiligt war. Aber 45 der Erfolg war kein glücklicher. Asdod wurde assyrische Provinz. Juda konnte sich nicht über Strenge beklagen, wenn es diesmal verschont blieb. Bald darauf kam für Juda von ganz anderer Seite neue Verlockung, sich von Assyrien loszusagen. Merodachbaladan, der zum Aufruhr geneigte Statthalter von Babylon, hatte schon früher eine Gesandtschaft nach Jerusalem geschickt, der Hiskia Geschenke brachte und sich nach seinem 50 Befinden erkundigte (2 Kg 20; Jes 39). Seine Gesandten sind gewiß auch an anderen palästinensischen Höfe erschienen, um unter den mißmutigen Vasallen Stimmung gegen Assyrien zu machen. Hiskia hoffte nun, Babylon könnte dem Staate Juda zum alten Davidreiche verhelfen. Durch eine große religiöse Reform sollte die neue Ära inauguriert werden. 2 Chr 30, 6—11 zeigt, daß Hiskia Boten durch die alten Gebiete von Ephraim 55 und Manasse schickte, um zum Anschluß an Judäa wider Assyrien einzuladen. Jesaias hat mit Recht gewarnt; Sargons Sohn Sanherib (705—681) hatte wie sein Vater zunächst mit Babylon zu thun, zog aber 701 gegen Palästina (s. hierzu Praßek, Sanheribs Feldzüge gegen Juda, Mt. d. Vorderas. Gesellsch. 1903, 113 ff., wo die übrige Litt. angegeben ist). Nur Tyrus, das Sanherib vergeblich belagerte, und Hiska leistete 60

Widerstand in der Hoffnung auf die Hilfe der Fürsten von Muẓuri und Meluḫḫi (das sind arabische Scheiks). Über diesen Feldzug berichtet der biblische Bericht 2 Kg 18, 13—16: „Im vierzehnten Jahre des Königs Hiskia zog Sanherib, der König von Assyrien, wider alle festen Städte Judas und nahm sie ein. Da sandte Hiskia, der König von Juda, an den König von Assyrien nach Lachis und ließ sagen: Ich habe mich vergangen, ziehe wieder ab von mir; was du mir auflegst, will ich tragen! Da legte der König von Assyrien Hiskia 300 Talente Silber und 30 Talente Gold auf.“ Hiskia mußte, um diese Riesensumme aufzubringen, Tempel= und Palastschatz angreifen, ja sogar die Goldbleche von den Tempelthoren abreißen. Der assyrische Bericht erzählt die gleichen Ereignisse folgendermaßen:

„Und von Hiskia, dem Judäer, der sich nicht unter mein Joch gebeugt hatte, be= lagerte ich 46 feste Städte, mit Mauern versehene, die kleineren Städte in ihrer Um= gebung ohne Zahl mit der Niedertretung der Wälle und dem Ansturm der Widder, dem Angriff der zûk-šepā-Truppen, Breschen, Beilen und Äxten belagerte und er= oberte ich (sie); 200 150 Menschen, jung, alt, männlich und weiblich, Rosse, Maultiere, Esel, Kameele, Rinder und Kleinvieh ohne Zahl führte ich von ihnen heraus und rechnete sie als Beute. Ihn selbst sperrte ich wie einen Käfigvogel in Jerusalem, seiner Residenz, ein; feste Plätze befestigte ich gegen ihn und ließ die aus dem Thore seiner Stadt Her= auskommenden sich zurückwenden. Seine Städte, die ich geplündert hatte, trennte ich von seinem Lande ab und gab sie an Mitinti, den König von Aẞdod, Padi, den König von Ekron und Ṣil-bêl, den König von Gaza und verminderte sein Land. Zu dem früheren Tribut, der Abgabe ihres Landes, fügte ich den Tribut und die Geschenke meiner Herrschaft hinzu und legte sie ihnen auf. Ihn, Hiskia, überwältigte die Furcht vor dem Glanze meiner Herrschaft, und die Urbi und seine tapfern Krieger, die er zur Verteidigung Jerusalems, seiner Residenz, hatte (dorthin) kommen lassen, verfielen in Schrecken. Nebst 30 Talenten Goldes (und) 800 Talenten Silbers ließ er Edelsteine, Schminke ... echte Uknû-Steine, Ruhebetten aus Elfenbein, Thronsessel aus Elfenbein, Elephantenhaut, Elfenbein, Ušû- und Urkarinu-Holz, allerhand Kostbarkeiten in Menge und seine Töchter und Palastfrauen, Musikanten und Musikantinnen nach Niniveh, meine Hauptstadt, mir nachbringen. Zur Ablieferung seines Tributs und Erklärung der Unterthänigkeit schickte er seine Gesandten.“ Beide Berichte bezeugen, daß Jerusalem bei diesem Feldzuge nicht wirklich belagert worden ist. Sanherib war jedenfalls damals gar nicht in der Lage, das mächtige Jerusalem einzunehmen. Er mußte das Gros seiner Streitkräfte nach der Heimat zurückschicken, weil in Babylon neue Unruhen ausgebrochen waren. Darum hat er sich jedenfalls damit begnügt, Jerusalem zu cernieren und von einem festen Punkte aus in Schach zu halten. Dieser feste Punkt muß nach dem bib= lischen Bericht Lakiš gewesen sein, das bei dem heutigen Tell-el-ḫasi, südlich von der von Gaza nach Jerusalem führenden Straße lag. Die assyrische Inschrift nennt zwar Lakiš nicht, aber eine Reliefinschrift, die den König auf dem Throne zeigt, während Tributträger vor ihm erscheinen, sagt: „Sanherib, der König der Welt, der König von Assyrien, setzte sich auf den Thron, und die Gefangenen aus Lakiš zogen vor ihm auf“ — bezeugt, daß Lakiš bei anderer Gelegenheit solche Rolle gespielt hat. Man fragt nun aber bei der Sachlage: warum hat Hiskia sich zu der demütigenden Tributleistung ver= standen? Die Lösung des Rätsels wird in den Erfolgen Sanheribs gegen Babylon zu suchen sein, von der Hiskia während der Cernierung Jerusalems Kunde bekam. Hiskia, durch die Verluste seiner judäischen Städte an sich schon geängstigt, beugte sich nach der Unterjochung Babyloniens vor den Vertretern des Königs, die von Lakiš aus er= schienen (2 Kg 18, 14 zwingt nicht zu der Annahme, daß Sanherib persönlich noch in Lakiš war) und leistete den Tribut und zwar schickte er ihn (und auch das spricht für unsere Auffassung) mit einer Deputation, die Hiskias Unterwürfigkeit beteuern mußte, nach Niniveh! Wir nehmen also auf Grund der Inschriften an, daß zwischen 2 Kg 18, 13 und 14 die glücklichen Erfolge Sanheribs in Babylon und eine lange dauernde Cernie= rung Jerusalems zu denken sind. Ob die Tributsummen (30 Talente Gold und 300 Talente Silber nach der Bibel, 30 Bilti Gold und 800 Bilti Silber nach den Inschriften) stimmen, wissen wir nicht; da wir die assyrischen Geldwerte nicht genügend kennen. Diese Unterwerfung Hiskias registriert die Inschrift Sanheribs vom Nebi Junus=Hügel (Winckler, Keilinschr. Textb. S. 47) mit den Worten: „Ich warf nieder den weiten Bezirk Juda; seinem König Hiskia legte ich Gehorsam auf.“ — Die 2 Kg 18, 17—19, 8 (für die Quellenscheidung sind von entscheidender Bedeutung die Untersuchungen von B. Stade, s. ZatW 1886, 173 f.) geschilderte Scene ist als Episode des eben besprochenen Feld=

zuges aufzufassen (Jef 36—37, 8 liegen die beiden Stücke 2 Kg 18, 13—16 u. 18, 17 bis
19, 8 zusammengearbeitet vor) Sie berichtet die von Lakisch aus mit Hiskia gepflogene
Unterhandlung. Die Rede des Rabsak ist Produktion nachträglicher poetischer Ausschmückung. Die der Rede zu Grunde liegende Annahme, daß Hiskia damals schon
auf Ägypten vertraut habe, das einem Rohrstabe gleicht, der dem in die Hand führt, der 5
sich darauf stützt, ist aus der Situation des späteren Feldzugs herübergenommen, der
2 Kg 19, 9 ff. geschildert wird, eine Situation, die erst 691 eintrat, als Tirhaka, der
dritte äthiopische König, zur Regierung kam und Assyrien bedrohte. Als die Boten, die
von Hiskia Tribut und Unterwerfung fordern sollten, kamen, war Sanherib bereits von Lakisch
abgezogen (nach Libna). Wir wissen nicht, wo Libna lag. Aber die Angabe wird zu der 10
oben besprochenen Annahme stimmen: Sanherib mußte mit dem Gros seines Heeres von
Lakisch abziehen und nach Assyrien zurückkehren, weil in Babylonien neue Wirren ausgebrochen waren. — Der dritte Abschnitt der Königsbücher 2 Kg 19, 9—37 (Variante
Jef 37, 9—37) redet von einem späteren Feldzug Sanheribs, der in die Zeit nach der
Zerstörung Babylons fallen muß. Von diesem Feldzug haben wir keine assyrischen Nach- 15
richten. Sanherib wurde kurz darauf ermordet (2 Kg 19, 37 f. oben S. 113). Die
Tafelschreiber hatten um so weniger Veranlassung, den Zug zu schildern, als er kläglich
verlaufen war. Die Keilschriftforscher und Geschichtsschreiber haben sich also vergeblich
bemüht, den biblischen Bericht von den unglücklichen Ausgang mit den Annalen Sanheribs in Einklang zu bringen. Henry Rawlinson aber hatte bereits vor 40 Jahren 20
erkannt, daß der biblische Bericht einem Feldzug angehört, von dem Sanheribs Annalen
gar nichts berichten.

Sanherib sah sich auf einem Zuge im Westlande (nach 691) plötzlich von Tirhaka,
dem dritten der äthiopischen Könige (seit 691 nach ägyptischen Nachrichten) bedroht. Er
schickte Boten zu Hiskia, der von neuem abgefallen war, und verlangte Uebergabe der Stadt. 25
Jesaias Voraussage 2 Kg 19, 32—34, Sanherib solle in die Thore Jerusalems nicht
einziehen, ja es solle nicht einmal zur Belagerung kommen, ging in besonderer Weise in
Erfüllung (2 Kg 19, 35 f. vgl. 2 Chr 32, 21): „In derselbigen Nacht aber ging der Engel
Jahves aus (allegorischer Ausdruck für die Pest) und schlug im Lager der Assyrer
185000; da brach Sanherib auf und zog ab, kehrte um und blieb zu Niniveh." Wenn 30
2 Chr 32, 9 nicht einen Irrtum enthält, der aus der Verwirrung in dem Verbindungs-
verse 2 Kg 18, 9 herrühren könnte, waren auch bei diesem Feldzuge die Verhandlungen mit
Jerusalem von Lakisch aus eingeleitet worden. Die biblische Erzählung verbindet mit
diesen Feldzugsbericht die Mitteilung von der Ermordung Sanheribs (681). Es muß
jedoch Sanherib vorher noch (nach dem Tode Hiskias?) gelungen sein, Jerusalem zum 35
Gehorsam zu bringen. Denn Hiskias Nachfolger Manasse hat wieder Tribut nach Niniveh
geschickt. Unter den Gesandtschaften, die dem Asarhaddon, Sanheribs Sohn und Nachfolger, Tribut bringen, erscheint Me-na-si-e šar mat Ja-u-di (Asurbanipal nennt ihn
Mi-in-si-e). Als dann Asarhaddon gegen Ägypten zog (671 wurde Tirhaka geschlagen
und Memphis erobert), hat Manasse gleich den übrigen Palästinenser Hilfstruppen stellen 40
müssen. Der Zug ging durch sagenumwobene Länderstrecken Arabiens, die die Phantasie mit Fabelwesen bevölkerte; Asarhaddons Inschrift erzählt von zweiköpfigen Schlangen
und anderen merkwürdigen geflügelten Tierarten, die den Tod und Entsetzen in sein Heer
brachten, bis Marduk, der große Herr, zu Hilfe kam und die Truppen neu belebte. Jef 30, 6
enthält eine jüdische Erinnerung an die Schrecken dieses Feldzuges: „durch ein Land der 45
Not und Angst, wie [sie] dort Löwe und Löwin, Ottern und fliegende Drachen [bringen],
schleppen sie ihre Reichtümer auf den Rücken von Eseln und ihre Schätze auf dem Höcker
von Kameelen zu einem Volke, das nicht nützt! Ägyptens Hilfe ist ja eitel und nichtig!"
Bei einem zweiten ägyptischen Feldzuge gegen Tirhaka ist Asarhaddon gestorben 668. Sein
Sohn Asurbanipal setzte die Kämpfe gegen Tirhakas Neffen Tanut-Ammon fort und 50
eroberte Theben. Auch ihm mußte Manasse Heeresfolge leisten. Bald aber machten
Schwierigkeiten in der Heimat es dem Asurbanipal unmöglich, seinen Siegen im Süden
Nachdruck zu geben. Es beginnen die Kämpfe gegen Babylon, die das assyrische Reich
im Innern schwer erschütterten, in denen aber Assyrien noch einmal Sieger blieb. Mit dem
Tode Asurbanipals beginnt dann der rasche Verfall, mit dem den Fall Ninivehs endigte 55
(f. oben S. 113). Die jüdischen Patrioten haben mit glühendem Eifer diesen Ausgang erwartet. Manasse war ihnen verhaßt gewesen, weil er assyrisch gesinnt war.
Sein Sohn Ammon wurde aus der gleichen Ursache ermordet. Auf ihn folgte Josia,
der im 18. Jahre seiner Regierung seine große religiöse Reform begann. Inzwischen hatte
in der Person Nabopolassars eine chaldäische Dynastie in Babylon die Herrschaft erlangt 60

und das zweite babylonische Reich inauguriert. Seinem Sohne Nebukadnezar huldigte im
Jahr 605 Jojakim, nachdem jener nach Ninivehs Fall den Pharao Necho bei Karkemisch
geschlagen und bei der Verfolgung des Feindes Palästina bis zur Südgrenze besetzt hatte.
2 Kg 24, 1 erzählt: „Zu seiner (Jojakims) Zeit zog Nebukadnezar, der König von Babel
5 heran, und Jojakim ward ihm unterthan drei Jahre lang; dann aber fiel er wieder von
ihm ab." Ein keilinschriftlich bezeugter (s. Winckler in Keilinschr. und das AT²,
S. 107 ff., wo die Bedeutung der längst bekannten Inschrift bestimmt ist) Zug Nebukadnezars
gegen Ammananu ist also wohl gegen ihn und andere palästinensische Staaten, die den Tribut
aufgekündigt hatten, gerichtet. Die Strafe hat erst seinen Sohn Jojakin betroffen. Er
10 wurde gefangen genommen (Da 1, 1, der auch sonst die Ereignisse verwirrt, sagt irrtümlich
Jojakim), die Bewohner Jerusalems wurden teilweise fortgeführt und der Jahvekult wurde
durch Wegnahme der Geräte (dieser Akt tritt hier an die Stelle der sonst nach orientalischer Gepflogenheit nötigen Wegführung der Götterstatue) aufgehoben, s. 2 Kg 24, 13
und vgl. 2 Chr 36, 10. Die rechtliche Stellung Zedekias, den Nebukadnezar als König
15 anerkannte, ist unklar. Als seine Hoffnungen (vgl. Jer 26, 16; 28, 1—4; 29, 3), für Judäa
eine freie Stellung beim babylonischen Hof durchzusetzen, fehlschlugen, ließ er sich durch
Ägypten zum Aufruhr verleiten. Dafür traf ihn die grausame Strafe. Er wurde geblendet. Stadt und Tempel wurden zerstört, das Stadtgebiet zu Ödland erklärt. Das
übrige Land blieb kaum unberührt. Mispa wurde Verwaltungssitz (2 Kg 25, 23), Gedalja
20 wurde als ihr Oberhaupt anerkannt und das Land wurde unter Aufsicht chaldäischer
Beamten gestellt.

Die nach Babylonien weggeführten Judäer haben im Euphratlande eine angesehene
Rolle gespielt, nicht nur in wirtschaftlicher Beziehung, wie u. a. die Handelskontrakte
der Nippur-Ausgrabungen zeigen, sondern es mußte auch politisch mit ihnen gerechnet
25 werden. Amel-Marduk (Evilmerodach hat in seinem 1. Regierungsjahre (2 Kö 25, 27)
den gefangenen Jojakin als Fürsten von Juda bestätigt und damit theoretisch im Gegensatz
zu Nebukadnezar die Existenz eines jüdischen Staates wieder anerkannt (s.
oben). Seitdem hofften die Führer der Exilierten auf die Rückkehr. Nach Zeiten schwerer
Enttäuschung unter der Herrschaft der Chaldäerzeit haben sie mit der babylonischen
30 Hierarchie Kyros begrüßt als den, der ihre Hoffnungen erfüllen und die vereitelte Maßregel Amel-Marduks verwirklichen würde. Jesaias begrüßt 45, 1 Cyrus als den Gott-
gesandten, „den Jahve bei der rechten Hand ergreift", von dem er sagt: „der ist mein
Hirte und soll all meinen Willen vollenden." Dazu stimmt die Cyrusinschrift, in der es
heißt: „Marduk sah sich um und suchte nach einem gerechten König und er nahm den
35 Mann nach seinem Herzen und berief seinen Namen zum Königtum über die ganze Welt."
Es scheint, daß sich der Prophet absichtlich an den Text des Cyruscylinders angelehnt hat.
Kyros gab nach der Eroberung Babylons 539 die Erlaubnis zur Rückkehr und zur
Begründung eines selbständigen Staatswesens mit eigener Verwaltung. Der Streit um
die Art der Verwaltung: weltliche oder religiöse Verfassung — bildet das treibende Mo-
40 ment in der folgenden geschichtlichen Entwickelung der jüdischen Geschichte.

Bekanntlich hat nur ein Teil der babylonischen Golah von der Erlaubnis zur Rückkehr Gebrauch gemacht. Babylonien blieb für die späteren Jahrhunderte einer der Hauptsitze der jüdischen Diaspora, vgl. Hist. Sus. 1, 5 ff.; Josephus, Antiqu. 15, 2 f.; 18, 9.
Nach der Zerstörung Jerusalems kam die babylonische Kolonie durch ihre Akademien in
45 besonders hohes Ansehen. **Alfred Jeremias.**

Nisan s. Jahr bei den Hbr. Bd VIII S. 528, 12 ff.

Nisroch (נִסְרֹךְ), Gottheit. — Andr. Beyer zu Selden, De dis Syris II, 10 (1680);
Lüderus Kulenkamp, Dissertatio de Nisroch idolo Assyriorum, Bremen 1747; Münter, Religion der Babylonier, Kopenhagen 1827, S. 116; Winer, RW., A. „Nisroch" (1848); Mo-
50 vers, Religion der Phönizier, 1841, S. 68; J. G. Müller, A. „Nisroch" in Herzogs RE.¹ X,
1858; Merx, A. „Nisroch" in Schenkels BL., IV, 1872; P. Scholz, Götzendienst und Zauberwesen bei den alten Hebräern, 1877, S. 391—393; Schrader, A. „Nisroch" in Riehms HWB.,
12. Liefer. 1879, 2. A. Bd II, 1894; Meinhold, Die Jesajaerzählungen, 1898, S. 72 f.; T.
G. Pinches, A. Nisroch in Hastings' Dictionary of the Bible III, 1900; Cheyne, A. Nis-
55 roch in der Encyclopaedia Biblica III, 1902.

1. Die Überlieferung der Namensform. Der Name נִסְרֹךְ kommt nur 2 Kg
19, 37 und in der Parallelstelle Jes 37, 38 vor, wo damit ein von dem assyrischen
König Sanherib verehrter Gott bezeichnet wird. In seinem Tempel wurde nach diesem
Bericht Sanherib, als er dort betete, von den eigenen Söhnen ermordet.

Wo der Tempel zu suchen sei, geht aus den alttestamentlichen Angaben nicht zweifellos hervor. Da im unmittelbar Vorhergehenden (2 Kg 19, 36; Jes 37, 37) berichtet wird, daß Sanherib von Jerusalem zurückkehrte und sich in Niniveh aufhielt, liegt es allerdings nahe, an einen Tempel in dieser Stadt zu denken; unbedingt notwendig ist das aber nicht. 5

Der Name Nisroch ist keilschriftlich nicht nachzuweisen. Die von Schrader (Die Keilinschriften und das Alte Testament[1], 1872, S. 205 f.) ausgesprochene Vermutung eines assyrischen Beleges für den Namen hat er selbst später zurückgenommen (Aufl. 2, 1883, S. 329). Jakob von Serug (ZDMG XXIX, 1875, S. 111, 70), der als ein großes Idol bei den Assyrern סרוך oder nach anderer Lesart סרוך nennt, wird dafür keinen an- 10 dern Anhaltspunkt gehabt haben als die alttestamentliche Angabe.

Die Überlieferung des Namens im AT ist unsicher. LXX liest 2 Kg 19, 37 Εσδραχ A, Εσδραχ B, Aethiop., Εσοραχ Kodex III Holmes-Parsons, Ασραχ L, Μεσεραχ b und Jes 37, 38 Ασαραχ A, Νασαραχ B, Ασαραχ S, Syro-Hexapl. 2 Kg 19, 37 נסרך, Jes 37, 38 נסרך. Josephus (Antiq. X, 1, 5): ἀνετέθη [ἀνηρέθη] τῷ 15 ἰδίῳ ναῷ Ἀράσκη [ῥάσκει, ῥάσκη] λεγομένῳ. Danach könnte Wellhausens Bemerkung berechtigt sein (in Bleeks Einleitung[4], 1878, S. 257): "I. Assarach für Nisroch, vgl. Pilneser Pileser, Nasordan Asordan". Dazu etwa noch Nibchaz Αβααλζ(ερ), wo aber gewiß das N eines ursprünglichen Ναβααλζερ ausgefallen ist, s. A. Nibchaz oben S. 8.

2. Die Namensform Ασαραχ, Ασαραχ als Gottesname. In den Formen 20 Ασαραχ, Ασαραχ könnte man etwa eine Bildung aus Assur, dem Namen des Hauptgottes der Assyrer, erkennen wollen (so in diesem Artikel, RE[2], 1882; ebenso Schrader, Keilinschr. u. das AT[2], S. 329, Pinches a. a. O. und im Journal of the Royal Asiatic. Society 1899, S. 459). Ein mythischer Assarakos kommt in den trojanischen Genealogien vor als Vater des Kapys; dieser ist der Vater des Anchises, von dem Aphro- 25 dite den Aeneas gebar. Es können hier, wofür sich die "Aphrodite" geltend machen ließe, Entlehnungen aus Assyrien und Phönicien vorliegen (Preller, Griechische Mythologie, Bd II[3], 1875, S. 374 f.). Das ס in נסרך wäre die auch sonst vorkommende Wiedergabe des assyrischen š, vgl. אסרחדן = Aššur-aḥ-iddin und אסנפר = Aššur-bān-apal. Zu dem a für u in Ασαραχ, Ασαραχ vgl. ebenfalls das אסר in אסרחדן; man be- 30 achte übrigens נסרך der Syro-Hexaplaris und Εσοραχ (s. oben § 1). Aber unerklärt bleibt die in allen Lesarten überlieferte Endung ok, αχ, αx. Schwerlich läßt sie sich mit Pinches als eine "akkadische" Nominalendung ansehen oder nach einem andern Vorschlag desselben, an den schon früher Meinhold gedacht hatte, als der alte sumerische Name des Mondgottes Aku, so daß "Ašuraku" ein aus Assur und Aku zusammen- 35 gesetzter Gott wäre, der sich aber nicht nachweisen läßt.

Übrigens wäre bei der Gleichsetzung des Ασαραχ, Ασαραχ mit Assur vielleicht auch das ס der masoretischen Namensform נסרך zu rechtfertigen, sofern der Name des Gottes Assur wirklich mit dem des spezifisch assyrischen Demiurgen Anšar zu identifizieren ist (s. darüber Zimmern in: Schrader, Die Keilinschriften und das Alte Testament[3], 40 1903, S. 351). Es ist aber doch im höchsten Grade unwahrscheinlich, daß sich in dem biblischen נסרך eine etwa ausnahmsweise gebrauchte Form des sonst ständig Assur lautenden vielgebrauchten Gottesnamens erhalten haben sollte.

3. Erklärungen der Namensform נסרך: a) Verschiedene Etymologien. Da die Richtigkeit der Namensform נסרך jedenfalls höchst zweifelhaft ist, hat es keinen 45 oder nur geringen Wert, über ihre mögliche Bedeutung zu reflektieren. Es sollen aber doch die darüber aufgestellten Vermutungen nicht vorenthalten werden. Keine von ihnen läßt sich als einigermaßen wahrscheinlich bezeichnen.

Die Rabbinen haben die Kuriosität vorgetragen, das Idol Nisroch sei gefertigt gewesen aus einem Brett der Arche Noahs (talmud. נסר und סרוך). Undenkbar ist eine 50 Herkunft aus dem Arischen (v. Bohlen bei Gesenius, Thesaur. s. v. נ), zu verwerfen auch die Ableitung von aram. נסר dissecare (Winer nach Castelli), wonach der Name eine Bezeichnung des Saturn sein soll "mit Rücksicht auf den Reif dieses Planeten, der ihm die Gestalt eines zerrissenen Körpers gibt", denn Name des Saturn bei den Babyloniern und Assyrern war Kêwân, und seine Gottheit war Ninib (?) oder auch Nergal. 55 Annehmbarer ist die Ableitung Kulenkamps (ebenso Merx) von aram. סרך, "herrschen" oder der Opperts (bei Schrader, Keilinschr. u. d. AT[1], S. 206) von arab. šarika = "Verbinder", nämlich ein dem Hymen entsprechender Gott, oder die Schraders (a. a. O.) von assyr. šarak in der Bedeutung "gewähren, spenden", also = "der Spender, Gütige, Gnädige". 60

b) Der Adlergott. Daneben wäre nicht undenkbar eine Ableitung (Hitzig zu Jef 37, 38 [1833] und Movers nach dem Vorgang Älterer, f. Gesenius zu Jef 37, 38) von נשר, arab. nasr, assyr. našru „Adler" oder „Geier", sodaß -ok als eine freilich nicht nachweisbare Nominalendung anzusehen wäre. Das ס würde sich aus dem assyrischen
5 š erklären lassen (f. oben § 2). Wie bei den Persern der Adler dem Ahuramazda, bei den Griechen dem Zeus, bei den Germanen dem Woban geweiht war, so scheint er auch bei den Assyrern ein heiliger Vogel gewesen zu sein. Adlerköpfige und geflügelte Menschengestalten werden auf den assyrischen Denkmälern zu den Seiten des heiligen Baumes dargestellt (f. z. B. die Abbildungen in: George Smith's Chaldäische Genesis, deutsche
10 Ausg. von Friedr. Delitzsch, 1876, S. 98). Der Sonnengott Samaš wird einmal „Herr des Adlers" genannt (K 2606 bei Geo. Smith a. a. O., S. 135 und P. Jensen in der Keilinschriftlichen Bibliothek, herausgegeben von Schrader, Bd VI, 1, 1900, S. 101 Anmerkg.). Die weiten Schwingen, mit welchen der Gott Asur schwebend dargestellt wird (f. die Abbildung bei G. Smith a. a. O.), könnten wohl die eines Adlers sein.
15 Das Adlergesicht der Ezechielischen Cherube verweist wahrscheinlich darauf, daß wie Stier (vgl. A. Kalb, goldenes, Bd IX, S. 704 ff.) und Löwe (vgl. A. Atargatis Bd II, S. 171 ff.), so auch der Adler bei den Babyloniern (und wohl wie Stier und Löwe bei den Nordsemiten überhaupt) ein heiliges Tier war. Ein solches war bei den Nordsemiten auch die Taube (A. Atargatis S. 174,36.54; 175,4; 176,41 ff.; 177,25) und der Fisch (ebend.
20 S. 174 f.; 177, 21 ff.; A. Dagon Bd IV, S. 425 ff.). Das AT gebraucht von Jahwe in seinem Verhalten seinem Volke gegenüber das Bild des Adlers, besonders wie er seine Schwingen ausbreitet und seine Jungen darauf trägt (Ex 19, 4; Dt 32, 11). Die Gottheit wird Gen 1, 2 wie ein über der Wasserfläche des Uranfangs brütend schwebender Vogel vorgestellt. Von Fittigen der Gottheit redet das AT öfters, überall als von
25 schützenden (Pf 17, 8; 36, 8; 57, 2; 61, 5; 63, 8), daneben von Flügeln der Sonne (Ma 3, 20) und des Morgengrauens (Pf 139, 9), wobei letztere deutlich und wahrscheinlich ebenso die der Sonne den Flug über den Himmel zum Ausdruck bringen. Der hochschwebende Adler ist, wie der Vogel des Samaš, so noch bei vielen Völkern speziell der Repräsentant eines Sonnen- oder Himmelsgottes.
30 Allein so lange nicht ein assyrischer Gott, dessen Name von dem Worte našru gebildet wäre, nachgewiesen und ok oder ak als Nominalendung erklärt ist, helfen alle Belege für semitische Adlergottheiten nicht zum Verständnis des נסרך. Trotzdem mögen sie zur Vollständigkeit hier verzeichnet werden.

Der Koran (Sure 71, 22 f.) erwähnt als eines der Idole der vorsintflutlichen Zeit
35 den Nasr. Seine Verehrer waren die Himjaren nach Zamachschari (bei Pocock, Specimen historiae Arabum, Oxon. 1650, S. 93), Jakut (bei Wellhausen, Reste arabischen Heidentums², 1897, S. 23) und Beidhawi (zu Sure 71, 23). Ebenso nennt schon früher Gauhari (nach Osiander, Studien über die vorislamische Religion der Araber, ZdmG VII, 1853, S. 473) die Gottheit Nasr mit speziellerer Angabe als verehrt von
40 dem Stamme Dhû-l-Kalâ' im Lande Himjar, ebenso ferner Schahrastani (übersetzt von Haarbrücker II, S. 340) und offenbar aus gemeinsamer Quelle, Abulfeda (Historia anteislamica ed. Fleischer S. 180,8) und Dimeschki (bei Chwolsohn, Die Ssabier, St. Petersburg 1856, Bd II, S. 405).

In einer südarabischen Inschrift wird diese Gottheit genannt als „der östliche Nasr
45 (נסר)" und „der westliche Nasr" (D. H. Müller, ZdmG XXIX, 1875, S. 600 ff.), was Ed. Meyer (ZdmG XXXI, 1877, S. 741) von dem Sonnengeier des Aufgangs und Untergangs versteht. Mit dem Gott Nasr bringt Hommel (ZdmG LIII, 1899, S. 100) in Verbindung den in einer katabanischen Inschrift vorkommenden Gottesnamen נסור, den er Niswar liest; der Vorschlag ist wenig einleuchtend, so lange nicht katabanisches נסור

50 als eine Bildung von نسر oder der katabanische Gott als ein Adlergott nachgewiesen

ist. Der Eigenname Nasr, der in einer jemenitischen Genealogie vorkommt (f. Robertson Smith, Kinship and marriage in early Arabia, Cambridge 1885, S. 209), kann als Hypokoristikon auf den Gottesnamen verweisen, kann aber auch, wie andere Tiernamen als Menschennamen, auf der Vergleichung menschlicher Eigenschaften mit tierischen
55 beruhen.

Der Gottesname Nasr muß auch weiter nördlich vorgekommen sein, da er den Juden und Syrern bekannt war. Der Talmudtraktat Aboda zara (Abodah Sarah, übersetzt von J. Chr. Ewald², 1868, S. 86) nennt unter berühmten Götzentempeln den des נשרא

„in Arabien" שברבריא (vgl. dazu Nöldeke, ZbmG XL, 1886, S. 186 und die Mitteilung aus Hai Gaon bei Jak. Levy, Neuhebr. n. chald. Wörterb. s. v. נשר), ebenso,
worauf R. Smith aufmerksam gemacht hat, die „Lehre des Apostels Abdai" (The doctrine of Addai ed. Phillips, London 1876, S. 24) den Adler oder Geier, נשרא, als
von den Edessenern nach dem Vorbild der Araber (איך עריבא) verehrt. Clermont-Gan- 5
neau (Études d'archéologie orientale, Bd II, in der Bibliothèque de l'École des
Hautes Études, fasc. 113, Paris 1897, S. 219 f.) wirft die Frage auf, ob vielleicht
bei Abdai, unter dessen Edessenischen Gottheiten drei mit Gottesnamen der aramäischen
Inschriften von Nerab übereinstimmen, statt נשר (נשרא) der Gottesname נשך dieser Inschriften (= babylonisch Nusku) zu lesen sei. Er ist geneigt, diese Frage mit Rücksicht 10
auf die syrischen Buchstabenformen zu verneinen. Um einen bloßen Schreibfehler könnte
es sich überhaupt wegen des Zusatzes „wie die Araber" kaum handeln sondern wohl
nur um eine auf einen Schreibfehler zurückgehende Verwechselung, und auch diese würde
zeigen, daß der Verfasser der „Lehre Abdai's" von dem Kultus einer Gottheit נשך bei
den Arabern wußte. 15

Robertson Smith (Die Religion der Semiten, deutsche Übersetzung 1899, S. 171,
Anmkg. 342) weist noch hin auf den Adler als Standarte der Murra, Nöldeke (a. a. O.)
auf den syrischen Namen נשריהב „Nasr hat gegeben" und Wellhausen (a. a. O.) auf den
angeblich persischen Gott נשרא bei Jakob von Serug (ZbmG XXIX, 1875, S. 111, 75).

Unter den arabischen Namen für die Sternbilder kommen zwei Adler (nasr) vor, „der 20
fallende" und „der fliegende" (Ideler, Untersuchungen über den Ursprung und die Bedeutung der Sternnamen, 1809, S. 416; vgl. Wellhausen, Reste², S. 23). Gewiß liegt
diesen Namen wie wohl den meisten andern Sternnamen ein ursprünglicher Gottesname
zu Grunde. Beziehen sich der östliche und der westliche „Adler" der Südaraber wirklich auf
die Sonne, so wird anzunehmen sein, daß die Kombination des Adlers mit den zwei 25
Sternbildern später entstanden ist.

Vielleicht war der Adler auch das Tier phönicischer und aramäischer Gottheiten. Auf
Münzen von Seleucia in Pierien aus der Kaiserzeit mit der Legende Ζεὺς Κασιος ist
öfters ein Adler dargestellt, der mit ausgebreiteten Flügeln über einem Tempel schwebt
(Baudissin, Studien zur semitischen Religionsgeschichte II, 1878, S. 242). Auf einem 30
palmyrenischen Altar ist der nach dessen Inschriften mit dem Malachbel identische Sol
sanctissimus strahlenbekränzt abgebildet über einem Adler (ebend. S. 193). Es läßt
sich kaum entscheiden, ob nicht etwa griechisch-römischer Einfluß in diesen Adlern vorliegt.

Noch darf mit Movers hingewiesen werden auf die Angabe des Philo Byblius
(Sanchuniathon), nach welchem Zoroaster gelehrt haben soll, die höchste Gottheit werde 35
mit einem Habichtkopf (ἱέραξος, „Adlerkopf", Movers) dargestellt. Abbildungen
der Raubvögel konnten leicht verwechselt werden. Eine syrophönicische Münze, deren
Legende ידי jüdischen Einfluß verrät, trägt die Abbildung eines auf einem geflügelten
Rade (gewiß Symbol der Sonne) thronenden bärtigen Gottes mit einem Vogel auf der
Hand, anscheinend einem Sperber (Six, Monnaies d'Hierapolis en Syrie, in: Nu- 40
mismatic Chronicle 1878, S. 123 f.). Auf einer zu Palestrina gefundenen Silberschale
mit ägyptischer Inschrift und Abbildungen in ägyptischem Stil ist ein Habicht dargestellt
mit einer kurzen Angabe in phönicischen Buchstaben über einem seiner Flügel (Corpus
Inscriptionum Semiticarum I, n. 164). Hier liegt ohne Zweifel ägyptische Anschauung vor. Bei den Ägyptern spielt der Habicht oder Sperber (ἱέραξ) eine große 45
Rolle, vornehmlich als Zeichen des Sonnengottes, des Ra oder des Horus. Auf einem
Siegel mit phönicischer Schrift und ägyptisierender Abbildung finden sich zwei auf der
Sonnenscheibe stehende „Sperber" (A. D. Mordtmann, Studien über geschnittene Steine
mit Fehlevilegenden, ZbmG XXXI, 1877, S. 597). Die genaue Unterscheidung der
kleinern Raubvögel, des Habichts, des Sperbers und anderer, ist wegen des weiten Um- 50
fangs der griechischen Bezeichnung ἱέραξ und der Undeutlichkeit der Abbildungen nicht
durchzuführen. Clermont-Ganneau (The sacred hawk of Reseph al Arsuf im Athenaeum 1882, II, S. 468) nimmt an, daß der Habicht der Vogel des phönicischen Gottes
Rezeph (רצף) oder Rescheph (רשף) gewesen sei, und sieht dafür eine Bestätigung in der
kolossalen Marmorfigur eines Habichts, die zu Al-Arsuf, dem alten Apollonia, nördlich 55
von Jaffa gefunden worden ist, indem er den Ortsnamen deutet als „Stadt des Rescheph oder Apollo" (diese Deutung auch bei Halévy und Nöldeke, ZbmG XLII, 1888,
S. 473).

Die Erklärung des נסרך als eines Adlergottes ließe sich kombinieren mit der LXX-
Lesart Ασαραχ u. s. w. und ihrer Deutung auf den Gott Assur (s. oben § 2). Asur 60

könnte etwa als Adlergott angesehen worden sein auf Grund der Vogelschwingen, die
den Kreis tragen, worin Asur auf den Abbildungen schwebt. „Wir könnten uns, ähnlich
wie Layard thut [Discoveries in the ruins of Nineveh and Babylon, London 1853,
S. 637 Anmkg.; vgl. ders., Nineveh and its remains⁴, London 1850, Bd II, S. 458 f.],
5 die Sache so denken, daß die Juden den ... Assar [Asur], Assarak in Verbindung mit
dem Adler gebracht sahen und ihn dann nach eigener Etymologie als Nescher oder Nisroch
deuteten" (J. G. Müller). Allein diese Erklärung hat wie alle andern, die für נסרך mit
dem „Adler" operieren, keinerlei Wahrscheinlichkeit; die Unerklärbarkeit der Endung ך und
das Fehlen einer entsprechenden assyrischen Gottesbenennung bleiben bestehen.

10   4. Konjekturen. Da wir für die Richtigkeit irgendeiner der überlieferten Namensformen keine Garantie besitzen, ist der Konjektur hier ein freies Feld eröffnet. Cheyne's
Vorschlag allerdings (Expository Times IX, 1898, S. 429): כומלך statt נסרך nimmt
sich doch wohl etwas zu viel Freiheit. Die Einführung des Namens כומלך soll nach
der Meinung des Urhebers dieser Konjektur lediglich durch Mißverständnis neben dem
15 Namen Abrammelech aus 2 Kg 17, 31 in den Text gekommen sein für den ursprünglich
ungenannten Gott. Neuerdings zieht Cheyne neben dieser noch nicht aufgegebenen Konjektur die Änderung in מרדך vor (so A. Nisroch und schon The Book of the prophet Isaiah, in Haupts Sacred Books of the Old Testament, 1899, S. 114).
Besser jedenfalls als jene erste Konjektur ist die von Sayce (in: Theological Review X,
20 1873, S. 27), Halévy (Mélanges de critique et d'histoire relatifs aux peuples
Sémitiques, Paris 1883, S. 177, Anmkg. 1) und Meinhold: נסרך = נסכו assyrisch
Nusku, da נסכו leicht zu נסרך verschrieben werden konnte. In den aramäischen Inschriften von Nerab wird allerdings dieser Gottesname geschrieben נסכו. Winckler (in
Schraders Keilinschriften und das Alte Testament², S. 85) findet es, ich weiß nicht ob
25 mit unbedingtem Recht, undenkbar, daß ein assyrischer König einem untergeordneten Gott
geopfert hätte, wie Nusku es an den beiden Stätten seiner Verehrung, in Haran und
in Nippur, war. Mit Annahme absichtlicher Buchstabenvertauschung und unbeabsichtigter
Verschreibung rekonstruiert Winckler in nicht eben einfacher Weise den Namen נסרך zu
מרדך (so auch Zimmern, Keilinschr. u. b. AT³, S. 396; Kittel zu 2 Kg 19, 37; Alfr.
30 Jeremias, A. Merodach, Bd XII, S. 644,22 ff.) und nimmt nach anderweitigem Beleg
an, daß Sanherib zu Babel im Tempel des dortigen Hauptgottes Marduk ermordet
worden sei. In dem Marduktempel Esagil zu Babel hatte allerdings auch Nusku eine
Kapelle (Zimmern a. a. O., S. 417); aber mit „in dem Hause des Nisroch, seines
Gottes" ist doch wohl der Tempel des Hauptgottes selbst und nicht ein Seitenraum des-
35 selben gemeint.

5. Der Tempel „Ἀρασκη". Mir scheint die Angabe des Josephus, wonach
Ἀρασκη nicht Name eines Gottes sondern eines Tempels wäre, doch nicht unbeachtet
bleiben zu dürfen. Es wäre immerhin denkbar, daß Josephus Kunde über einen mit
seinem Ἀρασκη gemeinten assyrischen Tempelnamen besessen hätte. Er hat jedenfalls den
40 ganzen Satz über Sanheribs Ende irgendwie abweichend vom masoretischen Text gelesen. Ist bei ihm ἀνῃρέθη die ursprüngliche Lesart, so könnte etwa die Annahme aus-
reichen, daß er das אלהיו des masoretischen Textes und θεοῦ αὐτοῦ der LXX 2 Kg 19,37
nicht kannte oder ignorierte. Wahrscheinlicher ist unter Voraussetzung der Lesart ἀνῃρέθη,
daß Josephus wie LXX Jes 37, 38 (ἐν τῷ αὐτὸν προσκυνεῖν ἐν οἴκῳ Νασαράχ
45 τὸν πάτραρχον αὐτοῦ) das אלהיו als einen von משתחוה abhängigen Akkusativ verstand.
Die LXX las Jes 37, 38 statt אלהיו vermutlich אביויו und ergänzte dazu, etwa das vorhergehende נסר[ך] verdoppelnd und an zweiter Stelle verlesend, כ[א]בי (syrisch אבהרתא
ריש „Patriarch"). Die Verbindung von אלהיו mit משתחוה hat auch die Vulgata 2 Kg 19,37
und Jes 37, 38: cumque [cum] adoraret in templo Nesroch deum suum. In-
50 dessen ist bei Josephus wahrscheinlich die von Niese aufgenommene Lesart ἀνετέθη vorzuziehen. Ich muß freilich gestehen, daß ich nicht begreife, was sich Josephus dabei gedacht hat, da, wenn er eine Beisetzung Sanheribs in dem Tempel meinte, statt τῷ l. v.
zu erwarten wäre ἐν τ. l. v.; aber ἀνῃρέθη ist jedenfalls nach τελευτᾷ τὸν βίον nicht
am Platze. Vielleicht soll ἀνετέθη ein Geweihtwerden des Sanherib an den Tempel, d. h.
55 seine Deifizierung, ausdrücken. Josephus hat dann entweder zu dem hebräischen משתחוה
den Sanherib als Objekt der Verehrung gedacht oder eher, da er es so kaum verstehen
konnte, in dem LXX-Text Jes 37, 38 das ἐν τῷ αὐτὸν προσκυνεῖν von göttlicher
Verehrung des Sanherib mißverstanden. Auch sein Ἀρασκη spricht dafür, daß er LXX
Jes 37, 38 (Ασαράχ) vor sich hatte. Zu dem ἰδίῳ des Josephus vgl. 18 Codices Sergii
60 bei Holmes-Parsons Jes 37, 38: ἐν οἴκῳ αὐτοῦ Νασράχ. Bei Abhängigkeit des

Josephus von LXX Jes 37, 38 ist ihm eine selbständige Kunde über einen Tempel *Ἀρασκη* schwerlich zuzuschreiben. In LXX Jes 37, 38 und Vulg. bleibt es zweifelhaft, ob mit dem Namen *Ἀσαραχ*, Nesroch der Gott des Tempels oder der Tempel gemeint ist. Wahrscheinlich ist in LXX Jes 37, 38 der Name als der des Tempels gemeint, da *οἶκος* nicht für sich allein „Tempel" bedeutet und nicht wohl die Meinung aus- 5 gedrückt sein kann, daß Sanherib im Tempel des Gottes *Ἀσαραχ* einen anders genannten *πάτραρχος* anbetete, der Wortlaut aber andererseits kaum die Auffassung zuläßt: „als er anbetete im Hause des *Ἀσαραχ* diesen seinen *πάτραρχος*".

Ich weiß freilich keinen Tempelnamen, der einer der verschiedenen Lesarten genau entspräche. In *Ἀρασκη* sind nach allen LXX-Lesarten und Hebr. ϱ und σ sicher um- 10 gestellt, die andern Lesarten *ϱασκει, ϱασκη* bei Josephus Verstümmelungen. Bei der Lesart *Ἀσαραχ* könnte man etwa an Ešara, den Tempel des Aššur in der Stadt Assur denken. Das *ΕΣΑΡΑΧ* B 2 Kg 19, 37 ist nach den andern Lesarten doch wohl aus *ΕΣΑΡΑΧ* verschrieben und steht dann den keilschriftlichen Namen des Tempels noch näher. Der Tempel Ešara wird in einer Sanherib-Inschrift genannt (Meißner 15 und Rost, Die Bauinschriften Sanheribs, 1893, S. 95). Das χ oder ך am Ende könnte als ein Hörfehler aus Betonung der Endung a entstanden sein. Liegt wirklich der Tempelname vor, so wäre etwa als ursprünglicher Text zu rekonstruieren: בית אסרך לאלהיו und אסרך als ein Status konstruktus nach der Analogie von נכל סיכה aufzufassen. Das ל vor אלהיו wäre in Wegfall gekommen, weil man den Namen für den des 20 Gottes hielt.

Winckler (a. a. O.) nimmt mit beachtenswerter Begründung an, daß Sanherib in Babel ermordet wurde. Er macht dafür geltend, daß Asurbanipal von seiner Eroberung Babels berichtet, er habe damals „bei den Schutzgottheiten" (d. h. an ihrem Standort an der Treppe des Eingangs in einen Palast oder Tempel), wo man seinen Großvater Sanherib nieder- 25 geschlagen hatte, „als Totenopfer für ihn jene Leute niedergeschlagen". Läßt wirklich die Auffassung dieses Textes keinen Zweifel zu, so ist allerdings ein Palast oder Tempel in Babel als die Lokalität der Ermordung Sanheribs gesichert. In dem Namen *Ἀρασκη* oder einer der andern Namensformen kann nun schwerlich eine Korruption aus Esagila, dem Namen des Marduktempels in Babel, vorliegen. Es darf kaum gewagt werden, aus 30 *Ἀσαραχ* zu rekonstruieren *Ἀσαχαϱ* statt *Ἀσαχαλ* (Esagil), da alle Lesarten die Buchstabenfolge ך, ϱχ bezeugen. Auch bei Aufrechterhaltung der Annahme, daß Sanherib in Babel ermordet worden sei, ist doch in *Ἀσαραχ* nur etwa der Tempelname Ešara zu erkennen. Man müßte dann annehmen, daß in dem biblischen Referat eine Verwechselung des Tempelnamens vorliege. Sie ließe sich daraus erklären, daß der Tempel 35 Ešara als der gewöhnliche Ort der von Sanherib vollzogenen Kultushandlungen bekannt war.

Will man nicht in mehr oder weniger willkürlicher Weise emendieren, so möchte ich den andern Erklärungsversuchen die Beziehung des überlieferten Namens in der Form *Ἀσαραχ* oder besser *Ἐσαραχ* auf den Tempel Ešara vorziehen.   **Wolf Baudissin.** 40

Nitzsch, Friedrich August Berthold, bedeutender protestantischer Theolog, gest. 1898. Vgl. die Rede bei seiner Begräbnisfeier von Otto Baumgarten, etwas erweitert in den Deutsch-Evangelischen Blättern 24, 116—133 abgedruckt.

Friedrich August Berthold Nitzsch, Sohn und Enkel der beiden Nachgenannten, wurde am 19. Februar 1832 in Bonn geboren. Mit seinem Vater siedelte er 1847 nach Berlin 45 über und bestand im Herbst 1850 am Friedrich-Wilhelms-Gymnasium die Reifeprüfung. Gerühmt wird an ihm „ein erfreulicher Ernst seines ganzen Wesens" bei guten Anlagen. Sein Eifer war vorzugsweise den alten Sprachen zugewendet und er begann daher mit philologischen Studien, entschied sich aber schon im ersten Semester für die Theologie. Sein 5jähriger Universitätsbesuch in Berlin, Halle und Bonn bot ihm Gelegenheit Männer 50 wie Boeckh, Brandis, Curtius, Ranke, Trendelenburg, Weißenborn kennen zu lernen; unter den Theologen zogen ihn besonders Julius Müller, Rothe, Thiele in Halle und Ritschl an, mit dem er in dauernder freundschaftlicher Verbindung blieb. Den Haupteinfluß übte auf ihn sein Vater, dessen sämtliche Vorlesungen er mit hervorragendem Fleiß besuchte. Den Abschluß seiner theologischen Studien gewann er zunächst durch die 55 theologische Prüfung (Juli 1855), wobei er in der Exegese, wie in Kirchen- und Dogmengeschichte sich auszeichnete. Seiner Neigung zur Lehrthätigkeit folgend, machte er alsbald das Schulamtsexamen und fand für 1½ Jahre Verwendung am grauen Kloster. Inzwischen bereitete er die akademische Laufbahn vor. Im Juni 1858 erwarb er den Li-

centiatengrad durch eine Differtation über Quaestiones Raimundanae, wofür ihn die Leipziger historisch=theologische Gesellschaft unter Niedners Vorsitz zum Mitglied erwählte, dann erfolgte am 16. Juli 1859 die Habilitation mit einer Vorlesung über die Rede des Stephanus (Act. 7). Bereits 1860 erschien zur Feier der 50jährigen Lehrthätigkeit
5 seines Vaters ein größeres Werk „Das System des Boëthius und die ihm zugeschriebenen theologischen Schriften Eine kritische Untersuchung". Ebenfalls dogmengeschichtlich, aber zugleich an den theologischen Grundfragen jener Zeit orientiert ist die 1865 herausgegebene Schrift über „Augustins Lehre vom Wunder". Diese Leistung brachte ihm noch im gleichen Jahre einen Ruf an die evangelisch=theologische Fakultät zu Wien, zu dessen An=
10 nahme er sich jedoch trotz Zusicherung „teilnehmender Aufmerksamkeit" durch den Kultus= minister von Mühler nicht entschließen konnte. Wichtiger war, daß die Greifswalder theologische Fakultät den 34jährigen Privatdozenten zum Doktor der Theologie ernannte (August 1866). Im Mai 1868 wurde er dann als ordentlicher Professor für die Fächer der systematischen Theologie nach Gießen berufen. In die Gießener Periode fällt als
15 Zusammenfassung seiner dogmengeschichtlichen Studien die Herausgabe der Dogmengeschichte (Grundriß der christlichen Dogmengeschichte; erster Teil: Die patristische Periode, Berlin, Mittler und Sohn 1870), im buchhändlerischen Erfolge durch den bald ausbrechenden Krieg stark gehemmt. Diese bedeutende Leistung verschaffte ihm 1872 (Bestallung vom 27. März) den Ruf nach Kiel. Hier hat Nitzsch in langer und treuer Arbeit bis an sein
20 Lebensende gewirkt, auch als Rektor der Universität und als Mitglied der Gesamtsynode der evangelisch=lutherischen Kirche der Provinz Schleswig=Holstein sich bethätigt. Hier hat er sein Haus gebaut, in dem Poesie und Musik eine Heimstätte fanden, hier sich durch seinen vielleicht nicht sonderlich anregenden, aber gründlichen und schlichten Lehrvortrag die Dankbarkeit tüchtiger Schüler erworben. Hier hat er vor allem sein „Lehrbuch der evangeli=
25 schen Dogmatik" geschaffen, dessen erste Hälfte 1889, dessen zweite 1892 erschien, das 1896 eine zweite Auflage erlebte und an dessen Besserung er bis zuletzt arbeitete. Nach langem Leiden ward er durch einen sanften Tod am 21. Dezember 1898 abgerufen.

Versuchen wir einen Überblick über die litterarische Thätigkeit von Nitzsch zu geben, so hat schon der Lebensabriß deutlich das Vorwiegen der dogmengeschichtlichen Arbeit
30 erkennen lassen, womit er seiner Begabung nach das von ihm in Pietät festgehaltene Erbe seines Vaters ergänzte. Dabei ist der Ausgangspunkt zugleich durch das humanistische Interesse deutlich bestimmt. Die Quaestiones Raimundanae (in Niedners Zeitschr. f. d. historische Theol., 1859, S. 393—435) behandeln den wichtigen Begriff der theo- logia naturalis, dessen Bahnbrecher Raymund von Sabunde war; sorgsam wird der
35 Begriff bestimmt, der wesentliche, großenteils ethische Inhalt und die Methode beschrieben und schließlich auf die Beweise für Gottes Dasein und die Unsterblichkeit der Seele eingegangen. Bezeichnet Raymund den Übergang von der Scholastik zur neueren Philo- sophie, so ist es Boëthius, der das Mittelglied zwischen der Scholastik und der antiken Philosophie bildet. Diesem Mann, der neben Augustin der Hauptlehrer des Mittelalters
40 gewesen ist, wird eine gründliche Untersuchung gewidmet, vor allem das wichtige Problem erörtert, ob das metaphysische und theologische System des Boëthius aus dem Christentum oder aus der heidnischen Philosophie stammt. Aus einer gründlichen Analyse der Schrift de consolatione philosophiae ergiebt sich, daß B. ein eklektischer Philosoph gewesen sei, dessen System in der antiken Philosophie wurzelt und nicht nur gänzlich
45 eines spezifisch=christlichen Charakters entbehrt, sondern sich nicht einmal mit dem Christen- tum verträgt. Daher werden ihm die unter seinem Namen erhaltenen trinitarischen Schriften abgesprochen. An diesem Urteil, das allerdings durch Useners Fund stark er- schüttert ist, hat Nitzsch noch in RE.² III, 278 festgehalten. Aber auch abgesehen von diesem immerhin strittigen Schlußergebnis ist seine Leistung durch die Gründlichkeit der
50 Behandlung und die eindringende Analyse der Schriften und des Systems des B. sehr verdienstlich. — Von Boëthius ging Nitzsch auf Augustin zurück und behandelt seine die Folgezeit beherrschende Apologetik des Wunderglaubens. Augustin unterscheidet, wie in erschöpfender Weise festgestellt wird, relative und absolute Wunder; jene sind aus den alltäglich wirkenden Naturkräften nicht erklärbare Ereignisse, deren Möglichkeit und That=
55 sächlichkeit objektiv auf gewissen, bei der Schöpfung von Gott in die Dinge hineingelegten, aber nicht sofort aktuell gewordenen Potenzen, subjektiv auf einer ungewöhnlichen Einsicht und Fähigkeit gewisser persönlicher Wesen beruht, welche jene verborgenen Prädispositionen oder Samenverhältnisse erkannten und den verborgenen Samen ihrer außerordentlichen Gebilde in diejenige Lage zu bringen verstanden, in welchen er eben diese Gebilde hervor=
60 bringen mußte. Davon unterscheidet Augustin absolute, schöpferische Wunder, d. h. aus

Naturkräften in keiner Weiſe erklärbare Ereigniſſe im Gebiete der ſinnlichen und geiſtigen Welt, der Natur und Geſchichte, die ihren Grund in einem zwar zuvor verſehenen und nicht willkürlichen, aber doch unmittelbaren Eingreifen der göttlichen Allmacht finden und ſich eben dadurch als göttliche Zeichen kundgeben; ſie führen ſich auf den allmächtigen Willen Gottes zurück, der kann, was er will. Dabei knüpft Gott das Übernatürliche an 5 das Natürliche an, ſofern in den Dingen wenigſtens die paſſive Möglichkeit zu dem, was mit ihnen vorgeht, geſetzt ſein muß. Innerhalb ſeines vorherbeſtimmenden Willens harmoniert das von ihm geſtiftete Naturgeſetz mit ſeinen übernatürlichen Wundern.

Die reife Frucht der dogmengeſchichtlichen Arbeiten iſt dann der Grundriß der Dogmengeſchichte, wozu übrigens der Anſtoß von der Verlagsbuchhandlung ausging und den 10 Nitzſch in ſeiner Beſcheidenheit damit glaubte motivieren zu müſſen, daß die wichtigen Monographien von Ritſchl, Lipſius u. a. in einer zuſammenfaſſenden Darſtellung noch nicht genügend verwertet ſeien. Die unveränderliche Subſtanz der dogmengeſchichtlichen Bewegung findet Nitzſch in dem Satz, daß Jeſus von Nazareth der Meſſias iſt und als ſolcher das Heil der Welt begründet hat. Damit iſt der geſchichtliche Charakter des Reiches 15 Gottes ein für allemal feſtgeſtellt, die Anknüpfung an die alttestamentliche Offenbarung geſichert und Jeſus als das abſolute Heils- und Offenbarungsprinzip proklamiert. Mit dieſem feſten Stehen auf dem Offenbarungscharakter des Chriſtentums verbindet aber Nitzſch den Erwerb der neueren Philoſophie, die Erkenntnis, „daß das Geſetz organiſcher Entwicklung, welches die höheren Stufen des Naturlebens beherrſcht, auch der Geſchichte 20 innewohnt und in dieſer Einheit und Zuſammenhang ſtiftet" und vertritt auch für die Dogmengeſchichte die Überzeugung, daß in ihr nicht ein bloßes Nebeneinander und Nacheinander von Finſternis und Licht oder ein buntes Spiel des Zufalls oder menſchlicher Willkür, ſondern „eine ſtufenmäßige, dem Geſetze einer inneren objektiven Notwendigkeit gehorchende Entwicklung herrſche". Zugleich hat er ſich durch ſeine Studien den Blick 25 dafür ſchärfen laſſen, „daß der religiöſe Kern des Dogmas bei deſſen Feſtſtellung im patriſtiſchen Zeitalter eine vorerſt unauflösliche Verbindung mit Elementen eingegangen war, die teils überhaupt nicht religiöſer Natur waren, teils Reſte der ſpezifiſch jüdiſchen oder heidniſchen Theologie darſtellten". Wenn die Reformation zum „Evangelium der Bibel" zurücklenkte, ſo war der Sinn dieſer Umkehr, „Herſtellung des urſprünglichen Chriſtentums 30 bis zur Ausſcheidung auch derjenigen bibliſchen Elemente, welche zum Kern der religiöſen Heilslehre nicht gehörten, ſondern denſelben nur einfaßten und umgaben". Doch blieb es bis auf Schleiermacher dabei, daß „die lebensvolle apoſtoliſche Theoſophie nicht als Anſchauungsform religiöſer, ſondern als begrifflicher Ausdruck metaphyſiſcher und kosmologiſcher Thatſachen" gefaßt ward und darum der Kritik verfiel. Kraft ſolcher lebensvollen 35 religions- und entwicklungsgeſchichtlichen Auffaſſung der dogmatiſchen Lehrbildung iſt es Nitzſch gelungen, die bis daher übliche Gliederung des geſchichtlichen Stoffs nach dem abſtrakten Schema der dogmatiſchen loci zu durchbrechen. Zwar bildet die „Feſtſtellung derjenigen Dogmen, welche die einzelnen Momente des kirchlichen Lehrſyſtems darſtellen" nach der Lokalmethode noch ein Drittel des ganzen Werkes, auch wird die alte Einteilung 40 in die patriſtiſche, ſcholaſtiſche und reformatoriſche Zeit beibehalten, und die Lehre von der Kirche, die erſt für die zweite Epoche in den Mittelpunkt tritt, ſchon für die erſte in Anſpruch genommen, aber bahnbrechend iſt der Verſuch einer Gruppierung „aus dem dogmatiſch-chriſtlichen Bewußtſein der Kirchenväter ſelbſt heraus", was dazu führt, die Lehre von der Gottheit Chriſti (freilich ohne die dazu gehörige Heilslehre) in den Mittelpunkt 45 zu ſtellen und der „Entwicklung der altkatholiſchen Kirchenlehre" eine „Begründung der altkatholiſchen Kirchenlehre (erſte Herausſtellung einer förmlichen Bekenntnisgrundlage)" voranzuſchicken. Damit iſt die von Harnack ausgebildete Gruppierung in wichtigen Punkten bereits vorgezeichnet, wenn auch Nitzſch noch nicht mit feſter Hand die neue Anſchauung durchzuführen vermocht hat. Daß die geſamte Darſtellung von der Gelehrſamkeit und 50 dem beſonnenen Urteil des Verfaſſers ein rühmliches Zeugnis ablegt, ſei nur nebenbei bemerkt.

Die von Nitzſch beabſichtigten zwei weiteren Bände über Mittelalter und Neuzeit ſind nicht erſchienen. Aber ſeine gründliche Kenntnis der mittelalterlichen Theologie zeigen die in dieſer Encyklopädie erſchienenen Aufſätze über Abälard, Albertus Magnus, Ale- 55 xander Haleſius, Berengar von Poitiers, Bonaventura, ferner (in der zweiten Auflage) über Lanfrank, Petrus Lombardus u. a., ſowie den zuſammenfaſſenden Artikel über „Scholaſtiſche Theologie". Auch der belehrende Aufſatz über „die Urſachen des Umſchwungs und Aufſchwungs der Scholaſtik im 13. Jahrhundert" (JprTh 2, 532—560) und ſeine Studie über den Begriff der Synereſis (JprTh 5, 492—507; ZKG 18, 23—36) mag wenigſtens ge- 60

nannt werden. In der gleichen Linie der Forschung liegt die kleine Schrift: Luther und
Aristoteles. Festschrift zum 400jährigen Geburtstag Luthers, Kiel, Universitätsbuchhandlung
1883, in der die Würdigung des Aristoteles durch Luther allseitig beleuchtet und seine
scharfen Urteile aus der dem Philosophen in der Scholastik zugewiesenen falschen Autori-
5 tätsstellung, die vernichtet werden mußte, erklärt werden. Über die protestantische Theologie liegen größere Arbeiten nicht vor. Doch las Nitzsch regelmäßig über Geschichte der
neueren Theologie, und zeigt eine Reihe von Aufsätzen, daß er der Einwirkung Schleiermachers und unserer Dichter, zumal Goethes und der Romantik sich offen erhielt, so vermochte er doch auch „die geschichtliche Bedeutung der Aufklärungstheologie" vorurteilsfrei
10 zu würdigen (JprTh 2). Damit sind wir bereits in den Umkreis der systematischen Theologie eingetreten. Für Nitzschs Ethik, die er als „Lehre von der normalen Selbstbestimmung
und Selbstthätigkeit des Menschen" definiert, war die starke Betonung des nationalen
Moments charakteristisch. Er liebte es, die „christliche Lehre vom Staat" Studierenden
aller Fakultäten vorzutragen und manche Aufsätze erweisen sein reges Interesse auf diesem
15 Gebiet. Ebenso zeigt den weiten Gesichtskreis Nitzschs die regelmäßig wiederkehrende Vorlesung über „Religionsphilosophie nebst Religionsgeschichte", wenn er auch zu eigener Produktion größeren Maßstabes auf diesem Gebiet nicht gelangt ist.

In Wahrheit freilich enthält seine Dogmatik in der ausführlichen Darstellung der
Prinzipienlehre einen großen religionsphilosophischen Stoff; auch ist hier der gesamte Er-
20 trag seiner vorwiegend historischen Leistungen zusammengefaßt. Wer wesentlich neue Ausführungen, eine neue Durchdringung des Stoffes durch eine energische Subjektivität bei
Nitzsch suchen wollte, wird enttäuscht werden, denn in der systematischen Zusammenfassung
liegt seine Kraft nicht. Auch das tiefgründiger Schriftforschung heraus neue Bahnen ein-
zuschlagen, war nicht seine Sache. Aber wohl vermochte er ein reiches und treues Bild
25 der theologischen Diskussion zu geben, mit feinem Takt das in der Mittellinie Liegende
zu treffen und so die Kontinuität der Forschung zu wahren. Eingefügt in den allgemeinen Zusammenhang der Weltgeschichte, aufgeschlossen für alles Geistesleben unserer
Zeit, auch für ihr Naturerkennen, trägt nach für Nitzsch das Christentum absoluten, supranaturalen Charakter. Eine „mystisch verklärte ethische Gotteskindschaft" und auf ihrem
30 Grunde die Stellung als „Stellvertreter, Statthalter und Repräsentant Gottes selbst"
machen den wesentlichen Gehalt der „einzigartigen Gottessohnschaft Christi" aus (S. 501 f.
497). In seiner Erscheinung und der mit ihr vollzogenen „die Schöpfung ergänzenden
und vollendenden Höherbildung der menschlichen Natur" ist ein „metaphysisches Wunder"
anzuerkennen, ein Novum, „welches nur durch ein nachschaffendes unmittelbares Eingreifen
35 Gottes zu erklären ist (S. 181 f.). Erinnert dieser Satz noch an den spekulativen Zug der
alten Vermittelungstheologie eines J. Nitzsch, Dorner u. f. w. und findet sich ähnliches bei
der Trinitätslehre (429 f.), so ist doch durch den Einfluß seiner dogmengeschichtlichen Studien und des Kantschen Kriticismus die Vorliebe für die alten spekulativen Dogmen vernichtet. Eine streng begriffliche Durchführung des biblischen Präexistenzgedankens erscheint
40 ihm als unstatthaft (504), wie er auch das Prädikat der Gottheit Christi des üblichen
metaphysisch orientierten Sprachgebrauchs wegen vermeidet. Im ganzen finden wir bei
Nitzsch eine Fortbildung der sog. deutschen Vermittelungstheologie, die ihn in die Nähe von
Ritschl und Lipsius geführt hat. Beiden gegenüber durchaus selbstständig, hat er nicht
selten in glücklicher Formulierung die Probleme über sie hinaus gefördert.   **Titius.**

45 **Nitzsch, Karl Immanuel,** gest. 1868. — Beischlag, K. J. Nitzsch. Eine Lichtgestalt
der neueren evang. Kirchengeschichte. Berlin 1872.

Karl Immanuel Nitzsch, zweiter Sohn K. Ludwigs (↑ S. 136), geb. am 21. September 1787 zu Borna (im jetzigen Königreich Sachsen), gest. am 21. August 1868 als
Professor der Theologie, Oberkonsistorialrat und Propst zu Berlin, war nach der theo-
50 retischen und praktischen Seite hin einer der bedeutendsten unter den deutschen Vermittelungstheologen des 19. Jahrhunderts, einer der entschlossensten und besonnensten Vertreter der Presbyterial- und Synodalverfassung der westlichen Provinzen Preußens, einer
der entschiedensten Vorkämpfer der Konsensus-Union in der preußischen Landeskirche, nach
Schleiermacher der mindestens der Zeit nach erste selbstständige Systematiker der neueren
55 praktischen Theologie, endlich ein hervorragender akademischer Lehrer, Prediger und
Seelsorger. Getragen war seine gesamte Wirksamkeit, deren Erfolge auch durch die mehr
als 50jährige Dauer seiner theologischen und kirchlichen Laufbahn sichergestellt wurden,
von einer ebenso würdevollen, als maßvollen, männlich gläubigen Persönlichkeit. Auf
ihrem Höhepunkte stand diese Wirksamkeit am Abschlusse und während der 25jährigen

Amtsführung in Bonn (1822—1847). Weniger ungehemmt, jedoch äußerlich noch weiter-
reichend war ſeine Thätigkeit in Berlin (1847—1868). Aber auch in der erſten
Periode ſeines Amtslebens, während deren er in Wittenberg an der Seite ſeines Vaters
(1810—1820) und in dem benachbarten Kemberg (1820—1822) wirkte, hat er ſich
bereits als Mann, als Seelſorger und als Theologe ſo bewährt, daß er Aufmerkſamkeit 5
erregen mußte.

Vorgebildet durch Hauslehrer, bezog er 1803 als Alumnus die Schulpforta; hier
wurde ſeine dauernde Begeiſterung für die klaſſiſchen Studien begründet. Sein Eintritt
in das theologiſche Studium erklärt ſich von vornherein aus dem Vorwiegen eines
mit religiöſer Innigkeit verknüpften früh entwickelten ethiſchen Pathos, welches ihn auch, 10
als er geradezu ſeine Heimat unter den Dichtern und Philoſophen des Altertums gefunden zu haben ſchien, nie verlaſſen hatte. Es galt daher ſeinem Vater und ihm ſelbſt
als ſelbſtverſtändlich, daß die chriſtliche Theologie ſein Beruf ſei. Seine akademiſchen
Studien machte er in Wittenberg. Dort führte ihn ſein Vater in den rationalen Supernaturalismus ſeines in die Kantiſche Philoſophie getauchten chriſtlichen Syſtems und in die 15
praktiſche Theologie ein. Anregungen hat er aber auch durch Leonh. Heubner, Schroeckh und
namentlich Tzſchirner empfangen. Faſt gleichzeitig trat N. nach Beendigung ſeines
Univerſitätsſtudiums ins akademiſche Lehramt und in den praktiſchen Kirchendienſt ein,
deren Verknüpfung gerade ſo, wie einſt die Ergreifung des theologiſchen Studiums, ſich
aus den vorhandenen Neigungen und Umſtänden gleichſam von ſelbſt ergab. Er habi- 20
litierte ſich 1810 als Privatdozent der Theologie, ward aber im November 1811 ordiniert,
um die Hilfspredigerſtelle an der Schloßkirche in Wittenberg anzutreten; ſeit dem
Sommer 1813 verband er mit derſelben das Amt eines dritten Diakonus an der Stadtkirche. Bis zum Ende des Winterſemeſters 1812/13, nach deſſen Ablauf die Univerſität
geſchloſſen wurde, hielt er Vorleſungen und Übungen über neuteſtamentliche Exegeſe 25
(namentlich die Offenbar. Joh.) und dogmatiſche Gegenſtände. Auch die 1817 erfolgte,
ſein bisheriges Pfarramt übrigens nicht aufhebende Ernennung N.s zum Profeſſor und
vierten ordentlichen Lehrer am neugegründeten Predigerſeminar in Wittenberg gehört, obgleich ſie ihn zu einer neuen Art von Vorleſungen und einem neuen Gebiete wiſſenſchaft-
licher Studien (Geſch. des kirchl. Lebens und der Beredſamkeit) führte, mit zu den Er- 30
eigniſſen, welche ihn in der Ausübung der praktiſchen Theologie feſthielten. Die Übernahme der Stelle eines Propſtes und Superintendenten in dem benachbarten Städtchen
Kemberg, zu der er ſich (1820) entſchloß, um einem Übermaße von Amtspflichten zu
entgehen, bildete den Übergang zum definitiven Rücktritt in die akademiſche Lehrthätigkeit.
1822 folgte er einem Rufe als ordentlicher Profeſſor der ſyſtematiſchen und praktiſchen 35
Theologie an die Univerſität Bonn. Zum Dr. theol. war er 1817 beim Reformationsjubiläum honoris causa von der Berliner theol. Fakultät unter Schleiermachers Dekanat promoviert worden „ob eruditionem theologicam scriptis egregiis comprobatam". Dieſe
Motivierung bezog ſich, wenn auch nicht ausſchließlich, doch vorzugsweiſe auf die von
ihm herausgegebenen „theologiſchen Studien", in deren „erſtem" (einzigem) Stück (Leipzig 40
1816) das im Hebräerevangelium enthaltene ebionitiſche Theologumenon vom πνεῦμα
ἅγιον als der Mutter des Chriſts (ſ. das Fragm. bei Origen. in Joann. t. II, c. 6)
in ſeinem Zuſammenhang mit den allgemeinen theogoniſchen Begriffen der morgenlän-
diſchen und den beſondern der jüdiſch-chriſtlichen Gotteslehre ſo dargeſtellt war, daß zugleich wichtige Momente der religions-philoſophiſchen, bibliſch-theologiſchen und dogmatiſchen 45
Grundanſicht des Verfaſſers ſelbſt zum erſtenmal zu Tage traten. Hineingeführt in
das Studium der judenchriſtlichen Gnoſis war N. zunächſt durch ſeine vorerſt rein
hiſtoriſchen Unterſuchungen über die pſeudepigraphiſche und apokryphiſche Litteratur. Da
ihn aber die Letzteren auf Erſcheinungen führten, die teils ſelbſt philoſophiſch-gnoſtiſcher
Art waren, teils, um verſtanden und gedeutet zu werden, ſpekulativen Geiſt des Aus- 50
legers erforderten, ſo erwachte an dieſen Objekten N.s eigene ſpekulative Ader, und er
war ſich auch ſpäter bewußt, einer der Erſten in unſerem Jahrhundert geweſen zu ſein,
die ein wahrhaft ſpekulativ-hiſtoriſches Verſtändnis der Gnoſis anbahnten. Dazu wäre
er nun freilich ſchwerlich gelangt ohne die Anregung, die in der damaligen Zeitphiloſophie,
namentlich in der unter dem Namen der Identitätsphiloſophie bekannten damaligen Phaſe 55
der Schellingſchen Philoſophie lag. Ohne Einfluß auf ihn iſt dieſe auch nicht geblieben,
jedoch wurde er durch ſie nicht in dem Maße und in der Richtung, wie eine Zeit lang
Daub, beſtimmt. Er verharrte vielmehr bei ſeinem energiſchen Ethicismus, in den ihn
Kant und der eigene Vater hineingeführt hatten, ſowie bei der von Letzterem urgierten
Betonung des Faktums, daß Chriſtus die religiös-ſittliche Wahrheit, die er „promul- 60

gierte", zugleich lebendig in sich darstellte und in die Menschheit so wirksam einführte, daß sie nunmehr anstatt ein bloßes theoretisches Eigentum der Gebildeten allem Volk als gläubigem der höchste unmittelbare Besitz werden konnte. Dennoch ging er, von Schelling beeinflußt, auch über seinen Vater hinaus, insofern er 1. was weder die Rationalisten, noch die Supernaturalisten vermocht hatten, die wiederum als Centraldogma erkannte Trinitätslehre und Christologie wieder wissenschaftlich zu Ehren brachte und spekulativ faßte, ferner 2. durch den spekulativen Begriff der Theogonie das Christentum zugleich in seinem formalen Zusammenhang mit und in seinem materialen Vorzug vor ·den übrigen alten Religionen ins Licht stellte, womit zugleich ein Prinzip für die komparative Religionsphilosophie überhaupt angedeutet war, endlich 3. auch schon einen Ansatz machte, den zu ausschließlich ethischen Religionsbegriff der theologischen Kantianer zu verbessern. Aber diese seine Spekulation war nun eben gar nicht selbst eine Übertragung der Zeit= philosophie in die Theologie. Von Kant wich N. insofern ab, als er andeutete, Maß= stab für diejenige Frömmigkeit, die als Pflicht gefaßt werden kann, sei nicht nur der lebendige Glaube an die Idee der gottwohlgefälligen Menschheit, sondern auch unser Ver= hältnis zu dem erschienenen Menschen ohne Sünde oder Gottmenschen (S. 133); weiter insofern, als er an die Stelle des gesetzlichen Kantischen bloßen Imperativs das Prinzip der Liebe und der bewußten freudigen Gemeinschaft mit dem versöhnten persönlichen Gott setzte; endlich insofern, als er bereits die wesentliche Unmittelbarkeit des religiösen Be= wußtseins und dessen Verhältnis zum Gemütsleben hervorhob (ebendas.). Von Schelling aber, namentlich dem damaligen, trennte ihn außer der immerhin verschiedenen Bestim= mung des Verhältnisses zwischen Symbol oder bloßer Idee und Thatsache seine ab= weichende Deutung des Offenbarungsbegriffes, seine Ablehnung der spekulativen Um= deutung des biblisch-kirchlichen Dogmas, seine scharfe Unterscheidung der Religion und der Philosophie, zweier Begriffe, welche der romantische Philosoph geradezu konfundierte, indem er „das Glauben unter das Wissen gefangen nahm", überhaupt seine schärfere Sonderung des Ethischen vom Physischen und Metaphysischen, im Gegensatz zu dem Philosophen, der sich erlaubt hatte, ethische Ideen wie das Bösen zu kosmogonischen zu stempeln; aber auch die stärkere Hervorhebung der Person Christi und der hl. Schrift. Denn Schelling räumte damals vorerst nur dem Christentum überhaupt als geschichtlicher Macht und der Wirkungen desselben absolute Geltung ein, hingegen nicht eigentlich der historischen Person Christi. Die Bibel aber stellte Sch. ihrem religiösen Gehalte nach vorläufig nicht über, sondern sogar unter die indischen Religionsurkunden, ja er erklärte die exoterische Gestalt des Christentums für eine Verkleidung des absoluten Evangeliums, während N. schon damals für die wissenschaftliche Kritik der Religionen kein anderes Prinzip kannte, als die Idee der Kirche und des kirchlichen Zweckes (S. 6).

Die Übersiedelung nach Bonn führte nach allen Seiten hin zur vollen Entfaltung der ihm verliehenen Charismen, sowie zur vollsten Verwertung und zugleich Bereicherung seiner persönlichen, pastoralen und kirchenregimentlichen Erfahrung. Seine litterarische Hauptleistung auf dem wissenschaftlichen Gebiete war während dieses rheinischen Viertel= jahrhunderts das zuerst 1829 (zuletzt in 6. Aufl. 1851) erschienene „System der christ= lichen Lehre", dessen formale Eigentümlichkeit teils darin bestand, daß es die christliche Glaubens= und Sittenlehre verknüpfte, teils darin, daß es zunächst lediglich die biblische oder Urgestalt beider darstellen sollte. Doch setzte sich der Verf. in den Anmerkungen auch mit den kirchlichen und spekulativen Dogmatikern und Ethikern der Vorzeit und der Gegenwart auseinander. Dieses Werk begründete den theologischen Ruf des Autors in weiteren Kreisen und ist wenigstens in den beiden ersten Jahrzehnten nach seinem ersten Erscheinen nicht ohne Einfluß auf die Zeittheologie geblieben, 1849 erschien es auch in englischer Übersetzung (System of christian doctrine by Dr. C. J. Nitzsch, trans= lated ... by the rev. Rob. Montgomery ... and John Hennen, Edinburgh). Einzelne im „System" nicht näher ausgeführte Punkte fanden weit später, abgesehen von ungedruckten Vorlesungen, Erläuterungen in den übrigens keineswegs umfangreichen „akademischen Vorträgen über die christliche Glaubenslehre für Studierende aller Fakul= täten, herausgegeben von E. Walther, Berlin 1858". Indem das Werk den Offen= barungsbegriff mit dem Erlösungsbegriff zusammenfaßte und als Merkmale der Offenbarung die Ursprünglichkeit (d. h. Übernatürlichkeit und Ausschließlichkeit) und die Geschichtlichkeit, aber auch die Lebendigkeit und Allseitigkeit und die Allmählichkeit betonte, beurkundete es das nunmehrige Verhältnis des Verf. zum Rationalismus, zur spekulativen Schule, zum starren (lediglich die göttliche Kundmachung einer übernatürlichen Doktrin in der Offenbarung erblickenden) Supernaturalismus und zu Schleiermacher. Hier verrät

sich zum erstenmal mit völliger Entschiedenheit eine Ablehnung des vom Vater über=
kommenen materiell rationalistischen und lediglich formell supernaturalistischen Stand=
punktes, indem darauf hingewiesen wird, daß „sich die Christen des Heiles auf solche
Weise bewußt sind, als sei es ihnen nicht allein durch Thatsachen, sondern auch als
Thatsache geoffenbart" d. h. daß der Offenbarungscharakter des Christentums nicht allein 5
daran hange, daß die an sich schon im Menschengeiste liegende, nur eben gebundene und
gehemmte wahre Religion durch die übernatürlichen Thatsachen, durch welche sich das=
selbe introduzierte, in Aktivität gesetzt sei, sondern auch daran, daß ein übernatürlicher,
wesentlich in der Thatsache des durch Christus begründeten Heiles bestehender Inhalt
durch das Evangelium in den Menschengeist neu hineingestiftet sei. Schleiermacher gegen= 10
über nimmt N. dadurch Stellung, daß er das „Merkmal der Ursprünglichkeit am Offen=
barungsbegriffe durch die Fassung dieses Theologen ebenso verwischt als anerkannt" findet.
Selbst hinsichtlich des Religionsbegriffs verhält er sich von Anfang an immerhin auch
kritisch gegenüber Schleiermacher, indem er der Gefühlslehre desselben vorwirft, dieselbe
vermöge den von ihr freilich nicht beabsichtigten Indifferentismus gegen Wahr und Falsch 15
in der Religion doch auch nicht zu heben und lasse zu wenig hervortreten, daß das Ge=
fühl, in welchem Schleiermacher mit Recht das Prinzip der Religion suche, nicht zufälliger=,
sondern notwendigerweise auch religiöse Grunderkenntnisse und fromme Gewissenstriebe
erzeuge. Überhaupt war er sich bewußt, gewisse theologische Fundamentalanschauungen,
die er mit Schleiermacher teilte, nicht von diesem entlehnt zu haben, vielmehr in den= 20
selben unabhängig mit ihm zusammengetroffen zu sein. Auch später hat er nie aufgehört,
Bedenken zu hegen sowohl wider Schleiermachers metaphysische Grundansicht von Gott
und Welt, als auch wider dessen Sprödigkeit selbst gegenüber derjenigen Spekulation,
welche durch das gnostische Element der biblischen Lehre selbst gefordert werde (Trinität,
Logoslehre, Präexistenz Christi). Auch in Schleiermachers Lehre von der Schöpfung und 25
den Eigenschaften Gottes, dessen Darstellung des christlichen Bewußtseins von der Sünde,
dessen Deutung der Begriffe „Wort Gottes" und „Glaube" und dessen Beurteilung des
AT hat er sich niemals finden können. Kurz, indem er das „zugleich objektive und sub=
jektive Prinzip des in der hl. Schrift beurkundeten Wortes Gottes" an die Stelle des
Schleiermacherschen christlichen Bewußtseins setzte, ermöglichte er für seine ganze dogma= 30
tisch-ethische Lehrausführung jenes eminent biblische Gepräge, welches dieselbe nicht nur vor
der Schleiermacherschen, sondern vor der ganzen gleichzeitigen systematischen Theologie
auszeichnete. Dennoch ließ er es sich im allgemeinen gefallen, wenn er neben Twesten unter
den „positiven" Systematikern als der Hauptvertreter der Schleiermacherschen Dogmatik
betrachtet wurde. Seine persönlichen Berührungen mit Schleiermacher waren vereinzelt 35
und vorübergehend, während ihn mit Vielen, welche, wie er, sich in freier Weise an dem=
selben anschlossen, auch das Band der Freundschaft oder der besonderen Kollegialität
verknüpfte. Der Sprechsaal dieser besonders in der 30er und 40er Jahren des 19. Jahr=
hunderts zahlreichen Gruppe waren seit 1828 die von Ullmann und Umbreit begründeten
„Theologischen Studien und Kritiken", das Organ der sogen. Vermittelungstheologen. 40
Hier erschienen die Recensionen, in denen sich N.s Richtung mit Baur, Delbrück und
Rosenkranz über die Bedeutung der Schleiermacherschen Glaubenslehre auseinandersetzte;
ja er wurde bald, „ohne es gesucht zu haben, für das systematische Gebiet der eigent=
liche Wortführer dieser Zeitschrift". Seine Beiträge wurden nach seinem Tode zusammen=
gestellt und fast vollständig wieder abgedruckt u. d. T.: „Gesammelte Abhandlungen von 45
Dr. K. J. Nitzsch" (Gotha, 1870, 2 Bde). — Außerdem erschienen in der Bonner Zeit
die Abhandlung „über das Ansehen der hl. Schrift", drei theologische Sendschreiben an
Dr. Delbrück, von Dr. Sack, Dr. Nitzsch und Dr. Lücke, Bonn 1827; eine exeget. Ab=
handl. über Jo 8, 44 (in der Berliner theol. Zeitschrift von Schleiermacher, de Wette und
Lücke, 1825); endlich eine Beurteilung von Weißes „Krit. und philos. Bearbeitung der 50
evang. Geschichte" (in Fichtes Ztschr. f. Philos. u. spekul. Theologie, 1840).
Außer den theologisch wissenschaftlichen Leistungen auf dem akademischen Lehrstuhl
und in der Litteratur kommt nun aber in Betracht, was N. auf dem praktischen Gebiete
für Gemeinde, Provinz und Landeskirche in Bonn geleistet hat. Er war nicht nur als
Professor, sondern auch als Universitätsprediger dorthin berufen. Als solcher hatte er 55
alle 14 Tage den Hauptgottesdienst zugleich für die ganze Ortsgemeinde zu halten. Durch
das Vertrauenerweckende seiner Persönlichkeit, seine Erfahrungen und seine Kenntnisse
leistete er ihr wesentliche Dienste, indem er auf der Unionsgrundlage mit 1816 gestifteten
Gemeinde befestigen und auf derselben ihre gottesdienstlichen Einrichtungen und Hilfs=
mittel ausbilden half, als Prediger durch das Weihevolle seiner Persönlichkeit und durch 60

9*

Gedankenfülle auch diejenigen erbaute und sammelte, die ihn vorerst nicht völlig verstehen konnten, und durch seelsorgerliche oder kasuale Handlungen zu einem engern Kreise namentlich gebildeter Gemeindeglieder in Beziehungen trat, die segensreich auf die ganze Gemeinde zurückwirkten. Vor allem aber gewann die Stellung, die er der Provinzialkirche
5 gegenüber bald einnehmen sollte, für ihn und für diese außerordentliche Bedeutung. Die Brücke zu derselben war sein Sitz- und Stimmrecht in der Kreissynode Mühlheim, zu der die Bonner Gemeinde gehörte und als deren Deputierter für die Provinzialsynode er seit 1835 fungierte, bis diese (1838 zu Coblenz versammelt) ihn zu ihrem Assessor (d. h. Vizepräses) wählte. „Auf sämtlichen Synoden von 1835 an ward keine wich-
10 tigere Kommission über Lehre, Verfassung, Kultus, Disziplin gebildet ohne ihn, und in der Regel war er auch der Referent derselben, und so die Vorbereitung und Durchführung der wichtigsten Beratungsgegenstände sein besonderes Werk. Daß die Regierung den Vertrauensmann der Synode 1838 auch zum Mitglied des Konsistoriums ernannte, änderte an diesem Vertrauensverhältnis nichts, wiewohl sonst die Beziehungen zwischen
15 beiden Behörden ziemlich schwierige waren. Seine Krone empfing dasselbe i. J. 1842 dadurch, daß N. in Gemeinschaft mit Dr. Sack in der „Monatsschrift für die evang. Kirche von Rheinland und Westfalen“ (Bonn, bei Marcus) der rheinisch-westfälischen Kirche einen besonderen Sprechsaal schuf und in demselben die geistige Führung derselben und die Vertretung ihrer Angelegenheiten nach jeder Seite hin mit der ganzen Kraft
20 seiner Liebe und Begabung übernahm“ (Beyschl. 184). In erster Linie waren es die Verfassungs- und die Agendensache, in deren Verlauf seine leitende Thätigkeit eingriff. Es handelte sich darum, die Reste der Synodalverfassung, die namentlich in Jülich, Cleve, Berg und Mark vor Zeiten die Rechtsbasis für eine recht evangelisch kirchliche wirkliche Selbstverwaltung gebildet hatte, zu erhalten, neu zu beleben und zum Ausgangspunkt
25 der Wiederherstellung der früheren nur durch das landesherrliche jus circa sacra zu beschränkenden Autonomie zu machen. Dem standen aber nicht nur die territorialistischen Grundsätze und Gewohnheiten der preußischen Regierung entgegen, sondern vorzüglich auch die Ungnade, welche eine Folge der ablehnenden Haltung der rheinischen Kreissynoden gegenüber der neuen Hofkirchenagende war und u. a. sich darin äußerte, daß der
30 Minister fortan die Provinzialsynoden gar nicht mehr berief. An den durch dieses ganze Verfahren hervorgerufenen Rechtsverwahrungen und sonstigen Erklärungen der Gemeinden und Synoden war N. stets in erster Reihe beteiligt. Aber auch die endlich 1835 dem Könige wirklich erlassene rheinisch-westfälische Kirchenordnung führte nicht zu einer wirklichen kirchlichen Selbstregierung, weil sich bei der Ausführung und Auslegung im ein-
35 zelnen der Staatsabsolutismus immer wieder geltend machte; und selbst das Wohlwollen des Ministers Eichhorn und gewisse Konzessionen, zu denen die ihres Rechts sich freilich bewußte Provinzialsynode von 1844 bei der Revision der Kirchenordnung auf den Vorschlag N.s sich herbeiließ, endlich auch die Verbürgung der kirchlichen Selbständigkeit in der (politischen) preußischen Verfassungsurkunde reichten nicht aus, um gegenüber dem
40 Kirchenideal Friedrich Wilhelms IV. der evangelischen Kirche der westlichen Provinzen zum Genuß ihrer Rechte zu verhelfen.

Was die Hofkirchenagende betrifft, so gehörte N. zwar von Anfang an zu den maßvollsten Kritikern dieser selbst, aber zugleich zu den entschiedensten unter denen, welche gegen die rechtswidrige Einführung und buchstäbliche Aufnötigung derselben protestierten
45 (vgl. dessen Aufsatz in Lückes und Gieselers Zeitschr. für gebildete Christen „vom gemeinen Gottesdienste in der deutschen ev. Kirche“, 1823, und besonders sein „Theologisches Votum über die neue Hofkirchenagende und deren weitere Einführung“, Bonn 1824). Der katholischen Kirche gegenüber sahen sich die evangelischen Rheinländer zu einem konfessionellen Verteidigungskriege genötigt, an welchem N. auf Synoden und litterarisch in
50 der Bonner Monatsschrift lebhaften Anteil nahm. Erfreulich erschien das gegenseitige Verhalten der beiden evangelischen Konfessionskirchen und die fortschreitende Vollziehung der Union. Die Unionsgesinnung und die Überzeugung von der Notwendigkeit der Union hat N. nicht erst in die Rheinlanden eingesogen, sondern er brachte sie dorthin schon mit. Aber befestigt in derselben und begeistert für dieselbe wurde er allerdings durch nichts so
55 sehr, wie durch die dortigen Wahrnehmungen. Mit rationalistischen Nebengedanken war gerade am Rhein der Unionsgeist am wenigsten behaftet, andererseits fühlte man dort anfangs, abgesehen vom Katechismus, nicht das Bedürfnis, ein unionistisches Bekenntnis zu formulieren. Als jedoch in den 40er Jahren das Gerede von der Bekenntnislosigkeit der Union zudringlicher zu werden begann, entwarf N. eine „kürzeste Darstellung der
60 Union der lutherischen und reformierten Glaubenslehre“ (in der Bonner Monatsschrift

1845), in welcher sich bereits die Grundgedanken zeigen, die er später auf der Generalsynode von 1846, sowie in seinem „Urkundenbuch der evangelischen Union" (Bonn 1853)
weiter ausführte und in seiner „Würdigung der von Dr. Kahnis gegen die ev. Union
und deren theologische Vertreter gerichteten Angriffe" (Berl. 1854) verteidigte. Ferner
beteiligte er sich an den der Vollziehung der Union und sonstiger Reformen auf dem 5
Gebiete des Gottesdienstes gewidmeten Bestrebungen, vorzüglich an der Ausarbeitung des
1834 von den Synoden Jülich, Cleve, Berg und Mark herausgegebenen Provinzialgesang-
buches, sowie an der Lösung der Aufgabe, für die gottesdienstliche Bibellektion neben den
alten lutherischen Perikopen ein ergänzendes Material zu beschaffen. Er selbst bot in
seinen „biblischen Vorlesungen aus dem A und NT für den Sonn- und Festtagsgottes- 10
dienst der evang. Kirche nebst Erläuterungen" (Bonn 1846) eine alle Hauptmomente der
hl. Schrift verwertende Zusammenstellung von Lehrstücken dar, welche sehr bald die Billigung der rheinischen Synode, freilich erst unter König Wilhelm die Genehmigung der
obersten Kirchenbehörde fand. Die Verdienste, die sich N. außerdem während seiner Wirksamkeit am Rhein um die Revision der Religionslehrbücher, um die Aufstellung von 15
Normen für die kirchliche Disziplin, um Beförderung der Mission, um den Gustav-Adolf-
Verein und manche andere Institute erworben hat, können hier kaum berührt werden.

Zu seiner 1847 erfolgten Berufung nach Berlin gab den entscheidenden Anlaß
seine Thätigkeit auf der Berliner Generalsynode vom Jahre 1846. Sie zeigte ihn in der
Mittagshöhe seines Ansehens und seines persönlichen Einflusses auf die öffentliche Meinung 20
in der preußischen Landeskirche, zu welchem freilich, ohne seine Schuld, das Maß der
wirklichen Realisierung seiner Ideale in ein ziemlich ungünstiges Verhältnis treten sollte.
Insonderheit war das neue von der Synode aufgestellte Ordinationsformular sein Werk
und war zugleich das Hauptwerk der Synode.

In Berlin ward N. als Nachfolger Marheinekes Professor und erster Inhaber der 25
auf seinen Antrag begründeten Universitätspredigerstelle, im Februar 1848 Mitglied des
neubegründeten Oberkonsistoriums. Das letztere kam jedoch nicht zur Wirksamkeit, da die
Stürme der Märzrevolution von 1848 es wegwehten. Parlamentarische Wirksamkeit war
nicht sein Beruf. Doch hielt er es, als er 1849 von dem Kreise Landsberg a. d. Warthe
in die erste Kammer gewählt war, für seine Pflicht, die Wahl anzunehmen (später, 1852, 30
wählten ihn Magistrat und Stadtverordnete von Berlin in dieselbe), zumal da die preußischen Kammern auch das Verhältnis zwischen Kirche und Staat verfassungsmäßig zu
regeln hatten. Dem Gedanken einer abstrakten Trennung von Kirche und Staat
machte er keine Zugeständnisse; er billigte zwar die Unabhängigkeit der politischen Rechte
vom religiösen Bekenntnisse, half aber den Grundsatz durchsetzen, daß die christliche Reli- 35
gion bei denjenigen Staatseinrichtungen, welche mit der Religionsübung im Zusammenhange stehen, zu Grunde zu legen sei, und forderte, freilich vergebens, eingedenk seiner
Erfahrungen hinsichtlich der Politik der römischen Hierarchie, einen unzweideutigen Ausdruck des fortdauernden Staats-Aufsichts- und Hoheitsrechtes. Hauptorgan für seine
kirchenpolitischen und überhaupt praktisch-kirchlichen Ratschläge und Kritiken wurde seit 40
1850 die von ihm in Gemeinschaft mit A. Neander und Jul. Müller begründete „Deutsche
Zeitschrift für christliche Wissenschaft und christliches Leben". Nebenher beteiligte sich N.
an den seit 1848 wiederholt versammelten „Kirchentagen", obgleich ihm die anfänglich
von Stahl erzielte Basierung derselben auf bloße Konföderation anstatt Union der Bekenntnisse und auf schroffe Exklusivität gegenüber freier Gesinnten nicht sympathisch 45
war. Für die Kirchentage zu Wittenberg (1849) und zu Elberfeld (1851) übernahm er
Referate, auf dem (1853) zu Berlin gehaltenen erläuterte er als Korreferent den Sinn,
in welchem er als Unionist sich zur Augsburger Konfession bekenne; auch an der Versammlung der ev. Alliance in Berlin (1857) nahm er thätigen Anteil. 1852 ließ er
sich dazu herbei, in den 1850 an die Stelle des früheren Oberkonsistoriums getretenen 50
Oberkirchenrat einzutreten, obwohl er nach der die Union bedrohenden Kabinetsordre vom
6. März 1852 als ein Vertreter der Union nur vermöge einer Art von Inkonsequenz in
denselben hatte berufen werden können. Er hatte es deshalb nicht zu bereuen, weil
wesentlich mit durch seine Abwehr der völligen Auflösung der Union und auch anderem
Bedenklichen vorgebeugt worden ist. Bald darauf gab er sein „Urkundenbuch der ev. 55
Union" (s. oben) heraus, in welchem er die sämtlichen Urkunden des ev. Konsensus von
der Reformationszeit an bis ins 19. Jahrhundert als ebensoviele Unionsbekenntnisse zu-
sammenstellte, um die in den letzten Jahren mit gesteigertem Eifer verbreitete Ansicht,
die Union sei bekenntnislos und geschichtswidrig, zu widerlegen. Nicht ohne Rücksicht
auf seinen Standpunkt wählte 1854 der Magistrat von Berlin N. zum Propst zu St. Ni- 60

kolai, welches Amt er im Juni 1855 antrat. Sein akademiſches Amt gab der nunmehr
beinahe Siebenzigjährige deshalb nicht auf, verzichtete aber mit Rückſicht auf die bedeu=
tende Dotation des Propſtamtes auf drei Viertel ſeines Profeſſorengehaltes und erfüllte
die ſchwierigen Obliegenheiten der neuen Stellung mit einer über die bloße Pflichtleiſtung
5 hinausgehenden Treue bis gegen das Ende ſeines Lebens. Auch die Arbeiten, die ihm
der Oberkirchenrat auferlegte, leiſtete er fernerhin. Noch ſchwerer trug er an den ihm
im 77. Lebensjahre aufgebürdeten Geſchäften der Superintendentur für die eine Hälfte
der Berliner Synode. Nach mehreren Schlaganfällen ſtarb er am 21. Auguſt desſelben
Jahres.

10   Die litterariſche Hauptleiſtung der dritten Periode ſeiner theologiſchen Laufbahn war
die 1847 begonnene, 1867 vollendete Publikation ſeiner „Praktiſchen Theologie“, 2. Aufl.
ſeit 1859. Da dieſelbe eine Ausführung des wenn auch noch einigermaßen modifizierten
Bonner Programms von 1831 („Observationes ad theologiam practicam felicius
excolendam“) war, ſo muß er nach Schleiermacher als erſter Syſtematiker der prak=
15 tiſchen Theologie im modernen Sinne des Wortes betrachtet werden. N. geht zurück bis
auf den urbildlichen Begriff vom kirchlichen Leben, ſucht ſodann die gegenwärtige Phaſe
des in eine geſchichtliche Entwickelung eingegangenen kirchlichen Lebens, d. h. den prote=
ſtantiſch=evangeliſchen Begriff vom kirchlichen Leben zu erfaſſen und entwickelt ſo auf der
Grundlage der Idee und der Geſchichte die leitenden Gedanken für alle zu erfüllenden
20 Aufgaben. Demnach handelt das erſte Buch 1. vom kirchlichen Leben nach ſeiner Idee,
2. vom evangeliſch=kirchlichen Leben und dem jetzigen Zeitpunkt, und giebt einen einheit=
lichen, umfaſſenden und tief fundamentierten Unterbau der einzelnen praktiſch=theologiſchen
Diſziplinen, wie ihn ſpeziell für die praktiſche Theologie noch niemand gegeben hatte;
das zweite Buch vom kirchlichen Verfahren oder von den Kunſtlehren und zwar 1. von
25 den unmittelbar auf Erbauung der Gemeinde gerichteten Thätigkeiten, d. h. a) von der
Lehre oder dem Dienſte am Wort (Homiletik und Katechetik), b) von der kirchlichen Feier
(Liturgik), c) von der eigentümlichen Seelenpflege; 2. von der ordnenden Thätigkeit (die
ev. Kirchenordnung). Im Jahre der Vollendung der Prakt. Theol. (1867) erſchien auch
die „neue Geſamtausgabe“ ſeiner Predigten. Sie enthält eine neue Auflage und Zu=
30 ſammenſtellung der früher in ſechs beſonderen kleineren Sammlungen erſchienenen, aus
der Amtsführung in Bonn und Berlin ſtammenden Predigten, außerdem einige bis dahin
nur einzeln erſchienene; hingegen ſind andere einzeln erſchienene und namentlich die „Pre=
digten, in den Jahren 1813 und 1814 zu Wittenberg, größtenteils während der Belage=
rung der Stadt gehalten, Wittenberg 1815“, ſowie die „Predigten in den Kirchen Witten=
35 bergs gehalten, Berlin 1819“, hier nicht wieder abgedruckt. Mit Recht iſt als hervorragende
Eigenſchaft der Predigten N.s bezeichnet worden „der vollkommene Einklang, in welchem
das religiöſe und das ſittliche Element gehandhabt wird, ſowie die Einfalt, Wahrheit und
Milde der Beurteilung im Verein mit der idealen Höhe der Maßſtäbe, mit dem heiligen
Ernſt der Forderung“. Im übrigen verſäumen dieſe Predigten niemals, zugleich durch
40 Förderung der chriſtlichen Erkenntnis zu erbauen, die aber, wenn auch dialektiſch ver=
mittelt, in der Sache niemals in abſtrakter, ſondern ſtets in lebendiger Weiſe angeſtrebt
wird. Sie beruhen durchweg auf vorhergegangener gewiſſenhafter exegetiſcher Erwägung,
ſind aber nie bloß objektive Gedanken= und Worterklärung, auch nicht Homilien, ſondern
faſt immer thematiſch einheitliche Ausführungen eines textmäßigen Grundgedankens, der
45 auf die jedesmaligen gegenwärtigen Bedürfniſſe angewandt erſcheint.

    Endlich verdienen (außer Univerſitäts=Programmen und Reden, zahlreichen Aufſätzen in
der Bonner Monatsſchrift, Beiträgen zu Pipers Evangel. Kalender, einigen Aufſätzen in der
erſten Ausgabe dieſer Encyklopädie und manchen in der Deutſchen Zeitſchrift enthaltenen Ab=
handlungen) erwähnt zu werden: die Vorträge: die Wirkung des ev. Chriſtentums auf kultur=
50 loſe Völker (Berl. 1852); über die kirchengeſchichtl. Bedeutung der Brüdergemeinde (Berl.
1853); zwei Vorträge 1. über Phil. Melanchthon, 2. über die Religion als bewegende
und ordnende Macht der Weltgeſchichte (Berlin 1855); ferner die Aufſätze: über D. Ru=
dolf Stier als Theologe (Barmen 1865); der Pſalm 119 und der ev. Bibelglaube (Berl.
1862); die hohe Bedeutung der Bibelgeſellſchaft, und die akademiſchen Reden: Qua cum
55 cautione praecipiendum sit illud, ut vitae, non scholae discamus (Bonn 1826)
und: „zum Gedächtnis A. Neanders“ (Berl. 1850).

    Von N. hat mit Recht jemand geurteilt, er ſei „Theologe vom Haupt bis zur Fuß=
ſohle“. Das war er allerdings, nachdem ſeine Entwickelung zum Abſchluß gekommen.
Zwar gehörte er nicht zu jenen von vornherein pietiſtiſch angelegten und pietiſtiſch
60 ſich entwickelnden Naturen, deren Gefühl und Einbildungskraft wenigſtens im kindlichen

und jugendlichen Alter ausſchließlich in den biblischen Vorſtellungskreis getaucht iſt, und
die dann, ſo weit ſie nicht einſeitig bleiben, erſt in zweiter Linie auch den ſelbſtſtändigen
Wert eines ſittlichen und wiſſenſchaftlichen Bewußtſeins erkennen. Er kam nicht „von
der Thatſache zur Idee", ſondern umgekehrt, er wuchs aus der Idee in die Thatſache
hinein, d. h. er erfüllte Geiſt und Gemüt zunächſt an der Hand der Klaſſiker, beſonders 5
der Dichter und Denker Griechenlands und Roms, mit den Muſterbildern des Schönen
und Edlen, fing erſt ſpät an, im beſtimmteren Sinne des Wortes in der hl. Schrift und
in den Schriften der Reformatoren zu forſchen, und hat, auch nachdem er in beiden tiefe
Wurzeln geſchlagen hatte, nie aufgehört, den Chriſten als den wahren wiederhergeſtellten
und verklärten Menſchen zu betrachten. Mit demſelben Zug hing es zuſammen, daß es 10
ihm beſonderes Vergnügen bereitete, Spuren und Ahnungen des chriſtlich Sittlichen dort
zu ſuchen und zu entdecken, wo deſſen Vorhandenſein ſich nicht von ſelbſt verſtand. Dies
war auch einer der Geſichtspunkte, unter denen er ſich jederzeit auch in ſpäteren Jahren
gern mit den Schriftſtellern des Altertums beſchäftigte, namentlich mit den ſpäteren Philo=
ſophen der Griechen und Römer. Daß er ſich beſonders für die Stoiker intereſſierte, er= 15
klärt ſich ſchon aus ſeinem Verhältnis zu dem großen Stoiker unter den neueren Philo=
ſophen, dem zu Ehren ihm ſein Vater den Namen Immanuel gegeben hatte, und deſſen
Ethik ſowohl als Religionsphiloſophie er, auch nachdem er ſich längſt gänzlich vom Ra=
tionalismus losgeſagt hatte, zeitlebens hochſtellte. Wenn denn auch ſei, wenn die Theologie
ein habitus practicus iſt, ſo hat jener Beurteiler jedenfalls das Richtige getroffen, in= 20
dem er einen „Theologen vom Haupt bis zur Fußſohle" in Nitzſch fand. Denn der
innerſte Zug ſeines Weſens beſtand in der Tiefe und dem Umfange ſeines religiös=ſitt=
lichen Bewußtſeins und Charakters. Man könnte auch ſagen: in ſeinem religiös=ſittlichen
Pathos, wenn nicht dieſe Bezeichnung dazu verführen könnte, ihm einesteils eine Leben=
digkeit der Affekte, anderenteils eine Neigung zu draſtiſcher Bethätigung ſeiner ethiſchen 25
Urteile beizulegen, die ihm in demſelben Maße fehlten, als ſeine in Gott ruhende ſitt=
liche Selbſtgewißheit Sache des Charakters anſtatt des Temperamentes war und ſich weit
weniger in aufwallender Erregtheit, als in allerdings imponierender, würdevoller, gravi=
tätiſcher, plaſtiſcher, klarer Ruhe, Gedrungenheit und Geſchloſſenheit offenbarte.

Faſt noch bewundernswerter aber, als die intenſive Stärke, war der Umfang, die 30
extenſive Tragweite ſeiner ethiſchen Geſinnung und Empfindung: es gab überhaupt nichts,
was nicht von demſelben umſpannt wurde. Wie wenigen gelingt es doch, allen Dualis=
mus aus ihrem praktiſchen Leben zu verbannen! Man erkennt an, daß der ſittliche Ernſt
und die ſittliche Zucht notwendige Dinge ſind. Aber Spiel und Genuß, die wenigſtens
erlaubt ſind, ſollen mit dem Ernſt abwechſeln dürfen; daß ſie von ihm durchdrungen 35
ſind, iſt nicht erforderlich, wenn ſie nur hinterher einmal wieder durch ihn geführt und
aufgewogen werden. Von ſolchem Dualismus war Nitzſch frei. Nicht nur theoretiſch
wußte er dem Spiele, dem Genuß, der Erholung eine poſitive Beziehung auf die Ver=
wirklichung der ethiſchen Aufgabe zu geben, ſondern auch praktiſch. Niemals verleugnete
er auch nur in einer Miene oder in einem Witzwort die ſittliche Würde; auf der anderen 40
Seite durchdrang, da er „Luſt an den Rechten Gottes hatte" (Pſ 119, 16), die er nicht
als Hemmungen des Lebensgefühles oder als ein wenngleich notwendiges geſetzliches Joch
empfand, auch die eigentlich ernſten Momente eine ungetrübte Freudigkeit.

Der Ernſt, der auch in ſeiner Phyſiognomie ausgeprägt war, ſchloß nun zwar keines=
wegs Heiterkeit, Milde und herzlichſte Menſchenfreundlichkeit aus. Allein derſelbe beherrſchte 45
den erſten Eindruck allen gegenüber vorwiegend, und dieſer erſte Eindruck begleitete alle
folgenden, wenn dieſe auch noch andere Saiten durchklingen ließen. Man würde nun
aber ſehr irren, wollte man jenen ſittlichen Ernſt und Eifer auf pietiſtiſche Wurzeln
zurückführen. Vom Pietismus war N. vollkommen frei. Bezeichnend war in dieſer Be=
ziehung, daß er zwar jeden Morgen eine kurze Hausandacht hielt, daraus aber nie eine 50
tote Ceremonie machte und gelegentlich ſich ausdrücklich gegen fromme (Bibel=)„Leſerei"
erklärte, d. h. gegen die Sitte der Herabwürdigung der Bibellektüre zu einer Art von
unevangeliſchen geiſtlichen Exerzitien, bei denen es vorzugsweiſe auf das Gehäufte an=
kommt. Während andere Berliner Prediger gegen das ſonntägliche Hinausſtrömen vor
die Thore eiferten, trug er nicht das mindeſte Bedenken, nachdem er zuvor dem Gottes= 55
dienſte vorgeſtanden oder angewohnt hatte, mit Weib und Kind ſelbſt an öffentlichen
Orten vor der Stadt ſich dem unſchuldigen Genuß der Natur und Geſelligkeit hinzugeben.
Und die keuſche ideale Kunſt ließ er gelten, auch wenn ſie nicht im geiſtlichen Gewande
auftrat, ebenſo die Gymnaſtik, in welcher er in ſeiner Jugend Ausgezeichnetes geleiſtet
zu haben ſich bewußt war. Entfaltung körperlicher Kraft ſowohl als Gratie wußte er 60

bei der Jugend zu schätzen, und es war ihm nicht lieb, wenn man im Hinblick auf seine
dem Manne wohlanstehende Gravität Zweifel daran äußerte, daß er seinerzeit auch
jugendlich warme und starke Empfindungen gehegt. In diesen Dingen fehlte ihm nicht
die hellenische oder auch romantische Anschauungsweise, soweit sie mit christlicher Reinheit
5 verträglich war. Gelegenheit, klassische Werke der bildenden Kunst kennen zu lernen, hat
er nicht in besonderem Maße gesucht und benutzt, und wenn ihm ein eingehender betrach=
tetes Gemälde einen tieferen Eindruck hinterlassen hatte, so galt das bleibende Interesse
zuweilen mehr einer ihn subjektiv ansprechenden Idee, als dem objektiven künstlerischen
Wert. Klassische Musik hat er aber nicht nur im eigenen Hause jederzeit gern gehört,
10 sondern mitunter auch im Konzertsaal aufgesucht. Unter den Dichtern stellte er den von
Kant berührten Schiller höher als Goethe, vor welchem er auch Shakespeare den Vorzug
einräumte. Lessing interessierte ihn im Grunde mehr als Theolog und Religionsphilo=
soph, denn als Dichter und Kunstkritiker. Im übrigen ist er nicht, wie ein Teil der
Rationalisten und Supranaturalisten, in der kantischen Philosophie stecken geblieben, son=
15 dern er hat auch die Ideen der neueren spekulativen Philosophie verwertet. Nur der
Herbartsche Empirismus hat gar nicht auf ihn eingewirkt. Den Naturwissenschaften hat
er keine große Aufmerksamkeit geschenkt, gegen die Mathematik hatte er sogar eine Aver=
sion, was sich wohl teilweise aus seiner Geistesart, teils aber auch aus der Beschaffenheit
des Unterrichts erklärt, auf den er hinsichtlich dieser Wissenschaft beschränkt gewesen war.
20   **Friedrich Nitzsch** †.

Nitzsch, Karl Ludwig, gest. 1831. — Vgl. E. A. D. Hoppe, Denkmal des verew.
Dr. C. L. Nitzsch in einer Auswahl seiner Pfingstpredigten, nebst einer Zugabe über ihn
(Biogr.), Halle 1832, und J. C. H. von Zobel, Das Leben und Wirken der Pastoren und
Superintendenten in der kgl. sächs. Stadt Borna, Borna 1849, S. 65—72.

25 K. L. Nitzsch, Vater des Zoologen Christian Ludwig, des Theologen Karl Immanuel
und des Philologen Gregor Wilhelm, geb. den 6. August 1751 in Wittenberg, gest. eben=
daselbst den 5. Dezember 1831, erster Direktor am Predigerseminar, war einer der selbst=
ständigsten (und wenigstens vermöge der großen Anzahl akademischer Zuhörer auch ein=
flußreichsten) unter den theologischen Systematikern, welche, ausgegangen von Kant, Ra=
30 tionalismus und Supernaturalismus miteinander zu verknüpfen suchten. — Sein Vater,
Ludwig Wilhelm, der den ererbten Adel als mit dem geistlichen Amte unverträglich auf=
gegeben hatte, starb 1758 als vierter Diakonus an der Stadtkirche in Wittenberg, nach=
dem er sich als Liederdichter, Freund der Armen und Seelsorger ein dauerndes Andenken
bei seinen Mitbürgern gesichert hatte. Der verwaiste Karl Ludwig wurde noch zu rechter
35 Zeit aus kümmerlicher Waisenanstalt aufs Lyceum seiner Vaterstadt, dann auf die Fürsten=
schule zu Meißen gerettet. Zur Theologie prädestiniert, bezog er hierauf 1770 die Uni=
versität Wittenberg, deren theologische Professoren jedoch, mit Ausnahme des Kirchenhisto=
rikers Wernsdorf, ihn nicht sonderlich anzogen. Unter den Mitgliedern der philosophischen
Fakultät gewann besonders Schröckh Einfluß auf ihn. Nachdem dieser ihn 1773 zum
40 Doktor der Philosophie und zum Magist. liberal. art. promoviert hatte, setzte er seine
theologischen Studien noch bis 1775 fort, in welchem Jahre er sich durch öffentliche Ver=
teidigung einer Abhandlung „De synodo palmari" den Grad eines Baccalaureus der
Theologie erwarb. Im Oktober 1776 nahm er in dem Hause des Kammerherrn von
Bodenhausen auf Brandis bei Leipzig eine Hofmeisterstelle an, nachdem er zuvor eine
45 Dissertation u. d. T.: „Historia providentiam divinam quando et quam clare
loquatur" öffentlich verteidigt hatte, um die venia legendi in der philosophischen Fakultät
zu erlangen. 1781 erhielt er die Pfarrei in Beucha, vertauschte dieselbe 1785 mit dem
Pastorat und der Superintendentur Borna und ging 1788 als Stiftssuperintendent und
Konsistorialassessor nach Zeitz. 1790 wurde er der Nachfolger K. Chr. Tittmanns als
50 Pastor an der Stadtkirche in Wittenberg, zugleich Generalsuperintendent des Kurkreises,
Konsistorialassessor und ordentlicher Professor an der Universität. In demselben Jahre
erwarb er sich die Würde eines Doktors der Theologie durch Verteidigung einer Abhand=
lung u. d. T.: „Ratio, qua Christus usus est in commendando precandi officio,
declarata et asserta", nachdem er zuvor eine Rede „de commodis e studio reti=
55 nendi antiqua et usitata ad theologiam redundantibus" gehalten hatte. Nach
Verlegung der Universität erhielt er 1817 die Stelle des ersten Direktors am neugegrün=
deten Predigerseminar.
Seine Schriften erschienen einzeln, als gelegentliche Programme, die er als Dekan
auszuarbeiten (in den Jahren 1791—1813) veranlaßt war. Die erste Gruppe bilden

elf „Prolusiones (1791—1802) de judicandis morum praeceptis in N.T. a communi omnium hominum ac temporum usu alienis", deren Sammlung beabſichtigt, aber nicht ausgeführt wurde; die zweite ſechs andere, die u. d. T.: „De revelatione religionis externa eademque publica prolusiones academicae", Lips. 1808, vom Verf. geſammelt erſchienen. Dazu kam noch eine dritte Gruppe von 16 Abhandlungen, 5 die N. kurz vor ſeinem Todesjahre zuſammengeſtellt und herausgegeben hat, u. d. T.: „De discrimine revelationis imperatoriae et didacticae prolusiones academicae", 2 Bde, Viteb. 1830. Eine kurze Zuſammenfaſſung ſeines Syſtems, deſſen mündliche Entwickelung, vom Katheter herab zahlreichen dankbaren Schülern zu einer erſten Rettung aus dem verworrenen Streite zwiſchen „Paläologie und Neologie" gereichte, gab er in 10 den Abhandlungen „Über das Heil der Welt", Wittenberg 1817, und „Über das Heil der Theologie", Wittenberg 1830, während die gleichnamige „Über das Heil der Kirche", Wittenberg 1821, tief und weit in das Weſen der praktiſchen, namentlich der Verfaſſungs-, Unions- und Bekenntnisfragen blickt. — Seine ſyſtematiſchen Grundgedanken ſind folgende: Unter der Offenbarung, welche ſich in den Thatſachen und Lehren des Evangeliums dar= 15 ſtellt, iſt nicht die göttliche Mitteilung eines übernatürlichen und dem menſchlichen Geiſte an ſich fremden Inhaltes zu verſtehen, ſondern die Promulgation, d. h. von außen her an alles Volk herangetretene Kundmachung eines göttlichen Inhaltes, der an ſich zwar auch ſchon, wenigſtens in latenter Weiſe, dem menſchlichen Geiſt, Gewiſſen und Gemüt innewohnt, aber durch den die empiriſche Menſchheit beherrſchenden Hang zum ſinnlichen 20 Eigenwillen oder zur Eigenliebe, mit dem ein geheimes Schuldgefühl verknüpft iſt, unter= brückt und außer Wirkſamkeit geſetzt iſt, m. a. W.: Offenbarung iſt äußere (geſchichtliche, thatſächliche) und auf den ganzen Umfang der Menſchheit in ihrem geiſtlich geheimnis= und verkehrten Zuſtande gerichtete öffentliche repraesentatio, introductio und Sicher= ſtellung der wahren Religion (oder des moraliſchen, geiſtlichen, göttlichen Lebens), zu der 25 ſie ſich wie Mittel zum Zweck verhält; nicht als ob die als Offenbarung geltende Lehre und Urgeſchichte des Chriſtentums etwa nur brauchbar wäre für moraliſche Zwecke; es handelt ſich vielmehr um notwendige, objektive und poſitive, von der zuvorkommenden Gnade gewollte und gewirkte Geſchichten, Thatſachen und Wunder, ohne deren darſtellende, anregende, beſchämende und erhebende Gotteskraft bei herrſchender Hemmung des mora= 30 liſchen Bewußtſeins das göttliche Leben nicht gewirkt, das Heil der Welt nicht begründet, ein die Wahrheit erhaltender und fortpflanzender Organismus ſittlich-religiöſer Gemein= ſchaft (der Kirche) nicht geſtiftet werden konnte. Hiermit trat N. dem theologiſchen Na= turalismus und Rationalismus auch ſolcher Zeitgenoſſen entgegen, welche Kantianer hießen, indem er die Form der Übernatürlichkeit als den für das Weltkundigwerden der göttlichen 35 Wahrheit unentbehrlichen Modus und ein weſentliches Attribut des Chriſtentums hin= ſtellte. Selbſt die Wunder Chriſti, deren Möglichkeit er nur in teleologiſcher, nicht in ätiologiſcher Hinſicht erörterte, galten ihm als Zeugniſſe des meſſianiſchen Berufes und als Zeichen des Heiles im objektiven Sinne für unentbehrlich, wie ſehr er ſie auch mit der ganzen perſönlichen Wirkung des Mittlers in Einheit ſetzte, ja der (eigentlich begei= 40 ſternden, alles Thatſächliche deutenden) Verkündigung des Heiles durch das Wort unter= ordnete. Aber nicht minder trat er den Supernaturaliſten entgegen, weil er als den innerſten Kern und Zweck der chriſtlichen Offenbarung nichts anderes betrachtete, als die ſittlich-vernünftige Religion, der gegenüber auch der freilich unerläßliche poſitive Glaube an den Weltheiland nur als Mittel erſcheine. Dennoch ſtellte er auch den alten Bund 45 unter den Geſichtspunkt der Offenbarung, indem er ihm zwar nur eine revelatio im= peratoria oder nomothetica im Gegenſatze zur didactica zuwies, d. h. Geſetz und Evan= gelium, legislatio und institutio (Unterweiſung), Theokratie und Theodidaskalie einander gegenüberſtellte, aber nachwies, daß das erſtere die unumgänglich notwendige Vorbereitung der letzteren war. Die Geſetzgebung habe aktiven Gehorſam und äußere Gebotserfüllung 50 zunächſt innerhalb der Schranken einer (wegen ihres Monotheismus bevorzugten) Nation und einer Zeitphaſe, und zwar noch abgeſehen von einer vollkommenen ſittlichen Geſin= nung, einüben müſſen, um die Fähigkeit zu ſelbſtändiger und freithätiger Urteils= und Willenskraft und zu freiem Gehorſam, welche die Frucht der didaktiſchen Offenbarung ſein ſollte, anzubahnen. Auch ſie habe aber indirekt die Beſtimmung gehabt, das wahre Ver= 55 hältnis Gottes zu den Menſchen zu offenbaren. Wie notwendig ferner Abraham für Moſes, die allgemeine Urgeſchichte für die Geſetzgebung, die Geſetzgebung für die (von der Vorherſagung des Zufälligen durchaus verſchiedene) Weiſſagung geweſen ſei, wie or= ganiſch alle Inſtitutionen der Theokratie zu einem Zwecke zuſammenwirkten, welche Voll= kommenheiten in den Schranken des AT.s zu finden ſeien, hatte früher in ſtreng wiſſen= 60

schaftlicher Weise kein Theolog für sein Zeitalter treffender dargestellt, die alttestamentliche
Idee niemand treffender gezeichnet, als N. Insoweit aber doch auch das NT. positive
Gebote enthält, kam es darauf an, dieselben von dem Scheine gesetzgeberischer Willkür
und Beschränktheit zu befreien. Zu diesem Behufe scheidet N. nicht nur das Individuelle,
5 Volkstümliche oder Zeitliche aus, um hingegen das wirklich Allgemeingiltige und für alle
Zeiten Giltige rein hervortreten zu lassen, sondern er weist zugleich nach, daß die historische Erscheinungsform (nicht etwa bloße Einkleidungsform) des ewiggiltigen Kerns für
die Introduktion und dauernde Wirkungskraft einer nicht für Hochgebildete, sondern für
alle bestimmten Religion notwendig war und ist, und daß das Gebiet des Allgemein-
10 giltigen nicht so beschränkt werden kann, wie die rationalistischen Zeitgenossen es zu beschränken versuchten, indem sie sogar die Forderung des Glaubens an den Christus Gottes
aus der Akkommodation erklärten oder zu den der Perfektibilität unterworfenen Momenten
des Christentums rechneten. Wir seien zwar nicht befugt, die Unmöglichkeit des gottgefälligen Sinnes ohne Kenntnis der Geschichte Jesu für jeden einzelnen Menschen, unter
15 welchen Umständen und zu welcher Zeit er auch leben möge, zu behaupten, aber eine
gemeinschaftliche und öffentliche wahrhaft religiöse Bildung sei in der Menschheit nicht zu
ermöglichen gewesen ohne eine solche Hülfe, wie sie durch Christus der Welt bereitet wurde,
d. h. ohne ein solches Zusammenwirken zwanglosen göttlichen Ansehens mit einer lebendigen, begeisternden Darstellung des Gottgefälligen, wie es in dem ganzen öffentlichen
20 Leben Jesu und insonderheit in seinem Kreuzestode als der Vollendung seines Gehorsams
und dem entscheidendsten Beweise seiner gottgefälligen Lauterkeit und Stärke hervortrat.
Es sei also notwendig gewesen, daß das Wort dieses Mittlers für Gottes Stimme gelten
konnte, daß er über die Menschheit erhaben war, daß er mit Recht für den Sohn und
das Ebenbild des himmlischen Vaters, für den selbst keiner Erlösung bedürftigen Welt-
25 erlöser erkannt werden konnte. Der Name über alle Namen komme freilich dem historischen Interpres dei nur zu, insofern er nicht eine willkürliche und partikulare Gnade
offenbare, sondern das ewige Wohlgefallen des Vaters an dem Sohne, d. h. die allerheiligste Liebe Gottes zu der Menschheit, die durch dessen Geist sich heiligen läßt. Dogmengeschichtlich illustrierte N. seine Ansicht über das Verhältnis der nomothetischen zur
30 didaktischen Offenbarung namentlich durch eine neue Beurteilung des sogenannten Antinomismus des Joh. Agricola, und zwar ließ er die Exzesse und Defekte dieses geistvollen
Mannes freilich nicht ungerügt, machte jedoch auf die Bedenken aufmerksam, welche die
erste Lehrart der Reformatoren hinsichtlich der concio legis ad poenitentiam und der
concio gratiae ad fidem demselben erregen konnte, und billigte die Lehrart, derzufolge
35 die Sünde im NT. zunächst Verletzung des Sohnes ist, die Offenbarung der göttlichen
Heiligkeit mittelst der evangelischen Gnadenoffenbarung noch dringender und ergreifender
wirkt, als mittelst der theokratischen Anstalt Gottes, und erst die Predigt des Gekreuzigten
in vollkommener und echter Weise beides hervorbringt: Buße und Glauben.
   Die Supernaturalisten (am meisten der vertraute Freund Fr. Volkm. Reinhard, aber
40 auch der Schüler L. Heubner und die letzten Württemberger aus der Schule der demon-
strativen Apologetik) stießen sich daran, daß die Offenbarung nichts, d. h. nichts Über-
natürliches oder Übervernünftiges offenbaren sollte. Ihnen gegenüber erkannte N. es
zwar als heilsam an, daß die alte Kirche trotz der schmähenden Verstandeskritik der Philosophen die positiven Mysterien als solche vertreten und in Form der Überlieferung ge-
45 bracht oder daß sie durch sorgsame Pflege der Rinde den köstlichen Kern bewahrt habe,
den auch viele Supernaturalisten doch noch mehr als die Rinde für wertvoll achteten.
Allein er fügte hinzu, es führe zu einer neuen Lehrtheokratie, wenn auch heute noch, was
an sich schlechthin übervernünftig, unbegriffen und unbegreiflich, ja widerspruchsvoll sei,
nicht nur in Glaubens- und Überführungsformeln gebracht, sondern auch das Heil von
50 dem Bekenntnisse dieser letzteren abhängig gemacht werde. Eine Offenbarung, welche nur,
was an sich übervernünftig sei und bleibe, offenbare, sei keine Offenbarung. Mindestens
müßten alle physischen, metaphysischen und geschichtlichen Geheimnisse, mit denen die ethisch-
religiösen sich verbunden hätten, diesen untergeordnet und es müßte verhindert werden,
daß das Volk sich daran gewöhne, das Bekenntnis zu jenen für selbstständig zu achten.
55 In Wahrheit sei das ethisch-religiöse Verhältnis, diese ewige Liebe Gottes zu der Vollkommenheit des Menschen, in der rechten Tiefe gefaßt, und die daher erklärte und dahin
gedeutete ethische Natur der Gnade, des Glaubens, des Todes und der Person Jesu
allerdings das schwerste, größte Geheimnis für den Verstand des Herzens und daher vor
allem der Offenbarung wert und bedürftig, aber als ethisches auch vernünftig. — Ein
60 späterer theologischer Standpunkt wird dennoch finden, daß N., indem er das Thatsäch-

liche der Offenbarung schlechthin vom Inhalte ausschloß, den Ideen eine Selbständigkeit
zueignete, die sie ja doch nur in der konkreten Verwirklichung und an sich selbst als Heils=
kräfte nicht anzusprechen haben, und daß nun dennoch hin und wieder die Schriftauslegung
bei jener scharfen Trennung von Form und Inhalt hat leiden müssen, auch weder die
spekulative noch die mystische Theologie dabei zu ihrem Rechte kommen konnte. Von dem, 5
was er in der Theologie noch erlebte, machte N. sich meist darum los, weil es ihm auf
dem Grunde des Pantheismus erbaut schien. Seinen Kantianismus hielt er, auch als
er amtliche Verwarnung wegen desselben erlitt, aufrecht. Nur die philosophische Theologie
Schleiermachers, wie sie sich in der „kurzen Darstellung des theologischen Studiums" als
Apologetik und Polemik zeichnete, zog ihn gewaltig an, weil sie ihm auf ethischen Ge= 10
schichtsprinzipien zu ruhen schien. Selbst unter den ihm persönlich näher stehenden —
Fichte und Krug, den beiden Planck, Flatt, Henke, Keil — blieb er als Theolog einsam.
Doch hatte er treue Nachfolger an einem frühverstorbenen Dankegott Cramer, Professor
zu Leipzig, und an Dr. Krause, Generalsuperintendent in Weimar, dessen Königsberger
Programm de rationalismo libr. symb. in dogmate de praedestinatione den 15
Hauptgedanken nach von ihm entlehnt war. Mit seinem Sohne, den er einst, Kant zu
Ehren, K. Immanuel genannt hatte, suchte er sich wiederholt und noch im Todesjahre
in der rührendsten Weise zu verständigen. Im ganzen ist seine Theologie mit Schleier=
machers Epoche in Verwandtschaft zu denken. Die Dignität der Thatsache „Jesus Christus
der Welterlöser" hat er nicht minder als dieser dem Intellektualismus sowohl der Super= 20
naturalisten als der Rationalisten entgegengestellt. Dennoch litt sein Religionsbegriff an
dem Mangel, den im großen nur Schleiermacher erfüllte und den er selbst durch die
mächtige Betonung des sittlichen Willens gut machte.   (K. J. Nitzsch †) F. Nitzsch †.

No (Jer 46, 25; Ez 30, 14—16), auch No Ammon „No des Ammon" (Nah 3, 8),
eine der Hauptstädte Aegyptens, das griechische Theben – Diospolis; daher auch richtig 25
von der LXX (Ez 30, 14. 16) mit Diospolis wiedergegeben. N. ist eine Verstümmelung
des ägyptischen Wortes nwt „die Stadt, Hauptstadt", die sich auch in den Keilinschriften
in der Form Ni-i' als Name von Theben findet. Der eigentliche Name der „Stadt"
war bei den Aegyptern Wēset. Der Hauptgott von N. war Ammon (Jer 46, 25), dessen
Fetisch ein Widder war; daher auch der Name N. Ammon, d. i. Diospolis. Nachdem 30
die Stadt im alten Reiche (3. Jahrt. v. Chr.) nur eine unbedeutende Rolle gespielt hatte,
nahm sie im mittleren Reiche (seit 2000 v. Chr.) einen höheren Aufschwung und wurde
unter der 18. Dynastie die Hauptstadt des ägyptischen Weltreichs, die es Jahrhunderte
hindurch blieb. Erst als die Residenz und damit der Schwerpunkt des Staates im
7. Jahrhundert nach Unterägypten verlegt wurde, sank N. langsam von seiner Höhe herab. 35
Unter den Ptolemäern beteiligte es sich an mehreren Aufständen und wurde dabei wieder=
holt belagert, unter Augustus bei gleicher Gelegenheit durch den Statthalter Cornelius
Gallus völlig zerstört. Als Strabo im Jahre 24 v. Chr. Aegypten bereiste, fand er an
Thebens Stelle nur einzelne Ortschaften. Die Ruinen von N. und seiner gewaltigen
Tempel liegen auf dem östlichen Nilufer bei den heutigen Ortschaften Luksor und Karnak; 40
auf dem gegenüberliegenden Westufer dehnt sich die große Nekropole von N. aus. Vgl.
Bädeker, Aegypten, 5. Aufl., S. 237 ff.   **Steindorff.**

Noah und seine Söhne. — Litteratur: 1. Ueber die Herkunft des Namens Noah
s. Dillmann, Die Genesis⁶, S. 116 f.; Goldziher in ZdMG XXIV, 207 ff.; vgl. ib. XL, 253.
2. Zur Sintflutgeschichte s. Drexelius, Noë, architectus arcae, in diluvio navarchus descriptus 45
et morali doctrina illustrata, Monac. 1644; Eichhorn, Repert. V, 185—216; Buttmann,
Mythologus I, 180—214; Winer, Bibl. Realwörterbuch³ II, 161 ff.; Silberschlag, Geogenie
II, 128 ff.; Kanne, Bibl. Untersuchungen I, 28 ff.; Ewald, Jahrbb. d. bibl. Wissenschaft VII,
1—28; Richers, Die Schöpfungs=, Paradieses= und Sündfluthgesch. erkl., Leipzig 1854; Nöl=
deke (Ueber den Landungspunkt Noahs), Untersuchungen zur Kritik 1869, 145 ff.; Zöckler, Die 50
Sintflutsagen d. Alterthums JdTh 1870, 319 ff.; Wehrmann, Die Sündfluth in Beweis des
Glaubens VII, 194 ff.; Diestel (in der Sammlung gemeinverständlicher wiss. Vortrr. Ser. VI,
H. 137): Die Sintflut und die Flutsagen des Alterthums; Schrader, Studien zur Kritik und
Erklärung der bibl. Urgeschichte (Zürich 1863), S. 117 ff.; E. Süß, Die Sintfluth, eine geo=
logische Studie (Prag und Leipzig 1883); Franz Delitzsch, Neuer Comm. über die Genesis 55
154 ff.; Dillmann, Die Genesis⁶, 126 ff.; Andree, Die Flutsagen ethnographisch betrachtet
(Braunschweig 1891); Cheyne, Art. Deluge in the Encyclopedia Britannica; Köhler, Lehrb.
d. bibl. Gesch. A.Ts I, 57 ff.; Budde, Die bibl. Urgeschichte (1883) 248 ff.; Pfeil, Bemerkungen
zum bibl. Fluthbericht und zu den Zahlangaben in Genesis Kap. 5 (Dorpat 1895) 10 ff. und dazu
Köhler, NkZ 1894, 875 ff. 3. Der Flutbericht des Berosus in Excerpten erhalten bei Euse= 60

bius chron. armen. (ed. Aucher) I, 31—37. 48—50; praep. ev. IX, 11. 12 und Georgius
Syncellus (ed. Dindorf) I, 54 ff. 70 ff. Ueber den keilschriftl. Flutbericht s. G. Smith, Account of the deluge (London 1873); F. Lenormant, Le Deluge et l'Epopée Babylonienne
(Paris 1873); Buddensieg, Ueber eine vormosaische Sintfluthversion JbTh 1873, 69 ff.; Haupt
5 bei Schrader, Die Keilinschriften u. d. AT², 55—79 (mit Verbesserungen in Beitr. zur semit.
Sprachwiss. I, 122 ff.); Jensen, Kosmol. (1890) 367—446; Zimmern bei Gunkel (Schöpfung
und Chaos 1895) 423—428; Bezold, Ninive und Babylon (Bielefeld und Leipzig 1903) 106 ff.
4. Ueber das gegenseitige Verhältnis des babylonischen und bibl. Flutberichts: Buddensieg,
Die bibl. u. chald. Sintflutversion ZlWL 1880, 347 ff.; Zöckler, Ninives u Babylons Zeugnis
10 f. d. Geschichtsinhalt des ATs ib. 1880, 300 ff.; Zimmern, Bibl. u. babyl. Urgeschichte² (Leipzig
1903) 32 ff.; Schrader, Die Keilinschr. u. d. AT³ von Zimmern u. Winckler 545 ff.; Dillmann, ABA 1882, 436 ff.; ferner die betr. Abschnitte der im Verlauf des Babel-Bibel-Streits
1902 u. 1903 erschienenen Schriften von Friedr. Delitzsch (Babel u. Bibel); Oettli (Der Kampf
um Babel u. Babel); E. König (Bibel u. Babel); Jeremias, Im Kampf um Babel u. Bibel; Kittel
15 (Die babyl. Ausgrabungen und die bibl. Urgeschichte); Budde (Das AT und die Ausgrabungen);
Hommel (Die altorientalische Denkmäler u. d. AT); Gunkel (Israel und Babylonien. Der Einfluß Babyloniens auf die israelitische Religion); Dieckmann, Das Gilgamis-Epos in seiner
Bed. f. Bibel u. Babel (Leipzig 1903); Köberle, Babylon, Babel u. bibl. Religion (München
1903); Lehmann, Babyloniens Kulturmission L. 1903. 5. Ueber den Segen Noahs Reinke,
20 Beitr. zur Erkl. d. ATs IV, 1 ff.; G. Baur, Gesch. der alttest. Weissagung 1861, 171 ff.;
Hengstenberg, Christol. I, 23 ff.; Ewald, Jahrbb. IX, 19 ff.; Hofmann, Weiss. u. Erf. I, 88 ff.;
Schriftbew.² II, 2 S. 512 ff.; Budde, Bibl. Urgesch. 299—370 u. 506—516; Halévy, Recherches Bibliques VIII, 170 ff. (Revue des Etudes Juives XIII, 1886).

Die Benennung Sündflut ist eine volksetymologische Umdeutung für das ursprüngliche
25 Sinvluvt, Sindvluot, Sinfluot, Sindflut, Sintflut d. i. große Flut. Luther schreibt noch in
seiner letzten Bibelausgabe Gen 6, 17; 7, 10 Sindflut. Ueber Noah in der apokalyptischen
Litteratur des späteren Judentums, in welcher er neben Henoch eine hervorragende Rolle spielt,
f. Riehms Handwörterb. d. bibl. Alterth. u. d. A. Noah.

Noah (נֹחַ, Nῶε, bei Josephus Nῶεος), mit dessen Namen die Erinnerung an die
30 Sintflut verknüpft ist (vgl. Jes 54, 9: מֵי־נֹחַ), war nach Gen 5, 28 f. der Sohn des
Lamech, des neunten in der sethitischen Geschlechtsreihe, er selbst der zehnte und letzte in
dieser Reihe, von seinem Vater bei seiner Geburt mit den Worten begrüßt: „Dieser wird
uns Trost schaffen (יְנַחֲמֵנוּ) von unserer Arbeit und der Mühsal unserer Hände von dem
Erdboden her, den verflucht Jahwe" (5, 29). Nicht etwa der Freude verspricht sich Lamech
35 von diesem Sohne, Freude, die ihn über das Leid eines mühevollen Lebens hinweghebt,
sondern seine Worte lauten dahin, daß in Bezug auf die Mühseligkeit des Lebens auf
der von Gott verfluchten Erde durch diesen Sohn eine Wandlung erfolgen werde. Darum
nennt er ihn נֹחַ, ein Name, der auf Ruhe, auf Abhilfe von Beschwerde hinweist. Eine
genaue Etymologie giebt das יְנַחֲמֵנוּ nicht. Der Name נֹחַ soll, wie in der Regel die
40 Eigennamen, nur eine Erinnerung oder Hindeutung an den beabsichtigten Gedanken sein.

Noahs Leben fällt nach der biblischen Erzählung in eine Zeit allgemeinen sittlichen
Verderbens. Auf die Art dieser Entartung läßt uns die Erzählung aus den sogenannten
noachitischen Geboten (Gen 9) zurückschließen. Wenn solche neue Lebensordnungen, wie
wir sie dort finden, nötig geworden sind: so muß wildes Blutvergießen, Nichtachtung des
45 Lebens, es sei nun des menschlichen oder tierischen, geherrscht haben; daneben aber auch
— darauf weist uns die rätselhafte Erzählung Gen 6, 1 ff. hin — eine Entartung des
geschlechtlichen Verhältnisses, welche den menschlichen Natur in der Integrität ihres Wesens
bedrohte. Daher der göttliche Beschluß, das Menschengeschlecht hinwegzutilgen. Wenn
Gott in diesem Zusammenhang v. 3 redend eingeführt und ihm das Wort in den Mund
50 gelegt wird, daß er dem Geschlecht noch eine Frist von 120 Jahren setze — denn nur
dies kann der Sinn der Stelle sein, nicht aber, daß die menschliche Lebensdauer fortan
auf so viele Jahre eingeschränkt werden solle —, so ist dies nur eine andere Form der
Erzählung statt der Angabe, wie lange vor dem Eintritt der Flut Noah Offenbarung
über sie empfangen. Nach 7, 11 begann die Flut im 600. Lebensjahre Noahs; sonach
55 hat diese Offenbarung stattgefunden, als er 480 Jahre alt war. Dieses 600. Lebensjahr
Noahs, in welchem das Strafurteil in Vollzug trat, ist nach hebräischem Text das 1656.
nach Erschaffung des Menschen, das 2242 nach den LXX, das 1307. nach dem Samaritaner. Über diese Zahlen s. w. u.

Mit dem 9. Vers des 6. Kap., wo Noah ein אִישׁ צַדִּיק תָּמִים genannt wird, ein voll-
60 kommener Mann d. h. an seinen Gott hingegeben mit Herz und Sinn, mit Wort und
That, „gerecht" im Gegensatz zu seinen Zeitgenossen, setzt die Flutgeschichte ein, deren
Darlegung bis 9, 17 reicht. Daß in dieser Darstellung zwei Berichte ineinandergearbeitet

sind, unterliegt keinem Zweifel und ist schon daraus zu ersehen, daß der Einzug Noahs in die Arche mit den Seinen und den Tieren 7, 7—9 und dann noch ein zweitesmal 7, 13—16a erzählt wird. Wir vergegenwärtigen uns den Inhalt beider. Der eine, für den der Gottesname יהוה charakteristisch ist, erzählt von dem Befehl Gottes an Noah, mit seiner Familie in die Arche zu treten und von den reinen Tieren je 7 (Individuen 5 d. h. drei Paare und ein viertes — zum Opfer 8, 20 — bestimmtes Tier), von den unreinen je ein Paar mithineinzunehmen, da er in 7 Tagen einen vierzigtägigen Regen behufs Vertilgung alles Bestehenden vom Erdboden hinweg bringen werde. Noah folgt dieser Weisung (7, 1—5), begiebt mit den Seinen und dem Getier die Arche. Nach sieben Tagen beginnen die Wasser der Flut (v. 7—10) und der Platzregen kommt über 10 die Erde 40 Tage und 40 Nächte (v. 12). Hinter dem eingetretenen Noah verschließt Gott die Arche (v. 16b), welche in den 40 Tagen von den Wassern gehoben hoch über der Erde schwebt (v. 17). Nachdem alles Lebendige außer Noah und dem, was mit ihm . in der Arche war, umgekommen (v. 22 u. 23), wird dem Regen Einhalt gethan (8, 2b. 3a). Nach den 40 Tagen öffnet Noah das Fenster der Arche und entsendet den Raben. Dieser 15 fliegt hin und her, bis die Erde ganz trocken ist; aber in die Arche zurück kommt er nicht mehr. Da läßt Noah eine Taube fliegen, die zu ihm zurückkehrt, weil sie keinen Ruhepunkt findet. Nach sieben Tagen läßt er eine zweite Taube hinaus, die mit einem Ölblatt im Schnabel zurückkommt; endlich nach abermal sieben Tagen entläßt er die dritte Taube, die nicht mehr zu ihm zurückkehrt (v. 6—12). Da deckt Noah das Dach des 20 Kastens ab und sieht, daß die Erde trocken geworden 13b. Er erbaut einen Altar und bringt von den reinen Tieren und Vögeln Gotte Brandopfer dar. Gott nimmt das Opfer wohlgefällig an und beschließt in Anbetracht der dem Menschen nun einmal von Jugend auf anhaftenden Sündhaftigkeit, daß bis an das Ende der irdischen Geschichte kein Gericht von solcher Allgemeinheit, wie das der Flut gewesen, ergehen und den regel- 25 mäßigen Wechsel der Jahres= und Tageszeiten durchbrechen soll.

Dieser Bericht ist von einem anderen umschlossen, charakterisiert durch den Gottes= namen אלהים. Nach demselben ergeht an Noah, den „Gerechten" auf der „verderbten" Erde, die göttliche Weisung, ein hölzernes Haus zu bauen, geeignet, ihn mit den Seinen, sowie von jeder Tierart ein Paar nebst den erforderlichen Lebensmitteln aufzunehmen 30 und durch die Flut hindurchzuretten, die über die Erde kommen werde, um alles Leben= dige von ihr hinwegzutilgen (6, 9—22). Im 600. Lebensjahre Noahs, im 2. Monat, am 17. Tag des Monats, an eben dem Tag, an dem Noah mit den Seinen und den Tieren die Arche betritt, brechen „alle Brunnen der großen Tiefe" auf und „die Fenster des Himmels" öffnen sich, um die Flut über die Erde zu ergießen. Bis zum 150. Tage 35 währt das Steigen der Gewässer, die die Arche tragen und die Höhe von 15 Ellen über den höchsten Bergen erreichen, so daß alles auf dem Lande Lebende umkommt (7, 6. 11. 13—16a. 16—21. 23b. 24). Da gedenkt Gott der in der Arche Befindlichen; die Wasser nehmen ab; am 17. Tag des 7. Monats sitzt die Arche fest auf den Bergen von Ararat; am 1. des 10. Monats werden die Spitzen der Berge sichtbar; am 1. Tag des 40 1. Monats des 2. Jahres ist das Wasser von der Erde gewichen; und am 27. Tag des 2. Monats die Erde trocken, und erhält Noah die Weisung, die Arche zu verlassen (8, 1. 2a. 3b—5. 13a. 14—19). Mit dem göttlichen Segenswort, das an Gen 1, 28ff. er= innert (9, 1), der Übertragung der Herrschaft über die Tierwelt, wie Gen 1, 28, aber mit dem ausdrücklichen Verbot des Blutgenusses (v. 2—4); mit der Einräumung der 45 Macht über das Leben des Menschen, der seinesgleichen getötet hat (v. 5 ff.); endlich mit der Verheißung, daß kein Gericht mehr von solcher Allgemeinheit, wie das der Flut gewesen, über die Erde kommen solle (9, 8—17) schließt dieser Bericht. Daß beide Be= richte in den Hauptpunkten zusammenstimmen, ist unleugbar. Die Abweichungen betreffen nur Einzelheiten des erzählten Vorgangs. Es fragt sich auch, ob Differenzen, die man 50 gefunden, wirklich vorhanden sind. Man sagt, der eine Bericht (6, 19—20) wolle von jeder Tierart je zwei Exemplare aufgenommen wissen, der andere dagegen (7, 2) nur von allen unreinen Tieren, von allen reinen dagegen sieben. Aber sollte sich nicht die erstere Angabe als summarische, die zweite als genauere deuten lassen? Wenn wir dann in dem letzteren Bericht v. 8—9 lesen, daß „sie von allem reinen und unreinen Vieh 55 zu zweien zu Noah in die Arche" kamen, so widerspricht dies nicht der Angabe desselben Berichts 7, 2; denn hier wird ja nicht gesagt, daß nur je ein Paar von jeder Tierart aufgenommen sei, sondern es liegt vielmehr der Nachdruck darauf, daß sowohl die reinen als die unreinen Tiere paarweise vertreten gewesen seien, also ebensoviel männliche wie weibliche Exemplare (vgl. 7, 16) Die in dem einen Bericht gemachte Unterscheidung 60

zwischen reinen (zur Nahrung, zu Opfern geeigneten) und unreinen Tieren ist älter als das mosaische Gesetz und findet sich auch außerhalb des jüdischen Volks (s. Strack zu Gen 7, 2). Von Bedeutung wäre es, wenn die Flut nach dem einen Bericht von viel kürzerer Dauer wäre, als nach dem anderen. Aber ist dem wirklich so? Hat sie nach
5 dem einen Bericht nur 61 Tage, nach dem andern hingegen ein Jahr und 10 oder 11 Tage gewährt? Diese Frage wäre zu bejahen, wenn die Zeitbestimmung 8, 6 auf 7, 17 zu-rückzubeziehen wäre. Aber dies ist unthunlich; denn nach Stracks richtiger Bemerkung müßte dann 1. der Artikel stehen (vgl. 7, 10 mit 7, 4); 2. setzt auch der jahvistische Bericht 7, 23 eine Überschwemmung der ganzen von Menschen bewohnten Erde deutlich
10 voraus, kann also nicht sofort nach dem 40tägigen starken Regen durch Noah einen Vogel aussenden lassen. Sonach hat auch nach ihm die Flut länger gewährt als 61 Tage (40 Tage des Regens und 21 des Wartens). Die 40 Tage des Wartens hier entsprechen
. den 40 Tagen des starken Regens, während deren die Flut ihre 110 Tage anhaltende Höhe erreichte. Man hat gemeint, daß, weil unter den Israeliten vor dem Auszug aus
15 Aegypten eine andere Jahresrechnung bestanden habe, so sei der 2. Monat, in welchem laut 7, 11 die Flut angehoben, im Sinne der früheren Rechnung zu verstehen, wonach der 2. Monat der nachmals 8. gewesen. An die Stelle eines herbstlichen Anfangs des Jahres sei ja mit dem Auszug aus Agypten ein Frühjahrsanfang getreten. Allein es liegt kein zureichender Grund zu der Annahme vor, daß die Erzählung hier in dieser
20 früheren Zeit die Monate in anderem Sinne rechne, als in welchem die Leser jetzt die-selben zu rechnen gewohnt waren. Denn die Thatsache, daß diese Jahresrechnung erst mit dem Auszug aus Agypten begonnen hat, kann ja nicht beweisen, daß die Erzählung bis dahin, wo sie zur Darstellung des Auszugs aus Agypten kommt, einer jetzt nicht mehr bräuchlichen Jahresrechnung sich bedient habe. Also wird es so gemeint sein, daß
25 die Flut am 17. Tag des Monats Ijjar begonnen und bis zum 27. Tage desselben Monats im nächsten Jahre gedauert habe. Was für ein Jahr aber das der Flut ge-wesen, ob ein Mondjahr oder ein wirkliches oder ein approximatives Sonnenjahr, läßt sich aus den Angaben nicht mit Bestimmtheit ersehen. Denn es ist zwar gesagt 7, 24 und 8, 3, daß das Steigen des Wassers 150 Tage gewährt habe. Aber die nächste Zeit-
30 angabe lautet 8, 4: Am 17. Tage des 7. Monats. Hier weiß man nun nicht, wie viele Tage von den 150. an zu zählen sind. Denn um dies zu wissen, müßte zuerst fest-stehen, was für Monate gemeint sind, ob Mond- oder Sonnenmonate.

Daß unter der gegenwärtigen Welt des Menschen eine andere begraben liegt, die durch ihre Entartung das göttliche Gericht über sich herabrief, ist eine der Grundwahr-
35 heiten, welche die biblische Darstellung der Urgeschichte zum Ausdruck bringt. Die Flut, durch welche dieses Gericht sich vollzog, war universell, aber „nicht insofern, daß sie sich über die ganze Erdoberfläche erstreckt hätte, sondern nur insofern, daß von ihr alle Men-schen betroffen wurden". Der Ausdruck 7, 19: „alle hohen Berge, welche unter dem ganzen Himmel" braucht nicht buchstäblich gefaßt zu werden, sondern ist zu verstehen,
40 wie wenn es z. B. Gen 41, 57 heißt, „die ganze Erde" (wir sagen: alle Welt) sei nach Agypten gekommen, Speise zu kaufen (vgl. Franz Delitzsch z. d. St.). Der Bericht hat kein Interesse an der Allgemeinheit der Flut an sich, sondern nur an der Allgemeinheit des durch sie an dem ἀρχαῖος κόσμος (2 Pt 2, 5) vollzogenen Gerichts. Hiernach werden wir das Gebiet der Flut auf das von der damaligen Menschheit bewohnte Gebiet zu
45 beschränken haben. Einer weiteren Ausdehnung derselben bedurfte es der Natur der Sache nach nicht. Daß bis auf eine Familie das ganze damalige Geschlecht samt der Tierwelt in seinem Bereich in einem großen Umkreis der Erde vertilgt wurde: dies ist der centrale, den ganzen Bericht beherrschende Gedanke. Nur die buchstäbliche Auffassung von 7, 19 würde in einen Widerspruch mit der Naturwissenschaft verwickeln. Diese ist auch dadurch
50 ausgeschlossen, daß der Verf. des biblischen Berichts mit seinen Aussagen nur an Vorder-asien und etwa die Mittelmeerländer denken kann, da er ja von der Existenz der übrigen Welt keine Kunde hatte und schon darum nicht von den Ararat überragenden Bergen reden kann.

Ein so mächtiges, in drei Stockwerke gegliedertes Gebäude von 300 Ellen Länge,
55 50 Ellen Breite und 30 Ellen Höhe, wie die Arche war (hebr. תֵּבָה, nach Ges. Thes. 1491; Fleischer, Kl. Schriften I, 175 f. ägyptisches Lehnwort, nach Journ. asiat. 8, 12. 516 f.; Jensen, Ztschr. f. Assyriologie 4, 272 f. dem Babylonischen entnommen; LXX κιβωτός; Vulg. arca) bedurfte wohl 'eines so langen Zeitraums zu seiner Herstellung, wie er sich aus Gen 6, 3 ergiebt, besonders da ja Noah über so wenige Hände verfügte.
60 Tiele hat in seinem Kommentar zur Genesis berechnet, daß der Kubikinhalt der Arche

3 600 000 Kubikfuß betrug, und daß, wenn davon auch ⁹/₁₀ zur Aufbewahrung des nach Gen 6, 21 mitzunehmenden Futters verwandt wurden, das übrig bleibende Zehntel doch hinreichte, um beinahe 7 000 (genauer 6666) Tierarten (von jeder Art ein Paar und für das Paar 54 Kubikfuß gerechnet) Raum zu gewähren. Dabei ist natürlich in Anschlag zu bringen, daß alle Wassertiere von selbst ausgeschlossen waren und daß überhaupt nur an die Fauna des von den Menschen damals bewohnten Landes zu denken ist. Im Jahre 1609 baute der Mennonit P. Jansen zu Horn in Holland ein Schiff nach dem Muster der Arche, das zum Schiffen zwar unbrauchbar war, aber um ⅓ mehr Last als andere Schiffe gleichen Kubikinhalts zu tragen vermochte. Last zu tragen und trockenen Aufenthalt zu gewähren, war aber auch einzig die Bestimmung der Arche. Zum Segeln war sie nicht bestimmt. Laut 6, 16 hatte die Arche eine rundum laufende (nur durch die Tragbalken der Decke unterbrochene) Lichtöffnung (צֹהַר) in der Höhe einer Elle; in einer ihrer Längsseitenwände eine Thüre. Wie die mannigfaltigen Tierarten in die Arche zusammengeführt wurden, können wir uns aus der den Tieren eigenen instinktartigen Vorahnung und Vorempfindung zerstörender Naturereignisse wohl vorstellig machen; und um sie zu ernähren, dazu konnte Noah, wenn es sich nur um die Tierwelt seiner Umgebung handelte, gar wohl Anstalt treffen. Der Schrecken aber des gewaltigen Naturereignisses war mächtig genug, um sie in Schranken zu halten.

In dem jahvistischen Bericht, welcher der alten Erzählung angehört, die einsetzend mit der Urgeschichte (Gen 2, 4b) und der Zeit der Patriarchen den Zweck verfolgt, Israel über die großen Thaten seines Gottes zu belehren, der es durch die Erlösung aus Ägypten, die Gesetzgebung am Sinai, die Führung durch die Wüste und die Einpflanzung in Kanaan für seinen Beruf ausgerüstet hat — in diesem Bericht lesen wir, daß Noah, nachdem er die Arche verlassen, einen Altar errichtet und auf demselben von der mannigfaltigen Welt lebendiger Geschöpfe, die er durch die Flut hindurchgerettet, Gotte עֹלֹת dargebracht habe (8, 20). Dies ist bedeutsam; nicht zwar, daß Noah geopfert — denn das Opfer ist eine dem sündigen Menschen ebenso natürliche Bethätigung seiner selbst in seinem Verhältnis zu Gott, wie das Gebet —, wohl·aber, daß er einen Altar errichtet und daß es Brandopfer sind, die er darbringt. Von Beidem berichtet die Erzählung hier zum erstenmal. Der Altar ist eine Höhe — Ezechiel nennt ihn 43, 15 symbolisch Gotteshöhe —, die man Gotte entgegenbaut nach oben; und beim Brandopfer ist es darauf abgesehen, das Dargebrachte im Dufte des Feuers aufsteigen zu lassen nach oben. Daß jetzt in dieser Weise geopfert wird, hat im Sinne der Erzählung seinen Grund in einer durch das Gericht der Flut eingetretenen Veränderung. Das sichtbare Zeichen der göttlichen Gegenwart, wie es zuerst, vermittelt durch die Cherube, an jener Stätte des Landes Eden, von der wir Gen 2 lesen, und dann in einer dem sündig gewordenen Menschen zurückschreckenden Gestalt an der Schwelle desselben zu schauen war (3, 24), ist verschwunden. Die Erde, über welche das Gericht ergangen, ist nicht mehr Stätte der Gegenwart Gottes. Gott ist nun der Unsichtbare, der droben ist. Und so richtet sich denn nunmehr der Blick des Betenden und Opfernden nach oben, gen Himmel, zum Thronsitz Jahves, von wo er laut Pf 29, 10 das Flutgericht verhängt hat. So auch Noah, indem er in Brandopfern seinen Dank für Gottes gnädige Errettung, wie seine Bitte für die auf der neuen Erde neu beginnende Menschheit verkörpert. Was wir dann in dem anderen, den jahvistischen umrahmenden Bericht Kap. 9 als von Gott selbst geredet und für die mit Noah neu beginnende Menschheit angeordnet lesen, ist nichts anderes, als die in Form eines Gottesworts umgesetzte Erkenntnis von dem Verhältnis der noachitischen Menschheit zu der Welt um sie her, von der Beschaffenheit der jetzt anhebenden Zeit, wie sie Noah unter der Wirkung des Geistes Gottes innerlich aufging. Diese Erkenntnis geht 1. dahin, daß kein Vertilgungsgericht mehr von solcher Allgemeinheit, wie das der Flut gewesen, über die Erde ergehen soll. Der Regenbogen, den Noah im Gewölk des abziehenden Gerichts sieht, giebt ihm solche Gewißheit. Ihn deutet er in diesem Sinne. Eine weitere Erkenntnis ist 2. die, daß sich die Lebensbedingungen für die neu anhebende Zeit verändert haben. Während nach Gen 1 dem Menschen nur die Pflanzenwelt zur Speise angewiesen war, erhält er von jetzt an Macht über das Tier, nur daß er dessen Fleisch nicht in seinem Blute essen soll. Es giebt uns diese Bestimmung Aufschluß über den Mißbrauch, der von der untergegangenen Welt mit der Tierwelt getrieben worden war, ein Mißbrauch, den wir jetzt noch bei Völkern finden, die in tierische Rohheit versunken sind. Zum 3. wird bestimmt, daß des Menschen Blut an dem, der es vergießt, gerächt werden soll. Ist durch das Verbot des Blutgenusses der Rohheit gesteuert, die den Menschen zum Tiere macht, so durch die Anordnung der Bestrafung des

Mörders der Gewaltthat, welche den Nebenmenschen wie ein Tier behandelt· und nicht
wie das nach dem Bilde Gottes geschaffene Wesen. Beide Anordnungen bilden die
Grundlagen der Gesittung und des Rechts. Diese Mächte des menschlichen Gemeinlebens haben an der noachitischen Gottesordnung ihre Voraussetzung. Mit derselben
aber geht die Gemeinschaftsform der Familie, die bis dahin nach biblischer Anschauung
die einzige gewesen, über sich selbst hinaus. Die Menschheit, der die noachitische Gottesordnung gilt, wird in der Form der staatlichen Gemeinschaft ihr Leben führen. — An
Gen 9, 1 ff. knüpft die jüdische Synagoge das an, was sie „die sieben Gebote Noahs"
nennt, welche ihr zufolge vorschreiben 1. sich der Abgötterei, 2. der Gotteslästerung,
3. des Todschlages, 4. des Ehebruchs, 5. des Diebstahls zu enthalten, 6. Gerechtigkeit zu handhaben und 7. kein Blut zu essen (vgl. Abodah sarah von F. Chr. Ewald
[Nürnberg 1856] S. 9). Die Einhaltung dieser Gebote wurde von den „Proselyten des
Thores" gefordert. Die AG 15, 20 und 29 den Heidenchristen auferlegten vier Enthaltungen haben, was beiläufig bemerkt sei, mit diesen noachitischen Geboten nichts zu
thun. Denn letztere decken sich nicht mit dem, was Jakobus den heidnischen Christen
anbefehlen heißt.

Von den über den ganzen Erdball verbreiteten Flutsagen ist für uns von besonderem
Interesse wegen seiner frappanten Anklänge an die biblische Erzählung der seit 1872 bekannte keilinschriftliche babylonische Flutbericht, durch den die Richtigkeit der Angaben des
babylonischen Priesters Berosus (s. o. u. Litt.) bestätigt wird. Dieser babylonische Bericht
bildet einen Bestandteil und zwar den 11. Gesang eines großen babylonischen Nationalepos,
dessen Held Gilgamisch ist, dem sein Ahnherr Sitnapischtim, der babylonische Noah,
die Geschichte von der Sintflut und seine wunderbare Errettung mitteilt. Die Erzählung
beginnt mit einem Beschluß der Götter, über die Menschheit ein Strafgericht zu verhängen. Gott Ea macht den Helden, dessen Stadt Schurippak heißt, im Traum Mitteilung von der bevorstehenden Sturmflut und heißt ihn, ein Schiff bauen und sich und
seine Familie darin retten. Dem göttlichen Befehl gehorsam baut er das Schiff, belädt
es mit Silber, Gold und „Lebenssamen" aller Art, bringt in dasselbe seine ganze Familie
und alle seine Angehörigen, dazu auch Vieh und Getier des Feldes und verschließt auf
ein mit ihm von dem Gott verabredetes Zeichen die Thür des Fahrzeugs. Nun beginnt
der Flutsturm, so gewaltig, daß selbst die Götter in Furcht geraten und sich zusammen-
kauern „wie ein Hund". Sechs Tage und Nächte dauern Sturm und Wetter; am 7.
tritt Ruhe ein. Nach dem Lande Nisir steuerte das Schiff; der Berg dort hielt es fest
und ließ es nicht mehr los. Am 7. Tage nach der Strandung ließ der Held die Taube
ausfliegen, die aber, weil sie keinen Ruheplatz fand, zurückkehrte; auch die Schwalbe kam
wieder; der Rabe aber blieb draußen. Da ließ er (alles) hinaus und ließ den Winden,
errichtete einen Altar auf der Höhe des Berggipfels und brachte ein Opfer, dessen Duft die
Götter, sich wie Fliegen beim Opferer sammelnd, begierig einsogen. Nur der Gott Bel
ergrimmte darüber, daß seine Absicht, die Menschenwelt zu vertilgen, unausgeführt geblieben sei, wurde aber von Ea beschwichtigt, der ihm vorhält, daß es unrecht sei, Unschuldige mit den Schuldigen büßen zu lassen; und daß es noch andere Strafmittel gebe,
wie wilde Tiere, Hungersnot und Pestilenz. Nun besteigt Bel das Schiff, segnet Sitnap-
pischtim und sein Weib und erklärt, daß beide zusammen fortan zu den Göttern erhoben,
sein sollen und daß S. wohnen soll in der Ferne, an der Mündung der Ströme. „Da
trugen sie mich fort — erzählt S. — und an einem fernen Ort, an der Mündung der
Flüsse setzten sie mich nieder."

Die Berührungen zwischen dieser altbabylonischen und der biblischen Erzählung sind
handgreiflich, und zwar verteilen sich die Berührungen dieser mit jener auf beide Berichte,
die wir unterschieden haben, den jahvistischen und den elohistischen. Aber bei aller Ähnlichkeit — welche Verschiedenheit hier und dort! Was uns zunächst auffällt, ist der krasse
Polytheismus, von dem die babylonische Darstellung durchzogen ist; dabei solch abstoßende
Züge, wie das Verhalten der Götter während der Sturmflut und in Anlaß des dargebrachten Opfers. Ferner tritt in der babylonischen Flutsage die ethische Auffassung
stark zurück. Erst am Schluß läßt sie durchblicken, daß der Zorn der Götter über den
Frevel der Menschen die eigentliche Ursache der Flut war, und die Vernichtung alles
Lebendigen wesentlich als einen Willkürakt der Götter, speziell des Bel erscheinen. Die
biblische Erzählung ist dagegen ausgezeichnet durch ihren streng sittlichen Charakter. Endlich ist der ganze Färbung des keilinschriftlichen Flutberichts eine spezifisch babylonische.
Ein babylonischer König, eine babylonische Stadt spielen darin eine Rolle; und nach
der Flut wandern die Geretteten wieder nach Babylonien zurück, um dort alles in der

früheren Weise einzurichten. Was den Flutsagen anderer Völker eigentümlich ist, das finden wir auch hier. Sie geben der Thatsache, um die es sich handelt, eine Oertlichkeit, die zu ihrem Wohnort paßt, und bringen sie mit dem Ursprung des betreffenden Volkstums in Zusammenhang. In der biblischen Erzählung ist dies nicht der Fall. Die Urgeschichte des israelitischen Volks hat mit der Gegend nichts zu schaffen, wo Noah die Arche verlassen haben soll. Nach dem biblischen Bericht strandet sie auf den „Bergen von Ararat": eine Angabe, die uns in die Araxesebene weist — welche der Name Ararat ursprünglich bezeichnet zu haben scheint (2 Kg 19, 37), um dann auf den dort gelegenen Doppelberg übertragen zu werden, — während die babylonische Sage, die den Berg des Landes Nisir · als Landungsort nennt, weiter südlich in die Gegend östlich vom Tigris jenseits des unteren Zab führt. — Vgl. über Ararat, Raumer, Palästina⁴, 456 ff.

Aber wie erklären sich nun die Zusammenklänge, die bei einer Vergleichung der hebräischen und der babylonischen Flutvorstellung in unser Ohr fallen? Die Ansicht, daß „beide biblische Sintflutberichte erst im Exil mit Kenntnis der babylonischen Sage verfaßt" seien, ist unhaltbar. Denn daß das jahvistische Buch vorexilisch ist, steht fest; und gesetzt auch, daß der sogenannte Priesterkodex, als dessen Bestandteil der elohistische Flutbericht gilt, exilisch wäre: so viel wird doch zugestanden werden müssen, daß „er seine Bilder der Vorzeit nicht aus der Luft greift, sondern aus alten Quellen schöpft". Wie wäre es auch denkbar, daß die jüdischen Exulanten in Babel aus den Überlieferungen ihrer babylonischen Zwingherren sich ganze Stücke, wie den Flut- und den Schöpfungsbericht, aneigneten! Aber auch die Annahme, daß die urgeschichtlichen Sagen der Bibel etwa um die Mitte des 2. vorchristlichen Jahrtausends während des regen internationalen Verkehrs, der damals zwischen Babylonien und dem Westen stattgefunden, nach Palästina gekommen und durch die später dort eingewanderten Israeliten übernommen und in monotheistischem Sinn umgestaltet worden seien — auch diese Annahme ist abzulehnen. Denn wenn wir einen Josua in seinen letzten Reden und Ermahnungen das Volk nachdrücklichst vor der Vermischung mit den Kanaanäern warnen, wenn wir dann Richter und Propheten, das „stets lebendige Gewissen" des Volkes, gegen den Abfall von Jahve, wenn er eintrat, eifern hören: ist dann die Herübernahme von Sagen, wie der babylonischen, aus der Hand der Baalsverehrer, als welche uns die biblische Erzählung die Kanaanäer schildert, denkbar? Und wie läßt sich von einer Umgestaltung reden, da sich die biblische Fassung von vornherein „nicht etwa als eine Parallele zu der Erzählung der babylonischen Priester, die nur vom streng monotheistischen Standpunkt aus gewisse Läuterungen sich hätte gefallen lassen müssen", darstellt, sondern überhaupt von einem ganz andern Geist getragen wird. Bei aller Übereinstimmung in einzelnen Zügen sind beide Überlieferungen der Substanz und dem Geiste nach, der sie gestaltet hat, grundverschieden. Und dies erklärt sich nur dann, wenn es sich um parallele, auf eine gemeinsame Urquelle zurückgehende Entwickelungen handelt, um eine gemeinsame Tradition, die sich die Erinnerung fortpflanzte an eine große Flutkatastrophe, die in vorgeschichtlicher Zeit Vorderasien und die umgrenzenden Länder betroffen hat, und die sich dann je nach der nationalen und religiösen Eigentümlichkeit des Volkes, in dem sie lebte, verschieden gestaltete, auf babylonischem Boden zum Naturmythus ausreifte, auf israelitischem unter dem Einfluß des dort waltenden Geistes die Gestalt annahm, die sie uns in der Genesis entgegentritt. Diesen Überlieferungsstoff, die Flut betreffend, haben die Hebräer bei ihrer Wanderung aus dem Osten nach Kanaan mitgebracht. Nach dem biblischen Bericht zieht Abram von Ur in Chaldäa über Charran in dieses Land. Nun verweist man ja freilich auf die Gestalten der Patriarchen in das Reich des Mythus. Aber — um hier nur dies hervorzuheben — die Tradition der Hebräer unterscheidet klar und deutlich von der mosaischen Periode eine vormosaische ihrer geschichtlichen Entwickelung, indem sie uns in der religiösen Würde der Väter den Grund erkennen lehrt, warum gerade das Volk ihrer Nachkommenschaft und kein anderes durch Mose zur Gemeinde Gottes unter den Völkern ward.

Das jahvistische Stück 9, 18—27 berichtet jenen Vorgang in der Familie Noahs, in welchem zuerst wieder in dem neu beginnenden Leben der Menschheit ein ähnlicher Gegensatz, wie jener anfängliche in Kain und Abel, zu Tage trat. Eben deßhalb aber ward dieser Vorgang dem Ahnherrn des neuen Menschengeschlechts Anlaß zu solch einem Spruch, wie er ihn über seine drei Söhne that. Die Ordnung, in der sie hier genannt werden (Sem, Ham, Japhet), entspricht nicht der Altersfolge, da Sem nach 10, 21 der älteste und Ham nach der hier folgenden Erzählung der jüngste ist. Noah pflanzte laut 9, 20 nach

der Flut, weil er ein Ackersmann gewesen, einen Weinberg. Wein ist ein Erzeugnis der
neuen durch die Flut veränderten Erde. Indem Noah dieses herzerfreuende Gewächs
(Pf 104, 15) pflanzte, erfüllte sich in ihm die Hoffnung seines Vaters. Sofern er aber
der unbekannten Kraft des Weines unterliegt, zeigt sich ebenso deutlich, daß er noch nicht
5 der Urheber der vollkommenen Befreiung von aller Mühsal (5, 29) sein kann. Trunken
wird er Gegenstand der pietätlosen Verhöhnung seines Sohnes Ham, während die beiden
anderen Söhne ihre Pietät an den Tag legen: eine Verschiedenheit des Verhaltens,
welche des Vaters in Segen und Fluch sich äußerndes Wort über die Söhne bestimmt.
Was Ham, der jüngste Sohn Noahs gethan hat an seinem Vater, soll dem Ham an
10 seinem jüngsten Sohn, an Kanaan, wieder heimkommen. Hierin läge nur dann eine
Ungerechtigkeit, wenn man von der Meinung ausginge, als machte das prophetische Fluchwort den Kanaan zu einem Verfluchten im Gegensatz zu seiner gegebenen sittlichen Disposition. Aber gerade das Umgekehrte ist wahr. Der Fluch wird auf ihn gelegt — so
dürfen und müssen wir annehmen — auf Grund einer vorhandenen sittlichen Beschaffen-
15 heit, vermöge deren es göttliche Gerechtigkeit war, daß er ihn betraf. Es war Kanaans
eigene Schuld, daß seines Vaters unsittliche Disposition in ihm sich weiter realisierte;
und weil der Fluch seiner sittlichen Disposition kongruent war, so war er auch ihm
gegenüber gerecht, so wie er gerecht war gegenüber seinem Vater. Und Noahs prophetischer Tiefblick war es, der in Kanaan diese Disposition erkannte, in ihm nicht bloß
20 als Einzelnen, sondern als Stammvater eines Geschlechts, das von ihm aus gleichwie
physisch, so auch ethisch bedingt ist. Daß wir ein Recht haben, jene ethische Disposition
in Kanaan anzunehmen, obgleich in Noahs Wort nicht davon die Rede ist, beweist die
Geschichte der Nachkommenschaft Kanaans, in der jener Zug der Schamlosigkeit, jene geschlechtliche Korruption, die wir auf Grund unserer Stelle bei ihm als dem Sohn seines
25 Vaters annehmen und postulieren müssen, als geschichtliche Thatsache vorliegt. Ebenso
nun, wie das Fluchwort über die Person Hams hinausgeht und dessen Sohn betrifft,
ihn zu einem Knecht seiner Brüder (עבד v. 27—28 = עבדים) erniedrigend, so geht auch
das nächste Segenswort über die Person Sems hinaus und bezieht sich zunächst auf
Jahve, den Gott Sems. Noah preist den, welcher ihm in Sem einen besseren Sohn
30 gegeben. Indem er aber Jahve nach diesem Sohn benennt, sagt er zugleich, daß Sem
diesen Gott, der Jahve genannt wird, in sonderlicher Weise zu seinem Gott haben wird
— der erste Hinweis auf die nachmals erfolgte Herstellung eines Volkes der Offenbarung,
zu welchem Gott in einem Verhältnis steht, wie zu keinem andern. Von Japhet heißt
es, daß Gott ihm weiten Raum schaffen (יפת) d. i. ihn über weite Ländergebiete aus-
35 breiten wird. Wenn sich nun daran schließt וגו׳ וישכ, so bilden diese Worte einen zu
auffälligen Gegensatz zu dem יפת רבו׳, als daß nicht das sonderliche Glück Sems dem
des Japhet gegenüber bezeichnet werden sollte. Dann wird aber אלהים Subjekt auch von
וישכ und der Sinn der ganzen Aussage der sein, daß Gott dem Japhet die weite Welt
zur Wohnung giebt, die Wohnung Sems aber zu seiner eigenen macht. Sein Vorzug
40 ist, daß, wenn Gott wieder Wohnung macht auf Erden (f. das oben zu Noahs Brandopfer Bemerkte), sein Gezelt es ist, in dem dies geschieht. Diese dem Sem gegebene Verheißung
weist schon hinaus auf das Ziel, dem die Geschichte der nachflutlichen Menschheit entgegengeht. Das Endziel ist die Rückkehr Gottes in ihre Gemeinschaft. Die Stätte aber, wo sie
erfolgt ist, Sems Gezelt. Japhets Segen lautet auf die Zeit zwischen jetzt und dem
45 verheißenen Ziel. Da nimmt er die Welt weit und breit in Besitz. Will er aber sehen,
wie Gott zu den Menschen kommt, so muß er nach Sem schauen. Verschiedenes Geschick
also ist es — dies lehrt uns Noahs Wort —, das die Zweige der neu beginnenden
Menschheit auf dem Wege zu dem Ziele haben werden, welchem Gott die Geschichte ent-
gegenführt. Diese Verschiedenheit aber kann nur eintreten, wenn diese Zweige ausein-
50 andergehen. Wie letzteres geschehen, lernen wir aus der Gen 11 erzählten Entstehung
des Völkertums. Was den auf Kanaan gelegten Fluch der Knechtschaft betrifft, so bestätigt das Wort des Patriarchen die Geschichte. Die Kanaaniter wurden schon unter
Josua von dem zu Sems Geschlecht gehörenden Israel teils ausgerottet, teils zum niedrigsten Sklavendienst verurteilt (Jos 9, 21 ff.; vgl. Ri 1, 28. 30. 33. 35) und ihr Rest
55 wird von Salomo dem gleichen Geschick unterworfen (1 Kg 9, 20 f.). Die zu Kanaan
gehörenden Phönizier nebst den Puniern und Ägyptern wurden von den zu Japhets
Geschlecht gehörenden Persern, Mazedoniern und Römern unterjocht; und die übrigen
semitischen Völkerstämme teilten entweder dasselbe Los oder seufzen noch jetzt wie z. B.
die Neger und andere afrikanische Stämme mit der Sünde ihres Stammvaters unter dem
60 Joch der drückendsten Sklaverei.

Wir haben das Wort Noahs als das genommen, als was es sich giebt, als eine Weissagung, betreffend das zukünftige Geschick seiner Söhne und der von ihnen stammenden Geschlechter. Dieser Auffassung steht eine andere gegenüber, nach welcher das Stück 9, 20—27 „in prophetischer Fassung geschichtlich wirkliche Verhältnisse" ausdrückt, nicht Personen, sondern Völker und deren geschichtlich gewordenes Verhältnis im Auge hat, also ein vaticinium ex eventu ist. Aber diese Annahme verwickelt in nicht geringe Schwierigkeiten. Denn wenn z. B., wie man gemeint hat, die in Rede stehende Erzählung ersonnen sein sollte, um den Haß der Israeliten gegen die Kanaaniter als gerecht darzustellen und alle Folgen desselben zu rechtfertigen: so wäre nicht zu begreifen, warum bei der Thatsache, die den Fluch begründet, Ham beteiligt ist und nicht vielmehr Kanaan. Wenn man ferner — wie die meisten neueren Ausleger — Japhet zum Subjekt von יַפְתְּ. macht und, indem man die Worte von einer „Siedlung" Japhets in Sems Hütten versteht, an ein friedliches Zusammenwohnen von Japhet-Völkern und Semiten denkt, entsprechend dem gemeinsamen Handeln der Väter Sem und Japhet: so lassen sich in der Geschichte keine Thatsachen auffinden, die dem Verf. dabei vorgeschwebt haben könnten. Vermutungen endlich, wie die, daß er bei Japhet die Philister im Auge gehabt habe oder daß die in Rede stehenden Worte auf 1 Kg 9, 11—13 (das Zusammenwohnen von Israeliten und Phöniziern im Bezirk Kabul) zu beziehen sein, bedürfen keiner Widerlegung.

Noah ist in der Urväterliste Gen 5 der zehnte. Nun soll — sagt man — die babylonische Liste von zehn Urkönigen, die uns in der griechischen Übersetzung des Berosus erhalten ist, mit jener zehngliedrigen Urväterliste im engsten Zusammenhang stehen, die zehn babylonischen Könige vor der Flut als die zehn vorsintflutlichen Urväter „Aufnahme in die Bibel" gefunden haben. Aber hier wird doch der Unterschied nicht übersehen werden dürfen, daß es sich bei Berosus um Königsregierungen handelt, welche die babylonische Chronologie zählt, Gen 5 aber um Stammväterleben d. h. das Leben des menschlichen Geschlechts; die zehn babylonischen Könige sind gar nicht alle als Vater und Sohn verbunden. Die Darstellung Gen 5 folgt ganz anderen leitenden Ideen als Berosus, wie eben das Fehlen der Filiation bei letzterem zeigt. Es läßt sich darum nicht behaupten, daß die zehngliedrige Liste Gen 5 die Bekanntschaft mit den zehn babylonischen Herrschern zu ihrer notwendigen Voraussetzung habe. Ewald, die Kainiten Lamech mit seinen drei Söhnen Gen 4, 19 ff. und Noah mit seinen drei Söhnen kombinierend, meint, daß hier verschiedene Anschauungen von den Ausgängen des vorsintflutlichen Geschlechts vorliegen. In dem einen Fall werde die Menschheit in ihrer Entartung vorgestellt; in dem andern werde die Geschichte fortgeführt bis zu dem Gerechten, der die Welt rette (Gesch. d. Volkes Israel. Vorbereitung und Vorgeschichte 386 f. und 390 f.). Nun ist ja in dem Kainiten Lamech der titanenhafte Trotz ausführlich geschildert; aber von Ausschreitungen seiner drei Söhne ist nichts berichtet. Nennt sie doch Ewald selbst die Urheber der drei Stände des geordneten bürgerlichen Lebens! Hiernach müßten sie es gewesen sein, mit welchen nach der Flut das neue Geschlecht wieder anhebt. Denn Stände finden sich nicht, wo nicht schon von der Ordnung des Familienlebens fortgeschritten ist zu der des Volkslebens. Es ist aber eine der bedeutsamsten Eigentümlichkeiten der biblischen Erzählung, daß die Art der Gemeinsamkeit menschlichen Gemeinlebens vor und nach der Flut so charakteristisch verschieden ist: vor ihr die Gemeinschaftsform der Familie, nach ihr die des Volkstums. Ganz anders die außerbiblische Sage! Nach der babylonischen haben schon vor der Flut Könige geherrscht; Deukalion, der Noah der griechischen Sage, ist König gewesen in dem Gebiet um den Parnaß, der indische Noah heißt ein Fürst seiner Landschaft. Diesen gewichtigen Unterschied zwischen dem biblischen Bericht und der außerbiblischen Sage verkennt Ewald, auch darin irrend, daß er Lamechs drei Söhne Jabal, Jubal und Thubal Kain als die Urheber dreier verschiedener Stände genannt glaubt, während es sich doch in Wahrheit bei dem, was Gen 4 von ihnen gesagt wird, um nichts weiter handelt, als um drei verschiedene Weisen der Beschäftigung.

Wie bereits bemerkt, fällt nach dem massoret. Text der Beginn der Flut in das 600. Lebensjahr Noahs, der nach der Flut noch 350 Jahre lebt und in seinem 950. Jahre stirbt. Sein 600. Lebensjahr ist das 1656. Jahr nach Erschaffung des Menschen, während der Samaritaner von Adam bis zur Flut 1307 Jahre zählt, die LXX 2242. Daß der hebräische Text die älteste ursprüngliche Berechnungsweise erhalten hat, dürfte keinem Zweifel unterliegen (vgl. Pfeil a. a. O. 4 ff.). Aber gegen seine Zahlen wird auf Grund der Angaben der ägyptischen und assyrisch-babylonischen Denkmäler Widerspruch erhoben. Während nach denselben auf die Zeit vor Christus 4000 Jahre entfallen,

10*

glaubt die Ägyptologie und Affyriologie nachweifen zu können, daß um den Beginn des 4. Jahrtaufends v. Chr. fowohl in Ägypten als in Babylonien geordnete Staatswefen beftanden haben; daß es fchon um diefe Zeit femitifche Könige gegeben hat, die von Babylonien aus ihre Herrfchaft bis nach Syrien und Arabien erftreckten.   Nach der Genefis liegen zwifchen der Flut und der Einwanderung Abrams in Kanaan 365 Jahre: ein Zeitraum, der in der That ausreichend erfcheint, um fich während feines Verlaufs die Entftehung der komplizierten Verhältniffe zu erklären, die als zu Abrams Zeit nach der Erzählung der Genefis beftehend vorausgefetzt werden.   Man hat deshalb von der Notwendigkeit einer Erweiterung des chronologifchen Netzes der Genefis geredet.   Aber wer will fagen, wie diefelbe vorgenommen werden foll? Die Gefchlechtsregifter mit ihren Zahlen machen den Eindruck ftrenger Gefchloffenheit. Sollte hier nicht ein künftlicher Kalkül obwalten? Da fich, wenn man die Chronologie des hebräifchen Textes, der, wie bemerkt, von Adam bis zur Flut 1656 Jahre zählt, weiter bis zum Auszug Israels aus Ägypten verfolgt, 2666 Jahre ergeben d. h. ²/₃ von 4000 Jahren, fo hat man die Zahl 1656 als aus einem Syftem ftammend erklärt, das nach einer alten Tradition die Weltdauer bis zur Meffiaszeit zu 4000 Jahren (d. h. 100 Generationen zu je 40 Jahren) berechnete und ²/₃ diefer Gefamtdauer der Welt verfloßen fein ließ, als der Auszug mit der Gefetzgebung eine neue Periode begründete. Man hätte es dann mit einer Art Zahlenfymbolik zu thun und könnte fich darauf berufen, daß fich folche Symbolik auch fonft in der hl. Schrift findet, wie denn z. B. Mt Kap. 1 eine Gleichzahl der Namen in den drei Perioden, die er zählt, feftftellt, um auch hierdurch zu zeigen, daß mit der Erfcheinung Chrifti die Zeit erfüllt war. Diefe Auskunft ift anfprechend. Was dann fpeziell Kap. 5 betrifft, das mit Noah und feinen Söhnen fchließt, fo find es hier verhältnismäßig weniger die enormen Lebensdauern, welche befremden, als die erft fo fpät erfolgenden erften Zeugungen. Wenn Noah laut v. 32 erft im 500. Lebensjahr Vater wird, fo giebt dies zu denken. Und erwägt man weiter das Verhältnis der Zeugungsjahre zur Lebensdauer: bei Adam 130 und 930, bei Enos 90 und 905, bei Jered 162 und 962, bei Henoch 65 und 365: fo gelangt man zu der von Franz Delitzfch (a. a. O. S. 140) vertretenen Annahme, daß hier ein reflektierter Kalkül vorliegt, und zu dem Schluß, daß die Zahlen 930, 912, 905 u. f. f. Epochen der vorflutlichen Gefchichte bezeichnen, die nach ihren Hauptrepräfentanten benannt find, und daß der Zeitraum diefer Epochen auf das Einzelleben diefer Hauptrepräfentanten verteilt ift, als ob fich diefes über den ganzen Zeitraum erftreckt hätte. Vgl. übrigens d. A. Zeitrechnung.

Ez 14, 14 wird Noah mit Daniel und Hiob zufammengeftellt als der Gerechte inmitten eines verderbten Gefchlechts, der als folcher von dem allgemeinen Gerichte verfchont blieb. Im Neuen Teftament ift Noahs und der Flut gedacht Mt 24, 37 ff.; Lc 17, 26 f.; 1 Pt 3, 20 f.; 2 Pt 2, 5; 3, 6; Hbr 11, 7. Noah erfcheint dort wie τῆς κατὰ πίστιν δικαιοσύνης κληρονόμος, welcher die Seinen vom Untergang errettete, fo als κῆρυξ δικαιοσύνης, als Prediger der Gerechtigkeit für feine verderbten Zeitgenoffen; die Sintflut aber ebenfo als Vorbild des fchließlichen Gerichts, wie als Typus der Taufe und des aus dem Tode erftehenden Lebens. Zu vergleichen auch Stellen aus den Apokryphen wie Wei 10, 4 und Si 44, 17 f.   **Bold.**

Noailles, Ludwig Anton von, geft. 1729. — S. Père Aubigny, Mémoires chronologiques et dogm. Paris 1730; Bauffet, Histoire de Fénelon, Paris 1808 sqq.; Picot, Mémoires pour servir à l'histoire ecclésiast. pendant le XVIII⁰ siècle, Paris 1806 und 1815; Journal de l'abbé Dorsanne, Rome 1753; Villefore, Anecdotes ou mémoires sur la constitution Unigenitus, Paris 1730; Schill, Die Conftitution Unigenitus, Freiburg 1876.

L. A. von Noailles, Kardinal und Erzbifchof von Paris, geboren dem 27. Mai 1651 als zweiter Sohn des Herzogs Anne de Noailles, ift hauptfächlich durch feine Verwickelung in die Janfeniftifchen Streitigkeiten bekannt und im Zufammenhang damit fchon im A. „Janfenismus", Bd VIII S. 596 ff. befprochen worden. Mit Sorgfalt erzogen und fchon frühe zum geiftlichen Stand beftimmt, erhielt er bald eine reiche Pfründe, die Abtei von Aubrac, einem alten Hofpital in der Diöcefe von Rodez. Durch Familienverbindungen getragen und durch perfönliche Frömmigkeit wohl empfohlen, ftieg er bald zu den höchften kirchlichen Würden empor; 1676 wurde er Doktor der Theologie, 1679 Bifchof von Cahors, im folgenden Jahre fchon Bifchof von Chalons und damit einer der kirchlichen Pairs, 1695 Erzbifchof von Paris. Beim Ausbruch der quietiftifchen Streitigkeiten machte er den Vermittler zwifchen Boffuet und Fénelon, gegen den er fpäter einige Schriften herausgab, 1700 wurde er auf Empfehlung Ludwigs XIV. zum Kardinal ernannt. Noch als Bischof von Chalons hatte er die réflexions morales, mit denen Quesnel seine 1693 erschienene Ausgabe des Neuen Testaments begleitete, gebilligt, was ihm nachher viele Anfechtungen und Verlegenheiten zuzog, um so mehr, als er sich einige Jahre später 1696 durch Verurteilung einer jansenistischen Schrift des Abbé de Barcos: „Exposition de la foi" in Widerspruch damit setzte. Eine anonyme Schrift unter dem Titel: „Un problème ecclésiastique" warf nun die Frage auf, wem man glauben sollte, dem, der die réflexions morales gebilligt, oder dem, der die Exposition verurteilt habe. In der Folge immer weiter gedrängt, die Billigung der réflexions morales zu widerrufen, schwankte er lange zwischen Zusage und Verweigerung. Endlich schloß er sich der Protestation der Bischöfe gegen die Bulle Unigenitus an, und nährte in seiner Diöcese offenen Widerstand dagegen. Längere Zeit stand er an der Spitze der Jansenistenfreunde, schwankte dann wieder, ließ sich 1720 auf eine Vermittelung ein, nahm endlich die Bulle Unigenitus am 11. Oktober 1728 vollständig an und starb gebrochenen Geistes am 4. Mai 1729.   **Klüpfel †.**

Nobili, Rob. de' s. b. A. Mission unter den Heiden, kath. Bd XIII S. 111, 38.

Nördlingen, Heinrich von s. Bd VII S. 607.

Nösselt, Johann August, gest. 1807. — A. H. Niemeyer, Leben J. A. N.s, Halle 1809, in zwei Abteilungen; Teil 1, S. 237 ff. ein Verzeichnis seiner Schriften.

J. A. Nösselt wurde zu Halle am 2. Mai 1734 geboren. Seine Elementarbildung verdankte er der Schule des Waisenhauses. Seit 1751 studierte er in seiner Vaterstadt; am engsten schloß er sich an Baumgarten an, bildete sich indes größtenteils durch fortgesetztes Privatstudium. Die vorzüglichsten deutschen Universitäten und ihre Lehrer kennen zu lernen, war der Hauptgrund einer Reise, die er zu Ende des Jahres 1755 antrat. Am längsten verweilte er in Altdorf. Er begab sich hierauf in die Schweiz und über Straßburg nach Paris. Nach der Heimkehr von jener Reise hielt er seit 1757 als Magister zu Halle akademische Vorlesungen, anfangs fast ausschließlich über römische Klassiker, späterhin auch über das Neue Testament. Im Jahre 1760 ward er außerordentlicher, 1764 ordentlicher Professor der Theologie. Seit 1779 leitete er als Direktor das theologische Seminar. Vielfache Kränkungen erfuhr er in der Periode, wo der Minister Wöllner die preußische Kirche beherrschte. Eine neue Periode für die Universität Halle und für N. selbst trat mit dem Regierungsantritt Friedrich Wilhelms III. ein. Doch wurde allmählich die Abnahme seiner physischen Kräfte immer fühlbarer. Nur mit der größten Anstrengung konnte er seine Vorlesungen fortsetzen. Der 17. Oktober 1806, an welchem Halle an die französischen Truppen überging, und die Aufhebung der ihm so teuren Universität drückten ihn ganz darnieder. Er starb am 11. März 1807. Mit leichter Fassungskraft, richtigem Urteil und vortrefflichem Gedächtnis umfaßte er eine große Masse theologischer, linguistischer und litterarischer Kenntnisse. Seine Vorlesungen empfahlen sich durch Deutlichkeit, Bestimmtheit und lichtvolle Anordnung. Schriftliche Mitteilung seiner Gedanken war weit weniger Bedürfnis für ihn, als die mündliche. Eine neue Bahn brach er weder in der Theologie noch in irgend einer Wissenschaft, aber achtungswert war schon sein Streben. Mit keinem Teile des theologischen Wissens hat er sich fleißiger beschäftigt, als mit der Erklärung der Bibel, besonders des Neuen Testaments. Seine hermeneutischen Prinzipien wurden modifiziert, seitdem er auf ältere dogmatische Vorstellungen minderen Wert legte. Vgl. den im zweiten Teile seiner „Anweisung zur Bildung angehender Theologen" (Halle 1785) enthaltenen Abschnitt von der exegetischen Theologie. Entschieden trat er der moralischen Schrifterklärung entgegen. Er fürchtete, sie möchte das gelehrte Bibelstudium beeinträchtigen und den bisher darauf verwandten kritischen und exegetischen Fleiß entbehrlich machen. Mit besonderer Vorliebe behandelte N. als akademischer Dozent die systematische Theologie. In der Dogmatik hielt er sich in den ersten drei Dezennien seines Lehramtes an den kirchlichen Lehrbegriff, vgl. seine „Vertheidigung der Wahrheit und Göttlichkeit der christlichen Religion" (Halle 1766, 5. Aufl. ebendas. 1783). Indes gestalteten sich seine dogmatischen Vorstellungen in der Folge fast unmerklich anders. In seinen Ideen von der Wirkung der göttlichen Gnade näherte er sich Spalding, seit er dessen Schrift „Über den Werth der Gefühle im Christenthum" gelesen hatte. Auch die strengere Theorie der Versöhnungslehre, besonders die Notwendigkeit einer Genugthuung und

die Thatsächlichkeit einer Beleidigung Gottes, gab er späterhin auf. An keine seiner
Vorlesungen fesselte ihn lebhafteres Interesse als an die christliche Moral. Er huldigte
nicht ausschließlich irgend einem philosophischen Systeme. Seine Denkart schien mehr für
die populäre Philosophie, als für die transcendentale geeignet. Zu einer Zeit, wo mehrere
5 Moralisten die Prinzipien und Terminologien Kants in ihre Kompendien aufgenommen
hatten, dachte N. an nichts weniger, als an ein Umformen seines Moralsystems. Das
Prinzip eines geläuterten Eudämonismus gab er nicht auf und der Widerspruch, den
er fand, ward für ihn nur ein Anlaß, jenes Prinzip, das, wie er meinte, sich schwerlich aus dem Neuen Testament hinweg philosophieren lasse, schärfer zu bestimmen und
10 kräftiger zu verteidigen.   **Heinrich Döring †.**

Noet s. d. A. **Monarchianismus** Bd XIII S. 324, 82 ff.

Nokturn s. d. A. **Brevier** Bd III S. 394, 29 ff.

Nolaskus und der **Mercedarierorden.** — 1. Biographien des Stifters: Vita
s. Petri Nolasci, fundatoris ord. s. Mariae de Mercede redempt. captivorum in Hispania,
15 auctore Fr. Zumel, in ASB, t. II Jan. 981—988. Analecta de S. Nolasco ex Alfonsi Remon historia, ibid. 988—990. Estevan de los Morales, Vida y muerte del glorioso pa-
triarca s. Pedro de Nolasco, Valladolid 1629. Petit-Radel, S. Pierre de Nolasque, in der
Hist. litt. de la France, XIX, p. 5—9. P. Bonif. Gams, Kirchengesch. Spaniens, III, 1,
236—239. S. J. Kneller, Art. „Nolaskus" in KKL², IX, 1927 ff.
20 2. Geschichte des Ordens: Alonso Remon, Historia general de la orden de N. S. de
la Merced Redemcion de Cativos, 2 voll. Madrid 1618. 1633. Bern. de Vargas, Chronica
sacri et militaris ordinis b. Mariae de Mercede redemptionis captivorum, Palermo 1619.
Jean de Latomi, Hist. de l'ordre de N. D. de la Merci. Paris 1631. Hist. de l'ordre
de N. D. de la Merci, par les Religieux du même ordre en France, Amiens 1686.
25 J. Linas, Bullarium coelestis et regalis ordinis B. M. V. de Mercede captivorum, Barcelona 1696. A. Bernardel Corral, Catalogus magistrorum generalium c. martyrum, re-
demptionum, redemptorum eiusdem ordinis (Anhang zu Linas' Bullarium). Helyot, Geschichte der Kloster- und Ritterorden rc., III, 317—352. Heimbucher, Kath. Ordensgeschichte
I, 467—471. K. Krauß, Im Kerker vor und nach Christus, Schatten und Licht aus dem pro-
30 fanen und kirchlichen Kultur- und Rechtsleben, Freiburg 1895, S. 153—156; Konrad Eubel
O. Min., Die avignonische Obedienz der Mendikantenorden, sowie der Orden der Mercedarier
und Trinitarier zur Zeit des großen Schismas, beleuchtet durch die von Clemens VII. und
Benedikt XIII. an sie gerichteten Schreiben, Paderborn 1900.
        Die Konstitutionen des Ordens gedruckt: Salamanca 1588, Bordeaux 1640, und in Hol-
35 stenius-Brockie, Cod. regularum etc. (Augsburg 1759), t. III, p. 433 ff.
        Reichere Litteraturangaben bieten M. Gmelin, Die Litteratur zur Geschichte der Orden
S. Trinitatis und S. Mariae de Mercede red. captivorum, Karlsruhe 1870 (aus Serapeum
XXXI) und Gari y Siumell, Bibliotheca Mercedaria, Barcelona 1875.

        Petrus Nolaskus (Nolasque), der Gründer des Ordens der Mercedarier oder „Unserer
40 Lieben Frau von der Gnade zur Loskaufung der Gefangenen" (B. M. V. de Mercede
pro Redemptione Captivorum), wurde um die Zeit des dritten Kreuzzuges (1189)
zu Le Mas des Saintes Puelles bei Castelnaudary in Languedoc von adeligen Eltern
geboren. Von seiner seit seinem 15. Lebensjahre verwittweten Mutter im Geiste inniger
Frömmigkeit erzogen, zeigte er schon frühzeitig Neigung zu streng asketischem Leben und
45 zu aufopferndem Liebeswerken. Er verschenkte öfters sein Taschengeld an Arme, besuchte
mehrere Nächte hintereinander die mitternächtlichen Vigiliengottesdienste eines Klosters,
erklärte später, als seine Verwandten ihn zum Heiraten ermahnten, bestimmt und fest,
unverehelicht bleiben zu wollen, und legte heimlich das Gelübde eines ganz und gar dem
Dienste Christi geweihten Lebens in apostolischer Armut ab, wozu ihn derselbe Ausspruch
50 des Herrn (Mt 19, 21) bewogen haben soll, der ungefähr um dieselbe Zeit den hl. Franziskus und schon früher einen Antonius und viele andere zum Verlassen der Welt getrieben hatte. Dabei blieb er aber doch vorerst dem Stande eines Ritters und
Kriegers, zu dem man ihn erzogen hatte, getreu. Er folgte dem Grafen Simon von
Montfort auf dessen gegen die Albigenser Südfrankreichs und gegen deren Verbündeten,
55 den König Peter II. von Aragonien, gerichteten Zügen. Nach dem großen Siege bei
Muret (1213), wo Peter fiel und sein Sohn Jakob gefangen genommen wurde, übertrug
ihm Montfort die Erziehung dieses Prinzen, desselben, der sich später als König durch viele Siege
und namhafte Vergrößerungen des aragonesischen Gebietes den Beinamen des Eroberers
erwarb. In Barcellona, wo Nolaskus nun längere Zeit mit diesem seinem königlichen

Zögling lebte, sah und hörte er öfters von den Leiden der bei den Mauren Spaniens und Nordafrikas in Gefangenschaft schmachtenden Christensklaven. Sein feuriger Liebes= drang nahm dadurch zuerst die Richtung auf ein bestimmtes praktisches Ziel. Er entschloß sich, einen Orden zur Befreiung dieser gefangenen christlichen Mitbrüder zu gründen. Eine am 1. August stattgehabte Erscheinung der Himmelskönigin bestärkte ihn in diesem Vor= 5 satze, und da merkwürdigerweise dieselbe Erscheinung in der nämlichen Nacht auch seinem Beichtvater, dem damaligen Kanonikus, späteren Kardinal Raymund de Pennaforte, sowie dem jungen Könige Jakob zu teil wurde, so erachtete man dieses wunderbare Zusammen= treffen für ein sicheres Zeichen der Gottwohlgefälligkeit des Unternehmens. Man schritt alsbald zur Ausführung. Am Laurentiustage des Jahres 1228 legten Nolaskus und die 10 übrigen Ritter und Priester, die er für seinen Plan gewonnen, ihre feierlichen Gelübde in die Hände Berengars de la Palu, Bischofs von Barcellona ab. Es waren die drei üblichen Gelübde aller geistlichen Orden, nebst einem vierten, welches die Mitglieder zur Aufopferung nicht nur ihrer ganzen Habe, sondern nötigenfalls, d. h. wenn der betreffende Gefangene in Gefahr der Apostasie zum Islam schweben sollte, auch ihrer persönlichen 15 Freiheit zur Loskaufung der in den Händen der Ungläubigen befindlichen Christensklaven verpflichtete. Es sollte hiernach das Vorbild von ihnen befolgt werden, welches (nach Joh. Moschos, **Prat. spirit. c.** 112) der kappadokische fromme Mönch Leo, der zum Los= kauf von drei gefangenen Brüdern sich selbst in die Gewalt der heidnischen Magiker begab, einst (um das Jahr 580) gegeben hatte. Die in ihren Grundbestandteilen von Raymund 20 de Pennaforte herrührende Regel sagt über diesen charakteristischen Hauptgrundsatz des Ordens: „Si aliquando contigerit, ut finito jam thesauro et tota redemptionis stipe consumta parumve sufficiente, captivus aut captivi aliqui emergant, cu-juscunque sexus, aetatis aut conditionis extiterint, de quo vel de quibus pru-denter et rationabiliter timeatur abnegatio fidei: tunc (exigente jam nostri 25 ordinis voto, quo nos Beatiss. Virgo Maria Christi exemplo configuravit) unus frater pro illo seu illis alacriter se devoveat et vinculo charitatis tradat, maneatque pro pignore detentus in potestate infidelium, signatis pretio et termino solutionis ejus" (Dist. II, cap. 6: De opportunitate et forma redemptoribus servanda in executione quarti voti. Vgl. Dist. III, cap. 4: De 30 voto redemptionis). Da man dieses Gelübde auf einen besonderen Befehl der hl. Jung= frau zurückführte, so benannte man den Orden nach ihr als Ordo B. Mariae Virginis de Mercede. Sein Charakter war ursprünglich mehr der eines Ritter= als eines Mönchs= ordens, denn es war eigentlich der Rest einer schon seit 1192 in Catalonien zum Zwecke der Kranken= und Gefangenenpflege bestehenden Kongregation frommer Edelleute, Ritter 35 und Priester, aus welchen Nolasque den Grundstock für seine neue Gemeinschaft gewann. Zu den 7 Rittern und 6 Priestern, welche dieselbe ursprünglich bildeten, traten dann zunächst noch 13 Ritter aus Nolasques französischer Heimat hinzu, während die Priester vorerst in der Minorität blieben. Als Wohnung diente dem neu gestifteten Orden eine Abteilung des königlichen Palastes zu Barcellona nebst der daranstoßenden Kapelle der 40 hl. Eulalia, die König Jakob ihnen so lange einräumte, bis im Jahre 1232 ein großes und prächtiges Klostergebäude, das man ebenfalls der hl. Eulalia, der Patronin von Bar= cellona, weihte, für sie errichtet werden konnte.

Die päpstliche Bestätigung des Ordens erfolgte im Jahre 1230 durch Gregor IX. und dann nochmals 1235, unter Hinzufügung der Regula S. Augustini zu der in acht 45 Distinktionen bestehenden ersten Regel, welche Raym. de Pennaforte aufgesetzt hatte. Auch wurde jetzt zuerst die nähere Bestimmung „de redemptione captivorum" in den Namen des Ordens aufgenommen. Auf dem ersten Generalkapitel zu Barcellona im Jahre 1237 ließ Nolaskus von allen Ordensangehörigen zu dieser neuen Regel Profeß ablegen und vollendete damit die Konstituierung der Gemeinschaft. Die Zahl der priesterlichen Mit= 50 glieder wurde von jetzt an die überwiegende, wie denn ausdrücklich festgesetzt wurde, daß jedes Ordenshaus mehr Priester als Ritter enthalten sollte. Doch ist es unerweislich, daß auch der Stifter von jetzt an oder gar schon früher seinen ritterlichen Charakter mit dem priesterlichen vertauscht habe, wie einige seiner Biographen behaupten. Vielmehr muß derselbe bis zur Niederlegung seines Generalats Ritter geblieben sein, ohne je die 55 Priesterweihe zu empfangen. Ja erst 1317 ging mit der Wahl Raymund Alberts, des ersten priesterlichen Generalkomthurs, die oberste Gewalt des Ordens von den weltlichen Mitgliedern auf die geistlichen über und wurde so die Umwandlung des ursprünglichen Ritterordens in einen Mönchsorden vollendet. — Als Ordenstracht war übrigens von Anfang an für beide, Ritter und Priester, weiße Kleidung und Skapulier vorgeschrieben 60

worden, nebst dem aragonischen Wappenschilde: drei goldenen Pfählen mit silbernem
Kreuze auf rotem Grunde; dazu noch eine Kapuze als Unterscheidungszeichen für die
Priester innerhalb des Klosters, während außerhalb der Ordenshäuser keiner von beiden
Ständen durch besondere Form der Kleidung ausgezeichnet war. Die Disziplin des Or=
5 dens war eine militärisch strenge, viele Geißlungen sowie in Fällen der Widersetzlichkeit
oder Desertion öffentliche Auspeitschungen in sich schließend.

In gleichem Verhältnisse mit seiner Mitgliederzahl und seinen Besitztümern wuchs
der Einfluß und die segensvolle Wirksamkeit des neuen Ordens auf dem eigentlichen
Hauptfelde seiner Thätigkeit. Um die Loskaufung der Gefangenen wirksamer zu betreiben,
10 als die anfänglich übliche Hinsendung von Lösegeldern durch reisende Kaufleute, Schiffer
oder andere Mittelspersonen dies gestattete, beschloß man auf Nolasques Vorschlag, Mit=
glieder des Ordens als Redemptores oder Erlöser in die Länder der Ungläubigen zu
senden und so die vorzugsweise hart gedrückten oder in Gefahr des Abfalls befindlichen
Christensklaven an Ort und Stelle aufzusuchen. Der Stifter selbst ging den übrigen mit
15 gutem Beispiel voran, indem er nebst noch einem Ordensbruder die ersten Missionen dieser
Art übernahm und zuerst im Königreiche Valencia, dann auf einer zweiten Reise in Gra=
nada, eine nicht geringe Zahl von Gefangenen (angeblich an 400) befreite, ja nebenbei
sogar einige Mauren zum Christentum bekehrte. Neben ihm leistete als Gefangenenbefreier
und Missionar damals besonders Großes sein Ordensbruder Raymundus Nonnatus, der
20 nach Erduldung grausamer Martern in Algier und nachdem er nur mühsam und für
schweres Lösegeld aus der Gewalt Selim Paschas losgekauft worden, in den Ruf eines
Wunderthäters und Empfängers himmlischer Offenbarungen kam, deshalb angeblich von
Gregor IX. zum Kardinal der römischen Kirche ernannt wurde, aber während der Reise
nach Rom 1240 starb (vgl. seine Vita in ASB t. VI Aug., p. 729—776). — Bei seiner
25 zweiten Rückkehr nach Barcellona wollte Nolaskus sein Generalat niederlegen, erlangte
aber vorerst nur so viel, daß seine Ordensgenossen ihm einen Vikar zur Seite stellten,
worauf er von neuem zur Betreibung seines Rettungswerkes auszog. Er soll jetzt sogar
Afrika betreten und hier die schwersten Gefahren unter den Ungläubigen ausgestanden
haben, z. B. ein peinliches Verhör vor Gericht, worin er aber freigesprochen wurde. Zu=
30 letzt mußte er auf einem durchlöcherten Boote ohne Segel und Ruder, auf welchem man
ihn in die See hinausgestoßen hatte, hilflos und allein nach Europa zurückkehren, landete
indessen glücklich in Valencia und fuhr nun noch eine Zeit lang in Spanien und Süd=
frankreich für seinen Orden und für dessen Liebeszwecke zu wirken fort. Einen Plan,
den er bei einer Zusammenkunft mit Ludwig dem Heiligen in Languedoc (1243) gefaßt
35 hatte, diesen Monarchen auf seinem beabsichtigten Kreuzzuge nach dem heiligen Lande zu
begleiten, mußte er wegen zunehmender Schwäche und Kränklichkeit unausgeführt lassen.
Aus ebendemselben Grunde legte er auch sein Amt als General und als Redemptor im
Jahre 1249 nieder, um die letzten sieben Jahre seines Lebens in demütig untergeordneter
Stellung, als Almosenverteiler an der Klosterthüre stehend, oder sonstige niedere und
40 doch nicht zu anstrengende Dienste verrichtend, hinzubringen. Er starb nach längerem
schweren Krankenlager gegen Weihnachten des Jahres 1256 im 67. Jahre seines Alters.
Von Wundern, die er bei seinen Lebzeiten verrichtet hätte, schweigen seine älteren Bio=
graphen fast gänzlich, was sich billig als Beweis für die Glaubwürdigkeit der meisten
über ihn erhaltenen Nachrichten betrachten läßt. Erst ziemlich lange nach seinem Tode
45 hörte man von Mirakeln, welche seine 1336 auf Befehl Benedikts XII. erhobenen und
in eine besondere Kapelle versetzten Gebeine an Kranken 2c. gewirkt haben sollten. Daher
sprach ihn Urban VIII. im Jahre 1628 heilig und Clemens X. widmete ihm ein dop=
peltes Jahresfest, welches auf den 31. Januar fällt. — Wegen bildlicher Darstellungen
des Heiligen — z. B. durch Boccanegro (in der Kathedrale zu Granada), durch Sasso=
50 ferrato, durch Zurbaran (auf mehreren in Madrid befindlichen Bildern, namentlich einem,
das ihn als Empfänger einer himmlischen Erscheinung des verkehrt ans Kreuz genagelten
Apostels Petrus darstellt) — s. W. Detzel, Christl. Ikonographie, II, 582 ff.

Der Orden von der Gnade gelangte besonders in Spanien zu hoher Bedeutung, wo
er zwar zu Anfang des 14. Jahrhunderts, infolge jener Reform unter Raymund Albert,
55 viele Mitglieder einbüßte, die, um Ritter bleiben zu können, in den Montesa=Orden ein=
traten, aber doch in verschiedenen Gegenden, besonders in Valencia und Catalonien, viele
und reiche Komthureien behielt. Ein Verzeichnis mercedarischer Konvente in Spanien um
das Jahr 1400 s. bei Eubel, l. c., p. 231 (vgl. überhaupt daselbst, p. 202 ff.). Erst
durch die Stürme der neuesten Revolutionen seit 1820 verlor der spanische Zweig des
60 Ordens seine Besitzungen zum größten Teil. — Auch in Frankreich war der Orden früher

ziemlich ausgebreitet, namentlich in Languedoc und Guienne, desgleichen in Italien, Si=
zilien und im spanischen Amerika, wo er noch neuerdings einige Häuser hatte, z. B. in
Lima, Quito, Caracas. Der Generalvikar des Ordens hat seit 1835, wo die spanische
Revolution ihn aus Madrid vertrieb, seinen Sitz in Rom. Der Orden soll (nach Heim=
bucher, S. 469) gegenwärtig noch 4 europäische und 6 amerikanische Provinzen zählen und 5
gegen 450 Mitglieder zählen. — Als zu seinen namhaften Vertretern auf litterarischem
Gebiete gehörig sind zu nennen: der Ordensgeschichtschreiber Alonso Remon (f. o.), sowie
der mystische Erbauungsschriftsteller Juan Falconi (gest. 1638), Verfasser eines in den
quietistisch frommen Kreisen Spaniens vielgelesenen Briefs „über das vollkommene Gebet"
(f. Luthardt, Gesch. der chr. Ethik, II, 160 f.). — Von den Frauenklöstern dieses Or= 10
dens, wie sie ein Pater Anton Velasco 1568 mit Genehmigung des Papstes Pius V.
zu gründen begann, scheinen jetzt nur noch wenige zu existieren. Noch früher (1265) war
in Barcellona ein Verein von Tertiariern des Ordens de Mercede entstanden, der es
aber nie zu großer Bedeutung gebracht hat. Eine Barfüßerreform des Ordens nach fran=
ziskanisch=karmelitischem Muster versuchte um 1600 Pater J. B. a Sancto Sacramento 15
(gest. 1618) zu Hueta und an einigen anderen Orten Andalusiens zu gründen. Gregor XV.
bestätigte 1621 diesen bald zu zwanzig Klöstern herangewachsenen Discalceaten= oder Re=
kollektenzweig des Ordens und trennte ihn von der als „große Observanz" bezeichneten
Mehrheit der Ordensangehörigen. Später (1725) hat Benedikt XIII. die ganze Genossen=
schaft der Mercedarier für einen förmlichen Mendicantenorden erklärt und ihr alle einem 20
solchen zukommende Indulte u. Privilegien erteilt (vgl. Heimb., S. 470 f.).   **Zöckler.**

 Nominalelenchus (Abkanzeln) hieß eine an ein einzelnes Gemeindeglied im Anschluß
an die Predigt öffentlich vor versammelter Gemeinde gerichtete Straf= und Vermahnungs=
rede, welche in einer Anzahl evangelischer Kirchenordnungen als sog. zweiter Grad der
Kirchenstrafe, d. i. als Mittelglied zwischen einfacher seelsorgerischer Vermahnung und dem 25
Bann, angeordnet wird; so z. B. in der mecklenburgischen Konsistorialordnung von 1570.
Sie soll nur wegen notorischer Sünde und nur nachdem das Konsistorium diese Notorietät
festgestellt hat, stattfinden; sonst hat der Prediger, indem er die Sünden in seiner Ge=
meinde straft, sich jeder Nennung oder Kenntlichmachung Einzelner zu enthalten. Vgl.
auch Carpzov, Definitt. eccles. I. def. 66. III def. 98 und Beyer, Additiones dazu. 30
Mit der übrigen öffentlichen Buße ist auch der Nominalelenchus verschwunden und
kommt heute nirgends mehr vor. Vgl. Preuß. Allg. Landr. Tl. 2, Tit. 11, § 83—85.
                          Mejer †.

 Nominalismus f. d. A. Scholastik.

 Nominatio regia. — Hinschius, System des kathol. Kirchenr., Berlin 1878, Bd 2, 35
S. 512—616, 691—694; Hergenröther, in Archiv f. kathol. KR 39 (1878) S. 193 ff.
 Schon im fränkischen Reiche, zur Zeit der Merovinger, tritt ein durchgreifender Ein=
fluß der Könige auf die Besetzung der bischöflichen Stühle hervor, welcher sich unter den
Karolingern und den deutschen Kaisern zu einem förmlichen Ernennungsrechte steigerte,
so daß für einzelne bischöfliche Stühle nur durch besondere kaiserliche Privilegien das alte 40
Wahlrecht des Klerus und Volks erhalten werden konnte. Erst das den Investiturstreit
abschließende Wormser Konkordat v. J. 1122 stellte für die deutschen Bistümer jenes
alte Wahlrecht wieder her und ließ dem Kaiser nur die Befugnis, bei Vornahme der Wahl
gegenwärtig zu sein und dem Gewählten vor der Konsekration die Investitur zu erteilen.
Im Gegensatz zu dieser Norm erteilten aber die Päpste, welche seitdem einen entscheiden= 45
den Einfluß auf die Besetzung der Bischofsstühle gewannen, vielen Fürsten teils in Kon=
kordaten, teils durch besondere Indulte das Recht, ihre Landesbischöfe, unter Beseitigung
des Wahlrechts der Domkapitel, welche allmählich an der Stelle von Klerus und Volk
eine ausschließliche Wahlbefugnis gewonnen hatten, zu nominieren. Gegenwärtig besteht
diese sog. Nominatio regia in Österreich (mit einigen Ausnahmen), Bayern, Frankreich 50
und in den katholischen Staaten Mittel= und Südamerikas. Für die übrigen deutschen
Bistümer ist das Wahlrecht der Kapitel anerkannt; in Preußen bestanden für die östlichen
Bistümer nur Scheinwahlen, während in Wirklichkeit der König nominierte, wogegen der
Papst den Nominierten motu proprio bestätigte, im Jahre 1841 hat aber die preußische
Regierung auch für diese Bistümer das Wahlrecht der Kapitel anerkannt (Friedberg, Der 55
Staat und die Bischofswahlen in Deutschland, Leipzig 1874, S. 28).
 Die nominatio regia involviert wie die Wahl von seiten der Domkapitel nur eine

Präsentation, auch bei ihr ist die Berücksichtigung der erforderlichen kanonischen Eigen=
schaften notwendig, und auch der Nominierte erhält erst durch die päpstliche Konfirmation,
welche hier institutio canonica heißt, das Recht zur Verwaltung der bischöflichen Juris=
diktion.   **(Wasserschleben †) Sehling.**

5 **Nomokanonen.** — Mit κάνονες bezeichnete man in der orientalischen Kirche kirch=
liche Normen, mit νόμοι weltliche, namentlich kaiserliche Gesetze. Anfangs bestanden dort
für diese wie für jene besondere Sammlungen; die griechischen Kanonen waren ursprüng=
lich chronologisch geordnet, wurden aber später aus praktischen Gründen systematisch zu=
sammengestellt, u. a. von Johannes Scholastikus (s. d. A. Bd IX S. 320), welcher unter
10 Kaiser Justinian (564) Patriarch wurde, in 50 Titeln. Vgl. über diese Sammlung J.
B. Pitra Card. Jur. ecclesiast. Graecor. historia et monum., Rom. 1868, T. II,
p. 368 u. ff., und Hergenröther, Griech. Kirchenr. bis zum Ende des 9. Jahrh. im Archiv
für kathol. Kirchenr., NF Bd 17 (Mainz 1870) S. 208 ff.; Milas, Das Kirchenrecht der
morgenländischen Kirche. Zara 1897 S. 173. Die weltlichen Verordnungen und Normen
15 waren ebenfalls in verschiedenen, teils Privat=, teils offiziellen Sammlungen zusammen=
gestellt, namentlich in den justinianischen Kollektionen, den Novellensammlungen, später in
den Basiliken. Bei der großen Anzahl kaiserlicher Verordnungen machte sich aber sehr
bald das Bedürfnis geltend, diejenigen, welche kirchliche Verhältnisse betrafen, besonders
zusammenzustellen. Vergleiche über diese namentlich den Novellenauszug in 87 Kapiteln,
20 welchen Johannes wahrscheinlich nach Justinians Tode seiner Sammlung in 50 Titeln
hinzugefügt hat, Pitra a. a. O. S. 369 ff.; Hergenröther a. a. O. S. 209. 210.
Bald nach Justinians Tode fing man an, die Kanonen und diejenigen weltlichen
Verordnungen (νόμοι), welche kirchliche Verhältnisse betreffen, systematisch in kombinierten
Sammlungen zusammenzustellen, für welche daher der Name Nomokanon gebräuchlich wurde.
25 Eine solche wurde nicht lange nach Johannes Scholastikus aus dessen Sammlung von
50 Kapiteln, dem oben erwähnten Novellenauszug in 87 Kapiteln u. a. verarbeitet und
später vielfach ergänzt und vervollständigt, vgl. Voellii et Justelli Biblioth. jur. canon.
Lutet. Paris. 1661, Tom. II, p. 603—660 und Pitra a. a. O. S. 370—372,
416—420 und Hergenröther a. a. O. S. 211. Von größerer Bedeutung und Ver=
30 breitung (Pitra nennt 92 Handschriften) war ein anderer Nomokanon in 14 Titeln,
welcher lange Zeit dem Patriarchen Photius zugeschrieben wurde. Die ursprüngliche
Fassung fällt in das 7. Jahrhundert. Im Jahre 883 wurde das Werk vervollständigt
und zwar wohl nicht, wie auf Grund einer Notiz des Balsamon bisher angenommen
wurde, von Photius. Auf dem großen Konzil zu Konstantinopel 920 wurde es für die
35 ganze Kirche als bindend erklärt (Milas a. a. O. S. 177). Im 11. Jahrhundert ist das=
selbe nochmals überarbeitet und mit Zusätzen, namentlich aus den Basiliken, versehen
worden. Die beste Ausgabe s. bei Pitra a. a. O. S. 433 ff., nebst einer Einleitung.
Vgl. auch Hergenröther a. a. O. S. 211 ff. Den bedeutendsten Kommentar zum Nomo=
kanon hat zwischen 1169 und 1177 verfaßt Theodor. Balsamon (Biblioth. jur. canon.
40 T. II, p. 815 sq.). So groß auch das Ansehen und die Verbreitung dieses Nomokanon
war, so machte sich doch das Bedürfnis einer übersichtlicheren Anordnung des Stoffes
geltend; diesem Bedürfnisse entsprach das ums Jahr 1335 verfaßte **Syntagma** des Mat=
thäus Blastares, welches füglich unter die Zahl der Nomokanonen gerechnet werden kann,
obgleich es diesen Namen nicht führt. Dasselbe besteht aus 303 Titeln, welche alpha=
45 betisch nach dem Hauptworte ihrer Rubriken geordnet sind, und in der Regel zuerst die
betreffenden kanonischen Verordnungen und nach ihnen die νόμοι enthalten, jedoch finden
sich in einigen Titeln nur κάνονες, in anderen nur νόμοι. Dies Werk (gedruckt in
Beveregius Synodicon, Oxon. 1672, T. II, P. II) hat eine große Verbreitung im
Orient gewonnen, und war neben dem Nomokanon in 14 Titeln das gewöhnliche Hand=
50 buch der Geistlichkeit. Die große Anzahl von Handschriften, selbst aus neuerer Zeit, be=
weist, daß beide Werke bei den Griechen auch unter der türkischen Herrschaft ihr Ansehen
bewahrt haben, vgl. Zachariä, Histor. jur. Graeco-Roman. delineatio (Heidelb. 1838)
§ 54, § 55 Nr. 1; Milas a. a. O. S. 182.
Sehr verbreitet war außerdem, wie aus den zahlreich vorhandenen Abschriften her=
55 vorgeht, ein im Jahre 1561 vom Notar Manuel Malaxus in Theben verfaßter Nomo=
kanon, vgl. Zachariä a. a. O. S. 89 ff.
In der russischen Kirche ist bis in die neueste Zeit eine oft gedruckte, übrigens auch
in den weltlichen Gerichten benutzte, Sammlung in Gebrauch, welche den Namen Kor=
mitschaia Kniga, d. h. Buch für den Steuermann führt, und u. a. auch den Nomo=

kanon in 14 Titeln enthält. Die erste Fassung dieser Sammlung ist auf die Bemühungen des serbischen Erzbischofs Sava, aus dem Anfange des 13. Jahrhunderts zurückzuführen. Aus Serbien kam die Sammlung nach Bulgarien, von dort wurde sie auf Veranlassung des Metropoliten Cyrill II. nach Rußland gesandt und daselbst auf der Synode zu Wladimir 1274 als offizielle Sammlung anerkannt. 1630 erschien sie erstmalig im 5 Drucke.

In der serbischen Kirche bediente man sich neben der Kormitschaja des alphabetischen Syntagma des Blastares. Das Gleiche gilt für Bulgarien. In Rußland wurde mit Genehmigung der hl. Synode im 19. Jahrhundert zur Benutzung neben der Kormitschaja eine weitere Sammlung, die Kniga pravil, veranstaltet, und in Serbien ist 10 daneben eine Privatausgabe, der „Zbornik", in Gebrauch (1. Aufl. Zara 1884), dessen zweite Ausgabe (Neusatz 1886) auch den Nomokanon in 14 Titeln in seinem kanonischen Teile enthält.

Auch in der Moldau und der Wallachei waren zuerst jene alten Sammlungen verbreitet, insbesondere das Syntagma des Blastares, bis seit der ersten Hälfte des 17. Jahr= 15 hunderts eigene Kanonen=Sammlungen in der Landessprache veranstaltet wurden. Die erste derselben (1632) ist eine Übersetzung des Nomokanon des **Manuel Malaxos**. Eine weitere Sammlung erschien 1652 und heißt **Pravila cea mare** oder **Indreptarea legii**. Diese Sammlung, von welcher Peter Dobra 1722 eine lateinische Übersetzung veranstaltete, bildete die offizielle Sammlung der griechisch-orientalischen rumänischen Kirche. — Zum 20 Vorstehenden vgl. Wiener Jahrb. der Litter. 23, 220 ff. 25, 152 ff. 33, 288 ff. 53. Anzeigebl. S. 34 ff.; Zachariä a. a. O. § 57; Neugebauer, Das kanon. R. d. morgenl. Kirche in b. Moldau und Wallachei, in Bülaus Jahrb. 1847, Dezember, und Zachariä, Rechtsquellen in b. kr. Zeitschr. f. Rechtswissensch. d. Ausl., Bd 12, S. 408 ff.; die reichen Litteraturnachweise bei Milas a. a. O. S. 185 ff.; dazu noch 25 Tschedomilj Mitrovits, Nomokanon der slav. morgenl. Kirche oder die **Kormitschaja Kniga**, Wien und Leipzig 1898.

Außer den genannten Werken findet sich eine große Anzahl von Sammlungen unter dem Namen Νομοκάνονες, Κανονάρια, Νόμιμα, welche nicht, wie die obigen, Kanonen und weltliche Normen, sondern nur Kanonen enthalten; dahin gehört u. a. der Nomo= 30 canon **Doxapatris** und die Sammlung von **Nicodemus** und **Agapius**, vom J. 1793, Πηδάλιον (das Steuerruder) genannt, welches gegenwärtig die im offiziellen Gebrauche der orientalischen Kirche stehende Sammlung bildet. Vgl. Zachariä, Histor. jur. Graeco-Rom. delin. § 51, Nr. 4, § 55 Nr. 3; Biener, Geschichte der Novellen Justinians, Berlin 1824, S. 157 ff.; bers., De collect. canon. eccl. graec., Berol. 1827; bers., 35 Das kanon. R. b. griech. Kirche in b. krit. Zeitschr. f. Rechtswiss. b. Ausl., Bd 28, S. 163 ff.; Milas a. a. O. S. 178 ff.   (Wasserschleben †) Sehling.

Non s. b. A. Brevier Bb III S. 394, 29 ff.

Nonkonformisten wurden in England im Gegensatz zu den Konformisten diejenigen genannt, welche die Uniformitätsakte von 1662 verwarfen. Der Name kommt offiziell 40 zuerst in der Fünfmeilenakte (an act for restraining Non-conformists from inhabiting corporations etc. 1665) vor und wurde von den Dissenters adoptiert.

C. Schöll †.

Nonna s. b. A. Gregor von Nazianz Bb VII S. 140, 2 ff.

Nonne. — Die Worte nonnus und nonna gehören der späten und mittelalter= 45 lichen Latinität an. Forcellini s. v. bemerkt: Est nomen reverentiae et gravitatis, quo maiores cadente Latinitate vocati sunt. In diesem Sinne sind sie im italienischen nonno und nonna, Großvater und Großmutter, erhalten. Gebraucht wird nonna von Hieronymus, ep. 22, 16 ad Eustoch., nonnus von den Gallier Arnobius In Ps 105. u. a. Hieronymus koordiniert casta et nonna, Arnobius sanctus et nonnus. 50 Im Sprachgebrauch der Mönche findet man das Wort nonnus z. B. Reg. Bened. c. 63: In ipsa appellatione nominum nulli liceat alium puro appellare nomine, sed priores iuniores suos fratrum nomine, iuniores autem priores suos nonnos vocent; vgl. Columb. Lux. ep. 5 MG Ep. III S. 175. Es ist längst wieder aus dem Gebrauch verschwunden, dagegen ist die femininische Form als Bezeichnung der reli= 55 giosa herrschend geworden.   Hauck.

Nonnos aus Panopolis, um 400 n. Chr. — Litteratur: J. Alb. Fabricii
Bibl. graeca edd. Harles, vol. VIII, Hamburgi 1802 p. 601—612; Aug. Pauly, Real-
Encyklopädie der klassischen Altertumswissensch., 5. Bd, Stuttgart 1848, S. 692 ff.; G. Bern-
hardy, Grundriß der griechischen Litteratur, dritte Bearbeitung, 2. Teil, 1. Abteilung, Halle
5 1867, S. 45, S. 374 ff., S. 393 f.; fünfte Bearbeitung (von Richard Volkmann), 1. Teil,
Halle 1892, S. 705; ferner J. Krumbacher, Geschichte der byzantinischen Litteratur, 2. Aufl.,
München 1897, S. 10 und 655. — Ueber die älteren Ausgaben der Paraphrase vgl. noch
Hamberger, Zuverlässige Nachrichten, 3. Teil, Lemgo 1760, S. 34 ff. und dann die bekannten
Lexika, z. B. Ebert, Nr. 14858 ff. Die wichtigeren und die neuesten Ausgaben der Paraphrase
10 werden im Artikel erwähnt.

Nonnos aus Panopolis in Oberägypten wird von Agathias (histor. 4, 23; edd.
Niebuhr, Bonn 1828, S. 257) als der Dichter der Διονυσιακά (vgl. auch das Distichon
in der Anthologia graeca IX, 198; edd. Jacobs, Tom. II, Lips. 1814, pag. 67)
und von der Eudokia im Violarium (in der Ausgabe von Flach, Leipzig 1880 bei Teub-
15 ner, S. 514, Nr. 725) als Verfasser einer epischen Paraphrase (μεταβολή) des Evangeliums des Johannes genannt. Diese beiden Gedichte sind erhalten; wegen des zuletzt
genannten muß er hier erwähnt werden. Daß der Dichter beider, der Dionysiaca und
der Paraphrase, eine und dieselbe Person sei, war bisher allgemeine Annahme. Neuerdings hat Dräseke (vgl. Bd I S. 673, 2 u. 3) die Ansicht geäußert, die Paraphrase des
20 Johannes sei auch dem Apollinarius (Apolinaris) zuzuschreiben, von dem wir wissen,
daß er eine Metaphrase der Psalmen gedichtet hat (vgl. Bd I S. 672, 48 ff.); aber das
ist zunächst eine Vermutung, deren Begründung abzuwarten ist. Jedenfalls findet die
Ueberlieferung, die als Dichter der Dionysiaca und der Paraphrase des Johannes denselben Mann nennt, zunächst einmal dadurch, daß in beiden Gedichten der gleiche dichte-
25 rische Geschmack, die gleiche Sprache und die gleichen Redewendungen, und ferner, wenn
auch mit einigen Ausnahmen, die Beobachtung derselben Gesetze für den Versbau sich
finden, eine so starke Bestätigung, daß es erlaubt sein wird, bis zum Beweise des Gegen-
teils an ihr festzuhalten. Über das Leben und die persönlichen Verhältnisse dieses Nonnos,
der vielleicht auch noch andere Gedichte verfaßt hat (vgl. Agathias a. a. O.), ist uns nichts
30 bekannt; der in der spätern griechischen Litteratur häufige Name soll aus dem Koptischen
stammen und hier ursprünglich „gut", „heilig" bedeuten; daher denn auch die Bezeichnung
νόννος für den Mönch und νόννα für die „Nonne". Nicht einmal über die Zeit, in
welcher unser Nonnos lebte, haben wir eine Nachricht. Sollte er derjenige Nonnos sein,
dessen Sohn Sosena von Synesius (epist. 43, in der Ausg. Paris 1631, S. 181) er-
35 wähnt wird, was zwar vielfach angenommen wird, aber bei der Verbreitung des Namens
ganz fraglich bleibt, so würde er etwa um das Jahr 400 nach Chr. anzusetzen sein.
Wichtiger ist jedenfalls, daß auch seine dichterische Eigentümlichkeit uns auf diese Zeit
und spätestens auf das 5. Jahrhundert hinweist. Seine Dionysiaca nämlich, eine phantastische Beschreibung der Geschichten des Bacchischen Mythenkreises, können (nach Bern-
40 hardy u. andern) wegen der von ihm angewandten strengen Technik des Versbaues nur
zwischen Quintus Smyrnäus und den Epikern unter Anastasius entstanden sein, wie denn
von dem Epiker Tryphiodorus, auch einem Ägypter, gilt, „daß er dem Nonnos das
eifrigste Studium gewidmet, einen großen Teil seiner metrischen Gesetze . . . befolgt und
zugleich die Phraseologie desselben soweit sich angeeignet, daß seine Diktion ganz auf
45 Nonnischem Boden steht" (Bernhardy); Tryphiodorus aber ist auch noch in das 5. Jahrhundert zu setzen. Auf die hiermit schon angedeutete hervorragende Stellung des Nonnos
unter den spätern, mythographischen Epikern, welche Bernhardy sogar von einer „Schule
des Nonnos" reden läßt, kann hier nicht weiter eingegangen werden. Die μεταβολή
τοῦ κατὰ Ἰωάννην εὐαγγέλιον wird Nonnos später als seine Διονυσιακά gedichtet
50 haben, sofern kaum glaublich ist, daß er die letzteren als Christ verfaßt hat; nicht, weil
ein christlicher Dichter an sich nicht auch im stande sein könnte, einen solchen mythologischen Stoff zu bearbeiten, sondern weil in jener Zeit, in welcher sich die Religionen
scharf bekehrten, die persönliche Hingebung des Dichters an diesen Stoff, den er mit er-
sichtlicher Begeisterung ausgestaltet, bei einem Christen kaum denkbar ist; auch verrät der
55 Dichter der Dionysiaca selbst heidnische Anschauungen. Wir werden uns also zu denken
haben, daß Nonnos erst, nachdem er die Dionys. gedichtet hatte, Christ geworden sei
und sodann in einer ähnlichen Weise, wie vorher den heidnischen, einen christlichen Stoff
dichterisch bearbeitet habe. Begeisterung für seinen Gegenstand und reiche, manchmal recht
überschwängliche Phantasie zeichnen ihn auch hier aus; ebenso die eine, wohltönende,
60 nicht selten an Homer erinnernde, aber durchaus künstliche epische Sprache und die Beobachtung strenger Regeln für die Behandlung des Hexameters, die er selbst eingeführt

hat und welche ihm jedenfalls seine Arbeit sehr erschwerten. Über diese Regeln hat zuerst Gottfried Hermann im Anhang zu seiner Ausgabe der Orphika (Leipzig 1805, S. 690 f.) gründliche Untersuchungen angestellt, die durch spätere Forscher bestätigt und weitergeführt sind. Doch läßt sich eine Ermattung der Schwungkraft der Phantasie des Nonnos und eine teilweise Einschränkung seiner metrischen Gesetze in der Paraphrase im Vergleich mit 5 den Dionysiaken beobachten, eine Erscheinung, welche auch die spätere Entstehung der ersteren bestätigt. Die Paraphrase ist uns nicht ganz vollständig überliefert; namentlich findet sich eine größere Lücke von etwa 50 Versen in allen vorhandenen Handschriften, deren gemeinsame Herkunft von einer einzigen (verlorenen) dadurch erwiesen wird. Was uns überliefert ist, besteht aus etwa 3750 Hexametern, die jetzt in den gedruckten Aus= 10 gaben im Anschluß an die übliche Kapiteleinteilung des Evangeliums auch in 21 Kapitel abgeteilt werden. Der Dichter schließt sich dem Gange des Evangeliums Satz für Satz an; meistens so genau, daß man unschwer entdeckt, welche Worte des Evangelisten er in den von ihm gewählten Ausdrücken wiedergiebt. Dabei schmückt er den einfachen Bericht des Evangeliums mit selbsterfundenen Zuthaten weiter aus und läßt seiner Phantasie 15 freien Spielraum; besonders gefällt er sich in der Hinzufügung und Häufung ausmalender Eigenschaftswörter, von welchen er eine ganze Reihe, namentlich wohl viele der langatmigen, selbst erfunden hat. Es fehlt dabei nicht an Sonderbarkeiten und Geschmacklosigkeiten; instar omnium genüge hier als Beispiel ein Vers (19, 25), den schon Köchly (s. unten) als „garrulum illud" bezeichnet hat, nämlich die Wiedergabe der Worte Jo 19, 5 20 *ἰδοὺ ὁ ἄνθρωπος* durch:

ἠνίδε ποικιλόνωτος ἀναίτιος ἵσταται ἀνήρ.

Über die vorhandenen Handschriften, von denen die wichtigsten erst in neuester Zeit genauer verglichen wurden, geben eine Monographie von G. Kinkel, Die Überlieferung der Paraphrase des Evangeliums Johannis von Nonnos, Zürich 1870, von welcher nur 25 die erste Abteilung erschienen ist (?), und die Prolegomena der Ausgabe von Scheindler (vgl. unten) Auskunft. Die erste gedruckte Ausgabe ist eine Albine s. a. aus dem Jahre 1501 (nicht 1508 oder 1511), deren Existenz mitunter geleugnet ist, vgl. jedoch Renouard, Annales de l'imprimerie des Alde, 2. éd., T. II, Paris 1825, p. 198; sie befindet sich auf der Universitätsbibliothek zu Leipzig (vgl. die Passowsche Ausg. S. VIII) und 30 zu Wien (vgl. die Scheindlersche Ausg. S. XXXV), auch besaß Panzer sie (vgl. den Katalog seiner Bibliothek I, S. 128, Nr. 995ᵇ). Der Text der Albina wurde dann in überaus zahlreichen Ausgaben abgedruckt. Der Hagenoae 1527 bei Secerius erschienenen Ausgabe ist als eine Art Vorrede ein Brief Melanchthons an den Abt Friedrich zu St. Agidien in Nürnberg vorgedruckt (vgl. CR vol. I, col. 925 sq.), in welchem Melanch= 35 thon über das eruditissimum Nonni carmen in Johannis evangelium sagt, es könne vice prolixi commentarii sein, und von sich bekennt, ego praedicare non dubito, multis locis ab eo me adiutum esse speroque fore, ut, si alii legerint, fateantur, se quoque ex hoc meliores factos. Im Jahre 1528 erschien auch Hagenoae in demselben Verlage eine lateinische Übersetzung der Paraphrase von Christo- 40 phorus Hegendorphinus (oft wiedergedruckt z. B. Paris 1542, Köln 1618, Lugd. Bat. 1677), auf welche dann später andere lateinische Übersetzungen folgten. Unter den folgenden Ausgaben sind die per J. Bordatum Bituricum, gr. et lat., Parisiis 1561, und vor allem die des Franciscus Nansius, Lugd. Batavorum 1589, deshalb be- merkenswert, weil die Herausgeber den unvollständig überlieferten Text durch eigene Verse 45 ergänzt haben. Von diesen Zuthaten reinigte Friedrich Sylburg den Text des Nonnos wieder; er gab nach dem besten Kodex zu Heidelberg 1596 (Druck von Hieronymus Com- melinus) die erste kritische Ausgabe heraus, auch mit lateinischer Übersetzung. Auch diese Ausgabe ward mehrfach neu gedruckt, z. B. Leipzig 1629. Ein sehr ungünstiges, aber auch vielfach ungerechtes Urteil fällte dann über Nonnos' Paraphrase Daniel Heinsius 50 in seinem Aristarchus sacer sive ad Nonni in Johannem metaphrasin exer- citationes, Lugd. Batavorum 1627, zweite Aufl. 1639; in diesem Werke befindet sich auch ein vollständiger Abdruck der Paraphrase, dem die lateinische Übersetzung und das Evangelium des Johannes selbst gegenübergestellt sind. Eine Verteidigung des Nonnos gegen Heinsius unternahm Kaspar Ursinus in seinem Nonnus redivivus, hoc est, 55 responsiones brevissimae ad Aristarchum sacrum, Hamburgi 1667. — Hein- sius scheint in der That die Gelehrten von der Beschäftigung mit Nonnos abgeschreckt zu haben; die nächste Ausgabe, von der wir wissen, ist die aus Franz Passows Nachlaß von Nik. Bach edierte Nonni Panopolitae metaphrasis evang. Johannei recen- suit . . . Franciscus Passovius, Lips. 1834; Passow selbst hatte schon 1828 als 60

specimen dieser Ausgabe die fünf ersten Kapitel erscheinen lassen. Einen Abbruck der Ausgabe des Vorbatus ließ Maniarius, Triest 1856, erscheinen. Selbständige Kritik übte am Text der Paraphrase der Graf von Marcellus, der bekannte Diplomat (gest. 1865), der den griechischen Text mit französischer Übersetzung in Prosa und kritischen Anmerkungen
5 herausgab, Paris 1861. Die neueste Ausgabe ist: Nonni Panopolitani paraphrasis s. evangelii Joannei edd. Augustinus Scheindler, Lips. 1881, Teubner. Scheindler hat für diese Ausgabe Vergleichungen früher noch unbekannter Handschriften benutzen können und außerdem kam ihm zu gute, daß sich gerade um dieselbe Zeit außer ihm auch andere (z. B. Ludwich, Tiedke, Hilberg) eingehend mit der Metrik und den sprach=
10 lichen Eigentümlichkeiten des Nonnos beschäftigt und die Resultate ihrer Studien (in philologischen Zeitschriften und in Programmen) veröffentlicht hatten. Jedenfalls ist die Scheindlersche Ausgabe jetzt die beste aller vorhandenen. Nach Scheindlers Ausgabe er= schienen die Nonniana von H. Tiedke, Progr. des Berl. Gymnasiums zum grauen Kloster, Berlin 1883, 4°, in welchem eine Anzahl schwierigerer Stellen des Nonnos textkritisch
15 behandelt werden. — Deutsche Übersetzungen des Nonnos sind unseres Wissens nicht ge= druckt; die erste Lieferung einer solchen von H. A. W. Winckler erschien Gießen 1838. Eine vollständige (?) Übersetzung in deutsche Verse von Joh. Fabricius Palatinus befindet sich angeblich auf der Baseler Bibliothek, vgl. Hänel, Catalogi libr. manuscript., Lips. 1830, col. 639. — Mit Rücksicht auf kirchliche Archäologie und auf die Stellung des
20 Nonnos zu den Lehrstreitigkeiten seiner Zeit hat besonders L. F. O. Baumgarten-Crusius die Paraphrase durchforscht; er veröffentlichte Jena 1824 ein spicilegium observatio- num in Joanneum evang. e Nonni paraphrasi (wahrscheinlich ein Programm, das dem Unterzeichneten nicht zugänglich war), und hernach eine Abhandlung de Nonno Panopolitano, Joannei evangelii interprete, in seinen opuscula theologica, Jenae
25 1836. — Ganz besondere Bedeutung hat die Paraphrase des Nonnos für die Textkritik des Evangeliums Johannis, soweit nämlich aus ihr ersichtlich wird, wie der Text des Evangeliums, den Nonnos vor sich hatte, gelautet haben muß. Schon Mill erkannte die Wichtigkeit des Nonnos in dieser Hinsicht, und benutzte ihn, vgl. die Prolegomena zu seiner Ausgabe des NT S. 87, in den Küsterschen Ausgaben des Mill § 908—915.
30 In der Passowschen Ausgabe ist das Evangelium nach Lachmanns Stereotypausgabe von 1831 Seite für Seite unter den Versen des Nonnos zur Vergleichung abgedruckt; die Vergleichung selbst wird dem Leser überlassen. Tischendorf hat für seine editio septima 1859 zuerst eingehender die Paraphrase verglichen, vgl. prolegomena zu der ed. VII. mai. p. 262: Nonni paraphrasin evangelii Joannis singulari studio excussimus.
35 Besonders eingehend hat sich dann aber Hermann Köchly damit beschäftigt, die Paraphrase für die Textkritik des vierten Evangeliums zu verwerten; vgl. seine Abhandlung im Gratulationsprogramm der Zürcher Universität zum 400jährigen Jubiläum der Baseler Universität aus dem Jahre 1860, wieder abgedruckt in Arminii Koechly opuscula philologica, vol. I, opusc. latina, edd. Godofr. Kinkel, Lips. 1881, p. 421—446.
40 Köchly ist namentlich der Ansicht, daß an einer großen Anzahl von Stellen Nonnos einen kürzeren Text des Johannes vor sich gehabt habe, als derjenige ist, den wir jetzt in unseren kritischen Ausgaben (er vergleicht die Ausgaben von Lachmann 1842, Tischendorf 1859 und Buttmann 1856) haben, und ist sehr geneigt, diesen kürzeren Text für den ursprünglichen zu halten, auch oft in solchen Fällen, in welchen die Auslassung des Nonnos
45 durch keine andere der damals bekannten Quellen des Textes (Handschriften, Uebersetzungen, Väter) gestützt ward. Hingegen hat der dem Nonnos vorgelegene Text nach Köchly nur einmal einen Zusatz zu dem uns sonst überlieferten gehabt; es ist das die Stelle Ev. Jo 21, 2, in welcher Nonnos nach Σίμων Πέτρος ohne Frage καὶ Ἀνδρέας gelesen hat. Jedenfalls verdient die Arbeit Köchlys mehr Beachtung, als ihr bisher von Theologen
50 zu teil geworden zu sein scheint. — Scheindler hat in seiner Ausgabe, ähnlich wie bei Passow geschah, den Text des Evangeliums unter dem des Nonnos abdrucken lassen, wie es scheint, den Tischendorfschen Text aus der editio octava, und hat dann in diesen Text an denjenigen Stellen, an welchen nach seiner Ansicht Nonnos einen andern Text vor sich hatte, diesen vermutlich von Nonnos benutzten Text hineinkorrigiert und durch
55 den Druck ausgezeichnet. Dieses Verfahren macht das Resultat seiner Untersuchungen sehr übersichtlich. Scheindler schließt sich vielfach an Köchly an, wenn er auch dessen Ansichten über den kürzeren Text des Nonnos oftmals verwirft und an solchen Stellen von Nonnos selbst herrührende Auslassungen annimmt. — Neuerdings haben sich besonders Friedrich Blaß und Ralph (Radulphus) Janssen eingehend mit dieser
60 Untersuchung beschäftigt. Blaß hat in seiner Ausgabe des Evangeliums Johannis

(Evangelium secundum Johannem cum variae lectionis delectu edidit Fridericus Blass, Lipsiae 1902) die Paraphrase durchgehends berücksichtigt; er ist der Ansicht, daß der Text, der dem Nonnos vorlag, häufig mit dem Syrus Lewisianus, mit D. und den lateinischen Zeugen und auch mit Chrysostomus übereinstimmt. R. Janssen, ein Schüler von Blaß, aus Michigan gebürtig und jetzt zu Grand Rapids 5 in Michigan wohnhaft, hat das Evangelium des Johannes so drucken lassen, wie es nach seiner Meinung dem Nonnos vorgelegen hat; vgl. Das Johannes-Evangelium, nach der Paraphrase des Nonnos Panopolitanus mit einem ausführlichen kritischen Apparat herausgegeben von Dr. R. Janssen (TU, NF VIII, 4), Leipzig 1903; die ersten 39 Seiten dieser Arbeit erschienen schon 1902 als Hallenser Doktordissertation. Auch Blaß und 10 Janssen kommen zu dem Resultat, daß Nonnos an vielen Stellen des Evangeliums einen kürzern Text vor sich gehabt hat, als derjenige ist, den wir in unsern Ausgaben (Tischendorf, Hort und Westcott, Nestle) jetzt haben; und sie können sich für diesen kürzern Text auf Zeugen berufen, die Köchly noch nicht kannte. Und da diesen Zeugen gerade neuerdings in der Textkritik auch sonst große Bedeutung beigelegt wird, wird auch die Para- 15 phrase des Nonnos für die Feststellung des Textes des vierten Evangeliums weiter herangezogen werden. Ob mit durchschlagendem Erfolge, läßt sich noch nicht sagen; jedenfalls hat sich als Resultat der genannten Arbeiten bei vielfacher Abweichung im einzelnen ergeben, daß es kein vergebliches Bemühen ist, festzustellen, was Nonnos in seinem Johannes gelesen hat.   **Carl Bertheau.** 20

Noph, von mehreren Propheten (Jes 19, 13; Jer 2, 16; 44, 1; 46, 14. 19; Ez 30, 13. 16) als eine der Hauptstädte Ägyptens in der Zeit des 8.—6. Jahrhunderts genannt und, wie auch die LXX richtig angeben, mit Memphis identisch. Der Name ist aus dem ägyptischen Namen der Stadt Men-nufer, Ménfer, Ménfé (kopt. Ménfs, in den Keilinschriften Mempi) verstümmelt. Die Ruinen von N. — Memphis liegen 25 auf dem westlichen Nilufer, etwas südlich von Kairo, bei den Dörfern Mitrahine und Bedraschein; dort befinden sich auch die Trümmer des Haupttempels von N., der dem Lokalgotte Ptah-Hephaistos geweiht war. Die Stadt ist nach der Überlieferung durch den ersten historischen König Menes gegründet worden und hat schon im alten Reiche (3. Jahrtausend v. Chr.) eine große politische Rolle gespielt. Noch unter Augustus war es 30 Memphis eine große und volkreiche Stadt und scheint erst in der byzantinischen Zeit an Bedeutung verloren zu haben, bis es unter der arabischen Herrschaft nach der Gründung Kairos völlig verfiel. Vgl. Baedeker, Ägypten, 5. Aufl. 133 ff. — Die Annahme, N. sei vielmehr das am oberen Nil, bei dem Gebel Barkal, südlich von Abu Hammed, gelegene alte Napata, die ältere Hauptstadt der Äthiopenkönige, läßt sich in keiner Weise 35 begründen.   **Steindorff.**

Norbert s. d. A. Prämonstratenser.

Nordafrikanische Kirche. — Quellen: CIL VIII, I—II Berolini 1881; Suppl. I (n. 10 989 ff.) 1891; Suppl. II (n. 17 585 ff. 1894; Suppl. III im Druck. CSEL, Vindobonae 1866 ff. MSL, Paris 1844 ff.; Augustini opp., ed. nova Bened., Antw. 1700; Possidii vita 40 Augustini, Aug. Vindel. 1768; Codex canonum eccles. afric. ed. Justellus, Paris 1614; Mansi, Florentiae 1750; Chronica minora (MG), ed. Mommsen, Berolini 1891 ff.; Notitia dignitatum, ed. Böding, Bonn 1839 ff.; Polemii Silvii laterculus, ed. Mommsen, Leipzig 1853; Rufi Festi breviarium, ed. Förster, Vindob. 1874; Codex Theodosianus, ed. Hänel, Bonnae 1842; Acta martyrum, ed. Ruinart, Ratisbonae 1859; AS, Paris 1863 ff. 45 Litteratur: K. Ritter, Erdkunde³, Berlin 1822; Tissot, Géographie comparée de la Prov. rom. d'Afrique I, Paris 1884, II mit Atlas (ed. Reinach) 1888; Mommsen, Römische Geschichte V³, Berlin 1866; O. Meltzer, Geschichte der Karthager, Berlin, I 1872, II 1896; F. Münter, Religion der Karthager, Kopenhagen 1821; derf., Primordia ecclesiae africanae, Hafniae 1829; Cagnat, L'armée Romaine d'Afrique et l'occupation militaire de l'Afrique 50 sous les empereurs, Paris 1892; Pallu de Lessert, Les fastes de la Numidie, Paris 1888; derf., Vicaires et Comtes d'Afrique, Paris 1892; derf., Fastes des prov. africaines, Paris I—II 1896 f.; Halgan, Essai sur l'administration des prov. sénatoriales, Paris 1898; Boissier, La fin du paganisme, 2 Bde, Paris 1891; derf., L'Afrique romaine, Paris 1895; B. Schultze, Geschichte des Unterganges des griech.-röm. Heidentums, Jena I 1887; II 1892; 55 Morcelli, Africa christiana I—III, Brixiae 1816 f.; Toulotte, Géographie de l'Afrique chrétienne, 4 Bde, Paris 1892—94; Künstle, Die altchristl. Inschriften Afrikas (ThQS) 1885; A. Schwarze, Untersuchungen über die äußere Entwickelung der afrik. Kirche, Göttingen 1892; A. Harnack, Die Mission u. die Ausbreitung d. Christentums in den ersten 3 Jahrhunderten, Leipzig 1902; K. Joh. Neumann, Der römische Staat und die allgemeine Kirche bis auf Dio- 60

tletian, I, Leipz. 1890; Le Blant, Les persécutions et les martyrs aux premiers siècles de notre ère, Paris 1893; P. Allard, Le Christianisme et l'empire rom. de Néron à Théodose, Paris 1897; v. Hefele, Conciliengeschichte², I—II, Freiburg 1873—75; O. Ritschl, Cyprian v. Carthago und die Verfassung der Kirche, Göttingen 1885; W. Thümmel, Zur Be-
5 urteilung des Donatismus, Halle 1893; Ludwig Schmidt, Geschichte der Wandalen, Leipzig 1901; Diehl, L'Afrique Byzantine. Histoire de la domination Byzantine en Afrique, Paris 1896; A. Schulten, Das röm. Afrika, Leipzig 1899; Franz Wieland, Ein Ausflug ins altchristl. Afrika, Wien 1900: Rauscher-Wolfsgruber, Augustinus, Paderborn 1898; v. Hertling, Augustin, Mainz 1902; Description de l'Afrique du Nord (Atlas de la Tunisie, Musées et
10 collections archéologiques en Algérie), Paris 1892ff; Gsell, Recherches archéologiques en Algérie, Paris 1893; Bullettino di archeologia cristiana 1863ff.; Nuovo Bullettino etc., 1895ff.; Recueil des notices et mémoires de la société archéologique de Constantine 1866ff.; Mélanges d'archéologie et d'histoire 1880ff. u. a. a. französische Zeitschriften. Weitere Quellen und Litteraturangaben unter den Spezialartikeln.

15 Durch Lage, Begrenzung und die ihm eigene Bevölkerung und Geschichte in die Reihe der Mittelmeerländer gerückt, ist Nordafrika der Schauplatz einer politischen, religiösen und wirtschaftlichen Entwickelung geworden, welche dies Land frühzeitig in Beziehung zum römischen Reiche und zur römischen Kirche gebracht hat. Gegen N. und W. durch das Mittelmeer und den Atl. Ocean begrenzt, im S. und O. durch die Sahara und die libysche
20 Wüste von dem übrigen Afrika getrennt, erscheint N.A., welches die heutigen Länder Marokko, Algier, Tunis und Tripolis umfaßt, als ein Land für sich. Von den Arabern wurde es Djezirat el Maghreb (Insel des Westens), von Ritter (I, 885) Klein-Afrika genannt, während die Bezeichnung Atlantide auf das Atlasgebirge und seine Bedeutung für die Gliederung und Bodenbeschaffenheit des Landes hinweist. Im O. senkt dies
25 Gebirge zuletzt zur Ebene des Bagradas, des Hauptstromes von N.A., und damit zu dem hauptsächlichsten natürlichen Eingangsthor für die von außen kommenden Kulturen.

Die Bevölkerung zeigt eine Zusammensetzung aus 3 Elementen, den Berbern, gemeinsamer Name für die Stämme der Eingeborenen, der phönikischen Invasion, die sich besonders über die Küstengegenden verbreitete, aber auch im Lande zahlreiche kleine Stadt-
30 gemeinden gründete (zur staatsrechtl., nicht ethnograph. Bezeichnung „Libyphöniker" siehe Meltzer, I 60ff. 436f; Mél. d'arch. 1896, 444) und der römischen Kolonisation, von
• deren glänzenden Erfolgen mehr als ein afrikanisches Pompeji Kunde giebt. Vgl. Tissot, I, 385—397; Rec. des not. de Const. 1895—96 S. 127—211; 1898 S. 146f.; Rohlfs, Quid novi ex Africa (Kassel 1886) 131ff.
35 Das Christentum muß schon im 1. Jahrhundert nach Afrika gekommen sein, zur Zeit Tertullians waren die Christen bereits sehr zahlreich (Ad Scap. 2; Apol. 2; 37); an Eingangsthoren standen außer Karthago auch die übrigen Küstenstädte zur Verfügung, während die Ausbreitung im Lande durch die Militärstraßen, welche das ganze Gebiet durchzogen, erleichtert wurde. Römische Soldaten und Beamte mögen vielfach die Pio-
40 niere des Christentums gewesen sein, worauf auch das starke militärische Element in der lateinischen Kirchensprache Afrikas hinweist (Harnack, Mission 515f.). Außer Karthago kommen bei Tertullian nur erst 4 Städte mit christlichen Gemeinden vor: Hadrumetum, Thysdrus, Lambäsis (Hauptlager der III. Legion) und Uthina, doch waren nach Tert. Ad Scap. 4 damals auch in Mauretanien schon Christen. Es muß dann aber bis 249
45 ein starkes Anwachsen des christlichen Elementes stattgefunden haben, da Cyprian ep.73, 3 bereits von „tot milia haereticorum" spricht (Harnack a. a. O.). Hinsichtlich der kirchlichen Begründung weist alles nach Rom, „unde nobis quoque auctoritas praesto est" (Tert. de praescr. haer. 36). S. m. Unters. 28—32.

Wie N.A. im regen Verkehr mit den Ländern des Mittelmeeres stand, so bot es
50 auch einen besonderen Nährboden für das Christentum, in dessen Entwickelung es unter den Ländern des römischen Reiches die erste Rolle spielt (Mommsen, 657). Dazu haben auch die wirtschaftlichen Verhältnisse des Landes beigetragen. Denn von der Fruchtbarkeit desselben hatten nicht die eingesessenen Landleute (s. Rec. des n. de Const. 1898, 58) den Nutzen, sondern die römischen Grundbesitzer, welche ihre ausgedehnten Güter durch
55 Generalpächter verwalten ließen. Unter den letzteren sanken die anfangs freien Bauern mehr und mehr zu unfreien Hörigen herab. Als solche bildeten sie mit der Sklaven-bevölkerung des Landes die große Gemeinde, bei welcher das Evangelium als frohe Botschaft für die Elenden willige Aufnahme fand, aber auch die gärende Masse, aus welcher sich später die Horden der mit den Donatisten vielfach verbundenen Circumcellionen rekru-
60 tierten (s. Schulten 46, Thümmel 92). Doch war das Christentum nicht auf die niederen Volksschichten beschränkt (s. Tert. Apol. 1; 37; Ad Scap. 5).

Bei der dort beschriebenen Lage der Dinge mußte es sehr bald auch zur Reibung mit den vorgefundenen heidnischen Elementen kommen. Tertullian (Apol. 24), wie Cyprian (Quod idola 2) wenden sich gegen die göttliche Verehrung der Berberfürsten. Beiträge zu derselben enthalten CIL nn. 3; 8834; 17159. Noch größere Gefahr drohte dem Christentum von der durch blutige Menschenopfer und den Kultus der Unsittlichkeit be- 5 fleckten punischen Religion, welcher sich die Religion der römischen Eroberer sehr schnell assimilierte: Der phönikische Baal mit dem Symbol der Sonne wird zum römischen Saturn, die phönikische Astarte (Tanit) mit dem Halbmond zur römischen Dea Magna (Mél. d'arch. 1894 S. 39 n. 98), Cälestis (CIL n. 2226 aus Mascula in Numid. nennt Cälestis, Saturn, Merkur und Fortuna als dii iuvantes), Diana Cälestis (CIL 10 n. 999 aus Karthago) oder Dea Magna Virgo Caelestis (CIL n. 9796 aus Safar in Mauret. Cäs.). Vgl. Münter, Rel. 17 ff. 62 ff.; Augustin, De civ. Dei II, 4; Boissier, L'Afr. rom. 285; Mélanges d'arch. 1892 S. 3—124. Der erste afrikanische Märtyrer Namphamo trägt noch einen punischen Namen, auch erhielt sich im Volk die punische Sprache lange Zeit neben der lateinischen (Aug. Conf. I, 14; ep. 209; Boissier, 15 L'Afrique rom. 297; 304), aber die Bibel wurde weder ins Punische noch ins Berberische übersetzt. Das Christentum leistete vielmehr durch Einführung der lateinischen Sprache, welche auch die griechische verdrängte, denn Tertullian selbst schrieb zuerst noch griechisch (Harnack, Mission, 513), den Römern einen wichtigen kolonisatorischen Hilfsdienst.

Der allmählichen Ausbreitung des Christentums über NA., welche von der Pro- 20 consularis aus über Numidien fortgeschritten war, hat sich die Bildung zahlreicher Gemeinden (s. zur allmählichen Verbreitung des Christentums bis 325 Harnack a. a. O. 520—527), sowie in Anlehnung an die politische auch die Ausgestaltung der kirchlichen Verfassung angeschlossen. Zu den politischen Provinzen s. die Schriften von Pallu du Lessert, Diehl und m. Unters. 2—18. Die Nachrichten über die kirchlichen Provinzen 25 beginnen mit dem 3. Jahrhundert, in dessen erstes Drittel die von Cyprian erwähnte Synode unter Agrippinus fiel. Vgl. ep. 70, 1; 71, 4; 73, 5; C. Schmidt, GgA 1893 S. 240; Harnack, Miss. 516. Agrippinus versammelte damals zu Karthago die Bischöfe um sich, welche „in der Provinz Afrika und Numidien die Kirche des Herrn leiteten". Daß zunächst diese beiden Provinzen zusammen genannt werden, findet seine Erklärung 30 in dem engen politischen Zusammenhang derselben bis zum 3. Jahrhundert: denn bis dahin hatte Numidien, wenn es auch seit 37 n. Chr. nicht mehr dem Prokonsul, sondern dem kaiserlichen Legaten unterstellt war, doch als eine Diöcese zur Provinz Afrika gehört (CIL VI n. 1406; VIII p. XVI; m. Unters. 9). An diesen Zustand knüpft auch Cyprian an. So schreibt er von einer Provinz (pr. una), deren Angelegenheiten von 35 denen des ganzen Erdkreises unterschieden werden, ep. 19, 2 (a. 250, die Zeit der Abfassung nach O. Ritschl 238 ff.), von einer Provinz ganz allgemein ohne Zusatz ep. 59, 16 (a. 252). Seine Provinz (pr. nostra) erwähnt er in Briefen aus dem Jahre 251, so ep. 27, 3; 43, 3 (in den Worten: item universis episcopis vel in nostra pr. vel trans mare constitutis erscheinen die Bischöfe „in nostra pr." identisch mit allen 40 afrikanischen Bischöfen); 45, 1; 55, 21. Von besonderem Interesse ist in ep. 48, 3 (a. 251) die Stelle: „latius fusa est nostra pr., habet enim Numidiam et Mauritaniam sibi cohaerentes". Als seinen eigentlichen Bezirk bezeichnet Cyprian hier zwar auch die politische Provinz Afrika, aber er betrachtet Numidien und Mauretanien als dazu gehörige Anhängsel (C. Schmidt, GgA 1893, 241). Wichtig ist dabei nicht sowohl der An- 45 spruch des Bischofs auf ganz Afrika, als vielmehr die Thatsache, daß um diese Zeit neben Afrika Numidien und Mauretanien besonders genannt werden. Dies geschieht dann weiter für Afrika und Numidien ep. 71, 4 (a. 256), für Numidien und Mauretanien ep. 72, 1 (a. 256). Aus dem Jahre 256 ist auch ep. 73, in dem (73, 3) Cyprian von „pr. nostris" schreibt. Damit sind wir in das Jahr gelangt, für welches auch durch das 50 Konzil über die Ketzertaufe die 3 Kirchenprovinzen Afrika, Numidien und Mauretanien bezeugt sind (CSEL III, p. I, 435 ff.).

Eine Änderung kam in die bestehenden Verhältnisse durch die neue Reichseinteilung unter Diokletian, wodurch NA. in 6 Provinzen geteilt wurde: 1. Proconsularis (Zeugitana); 2. Byzacium-Byzacena (zur Ableitung der Namen Zeugit. und Byz. s. Meltzer 55 I, 78); 3. Numidia; 4. Tripolis; 5. Mauretania Sitifensis, 6. Mauretania Cäsareensis (Tissot, II, 39—43).

Die kirchlichen Provinzen zu Anfang des 4. Jahrhunderts, die sich mit den politischen decken, erkennen wir aus einer Verfügung Konstantins zur Synode von Arelate (314), s. August. opp. (ed. n. Ben.) IX append. 25. Zur Unterscheidung eines kon- 60

sularischen und prokonsularischen Numidien s. m. Unters. 20 ff. Jedenfalls bildete auch
Numidien nur eine Kirchenprovinz, welche unter einem gemeinsamen Primas stand. Als
solcher fungierte hier wie in den andern Provinzen der jeweilige älteste Bischof der Provinz, daher der Name „Senex" für denselben. Eine Ausnahme machte nur die Pro-
5 consularis, in welcher der Primat beständig mit Karthago als dem Metropolitansitz verbunden war. Dem Primas von Numidien war zuerst auch Mauret. Sitifensis unterstellt,
bis 393 zu Hippo Regius ein eigener Primas für dasselbe genehmigt wurde, s. Hefele
II, 55. 66 f. Mauretania Tingitana gehörte kirchlich zu Mauret. Cäs. Wie es mit der
Inselprovinz Sardinien stand, welche die Wandalen dem afrikanischen Besitz hinzufügten,
10 ist nicht sicher, die Notitia provinciarum vom Jahre 484 (CSEL VII, 117 ff.) rechnet
sie jedenfalls auch zu den Kirchenprovinzen. Bei den politischen Provinzen findet sie sich
nach der byzantinischen Reorganisation, s. Diehl, 108 ff.

Von den arianischen Wandalen (s. b. A.) litten die Katholiken, zumal die Kleriker,
nicht nur an ihrer Person mancherlei Unbilden, die sie vielfach selbst durch Widersetzlich-
15 keit und aufreizende Thätigkeit verschuldeten (Vita Fulgentii 9, 17; s. Ficker, ZKG
1900, 19; L. Schmidt 63, 67, 74, 95 ff. 103), sondern wurden auch durch Einziehung
ihrer Kirchen und Güter geschädigt. Letzteres traf besonders Karthago und die Proconsularis.

Von Einfluß auf den Bestand der Kirche war ferner die Ausbreitung der Mauren,
20 welche während der Wandalenzeit einen großen Teil des früheren römischen Besitzes, so
besonders das südliche Numidien und die drei Mauretanien, wieder an sich rissen, s. Diehl
36; L. Schmidt 123. Immerhin scheinen sich wenigstens die 6 festländischen Provinzen
durch alle Wirren hindurch vom 4.—6. Jahrhundert erhalten zu haben; sie kommen zuletzt noch auf dem Konzil des Jahres 525 vor, auf welchem ihre Rangordnung festgestellt
25 wurde, s. Hefele II, 710 ff., während 534 nur 3 Provinzen: Proconsularis, Byzacena
und Numidien mit im ganzen 220 Bischöfen zu Karthago vertreten waren. Doch scheint
dann die energische Propaganda unter Justinian zu förderlichen kirchlichen Zuständen wieder gehoben
zu haben. So kam zunächst Tripolitana hinzu und zu Anfang des 7. Jahrhunderts ist
sogar Mauretania Tingitana auf einem Konzil zu Karthago vertreten. Vgl. Diehl 40;
30 411—418.

Die Zahl der Gemeinden, an deren Spitze ein Bischof stand, war gerade in N.A.
eine besonders große. Zur Zeit Augustins gab es deren wenigstens 500, obgleich die
Einsetzung von Bischöfen auf dem Lande und in den kleineren Städten verboten war,
s. Morcelli III, 155; Hauck, Kirchengesch. Deutschlands² (Leipzig 1898) I, 40. Die Er-
35 klärung für jene große Zahl findet v. Hertling (61) in einem weit getriebenen Muni-
zipalgeist der Afrikaner, ähnlich Harnack (Miss. 516) und Hauck (a. a. O.) in den vielen
kleinen punischen Landstädten, L. Schmidt (59) in den großen Landgütern, auf welchen
die einzelnen Kastelle zum Teil mit eigenen Bischöfen besetzt wurden. Ferner mag der
Wettstreit zwischen den Katholiken und Donatisten dazu beigetragen haben, daß an vielen
40 Orten Gegenbischöfe aufgestellt wurden. Wo kein Bischof war, sollte ein Presbyter mit
einem Diakon die Gemeinde leiten. Ein Beispiel dafür und damit zugleich einen wichtigen Beitrag zur Verfassung der Landgemeinden sieht K. Müller (ZKG 1896, 214 ff.)
in dem, was über den Presbyter Gaius Dianensis (so, nicht Didensis ist nach Cod. Z
zu lesen) es ist an Diana Veteranorum in Numidien zu denken, vgl. Harnack, Miss.
45 523) bei Cyprian ep. 34 berichtet wird. Vgl. hierzu aber auch O. Ritschl 234 und
Harnack in Theol. Abhdlg. C. v. Weizsäcker gew. 2 ff. — Daß Karthago zur besseren
kirchlichen Versorgung nach dem Vorgange Roms in eine Anzahl Regionen eingeteilt
war, ist durch CIL n. 13423 bezeugt, auf welcher ein Lektor Mena aus der 4. oder
5. Region genannt ist. Vgl. Delattre in Rec. de Const. XXV (1890) 358; Harnack
50 Miss. 497 und TU II, H. 5 S. 100 ff.

Die Ausgestaltung der bischöflichen Macht ist an die Ausbildung des kirchlichen
Bußinstituts geknüpft, welche mit Tertullian anhebt und unter Cyprian zum Abschluß
kommt. Vgl. E. Preuschen, Tertullians Schriften de paen. et de pud., mit Rücksicht
auf die Bußdisziplin unters., Gießen 1890; K. Müller, Die Bußinstitution in ZKG
55 1896. Als Vertreter der altchristlichen Auffassung von der Sittlichkeit und als Mon-
tanist trat Tertullian der von Calixt von Rom eingeführten und auch in N.A. durch-
dringenden Neuerung entgegen, durch welche die Unzuchtsünden, bisher mit Abgötterei
und Mord als Todsünden angesehen, zu den vergebbaren Sünden gerechnet wurden
Dazu wurde mehr und mehr der Einfluß der Gemeinden, welchen anfangs als Organen
60 des Geistes die Sündenvergebung zustand, und in deren Namen die Bischöfe dieselbe er-

teilt hatten, beschränkt und die bischöfliche Entscheidung die ausschlaggebende. In Cyprian erstand der nordafrikanischen Kirche ein Bischof, welcher einerseits in Anlehnung an Rom dem Einfluß des übrigen Klerus und der Gemeinde neben dem des Bischofs ein Ende machte, andererseits aber auch Rom gegenüber mit Zähigkeit und Erfolg die Selbstständigkeit der afrikanischen Kirche zu wahren wußte. Obgleich Cyprian nicht rechtlich der Primas der afrikanischen Kirche war, sah er sich doch als solchen an und wurde es im 5 Lauf der Zeit auch mehr und mehr infolge seiner hervorragenden Persönlichkeit und der Bedeutung, welche der Bischof der Landeshauptstadt ganz von selbst gewinnen mußte. Dazu trugen auch die afrikanischen Generalsynoden bei, welche neben den Synoden einer oder mehrerer Provinzen stattfanden. 10

Bei allem Ehrenvorrang, welchen Cyprian dem römischen Bischofssitz zugestand, hielt er doch an der prinzipiellen Gleichheit aller Bischöfe fest (K. Müller, KG I, 153 f.; v. Schubert [Möller², Lehrb. d. KG], I, 301 ff.). So gelang es auch dem römischen Bischof Stephan nicht, die Afrikaner zur Verwerfung der Ketzertaufe zu bestimmen. Erst das Konzil von Arelate 314 räumte in can. 8 mit dieser Sitte auf und scheint auch in 15 can. 13, welcher die Ordination durch einen Traditor für giltig erklärt, sowie in can. 20, welcher sich gegen das angemaßte Vorrecht einzelner Bischöfe (bes. des Primas von Numidien, vgl. Morcelli II, 333; s. auch b. Anfang d. Donatism.), andere Bischöfe zu ordinieren, richtet, mit den Sonderrechten und Gebräuchen der afrikanischen Kirche gebrochen zu haben. Den Vorrang des Metropoliten von Karthago erkennt das General= 20 konzil zu Hippo Regius 393 an (Hefele II, 53 ff.). Die Autorität Roms wird zwar schon von Augustin sermo 131 (Rauscher 668) in einer Weise hervorgehoben, als sei durch eine Entscheidung des römischen Stuhles eine Streitsache erledigt; doch haben die afrikanischen Bischöfe auch damals noch ihre Selbstständigkeit gewahrt, wie das die Verhandlungen mit Bischof Zosimus (417—418) in Sachen des Pelagianers Cälestius be= 25 weisen (s. v. Hertling 85). Erst unter den zunehmenden Drangsalen der Wandalenherrschaft und infolge des fortschreitenden Verfalls kam es zu einem immer engeren Anschluß an Rom und zur Anerkennung der römischen Kirche als des „caput omnium ecclesiarum" (Vict. Vit. II, 43 in CSEL VII, 41).

Eigentümlich der afrikanischen Kirchenverfassung scheinen die „seniores plebis", eine 30 Art Gemeindevertretung, gewesen zu sein. In den Gesta apud Zenophilum (CSEL XXVI, 185—197) finden sich dazu folgende Zusammenstellungen: episcopi, presbyteri, diaconi, seniores (189, 3—4); adhibite conclericos et seniores plebis ecclesiasticos viros (189, 21—22); Purpurius episcopus clericis et senioribus Cirtensium in d. a. s.! (189, 27—28); Fratibus et filiis, clero et senioribus Fortis 35 in d. a. s.! (190, 33); Nundinarius dixit: vos seniores clamabatis (192, 30).

Die „Seniores" werden einerseits von den Klerikern unterschieden, andererseits aber als ecclesiastici viri bezeichnet. Da in der zuletzt genannten Stelle (192) der Grammatiker Victor angeredet ist, welcher einem vornehmen Dekurionengeschlechte Cirtas (185, 11—12) entstammte, bietet für diese Einrichtung vielleicht die alte karthag. Ver= 40 fassung aus der punischen Periode in dem Ausschuß der Gerusia ein Vorbild, zumal derselbe Ausdruck „seniores" dafür vorkommt (s. Liv. 30, 16, 3 Meltzer II, 39).

Wesentlich beeinträchtigt wurde die ruhige Entwickelung der kirchlichen Verhältnisse durch die vielerlei Spaltungen und Sekten, welche in N. A. einen besonders günstigen Boden fanden. Den Montanisten und Manichäern gelang es sogar, ersteren in Ter= 45 tullian, letzteren Jahre lang in Augustin, die beiden Haupttheologen des Landes für sich zu gewinnen. Die tiefsten Wunden schlug aber der afrikanischen Kirche der Donatismus (s. d. A.), welcher sich nicht nur zu einer numidischen Nationalkirche ausbildete, sondern sich auch über die anderen Provinzen verbreitete. Ueber ein Jahrhundert vom Jahre 312 an teilte diese große Spaltung die nordafrikanische Kirche in zwei zeitweise fast gleiche 50 Heerlager, zwischen welchen die Schlachtrufe Deo gratias von seiten der Katholiken (CIL n. 2292) und Deo laudes von seiten der Donatisten (CIL nn. 2046; 2223; 2308; 10694; 17718; 17732; 17768; 18669) hin= und hertobten. Vgl. Aug. en. in ps. 132, 6; de Rossi, Bull. di a. cr. 1875, S. 174. Zu den Donatistengräbern in Ala Miliaria (Maur. Caes.) s. Mél. d'arch. et d'hist. 1901, 237 ff.; Gsell, Fouilles 55 de Bénian 1899 p. 25; 42; Rec. de Const. 1899, 428; L. Schmidt 60. Einen Niederschlag jener kirchlichen Zerrissenheit kann man in den Grabschriften sehen, welche in der Formel vixit in pace oder fidelis v. i. p. dem Verstorbenen ein Zeugnis seiner Treue gegen die Großkirche ausstellen: CIL nn. 673, 748, 1086; 1546, 4762, 8635; 10540; 11890 ff.; 12196 ff.; 13468 ff.; 16908 u. a. a. Wo dieselbe bei Kindern vorkommt 60

11*

(nn. 11099; 11106; 11131; 13836; 16351), bedeutet sie, daß diese Kinder Glieder der katholischen Kirche gewesen und als solche gestorben sind. Auch Inschriften wie nn. 2311; 5176 mit dem Hinweis auf die katholische Kirche sind hier zu nennen. Wo sich nur die Worte in pace finden in Verbindung mit dormit (nn. 11119 ff.; 11125; 11726) oder requiescit, quievit u. dgl. (nn. 11118; 11123; 11128; 11649; 19671), ist es ein Hinweis auf den Zustand nach dem Tode. Beides bereit, den Hinweis auf den Frieden im Tode und die Treue im Leben, enthält n. 13603: Dalmaticus in pace et paradis(s)u fidelis in deo vixit. Vgl. nn. 9271; 19918; Revue archéologique 1888, 40; Comptes rendus de l'Acad. des inscript. 1888, 40 f.

Die Bedeutung der afrikanischen Kirche für die Lehrentwickelung läßt sich am besten aus den Schriften Tertullians, von dem Cyprian abhängig ist, und Augustins erkennen. Apologetisch thätig waren auch Arnobius und Laktanz. Einen Einblick in den Stand der Sittlichkeit gewähren Tertullian, De spectaculis; De paenitentia und De pudicitia; Cyprian, Ad Donatum und De habitu virginum; Augustin, Conf. II, s. Rauscher 13 ff. Weiteres s. u. b. einzelnen AA. und Ab. Ebert, Allgemeine Gesch. d. Litteratur des Mittelalters², Bd I (Leipzig 1889), 32—88; 212—251. Zur Ausbreitung des Mönchtums s. Rauscher 355.

Einen wertvollen Beitrag zur Stellung der Klöster in der Kirche ihrer Provinz liefert die Vita Fulgentii (G. Ficker, ZKG 1901, 10; 32; 36—42).

Die gegen die fremden Religionen geübte Toleranz des römischen Staates kam auch den Christen von N.A. zu gute, bis das Edikt M. Aurels 177 in Namphamo und Gen. und bald darauf (180) in den Scilitanischen Märtyrern (Ruinart 130 ff.; Harnack, Miss. 521; m. U. 104 ff.) die ersten Opfer lieferte. Zum Martyrium der Perpetua und Felicitas (Akten von Franchi Cavalieri, Rom 1896) s. den Art. Die Wirkungen der Decianischen Verfolgung lernen wir aus Cyprians Schrift de lapsis und aus der Geschichte des Bußstreites kennen. Unter Valerian erlitt Cyprian selbst den Tod. Zwei ihm geweihte Kirchen erwähnt Victor v. Vita I, 15 (CSEL VII, 8). Vgl. Mél. d'arch. 1902, 327. In dieselbe Verfolgung gehören wohl auch die Hortensischen Märtyrer, Marianus und Gen., welche CIL n. 7924 feiert (s. Rec. de C. 1895—96 S. 212 ff.), sowie Montanus und Gen. in CIL n. 10665 (Akten von Fr. Cavalieri, Rom 1898). An die letzte Verfolgung unter Diokletian erinnern die „dies turificationis" der Inschrift 6700 (= 19353), s. Mél. d'arch. 1901, 230. Weitere Opfer derselben Verfolgung waren die hl. Crispina in Theveste (s. Nuovo Bull. 1899, 51 ff.; 297 ff.) und die T(h)uburbitanischen Märtyrer in n. 1392 (= 14902), s. dazu Thümmel 36. Einen Hinweis auf die Funeralkollegien (ecclesia fratrum) enthalten nn. 9585 f. Zur Bedeutung der Worte memoria, memoriae, nomen, nomina bieten Beiträge nn. 2220; 5664 f.; 8431; 9714; 10686; 10693; 16741; 16743; 17607; 17714; 18656; 19414, und das in Hr. Zirara (Num.) gefundene silberne Reliquiar. Vgl. De Rossi, La capsella argentea africana (Roma 1889); m. Unters. 65 f.; 77; 103. Weiteres über die Verfolgungen der Römerzeit s. unter den AA. über die Christenverfolgungen und die einzelnen Kaiser; ferner bei Le Blant, Les persécutions; P. Allard, Le Christianisme; Boissier, La fin d. p. I, 399 ff.; m. Unters. 101—152; ThQS XIII (1894) 150 f.; XIV, 168; 195; XV, 155 ff.; XVI, 160; XVII, 182 ff.; XIX, 177.

Nach geschlossenem Frieden zwischen Staat und Kirche begann überall eine erhöhte Bauthätigkeit, wovon zahlreiche Trümmer Kunde geben. Allein in Karthago erhoben sich 21—22 Basiliken, darunter die Kathedrale B. Restituta, s. Rec. de C. XXV, 282, n. 150; Mél. d'arch. 1890, 1—2. L. Schmidt 69. Man glaubt dieselbe in der B. Damus el Karita aufgefunden zu haben. Vgl. Delattre, Carthage, notes archéol. 1892—93; Revue africaine 1893—94; Wieland 24—36. In Numidien ist Theveste mit einer großen Basilika- und Klosteranlage bemerkenswert (s. Ballu, Le monastère byzantin 1894; Rec. de Const. 1895, 5—87; Nuovo Bull. 1899). Zu zwei kleineren Basiliken in Morsott nicht weit von Theveste s. Rec. de C. 1899, 395 ff.; 406 ff. In Mauretania Caesar. lieferten Rusuccurru und Tipasa interessante Funde, ersteres vier Basiliken, darunter eine mit hexagonaler Absis, eine andere mit punischem Ornamenten (Wieland 172 ff.), letzteres außer einer neunschiffigen B. mit Baptisterium (Mél. d'arch. 1894, 357—371) die B. des Bischofs Alexander (Bulletin du Comité des travaux historiques 1892, 466—484; Mél. d'arch. l. c. 389—92) und die B. der hl. Salsa, welche ins Meer gestürzt wurde, weil sie eine bronzene Schlange, ein dort verehrtes (punisches?) Idol zerbrochen hatte (Gsell, Rech. 1—76. Pl. I—VIII; Mél. d'arch. 1894, 386—389). Hier will Duchesne in CIL n. 9289, der Grabschrift der Rasinia Secunda, die älteste datierte (a. 238) christliche Inschrift von N.A. sehen. Ihr stellt Gsell einige andere an demselben Orte gefundene Inschriften zur Seite, bes. die der Magnia Crescentina mit dem alten Symbol des Ankers (s. Mél. d'arch. 1894, 313 ff.; 407 f.). Zu dem sogen. Wunder von Tipasa in der Wandalenzeit, durch welches ihrer Zungen beraubte Märtyrer die Sprache behielten, einige Abtrünnige sie aber wieder ver= loren, s. Görres, ZwTh XXXVI, 494 ff. Zur Wandalenverfolgung überhaupt s. L. Schmidt; m. Unters. 153—173; Görres, Deutsche Ztschr. f. Geschichtsw. 1893; ZwTh 1893, 500 f.; 1900, 142 ff.

Die Religionspolitik Konstantins und seiner Söhne (s. d. A.) schuf sehr bald den Rechtsboden, auf welchen christlicher Glaubenseifer die früher erlittenen Unbilden ver= galt. Seit 341 mehren sich die Gesetze gegen den heidnischen Kultus (Cod. Theod. XVI, 10, 2. 4. 5). Die Tempel wurden geschlossen und die Säkularisation des Tempel= gutes durchgeführt. Ein Erlaß aus dem Jahre 399 an den Prokonsul Apollodor (C. Th. XVI, 10, 18) verbot die Zerstörung derjenigen Tempel, welche nicht mehr zum Götzen= dienst gebraucht wurden. Ein Konzil zu Karthago im Jahre 401 beschloß, die Kaiser sollten den Götzendienst ausrotten und die Tempel abtragen lassen, welche keinen künst= lerischen Wert besäßen (Hefele II, 80 f.). Altäre und Götterbilder wurden, sofern sie nicht in heimlichen Verstecken der Auffindung entgingen (Le Blant, De quelques statues cachées par les anciens in Mél. d'arch. X [1890], 389—396), in Museen unter= gebracht. Mehrere solcher Funde mit der Inschrift: Translata de sordentibus locis birgt jetzt das Museum von Cäsarea in Mauret. (Musée de Cherchel 17 f.), wobei die sord. loca sich auf die als Stätten der Unsittlichkeit verrufenen Bäder, die Fundorte jener Gegenstände, zu beziehen scheinen. Im Jahre 421 wurde in Karthago der Tempel der Cälestis niedergerissen und in einen Begräbnisplatz verwandelt (De prom. et praed. bei MSL LI, 835). Die damit verbundene Via Caelestis zerstörten die Wandalen (Victor v. Vita I, 8 CSEL VII, 5). Zur Zähigkeit des Heidentums s. den Briefwechsel zwischen Augustin und Maximus (Aug. epp. 16 und 17; Boissier, La fin du pag. II, 262 f.). Vereinzelt kam es sogar zu blutigen Zusammenstößen zwischen Heiden und Christen, so zu Sufes (Col. Sufetana in Byzac. s. CIL 44) und zu Calama (Num.), s. Aug. epp. 50 u. 91. In den Städten boten die mit priesterlichen Funktionen verbundenen Munizipalämter dem Heidentum einen zähen Rückhalt, doch wurden jene Ämter all= mählich ihres sacerdotalen Charakters entkleidet. CIL n. 10516 aus dem Jahre 525/26 weist einen christlichen flamen perpetuus auf (s. den Beschluß der Synode von Elvira bei Hefele I, 148—157; 179 f.; Duchesne, Le concile d'Elvire et les flamines chrétiens (Mélanges Renier 159—174); m. Unters. 50 f.). In Thamugadi waren ausgangs des 4. Jahrhunderts (CIL n. 2403) unter 72 Magistratspersonen 47 Priester. Dem „numen" der Kaiser wurden wie bisher Widmungen dargebracht (CIL nn. 11025; 11808; 12275; 15582); eine Inschrift (n. 11024) bezeichnet Kaiser Valentinian als „ex divina stirpe progenitus", eine andere (n. 18328) die christlichen Kaiser als „divini principes".

Die Bekämpfung des Heidentums wie der Sekten ließ sich nächst Tertullian be= sonders Augustin angelegen sein, s. Possidius, Vita Aug. c. 18; Rauscher 631—756; V. Schultze II, 149 ff. — Trotzdem gelang es nicht, aus N.A. ein völlig christliches Land zu machen. Das verhinderten schon die Stämme der Eingeborenen, welche von Süden her immer wieder neue Einfälle machten und die jeweilige Kulturmacht des Landes bedrohten. Als die byzantinische Herrschaft noch einmal mit einer letzten christ= lichen Propaganda einsetzte, stand ihr dazu ein weites Gebiet zur Verfügung. Bei allen Eroberungen, welche das Christentum in N.A. gemacht hatte, daß es bisweilen dem Siege nahe zu sein schien, war es ihm eben doch nicht gelungen, die Wurzeln des Heidentums gänzlich auszurotten. Letzteres überdauerte nicht nur die römische und wanda= lische, sondern auch die byzantinische Periode (s. das letzte christliche Denkmal derselben in CIL n. 2389), um zusammen mit dem Christentum zuletzt im Islam, welcher in den Jahren 647—717 die Eroberung des Landes und die Vernichtung der nordafrikanischen Kirche durchführte, auf= und unterzugehen (s. Diehl, 563—592).

Alexis Schwarze.

Nordamerika, Vereinigte Staaten von (offizieller Name: United States of America, Abkürzung U.S.A.). — Litteratur. Eine allgemeine und quellenmäßige Kirchengeschichte der Vereinigten Staaten ist noch ein Desiderat. Die Geschichtswerke von Bancroft (History of the United States) Hildreth, Bryant, Palfrey und von Holst beschäftigen

sich fast ausschließlich mit dem politischen und nationalen Leben und erwähnen die kirchlichen
Verhältnisse nur gelegentlich, am meisten in der Kolonial-Periode, wo die religiösen Motive
der Einwanderer stark in den Vordergrund traten. Was die deutschen Kirchengeschichten über
Amerika melden, ist äußerst lückenhaft und einseitig. Robert Baird, Religion in America;
5 or an account of the origin and present condition of the Evangelical Churches
in the United States with notices of the unevangelical denominationes, II. Edit.,
New-York 1856. Eine fleißige, aber trockene und farblose Sammlung von historischem
Material und statistischen Notizen. Rupp-Weinbrenner, History of all the relig. denominations in the U.St., II. Edit., Harrisburg, Pa. 1848. Hier erzählt jede Sekte
10 durch einen ihrer Gründer oder Vertreter, z. B. die Mormonen durch Jo. Smith, ihre eigene
Geschichte, meist in eulogistischem Stile. W. Sprague, Annals of the American Pulpit, or
Commemorative Notices of distinguished American Clergymen of various Denominations;
with Historical Introductions, N. York 1857 sqq., 9 Bände (noch nicht vollendet). Wichtig
für die Geschichte der amerikanischen Kanzelberedtsamkeit und Biographie. Philipp Schaff,
15 Amerika; die politischen, sozialen und kirchlich-religiösen Zustände der Vereinigten Staaten
von Nordamerika mit besonderer Rücksicht auf die Deutschen, Berlin 1854; dasselbe in
engl. Uebersetzung, New-York 1855. (Der zweite Teil enthält eine Schilderung der meisten
Kirchengemeinschaften.) Von demselben Verfasser: Der Bürgerkrieg und das christliche Leben
in Amerika (3. Aufl., Berlin 1865); und: Bericht über das Christentum in Amerika, in den
20 Verhandlungen der siebenten Generalversammlung der Evang. Alliance in Basel, 1879,
S. 126—201.

Nordamerika, im Unterschiede von Centralamerika und Südamerika, umfaßt das
Ländergebiet der westlichen Hemisphäre zwischen dem 16. Grade nördlicher Breite und
dem nördlichen Eismeer. In politischer Hinsicht zerfällt dasselbe in fünf Abteilungen:
25 1. die dänischen Besitzungen, Grönland mit 384 000 englischen Quadratmeilen. 2. Die
britischen Besitzungen, wozu die beiden Kanadas, New-Brunswick, Nowa Scotia, New-
Foundland, Prinz-Edwards-Insel, das Territorium der Hudsons-Bay und Labrador, im
ganzen 3 050 398 englische Quadratmeilen, gehören. 3. Die Vereinigten Staaten von
Nordamerika mit 9 212 000 qkm oder 3 564 478 Quadratmeilen und 76 Millionen Ein-
30 wohnern (nach dem Census von 1900). Die ehemals russischen Besitzungen im Nordwesten
sind a. 1867 für sieben Millionen Dollars an die Vereinigten Staaten verkauft worden
und bilden das Territorium Alaska. 4. Die Republik Mexiko mit 1 038 834 Quadratmeilen. In kirchlich-religiöser Beziehung teilen die von europäischen Mächten abhängigen
Besitzungen im allgemeinen den Charakter des Mutterlandes. So ist das britische Amerika
35 überwiegend protestantisch (mit Ausnahme des östlichen Kanada, das zuerst von Franzosen
besiedelt wurde und daher vorherrschend katholisch ist), Mexiko ausschließlich römisch-
katholisch, da die politische Trennung vom spanischen Mutterlande die kirchlichen Verhältnisse wesentlich unberührt ließ. Die Vereinigten Staaten, mit denen wir es hier ausschließlich zu thun haben, sind eine selbständige Fortsetzung von ganz Europa auf eng-
40 lisch-protestantischer Grundlage und ein freier Tummelplatz aller guten und schlimmen
Kräfte der alten Welt auf einem neuen Boden und unter eigentümlichen Verhältnissen.
Sie bilden in Hinsicht sowohl des Umfanges und der Einwohnerzahl, als des politischen,
sozialen und religiösen Lebens die Hauptträger der weltgeschichtlichen und kirchengeschichtlichen Bedeutung des amerikanischen Kontinents, und haben nach menschlicher Voraussicht
45 eine unermeßliche Zukunft vor sich.

Indem wir nun eine allgemeine Charakteristik ihrer kirchlich-religiösen Zustände versuchen, wollen wir besonders diejenigen Punkte hervorheben, durch welche sich das nord-
amerikanische Kirchenwesen von dem europäischen unterscheidet.

I. Geschichtlicher Überblick. Bei der Entdeckung, Besiedelung und geschichtlichen
50 Entwickelung Amerikas haben neben wissenschaftlicher Neugierde, kühnem Unternehmungsgeist, Ehrgeiz und Habsucht auch religiöse Motive mitgewirkt. Columbus war ein religiöser
Enthusiast und brachte seine Entdeckungen in die engste Verbindung mit der Ausbreitung
der christlichen Kirche unter den Heidenvölkern, worin die Königin Isabella von Spanien
ganz mit ihm sympathisierte; ja er beabsichtigte sogar, mit einem Teile seines gehofften
55 Gewinnes einen Kreuzzug zur Eroberung des hl. Landes auszurüsten, so daß die Lösung
der occidentalischen Frage zugleich zur Lösung der orientalischen Frage in ihrer weitesten
Ausdehnung führen und die äußersten Enden der Erde unter der Herrschaft des Kreuzes
vereinigt werden sollten. Noch entschiedener tritt der religiöse Faktor in den Anfängen
von Nordamerika hervor, aber hier nicht im Dienste des römischen Katholicismus, wie
60 in den spanischen und portugiesischen Kolonien von Mittel- und Südamerika, sondern
überwiegend im Dienste des englischen Protestantismus. Die große Entdeckung am Ende
des 15. Jahrhunderts steht offenbar in providentieller Verbindung mit der Reformation

des 16. Jahrhunderts, indem dieselbe einen neuen, unermeßlichen Schauplatz zur weiteren Entfaltung des religiösen, sozialen und politischen Prinzips des Protestantismus eröffnete. Auch ist es bedeutsam, daß die nördliche Hälfte der neuen Welt zuerst unter den Auspizien Englands von den beiden Cabots entdeckt wurde, welche Labrador und New-Foundland 1497 berührten, also ein Jahr bevor Columbus seinen Fuß auf das Festland von Südamerika setzte. Dadurch geriet jene Hälfte von vornherein in enge Berührung mit der Nation, welche ein Jahrhundert später die größte Seemacht und das Hauptbollwerk des Protestantismus wurde.

Nordamerika tritt indes erst mit der Ansiedelung Virginiens 1607 oder, genauer genommen, mit der Landung der puritanischen „Pilgerväter" in Massachusetts 1620 in der Kirchengeschichte auf. Von da an ward es in einem großartigen Maßstabe, was Genf zur Zeit Calvins gewesen, eine Zufluchtsstätte für verfolgte Protestanten aus allen Ländern. Puritaner, Presbyterianer, Quäker, Baptisten, Hugenotten, lutherische Salzburger, Herrnhuter, lutherische und reformierte Pfälzer, Mennoniten u. s. w. wanderten dahin aus, um dort ungestört ihren Kultus ausüben zu können und drückten ihrer, neuen Heimat von vornherein den Charakter des religiösen Ernstes und zugleich der nicht auf Indifferentismus, sondern auf bitterer Erfahrung von ungerechter Verfolgung ruhenden Duldsamkeit auf. Auch englische Katholiken, die damals in England unter dem Drucke strenger Strafgesetze schmachteten, suchten und fanden ein Asyl in Maryland. Nimmt man dazu die holländisch-reformierten Ansiedelungen in New-York und die englisch-bischöflichen Kolonien in Virginien, den beiden Carolinas und Georgien, welche nicht, wie die meisten anderen, dem Gewissensdrucke ihren Ursprung verdanken, so sehen wir schon vor dem amerikanischen Unabhängigkeitskriege fast alle Zweige des europäischen Protestantismus und zugleich eine kleine römisch-katholische Kolonie in der neuen Welt repräsentiert. Natürlich waren diese Kirchen damals noch schwach, doch stark genug, um eine Bevölkerung heranzubilden, die im stande war, den ungerechten Forderungen des englischen Mutterlandes energischen Widerstand zu leisten und unter der weisen Leitung Washingtons, des reinsten und uneigennützigsten aller amerikanischen Patrioten, und mit Hilfe Frankreichs aus einem siebenjährigen Freiheitskriege mit der stolzen Königin der Meere siegreich hervorzugehen.

Mit dem Friedensschlusse von 1783 oder, wenn man lieber will, schon mit der Unabhängigkeitserklärung von 1776 schließt die Kolonialperiode des Landes, das damals aus 13 unter sich lose verbundenen Kolonien bestand und kaum drei Millionen Einwohner zählte, und es tritt nun in die Reihe der selbstständigen Staaten ein. Die Repräsentanten des freien Volkes, welche zu Philadelphia 1787 tagten, gaben sich eine der englischen nachgebildete, aber doch selbstständig weiter gebildete, Religion und Politik nicht vermischende, sondern klar und scharf auseinanderhaltende Konstitution, und vereinigten sich zu einem Bundesstaat (nicht Staatenbund) mit einer souveränen nationalen Centralregierung, an deren Spitze ein alle vier Jahre vom Volke gewählter Präsident steht. Der glückliche Ausgang des Krieges riß auch diejenigen Kirchen, welche nicht schon früher unabhängig waren, wie die bischöfliche und die methodistische, von ihrer Mutterkirche los und nötigte sie zu einer selbstständigen Organisation auf der Basis allgemeiner bürgerlicher und religiöser Freiheit. Seit jener Zeit, besonders aber in den letzten sieben Jahrzehnten, nahmen die Vereinigten Staaten, begünstigt durch ungemeine Fruchtbarkeit des Bodens, unerschöpfliche Metallquellen, zahllose Verkehrsmittel, freie Institutionen, welche dem individuellen Unternehmungsgeiste den weitesten Spielraum und doch zugleich der Person und dem Eigentum volle Sicherheit gewähren, einen Aufschwung ohne Beispiel in der Geschichte. Die Zahl der Bewohner wuchs vom Anfang dieses Jahrhunderts bis 1900 von fünf Millionen auf 76 Millionen (mit Kolonien 84 Mill.), die Zahl der Staaten (größtenteils durch Ankauf von Louisiana 1803, von Florida 1820, von Kalifornien und Neumexiko 1848, und die Organisation der nordwestlichen Territorien, Utah wurde 1894 als Staat aufgenommen, mußte aber zugleich die Vielweiberei gesetzlich verbieten) von 13 auf 45; und dazu kommen noch 4 Territorien und der Distrikt Columbia (der Sitz der Centralregierung). 1898 kamen durch den Krieg mit Spanien die Philippineninseln und Portorico zu den V. St., vorher schon war Hawai übernommen worden.

Nach dem neuesten Census von 1900 steht die Bevölkerung der Vereinigten Staaten also:

Totalbevölkerung:	Weiße:	Schwarze:	Eingeborne:	Fremde:
76 303 387	66 990 802	8 840 789	65 843 302	10 460 085

Männlich:	Weiblich:
39 059 242	37 214 145.

Natürlich ist diese Zunahme nur zu erklären durch eine Einwanderung, welche von den liberalsten Naturalisationsgesetzen begünstigt, nach dem Schlusse der napoleonischen Kriege allmählich zu dem Strome einer friedlichen Völkerwanderung angeschwollen ist. Im Jahre 1820 betrug die Zahl der Einwanderer von Europa, besonders von Irland 5 und Deutschland, nach den Vereinigten Staaten 5993; 1830 bereits 23074; 1840: 83504, zehn Jahre später 279980; 1853 368643 und 1854 erreichte sie die Höhe von 460474. Im Jahre 1880 nahm die Einwanderung einen neuen Aufschwung und im Jahre 1881 erreichte sie die Höhe von 740000, wovon 60% Deutsche und Skandinavier waren. Die Einwanderung hielt sich auf dieser Höhe bis 1895. Dann hat sie bedeutend 10 nachgelassen; der Zuzug aus Deutschland wurde besonders gering. Erst in den letzten Jahren hebt sie sich wieder. Die Einwanderungsgesetze sind bedeutend verschärft worden und werden sehr strenge gehandhabt. Jenseits des Missouri und Mississippi bis an die Ufer des stillen Meeres giebt es noch unermeßliche Strecken des fruchtbarsten Landes, das auf Menschenhände wartet, um seine Reichtümer der Civilisation dienstbar zu machen. 15 So groß die europäische Auswanderung nach Amerika ist, so groß ist auch die Aus= wanderung der Amerikaner selbst aus den östlichen nach den westlichen Staaten, be= sonders nach Illinois, Jowa, Wisconsin, Minnesota, Kansas, Nebraska, Dakota, Colorado, Californien und Oregon.

Mit dem numerischen Wachstum der Staaten und Bevölkerung geht der Fortschritt 20 der Industrie, des Handels, des Reichtums und der allgemeinen Bildung Hand in Hand. Amerika hat den Vorteil, daß es sich nicht, wie das griechisch=römische, keltische, germa= nische und slavische Europa vor zwei Jahrtausenden, zuerst aus dem Zustande heidnischer Barbarei herausarbeiten mußte, sondern die Resultate der europäischen Civilisation, Welt= und Kirchengeschichte als Erbe antrat. Freilich haben mit den verschiedenartigsten Bil= 25 dungselementen der alten Welt auch bereits die Laster derselben in der neuen eine Heimat gefunden, und der materielle Fortschritt des Landes, die Blüte von Handel und Gewerbe und die Versuchung des raschen Reichwerdens, die nirgends größer ist als hier, führt eine Masse von Schwindeleien und Betrügereien mit sich. Die verschiedenen europäischen Nationalitäten, unter welchen nächst der englischen die deutsche in den mittleren und west= 30 lichen Staaten am meisten Bedeutung hat, gären in der neuen Welt chaotisch durch= einander, werden aber mit unglaublicher Schnelligkeit von der jugendlichen und lebens= kräftigen Nationalität assimiliert, die in ihrem Haupttypus angelsächsisch, aber offenbar dazu bestimmt ist, immer mehr ein Weltvolk, wie die englische Sprache (nach Grimms Konzession) eine Weltsprache zu werden.

35 Nur zwei Rassen wollen sich diesem Assimilationsprozesse nicht fügen, die roten In= dianer, welche sich immer weiter nach dem Westen zurückziehen und die Chinesen, welche sich seit 1850 in San Francisko und den Goldregionen von Kalifornien niedergelassen haben, aber vom amerikanischen Nationalgeiste so entschieden abgestoßen werden, daß die gesetzgebende Versammlung jenes Staates schon ernstlich daran gedacht hat, die Einwan= 40 derung von China zu verbieten. Das könnte aber nur durch eine Veränderung der Na= turalisationsgesetze geschehen, und das erfordert einen Beschluß des Kongresses in Washington. Diese fremden Elemente werden in der Hand Gottes für die Ausbreitung des Reiches Gottes in ihrer ursprünglichen Heimat dienen müssen. Die Neger sind in dem Lande ihrer Knechtschaft christianisiert und bis auf einen gewissen Grad civilisiert 45 worden; sie haben seit der Abschaffung der Sklaverei bedeutende Fortschritte gemacht. Doch ist die Abneigung gegen sie immer noch sehr groß. Die Negerfrage wird wohl später noch einmal auftauchen. In einzelnen südlichen Staaten ist sie schon nahezu akut geworden.

Die enorme Zunahme der Bevölkerung vermehrte natürlich auch das Arbeits= 50 feld und die Gliederzahl der verschiedenen Kirchen. Amerika ist das Land des Kirchen= baues, der Gemeindegründung, der Kirchenausdehnung und aller möglichen kirchlich= religiösen Experimente, wobei denn aber freilich auch viel Fanatismus, Schein und „Humbug" mitunterläuft. Es ist ein Sammelplatz fast aller Zweige der christlichen Kirche und gewährt ihnen den freiesten Spielraum für gegenseitige Abstoßung und An= 55 ziehung, Bekämpfung und Versöhnung, für die allseitige Entfaltung und Bewährung ihrer Lebenskräfte.

Obwohl aber alle bedeutenden Elemente des kirchlich=religiösen Lebens und Treibens der Vereinigten Staaten in Europa ihre Wurzeln haben, so sind sie doch in neue Ver= hältnisse hineingestellt, welche denselben natürlich eine eigentümliche Gestalt geben. Dahin 60 gehört zunächst:

II. Die Trennung der Kirche vom Staat und die damit zusammenhängende allgemeine Religions- und Kultusfreiheit. Man muß hier aber unterscheiden zwischen der allgemeinen Regierung und den einzelnen Staaten.

1. Der Bundesstaat oder die allgemeine Regierung, welche in der Stadt Washington ihren Sitz hat, war von Anfang an bloß auf das politische Gebiet beschränkt und von allen inneren Angelegenheiten der einzelnen Staaten und besonders auch von jeder Einmischung in die Religion abgeschnitten. Die Konstitution der Vereinigten Staaten, welche bald nach der Beendigung des Freiheitskrieges im Jahre 1787 unter dem Präsidium von Washington adoptiert wurde, macht im dritten Paragraphen des sechsten Artikels die öffentlichen Ämter der allgemeinen Regierung vom religiösen Bekenntnisse unabhängig („no religious test shall ever be required as a qualification to any office or public trust under the United States"). Noch deutlicher erklärt der erste Artikel der Zusätze, welche im ersten Kongresse 1789 vorgeschlagen und nach der Bestätigung durch die einzelnen Staaten am 15. Dezember 1791 in die Konstitution aufgenommen wurden, daß der Kongreß niemals Gesetze für oder wider die Religion erlassen oder ihre freie Ausübung verhindern dürfe. „Congress shall make no law respecting an establishment of religion, or prohibiting the free exercise thereof; or abridging the freedom of speech, or of the press; or the rights of the people peaceably to assemble, and to petition the government for a redress of grievances". (Amendments to the Constitution of the United States, Art. 1. Vgl. auch die Debatte über diesen Artikel in dem Haus der Repräsentanten 1789 in Gales Ausgabe der Debates and Proceedings in the Congress of the Un. St. Vol. I, p. 729 sq.).

Damit ist einerseits die Trennung der Kirche vom Bundesstaat, andererseits aber auch die freie ungehinderte Ausübung der Religion in jeder Form, die nicht den Staat selbst und die öffentliche Sittlichkeit gefährdet, so lange gesichert, als diese Konstitution selbst in Geltung bleibt. Die obigen Artikel sind nicht nur eine Unabhängigkeitserklärung des Bundesstaates von irgend einer bestimmten kirchlichen Gemeinschaft, sondern ebensosehr auch eine Unabhängigkeitserklärung der Kirche von der Kontrolle des weltlichen Regiments. Nicht aus Gleichgiltigkeit gegen die Religion, sondern aus Respekt vor ihr wurde sie für immer von dem trübenden Einfluß der Politik getrennt und ihre Freiheit in Verbindung mit der Rede- und Preßfreiheit feierlich dem ganzen Volke garantiert. Die beiden Gebiete, Staat und Kirche, werden nicht feindlich einander entgegengesetzt, sondern als zwei verschiedene Sphären des gesellschaftlichen Lebens nebeneinander gestellt in der Überzeugung, daß jede am besten sich auf ihre unmittelbaren Pflichten und Rechte beschränkt und daß ein gegenseitiges Eingreifen und Übergreifen beiden mehr Nachteil als Vorteil bringt. Der Kirche ist in Amerika zwar die positive Unterstützung des Staates entzogen, aber ihr dafür auch ein freier Spielraum und völlige Selbstständigkeit in der Verwaltung ihrer inneren und äußeren Angelegenheiten gesichert. Das amerikanische Verhältnis der beiden Mächte unterscheidet sich also sowohl von der hierarchischen Bevormundung des Staates durch die Kirche, als von der cäsareopapistischen Bevormundung der Kirche durch den Staat, als endlich von der vorkonstantinischen Trennung und Verfolgung der Kirche durch den heidnischen Staat. Wir haben hier eine neue Entwickelungsreihe in der Geschichte des Verhältnisses beider Mächte.

Diese Trennung ist aber deshalb nicht zu verwechseln mit einer Trennung der Nation vom Christentum. Denn der Staat repräsentiert in Amerika bloß die äußere Seite und die zeitlichen Interessen des Nationallebens, das daneben auch höhere sittliche und religiöse Zwecke verfolgt durch die Vermittelung von freien Gemeinschaften. Die amerikanische Nation ist so religiös und christlich als irgend ein Volk und giebt dies durch freiwillige Unterstützung so vieler Kirchen und Sekten und durch wohlthätige Vereine aller Art, durch Kirchenbesuch und Respekt vor dem geistlichen Stande, der keinem anderen an Würde und Einfluß nachsteht, durch strenge Sonntagsfeier, die bloß in Schottland ihres gleichen hat, durch regen Eifer für das einheimische und ausländische Missionswesen, durch Ehrfurcht vor der Bibel, durch eine wahre Flut von erbaulichen Büchern, Traktaten und Zeitungen und durch die ganze öffentliche Sitte kund. Selbst der Kongreß erwählt seine Kapläne, aber natürlich ohne sich an eine bestimmte Konfession zu binden, und beginnt jede Sitzung mit Gebet. Der Präsident erwählt Kapläne für die Armee und Flotte. Präsident Taylor empfahl während der Cholera 1849 einen allgemeinen Buß- und Bettag, der auch durchs ganze Land gehalten wurde. Während des Bürgerkriegs nach der Ermordung Lincolns (1865) und nach dem Tode Garfields (1881) und McKinleys

(1901) wurden ebenfalls solche Bettage gefeiert. Ebenso erläßt der Präsident in jedem
Jahre die Aufforderung zur religiösen Feier eines allgemeinen Dank- und Bettages für-
ben letzten Donnerstag im November. Sind solche Proklamationen auch gewöhnlich in
sehr allgemeinen Ausdrücken abgefaßt und bloße Accomodationen an die herkömmliche
5 Sitte, so beurkunden sie doch unzweideutig das Vorhandensein des religiösen Volksgeistes,
der durch die Trennung von Kirche und Staat keinen Abbruch leidet.

2. Was die einzelnen Staaten betrifft, so sind in diesen jetzt allerdings die
beiden Gebiete ebenfalls getrennt. Das war aber nicht in allen von Anfang an der Fall.
Auch ist die Trennung andererseits nicht eine Folge der Unabhängigkeitserklärung von
10 England. In einigen Kolonien bestand von ihrer ersten Entstehung an Gewissens- und
Kultusfreiheit, nämlich in Maryland, gegründet 1634 von dem katholischen Lord Baltimore, zunächst als ein Asyl für bedrückte englische Katholiken; in Rhode-Island,
zuerst angesiedelt 1636 von dem baptistischen Prediger Roger Williams, der wegen seiner
Ansichten über die Taufe aus Massachusetts vertrieben wurde; und in Pennsylvanien,
15 welches 1680 von dem Quäker William Penn von der englischen Krone für eine Schuld-
forderung erworben und eine Heimat für seine verfolgten Glaubensbrüder, aber bald auch
für lutherische, reformierte, bischöfliche und andere Christen wurde. Diese drei Männer
sind daher die ersten Vertreter des christlichen Toleranzprinzipes auf amerikanischem Boden.
Bei allen aber ruhte dasselbe nicht auf vagen, philosophischen Theorien, noch weniger auf
20 religiösem Indifferentismus, wie die Toleranz des 18. Jahrhunderts, besonders der französischen Encyklopädisten, sondern auf bitterer persönlicher Erfahrung der Intoleranz und
auf praktischem Bedürfnis; auch war sie auf die verschiedenen Formen des christlichen
Bekenntnisses beschränkt und schloß den Unglauben und die Blasphemie vom Genuße der
bürgerlichen Rechte aus. In den anderen und zwar gerade in den ältesten Kolonien da-
25 gegen waren Staat und Kirche anfangs eng miteinander verbunden. In Massachusetts und den übrigen Kolonien von Neu-England, mit Ausnahme von Rhode-Island,
war der „puritanische Kongregationalismus“ die Staatsreligion und machte nach jüdisch-
theokratischen Grundsätzen die bürgerlichen Rechte von einem bestimmten religiösen Bekenntnisse abhängig. Daher er nicht nur die römische Kirche gänzlich ausschloß, sondern
30 auch gegen protestantische Dissenters bis gegen Ende des 17. Jahrhunderts mit fast noch
größerer Strenge verfuhr, als die bischöfliche Staatskirche von Alt-England. Eifer für
das lautere Christentum war in den Augen dieser strengen Puritaner unzertrennlich von
kräftigen Maßregeln gegen Irrlehrer, und die allerdings schon damals in ihrer Mitte
aufkeimenden Toleranzideen wurden als ein seelengefährlicher Indifferentismus und Liber-
35 tinismus, als ein ehebrecherisches Liebäugeln mit dem Satan und mit der Lüge heftig
bekämpft. Thomas Dudley, einer der Hauptvertreter der konsequenten Orthodoxie in
Massachusetts (gest. 1653), hat in einigen charakteristischen Versen die Toleranz scharf
gegeißelt.

Demgemäß wurden Roger Williams und andere Baptisten, sowie die Anhänger der
40 antinomistischen Anna Hutchinson aus Massachusetts verbannt. Die Quäker, die übrigens
freilich bei ihrem ersten Auftreten in Neu-England zwischen 1658 und 1660 einen maßlosen Fanatismus kundgaben, vor Gericht, in Kirchen und auf Straßen von Boston und
Salem (eine Quäkerin namens Deborah Wilson sogar in puris naturalibus) ihren
Weheruf gegen alle geistliche und weltliche Obrigkeit riefen und mit ungestümem Eifer
45 Verfolgung und Märtyrertum provozierten, wurden mit öffentlicher Auspeitschung, Ab-
schneidung der Ohren, Durchbohren der Zunge und zuletzt sogar (nach einem Beschluße
von zwölf gegen elf Stimmen in der Bostoner Legislatur) mit dem Henkertode bestraft.
Vier solcher Fanatiker, darunter eine Frau, die schon früher als Antinomistin verbannt
worden war und sich jetzt eigenwillig ins Martyrium stürzte, büßten mit dem Leben 1660.
50 Die meisten aber kamen mit körperlicher Züchtigung, Verstümmelung und Gefängnis
davon. Es muß übrigens bemerkt werden, daß die öffentliche Stimme sich schon damals
gegen diese Hinrichtungen erklärte, so daß die Regierung für nötig fand, sich in einer
offiziellen Schrift durch Berufung auf viele alttestamentliche Stellen und die Gesetze Englands gegen die römische Kirche zu rechtfertigen. Die Quäker fanden einstweilen ein Asyl
55 in Rhode-Island und später in ihrer eigenen Kolonie Pennsylvanien, wo sie ruhige, ar-
beitsame und liebesthätige Bürger wurden. Nach und nach wurden die strengen Gesetze gegen Andersdenkende in Neu-England ermäßigt. Doch wurde das Band zwischen
Kirche und Staat in Connecticut erst 1816 und in Massachusetts erst 1833 vollständig
gelöst.
60 In Virginien und anderen südlichen Staaten war die englisch-bischöfliche Kirche die

Staatskirche, und alle übrigen Religionsgesellschaften litten unter dem Drucke der englischen Strafgesetze gegen die Dissenters. Dessenungeachtet mehrte sich die Zahl der
letzteren, besonders der Baptisten, Presbyterianer und Quäker und später der Methodisten.

Von diesen Dissenters ging auch der erste Anstoß zur Auflösung des Bandes von 5
Kirche und Staat in Virginien aus. Nach der Unabhängigkeitserklärung von 1776, und
zum Teil schon vorher, sandten nämlich die Presbyterianer und Baptisten Petitionen an
die gesetzgebende Versammlung der Kolonie Virginien für allgemeine Religionsfreiheit.
Sie fanden heftigen Widerstand, aber auch eifrige Verteidiger, besonders an dem berühmten Staatsmann Thomas Jefferson, dem Verfasser der Unabhängigkeitserklärung und 10
dritten Präsidenten der Vereinigten Staaten. Er war ein Schüler Voltaires und verteidigte die Religionsfreiheit nicht aus Sympathie mit den Dissenters oder im Interesse
des Christentums, wie diese, sondern aus religiösem Indifferentismus und zu Gunsten
einer Gleichstellung des totalen Unglaubens mit allen möglichen nicht-christlichen sowohl
als christlichen Religionen und Sekten. Durch die vereinten Bemühungen der Dissenters, 15
der liberalen Episkopalisten und des ungläubigen Jefferson wurde im Dezember 1776
und in vollständigerem Maße 1779, 1785 und im folgenden Jahrzehnt das Prinzip der
allgemeinen Gewissens- und Kultusfreiheit in der Legislatur von Virginien durchgesetzt.
(Siehe Semple's History of the Baptists in Virginia, p. 25 sqq. 62; Burk's Hist.
of Virginia, p. 59; Jefferson's Writings, Bd I, p. 44; Hawk's Contributions to 20
the Ecclesiastical History of the United States, Bd I; Protestant Episcopal
Church in Virginia, p. 150 sqq.)

Ebenso wurde bald nach dem Schlusse des Freiheitskrieges und der Adoption der
Konstitution der Vereinigten Staaten die Verbindung der weltlichen und geistlichen Macht
in Maryland, New-York und Süd-Carolina und den anderen Kolonien, wo die englisch- 25
bischöfliche Kirche die bevorzugte Staatskirche war, aufgelöst und allgemeine Religionsfreiheit proklamiert. Am langsamsten und nur allmählich ging es in Neu-England, wo
der Puritanismus tief in der großen Masse der Bevölkerung wurzelte. Gegenwärtig
ruht in allen Staaten die Religion auf dem Freiwilligkeitsprinzip, und die bürgerlichen
und politischen Rechte sind vom religiösen Bekenntnis durchaus unabhängig. 30

III. Das Freiwilligkeitssystem ist die natürliche Folge dieser Trennung von
Kirche und Staat. Hiernach fällt aller Tauf- und Konfirmationszwang weg, und die
Religion ist dem freien Ermessen und Entschlusse des Einzelnen überlassen. Daher giebt
es in Amerika Tausende von Erwachsenen, die gar nicht getauft sind, aber verhältnis-
mäßig doch wenige, welche sich von allem Kirchenbesuch und allen Beiträgen für religiöse 35
Zwecke fern halten.

Aus jener Trennung folgt notwendig auch das Wegfallen aller Staatsunterstützung
und Staatsabgaben für religiöse Zwecke (mit Ausnahme der wenigen oben berührten
Fälle für die Armee und Flotte und die Gefängnisse, deren Seelsorger aus der
Staatskasse besoldet werden). Die Kirche ist mithin für die Erhaltung und Förderung 40
ihrer Anstalten und Operationen gänzlich, wie in den drei ersten Jahrhunderten, auf die freiwilligen Opfer ihrer Glieder und Freunde angewiesen. Zwar giebt es einzelne Gemeinden
(wie die bischöfliche Trinity Church, die holländisch-reformierte Collegiate Church in
der Stadt New-York), welche von älteren Zeiten her bedeutende Hilfsquellen haben.
Auch sind die meisten Predigerseminare und andere von der Kirche gegründete wissen- 45
schaftliche Anstalten ganz oder teilweise fundiert. Aber diese Stiftungen selbst rühren
meist von Privatpersonen her und bilden die Ausnahme. Die große Masse der Geistlichen hängt durchaus von regelmäßigen Beiträgen der Kirchengänger oder von dem Ertrage der Stuhlrente und Sonntagskollekten ab. Die Beiträge belaufen sich für den
Einzelnen, je nach den Vermögensumständen und dem Grade der Freigebigkeit, von 50
einem bis auf 500 Dollars jährlich, wozu dann noch eine Anzahl von Kollekten für
allerlei wohlthätige Zwecke und Anstalten, wie Bibel-, Traktat- und Missionswesen,
Seminare und Kollegien rc. kommen. Es gehört zum guten Tone, etwas zur Erhaltung und Förderung des Christentums beizutragen. Die durchschnittliche Besoldung der
Geistlichen in den Vereinigten Staaten beläuft sich auf 700 Dollars, die der theologischen 55
Professoren auf 1000 Dollars, doch haben einige Prediger in großen Städten 10000 bis
30000 Dollars. Accidentien, außer für Trauungen, sind in englisch-protestantischen
Gemeinden nicht gebräuchlich. In den meisten deutschen und römisch-katholischen Gemeinden dagegen ist die alte Sitte beibehalten und bildet nicht selten eine Hauptquelle
der Einnahme des Geistlichen. Ganz falsch ist die in europäischen Blättern zuweilen er- 60

hobene Beschuldigung, daß in Amerika die Prediger bloß für einen bestimmten Termin angestellt werden. Das ist wohl der Fall in den sogenannten evangelisch-protestantischen deutschen Gemeinden, die von dem Prediger-Verein bedient werden und laut ihren Konstitutionen keinen Synodalpastor anstellen dürfen; in jeder Kirchengemeinschaft ist es strenge 5 verboten. Auch ist es zu viel gesagt, die amerikanischen Prediger einer sklavischen Abhängigkeit von ihren Gemeinden zu zeihen; vielmehr wird ein Geistlicher im allgemeinen in dem Grade geschätzt, in welchem er als ein echter Diener Christi ohne Menschenfurcht und Menschengefälligkeit und im steten Bewußtsein seiner hohen Verantwortlichkeit für die ihm anvertrauten unsterblichen Seelen seine Pflicht thut.

10 Das Freiwilligkeitssystem führt allerlei Plackereien und Unannehmlichkeiten, besonders in neuen Emigrantengemeinden, mit sich, die noch an das europäische Versorgungssystem gewöhnt sind, und ladet den Synoden und anderen kirchlichen Versammlungen eine Masse unerbaulicher finanzieller Geschäfte auf. Allein es weckt auch auf der anderen Seite individuelle Thätigkeit und Freigebigkeit und erhöht die Teilnahme der Geber an allen 15 kirchlichen Angelegenheiten, so daß man hier im guten Sinne das Wort anwenden kann: wo ihr Schatz ist, da ist auch ihr Herz. Dies zeigt sich thatsächlich in der Masse von Kirchen, Geistlichen, kirchlich-religiösen Gesellschaften und Anstalten, die jährlich vom Publikum erhalten werden oder neu ins Leben treten. Man rechnet, daß im Durchschnitt wenigstens ein Prediger auf 1000 (nach Baird anf 900) Seelen komme.

20 Jedenfalls ist dieses freie, sich selbst regierende und selbst erhaltende Christentum und Kirchentum die am meisten charakteristische Erscheinung der Vereinigten Staaten, und bildet ein neues Blatt in der Kirchengeschichte.

IV. Was die einzelnen Kirchengemeinschaften betrifft, so findet der Leser im folgenden Bericht über die wichtigsten protestantischen Kirchen. Hier mögen einige 25 Winke zur Orientierung im allgemeinen genügen.

Fast alle amerikanischen Denominationen oder Kirchengemeinschaften sind europäischen Ursprungs. Was aber in der alten Welt durch geographische und politische Grenzen geschieden ist, findet sich in der neuen unter derselben Regierung und auf demselben Terrain vereinigt. In England giebt es übrigens ebensoviele Kirchen und Sekten, als in den 30 Ver. Staaten, nur mit dem Unterschiede, daß dort die bischöfliche Kirche die Rechte und Vorzüge einer Staatskirche hat, welcher die anderen Denominationen als Dissenters gegenüberstehen und vor dem Gesetz und im geselligen Leben untergeordnet sind. Wo es keine Staatskirche giebt, da giebt es keine Dissenters. Auch der Unterschied von Kirche und Sekte ist in Amerika ein fließender und hat keine rechtliche, sondern bloß eine theo= 35 logische und historische Bedeutung. Die Kirchen und Sekten stehen alle auf gleichem Fuße vor dem Gesetz, sie sind alle gleich unabhängig vom Staat und gleichmäßig auf das Prinzip der Selbsterhaltung verwiesen, womit das Recht der Selbstregierung verbunden ist. Die wichtigsten Denominationen sind in allen größeren Städten vertreten. Die Stadt New-York z. B. hat bei einer Einwohnerzahl von 1206590 ungefähr 600 Ge= 40 meinden mit ebensovielen Kirchengebäuden, Kapellen und Betlokalen. Darunter ist selbst die orthodoxe russische Kirche vertreten, sogar ein chinesischer Götzentempel ist vorhanden.

Man kann die amerikanischen Denominationen in drei Gruppen verteilen:

1. Die evangelischen Kirchen, d. h. solche, welche sich zu den Grundlehren der Reformation bekennen und die Bibel als die alleinige Richtschnur des Glaubens und 45 Lebens acceptieren. Sie bilden die Hauptmasse der christlichen Bevölkerung und besitzen den größten Einfluß auf das Volksleben. Die Methodisten und Baptisten sind die zahlreichsten besonders in den niederen Ständen und in den südlichen Staaten. Die Presbyterier, Vereinigten Presbyterier, Kongregationalisten und Episkopalisten haben am meisten Intelligenz, theologische Bildung und geselligen Einfluß in den mittleren und höheren 50 Ständen. Die bischöfliche Kirche ist die älteste und verhältnismäßig reichste, und datiert von der Ansiedlung Virginiens a. 1607. Zunächst kommt die holländisch-reformierte Kirche seit der Entdeckung des Hudson und Manhattan Island (jetzt New-York), 1609. Dann die Puritaner oder Kongregationalisten seit der Landung der Pilgerväter in Plymouth, 1620. Die Quäker datieren von der Ansiedlung Pennsylvaniens unter William 55 Penn, 1680. Die Methodisten gründeten die erste selbstständige Gemeinde a. 1766. Die deutschen Kirchen stammen aus der Mitte des achtzehnten Jahrhunderts, und sind allmählich teilweise englisch geworden, werden aber immer wieder durch die Einwanderung verstärkt. Unter diesen ist die lutherische Kirche bei weitem die zahlreichste; dann kommt die deutsch=reformierte, die evangelische Kirche und die Brüdergemeinde. Ein beträchtlicher Teil der

Deutschen gehört den verschiedenen Methodistenkirchen an, welche ja auch im deutschen Mutterlande missionieren.

2. Die römisch-katholische Kirche war vor hundert Jahren ganz unbedeutend, ist aber in dem letzten halben Jahrhundert durch die enorme Einwanderung von Irland und Deutschland sehr stark gewachsen, so daß sie jetzt etwa den achten Teil der Gesamt- bevölkerung in Anspruch nimmt, also numerisch stärker ist, als irgend eine andere Deno- minatian, dessen ungeachtet wird behauptet, daß ihre Zunahme nicht im Verhältnis steht zu der katholischen Einwanderung, welche 47 Prozent, also beinahe die Hälfte der totalen Einwanderung umfaßt.

3. Die heterodoxen Gemeinschaften, welche die ökumenischen Symbole verwerfen und neue Bahnen einschlagen. Dahin gehören die Unitarier, welche in Boston und Cam- bridge ihren Hauptsitz haben und sich durch litterarische Bildung und philanthropische Bestrebungen vorteilhaft auszeichnen; die Universalisten, welche die Wiederbringung aller Dinge zu einem ihrer Glaubensartikel machen, und die Swedenborgianer, welche die neuen Offenbarungen des skandinavischen Sehers und seine Erklärung des tieferen Schriftsinnes gläubig annehmen.

V. Theologische Bildung. Diese ist in verschiedenen Kirchen sehr verschieden, aber im allgemeinen in rascher Zunahme begriffen. Sie wird gepflegt in Prediger-Seminaren, welche, wie die Kirchen selbst, durch freiwillige Beiträge fundiert und erhalten werden. Jede respektable Konfession hat ein oder mehrere solcher Anstalten, deren Zahl sich jetzt auf nahe an hundert beläuft. Die ältesten und bedeutendsten sind in Andover, Cam- bridge, New-Haven, New-York (das presbyterische Union Seminary und das bischöfliche General Theol. Seminary), Princeton, New-Brunswick, Madison, Rochester, Philadel- phia, Cincinnati und Chicago. Die Fakultäten umfassen von drei bis sieben regelmäßige Professoren; die Zahl der Studenten erreicht in einigen die Höhe von 130; die Biblio- theken von 5000 bis 30000 Bänden. Der theologische Kursus dauert drei Jahre und umfaßt fast alle auf deutschen Universitäten gelehrten Fächer. Eine ziemliche Anzahl von Kandidaten (besonders Presbyterier und Kongregationalisten) setzen ihre Studien in Deutschland fort, meist in Berlin und Leipzig. Überhaupt hat die deutsche Theologie und Wissenschaft einen sehr großen Einfluß. Die bedeutendsten exegetischen, kirchengeschicht- lichen und dogmatischen Werke sind ins Englische übersetzt und haben zum Teil großen Absatz. Auf praktische Begabung und sittlich-religiösen Charakter wird großes Gewicht gelegt. Man erwartet von jedem Studiosus der Theologie, daß er ein bekehrter Mensch sei und das Predigtamt aus reinen und uneigennützigen Motiven gewählt habe. Jede Vorlesung wird mit einem kurzen Gebete begonnen, und jeder Tag mit einem gemein- samen Gottesdienste beschlossen. Unter den amerikanischen Theologen, die einen euro- päischen Ruf (wenigstens in England) haben, nennen wir Jonathan Edwards, Edward Robinson, Moses Stuart, Charles Hodge, J. A. Alexander, Park, H. B. Smith, Abbot, Channing, Bushnell und Green. Mit der Zeit werden amerikanische theologische Werke auch in Deutschland Eingang finden, wie sie ihn in England und Schottland bereits längst gefunden haben.

VI. Statistik.

Denominationen	Statistik von 1776		und 1876	
	Gemeinden	Geistliche	Gemeinden	Geistliche
Baptisten aller Arten	872	722	22 924	13 779
Kongregationalisten	700	575	3 509	3 333
Episkopale (kein Bischof bis 1790; 1876: 71 Bisch.)	200	150	4 000	3 216
Freunde (Quäker)	500	400	885	865
Lutheraner (1786)	60	25	4 623	2 662
Methodisten aller Arten . . .	—	24	40 000	20 453
Brüdergemeinde (Moravians) . . .	?8	?12	75	75
Presbyterianer (Generalversamml. von 1788)	419	177	5 077	4 744
Reformierte, holländische	100	40	506	546
Reformierte, deutsche	60	12	1 353	644
Römische Katholiken	?52	?26	5 046	5 141
Universalisten	1	1	867	689

Kirchliche Statistik von 1900.

(Nach dem Independent, Januar 1900.)

	Gemeinden	Geistliche	Glieder bzw. Kommunikanten
Adventisten (6 Gruppen) . . .	2 267	1 491	89 482
Baptisten			
a) Reguläre (weiße)	27 893	14 409	2 586 671
„ (farbige) . .	15 000	14 000	1 555 324
b) Sonstige 10 Gruppen . .	6 838	6 679	301 643
Brüder (7 Gruppen)	430	179	11 461
Brüdergemeinde	109	117	14 521
Christian Scientists	497	12 000	80 000
Deutsche Evang. Synode . . .	1 123	891	202 415
Disciples of Christ	10 298	6 339	1 118 396
Episkopale	6 519	4 878	699 582
Freunde (Quäker)	1 093	1 443	118 897
Heilsarmee			
a) alter Zweig	753	2 689	40 000?
b) Volunteers	200	500	2 000?
Kirche des neuen Jerusalems .	165	141	7 562
Kongregationalisten	5 620	5 475	628 234
Lutheraner	10 991	6 685	1 575 778
Mennoniten	686	1 158	57 948
Methodisten			
a) bischöfliche	25 799	16 634	2 697 710
b) sonstige 16 Gruppen . .	27 224	19 780	3 111 806
Presbyterier			
a) nördliche	7 386	7 175	961 334
b) südliche	2 919	1 471	221 022
c) United Presbyterians .	899	927	113 978
d) Sonstige	5 627	2 500	264 513
Reformierte			
a) Reformed Episcopal . .	104	103	9 743
b) holländisch	619	724	109 361
c) deutsch	1 677	1 075	240 130
Römisch-Katholische	11 571	11 119	8 421 301
United brethren	4 965	2 529	264 980
Unitarier	460	532	75 000
Universalisten	776	760	46 522
(Juden)	570	301	1 043 800

(Philipp Scharff †) L. Brendel.

Zur Geschichte der wichtigsten protestantischen Kirchen.

a) Baptistische Kirchen in Nordamerika s. d. A. Baptisten Bd II S. 387 ff.

b) Die Christliche Reformierte Kirche in Nord-Amerika. — Litteratur: Acts and Proceedings of the Classis and General Synod of the True Reformed Dutch Church", 1822—1865; B. C. Taylor, Annals Classis of Bergen, N.-Y. 1857; Notulen Chr. Geref. Kerk, 1857—1902; De Wachter, Jahrgänge I—XXXV; Brochure der Ware Holl. Geref. Kerk, Holland, Mich., 1869; De Bey en Zwemer, Stemmen uit de Holl. Geref. Kerk, Groningen 1871; Brinkerhoff, History of the True Dutch Church, N.-Y. 1873; Fr. Hulst, Zamenspraak, Holland 1874; G. K. Hemkes, Rechtsbestaan der Holl. Christ. Geref. Kerk, Grand Rapids 1893; H. van der Werp, Outlines of History of Chr. Refd. Church, Holland 1898; C. T. Demarest, Lamentation over Solomon Froeligh, N.-Y. 1828; Henry Beets, Solomon Froelighs Leven en Karakter, Geref. Amerikaan Oct. en Nov., 1900; Henry C. Beets, Leven van Ds. K. van den Bosch, Geref. Amerikaan, Maart, April en Mei 1902; Henry C. Doster, Levensschets van A. C. van Raalte, Nykerk 1893.

Die Christliche Reformierte Kirche in Nord-Amerika ist eine Denomination, deren Hauptstärke in den Staaten Michigan, Illinois, Iowa und New-Jersey liegt, die aber auch einige zerstreute Gemeinden hat in den Staaten New-York, Ohio, Indiana, Nord- und Süd-Dakota, Minnesota, Wisconsin, Nebraska, Kansas, Neu-Mexiko, Texas und Washington und sich somit buchstäblich von Ozean zu Ozean und vom Meerbusen von Mexiko zu den Seen von Kanada erstreckt. Sie ist das Resultat dreier Trennungs= bewegungen aus der Reformierten Kirche in Amerika, die gewöhnlich die Holländische Reformierte Kirche genannt wird. Diese Bewegungen fanden statt im 19. Jahrhundert.

Der größte Teil der jetzigen Christlichen Reformierten Kirche wurde organisiert i. J. 1857. In dem vorhergehenden Jahrzehnt hatte sich eine ansehnliche Zahl von Hollän= dern, Bentheimern und Ostfriesen in den Urwäldern des westlichen Teiles vom Staate Michigan niedergelassen. Die meisten dieser Ansiedler gehörten in Europa zu der Ab= geschiedenen Kirche, die jetzt einen Teil der Reformierten Kirchen der Niederlande bildet. (Bd VIII S. 269.) Diese waren zum Teil aus Anlaß der Verfolgungen von seiten der Holländischen Staatskirche, zum Teil aber auch aus Bedürfnis nach Verbesserung ihrer äußeren Lage ausgewandert. Ihre Prediger brachten sie mit sich und gleich von Anfang begannen sie in Amerika kirchlich zu leben. Aus sieben Gemeinden wurde ein Kirchenkörper kon= stituiert mit gesetzgebenden und richterlichen Funktionen, Klassis Holland genannt, — nach dem Städtchen Holland in Ottawa County, Michigan, im Centrum dieser holländischen Kolonie.

J. J. 1849 vereinigten sich diese Ansiedler mit der Holländischen Reformierten Kirche in Amerika. Diese Vereinigung wurde vollzogen in großer Eile, ohne Kenntnisse der gegenseitigen religiösen Verhältnisse und ohne die gehörige Umsicht, so notwendig beides auch ist zur Formierung einer dauernden kirchlichen Einheit. Einige der Ansiedler erhoben Widerspruch gegen die Vereinigung mit einer Kirche, deren Verhältnisse ihnen unbekannt waren und deren Sprache sie nicht verstanden. Der Geistliche aber, der von der Refor= mierten Kirche gesandt war, um die Vereinigung zu stande zu bringen, erklärte ihnen, daß, wenn sie zu irgend einer Zeit finden würden, daß die kirchliche Vereinigung ihr re= ligiöses Gedeihen und ihre Freude beeinträchtige, sie ihnen ein brüderliches Lebewohl! sagen könnten, um wieder für sich selbst zu stehen, und so kam die Vereinigung zu stande.

Nicht lange danach wurde eine Anzahl der Holländer von Michigan der Meinung, daß die Verbindung mit der Reformierten Kirche ihrem Wohlergehen hinderlich sei. Sie fanden das Predigen über den Heidelberger Katechismus, was sie liebten, vernachlässigt. Katechetischer Unterricht für die Jugend, den sie so hoch schätzten, wurde beinahe nicht mehr gegeben. Sie bemerkten, daß viele Gesänge, auf die sie gelehrt waren mit Ungunst und Mißtrauen als nicht inspirierte zu schauen, gesungen wurden. Sie hörten, daß Frei= maurer in der Kirche geduldet wurden und zu viel Brüderschaft mit Denominationen, die sie für nicht orthodox hielten, und nach viel Aufregung und Reibung verließ i. J. 1857 eine Anzahl holländischer Gemeinden in Michigan unter Leitung von Pastor K. van den Bosch (gest. 1897) die Holländische Reformierte Kirche und gründeten eine neue Deno= mination. Das „Lebewohl" aber war nicht so „brüderlich", wie es wohl hätte sein sollen. 1859 adoptierten die Gemeinden, welche sich, wie man sagte, „zurückgezogen" hatten, den Namen „Holländische Reformierte Kirche", der i. J. 1861 verändert wurde in „Wahre Holländische Reformierte Kirche". Innerhalb weniger Jahre nach Annahme dieses neuen Namens entstanden mehrere neue Gemeinden in verschiednen Teilen der mittleren und östlichen Staaten des Landes. Neue Prediger kamen von den Niederlanden, andere wurden von ihnen selbst ausgebildet und langsam, aber sicher, wuchs die Kirche. J. J. 1880 ließ man den reaktionären Namen von 1861 fallen und substituierte dafür „Holländische Christliche Reformierte Kirche".

Bald nach dieser Namensveränderung erhielt die Kirche einen Zuwachs aus der Re= formierten Kirche in Amerika als Resultat einer abermaligen Trennungsbewegung in derselben. Etwa ein halbes Dutzend holländischer Gemeinden in Michigan und verschie= dene Personen in anderen Staaten waren diesesmal aus der Reformierten Kirche ge= treten. Die Ursache dieser Scheidung war Freimaurerei. Seit mehreren Jahren waren in dem westlichen Teil der Kirche Stimmen laut geworden, die Protest erhoben gegen die Aufnahme von Freimaurern als Glieder. Dieser Protest wurde besonders stark in den Jahren 79, 80 und 81. Die Generalsynode riet den Gliedern ab, sich geheimen, mit Eide verbundenen Gesellschaften anzuschließen, weigerte sich aber, Gesetze zu machen, die sie ausschlößen. Man überließ es den örtlichen Konsistorien mit den Freimaurer= gliedern nach ihrem Gutdünken zu handeln. Dieser Beschluß der Generalsynode aber befriedigte die oben erwähnten Gemeinden nicht und im Jahre 1882 erfolgte ihre Scheidung unter Leitung von Pastor L. J. Hulst. Bald hierauf verbanden sie sich mit den Gemeinden, welche sich im Jahre 1857 zurückzogen, — der Holländischen Christlichen Reformierten Kirche.

Nicht lange nachdem die i. J. 1857 entstandene Denomination also verstärkt war, wurden Schritte gethan zur Vereinigung mit einem Körper, der sich schon im Anfang des Jahr-hunderts von der Reformierten Kirche geschieden, der sog. „Wahren Reformierten Hollän-dischen Kirche". Ihre Scheidung hatte i. J. 1822 stattgefunden unter Dr. Solomon Froeligh
5 (gest. 1827), einem tüchtigen und hervorragenden Prediger und Hilfsprofessor der Theologie in der Reformierten Kirche, die zu der Z t die Reformierte Protestantische Holländische Kirche genannt wurde. Dr. Froeligh sah sich zur Scheidung veranlaßt aus örtlichen und persönlichen Gründen, hauptsächlich, weil er und seine Nachfolger Einwendungen zn machen hatten gegen das damals übliche Predigen und die Praxis der Kirche. Nach dem
10 Dokument, welches bei Gelegenheit der Scheidung aufgesetzt wurde (Okt. 1822), sind die Gründe der Scheidung folgende:
    1. Beinahe allgemeiner und völliger Mangel in der Handhabung der Kirchenzucht gegen Glieder, die in Lehre und Wandel von der Wahrheit wichen;
    2. Vorherrschende Preisgebung der feierlichen Gebräuche der hl. Taufe und des hl.
15 Abendmahls durch die unterschiedslose Bedienung derselben;
    3. Verfolgung solcher, die sich bemühen, die Kirche zu reformieren;
    4. Duldung von Irrtümern und Irrenden vor dem kirchlichen Gericht.
    Die meisten der Irrtümer waren hopkinsianistisch.
    Dr. Froeligh und seine Nachfolger acceptierten den Namen „Wahre Reformierte
20 Holländische Kirche". Als Bekenntnisschriften anerkannten sie die allgemeinen Symbole der holländischen reformierten Kirchen. Dieser formelle Akt fand statt in der Gemeinde von Schraalenberg, New-Jersey, die Dr. Froeligh bediente. Zur Zeit der Scheidung zählte die neue Denomination 9 Gemeinden und 5 Prediger; i. J. 1827 aber schon 25 Gemeinden und 12 Prediger, alle in den Staaten New-Jersey und New-York. Es
25 entstanden zwei Klassen, die Klassis Hackensack und die Klassis Union, und diese beiden bildeten zusammen die Generalsynode.
    Kurz darauf begann die Wahre Reformierte Holländische Kirche an Gliederzahl zu verlieren. Einige der in der Scheidung mitgegangenen Prediger sagten sich i. J. 1828 von ihr los und wurden unabhängig. Die übrigen aber erwiesen sich als treue und
30 gottergebene Männer. Ihre Zahl wurde vermehrt durch einige jüngere Männer, die in ihrer Mitte fürs Predigtamt ausgebildet waren. Sie fuhren fort mit dem Predigen der alten Lehren der Väter, obgleich die Predigt einiger nicht ganz frei war vom Hang zum Labadismus und zu viel Gewicht gelegt wurde auf die Lehren der Prädestination und der gänzlichen Verdorbenheit. Nichtsdestoweniger begann die Kirche sich aufzulösen. Viele
35 der jungen Leute, denen sie zu streng war, verließen sie, woran die Vernachlässigung des katechetischen Unterrichts zum Teil schuld war.
    Im Jahre 1866 war thatsächlich das Ende der Klassis Union gekommen. Die Ge-neralsynode hörte auf zu bestehen und die Klassis Hackensack wurde das höchste kirchliche Gericht. Schon früh waren Prediger dieser Klassis in Berührung gekommen mit den
40 Hauptmännern der Michiganbewegung von 1857. Die Bekanntschaft führte zur Korrespon-denz zwischen den beiden Körpern, die bereits i. J. 1859 begann. Das Thema einer etwaigen Vereinigung wurde gelegentlich berührt, doch that man mit Bezug darauf keine weiteren Schritte bis 1871. Die Schritte aber, die man dann unternahm, führten i. J. 1890 zur for-mellen Vereinigung. Dies brachte der Klassis, die auch noch jetzt Hackensack genannt wird,
45 aufs neue Leben, Kraft und Mut. Es diente auch gewissermaßen dazu, den Verlauf der Amerikanisation des westlichen Teiles der Kirche zu fördern. Während die Vereinigung mit der Wahren Reformierten Holländischen Kirche vollzogen wurde, hatte man sich dahin verständigt, daß hinfort der Name des vereinten Körpers „Die Christliche Reformierte Kirche" sein sollte.
50   Zum Teil durch die erwähnten Vereinigungen, doch hauptsächlich wegen des Zu-wachses durch holländische Einwanderer und des Fortschrittes an Besitz und Bildung, hat die Christliche Reformierte Kirche in den letzten zwei Jahrzehnten bedeutend an Glieder-zahl, Stärke und Einfluß gewonnen. Das „Jahrbuch" für 1903 berichtet, daß die De-nomination 11346 Familien und 19174 Kommunikanten, im ganzen 58512 Seelen
55 zählt. Diese sind verteilt in 156 Gemeinden, die von 106 Predigern bedient werden. 10 dieser Gemeinden bedienen sich bei ihrem Gottesdienst mehr oder weniger der deutschen Sprache, während 18 (die Klassis Hackensack und 5 Gemeinden im Westen) sich aus-schließlich der englischen und alle übrigen sich der holländischen Sprache bedienen.
    Diese 156 Gemeinden bilden neun Klassen oder Presbyterien, die sich jährlich von
60 zwei- bis viermal versammeln. Delegierte von jeder Klassis (drei Prediger und drei Äl-

teste) versammeln sich alle zwei Jahre als die „Synode", die höchste Versammlung. In **Grand Rapids**, Mich., dem Hauptsitz der Denomination, wo auch gewöhnlich die Synode tagt, hat die Christliche Reformierte Kirche ihr Seminar und „College" errichtet. Organisiert i. J. 1876 mit einem Professor, auf einem gemieteten Platze, besitzt sie jetzt eine Fakultät von acht Professoren und ein eigenes solides Gebäude. Vier der Pro- 5 fessoren lehren Theologie; die übrigen unterrichten in vorbereitenden Fächern. Die Zahl der Studenten i. J. 1903 ist 110. Der Theologische Kursus ist dreijährig.

Seit 1896 hat die Kirche eine Mission unter den Indianern der Navaho= und Zuni= Stämme in New=Meriko und Arizona. Drei Missionare mit ihren Frauen und einer Gehilfin arbeiten unter ihnen mit ermutigendem Erfolg. Die Hauptmissionsstation liegt 10 nahe bei Zuni=Siding, N.=M., wo eine industrielle Einrichtung und eine Kostschule auf= gerichtet sind. Fünf Missionare sind thätig in der Inneren Mission unter Familien reformierten Bekenntnisses, die in verschiedenen Teilen des Landes zerstreut wohnen. Solche Arbeit hat fast überall gesegnete Frucht getragen im Herzubringen manches verlorenen Schafes und in der Organisation von Gemeinden. Auch wird etwas gethan 15 zur Unterstützung der Judenmissionen in Amerika und den Niederlanden.

Die Symbole der Christlichen Reformierten Kirche sind die der anderen reformierten Kirchen von Holland oder von holländischer Herkunft, nämlich: Die Belgische Konfession, der Heidelberger Katechismus und die Kanones von Dortrecht. Die in diesen Symbolen enthaltenen Lehren werden von der ganzen Denomination von Herzen acceptiert. 20 Man hält treu daran fest und verteidigt und verbreitet sie gewissenhaft. Die Denomina= tion unterscheidet sich von den meisten Kirchen der Ver. Staaten in ihrer entschiedenen Stellung gegen die geheimen mit Eide verbundenen Gesellschaften, die so zahlreich im Lande sind.

Die herkömmlichen liturgischen Formulare der holländischen reformierten Kirchen 25 werden gebraucht bei der Bedienung der Sakramente, bei der Kirchenzucht, Ordination und bei Trauungen. Von den anderen Formularen (Gebete) wird selten Gebrauch ge= macht. Der Dekalog und das apostolische Glaubensbekenntnis werden jeden Sonntag gelesen. Die Prediger tragen kein besonderes Gewand. Sie predigen von einer „Platt= form", wie es meist gebräuchlich ist in Amerika. Gepredigt wird zwei= oder dreimal des 30 Sonntags und an den allgemeinen christlichen Festtagen. Ein jährlicher Bittag wird beobachtet, wie auch der amerikanische Danktag. Das Kirchenjahr oder das Perikopen= system ist nicht gebräuchlich, doch werden regelmäßig an den sechs Sonntagen vor Ostern Passionspredigten gehalten. Für den Gesang im öffentlichen Gottesdienst machen die holländischen Gemeinden Gebrauch von den Psalmen in metrischer Übersetzung, wie sie 35 i. J. 1774 in Holland eingeführt wurden, mit dem Anhang „geistlicher Gesänge", wäh= rend die deutschen Gemeinden die Psalmen von Jorissen und einige Gesänge benutzen. Die englischen Gemeinden übernahmen die Psalmen der Amerikanischen Vereinigten Pres= byterischen Kirche und im Verband damit 52 Hymnen, die eigens bestimmt sind für die 52 Sonntage oder Teile, worin der Heidelberger Katechismus zerlegt ist. Die christlich 40 reformierten Pastoren halten noch fest an dem alten Gebrauch, des Sonntags einen Teil des Heidelberger Katechismus ihrer Herde zu erklären; gewöhnlich des Sonntags nach= mittags. Diese Katechismuspredigten, wie man sie zu nennen pflegt, sind für die Er= haltung der reformierten Lehre unter den Leuten von Bedeutung. Ein anderes wichtiges Mittel hierzu ist der alte Gebrauch, geregelten und systematischen katechetischen Unterricht den 45 Kindern der Gemeinde zu erteilen von klein an bis zu ihrer Verheiratung, ja manchmal noch darüber hinaus, — etwas ganz ungewöhnliches in amerikanischen protestantischen Kirchen. Für die jüngsten Schüler wird vielfach das kleine Fragebuch von Jacobus Borstius, Pastor in Rotterdam (gest. 1680), gebraucht, worauf biblische Geschichte folgt. Für die älteren Schüler benutzt man häufig den mehr lehrreichen Katechismus von Pastor 50 Abraham Hellenbroek (gest. 1731) und das Kompendium der Christlichen Religion von Pastor Hermann Faukelius (gest. 1625); auch wohl, doch seltener, den Heidelberger Katechismus selbst. Die englischen Gemeinden gebrauchen Fragebücher, bearbeitet von M. T. Bosma und dem Verfasser dieses Art.

Die Konstitution der Dortrechter Synode bildet die Grundlage für die Kirchenregie= 55 rung, obgleich manches darin für die amerikanischen Verhältnisse unpassend ist. Man empfindet mehr und mehr das Bedürfnis nach einer neuen Konstitution.

Das offizielle Organ der Christlichen Reformierten Kirche ist „De Wachter", ein Wochenblatt, das seit 1868 in Holland, Mich., publiziert wird. Organ der deutschen Ge= meinden ist: „Der Reformierte Bote" (Pella, Jowa), und das der englischen Gemeinden: 60

„The Banner of Truth" (Paterson, N.-J.). „De Gereformeerde Amerikaan"
(Holland, Mich.) ist die mehr wissenschaftliche Monatsschrift der Denomination.

Rev. Henry Beets.

c) Deutsche Evangelische Synode. — Geschichte der Deutschen Ev. Syn. v. NA. von
5 A. Schory, St. Louis 1889; The Independent, Jan. 1900, p. 32 f.; Adolf Baltzer, St. Louis
1896; Basler Miss. Magazin bzw. Die Neueste Gesch. der ev. Miss. u. Bibel-Ges., Basel 1835
u. 1836; Pastor Joseph Rieger, ein Pionier der Deutschen ev. Kirche von E. Huber, Baltimore
1896; Behrendt, Die Heidenmission der D. E. v. NA., St. Louis 1901; Tanner, Im Lande
der Hindu, St. Louis; Irion, Katechismuserklärung, St. Louis 1899; die Protokolle der
10 Konferenzen und sonstigen Publikationen des Eden Publishing House, 1716 Chouteau Ave.,
St. Louis, Mo., dessen Katalog frei zugesandt wird.

1. Bekenntnis und Aufgabe. Die Deutsche Evangelische Synode von Nordamerika, als ein Teil der evangelischen Kirche, versteht unter der evangelischen Kirche diejenige Kirchengemeinschaft, welche die heiligen Schriften des A und NTs für das Wort
15 Gottes und für die alleinige und untrügliche Richtschnur des Glaubens und Lebens erkennt und sich dabei bekennt zu der Auslegung der hl. Schrift, wie sie in den symbolischen Büchern der lutherischen und reformierten Kirche, als da hauptsächlich sind: die
Augsburger Konfession, Luthers Katechismus und der Heidelberger Katechismus, niedergelegt ist, insofern dieselben miteinander übereinstimmen; in ihren Differenzpunkten aber
20 hält sich die Deutsche Evangelische Synode von Nordamerika allein an die darauf bezüglichen Stellen der hl. Schrift und bedient sich der in der evangelischen Kirche hierin ob-
waltenden Gewissensfreiheit.

Die Aufgabe der Deutschen Evangelischen Synode von Nordamerika ist im allgemeinen Förderung und Ausbreitung des Reiches Gottes, im besonderen Begründung und
25 Verbreitung der evangelischen Kirche, vor allem unter der deutschen Bevölkerung der Vereinigten Staaten von Nordamerika.

2. Geschichte. Die Deutsche Evangelische Synode von Nordamerika erscheint mit
diesem zum erstenmale in der PRE. Sie war bisher in Deutschland wenig bekannt. In
Kirchengeschichten fand man sie entweder gar nicht oder sehr kurz und sehr wenig zu-
30 treffend erwähnt. Da sie sich zu einem ansehnlichen Kirchenkörper entwickelt hat, ist es
sehr wünschenswert, daß sie in Zukunft eingehender berücksichtigt werde. Sie stellt die
evangelische Kirche Deutschlands in Amerika dar, hat als solche, wenn auch unter sehr
veränderten Verhältnissen, die gleichen Ziele vor Augen und hat die gleichen Feinde. Eine
Apologie für ihre Existenz zu schreiben, ist nicht erforderlich; ihre Arbeit, die sie bisher
35 geleistet hat und noch leistet, ist ihre beste Beglaubigung.

Die ersten Spuren der Synode weisen in das Basler Missionshaus. Im Jahre
1832 wurde die Basler Missionsgesellschaft von einer Kolonie evangelischer Württemberger
in Ann Arbor, Mich., um einen Seelsorger angegangen. Nachdem dieser ersten Bitte
willfahrt worden war, folgten bald mehrere Aufforderungen. Von dem Grundsatze aus-
40 gehend, daß eine jede von Menschen bewohnte Stelle der Welt, welche nicht innerhalb
des Bereiches einer Landeskirche liegt und der Pflege derselben angehört, als ein Teil
des Missionsfeldes betrachtet werden müsse, welcher der menschenfreundlichen Aufmerksamkeit der Missionsgesellschaft wert sei, und ferner, daß für einzelne Missionszöglinge
Arbeitsstellen unter gemäßigten Himmelsstrichen als leibliches und geistliches Bedürfnis
45 erachtet werden müssen, glaubte das Missionskomitee, dringlichen Anforderungen dieser
Art sein Herz nicht verschließen zu dürfen, und hielt dafür, daß es durch Willfahrung
solcher Gesuche seinem evangelischen Missionswerke gemäß handle (Mag. f. neueste Gesch.
1835, S. 398).

Im Jahre 1836 befanden sich sieben Missionare aus dem Basler Hause in den Staaten
50 Nordamerikas, welche damals die westlichsten des Staatenbundes waren (Mag. 1836,
S. 432), zwei in Ohio, zwei in Michigan, drei in Missouri. Vereinzelt fanden sich dazu
wohl auch solche Prediger, die ihre Ausbildung auf deutschen Universitäten genossen hatten.
Um ihr Arbeitsfeld waren diese Diener des Wortes nicht zu beneiden; es scheint unter
den Deutschen, die in jenen Gegenden wohnten, eine sittliche Verrohung ohnegleichen
55 geherrscht zu haben, während gottesfürchtige Leute in sehr geringer Zahl vorhanden waren.
Die Missionare, denn das waren sie im vollsten Sinne des Wortes, konnten nur mit
großer Selbstverleugnung und unter großen Entbehrungen und Anstrengungen arbeiten.
Unter solchen Entbehrungen war die nicht die kleinste, daß schon um der großen räumlichen
Entfernungen willen jeder Pfarrer und jede Gemeinde allein auf sich selbst angewiesen

war und ein amtsbrüderlicher Verkehr und Meinungsaustausch in sehr wenigen Fällen bestand.

Um diesem Mangel einigermaßen abzuhelfen und die aus demselben sich ergebenden Notstände in etwas zu mindern, erließ der im Jahre 1837 von Basel abgesandte und dann in Gravois Settlement, St. Louis County, Mo., wirkende Pastor L. Nollau einen 5 Aufruf zu einer Konferenz, als deren Zweck er angab: „Damit sich die Versammelten näher kennen und als Prediger ein und derselben Kirche lieben lernten und Gelegenheit fänden, gemeinschaftlich sich über die Wohlfahrt der evangelischen Kirche dieses Landes zu besprechen". Seiner Einladung folgten am 15. Oktober 1840 fünf Pastoren: Daubert in Quincy, Jll., Garlichs in Femme Osage, Mo., Heyer in St. Charles, Mo., Rieß in 10 Centreville, Jll., Wall in St. Louis, Mo. Nachträglich wurde das Protokoll dieser Versammlung von Rieger in Alton, Mo., und Gerber in Chillicothe, Ohio, unterzeichnet. Die Versammelten konstituierten sich als „Der Deutsche Evangelische Kirchenverein des Westens". Von den acht Gründern waren sechs aus dem Basler Missionshause gekommen. Die interessanteste Persönlichkeit unter ihnen war Joseph Rieger. Dieser war 1811 in Aurach 15 nahe Herrieden in Bayern als Sohn katholischer Eltern geboren und wurde, da er früh verwaiste, von einer Tante in Schillingsfürst erzogen und zum Priesterstande bestimmt. Da er gegen diesen Stand von jeher eine Abneigung hatte, erklärte er der Tante seine Absicht, evangelisch zu werden, und als sie ihm mit Enterbung und Einsperrung ins Kloster drohte, entfloh er in die Schweiz, wo er sich von einem reformierten Pfarrer 20 unterrichten ließ. Später trat er dann öffentlich zum Protestantismus über und wurde in der Folge ins Basler Missionshaus aufgenommen. Während seines Aufenthaltes dortselbst nahm er auch an den theologischen Vorlesungen der Universität Basel teil. Im Jahre 1836 wurde er zusammen mit seinem Freunde Wall nach Amerika gesandt. Sein Pfarramt versah er in der uneigennützigsten Weise, ein echter Seelsorger, begabt mit der 25 Weisheit eines Flattich, meist auf kleinen Landstellen; eine gutbezahlte Stadtpfarrei, die ihm angeboten wurde, schlug er aus, weil sie leichter einen Pfarrer bekommen könnten. Er starb 1869 als Pastor in Jefferson City, Mo.

Die Jahre, welche auf die Gründung des Kirchenvereins folgten, waren eine Zeit der Prüfung für denselben. Mehrere der Gründer zogen fort, einige (Gerber und Heyer) 30 erwiesen sich als unpassend, die Konferenzen, die halbjährlich gehalten wurden, waren meist nur von drei bis vier Mitgliedern besucht. Trotzdem blieben die Getreuen fest. Schon in den ersten Versammlungen nahm sich der junge Verein vor, seinen eigenen Katechismus und eine eigene Agende zu erstreben. An diesem Vorhaben wurde fleißig gearbeitet. Auch ließ man nichts unversucht, um ein Wachstum des Vereins herbeizu- 35 führen. Zu diesem Behufe trat man in Verbindung mit den evangelischen Vereinen in Basel und Frankfurt a. M. und mit Konsistorialrat Snethlage in Berlin; außerdem sollte Pastor Rieger auf einer Reise nach Deutschland als Agent des Kirchenvereines wirken, und der Sekretär sollte mit gläubigen Predigern der evangelischen Kirche in Amerika in Korrespondenz treten und sie zum Besuche der Vereinsversammlungen einladen. Es han- 40 delte sich vor allem darum, der vorhandenen Predigernot zu steuern.

Nach fünfjährigem Bestande hatte der Verein nur acht Mitglieder. Aus dem Jahre 1845 ist zum erstenmale eine Statistik vorhanden; sie berichtet von 12 Gemeinden, 6 Kirchen, 192 Taufen, 29 Konfirmanden, 62 Trauungen, 353 Kommunikanten, 87 Beerdigungen, ein Beweis, wie beschränkt der Wirkungskreis des Vereins damals war. 45

Das Jahr 1846 brachte neuen, sehr erwünschten Zuzug, weniger an Zahl als an Qualität: es wurde Adolf Baltzer in den Verein aufgenommen, dem es fortan vergönnt war, Großes für denselben zu leisten. Baltzer war im Jahre 1817 in Berlin geboren als das sechzehnte Kind eines Schuhmachers. Früh verwaist hatte er eine entbehrungsreiche Jugend durchzumachen. Aber vermöge seiner wunderbaren Energie gelang es ihm, 50 dem gänzlich Mittellosen, sich durch Gymnasium und Universität (Berlin und Halle) durchzuschlagen und seine theologischen Prüfungen mit Ehren zu bestehen. Nachdem er eine Zeit lang als Hauslehrer gewirkt hatte, ließ er sich von dem Bremer Vereine für deutsche Protestanten in Amerika nach Amerika aussenden. Er kam 1845 an, zwei Landgemeinden in Missouri waren sein erstes Arbeitsfeld. Nachdem er sich dem Kirchenvereine 55 angeschlossen hatte, wurde er sofort zum korrespondierenden Sekretär erwählt.

Ohne das Verdienst der übrigen Väter der Synode herabzusetzen, kann mit dem Eindruck nicht zurückgehalten werden, daß durch Baltzers Anschluß ein bedeutsamer Wendepunkt in der Geschichte des jungen Kirchenvereines eingetreten ist; sowie Baltzer da war, ging alles voran, freilich zunächst auch nicht gerade mit Riesenschritten. Man darf sagen, 60

12*

daß fortan nichts geschah, woran Baltzer nicht in hervorragender Weise beteiligt war. Seine gründliche theologische Bildung und seine hervorragende praktische Begabung machten ihn zum Führer tauglich. Unter seiner Mitarbeit wurde 1847 der Katechismus vollendet und nach endgiltiger Revision zum Druck befördert. Ein 1859—62 hergestellter Auszug,
5 der Kleine ev. Kat., bildet noch heute das Religions-Lehrbuch der Synode.

Bald trat man auch an die Frage heran, ein Predigerseminar zu errichten. Bereits 1844 war ein Komitee ernannt worden, welches jungen Männern, die sich zum evangelischen Predigtamt ausbilden wollten, hierzu Gelegenheit geben sollte. Dieses Komitee bestand aus den Pastoren Wall, Rieß und Nollau. Nach eingehenden Beratungen, zu
10 welchen auch Vorsteher aus den Gemeinden herangezogen wurden, kam es zur Errichtung des evangelischen Predigerseminars bei Marthasville, Mo., mitten in der Wildnis, der sogenannten Wolfsschlucht. Am 28. Juni 1850 bezog der als Professor ernannte Pastor Binner mit sieben Zöglingen das Haus.

Ein weiterer bedeutungsvoller Schritt war die im Jahre 1849 beschlossene und er
15 folgte Herausgabe eines eigenen Synodalorgans, „Der Friedensbote" genannt, welches am 1. Januar 1850 zum erstenmale erschien und von Professor Binner unter Baltzers Mitwirkung redigiert wurde.

Durch diese beiden Einrichtungen, Seminar und Kirchenblatt, wurde der Kirchenverein mehr und mehr bekannt. Auch aus Deutschland und aus Basel kamen viele willkommene
20 junge Kräfte herüber. Auch die finanzielle Beihilfe mehrte sich, selbst aus Deutschland kamen Gaben. Infolge der Schilderungen der kirchlichen Zustände Amerikas, welche Pastor Wall im Jahre 1852 auf dem Kirchentage zu Bremen gab, bewilligte der preußische Oberkirchenrat eine allgemeine Kirchenkollekte, welche die ansehnliche Summe von 5850 Thalern ergab, wovon seitdem das Predigerseminar alljährlich die Zinsen erhält.
25 J. J. 1857 erfolgte die erste Ausgabe der evangelischen Agende, deren erster Entwurf von dem in Erlangen verstorbenen Pastor Birkner herrührte, 1862 erschien das ev. Gesangbuch, an dessen Zustandekommen Pastor Baltzer wohl am meisten gearbeitet hat.

Es waren nun alle Grundlagen zu gedeihlicher Weiterentwicklung vorhanden; und diese blieb auch nicht aus. Parallel mit dem evangelischen Kirchenverein des Westens
30 entwickelten sich einige Kirchenkörper gleichen Bekenntnisses, doch keiner in seinen Anfängen weiter zurückliegend als derselbe. Diese wurden im Laufe der Zeit bewußt, daß die Arbeit eines einzigen starken Kirchenwesens erfolgreicher sein müsse als die mehrerer an Zahl geringer Vereine. Dazu kam, daß Pastor Baltzer, der inzwischen als Präses an die Spitze des Kirchenvereins getreten war, bestrebt war, solche Vereinigung herbeizuführen.
35 Der Evangelische Kirchenverein aus Ohio, gegründet 1850, suchte und fand Anschluß an den Kirchenverein des Westens im Jahre 1858; die Vereinigte Evangelische Synode des Ostens, gegründet 1854, schloß sich im Jahre 1860 an. Diese beiden Vereine brachten freilich wenig Zuwachs an Pastoren, der letztgenannte hatte bei seinem Anschlusse gar nur noch vier Mitglieder, aber sie erweiterten das geographische Gebiet ganz erheblich.
40 Es ist dann ferner zu nennen die Vereinigte evangelische Synode des Westens, gegründet 1848. Da der Rationalismus in dieser Synode allzusehr vorherrschte, kam es im Jahre 1859 zu einer Spaltung. Die Gegner des Rationalismus traten aus, behielten aber den alten Namen der Vereinigung bei, die Zurückbleibenden nannten sich die Vereinigte Evangelische Synode des Ostens. Beide Synoden bestanden bis 1872, in welchem Jahre sich
45 beide, erstere mit 56, letztere mit 26 Gliedern dem Kirchenvereine des Westens zuwandten. Durch den Anschluß der Vereinigten Evangelischen Synode des Westens ging das Predigerseminar derselben in Elmhurst, Jll., in den Besitz des Gesamtvereins über, welcher dann das im Jahre 1871 in Evansville, Jnd., gegründete Proseminar dorthin verlegte. Inzwischen hatte sich der Kirchenverein des Westens, um seinem größeren Bestande auch
50 durch den Namen gerecht zu werden, bereits im Jahre 1866 die Bezeichnung „Evangelische Synode des Westens" beigelegt. Nachdem das große Einigungswerk aller deutschen evangelischen Vereine und Synoden gelungen war, infolgedessen sich die Synode über das ganze Gebiet der Vereinigten Staaten erstreckte, wurde im Jahre 1877 der Name „Deutsche Evangelische Synode von Nordamerika" gewählt. Zu letztgenanntem Jahre zählte die
55 Synode 340 Pastoren und 675 Gemeinden, von welch letzteren 235 als Glieder an die Synode angeschlossen waren. Die erste Gemeinde, welche sich anschloß, war die heute noch blühende St. Paulsgemeinde in St. Louis, Mo.; ihr Anschluß erfolgte im Juni 1849.

Von den Gründern der Synode war es keinem vergönnt, das von ihnen begonnene Werk in solcher Blüte und Ausdehnung zu schauen. Sie sanken alle ins Grab in einem
60 Alter, in welchem sie noch längere Lebensfrist erwarten konnten. Die Entbehrungen und

Anstrengungen, welche ihr Amt mit sich brachte, hatten ihr rechtschaffen Teil daran. Auch Baltzer kam nur bis zur Grenze des Greisenalters. Er wurde im Jahre 1880 heimgerufen, nachdem er vierzehn Jahre ununterbrochen Präses der Synode gewesen war, den Friedensboten redigiert und die Kassen der Synode, besonders die Verlagskasse, verwaltet hatte. 5

Baltzers Nachfolger im Präsidium war Pastor Siebenpfeiffer in Rochester, N.-Y., der aber bereits nach zwei Jahren wegen körperlichen Leidens das Amt niederlegte (gest. 1894). Auf ihn folgte Pastor J. Zimmermann, dem es beschieden war, das Amt volle 19 Jahre zu führen, bis er im Jahre 1900 auf der Generalsynode in St. Louis wegen hohen Alters bat, von seiner Wiederwahl abzustehen. Vor kurzem war es ihm vergönnt, 10 sein 50jähriges Pfarramtsjubiläum zu feiern. Während seines Präsidiums lagen der Synode wichtige Aufgaben vor. Fast jede während dieser Zeit abgehaltene Generalsynode hatte Beschlüsse von großer Tragweite zu fassen. Im Jahre 1883 (St. Louis) wurde der Synode das Missionswerk, welches „die Deutsche Evangelische Missionsgesellschaft in den V. St." in Indien betrieb, angeboten und bald darauf von ihr feierlich übernommen. 15 Die bereits beschlossene Gründung eines Lehrerseminars kam nicht zur Ausführung, dagegen wurde für das Proseminar ein neues schönes Wirtschaftsgebäude hergestellt. Von ganz besonderer Wichtigkeit war die Einrichtung eines eigenen Verlagshauses in St. Louis; in diesem wurden nach und nach alle Geschäftszweige eingerichtet, die Bezug auf den Bücherverlag haben; es werden in diesem Hause alle Zeitungen und Verlagsartikel der 20 Synode redigiert, gedruckt, gebunden und versandt; auch ist eine Sortimentsbuchhandlung damit verbunden. Der Überschuß dieses Geschäftes (1901: 28500 Dollars) fließt in verschiedene Synodalkassen, vornehmlich in die der Lehranstalten und der inneren Mission. Die letzte Generalsynode in St. Louis hat die Statuten der Synode revidiert und den jetzigen Bedürfnissen angepaßt. Auf dieser Generalsynode ging das Präsidium auf Pastor 25 Jakob Pister in Cincinnati, Ohio, über.

Gegenwärtig zählt die Synode 949 Pastoren, 1179 Gemeinden mit nahezu 25 000 Kommunikanten, 112 Lehrer. Die Zahl der Lehrer ist unverhältnismäßig klein, doch wäre es vorschnell, daraus auf zu geringe Ausbildung der Jugend zu schließen oder gar den Vorwurf der Vernachlässigung zu erheben, wie es jüngst leider geschehen ist (Allg. Ev. Luth. 30 KZ. 1903 Nr. 24). Der Wunsch, in jeder Gemeinde auch eine eigene Schule zu besitzen, war von jeher lebendig und man wurde ihm nach Möglichkeit gerecht; finanzielle Gründe waren in den meisten Fällen vorhanden, wo man den Willen nicht in die That umsetzen konnte. Überall jedoch, wo keine Gemeindeschule besteht, unterrichtet der Pastor die Kinder in deutscher Sprache und Religion. Auch steht das Sonntagschulwesen in 35 hoher Blüte und wird von der Synode kräftig gefördert. Daß man ferner dem Umsichgreifen der englischen Sprache bei der Jugend der Gemeinden Rechnung tragen müsse, ist seit Jahren anerkannt worden. Schon auf der Generalsynode von 1892 wurde die Gründung einer englisch-evangelischen Synode ins Auge gefaßt, sobald nur kein rein englische Gemeinden vorhanden seien. Man ist jedoch später davon wieder abgekommen; 40 die jetzt bestehenden englischen Gemeinden werden einfach Glieder der Synode. In zahlreichen Gemeinden, besonders im Osten, werden Gottesdienste in englischer Sprache (neben denen in deutscher Sprache) gehalten und das Werk der Gründung englischer Gemeinden schreitet tüchtig voran.

3. Verfassung. Die Gemeinden in der Deutschen Evangelischen Synode sind 45 durchaus selbständig in ihrer Verwaltung. Die Gemeinde besorgt ihre Angelegenheiten in den Gemeindeversammlungen, welche meist halbjährlich, zuweilen auch vierteljährlich abgehalten werden. In diesen Versammlungen wird der Rechnungsbericht geprüft und alle wichtigen Angelegenheiten der Gemeinde werden besprochen. In der Jahresversammlung werden auch die Neuwahlen zum Kirchenvorstande vorgenommen. Dieser besteht 50 aus einer festgesetzten Anzahl von Gemeindegliedern (4—12). Den einzelnen Gliedern desselben sind bestimmte Aufgaben zugewiesen: die Ältesten haben für die Ordnung in dem Gottesdienste zu sorgen, über der rechten Lehre zu wachen und, wenn nötig, den Pastor in der Seelsorge und Kirchenzucht zu unterstützen; die Vorsteher besorgen die Klingelbeutelsammlungen (ausnahmslos Kollekten genannt, werden in Körbchen an Stöcken 55 oder auf silbernen Tellern entgegengenommen) und die Herbeischaffung der zum hl. Abendmahl nötigen Sachen, empfangen die Kirchenbesucher an der Thüre und weisen ihnen Plätze an u. s. w.; die trustees, Pfleger, haben die Fürsorge für das Eigentum der Gemeinde. An der Spitze des Kirchenvorstandes (oder Kirchenrates) und der Gemeinde steht der Präsident (fast immer ein Gemeindeglied, sehr selten der Pastor), welcher alle 60

Versammlungen leitet; der Sekretär führt Protokolle und die Korrespondenz, der Schatzmeister die Kasse. Der Kirchenvorstand versammelt sich meist monatlich. Die Aufbringung der Mittel für sämtliche Ausgaben der Gemeinde geschieht durch regelmäßige Mitgliedsbeiträge (mindestens 50 Cent pro Monat), durch die Sonntagskollekten, Haus=
5 kollekten, leider auch noch vielfach durch Bazare, Soupers und ähnliche Veranstaltungen, auf deren Abschaffung übrigens von den Pastoren mit redlichem Eifer hingearbeitet wird. In den meisten Gemeinden besteht ein Frauenverein, der sich besonders die Ausschmückung der Kirche als Aufgabe gestellt hat. Jede Gemeinde hat selbstverständlich ihre Sonntagschule.

10 Die Gemeinden haben das Recht und die Pflicht, alljährlich zu der Konferenz ihres Distriktes einen Abgeordneten zu senden, der Sitz und Stimme hat; sie sind verpflichtet, jährlich eine Kollekte für die Distriktskasse zu erheben und dürfen keinen Pastor anstellen, der ihnen nicht von der Synode empfohlen wird. Die Anstellung des Pastors geschieht durch Wahl in der Gemeindeversammlung. Die Anstellung ist auf unbestimmte Zeit,
15 zur Lösung des Verhältnisses ist gegenseitige vierteljährliche Kündigung vorgesehen. Der Durchschnittsgehalt eines Pastors ist 500 Dollars.

Die Pastoren sind auf die Statuten verpflichtet, sie dürfen keiner geheimen Gesell= schaft (besonders Freimaurer= und Odd=Fellow=Orden) angehören. Sie haben auf den Konferenzen ihres Distriktes Sitz und Stimme und sind wählbar zu allen Ämtern. Sie
20 haben Anrecht auf Invaliden=, Witwen= und Waisenunterstützung. Ähnlich ist auch das Verhältnis der Lehrer geordnet.

Die Synode ist in Distrikte eingeteilt, 17 zur Zeit und 1 Missionsdistrikt. Die Beamten des Distriktes sind der Präses und Vizepräses, der Sekretär und der Schatz= meister. Sache der Distrikte ist Prüfung und Ordination von Predigtamtskandidaten,
25 mit Genehmigung des Synodalpräses, Besetzung vakanter Gemeinden, Installation, Auf= nahme von Synodalgliedern, Entlassung und Ausschluß, Beaufsichtigung von Lehre und Wandel der Glieder. Von den Ergebnis der von den Gemeinden abgelieferten Distrikts= kassenkollekten hat der Distrikt ein Drittel an die Synodalkasse abzuführen.

Der Distrikt versammelt sich jährlich einmal zur Konferenz in einer Gemeinde, die
30 den Distrikt hierzu einlädt. Während der Konferenz haben sämtliche Distriktsglieder freie Wohnung und Verpflegung, was von der gastgebenden Gemeinde geleistet wird. Die Konferenz beginnt mit einem Synodalgottesdienst, sie dauert, meist Sonntag mit= eingeschlossen, 3—5 Tage. In der Regel findet an jedem Abend Gottesdienst statt, am Sonntag meist zwei oder drei Gottesdienste. Mit einem der Gottesdienste ist die Feier
35 des hl. Abendmahles verbunden. Die Tagesstunden sind mit Sitzungen ausgefüllt.

Vor der Konferenz gehen jedem Synodalgliede die Jahresberichte der Synodalbeamten gedruckt zu; diese Berichte bilden die Grundlage der Verhandlungen.

Zu der Generalsynode, welche sich bisher alle drei Jahre versammelte, in Zukunft aber nur alle vier Jahre tagen wird, wird auf je 12 Pastoren 1 Pastor, auf je 12 Gemeinden
40 1 Gemeindedelegat, auf je 12 Lehrer 1 Lehrer als Abgeordneter gewählt. Die Grund= lage ihrer Verhandlungen bilden ebenfalls die Berichte der Beamten, sich erstreckend auf die seit der letzten Tagung verflossene Zeit, und die Anträge der Distrikte.

Die Beamten der Synode sind der Synodalpräses, Synodalvizepräses, Synodalsekretär, Synodalschatzmeister. Weitere Behörden sind die Seminarbehörde, die Direktorien und
45 Aufsichtsbehörden der Lehranstalten, Behörde für Innere Mission, Heidenmission, Schule, Unterstützungskassen, Kirchenbaufonds, Litterarisches Komitee, Verlagsdirektorium, Emi= grantenmission.

4. Arbeitszweige. a) Lehranstalten. Das Predigerseminar, gegründet 1850, befand sich ursprünglich in der Nähe von Marthasville, Mo. Im Jahre 1883 wurde
50 es nach St. Louis verlegt, woselbst ein geräumiges, in jeder Beziehung zweckentsprechendes Gebäude für dasselbe errichtet ward. Geleitet wurde die Anstalt 1850—1857 von Pastor Binner, 1857—1870 von Pastor Andreas Irion, 1870—1872 Pastor Bank, 1872—1879 Pastor Otto, 1879—1902 Pastor Häberle, seitdem Prof. W. Becker mit dem Titel eines Direktors. Neben ihm wirken zwei theologische Professoren und ein englischer Lehrer.
55 Die Zahl der Studenten ist gegenwärtig 50. Aus der Anstalt sind seit ihrem Be= stehen 415 Pastoren hervorgegangen.

Das Proseminar, gegründet 1871 in Evansville, Ind., wurde Ende des gleichen Jahres nach Elmhurst, Ill. verlegt. In dieser Anstalt werden in einem vierjährigen Kursus die Predigerzöglinge für das Predigerseminar, die Lehrerzöglinge direkt für ihren
60 Beruf vorbereitet. Die Anstalt wurde geleitet von Inspektor Kranz 1871—1875, Meusch

1875—1880, Göbel 1880—1887, seitdem Daniel Irion. Neben ihm wirken 5 deutsche und ein englischer Lehrer. Die Zahl der Schüler beträgt zur Zeit 104, darunter nur 10 Lehrerzöglinge. Auch für diese Anstalt hat die Synode mehrere Neubauten hergestellt.

b) Innere Mission. Hierunter wird vorzugsweise die Sammlung kirchlich Un= versorgter oder keiner Gemeinde Angehöriger in Gemeinden verstanden. Den Pastoren, 5 welche sich diesem oftmals sehr schwierigen und anstrengenden, mit irdischen Gütern wenig lohnenden Dienste unterziehen, wird von der Synode der Gehalt teilweise oder ganz bezahlt, bis die von ihnen gesammelte Gemeinde so weit erstarkt ist, daß sie selbst für ihre Bedürfnisse aufkommen kann. Das Werk wird innerhalb der Distrikte von den Distriktsmissionsbehörden beaufsichtigt, die Oberleitung liegt in den Händen der Central= 10 missionsbehörde. Die für die Zwecke der J.M. aufgewandte Summe betrug im vorigen Jahre 21 600 Dollars, im gegenwärtigen Jahre (1903) sind 25 000 erforderlich.

Auch die anderen Zweige der J.M. werden nicht vernachlässigt. Das Diakonissen= werk weist schon recht ansehnliche Fortschritte auf. Es wurde ausdrücklich von der Synode als kirchliches Amt anerkannt. Auch hier muß die Behauptung des bereits er= 15 wähnten Artikels in Luthardts KZ., daß die „unierten" Diakonissen eine andere Tracht hätten; daß die unierten Diakonissenhäuser nur Personen heranbilden, die „gegen gute Bezahlung" ihre Dienste zur Krankenpflege anbieten; daß den Unierten das luth. Diakonissen= wesen für katholisch gelte, als völlig unzutreffend bezeichnet werden. Auf jeden Fall ist das evangelische Diakonissenhaus und Hospital in St. Louis, das der Verfasser des 20 ggw. Art. aus eigener Anschauung kennen gelernt und in welchem er auch einer Schwesternprüfung und einer Direktorialsitzung beigewohnt hat, eine Musteranstalt, an welcher auch der exklusivste Lutheraner nichts auszusetzen finden wird, als daß sie eben „uniert" ist.

Ferner fallen in diesen Kreis synodaler Thätigkeit zwei Anstalten für Epileptische 25 in Marthasville, Mo., in den ehemaligen Seminargebäuden und in St. Charles, Mo., die ev. Waisen= und Altenheime in Bensenville, Jll., und in Detroit, Mich., das Waisen= haus an der St. Louis Rock Road. Auch giebt es Gemeinden, die ihr eigenes Waisen= haus haben. Endlich gehört hierher die Emigrantenmission in Baltimore, gegr. 1886.

c) Heidenmission. Die Deutsche Ev. Missionsgesellschaft in den Vereinigten 30 Staaten, deren indisches Missionswerk die ev. Synode im Jahre 1883 übernommen hat, wurde am 9. März 1865 gegründet. Diese sandte 1867 den Pastor D. Lohr als Missionar aus, der schon vorher neun Jahre in Indien im Dienste der Goßnerschen Mission gearbeitet hatte. Er ließ sich in der Nähe von Raipur in den Centralprovinzen nieder, erwarb dort einen großen Landkomplex und nannte die erste von ihm angelegte 35 Station Bisrampur. Nach mannigfachen Enttäuschungen mit ausgesandten Missionaren wurde erst 1879 wieder ein zweiter Missionar aufgestellt, der die Sation Raipur gründete. Später, als bereits die Ev. Synode das Werk übernommen hatte, wurden noch die Stationen Chandkuri und Parsabhader gegründet. Gegenwärtig stehen auf diesem Missionsfelde in Arbeit: 9 Missionare, 5 Frauen, 20 Katechisten, 15 Präparanden, 40 47 Lehrer, 7 Lehrerinnen. Es sind 4 Hauptstationen vorhanden, 37 Nebenstationen und Predigtplätze, 23 Schulen an 19 Orten, 780 Knabenschüler, 357 Mädchenschüler, 788 Sonn= tagschüler, 373 Waisen, 280 Aussätzige, 4291 Getaufte.

d) Die Zeitschriften. Der „Friedensbote", wöchentlich erscheinend, ein deutsches Kirchenblatt; redigiert von Pastor Jungk (früher von Binner, Irion, Baltzer, Dr. John, 45 Habecker). — Der „Deutsche Missionsfreund", redigiert von Jungk (früher Behrendt). — Das „Magazin für ev. Theologie und Kirche", redigiert von Haas und Otto (früher 25 Jahre lang von Professor W. Becker). — „Deutsch-Amerikanischer Jugendfreund", Monatsblatt, redigiert von G. Eisen. — Das Lektionsblatt für ev. Sonntagsschulen, red. von A. Jennrich. — Die bibl. Geschichten erklärt für Sonntagschulen; die „Christ= 50 liche Kinderzeitung", red. von K. Kißling. — „Unsere Kleinen", red. von A. Berens. — „Messenger of Peace", englisches Kirchenblatt, monatlich erscheinend, red. von Haas, Schild und Dr. Werheim. — „Evangelical Companion", red. von J. U. Schneider. — „Der evangelische Kalender."

5. Verhältnis zu anderen Kirchen. Daß die Synode die Verbindung mit 55 der evangelischen Kirche Deutschlands aufrecht erhalten hat, ist schon erwähnt worden. Ihren schönsten Ausdruck fand diese Verbindung, als im Jahre 1898 die Deutsche ev. Synode eingeladen wurde, zu den Einweihungsfeierlichkeiten in Jerusalem einen Ab= geordneten zu senden. Die Einladung wurde mit Begeisterung angenommen, und der Abgeordnete, Pastor Dr. Menzel von Richmond, Va., durfte sich huldvoller Auszeichnung 60

seitens des deutschen Kaiserpaares erfreuen. Seinen Berichten über die Kaiserfahrt lauschten allenthalben große Versammlungen.

Zu den meisten Kirchenkörpern Amerikas steht die Synode in freundlichem Verhältnis. Die reformierte Synode entsendet zu den Generalkonferenzen der ev. Synode einen Delegaten, und ihre Pastoren stehen in regem Verkehr mit denen der ev. Synode. Anders ist es mit den luth. Synoden, die mit wenigen Ausnahmen von keiner Gemeinschaft mit den „Unierten" wissen wollen. Am schroffsten verhält sich die Missourisynode. Streitartikel in den beiderseitigen Kirchenblättern sind die Folge solches Zwiespaltes, dienen aber nie zur Annäherung, Bekehrung oder Besserung, sondern immer zur Erweiterung der Kluft, was für keine der beiden Kämpfenden von Segen ist. L. Brendel.

d) Die Episkopalkirche s. am Schlusse dieses Bandes.

e) Die lutherische Kirche. — Litteratur: J. G. Morris Bibliotheca Lutherana, Philadelphia 1876; J. D. Roth, Handbook of Lutheranism, Utica 1891; Lenter, Lutherans in all Lands, Milwaukee 1893. The Lutheran Cyclopedia, H. E. Jacobs and J. A. W. Haas, New-York, Scribners 1899; Hallesche Nachrichten (Nachrichten von den vereinigten evangelisch-lutherischen Gemeinden in Nordamerika, absonderlich in Pennsylvania, mit einer Vorrede von D. Joh. Ludwig Schulze), 2 Bde, Halle 1750—1787; Neue Ausgabe von Dr. Mann, Dr. B. M. Schmucker, Dr. W. Germann, 1886; Heinrich Melchior Mühlenberg, Selbstbiographie, herausgegeben von Dr. W. Germann, Allentown 1882; W. J. Mann, Life and Times of Henry Melchior Muhlenberg, Phila. 1881; W. J. Mann, H. M. Mühlenbergs Leben und Wirken, Phila. 1891; Hazelius, History of the American Lutheran Church, 1685—1842, Zanesville, Ohio 1846; Andersen, Den Evang.-Lutherske Kirkes Historie, New-York 1888; E. J. Wolf, The Lutherans in America, New-York 1889; dasselbe, deutsch von J. Nicum, mit wertvollen Zusätzen, New-York 1891; A. L. Gräbner, Geschichte der lutherischen Kirche in Amerika, St. Louis 1892, bis zum Jahre 1820. Documentary History of the Ministerium of Pennsylvania, Proceedings of the annual Conventions 1748—1821, herausgegeben von A. Späth, H. E. Jacobs, G. F. Spieter, Phila. 1898; C. W. Schäffer, Early History of the Lutheran Church in America, Phila. 1868; Clay, Annals of the Swedes on the Delaware, Phila. 1858; G. D. Bernheim, History of the German Settlements and of the Lutheran Church in North and South Carolina, Philadelphia 1872; Julius F. Sachse, Justus Falckner; The German Pietists. H. E. Jacobs, A History of the Evangelical Lutheran Church in the United States, der vierte Band der American Church History Series New-York 1893; dasselbe, in deutscher Bearbeitung, mit bedeutenden Erweiterungen und Zusätzen, von Georg J. Fritschel, Gütersloh, C. Bertelsmann 1896; J. Nicum, Geschichte des Ministeriums von New-York, 1888; Joh. Deindörfer, Geschichte der Evangelischen Synode von Iowa Chicago 1897; A. Späth, Das Generalkonzil, Reading 1884 (englisch 1885); ders., Amerikanische Beleuchtung rc., Phila. 1882; ders., D. W. J. Mann, ein deutsch-amerikanischer Theologe, Reading 1893; ders., Charles Porterfield Krauth, D. D. LL. D., first vol., New-York 1898; Dr. W. Sihlers Lebenslauf, Selbstbiographie, St. Louis 1880; Günther, Dr. C. F. W. Walther, Lebensbild, St. Louis 1890; Chr. Hochstetter, Geschichte der Missouri-Synode, 1885. Proceedings of the First Free Lutheran Diet, 1878, herausgegeben von Dr. H. E. Jacobs und Baum; Proceedings of the Second Free Lutheran Diet, 1879, herausgeg. von Dr. Baum und Kunkelmann; General Conference of Lutherans, herausgegeben von Dr. H. E. Jakobs, Philadelphia 1899. The Distinctive Doctrines and Usages of the General Bodies of the Ev. Luth. Church in the United States (Joint Synod of Ohio, von Dr. M. Loy; — General Synod von Dr. M. Valentine; — Iowa Synod von Dr. S. Fritschel; — General Council von Dr. H. E. Jacobs; — Synodical Conference von Prof. F. Pieper; — United Synod of the South von Dr. E. T. Horn, Philadelphia 1893. Dazu die gedruckten Synodalprotokolle, die kirchlichen Zeitschriften und die kirchlichen Kalender.

Etwa ein Jahrhundert nach dem Bekenntnis von Augsburg, während Deutschland in den Wehen des dreißigjährigen Krieges lag, finden wir die ersten Angehörigen Augsburgischer Konfession in Nordamerika, dessen Entdeckung, zugleich mit der lutherischen Reformation, als Eingang der neueren Geschichte zu betrachten ist. Bis zur Mitte des 18. Jahrhunderts hat es gedauert, bis die Lutheraner Amerikas es zu einem lebenskräftigen Anfang kirchlicher Organisation gebracht haben. Aber im Lauf des 19. Jahrhunderts hat sich die Kirche der Ungeänderten Augsburgischen Konfession in der neuen Welt in mächtigem Wachstum entfaltet, von 25 000 Kommunikanten im Jahre 1800 zu 1 665 878 im Jahre 1900, was eine Gesamtzahl von wenigstens sechs Millionen Kirchenangehöriger repräsentiert. Zum erstenmale ward hier in großem Maßstab die Gelegenheit geboten, auf dem Grunde des reformatorischen Bekenntnisses eine lutherische Freikirche

aufzubauen und darin, unbehindert von den mancherlei Hemmnissen und Verquickungen
der alten Welt, ihre eigentümlichen Gaben zur Entfaltung zu bringen. Näher als je zuvor
sind hier die verschiedenen Stämme und Sprachen zusammen gerückt, die sich zu Luthers
Glauben bekennen. Deutsche, Holländer, Schweden, Norweger, Dänen, Isländer, Finnen,
Polen, Littauer, Böhmen und Ungarn, in der alten Welt durch scharfe nationale Gegen- 5
sätze getrennt, treten hier einander nahe in brüderlicher Glaubensgemeinschaft, helfen einander im Aufbau derselben Kirche auf demselben Glaubensgrunde und fördern einander
in gegenseitiger Anregung und Mitteilung ihrer besonderen Gaben. Und diese ganze
vielsprachige Völkermischung von Lutheranern ist selbst wieder die Vorstufe dazu, daß das
reformatorische Bekenntnis, wie es auf dem Reichstag zu Augsburg als „die Summa der 10
Lehre ... gemeiner christlichen Kirche" aufgestellt ward, in das Gewand und Gebiet der
englischen Weltsprache eingeht, ein Übergang, dessen Tragweite der Kirchenhistoriker der
Gegenwart kaum zu ermessen im stande sein mag.

Wir versuchen im folgenden eine übersichtliche und zusammenhängende Darstellung der Geschichte und des heutigen Standes der lutherischen Kirche in Nordamerika 15
zu geben.

I. Die Periode der ersten Ansiedelungen bis zur Mitte des 18. Jahrhunderts.

A. Die holländischen Lutheraner. Im Dienste der holländisch-ostindischen
Gesellschaft hatte Henry Hudson im Jahre 1609 den nach ihm benannten Strom ent- 20
deckt, an dessen Mündung heute die Weltstadt New-York liegt. Ein einträglicher Handel
entwickelte sich rasch zwischen holländischen Kauffahrern und den Eingebornen auf Manhattan Island und aufwärts an den Ufern des Hudson. Im Jahre 1621 erhielt die
holländisch-westindische Gesellschaft ihren Freibrief, der von der Regierung a. 1623 bestätigt wurde, gerade ein Jahrhundert, nachdem die von Luther besungenen nieder- 25
ländischen Märtyrer des Evangeliums in Brüssel verbrannt worden waren. In der
Kolonie der „Neu-Niederlande", unter den ersten Generaldirektoren Peter Minnuit
(Minnewit), ein Rheinländer und der energische Peter Stuyvesant hervorragen, war der
streng calvinische Glaube nach den Beschlüssen der Synode von Dortrecht als einzig zulässige Religion anerkannt. Doch gab es schon in den ersten Jahren der neuen An- 30
siedelung auch Lutheraner daselbst. Schätzt man doch die Zahl der Lutheraner in Amsterdam
im 17. Jahrhundert auf 30000, die, wenn sie auch als Ecclesia pressa eine Zeit lang
nur Hausgottesdienste halten durften, doch an ihrer vorzüglichen Kirchenordnung von
1597 (revidiert 1614. 1644. 1681) ein starkes Band der Einheit besaßen. Nach dem
Zeugnisse des Jesuitenpaters Isaak Joques gab es a. 1643 in Manhattan (Neu-Amster- 35
dam, jetzt New-York) neben Calvinisten auch Puritaner, Anabaptisten und Lutheraner.
Die letztern wurden aber von den herrschenden Calvinisten, namentlich Stuyvesant, hart
behandelt. Ihre Kinder mußten sie bei calvinischen Predigern taufen lassen und dabei
sich zu den Lehren der Dortrechter Synode bekennen. Selbst das Abhalten von Lese-
gottesdiensten wurde mit Geld- und Gefängnisstrafen belegt. Sie wandten sich nach 40
Holland, um bei den Direktoren der Gesellschaft eine Milderung des gegen sie beobachteten
Verfahrens, und von dem lutherischen Konsistorium in Amsterdam einen rechtschaffenen
lutherischen Pastor zu erlangen. Ein solcher kam denn auch in der Person des Joh.
Ernst Goetwater (Gutwasser) am 6. Juni 1657 in der neuen Welt an, durfte aber auf
Anstiften der calvinischen Prediger Megalopolensis und Drisius seines Amtes öffentlich nicht 45
walten, und mußte wieder nach Europa zurückkehren. Die Wegnahme von Neu-Amster-
dam durch die Engländer, a. 1664, die es nun, nach dem Herzog von York, New-York
nannten, brachte günstigere Verhältnisse für die Lutheraner. Die Kapitulation sicherte
ihnen „Gewissensfreiheit in Gottesdienst und Disziplin" zu. Im Jahre 1671 finden wir
sie im Bau einer Kirche begriffen. Schon 1669 war ihnen von Holland Jak. Fabricius 50
als Pastor zugesandt worden, der sich aber in New-York nicht bewährte. Sein Nachfolger war Bernhard Anton Arensius (Arnzius), von 1671—1691, der neben New-York
auch Albany bediente. Da von Amsterdam kein Prediger mehr zu bekommen war,
wandten sich die New-Yorker Lutheraner a. 1701 um Hilfe an die lutherischen Schweden
am Delaware, die ihnen im Juli 1702 den tüchtigen Magister Andreas Rudman ab- 55
traten. Sein Nachfolger wurde auf seine Empfehlung der treffliche Justus Falckner,
geb. 1672 in Sachsen, der von Rudman, Björk und Sandel im November 1703 in
der schwedischen Kirche zu Philadelphia ordiniert wurde, die erste lutherische Ordination
in der neuen Welt. Im Dezember trat er sein Amt in New-York an, und bediente das
ganze Gebiet von New-York bis Albany, an beiden Ufern des Hudson, und auf Long 60

Island, bis zu seinem Tode 1723. Auf Bitten der New-Yorker Gemeinde sandte das Amsterdamer Konsistorium a. 1725 den energischen und streng konfessionell gesinnten W. C. Berkemeyer, geb. 1686 im Lüneburgischen, gest. 1751. Unter ihm und seinem Nachfolger Michael Knoll vollzog sich der Uebergang der lutherischen Gemeinden New-Yorks aus dem Holländischen ins Deutsche und Englische, unter scharfen Konflikten wegen der Sprachenfrage.

B. Die schwedischen Lutheraner. Der Niederländer Usselinx hatte den Schwedenkönig Gustav Adolph für einen Kolonisationsversuch in der neuen Welt zu gewinnen gewußt. Am 14. Juni 1626 wurde der Freibrief für die „Süd-Gesellschaft" in Stockholm unterzeichnet, die von vornherein auch die Ausbreitung des Evangeliums ins Auge fassen sollte. Nach dem Tode des Königs führte sein großer Kanzler Oxenstierna den Plan weiter. Peter Minnuit, der frühere Generaldirektor der Neu-Niederlande (s. o.) schloß sich diesem schwedischen Unternehmen an und führte (Dezember 1637 bis März 1638) zwei schwedische Schiffe nach dem Delawarefluß, wo, an der Stelle des heutigen Wilmington, Del. Fort Christina gebaut und mit den Irokesen ein bedeutender Landkauf abgeschlossen wurde. Reorus Torkillus war der erste lutherische Pastor in Neu-Schweden, starb aber schon a. 1643. Ihm folgte der mit dem Gouverneur Joh. Printz eingewanderte Joh. Campanius, geb. 1601. Er weihte a. 1646 die erste lutherische Kirche der neuen Welt ein, die auf der Insel Tinicum, in der Nähe des heutigen Philadelphia erbaut war. Er hat auch Luthers kleinen Katechismus in die Sprache der Indianer übersetzt. Derselbe wurde aber erst a. 1696 in Schweden mit lateinischen Lettern gedruckt und nach Amerika versandt. Schon im Mai 1648 kehrte Campanius nach Schweden zurück und starb a. 1683. Im Jahre 1655 ergriffen die Holländer Besitz von Neu-Schweden, mußten aber in der Kapitulation von Tinicum den Angehörigen der Augsburgschen Konfession ihre Religionsfreiheit garantieren. Diese Freiheit blieb ihnen auch als a. 1674 die Engländer Neu-Schweden annektierten. Im letzten Viertel des 17. Jahrhunderts trat ein Zustand geistlicher Verwahrlosung ein, bis König Karl XI. sich der schwedischen Lutheraner am Delaware annahm und ihnen Andreas Rudman, Erich Björck und Joh. Auren als Pastoren zusandte. Ihnen folgten andere tüchtige Männer, wie Karl Magnus Wrangel, dem wir auch in der Geschichte der deutschen Lutheraner wieder begegnen, und Israel Acrelius, der Verfasser der Geschichte von Neu-Schweden (englisch von Dr. W. M. Reynolds 1874). Alle diese von Schweden herübergesandten Pastoren wurden aus dem königlichen Fiskus besoldet und kehrten meistens nach einigen Jahren amerikanischen Dienstes wieder in die Arbeit ihrer Heimatkirche zurück. Der letzte von ihnen, Nik. Collin, kam a. 1771 in Amerika an. Unter ihm wurde das Verhältnis zur lutherischen Mutterkirche Schwedens förmlich gelöst. Er nahm Episkopalprediger als Gehilfen an, und der Übergang in die englische Sprache und in die Gemeinschaft der protestantisch-bischöflichen Kirche vollzog sich in der Hauptsache noch zu seinen Lebzeiten. Er starb a. 1831.

C. Die deutschen Lutheraner. Der eifrige Quäker William Penn, Gründer von Pennsylvania, hatte in den Jahren 1671 und 1677 Deutschland besucht, und Ansiedler für seine junge amerikanische Kolonie geworben. Nicht der Unternehmungsgeist kaufmännischer Interessen, wie bei den Holländern, auch nicht die Kolonialpolitik weit blickender Staatsmänner, wie bei den Schweden, brachte die deutsche Einwanderung nach Amerika, sondern vor allem das Verlangen nach unbeschränkter Religionsfreiheit, und die klägliche Unsicherheit des Lebens und Eigentums bei den immer wiederholten Raubzügen der Franzosen unter Ludwig XIV., durch die besonders die Pfalz zu leiden hatte. So kam unter Franz Pastorius, einem Frankfurter Juristen a. 1683 die erste deutsche Kolonie herüber und gründete Germantown, das heute einen Teil der Stadt Philadelphia bildet. Es waren diese ersten Einwanderer aber meistens separatistische und schwärmerische Elemente. Ziemlich vereinzelt steht eine lutherische Gemeinde von Deutschen in Neu-Hannover, Pennsylvanien, etwa 36 englische Meilen nordwestlich von Philadelphia, deren Anfänge sich bis ins Jahr 1703 verfolgen lassen. Erst nach dem Anfang des 18. Jahrhunderts nahm die deutsche Einwanderung größere Dimensionen an. Lutheraner und Reformierte kamen in Scharen übers Meer, und die Bildung lutherischer Gemeinden nimmt von nun an einen regelmäßigeren Verlauf und gewinnt festeren Bestand. Um die Jahreswende 1708—1709 kam eine kleine Schar lutherischer Emigranten unter Pastor Josua Kocherthal aus Landau in New-York an und ließ sich am Hudson nieder, etwa 40 englische Meilen nördlich von New-York, oberhalb des schönen Westpoint, wo heute die Kriegsschule der Vereinigten Staaten sich befindet. An der Mündung des Quassaic in den

Hudson gründeten sie das Städtchen Neuburg, wozu ihnen etwa 2200 Acker Land, dar=
unter 500 Acker Kirchenland, angewiesen waren. Im Sommer 1709 reiste Kocherthal
nach England zurück, um für seine Kolonisten weitere Unterstützung und Vergünstigungen
zu erwirken. Dort war indessen ein ganzes Heer von „Pfälzern", darunter auch Elsässer
und Württemberger, eingetroffen, die, vom Auswanderungsfieber ergriffen, ihre Heimat 5
verlassen hatten, um in irgend einer der englischen Kolonien sich anzusiedeln. Ihre Zahl
wird verschieden angegeben von 10000 bis 20000. Sie wurden von der englischen
Regierung auf der „Black Heath" (Schwarzen Heide) notdürftig versorgt, und 3000 der=
selben im Jahre 1710 nach Amerika gebracht. Etwa 100 Meilen nördlich von New=
York, am Fuß der Catskillberge, auf beiden Ufern des Hudson, ließen sie sich nieder, 10
und a. 1712 wanderten mehrere Hundert von ihnen weiter hinauf nach dem Schoharie,
wo sie von den dortigen Indianern freundlich aufgenommen wurden. Kocherthal starb
im Dezember 1719. Ihm folgten an den deutschen lutherischen Gemeinden des Staats
New=York Justus Falckner, W. C. Berkemeier und Michael Chr. Knoll, die, wie oben
bemerkt, auch die holländischen Lutheraner pastorierten. Eine Anzahl der am Schoharie 15
angesiedelten Pfälzer machte sich im Jahr 1723 auf den Weg und wanderte südwärts
dem Susquehannafluß entlang, um sich in dem friedlicheren und freieren Pennsylvanien
eine Heimstätte zu gründen.

Vereinzelte Gruppen deutscher Lutheraner mit bescheidenen Anfängen von Kirchen=
bildung finden wir im 18. Jahrhundert der ganzen atlantischen Küste entlang, bis nach 20
Georgia hinunter, in New=Jersey in Hackinsack, am Raritan= und am Cohanseyfluß, etwa
36 englische Meilen südlich von Philadelphia; in Virginien am Rappahannockfluß
oberhalb Friedrichsburg, unter den Pastoren Gerhard Henkel, J. Kasper Stöver und
G. S. Klug; in Nordkarolina in Rowan und Cabarrus County unter A. Nüßmann und
K. G. A. Storch; in Südkarolina in der Nähe von Charleston, wo a. 1759 der Grund= 25
stein einer lutherischen Kirche gelegt wurde. Von größerer Bedeutung war die Ansied=
lung der lutherischen Salzburger Emigranten in Georgia, in der Nähe von Savannah.
Im Jahr 1731 vertrieb bekanntlich der römische Erzbischof Leopold Anton (Frhr. v. Fir=
mian), die glaubenstreuen Lutheraner aus dem Salzkammergut. Sie fanden eine Zu=
fluchtsstätte in Preußen, Holland, Schweden und anderen Ländern. Ein Teil derselben 30
war auf der Wanderschaft in Augsburg freundlich aufgenommen, und von dem dortigen
Pastor Urlsperger dem englischen Hofe empfohlen worden. Die „**Society for the
Propagation of Christian Knowledge**" sandte ihnen Unterstützung. Die englische
Regierung bot ihnen sehr günstige Bedingungen und am Reformationsfest 1733 traten
sie die Reise nach Georgia an. In Rotterdam stießen die für sie bestimmten Prediger 35
Joh. Martin Bolzius und Israel Christian Gronau zu ihnen, die beide zuvor am Halle=
schen Waisenhause gewirkt hatten. Nach einer stürmischen Seereise landeten sie im März
1734 in der neuen Welt und wurden von Gouverneur Oglethorpe aufs freundlichste be=
willkommt. Die Kolonie Ebenezer wurde gegründet, etwa 25 Meilen stromaufwärts von
Savannah. Weitere Gruppen von Emigranten folgten. Die Führer des englischen 40
Methodismus, die beiden Wesleys und Whitfield, nahmen das wärmste Interesse an
diesen Salzburger Lutheranern, und unterstützten sie beim Kirchbau und sonst mit
Kollekten. Auch ein Waisenhaus gründeten die neuen Ansiedler. Ein reges kirchliches
Leben mit guter Zucht und Ordnung herrschte bei ihnen, wenn es auch nicht ganz frei
war von einem pietistischen Beigeschmack. Heutzutage sind von jenen Salzburger An= 45
siedelungen nur noch einige schwache englisch=lutherische Gemeinden übrig. In Savannah
selbst aber besteht eine blühende englisch=lutherische Gemeinde, unter deren Gliederzahl das
deutsche Element noch stark vertreten ist.

Im östlichen Pennsylvanien hatten sich bis um die Mitte des 18. Jahrhunderts
wohl 30 000 deutsche Lutheraner angesiedelt, mit deren geistlichen Versorgung und kirch= 50
lichen Organisation es aber zunächst sehr dürftig bestellt war. Vielfach wurde der Not=
stand der Gemeinden von unwürdigen Subjekten benützt, sich ins Amt zu schleichen und
ohne Prüfung und Ordination nach Belieben darin zu schalten. Von regelmäßig
ordinierten Pastoren begegnen uns auch in Pennsylvanien der schon oben genannte G. Henkel,
J. K. Stöver, Sohn des älteren J. K. St. und noch J. Chr. Schultze. Um aus diesem kirchlichen 55
Wirrsal heraus zu besser geordneten Zuständen zu gelangen thaten sich im Jahre 1733 drei
lutherische Gemeinden in Pennsylvanien zusammen, Neu=Hannover (s. o.), Neu=Providence
(Trappe) und Philadelphia, um von Europa aus Abhilfe zu erlangen. Sie wandten
sich an den wohl bekannten Fr. Mich. Ziegenhagen, seit 1722 Hofprediger an der St. James=
kapelle zu London und an Dr. G. A. Francke in Halle. Es entspann sich eine längere 60

Korrespondenz, die sich durch die Jahre 1734—1739 hinzog (s. Neue Ausgabe der Hall.
Nachrichten, Bd I S. 50 ff.) und bei der die gegenseitige Verständigung nur langsam
fortrückte. Nun kam im Jahre 1741 Graf Ludwig Zinzendorf in New-York an und
trat unter dem Namen Herr von Thürnstein unter den Lutheranern Pennsylvaniens auf
5 mit dem Anspruch, ihr wohl bestallter „evangelisch-lutherischer Inspektor und Pastor" zu
sein. Er predigte da und dort und veranstaltete Konferenzen in ganz unionistischem
Geiste, wozu allerlei Schwärmer und Fanatiker, wie die Siebentäger von Ephrata eingeladen waren. So trat in Pennsylvanien nun auch das Herrnhutertum auf den Plan,
das in Bethlehem sein Hauptquartier hatte, und dessen Eingreifen, bei allem Wohl-
10 meinen Einzelner, doch die kirchliche Verwirrung zunächst eher mehrte als besserte. In
Philadelphia ließ sich Zinzendorf von einer Anzahl deutscher Lutheraner einen Ruf geben
und predigte für sie als ihr Pastor. Seine im Druck erschienenen „pennsylvanischen
Reden" gehören ohne Zweifel zum Besten, was wir aus seiner Feder haben. In der
Person des J. Chr. Pyrläus setzte er ihnen einen Amtsverweser ein, der aber am 18. Juli
15 1742 mit Gewalt aus dem Versammlungssaal der Lutheraner ausgestoßen wurde. Dazu
kam nun auch noch, im Herbst desselben Jahres, das Auftreten des Valentin Kraft, der
früher im Zweibrückenschen Pfarrer gewesen, ein zweideutiger Mensch, der bei der allgemeinen kirchlichen Verwirrung im Trüben zu fischen suchte. Damit hatte die kirchliche
Not und Wirrsal den höchsten Grad erreicht, als endlich der Mann auf den Plan trat,
20 den Gottes Vorsehung auserkoren hatte, seinen Glaubensgenossen in diesem Abendlande
aus ihrer geistlichen Verwahrlosung herauszuhelfen, und die ersten Grundlinien guter
kirchlicher Ordnung für die Lutheraner der neuen Welt festzustellen, Heinrich Melchior
Mühlenberg. Er sollte hier das inhaltsreiche Motto seines Lebens auswirken:
„Ecclesia plantanda".

25   II. Die erste kirchliche Organisation unter Heinrich Melchior Mühlenberg. Am 6. September 1711 wurde Heinrich Melchior Mühlenberg zu Eimbeck im
Hannoverschen geboren als Sohn von Nikolaus Melchior M. „Bürgerbrauer und
Diakonus bei hiesiger Kirche" und „Anna Maria, Tochter des Herrn Kleinschmied, gewesenen Offiziers in Kriegsdiensten." Vom 7. zum 12. Jahr hielt ihn sein Vater zur
30 deutschen und lateinischen Schule an. Nach dessen plötzlichem Tode mußte er sich zu
schwerer Handarbeit bequemen und konnte nur die Abendstunden seinen Studien widmen.
Durch anhaltenden Fleiß brachte er es dahin, daß er im Frühjahr 1735 die Universität
Göttingen beziehen konnte. Die Vorlesungen des Professors Dr. Oporin über Dogmatik
und Moral machten einen tiefen, erwecklichen Eindruck auf den Jüngling. Er wurde als
35 Amanuensis in das Haus des Professors aufgenommen. Auch trat er in nähere Beziehung zu verschiedenen Gliedern frommer adeliger Familien, die unter dem Einfluß des
Halleschen Pietismus standen. In Verbindung mit zwei anderen gläubigen Studenten
fing er a. 1736 an, arme Kinder in den Freistunden zu unterrichten, eine Liebesarbeit,
die, obwohl anfangs von der Fakultät bekrittelt, den Grund zu dem Göttinger Waisen-
40 haus gelegt hat. Nach Absolvierung der Universität, im Frühjahr 1738, dachte er erst
daran, sich von Prof. Kallenberg in Halle, einem berühmten Hebraisten, zum Juden-
missionar ausbilden zu lassen. Er trat dann aber als Lehrer in die Franckeschen Anstalten in Halle ein. Dort beabsichtigte man ihn als Missionar nach Ostindien zu senden.
Es fehlte aber an Mitteln, den Plan auszuführen, und so nahm er im August 1739
45 einen Ruf nach Groß-Hennersdorf, als Diakonus und Waisenhausinspektor, unter dem
Patronat der Freiin von Gersdorf. In Leipzig bestand er sein Examen und wurde von
Dr. Deyling ordiniert. Bei einer Reise in die Heimat, die er in Privatangelegenheiten
zu unternehmen hatte, trug ihm Dr. Francke am 6. September 1741 den Ruf nach
Pennsylvanien an, in dem Mühlenberg den Willen der göttlichen Vorsehung erkannte.
50 Am 17. April 1742 traf er bei Ziegenhagen in London ein, der ihm die förmliche
Berufung an die drei pennsylvanischen Gemeinden, Neu-Providence, Neu-Hannover und
Philadelphia einhändigte. Am 11. Juni reiste er von London ab, und kam am 23. September nach Charleston, Südcarolina, um seinem Auftrag gemäß die Salzburger Kolonien
in Georgia zu besuchen, bei denen er sich vom 4.—11. Oktober aufhielt. Am 25. No-
55 vember traf er in Philadelphia ein, und zog noch desselben Tages weiter ins Land hinauf, nach Neu-Hannover und Neu-Providence, wo er am ersten Advent predigte und
seinen Beruf und Ziegenhagens Instruktionen vorwies. Nach Philadelphia zurückgekehrt
hielt er dort am zweiten Advent, den 5. Dezember, seine erste Predigt, und wurde am
27. Dezember unter Mitwirkung des schwedischen Pastors Peter Tranberg von Wil-
60 mington förmlich als der rechtmäßig berufene Pastor der lutherischen Gemeinde anerkannt.

Mit aller Entschiedenheit verstand er es, den aufdringlichen Valentin Kraft zurückzuweisen. Mit vielem Takt, fest und würdig, behauptete er auch seine Stellung gegenüber dem Grafen Zinzendorf, der ihn förmlich vor seinen Anhängern, den „Beamten der lutherischen Kirche", zur Verantwortung ziehen wollte. Zinzendorf wurde von der Obrigkeit aufgefordert, Kirchenbücher und Abendmahlsgeräte der Lutheraner herauszugeben, und verließ um Neujahr 1743, ohne weitere Umstände Stadt und Land.

Mit dem Jahre 1743 begann nun Mühlenbergs eigentliche Missions= und Pastoralarbeit unter großen Schwierigkeiten. Schon der Dienst an den drei Gemeinden, die ihn direkt beriefen, war ein äußerst anstrengender. Die Entfernung zwischen Philadelphia und Neu=Hannover betrug etwa 50—60 km. Der Weg führte durch Urwald, über drei Flüsse, die oft hoch geschwollen und ohne Brücken waren. Fahrstraßen waren überhaupt nicht vorhanden. Die Reisen wurden zu Pferd gemacht, unter Lebensgefahr für Roß und Mann. Sobald seine segensreiche Arbeit auf seinen engeren Berufsfeldern anfing sich zu bewähren und bekannt zu werden, wurde er auch von anderen Seiten angelaufen, um Schwierigkeiten zu schlichten und Ordnung in die kirchlichen Verhältnisse zu bringen, so in Tulpehocken, Germantown, Lancaster, York und anderen Plätzen. Mit gutem Gewissen konnte er sich solchem Ansuchen nicht entziehen. In seinen eigenen Gemeinden mußte er neben der wirklich pastoralen Arbeit auch noch die verwahrloste Jugend unterrichten und die nötigen Kirchenbauten ins Werk setzen und leiten. Im Frühjahr 1743 wurde in Philadelphia der Eckstein der St. Michaeliskirche und in Neu=Providence (Trappe) der Eckstein der Augustuskirche gelegt, die heute noch steht, und auf deren Friedhof Mühlenbergs Gebeine ruhen. Die Arbeit wuchs rasch über seine Kräfte hinaus, und hätte ohne Nachschub frischer Kräfte von Halle aus nicht länger bewältigt werden können. So kamen denn von dort nach und nach folgende weitere Arbeiter: Peter Brunnholz (1745) mit zwei Katecheten, Joh. Nik. Kurz und Joh. Helfereich Schaum, die nach einigen Jahren ordiniert wurden; J. Fr. Handschuh (1748); J. D. M. Heintzelmann und Fr. Schultze (1751), Joh. Anton Krug und Joh. Ludwig Voigt 1764); Chr. Emanuel Schultze (1765); Joh. Fr. Schmidt und Justus H. Chr. Helmuth (1769); und Joh. Christoph Kunze (1770), der Mühlenbergs Schwiegersohn wurde. Die Oberleitung der durch den Dienst dieser Männer organisierten und pastorierten Gemeinden lag bis zum Ausbruch des Unabhängigkeitskampfes (1776) in den Händen der Direktoren der Franckeschen Stiftungen in Halle, in Verbindung mit Dr. Ziegenhagen in London. Regelmäßige Berichte wurden nach Halle gesandt, dort gedruckt und unter den Freunden des Werkes in Deutschland verbreitet, — die „Halleschen Nachrichten von den vereinigten deutschen evangelisch=lutherischen Gemeinden in Nordamerika, absonderlich in Pennsylvanien," 1744—1787, in 16 Fortsetzungen erschienen. (Neue Ausgabe, mit höchst wertvollen historischen Erläuterungen und Zusätzen, von Dr. W. J. Mann, B. M. Schmucker und W. Germann, 1886.) Durch diese Mitteilungen wurde das Interesse für das amerikanische Werk in Deutschland lebendig erhalten und Beiträge für dasselbe gewonnen. Auch bedeutende Legate wie das von Sigismund Streit (gest. 1775 zu Padua) und das Solms=Rödelsheimische Vermächtnis wurden den pennsylvanischen Lutheranern zugewendet. Die Regierung von Hessen=Darmstadt, sowie das Konsistorium von Württemberg sandten ebenfalls namhafte Beiträge.

Der wichtigste Schritt Mühlenbergs zur Begründung geordneter kirchlicher Verhältnisse war die Organisation der Synode von Pennsylvanien, bei Gelegenheit der Einweihung der St. Michaeliskirche zu Philadelphia, am 26. August 1748, nachdem verschiedene vorbereitende Konferenzen abgehalten worden und ein Versuch zur Gründung einer deutsch=schwedischen Synode fehlgeschlagen war, für den sich besonders die Laien Peter Kock und Heinrich Schleydorn interessierten. Bei der Gründung der Synode waren anwesend der schwedische Propst Sandin, die deutschen Pastoren Hartwig (von New=York), Mühlenberg, Brunnholz, Handschuh und Kurz, der bei dieser Synode ordiniert wurde. Die Laienschaft war vertreten durch den Schweden Peter Kock, den ganzen Kirchenrat von Philadelphia, vier Delegaten von Germantown, drei von Providence, drei von Neu=Hannover, zwei von Upper=Milford, einen von Saccum, drei von Tulpehocken, einen von Nord=Kiel, sechs von Lancaster, einen von Earlingtown. York hatte sich entschuldigt wegen Länge des Weges und Kürze der Zeit. Gegenstand der Beratung waren die Berichte der Laiendelegaten über die Wirksamkeit ihrer Pastoren, der Stand der Gemeindeschulen, die von den Pastoren vorgeschlagene Liturgie, die von allen Gemeinden angenommen und gebraucht werden sollte. Eine Erklärung wurde zu Protokoll gegeben, warum andere angeblich lutherische Pastoren, wie Tobias Wagner und J. Kasper Stöver, nicht mit

eingeladen worden seien. Sie hätten fälschlich die Pastoren der Synode als Pietisten verschrien, seien nicht ordnungsmäßig berufen, weigerten sich, die gemeinsame Gottesdienst-ordnung anzunehmen, stünden unter keinem Konsistorio, und hätten keiner kirchlichen Be-hörde über ihre Amtsführung Rechenschaft zu geben. Die Synode sollte alljährlich ab-
5 wechselnd in Philadelphia und Lancaster gehalten werden. Der schwedische Propst erklärte, er wolle ein Glied des Körpers sein. Wenn wir nach Bekenntniserklärungen, Konstitutionsartikeln und Gesetzesparagraphen von bindender Kraft fragen, so war freilich das Einheitsband dieses ersten lutherischen Kirchenkörpers in Amerika zunächst sehr lose gewoben. Eine förmliche Konstitution gab es vorläufig gar nicht. Nicht einmal eine
10 regelrechte Präsidentenwahl fand statt. Mühlenberg, dessen bedeutende Persönlichkeit seine Mitarbeiter eines Hauptes Länge überragte, scheint ohne Widerrede durch allgemeinen Kon-sensus diese Stelle eingenommen zu haben. Die Gemeindeabgeordneten, obwohl sie bei den Synodalversammlungen zahlreicher als die Pastoren vertreten waren, erhielten erst a. 1792 statutenmäßig das Stimmrecht bei den Konventionen. Die ganze Sache hatte
15 zunächst einen echt patriarchalischen Geist. Das Collegium Pastorum, das die ein-gehenden Berichte und Wünsche der Gemeindeabgeordneten entgegennahm und aufs sorg-fältigste erwog, hatte bis dahin alle wichtigen Entscheidungen ganz und gar in seinen Händen. Bei der kirchlichen Unreife der Gemeinden, und da die Pastoren selbst unter Oberleitung der Väter in Halle und London standen, war dies ohne Zweifel unter den
20 Umständen das Beste für diese Anfangsperiode der lutherischen Kirche in Amerika. Und die fromme Gewissenhaftigkeit, die selbstlose Hingebung und Treue, die pastorale Weisheit und Erfahrung der leitenden Männer, vor allen Mühlenbergs selbst, gewannen auch das Zutrauen der Gemeinden in solchem Grade, daß niemand in dieser Anordnung ein un-gebührliches Übertvegen des klerikalen Elements beargwöhnte oder befürchtete. Auch ohne
25 Bekenntnisparagraphen und Konstitution standen Mühlenberg und seine Mitarbeiter ent-schieden auf dem Grunde des lutherischen Bekenntnisses. Gegen die Anklagen eines Pastors Lucas Rauß a. 1761 durfte Mühlenberg der Wahrheit gemäß sagen „Ich werde Satan und alle Lügengeister heraus, mir irgend etwas nachzuweisen, das in Widerspruch steht mit der Lehre unserer Apostel oder unserer symbolischen Bücher. Ich habe es oft
30 ausgesprochen und geschrieben, daß ich in unserer evangelischen Lehre, die sich gründet auf die Apostel und Propheten, und dargelegt ist in unseren symbolischen Büchern, weder Irr-tum, Fehler noch irgend Mangelhaftes gefunden habe." Bei aller Weitherzigkeit im persönlichen Umgang mit Vertretern anderer Kirchen war er doch allezeit ein entschiedener Gegner eines innerlich unwahren Unionismus. Die Gottesdienstordnung, die er nach
35 sorgfältigen Vorarbeiten und Konferenzen mit seinen Amtsbrüdern für die vereinigten Gemeinden feststellte, und auf deren Gebrauch von Anfang an großer Wert gelegt wurde, schließt sich an die gut lutherischen sächsischen und norddeutschen Agenden an, mit denen Mühlenberg in Deutschland vertraut gewesen, wie die Lüneburger von 1643 (in Cimbeck), die Calenberger von 1569 (in Göttingen), die Brandenburg-Magdeburg von 1739
40 (in Halle), und die sächsische von 1712 (in Groß-Hennersdorf). Obwohl bei der ersten Synodalversammlung a. 1748 angenommen, war sie doch nur handschriftlich unter den Pastoren verbreitet, und erst a. 1786, als auch das erste Gesangbuch von der Synode herausgegeben wurde, erschien sie im Druck, freilich schon mit manchen Abweichungen von der ursprünglichen reineren Form, wie sie im Manustript gelautet hatte.
45 Kaum gegründet drohte die junge Synode unter dem Druck der sie umgebenden Schwierigkeiten schon nach wenigen Jahren wieder zusammenzufallen. Von 1754—1760 wurden keine Versammlungen gehalten. Der wackere schwedische Probst Karl Magnus Wrangel, dessen intime Freundschaft für Mühlenberg persönlich und amtlich von größtem Werte gewesen ist, hat ein besonderes Verdienst an der Wiederbelebung der regelmäßigen
50 Synodalversammlungen von 1760 an. Nun bildete sich auch allmählich die Konstitution des „evangelisch-lutherischen Ministeriums von Nordamerika" aus, die endlich a. 1781 ins Protokollbuch, das mit diesem Jahr beginnt, eingetragen und von den Synodalen unterzeichnet wurde. Allmählich, wie die Synodalkonstitution, wuchs und entwickelte sich auch die Gemeindeordnung, die Mühlenberg unter dem Beirat von Dr. Wrangel für die
55 St. Michaeliskirche in Philadelphia ausarbeitete und die a. 1762 von der Gemeinde an-genommen wurde. Sie hat für das 1. Jahrhundert der lutherischen Kirche in Amerika geradezu grundlegende und vorbildliche Bedeutung gewonnen und die meisten Gemeinden der östlichen Synoden des Landes sind ursprünglich nach ihren Grundzügen organisiert worden. Nach derselben bilden Pastor, Älteste und Vorsteher den Kirchenrat, dem die
60 thatsächliche Leitung der Gemeinde anvertraut ist.

Auch weit über den engeren pennsylvanischen Wirkungskreis hinaus entfaltete Mühlenberg eine segensreiche Thätigkeit. Schon in den ersten sechs Jahren seines amerikanischen Aufenthaltes besuchte er dreimal die lutherischen Gemeinden am Raritanfluß in New-Jersey. Im Sommer 1750 besuchte er die Pfälzer Gemeinden am oberen Hudson, im Staat New-York, um Unruhen in Pastor Hartwigs Gemeinden beizulegen, der beschuldigt wurde, er sei ein Herrnhuter. Auf dem Heimweg wurde er in New-York als Vermittler in den Streitigkeiten zwischen den deutschen und holländischen Elementen angerufen und geradezu gebeten, das Pastorat der holländischen Gemeinde zu New-York zu übernehmen.⋆ Die beiden Sommer 1751 und 1752, jedesmal von Mai bis August, bediente er denn auch die Gemeinde mit dem besten Erfolge, und predigte morgens holländisch, nachmittags deutsch, und abends englisch. In ähnlicher Weise half er wieder in den Jahren 1758 und 1759 in den Gemeinden am Raritan aus. Auf Ansuchen des Dr. J. A. Urlspergers von Augsburg und Ziegenhagen in London trat der 63jährige Greis noch im August 1774 eine Reise nach Ebenezer in Georgia an, um die in der dortigen Salzburger Kolonie zwischen den Pastoren Rabenhorst und Triebner ausgebrochenen Schwierigkeiten zu beseitigen. Er stellte dort eine gründliche Revision der Gemeindeordnung an, ließ sie von beiden Pastoren unterzeichnen und sorgte durch Abänderung des Freibriefs vor dem Gerichtshof in Savannah dafür, daß das Besitzrecht der lutherischen Kirche an dem dortigen Gemeindeeigentum geschützt und gesichert wurde.

Die St. Michaelisgemeinde in Philadelphia, zu der Mühlenberg im Jahr 1761 übersiedelte, ermunterte er a. 1766 zu einem neuen großartigen Kirchbau zu schreiten. Die alte Michaeliskirche hatte nur etwa 600 Personen gefaßt. Nun wurde die stattliche Zionskirche gebaut und a. 1769 eingeweiht, die für 2500 Menschen Raum bot und lange Zeit für das größte und schönste Gotteshaus in Nordamerika angesehen wurde. In ihr wurde die Leichen- und Gedächtnisfeier für Washington vom amerikanischen Kongreß abgehalten. Im Jahr der amerikanischen Unabhängigkeitserklärung, 1776, zog sich Mühlenberg von Philadelphia nach Neu-Providence (Trappe) zurück, löste aber sein Verhältnis zur Gemeinde erst a. 1779. Am 7. Oktober 1787 ging er zur ewigen Ruhe ein. Das prophetische Wort seines Grabsteins, an der Ostseite der Augustuskirche zu Neu-Providence, ist reichlich in Erfüllung gegangen: „Qualis et quantus fuerit, non ignorabunt sine lapide futura saecula".

Noch zu seinen Lebzeiten wurde auch die erste Tochter- oder Schwestersynode, das lutherische Ministerium von New-York gegründet. Gewöhnlich wurde bisher das Jahr 1786 als Geburtsjahr dieses Körpers angesehen, weil von dieser Zeit, über eine zu Albany abgehaltene Versammlung, das erste bekannte Synodalprotokoll datiert. Es ist aber durch neuere Forschungen erwiesen, daß schon a. 1773 durch Mühlenbergs Sohn Friedr. August Konrad M., Pastor der deutschen luth. Christusgemeinde zu New-York (1773 bis 1776) die zweite lutherische Synode in Amerika organisiert wurde. In ihr nahm Mühlenbergs Schwiegersohn, der gelehrte Dr. J. Christoph Kunze, eine leitende Stellung ein. Er war es, der a. 1785 das New-York-Ministerium wieder belebte, und bis an seinen Tod, a. 1807, den Vorsitz in demselben führte. Seine Gliedschaft in der pennsylvanischen Muttersynode behielt er aber bei. Noch in seinem Todesjahre bittet er bei der Pennsylvania-Synode um Entschuldigung wegen seiner Abwesenheit und ermahnt die Brüder inmitten des gegenwärtigen Abfalls der reinen Lehre Jesu treu zu bleiben.

III. Periode des Rückgangs bis zur Gründung der Generalsynode. Wie in Europa so stand auch in Amerika am Ende des 18. und Anfang des 19. Jahrhunderts das religiöse und kirchliche Leben im Zeichen des Niedergangs. Die amerikanischen Freiheitskämpfe und die französischen Revolutionsstürme mit all den mächtigen politischen Erschütterungen jener Jahrzehnte wirkten zunächst nachteilig auf das sittliche und religiöse Leben des Volkes. Die Verbrüderung der jungen transatlantischen Republik und ihrem Alliierten, Frankreich, öffnete der französischen Freigeisterei Thür und Thor, und überall klagten edlere Geister über den Verfall der Frömmigkeit und Sitten. Man kann nun nicht sagen, daß die lutherische Kirche in Nordamerika durch diesen allgemeinen Rückgang mehr, oder auch nur so stark, affiziert gewesen sei, als andere christliche Kreise. Im Gegenteil läßt sich nachweisen, daß das Christentum der amerikanischen Lutheraner eher über dem Durchschnitt dessen stand, was damals in England, Deutschland oder sonstwo gefunden ward. Ein klares Bekenntnis zu Christo, dem Sohne Gottes und zu dem Wort vom Kreuze war ja damals überhaupt fast nirgends mehr zu finden. Mit wenigen Ausnahmen aber hielten die lutherischen Pastoren in Amerika daran fest. „Ich weiß von niemand," schreibt Kunze a. 1804 von den New-Yorker Pastoren, „der den

Herrn verleugnete, der ihn erkauft hat." Die Reiseprediger der Muttersynode missionierten fleißig nach Westen und Südwesten hin, und organisierten in Virginia, Ohio, Tennessee, Nordcarolina, Maryland und Westpennsylvanien Gemeinden und Konferenzen, aus denen zum Teil später neue Synoden sich bildeten.   Unter den Traktaten und religiösen
5 Schriften, die sie verbreiteten, stand die Augsburgische Konfession oben an.   Die ersten Schritte zur Gründung eines Monatsblatts werden gethan, das besonders auch Auszüge aus Luthers Schriften enthalten soll.   Die Gemeindeschulen waren in gutem Zustand und sehr zahlreich.   Noch a. 1820 werden aus 84 Gemeinden der Pennsylvaniasynode nicht weniger als 206 Parochialschulen berichtet.   In den Gemeindeordnungen und bei der
10 Aufnahme neuer Pastoren blieb auch meistens noch die Verpflichtung zum lutherischen Bekenntnis stehen.

     Aber bei all dem ist unleugbar, daß in dieser Periode das für die Freikirche so unentbehrliche vollbewußte Halten am Bekenntnisgrund abgeschwächt und erschüttert war. Indifferentismus, Subjektivismus, und da und dort ausgesprochener Rationalismus machen
15 sich bemerklich.   Im Jahre 1792 wurde die pennsylvanische Synodalkonstitution verändert, so daß jede Erwähnung des lutherischen Bekenntnisses wegfiel. Diese so veränderte Konstitution wurde zwei Jahre später die Grundlage der vom New-Yorker Ministerium angenommenen. Aber immer noch unterschrieben die Pastoren bei ihrer Ordination einen Revers, worin sie gelobten, daß ihre Lehre mit dem Worte Gottes und den
20 symbolischen Büchern im Einklang stehen solle. Nach Kunzes Tode trat eine wesentliche Änderung zum Schlimmeren ein. An die Spitze des New-Yorker Ministeriums trat nun Dr. Friedrich Heinrich Quitmann, ein Schüler von Semmler, und erklärter Anhänger des Rationalismus vulgaris, unter dessen Einfluß die alten lutherischen Katechismen, Gesangbücher und Agenden durch neue Produkte ersetzt wurden, die „den Bedürfnissen
25 des heranwachsenden Geschlechts entsprechen" sollten.   Schon a. 1797 war der seltsame Beschluß passiert worden, daß „weil eine genaue Verbindung zwischen der bischöflichen und lutherischen Kirche stattfindet, und wegen der Gleichheit in der Lehre und nahen Verwandtschaft der Kirchenzucht das Konsistorium eine neu aufgerichtete lutherische Kirche, welche allein die englische Sprache gebraucht, nie anerkennen wird an einem Ort, wo die
30 Glieder des bischöflichen Gottesdienstes können teilhaftig werden." Nach sieben Jahren wurde übrigens dieser Beschluß, bei dem wahrscheinlich das deutsche Sprachgefühl in Antagonismus zum Englischen sehr viel zu thun hatte, förmlich wieder aufgehoben. Seine Parallele hatte er in Pennsylvanien in einer Reihe von Beschlüssen, die a. 1819 und 1822 offen auf eine förmliche Union mit den Reformierten hinarbeiteten.   Auch in
35 Pennsylvanien zeigten während dieser Periode besonders die Gesangbücher und Agenden den Niedergang des kirchlichen und konfessionellen Bewußtseins. Wie oben bemerkt, zeigte schon die erste gedruckte Agende von 1786 einen entschiedenen Rückschritt gegenüber der nur im Manuskript gebrauchten von 1748.   Das Gesangbuch von 1786, bei dessen Zusammenstellung Mühlenberg noch mitwirkte und zu dem er selbst die Vorrede schrieb, hat
40 allerdings noch eine gute Anzahl alter lutherischer Kernlieder, mit gutem, meist unverfälschtem Texte. Aber die mehr subjektiven Lieder des Halleschen Pietismus sind schon hier ungebührlich stark vertreten. Und da und dort hat sich der Redakteur des Buches, Dr. Helmuth, auch ganz unnötige, selbst dogmatisch bedeutsame Textveränderungen an Liedern von Paul Gerhardt, Johannes Heermann und andern erlaubt. Die Agende von
45 1818 bezeichnet einen gründlichen Abfall von der schönen altkirchlichen Gottesdienstordnung der lutherischen Kirche, und, was das Schlimmste, in den Tauf-, Abendmahls- und Ordinationsformularen auch einen Abfall von lutherischer Lehre und Bekenntnis. Und das dieser Agende vorausgegangene sogenannte gemeinschaftliche Gesangbuch von 1817, das von den Synoden von Pennsylvania, New-York und Nordcarolina bestens empfohlen
50 wurde, ist eines der erbärmlichsten Beispiele der damals auch in Deutschland im Schwange gehenden hymnologischen Dekadenz.   Die alten Kernlieder sind bis zur Unkenntlichkeit entstellt. Von Luther ist nur ein einziges Lied aufgenommen, „Aus tiefer Not schrei ich zu Dir".

     Eine tiefgreifende Schwierigkeit für die gesunde Entwickelung der lutherischen Kirche
55 in Amerika bereitete in dieser Periode besonders die Sprachenfrage mit den daraus sich ergebenden Konflikten. Am schnellsten und verhältnismäßig leichtesten vollzog sich der Übergang aus dem Deutschen ins Englische innerhalb der New-Yorker Synode.   Hier finden wir schon am Ende des 18. und Anfang des 19. Jahrhunderts englische Gesangbücher, Katechismen und Agenden. Im Jahre 1807 wurde das Englische die offizielle
60 Sprache des Ministeriums und blieb es bis 1866, als, bei Gründung des Generalkonzils,

das englische Element ausschied und die Deutschen ans Ruder kamen. In Pennsylvanien, wo das deutsche Element viel stärker war, und eine Zeit lang selbst politische Bedeutung hatte, wurde mit viel größerer Zähigkeit um seine Erhaltung gestritten. In Philadelphia führte der Sprachenkampf wiederholt zum Riß in der alten Muttergemeinde. Anfangs des 19. Jahrhunderts forderten hervorragende Glieder der St. Michaelis- und Zions- 5 Gemeinde, unter Führung des Generals Peter Mühlenberg, der ein Sohn des Patriarchen Heinrich Melchior M. und Präsident der Deutschen Gesellschaft war, die Anstellung eines dritten Pastors an der Gemeinde, der dann in englischer Sprache fungieren sollte. Die Sache kam vor das Ministerium, das a. 1805 in Germantown beschloß, daß es für immer ein deutschredendes Ministerium bleiben solle, und jeden Vorschlag verbot, der 10 den Gebrauch einer anderen Sprache als der deutschen bei den Synodalverhandlungen fordern würde. Schon 1792 hatte ja das Ministerium seinen seitherigen offiziellen Titel, „Das Evangelisch-Lutherische Ministerium in Nordamerika" dahin abgeändert, das es heißen sollte „Das Deutsche Evangelisch-Lutherische Ministerium von Pennsylvanien und benachbarten Staaten". Erst a. 1882 wurde das „Deutsche" wieder gestrichen. Die 15 Bildung englischer Gemeinden wurde empfohlen. Dieselben sollten zur Synode zu- gelassen werden, wenn sie die Konstitution annehmen würden. Dies führte denn zur Gründung der ersten rein englischen Gemeinde, St. Johns, in Philadelphia, a. 1806, die eine große Kirche, ganz im Stil und in den Dimensionen der deutschen Zionskirche er- baute. Zehn Jahre später brach der Streit von neuem und viel heftiger aus, so daß 20 das weltliche Gericht sich dreinlegen mußte. Das Resultat war eine zweite englische Ge- meinde, St. Matthews, in Philadelphia. Der scharfe Konflikt, unter dem diese Gemeinden ins Leben traten, führte ganz natürlich dahin, daß sie der alten Muttersynode, und, mehr oder weniger, dem Geist der lutherischen Kirche überhaupt auf lange hinaus entfremdet wurden, und daß das englische Luthertum in Philadelphia sich nur langsam und unter 25 großen Schwierigkeiten entwickeln konnte. In den Landstädten Pennsylvaniens, wie Lan- caster, Reading, Easton, Allentown u. a. vollzog sich der Übergang von einer Sprache in die andere in friedlicher Weise. Die ursprünglich rein deutschen Gemeinden wurden zunächst deutsch-englisch, mit zwei Pastoren für beide Sprachen. Nach und nach gewann das Englische die Oberhand, trat in den Vollbesitz des kirchlichen Eigentums ein, und 30 entließ dann das deutsche Element unter einem friedlichen Abkommen mit solcher finan- zieller Unterstützung, daß die Deutschen wieder ihre eigene Kirche bauen konnten. So kam es, daß in diesen Städten die besten Familien der lutherischen Kirche in englischer Sprache erhalten blieben, während sie sich in Philadelphia vielfach an andere Denomi- nationen verloren haben. Das National- und Sprachgefühl war bei den Deutschen in 35 jener Periode vielfach stärker als das kirchlich-lutherische Bewußtsein. Sie fühlten sich den deutschen Reformierten näher, als den englischen Lutheranern. Drang doch der ehr- würdige Friedr. Christian Schäffer von New-York in einem Schreiben an die pennsyl- vanische Synode a. 1819 darauf, daß „wie Lutheraner und Reformierte in Deutschland in Einer evangelischen Kirche vereinigt seien, so auch die rechten Deutschen in Amerika in 40 dieser Hinsicht dem Beispiel der Deutschen in Deutschland folgen sollten."

IV. Gründung der Generalsynode und ihre Entwickelung bis um die Mitte des 19. Jahrhunderts. Bei dem starken Eindringen des Rationalismus und bei der Neigung der noch vorhandenen positiven Elemente sich mit den anderen evange- lischen Denominationen zusammenzuschließen, drohte der lutherischen Kirche die Gefahr, ihren 45 historischen Zusammenhang mit den Vätern und ihre besondere Eigenart zu verlieren und von dem sie umgebenden reformierten Christentum verschlungen zu werden. In dieser kritischen Periode wurden nun die ersten Schritte zur Gründung einer lutherischen General- synode gethan. Die Absicht war dabei gewiß im wesentlichen eine konservative. Es galt, der drohenden Zerfahrenheit und Zersetzung Einhalt zu thun, die zerstreuten Glieder der 50 lutherischen Kirche fester zusammenzuschließen, und ihr in diesem Abendlande eine feste Stellung zu sichern. Die Muttersynode von Pennsylvanien ergriff die Initiative bei diesem Unternehmen. Auf ihrer Versammlung zu Harrisburg, a. 1818 wurde offiziell der Wunsch ausgesprochen, es möchten die evangelisch-lutherischen Synoden in den Vereinigten Staaten in eine engere Verbindung miteinander gebracht werden. Eine Einladung er- 55 ging an die anderen Synoden (New-York und Nordcarolina) die Versammlung der penn- sylvanischen Synode in Baltimore zu beschicken, wo der „Planentwurf" für eine solche Vereinigung durchberaten wurde. Im Oktober 1820 kam es in Hagerstown, Pa, zu einer Organisation, wobei Pennsylvania, New-York, Nordcarolina und Maryland-Virginia vertreten waren. Ein Jahr darauf wurde die erste ordentliche Konvention der General- 60

synode in Frederik, Maryland, gehalten. Nur drei Synoden, Pennsylvania, Nordcarolina, Maryland-Virginia waren vertreten. New-York sandte bis a. 1837 keine Delegaten. Ohio, das sich seit a. 1818 als Synode konstituiert hatte, hielt sich ferne. Tennessee (konstituiert a. 1820), opponierte aus heftigste, weil es an der rechten Bekenntnisgrundlage
5 fehle. Schon a. 1823 zog sich auch die Pennsylvania-Synode wieder von der Generalsynode zurück, nicht um irgend welcher Prinzip- oder Bekenntnisfragen willen, sondern weil einige Landgemeinden, aufgestachelt durch einen Schulmeister, in der Generalsynode ein gefährliches Gewebe hierarchischer Ränke zur Knebelung der Gemeinden witterten. Die mit diesem Rückzug der Muttersynode nicht einverstandenen Glieder derselben gründeten
10 nun auf dem Gebiet westlich vom Susquehannahfluß die Synode von Westpennsylvanien, und so waren Nordcarolina, Maryland-Virginia und Westpennsylvanien acht Jahre lang die einzigen, verhältnismäßig kleinen Synoden, welche die Generalsynode ausmachten. Im Jahre 1831 schloß sich die Hartwicksynode an, ein Kind des New-Yorker Ministeriums, vier Jahre später Südcarolina, und a. 1837 kam New-York wieder zurück. Immer
15 aber bildeten die Glieder der Generalsynode nur eine Minorität der Lutheraner in Amerika, und lange Zeit war die Muttersynode allein bedeutend stärker als die ganze Generalsynode.

In der Generalsynode, die mit tapferem Mute die ersten Schritte zur einheitlichen Organisierung des Missions- und Erziehungswerkes für die lutherische Kirche in Nord-
20 amerika gethan, lassen sich von Anfang an zwei antagonistische Strömungen erkennen, die zunächst, wie unter einem stillschweigenden Kompromiß, friedlich nebeneinander hergehen, schließlich aber notgedrungen sich gegeneinander wenden und in heißem Kampfe um die Oberherrschaft ringen. Auf der einen Seite ist ein konservatives Element, das, wenn auch sehr schüchtern und zurückhaltend, nicht bloß den Namen, sondern den Geist und
25 Glauben der lutherischen Kirche zu wahren sucht, die sogenannten Symbolisten. Auf der anderen Seite steht das „Amerikanische Luthertum", das die Fühlung mit dem lutherischen Geist verloren hat und, soweit es positiv christlich sein will, ganz und gar von puritanischen und methodistischen Einflüssen durchdrungen ist. In den ersten 25 Jahren der Generalsynode war dieses Element entschieden das herrschende. In der ursprünglichen
30 Konstitution wurde das Bekenntnis ganz und gar ignoriert. Wohl aber bestimmte die Generalsynode, bei Gründung ihres theologischen Seminars zu Gettysburg, daß da „in englischer und deutscher Sprache die Fundamentallehren der heiligen Schrift, wie sie in der Augsburgischen Konfession enthalten sind vorgetragen werden sollten". Die Professoren mußten bei ihrer Vereidigung erklären: „Ich glaube, daß die Augsburgische Konfession
35 und die Katechismen Luthers eine zusammenfassende und korrekte Darlegung der Grundlehren des Wortes Gottes sind". Was aber diese Lehrverpflichtung in Wahrheit bedeute, oder vielmehr nicht bedeute, darüber hat sich der leitende Professor an dieser Anstalt, Dr. S. S. Schmucker, ganz unverhohlen ausgesprochen. „Wenn die Professoren die veralteten Anschauungen der symbolischen Bücher . . . ihren Studenten beibringen wollten,
40 so würden sie einen Vertrauensbruch an denjenigen begehen, die sie in ihr Amt eingesetzt, und würden dem ganzen Zweck und Plan der Anstalt zuwider handeln." Mit dieser Auslegung und Anwendung des Lehrparagraphen hatte er ohne Zweifel die Majorität der damaligen Generalsynode auf seiner Seite. Und dieser Mann, der seine eigene theologische Bildung auf dem presbyterianischen Seminar zu Princeton empfangen, bildete im
45 Lauf der Jahre eine volle Generation von „lutherischen" Pastoren heran. Den von ihm groß gezogenen Geist charakterisiert am besten ein Schreiben vom Jahr 1845 an die evangelische Kirche in Deutschland, die um Beiträge für das Gettysburger Seminar angegangen wurde. Das betreffende Komittee erklärt hier im Namen der Generalsynode: „Wir stehen in den mehrsten unserer kirchlichen Grundsätze auf gemeinschaftlichem Boden
50 mit der unierten Kirche Deutschlands. Die Unterscheidungslehren zwischen altlutherischer und reformierter Kirche achten wir nicht als wesentlich . . . Luthers besondere Ansicht über die leibliche Gegenwart des Herrn im Abendmahl ist von der großen Mehrheit unserer Prediger längst aufgegeben".

Während so innerhalb der Generalsynode selbst das unlutherische unionistisch gesinnte
55 Element die Oberhand hatte, war in der pennsylvanischen Synode in den Jahren ihrer Trennung die Richtung allmählich mehr und mehr konservativ und kirchlich geworden. Dabei blieb aber das Verhältnis zur Generalsynode immer ein freundliches und wohlwollendes. Im Jahre 1842 wurde die Liturgie der Pennsylvaniasynode von der Generalsynode zum Gebrauch für ihre deutschen Gemeinden und als Vorlage für ihre englische
60 Liturgie angenommen. Die Muttersynode ihrerseits beteiligte sich an den Haupterziehungs-

anstalten der Generalsynode, dem Pennsylvaniacollege und dem theologischen Seminar zu
Gettysburg. So bahnte sich der Weg zu einer Wiedervereinigung, und a. 1853 nahm das
Pennsylvaniaministerium durch Beschluß von 52 gegen 28 Stimmen die frühere Verbindung mit der Generalsynode wieder auf, in der Hoffnung, auch andere konservative Synoden, wie Ohio, Tennessee, und selbst Missouri zum Beitritt bewegen zu können, und 5
damit dem konservativen Luthertum in der Generalsynode aufzuhelfen. Der Wiedereintritt
geschah übrigens mit dem Vorbehalt: „Wenn zu irgend einer Zeit die Generalsynode als
Bedingung der Aufnahme oder der fortgesetzten Gliedschaft etwas verlangen würde, was
dem alten längst festgestellten Glauben der evangelisch-lutherischen Kirche zuwider wäre,
dann sollten die Delegaten der pennsylvanischen Synode gegen solche Maßnahme prote= 10
stieren, sich von der Versammlung zurückziehen und an ihre Synode berichten."
Obwohl nun dieser Wiederanschluß der alten Muttersynode allerseits mit Freuden
begrüßt wurde, so konnten sich doch die radikalen unionistischen Elemente in der Generalsynode nicht verhehlen, daß dadurch die längst drohende Krisis beschleunigt und sie selbst
früher oder später zu bestimmter Stellungnahme gezwungen werden würden. Die Kon= 15
servativen hatten den großen Vorteil, daß sie genau wußten, wo sie standen und was
sie wollten; das historische Bekenntnis der lutherischen Kirche war ihr Panier, um das sie
sich scharten. Bei den „Amerikanischen Lutheranern" (Neu-Maßregel-Leuten) war alles
verschwommen und unklar. Sie fühlten je mehr und mehr, daß sie eines Programms,
einer offenen Erklärung bedurften, das den eigentlichen Standpunkt des amerikanischen 20
Luthertums in unzweideutiger Weise zum Ausdruck bringen sollte. Das war der Zweck
der von Dr. S. S. Schmucker verfaßten sogenannten „Definite Platform", die im
September 1855 als anonymes Pamphlet an die Glieder der Generalsynode versandt
wurde. Diese „Amerikanische Recension der Augsburgischen Konfession" behauptete, „im
Einklang mit den Grundsätzen und der Lehrstellung der Generalsynode" zu stehen. Sie 25
sollte besonders den westlichen Generalsynodalen zum Halt und zur Stärkung dienen
gegenüber den deutschen Massen, welche „die ganze Masse der alten Symbole" an=
nehmen. Niemand sollte zur Synodalgemeinschaft zugelassen werden, der nicht auf dem
Standpunkt der „Definite Platform" stehe, die ohne Veränderung in Bausch und Bogen
anzunehmen sei! Damit war denn endlich die Maske abgeworfen und das amerikanische 30
Luthertum hatte sich in erklärten Gegensatz gegen das alte lutherische Bekenntnis gestellt.
In dieser Variata sind die sieben Artikel über Mißbräuche sämtlich gestrichen. Von den
21 Lehrartikeln sind zwölf mehr oder weniger verändert, davon besonders die Artikel von
der Taufe und vom heiligen Abendmahl. Der Erfolg des Manifests war freilich nicht,
was die Urheber erwartet hatten. Nur vereinzelte Stimmen sprachen sich dafür aus. Von 35
allen Seiten kamen energische Proteste und Erwiderungen, die beste von Dr. W. J. Mann,
in seinem „Plea for the Augsburg Confession". Selbst den Gleichgiltigen und Halben
erschien dieser Angriff auf die ehrwürdige Augustana als eine Art Sakrilegium, womit
sie nichts zu thun haben wollten. Indes dauerte trotz der tiefgehenden Erregung die
Periode des bewaffneten Friedens vorerst noch ununterbrochen weiter. Beide Seiten 40
scheuten einen offenen Konflikt in den Versammlungen der Generalsynode. Der erste Riß
geschah nicht aus konfessionellen oder theologischen Ursachen, sondern infolge des Kriegs
zwischen den Nord- und Südstaaten, als fünf südliche Synoden, erbittert über die scharfen
Beschlüsse der Generalsynode in Lancaster, a. 1862 ihren Austritt erklärten, und a. 1863 die
„Generalsynode der evangelisch-lutherischen Kirche in den konföderierten Staaten von 45
Amerika" gründeten.
Der zweite Bruch, der viel tiefer ging, weil er das Bekenntnis betraf, datiert von
der Versammlung in York, Pa., 1864. Da meldete sich die sogenannte Franckeansynode,
im Staate New-York, die von der Hartwicksynode abgebröckelt war, zur Aufnahme in
die Generalsynode. Sie hatte niemals die Augsburgische Konfession angenommen und 50
war sogar von einem weltlichen Gerichtshof nach ihren eigenen Aussagen für sabellianisch
und pelagianisch erklärt worden. Trotzdem wurde sie mit 97 gegen 40 Stimmen in die
Generalsynode aufgenommen. Die pennsylvanische Delegation protestierte und zog sich
zurück. An ihren Protest schlossen sich andere Delegaten an, aus den Synoden von Pitts=
burg, Ostpennsylvania, New-York, Maryland, Ohio, Indiana, Illinois, Nord-Illinois und 55
Iowa (engl.). Unter dem tiefen Eindruck des drohenden Risses suchte man in elfter
Stunde noch einzulenken und faßte Beschlüsse, die darauf abzielten, das konservative Ele=
ment wieder zu versöhnen. Die Lehrbasis der Generalsynode wurde dahin amendiert,
daß sie besagte, „das Wort Gottes, wie es in den kanonischen Schriften des alten und
neuen Testaments enthalten ist, als die einzige unfehlbare Regel des Glaubens und Lebens 60

13*

und die Augsburgische Konfession als korrekte Darstellung der Fundamentallehren des göttlichen Worts und des auf dieses Wort gegründeten Glaubens unserer Kirche". Dabei blieb freilich eben die Frage, welches die Fundamentallehren seien, eine offene, indem die meisten der „amerikanischen Lutheraner" gerade die Unterscheidungslehren zwischen Luthe-
5 ranern und Reformierten nicht als fundamentale betrachteten. Aber die Synode von Pennsylvanien hatte das Vertrauen in die Generalsynode verloren und antwortete mit der Gründung ihres theologischen Seminars in Philadelphia, — (C. F. Schäffer, W. J. Mann, C. P. Krauth, C. W. Schäffer, G. F. Krotel, die erste Fakultät; gegenwärtig A. Spaeth, H. E. Jacobs, F. Fry, F. J. Spieker) — ein Schritt von der
10 größten Tragweite, der bezeugte, daß man fest entschlossen war, zu den Vätern, ihrem Glauben und Bekenntnis, ihrer Theologie und Sprache sich zurückzuwenden. Man fand eine solche Anstalt absolut nötig, „um englisch redenden Studenten der Theologie die reine Lehre der Kirche zu bieten, um alle künftigen Kirchendiener in Einem Geiste auszubilden, um die beiden Sprachen, das Englische und Deutsche, in friedlichem Zu-
15 sammenwirken miteinander zu verbinden. Der Eine reine Glaube sollte das Band sein, das um Sprachen und Nationalitäten sich schlänge". Doch betrachtete sich die pennsylvanische Synode noch als Glied der Generalsynode und sandte Delegaten zu der nächsten Konvention in Fort Wayne, a. 1866, darunter von leitender Bedeutung Dr. G. F. Krotel, Dr. J. A. Seiß, S. K. Brobst, der Begründer und Herausgeber
20 der „Lutherischen Zeitschrift". Hier führte ein längst geplanter Gewaltstreich des Präsidenten Dr. S. Sprecher die Scheidung herbei. Er weigerte sich beim Aufruf der Synoden die Beglaubigungsschreiben der pennsylvanischen Delegaten entgegenzunehmen. Es blieb ihnen nichts übrig, als sich zurückzuziehen und an ihr Ministerium zu berichten. Dieses löste nun förmlich seine Verbindung mit der Generalsynode auf, in der Überzeugung,
25 „daß jeder Versuch, die widerstreitenden Elemente in jenem Körper zu vereinigen, hoffnungslos, und der Zweck der ursprünglichen Gründung der Generalsynode offenbar verfehlt sei". Zugleich wurde ein brüderliches Sendschreiben an alle evangelisch-lutherischen Synoden und Gemeinden in den Vereinigten Staaten und Kanada erlassen, um eine neue Verbindung lutherischer Synoden zu erzielen, „Einheit im wahren Glauben des Evan-
30 geliums und in der lautern Lehre und Verwaltung der heiligen Sakramente nach Gottes Wort und dem Bekenntnis der Kirche zu erzielen und zu bewahren, den unserer Kirche eigentümlichen Geist und Kultus zu erhalten, und ihr praktisches Leben nach allen Seiten hin zu entwickeln". Darauf trat im Dezember desselben Jahres (1866) die „Konvention zu Reading" zusammen, um über die Grundlage und Bildung eines bekenntnistreuen
35 lutherischen Kirchenkörpers zu beraten. Pennsylvania, New-York, Ohio, Pittsburg, Wisconsin, Michigan, Minnesota, Jowa, Missouri, Kanada und die norwegische Synode waren vertreten. Die Schweden sandten schriftlichen Gruß. Mit größter Einmütigkeit wurden die von Charles Porterfield Krauth verfaßten „Grundartikel des Glaubens und der Kirchenverfassung" durchberaten und die Gründung des Generalkonzils der evangelisch-
40 lutherischen Kirche in Nordamerika beschlossen. Der Riß zwischen Generalsynode und Generalkonzil ging tief durch Gemeinden und Synoden hindurch und führte da und dort zu bitteren Litigationen und zur Gründung von Gegenkörpern, wie im Bereich der Pittsburg- und New-Yorksynode.

Folgende Synoden gehören gegenwärtig zur Generalsynode:
45   Maryland, gegründet 1820 als Maryland-Virginia-Synode, 99 Pastoren, 120 Gemeinden, 22 306 Glieder.

Westpennsylvania, gegründet 1825, 104 Pastoren, 146 Gemeinden, 26 723 Glieder.

Hartwick-Synode, im Staat New-York, gegründet 1830, 36 Pastoren, 36 Gemeinden, 5733 Glieder.
50   East Ohio, als englischer Zweig der deutschen Ohio-Synode, 1836 gegründet, seit 1858 East-Ohio-Synode genannt, nahm die Definite Platform an; 45 Pastoren, 68 Gemeinden, 7200 Glieder.

Franckean, von vier Pastoren der westlichen Konferenz der Hartwick-Synode 1837 gegründet, 21 Pastoren, 29 Gemeinden, 2031 Glieder.
55   Alleghany (Pennsylvania), gegründet 1842, 71 Pastoren, 151 Gemeinden, 15580 Glieder.

East Pennsylvania, gegründet 1842 von neun Pastoren, die sich von der Pennsylvania-Synode zurückzogen, weil sie sich mehr in Sympathie mit dem amerikanischen Luthertum fühlten. 116 Pastoren, 122 Gemeinden, 24 750 Glieder.
60   Miami (Ohio) gegründet 1844, 43 Pastoren, 54 Gemeinden, 6448 Glieder.

Wittenberg (Ohio), gegründet 1847, 54 Pastoren, 79 Gemeinden, 9785 Glieder.
Olive Branch (Oelzweig-Synode, in Indiana), gegründet 1848, 37 Pastoren,
45 Gemeinden, 4866 Glieder.

Nord-Illinois, gegründet 1851, 41 Pastoren, 41 Gemeinden, 3756 Glieder.

Central-Pennsylvania, gegründet 1853, von Gliedern der Synode von West- 5
pennsylvanien, 40 Pastoren, 87 Gemeinden, 9540 Glieder.

Nordindiana, gegründet 1855, 43 Pastoren, 73 Gemeinden, 4536 Glieder.

Jowa (engl.), gegründet 1855, 24 Pastoren, 24 Gemeinden, 2068 Glieder.

Pittsburg-Synode, gegründet 1866 von elf Pastoren der alten Pittsburg-Synode, die sich dem Generalkonzil nicht anschließen wollten. 76 Pastoren, 106 Gemeinden, 10
12 432 Glieder.

Central- und Süd-Illinois, gegründet 1897 durch Vereinigung der Synoden
von Central-Illinois (seit 1846) und Süd-Illinois (seit 1846), 33 Pastoren, 46 Gemeinden, 3280 Glieder.

Susquehannah (Pennsylvania), gegründet 1867 von Gliedern der Synode von 15
Ost-Pennsylvanien, 55 Pastoren, 82 Gemeinden, 12 311 Glieder.

Kansas, gegründet 1868, 54 Pastoren, 45 Gemeinden, 2961 Glieder.

New-York und New-Jersey, gegründet 1872 durch Vereinigung der Synoden
von New-Jersey (seit 1859) und New-York (seit 1866, bei der Gründung des Generalkonzils entstanden), 66 Pastoren, 58 Gemeinden, 10 913 Glieder.   20

Nebraska, engl., gegründet 1871, 41 Pastoren, 33 Gemeinden, 2447 Glieder.

Wartburg-Synode, deutsch, gegründet 1876; von dem Predigerseminar in Breklum,
Schleswig, unterstützt; 43 Pastoren, 51 Gemeinden, 6508 Glieder.

Kalifornia, gegründet 1891, 18 Pastoren, 11 Gemeinden, 1389 Glieder.

Rocky-Mountain-(Felsengebirge-)Synode, gegründet 1891, 10 Pastoren, 9 Ge- 25
meinden, 505 Glieder.

Nebraska, deutsch, gegründet 1890, 61 Pastoren, 62 Gemeinden, 4453 Glieder.

Zusammen: 1231 Pastoren, 1578 Gemeinden, 202 531 Kommunikanten.

Die Generalsynode besitzt sechs theologische Lehranstalten, Hartwick (New-York), Gettysburg (Pennsylvania), Springfield (Ohio), Selinsgrove (Pennsylvania), Chicago (Illinois) 30
und Atchinson (Kansas, mit 20 Lehrern und 139 Studenten).

Das Diakonissenmutterhaus zu Baltimore, Maryland, unter der Leitung von Dr. F.
P. Manhardt, steht in Verbindung mit der Generalsynode, und wird von ihr durch einen
Verwaltungsrat (Board) geleitet.

Die wichtigsten Kirchenblätter im Kreis der Generalsynode sind The Lutheran Ob- 35
server, The Lutheran Evangelist und Lutheran World (wöchentlich), Organ der
konservativen Richtung und die Theologische Vierteljahrsschrift The Lutheran Quarterly.

V. Das konfessionelle Luthertum im Westen. Etwa ein Vierteljahrhundert,
ehe das Erwachen des konfessionellen Bewußtseins in der Generalsynode zum Bruch und
zur Gründung des Generalkonzils führte, begann im Westen durch Einwanderung von 40
entschiedenen Lutheranern aus Sachsen, Preußen und Bayern die Gründung von bedeutenden, streng konfessionellen, lutherischen Kirchenkörpern, die, wenn auch unter sich selbst
vielfach in bitterer Fehde liegend, doch von mächtigem Erfolge begleitet waren, und die
zahlreiche lutherische Bevölkerung des Westens in feste kirchliche Organisation gebracht haben.   45

A. Die Missouri-Synode. Im November des Jahres 1838 machten sich Hunderte von ernsten Lutheranern unter der Führung von Martin Stephan, Pastor an der
böhmischen Gemeinde zu Dresden, auf den Weg nach Amerika. Der trostlose Zustand
der heimatlichen Kirche, die Feindschaft gegen das lutherische Bekenntnis, die Herrschaft
des Rationalismus trieben sie, die ein höheres Ideal von der Kirche Christi hatten, aus 50
der Heimat. Stephan war ein Mann von bedeutender Predigtgabe, von großer Menschenkenntnis, und besonders geschickt, Schwermütige und geistlich Angefochtene durch seinen
Zuspruch zu trösten. Obwohl er durch seine Neigung zum Konventikelwesen mit den
heimatlichen Behörden schon in Konflikt geraten war, konnte doch bis dahin nichts gegen
seinen sittlichen Charakter bewiesen werden. Seine Anhänger waren ihm unbedingt er- 55
geben. Nicht bloß ihre geistliche Führung, auch ihr irdisches Vermögen legten sie ver-
trauensvoll in seine Hand. Es war im ganzen eine Schar von etwa 700 Personen,
darunter mehrere Pastoren, wie O. H. Walther und sein jüngerer Bruder C. F. W. Walther,
E. G. W. Keyl, ihr Schwager und G. H. Löber. Eines der Emigrantenschiffe ging
auf der See verloren mit allen an Bord. Die anderen Emigranten landeten im Januar 60

1839 in New-Orleans und ließen sich in St. Louis und in Perry County, etwa 110
englische Meilen südlich davon nieder. Ein schrecklicher Schlag war es für die Eingewan=
derten, daß bald nach der Niederlassung in Amerika Stephan als ein unlauterer Mensch
offenbar wurde, der mit der Kreditkasse gewissenlos gewirtschaftet und in groben Fleisches=
5 sünden gelebt hatte. Sie sagten sich von ihm los. Nun wurde in ihrer tiefen Beküm=
mernis und geistlichen Anfechtung der jüngere Walther ihr Hauptführer. Er war am
25. Okt. 1811 zu Langenchursdorf in Sachsen als Sohn eines lutherischen Pastors geboren,
studierte seit 1829 Theologie in Leipzig und ging da schon durch schwere innere Kämpfe
und Anfechtungen, unter denen ihm ein Schreiben von Stephan Licht und Trost brachte.
10 Nach seiner Ordination, a. 1837, bediente er die Gemeinde zu Bräunsdorf in Sachsen. Da
gabs für den gewissenhaften Pastor, dem es ein heiliger Ernst mit seinem Amte war,
neue Anfechtung. So schloß er sich mit Freuden an die Stephansche Auswanderung an,
in der Hoffnung, in der neuen Welt ein besseres Kirchenideal verwirklicht zu sehen. Als
nun durch die Katastrophe mit Stephan die sächsischen Emigranten aufs tiefste erschüttert
15 waren und ihnen selbst Zweifel kamen, ob sie überhaupt noch eine christliche Gemeinde
und ihre Pastoren rechtmäßige Amtsträger seien, da brachte Walther Licht und Klarheit,
Festigkeit und neuen Mut in das zerschlagene Häuflein. Er wies nach, daß die Ge=
meinde, trotz aller Verirrungen, doch eine christliche Gemeinde sei, die Christum mit seinen
Gnadenmitteln unter sich habe, und daß sie das volle Recht besitze, sich Prediger zu be=
20 rufen, denn der Gemeinde der Gläubigen, nicht aber einem besonderen Stande, gehören
alle Rechte und Befugnisse, die der Herr seiner Kirche gegeben. Nach dem Tode seines
Bruders Otto Hermann W. wurde er dessen Nachfolger an der Gemeinde zu St. Louis.
Im Jahre 1844 gründete er das halbmonatliche Blatt „Der Lutheraner", dem elf Jahre
später die Monatsschrift „Lehre und Wehre" folgte. Dadurch sammelte er einen Kreis
25 von gleichgesinnten Männern wie Sihler, Wyneken u. a. und half mit den Weg bahnen
zur Gründung der Synode von Missouri, die zum erstenmal am 26. April 1847 in
Chicago zusammentrat. In demselben Jahre wurde die von W. Löhe in Fort Wayne
gegründete Lehranstalt an die Missourisynode übertragen, und das Seminar der sächsischen
Gemeinden in Perry co. siedelte nach St. Louis über, wo Walther an die Spitze der
30 Fakultät trat. Mit voller Klarheit und Entschiedenheit stellte sich die Missouri-Synode von
Anfang an auf den Boden des lutherischen Bekenntnisses nach dem Konkordienbuch von
1580, mit Verwerfung aller Glaubens= und Kirchenmengerei, wie Bedienung gemischter
Gemeinden und Teilnahme an Gottesdienst und Sakramentsverwaltung falschgläubiger
Gemeinden. Fortgesetzte Lehrbesprechungen bei Synoden und Konferenzen, ja selbst in
35 den Gemeindeversammlungen, regelmäßige Visitationen der Gemeinden, treuliche Pflege
der Parochialschulen wirkten zusammen, um die Synode nicht bloß fest in Einem Geiste
zusammenzuhalten, sondern auch nach außen mächtig auszubreiten. Daß nach den von
den sächsischen Emigranten gemachten Erfahrungen die Gemeinderechte besonders betont
und alle hochkirchlichen Amtsideen streng verpönt wurden, läßt sich wohl begreifen. Auch
40 die Synode sollte den Gemeinden gegenüber nur beratende, nicht beschließende oder be=
fehlende Autorität haben. Nur die an Synodalgemeinden stehenden und von ihnen be=
vollmächtigten Pastoren haben mit den Gemeindedelegaten Stimmrecht auf den Synodal=
versammlungen, alle anderen Pastoren und Lehrer haben nur beratende Stimme. Von
vornherein erscheint in dieser Synodalbildung alles klar, zielbewußt und stramm geordnet.
45 Wie Löhe davon den Eindruck von etwas „Festem und Fertigem" hatte, so konnten sich
auch andere diesem Eindruck nicht entziehen. Walthers weise und konsequente Leitung
übte eine mächtige Anziehungskraft aus, wodurch auch widerstrebende Elemente über=
wunden, gewonnen und assimiliert wurden. Schon bei der zweiten Konvention zählte
die Synode 55 Pastoren, darunter eine bedeutende Anzahl von Männern, die auf deutschen
50 Universitäten eine tüchtige theologische Bildung empfangen, und die nun in der Hochschule
des amerikanischen kirchlichen Lebens sich den Verhältnissen trefflich anzupassen lernten
und mit großer persönlicher Hingebung und Selbstverleugnung zusammenwirkten. Heut=
zutage erstreckt sich das Gebiet der Missourisynode vom atlantischen bis zum stillen Ocean,
und von Kanada bis zum Golf von Mexiko. In 13 Distriktsynoden zählt sie über
55 1700 Pastoren, 2215 Gemeinden, gegen 432 000 Kommunikanten. Sie hat zwei theo=
logische Lehranstalten, zu St. Louis (mit 6 Professoren und 195 Studenten) und zu
Springfield (Illinois, das praktische Seminar, mit 5 Professoren und 151 Studenten),
und Gymnasien (Colleges) oder Vorbereitungsanstalten zu Fort Wayne (Indiana), Mil=
waukee (Wisconsin), St. Paul (Minnesota), Konkordia (Missouri), Neperan (New-York),
60 mit Schullehrerseminarien zu Addison (Illinois) und Seward (Nebraska). Seit 1888

hat sich aus ihr auch eine englisch=lutherische Synode von Missouri und anderen Staaten gebildet, die jetzt 55 Pastoren, 46 Gemeinden, 5000 Kommunikanten zählt.

B. Die Buffalo=Synode. Bald nach den sächsischen Emigranten war im Jahre 1839 eine andere Schar deutscher Lutheraner um ihres Glaubens willen nach Amerika ausgewandert. Ihr Führer war Joh. Andreas August Grabau (geb. 1804 in der Nähe 5 von Magdeburg), Pastor der St. Andreas=Kirche zu Erfurt. Wegen seines Widerstandes gegen die preußische Union und die Einführung der Agende war er wiederholt mit Gefängnis bestraft worden. Etwa 1000 Anhänger folgten ihm im Herbst 1839 nach Amerika. Sie kamen meistens aus Erfurt, Magdeburg und Umgegend. Die Mehrzahl derselben ließ sich in Buffalo, New=York, nieder, einige aber wanderten weiter westlich bis 10 nach Wisconsin. Im Jahre 1845 gründete Grabau mit seinen Freunden v. Rohr, Krause und Kindermann die „Synode der aus Preußen eingewanderten Lutheraner", später Buffalo=Synode genannt. Das Martin=Luther=Kollegium in Buffalo war ihre theologische Lehranstalt. Im Unterschied von den sächsischen Lutheranern vertrat Grabau einen sehr hochgespannten Begriff von Kirchenamt und Ordination, wonach die Realität und Wirk= 15 samkeit der Gnadenmittel selbst von dem Amt abhängig und der Gemeinde das Recht abgesprochen wurde, den Bann zu verhängen. Selbst in äußerlichen Angelegenheiten der Gemeindeverwaltung sollte die Verpflichtung zum strikten Gehorsam gegen den Pastor gelten. Kein Wunder, daß Walther und seine Freunde in diesen Anschauungen den hierarchischen Geist von Stephan wieder zu erkennen glaubten, dessen Netzen sie soeben ent= 20 ronnen waren. So erhob sich denn ein heftiger Kampf zwischen den „Preußen" und den „Sachsen", der dazu führte, daß, als Resultat eines Kolloquiums, a. 1866 elf Pastoren der Buffalo=Synode sich an Missouri anschlossen. Der kümmerliche Rest teilte sich noch in zwei Fraktionen, von denen die eine a. 1877 ihr Ende fand. Heute zählt die Buffalo=Synode 26 Pastoren, 36 Gemeinden und 5000 Kommunikanten. Neuerdings hat sie sich dem 25 New=York=Ministerium etwas genähert, indem mehrere Kolloquien mit friedlichem Verlauf gehalten wurden, und beide Synoden sich gegenseitig als Schwestersynoden, mit Kanzel- und Altargemeinschaft anerkannten.

C. Die Jowa=Synode. Im Jahre 1841 hatte Friedrich Wyneken, damals Pastor der lutherischen Gemeinden in und um Fort Wayne (Indiana), einen ergreifenden Aufruf 30 an die Mutterkirche in Deutschland gesandt, worin er um Mitwirkung zur geistlichen Versorgung der Lutheraner in den westlichen Staaten von Nordamerika bat. Ein Missionsverein in Stade erließ daraufhin einen „Aufruf zur Unterstützung der deutsch=protestantischen Kirche". Derselbe kam in Erlangen auf einer Konferenz in W. Löhes Hände und machte den tiefsten Eindruck auf ihn. Im Nördlinger Sonntagsblatt, das von seinem 35 Freund Wucherer herausgegeben wurde, forderte nun auch Löhe zur kräftigen Unterstützung auf. Die Missionsanstalt zu Neuendettelsau wurde gegründet, und die „Kirchlichen Mitteilungen aus und über Nordamerika" hielten das Interesse für die Sache lebendig. Schon im Jahre 1842 kamen Löhes erste Sendlinge, Adam Ernst und Burger herüber und schlossen sich zunächst der Ohio=Synode an. Andere folgten ihnen nach und traten eben= 40 falls der Ohio= oder der Michigan=Synode bei. Aber im Jahre 1845 verließen die Schüler Löhes mit anderen Gesinnungsgenossen (Winkler, Selle, A. Schmidt, Sihler u. a.) die Ohio=Synode und gründeten eine theologische Lehranstalt zu Fort Wayne unter der Leitung von Dr. Sihler. Die Gründe zu diesem Schritte waren in erster Linie kirchliche und konfessionelle, weil den betreffenden „die Lauterkeit und Entschiedenheit der Synode 45 in Bezug auf kirchliche Gesinnung und Richtung und auf die bestimmte Verwahrung gegen die falsche Union unserer Zeit zweifelhaft erschien". Die Anstalt zu Fort Wayne wurde 1846 mit 16 Zöglingen eröffnet, die meistens ihre Vorbildung in Neuendettelsau empfangen hatten. So war auch das Grundeigentum und die Gebäulichkeiten hauptsächlich durch die Beiträge aus den Löheschen Kreisen erworben worden. Löhe selbst riet 50 nun seinen Freunden, mit den sächsischen Lutheranern Fühlung zu suchen, und so machten sich Sihler, Ernst und Lochner auf den Weg nach St. Louis zu einer Konferenz mit den Sachsen. Darauf folgten dann weitere Verhandlungen zu Fort Wayne, zu denen Walther und Löber kamen und wobei 24 von Löhes Sendlingen zugegen waren. Daraus erwuchs zunächst die Missouri=Synode 1847 (s. o.), an die auch die Lehranstalt zu Fort Wayne 55 überging. Bald zeigten sich zwischen Löhe und den Führern der Missouri=Synode Differenzen, besonders in der Lehre von Kirche und Amt. Um den drohenden Bruch zu vermeiden, wurden Wyneken und Walther nach Deutschland gesandt, um mit Löhe, „dem alten, treuesten Freund der lutherischen Kirche Nordamerikas" persönlich zu konferieren. Es wurde aber keine Einigung erzielt. Löhes Anhänger, G. M. Großmann und J. Dein= 60

dörfer griffen zum Wanderstab, um westlich von Mississippi sein amerikanisches Missions=
werk weiter zu führen. Sie gründeten mit S. Fritschel und Kandidat M. Schüller am
24. August 1854 in Dubuque die Synode von Jowa. In ihrer Stellung zum Be=
kenntnis will sie ein streng konfessionelles, aber dabei ökumenisches Luthertum vertreten.
5 Sie nimmt darum die symbolischen Bücher rückhaltslos an, unterscheidet aber zwischen
dem, was als direkte Glaubenslehre im Symbol bekannt ist, und dem, was nur beiläufig
als exegetisches, geschichtliches und erläuterndes Material in den Bekenntnisschriften sich
findet. Zwischen den Synoden von Missouri und Jowa herrschte von Anfang an heftige
theologische Fehde, die durch das Kolloquium von Milwaukee, a. 1867, nicht beigelegt werden
10 konnte. Die Differenzpunkte waren und sind noch im wesentlichen die folgenden: 1. In
der Lehre vom Amt. Missouri hält, daß das geistliche Priestertum für den einzelnen
Christen das Amt des Worts involviere, die öffentliche Ausübung des Predigtamtes aber
davon abhängig sei, daß die Gemeinde, als Inhaberin des Priestertums und aller kirch=
lichen Gewalt, die Befugnis an einen Einzelnen übertrage, die Rechte des geistlichen
15 Priestertums im öffentlichen Amt von Gemeinde wegen auszuüben. Jowa unterscheidet
zwischen dem geistlichen Priestertum und dem Amte des Worts als einem besonderen
Beruf, und hält, daß die spezifisch missourische Übertragungslehre nicht eine Bekenntnis=
lehre der lutherischen Kirche, ja, ihrer Natur nach nicht eine Glaubenslehre sei, und darum,
ganz abgesehen von ihrer Richtigkeit, nicht als kirchentrennend angesehen werden dürfe.
20 2. In der Stellung zu den Symbolen. Missouri und Jowa sind darin einig, daß
alle in den Symbolen vorkommenden Glaubenslehren symbolisch verbindlich sein sollen.
Missouri dehnt diese Verbindlichkeit aus auf alle irgendwie in den Symbolen sich findenden
Lehren, wenn sie auch nur beiläufig und gelegentlich vorkommen. Jowa beschränkt die
Verbindlichkeit auf die ex professo gelehrten Glaubenssätze, während den sie begleitenden
25 theologischen Ausführungen und Erörterungen keine verpflichtende Bedeutung zuerkannt
wird. 3. Im Punkte der offenen Fragen hält Jowa, daß es solche Stücke seien, an
denen nicht Glaube und Hoffnung des Christen hingen, worüber man verschiedener Mei=
nung sein könne, ohne daß dadurch die kirchliche und brüderliche Gemeinschaft aufgehoben
würde, also nicht kirchentrennende Fragen, Theologumena, wie die Übertragungslehre,
30 Lehre vom Antichrist, Bekehrung Israels. Den Ausdruck „offene Fragen" selbst war
Jowa bereit, als einen mißverständlichen fallen zu lassen. Missouri verwarf anfangs
entschieden die Ansicht, daß irgend eine in der Schrift enthaltene Lehre in diesem Sinne
eine offene Frage bleiben könne, später aber, besonders als in der Missourisynode selbst
in Betreff der Lehre vom Wucher Schwierigkeiten entstanden, wurde öffentlich erklärt, „daß
35 man zwischen Glaubenslehren und solchen Schriftlehren, welche dies nicht sind, allerdings
einen Unterschied zu machen wisse". 4. In Beziehung auf den Antichrist, wie alle
eschatologischen Fragen, ist es für Missouri Grundsatz, daß alle Weissagungen von Dingen,
die dem jüngsten Tage vorangehen, erfüllt seien, so auch die Weissagung vom Antichrist,
im Papsttum. Dagegen bekennt Jowa, daß allerdings das ganze Papsttum antichristlich
40 sei, daß es aber nicht als Abfall vom lutherischen Bekenntnis verdammt werden solle,
wenn jemand die Zusammenfassung des antichristlichen Wesens noch in einer zukünftig
erscheinenden Person erwarte. 5. Was den Chiliasmus betrifft, so hält Missouri, daß
Artikel XVII der Augsburgischen Konfession alle und jede Art, auch des feinsten Chi=
liasmus, verwerfe, und erklärt besonders die Annahme einer ersten Auferstehung (Off 20)
45 für einen grundstürzenden Irrtum. Die Jowasynode verwirft jede Lehre vom tausend=
jährigen Reiche „wonach das geistliche Reich Christi zu irgend einer Zeit seinen Charakter
als geistliches Gnaden= und Kreuz=Reich verlöre, und zu einem äußeren, irdischen, welt=
lichen Reiche würde". Die Lehre von einer ersten Auferstehung will Jowa nicht als eine
Synodallehre aufstellen, sieht aber in ihr keine kirchentrennende Ketzerei. Hatte sich so
50 die Synode von Jowa in ihrem Kampfe gegen Missouri gegen jede Überspannung der
Grundforderungen zur kirchlichen Lehreinheit erklärt, und das „Satis est . . consen-
tire de doctrina Evangelii" des Artikels VII der Augustana betont, so war es ihr
in ihrem Verhältnis zum Generalkonzil darum zu thun, allem Latitudinarismus gegenüber
die notwendige Lehreinheit als Grundbedingung der Kirchengemeinschaft zu fordern. Der
55 Aufruf zur Gründung eines allgemeinen Kirchenkörpers auf entschieden konfessioneller
Grundlage (1866) war von der Jowa=Synode mit herzlicher Freude begrüßt worden.
Sie sandte Delegaten zur ersten Konvention und stellte dort das Ansuchen, daß das
Generalkonzil auch förmlich erklären möchte, was nach ihrer Ansicht in seinen Grund=
artikeln schon enthalten sei, nämlich daß alle Kirchengemeinschaft, am Altar und auf der
60 Kanzel, mit Nichtlutheranern verworfen werde. Da das Generalkonzil zu einer solchen

Erklärung nicht bereit war, schloß sich die Jowa-Synode nicht völlig und förmlich an, verharrte aber in freundlicher, zuwartender Stellung, und machte Jahre lang von dem Privilegium Gebrauch, das die Konstitution des Generalkonzils solchen Körpern gewährte, die mit ihm im Glauben einig sind, nämlich die Bersammlungen durch Delegaten mit beratender Stimme zu beschicken. Gewöhnlich waren die Professoren Sigmund und Gott= 5 fried Fritschel die Bertreter. Auch an der liturgischen und hymnologischen Arbeit des Generalkonzils nahm die Jowa-Synode durch tüchtige Männer in der betreffenden Kom= mission bedeutenden Anteil. Sein Kirchenbuch ist in der Jowa-Synode eingeführt. Die Jowa-Synode erstreckt sich jetzt über 15 Staaten, und zählt in ihren 7 Distrikten 433 Pa= storen, 824 Gemeinden, 74 058 Kommunikanten. Ihre Organe sind das Kirchenblatt 10 der Jowa-Synode (halbmonatlich) und die Kirchliche Zeitschrift (zweimonatlich). Ihr theo= logisches Seminar, das in Dubuque a.1854 gegründet, dann nach St. Sebald (Jowa) und später nach Mendota (Illinois) verlegt wurde, ist seit 1889 wieder in Dubuque (4 Pro= fessoren, 42 Studenten). Außerdem besitzt sie eine Borbereitungsanstalt in Clinton (Jowa) (Wartburg-College), und ein Schullehrerseminar in Waverly (Jowa). Seit 1896 hat sich 15 die Texas-Synode (organisiert 1851, zum Generalkonzil gehörig seit 1868), als Distrikt der Jowa-Synode angeschlossen, mit ihrer Lehranstalt zu Brenham (Texas) (Brenham= College).

D. Die Ohio=Synode. Im Jahre 1805 kamen zuerst Reiseprediger des Penn= sylvaniaministeriums nach Ohio, wo sie zunächst eine Konferenz in Berbindung mit der 20 Muttersynode bildeten. Die Gründung der Synode selbst datiert vom Jahre 1818, der gegenwärtige offizielle Name, Allgemeine Synode von Ohio (Joint Synod of Ohio) vom Jahre 1833. In demselben Jahre wurde ihr a.1830 zu Canton (Ohio) eröffnetes Seminar nach Columbus verlegt. Unter den Professoren sind besonders M. Loy und F. W. Stellhorn hervorragend. Im Jahre 1850 wurde, ebenfalls in Columbus, die 25 **Capital University** als College der Synode gegründet. Dazu kamen später ein deutsches praktisches Seminar in St. Paul (Minnesota), und ein Schullehrerseminar zu Woodville (Ohio). Obwohl Dr. Sihler und die Löheschen Sendlinge ausgeschieden waren, weil der Bekenntnisstandpunkt der Synode sie nicht befriedigte (s. o.), läßt sich doch seit den vierziger Jahren ein stetiges Erstarken des konfessionellen Bewußtseins in der Ohiosynode erkennen. 30 Schon 1847 wurden die symbolischen Bücher als Bekenntnisgrundlage der Synode förmlich anerkannt. Wiederholte freie Konferenzen, die zwischen Missouri und Ohio veranstaltet wurden, führten zu einer immer innigeren Annäherung beider Körper. Als im Jahre 1872 die Synodalkonferenz (s. u.) gegründet wurde, schloß sich die Ohio=Synode an, trat aber 1881 wegen des Gnadenwahllehrstreites wieder aus. Darauf folgten Schritte zu einer 35 Annäherung zwischen Jowa und Ohio. Im Jahre 1883 wurde durch Professor Gott= fried Fritschel eine informelle Lehrbesprechung zwischen den Professoren der Ohio= und der Jowa-Synode zu stande gebracht. Darauf folgte 1893 ein offizielles Kolloquium zu Michigan City. Die dabei verhandelten Thesen, die die Grundlage zu gegenseitiger An= erkennung mit Kanzel= und Altargemeinschaft bilden sollten, haben aber auf beiden Seiten 40 nicht völlige Befriedigung gegeben. Die Organe der Ohio=Synode sind die Lutherische Kirchenzeitung, **Lutheran Standard**, Theologische Zeitblätter und **Columbus Maga=** **zine.** Die Synode zählt in 10 Distrikten 457 Pastoren, 604 Gemeinden, 77 362 Kom= munikanten.

E. Die Synodalkonferenz. Um das konfessionelle Luthertum des Westens zu 45 einem allgemeinen Körper zu vereinigen, wurde 1872 von den Synoden von Missouri, Ohio, Wisconsin, Minnesota, Illinois und der norwegischen Synode die evangelisch=luthe= rische Synodalkonferenz von Nordamerika gegründet. Ihre Bekenntnisgrundlage ist die Konkordia vom Jahre 1580. Dr. C. F. W. Walther war der erste Präsident und Prof. W. F. Lehmann (Ohio) Bicepräsident. Bis 1879 versammelte sie sich alljährlich, 50 seitdem nur alle zwei Jahre. Bei ihren Konventionen bilden eingehende Lehrbesprechungen den Hauptgegenstand der Beratung. Ein ausgedehntes Missionswerk unter der Neger= bevölkerung der Bereinigten Staaten, mit Stationen in Louisana, Illinois, Nordcarolina und Virginia wird von ihr betrieben. Die Synodalkonferenz zählt nach der heutigen Statistik 2129 Pastoren, 2772 Gemeinden, 599 951 Kommunikanten in 5 Synoden. 55 Außer den schon besprochenen Synoden von Missouri und Ohio sind noch folgende zu erwähnen.

Die Wisconsin=Synode. Sie wurde gegründet 1849 von J. Mühlhäuser, früher Pastor in Rochester, New-Jork, und von 1848 bis 1868 in Milwaukee. Die Missions= anstalten zu Barmen und Berlin versorgten die junge Synode mit einem Nachwuchs von 60

Pastoren. Seit 1861 trat Pastor J. Bading an die Spitze. Eine Lehranstalt wurde in Watertown eröffnet von Dr. E. F. Moldehnke (später Pastor der St. Petri-Gemeinde in New-York). Ihm folgte 1866 Pastor Adolf Hönnecke. Die Wisconsin-Synode schloß sich zunächst an das Generalkonzil an, zog sich aber 1872 zurück, näherte sich der Missouri-Synode und trat in die Synodalkonferenz ein. Im Jahre 1878 gründete die Synode ihr eigenes theologisches Seminar in Milwaukee; die Anstalt zu Watertown ist nun ihr College. Der gegenwärtige Bestand der Wisconsin-Synode ist 214 Pastoren, 378 Gemeinden, 140268 Kommunikanten.

Die Minnesota-Synode. Sie war die Frucht der eifrigen Missionsarbeit von Vater E. F. Heyer (1793—1873, geb. zu Helmstedt, später Missionar in Indien, Kaplan des theologischen Seminars zu Philadelphia). Gegründet wurde die Synode 1860 zu West-St. Paul. Ihre Arbeitskräfte bezog sie aus dem Basler Missionshaus, der Berliner Missionsgesellschaft und aus der Wisconsin-Synode. Ihr Lehrstandpunkt war anfangs der der Generalsynode; 1867 trat sie dem Generalkonzil bei, verließ das selbe aber 1871, unter der Führung von Pastor J. H. Sieker, und schloß sich der Synodalkonferenz an. Sie zählt gegenwärtig 61 Pastoren, 117 Gemeinden, 20000 Kommunikanten.

Die Michigan-Synode. Im Jahr 1833 begann Pastor F. Schmid eine Mission unter den Indianern in der Nähe von Ann Arbor, Michigan. Nach und nach sammelte er eine Anzahl von Pastoren um sich, meist aus Basel, die unter den deutschen Einwanderern des Staates Michigan arbeiteten. Daraus bildete sich im Jahr 1860 die Synode von Michigan, die sich bei Gründung des Generalkonzils demselben anschloß, aber 1887 austrat und sich mit der Synodalkonferenz verband. Pastor S. Klingmann war dabei ein Führer seiner Synode.

Die Synode des Nordwestens. Im Jahre 1892 schlossen sich die drei eben besprochenen Synoden von Wisconsin, Minnesota und Michigan zu der allgemeinen Synode von Wisconsin, Minnesota und Michigan zusammen, genannt die Synode des Nordwestens. Das theologische Seminar zu Milwaukee ist allen drei gemeinsam. Das College in Neu-Ulm sollte als Schullehrerseminar und die Anstalt in Saginaw als Vorbereitungsanstalt für das College in Watertown dienen. Damit war aber die Mehrzahl der alten Michigan-Synode nicht zufrieden und erklärte 1896 ihren Austritt aus der Synodalkonferenz, während eine Minorität von 14 Pastoren, 16 Gemeinden, 4080 Kommunikanten der Synodalkonferenz treu blieb. Die alte Michigan-Synode steht nun ohne Verbindung mit einem allgemeinen Körper. Sie zählt 33 Pastoren, 48 Gemeinden, 5364 Kommunikanten.

Einen viel ernsteren Riß gab es in der Synodalkonferenz durch den heftigen Streit über die Lehre von der Gnadenwahl. Schon anfangs der siebziger Jahre hatte Professor Gottfried Fritschel darauf aufmerksam gemacht, daß Missouri (im Synodalbericht von 1868) den alten lutherischen Dogmatikern, die eine Erwählung intuitu fidei lehrten, als Pelagianern und Synergisten den Krieg erkläre, und dagegen einen schlechthin unbedingten, unter allen Umständen sich durchsetzenden partikularen Ratschluß Gottes zur Seligkeit einer bestimmten Anzahl von Menschen lehre. Professor Asperheim, an dem Seminar der zur Synodalkonferenz gehörigen norwegischen Synode, warnte 1878 vor der „Neigung zu einer gewissen dogmatischen Mißbildung, indem man den Glauben als ein Moment der Erwählung ausschließe". Er wurde genötigt, seine Professur niederzulegen und aus der Synode zu scheiden. Nun trat aber besonders Professor F. A. Schmidt, sonst einer der eifrigsten Vorkämpfer Missouris in seinem Blatt „Altes und Neues" gegen die von Professor Dr. Walther vorgetragene Lehre auf. Die Professoren der Ohio-Synode schlugen sich auf seine Seite. Ein fünftägiges Kolloquium mit Walther, in Milwaukee, blieb resultatlos, und 1881 beschloß die Ohio-Synode ihren Austritt aus der Synodalkonferenz. In der norwegischen Synode, zu der Professor F. A. Schmidt gehörte, entstanden zwei Parteien. Um einen Riß in ihrer eigenen Mitte zu vermeiden, trat 1884 auch die norwegische Synode aus der Synodalkonferenz aus.

VI. Die Skandinavischen Lutheraner. A. Die Schweden. Augustana-Synode. Um die Mitte des 19. Jahrhunderts begann die neue schwedische Einwanderung in Nordamerika. Pastor Lars P. Esbjörn (geb. 1808) organisierte die ersten schwedischen Gemeinden in Andover, Galesburg und Molines (Illinois), und Neu-Schweden (Jowa). In Gemeinschaft mit zwei norwegischen Pastoren schloß er sich 1851 der neu gegründeten Synode von Nordillinois und damit der Generalsynode an. Tüchtige Pastoren wurden von Schweden herübergerufen, wie T. N. Hasselquist (später Professor am

theologischen Seminar der Augustana-Synode), Erla Carlson, Jonas Swensson, und junge
Schweden, wie E. Norelius, zum Predigtamt ordiniert. Drei Konferenzen, Chicago-,
Mississippi- und Minnesota-Konferenz wurden gebildet. Im Jahre 1860 zogen sich die
Skandinavier von der Generalsynode zurück und organisierten am 5. Juni zu Clinton
(Wisconsin), die skandinavische evangelisch-lutherische Augustana-Synode von Nordamerika, 5
darunter 11 Pastoren und 36 Gemeinden schwedischer, und 8 Pastoren mit 13 Gemeinden
norwegischer Nationalität. Der Schwede Hasselquist wurde zum Präsidenten, der Norweger O. J. Hattelstadt zum Sekretär erwählt. Das theologische Seminar wurde nach
Paxton (Illinois) verlegt, mit Dr. Hasselquist als leitendem Professor. Im Jahre 1870
trennten sich die Schweden und Norweger in friedlicher Weise. Bei der Gründung des 10
Generalkonzils schloß sich die Augustana-Synode demselben an und hat in seiner Geschichte eine hervorragende Stellung eingenommen, ihm auch schon zweimal den Präsidenten gegeben. In den siebziger Jahren hatte die Augustana-Synode besonders gegen
die Waldenströmianer (Mission Friends) zu kämpfen. Die Lehranstalt wurde nach Rock
Island (Illinois) verlegt und dort ein Mississippi großartige Gebäude für das College 15
und theologische Seminar aufgeführt. Tüchtige Vorbildungsanstalten sind das Gustavus-
Adolphus-College zu St. Peter (Minnesota), Bethany-College in Lindsborg (Kansas),
und die lutherische Akademie zu Wahoo, Nebraska. Die Augustana-Synode ist heutzutage in Wahrheit eine schwedische Generalsynode von Nordamerika, denn ihr Gebiet erstreckt sich über die ganze Union von Meer zu Meer. Mit glühendem Eifer und treff- 20
licher Organisation wird das Werk der einheimischen Mission und der Jugenderziehung
betrieben. Nach der gegenwärtigen Statistik gehören zur Augustana-Synode 501 Pastoren, 956 Gemeinden, 131999 Kommunikanten. Eine schwedische Buchhandlung, Augustana Book Concern, befindet sich in Rock Island; ein Diakonissenhaus, unter
Pastor E. Fogelström in Omaha; dazu kommen noch sechs Waisenhäuser und drei 25
Hospitäler.

B. Die norwegischen Lutheraner. Eine kleine Kolonie norwegischer Einwanderer ließ sich 1825 in Rochester, New-York, nieder und zog dann 1834 weiter westlich
nach Illinois. Andere folgten ihnen nach Wisconsin, Iowa und Missouri. Ihr erster
Pastor war Claus Lauritz Claussen (1820—1892), der 1843 einwanderte und von einem 30
Pastor der Buffalo-Synode ordiniert wurde. Von 1844—1850 arbeitete Pastor J. W.
C. Dietrichsen (1815—1882) in Wisconsin und kehrte dann nach Norwegen zurück. Der
erste Versuch zu einer kirchlichen Organisation war

1. Die evangelisch-lutherische Kirche von Nordamerika (Hauge-Synode),
gegründet 1846 besonders durch den Einfluß von Elling Eielsen (1804—1883), ur- 35
sprünglich Laienprediger und Anhänger Hauges, also pietistischer Richtung. Man hatte
es ganz besonders auf die Sammlung der Erweckten abgesehen. Bei dem vorherrschenden
Subjektivismus traten bald verschiedene Spaltungen ein, wie 1856 unter P. A. Ras-
mussen. Im Jahr 1876 kam es zu einer Reorganisation unter dem Namen „Die norwegische evangelisch-lutherische Hauge-Synode", von der sich aber Eielsen mit 40
wenigen Anhängern fernhielt. Sie zählt 95 Pastoren, 212 Gemeinden, 12540 Kommunikanten.

2. Die norwegisch-evangelisch-lutherische Synode von Nordamerika.
Sie wurde gegründet 1853 von mehr konservativ-kirchlichen Elementen, unter der
Führung von C. L. Claussen, A. C. Preus, H. A. Preus, U. V. Koren, J. A. Ottesen, 45
Laur. Larsen. Diese Organisation stand von Anfang an in Sympathie mit der Missouri-
Synode, und war an dem theologischen Seminar zu St. Louis durch einen eigenen Professor vertreten (Lars, Preus, F. A. Schmidt). Später gründete die Synode ihr eigenes
theologisches Seminar in Madison (Wisconsin). Wie oben berichtet führte der Gnaden-
wahlstreit in der Synodalkonferenz zunächst 1884 zum Austritt der norwegischen Synode, 50
die seit 1872 zu diesem Körper gehört hatte, und dann zu einer Spaltung in der norwegischen Synode selbst, indem Professor F. A. Schmidt 1886 mit der antimissourischen
Fraktion ein theologisches Seminar zu Northfield gründete, und dann mit seinen Anhängern (etwa 100 Pastoren und 270 Gemeinden) 1887 aus der norwegischen Synode
austrat. Die norwegische Synode zählt heute 252 Pastoren, 739 Gemeinden, 66927 Kom- 55
munikanten, mit einem Seminar zu Hamlin, St. Paul (Minnesota), und einem College
zu Decorah (Iowa).

3. Die norwegisch-dänische Augustana-Synode. Sie entstand, wie oben, in
der Geschichte der schwedischen Augustana-Synode, berichtet wurde, dadurch, daß die Norweger aus der ursprünglichen skandinavischen Augustana-Synode austraten und sich zu 60

einem neuen Körper mit dem obigen Namen konstituierten. Sie hielt sich eine Zeit lang
zu dem Generalkonzil, mit dem Recht der Debatte, ähnlich wie die Jowa=Synode. Zu
ihr gehörten Pastor Paul Andersen, O. J. Hattelstadt, Ole Andrewson.

4. Die norwegisch=dänische Konferenz. Wenige Monate nach der Organisa=
tion der eben genannten Augustana=Synode trennte sich von ihr eine Anzahl Pastoren
unter dem Namen der norwegisch=dänischen Konferenz. Sie hatten ihre theologische Lehr=
anstalt im Augsburgischen Seminar zu Minneapolis (Minnesota), unter den Professoren
G. Sverdrup und Sven Oftedahl.

Die Sehnsucht, aus dieser beklagenswerten Zersplitterung herauszukommen und eine
feste Vereinigung der norwegischen Lutheraner zu stande zu bringen, führte 1890 zur
Gründung des größten norwegischen Kirchenkörpers in Amerika, genannt

5. Die vereinigte norwegisch=lutherische Kirche in Nordamerika. Die
Initiative dazu ging von der antimissourischen Partei der norwegischen Synode aus, die
es für besser hielt, anstatt zu den vorhandenen vier norwegischen Synoden eine fünfte
hinzuzufügen, den ernsten Versuch zu machen, die getrennten Teile so weit als möglich
zu vereinigen. Die Hauge=Synode, die norwegisch=dänische Konferenz und die Augustana=
Synode wurden eingeladen, Kommissionen anzustellen, die die nötigen Schritte zu einer
Vereinigung beraten sollten. Die Hauge=Synode blieb der Unionsbewegung noch fern,
aber die andern drei Körper traten mit Freuden dem Plane bei, der zunächst von den
Kommissionen in Eau Claire (Wisconsin), und dann in einer Generalversammlung zu
Skandinavia durchberaten und im folgenden Jahre 1889 von den Lokalgemeinden und
den drei Synoden angenommen wurde. Die Vereinigung wurde am 13. Juni 1890 zu
Minneapolis vollzogen und Gjermund Hoyme war der erste Präsident. Es gehören dazu
361 Pastoren, 1121 Gemeinden und etwa 139000 Kommunikanten.

6. Die norwegisch=lutherische Freikirche. Durch die eben geschilderte Bildung
der vereinigten norwegisch=lutherischen Kirche in Amerika sollte das Augsburgische Seminar
zu Minneapolis, das seither der norwegisch=dänischen Konferenz gehört hatte, an die neu
gebildete Vereinigung übergehen. Darüber erhoben sich indes bald Schwierigkeiten, da
die im Augsburgischen Seminar vertretenen Anschauungen über die Erfordernisse einer
theologischen Bildung, Predigtamt, Gemeinde und Kirche nicht den Beifall der vereinigten
norwegisch=lutherischen Kirche fanden. Diese Differenzen führten zu einem vollständigen Bruch.
Im Jahre 1893 zog die vereinigte Kirche ihre theologische Lehranstalt aus dem Augs=
burgischen Seminar heraus und gründete eine neue Theologenschule unter Professor M.
O. Böckmann. Im folgenden Jahre organisierten dann die Leiter des Augsburgischen
Seminars, Sverdrup und Oftedahl, die norwegisch=lutherische Freikirche auf einer stark
kongregationalistischen Basis. Dazu gehören nach dem neuesten Kirchenkalender 112 Pa=
storen, 300 Gemeinden, 38000 Kommunikanten.

C. Die Dänischen Lutheraner. Die Dänen kamen nicht in so bedeutender
Anzahl in die neue Welt, wie die Schweden und Norweger. Zur geistlichen Versorgung
der ausgewanderten dänischen Lutheraner bildete sich a. 1869 die Gesellschaft zur Ver=
breitung des Evangeliums unter den Dänen in Nordamerika. Dr. Kalkar war besonders
bemüht, das Interesse dafür zu wecken. Im Jahre 1870 wurde (s. o.) die Norwegisch=
Dänische Augustana=Synode oder die Norwegisch=Dänische Konferenz gegründet, und a.
1872 die „Kirchenmissionsgesellschaft", deren Name später in „Die Dänische Evangelisch=
Lutherische Kirche in Nordamerika" verändert wurde. Dieser Körper wurde mehr und
mehr von Gruntvigianismus tingiert. Die bekenntnistreuen Dänen vereinigten sich nun
a. 1896 zu Minneapolis und bildeten „Die Vereinigte Dänische Evang.=Luth.
Kirche in Amerika", mit einem theologischen Seminar in Blair (Nebraska) und einem
College in Elkhorn (Jowa). Sie zählen 88 Pastoren, 150 Gemeinden, 8500 Kommuni=
kanten.

D. Die Isländer. Die isländische Einwanderung in Nordamerika datiert vom
Jahre 1870. Am zweiten August 1874 wurde das tausendjährige Gedächtnis der Ko=
lonisation Islands durch einen ersten isländischen Gottesdienst in Milwaukee gefeiert.
Die erste isländische Gemeinde wurde a. 1875 von Paul Thorlacksson gegründet. In
den Jahren 1877 und 1878 organisierten die Pastoren Bjernason und Thorlacksson is=
ländische Gemeinden in Winnipeg (Manitoba), im nordwestlichen Kanada. Viele der
kanadischen Isländer zogen später nach Nord=Dakotah, wo sie von Thorlacksson bedient
wurden. Er starb a. 1882 und drei Jahre darauf wurde die erste isländische Synode
unter dem Vorsitz von Pastor Bjernason in Winnipeg eröffnet, nachdem zwölf Gemein=
den die Konstitution angenommen hatten. Die Versammlung des Generalkonzils in Chi=

cago, a. 1899, wurde von isländischen Delegaten besucht. Die Synode zählt 18 Pastoren, 26 Gemeinden, 5559 Kommunikanten.

E. Finnische Lutheraner. Die finnische Einwanderung in Nordamerika ist ganz neuen Datums. Doch hat sich bereits eine finnische Synode gebildet, a. 1890, die Suomi-Synode, mit einer Lehranstalt zu Hancock (Michigan), die a. 1896 eröffnet wurde. Die Statistik zeigt 11 Pastoren, 46 Gemeinden, 11048 Kommunikanten.

VII. Die Lutherische Kirche im Süden. In Woodstock, Winchester und New-Market (Virginia), in der Gegend von Salisbury und Concord (Nord-Carolina), in Orangeburg, Lexington, Newberry und Charleston (Süd-Carolina), und in den Salzburger Niederlassungen in Georgia (s. o.) finden wir die ersten kirchlichen Organisationen von Lutheranern im Süden der Vereinigten Staaten. Zur Zeit des großen Secessions-kriegs, a. 1863, organisierte sich die südliche Generalsynode (s. o. Generalsynode) mit den Synoden von Virginia, Südwest-Virginia, Nordcarolina, Südcarolina und Georgia. Das Apostolikum, Nicänum und die Augsburgische Konfession, als Darstellung der Fundamentallehren der heiligen Schrift, bildeten die Bekenntnisgrundlage, mit dem ausdrücklichen Vorbehalt, daß in Betreff mancher Artikel der Augustana volle Freiheit des Privaturteils gewährt sein solle. Es waren dies gerade die Artikel über die Unterscheidungslehren, — also im wesentlichen der Standpunkt der nördlichen Generalsynode in ihrer Majorität zu jener Zeit. Allmählich entwickelte sich auch hier ein klareres Bewußtsein und eine schärfere Betonung des lutherischen Bekenntnisses. Im Jahre 1867 wurde beschlossen, daß „keine Bücher von der Generalsynode des Südens approbiert werden sollten, die im Widerspruch mit der Augsburgischen Konfession stehen, wie „diese von der Kirche in ihren symbolischen Schriften verstanden und verteidigt werde". Auch sollte kein Professor an ihren theologischen Lehranstalten angestellt werden, „dessen Lehre nicht in Uebereinstimmung mit dem altehrwürdigen Bekenntnis stünde". Der oben erwähnte Vorbehalt fiel mit der Zeit weg. Nachdem a. 1880 die Nordcarolina-Synode an die Generalsynode herangetreten war, um, zum Zweck einer organischen Verbindung mit derselben, genaue Auskunft über ihre Lehrstellung zu erlangen, erklärte sich a. 1882 die Generalsynode bereit, mit andern lutherischen Körpern auf eine organische Vereinigung „auf einer unzweideutig lutherischen Basis" hinzuarbeiten. So kam es a. 1886 zur Bildung eines neuen Körpers, genannt Die Vereinigte Synode im Süden (United Synod in the South), bestehend aus den Synoden der früheren südlichen Generalsynode, aus andern Synoden, die sich seit 1863 neu gebildet hatten, und solchen, die nie zur Generalsynode gehört, sondern sich von Anfang an ablehnend gegen dieselbe verhalten hatten. Die Vereinigte Synode umschließt die Lutheraner in Virginia, Nordcarolina, Georgia, Mississippi, Florida, Ost-Tennessee. Texas gehört nicht dazu, sondern (s. o.) teilweise zur Iowa-Synode, teilweise zu der allein stehenden alten Texas-Synode. Auch giebt es missourische Gemeinden in New-Orleans und dem Mississippi entlang. Als Bekenntnisgrundlage erklärt die Vereinigte Synode die symbolischen Bücher „als wahre und treue Entwickelung der in der Augsburgischen Konfession dargestellten Lehren und in voller Harmonie eines und desselben schriftgemäßen Glaubens." Sie zählt jetzt acht Synoden mit 215 Pastoren, 390 Gemeinden, 38639 Kommunikanten. Ihr theologisches Seminar befindet sich in Mount Pleasant, Charleston (Südcarolina). Folgende Synoden gehören zu ihr:

1. Die Nordcarolina-Synode. Sie wurde a. 1803 in Salisbury (Nordcarolina) gegründet und nahm a. 1820 an der Organisation der alten Generalsynode Anteil. Ihr gehört das Nordcarolina-College, gegründet a. 1858 in Mount Pleasant (Nordcarol.), und die Töchterschule Mount Amöna an demselben Platz. Sie zählt 38 Pastoren, 60 Gemeinden, 7347 Kommunikanten.

2. Die Tennessee-Synode. Gegründet a. 1820 im ausgesprochenen Gegensatz gegen die herrschende Laxheit in der Lehre und Bekenntnisstellung, namentlich in der damaligen Generalsynode. Die Familie Henkel hat in ihr eine leitende Stellung eingenommen, Paul Henkel (1754—1825) und unter seinen Söhnen besonders Polykarp C. H. und Sokrates H. Sie gaben das Konkordienbuch zuerst in englischer Sprache heraus (Newmarket, Virginia, 1851). Die Tennessee-Synode repräsentiert das entschiedenste konfessionelle Luthertum im Süden, mit 39 Pastoren, 84 Gemeinden, 8148 Kommunikanten. Dazu gehört Lenior-College in Hickory Nordcarol., und Gaston-College, eine höhere Töchterschule in Dallas, Nordcarol.

3. Südcarolina-Synode, gegründet a. 1824. Seit 1832 hatte sie in Lexington, Südcarol., eine theologische Lehranstalt, an der Dr. E. Hazelius und Dr. J. A. Brown wirkten. Sie wurde a. 1872 nach Salem, Virginia, verlegt, wo Dr. S. A. Repaß und

Dr. T. W. Dosh als Professoren angestellt waren. Ihr gehört auch Newberry-College. Sie zählt 40 Pastoren, 63 Gemeinden, 8421 Kommunikanten.

4. **Virginia-Synode**, gegründet a. 1830. In dem schönen Shenandoah-Thale ließen sich in der ersten Hälfte des 18. Jahrhunderts deutsche Lutheraner aus Pennsyl-
5 vania nieder, deren erster regelmäßiger Pastor Christian Streit war, der a. 1785 nach Winchester kam. Im Jahr 1820 wurde die Synode von Maryland und Virginia organisiert, und im Jahr 1830 die Synode von Virginia. Zu ihr gehörten zeitweise Männer, die in der Geschichte der lutherischen Kirche Amerikas einen großen Einfluß ausgeübt haben, wie S. S. Schmucker, Charles Porterfield Krauth, J. A. Seiß, J. G.
10 Morris, Beal M. Schmucker u. a. Sie zählt gegenwärtig 31 Pastoren, 71 Gemeinden, 6254 Kommunikanten.

5. **Die Synode von Südwestvirginia**, gegründet a. 1842. Ihre Grenzen sind die Staaten Nordcarolina, Tennessee, Westvirginia und im Osten der Jamesfluß. Sie zählt 31 Pastoren, 58 Gemeinden, 4275 Kommunikanten.
15 6. **Die Mississippi-Synode**, gegründet a. 1855 als eine Mission der Süd-carolina-Synode. Gegenwärtiger Stand: 9 Pastoren, 13 Gemeinden, 648 Kommunikanten.

7. **Evang.-Luth. Synode von Georgia** und umliegenden Staaten, gegründet 1860. Die Gemeinden in Effingham, Co., und Savannah schlossen sich erst später an.
20 Es ist eine rechte Missionssynode, deren Gebiet sich auch über den Staat Florida erstreckt, mit 17 Pastoren, 20 Gemeinden, 2357 Kommunikanten.

8. **Die Holston-Synode in Tennessee**. Aus der ursprünglichen Tennessee-Synode wurde a. 1860 diese Synode gegründet von Pastoren und Gemeinden in Osttennessee und den angrenzenden Counties von Virginia. Ihren Namen hat sie von dem Fluß,
25 der ihr Gebiet durchströmt. Die geographische Lage dieser Gemeinden, die durch das Alleghenygebirge von dem eigentlichen Territorium der Tennessee-Synode getrennt waren, ward der Hauptbeweggrund zur Bildung dieser Synode. Sie zählt nun 9 Pastoren, 21 Gemeinden, 4189 Kommunikanten.

VIII. Das Generalkonzil. Die erste Konvention des Generalkonzils trat im
30 November 1867 in Fort Wayne (Indiana) zusammen. Folgende Synoden waren vertreten: Das Ministerium von Pennsylvania, das Ministerium von New-York, die englische Distriktssynode von Ohio, die Pittsburg-Synode, Wisconsin, Michigan, die Skandinavische Augustana-Synode, Minnesota, Canada, Illinois. Seine Lehrbasis, deren strikt konfessioneller Charakter von Anfang an von niemand bestritten wurde, besagt: „Nur
35 solche Gemeinden stehen in wirklicher Gemeinschaft und Einheit mit der evangelisch-lutherischen Kirche und sind folgerichtig zu ihrem Namen berechtigt, welche sich aufrichtig zu den Lehren der Augsburgschen Konfession bekennen. Sie ist in besonders ausgezeichnetem Sinne das Bekenntnis der evangelisch-lutherischen Kirche. Die anderen Bekenntnisschriften aber stehen samt der ungeänderten Augsburgschen Konfession in völliger Übereinstimmung
40 eines und desselben schriftgemäßen Glaubens."

Trotz dem guten Grunde, der mit dieser rückhaltlosen Anerkennung des lutherischen Bekenntnisses in seinem geschichtlichen Sinne gelegt war, traten doch schon bei der ersten Konvention zu Fort Wayne große Schwierigkeiten zu Tage, die sich dem Ausbau des Generalkonzils nach dem Plane seiner Gründer in den Weg stellten. Missouri hielt sich
45 ganz und gar zurück. Die allgemeine Synode von Ohio beschickte zwar die erste Konvention durch Delegaten, hatte aber die Konstitution nicht angenommen und legte der Versammlung die Fragen über die bekannten vier Punkte vor, Chiliasmus, Altar- und Kanzelgemeinschaft und geheime Gesellschaften, welche seitdem eine so hervorragende Stellung in den Verhandlungen des Generalkonzils einnahmen. Auch die Jowa-Synode forderte eine
50 besondere Erklärung über drei der oben genannten Punkte und blieb im Vorhof des Generalkonzils stehen, als mitberatender Körper, ohne in den Verband völlig einzutreten. Auf der einen Seite wurde nicht ganz mit Unrecht die Behauptung aufgestellt, daß trotz der Annahme der bekenntnistreuen Lehrbasis von seiten des Generalkonzils hinsichtlich der obigen Punkte da und dort noch unlutherische Lehre und Praxis in seinen Synoden sich
55 finde. Auf der anderen Seite wurde in völliger Übereinstimmung mit dem Sachverhalt die Erklärung abgegeben, daß „das Generalkonzil als solches nicht bereit sei, die Erklärung der Synode von Jowa als eine notwendige Folge und Anwendung der in den Bekenntnissen enthaltenen Antithesen sich anzueignen".

Es zeigte sich an diesem Punkte eine tief einschneidende Differenz namentlich zwischen
60 den östlichen und westlichen Synoden, wie sie zunächst das natürliche Resultat der ge-

schichtlichen Entwickelung war, welche die verschiedenen Teile der Kirche, die nun eine
organische Einheit anstrebten, durchlaufen hatten. Vor etwa anderthalb hundert Jahren
gegründet, hatte die lutherische Kirche des Ostens mehr oder weniger alle die verschiedenen
Phasen des kirchlichen Lebens, Leidens und Sterbens durchgemacht, die in diesem Zeit=
raum die Kirche und Theologie des deutschen Vaterlandes charakterisierten. Daß dabei 5
sich nach und nach vieles eingenistet hatte, was mit dem Geist und Bekenntnis der luthe=
rischen Kirche im Widerspruch stand, kann niemand befremden. Dem gegenüber war das
neubelebte Verständnis des lutherischen Bekenntnisses und die redliche Umkehr zu dem=
selben verhältnismäßig jungen Datums. Und es ist nicht zu verwundern, daß nicht
überall von Anfang an ein völliger Einblick in alle Konsequenzen einer entschieden luthe= 10
rischen Bekenntnisstellung vorhanden war. Dagegen waren die meisten· lutherischen Syno=
den des Westens mit ihrer Gründungszeit in viel günstigere Jahre gefallen. Recht aus
der Fülle des wiedererstandenen Bekenntnisses heraus, teilweise mit dem Märtyrersinn
einer Ecclesia pressa ist dort gebaut worden. Kein Wunder, daß da das ganze Ge=
meindeleben verhältnismäßig leichter und konsequenter nach den im Bekenntnis nieder= 15
gelegten Grundsätzen sich organisieren ließ, und manche Übelstände von vornherein draußen
gehalten werden konnten, die anderswo mit hundertjährigen Wurzeln verwachsen waren.

Der Kampf um das Prinzip wahrer Kirchengemeinschaft in seiner Anwendung auf
Altar= und Kanzelgemeinschaft bildete Jahre lang die brennende Frage auf den Ver=
sammlungen des Generalkonzils. Von dem schon in Pittsburg 1868 ausgesprochenen 20
allgemeinen Grundsatze, daß Abendmahlsgemeinschaft Kirchengemeinschaft sei, war man
allmählich zu der scharf zugespitzten Fassung fortgeschritten, „Lutherische Kanzeln nur für
lutherische Pastoren, lutherische Altäre nur für lutherische Kommunikanten", und dies ein
„im Worte Gottes und im Bekenntnis der Kirche begründetes Prinzip." Es war dies
im wesentlichen ein Kampf für das Existenzrecht des Generalkonzils selbst. War man 25
einmal für den Grundsatz eingetreten, daß die sogenannten Unterscheidungslehren des
lutherischen Bekenntnisses als Fundamentallehren zu betrachten seien, und daß man mit
denen, die sie verwarfen oder auch nur solche Bedeutung ihnen nicht zuerkannten, keine
kirchliche Gemeinschaft mehr haben konnte, wie durfte man denn späterhin daran denken,
solche Gemeinschaft mit anderen zu pflegen und zu tolerieren, die in eben diesen Punkten 30
durch ihre Lehre von uns geschieden waren? Es handelte sich hierbei um nichts geringeres,
als die Lehrbasis des Generalkonzils selbst, „daß die wahre Einigkeit der christlichen
Kirche notwendig Einheit in Lehre und Glauben und in den Sakramenten sein muß."

Im Lauf der Debatten traten die ganz deutschen Synoden von Wisconsin, Minnesota,
Illinois und Michigan aus dem Generalkonzil aus, weil sie mit seinen jeweiligen Er= 35
klärungen über die vier Punkte nicht befriedigt waren. Sie schlossen sich der Synodal=
konferenz an, wie oben bemerkt. Bedeutsam ist übrigens, daß in dieser Angelegenheit,
bei deren Behandlung die Sprach= und Nationalitätendifferenz sich ungebührlich geltend zu
machen drohte, ein englisch redender Lutheraner, Dr. Charles Porterfield Krauth (s. A),
der zehn Jahre lang den Vorsitz im Generalkonzil führte, der Hauptvertreter der konse= 40
quent konfessionellen Seite war. In seiner Person und in seinen Gesinnungsgenossen
Dr. H. E. Jacobs und Dr. Beal M. Schmucker u. a. hat sich so recht die große Auf=
gabe des Generalkonzils verkörpert, das lutherische Bekenntnis aus europäischem Sprach=
gewand in die englische Weltsprache hinüber zu führen und eine ausgesprochen lutherische
Litteratur, in englischer Sprache zu schaffen, an der es bis dahin fast ganz gefehlt hatte. 45
(Dr. Krauth, Conservative Reformation und Dr. Jacobs, Book of Concord.) Einer
der ersten Schritte des Generalkonzils auf der Konvention zu Fort Wayne 1867 war,
daß es für die Herstellung von englischen und deutschen Kirchenbüchern Sorge trug, in
welchen der Geist der lutherischen Kirche unverfälscht zum Ausdruck kommen sollte. Die
Grundsätze, die für diese Arbeiten als maßgebend niedergelegt wurden, standen ganz und 50
gar im Einklang mit dem, was auf dem Gebiet der Lehre und des Bekenntnisses aner=
kannt worden war: statt hochmütiger Verachtung dessen, was die Väter im 16. Jahr=
hundert erarbeitet und die Kirchen in gesegnetem Gebrauch gehabt hatten, ein gewissen=
haftes Zurückgehen auf die Grundformen eines rein lutherischen Kultus und ein liebevolles
Sichversenken in die Schönheit und Fülle jener bewährten alten Gottesdienstordnungen. 55
Das in der ersten Blütezeit der lutherischen Kirche, in den Agenden des 16. Jahrhunderts
sich findende Material wurde unter den Instruktionen des Generalkonzils von den damit
beauftragten Komiteen mit größter Sorgfalt, Umsicht und Treue bearbeitet. Das Resultat
ihrer Arbeit ist in den Kirchenbüchern und Sonntagsschulbüchern (englisch und deutsch)
zusammengefaßt, die getrost dem Besten und Reinsten an die Seite gestellt werden können, 60

was die lutherische Kirche in der alten oder neuen Welt auf diesem Gebiete je besessen hat, und die in Hinsicht auf die Vollständigkeit und Anordnung des darin gebotenen Materials, der Gottesdienstordnungen, Gebete, Bekenntnisse, Psalmen und Lieder nirgends ihres Gleichen haben. Gerade auf diesem Gebiet hat das harmonische und neidlose Zu-
5 sammengehen des englischen und deutschen Elements im Generalkonzil schon heute die schönsten und reifsten Früchte getragen. Es waren englische Pastoren, vor allen Dr. B. M. Schmucker, die auf diesem Gebiet vorangingen, zuerst wieder in die Schätze der alten lutherischen Agenden und Gottesdienstordnungen sich vertieften und edles Gold zu Tage förderten. In Deutschland nahmen Männer wie Philipp Wackernagel, Friedrich Hommel,
10 Dr. Johannes Zahn den wärmsten Anteil an der Arbeit und unterstützten sie mit Rat und That. Die Hauptarbeiter an dem Werke unter den Deutschen in Amerika waren Dr. A. Späth, Dr. C. F. Moldehnke und Dr. S. Fritschel.

Mit den Lutheranern der alten Heimat hat das Generalkonzil stets Fühlung zu be= halten gesucht. Schon auf der zweiten Konvention zu Pittsburg wurde der Beschluß gefaßt,
15 an die Allgemeine Konferenz lutherischer Prediger in Deutschland einen brüderlichen Gruß zu senden und derselben die herzliche Teilnahme und Zustimmung auszusprechen in ihrem Kampf gegen Unionismus und Indifferentismus und in ihrem Bestreben, die auf dem Grund des lutherischen Bekenntnisses stehenden aufrichtig lutherischen Elemente des alten Vaterlandes in wahrer Einheit des Geistes zu sammeln. Im Jahre 1870 wurde Dr. C.
20 P. Krauth als Delegat zu der Konferenz in Leipzig erwählt, konnte aber damals die Reise nicht ausführen. Die Zuschrift, welche im Jahre 1868 vom Generalkonzil an die Allgemeine lutherische Konferenz ergangen war, fand durch den Vorsitzer derselben Dr. A. Harleß die herzlichste Erwiderung. „Wir freuen uns der Einigung lutherischer Kirchen und Synoden Amerikas, wie sie in dem Generalkonzil sich Gestalt zu geben begonnen
25 hat. Wir anerkennen die Einsicht und Umsicht, mit welcher dabei vorgegangen wurde, frühreife Resultate verschmähend, leichtfertige Unionen vermeidend, allenthalben den ge= wissen Grund klarer Erkenntnis und unzweideutigen Bekenntnisses suchend, damit das Haus feste werde."

Zum Generalkonzil gehören drei theologische Seminare in Philadelphia, Rock Island
30 (Schwedisch) und Chicago, mit 15 Professoren und 168 Studenten, acht Colleges mit 155 Professoren, 2196 Studenten, zusammen 12 Synoden mit 1371 Pastoren, 2213 Ge= meinden, 386 129 Kommunikanten. Die Synoden im einzelnen sind folgende:

1. **Das Ministerium von Pennsylvanien**, gegründet 1748, mit 356 Pastoren, 576 Gemeinden, 129 893 Kommunikanten.
35 2. **Das Ministerium von New=York**, gegründet 1773, mit 177 Pastoren, 143 Gemeinden, 50 000 Kommunikanten, mit Wagner=College in Rochester, New=York.

3. **Die Pittsburg=Synode**, gegründet 1845, mit 133 Pastoren, 177 Gemeinden, 27 066 Kommunikanten, mit Thiel=College in Greenville, Pennsylvania.

4. **Die Englische Distriktssynode von Ohio**, gegründet 1857, mit 43 Pa=
40 storen, 76 Gemeinden, 11 995 Kommunikanten.

5. **Augustana=Synode** (Schwedisch), gegründet 1860 mit 501 Pastoren. 956 Ge= meinden, 131 999 Kommunikanten.

6. **Canada=Synode**, gegründet 1861 mit 38 Pastoren, 75 Gemeinden, 10 023 Kom= munikanten.
45 7. **Chicago=Synode**, gegründet 1871, mit 36 Pastoren, 51 Gemeinden, 4669 Kom= munikanten.

8. **Englische Synode des Nordwestens**, gegründet 1891, mit 17 Pastoren, 21 Gemeinden, 3034 Kommunikanten.

9. **Manitoba=Synode**, gegründet 1897, mit 15 Pastoren, 60 Gemeinden,
50 6300 Kommunikanten.

10. **Pacific=Synode**, gegründet 1901; 13 Pastoren, 16 Gemeinden, 863 Kom= munikanten.

11. **Synode von New=York und New=England**, gegr. 1902 vom englischen Teil des New=York=Ministeriums; 36 Pastoren, 38 Gemeinden, 10 536 Kommunikanten.
55 12. **Nova Scotia-Synode**, gegründet 1903 von Gliedern der Pittsburg= Synode: 6 Pastoren, 24 Gemeinden; 2454 Kommunikanten.

Die Hauptorgane des Generalkonzils sind The Lutheran (wöchentlich), The Lu= theran Church Review (vierteljährlich), der lutherische Herold (wöchentlich), Missions= bote, Siloah, Foreign Missionary (monatlich).
60 Seit der Gründung des Generalkonzils wurden wiederholt Versuche zur Annäherung

zwischen demselben und der alten Generalsynode gemacht, so in den Jahren 1877 und
1878 in zwei Kirchentagen (Free Diets), an denen sich etwa hundert Pastoren beteiligten
und zu denen eine allgemeine Einladung an alle Lutheraner ohne Rücksicht auf ihre
synodale Verbindung ergangen war. Weitere freie Konferenzen wurden im Dezember
1898 und April 1902 gehalten. Die Verhandlungen von allen diesen Versammlungen, 5
die sämtlich in Philadelphia stattfanden, sind in Buchform erschienen. Von einem direkten
Resultat derselben kann kaum geredet werden, doch haben sie ohne Zweifel dazu gedient,
die konservativen Elemente der Generalsynode und der Vereinigten Synode des Südens
den Vertretern des Generalkonzils näher zu bringen.

Von größerer Bedeutung waren die Maßregeln, die zur Herstellung einer ge= 10
meinschaftlichen englischen Gottesdienstordnung und Agende getroffen wurden, und
deren Resultat der sogenannte Common Service ist, ein Schritt zur Erfüllung
des Wunsches, den der Patriarch Mühlenberg schon a. 1783 ausgesprochen, daß alle
lutherischen Gemeinden in Nordamerika im Gebrauch derselben Gottesdienstordnung mit=
einander verbunden sein möchten. Schon a. 1870 hatte Dr. J. Bachmann in Char= 15
leston (Südcarolina) die Generalsynode des Südens ersucht, mit anderen Synoden in
Verhandlung zu treten, um eine größere Einmütigkeit in ihren Agenden und Gottes=
dienstordnungen zu erzielen. Sechs Jahre später wurde ein Komitee jenes Körpers
instruiert, mit der Generalsynode und dem Generalkonzil über diesen Punkt zu kon=
ferieren. Das Generalkonzil beschloß a. 1879 an der Ausarbeitung einer gemein= 20
schaftlichen Gottesdienstordnung mitzuwirken, unter der Bedingung, daß der Konsensus
der reinen lutherischen Agenden des 16. Jahrhunderts als Maßstab gelten sollte,
nach welchem bei dieser Arbeit auftauchende Fragen entschieden werden sollten.
Diese Regel wurde von den anderen beiden allgemeinen Körpern angenommen und im
Jahre 1884 begann die eigentliche Arbeit. Dr. B. M. Schmucker vom Generalkonzil, 25
Dr. G. U. Wenner von der Generalsynode und Dr. E. T. Horn von der Vereinigten
Synode im Süden, bildeten den engeren Ausschuß, der die Vorarbeiten zu entwerfen
hatte. Im Jahre 1888 wurde der Common Service von allen drei Körpern ange=
nommen. Auch die englische Missourisynode hat diese Ordnung angenommen und ein=
geführt. Zugleich wurde die Revision der englischen Übersetzung der Augsburgischen 30
Konfession, mit Zugrundelegung der alten Übersetzung von Taverner vom Jahre
1536, und der Übersetzung des Kleinen Katechismus in Angriff genommen. Und gegen=
wärtig wird die gemeinsame Arbeit fortgesetzt, um auch eine Vereinbarung in der Form
der Ministerialhandlungen und eines englischen Gesangbuchs zu erzielen.

IX. Alleinstehende Synoden. Außer den schon im Bisherigen besprochenen 35
alleinstehenden Synoden, — Allgemeine Synode von Ohio, Buffalo-Synode, Hauge=
Synode (Norwegisch), Norwegische Synode Missourischer Richtung, Jowa-Synode, Nor=
wegische freie Kirche Michigan=Synode, Dänische, Isländische und Finnische Synode, —
sind noch folgende kleinere lutherische Synodalkörper vorhanden, die mit keiner größeren
Organisation verbunden sind. 40

1. Die Texas=Synode, gegründet 1851, mit 15 Pastoren, 25 Gemeinden
2500 Kommunikanten. Sie wurde durch den von Dr. Passavant nach Texas gesandten
Pastor C. Braun organisiert. Ihre ersten Glieder bestanden meist aus Sendlingen aus der
Missionsanstalt St. Crischona bei Basel. Im Jahr 1853 schloß sie sich der General=
synode an, a. 1868 dem Generalkonzil. Im Jahre 1895 trat die Mehrzahl der Synode 45
in organische Verbindung mit der Jowa=Synode, als deren Texasdistrikt. Die damit un=
zufriedenen Glieder führten den alten Namen der Texas=Synode weiter.

2. Die Immanuel=Synode, gegründet 1886, mit 15 Pastoren, 13 Gemeinden,
5000 Kommunikanten.

Die Gesamt=Statistik der Lutheraner in Nordamerika mit Einschluß 50
der in gar keiner synodalen Verbindung stehenden 75 Pastoren, 200 Gemeinden,
25 000 Kommunikanten, zeigt nach dem Kirchenkalender des Generalkonzils vom Jahre
1904 folgende Zahlen.

65 Synoden, 7289 Pastoren, 12 220 Gemeinden, 1689 238 Kommunikanten,
5244 Parochialschulen, 3350 Gemeindeschullehrer, 234 175 Wochenschüler, 6062 Sonn= 55
tagsschulen mit 58 814 Lehrern und 542 259 Schülern, 23 theologische Seminare mit
einem Grundbesitz im Wert von 1 600 000 Doll., 96 230 Bänden in ihren Bibliotheken,
88 Professoren, 1037 theologische Studenten; 50 Colleges mit Grundbesitz im Wert von
3 311 177 Doll., 557 Professoren, 8703 Studenten, davon 1500 in Vorbereitung aufs
theologische Studium; 32 Akademien (Vorbereitungsanstalten aufs College), mit Grund= 60

besitz im Werte von 691660 Doll., 152 Professoren, 2681 Studenten; 11 Töchterschulen, mit Grundbesitz im Wert von 583500 Doll., 118 Professoren, 1058 Schülerinnen; 45 Waisenhäuser mit 2517 Waisenkindern und Grundbesitz im Wert von 1649474 Doll.; 18 Asyle für Alte mit 525 Insassen und einem Eigentum im Wert von 335653 Doll.; 11 Missionen für Einwanderer und Seeleute, acht Diakonissenhäuser mit etwa 200 Schwestern, in Philadelphia (deutsch), Baltimore (englisch), Milwaukee (deutsch=englisch), Omaha (schwedisch) Minneapolis, Chicago und Brooklyn (norwegisch). Die meisten derselben sind zu einer lutherischen Diakonissenkonferenz vereinigt.

Schon im Jahre 1846 hatte Dr. W. A. Passavant, der Gründer vieler christlicher Wohlthätigkeitsanstalten im Osten von Nordamerika, bei einem Besuch in Europa Fliedner um Diakonissen für sein Hospital in Pittsburg gebeten. Drei Jahre später brachte Fliedner selbst die ersten Schwestern von Kaiserswerth hinüber. Aber die Diakonissensache machte zunächst keine Fortschritte. In ein neues Stadium trat die Sache als im Jahre 1884 von dem deutschen Hospital in Philadelphia eine kleine Kolonie von Iserlohner Schwestern hinüber gerufen wurde. Der Präsident des Deutschen Hospitals in Philadelphia J. D. Lankenau, aus Bremen gebürtig (gest. 1901), baute aus eigenen Mitteln ein großes, prächtig ausgestattetes Diakonissen=Mutterhaus, dessen Unterhaltungskosten er selber trug und durch ein reiches Vermächtnis für die Zukunft sicher stellte. Das Haus hat nun zwischen 70 und 80 Schwestern. Es steht, wie auch das Baltimore=Diako= nissenhaus mit der Kaiserswerther Generalkonferenz in Verbindung.

Die periodische Litteratur der lutherischen Kirche in Amerika weist nicht weniger als 157 Zeitschriften auf, die in deutscher, englischer, schwedischer, norwegischer, dänischer, isländischer, finnischer, französischer, ungarischer, lettischer und esthnischer Sprache erscheinen.

Auch auf dem Gebiet der Heidenmission hat die lutherische Kirche in Nord= amerika auf verschiedenen Gebieten eine Thätigkeit entfaltet. Im Jahre 1841 wurde der achtundvierzigjährige C. F. Heyer, der Jahre lang mit großem Erfolg im Westen der Ver= einigten Staaten einheimische Missionsarbeit getrieben, von dem Ministerium von Penn= sylvanien, auf Antrag von Dr. Demme zu den Telugus nach Ostindien gesandt. Er begann seine Arbeit in Guntur, 230 Meilen nördlich von Madras. Später schloß sich die Generalsynode diesem Missionswerk an, und von Deutschland kamen die Missionare Chr. W. Grönning und Heise. Als dann die Trennung eintrat, teilten sich Generalkonzil und Generalsynode so in das Werk, daß Rajahmundry das Centrum für das erstere, Guntur das Centrum für die Mission der letzteren bildete. Im Jahr 1860 unternahm dann die Generalsynode auch eine Mission an der Westküste von Afrika, die „Mühlen= berg=Mission", unter deren Arbeitern besonders M. Officer und D. A. Day zu nennen sind. Dieselbe hat mit großen Schwierigkeiten zu kämpfen und es wird ernstlich an ihre Aufhebung gedacht. Die Vereinigte Synode des Südens hat ein Heidenmissionsfeld in Japan seit 1892; und die Missouri=Synode seit der Secession einiger Leipziger Missionare (1894) eins in Ostindien (Tamilen).

Die Jowa=Synode suchte den Lieblingsgedanken Löhes, eine Heidenmission unter den Indianern des Westens, ins Leben zu setzen, und sandte i. J. 1857 J. J. Schmidt nach dem Lake Superior, wo aber kein Resultat erzielt wurde. Im folgenden Jahre trat er in Begleitung von Mor. Bräuninger eine weite Reise nach dem fernen Nordwesten an, zu den Crow=Indianern (Upsarokas), am Yellowstone und Bighornfluß in Montana. Ein später unternommener Versuch einer Ansiedlung mißglückte auch hier. Bräuninger wurde ermordet. Indianeraufstände, die in den folgenden Jahren sich häufig wiederholten, unterbrachen und zerstörten die Arbeit, und im Jahr 1867 mußte die Heidenmission unter den Eingebornen vorläufig ganz sistiert werden.

Die Synodalkonferenz treibt ein Missionswerk unter der Negerbevölkerung besonders in New=Orleans und anderen Städten.

Im Jahr 1865 wurde von den Synoden von New=York und Pennsylvanien eine Immigrantenmission im Hafen von New=York gegründet (Rob. Neumann, Miss.). Das Werk wurde dann vom Generalkoncil übernommen und von W. Berkemeier ein Emi= granten=Haus gegründet, das vielen Tausenden von Einwanderern zum Segen geworden ist (Missionar G. Döring, 26 State Str. New=York). Auch die Missouri=Synode hat in New=York (Pastor S. Keyl) und Baltimore Einwanderermissionen; ebenso die Skandi= navier; und neuerdings hat die Pennsylvania=Synode in Philadelphia einen Seemanns= und Emigrantenmissionar angestellt (Hans Meyer).

Überblicken wir den ganzen Entwickelungsgang und heutigen Stand der lutherischen Kirche in Nordamerika, so sind noch folgende Punkte besonders zu beachten.

Zur richtigen Wertung der lutherischen Kirche in Amerika ist vor allem im Auge zu behalten, daß sie, wie alle religiösen Genossenschaften des Landes, Freikirche ist. Als Freikirche aber muß sie in ganz besonderem Sinne Bekenntniskirche sein. Denn diejenigen, welche sich aus freien Stücken zu einer Gemeinde oder zu größeren Synodalverbänden zusammenthun, müssen vor allem darüber mit sich im Klaren sein, auf welchem Grunde ihre Einheit ruhen soll. Und bei aller heute noch zu Tage tretenden äußeren Zersplitterung und Uneinigkeit bleibt doch die Thatsache stehen, daß die ganze Entwickelung der lutherischen Kirche durch alle Kämpfe hindurch und nach Perioden des Indifferentismus doch im großen Ganzen ein entschieden konfessionelles Gepräge trägt. In der Anerkennung der ungeänderten Augsburgischen Konfession als Bekenntnisgrundlage kirchlicher Gemeinschaft sind heutzutage alle Lutheraner wenigstens in ihren offiziellen Erklärungen einig. Selbst die Generalsynode hat sich auf diesen Grund gestellt und das konservative Element in derselben ist bedeutend in der Mehrzahl. Man darf darum wohl die lutherische Kirche Amerikas als den konservativsten protestantischen Kirchenkörper des Landes bezeichnen. Allerdings ist der eigentliche Geist des lutherischen Bekenntnisses nicht überall in demselben Maße und in derselben Klarheit und Konsequenz erfaßt und angeeignet. Dem Amerikaner wird es ja besonders schwer, das Mysterium kindlich-gläubig zu erfassen und darum ins Innerste des lutherischen Glaubens mit rechtem und vollem Einverständnis einzudringen. Sein aufs Äußere gerichteter praktischer Sinn befähigt ihn von Natur mehr zum Handeln, zum frischen kräftigen Dreingreifen, als zum Lernen und Lehren, zum geduldigen ausdauernden Hören und Forschen. Lehrfragen an sich, ohne eine lebendige Beziehung aufs Leben haben in der Regel für ihn weniger Interesse. Darum ist er in Gefahr, auch wo ihn die Liebe zur Wahrheit und die Anhänglichkeit an die Kirche der Reformation zu einem rechten Bekenntnisstandpunkt gebracht haben, doch mehr oder weniger mit einer bloß äußerlichen Anerkennung der betreffenden Glaubenssätze zufrieden zu sein, ohne sie innerlich durchdrungen und lebendig angeeignet zu haben. Er mag geneigt sein, seinen Eifer um das Haus des Herrn eher noch in der Einrichtung gewisser gottesdienstlicher Formen und Kultusordnungen zu zeigen, als in eingehender und erbaulicher Lehrpredigt. Aber es ist doch Thatsache, daß es unter den englischen Lutheranern Amerikas Männer giebt, die ganz und gar auf dem Grunde der Väter stehen und sich das Bekenntnis der Kirche von Herzensgrunde angeeignet haben, Männer, die nun mit aller Kraft und Energie das vielgeschmähte, mißverstandene Bekenntnis in seiner Klarheit und Wahrheit zu rechtfertigen wissen.

Es ist gewiß eine sonderliche Gabe und Gnade Gottes, daß er der Mutterkirche der Reformation eine so weite Thüre aufthut in diesem Abendlande und durch ihre Einführung in die englische Weltsprache ihr Bekenntnis Tausenden zugänglich macht, die bisher durch die Schranken der Nationalität und Sprache davon ausgeschlossen waren. Mancherlei Sprachen, mancherlei Gaben, aber Ein Geist, — das muß, wie für die apostolische Kirche bei ihrem ersten Rundgang durch die alte Welt, so für die evangelisch-lutherische Kirche in der neuen Welt das Motto sein. Und was sind die Differenzen zwischen deutsch, englisch und skandinavisch, die doch alle demselben germanischen Grundstamme angehören, verglichen mit dem Gegensatz von Jude und Grieche zur apostolischen Zeit? Hat dort das Evangelium Macht gehabt, über diese Differenzen den Triumph zu erringen, „nicht Jude, noch Grieche, sondern allzumal Einer in Christo", so wird auch hier die Treue gegen das Bekenntnis, die herzliche Zusammenstimmung in dem Einen Glauben über alle nationale und sprachliche Besonderung den Sieg davon tragen, und eben aus der Mannigfaltigkeit der Sprachen reichen Segen und vielfache Anregung schaffen, anstatt daß sie, wie freilich oft die Gefahr vorhanden, eine Quelle von Schwachheit und Kraftzersplitterung sein darf.

Die theologische Arbeit der lutherischen Kirche in Amerika ist, wie sich erwarten läßt, vorwiegend praktisch gerichtet und in ihrer Lehrstellung entschieden konservativen Charakters. Sie macht keinen Anspruch, in ähnlicher Weise produktiv, originell, oder Schule bildend zu sein, wie das von der europäischen Universitätstheologie mehr oder weniger erwartet wird. Doch dürfen wir auf einzelne Leistungen hinweisen, die auch in der alten Welt Beachtung und Anerkennung gefunden haben. Darunter: C. P. Krauth, The Conservative Reformation and its Theology; C. F. W. Walther, Stimmen der Kirche in der Lehre von Kirche und Amt; Die rechte Gestalt einer vom Staat unabhängigen lutherischen Ortsgemeinde; Pastorale; H. E. Jacobs, Elements of Religion (auf exegetischem Gebiete J. A. Seiß, Auslegung der Apokalypse (engl. und deutsch); T. E. Schwenk, Higher Critiscim; J. A. W. Haas, Biblical Criticism; F. W. Stellhorn, Wörterbuch

14*

zum Neuen Testament; The Lutheran Commentary of the New Testament, unter
der Chefredaktion von H. E. Jacobs, in zehn Bänden (Matthäus von E. F. Schäffer,
Markus von J. A. W. Haas, Lukas von H. L. Baugher, Johannes von A. Späth,
Apostelgeschichte von F. W. Stellhorn, Römer- und erster Korintherbrief von H. E. Ja-
5 cobs, zweiter Korintherbrief von G. F. Spieker, Galater von E. A. Swennson, Epheser
von A. E. Voigt, Philipper, Kolosser, Thessalonicher und Philemon von E. T. Horn,
Pastoralbriefe und Hebräer von E. J. Wolf, Katholische Briefe und Apokalypse von R.
F. Weidner); auf kirchengeschichtlichem Gebiet: The Lutheran Movement in England,
von H. E. Jacobs, Martin Luther, H. E. Jacobs, und die Bearbeitungen gewisser Ab-
10 schnitte der amerikanischen Kirchengeschichte von Mann, Schmucker, Gräbner, Wolf, Nicum,
Bernheim, Deindörfer, — auf homiletischem Gebiet die englischen Predigten von J. A.
Seiß, besonders über die Evangelien und Episteln, M. Loy, Sermons on the Gospels;
F. Kügele, Sermons of a country Parson, E. F. W. Walther, Amerikanische Evan-
gelien-Postille u. a., W. J. Mann, Heilsbotschaft, A. Späth, Saatkörner, A. F. Frey,
15 Evangelienpredigten, Gottfried Fritschel, Passionsbetrachtungen, mit Vorwort von Löhe;
J. Fry, Homiletics; auf liturgischem Gebiet die Kirchenbücher des Generalkonzils
und Outlines of Liturgics von E. T. Horn. Eine der reichhaltigsten Sammlungen
von Agenden und Kantionalen des 16. und 17. Jahrhunderts findet sich in der Seminar-
bibliothek zu Mount Airy Philadelphia.
20   Ihr Zeugnis hat in den letzten Jahrzehnten einen großen Umschwung herbeigeführt.
Das „Amerikanische Luthertum", wie es vor einem halben Jahrhundert noch das große
Wort führte, ist entschieden im Niedergange begriffen. An seiner Stelle entwickelt sich
in der jüngeren Generation hier geborner Lutheraner eine lebensfähige englisch-lutherische
Kirche von entschiedener Bekenntnistreue; der Eine gemeinsame Glaube gilt als Herr,
25 dem die verschiedenen Sprachen und Nationalitäten mit ihren besonderen Gaben in Eintracht dienen sollen.
     Auf dem Gebiet der Kirchenverfassung und Regierung kommt natürlich überall in der
lutherischen Freikirche Amerikas das Prinzip der Selbstregierung der Gemeinde zur Geltung.
Ob in der einzelnen Ortsgemeinde der Kirchenrat (bestehend aus Pastor, Ältesten und Vor-
30 stehern) oder die Gemeindeversammlung selbst (bestehend aus den stimmfähigen männlichen
Kommunikanten) als oberste Instanz in der Gemeindeverwaltung anerkannt ist, immer bleibt
derselbe Grundsatz, daß die Lokalgemeinde ihre eigenen Angelegenheiten selbstständig und unabhängig verwaltet. Ein Gegengewicht gegen die Gefahr eines zügellosen Independentismus
bilden die Synodalverbände, welche für Pastoren und Gemeinden eine heilsame Zucht und
35 Oberaufsicht repräsentieren, und darüber wachen, daß bei aller Freiheit der einzelnen Ortsgemeinde die Einheit im Glauben, die Reinheit der Lehre, die Gemeinschaft im Kultus, das
Zusammenwirken in aller christlichen Liebesthätigkeit nach Kräften gefördert und erhalten
wird. Wo eine Lokalgemeinde sich einem Synodalverbande anschließt, geschieht das durch
ihren eigenen freien Akt. Aber sie bindet sich dadurch an die Ordnungen und Regeln,
40 sowie an die ordnungsmäßig gefaßten Beschlüsse der Synode. Und ein treues Zusammen-
halten und Zusammenwirken über die engen vier Wände der Einzelgemeinde hinaus wird
ja schon im Interesse der Selbsterhaltung eine Lebensfrage für die lutherische Freikirche
in Amerika. Sie hat im Laufe ihrer Geschichte schon längst den Punkt erreicht, wo sie
ihre Arbeiter in Kirche und Schule der Hauptsache nach selbst, aus ihren eigenen Kreisen
45 heranziehen und mit ihren eigenen Mitteln und nach ihren eigenen Anforderungen ausbilden muß. Das gilt als Regel selbst für die eingewanderten deutschen und skandinavischen Elemente und ist ja selbstverständlich für die lutherische Kirche Amerikas, soweit
sie sich der englischen Sprache bedient. Die Ortsgemeinden, die in loyaler Weise an der
Synodalarbeit und den Synodalinstitutionen sich beteiligen, dienen darum sich selber
50 schließlich am Besten im Blick auf die Zukunft. Sie helfen die theologischen und andere
Lehranstalten erhalten, aus denen sie einmal ihre Pastoren und Lehrer erhoffen. Sie
tragen das Ihrige dazu bei, daß das Lebensaufgabe der Kirche, ihre beständige Festigung
nach Innen und Ausbreitung nach Außen erfolgreich weiter geführt und erfüllt werde.
So kommen die Gebiete der Inneren Mission, und auch der Heidenmission, die in den
55 staatskirchlichen Verhältnissen Europas ganz und gar in den Händen freier Vereinsthätig-
keit sind, in der Freikirche Amerikas auch direkt unter die Leitung der Kirche, wie sie in
Synoden und größeren Körpern repräsentiert ist. Das alles stellt natürlicherweise ganz
bedeutende Anforderungen an die Leistungsfähigkeit und Willigkeit der Ortsgemeinde und
ihrer einzelnen Glieder, weil von ihren Beiträgen nicht bloß der Bestand der Lokal-
60 gemeinde (Pfarrgehalt, Kirchengebäude rc.) abhängt, sondern auch die Erhaltung der theo-

logischen Seminare, Besoldung der Professoren, Unterstützung der Studenten, die Waisen=
häuser, Missionsstationen 2c. im Heidenland und daheim.

Ein besonders wichtiges Moment für die lutherische Freikirche in Amerika ist die
Gemeindeschule, mit deren Gründung und Erhaltung sich die Glieder der lutherischen
Kirche, die ja als Amerikaner zur Unterstützung der Staatsschulen mitbesteuert werden, 5
eine ganz bedeutende Last auferlegen. Es handelt sich bei der Gründung und Pflege der
lutherischen Parochialschulen nicht bloß, und nicht einmal in erster Linie, um Erhaltung
und Fortpflanzung der deutschen (schwedischen, norwegischen) Sprache bei den Kindern
eingewanderter Lutheraner, sondern um Erhaltung ihres kirchlichen Glaubens und Be=
kenntnisses, um den Grundsatz, daß die Tagschule, welche die Kinder christlicher Eltern 10
besuchen, nicht von aller Religion entblößt sei, sondern biblische Geschichte, Katechismus
und Kirchenlied täglich und treulich pflege. Die amerikanische Staatsschule, mit ihrer
splendiden Ausstattung, leistet bekanntlich nichts in religiöser Beziehung. Sie muß dieses
Gebiet grundsätzlich ignorieren. Das Luthertum, das zwischen Romanismus und refor=
miertem Protestantismus eine isolierte Stellung im religiösen Leben des amerikanischen 15
Volkes einnimmt, bedarf vor allem zu seiner Selbsterhaltung die systematische treue Pflege
des kirchlichen Sinns, wie sie die christliche Gemeindeschule darbietet. Selbst in englisch=
lutherischen Kreisen fängt man allmählich an, die Wichtigkeit dieser Sache einzusehen, aber
zur Gründung englisch-lutherischer Gemeindeschulen ist es noch nirgends gekommen. Und
auch in den deutschen Gemeinden des Ostens sieht es, im Vergleich mit den Lutheranern 20
des Westens, mit der Parochialschule kümmerlich aus. Es fehlt an einem tüchtigen Lehrer=
seminar, wie namentlich die Missouri=, Ohio= und Jowa=Synode dieselben besitzen. Auch
mit höheren Lehranstalten, Akademien, Colleges, die vom Geist der Kirche durchdrungen sind,
sind die Lutheraner des Westens besser versehen.   **Adolph Späth.**

f) Methodistische Kirchen s. d. A Methodismus in Amerika Bd XIII S. 1 ff. 25

g) Presbyterianische Kirchen s. am Schluß des Bandes.

Normaljahr s. d. A. Westfälischer Friede.

Norton, Andrews, gest. 1853. — Bgl. William Newell, Notice of the life and
character of Mr. Andrews Norton (Abdruck eines im Christian Examiner, 1853, Nov., er=
schienenen Artikels), Cambridge 1853; ebenfalls wiedergegeben in der 2. Ausgabe der State- 30
ment of Reasons etc., Boston 1856.

A. Norton ist geboren zu Hingham, Massachusetts, am 31. Dezember 1786, gestorben
zu Newport, Rhode Island (in der Sommerfrische; er wohnte in Cambridge, Massachu=
setts), am 18. September 1853. Den ersten Unterricht genoß er in der Derby Academy
zu Hingham; und im Jahre 1801 ging er nach Cambridge, um seine Studien in Harvard 35
College fortzusetzen, wo er im Jahre 1804 graduiert wurde, der jüngste in seiner Klasse.
Darauf studierte er weiter, um sich auf das geistliche Amt vorzubereiten, und im Jahre
1809 predigte er kurze Zeit zu Augusta, Maine. Aber schon im Oktober 1809 wurde er
zum Tutor (etwa Repetent) ernannt in Bowdoin College, und 1811 zum Tutor der
Mathematik in Harvard College; letztere Stelle behielt er nur einige Monate. Es war eine 40
bewegte Zeit in der Theologie für New=England und im Jahre 1812 gab er eine Zeit=
schrift heraus: „The General Repository", welche die liberale Richtung vertrat; sie
war zu gelehrt und vielleicht zu kühn, um Gefallen zu finden, und ging nach dem zweiten
Jahre ein. Im Jahre 1813 wurde er Bibliothekar des College und Lektor der biblischen
Kritik und Hermeneutik. Im Jahre 1814 hat er die Schriften eines verstorbenen Freundes, 45
Charles Eliot, herausgegeben. Die theologische Schule „Divinity School" von Harvard
wurde im Jahre 1819 begründet und Andrews Norton zum Professor der biblischen
Litteratur erwählt. Diese Stellung hat er bis zum Jahre 1830 inne gehalten, und sich
eifrig an allen die Universität betreffenden Fragen beteiligt.

Nachdem er die Professur niedergelegt, betrieb er unausgesetzt seine litterarischen und 50
theologischen Forschungen. Im Jahre 1833 erschien: „A statement of reasons for
not believing the doctrine of Trinitarians concerning the nature of God and
the person of Christ", (11. Ausg. 1876), und in diesem und dem folgenden Jahre
gab Norton, in Verbindung mit seinem Freunde Charles Folsom, „The select journal
of foreign periodical literature" heraus. Das Jahr 1837 brachte den ersten Band 55
seines schon im Jahre 1819 begonnenen Hauptwerkes, eine gediegene Aufstellung der
Zeugnisse für die Echtheit der Evangelien: „The evidences of the genuineness of
the gospels", wovon der 2. und 3. Band 1844 erschienen sind (2. Ausgabe Cambridge

1846; Auszug in einem Bande 1867), sowie ein Band über die „Internal evidences etc." nach seinem Tode im Jahre 1855. Sein Vortrag „On the latest form of infidelity", eine Widerlegung der Ansichten von Strauß erschien im Jahre 1839. Die Zeitschriften seiner Zeit, wie z. B. „North American Review", „Christian Examiner" und „Christian Disciple", enthalten manchen wertvollen Artikel aus seiner Feder. Einige seiner kleineren Schriften hat er in: „Tracts concerning Christianity", Cambridge 1852, gesammelt.

Seit vielen Jahren etwas leidend, erholte er sich nie vollständig von einer schweren Krankheit, die ihn im Jahre 1849 befiel; er starb 1853 zu Newport, wo er in den auf jene Krankheit folgenden Jahren den Sommer zugebracht.

Trotzdem er ein Hauptführer der liberalen Partei in der Theologie war, wollte er den Namen „Unitarian" nicht gelten lassen, und er war gegen die Begründung der „Unitarian Association". Sein Werk über die Echtheit der Evangelien ist das Hauptwerk, in diesem Jahrhundert und in der englischen Sprache, über diese Frage. Gegen Strauß trat er streng auf, als gegen einen Judas. Von ganzem Herzen und in allen Verhältnissen des Lebens ein Christ, und sich dem unermüdlichsten Schriftstudium hingebend, verlor er doch nicht den Sinn für andere Interessen. Zur Belebung und Förderung der Litteratur hat er stets beschäftigend gewirkt und geschrieben, insbesondere um seinen Landsleuten die Schätze des Auslandes vorzuführen. Es ist auch interessant zu bemerken, daß er manche Gedichte, insbesondere geistliche Lieder, verfaßte.

Caspar René Gregory.

Norwegen. 1. Die Einführung des Christentums. Der Einführung des Christentums voraus geht die sogenannte „Zeit der Wikinge", eine Periode von etwa 200 Jahren, in welcher größere und kleinere Scharen von kriegerischen und raubgierigen nordischen Heiden auf Fahrt nach den südlicheren Kulturländern, wie Frankreich, England, Schottland und Irland zogen und brannten und plünderten, wohin sie kamen. Auf diesen Wikingerzügen war es, daß die Norweger zum erstenmal mit dem Christentum und der christlichen Kultur Bekanntschaft machten, und die ersten Christen in Norwegen waren dann selbstverständlich heimgeführte Kriegsgefangene. Von einzelnen der mehr bekannten Wikingen hat man die Nachricht, daß sie sich als christliche Katechumenen durch die sogenannte „Primsigning" (prima signatio) aufnehmen ließen und standen also gewissermaßen wie zwischen dem alten und neuen Glauben und konnten ungezwungen sowohl mit Christen als Heiden verkehren. Andere traten einfach zum Christentum über. Von dem norwegischen Heerkönig Ivar in Dublin erzählen die Ulster-Annalen, daß er „in Christo entschlief" (Ad. Ann. 872). Von einem andern Häuptling hören wir, daß er mit seiner ganzen Familie getauft wurde.

Dieses alles wurde von nicht geringer vorbereitender Bedeutung. Namentlich läßt es sich nachweisen, daß das alte norwegische Heidentum in bedenklichem Grade durch die Skepsis, die nach und nach unter den kriegerischen Wikingerscharen um sich griff, erschüttert wurde, eine Skepsis, die sich den Ausdruck darin gab, daß man einfach erklärte, weder an Odin noch Thor, sondern nur an seine eigene Stärke zu glauben. Bei anderen war diese Skepsis mit einem monotheistischen Zuge verbunden, indem man über die Götter, an die man allmählich mehr und mehr den Glauben verloren hatte, ein höchstes Wesen setzte, einen allmächtigen Gott, der über alles gebiete und alles erschaffen hätte.

Von zwei Seiten drang sich das Christentum gegen Norwegen vor, von Süden und Westen. Es ist jedoch zu bemerken, daß die von Dänemark ausgehende Missionsthätigkeit, die die Landschaften rings um den jetzigen Christianiafjord umfaßte, nur von geringer Bedeutung für die Christianisierung des Landes wurde. Es war die angelsächsische Britania, von woher das Christentum zu dem norwegischen Volke kam und sich unter ihm im ganzen genommen Eingang bahnte, eine Missionsthätigkeit, die unter den Auspizien der norwegischen Könige vor sich ging und durch die Machtmittel, die ihnen zur Verfügung standen, gefördert wurde, während angelsächsische Geistlichen predigten, tauften, organisierten und überhaupt die ganze Arbeit, von ihrer inneren, geistigen Seite betrachtet, machten.

Nachdem der norwegische König Haakon der Gute (gest. 961), am Hofe des angelsächsischen Königs Athelstan erzogen, vergeblich versucht hatte das Volk zu bewegen, den neuen Glauben anzunehmen, wurde das Christentum durch die zwei Könige Olav Tryggvesson (995—1000) und Olav Haraldsson mit dem Beinamen „der Heilige" (1015—1030) in Norwegen eingeführt und befestigt. Vor ihrem Regierungsantritt waren die beiden

Könige auf Wikingerzügen gewesen und hatten dadurch das Christentum kennen gelernt.
Der erste Olav war in England, der zweite in der Normandie getauft worden, beide
setzten sich als Ziel, das Land zu einem christlichen Lande zu machen, beide führten von
England Bischöfe und Priester mit nach Hause, damit sie für das Volk predigen sollten
und mithelfen, die Kirche in Norwegen zu gründen, während zu gleicher Zeit die Könige 5
ihre Thätigkeit mit Gewalt stützten und unbarmherzig jeden Widerstand mit den Waffen
in der Hand zu Boden schlugen, so daß ihr Auftreten zu Zeiten den Charakter der
blutigen Kreuzzüge annahm. Unter den angelsächsischen Missionären soll Bischof Sigurd,
der Olav Trygvesson begleitete und der Apostel Norwegens genannt worden ist, erwähnt
werden. Der Sohn seines Bruders, Grimkjell, war der Missionsbischof Olavs des 10
Heiligen und leistete seinem König gute Hilfe, indem er die Kirche nach angelsächsischem
Muster organisierte. Durch diese Thätigkeit wurde Olav Haraldsson mehr und mehr un-
populär und seine Stellung mehr und mehr untergraben. Nachdem er aber im Kampfe
gegen seine aufsätzigen Unterthanen bei Stiklestad gefallen war (29. Juli 1030), ging
bald ein durchgreifender Umschlag in den Gemütern vor; binnen kurzer Zeit sah das 15
Volk in dem gefallenen König einen großen Heiligen, bei dessen Grab mächtige Wunder
geschähen, wie man glaubte; sein Tod wurde ein Martyrium, das seine bedeutsame Lebensaufgabe mit der strahlenden Glorie der Heiligkeit umgab.

Die Geschichte der norwegischen Kirche im Mittelalter fällt in ihren Hauptzügen und
nach ihrem inneren Gange mit der kirchlichen Entwickelung der europäischen Kulturländer 20
im großen und ganzen zusammen. Besonders soll erwähnt werden, daß der geistige
Rückgang und der kirchliche Zersetzungsprozeß, die der Reformation vorausgehen und den
Weg bahnen, auch in Norwegen sich geltend machen. Dazu kommt noch der Umstand,
daß das Land sein altes nationales Königtum verloren hatte, indem es durch Personal-
union zuerst mit Schweden und dann mit Dänemark vereinigt worden war. Die poli- 25
tische Geschichte Norwegens im Mittelalter schließt mit dem Verluste der Selbständigkeit
des Landes, indem es wie Fyhn und Jütland als Provinz Dänemärks erklärt wird
(1536).

2. Die Einführung der Reformation. Nachdem die beiden Länder in diese Verhältnisse zu einander zu stehen gekommen waren, versteht sich von selbst, daß, als man 30
sich im Jahre 1536 entschloß, die Reformation in Dänemark einzuführen, diese Ent-
schließung auch für Norwegen gelten mußte, obgleich die evangelische Lehre hier beinahe
unbekannt und das Volk im ganzen für eine so durchgreifende geistige Revolution sehr wenig
vorbereitet war. Man fing an das Alte zu zerstören. Der letzte katholische Erzbischof
mußte vor den dänischen Machthabern entfliehen, die im Lande zurückgebliebenen Bischöfe 35
wurden abgesetzt, die Klöster niedergelegt und sowohl der Grundbesitz als auch die übrigen
Besitzungen der Bistümer und Klöster konfisziert. Die katholischen Priester dagegen verblieben in ihren Stellungen und hielten Gottesdienst auf katholische Weise, bis sie von
evangelisch ausgebildeten Predigern abgelöst oder ersetzt werden konnten. Die eigentliche Evangelisierung des Landes wurde den evangelischen Beamten überlassen, die zuerst 40
Superintendenten und später Bischöfe genannt wurden und von welchen nach und nach
einer in jedem Bistum angestellt wurde. Ihre Aufgabe war es, die neue evangelische
Kirchenordnung durchzuführen und die Gemeinden mit evangelischen Predigern zu versehen. Diese Prediger wurden in den in jeder Stiftsstadt errichteten gelehrten Schulen
ausgebildet, woselbst Theologie und Humanismus im Geiste Melanchthons in der schönsten 45
Eintracht gelehrt wurden. Unter den evangelischen Bischöfen des Reformationsjahrhunderts
waren mehrere sehr tüchtige Männer. Hier sollen erwähnt werden: Mag. Torbjörn
Olafssön Bratt in Drontheim, der zwei Jahre in Wittenberg studiert und einige Zeit
in Luthers Haus gewohnt hatte, — Geble Pederssön in Bergen, eine feine und fromme
Gestalt, als Schulmann hervorragend, — Mag. Jens Nilssön in Oslo, ein eifriger Visi- 50
tator und bedeutender Humanist, — Mag. Jörgen Erichssön in Stavanger, die hervorragendste kirchliche Persönlichkeit des 16. Jahrhunderts in Norwegen, ein energischer
Visitator, ein gebieterischer und zu gleicher Zeit besonnener Vorkämpfer der kirchlichen
Ordnung, ein gewaltiger Prediger, dessen kräftige, klare und von evangelischer Wärme
gefüllte Predigten ihm den Ehrennamen „Luther Norwegens" verschafft haben. 55

Am Schlusse des Reformationsjahrhunderts ist die evangelische Kirchenordnung im
Äußeren völlig durchgeführt. In allen Gemeinden wirken evangelisch ausgebildete Pastoren,
von jeder Kanzel wird lutherische Lehre verkündet, in jeder Kirche Gottesdienst auf evangelische Weise gehalten. Die gelehrten Schulen bilden Prediger aus, um das Bedürfnis
der Zukunft auszufüllen, in den Stiftern sind evangelische Bischöfe thätig, um kirchliche 60

Zucht und Ordnung zu fördern. Doch ist das Volk, mit wenigen erfreulichen Aus=
nahmen, im ganzen genommen von dem Geiste des Evangeliums unberührt oder nur
wenig berührt. Von einem eigentlichen Durchbruch des Evangeliums der Reformation
bei dem norwegischen Volke kann keine Rede sein, bevor die Zeit des Pietismus die Periode
5 stillen Wachstums unter der Orthodoxie ablöste.

3. Kirchliche Verfassung und Statistik. Bei der Volkszählung im Dezember 1900
war die gesamte Einwohnerzahl Norwegens 2 239 880. Von diesen gehörten 2 187 200
der norwegischen Staatskirche und 39 401 den verschiedenen Dissentergemeinden an, wäh=
rend 13 279 sich keiner organisierten Gemeinde angeschlossen hatten. Unter den Dissen=
10 tern, die alle freie Religionsübung haben, nehmen lutherisch freikirchliche, Methodisten
und Baptisten den ersten Platz ein. Von Juden war die Gesamtzahl 642, von Mor=
monen 501.

Das evangelisch=lutherische Bekenntnis ist seit der Einführung der Reformation die
offizielle Religion des Staates gewesen; als solche ist sie auch in der norwegischen Konstitution
15 anerkannt. Es liegt in dem Prinzipe der Religionsfreiheit, daß alle, die kraft ihrer
Stellung etwas mit den Angelegenheiten der Staatskirche zu thun haben, derselben zu=
gehören müssen; also z. B. der König des Landes und seine Minister, die theologischen
Professoren an der Universität, die Religionslehrer an den öffentlichen Schulen, Prediger,
Bischöfe u. s. w., sonst steht es jedem frei, aus der Staatskirche zu scheiden, ohne dadurch
20 irgend welchen ökonomischen Verlust zu erleiden. So lange man der Staatskirche angehört,
ist man verpflichtet, seine Kinder taufen und in ihrem Bekenntnis unterrichten zu lassen.

Alle der Staatskirche geltenden Gesetze werden von dem norwegischen Reichstage
(„Storthing") gegeben. Übrigens besitzt der König die oberste kirchliche Potestas, die er
durch seinen Konseil oder durch den Kultusminister, den Chef des Kirchen= und Unter=
25 richtsdepartements, ausübt. Dieses verwaltet auch mit konstitutioneller Verantwortlichkeit
für den Reichstag die Vermögensmassen der Staatskirche, deren Gesamtsumme über
30 Millionen Kronen beträgt.

In jedem der sechs Stifter oder Bistümer, in welche das Land geteilt ist, steht ein
evangelischer Bischof an der Spitze der kirchlichen Administration. Diese kirchlichen Be=
30 amten, deren Stellungen man immer nicht geringe Bedeutung beigelegt hat, werden vom
König ernannt. Die Geistlichkeit des Stiftes hat Repräsentationsrecht. Das Stift ist
in mehrere Propsteien geteilt, jede mit ihrem Propst, der eine Zwischeninstanz zwischen
dem Bischof und der Geistlichkeit der Gemeinden bildet und von den Geistlichen der
Propstei erwählt, aber vom König ernannt wird. Der Propst ist zugleich Pfarrer in
35 einer Gemeinde.

Alle kirchliche Stellungen der einzelnen Gemeinden sind regale und werden vom
König besetzt. Jede Gemeinde hat ihren Hauptpastor oder Pfarrer, in den größeren Ge=
meinden werden neben ihm residierende Kapläne oder Amtskapläne u. s. w. angestellt. Ihre
Einnahmen sind auf eine im ganzen recht befriedigende Weise durch das Gesetz vom
40 14. Juli 1897 geordnet worden. Von den Bischöfen des Landes steht der in Christiania
als primus inter pares an der Spitze, wie er auch die größte Einnahme hat. Es gilt
eine Regel ohne Ausnahme, daß niemand als Beamter in der norwegischen Staatskirche
angestellt werden kann, ohne ein theologisches Amtsexamen an der norwegischen Universität
abgelegt zu haben.

45 Die der Staatskirche zugehörenden Kinder erhalten ihren Religionsunterricht in den
öffentlichen Volksschulen, die übrigens von der Kirche ganz unabhängig sind.

Der Bischof hat über den Religionsunterricht der Lehrer, die Amtsverwaltung der
Prediger und über die kirchliche Lebensentwickelung der Gemeinden Aufsicht zu führen. Im
Verlaufe von drei Jahren soll er sämtliche Parochien seines Stiftes visitiert haben. Die
50 mit diesen Visitationsreisen verbundenen Ausgaben werden von dem Fiskus getragen.

In jedem Stift ist eine sogenannte Stiftsdirektion, die aus dem Oberpräsidenten
(dem Stiftsamtmann) der Stiftsstadt und dem Bischof besteht. Dieses Kollegium
steht unmittelbar unter dem Kultusministerium und hat über die ökonomischen Verhält=
nisse der Prediger, über die Kirchengebäude, über das Armenwesen u. s. w. die Aufsicht
55 zu führen. In den einzelnen Gemeinden sind die Zustände selbstverständlich sehr ver=
schieden. Als ein durchgehender Zug muß ein lebhaftes Interesse für die innere Mission
und die Mission unter den Heiden erwähnt werden. Letztere Thätigkeit wird von ver=
schiedenen privaten Missionsgesellschaften bethätigt. Die größte und bedeutendste von
diesen ist die norwegische Missionsgesellschaft, deren Hauptvorstand in Stavanger seinen
60 Sitz hat und deren jährliche Einnahme über eine halbe Million Kronen beträgt. Ihr

Missionsfeld ist teils Zulu, teils China und hauptsächlich Madagaskar, wo die Arbeit mit reichem Erfolg gekrönt worden ist. Die Gesellschaft hat ungefähr 80 Arbeiter in ihrem Dienste; ihre Schulen werden von 48 000 Kindern besucht; ihre Gemeinden zählen ca. 62 000 Christen. *D. A. Chr. Bang.*

Nothelfer, die vierzehn (XIV Auxiliatores). — Georg Ott, Die 14 hl. Nothelfer, 5 2. A. Steyl 1882; L. Lang, Die 14 hl. Nothelfer, ihre Legenden und Bilder, 2. A. 1883; F. Pösl, Legende von den 14 hl. Nothelfern, Regensburg 1891; H. Weber, Die Verehrung der hl. 14 Nothelfer. Ihre Entstehung und Verbreitung, Kempten 1886; Klesser, Die hl. 14 Nothelfer, 2. A. Dülmen 1900. — Wichtiger als diese, z. Tl. zur unkritischen Devotio= nalienlitteratur gehörigen Arbeiten ist die den Ursprung und die frühere Entwickelung der 10 Nothelferlegende hist.=kritisch behandelnde Studie von Uhrig, Die hl. 14 Nothelfer (Quatuor= decim Auxiliatores): ThQS 1888, S. 72—128.

Eine seit Mitte des 15. Jahrhunderts im katholischen Deutschland mit besonderem Eifer verehrte Gruppe von Heiligen bildet die doppelte Siebenzahl von Angehörigen ver= schiedener Zeiten und Länder, deren Namen die alphabetische Reihe angiebt: Achatius, 15 Aegidius, Barbara, Blasius, Catharina, Christophorus, Cyriakus, Dionysius (Areopagita?), Erasmus, Eustachius, Georgius Martyr, Margareta, Pantaleon, Vitus. Nur lokal überliefert und mangelhaft verbürgt ist die Vermehrung dieser 14 auf 15 Heilige (mittels Einfügung eines St. Magnus vor Margareta — worunter nach ital. Überlieferung Bischof Magnus v. Oderzo bei Treviso, nach süddeutscher Abt Magnus zu Füssen am Lech zu 20 verstehen sein würde). — Über die Mehrzahl der hier Genannten handeln besondere Ar= tikel d. Encykl. (s. d.). Betreffs der sechs praetermissi sei hier in Kürze bemerkt, daß 1. Achatius (richtiger Acacius) ein zur Zeit der Decianischen Verfolgung seinen Christen= glauben bei einem peinlichen Verhör furchtlos bekennender und dadurch Begnadigung von seinem Richter erlangender Bischof zu Melitene in Klein=Armenien gewesen sein soll. 25 2. Blasius, Bischof der armenischen Stadt Sebaste, soll wunderbare Heilgabe besessen haben, die er, noch während der Gefangenschaft vor seinem unter grausamen Martern erlittenen Zeugentode (angeblich 316) an verschiedenen in den Kerker zu ihm gekommenen Kranken, u. a. einem durch eine Fischgräte im Halse beinahe erstickten Knaben, erfolgreich ausgeübt haben soll. 3. Erasmus (ital. San Elmo) soll, nachdem er im Libanon eine 30 furchtbare Marterung mit brennendem Pech und Schwefel unversehrt überstanden, nach Formiä in Kampanien gekommen sein und hier teils durch Bekehrung vieler Heiden zum Christen= tum, teils durch die mittels seines Gebets bei verschiedenen Anlässen (z. B. gelegentlich eines großen Viehsterbens und bei einem heftigen Gewitter) bewirkten rettenden Wunder= thaten Ruhm und Verdienste erworben haben (gest. angeblich 303). 4. Margareta 35 (alias Margarita, auch Marina), eine zu Antiochia Pisidiä unter Diokletian nach Er= duldung unglaublicher Qualen enthauptete keusche christliche Jungfrau, soll vor ihrem Ende im Kerker besonders für gebärende Frauen um Linderung von deren Schmerzen gebetet haben. 5. Pantaleon, nach griech. Tradition ein Erzmärtyrer (μεγαλομάρ= τυς), soll kaiserlicher Leibarzt bei Diokletian in Nikomedia gewesen und, nachdem er 40 während der zwei ersten Jahre der Verfolgung unter diesem Herrscher Wunder der auf= opfernden Liebe vollbracht, zuerst auf vielfache Weise gemartert, dann enthauptet worden sein. 6. Vitus (ital Guido, deutsch Veit) soll als 7jähriger (oder nach anderer Angabe als 12jähriger) Knabe einerseits seine Amme, die hl. Crescentia und deren Mann Mo= destus zum Christenglauben bekehrt, andererseits verschiedene Heilwunder vollbracht, u. a. 45 einen Sohn des Kaisers zu Rom von seiner Besessenheit geheilt haben, dann aber, wegen Verweigerung des Opferns vor den Götzen, grausamen Martern ausgesetzt und, zusammen mit Crescentia und Modestus, am Silarusflusse in Lukanien (unweit Pästum) zu Tode befördert worden sein. Wie jeder dieser sechs Heiligen als wirksamer Helfer bei bestimmten Arten von Lebensgefahr oder sonstiger Not galt (Achatius bei Todesangst und Bedrohung 50 mit Mord, Blasius bei gefährlichen Halsübeln, Erasmus bei Gewitterstürmen und Vieh= seuchen, Margareta bei Fällen schwerer Entbindung, Pantaleon bei Krankheitsfällen über= haupt, St. Veit insbesondere bei Besessenheitsfällen und Krämpfen [daher „Veitstanz"]), so pflegte man die acht übrigen — gleichfalls auf Grund gewisser wunderbarer Wir= kungen, die die Legende über sie berichtet — als Spezialhelfer in allerlei Fällen der Not 55 anzurufen, z. B. Aegidius besonders bei Pest, Barbara bei Fieber, Cyriakus bei Anfech= tungen in der Todesstunde, Catharina bei Leiden der Zunge, u. s. f. — Die Zusammen= stellung der Vierzehn zu einer Gruppe — gleichsam einer Societät unsichtbarer Helfer im Jenseits, an die man beim Hereinbrechen von Kalamitäten sich schutzsuchend wendete

— kann unmöglich erst damals geschehen sein, als eine Vision des oberfränkischen Schäf=
hirten Hermann Leicht (dem am Vorabend des Peter-Paulstages 1446 das Jesuskind,
umgeben von den 14 Heiligen auf dem Felde erschienen sein soll) zum Anlaß der Er=
bauung der berühmten Wallfahrtskirche Vierzehnheiligen bei Staffelstein wurde.. Auch die von
5 Weber (a. a. O.) versuchte Zurückdatierung des gemeinsamen Kultus der Vierzehn um weitere
hundert Jahre, nämlich bis zum Ausbruch der furchtbaren Pestzeit des Schwarzen Todes
1346, reicht noch nicht aus. Es finden sich sichere Spuren vom Vorhandensein der Vor=
stellung von 14 Haupthelfern in der Not bereits in viel früheren Zeiten des MA.s.
Uhrig (l. c.) mag Recht haben, wenn er die frühesten Keime zum Kultus einer doppelten
10 Heptas von Heiligen in der Umwandlung des Pantheons zu Rom in eine christliche
Marien= und Märtyrerkirche durch Papst Bonifaz IV. im J. 610 (s. Bd III S. 290, 1 ff.)
erblickt, weil es sich ja damals um den Ersatz von 14 bisher dort aufgestellten Götter=
bildern durch ebensoviele Altäre mit christlichen Märtyrergebeinen handelte. Auch mag
seine Herleitung der hinsichtlich der einzelnen 14 Glieder der Gruppe getroffenen Aus=
15 wahl der Invention irgend eines kunstsinnigen Klosterbruders etwa zu Tuotilos Zeit
(Sec. IX), dem die Malung eines Altarbildes oblag, nicht allzufern von der Wahrheit
abliegen. Doch löst diese Uhrigsche Hypothese nicht alle hier in Betracht kommenden Rätsel.
Und einige der mit ihr in Verbindung stehenden Mutmaßungen sind doch wohl zu kühn;
so namentlich die Schlußfolgerung: aus dem Umstande, daß St. Ägidius der einzige
20 Nichtmärtyrer unter den Vierzehn ist, ergebe sich, „daß dasjenige Kloster, von welchem
der Kultus der 14 Nothelfer ursprünglich ausging, den hl. Ägidius zum Patron gehabt
haben müsse". — Nicht in genügendem Maße berücksichtigt bei Uhrig erscheint außerdem der
Umstand, daß die Zahl 14 (= 7 + 7) in der Kultus= und Kunstsymbolik des MA.s
überhaupt eine nicht unwichtige Rolle spielt (vgl. schon Isidor. Hisp. im Lib. numeror.,
25 c. 15, sowie bes. J. Grimm, Deutsche Rechtsaltertümer², S. 299 f.).

Seit jener Leichtschen Vision (1446) hat sich von der oberen Maingegend aus die
Verehrung der Nothelfer rasch über ganz Deutschland und die Nachbarländer verbreitet.
Der jetzige Bau der großen im Barockstil errichteten Wallfahrtskirche Vierzehnheiligen,
die sich über dem die Stätte jenes Gesichtes bezeichnenden Altar erhebt, rührt aus den
30 Jahren 1743—1772 her. — Über bildliche Darstellungen der ganzen Gruppe und die
dabei begegnenden interessanten Variationen der gewöhnlichen Tradition (z. B. Ersatz der
HH. Cyriakus und Dionysius durch St. Leonhard und St. Nikolaus auf einem Holz=
schnitte ungefähr vom J. 1460) handelt Detzel, Ikonogr. II, 560—562. Als wichtigstes
Skulpturwerk ist hier die Holzskulptur von Tilman Riemenschneider in der Julius-Hospi=
35 talkirche zu Würzburg aus dem J. 1494 hervorgehoben. Wegen des interessanten Gemäldes
von Lukas Kranach in der Marienkirche zu Torgau vgl. Z. für bildende Kunst, 1899,
November, S. 29.

Zu erwähnen ist noch Luthers sinnige Bezugnahme auf den Kultus der 14 Nothelfer
in seiner Trostschrift **Tesseradecas consolatoria pro laborantibus et oneratis** (1520;
40 s. Weimarer Ausg. Bd VI), worin er dem erkrankten Kurfürsten Friedrich dem Weisen
anstatt der zweimal sieben Nothelfer zwei Tafeln mit je sieben Trostgründen wirksamerer
Art als jene vorhält (vgl. H. Beck, Die Erbauungslitt. der evang. Kirche Deutschlands
im 16. Jahrh., Erlangen 1883, S. 49 f.).   **Bödler.**

Notker, Mönche vom Kloster St. Gallen. — Ekkeharts IV. Casus s. Galli
45 (St. Galler Historische Mitteilungen, Heft XV. XVI, mit dem Kommentar von dem Unter=
zeichneten), sowie von demselben: Lebensbild eines heiligen Notker (Mitteilungen der zürcher.
antiquar. Gesellsch., Bd XIX). Vgl. Dümmler: Das Formelbuch des Bischofs Salomo III.
von Constanz, sowie St. Gallische Denkmale aus der karolingischen Zeit (Mitteil. Bd XII, wo
S. 224 der Brief an Liutward, dann weitere in den Poetae Latini medii aevi, Tom. IV, S. 336 ff.,
50 neuerdings abgedruckte Dichtungen. Wegen der Antiphone „Media Vita" vgl. (Scherers) Ver=
zeichnis der Handschriften der Stiftsbibliothek von St Gallen, den Exkurs S. 165—167. Das
Martyrologium gab Canisius, Antiq. lect. (ed. Basnage), Bd III, S. 89—184, heraus. Wegen
des Monachus Sangallensis de Karolo magno vgl. Zeumer, in den Historischen Aufsätzen
dem Andenken an Georg Waitz gewidmet, S. 97—118 (daneben Graf Zeppelin: Wer ist der
55 Mon. Sangallensis? in den Schriften des Vereins für Geschichte des Bodensees, Heft XIX,
S. 33 ff.). Die Litteratur über die Sequenzen ist in dem betreffenden Artikel genannt, die Be=
deutung Notkers als Dichter durch P. von Winterfeld: Die Dichterschulen St. Gallens und
der Reichenau unter den Karolingern und Ottonen (Neue Jahrbücher für das klassische Alter=
tum, Geschichte und deutsche Litteratur Bd V, S. 341 ff.) gewürdigt: ebenso vgl. weiter
60 J. Schwalm und P. von Winterfeld: Zu Notker dem Stammler (Neues Archiv der Gesellschaft
für ältere deutsche Geschichtskunde, Bd XXVII, S. 740 ff.).

In der Reihe hervorragender Persönlichkeiten des Klosters St. Gallen tritt der Name Notker mehrfach hervor, ohne daß sich ein bestimmter Zusammenhang der einzelnen Individuen untereinander klar nachweisen ließe. Einer der St. Gallen selbst überragenden Berge, der südöstlich stehende, auf dessen Ende jetzt das Frauenklösterchen Nöggersegg steht, hieß geradezu der Notkersberg (Ekkeh. IV. Cas. s. Galli, c. 29).

Notker Balbulus, der erste der berühmten Mönche dieses Namens, stammt in genügend erkennbarer Weise aus der Thurgegend südlich von Wil, von Jonswil, wo sein Bruder, der Schultheiße Othere, als angesehener Mann wohnte, wo wieder in der Mitte des 10. Jahrhunderts ein Notker als Vassus und Vogt des Klosters St. Gallen lebte (erst ein späterer lügenhafter Autor des 13. Jahrhunderts, Ekkehart V., läßt in seiner total wertlosen Vita s. Notkeri den Notker von Elgg abstammen). Wohl um 840 geboren, hat Notker in St. Gallen, wo er nur die untergeordneteren Ämter eines Bibliothekarius und Hospitarius bekleidete, voran als „magister" an der Schule gewirkt. Daß er dabei noch der im „Formelbuch des Bischofs Salomo III. von Konstanz" hervortretende treue Lehrer und Mahner des jungen Salomon, eben des späteren Abtbischofs und dessen Bruder Waldo, in diesem Falle also auch der Verfasser der Notatio über die Ausleger der hl. Schrift war, wie Dümmler im Kommentar zu dem von ihm edierten Formelbuche annimmt, ist ganz wahrscheinlich, obschon Salomon nur etwa zwanzig Jahre jünger gewesen zu sein scheint. Bestimmt hat er das unter seinem Namen gehende Martyrologium auf der Grundlage des 870 durch Ado den St. Gallern geschenkten Exemplares verfaßt. Allein eigentlich berühmt wurde Notker durch die Sequenzen, über die auf den Artikel „Sequenzen" hier zu verweisen ist. Zwischen 881 und 887 widmete Notker die Sammlung der Sequenzen in einem interessante Aufschluß enthaltenden Briefe dem einflußreichen Bischofe Liutward von Vercelli, Kanzler Kaiser Karls III. Hat er in diesen Sequenzentexten seine dichterische Begabung in hohem Grade erwiesen, so ist dagegen eine im späteren Mittelalter ihm zugeschriebene Antiphone, der durch den Eindruck der erschütternden Worte und des mächtigen melodischen Klanges gewaltig wirkende Gesang Media vita, ohne Berechtigung ihm zugeteilt worden. Eines der ausdrücklichsten Zeugnisse für die hohe Achtung, in welcher Notker stand, ist der Umstand, daß ganz ausnahmsweise von diesem St. Galler Mönche ein Miniaturbild (jetzt in dem Besitze der zürcherischen antiquarischen Gesellschaft) vorhanden ist, welches, wohl noch im 10. Jahrhundert geschaffen, wegen seines individuellen Ausdruckes geradezu als porträtartig bezeichnet werden darf. Erst durch die neuere Forschung ist auch die schon ältere Annahme völlig erhärtet worden, daß Notker im weiteren der Verfasser des so anmutigen Buches des „Mönches von St. Gallen" über Karl den Großen ist, das in einer Fülle von Erzählungen und Sagen das Bild des großen Kaisers vorführt, wie es im Munde des Volkes fortlebte und stets weiter sich gestaltete. Kaiser Karl III. hatte 883 bei seinem Besuch in St. Gallen, der wohl auch noch weitere Anregung gab, Notker, dessen Gedächtnis durch die Erzählungen eines Waffengefährten des tapferen Grafen Gerold, des Schwagers Karls des Großen, weiter zurückreichte, zur Aufzeichnung der ihm mitgeteilten Geschichten aufgefordert. Ebenso ist Notker auch der Fortsetzer der Chronik Erchamberts, wo wieder mit lebhafter Verehrung von Karl III. bei der Aufzählung der Reichsteilungen und Regierungen im karolingischen Hause geredet wird. Aber überhaupt dehnt sich durch neueste Ergebnisse der Kreis der Notker zuzuweisenden Werke noch immer weiter aus. Das Verhältnis liebevoller Art des Lehrers zu seinen Schülern ist durch seine Verse über die freien Künste, durch zwei aus einer Weißenburger Handschrift neu hinzugekommene Gedichte belegt; die in den Poetae Latini medii aevi, Tom. II, S. 474 u. 475, abgedruckte poetische Erzählung von den drei Brüdern und ihrem Bocke, der den Schöpfer des kühnsten Wunsches unter den dreien gehören sollte, wird ihm zugeschrieben. Notker hat selbst bezeugt, daß er ein Werk über den heiligen Gallus geplant und begonnen, emsig gefördert habe, und die von Weidmann in der Geschichte der Bibliothek von St. Gallen herausgegebenen Bruchstücke (S. 482 ff.) sind jetzt mit guten Beweisgründen hierfür in Anspruch genommen. P. von Winterfeld möchte nunmehr Notker als den größten Dichter des Mittelalters, weit mehr als Walahfrid, hinstellen. Trotz seiner Kränklichkeit erreichte der gelehrte Mönch, über den Ekkehart IV. manche zum Teil frei ausgeschmückte anekdotische Züge bewahrt hat, ein höheres Alter: er starb am 6. April 912. Man hielt ihn schon im 11. Jahrhundert für einen Heiligen; doch erfolgte die eigentliche Kanonisation, und auch diese nicht unmittelbar von Rom aus, erst 1513.

Notker — mit dem Beinamen Piperis Granum, wegen der Strenge der von ihm geübten Zucht, oder Medicus, — 956 oder 957 Cellararius, 965 Hospitarius in St. Gallen, tritt dagegen weit weniger hervor, muß aber immerhin einen guten Ruhm gehabt haben, da er an den Hof Ottos I. wegen seiner Kenntnisse in der Heilkunde berufen worden sein soll. Als Maler, als Dichter, insbesondere eines noch nach Jahrhunderten im Kloster gebräuchlichen Hymnus auf den hl. Otmar, als Lehrer — „benignissimus doctor" nennt ihn das Totenbuch — thätig, stand er schon in sehr hohem Alter, als ihm am 14. August 972 die beiden Kaiser, Otto I. und II., bei ihrer Anwesenheit in St. Gallen hohe Ehre erwiesen. Es scheint, daß Notker auch 940 am Hofe zu Quedlinburg als Notarius Ottos I. die Immunitätsbestätigung für St. Gallen schrieb. Er starb 975 am 12. November. — Ein Schwestersohn Notkers des Arztes war der Notker, welcher 971 nach Purchards I. Abdankung als Abt in St. Gallen eintrat und am 15. Dezember 975 starb. — Vgl. den Kommentar zur Ausgabe Ekkeharts IV. (l. c., besonders S. 398—401 über Notker den Arzt).

Eine viel bedeutendere Persönlichkeit wieder, wenn auch eigentümlicherweise in der St. Galler Geschichtschreibung nicht genannt, ist Notker, Propst von St. Gallen, 969 als kaiserlicher Kaplan in Italien thätig, seit 972 Bischof von Lüttich und als solcher um die dortige Schule sehr verdient. Doch nicht nur als Gelehrter, sondern auch als Politiker, als Leiter seines geistlichen Fürstentums nahm derselbe eine hervorragende Stellung besonders in Lothringen unter Otto III. und Heinrich II. ein. Er starb am 10. April 1008. Vgl. Wattenbach, Deutschlands Geschichtsquellen im Mittelalter (6. Aufl.), Bd I, S. 380 u. 381).   **Meyer von Knonau.**

Notker, Labeo, gest. 1022. — Vgl. P. Piper, Die Schriften Notkers und seiner Schule, 1882; J. Kelle, Geschichte der deutschen Litteratur, I, 232 ff., 1892; R. Kögel, Geschichte der deutschen Litteratur, I, 2, 598 ff., 1897.

Notker, zubenannt Labeo (der mit der großen Unterlippe) und später seiner Verdienste wegen Teutonicus, war der dritte dieses Namens unter den Mönchen von St. Gallen. Um 950 als Sprößling eines vornehmen alemannischen Geschlechtes geboren, kam er schon als Knabe unter Abt Burkhard I. (958—971) durch Vermittelung seines Oheims Ekkehard I. zugleich mit seinen Vettern Ekkehard II. und III. und Burkhard (später Abt als der II. seines Namens, gest. 1022) ins Kloster St. Gallen. Hier erwarb er sich, wie seine Werke und die Anerkennung seiner Zeitgenossen zeigen, ein außergewöhnliches Maß gelehrter Bildung. Infolge dessen erhielt er die Leitung der Klosterschule und stand ihr bis zu seinem Tode vor. Als im Jahre 1022 das aus Italien zurückkehrende Heer Kaiser Heinrichs II. die Pest nach St. Gallen einschleppte, erlag N. dieser Krankheit am 29. Juni. Sein äußeres Leben ist also ohne bemerkenswerte Ereignisse verlaufen; um so mehr hat er Zeit gehabt, sie gelehrten Studien und der Schule zu widmen. Über diese seine Thätigkeit orientieren uns sein Schüler Ekkehard IV. in seinem Liber benedictionum, sowie N. selbst in einem an Bischof Hugo von Sitten (regierte 998—1017) gerichteten Briefe. Zener teilt mit, daß N. das Buch Hiob, Gregors Moralia und den Psalter ins Deutsche übersetzt habe; den Hiob habe er erst an seinem Todestage vollendet; Kaiserin Gisela (die 1027 St. Gallen besuchte) habe sich N.s Hiob und Psalter abschreiben lassen. Mehr erfahren wir aus dem erwähnten Briefe: N. hat, um die kirchlichen Schriften den Schülern zu erklären, etwas nahezu unerhörtes (rem paene inusitatam) unternommen, nämlich lateinische Bücher ins Deutsche zu übersetzen; zuerst bearbeitete er so zwei Schriften des Boethius, De consolatione philosophiae und De sancta trinitate; dann wendete er sich der Übertragung poetischer Werke zu: Cato (die bekannten Disticha), Vergils Bucolica und Terenz' Andria; ihnen folgte die Bearbeitung von Prosawerken aus dem Gebiete der freien Künste: Nuptiae Philologiae (des Marcianus Capella), des Aristoteles Kategorien und Perihermenias, die Principia Arithmeticae (ein uns unbekanntes Werk); dann kehrte er zu den heiligen Schriften zurück, übersetzte den ganzen Psalter, ihn nach Augustin erklärend, und begann die Übersetzung des Hiob, die aber zur Zeit der Abfassung des Briefes erst bis zu einem Drittel fertig war. Außerdem, sagt N., habe er in lateinischer Sprache eine neue Rhetorik, einen neuen Computus (Osterberechnung) und andere kleine Schriften verfaßt. Die große Anzahl der genannten Werke hat Neuere zu der Meinung gebracht, N. nicht als ihrer aller Verfasser, sondern für die meisten nur als oberen Leiter anzusehen, diese also auf seine Schüler zurückzuführen; man sprach von einer St. Galler Übersetzerschule. Diese Auffassung ist durch nichts gerechtfertigt; N.s deutsche Arbeiten begreifen sich, im Anschluß an seine eigenen Angaben, durchaus als selbstgefertigte Unterlagen für den von ihm erteilten Unterricht; alle ihre Besonderheiten, wie z. B. das häufige Einmischen lateinischer Phrasen, werden von diesem Gesichtspunkte aus ver-

ständlich. Auch reicht der Zeitraum, der N. zur Verfügung stand, zu ihrer Abfaffung
völlig aus: der Hiob, der vor 1017 zu einem Drittel fertig war und 1022 vollendet
wurde, dürfte etwa 1013 begonnen sein; der Beginn der Überfetzertthätigkeit N.s ist nach
seinen Altersverhältniffen auf etwa 980 zu setzen; es bleibt also für die übrigen fehr
verschieden umfangreichen Werke mindeftens dreißig Jahre Zeit.   5

Erhalten find uns von N.s Werken die folgenden:

1. Boethius, De consolatione philosophiae, in der St. Galler Handschrift 825
(Piper A, Anfang des 11. Jahrhunderts), ein kleines Stück auch in der etwas jüngeren
Züricher Handschrift 121 (Piper D), die aus St. Gallen ftammt, und deren gesamter,
meift lateinischer Inhalt auf N.s Lehrthätigkeit zurückgeht;   10

2. Marcianus Capella, De nuptiis Philologiae et Mercurii, in der St. Galler
Handschrift 872 (11. Jahrhundert, Piper J);

3. Ariftoteles, De categoriis et Perihermenias (de interpretatione), in der
St. Galler Handschrift 818 (Piper B, 11. Jahrhundert); von einer zweiten, ebenso alten
Handschrift ift der Anfang (32 Blätter) erhalten und dem Boethius (f. o.) beigebunden; 15

4. Der Pfalter, am Schluffe erweitert durch die fonftigen pfalmenartigen Stücke des
alten und neuen Teftaments, das Vaterunser, das apoftolische und das athanasianische
Symbol (die letztgenannten drei Stücke in Müllenhoff-Scherers Denkmälern als Notkers
Katechismus herausgegeben); von ihm waren bis ins 17. Jahrhundert in St. Gallen
zwei (jetzt verschollene) Handschriften vorhanden, auf deren eine der Abdruck in Schilters 20
Thesaurus 1726 zurückgeht; wir besitzen vollftändig eine Handschrift des 12. Jahrhunderts, die sich noch um 1700 in Einsiedeln befand und erft später nach St. Gallen
kam (Nr. 21, Piper R), außerdem von vier Handschriften des 11. Jahrhunderts (zum
Teil vielleicht mit den verschollenen identisch) einzelne Blätter.

Der Zuftand der Überlieferung zeigt, daß von allen deutschen Werken Notkers nur 25
der Pfalter größeres Intereffe geweckt und daher längeres Leben gehabt hat; die im
11. Jahrhundert mächtigen Strömungen waren gelehrter Mönchsthätigkeit abhold, schätzten
aber den Pfalter als chriftliches Gebetbuch. So kam es, daß N.s Pfalterbearbeitung
noch im 11. Jahrhundert in den bayerischen Dialekt umgeschrieben und dabei dem täglichen Gebrauche angemeffen bearbeitet wurde (Übersetzung von N.s lateinischen Erklä- 30
rungen); diese Arbeit liegt uns vor in einer aus Weffobrunn ftammenden Wiener Handschrift, von der freilich der mittlere, Pf 51—100 umfaffende Teil verloren ist (Piper Y).

Von kleineren, in der Hauptfache lateinisch abgefaßten Arbeiten N.s find uns mehrere
erhalten, so die Rhetorik und ein Schriftchen de partibus logicas, jene durch citierte
deutsche Verse, dies durch citierte deutsche Sprichwörter besonders intereffant; von vorn- 35
herein deutsch abgefaßt find ein paar kleine Abhandlungen, die man gewöhnlich unter dem
Titel de musica zusammenfaßt. Diese kleineren Schriften haben, wie ihre Überlieferung
zeigt, viel größere Verbreitung gefunden als N.s Übersetzungen.

N.s Gelehrsamkeit ist bedeutend, ftaunenswert aber vor allem sein absolutes Beherrschen der lateinischen und der deutschen Sprache; seine Vorlagen hat er durchweg richtig 40
verftanden, ebenso glückt es ihm, für die schwierigften abftrakten Ausdrücke deckende deutsche
Worte zu finden; das uns geschmacklos scheinende Einmischen lateinischer Worte und Sätze
in die deutsche Rede erklärt sich aus dem Charakter seiner Werke als Schulbücher; wo
es der Gegenstand geftattet, verfteht N. seiner Sprache hohen Schwung zu verleihen.
Groß ist auch seine Bedeutung als deutscher Grammatiker, wie sich besonders aus dem 45
von ihm erfundenen peinlich genauen Accentsyftem ergiebt. Sein Einfluß auf die Nachwelt scheint, wenn man nur die Überlieferung seiner Werke betrachtet, gering, aber man
muß bedenken, daß er in seiner wohl fünfzigjährigen Lehrthätigkeit gewiß reichlich Gelegenheit gefunden hat, sein Wiffen auf die jüngere Generation wirken zu laffen; so mag
die größere Gewandtheit im Gebrauche des Deutschen, wie sie uns später entgegentritt, 50
mittelbar seinem Wirken mit zu danken sein.   **Holz.**

Nottaufe f. Taufe.

Notwehr ist ein Begriff, der in die Jurisprudenz, Politik und Ethik einschlägt und
je nach der Verschiedenheit dieser Gebiete eine verschiedene Betrachtungsweise erfordert.

Juriftisch angesehen ist die Notwehr ein Handeln, welches zwar die äußere Form 55
mit ftrafbaren Handlungen gemein hat, aber nicht als ftrafbar, sondern als erlaubt, ja
als berechtigt gilt. Das Reichsftrafgesetzbuch definiert § 53: „Notwehr ist diejenige Verteidigung, welche „erforderlich" ist, um einen „gegenwärtigen" rechtswidrigen Angriff von

sich oder einem Andern abzuwenden. — Die Überschreitung (Exzeß) der Notwehr ist nicht strafbar, wenn der Thäter in Bestürzung, Furcht oder Schrecken über die Grenzen der Verteidigung hinausgegangen ist. — Vgl. Schwarze, Kommentar zum Reichsstrafgesetzbuch, 3. A., 1875, S. 242 ff. Die Motive des Gesetzes bestimmen als Gegenstände, auf welche der rechtswidrige Angriff sich richtet und welche durch die Notwehr verteidigt werden: Leib, Leben, Ehre, Vermögensgegenstände. — „Gegenwärtig" ist der Angriff, wenn er begonnen hat oder unmittelbar bevorsteht; der Bedrohte ist nicht verpflichtet, ihn abzuwarten, ehe er zur Gegenwehr schreitet. Die Notwehr kann bis zur Tötung des Angreifers gehen, „ohne Rücksicht auf den Wert des angegriffenen Gutes". Der Exzeß, die Überschreitung des erforderlichen Maßes der Gegenwehr, schließt culpa in sich, wird aber vom Gesetz straflos erklärt in Anbetracht des durch den Angriff bewirkten Gemütszustandes des Bedrohten. Hinwiederum ist aber gegen den Exzeß Notwehr des ersten Angreifers zulässig.

Auf die Schwierigkeit der Begrenzung des Begriffs der Notwehr macht Trendelenburg, Naturrecht auf Grundlage der Ethik, 2. A., § 56, aufmerksam. Als Beispiel, wie nicht einmal das Moment des „rechtswidrigen Angriffs" feststehe, führt er den Fall eines flüchtigen Sklaven an, der in Verteidigung seines Lebens und seiner Freiheit den ihn verfolgenden Herrn tötet. Geschieht das im Bereich eines Sklavenstaates, so hat er einen Mord verübt; geschieht es zwei Schritte jenseits der Grenze in einem freien Staat, der die Sklaverei nicht duldet, so ist seine Handlung gesetzlich geschützte Notwehr. — Die Aufgabe der Jurisprudenz bezeichnet Trendelenburg so: „wo die Gefahr beginne, damit die Notwehr nicht zu spät komme, wo die Verteidigung aufhöre, damit sie nicht selbst Unrecht werde, was den unvermeidlichen Affekten in der abgedrungenen Notwehr zu gute zu halten, muß in solcher Weise bestimmt werden, daß weder dem Verbrechen Vorschub geleistet, noch der Verbrecher den Leidenschaften überantwortet werde und die Notwehr in Selbsthilfe und Rache ausarte".

In der Politik spielt die Frage der Notwehr eine bedeutende Rolle, wo es sich um die Beurteilung des Krieges (s. den Art. Krieg, — ob den Christen erlaubt? Bd XI, S. 101) und des Rechtes zur Revolution handelt. Trendelenburg a. a. O. § 214 erklärt die Ausdehnung der Notwehr auf ein Recht des Widerstandes gegen die Staatsgewalt für schlechthin unzulässig. Die hierüber zur Zeit der Stuarts gepflogenen mannigfaltigen Verhandlungen stellt Macaulay, „History of England", Kap. 9, dar. Niebuhr in seinen Vorlesungen über „das Zeitalter der Revolution" I, 211 f. will Fälle anerkannt wissen, wo Empörung rechtmäßig sei, und rechnet dazu den Aufstand der Griechen gegen die Türken, die Erhebung der Protestanten Frankreichs gegen Ludwig XIV., den Widerstand der irischen Katholiken gegen England bis in die achtziger Jahre des 18. Jahrhunderts, keineswegs aber die französische Revolution von 1789. Martensen, in seiner sehr umsichtigen Erörterung (Ethik, II, 2, S. 265 ff.), möchte Revolutionen nationalen Charakters, wie den Befreiungskampf der vereinigten Niederlande gegen die spanische Tyrannei, als berechtigt ansehen, weil in ihnen eine Nation sich „ihres Lebens erwehrt". Zu einer endgiltigen Lösung scheint die Frage nicht reif, solange das Verhältnis der Politik zur Ethik überhaupt noch so unklar bleibt, wie es gegenwärtig liegt. Wie weit auseinander geht z. B. das Urteil englischer und deutscher Christen über den südafrikanischen Krieg 1899—1902! Wehrten sich die Buren um ihre politische und nationale Existenz? Oder machten sie England den Besitz der Kapkolonie streitig? Im ersteren Fall lag Notwehr, im letzteren ein bedachter und wohlvorbereiteter Angriffskrieg vor.

Rein ethisch betrachtet, hält Rothe die persönliche Notwehr nicht bloß für erlaubt, nicht nur für ein Recht, sondern für eine Pflicht; aber andererseits müsse sie auf Selbstverteidigung des Lebens und der Geschlechtsehre (Keuschheit), also eben des persönlichen Eigentums im engsten Sinne, beschränkt werden (Ethik 2. A., § 894). Die Pflichtmäßigkeit der Notwehr ergiebt sich aus der Pflicht, das eigene sinnliche Leben zu erhalten. Wird dasselbe so angegriffen, daß weder Flucht möglich, noch obrigkeitlicher Schutz erreichbar ist, und würde durch freiwillige Hinopferung des Lebens gar nichts anderes, als ein Verbrechen des Angreifers bezweckt, dann ist die Pflicht gegeben, nicht etwa Gewalt mit Gewalt, sondern „Gewalt mit Recht" abzutreiben, das bedrohte Recht, wie Harleß, Ethik, 1. A. S. 199, sagt, in die eigene Hand zu nehmen und gegen das Unrecht zu behaupten. In solcher Notwehr kämpft der Einzelne nicht für sich allein, sondern für die gute Sache der sittlichen Gemeinschaft, für den sittlichen Zweck selbst. Die Absicht, den Angreifer zu töten, muß dabei ganz ferne gehalten werden; sich seiner zu bemächtigen und ihn der Obrigkeit zu überliefern, wäre die beste Pflichterfüllung. Muß aber ein Menschenleben verloren gehen, so sei es das Leben dessen, der durch seinen ungerechten Angriff sich außer das Gesetz gestellt und sein Leben verwirkt hat.

Ein ganz anderer Fall ist der des „Martyriums". Denn die Pflicht für die Wahrheit Gottes Zeugnis bis zum Tode abzulegen, steht so viel höher, als die Pflicht der Selbsterhaltung, als die Wahrheit Gottes ein höheres Gut ist, denn das sinnliche Leben. Und gar nichts mit Notwehr zu thun hat das Duell (vgl. darüber Harleß a. a. O. S. 200), bei welchem Angriff und Verteidigung zuvor verabredet sind. Zur Bewahrung der „sonderlichen" Standesehre, wenn eine solche anzuerkennen ist, müssen andere Mittel und Wege gefunden werden.

In der Verteidigung anderer Güter, als des Lebens und der Geschlechtsehre, wird das Maß der Gegenwehr mit dem Wert des bedrohten Gutes in die richtige Proportion zu setzen sein, und die individuelle Instanz ein großes Wort mitzureden haben; „allgemeine" Pflicht ist hier die Notwehr nicht. Nichts kann z. B. den von Natur Schwachen und Mutlosen verpflichten, sein Geld oder andere Habe gegen den stärkeren und entschlosseneren Angreifer zu verteidigen und dadurch sein Leben erst in Gefahr zu bringen, während der von Natur Kräftige und Tapfere sich verpflichtet fühlen wird, den Dieb zu fassen oder doch zu vertreiben. Unsittlich aber wäre es, den Dieb, ja selbst den Räuber kurzweg niederzuschießen; alle andere Abwehr müßte denn durch die Umstände ausgeschlossen und das bedrohte Gut für Leben und Ehre von unersetzlichem Werte sein.

Die Bibel enthält kein Verbot der Notwehr. Mt 5, 38 f. kann nicht hierher gezogen werden. Exod 22, 2. 3 ist keine sittliche Vorschrift, sondern eine Regel des mosaischen Rechts gegeben. Das Eingreifen des Petrus in Gethsemane war in reinem Sinne berechtigte Notwehr; der besondere Grund ihrer Zurückweisung seitens des Herrn leuchtet von selbst ein.

Sittliche und rechtliche Auffassung gehen in dieser Sache augenfällig auseinander. Das Kriminalrecht kennt keine Pflicht der Selbsterhaltung. Selbstmordversuch, Fahrlässigkeit, die nur das eigene Leben bedroht, wird vom Gesetz straflos gelassen; ebenso der, welcher die Notwehr versäumt und dadurch selbst zu Schaden kommt oder andere geschädigt werden läßt. In allen diesen Beziehungen schärft die Moral das Pflichtbewußtsein. Umgekehrt dehnt das Recht den Bereich des Erlaubten viel weiter aus und macht den Affekt in der Notwehr Zugeständnisse, die vor dem sittlichen Urteil unhaltbar erscheinen. **Karl Burger.**

Nourry, Nicolas Le, einer der Benediktiner von Saint-Maur, wurde geboren 1647 zu Dieppe in der Normandie, erhielt seine erste gelehrte Bildung in der Schule der Väter des Oratoriums und trat 1665 zu Jumièges in den Benediktinerorden. Bald nahm er an den großen Arbeiten der Mauriner teil; im Kloster Bonnenouvelle schrieb er die Vorrede zu Garets Ausgabe des Cassiodor (1679); in der Abtei S. Ouen zu Rouen arbeitete er mit Duchesne und Bellaise an der Herausgabe des Ambrosius, welche er erst später zu Paris mit Jacques Du Friche vollendete (1686 und 1690, 2 Bde, Fol.). Sein Hauptwerk sollte die litterär-historische Bearbeitung der in die zu Lyon erschienene Bibliotheca Patrum maxima aufgenommenen Autoren sein. Dieses weitläufige Unternehmen vermochte er jedoch nicht zu Ende zu führen; sein durch treffliche Kritik ausgezeichneter Apparatus ad Bibl. max. etc. umfaßt nur die Schriftsteller der vier ersten Jahrhunderte; nachdem er ihn 1694 zu Paris, 2 Bände, 8°, herausgegeben, gab er ihn in neuer, vollständigerer Gestalt, 2 Bände, Fol., 1703, 1715. Im Jahre 1710 veröffentlichte er die Schrift de mortibus persecutorum nebst einer Abhandlung, um in derselbe dem Lactantius abzusprechen sich bemüht (Paris, 8°). Diese Ansicht wurde damals schon, obwohl mit mehr Leidenschaft als Gründlichkeit, sowohl von französischen als deutschen Gelehrten widerlegt; Le Nourry verteidigte sich, doch sind Gründe genug vorhanden, Lactantius für den Verfasser zu halten. An der Ausarbeitung eines dritten Bandes des Apparatus wurde Le Nourry durch den Auftrag verhindert, eine neue Auflage des Ambrosius zu besorgen; an dieser arbeitete er bis an seinen Tod, der den 24. März 1724 in der Abtei S. Germain-des-prés erfolgte. **(C. Schmidt †) Pfender.**

Novatian, Novatianisches Schisma. Katharische Kirche. — Die sicher echten Schriften (als Schriften Tertullians überliefert) De trinitate (keine Handschrift ist mehr erhalten) und De cibis Judaicis (einzige Handschrift in der K. Bibl. zu Petersburg saec. IX) erschienen zuerst in der Ausgabe Tertullians von Mesnartius = Gangneius (1545). Die

beſte, aber nicht genügende (mit einem Kommentar verſehene) Ausgabe der Schrift De trinitate iſt die auf den älteren Editionen fußende von Jackſon (1728); b r Traktat De cibis
Jud. iſt jüngſt von Landgraf und Weyman ediert worden (Archiv f. lat. Lexikogr. u. Grammatik XI (1898/1900) S. 221 ff. Zwei ſicher ihm gebührende Briefe finden ſich in der cy-
prianiſchen Briefſammlung (ep. 30. 36 ed. Hartel).

Die Traktate De spectaculis, De bono pudicitiae, Quod idola dii non sint, De laude
martyrii und Adversus Judaeos, deren Abfaſſung von Novatian behauptet und beſtritten wird,
finden ſich im III. Band (bez. im I.) der Opp. Cypriani (ed. Hartel).

Die Tractatus Origenis de libris SS. Scripturarum, die von Batiffol entdeckt worden
ſind und von einigen dem Novatian beigelegt werden, ſind von Batiffol im Jahre 1900 (Paris)
publiziert worden.

Ueber Novatian, ſeine Stellung in der Geſchichte des chriſtologiſchen Dogmas und das
novatianiſche Schisma ſ. Walch, Kerzerhiſtorie II, S. 185—288 (die grundlegende Arbeit neben
Tillemonts Darſtellung), vgl. ferner die Unterſuchungen von Moſheim (De rebus Christ.
ante Constant. M.), Neander, Dorner (Lehre von der Perſon Jeſu Chr. I, S. 601 f.); Ritſchl
(Entſteh. der altkathol. Kirche, 2. Aufl.); Caspari, Quellen z. Geſch. des Taufſymbols Bd III;
Harnack (Dogmengeſch. I³); Hagemann, Die römiſche Kirche und ihr Einfluß u. ſ. w. (1864)
S. 371 ff.; Fechtrup, Cyprian I (1878); Langen (Geſch. der röm. Kirche I). S. auch Harnack
in den Abhandl., C. v. Weizſäcker gewidmet, 1892 (die Briefe des römiſchen Klerus aus der
Zeit der Sedisvakanz i. J. 250); Wehofer, Zur Deciſchen Chriſtenverfolgung und zur Cha-
rakteriſtik Novatians, in der Ephemeris Salonitana (1894) S. 13 ff; derſelbe, Sprachliche
Eigentümlichkeiten des klaſſiſchen Juriſtenlateins in Novatians Briefen, in den Wiener Stu-
dien, Bd 23 (1901) S. 269 ff.; Preuſchen bei Harnack, Geſch. der altchriſtl. Litt., Teil I,
S. 652—656; Harnack, Abhandl., von Oettingen gewidmet, 1897 (der pſeudoauguſtiniſche
Traktat contra Novatianum); Schanz, Geſch. der römiſchen Litt. Bd III (1896) S. 342 ff.;
Kattenbuſch, Apoſt. Symbol (1900) passim.; Bardenhewer, Geſchichte der altkirchlichen Litte-
ratur, 2. Bd (1903) S. 559 ff.

Griechiſche Urſchrift des Traktats De trinitate und Abfaſſung durch Hippolyt behauptete
Quarry in der Hermathena X, Nr. 23 (1897) S. 36 ff. (Novatiani de trinitate liber: its pro-
bable history). Weyman (a. a. O. S. 225) hat dieſe Hypotheſe mit Recht abgelehnt (auch Hagemann wollte Novatian nicht als Verfaſſer der Schrift gelten laſſen).

Ueber das Alter der Zuſammenſtellung (Philaſtrius), Novatian (Tertullian, ſo in der
Handſchrift) de cibis Jud., Barnabae epist. und Jacobi epist. ſ. Zahn, Geſch. des neuteſta-
mentl. Kanons I, S. 324, vgl. Wordsworth und Sanday in den Studia Bibl. Oxon. I (1885)
p. 113 ff., die Prolegomena zu Philaſtrius von Marx im Wiener Corpus Scriptorum 1898
und Weyman, Philol. Bd 52 S. 728 ff.; derſelbe, Miscellen zu lat. Dichtern (1898) S. 8.

De spectaculis hat Weyman Novatian beigelegt, ſ. Hiſtoriſches Jahrbuch der Görres-
geſellſchaft 1892 Bd XIII, S. 737 ff. vgl. 1893 Bd XIV, S. 330 f.; Haußleiter, Theol. Litt.-
Blatt 1892 Bd 13 Nr. 37, 1894 Bd 15 Nr. 41; Demmler, Ueber den Verf. der unter Cyprians Namen überlieferten Traktate De bono pud. und De spect., Tübingen 1894. Gegen
Wölfflin, Cyprianus de spect., im Archiv f. lat. Lexikogr. 1892 Bd VII S. 1 ff, ſ. Weyman a. a. O.; Monceaux, Hist. litt. de l'Afrique Vol. II (1902) p. 106 ff., iſt für afrikani-
ſchen Urſprung.

De bono pudic. hat ebenfalls Weyman dem Novatian beigelegt; Litteratur wie bei De
spectaculis. Gegen Maßinger, Des h. Cyprianus Traktat De bono pud., Nürnberg 1892,
ſ. Weyman a. a. O.

Quod idola dii non sint hat Haußleiter dem Novatian beigelegt, ThLB Bd 15 Nr. 41,
dazu Litt. Rundſchau f. d. kathol. Deutſchland 1895 S. 330.

De laude mart. hat Harnack dem Novatian beigelegt, ſ. TU 1895 Bd 13, Heft 4, dagegen Weyman im Archiv f. lat. Lexikographie Bd XI S. 553 f. und Litt. Rundſchau 1895,
S. 331 ff., ſ. auch Wiener Studien 1896 S. 317; Monceaux a. a. O. S. 102 ff.

Adversus Judaeos hat Landgraf dem Novatian ſelbſt beigelegt, ſ. Novatian ſelbſt beigelegt,
im Archiv f. lat. Lexikogr. Bd XI, S. 87 ff. Harnack iſt für Novatian eingetreten in den
TU N. F. 1900 Bd V, Heft 3, S. 126 ff., ſ. auch Jordan im Archiv f. lat. Lexikogr. Bd XIII,
S. 59 ff.

In der pſeudocyprianiſchen Schrift Ad Novatianum hat Harnack (TU 1895 Bd XIII,
H. 1) eine Schrift des Papſtes Sixtus II. geg n Novatian erkannt, die auch Sätze Novatians
enthält; dagegen Jülicher in der ThLZ 1896 Col. 19 ff., Funk in der ThQS 1896, Bd 78,
S. 691 ff., Benſon, Cyprian, London 1897, S. 557 ff., Rombold in der ThQS 1900, Bd 82,
S. 546 ff. Gegen Benſon ſ. Harnack in den TU, N. F., 1900, Bd V, Heft 3, S. 116 ff. Vgl.
Monceaux, a. a. O. S. 87 ff. und Nelke, Die Chronologie der Correſpondenz Cyprians u. ſ. w.
(1902) S. 159 ff.

Die unter dem Namen des Origenes ſtehenden, jüngſt entdeckten bibliſchen Traktate hat
Weyman dem Novatian vindiziert (Archiv f. lat. Lexikogr., Bd XI, S. 467 f. u. S. 545—576,
HJG 1900, Bd XXI, S. 212 ff.). Beigeſtimmt haben ihm Haußleiter (ThLB Bd 21,
Nr. 14—16 und NKZ Bd 13, Heft 2, S. 119 ff.: „Novatians Predigt über die Kundſchafter")
Zahn (NKZ 1900, Bd XI, S. 348 ff. und Grundriß der Geſch. des neuteſtam. Kanons S. 18)

und Jordan (Die Theologie der neuentdeckten Predigten Novatians, Leipzig 1892, vgl. „Melito und Novatian" im Archiv f. lat. Lexikographie Bd XIII, H. 1, S. 59 ff.). Gegen Novatian als Verfasser haben sich entschieden: Funk (ThQS 1900, Bd 82, S. 534 ff.), Morin (Rev. Bénédictine 1900 T.XVII, p. 232, Rev. d'histoire et de littérature relig, 1900 T.V, p. 145 ff.), Künstle (Litt. Rundschau 1900 S. 169 ff.), Ehrhard (Die altchristl. Litt. und ihre 5 Erforschung von 1884—1900, 1. Abt., S. 328 ff.), der Rezensent im LCB 1900, Nr. 49 (er meint, die Verfasserfrage sei noch nicht zu entscheiden), Butler (The new tractatus Origenis im Journ. of theological studies, Vol. II, p. 113 ff. u. 254 ff.), derselbe (in der Ztschr. f. die NTliche Wissensch. Bd 4, 1903, S. 79 ff.), Batiffol (Bull. de litt. eccles. 1900 Nr. 9 Nov. p. 283 ff.), derselbe (in der Rev. biblique Bd 12, 1903, S. 81 ff.), Ammundsen (No- 10 vatianus og Novatianismen etc., Kopenhagen 1901 S. 97 ff.), Torm (En kritisk Fremstilling af Novatianus' Liv og Forfatter virksomhed etc., Kopenhagen 1901, S. 112 ff.) und Andersen (Novatian. Konkurrenzabh. etc., Kopenhagen 1901, S. 186 ff.). Die drei letztgenannten Arbeiten kenne ich nur aus dem Referate von Jordan (a. a. O. S. 11 ff. 65 ff.).

Armellini (De prisca refut. Origenis 1862) hat Novatian als Verfasser der sog. Philo- 15 sophumena vorgeschlagen; f. gegen ihn Jungmann, Diss. select. in hist. eccl. I, p. 225 ff. und Grisar in der Innsbrucker Ztschr. 1878 S. 505 f.

Die wichtigste Kirchenbildung im 3. Jahrhundert neben der katholischen Kirche ist — wenn man vom Manichäismus absieht, der auf außerchristlichen Grundgedanken beruht — die novatianische gewesen. Ist die katholische Kirchenbildung selbst erst relativ fertig und 20 abgeschlossen, nachdem sie den „Novatianismus" ausgestoßen, so hat dieser doch auch ganz und gar seine Voraussetzungen an dem Katholicismus, wie er vom Ende des 2. bis zur Mitte des 3. Jahrhunderts bestanden hat, und darf sich auf ihn deshalb mit Recht zurückdatieren. Dieses Recht kann er — darin vom späteren Donatismus verschieden — nicht nur aus der Lehre, sondern in höherem Grade durch seine ökumenische Verbreitung 25 im 3. bis 5. Jahrhundert von Spanien bis Syrien erweisen. Er zeigt sich hierdurch der katholischen Kirche ebenbürtig, wie er ihm die marcionitische Kirche und die Gemeinden der phrygischen Propheten. Aber er ist beiden überlegen; denn jene spaltete sich sehr bald in Kirchen verschiedener Konfessionen, und diese waren durch ihren Enthusiasmus gehindert, dauernde Schöpfungen zu begründen. Die novatianische Kirche aber hat mehrere 30 Jahrhunderte hindurch bestanden, sie hat sich einer hohen Blüte erfreut und selbst den katholischen Gegnern Achtung und Anerkennung abgezwungen. Damit ist bereits ausgesprochen, daß der Name „Novatianische Sekte (oder Kirche)" der Bedeutung der Bewegung nicht gerecht wird. Er bezeichnet dieselbe nach ihrem hervorragendsten Haupte — „Stifter" wäre schon zuviel gesagt —, nicht nach ihrem Prinzipe, ihrem Umfange und 35 ihrer Tragweite. Wir haben es hier mit einem Schisma zu thun auf dem Boden des Katholicismus, einem Schisma, welches lediglich aus der Kontroverse über die Berechtigung, den Umfang und den Erfolg der kirchlichen Schlüsselgewalt entstanden ist. Für die so entstandene schismatisch-katholische Kirche ist es aber in besonderem Maße charakteristisch, daß sie nicht nur fort und fort an allen Krisen, welche die große katholische Kirche 40 seit dem Ausgang des 3. Jahrhunderts durchmachen mußte, schwesterlich teilgenommen hat, sondern daß sie nachmals, so viel wir wissen, nie akatholische Sondermeinungen in sich entwickelt hat, vielmehr stets nur durch eine andere Auffassung der Schlüsselgewalt von der großen Kirche getrennt geblieben ist. Darf man dies schon fast als ein Unicum in der Geschichte der abendländischen Kirche bezeichnen (eine gewisse Parallele 45 bietet die Jansenistische Kirche), so ist auch die Beurteilung, welche die schismatische Kirche von seiten ihrer Herrschaft führenden Rivalin vielfach erfahren hat, ein solches. Aus beidem aber folgt, daß das Maß des Archaistischen, welches die novatianische Kirche aus dem Katholicismus der älteren Zeit übernommen hat, nur ein sehr geringes gewesen sein kann. 50

Quellen: 1. Werke Novatians. Hieronymus sagt (de vir. ill. 70, vgl. ep. 36 ad Damas. n. 1 [Opp. I, p. 453 ed. Migne]: Novatianus, Romanae urbis presbyter, adversus Cornelium cathedram sacerdotalem conatus invadere, Novatianorum quod Graece dicitur Καθαρῶν dogma constituit nolens apostatas suscipere paenitentes. huius auctor Novatus, Cypriani presbyter fuit. scripsit 55 autem de pascha, de sabbato, de circumcisione, de sacerdote, de oratione (so, nicht ordinatione ist zu lesen), de cibis iudaicis, de instantia (= von der Ausdauer; f. Caspari, Quellen, III, S. 428 n.284), de Attalo, multaque alia, et de trinitate grande volumen, quasi ἐπιτομήν operis Tertulliani faciens, quod plurimi nescientes Cypriani aestimant. Von diesen Werken sind uns nur die an sechster und 60 letzter Stelle genannten erhalten. Jenes ist wie auch die in ihm citierten Schriften de

sabbato und de circumcisione (f. de cib. Jud. 1) in Briefform abgefaßt gewesen
und unter Tertullians Namen auf uns gekommen. Das Werk de trinitate, welches
ebenfalls unter Tertullians Namen überliefert ist und schon im Altertum diesem oder dem
Cyprian beigelegt wurde, gehört nach dem Zeugnis des Hieronymus („nam nec Tertulliani liber est, nec Cypriani dicitur, sed Novatiani, cujus et inscribitur
titulo, et auctoris eloquium, styli proprietas demonstrat") dem Novatian. Man
hat es ihm im 4. Jahrhundert abgesprochen, weil man es noch immer lesenswert fand,
aber das Werk eines Schismatikers nicht gelten lassen wollte. Die Macedonianer in
Konstantinopel, die sich auf eine Ausführung in demselben berufen haben, haben es dem
gefeierten Cyprian beigelegt. Allein Rufin berichtet, daß sofort einige Katholiken dagegen
Einspruch erhoben. Rufin hielt es für tertullianisch; allein Hieronymus bezeichnete es
als von Novatian stammend (Rufin, De adulterat. libr. Origenis, T. 25, p. 395 der
Opp. Orig. ed. Lommatzsch; Hieron., Apol. adv. Rufin. II, 19). Die inneren Gründe
sind dem Zeugnis der letzteren durchaus günstig. Das Werk erweist sich selbst als von
einem römischen Christen geschrieben, der sich an der Theologie des Irenäus und namentlich des Tertullian gebildet hat, zu einer Zeit, da die Marcioniten noch zu bekämpfen
waren, die monarchianischen Ansichten sich bereits in ihrer ganzen Breite entwickelt hatten
und auch Sabellius schon als Häretiker ausgestoßen war.

Die Echtheit wird aber gewiß durch eine Vergleichung mit den gleich zu nennenden
beiden Briefen Novatians: die Übereinstimmungen im Stil sind evident. De cibis Judaicis (und darum auch De sabbato und De circumcisione) ist sicher nach dem
Schisma verfaßt (f. die Adresse: „Novatianus plebi in evangelio perstanti salutem",
sowie andere Merkmale). In dem Traktat De trinitate — übrigens ist das schwerlich
der ursprüngliche Titel — findet sich keine Spur, die auf das Schisma deutet. Daher
wird anzunehmen sein, daß Novatian eben diesem Werke das Ansehen als theologischer
Schriftsteller verdankte, welches er schon besaß, als er Schismatiker wurde. In dem
Brief De cibis Judaicis wehrt das Haupt der „Heiligen" und „Reinen" die auf der
Beobachtung der Schriftgesetze beruhende Reinheit der Juden mit den von Pseudo-
barnabas her bekannten Mitteln der allegorischen Erklärung ab (c. 1: „[de cibis Ju-
daei] se solos sanctos et ceteros omnes aestimant inquinatos"). In der Schrift
De trinitate hat er mit klarem Räsonnement und blühenden Stils die populärphilo-
sophische Gotteslehre und das Bekenntnis zur wahren Gottheit und zur wahren Menschheit Christi im Gegensatz zu Marcioniten und Monarchianern entwickelt. Diese Christologie ist die des Tertullian (daher kann das „opus Tertulliani", aus dem N. quasi
ἐπιτομή gemacht haben soll, nur die Schrift adv. Praxean sein), aber sie ist noch
um eine Stufe dem späteren nicänischen Bekenntnis näher gerückt (durch das Bekenntnis:
„pater semper est pater"). Doch stammt der Sohn noch immer aus dem Willen
des Vaters, und seine umschriebene Existenz ist an seine Aufgabe gebunden, hört also
auf, wenn diese beendigt ist. Die geschichtliche Bedeutung des Werkes kann nicht leicht
überschätzt werden: es hat durch die Sicherheit seiner runden Formeln — eine Sicherheit,
die nicht auf schwankenden Spekulationen ruht, sondern sich als einfach aus dem Symbol
durch Deduktion gewonnen giebt (f. Loofs, Leitfaden der Dogmengesch. 2. Aufl. S. 105;
Kattenbusch a. a. O. II S. 361 ff.) — den lateinischen Christen die Möglichkeit gegeben,
mit den Griechen in der christologischen Frage sich zu messen, ja ihnen zu imponieren. —
Die beiden Briefe Novatians, die er in der Zeit der Sedisvakanz im Auftrage des
römischen Klerus nach Karthago gerichtet hat und die sich in der Briefsammlung Cyprians
(Nr. 30. 36) finden, sind, so kurz sie sind, doch die wichtigsten Denkmäler wie der schriftstellerischen Eigenart, so auch der Gesinnung Novatians. — Hieronymus spricht (ep. 10
ad Paulum senem Concordiae n. 3) von einer Briefsammlung N.s. Zu ihr mögen
alle die kleinen in de vir. ill. 70 genannten Schriften gehört haben (f. Caspari a. a. O.
S. 429 n. 287), ferner die Schreiben, welche Novatian nach seiner Erhebung zum Bischof
an die Bischöfe der Kirchen erlassen hat (f. Euseb., h. e. VI, 44. 45; Cypr. ep. 44 ff.
55 c. 24; Socrat., h. e. IV, 28). — In neuester Zeit ist das bisher so schmächtige
Corpus Opp. Novatiani durch eine stattliche Reihe von Schriften vermehrt worden.
Auf Grund eingehender innerer Kritik hat man die pseudocyprianischen Schriften De
spectaculis, De bono pudicitiae, Quod idola dii non sint, De laude martyrii,
Adversus Judaeos ihm beigelegt. An Widerspruch fehlt es nicht, aber m. E. sind die
Beweise (in Bezug auf Nr. 1. 2. 4. 5) so gut, daß man den novatianischen Ursprung
bei ihnen als höchst wahrscheinlich bezeichnen darf (Nr. 3 ist wohl nicht von Novatian).
Zeugnisse fehlen freilich; sie sind auch nicht zu erwarten, da man (f. oben) sehr frühe

dem Novatian sein Eigentum genommen hat; aber Novatian müßte in Rom Doppel=
gänger in Bezug auf Bildung, Stil und Interessen gehabt haben, wenn jene Traktate
nicht von ihm herrühren. De spect. und De bono pudic. sind Briefe und müssen nach
dem Schisma geschrieben sein; Novatian ist von seiner Gemeinde zeitweilig getrennt
(ebenso ist die Situation in De cibis Jud., s. c. 1); er ist Bischof (De bono pud. 1); 5
seine Gemeinde ist keine bunte Stadtgemeinde, sondern ein besonderer Kreis, der sich durch
Heiligkeit auszeichnet (De bono pud. 2). De laude martyrii dagegen ist vor dem
Schisma geschrieben, eine schwungvolle, ja höchst schwülstige, auf Vergilismen auferbaute
Rede, der aber doch das innere Feuer und der evangelische Ernst nicht fehlt. Sie stammt
aus dem ersten Anfang der decianischen Verfolgung, noch vor dem Tode Fabians (also 10
auch vor den epp. 30 und 36). Hat De trinitate dem Verfasser den Ruhm des
Theologen eingetragen, so De laude den des Redners. Der Traktat Adv. Judaeos
kann zeitlich nicht sicher bestimmt werden.

Umfassender noch als durch diese vier Schriften wäre das Corpus Opp. Novatiani
zu bereichern, wenn die 20 pseudoorigenistischen Traktate, die Batiffol entdeckt hat, ihm 15
zuzuweisen wären. Allein es fehlt viel zu einem ausreichenden Beweise für die Hypo=
these, und schwere Bedenken stehen ihr gegenüber. Daß novatianische Schriften in großem
Umfange in den Traktaten ausgeschrieben sind, ist eine Thatsache; aber auch Origenes
Tertullian und andere sind ausgeschrieben, wenn auch nicht so stark. Daß Novatian sich
selbst und die anderen in dieser Weise geplündert hat, ist an sich nicht wahrscheinlich 20
und nicht bewiesen. Der Stil des Verfassers der Traktate zeigt m. E. nur dort sichere
Verwandtschaft mit Novatian, wo Novatian ausgeschrieben ist; die Christologie ist
weiter entwickelt als bei Novatian; man muß also zur Annahme von Interpolationen
seine Zuflucht nehmen. Die Traktate sind m. E. demnach nicht in das Corpus Opp.
Novatiani einzustellen. 25

Der Stil der Schriften Novatians ist wesentlich einheitlich und wohl erkennbar; ebenso
sind seine Ausdrucksmittel fast überall dieselben. Strenge logische und rhetorische Schulung
ist überall ersichtlich. Die Vorliebe für den Syllogismus und für straffe Deduktion geht
durch alle Schriften durch; daher disponiert er meistens klar und gut. Oft gefällt sich
der Verfasser in einer rythmischen Prosa, in asyndetisch nebeneinander gestellten schwung= 30
vollen Aussagen und in poetischen Ausdrücken. Die Abhängigkeit von Vergil verleugnet
sich nirgends; doch trägt der Verfasser trotz seines rhetorischen Gewandes auch strenge
Gedanken eindrucksvoll vor. In dem Traktat De laude martyrii ist die Rhetorik ge=
steigert, aber er ist ein Panegyrikus und muß als solcher stilistisch gewürdigt werden.
Die unter den römischen Klerikern ungewöhnliche Bildung und die Beredsamkeit Novatians 35
ist ausdrücklich bezeugt. Hierher gehören a) die höhnischen Ausdrücke des Cornelius in
seinen Briefen an Fabius von Antiochien (Euseb., h. e. VI, 43, 5: ὁ θαυμάσιος,
7: ὁ λαμπρότατος, 17 ὁ λαμπρὸς οὗτος, dazu ὁ δογματιστής, ὁ τῆς ἐκκλησιαστικῆς ἐπιστήμης ὑπερασπιστής, ὁ ἐκδικητὴς τοῦ εὐαγγελίου) und an Cyprian (ep.
49, 2; laquacitas captiosa), b) Cyprians Zeugnis (ep. 51, 2: verba loquacia; 40
55, 24: iactet se Novatianus licet et philosophiam vel eloquentiam suam super-
bis vocibus praedicet; 60, 3: in perniciem fratrum lingua sua perstrepens et
facundiae venenatae iacula contorquens magis durus saecularis philosophiae
pravitate quam sophiae dominicae lenitate pacificus), c) Sixtus' II. Zeugnis
(Ad Novat. 1: vor dem Schisma sei er ein vas pretiosum in der Kirche gewesen; c. 13: 45
er habe früher lubricos in fide caelesti adlocutione gestärkt), d) Hieronymus (ep.
36, 1: eloquentissimus vir Novatianus; de vir. ill. 70: grande volumen de
trinitate) und e) Ambrosiaster (zu 1 Ko 13, 2: Novatianus non parvae scientiae).
Über den Vorwurf, der ihm gemacht worden ist, er sei nicht Anhänger der christlichen,
sondern der stoischen Philosophie s. unten. 50

2. Zeitgenössische Berichte. Die wichtigste Quelle für die Entstehung des novatianischen Schismas ist die Briefsammlung Cyprians, namentlich die Schreiben des Cornelius
und Cyprian (Eph. 44. 45. 49. 52—55. 59. 60. 68. 69. 73), ferner jene römische
Briefsammlung aus der Mitte des 3. Jahrhunderts, welche Eusebius benutzen und ex-
cerpieren konnte (h. e. VI, 43), endlich eine dritte Kollektion von Briefen, aus denen 55
Eusebius Mitteilungen gemacht hat: die epistolae Dionysii Alexandrini (h. e. VI,
45 sq.); unter ihnen befand sich auch ein Schreiben des Dionysius an Novatian selbst.
Eine wichtige zeitgenössische Quelle ist noch die pseudocyprianische Schrift ad Novatianum
(Hartel III, p. 52 sq.), die dem römischen Bischof Sixtus II. gebührt und im Jahre
257/8 abgefaßt ist, also aus einer Zeit stammt, aus der wir von Cyprian über Novatian 60

und sein Schisma nichts mehr hören. Weniges ist es, was man den Beschlüssen der karthaginiensischen und römischen Synoden in der Angelegenheit der Gefallenen und der Schrift Cyprians de lapsis entnehmen kann. Bei der Benutzung dieser aus der ersten Zeit des Streites stammenden Quellen, die fast sämtlich die Bedeutung von Urkunden

5 beanspruchen, hat man stets im Auge zu behalten, daß wir sehr spärliche Zeugnisse aus dem gegnerischen Lager besitzen, und daß die kirchliche offizielle Korrespondenz in der Mitte des 3. Jahrhunderts bereits alle Züge einer täuschenden Diplomatie und jener amplifikatorischen geistlichen Rhetorik trägt, die als Pendant zum weltlichen Kanzleistil sich von diesem wesentlich nur durch die virtuose Ausbeutung anzüglicher Bibelstellen

10 unterscheidet. — 3. Spätere Berichte. Unter ihnen hat man zwischen solchen zu unterscheiden, welche von den noch bestehenden novatianischen Kirchen handeln, resp. in welchen diese bekämpft werden, und solchen, die lediglich mit dem Ketzer Novatian sich befassen. Die große Verbreitung der novatianischen Gemeinden im Orient veranlaßte die katholischen Bischöfe vom Anfang des 4. Jahrhunderts ab zu einer entschiedenen Polemik.

15 Namentlich suchte man der novatianischen Auffassung von der Buße den Schriftbeweis (Hbr 6) zu entreißen (s. Overbeck, Zur Gesch. des Kanons S. 52 f.). Ein besonderes Werk gegen die Novatianer schrieb Eusebius von Emesa (Hieron., De vir. ill. 91), welches aber nicht auf uns gekommen ist. Ferner ist Euseb, h. e. VI, 42—VII, 8 von Wichtigkeit. Athanasius (Opp. I, 704 edit. Paris. 1698), Basilius, Gregor von

20 Nazianz (vv. ll.), Chrysostomus (auch Pseudochrysostomus, hom. T. VIII, Pars II p. 295: Δεσπότης ἐρρηξε τὸ χειρόγραφον καὶ Ναῦατος συνάγει τὰ διαρραγέντα) und Hieronymus (vv. ll.) berücksichtigen die Novatianer. Sehr ausführlich und mit offenbarer Vorliebe und Anerkennung hat Sokrates in seiner Kirchengeschichte durchweg die Geschichte der novatianischen Gemeinden im Orient, namentlich in Konstantinopel, ge-

25 schildert, so daß man ihn sogar selbst für einen verkappten Novatianer gehalten hat. Dies ist er schwerlich gewesen; aber unzweifelhaft hat er persönliche Beziehungen zu der Partei besessen. Sozomenus bringt über das von Sokrates Berichtete hinaus wenig Neues (Notizen auch bei Philostorgius h. e. VIII, 15). Isidor von Pelusium (saec. V.) hat in den Briefen 338. 339 von den Novatianern gehandelt. Aber noch am Schlusse

30 des 6. Jahrhunderts hat es Eulogius, der ehrwürdige Patriarch von Alexandrien, der Freund Gregors d. Gr., für nötig gehalten, in einem besonderen großen Werke κατὰ Ναυατιανῶν (Ναυατιανοῦ) λόγοι ς΄ (mit einem 6. Buch als Appendix) aufzutreten. Reiche Auszüge aus demselben hat Photius (cod. 182. 208. 280) mitgeteilt, die allerdings beweisen, wie getrübt die Tradition über Novatian selbst damals gewesen ist. Von

35 den griechischen Häreseologen kommen nur Epiphanius (haer. 59) und Theodoret (h. f. III, 5) in Betracht. Beide aber wissen nicht viel neues zu sagen. Auch in mehreren kaiserlichen Gesetzen des 4. und 5. Jahrhunderts werden die Novatianer erwähnt (s. Euseb., Vit. Constant. III, 64. Cod. Theodos. de haeret. 2. 6. 52. 59. 65. de pagan. 24). Von abendländischen Quellen kommen zunächst die Beschlüsse der

40 Synoden betreffs der Ausübung der Schlüsselgewalt in Betracht. Ein „grande volumen adversum Novatianum" (de vir. ill. 82) hat z. Z. Konstantins Reticius, ein gallischer Bischof, verfaßt; es ist aber nicht auf uns gekommen (ein Citat aus demselben über die Taufe hat Augustin öfters angeführt). Im Westen verkümmerte die novatianische Bewegung viel schneller als im Osten, und die Polemik gegen sie wurde geradezu

45 aus dem Orient erst wieder importiert. Dennoch besitzen wir noch einige mehr oder minder wichtige Zeugnisse. Die Inschrift des Damasus auf Hippolyt als Novatianer (s. Bullet. di Archeol. Crist. 1881, III. 8. VI A p. 26 sq.; dazu Funk in der Tüb. Quartalschr. 1881, S. 641 f.) zeigt freilich, wie gänzlich getrübt die Kunde über die Schismen des 3. Jahrhunderts bereits im vierten — und in Rom selbst — gewesen ist.

50 Der Zeitgenosse des Damasus, der Verfasser des pseudoaugustinischen Traktats Contra Novatianum, bezeugt einen zeitweiligen (jedenfalls kurzen) Aufschwung der novatianischen Gemeinde in Rom, aber der Traktat ist aber wichtiger für die Charakteristik seines Verfassers als für Novatian. Auf zum Teil selbstständiger Kenntnis beruht noch, was Pacianus von Barcelona in den Briefen gegen den Novatianer Sympronianus, der seine Lehre in

55 einer Abhandlung dargelegt hatte, mitgeteilt hat. Wenig wertvolles bringt Philaster (haer. 82); mit den Nachrichten in haer. 89 hat es vielleicht eine besondere Bewandtnis (s. Overbeck a. a. O. S. 53). Einzelnes bei Hilarius, Ambrosius (de paenitent.), Prudentius, Rufinus, Hieronymus (die aber beide sich auf orientalische Novatianer beziehen), im Catalogus Liberianus, in den Briefen Innocenz' I., Cälestins I. und Leos I.

60 und bei Vincenz von Lerinum. Wertvolle Nachrichten bringt noch Augustin (vv. ll.,

z. B. de utilit. jejun. 9, 11; c. Crescon. II, 1 etc.). Die späteren lateinischen
Häreseologen dürfen fast unberücksichtigt bleiben (August. 38; Praedest. 88 [Sixtus II.
soll die Novatianer widerlegt haben]; Isidor 35; Paul. 30; Honor. 50; Pseudo-
hieron. 33). — Schließlich sei noch erwähnt, daß auch bei den Syrern und Kopten die
Erinnerung an die Novatianer nicht ganz fehlt. Auf relativ guter Tradition beruht 5
z. B. die Erzählung im Heiligenkalender zum 12. Kihak (Wüstenfeld 1879, S. 173).
Die Übersicht über das Quellenmaterial ergiebt, daß man seit der Mitte des 4. Jahrhunderts, namentlich in Rom selbst, über den Ursprung des Schismas und die Person
Novatians nichts sicheres mehr gewußt hat. Die römische Kirche hat die Tradition wie
über Hippolyt so auch über Novatian ausgetilgt oder durch Legenden ersetzt. 10

Name. Die gesamte lateinische Tradition von Cyprian und Cornelius ab, mit
Ausnahme der griechisch beeinflußten Theologen des 4. Jahrhunderts, des Damasus
(Epitaph. in S. Hipp.: „in scisma semper mansisse Novati"), Prudentius (Pe-
risteph. hymn. 11: „Fugite o miseri execranda Novati schismata"), und des
Decret. Gelas. nennt den Schismatiker „Novatianus", die griechische in der Regel 15
„Ναυάτος" (Νοουάτος, Ναβάτος), aber Dionysius von Alexandrien schrieb Νοουα-
τιανός (Ναυατιανός), und so auch an einer Stelle vielleicht Sozomenus („Bonatus"
im koptischen Kalender). Der Name „Novatian" darf als gesichert gelten; indessen zeigt
das Damasus-Epitaphium, daß selbst Lateiner — allerdings nur in Gedichten — sich an
der Verkürzung des Namens nicht gestoßen haben. Die Partei wurde sehr bald „No- 20
vatiani" genannt und ließ sich selbst diesen Namen, wie es scheint, als Ehrennamen
gefallen (Sixtus II. ad Novat. 8: „qui enim aliquando Christiani nunc Novatiani
jam non Christiani primam fidem vestram perfidia posteriore per nominis
appellationem mutastis"); Cyprian schreibt einmal sehr genau (ep. 73, 2) „Nova-
tianenses" (s. Tertull. de praescr. 30: „ecclesia Romanensis"). Novatian selbst 25
hat die Seinen „die Reinen", die Gegner „die Unreinen" genannt (Sixtus ad
Novat. 1; Theodoret h. f. III, 5; Eulogius bei Photius cod. 182 p. 127; cod.
280). Im Orient scheint der Name gebräuchlicher gewesen zu sein als im Occident
(s. Euseb. h. e. VI, 43, 1; Hieron. de vir. ill. 70). Augustin (h. 38; s. Praedest. 38; Isidor. 28; Honor. 43) hat den Namen von Epiphanius (h. 59, 6. 13) 30
übernommen (Cathari = Mundi). (Nach Augustin h. 46 führten die Manichäer im
Abendlande auch den Namen „Catharistae"). Der Schismatiker hat seine Gegner
„Corneliani" genannt (Eulog. l. c.; Euseb. h. e. VI, 43, 18; s. Philosoph. IX,
12 fin., wonach die Partei des Hippolyt die Katholiker als „Καλλιστιανοί" bezeichnete).
Schließlich sei bemerkt, daß nach Epiph., Ancorat. 13 die Novatianer in Rom „Mon- 35
tenses" genannt wurden, welcher Name auch dann nicht sicher auf die Verschmelzung
der Montanisten mit ihnen hindeuten würde, wenn die Vermutung, daß Epiphanius
Donatisten und Novatianer verwechselt hat, nicht zu Recht bestünde. (Die von Mosheim,
De reb. Christ. ante C. M. p. 500, gegebene Erklärung ist sehr zweifelhaft). In
Innocent. I., ep. 2, c. 11, Siricius, ep. 5, c. 2, Optatus II, 4 sind unter „Mon- 40
tenses" Donatisten zu verstehen. Gegen Lardners Versuch (Credibility II, vol. IX,
p. 365), den Namen „Novatus" als den richtigen zu erweisen, s. Walch a. a. O. S. 189 f.
Ueber den Namen Ἀριστεροί s. Hefele, Conciliengesch., II, S. 26.

Geschichtliche Voraussetzungen. Es ist noch nicht allgemein anerkannt, daß
in der katholischen Kirche bis c. 220 der definitive Ausschluß aus der Kirche grundsätzlich 45
die Strafe für Götzendienst, Ehebruch, Hurerei und Mord gewesen ist, wobei man für
den Gefallenen, sofern er bis an sein Ende als Büßer verharrte, die Verzeihung Gottes
im Jenseits vorbehielt. Besonders instruktiv ist hier Orig. de orat. 28 fin. Diesem
Grundsatz muß die Praxis in den meisten Fällen überall in der Kirche entsprochen haben
(Tertull., de pudic. 12: „Hinc est quod neque idololatriae neque sanguini 50
pax ab ecclesiis redditur"). Durchbrochen worden ist er zuerst für die Fleischessünden (für den Abfall zur Häresie galten überhaupt andere Regeln), und zwar erstlich
durch die besonderen Vollmachten, welche man den Konfessoren beilegte — ein archäistischer
Rest, der sich aber bis zum Ende des 3. Jahrhunderts gehalten hat —, sodann durch
einen Erlaß des römischen Bischofs Kallist, in welchem er die Wiederaufnahme-Möglichkeit 55
den in Ehebruch oder Hurerei Gefallenen zusprach (Philosoph. IX, 12; Tertull. de
pudicit. 1), und wahrscheinlich in einzelnen Gemeinden durch einige Erlasse früherer
Bischöfe (Dionysius von Korinth bei Euseb. h. e. IV, 23, 16). Indessen muß auch
noch über die Zeit Caracallas hinaus der Ausschluß aus der Kirche als Strafe für
grobe Fleischessünden fortgedauert haben. Zur Zeit Cyprians ist aber die Absolution für 60

dieselben bereits die in den meisten Gemeinden verbreitete Regel gewesen, wie aus ep. 4 und 55 c. 20 deutlich hervorgeht. Jener Erlaß des Kallist hatte das Schisma des Presbyter Hippolyt zur Folge. Da dasselbe, wie man bestimmt vermuten darf, um 250 bereits erloschen war, so erscheint die Annahme möglich, daß die laxe Praxis des Kallist 5 von seinen Nachfolgern wieder etwas verschärft worden ist, und diese Annahme ist aus der Briefsammlung Cyprians vielleicht zu bestätigen. Indessen erfahren wir nicht, daß nachmals in Rom die Absolution für grobe Fleischessünden wieder kontrovers geworden ist. (Anders in Afrika [Cypr. ep. 55, 21]. Es kam aber dort nicht zum Schisma, vielmehr überließ man den einzelnen Bischöfen, nach eigenem Ermessen und Gewissen zu 10 handeln. Diese Maßregel hatte den Erfolg, daß zur Zeit Cyprians die strenge Praxis allmählich erloschen war. — Die Frage übrigens, ob das Sakrilegium vergeben werden könne, behandelt noch Ambrosius [de poenit. I, 2] sehr vorsichtig, und in Bezug auf das kappadozische Cäsarea bemerkt noch Sokrates [V, 22], daß man dort Todsünder nicht wieder aufnehme. Die strenge Praxis hatte sich also dort seit den Tagen Firmilians 15 erhalten, nach Sokrates übrigens auch bei den hellespontischen Macedoniern und den asiatischen Quartadecimanern.) Was den Abfall zum Götzendienst anlangt, so ist gewiß, daß es für ihn noch keine Milderungen gab (Cypr., Testim. III, 28: „Non posse in ecclesia remitti ei qui in deum deliquerit"). Man brauchte aber auch in dem Menschenalter zwischen 220 und 250 nicht auf solche zu sinnen, da die, welche in 20 dieser Friedenszeit in das Heidentum zurückfielen, nachträglich das Verlangen nach Wiederaufnahme schwerlich mehr geäußert haben werden. Aus den Jahren 250 f. angehörigen römischen und karthaginiensischen Urkunden ist es wahrscheinlich, daß in der Zeit des Fabian in der römischen Gemeinde, zumal im Presbyterkollegium, verschiedene Meinungen über die Behandlung grober Sünder vertreten waren; zu einem Schisma ist indes 25 nicht gekommen. Die decianische Verfolgung rief aber fast überall in der Kirche einen solchen Abfall hervor, daß die Fortsetzung der bisherigen Praxis gegenüber den **Lapsi** den Bestand der Gemeinden geradezu in Frage stellen mußte und die Verweigerung der kirchlichen Barmherzigkeit als eine Grausamkeit erschien. Hatte doch selbst schon ein Tertullian (de pudicit. 22) die unter Qualen Verleugnenden bedingt in Schutz genommen 30 und zugestanden, daß man bei erpreßter Verleugnung doch im Herzen den Glauben unbefleckt bewahren könne. Aber nicht nur die äußeren Umstände, auch die „Dogmatik" forderte mehr und mehr eine Änderung der Praxis. Ist die Kirche nämlich mit ihrer Hierarchie die unumgängliche Heilsanstalt, „extra quam nulla salus", so erweist sich die alte Hoffnung als trügerisch, Gott könne einen Sünder noch zu Gnaden aufnehmen, 35 welchem die Kirche die Absolution und Rekonziliation verweigert habe. Handelt Gott nur durch den Priester an den Einzelnen, so ist das Seelenheil derselben untrennbar gebunden an diese Zusammenhang mit dem Klerus und der Kirche. Ist es nun aber unzweifelhaft, daß diese Theorie, welche das Gnadenwirken Gottes auf den Umfang der kirchlichen Absolution reduzierte, ihre volle Ausbildung erst durch den Notstand erhielt, in 40 welchen sich die Kirche infolge der decianischen Verfolgung gesetzt sah (s. **Cypr.** de unitate eccl. und de lapsis), so ist es andererseits doch gewiß, daß die gesamte Entwicklung der kirchlichen Lehre und Verfassung unabhängig von äußeren Ereignissen zu dieser These drängte. Ihre erste, freilich noch undeutliche und halbe Anerkennung erhielt sie in der Praxis, bußfertige **Lapsi** unmittelbar vor dem Tode zu absolvieren — eine Maß-45 regel, die im Jahre 250 fast überall in der Kirche ergriffen wurde (s. z. B. Dionysius bei Euseb. h. e. VI, 44), und welche eine Änderung der bisherigen Ansichten nicht notwendig involvierte (daher auch nicht zu Schismen führte). Denn der Gefallene wurde nur unter der Voraussetzung seines Todes absolviert, d. h. wenn die Möglichkeit, wieder in Verbindung mit der Kirche zu treten, nach menschlichem Ermessen nicht mehr bestand. 50 Die Absolution hatte hier also eine praktische Rekonziliation mit der Gemeinde gar nicht zur Folge, und eben deshalb hatte sie amphibolischen Charakter und konnte verschieden aufgefaßt werden. Die Sehnsucht aber der Gefallenen nach ihr und die Unsicherheit über das Seelenheil, wo die kirchliche Absolution fehlte, auch bei aufrichtiger Buße (Euseb. l. c.), zeigt am deutlichsten, daß die Kirche durch ihre Laien dazu gedrängt worden ist, 55 sich selbst für die unumgängliche Bedingung des Heiles zu halten. Indessen die leise Umbiegung der bisherigen Theorie und Praxis, wie sie durch die Absolution der Sterbenden bezeichnet ist, reichte nicht aus, um den ganzen Notstand zu heben. Es waren weiter gehende Maßregeln erforderlich. Erst als diese ergriffen wurden, erhob sich, soviel wir zu urteilen vermögen, ein entschiedener Widerspruch, der dann auch konsequent die milde 60 Praxis gegenüber den sterbenden Gefallenen wieder in Frage stellte.

Vorgeschichte. Die Angabe des Philostorgius (h. e. VIII, 15), Novatian sei ein Phrygier gewesen, verdient schwerlich Glauben. Sie gründet sich entweder auf die Thatsache, daß er später in Phrygien viele Anhänger gefunden hat, oder ist aus dem Interesse abzuleiten, ihn mit dem Montanismus von vornherein in Beziehung zu bringen. Für die Vorgeschichte Novatians sind wir fast allein auf die Schrift des Sixtus gegen 5 ihn und auf den gehässigen und lügenhaften Brief des Cornelius (ep. ad Fabium Antioch.) angewiesen, da Cyprian und Sokrates nur Weniges, Eulogius ganz Unzulässiges berichten. Im folgenden ist der Versuch gemacht, das Thatsächliche zu ermitteln. Novatian empfing in einer schweren Krankheit, die sogar die Hilfe eines Exorzisten nötig machte, die Taufe durch Besprengung (Klinikertaufe) ohne darauffolgende bischöfliche 10 Versiegelung. Die Vollgiltigkeit dieser Taufe war damals noch nicht überall anerkannt (doch f. Cypr. ep. 69). Dennoch wurde Novatian von dem römischen Bischof — wahrscheinlich von Fabian — zum Presbyter geweiht, angeblich unter dem Widerspruch des ganzen Klerus und vieler Laien, die ihn, als unvollkommen getauft, des Priesteramtes nicht für würdig hielten. Jedenfalls beweist seine Weihe unter solchen Umständen, daß. er in der 15 Gemeinde durch seine Gelehrsamkeit und Beredtsamkeit hervorragte, und das geht nicht nur aus seiner anerkannten schriftstellerischen Thätigkeit hervor — der Traktat de trinitate und die Schrift de laude martyrii gehören in die vordecianische Zeit —, sondern noch mehr aus den Prädikaten, welche ihm Cornelius gegeben hat, Prädikaten, die Cornelius in höhnischem, sein Adressat Fabius aber wahrscheinlich in anerkennendem Sinne 20 gebraucht hatte (sie sind oben zusammengestellt worden). Auch aus der Briefsammlung Cyprians erkennt man, daß Novatian in der an Gelehrten so armen römischen Kirche durch Philosophie und Beredtsamkeit sich auszeichnete; adsertor evangelii et Christi hat ihn Cyprian höhnisch genannt (ep. 44, 3). Das Privatleben und die Amtsthätigkeit des Novatian muß fleckenlos gewesen sein, da ihm Cornelius weder Schändung von 25 Jungfrauen, noch Ehebruch, noch Raub von Kirchengeldern vorzuwerfen gewagt hat (f. auch Cypr. ep. 55, c. 24 und den Brief des Dionysius an Novatian bei Euseb. h. e. VI, 45), und da Sixtus ausdrücklich seine frühere Thätigkeit in der Kirche preist (c. 1. 13. 14). Allerdings weiß Cornelius eine für Novatian nachteilige Geschichte zu erzählen: er habe sich während der Zeit der stärksten Verfolgung strenge in seinem Hause ab= 30 geschlossen, und als die Diakonen ihn aufgefordert hätten, er möge eingedenk seiner Pflicht als Presbyter den in Gefahr schwebenden und des Beistandes bedürftigen Brüdern zu Hilfe eilen, habe er zürnend mit Niederlegung seines Amtes gedroht und sich darauf berufen, er gehöre einer anderen Philosophie an. Diese Geschichte aber ist in dieser Fassung ganz unglaubwürdig und sie wird durch die eine Thatsache bereits widerlegt, daß Novatian 35 zur Zeit der Verfolgung nach dem Märtyrertode des Fabian (20. Januar 250) die offizielle Korrespondenz der römischen Gemeinde geführt hat (f. u.), wenn auch nicht gleich anfangs. Als Kern der Fabel darf man vielleicht annehmen, daß die ihm durch die Diakonen bei einer Gelegenheit zugemutete Hilfeleistung seinen Grundsätzen oder den strengen asketischen Übungen widersprach, denen er sich zeitweilig hingegeben. Noch näher liegt die Hypo= 40 these, daß die römische Polizei ihn als gelehrten Mann (Philosophen) bei der Verfolgung übergangen hat, und daß seine Gegner dies zu seinem Ungunsten gedeutet haben. Dafür kann man sich vielleicht auf den Schluß des Traktats de laude berufen. Merkwürdig bleibt es, daß die decianische Verfolgung zwar andere römische Presbyter, nicht aber ihn, den hervorragendsten, betroffen hat; aber seine Schuld kann das schlechterdings nicht ge= 45 wesen sein, da sonst sein ganzes späteres Verhalten unbegreiflich wäre. Der von Cornelius dem Novatian supponierte Ausdruck: ἑτέρας γὰρ εἶναι φιλοσοφίας ἐραστής, ist eben um seines Doppelsinnes willen ganz besonders tückisch. Später hat man in der Kirche die novatianische Auffassung von den Sünden und der Buße als die stoische („omnia peccata paria esse") auszugeben versucht, um auf diese Weise den eigenen 50 Abfall von der prinzipiellen und religiösen Beurteilung der Sünde zu eskamotieren. Mit dem Stoicismus hat aber Novatian nicht mehr gemeinsames, als seine späteren Gegner, nur daß er überhaupt dieser Philosophie kundig war (Cypr. ep. 55, c. 24; 60, c. 3), und die Gegner dies für gering schätzten und ihn auch deßhalb verdächtigen. Nach dem Tode des Fabian im Beginne der decianischen Verfolgung wurde zunächst kein neuer 55 Bischof in Rom gewählt. Ein solcher wäre sofort dem sicheren Tode geweiht gewesen (ep. 55, c. 9). So trat eine Vakanz von fast 15 Monaten ein, in welcher, dem Herkommen gemäß, das Presbyterkollegium unter Zuziehung der Diakonen die Gemeinde zu regieren und zu vertreten hatte. Dies Kollegium bestand damals in Rom, wenn es vollzählig war, aus 53 Personen (Euseb. h. e. VI, 43, 11). Neben ihm spielten aber die 60

Konfessoren eine um so größere Rolle, als die Autorität des Bischofs fehlte. Wir
kennen eine Reihe von Persönlichkeiten aus dem römischen Klerus, die sich damals her-
vorthaten; unter ihnen steht Novatian in erster Reihe, während wir von dem Presbyter
Cornelius, dem nachmaligen Bischof, nichts vernehmen. Von großer Bedeutung sind die
5 drei Schreiben des römischen Klerus aus der Zeit der Vakanz, die wir in der Briefsammlung des Cyprian (Nr. 8. 30. 36) besitzen (auf mehrere jetzt verlorene wird in ihnen
angespielt. Quellen für die Zustände in Rom z. B. der bischöflichen Vakanz sind auch
die epp. 9. 20. 21. 27. 35. 28. 31). Das zweite und dritte (nicht das erste) rühren
bestimmt von Novatian her. In ep. 8, 2 spricht sich der römische Klerus also über die
10 von ihm beobachtete Praxis aus: „Die Gefallenen haben wir zwar von uns ausgeschieden,
aber nicht gänzlich verlassen, sondern wir haben sie ermahnt und ermahnen sie zur Buß-
fertigkeit, damit sie irgendwie Verzeihung von dem erlangen können, welcher sie gewähren
kann; denn von uns verlassen, möchten sie noch schlimmer werden ... Man muß jenen,
welche der Versuchung erlegen sind, wenn sie erkranken und über ihre Sünde Buße thun
15 und die kirchliche Gemeinschaft wünschen, jedenfalls zu Hilfe kommen". Hiermit ist deutlich
gesagt, daß mit den sterbenden Gefallenen eine Ausnahme zu machen sei. Für Cyprian
wurde dieser Grundsatz jetzt erst maßgebend. Während er noch ep. 15—17 über die
Sterbenden ganz geschwiegen hatte, giebt er nun ep. 18 f. die Anordnung, sie zu absolvieren und zwar unter Beziehung auf den römischen Brief und auf die Wünsche der
20 Konfessoren, die zu respektieren seien (ep. 20, 3: „nec in hoc legem dedi aut me
auctorem temere constitui. Sed cum videretur et honor martyribus haben-
dus ... et praeterea vestra scripta legissem etc."). Also von Rom aus ist der
karthaginiensische Bischof zu relativer Milde erst bewogen worden. Die übrigen Lapsi
sind unter der Zucht und Aufsicht der Kirche während der Verfolgungszeit zu halten, da
25 für sie das Heilmittel, bei erneutem Sturm zu bekennen und so ihre Sünde zu tilgen
(über diese Anschauung vgl. schon den Brief der Gemeinde von Lyon bei Euseb. h. e.
V, 1, 26. 45. 46. 48. 49), offen bleiben muß (ep. 19, 2; 24; 25; 55, 7). In dem
römischen Schreiben (ep. 30 Novatiano auctore), welches namentlich auch formell vortrefflich redigiert ist und eine bessere Vorstellung von dem Charakter Novatians verschafft,
30 als alle Nachrichten über ihn, wird die von Cyprian befolgte Praxis ausdrücklich gebilligt
und bei aller Strenge gegen die libellatici die Möglichkeit einer Wiederaufnahme der
Lapsi nicht einfach abgeschnitten. Auf einem großen Konzile soll, wenn der Friede
wieder hergestellt sein wird, die Angelegenheit der Gefallenen verhandelt werden. Bis
dahin sollen sie rechtschaffene Buße zeigen. „Wir wollen beten, auf daß der Buße der
35 Gefallenen auch die Wirkung der Verzeihung nachfolge, daß sie in Erkenntnis ihres
Vergehens uns einstweilen Geduld beweisen" (c. 6). Diesen Mittelweg haben wir beschlossen in Gemeinsamkeit mit einigen benachbarten und in Rom anwesenden Bischöfen.
Vor Einsetzung eines Bischofs (es ist nicht überflüssig, darauf aufmerksam zu machen,
daß die Gegensätze in der Behandlung der Lapsi in Rom zu keiner Zeit die Frage nach
40 der Prärogative des Bischofs gegenüber den Presbytern berührt haben. Alles, was man
in dieser Hinsicht gemutmaßt hat, ist eingetragen. In Karthago steht es anders. Aber
auch dort ist die Bedeutung der „Presbyterpartei" und ihre angeblich prinzipielle Opposition gegen den Episkopat sehr übertrieben worden) — ist keine Neuerung einzuführen in
der Zuchtpraxis. Novatian lehnt also Neuerungen nicht prinzipiell ab. Dieselbe Hal-
45 tung zeigt das folgende, von ihm verfaßte Schreiben des römischen Klerus (ep. 36),
welches den Cyprian in seinem Kampfe gegen die laxen Konfessoren und Presbyter
kräftig unterstützt. Auch die Briefe, welche Cyprian in dieser Zeit mit den römischen
Konfessoren Moses, Maximus 2c. gewechselt hat (ep. 28; 31; 37), zeigen völlige Uebereinstimmung wie in Rom selbst, so zwischen Cyprian und den Römern. Somit ist bis
50 zum Ende des Winters 250/1 für uns keine Spur einer Vorbereitung des Schismas in Rom
nachweisbar. Dazu bemerkt Sixtus (ad Novat. 13. 14) ausdrücklich, daß vor dem
Schisma Novatian mit der Kirche in der Behandlung der Gefallenen übereingestimmt
habe. Was an dem Manne hervortrat, war sein christlich sittlicher Ernst und die Entschiedenheit, mit der er den vigor evangelicus und eine fides robusta behauptete.
55 Das Schisma. Im März 251 wurde, nachdem die Verfolgung erloschen war,
der Presbyter Cornelius, der alle geistlichen Ämter der Reihe nach bekleidet hatte, zu
Rom von der Majorität und, wie es scheint, nach allen Regeln des Rechts unter
Assistenz von 16 Bischöfen, angeblich wider seinen Willen (ep. 55, 8), zum Bischof erwählt (ep. 55, 8 f. 24). Aber die Minorität — und zu ihr gehörten mehrere Presbyter
60 (nach Euseb. h. e. VI, 43, 20 mindestens fünf), sowie die angesehensten Konfessoren ·—

fügte sich nicht, sondern stellte sofort den Novatian als Gegenbischof auf und ließ den=
selben durch drei italienische Bischöfe der Ordnung gemäß weihen. Cornelius behauptete
(Euseb. h. e. VI, 43, 7), Novatian sei plötzlich ex machina aufgetreten, während er
vorher eidlich versichert habe, nicht nach dem Bistum zu streben, und die Art seiner Ein=
setzung sei eine unwürdige und frivole gewesen (VI, 43, 8f.). Dies wird man be= 5
zweifeln dürfen. Gewiß aber ist, obschon es merkwürdigerweise bisher nicht deutlich er=
kannt worden ist, daß im Beginn des Streites eine theoretische Kontroverse gar nicht
nachweisbar ist, es sich vielmehr zunächst lediglich um die Person des Cornelius gehandelt
hat. Novatian hatte in der Zeit der Vakanz die Korrespondenz der Gemeinde geführt,
er war unzweifelhaft der hervorragendste Geistliche Roms, er besaß das Vertrauen der an= 10
gesehensten Glieder der Gemeinde: so war er zum künftigen Bischof prädestiniert; Cornelius
dagegen war ein durch keine besonderen Vorzüge ausgezeichneter Priester (jungfräuliche
Enthaltsamkeit rühmt ihm Cyprian nach ep. 55, 8). Ließ sich auch wahrscheinlich gegen
sein Privatleben nichts einwenden, so scheint sein Verhalten in der Zeit der Verfolgung
nicht ganz einwandsfrei gewesen zu sein (s. ep. 44, 2; 45, 2. 3; 55, 10sq). Mag 15
auch der Vorwurf, er sei selbst libellaticus gewesen, unbegründet sein, so ist es doch
zweifellos, daß er mit Bischöfen, die geopfert hatten, in Gemeinschaft getreten war und
namentlich einem gewissen Bischof namens Trophimus gegenüber die Grundsätze strenger
Zucht preisgegeben hatte (ep. 55, 10f.). Seine Person also, und zunächst nur sie, war
dem strengeren Teile in der Gemeinde unannehmbar. Andererseits darf man allerdings 20
schließen, daß die Majorität ihn gewählt hatte im Interesse der Selbsterhaltung, um
Milde walten zu lassen. Aber es ist charakteristisch, daß in dem ganzen Briefwechsel
zwischen Cornelius und Cyprian (ep. 44—53) eine theoretische Differenz zwischen jenem
und Novatian überhaupt nicht erwähnt wird; erst vom 54. Briefe an erfährt man aus
der Briefsammlung etwas von einer solchen. Ferner ist oben gezeigt worden, daß 25
Novatian in früherer Zeit die Möglichkeit einer Wiederaufnahme der Gefallenen nicht
prinzipiell geleugnet hatte. Endlich geht aus dem Briefe des alexandrinischen Dionysius
an Novatian hervor (Euseb. h. e. VI, 45), daß dieser selbst die Wiedervereinigung mit
der Majorität nicht für aussichtslos hielt, daß er sich vielmehr wider seinen Willen in
eine Opposition gedrängt sah und nun in ihr verharrte („Wenn Du wider Deinen 30
Willen, wie Du sagst, fortgerissen worden bist, so beweise dies dadurch, daß Du frei=
willig wieder zurückkehrst"). Die Situation ist also die gewesen, daß Novatian erst nach
der Wahl des Cornelius, und um sie illusorisch zu machen, im Bunde mit einigen Ge=
sinnungsgenossen, und von ihnen getrieben, sich entschlossen hat, gegenüber dem drohenden
laxen Regiment die alte Bußordnung wieder nachdrücklich zu betonen und keine Aus= 35
nahmen nun mehr zuzulassen. Nicht ein Kampf um die Sache hat zu einem persönlichen
Streit sich zugespitzt, sondern umgekehrt hat sich ein persönlicher Gegensatz nachträglich zu
einer sachlichen Kontroverse entwickelt. Erwägt man, wie lange Zeit hindurch in anderen
Landeskirchen in Ost und West die laxe und die strenge Praxis nebeneinander noch
relativ friedlich bestanden haben (trotz der Existenz einer novatianischen Kirche neben der 40
katholischen), ohne daß es zu einem Schisma dort kam (so bis tief ins 4. Jahrhundert
hinein, ja noch länger), bringt man in Anschlag, daß Cyprian anfänglich, ja eigentlich
fort und fort die Thatsache des Schismas, nicht aber die Theorie des Schismatikers für
das Verderbliche gehalten hat, so kann man nicht zweifeln, daß man von beiden Seiten
die Differenzen bis auf weiteres ertragen hätte (wie in dem Falle ep. 55, 21), wären sie 45
nicht in einer und derselben Gemeinde durch den unversöhnlichen Gegensatz zweier Persön=
lichkeiten vergiftet worden. Diese Einsicht, die namentlich durch ep. 57, 5 bestätigt wird,
schwächt freilich das Interesse an dem akuten Streite und die Sympathie für jeden der
Partner bedeutend ab; indessen zeigt doch andererseits der Umfang, welchen die nova=
tianische Separation sehr bald annahm, und ihre lange Dauer, daß die sachlichen Diffe= 50
renzen wirklich zu prinzipiellen werden konnten. Für die Sache des Cornelius war es
sehr günstig, daß Cyprian im Frühjahr 251, bevor er aus seinem Versteck in seine
Gemeinde zurückkehrte, sich gezwungen sah, um des offen ausgebrochenen Schismas willen
(Schisma des Felicissimus) nachzugeben und die Möglichkeit der Wiederaufnahme der
Gefallenen zuzugestehen (diesen Umschwung bezeichnet der 43. Brief; s. namentlich c. 2 55
und 6). Damit war es für ihn entschieden, daß er auf die Seite des Cornelius zu
treten hatte, obgleich bislang Novatian und die Presbyter-Konfessoren Maximus und
Moses seine Stützen in Rom gewesen waren. Somit erfolgte seinerseits die Anerkennung
des Cornelius, wenn auch nicht so präzis und unumwunden, wie Cornelius dies ge=
wünscht hatte (ep. 44. 45). Noch vorsichtiger verhielten sich einige afrikanische Pro= 60

vinzialbischöfe (ep. 48). Aber die überwiegende Majorität trat auf Cornelius Seite, der auf einer großen römischen Synode (60 Bischöfe waren nach Euseb. VI, 43 anwesend und viele Presbyter [nach dem Kopten 16] und Diakonen) den Novatian exkommuniziert und das „Arzneimittel der Buße" für alle Gefallenen proklamiert hatte.
5 Novatian hatte sich beeilt, nicht nur durch Zirkularschreiben (ep. 55, 24), sondern auch durch Gesandtschaften die Kirchen, speziell die afrikanische, für sich zu gewinnen (ep. 44, 1 f.) und die Person des Cornelius zu diskreditieren. Nicht überall wurde er so schroff abgewiesen, wie in Karthago, wo Cyprian nicht einmal gestattete, daß die Gesandten öffentlich gehört wurden. Im Orient fand er an Fabius von Antiochien und an anderen
10 Bischöfen Stützen, mindestens Gönner, und auch sonst waren die zahlreich versammelten Synoden nicht überall ihm ungünstig. Cyprian fiel nun die schwere Aufgabe zu, seinen ehemaligen Freunden, den römischen Presbyter-Konfessoren, zu schreiben und sie vom Schisma abzurufen (ep. 46). Er that dies in einer Weise, die deutlich die Verlegenheit zeigt, in der er sich befand. Gründe werden nicht angeführt, sondern
15 nur das Schisma selbst wird ihnen vorgehalten. Ungefähr um dieselbe Zeit (Mai 251) tagte zu Karthago eine große Synode (ep. 55, c. 6). Die Entscheidung war fraglich. Lange Zeit wurde „auf beiden Seiten" die heilige Schrift verglichen und viele Sitzungen mußten gehalten werden. Die strenge Ansicht hatte nicht in der Hauptstadt, wohl aber in der Provinz, die gewiß minder von der Verfolgung be-
20 troffen war, viele Verteidiger (ep. 55). Die Briefe Novatians, die er namens der Bekenner geschrieben, hatten doch teilweise gewirkt, ebenso die systematische Agitation seiner Gesandten. Um so leichter einigte man sich gegenüber der laxen Partei des Feliciffimus; aber schwerer war es, ein Abkommen über die Behandlung der Gefallenen zu treffen. Endlich setzte Cyprian und sein Anhang einen „Mittelweg" durch (s. d. ganzen 55. Brief). Das
25 Recht aller Gefallenen auf Wiederaufnahme wurde noch nicht unumwunden anerkannt, es wurde auch diesmal nur den Sterbenden zugesprochen. Aber die lange und volle Buße, die den Lapsi auferlegt wurde, sollte die göttliche Liebe zur Verzeihung bewegen und doch schließlich irgendwie auch die irdische Rekonziliation bewirken können. Wie aber der Beschluß der Synode vom Jahre 253 zeigt (ep. 57), muß letzteres absichtlich dunkel ge-
30 lassen worden sein. Aber ein bedeutender Fortschritt war es immerhin, daß man zwischen Libellatici und Sacrificati scharf schied, und jenen auch ante mortem (ep. 55, 17) die Absolution gewährte. So kam man in Afrika dem Beschlusse der römischen Synode unter Cornelius ziemlich nahe. Ein sehr glücklicher Umstand für Cornelius war es, daß schon im Frühjahre 251 ein eifriges Haupt der schismatischen karthaginiensischen Partei,
35 Novatus, nach Rom gekommen war (ep. 47) und sich auf die Seite des Novatian geschlagen hatte. Was ihn dazu bewogen hat, ist um so unklarer, als er ja in Karthago der Partei angehörte, welche im allgemeinen die laxen Grundsätze vertrat. Er muß auch in Rom eine sehr bedeutende Rolle gespielt haben, so daß sein Todfeind Cyprian, zwar gewiß übertreibend, ihn geradezu für das römische Schisma selbst verantwortlich gemacht
40 hat (ep. 52; s. auch Catal. Liberian: „Eo tempore supervenit Novatus ex Africa et separavit de ecclesia Novatianum et quosdam confessores"). Die Solidarität zwischen Cornelius und Cyprian erhielt durch den gemeinsamen Gegensatz gegen Novatus nun ihr stärkstes Siegel. Sehr bald, noch im Jahre 251, kann Cornelius an den Freund melden, daß die glorreichen Bekenner Maximus und Genossen (Moses war bereits
45 im Kerker gestorben) den Novatian verlassen hätten und in den Schoß der Kirche zurückgekehrt seien (ep. 49; s. auch dieselbe Mitteilung an Fabius von Antiochien bei Euseb. h. e. VI, 43, 6 sq.). Cornelius behauptet in beiden Briefen, sie hätten sich selbst für getäuscht erklärt durch die Tücke, Schlauheit, Lügen, Meineide und wolfsartige Freundschaft „der betrügerischen und arglistigen Bestie", des schismatischen und häretischen No-
50 vatian. Aber der 53. Brief der Sammlung, in welchem die Konfessoren selbst ihren Übertritt zu Cornelius dem Cyprian anzeigen, lautet ganz anders und straft den römischen Bischof Lügen: „nos habito consilio utilitatibus ecclesiae et paci magis consulentes omnibus rebus praetermissis et iudicio dei servatis cum Cornelio . . . pacem fecisse". Kein Wort der Anklage gegen Novatian; allein die Rücksicht auf den
55 Frieden hat sie bewogen, dem Streit, in welchem sie ihr Recht nicht aufgegeben haben, ein Ende zu machen. Das nun folgende Schreiben Cyprians (ep. 54) an die Bekenner fließt über von Anerkennung und Freude. Doch hält es der Bischof noch für nötig, sie zu belehren und zu stärken. Er übersendet ihnen seine Schrift de unitate eccl. Novatian hatte den schwersten Verlust erlitten; seine Partei scheint durch den Übertritt der
60 Presbyter-Konfessoren in der Stadt Rom stark betroffen worden zu sein; aber er gab

seine Sache nicht preis; im Gegenteil suchte er die Seinen nur um so fester an sich zu ketten (doch ist in dem Bericht des Cornelius bei Euseb. VI, 43, 18 eine Übertreibung nicht zu verkennen) und suchte überall die Einsetzung neuer Bischöfe zu betreiben (ep. 55, 24). Cornelius muß (ep. 50) dem Cyprian melden, daß eine zweite Gesandtschaft von novatianischen Agitatoren nach Karthago aufgebrochen sei, unter ihnen Novatus selbst. Der Bischof sendet ihnen sofort seine Leute zur Gegenwirkung nach und charakterisiert jene als Verbrecher und Buben. Die Antwort Cyprians (ep. 52) ist voll der giftigsten Invektiven gegen Novatus. Nicht nur wird ihm sowohl das karthaginiensische als das römische Schisma in blinder Wut zur Last gelegt, sondern es wird auch behauptet, daß seine Gegenwart in Rom die Ursache gewesen, weshalb die Presbyter-Konfessoren nicht früher schon in den Schoß der Kirche zurückgekehrt seien. Den novatianischen Agitatoren gelang es, in Karthago eine Gemeinde zu sammeln, als deren Bischof Maximus (nicht zu verwechseln mit dem Konfessor) eingesetzt wurde (ep. 59, 9). So hatte Karthago drei Bischöfe: den Cyprian, den Fortunatus (von der Partei des Felicissimus) und den Maximus. Da der erstere die gemäßigten, die beiden anderen die extremen Grundsätze vertraten, so ging die katholische Partei siegreich aus dem Konflikte hervor, während die schismatischen Gemeinschaften in Karthago, wie es scheint, verkümmerten. Cyprian setzte zwar seine heftige Polemik gegen die „Laxen" fort (ep. 59, 12 f.), aber er und seine Partei sahen sich von Monat zu Monat zu weiteren Konzessionen genötigt und verschärften so den Gegensatz zu den Novatianern. Schon in dem 56. Briefe (an einige afrikanische Bischöfe) gesteht er für seine Person zu, daß selbst solche, welche offenkundig verleugnet haben, nach 3jähriger Buße zu absolvieren seien, will aber die Entscheidung der Provinzialsynode vorbehalten. Diese — sie trat im Mai 253 zusammen — beschloß unter den Anzeichen einer neuen Verfolgung (z. Z. des Kaisers Gallus), daß allen bußfertigen Gefallenen sofort die Wiederaufnahme gewährt werden solle (ep. 57). Dieser Beschluß, der über den des J. 251 weit hinausgeht (c. 1), wird aber nicht lediglich durch die „Not" motiviert (c. 1) und durch Offenbarungen und Visionen erhärtet (c. 2. 5). Cornelius wird aufgefordert, dieser Anordnung beizutreten; es ist aber lehrreich, daß den zuwiderhandelnden Bischöfen nicht die Kirchengemeinschaft gekündigt, sondern denselben nur mit dem Gerichte Gottes wegen ihrer Strenge gedroht wird. Man wollte augenscheinlich niemanden nötigen, in das novatianische Lager überzugehen. Die erwartete Verfolgung, die man im voraus als eine furchtbare charakterisiert hatte, war faktisch sehr unbedeutend. Um so mehr nützte man es aus, daß manche, die in der decianischen Verfolgung Lapsi geworden, nun ein mutiges Bekenntnis ablegten (ep. 60, 2) und daß Cornelius durch seine Verbannung zum Konfessor wurde (ep. 60, 3; 61. 3). Man verkündete nun, Gott selbst habe ihn Novatian gegenüber legitimiert. Von diesem selbst erfahren wir aus der Briefsammlung nichts mehr. Hier und dort aber in der Kirche folgten zwischen 250 und 260 Bischöfe der laxen Praxis nicht; einige von ihnen schlossen sich Novatian an (so Marcianus in Arles ep. 68), ohne die Kirche zu verlassen, andere waren ihm wenigstens günstig gesinnt. Im Orient starb Fabius von Antiochien, an den auch Dionysius geschrieben (Euseb. h. e. VI, 44), zu gelegener Zeit für die Katholiker. Auf der großen orientalischen Synode zu Antiochien, auf welcher von vielen Bischöfen die strenge Praxis gutgeheißen und Novatian als Bischof anerkannt werden sollte — viele Kirchen hatten dies sogar schon getan (Euseb. h. e. VII, 5) —, siegte faktisch die milde Richtung, deren Hauptvertreter Helenus von Tarsus, Firmilian von Kappadocien und Theoktistus in Palästina waren. Man hatte den rührigen Vermittler Dionysius, der rastlos Briefe im Sinne der Kircheneinheit und Milde in alle Weltgegenden schrieb (Euseb. h. e. VI, 46), zur Synode eingeladen; aber da Fabius gestorben war — war dem Dionysius selbst sehr unbequem geworden (Euseb. VI, 41) —, so wurde der Sieg auch ohne den alexandrinischen Bischof errungen (VI, 46). Schon um das Jahr 253 waren sehr viele, angeblich alle morgenländischen Kirchen wieder zur Einheit zurückgekehrt, während sich die drohende Spaltung über Ägypten, Armenien, Pontus, Bithynien, Cilicien, Kappadocien, Syrien, Arabien bis nach Mesopotamien erstreckt (VII, 5) und anfangs großen Erfolg gehabt hatte (ep. 55, 24). Beachtenswert ist, daß noch im J. 341 die in Antiochien versammelten Bischöfe an Julius von Rom schreiben (Socrat. II, 15), er dürfe die von ihnen abgesetzten Bischöfe nicht wieder einsetzen, sie hätten ja auch gegen die Ausschließung des Novatus (Novatian) aus der Kirche keinen Widerspruch erhoben. In Rom hatte, wenn nicht alles trügt, der Bischof Stephanus wieder eine etwas schärfere Haltung eingenommen, um die Novatianer zu gewinnen: er hatte die schlimmsten Lapsi noch nicht wieder aufgenommen (es ist hier also keine Generalabsolution

erfolgt, wie in Karthago unmittelbar vor der Verfolgung des Gallus), sondern ließ sie
in Bußübungen schmachten, nahm also keine neuen Absolutionen vor. Allein sein Nach=
folger Sixtus gewährte ihnen im J. 257 die Rekonziliation und rief damit einen neuen
sehr heftigen Angriff des Novatian und seiner Partei (die er übrigens als eine sehr wenig
5 zahlreiche bezeichnet) hervor. Um ihn abzuwehren, ist der Traktat Ad Novatianum ge=
schrieben (näheres s. in m. Abhandl. über diese Schrift).

Die prinzipielle Differenz. In dem Anfange des Streites über das Ver=
fahren gegenüber den Gefallenen (250/1) handelte es sich nicht um den casus mortis,
auch nicht um die sacrificati (ep. 55, 26), noch weniger um die Wirksamkeit und den
10 Erfolg rechtschaffener Buße (es ist lediglich eine hartnäckig wiederholte Verleumbung der
Gegner, daß Novatian oder seine Anhänger je die Fruchtlosigkeit der Buße behauptet
hätten; sie erklärt sich aber daraus, daß nach späterer katholischer Ansicht allerdings ein
Exkommunizierter nicht selig werden konnte), endlich auch nicht um die Rechte des Bischofs
gegenüber den Presbytern und Konfessoren, sondern lediglich um die libellatici. Erst
15 im Fortgange des Schismas zieht man auf beiden Seiten die Konsequenzen. Und
zwar ist Novatian zuerst dazu fortgeschritten, Mt 10, 32 f. für den Kernspruch des Evan=
geliums zu erklären und somit den zu Götzendienst Abgefallenen die Absolution in jedem
Falle, also auch in casu mortis zu verweigern, während die Majorität nun, wenn auch
unter gewissen Reserven, die Möglichkeit der Wiederaufnahme aller Gefallenen (ante
20 mortem) proklamierte (Cyprian selbst gesteht ep. 55, 3 f. zu, daß er seine Ansichten ge=
ändert habe). Da beide Parteien darin übereinstimmten, daß der Abfall zum Götzen=
dienst den Verlust der ewigen Seligkeit nicht notwendig zur Folge habe, daß vielmehr
auch ein sacrificatus von Gott Verzeihung erhalten könne (Novatianus kann das prin=
zipiell nicht geleugnet, muß es aber freilich als ganz unwahrscheinlich bezeichnet haben),
25 so stellt sich die Kontroverse als ein Streit über den berechtigten Umfang und den Erfolg
der kirchlichen Schlüsselgewalt dar. Der großen herrschenden Partei hat Cyprian die
Theorie geliefert. Sie ist aber nur von den Abendlande, und erst seit Augustin, in
ihrer Stringenz ausgenützt worden. Man begnügte sich auch mit den allgemeinen Er=
wägungen, daß die Kirche unter keinen Umständen zu spalten sei, daß die hl. Schrift zu
30 Barmherzigkeit und Liebe verpflichte, daß die Kirche die Gefallenen nicht der Welt, der
Häresie, dem Schisma preisgeben dürfe (ep. 55, 15 f.), daß das Zugeständnis der Hilfe
in casu mortis notwendig weiter führe, da ja viele von den Sterbenden doch wieder
gesund würden (ep. 55, 13), daß die Kirche die Gefallenen, sofern sie ihnen das Recht
zuspricht, durch ein offenes Bekenntnis in neuer Verfolgung ihre Schuld zu sühnen, damit
35 schon als nicht gänzlich erstorbene, sondern als halbtote Glieder bezeichne (ep. 55, 16).
Man wies weiter darauf hin, daß es unbillig sei, von jemandem die Buße zu verlangen,
ohne ihm die Absolution in Aussicht zu stellen (ep. 55, 17; 55, 28). Ferner berief
man sich auf die längst eingeführte Praxis, nach welcher selbst Ehebrecher und Betrüger
absolviert werden konnten, und fragte, ob denn diese Verbrechen so viel geringere seien,
40 als sie doch vom Apostel als Götzendienst bezeichnet würden (ep. 55, 26. 27). Endlich
verwies man den Vorwürfen der Laxheit gegenüber auf die gewissenhafte Prüfung jedes
einzelnen Falles, auf die Unterschiede in der Behandlung der libellatici und sacrificati
(ep. 55, 13 f. 17), auf die lang andauernde Bußzeit, auf die Verweigerung der Abso=
lution gegenüber solchen, die erst in casu mortis Reue zeigten (ep. 55, 23). Um aber
45 den Wechsel der Grundsätze zu motivieren, erklärte man, daß man während der Ver=
folgung selbst zur Erleichterung des Loses der Gefallenen nichts habe thun dürfen, da
sie das Mittel in der Hand gehabt hätten, sich selbst zu restituieren, daß man sie
aber angesichts einer drohenden zweiten Verfolgung aufnehmen müsse, um sie für den
Kampf zu stärken, s. ep. 19, 2; 24; 25; 55, 7; 57. Alle diese Gründe finden sich
50 auch bei Cyprian, aber sie sind für ihn nicht die entscheidenden. Entscheidend ist, daß
nur dem innerhalb der Kirche Stehenden das Heil zugänglich ist, daß also jeder notwendig
verloren gehen muß, der definitiv aus derselben ausgeschlossen ist (de unit: eccles.; man
beachte, daß schon Tertullian, Apol. 39 den Ausschluß aus der Kirche als eine Art Vor=
spiel des jüngsten Gerichts vorgestellt hatte). Hieraus ergiebt sich sofort, daß die Kirche
55 dem Urteile Gottes vorgreifen würde, wenn sie jemandem, der sich nicht selbst dauernd
von ihr losgesagt hat, definitiv die kirchliche Gemeinschaft verweigern würde (ep.
54, 3). Umgekehrt aber ist auch die Wiederaufnahme in die Kirche nicht präjudizierend,
da Gott trotz derselben dem Sünder die Seligkeit vorenthalten kann (ep. 55, 18; 55, 29;
57, 3). Steht es aber so, daß die Kirche den Bindeschlüssel in letzter Instanz verwaltet
60 (ep. 55, 29: „apud inferos confessio non est neque exhomologesis"), während

ihre Absolution nur eine conditio sine qua non der Seligkeit ist, nicht aber das gnä=
dige Endurteil Gottes sicher einschließt, so wird natürlich jeder Versuch, auf Erden in
der Kirche Unkraut und Weizen scheiden zu wollen, als Eingriff in die Prärogative
Gottes, zugleich als Härte und Grausamkeit abzulehnen sein. Die Kirche ist also nicht
mehr die Gemeinschaft der Erwählten und Heiligen, sie ist überhaupt nicht mehr 5
religiöse Gemeinde im strikten Sinne des Wortes, welche das sichere Heil in ihrer
Mitte hat, sondern sie ist das unumgängliche Institut, aus welchem die Gemeinde der
Erwählten und Heiligen hervorgeht. Ihr religiöser Charakter ist also einzig bestimmt
durch ihre Unumgänglichkeit. Diese selbst aber stellt sich in den sakramentalen Weihen
dar, die sie spendet (zu welchen auch ihre Absolution gehört), die jedoch die Seligkeit 10
nicht garantieren. Sofern sie aber die sakramentalen Weihen nur unter der Voraussetzung
gewisser moralischer Leistungen spendet, ist sie die moralische Anstalt, welche für das Heil
erzieht. Auch als solche ist sie unumgänglich; denn alle Tugenden erhalten erst in ihr
und nur in ihr Wert vor Gott (ep. 54; 57, 4). Beides aber, die Spendung der Weihen
und die erziehende, richterliche Funktion, setzt politische Formen voraus und ist an die 15
Priester gebunden, speziell an den Episkopat, der in seiner Einheit die Legitimität der
Kirche garantiert. Von diesem Standpunkt aus wird jedes Schisma zur Häresie: eine
Theorie, die Irenäus und Tertullian noch nicht kennen, und die selbst noch ein Optatus
nicht zu billigen vermag. Wenn nun Novatian und sein Anhang umgekehrt urteilte,
wenn er der Kirche das Recht und die Pflicht zusprach, die groben Sünder definitiv von 20
sich auszuscheiden (so weit wir zu urteilen vermögen, hat Novatian selbst das strenge Ver=
fahren noch nicht über alle groben Sünder ausgedehnt [s. namentlich ep. 55, 26. 27],
sondern nur über die Lapsi verhängt; aber es ist sicher, daß in den novatianischen Kirchen
in der Folgezeit kein Todsünder absolviert wurde [s. z. B. Socrat. h. e. I, 10]. Die
Behauptung des Ambrosius [de poenit. III, 3], daß N. zwischen gröberen und geringeren 25
Sünden nicht unterschieden und allen die Vergebung gleichmäßig versagt habe, beruht
auf einer Entstellung. Wenn die Novatianer die groben Sünder ausschlossen, so haben
sie übrigens auch diese nicht gänzlich preisgegeben, sondern unter der Zucht und Fürbitte
der Kirche belassen), wenn er ihr die Befugnis aberkannte, Götzendiener zu absolvieren,
aber die Vergebung Gott anheimstellte, der allein die Macht habe, Sünden nachzulassen 30
(s. auch Socrat. h. e. IV, 28), wenn er behauptete: „non est pax illi ab episcopo
necessaria habituro gloriae suae [scil. martyrii] pacem et accepturo majorem
de domini dignatione mercedem" ep. 57, 4) und andererseits lehrte: „peccato al=
terius inquinari alterum et idololatriam delinquentis ad non delinquentem tran=
sire" (ep. 55, 27), — so ist offenbar, daß sein Begriff von der Kirche, der kirchlichen 35
Absolution und dem Rechten des Priesters, kurz sein Begriff von der Schlüsselgewalt ein
anderer war, resp. geworden ist, als der seiner Gegner. Seine These, daß nur Gott
Sünden vergeben könne, depotenziert nicht den Begriff der Kirche, sondern sichert wie die
eigene religiöse Bedeutung der Kirche so auch den vollen Sinn der kirchlichen Gnaden=
spendungen; sie schränkt nur den Umfang der Kirche zu gunsten ihres Inhaltes ein. Wird 40
die kirchliche Vergebung unter gewissen Umständen verweigert, während doch auf die
Barmherzigkeit Gottes in allen Fällen mit Zuversicht gehofft wird, so kann dies nur den
Sinn haben, daß jene die Seligkeit nach Novatian begründete wie nicht etwa nur die
sichere Unseligkeit ausschloß (so die Gegner). Die Zugehörigkeit zur Kirche ist also für
die Novatianer nicht die conditio sine qua non der Seligkeit, sondern sie versichert 45
dieselbe in irgend welchem Maße. Darum aber darf die Kirche in gewissen Fällen dem
Urteile Gottes nicht vorgreifen. Sie greift aber durch den Ausschluß niemals vor, wohl
aber durch die Wiederaufnahme. Ist ferner die Kirche als Gemeinde der Getauften,
welche Gottes Vergebung empfangen haben, wirkliche Gemeinde des Heils und der Hei=
ligen, so kann sie in ihrer Mitte keine Unheiligen dulden, ohne ihren Charakter zu ver= 50
lieren. Jeder einzelne Sünder, der in ihr geduldet wird, stellt ihre Legitimation in Frage,
da die Kirche eben nur Gemeinde der erwählten Heiligen und nichts anderes ist (s. auch
Sympron. bei Pacian). Von hier aus behält aber endlich die Verfassung der Kirche, die
Scheidung von Laien und Geistlichen, die Befugnis der Bischöfe, eine nur sekundäre Be=
deutung. Denn es handelt sich bei der Zugehörigkeit zur Kirche nach diesen Grundsätzen 55
primär nicht um die Verbindung mit dem Klerus (dem Bischof), sondern um die Ver=
bindung mit Christus und der Gemeinde, die das sicher in ihrer Mitte hat, was außer
ihr zwar noch vorhanden, aber unsicher ist — die Seligkeit. Aber die Bedeutung der
Bischöfe tritt auch noch deswegen zurück, weil eine so folgenschwere Kasuistik hier gar nicht
aufkommen konnte, und weil die Laien nicht anders behandelt wurden als die Geistlichen. 60

Die richterliche Gewalt der Bischöfe erscheint somit als beschränkt. Novatian ist von Cyprian und Cornelius als Schismatiker und Häretiker (ep. 69, 1: Antichrist) gleich anfangs bezeichnet worden. So leicht der Beweis für das erstere zu liefern war, so schwierig war die Bestimmung der Häresie, wenn man sie nicht lediglich in der Spaltung der Kirchen-
5 einheit konstatieren wollte. Cyprian weiß dem Antonianus (ep. 55, 2. 24 f.) keine rechte Antwort zu geben auf dessen Frage, worin die Irrlehre des Novatian denn bestehe („scias nos primo in loco nec curiosos esse debere quid ille doceat cum foris doceat"). Man kann sich darüber nicht wundern; denn die letzte Differenz in dem Begriff von der Kirche und der Schlüsselgewalt ist Cyprian selbst nicht ganz deutlich ge-
10 worden. In seiner eigenen Anschauung waren noch zu viele archäistische Reste (sie beziehen sich vornehmlich auf die Eigenschaften des Priesters; vgl. sein Urteil über die Unkräftigkeit gottesdienstlicher Handlungen, welche von gefallenen Priestern vollzogen sind, ep. 65, 4 und über die Unmöglichkeit, gefallene Priester zu restituieren, ep. 65, 4; 67; seine Stellung zum Ketzertaufstreit ist wenigstens zum Teil auch als archäistisch zu bezeichnen),
15 als daß er den Kirchenbegriff Novatians überzeugend als einen „häretischen" hätte erweisen können. (Ein Ansatz zur prinzipiellen Beurteilung findet sich bei Cyprian ep. 69, 7, also in einem verhältnismäßig späten Briefe: „non est una nobis et schismaticis symboli lex neque eadem interrogatio; nam cum dicunt, credis in remissionem peccatorum et vitam aeternam per s. ecclesiam, mentiuntur".) Auch Dio-
20 nysius, der in seinem Schreiben an Dionysius von Rom (Euseb. h. e. VII, 8) sich bemüht, die Vorwürfe gegen Novatian zu häufen, bringt es zu keiner durchschlagenden Anklage, ebensowenig Sixtus ad Novatianum. Sechs Punkte führt Dionysius an: 1. N. habe die Kirche gespalten, 2. einige Brüder zur Gottlosigkeit und Blasphemie verleitet, 3. als frevelhafter Sykophant Gott und Christus der Unbarmherzigkeit geziehen,
25 4. die hl. Taufe verworfen, 5. die Pistis und Homologia vor der Taufe beseitigt, 6. den hl. Geist aus seinen Anhängern vertrieben. Das sub 4 Gesagte bezieht sich bestimmt auf die Praxis Novatians, die Katholiker, die zu ihm übertraten, wiederzutaufen (f. Cypr. ep. 73, 2; Cyprian selbst gebietet umgekehrt die Wiedertaufe der Novatianer ep. 69, 1 f.); der sub 5 gemachte Vorwurf ist leider unverständlich, da Cyprian den Novatianern aus-
30 drücklich (ep. 69, 7) die formelle Übereinstimmung mit der Kirche in dem Taufritus zuzugestehen scheint. Das sub 6 Bemerkte ist nur eine Floskel (doch f. Theodoret). — Erst in der Folgezeit, nachdem die katholische Kirche entschlossen auf der betretenen Bahn fortgeschritten war, stellte sich die prinzipielle Differenz unverkennbar deutlich dar.

Ein gutes Bild von Novatians Haltung gewinnt man aus dem oben angeführten
35 pseudoaugustinischen Traktat in den Quaest. Vet. et Nov. Testamenti. Sind auch einige Züge späterer Entwickelung unverkennbar, so ist doch in allen Hauptpunkten die Wiedergabe gewiß zutreffend: Die Kirche ist der Leib Christi und muß daher heilig gehalten werden, wie Christus heilig ist. Durch die Taufe, in der alle Sünden vergeben werden, wird jeder Einzelne ein Glied Christi; alle zusammen bilden den Leib Christi.
40 Für alle Sünden, die nach der Taufe geschehen, giebt es Buße und Vergebung in der Kirche — selbst für den Mord —; nur für die Sünden der Idololatrie (und der Hurerei) giebt es hier auf Erden keine Vergebung; denn sie allein sind im strengen Sinne Sünden wider Gott. Nund von dieser Einschränkung hat Christus gesagt: „Wer mich verleugnet, den werde ich auch verleugnen". Daraus folgt, daß diese Sünde — mag sie auch aus
45 den verschiedensten Ursachen entstehen und die verschiedensten Nebenumstände haben — identisch ist mit der Sünde wider den hl. Geist; denn nur von dieser Sünde heißt es, sie könne weder jetzt noch in Zukunft vergeben werden. In der Taufe haben wir nach Vergebung aller Sünden den hl. Geist empfangen und sollen fortan nicht wider den hl. Geist sündigen. Thun wir es doch, so sind wir des bei der Taufe empfangenen Geistes
50 ipso facto verlustig; es giebt aber nur eine Taufe. Die Kirche kann somit einen Götzendiener (auch einen Hurer) nicht wieder aufnehmen; denn sie haben die Sünde wider Gott begangen, in Bezug auf welche die Kirche logischerweise keine Lösegewalt besitzen kann. Aber die Buße soll sie jenen Sündern verkünden, und sie sollen in der Buße bis an ihr Ende beharren; denn die Aufforderung zur poenitentia ist schrankenlos in der
55 hl. Schrift (c. 2: poenitentia praedicata est, non remissio), nicht aber die Ankündigung ihrer Frucht, der remissio: nec ego renuo agendam poenitentiam admissae idolatriae, sed ego remittere non audeo, quia crimen hoc ab eo remittendum est in quem admissum est (c. 10). Damit ist gesagt, daß die abstrakte Möglichkeit besteht, daß Gott den Götzendiener wieder aufnimmt; denn bei Gott ist kein Ding
60 unmöglich; wir aber wissen darüber nichts (c. 10: Novatianus effectum aut denegat

aut scire se minime profitetur; doch folgt schon aus der Statuierung der bloßen Möglichkeit einer Wiederannahme durch Gott im Jenseits, daß Novatian, wenn er die Idololatrie mit der Sünde wider den hl. Geist gleichgesetzt hat, auch diese Sünde nicht für schlechthin unvergebbar gehalten haben kann; er hat also „in futurum" nicht von der Ewigkeit verstanden). Der katholischen Kirche erklärte N, daß sie durch die Wieder- 5 aufnahme der Götzendiener (und Hurer) die Kirche völlig zerstöre; denn da in der Kirche alle einen Leib, nämlich den Leib Christi bilden, so beflecken die Bösen die Guten; also ist der ganze Leib zerstört. Mögen sie auch die korrekte traditio und professio haben — sie sind des Heils verlustig und tragen den Christennamen ohne Recht, denn er kommt nur der reinen Kirche zu. Christen giebt es somit nur bei den „Novatianern". 10

Die geschichtliche Beurteilung des Gegensatzes wird verschieden ausfallen, je nachdem der Historiker die alten Forderungen der christlichen Religion oder die Forderungen der Zeit ins Auge faßt. Die novatianischen Gemeinden haben unstreitig einen wertvollen Rest der alten Überlieferung bewahrt. Der Gedanke, daß die Kirche Gemeinschaft des sicheren Heiles und darum auch der Heiligen sei, entspricht den Vorstellungen der Urzeit 15 (s. d. Hirten), wenn auch die Vertreter desselben im 3. Jahrhundert längst nicht mehr alle Konsequenzen gezogen haben. Sie haben doch nicht die politischen Attribute der Kirche mit den religiösen völlig identifiziert, sie haben die Heilsgüter nicht zu Erziehungs- mitteln für die Seligkeit herabgesetzt, nicht die Wirklichkeit mit der Möglichkeit vertauscht; sie haben endlich die Ansprüche an ein heiliges Leben der Christen nicht völlig herabgesetzt, 20 namentlich aber die alte Auffassung von der Taufe als Gabe und irgendwie unabding- liche Verpflichtung beibehalten. Aber andererseits war es eine Ungerechtigkeit und Un- barmherzigkeit zugleich, die libellatici strenger zu bestrafen als andere grobe Sünder. War man einmal dazu fortgeschritten, diesen die kirchliche Verzeihung zu gewähren, so hatten gewiß viele Lapsi einen größeren Anspruch auf milde Behandlung. Der Gedanke, 25 eine Gemeinde von Heiligen zu bilden, war eine Anmaßung, wenn nur die Sünde des Götzendienstes zur Frage stand (bezw. noch der Hurerei), und er war ohne grobe Selbst- täuschung oder Zersprengung der bisherigen Christenheit nicht mehr durchzuführen. Die eine Maßregel, welche die Novatianer ergriffen, war längst nicht im stande, die Kirche zu reformieren, resp. den Anspruch, die wahrhaft Evangelischen zu sein (adsertores evan- 30 gelii et Christi), zu legitimieren. Wir hören auch nicht, daß in der Kirche der Katharer die Askese, die Weltflucht, die Hingebung an den religiösen Glauben eine bedeutend ent- schiedenere gewesen wäre, als in der katholischen Kirche. Im Gegenteil: nach allem, was wir aus spärlichen Anzeichen vermuten können, muß das Bild, welches beide Kirchen in der Folgezeit gewährten, ziemlich identisch gewesen sein. Da die Novatianer in der Lehre 35 und namentlich auch in der Verfassung von der katholischen Kirche nicht abweichen, so erscheint ihre Bußdisziplin als ein archäistisches Trümmerstück, dessen Aufrechterhaltung ein zweifelhaftes Gut war, und ihre Verwerfung der katholischen Gnadenspendungen (Praxis der Wiedertaufe) als revolutionär, weil nicht genügend gerechtfertigt. Die Unter- scheidung von läßlichen und von Todsünden, die sie mit der katholischen Kirche gemeinsam 40 hatten, mußte aber für sie besonders verhängnisvoll werden. Denn indem die Behand- lung eines Teils der groben Sünden von der der andern und der läßlichen ganz ver- schieden wurde, mußte sich das Gewissen diesen gegenüber abstumpfen. Blickt man aber auf die katholische Kirche und läßt sie so unerquicklichen Personalien beiseite, so läßt sich nicht leugnen, daß die Bischöfe mit Weisheit, Vorsicht und relativer Strenge den großen 45 Umschwung vollzogen haben. Für die Christenheit, wie sie um 250 bestand, war in der That am besten gesorgt, wenn sie die Kirche als eine Erziehungsanstalt für die Seligkeit, ausgestattet mit Gnadenspendungen und Strafen anzusehen lernte und ihr die Unter- scheidung zwischen Buße und Kirchenbuße genommen wurde. Jede Unterscheidung der politischen Bedingungen der Kirche von den religiösen mußte in der großen Kirche zu 50 verhängnisvollen Lockerungen führen, zu Laxheiten, wie in Karthago durch das enthusia- stische Treiben der Konfessoren, oder zur Sprengung der Gemeinden, wie sie überall drohte, wo man den Versuch machte, rücksichtslos Strenge zu üben. Ein kasuistisches Verfahren that not und ebenso ein fester Zusammenschluß der Bischöfe als Stützen der Kirche. Es ist nicht der geringste Ertrag der Krisen gewesen, die durch die becianische 55 Verfolgung hervorgerufen waren, daß sie die Bischöfe der verschiedenen Landeskirchen zu engem Zusammenschluß nötigten und ihnen schließlich die volle Jurisdiktion in die Hände spielten (per episcopos solos peccata posse dimitti). Diese Krisen haben die Grün- dung der Reichskirche in besonderem Maße vorbereitet, wie keine frühere oder spätere Aktion. Es ist eine höchst oberflächliche Betrachtung, den „Hochmut" der Bischöfe für 60 den Gang der Ereigniſſe verantwortlich zu machen und Wehe über denſelben zu rufen. Die ganze Chriſtenheit war an dieſem Gange beteiligt; die Biſchöfe aber ſind damals wirklich das geweſen, was Cyprian von ihnen als Glaubensartikel ausgeſagt hat — die Fundamente der Kirche.

5 Für die abendländiſche Kirche war die Kontroverſe durch den Ausſchluß der Novatianer noch nicht beendet. Die archäiſtiſchen Gedanken, die z. B. noch Cyprian (ſ. oben) bewahrt hat, und die man in die Formel zuſammenfaſſen kann, daß die Anforderungen, welche die Novatianer an alle Chriſten richteten, an den Klerus zu ſtellen ſeien, riefen infolge des diokletianiſchen Sturmes eine entſetzliche Kriſe in Nordafrika hervor, die dona 10 tiſtiſche. Aber auch Rom hat in dieſer Zeit einen erneuten Kampf um die Bußdisziplin kämpfen müſſen, von dem wir leider wenig wiſſen (ſ. d. A. Marcellus I. Bd XII S. 258). Ferner gehört das Schisma des Lucifer ebenfalls hierher und im Orient das Schisma des Meletius in Ägypten (Bd XII S. 558 ff.).

Die ſpätere Geſchichte der novatianiſchen Kirchen. Nach Sokrates IV, 15 28 und nach der Meinung der ſpäteren Katharer (bei Sempronian und bei Eulogius in Phot. Biblioth. 208. 280) ſoll Novatian Märtyrer geworden ſein. Dies iſt aber mindeſtens zweifelhaft; die Märtyrerakten, welche man im 6. Jahrhundert las, ſind ſicher gefälſcht. Überhaupt — was die Folgezeit über das Haupt der Bewegung Neues zu ſagen wußte, iſt wenig glaubwürdig. Die Kirche der Katharer aber konſolidierte ſich in den 20 zwei Menſchenaltern nach Decius. Viele aus den montaniſtiſchen Gemeinden ſchloſſen ſich ihr an (für den Weſten ſ. Pacian. ad Sympron.; Pacian beurteilt ſeinen Gegner als halben Montaniſten und ſagt ausdrücklich, daß die Novatianer dem Tertullian viel zu verdanken hätten; für den Oſten ſ. Sozomenus; namentlich in Phrygien, wo die Bewegung beſonders eifrig ergriffen wurde, ſind die Montaniſten zu den Nova 25 tianern übergegangen), und es entwickelte ſich ein kathariſches Kirchentum, welches nach Lehre, Verfaſſung und Ordnungen von dem katholiſchen wenig verſchieden war, wenn auch Anſätze zu einem evangeliſchen Leben nach den Vorſchriften der Bergpredigt nicht gefehlt haben mögen. Abgeſehen von der Zuchtfrage, in welcher der novatianiſche Biſchof Asklepiades die Differenz ſo formuliert hat: „um Todſünden willen ſchließen die Katho 30 liken die Geiſtlichen aus, wir aber auch die Laien", war es noch die Frage nach der zweiten Ehe, in welcher man, ſoviel wir wiſſen, differierte. Doch hat weder Novatian ſelbſt die zweite Ehe verboten (dies behauptet Rufin, Expos. symb.), noch haben alle Katharer (ſo nach Epiphanius, Theodoret und Auguſtin) dieſelbe für unerlaubt erklärt. Im Abendland war ſie vielmehr geſtattet, und auch im Morgenland ſchwankte 35 man betreffs derſelben (ſo in Konſtantinopel). Aber die phrygiſchen Novatianer, die von dem Montanismus beeinflußt waren, verwarfen ſie entſchieden (Socrat. h. e. V, 22). Andere Differenzen gab es nicht zwiſchen Katholiken und Katharern, wie namentlich der 8. Kanon von Nicäa beweiſt und Philaſtrius u. ſ. w. bezeugen. Selbſt die Wiedertaufe wurde von einigen kathariſchen Biſchöfen verworfen; ſo von Paulus von Konſt. (Socrat. 40 VII, 17). Was den in ſpäterer Zeit von Eulogius erhobenen Vorwurf der Verweigerung der Märtyrerverehrung betrifft, ſo haben die Katharer höchſt wahrſcheinlich nur die katholiſchen Märtyrer nicht verehren wollen. Nach Theodoret hätten die Katharer auch die Salbung nach der Taufe weggelaſſen. Die litterariſche Polemik im Orient (vgl. auch die Polemik in den apoſtoliſchen Konſtitutionen und in der Grundſchrift der erſten ſechs 45 Bücher) beſchränkte ſich deshalb ganz weſentlich darauf, den Katharern den Schriftbeweis für ihre ſtrengere Bußdisziplin zu entziehen (Mt 10, 32; 1 Ko 5, 13; Hbr 6, 4. 5; 10, 26) und ſie der Unbarmherzigkeit anzuklagen.

Die Verbreitung anlangend, ſo finden ſich im 4. und 5. Jahrhundert kathariſche Gemeinden in allen Provinzen des Reichs, namentlich im Orient (in Stadt und Land; 50 vielfach müſſen ganze Stadt- und Dorfgemeinden kathariſch geweſen ſein; ſ. Conc. Nic. c. VIII). Bezeugt ſind ſie für Spanien (in der Gegend von Barcellona durch Pacian), Gallien (im 3. Jahrhundert ſchon der novatianiſch geſinnte Biſchof Marcianus in Arles; aus dem 4. Jahrhundert ſtammt die Schrift des galliſchen Biſchofs Reticius gegen die Novatianer; im 5. Jahrhundert gab es ſolche in der Gegend von Rouen, ſ. Innocent. I, ep. 2, c. 11), 55 Oberitalien (Ambroſius, de poenitent.), Rom (dort hatten ſie noch am Anfang des 5. Jahrhunderts viele Kirchen und einen Biſchof, Socrat. h. e. V, 14. VII, 9. 11; zur Zeit des Theodoſius I. war ein Leontius novatianiſcher Biſchof in Rom, der bittend für Symmachus eintrat [es iſt für das Anſehen des novatianiſchen Biſchofs ſehr wichtig, daß Symmachus ſich an ihn und nicht an den katholiſchen Biſchof gewandt hat], zur Zeit 60 des Papſtes Cäleſtin I. war ein gewiſſer Ruſticula Biſchof; mit den römiſchen Donatiſten

[Montenses] haben sie sich nicht verschmolzen, wurden aber von den Katholiken häufig mit den Donatisten auf gleiche Stufe gestellt; den wichtigsten Einblick in die Bedeutung der novatianischen Gemeinde in Rom zur Zeit des Damasus gewinnt man aus dem pseudoaugustinischen Traktat gegen die Novatianer, der in den Quaest. in Vet. et Nov. Test. steht; die Annahme Hilgenfelds, der pseudocyprianische Traktat ad aleatores, sei von einem novatianischen Bischof — in diesem Falle von einem römischen — ist vielleicht richtig), Mauretanien (s. Leo I. ep. 12, c. 6: der Bischof Donatus von Salicene tritt zur katholischen Kirche über), Alexandrien (Socrat. h. e. VII, 7. Eulog. bei Photius: die Novatianer hatten zur Zeit des Patriarchen Cyrill mehrere Kirchen in Alexandrien, ihr Bischof war damals Theopemptus), Syrien (Gegenschrift des Eusebius von Emesa im 4. Jahrhundert), Cyzikus, Paphlagonien (Socrat. II, 38: hier waren die Katharer besonders zahlreich), Phrygien (Socrat. IV, 28. V, 22 etc.), Pontus und Bithynien (Socrat. I, 13; Sozom. I, 14; Theodoret h. l. III, 6. In Bithynien lebte zur Zeit Konstantins der novatianische Mönch Eutychianus, von welchem Sokrates durch Vermittelung des uralten, ihm persönlich bekannten novatianischen Presbyters Auxanon [I, 13. II, 38] Wunder und einen Handel mit dem Kaiser zu berichten weiß. Daß das Mönchtum, wie zu erwarten, gleich anfangs auch unter den Katharern sich verbreitete, darüber s. II, 38), Asien (einen gelehrten blinden Novatianer Eusebius, der in Asien lebte im 6. Jahrhundert, erwähnt Cassiodorius, Instit. V, p. 512), Scythien (ein novatianischer Bischof Marcus aus Scythien wird von Sokrates VII, 46 um das Jahr 439 erwähnt). Novatianische Bischöfe werden von Sokrates für Nikomedien (IV, 28), Nicäa (Bischof Maximus: Socrat. IV, 28; Bischof Asklepiades, der im Anfang des 5. Jahrhunderts nach 50jährigem Episkopat gestorben ist: Socrat. VII, 25; nach ihm war Ablavius erst Presbyter, dann Bischof, zugleich aber als Schüler des berühmten Troilus angesehener Lehrer der Rhetorik: Socrat. VII, 12), Cotiäus, Konstantinopel. Für die Geschichte der katharischen Gemeinde in der Reichshauptstadt bietet Sokrates ein reiches Material; nicht nur kennen wir die Liste der novatianischen, zum Teil sehr weltgewandten Bischöfe durch ihn (Acesius um 325, Agelius c. 340—384, Marcianus I. 348—395, Sisinnius 395—407, Chrysanthus 407—414, Paulus 414—439, Marcianus II. 439 f.), sondern auch die wichtigsten Daten aus ihrem Leben und die Geschicke der Gemeinde. Sokrates hat mit mehreren Novatianern persönlich verkehrt (I, 10. 13. II, 38) und berichtet mit Vorliebe Gutes von der Gemeinde zu Konstantinopel (s. I, 10 [Sozom. I, 22]; IV, 9; V, 10. 12. 21 [Sozom. VI, 9]; V, 25; VI, 21. 22; VII, 12 [Sozom. VIII, 1]; VII, 17. 46), die drei Kirchen in der Stadt inne hatte.

Auf dem Konzil zu Nicäa war, von Konstantin berufen, der novatianische Bischof Acesius anwesend. Er erklärte sich einverstanden mit den Festsetzungen der Synode betreffs des Glaubens und des Osterstreites. Das sofortige, entschiedene und ununterbrochene Festhalten aller Novatianer, auch der orientalischen, an dem Homousion zeigt den Einfluß des Werkes Novatians de trinitate. Aber dem Kaiser gelang es nicht, ihn und die Seinen zur Rückkehr in die Kirche zu bewegen ("Lege eine Leiter an, Acesius, und steige allein in den Himmel", soll ihm Konstantin zugerufen haben). Die Synode (can. 8) stellte sich sehr freundlich zu den Novatianern und behandelte sie als Schismatiker, nicht als Häretiker (s. Hefele, Conciliengesch. 2. Aufl., I, S. 407 f.). Ihre Geistlichen sollen ohne neue Weihe durch Handauflegung in den Klerus der katholischen Kirche aufgenommen werden. Die Giltigkeit der novatianischen Taufe ist auf mehreren Synoden ausgesprochen worden, s. Hefele I, S. 753, II, S. 26 f. 46. Konstantin, so lange er noch die Homousianer stützte und auf die Rückkehr der Novatianer rechnete, gestattete ihnen eigene Kirchen und Gottesäcker, schloß aber von dieser Vergünstigung solche aus, die von der katholischen Kirche zu ihnen übertraten (lex v. J. 326, Cod. Theodos. de haeret. 2). Jedoch 10 Jahre später änderte er seine Politik, stellte die Novatianer auf eine Stufe mit den Marcioniten und Valentinianern, verbot ihnen den öffentlichen Gottesdienst, nahm ihnen Kirchen und Eigentum und befahl, ihre Bücher zu vernichten (Euseb., Vita Const. III, 64 sq.). Dieses Gesetz hatte gewiß wenig Erfolg. Unter der Verfolgung der Orthodoxen durch Konstantius hatten auch die Novatianer schwer zu leiden, ihre Bischöfe wurden verjagt, ihre Kirchen niedergerissen. Die Folge war, daß sie sich enge mit den nicänischen Katholiken zusammenschlossen, und diese selbst die novatianischen Kirchen benutzten in Konstantinopel (μικροῦ ἐδέησεν ἐνωϑῆναι αὐτούς). Es ist oben bemerkt worden, daß die Katharer durchweg dem Nicänum treu blieben, und von arianischen Neigungen bei ihnen überhaupt nichts bekannt ist. Julians Politik kam den Novatianern zu gut. Ihre Kirchen mußten von ihren Zerstörern wieder aufgebaut werden; speziell in Konstan-

tinopel durfte die Gemeinde eine prächtige Kirche, Anastasia, errichten (Socrat. II, 38. III, 11). Unter Valens hatten sie aber wieder dasselbe zu leiden wie die Orthodoxen. Der greise Bischof Agelius (βίον ἀποστολικὸν βιοὺς· ἀνυπόδητος γὰρ διόλου διῆγε, καὶ ἑνὶ χιτῶνι ἐκέχρητο, τὸ τοῦ εὐαγγελίου φυλάττων ῥητόν) mußte aufs neue in die
5 Verbannung gehen, die Kirchen wurden geschlossen. Doch wurden die Befehle gegen sie zurückgenommen auf Vorstellungen des novatianischen Presbyters Marcianus beim Kaiser, der, früher Palastoffizier, damals die kaiserlichen Töchter unterrichtete (Socrat. IV, 9). Marcianus wurde nachmals Bischof (V, 21). In den Provinzen dauerte die Verfolgung bis zum Regierungsantritt des Theodosius fort. Dieser nahm die Novatianer als orthodox
10 in Schutz (man vgl. auch, wie verhältnismäßig milde der Verfasser der pseudoaugustinischen Quästionen gegen sie geschrieben hat; auf dem von ihm veranstalteten Religionsgespräch zu Konstantinopel spielte Agelius und sein Lektor Sisinnius eine bedeutende Rolle (V, 10; Sozom. VII, 12) im Bunde mit dem katholischen Patriarchen Nektarius. Der Kaiser verstattete den Katharern, während er sonst strenge gegen die Sekten vorging,
15 freie Religionsübungen und überließ ihnen ihre Kirche mit allen Rechten. Auch besaß der römische novatianische Bischof Leontius nicht geringen Einfluß beim Kaiser. Aber sobald der Arianismus niedergeworfen war, vergaß die katholische Kirche die Dienste ihrer ehemaligen Genossin. Die Kaiser sowohl (von Honorius an) als die großen Patriarchen schritten gegen sie vor. In Konstantinopel allerdings blieb die Partei noch bis gegen die
20 Mitte des 5. Jahrhunderts unbehelligt, dank ihren angesehenen Bischöfen (über Marcian f. oben; Sisinnius, einst mit Julian zusammen Schüler des Philosophen Maximus, war ein berühmter hochangesehener Redner und Schriftsteller, als Bischof ein Kirchenfürst, der den katholischen in nichts nachstand und es selbst mit Chrysostomus aufnahm, dessen Lehre von der Buße er bekämpfte [das Synodalschreiben gegen die Messalianer bei Photius
25 cod. 52 ist aber nicht von ihm, wie Walch a. a. O. S. 271 behauptet, sondern von dem späteren orthodoxen Patriarchen Konstantinopels gleichen Namens]; Chrysanthus, der Sohn des Bischofs Marcian I., war, bevor er novatianischer Bischof wurde, Offizier in der k. Leibgarde, Statthalter in Italien, Vikar in Brittanien; seine Absicht, Präfekt der Hauptstadt zu werden, wurde durch seine Wahl zum Bischof vereitelt. Die Gemeinde
30 hatte dem vornehmen und reichen Manne sehr viel zu verdanken; Paulus endlich, früher Lehrer der lateinischen Beredsamkeit, dann Mönch, verwaltete 25 Jahre lang sein Bischofsamt mit solchem Ansehen, daß alle Religionsparteien, wie Sokrates erzählt, an seinem Leichenbegängnis im Jahre 439 teilnahmen. Aber in Rom hatte schon im Jahre 412 Honorius die Novatianer in sein Edikt wider die Ketzer miteinbegriffen (Cod. Theodos.
35 de haeret. 52) und Theodosius II. folgte ihm (l. c. 59). In Alexandrien schloß Cyrill die Kirchen der Novatianer, raubte die Kultusgegenstände und verfolgte den Bischof (Socrat. VII, 7). Von den römischen Bischöfen hat zuerst Innocentius I. ein scharfes Verfahren eingeleitet und viele novatianische Kirchen mit Beschlag belegt (VII, 9); Cälestinus I. folgte ihm und gestattete keinen öffentlichen Gottesdienst der Schismatiker mehr (VII, 11).
40 Doch hat sich im Orient ihre Kirche noch bis ins 6. und 7. Jahrhundert erhalten (Eulogius bei Photius l. c.).

Die inneren Streitigkeiten im Schoße der katharischen Kirche scheinen nur unbedeutend gewesen zu sein. Die Frage nach dem Rechte der zweiten Ehe und der Wiedertaufe führte, wie es scheint, zu keiner Spaltung. Von Interesse ist nur das Schisma, welches in Phrygien
45 ausbrach, betreffs der Osterfeier. Die mit den Resten der Montanisten verschmolzenen phrygischen Katharer beschlossen auf einer Synode zu Paz (z. Z. des Valens), man müsse das Osterfest mit den Juden feiern und ungesäuerte Brote essen. Die von Macarius zu Sangaris abgehaltene große novatianische Synode lehnte diesen Beschluß ab, erklärte aber die Frage für ein Adiaphoron. Durch die Umtriebe eines gewissen Sabbatius, der nach
50 dem Stuhl von Konstantinopel strebte und sich auch zum Bischof weihen ließ, entstand aber doch in der Hauptstadt ein ärgerlicher Streit, der die dortige Gemeinde mehrere Dezennien lang beunruhigte. Die Anhänger des Sabbatius wurden Sabbatianer oder Protopaschiten genannt (f. Socrat. VI, 21. VII, 5. 12. 25; Walch, Protopaschitarum etc., Götting. Progr. 1760).   **Adolf Harnack.**

55 **Nürnberger Bund** f. Bd VI S. 167,57 ff.

Nürnberger Religionsfriede 1532. — Ranke, Deutsche Gesch., 6. A. III, 295; v. Bezold, Gesch. der deutschen Reformation, Berlin 1890, S. 641 ff.; Baumgarten, Gesch. Karls V., III. Bd, Stuttg. 1892, S. 63 ff.; J. Ficker, Aktenstücke zu den Religionsverhandlungen des

Reichstages zu Regensburg, ZKG XII, 582 ff.: Politische Korrespondenz d. Stadt Straßburg, II, 1887; O. Winckelmann, Der Schmalkaldische Bund 1530—1532 und der Augsburger Religionsfriede, Straßburg 1892.

Die bedrohliche Lage, in welche die Evangelischen durch den Augsburger Reichstagsabschied vom 19. November 1530 versetzt wurden, mußte sie dazu nötigen, die seit dem 5 Tage von Schwabach (16. Oktober 1529) und Schmalkalden (29. November 1529) unterbrochenen Bündnisbestrebungen zu gegenseitigem Schutz wieder aufzunehmen. Das war schon vor dem offiziellen Schlusse des Reichstags in Aussicht genommen worden und jetzt gelang es den Juristen, Luther und damit den Kurfürsten zu überzeugen, daß unter gewissen Voraussetzungen, nämlich wenn der Kaiser das von ihm beschworene Recht nicht 10 halte, die Notwehr auch gegen diesen erlaubt sei (Erl. A. 25², 12. 113 ff.; Enders, Luthers Briefwechsel VIII, S. 344). In den Weihnachtstagen 1530 kam es hierauf zu jenen Abmachungen, die dann unter dem Namen des schmalkaldischen Bundes weltgeschichtliche Bedeutung erhalten sollten. Die Verbündeten schlossen sich zusammen zur Gegenwehr gegen jeden, der sie oder ihre Unterthanen mit Gewalt vom Worte Gottes drängen 15 wolle, und die evangelischen Fürsten protestierten zugleich gegen die Wahl Ferdinands zum römischen Könige. Da diese gleichwohl am 5. Januar 1531 zu Köln vorgenommen, Kurfürst Johann von Sachsen, weil er trotz regelrechter Ladung nicht erschienen war, für ungehorsam erklärt wurde, war der Bruch vollständig. Zudem hatte sich der neue König verpflichtet, den Papst und die christliche Kirche bei dem alten löblichen, wohl hergebrachten 20 Glauben, Religion und Ceremonien vermöge des Augsburger Abschieds zu schützen. Aber die den Protestanten zur Umkehr gesetzte Frist, 15. April 1531, verstrich, ohne daß etwas gegen sie geschah. Und bald hatten sich die Verhältnisse sehr zu ihrem Gunsten geändert. Der Protest gegen die Königswahl war doch nicht ohne Erfolg geblieben. Kaum hatte der Kaiser Deutschland verlassen, als Ferdinand erfahren mußte, daß seine Wahl zum 25 römischen Könige nur die Zahl seiner Feinde vermehrt hatte. Die alten Rivalen, die bayerischen Herzöge, protestierten gleichfalls und schmiedeten weitergehende Pläne (Winckelmann S. 81 ff.). Auch nach Frankreich und England hatten die Verbündeten ihre Forderung eines freien Konzils und den Protest gegen ihre Vergewaltigung geschickt und ermutigende Antwort erhalten. Landgraf Philipp nahm den alten Plan Zwinglis wieder 30 auf, alle Gegner des Kaisers zu einigen, und was dabei immer in jenen Jahren im Vordergrunde stand, Württemberg dem Hause Habsburg zu entreißen und es Herzog Ulrich zurückzugeben. Dagegen waren die Pläne des Kaisers, die Gegenpartei im Reiche zusammenzuhalten, so gut wie gescheitert. Die Unterhandlungen mit dem Papste mußten das Zustandekommen eines Konzils in weite Ferne rücken. Und jeden Augenblick drohte 35 der Sultan loszubrechen, um nicht nur Ungarn, sondern auch die österreichischen Erblande zu erobern. Schon am 27. März 1531 riet deshalb Ferdinand seinem Bruder in Erkenntnis der Gefahr zu einer friedlichen Abkunft mit den Protestanten, um sie für die Türkenhilfe zu gewinnen. Über Erwarten schnell konsolidierte sich der evangelische Bund. Zu den ursprünglich Verbündeten, Sachsen, Hessen, Lüneburg, Anhalt, den Grafen Ernst 40 und Gebhardt von Mansfeld, den Städten Magdeburg und Bremen, gesellten sich nach wenig Wochen Straßburg, Ulm, Konstanz, Reutlingen, Memmingen, Lindau, Biberach und Isny, — nur Georg von Brandenburg und Nürnberg mit seinen treuen Anhängern, Windsheim und Weißenburg, sowie Hall und Heilbronn hielten sich von den evangelischen Ständen unter dem Einfluß ihrer Theologen abseits. Am 27. Februar 1531 konnte die 45 Bundesurkunde (Pol. Korr. II, 17 ff.) gesiegelt werden. Auf Grund von Bucers vermittelnder Formel (s. d. A. Wittenberger Konkordie) gelang es, den Zwiespalt in der Abendmahlslehre zwischen Sachsen und Oberländern, auf den von seiten der Gegner so große Hoffnungen gesetzt wurden, zu überbrücken, wenn auch der hessisch-oberländische Versuch, die Schweizer in die Einigung mit hereinzuziehen, vollständig mißglückte. Das letztere 50 hatte dann den Erfolg, daß die Oberländer mehr nach Norden gravitierten und von den Wittenbergern weniger beargwöhnt wurden.

Die dunkle Kunde von angeblichen Kriegsrüstungen der evangelischen Stände erregte bei den katholischen Ständen hohe Besorgnis. Mainz und Pfalz glaubten deshalb schon im Februar 1531 dem Kaiser raten zu sollen, die Einstellung der Religionsprozesse beim 55 Kammergerichte nach dem Wunsche der Protestanten zu verfügen, da sonst auf ihre Mithilfe im Türkenkriege nicht zu rechnen sei (Winckelmann S. 111). Und nach einigem Zögern mußte Karl V. einsehen, daß ein gewisses Einlenken nicht zu vermeiden sein würde, hatte doch die Nachricht von dem Nichtzustandekommen des Konzils auch auf die Altgläubigen den übelsten Eindruck gemacht. Und der schmalkaldische Bund vergrößerte 60

16*

sich, nahm festere Formen an und fühlte sich bereits als politische Partei, mit der im Oktober 1531 auf einem Tage zu Saalfeld sogar die Baiernherzöge gegen den römischen König sich verbündeten, ein Zusammengehen, dessen Unnatürlichkeit Luther sofort erkannte, das aber nicht bedeutungslos war (Riezler, Gesch. Baierns IV, 240). Selbst Clemens VII. fand um diese Zeit angesichts der Türkengefahr und des nicht minder gefürchteten Konzils, daß, wenn auf andere Weise kein friedliches Abkommen zu erreichen wäre, den Protestanten Priesterehe und Abendmahl unter beiderlei Gestalt gestattet werden könne. — Der erste Schritt zu einer friedlichen Vereinbarung war, daß der Kaiser am 8. Juli 1531 ein freilich nicht sogleich veröffentlichtes, sondern von dem Kurfürsten von der Pfalz nach Gutdünken zu behandelndes Mandat erließ, worin dem Kammergerichtsfiskal befohlen wurde, die auf Grund des Augsburger Religionsartikels angestellten Prozesse bis zum nächsten Reichstage zu sistieren. Damit hatten die Evangelischen das ihnen vorderhand Wichtigste erreicht, ließen aber darum nicht ab, durch allerlei Zettelungen mit Frankreich, ja auch mit dem Woywoden die Opposition gegen den König zu vermehren. Nur allmählich ließ sich der Kaiser überzeugen, wie die Dinge lagen. Als nach vergeblichen Sonderverhandlungen mit Sachsen (Winckelmann S. 136 ff.) die Ausgleichsversuche mit den Bundesgenossen in Schmalkalden am 1. September 1531 durch die Bevollmächtigten der beiden kaiserlichen Unterhändler, Mainz und Pfalz, begannen, wollte man wieder da anfangen, wo man in Augsburg aufgehört hatte, mit Konzessionen in Einzelfragen, Meßkanon, Beichte u. s. w. Aber unter Hinweis auf ihre Konfession und jetzt zum erstenmale auch auf Melanchthons Apologie, bei denen sie beharren wollten, lehnten die Protestanten das ab: jede Entscheidung dogmatischer Streitpunkte müßte dem Konzil vorbehalten bleiben, übrigens sei man bereit, das Augsburgische Bekenntnis auf dem nächsten Reichstage von neuem zu verteidigen. Auf der Gegenseite sah man nun ein, daß es sich nur darum handeln könne, die beiderseitigen Beziehungen bis zur Entscheidung eines Konzils zu regeln. Darauf zielte ein Entwurf Albrechts von Mainz ab, über den Ende 1531 der sächsische Kanzler Brück und der Magdeburger Kanzler Türk in Bitterfeld in Beratung traten (abgedr. bei Winckelmann S. 297), und dann, nachdem sich Karl im allgemeinen zustimmend verhalten, aber, was die Unterhändler dringend empfohlen, Freigabe des Abendmahls **sub utraque**, rundweg abgelehnt hatte, noch einmal am 8. und 9. Februar 1532 (ebenda S. 181). Dann wurde beschlossen, mit dem nach Regensburg einberufenen Reichstage, aber gleichzeitig mit diesem in Schweinfurt die eigentlichen Friedensverhandlungen zu beginnen. Hier war nun von Wichtigkeit, daß dem immer von neuem gemachten Versuche, die Oberländer von den Sachsen zu trennen, dadurch der Boden entzogen wurde, daß jene die Augustana unterschrieben d. h. neben der **Tetrapolitana** als ihr Bekenntnis anerkannten, womit die Sachsen, nicht aber die nicht in das „Verständnus" gehörenden Nürnberger und Markgraf Georg zufrieden waren (Pol. Korr. II, 113). Was die Unterhändler zu bieten hatten, war anfangs sehr geringfügig. Luther indessen, den der Kurfürst schon im August mit den (ersten) gegnerischen Vorschlägen bekannt gemacht hatte, war in seiner souveränen Gleichgiltigkeit gegenüber äußerlichen Dingen und Machtfragen, wenn nur das Evangelium zugelassen wurde, um des lieben Friedens willen zu weitgehenden Zugeständnissen hinsichtlich menschlicher Einrichtungen, Jurisdiktion der Bischöfe, Klostergut, Ehesachen, geneigt, fand aber diesmal kein Gehör. Die Verbündeten, die doch in ihren Forderungen einzelnen weit auseinander gingen, dachten nicht daran, ihre günstige Stellung aufzugeben und forderten, was der Kanzler Brück als Führer der Evangelischen mit großem Geschick zu vertreten wußte, bis zur Herstellung der kirchlichen Einheit durch ein Konzil vollständige Gleichstellung der evangelischen und katholischen Kirche (Winckelmann 192), während Ferdinand zu Zeiten noch wieder ohne alle Konzession glaubte der Sache Herr werden zu können, und die Unterhändler kaum wagten, die Forderungen der Evangelischen dem Kaiser zu unterbreiten. So gingen denn die Verhandlungen sehr langsam vorwärts. Und der Kaiser, der nachgerade Einblick genug erlangt hatte, namentlich auch über die Pläne der Baiern orientiert war, befand sich in der That in einer sehr schwierigen Lage. Immer näher rückte die Türkengefahr und die Erfahrungen, die er auf dem inzwischen eröffneten Regensburger Reichstage machte, mußten sie noch größer erscheinen lassen. Die katholischen Stände verhielten sich seinen Forderungen gegenüber sehr kühl. Es wurde um jeden Mann gefeilscht. Zeitweilig schien es, als ob die erbetene Hilfe überhaupt in Frage stände. Und es machte wenig Eindruck, als Karl dagegen auf die ev. Bereitschaft der Protestanten hinwies und die Mithilfe der katholischen Stände zum Ausgleich der Gegensätze erbat. Der Kaiser möchte selbst zusehen, wie er die Protestanten gewinnen könne. Von ihren Forderungen wollte man nichts wissen, verlangte vielmehr Erneuerung des Augsburger Abschieds und Geltung desselben bis zu einem Konzil, ja Georg von Sachsen forderte ausdrücklich, daß den Religionsprozessen freier Lauf gelassen werde und die Lutheraner dem Kaiser und den katholischen Ständen zur Vertilgung der „Zwinglischen und andern Sekten" behilflich sein sollten (Winckelmann S. 227). Das war zu derselben Zeit, in der selbst Clemens VII. in der Augustana manches gut katholisch fand, während anderes sich so deuten lasse, und um der Türken willen auf eine Einigung drängte. Der Papst, so riet Aleander, könnte sich ja einer ausdrücklichen Billigung und Bestätigung der kaiserlichen Zugeständnisse enthalten (S. 228).

So blieb denn schließlich nichts übrig, als daß der Kaiser seinerseits ohne Zuziehung der katholischen Stände die Angelegenheit zu regeln suchte. Aber auch jetzt war die Sache noch sehr schwierig. Die Evangelischen selbst waren keineswegs einig über das, was erreicht werden müsse. Die Schrofferen unter Führung des Landgrafen wollten an den früher aufgestellten Forderungen durchaus festhalten. Nicht so der Kurfürst, der wiederum Luther befragte, der sich die größte Mühe gab, die allzuhoch gespannten Wünsche auf das Erreichbare und Notwendige herabzumindern. Die gern in den Vordergrund geschobene römische Königswahl erklärte er für nicht so wichtig. Sei sie auch gegen die goldene Bulle, so sei sie doch keine Sünde wider den heiligen Geist. Das Nötige, hier den Frieden, fallen lassen wegen des Unnötigen sei wider Gott und das Gewissen. Eine der wichtigsten und darum auch von den Gegnern am meisten bekämpften Forderungen war die, daß der Friede auch den „künftigen" Anhängern der evangelischen Lehre gelten solle. Luther verkannte die Wichtigkeit dieses Punktes und seine Bedeutung für die Ausbreitung der evangelischen Lehre durchaus nicht, hielt die Forderung aber doch für unbillig: „Wir können den Kaiser mit Recht nicht zwingen, daß er die Seinen, so doch uns nicht verwandt sind, sichern sollt unsers Gefallens". Dringend ermahnte er, doch ja nicht um dieses Punktes willen den Frieden zurückzuweisen (Th. Kolde, M. Luther II, 323). Dagegen hat man sich lange gesträubt, aber schließlich doch nachgegeben. Dazu kam, daß einzelne evangelische Stände in der Türkenfrage nicht mehr fest waren und angesichts des inzwischen wirklich erfolgten Einfalls des Sultans in ihrem Patriotismus und aus Sorge vor dem Vorwurf, „daß sie das Verderben der Christenheit gern sähen", bereits Rüstungen zum Türkenkrieg vornahmen oder diese jetzt rückhaltlos in Aussicht stellten, was freilich von den katholischen Ständen mit wenig Dank aufgenommen, nur als Zurückweichen aufgefaßt und gegen die Friedensbestrebungen ausgenützt wurde.

Nach langwierigen Verhandlungen, deren Einzelheiten hier übergangen werden können, kam es endlich am 23. Juli 1532 zu dem Nürnberger Frieden, der am 3. August verkündigt wurde (Luthers WB. ed. Walch XVI, 2210 ff. Der Kaiser, nicht das Reich, gewährleistete darin den Evangelischen, d. h. dem Kurfürsten und seinen Mitverwandten, so daß also die zukünftigen Bekenner der evangelischen Lehre nicht eingeschlossen waren, ihren Religionsstand bis zum Zusammentritt eines Konzils, oder falls dies nicht binnen Jahresfrist zu stande käme, bis zum nächsten Reichstag. Auch enthielt der Vertrag nicht die gewünschte Sistierung der Prozesse beim Kammergericht, sie wurde nur in einer geheim zu haltenden kaiserlichen „Versicherung" gewährt, die noch dadurch abgeschwächt wurde, daß in jedem einzelnen Falle die Sistierung erbeten werden solle. Hiernach war dieser Friede mehr ein „Anstand", ein Waffenstillstand, indem den Protestanten auf Zeit hin Duldung gewährleistet wurde. Aber mochten auch manche, wie der Landgraf, der anfangs zögerte, den Frieden anzunehmen, darüber klagen, daß man zu wenig erlangt habe, so bedeutete doch der Nürnberger Friede eine große Errungenschaft für die Evangelischen. Der Abschied von Augsburg, an dem die katholische Partei noch auf dem Regensburger Reichstage mit aller Energie festhalten wollte, war außer Kraft gesetzt, der Rechtsbestand des evangelischen Kirchenwesens vorderhand gesichert, und hatte man auch keinen dauernden Frieden, so waren doch für den Fall, daß das Konzil binnen Jahresfrist nicht zu stande kam, weitere Verhandlungen in Aussicht gestellt. Und Luther behielt Recht mit seiner Meinung, daß auch die künftigen Evangelischen von dem Frieden Vorteile genug haben würden. Unter seinem Schutze machte die Reformation in den nächsten Jahren große Fortschritte und er blieb das Abkommen, auf das man bei allen späteren Verhandlungen immer wieder zurückging. *Th. Kolde.*

Numeri s. d. A. **Pentateuch.**

Nuntiaturstreitigkeiten s. d. A. **Legaten, Bd XI** S. 344, 2 ff.

Nuntius s. d. A. **Legaten Bd XI** S. 340, 45.

O.

Obadja, Prophet. — Litteratur: Leusden, Obadias ebraice et chaldaice . . . explicatus, Ultraj. 1657; Pfeiffer, Comm. in Obadiam, Viteb. 1666. 1670; Schrör, Der Prophet Obadias, Breslau u. Leipzig 1766; Schnurrer, Diss. phil. in Obadiam, Tübingen 1787; 5 Holzapfel, Ob. neu überf. u. erl., Rinteln 1798; Grimm, Jonae et Obadjae oracula syriace ed. Duisburg 1799; Krahmer, Observv. in Obadjam, Marburg 1833; Venemae lectiones in Ob. in Verschiurii opp. ed. Lotze, Utrecht 1810; Hendewerk, Ob. orac in Idumaeos, Königsberg 1836; Caspari, Der Pr. Ob., Leipzig 1842; Seybel, Vatic. Obadjae, Leipzig 1869; Peters, Die Prophetie Obadjas, Paderborn 1892. Einzelnes: Jäger, Ueber das Zeitalter 10 Ob., Tübingen 1837; J. B. Köhler, Anmm. über einige Stellen des Ob. in Eichhorns Repert. f. bibl. und morgenl. Litter. XV, 250 ff.; Preiswert's Morgenl. V, 321; Baihinger in Merx' Archiv I, 488 f.; Delitzsch in ZlThR 1851, I; Wolf ebend, 1866, III; Kusnitzkl. Joel Amos Ob. qua aetate sint loquuti, Br. 1872; Ewald, Pr. b. A. B.² I, 489 ff.; Meier in Zellers Jahrbb. I, 3 S. 526; Hofmann, Weiff. u. Erf. I, 201; Bibl. Hermeneutik (Nörd-15 lingen 1880) S. 175 f.; Küper, Jeremias librorum sacrorum interpres atque vindex 104 f.; Hengstenberg, Die Gesch. Bileams u. seine Weiff. 253 ff.; Christologie² I, 458 ff.; Knobel, Proph. II, 324. Außerdem zu vgl. die Komm. zu den kleinen Propheten u. die Einll. ins AT., bes. Reuß, Die Gesch. der h. Schrr. ATs § 367 f.

Von der Person und den Lebensverhältnissen Obadjas (hebr. עֹבַדְיָה = עֹבַדְיָהוּ b. i. 20 Verehrer Jahves; die LXX schreiben v. 1 Ἀβδιού, Ἀβδείου und Ὀβδιού) wissen wir so gut wie nichts. Das kleine nach ihm benannte, in der Reihe der kleinen Propheten die vierte Stelle einnehmende Buch enthält keinerlei Angaben über seine Abstammung, Heimat und sonstige Lebensstellung. Nicht einmal, wer der Vater des Propheten gewesen, wird gesagt. Nur daß er ein Judäer war, wird aus dem Inhalt seiner Weissagung 25 mit Recht geschlossen. Um so geschäftiger war die Sage, die Lücken auszufüllen, worüber zu vgl. Carpzov, Introd. p. 332—335; Delitzsch, De Habacuci proph. vita atque aetate p. 60 sq. und Caspari a. a. O. S. 2 f. Die Vermutung, עֹבַדְיָה sei ein symbolisches nomen appellat., und es habe gar keinen Propheten dieses Namens gegeben (Augusti, Einl. 1806 S. 278; Bertholdt, Einl. IV, 1627; vgl. auch Küper a. a. O. 105), 30 ist schon deshalb abzuweisen, weil ע ein nicht seltener Eigenname ist.

Was die Frage nach dem Zeitalter betrifft, dem O. angehört, so wurde er von einer Reihe von Auslegern für den ältesten aller Propheten, von denen wir Schriften besitzen, von anderen hinwiederum für einen der jüngsten erklärt. Hofmann, Delitzsch, Keil, Nägelsbach, Baihinger, Orelli ließen ihn unter König Joram weissagen; Jäger, Caspari, Hä-35 vernik und Hengstenberg wiesen ihn dem Zeitalter Jerobeams II. und Usias zu, während nach dem Vorgange von Aben Esra, Luther u. a. viele neuere und ältere Ausleger in der Weissagung die deutlichste Beziehung auf die Zerstörung Jerusalems durch Nebukadnezar als auf ein vorausgegangenes Faktum fanden und demgemäß Obadja zu einem Zeitgenossen Jeremias machten. Die neueste Auslegung stellt in Abrede, daß das Buch 40 eine litterarische Einheit sei; sie läßt es zusammengesetzt sein aus einem Urobadja, der die Verse 1—9 umfaßt habe und zu dessen Worten der Abfall der Edomiter unter Joram Anlaß gegeben haben könne. Dieser Urobadja habe dann eine Ergänzung erfahren, die jedenfalls später sei als Jerusalems Zerstörung durch die Chaldäer, welche v. 10—14 vorausgesetzt werde. Übrigens sei es fraglich, ob sich nicht auch in v. 15—21 noch Über-45 bleibsel des alten Orakels erhalten hätten, und ebenso, ob der Name Obadja v. 1 den Ergänzer oder Verfasser des ursprünglichen Orakels nenne.

Prüfen wir die für die Behauptung, daß der jetzige Obadja auf einer späteren Ergänzung beruhe, beigebrachten Argumente! Man geht von der unleugbaren Thatsache aus, daß in dem jeremianischen Orakel gegen Edom 49, 7—22 eine Reihe der auffälligsten 50 Berührungen mit Obadja sich findet (vgl. Ob 1 = Jer 49, 14; 2 = 49, 15; 3a = 49, 16a; 4 = 49, 16b; 5 = 49, 9; 6 = 49, 10a; 8 = 49, 7; 9a = 49, 22b), und von der gleichfalls nicht zu bestreitenden Annahme, daß Jeremia den Obadja — nicht umgekehrt — nachgebildet und vor sich gehabt habe; schließt nun aber weiter daraus, daß „die Berührungen Jeremias auf die 9 ersten Verse Obadjas sich beschränken und 55 mit v. 9 völlig aufhören", daß Jeremia den zweiten Teil Obadjas nicht gekannt habe. Allein dieser Schluß ist nicht zwingend und zwar (vgl. Caspari a. a. O. S. 25) deshalb nicht, weil eine Entlehnung aus Stellen, wie Ob 17 und 19—21 dem Zweck nicht entsprochen haben würde, den Jeremia in der Weissagung gegen Edom verfolgt. Während er nämlich a. a. O. den Edomitern das Gericht anzukündigen hatte, das Gott durch die Babylonier verhängen werde, handelt sichs Ob 17 und 19—21 um Judas zukünftige Lage, um seine Rettung und Wiederherstellung und die ihm zu teil werdende Gebietserweiterung. Selbst der Inhalt von Ob 18 und 21a fügte sich nicht in Jeremias Weissagung, in der Nebukadnezar und die ihn begleitenden Völkerscharen als Strafwerkzeuge Edoms dargestellt werden, nicht aber Israel. Dazu kommt, daß Jeremia auch eine Hauptstelle des ersten Teils Obadjas, nämlich v. 7a gar nicht benutzt hat; und endlich die Analogie, welche für den vorliegenden Fall das Verhältnis von Jer 48 zu der Weissagung Jes 15 und 16 über Moab darbietet, wo auch einzelne Teile, namentlich Jes 16, 1—5 gar nicht benutzt sind. Ein weiteres, für die in Rede stehende Ergänzung ins Feld geführtes Argument, daß nämlich v. 1 „die Völker" Werkzeug des Gottesgerichts an Edom seien, hingegen v. 15 Objekt des Gerichtes Gottes, fällt nicht ins Gewicht, da diese beiden Gedanken sich nicht ausschließen. Seit Israels königliche Stätte von einem heidnischen Volk nach dem andern überwältigt und mißhandelt wurde, gestaltete sich die Aussicht auf das Ende der Dinge dahin, daß Zion heidnischen Angriffen so lange ausgesetzt sein wird, bis die Zeit vorhanden ist, da Jahve sein Heil offenbart. Daher nun Ob v. 15 ff. davon sagt, daß die ganze Völkerwelt thun wird, wie Edom an Jerusalem gethan; aber auch, daß sie die Bitterkeit ihres Frevels zu schmecken bekommen und sich das Verderben zuziehen wird. Aber verhält es sich nicht so, wie man sagt — es ist dies das dritte zu Gunsten der Annahme eines ergänzten Urobadja vorgebrachte Argument —, daß in der 2. Hälfte die Zerstörung des Staates Juda durch die Chaldäer vorausgesetzt ist? Wenn dem so wäre, so würde doch wohl von der Zerstörung der h. Stadt die Rede sein, während wir nur von ihrer Eroberung und Plünderung, von wilden Orgien der Sieger auf dem hl. Berg und von Wegführung Gefangener, sowie des überwundenen judäischen Kriegsheeres, von harter Behandlung, feindlichem Geschick (v. 12 = נֵכֶר Hi 31, 3), von des Unglück und Not (v. 13 בְּאִיד) lesen, auch das יוֹם אָבְדָם v. 12 nicht den Untergang des ganzen Volks bezeichnen kann, weil dazu das folgende צָרָה Bedrängnis viel zu schwach ist. Ferner wäre eine bestimmtere Kennzeichnung der Chaldäer zu erwarten gewesen, speziell ihrer Bestrafung; statt dessen werden die Feinde Jerusalems ganz allgemein und unbestimmt v. 11 als זָרִים, נָכְרִים bezeichnet und nur Edoms schadenfrohes Mitwirken an den Feindseligkeiten gegen Jerusalem und seine Vergewaltigung der judäischen Flüchtlinge hervorgehoben. Endlich findet sich keine Spur von einer Verpflanzung des Volkes nach Babylonien. Freilich hat man die Stelle v. 20, wo von „der Gefangenschaft Jerusalems" die Rede, „die in Sepharad ist", benutzt, um die Annahme zu stützen, daß es sich um die von Nebukadnezar weggeführten Gefangenen handle, indem man סְפָרַד von dem im südwestlichen Medien gelegenen Saparda der Sargoninschriften verstand. Allein dem parallelen בַּצָּרְפַת צָרְפַת gemäß — צרפת (Sarepta, jetzt Sarfend) eine phönizische Stadt zwischen Tyrus und Sidon 1 Kg 17, 9. 10 — wird סְפָרַד vielmehr für eine Stadt oder Gegend Phöniziens selbst oder für eine westlich oder nordwestlich jenseits des Mittelmeers gelegene Kolonie derselben oder auch, was noch näher liegt, da der Handel der Phönizier vorzüglich nach Westen und Nordwesten ging, für ein in dieser Richtung gelegenes Land zu halten sein, mit dem sie in Handelsverbindungen standen. Nun findet sich in den Inschriften des Darius dreimal, und zwar immer neben Jauna, ein Land Cparda (s. Spiegel, Die altpers. Keilinschrr.² 1881, S. 4 f. 46 f. 54 f.), das schon Sylv. de Sacy mit unserem סְפָרַד kombiniert hat. Dies erinnert an die Stelle Jo 4, 6, wo die Phönizier beschuldigt werden, gefangene Judäer den Javanern (Jauna) ausgeliefert zu haben. Hiernach wird סְפָרַד = Cparda der Keilinschriften im Westen gesucht werden müssen und Sardes (in einheimischer Sprache Cparda) = Lydien neben den Joniern darunter zu verstehen sein; und die Vorstellung, die wir gewinnen, ist die, daß ein Teil der Gefangenen in den Besitz der Phönizier überging, die sie dann westwärts weiter verkauften. Es kann sich also hier schlechterdings nicht um die chaldäischen Deportationen der Judäer und Jerusalemer handeln. Kämen diese in Betracht: wie könnte Phönizien genannt und Babylonien als Aufenthaltsort der Exulanten nicht erwähnt sein?

Wir können sonach auch das dritte der für die Annahme eines Urobadja, der überarbeitet worden sei, vorgebrachten Argumente nicht für stichhaltig erklären. Richtig ist, daß es sich v. 10 ff. nur um Geschehenes, nicht um Zukünftiges handeln kann, um einen Angriff auf Jerusalem, auf den zurückgeblickt wird, dann aber nur auf das Faktum, von dem wir 2 Chr 21, 16. 17 lesen, laut welcher Stelle Philister und Araber heraufzogen gegen Joram, den König von Juda, und Gefangene und großes Gut hinwegführten: dasselbe Ereignis, das Joel und Amos im Sinne haben, wenn sie, jener 4, 6, dieser 1,

6. 9 ben Philiftern und Phöniziern vorwerfen, daß fie die Gefangenen Judas an Edom und Javan verkauft haben, und auf das fich beziehend Joel und Obadja in einer Reihe von Ausfagen fich berühren (Jo 4, 19 vgl. Ob 10; Jo 4, 3 vgl. Ob 11; Jo 4, 7. 14 vgl. Ob 15; Jo 3, 5 vgl. Ob 17). Wann follten die von Amos 1, 11 geftraften Grau⸗
5 famkeiten der Edomiter, um derentwillen fie vor ihm Joel 4, 19 neben den unter Re⸗ habeam ins Land gefallenen Ägyptern nennt, wahrfcheinlicher gefchehen fein, als gleich in der erften Zeit nach ihrer Empörung gegen Juda (2 Kg 8, 22; 2 Chr 21, 10) bei jenem Plünderungszug der Philiftäer und Araber (vgl. Credner, d. Proph. Joel, S. 44)?

Ift nun v. 11 ff. auf dasfelbe Ereignis zu beziehen, das anerkanntermaßen die vor⸗
10 hergehenden Verfe im Auge haben: fo liegt keinerlei Anlaß vor, die litterarifche Einheit des Büchleins „Mofaikarbeit" zu beftreiten. Daß es keiner „Mofaikarbeit" feinen Urfprung verdankt, zeigt auch der lebendige Gedankenfortfchritt, den fein Inhalt aufweift, und die formelle Abrundung, in der er fich darftellt. Das Geficht (חזון) zerfällt in drei Wendungen. Die erfte v. 1—9 kündigt dem Edomitervolk das göttliche Gericht an, vor dem es weder
15 durch die Sicherheit feiner Felfenwohnungen, noch durch feine Klugheit, noch durch feine Bundesgenoffen gefchützt werden foll. Die zweite Wendung v. 10—16 befchreibt den Frevel, durch den das Gericht verwirkt ift: Edoms Verfchuldung gegen das Brudervolk Jakob bei der Einnahme und Plünderung Jerufalems durch fremde Völker, feine Schaden⸗ freude und thätliche Feindfeligkeit, die ihm heimgezahlt werden foll, ebenfo wie allen an⸗
20 deren Völkern, die an Zion thun werden, wie Edom gethan, dafür aber dem Gericht des Verderbens verfallen, wenn die Zeit gekommen ift, da Jahve fein Heil offenbart. Die dritte Wendung v. 17—21 befchreibt die Wiedererhebung, die dem jetzt zerriffenen und verfchleppten Israel bevorfteht, das fein ganzes Land famt dem feiner derzeitigen Feinde inne haben und die feiner Glieder wieder erhalten wird, die aus ihm gefangen weg⸗
25 gefchleppt wurden.

Wir bemerkten, daß Joel und Obadja fich in mehreren auf das 2 Chr 21, 16. 17 berichtete Ereignis bezüglichen Ausfagen berühren. Welcher von beiden nun der ältere ift, ergiebt fich aus dem Worte Joels 4, 19, wo er fich mit einem ausdrücklichen כאשר ה auf Ob 17 beruft. Ift nun Joel (f. b. Art. Bb XI S. 888) unter Joas
30 anzufetzen, fo wird Obadjas Wirkfamkeit der Regierungszeit des Königs Joram zugewiefen werden müffen, in welche jenes Ereignis fiel. Erfcheint fo Obadja als der ältefte der Propheten, von denen wir Schriften im Kanon haben, fo fpricht feine Stellung in der Sammlung der kleinen Propheten nicht dagegen. Denn diefelbe ift nur im großen und ganzen chronologifch geordnet. In Bezug auf die Anordnung der einzelnen Gruppen ift
35 der Umfang und die Wechfelbeziehung zwifchen dem Schluß des einen Buchs und dem Anfang des andern maßgebend gewefen (f. Delitzfch, Bibl. Comm. über d. Pr. Jef.² XXI). Auch die Sprache des Propheten fpricht nicht gegen zu frühen Urfprung. Seine Rede — fagt Umbreit, „kommt wie aus Felfenklüften; fein Wort ift hart und rauh. Wir finden keine Blüte des Ausdrucks, nicht Schmuck der biblichen Darftellung". Sind wir mit
40 unferer Datierung der Weisfagung im Recht, fo ift die von einigen ausgefprochene Ver⸗ mutung nicht von der Hand zu weifen, daß der Prophet Obadja für identifch anzufehen ift mit dem frommen Judäer Obadja, den Jorams Vater Jofaphat laut 2 Chr 17, 7 ff. als gefetzeskundigen Laien mit anderen angefehenen Männern ausfandte behufs Unter⸗ weifung des Volks im Gefetze Jahves (f. Delitzfch, ZlThK 1851, S. 102). **Volck.**

45 **Obedienz** (obedientia) ift ein Begriff des katholifchen Kirchenrechtes und heißt der Gehorfam, welcher in der Hierarchie von den auf einer niederen Stufe Befindlichen (mi⸗ nores, obedientiarii) den Oberen (majores) geleiftet werden foll. Die hierarchifche Gliederung beruht daher auf dem Gegenfatze von majoritas und obedientia (vgl. den Titel X, I 33; in VI°. I. 17; Extravag. Ioannis XXII, 2; Extrav. Comm. I. 8).
50 Die Grundfätze über die Obedienz haben fich vorreformatorifch im Anfchluffe an den Feudalismus in der Kirche entwidelt. Nach diefem fteht die Fülle aller Gewalt einer Perfon zu, von welcher alle übrigen mit entfprechenden Teilen der Macht betraut find und deshalb die Pflicht der Obedienz gegen den Inhaber der Machtvollkommenheit über⸗ nehmen. Von feiten der Päpfte, als Dei vices gerentes in terris, ift demgemäß die
55 Obedienz der ganzen Chriftenheit in Anfpruch genommen. In diefem Geifte find die fo⸗ genannten dictatus Hildebrandini abgefaßt, worin es unter anderem heißt: Quod solus papa possit uti imperialibus insigniis. Quod solius papae pedes omnes principes deosculentur. Quod illi liceat imperatores deponere u. a. (vgl. Giefe⸗ brecht, De Gregorii VII. registro emendando, Regimont. 1858, p. 5). Ebenfo

erklärt sich Bonifaz VIII. in der Bulle: Unam sanctam (c. I. Extrav. comm. de maj. et ob. I, 8) 1302, deren Schlußworte also lauten: „Quicumque huic potestati a Deo sic ordinatae resistit, Dei ordinationi resistit... Porro subesse Romano Pontifici, omni humanae creaturae declaramus, dicimus, definimus et pronunciamus omnino esse de necessitate salutis". Durch das Schisma erlitt diese 5 allgemeine Obedienz große Einbuße, indem die Doppelwahl Urbans VI. und Clemens VII. im Jahre 1378 zwei Obedienzen hervorrief, welche durch das Konzil zu Pisa 1409 sogar durch eine dritte Obedienz vermehrt wurden. Infolge der Reformation aber fiel ein großer Teil der lateinischen Kirche von der bisherigen Obedienz überhaupt ab, auch seitens der Römisch-katholischen wurden manche aus derselben fließende Äußerungen der Reverenz 10 nach und nach antiquiert. Die mittelalterlichen Bestandteile der Obedienz, reverentia, judicium et praeceptum, wurden mehr und mehr abgeschwächt.

Was die Anwendung der Grundsätze von majoritas und obedientia auf den Klerus betrifft, so hat der Diöcesanbischof den Anspruch auf Obedienz aller Diöcesanen, selbst der Exemten (s. b. Art. „Exemtion" Bd V S. 690). Die Bischöfe selbst schwuren 15 früher dem Metropolitan bei der Konsekration Obedienz, seit aber der Papst das Konsekrationsrecht sich reserviert hat, wird der Eid nur ihm geleistet. Die Formel ist uralt und aus einem wahren Lehneide entsprungen. Die von Bischof Fulbert (gest. 1028) entworfene Form (c. 18, Cau. XXII. qu. V) ist im wesentlichen späterhin mit Erweiterungen beibehalten, c. 4. X. de jurejur. (II. 24) (Gregor VII. a. 1079) und die neuere 20 Form des Pontificale Romanum in Lehrbüchern des Kirchenrechtes mehrfach abgedruckt. So bei Hinschius, 3, 205, Anm. 4. Für die Geistlichen mit Seelsorge-Beneficium schrieb das Tridentinum in Sess. 24 c. 12 de reform. vor: „Provisi de beneficiis quibuscumque curam animarum habentibus teneantur a die adeptae possessionis ad minus intra duos menses in manibus ipsius episcopi, vel eo impedito co- 25 ram generali eius vicario seu officiali, orthodoxae suae fidei publicam facere professionem, et in ecclesiae Romanae obedientia se permansuros spondeant ac jurent".

Die Eidesformel selbst ist durch die Constit. Pius IV. vom 13. Nov. 1564 Injunctum vorgeschrieben und lautet: S. catholicam et apostolicam Romanam ecclesiam 30 omnium ecclesiarum matrem et magistram agnosco Romanoque pontifici, b. Petri apostolorum principis successori ac Jesu Christi vicario veram obedientiam spondeo ac juro. Von diesem (mit dem Glaubensbekenntnisse zu verbindenden) Versprechen des Gehorsams gegenüber dem Papste ist wohl zu unterscheiden das Geloben des Gehorsams gegenüber dem Bischofe. Ein solches Gelübde wird bei der Priesterweihe 35 abgeleistet. Ein besonderer Gehorsamseid der niederen Kirchenbeamten gegenüber dem Bischof kommt nur noch kraft Gewohnheitsrechts oder partikulärer Rechtsbildung hie und da vor. Vgl. Saedt in Archiv f. k. k. R. 76 (1896) S. 41.

Obedienz vornehmlich geloben auch die Regularen ihren Oberen. Hierunter ist eine vollständige Abhängigkeit von den Superioren verstanden, die auf jede eigene Willens- 40 bethätigung verzichtet (m. s. die Details bei Ferraris, Bibliotheca can. s. v. votum Artic. II, no. 9—42). Ganz besonders ausgebildet ist das votum obedientiae im Jesuitenorden und den demselben verwandten Orden und Kongregationen.

                        (F. H. Jacobsohn †), Sehling.

Oberlin, Fritz, Pfarrer im Steinthal, gest. 1826. — Mme Félicie (Tourette), le 45 pasteur O. (Strasbourg 1824); Lutteroth, Notice sur O. (Paris 1826. Uebersetzt von C. W. Krafft, Straßburg 1826); (H. Legrand), Notice sur O. (Strasbourg 1826); Schubert, Züge aus dem Leben von O. (Nürnberg 1826, 11. Auflage 1890); Sarah Atkins, Memoirs of J. Fr. O. (London 1829, 10. Auflage, 1852. Uebersetzt von Burckhard, O.s Lebensgeschichte, Stuttgart 1843, Bd I); E. Stöber, Vie de Jean Fréd. O. (Strasbourg 1831, über- 50 setzt von Burckhard a. a. O. Band II u. III); Bodemann, O. nach seinem Leben und Wirken (Stuttgart 1855, 3. Aufl. 1879); L. Spach, O., pasteur du Ban-de-la-Roche (Strasbourg 1866); Frédéric Bernard, Vie d'O. (Paris 1867); Josephine Butler, Life of O. (London 1882); Mme Gustave Desmoulin, O. (Paris 1884); Mme Ernest Röhrich, Le Ban-de-la-Roche (Paris 1890); Armin Stein (Nietschmann), J. Fr. O., ein Lebensbild (Halle 1899); Camille 55 Leenhard, J. Fr. O., un saint protestant (Montauban 1896). — Den umfangreichen handschriftlichen Nachlaß O.s hat die Familie unter sich verteilt; er konnte darum von dem Verf. nur in beschränktem Maße benützt werden.

    1. Johann Friedrich Oberlin wurde geboren zu Straßburg i. E. am 31. August 1740. Sein Vater, Joh. Georg O., war Lehrer am protestantischen Gymnasium, seine Mutter, 60

Maria Magdalena, geb. Felz, Tochter des Pfarrers und Kanonikus Felz an St. Aurelien.
Von seinen sechs Brüdern ist Jeremias Jakob (geb. 1735, gest. 1806) als Philologe (Ausgaben von Ovid, Horaz, Tacitus) und als Germanist (Herausgabe und Ergänzung des Glossarium von Scherz) berühmt geworden. Stramme Zucht, fröhliche Genügsamkeit
5 und schlichte warme Frömmigkeit bezeichnen den Geist des elterlichen Hauses. Schon als Knabe gab unser Oberlin Proben von heroischer Selbstbeherrschung und Selbstlosigkeit. Fünfzehnjährig begann er nach absolviertem Gymnasium aus eigenem Antrieb das Studium der Theologie. Mächtig ergriffen ihn die Predigten von D. Siegmund Friedrich Lorenz, der nicht ohne Anfeindung von rechts und links, strenge Orthodoxie mit eifrigem
10 Drängen auf persönliche Heilsaneignung verband. Ob er wohl auch in pietistische und herrenhutische Kreise kam? Im Geiste derselben ist sein rührendes schriftlich aufgesetztes „Verlöbnis mit Gott" vom 1. Januar 1760 (erneuert zehn Jahre später). Lavater hatte begeisterte Verehrer in Straßburg, sie blieben gewiß nicht ohne Einfluß auf Oberlin. 1758 wurde er Baccalaureus der Theologie. Privatunterricht füllte während und nach
15 seinen Universitätsstudien seine freie Zeit. 1762 wurde er Hofmeister der Kinder des angesehenen Chirurgen Ziegenhagen und erwarb sich in dieser Stellung nicht nur wertvolle praktische Kenntnisse, sondern auch die weltliche Bildung und die feinen französischen Umgangsformen, die er, trotz der Abgeschiedenheit seines späteren Wirkungskreises, bis an sein Ende bewahrte. Dann privatisierte er wieder zwei Jahre in sehnsüchtiger Erwartung
20 einer Anstellung. Bereits hatte er sich auf einen Ruf als Feldprediger des Regiments Royal-Alsace eingelassen, als Stuber ihn in dem Dachkämmerchen aufsuchte, das er sich gemietet hatte, um ungestört seinen Studien obliegen zu können, und in dem genügsamen und praktischen Sinn des Kandidaten das Zeichen von dessen Bestimmung für das Steinthal erkannte.

25 2. **Steinthal (Ban-de-la-Roche)** heißt ein acht Ortschaften umfassender Gebirgsstrich an der Grenze von Elsaß und Lothringen, im Hintergrund des Breuschtals, auf den nordwestlichen Abhängen des Hochfelds. Es hat seinen Namen von dem Schlosse Stein, dessen Ruinen über Bellefosse liegen. Schloß und Gebiet trugen seit 1303 die Herren von Rathsamhausen von dem Straßburger Bischof zu Lehn. Das Schloß wurde
30 1471 von den Straßburger Bürgern zerstört, das Gebiet kam 1574 durch Kauf an das Haus Pfalz-Veldenz. Als dieses 1723 ausstarb, fiel dasselbe dem König von Frankreich zu, der damit den königl. Intendanten von Elsaß, M. d'Angervillers und nach dessen Tode die beiden Schwiegersöhne desselben belehnte. 1762 wurde das Steinthal zur Grafschaft erhoben und dem damaligen königl. Prätor in Straßburg, dem Marquis de Paulmy
35 Voyer d'Argenson verliehen, der es jedoch schon 1771 an Baron Johann von Dietrich verkaufte. Die Revolution schlug es zum Departement des Vosges. Seit 1871 gehört es zum Kreise Molsheim (Unter-Elsaß). — Das Klima des Steinthals ist rauh wie seine Lage inmitten unermeßlicher Waldungen. Der Ackerbau ist schwierig in dem zerklüfteten, felsigen Boden. Stürme und Wolkenbrüche richten oft großen Schaden an. — Die Ab-
40 gelegenheit schützte das Thal nicht vor den Greueln des dreißigjährigen Krieges. Seine Bevölkerung starb damals beinahe gänzlich aus. Die meisten jetzigen Einwohner stammen von Deutschen, Franzosen, Schweizern und Italienern ab, die nach jenen Schreckenszeiten sich in den verlassenen Dörfern ansiedelten. Die Reformation wurde früh eingeführt. Bis 1685 bildete das Thal eine Gemeinde, deren Pfarrer in Rothau wohnte. Dann
45 wurde Waldersbach (mit den Filialen Fouday, Zollbach, Belmont, Bellefosse) zur Pfarrei erhoben. Bis 1726 kamen die Geistlichen aus dem Mümpelgarder Land. Einer der letzten derselben, namens Pelletier, wirkte mit Eifer und im Segen. Seine Anhänger sammelten sich in Konventikeln und hießen „les réveillés". Später wurde das Steinthal durch königliche Verordnung dem Straßburger Kirchenkonvent unterstellt. Die Sprach-
50 verschiedenheit machte den Herren viele Not, so daß sie 1737 die Steinthäler auffordern ließen, deutsch zu lernen, weil es so schwer halte, ihnen französische Prediger zu finden. Die meisten Straßburger Kandidaten kamen nur, um so bald als möglich wieder zu gehen. Anderen wurde die Stelle als in Strafposten zugewiesen. Kein Wunder, daß die so versorgten Gemeinden sittlich und religiös so tief standen als in materieller Be-
55 ziehung.

1750 trat zum erstenmal im Steinthal ein Mann auf, der ein Herz hatte für die geistliche und leibliche Not dieses durch die Sprache, durch hohe Berge und breite katholische Gebiete von ihren Glaubensgenossen getrennten Bergvölkleins. Joh. Georg Stuber (1722 zu Straßburg geboren) suchte zunächst den Gottesdienst zu heben durch Revision
60 des Gesangbuchs und Reformation des Gesangs. Er bemühte sich durch Predigten über

die evangelische Heilsgeschichte der Gemeinde klare christliche Vorstellungen beizubringen.
Mit Hilfe seiner Straßburger Freunde erweiterte er das kleine Gotteshaus. Als 1754
seine jugendliche Gattin dem Klima zum Opfer gefallen war, ließ sich Stuber, der selber
von zarter Konstitution war, bestimmen, ein Pfarramt jenseits des Hochfelds in dem
am Fuß der Vogesen gelegenen wohlhabenden Orte Barr anzunehmen. Sein Nach= 5
folger war leider wieder ein Mann, der dem heiligen Amte keine Ehre machte und ab=
gesetzt werden mußte. Die Thränen der armen Steinthaler bewogen Stuber trotz der
Vorstellungen seiner Freunde seinen stattlichen Pfarrsitz .in Barr wieder mit dem armen
baufälligen Pfarrhäuschen in Waldersbach zu vertauschen. März 1760 kehrte er zurück
und setzte das unterbrochene Werk fröhlich fort. Er gründete Winterschulen für die Er= 10
wachsenen. Eine Gabe von 500 Gulden legte er als Grund zu einem Schulfond für
Belohnung pflichtgetreuer Lehrer. Er sorgte für Verbreitung der Bibel in Basler Aus=
gaben. Ja sogar zur Verbesserung der ökonomischen Lage der Steinthäler wurde der
Anfang gemacht durch Einführung einer neuen Futterpflanze. — 1767 konnte Stuber
nicht mehr länger dem Drängen derjenigen widerstehen, die den Wunsch hegten, er möge 15
seine bedeutenden Gaben als Prediger und Seelsorger in Straßburg verwerten, und nahm
eine Stelle an der Thomaskirche an, aber nicht ohne sich in der Person Oberlins eines
gleichgesinnten Nachfolgers vergewissert zu haben. Er blieb in ununterbrochener Verbin=
dung mit seiner früheren Gemeinde, in deren Mitte er jährlich einige Wochen zuzubringen
pflegte. In Straßburg war er die Seele des Freundeskreises, der Oberlin mit Geld= 20
unterstützungen zur Hand ging. Auch für die Gemeinde Rothau, die 37 Jahre lang
einen Miethling an der Spitze gehabt hatte, gelang es ihm in der Person des Kandidaten
Schweighäuser einen tüchtigen Seelsorger zu finden. Bemerken wir noch, daß Stuber,
der, ohne Rationalist zu sein, doch vielfach von der orthodoxen Theorie und Praxis abwich,
später mit seinen Kollegen in Straßburg in schwere kirchliche Konflikte kam. Er starb 25
am 31. Januar 1797. Vgl. Joh. G. Stuber, Der Vorgänger Oberlins im Steinthal
und Vorkämpfer einer neuen Zeit in Straßburg, dargestellt von Joh. W. Baum, Straß=
burg 1846.

Am 1. April 1767 unterzeichnete Herr Voyer d'Argenson das Schriftstück, welches
Oberlin zum Pfarrer in Waldersbach ernannte. Am 12. Juni erwarb sich derselbe den 30
Grad eines Magisters auf Grund einer Dissertation De commodis et incommodis
studii theologici, voll hoher Gedanken über die Verantwortlichkeit und Würde des
Pfarramtes, und trat darauf sein Amt an. Der jugendliche, an das reiche geistliche
Leben der Landeshauptstadt gewöhnte Kandidat mochte sich wohl anfänglich wie in einer
Wildnis fühlen. Die armselige Lebensart der Bewohner, ihre wunderliche Umgangssprache 35
(ein harter lothringischer Dialekt, über welche der Sprachforscher Oberlin später eine Ab=
handlung schrieb), ihr niedriger Bildungsstand machten aus dem Steinthal ein Stück
Heidentum mitten in der Christenheit. Infolge einer Reihe von Mißernten war in den
ersten Monaten das Elend besonders groß. Manche lebten von in Milch getauchtem Gras.
Ein Attentat, das junge Waldersbacher Hirten an einem katholischen Knaben zu verüben 40
suchten, und über welches O. an den Gutsherrn berichten mußte, wirft ein schreckliches
Licht auf die herrschende Sittenrohheit. Nur warme Liebe zum Heiland und Stubers
Vorbild vermochten ihn zu bestimmen, daß er ausharrte. O.s Verdienst ist, daß er die
von seinem Amtsvorgänger gebrochene Bahn mit Energie, Selbsthingabe und praktischem
Sinn betrat. Er hatte vor Stuber voraus eine imponierende, militärische Gestalt, eine 45
eiserne Gesundheit, eine Willensstärke, die mitunter wohl auch an Starrsinn grenzte und
eine religiöse Begeisterung, die freilich gegen Schwärmerei nicht ganz abgeschlossen war.
Stuber war anfänglich nicht immer mit seinem Nachfolger zufrieden, an dem er sonst
mit väterlicher Liebe hing. Er tadelt seinen Feuereifer, der die Leute mit der Peitsche
in den Himmel treiben will, seine Ungeduld wegen mangelhaften Entgegenkommens, seine 50
zu stark hervortretende Beschäftigung mit dem materiellen Wohlsein der Gemeinden. „Am
besten ist, so schrieb er ihm, wir sorgen nur direkt für ihre Seelen. Werden sie Christen,
so werden sie von selbst etwas vernünftiger, thätiger und vorsichtiger." Er bemerkt ihm
einmal, man könne auch durch gute Werke vom Christentum abkommen. Ein anderesmal
tadelt er an ihm seine Rücksichtslosigkeit und sein Selbstvertrauen. Auch Oberlin klagt 55
in den ersten Jahren öfter über Konflikte mit den Pfarrkindern und undurchführbare
Pläne, wie z. B. dem eines Rettungshauses für verwahrloste Kinder. Aber bald treten
bei ihm Kopf und Herz, Frömmigkeit und Humanität, Strenge und Nachsicht in das
richtige Verhältnis und seine Straßburger Freunde können nur noch mit wachsendem Zu=
trauen und Bewunderung seine Unternehmungen durchführen helfen. Ein Jahr nach 60

seiner Ankunft im Steinthal führte ihm Gott in der Person einer Anverwandten, Maria Salomea Witter, Tochter eines Straßburger Professors, eine seiner würdige Lebensgefährtin zu.

3. Suchen wir nun in kurzen Zügen ein Bild von Oberlins Wirksamkeit zu zeichnen. Wie Stuber so richtete auch er sein Augenmerk zunächst auf Hebung des Unterrichts. In Waldersbach wurde in einer zerfallenen Hütte Schule gehalten, in den übrigen Gemeinden der Reihe nach in den niederen Stuben der Bauern. Mit Hilfe einer Straßburger Wohlthäterin konnte O. am 31. Mai 1769 den Grund eines Schulhauses in Waldersbach legen. Dasselbe gelang ihm 1772 in Bellefosse, 1774 in Belmont. Die Schule in Zollbach erbaute einer der wenigen vermögenden Bewohner Martin Bernard. Die bisherigen Lehrer waren vielfach so unfähig als unwürdig. O. bemühte sich junge Lehrkräfte heranzuziehen und zeichnete ihnen aufs genaueste Lehrplan und Lehrmethode vor. Um die noch nicht schulpflichtigen Kinder und die Mädchen in der schulfreien Zeit zu beschäftigen, mietete er in den verschiedenen Gemeinden geräumige Lokale (poêles à tricoter, Strickstuben), und stellte junge Mädchen als Kleinkinderpflegerinnen und Arbeitslehrerinnen (conductrices) an (1770). Es war der Anfang der Kleinkinderschule. Die ersten Mitarbeiterinnen O.s auf diesem Gebiet waren Sarah Banzet (gest. 1774), Katharina Scheidecker und Katharina Gagniere. Später wurde Luise Scheppler (geb. 4. Nov. 1763 zu Bellefosse), die als 15jähriges Mädchen in O.s Dienste trat, die Seele der Kleinkinderpflege. Damals schon erregte O.s Wirksamkeit Interesse jenseits des Rheins. Senior Urlsperger in Augsburg schickte ihm 10 Dukaten für die Kirche in Fouday (1773).

Mit gleicher Umsicht und Thatkraft suchte O. anderen Mißständen in den Gemeinden abzuhelfen. Er ging selber mit Hacke und Spaten ans Dorf und begann die Anlage einer Straße zur Verbindung von Waldersbach mit Rothau, bis sein Beispiel die übrigen mitriß. So ließ er auch eine Brücke über die Breusch (pont de charité) erstehen. Er gab den Steinthälern Anleitung zur Verbesserung ihrer ganz herabgekommenen Landwirtschaft. Tüchtige junge Leute ließ er Handwerke lernen. Er gründete Warenlager, Leihkassen, Sparkassen, landwirtschaftliche Vereine mit Preisverteilungen. Was er von seinem kleinen Gehalt erübrigen konnte (derselbe belief sich bis 1771 mit Einschluß der Naturalien auf 640 Fr., wurde aber von Herrn v. Dietrich auf 840 Fr. = 672 M. erhöht), was er und seine Frau besaßen, wurde für solche Zwecke geopfert. Dann mußten die Straßburger tüchtig mithelfen. Es ist staunenerregend wie er es verstand, Mittel zu schaffen, Schwierigkeiten zu besiegen, Zögernde zu gewinnen, Freunde zu begeistern. Zur Erklärung dieser Seite seiner Thätigkeit ist zu bemerken, daß sein Grundsatz war: Rien sans Dieu, tout au Sauveur! und daß er in allem, was die Summe des Guten mehrt und die Zahl der Übel mindert, wäre es auch die geringste ökonomische Reform, einen Jesu geleisteten Dienst sah. Er machte den materiellen Fortschritt seinen Leuten zu einer Christenpflicht, wie er umgekehrt von seinen Mitarbeitern auf sozialem Gebiet treue Erfüllung der Christenpflichten forderte. Von O. veranlaßt errichtete ein Herr Reber aus Markirch in Waldersbach eine Baumwollspinnerei. Als diese der Konkurrenz einer Schirmecker Fabrik unterlag, gelang es ihm, Herrn J. L. Legrand aus Basel zu bewegen, seine Floretseidenbandfabrik nach Fouday zu verlegen (1813). Nicht nur wurde damit dem Thale eine neue Erwerbsquelle eröffnet, Legrand wurde auch ein eifriger Mitarbeiter am Wohl der Seelen und der Ahnherr einer ganzen Reihe christlicher Industrieller im Steinthal. Auf diese Weise geschah es, daß die Bevölkerung der Gemeinde, die anfänglich etwa 1200 Seelen betragen hatte, sich rasch um das Doppelte hob, und da das Beispiel auch auf Rothau wirkte, so nahm das Steinthal in wenigen Jahren einen ganz veränderten Charakter an. An diesem Fortschritt war der neue Gutsherr Baron Dietrich beteiligt. Er verausgabte in wenigen Jahren für das Gemeinwohl 50 000 Livres.

Nicht minder eifrig war O. auf dem Gebiete der Seelsorge. Seine Predigten, von denen zahllose Entwürfe handschriftlich vorliegen, waren Schriftbetrachtungen von unübertrefflicher Herzlichkeit und Einfachheit. Gebetsverkehr mit Gott und werkthätige Liebe, freudiges Vertrauen auf Gottes Führung und ernstes Streben nach Heiligung sind die Grundzüge der Frömmigkeit, zu der er ermahnt. Er legt gleichen Nachdruck auf die Alleinwirksamkeit der göttlichen Gnade wie auf die Notwendigkeit eines freien Entschlusses. Er fordert Nachfolge Jesu in der Kraft des dem Gläubigen mitgeteilten Geistes Jesu. — An drei Sonntagen pflegte er in französischer Sprache zu predigen, am vierten fand in Belmont, den dort angesiedelten Schweizern zu lieb, der Gottesdienst in deutscher Sprache statt. Den auf steiler Höhe oder in tiefen Schluchten zerstreut lebenden Pfarrkindern nachzugehen scheute er weder Entfernung noch Gefahr. Seine patriarchalische Weise mit

den Gemeindegliedern zu verkehren entwaffnete auch seine Gegner. Jeder Einzelne war
nach der Ordnung des Kirchenbuchs Gegenstand seiner Fürbitte. Auf die Zöglinge, die
er in sein Heim aufnahm, um seine Mittel zu vermehren, übte sein kindliches und gott=
inniges Wesen den gesegnetsten Einfluß. Großartig war seine Freigebigkeit. Er opferte
von seinen geringen Einkünften drei Zehnten, einen für die Ausschmückung des Gottes= 5
dienstes, einen für gemeinnützige Zwecke und einen für die Armen. Als er Kunde bekam
von den Missionsbestrebungen in Basel, verkaufte er sein Silberzeug (mit Ausnahme eines
Löffels) und schickte den Ertrag an das Komité. Er war wohl der erste Geistliche auf
dem Kontinent, der mit der Londoner Bibelgesellschaft in Verbindung trat. Daß er Fehl=
griffe that und auf Absonderlichkeiten verfiel ist bei seiner genialen Unternehmungslust 10
nicht zu verwundern. 1781 gründete er, angeregt durch Zinzendorfs Leben, eine Société
chrétienne, deren Mitglieder sich verpflichteten, nach vollkommener Heiligung zu streben
und gegenseitig Zucht zu üben. Doch hatte er die Einsicht, die Gesellschaft nach zwei
Jahren wieder aufzulösen. Sektiererische Engherzigkeit war übrigens nicht sein Fehler,
eher das Gegenteil. Er ließ ohne Bedenken Reformierte und Katholiken zu seinem Abend= 15
mahl. Bekannt ist, wie einmal die katholische Taufe eines Kindes aus gemischter Ehe
unter seinem Schutze vollzogen wurde. Man erwähnte vor ihm Voltaire und Rousseau.
O ces chers hommes! rief O., im Gedanken an die Verdienste dieser Männer um die
Gewissensfreiheit. Er nannte sich gern katholisch=evangelischer Pfarrer.
  Als die Kunde von Basedows Bestrebungen auf dem Gebiete des Erziehungswesens 20
in das Steinthal drang, stimmte O. begeistert zu. Drei Exemplare des Elementarwerkes,
die ihm Basedow verehrte, begrüßte er mit Thränen der Rührung. Seine Frau opferte
ein Paar Ohrengehänge zum Besten des Philanthropins. Ein herzlicher Brief O.s an
einen Lehrer der Anstalt begleitete das Geschenk (16. März 1777. Vgl. Raumer, Gesch.
der Pädagogik II⁴, 237). Einen eigentümlichen Einblick in O.s Gedankenwelt eröffnet 25
ein handschriftliches Heft, in welches er die Bücher einzutragen pflegte, die er gelesen hatte,
mit kurzen Notizen über den empfangenen Eindruck. Er las ungemein viel, von 1766
bis 1780 stehen 538 Werke aufgezeichnet! Alles interessiert ihn, Landwirtschaftliches,
Litterärisches, Pädagogisches, Theologisches. Rousseaus Emil nennt er ein ganz vortreff=
liches Buch. Zu den Schriften von Swedenborg machte er die Randglosse: „Lob, Preis 30
und Dank dem lieben himmlischen Vater für die Offenbarung, die er seinem armen Kinde
in diesem schätzbaren Buche mitgeteilt hat!" Besonders dankt er, daß ihm Gott diese
Schriften erst in die Hände kommen ließ, „nachdem er ihn durch schwere Führungen und
mancherlei Erfahrungen gedemütigt und die Nichtigkeit der philosophischen Metaphysik hatte
einsehen lehren" (1779). Von Lavater und Jung=Stilling interessierten ihn am meisten 35
die Ausblicke in die Ewigkeit. Er machte sich selber mit Vorliebe Gedanken über das
Leben im Jenseits und zeichnete auf Grund von Jo 14, 2, der Offenbarung Johannis
und einer allegorischen Erklärung der Topographie Jerusalems, Karten des Himmels, die
er in der Kirche aufhängen ließ. Er glaubte an eine stufenweise Heiligung in einem
Zwischenzustand nach dem Tode, während dessen die Verstorbenen noch Beziehungen zur 40
Erde und ihren früheren Lebensverhältnissen haben. Von diesen Dingen handeln zwei
nachgelassene Schriften, „Bedeutung der Steine des Neuen Jerusalems und ihrer Farben"
(aus dem Jahr 1786), und der 1841 in Stuttgart als „ein Vermächtnis für die Gläu=
bigen, die sich nach der ewigen Heimat sehnen", herausgegebene Traktat: „Zion und Je=
rusalem". Für seinen Glauben an einen Verkehr der Abgeschiedenen mit den Hinter= 45
bliebenen berief er sich nicht bloß auf das, was Gemeindeglieder ihm erzählten, sondern
auf eigene Erlebnisse. Seine Frau erschien ihm nach ihrem Tode nicht weniger als neunmal.
In Träumen empfing er göttliche Mitteilungen über seinen Seelenzustand, über bevor=
stehende Ereignisse und über die Lage und Lebensweise von Verstorbenen im Jenseits
(vgl. Berichte eines Visionärs über den Zustand der Seelen nach dem Tode, aus dem 50
Nachlaß O.s, mitgeteilt von G. H. von Schubert, Leipzig 1837). Die Lehre von der
Ewigkeit der Verdammnis verwarf er. Eine Charfreitagspredigt über diesen Gegenstand
aus dem Jahr 1780 veranlaßte sogar den Gutsherrn, ihn bei dem Kollegium der Ober=
kirchenpfleger in Straßburg zu verklagen. Charakteristisch ist endlich noch sein Vertrauen
in das Los. 55
  4. Die Jahre flogen dahin in rastloser, streng geregelter Thätigkeit. Eine hoch=
dramatische Episode seines stillen Pfarrlebens bildet der Besuch des unglücklichen Dichters
Reinhold Lenz, eines Livländers, Freund von Goethe aus dessen Straßburger Zeit. Nach
langen Irrgängen kam Lenz am 20. Januar 1778 in traurigem Zustand in Waldersbach
an, wurde gastfreundlich aufgenommen, erschreckte aber bald seine Umgebung durch eine ganze 60

Reihe von Selbstmordversuchen (vgl. den Bericht O.s bei Aug. Stöber, Der Dichter Lenz, Basel 1842, S. 11 ff.). Eine schwere Heimsuchung war am 17. Januar 1783 der Tod seiner Frau acht Wochen nach der Geburt des neunten Kindes. Mutterpflicht an den Hinterlassenen und Pfarrfrauenpflicht an der Gemeinde erfüllte von nun an O.s getreue
5 und selbstlose Dienstmagd Luise Scheppler (geb. zu Bellefosse 1763, gest. 1837). 1774 hatte O., durch Vermittlung von Urslperger einen Ruf als Pfarrer nach Ebenezer in Nordamerika erhalten und war gewillt ihn anzunehmen, als der Krieg mit England los-brach und infolge davon die Sache sich zerschlug.

Die französische Revolution begrüßte O., wie die Frömmsten und Besten seiner Zeit,
10 mit Begeisterung. Er sah in ihr den geweissagten kleinen Stein, der das Reich des Antichrists, d. h. der Aristokratie und des Klerus zerschmettert. Die Proklamierung der Menschenrechte war ihm der Beginn des Reiches Gottes, in den republikanischen Tugenden der Gemeinnützigkeit und Opferwilligkeit sah er die höchste irdische Verwirklichung des Christentums. Am 14. Juli 1790 versammelte er alle Gemeindeglieder auf der Bärhöhe
15 um einen „Altar des Vaterlands" zu einem großartigen Vaterlandsfeste. Am 13. No-vember 1791 segnete er die neuernannten Municipalräte zu ihrem Amte ein und legte ihnen selber feierlich die Schärpen um. Am 5. August 1792 hielt er einen Gottesdienst zu Ehren der Freiwilligen, die sich zum Krieg wider Österreich gestellt hatten. In der Zahl derselben befand sich sein ältester Sohn Friedrich Jeremias. Dieser wurde schon
20 am 27. August vor Bergzabern verwundet und starb Tags darauf im Pfarrhaus zu Weißenburg. Am 23. November 1793 legte er auf Befehl des Allgemeinen Sicherheits-ausschusses sein Glaubensbekenntnis ab (vgl. J. Schneider, Gesch. der evangel. Kirche des Elsaß in der Zeit der französischen Revolution, Straßburg 1890, S. 148 f.). Er erklärte, er stimme vollkommen bei, daß man die leeren Ceremonien abschaffe und jedes seichte,
25 fruchtlose Dogma verbanne. Er kenne keinen anderen Beruf als seine Mitbürger zu auf-geklärten, wackeren Männern und guten Patrioten zu machen. Den eiteln Flitter des Kirchenornats habe er schon jeher gehaßt, ebenso sei er schon längst ein Gegner des König-tums und stimme den Gewaltmaßregeln der Republik gegen die Assignatenwucherer bei. — Auch unter den Greueln der Schreckensherrschaft verleugnete er seine optimistische Beur-
30 teilung der Republik nicht. Er verglich die Gegenwart mit einem großen Scheuertag, wo es geräuschvoll zugeht, Staub in der Luft wirbelt, alles verstellt und manches zer-brochen wird; mit der Zeit komme jedoch ein Stück nach dem andern wieder an seinen Platz, und wenn der Sonntag erscheint, ist alles sauber, duftend und blank, und der Hausherr schämt sich, daß er Tags zuvor so ängstlich und so übelgelaunt war! Als der
35 Nationalkonvent den Gottesdienst und die kirchlichen Handlungen verbot, war Oberlin krank. Später trug er die inzwischen geborenen Kinder in das Register ein mit der Be-merkung, sie seien durch den officier public oder greffier (Gemeindeschreiber) getauft worden, weil es damals den Geistlichen verboten gewesen sei, Taufen zu verrichten. Die gottesdienstlichen Zusammenkünfte verwandelte er in Klubversammlungen. Die Schilde-
40 rung, die Schubert, angeblich nach dem Bericht eines Frankfurter Arztes, von diesem Vorkommnis macht, ist stark übertrieben. Zuverlässig ist die Erzählung eines Frl. D. von Berckheim, die damals als Gast im Steinthal weilte (Souvenirs d'Alsace, Neu-châtel 1889, Bd I, 97 ff.). Die Versammlung wurde eingeläutet und durch ein Lied eröffnet; dann wurden die jungen Leute über Menschenrechte und Bürgerpflichten katechi-
45 siert, worauf Bürger O. aufgefordert wurde, einen Vortrag zu halten. Er schloß mit einem Gebet. Nun verließen Frauen und Kinder die Kirche, und der Reihe nach erhoben sich Klubmitglieder zu gemeinnützigen Belehrungen. Zuletzt wurden die neuesten politischen Ereignisse zur Sprache gebracht. — Das Abendmahl pflegte O. damals vielfach mit seiner Familie und den anwesenden Gästen zu Hause und zwar im Anschluß an die gewöhnliche
50 Mahlzeit, als Agape, zu begehen. Trotz seiner Nachgiebigkeit gegen die Revolutionsgesetze erregte O. zuletzt doch noch den Verdacht der Behörden. Am 28. Juli 1794 mußte er sich mit seinem Kollegen Böckel von Rothau nach Schlettstadt begeben, wo sie scharf ver-hört und gefänglich eingezogen wurden, und sich von dem Pöbel viel gefallen lassen mußten. Wenige Tage nachher kam die Nachricht vom Sturze Robespierres und die
55 Drangsal war zu Ende. Großen Mut zeigte O. in jener bösen Zeit, indem er Ver-bannte und Verfolgte aufnahm und beschützte.

5. Als die Gewässer der Revolution zu verlaufen anfingen, kam für Oberlin die Zeit, wo seine Verdienste in weiten Kreisen Anerkennung fanden. Schon der National-konvent stellte ihm ein Dankschreiben zu für seine Bemühungen um den Unterricht. Die
60 kaiserlichen Behörden erwiesen ihm die größte Zuvorkommenheit. Der Präfekt Lézai-

Marnéſſia ſchloß mit ihm einen innigen Freundſchaftsbund. Das Steinthal war ſeit vielen
Jahren im Prozeß wegen dem Beſitz eines Waldes. Es gelang O. am 17. Juni 1812
einen Vergleich zu ſtande zu bringen, der für die Gemeinden ſehr günſtig war. Als die
verbündeten Armeen in Frankreich eindrangen, erließ Kaiſer Alexander einen Schutzbrief
zu Gunſten O.s und ſeiner Gemeinden. 1818 wurde er von der königlichen Ackerbau- 5
geſellſchaft mit einer goldenen Medaille belohnt. 1819 erhielt er das Kreuz der Ehren-
legion. Nun gewann er auch als gläubiger Chriſt und Zeuge des Evangeliums in weiteren
Kreiſen Einfluß. In der Landeskirche war nach der Revolution überraſchend ſchnell der Rationalismus zur Herrſchaft gelangt. Wer darin den Frieden nicht finden konnte, ſchaute auf
O., ſuchte mit O. in Beziehung zu treten. Die jungen Leute, die er als Zöglinge in 10
ſein Haus aufnahm, die Gäſte, die bei ihm einkehrten, erhielten tiefe Eindrücke. In den
Gemeinſchaften erweckter Chriſten, die ſich da und dort, auch in Straßburg, gebildet hatten,
genoß er eine große Verehrung. Sein vierter Sohn, Heinrich Gottfried, lernte als Haus-
lehrer in Riga die Frau von Krüdener kennen und wirkte in deren Sinn (von ihm:
Etliche Worte über die Offenbarung Johannis, zunächſt für das Rigaiſche und Pernauiſche 15
Publikum, Mitau 1813). Durch den Sohn wurde Frau v. Krüdener auch mit dem Vater
bekannt. 1812 beſuchte Jung-Stilling den „Prediger der Gerechtigkeit in der Vogeſiſchen
Wüſte". — Die Gemeinde hing an ihm mit kindlicher Ehrfurcht. Seine Söhne und
Töchter wurden in ſeinem Geiſte thätig. — Noch waren ſeinem Glauben zwei ſchwere
Proben vorbehalten, das Hungerjahr 1816—1817 und das Hinſcheiden des ebengenannten 20
hoffnungsvollen Sohnes Heinrich Gottfried, der am 15. November 1817 als Opfer einer
Rettungsthat ſtarb. Sonſt war ihm ein ſchöner Lebensabend beſtimmt, ſein Geiſt blieb
friſch, ſein Körper ungebeugt. Das Ende kam raſch. Am 28. Mai 1826 trat plötzlich
eine große Schwäche ein, verbunden mit Herzkrämpfen. Am 2. Juni ſtarb er, die Augen
zum Himmel gerichtet, im 86. Jahr ſeines Lebens, im 59. ſeiner Amtsthätigkeit. Am 25
5. Juni wurde er unter ungeheurem Zulauf im Schatten der Kirche zu Fouday beſtattet.
Sein Segen ruht bis heute auf den Gemeinden des Steinthals. Sein Beſtreben, mit
dem geiſtigen Wohl auch das materielle zu fördern, wurde vorbildlich für die chriſtlich-
ſocialen Beſtrebungen unſerer Zeit. Sein Wirken für das Kleinkinderſchulweſen fand
zuerſt in Schottland, dann in Frankreich und zuletzt auch in Deutſchland Nachahmung 30
(Biſſing-Beerberg, Die chriſtl. Kleinkinderſchule, ihre Entſtehung und Bedeutung, 1872. —
Oberlinſtiftung 1827. — Oberlinhaus zu Nowawes 1874). Im Staate Ohio (Nordamerika) tragen eine kleine Stadt und eine Hochſchule (College) den Namen Oberlin.
Beide verdanken ihre Entſtehung (1832) zweien ehemaligen Miſſionaren (Shipherd und
Stewart), denen eine turz zuvor erſchienene Biographie Oberlins (von Dr. H. Ware) 35
Mut gemacht hatte, etwas Großes für den Herrn zu unternehmen. Die Hochſchule
wurde auf das Prinzip gegründet, daß die Studierenden ſich ſelber durch Handarbeit
unterhalten und daß beide Geſchlechter gemeinſam unterrichtet werden. Sie nahm ſchon
bald nach ihrer Gründung Farbige auf und entwickelte ſich raſch aus den dürftigſten
Anfängen zu großer Blüte (1901: 1357 Studierende). Vgl. Oberlin, the colony and 40
the college, von Fairchild 1883 und Story of O., von Rev. Leonard, Boſton
1898. — Haſe hat O. einen Heiligen der proteſtantiſchen Kirche genannt; katholiſcher-
ſeits hat man ſich mit Recht über dieſe Bezeichnung aufgehalten. In der evangeliſchen
Kirche lebt ſein Andenken fort als das eines Mannes, der in einzigartiger Weiſe allgemeine Humanitätsbeſtrebungen mit myſtiſcher Innigkeit verband, der Zeugnis ablegte 45
von der Macht der Liebe Chriſti zu einer Zeit, wo dieſe Liebe in vielen Herzen erkaltete
und der in aller Schlichtheit und Herzenseinfalt dem paſtoralen Wirken neue Bahnen
vorzeichnete.   **D. Hadenſchmidt.**

Oberrheiniſche Kirchenprovinz ſ. d. Art. Konkordate Bd X S. 720, 42 ff.

Oblati. — Mit dem Namen Oblati bezeichnete man Kinder, die einem Kloſter 50
übergeben wurden, um daſelbſt zum klöſterlichen Leben erzogen zu werden. Die Be-
nediktinerregel beſtimmt mit Bezug hierauf c. 59: Si quis forte de nobilibus offert
filium suum Deo in monasterio, si ipse puer minor aetate est, parentes eius
faciant petitionem (vgl. c. 58), et cum oblatione ipsam petitionem et manum
pueri involvant in palla altaris et sic eum offerant. Die Einrichtung, deren Ur- 55
ſprung ich nicht nachzuweiſen vermag, iſt weit älter. Zwar die Beſtimmungen in der
längeren Regel, die dem Baſilius zugeſchrieben wird c. 15 MSG Bd 31 S. 951 ff., entſprechen der ſpäteren Einrichtung noch nicht; aber Hieronymus und Salvian haben ſie

gekannt, vgl. Hier. ep. ad Laet 107, 6 MSL Bd 22 S. 863 und Salv. ad eccl. III, 4 S. 275 der Ausgabe von Pauly. Völlig mit ihr gebrochen haben erst die Bettelorden.　　　　　　　　　　　　　　　　　　　　　　　**Hauck.**

Oblatio s. d. A. Eucharistie Bd V S. 564, 45 ff.

5　**Obotriten** s. d. A. Wenden, Bekehrung der.

Observanten s. d. A. Franz v. Assisi Bd VI. S. 206, 65 ff.

Obstbau bei den Hebräern s. d. A. Fruchtbäume Bd VI S. 300, 50 ff.

Ochino, Bernarbino aus Siena (1487—1565), reformatorischer Theolog. Litteratur: Boverio, Annales Ord. Minorum, Lugd. 1632—39 (vgl. oben Bd X, 53 ff.); 10 Bayle, Dict. hist. et crit. s. v.; Struve, De vita etc. Ochini (Observationes sel. Halenses IV, 409 ff.); Schelhorn, Nachlese von O.s Leben u. Schriften (Ergötzlichk. aus der Kirchenhist. und Litt. 1764, III, 765—801; 979—1005; 1141—1145; 1175—2006; dazu einige Schrift- stücke von ihm bezw. an und gegen ihn ebb.); Nicéron, Mémoires pour servir à l'hist. des hommes ill., s. v. Ochino; M'Crie, History of the ... Reformation in Italy, Edinburgh 15 1856, p. 71 ff. 116. 222 etc.; Ferd. Meyer, Die evang. Gemeinde in Locarno ꝛc., Zürich 1836, Bd II, S. 19 ff. 166 ff.; Trechsel, Die protest. Antitrinitarier, Bd II (1844), Abschn. IV (Bernardin Ochino"); Benrath, B.O. von Siena, Ein Beitrag z. Gesch. der Reformation in Italien, · 2. Aufl., Braunschweig 1892 (englisch, London 1876).

Schriften und Dokumente. Vgl. bei Benrath a. a. O. "Ochinos Schriften" Anhang II 20 S. 314—323), wo auch Nachweisungen über deren Fundorte. Es sind: a) vor der Flucht: Prediche nove 1541; Dialogi sette 1541; b) Genf: Prediche 1542; Sermones 1543—1544; mehrere Briefe und die Erklärung des Römerbriefes 1545; c) Augsburg: lat. und deutsche Ausgabe der letzteren 1545—46, deutsche Ausgabe von 10 Predigten 1545, ital. und deutsche Erklärung des Galaterbriefes 1546, Entgegnung an Ambrosio Catharino, s. oben Bd X, 25 191, 45 ff., sowie drei Traktate; d) Basel und England: Neudruck bezw. vermehrte Ausg. der Genfer "Prediche", vor 1549; dann 1551; die „Tragoedie" 1549; Predigten in englischer Uebersetzung 1548 ff.; e) Basel u. Zürich: die Apologie, sowohl im ital. Original 1554, als in hochdeutschen (1559) und niederdeutschen Uebertragungen (1607; 1654; 1691); Dialog vom Fegfeuer, ital. (1556) deutsch und französisch (1556—1559); Disputa intorno alla presenza 30 del corpo di G. Cr. nel Sacramento della Cena (1561); Labyrinthi (1561); Il Catechismo (1561); Dialogi XXX (1563); Dialogo (zuerst bei Schelhorn Ergötzlichk. III, S. 2009 ff. gedruckt). Von der 1549 gedruckten „Tragoedie" ist eine deutsche Uebersetzung nebst geschicht- licher Einleitung von dem Unterz., Halle 1893, erschienen. — Zu dem in seinem Ochino Anhang I S. 277 ff. abgedruckten Ueberbleibseln des Briefwechsels hat Unterz. Ref. inzwischen noch einiges 35 beifügen können in La Rivista Cristiana, Firenze 1900, S. 44—47.

In Ochinos frühe Jugendzeit fielen in dem benachbarten Florenz die Predigten Savonarolas, und der Ruf zur Buße, wie ihn dieser gewaltige Prophet und mit ihm die zerrütteten Verhältnisse der Zeit erhoben, blieb nicht ohne Nachwirkung in ernsteren Gemütern. Unter denen, welche dem ringsum neuerwachenden Zuge zum klösterlichen Leben 40 Folge leisteten, befand sich auch der junge O. Er that es in der bewußten Absicht, durch Strenge und Entsagung sich den Himmel zu verdienen. „Als ich", so sagt er in dem Briefe an Muzio Giustinopolitano vom Jahre 1543 (vgl. "Ochino" 2. Aufl. S. 315, n. 8) „noch ein junger Mann war, befand ich mich in dem Wahne, daß wir im stande wären, durch Fasten, Gebetehersagen, Enthaltsamkeit, Nachtwachen und dergleichen unsere 45 Sünden wieder gut zu machen und das Paradies zu erwerben. Getrieben von dem Verlangen, meine Seele zu retten, ging ich einher und überlegte, welchen Weg ich ein- schlagen sollte. Als heilig erschienen mir die religiösen Orden. unter ihnen die Regel der Brüder vom heiligen Franziskus, genannt von der Observanz, als die strengste und rauheste. Daraus schloß ich, daß sie eben deshalb auch die der Lehre Christi am meisten entsprechende 50 sein müsse und trat in diesen Orden ein. Aber ich fand nicht, was ich suchte. Trotzdem blieb ich darin bis zu der Zeit, als die Kapuziner aufkamen. Als ich deren noch strengere Lebensweise sah, nahm ich ihr Ordenskleid ... Ich erinnere mich noch, daß ich zu Christus sagte: Herr, wenn ich jetzt nicht meine Seele rette, so weiß ich nicht, was ich mir noch mehr anthun soll! ..." So erklärt sich der Uebertritt des schon zu höherer 55 Würde im Observantenorden Gelangten im Jahre 1534. Aber auch im Kapuzinerorden sollte O. den Frieden der Seele, der sich nicht erkaufen und nicht ertrotzen läßt, nicht finden. Eine umfassende Wirksamkeit als Prediger, auch als Leiter des Ordens — denn im Jahre 1539 wählte der Konvent ihn zum ersten, 1541 zum zweitenmal zum Generalvikar — fand er allerdings. Über sein Ansehen in den weitesten Schichten der Bevölkerung haben wir das folgende Zeugnis aus der Feder eines erklärten Gegners: Bei O. trug neben dem Ruhme der Beredsamkeit sein zunehmendes Alter, die rauhe Kleidung des Kapuziners, der bis auf die Brust reichende Bart, die Blässe des Antlitzes, der künstlich hervorgerufene (?) Anschein körperlicher Schwäche, endlich der Ruf eines heiligen Wandels dazu 5 bei, daß die Bewunderung der Menge fast das menschliche Maß überstieg. Wo immer er reden sollte, sah man die Bewohner in Aufregung; keine Kirche war groß genug, um die Menge der Hörer zu fassen, die Männer strömten ebenso zahlreich hinzu wie die Frauen. Und nicht vom Volke allein, sondern auch von Fürsten und Königen wurde er verehrt ... (so Ant. Maria Graziani, Bischof von Amelia, in der Vita Cardinalis 10 Commendoni II, cap. 9). Und der Eindruck seiner Predigten war ein ungemeiner. Als er einst in Neapel von der Kanzel herab zu Spenden für einen wohlthätigen Zweck aufgefordert hatte, sammelte man beim Ausgang die unglaublich hohe Summe von 5000 Zechinen. „Ochino predigt mit großer Kraft" — ruft ein Augenzeuge (Gregorio 15 Rosso, bei Giannone, Ist. civ. del Regno di Napoli IV, c. 32, 5) bewegt aus: „er vermag Steine zu Thränen zu rühren." Kaiser Karl V. war damals — 1536 —, auf der Rückkehr von Tunis in Neapel; er hat sich auch des Kapuziners noch erinnert, als ein wunderbares Geschick denselben zehn Jahre später als protestantischen Prediger in Deutschland ihm abermals in den Weg stellte.

Denn der Mann, dessen Ruhm als Prediger dem eines Savonarola gleichkam, sollte 20 nicht lange, nachdem ihm zum zweitenmale die höchste Würde im Orden übertragen worden war, flüchtig und ärmlich sein Vaterland verlassen, um in der Fremde eine Zuflucht zu suchen. Gerade an dem Orte, wo man es vielleicht am wenigsten erwartet haben würde, in dem üppigen Neapel, waren ihm in der Person des spanischen Edelmanns Juan de Valdés (s. d. A.) die religiösen Anschauungen der Mystiker und der 25 deutschen Reformation vereinigt entgegen getreten. Dort war ihm die Nichtigkeit all der kirchlichen Vermittelungen behufs Hinführung der Seele zu Gott und Gewinnung von Frieden und Heilsgewißheit klar geworden, und die Verderbtheit des Kirchenwesens sowie die Veräußerlichung des religiösen Lebens in demselben trieben ihn zum Entschluß des Bruches. Jahre hat es freilich bedurft, bis dieser Entschluß Thatsache wurde — in den 30 Sommer 1542 fällt die Entscheidung. Wir sind an der Hand zweier Schriften aus der vor diese Entscheidung fallenden Zeit — Prediche nove und Dialogi sette, 1541 — sowie von Äußerungen in mehreren seiner Briefe und Abhandlungen in der Lage, Schritt für Schritt ihm auf dem Wege zu folgen. Und da zeigt sich denn zunächst, daß O. sich bei dem inneren Kampfe nicht leicht gemacht hat. „Du hattest", so bezeugt ihm 35 sein heftigster Gegner, der damalige Kardinal Caraffa, später Papst Paul IV., „nicht mehr befriedigt durch die übliche Strenge deines Ordens, noch längeres Wachbleiben in der Nacht, noch härteres Fasten, noch rauhere Kleidung gewählt" (Caraffas Brief in dem Supplemento alla Historia dei Padri clerici Regolari, Rom 1616, c. 97). Und er selber ergänzt das: „So lange ich im Orden war, habe ich meine Sünden täglich, oft 40 zweimal, gebeichtet; alle natürlichen, sittlichen und kirchlichen Vorschriften, daneben auch die evangelischen Ratschläge, habe ich ängstlich beobachtet und außer der Regel des heiligen Franziskus noch alles, was unsere Väter in den Provinzial- und Generalkapiteln festgesetzt haben."

Der so vorbereitete Konflikt zwischen Amt und Überzeugung kam zum Ausbruch, als 45 O., längst beargwöhnt, sich in Venedig im Frühjahr 1542 von der Kanzel herab eines von der Inquisition ungerecht behandelten Freundes annahm. Der päpstliche Nuntius verbot ihm zeitweise das Predigen. Dann lud man ihn — eben war die Neuorganisation der Inquisition in Rom durch die Bulle Licet ab initio durchgeführt worden (vgl. o. Bd IX, S. 163, 23 ff.) — vor das Haupttribunal, dessen Leitung in den Händen seines Feindes 50 Caraffa lag. Schon war er auf dem Wege dorthin — da wurde ihm unterwegs ganz klar, was man mit ihm vor hatte. Wenn er sich bereit erklärt hätte, den Forderungen des Widerrufes und des Schweigens für die Zukunft zu genügen, so würde man den großen Redner, den Generalvikar eines schon weit verbreiteten Ordens, den in die Geheimnisse der römischen Kurie und Kirche Eingeweihten nicht zum Bruche gedrängt 55 haben. Ebenso sicher aber mußte ihm als Absicht der Gegner erscheinen, ihn im andern Falle gewaltsam zum Schweigen zu bringen. O. hat den Knoten durch den Entschluß der Flucht durchgehauen. „Wenn ich in Italien", sagte er bald nachher in der Vorrede zu dem ersten Bändchen der „Prediche" (10. Oktober 1542) „Christum hätte weiter predigen können — ich will nicht einmal sagen in voller nackter Wahrheit, sondern auch 60

nur soweit verhüllt, wie ich mich bis dahin bemüht hatte —, so wäre ich nicht weg-
gegangen. Aber es war so weit gekommen, daß mir, falls ich in Italien blieb, nur die
Wahl stand zu schweigen, ja mich als Feind des Evangeliums zu zeigen, oder den Tod zu
erleiden. Und da ich Christus nicht verleugnen wollte, so habe ich, um Gott nicht zu ver-
⁵ suchen, mich entschieden, Italien zu verlassen. Wenn meine Stunde kommt, wird Gott
mich überall zu finden wissen". Sein Brief vom 22. August 1542 an Vittoria
Colonna (s. Anhang I in m. „Ochino" S. 287 f.) bildet den treuesten Abdruck seiner
Stimmung in jenen Tagen des Entschlusses, an dem freilich die Adressatin des Briefes
und mancher andere Ärgernis nahmen, weil sie die tiefste Triebfeder zu würdigen nicht
¹⁰ im stande waren.
    O., der alles aufgab, was seine Begabung und die Arbeit seines ganzen Lebens
ihm gesichert hatte, nahm nun als ein armer Flüchtling im 56. Jahre seines Alters den
Weg in die Fremde, zunächst nach Zürich und Genf, von wo ihn über Basel 1545 eine
erste feste Anstellung als Prediger der „Welschen" nach Augsburg ziehen ließ. In-
¹⁵ zwischen hatte er, dem der Boden des Vaterlandes hinfort verschlossen blieb, eine frucht-
reiche schriftstellerische Thätigkeit entfaltet, dabei auch dem Gegensatze gegen die römische
Kirche scharfen Ausdruck leihend. Sein Wirken in Augsburg fand durch den unglücklichen Verlauf des Schmalkaldischen Krieges schon Anfang 1547 ein jähes Ende. Dort
war es, wo Karl V., des einstigen Kapuzinergenerals sich erinnernd, seine Auslieferung
²⁰ verlangte, der Rat aber ihn nächtlicherweile entweichen ließ. Während des Augsburger
Aufenthaltes war es auch, als der Stifter des Jesuitenordens einen vergeblichen Versuch
machte, durch den klugen, damals in Dillingen bei dem Kardinal Truchseß sich aufhaltenden Jay den Abtrünnigen in die katholische Kirche zurückzuführen (s. Gothein, Ign.
von Loyola, 1895, S. 314; aus dem Briefe in Cartas de San Ignazio 65, 12/12, 45,
²⁵ woraus dies geschöpft wird, hat schon Bartoli, Della Vita e dell'Ist. di Sant'
Ignazio IV, 21 einen Auszug mitgeteilt).
    So war O., der inzwischen einen Hausstand begründet hatte, von neuem heimatlos.
Francesco Stancaro aus Mantua begleitete ihn über Konstanz nach Zürich. Von dort,
wo er zufällig mit Calvin zusammentraf, zog er weiter nach Basel, auch in diese Stadt
³⁰ nur zu vorübergehendem Aufenthalte, da ihm noch im nämlichen Jahre der Umschwung
der Dinge in England seit Edwards IV. Thronbesteigung eine neue Stätte der Wirksamkeit unter seinen Landsleuten in London bereitete. Auf Cranmers (s. Bb IV S. 317) Ruf
trat er im November 1547 die Reise an, mit ihm Pietro Martire Vermigli (s. d. A.),
der treue Freund aus der Neapeler Zeit her, dessen Rat auch bei der Entscheidung des
³⁵ Jahres 1542 von Gewicht gewesen war. Seine Angehörigen, nämlich seine Frau und
sein Töchterchen, folgten 1548; in London wuchs seine Familie um einen Sohn. Die
Jahre der Londoner Wirksamkeit gehören zu den ruhigsten und glücklichsten seines Lebens
(vgl. Dryanders Brief an Bullinger 1549 [3lTh 1870, S. 429]); seine wichtigste Streitschrift gegen das Papsttum, die „Tragödie" (s. o.), verdankt denselben ihre Entstehung.
⁴⁰ Dem jungen Könige gewidmet, bringt die Schrift in neun Gesprächen den Gedanken
zum Ausdruck, daß das römische Papsttum dem Teufel seine Entstehung verdanke, daß
es seine Existenz nur durch Trug und Verdeckung der Wahrheit friste und daß jetzt nach
Gottes Plan der Augenblick gekommen sei, wo es durch den König und seine evangelisch gesinnten Ratgeber den Todesstreich erhalten solle.
⁴⁵ Trügerische Hoffnungen — denn auf Edwards VI. kurze Regierung folgte 1553
die Reaktion unter Maria Tudor, geleitet durch den Legaten Reginald Pole (s. d. A.), der
einst in engeren Beziehungen zu O. gestanden hatte. Dieser freilich wartete den Umschwung nicht ab; abermals ergreift er den Wanderstab, um sich eine neue Stätte zu
suchen — in Zürich bei der kleinen aus Lokarno geflüchteten italienisch-evangelischen Ge-
⁵⁰ meinde sollte er sie 1555 finden, nachdem in die Zwischenzeit ein mit litterarischen Arbeiten, insbesondere der Herausgabe der „Apologien", angefüllter Aufenthalt in Basel
gefallen war. Nach so wechselvollen Schicksalen, wie O.s Leben seit der Flucht aus
Italien sie darbietet, wäre dem Betagten jetzt wenigstens ein stilles Wirken und ein
ruhiger Lebensabend zu wünschen gewesen. Statt dessen sollten ihm die schwersten Prü-
⁵⁵ fungen bis zuletzt aufgespart bleiben. Daß er sich an dem durch Westphal (s. d. A.)
eröffneten zweiten Abendmahlsstreite durch die Schrift Syncerae et verae doctrinae
de Coena Domini defensio in Calvins Sinne beteiligte, konnte in Zürich keine üblen
Folgen für ihn haben. Zu Bedenken mochte dagegen schon die Thatsache Anlaß geben,
daß der Rat seine durch Ulrich Zwingli den Jüngeren ins Deutsche übersetzte Schrift
⁶⁰ Vom Fegfeuer (1556) konfiszierte, aus Furcht vor Reibereien mit den katholischen Kan-

tonen. Andererseits gewährte ihm die Anstellung Pietro Martires als Professor an der Zürcher Universität 1556 Genugthuung und Stärkung. Auch an Bullinger hatte so-wohl die Lokarnergemeinde in den ersten Jahren als auch O. persönlich eine Stütze, während schon bald Klagen über die Konkurrenz der Fremden seitens der Eingesessenen laut wurden. Zu den Erregungen seelischer Art kam schwere Krankheit — der schon 5 mehr als Siebzigjährige mußte eilen, wenn er noch über eine Reihe wichtiger Fragen seine Ansicht vorlegen wollte. Das hat er denn in drei umfassenden Werken in den Jahren 1561 und 1563 gethan: den „Labyrinthen", dem „Katechismus" und den „Dreißig Dialogen", während ein viertes „De corporis Christi praesentia in Coenae Sacramento" der Bekämpfung der Lehre von der Messe dient. 10

Die „Labyrinthe" hat O. der Königin Elisabeth von England gewidmet, deren ge-denkend, daß sie einst während seines Aufenthalts in London ihn vor sich beschieden hatte, um sich mit ihm über die Frage der Prädestination zu besprechen. Ueber Inhalt und Gedankengang dieser Schrift, welche in je vier „Irrgängen" die Freiheit des Willens einerseits behauptet, andererseits bestreitet, vgl. Al. Schweizers Centraldogmen I, 297 ff. 15 Tritt man an diese Schrift mit der Voraussetzung, daß sie einen praktischen Zweck ver-folge — Klarheit in dem intrikatesten aller Gebiete, dem von der Willensfreiheit in ihrer Konkurrenz mit der göttlichen Weltleitung, der Entstehung der Sünde u. s. w. zu schaffen und damit dem Handeln bestimmte Normen aufzustellen — so wird man sich durch die Behandlung enttäuscht sehen. Da treten alle die damals besonders lebhaft erörterten 20 Theorien über Erbsünde, Vorherbestimmung, Gnade und Verwerfung in einer Grup-pierung vor, daß sie sich thatsächlich gegenseitig den Boden wegziehen. Ist das die Ab-sicht des Verfassers? Will er nur eine Probe seines Scharfsinns ablegen und den Leser zu dem skeptischen Bekenntnis führen: das Eine weiß ich, daß ich nichts weiß? — Man wird im Auge halten müssen, daß O. die — lateinisch herausgegebene — Schrift nicht 25 für seine Gemeinde oder das große Publikum überhaupt geschrieben hat. Ferner wird man den Schluß berücksichtigen müssen, welcher doch wenigstens andeuten soll, daß das negative Resultat schlimme praktische Früchte trage: „Wer nicht frei zu sein glaubt, fällt in den Abgrund sittlicher Trägheit; wer aber glaubt frei zu sein, gerät in Ueberhebung. Um beides zu vermeiden, giebt es einen Weg: mit aller Kraft nach dem Guten streben, 30 als ob wir uns frei wüßten, und andererseits Gott allein die Ehre geben, als ob wir uns unfrei wüßten.. Zum Heile ist es nicht notwendig, sei es das Eine, sei es das Andre zu glauben. Das Leben ist so kurz, daß wir ohne Vernachlässigung unseres Heiles und der großen Wohlthat Christi uns mit diesen Dingen nicht eingehend befassen können." ... Es ist erklärlich, daß trotz eines solchen Schlusses die Schrift Überraschung 35 und Mißfallen erzeugte. Wer so schreibt, dem ist jedenfalls dogmatische Korrektheit nicht das Höchste im Christentum. O. empfindet die Formen, in welche der reformatorische Protestantismus die wieder entdeckten religiösen Schätze geborgen und denen auch er sich willig angeschlossen hatte, als drückende Fesseln und verlangt freiere Bewegung. Will man der Genesis dieser Richtung in ihm nachgehen, so wird neben seiner religiösen Er- 40 fahrung und dem fortgesetzten Studium der Einfluß eines Mannes wie Castellio (s. Bd III S. 750), weniger des bedeutend jüngeren Lelio Sozini (s. d. A.), in Betracht zu ziehen sein.

Das fast dramatische Interesse an O.s Person tritt seit der Übersiedelung nach Zürich zurück, bis es plötzlich kurz vor seinem Tode durch sein trauriges letztes Schicksal von neuem geweckt wird. Inzwischen war 1561 sein „Katechismus", zum Vermächtnis 45 an seine Lokarnergemeinde bestimmt, erschienen; desgleichen die erwähnte Beschreibung der Lehre von der Messe und der letzte Teil seiner „Prediche". Da lief im Spätjahr 1563 bei dem Zürcher Rat eine Denunziation gegen O. ein: er habe ein Buch in Basel drucken lassen schändlichen und ärgerlichen Inhalts, insbesondere darin die Polygamie vertreten. Die Theologen Bullinger, Walther und Wolff, darüber gefragt, berichteten (s. „Ochino" Anhang I, 50 22): allerdings seien die Gründe dagegen nicht mit genügender Stärke dargelegt, auch betone der Schluß nicht genügend das Prinzip der Einzelehe. Da man dazu noch her-aushob, daß O. — der freilich beteuert, als Fremder mit dem Zensurgesetze nicht bekannt gewesen zu sein — wider alle Ordnung die Schrift ohne Genehmigung veröffentlicht habe, so wurde seitens des Rates mit dem alten Manne, von dem doch auch die heftigsten 55 Gegner nicht behaupten konnten, daß er aus persönlichen Gründen die Polygamie ver-fechte oder begünstige, kurzer Prozeß gemacht und O. aus Stadt und Landschaft ver-wiesen — mitten im Winter, er der Sechsundsiebzigjährige mit drei noch nicht erwachsenen Kindern. Es war ein hartes Urteil, an dessen Ausfall zweifellos die nachgerade hoch gestiegene Mißgunst gegenüber der Lokarnergemeinde mit die Schuld getragen hat. Der 60

17*

Vertriebene hat, schon den Wanderstab in der Hand, aber in Nürnberg für kurze Frist aufgenommen, noch eine Schutzschrift (bei Schelhorn, Ergötzl. III, S. 2009—2035) verfaßt und in Abschrift verbreiten lassen. Im Frühjahr 1564 zog er nach Polen; von dort vertrieb ihn das Edikt vom 7. August 1564, welches fremden Nichtkatholiken den
5 Aufenthalt untersagte — so wanderte er von dort nach Mähren, während seine Kinder, von der Pest ergriffen, dahinstarben. Endlich legte er vor Ablauf des Jahres 1564 in Slavkov, d. i. Austerlitz, sein mildes Haupt zum Sterben in dem Hause seines Landsmannes Nicolao Paruta aus Venedig, eines Mitgliedes der Täufergemeinschaft, die in Mähren verbreitet war. So berichtet Marcantonio Sarotto unter dem 21. Januar 1567 an den
10 Patriarchen von Venedig mit dem Beifügen, er sei selbst bei Paruta gewesen und habe die Todesstätte gesehen (Staatsarchiv in Venedig, Processi del Sant' Uffizio, Busta 22). Von O.s Kindern war nur eins noch, die älteste Tochter, Aurelia, am Leben; sie war an Lorenzo Venturini aus Lucca verheiratet und ist in Genf 1624 als Witwe gestorben.   **Benrath.**

15 **Ockam,** Wilhelm von, gest. 1349, berühmter nominalistischer Theologe und kirchenpolitischer Publizist des 14. Jahrhunderts. Seine Schriften s. unten sub 2. — Litteratur: Wadding, Annales ord. minorum VII. VIII; Scriptores ordin. minorum, Rom 1650, p. 155 f.; Raynald, Annales eccl. ad an. 1323, 12; 1328, 15; 1330; 1346, 3; 1347, 9. Chartularium universitatis Paris. ed. Denifle-Chatelain II, 277. 290. 321. 327. 332. 333. 485. 486.
20 507. 588. 587 cf. 720; Wood, Historia et antiquit. univers. Oxoniens., Oxon. 1674, I, 160. 169; Little, The grey friars in Oxford, Oxford 1892, p. 224 ff.; Henderson, Merton College, London 1899, p. 39. 271. 290 f.; Feret, La faculté de théologie de Paris au moyen âge III (Paris 1896). 339 ff.; K. Müller in AdB XXIV, 122 ff.; Wurm in KL XII, 1614 ff.; Riezler, Die litterarischen Widersacher der Päpste zur Zeit Ludwigs des Bayern, Leipzig 1874,
25 S. 243 ff.; K. Müller, Der Kampf Ludwigs des Bayern mit der römischen Kurie, 2 Bde 1879. 1880; K. Müller, Einige Aktenstücke und Schriften z. Gesch. der Streitigkeiten unter den Minoriten in der ersten Hälfte des 14. Jahrh., in ZKG 1884, 63 ff.; Höfler, Aus Avignon, in den Abh. der böhm. Gesellsch. d. Wiss. VI. Folge 2 Bd; Preger in Abh. d. bayr. Akad. d. Wiss. 1879. — C. Werner, Die nachscotistische Scholastik 1883; Ritter, Geschichte d. Philosophie
30 VIII (1845), S. 547 ff.; Prantl, Geschichte der Logik III (1867), S. 327 ff.; Siebeck, Ockams Erkenntnislehre in Archiv für Gesch. der Philosophie 1897, 317 ff.; Hauréau, Hist. de la philosophie scolastique II 2 (1880) p. 356 ff.; Schwab, Joh. Gerson, 1859, S. 274 ff.; R. Seeberg, Dogmengeschichte II (1898) S. 151 ff. 170. 175 ff. 189; Rettberg, Ockam u. Luther, in ThStK 1839, 69 ff.; Mitschl, Fides implicita 1890, S. 29 ff.; G. Hoffmann, Die Lehre von der
35 fides implicita, Leipzig 1903, S. 153 ff.; A. Dorner, Staat u. Kirche nach Ockam, in ThStK 1886, 672 ff.; F. Kropatscheck, Ockam und Luther, in Beiträge zur Förderung christl. Theol. IV, 1 1900; ders., Das Schriftprinzip der luth. Kirche I (Leipzig 1904), 309 ff.

1. **Wilhelm** (Guilielmus, Gulielmus, Guilermus etc.) von Ockam (Ochamus, Ocamus, Occamus, Ockam, Okam, Occham) führt seinen Beinamen nach einem
40 Ort Occam, nach der Überlieferung dem südlich von London, in der Grafschaft Surrey gelegenen Occam. Er hatte die Absicht, in dem 8. Traktat des 3. Teiles seines Dialogus seine eigene Geschichte zu erzählen; indessen ist diese Absicht nicht zur Ausführung gekommen (s. unten). Daher wissen wir von seiner früheren Lebensgeschichte so gut wie nichts Sicheres. Weder sein Geburtsjahr, noch der Ort seiner Studien, noch die Zeit
45 seines Eintrittes in den Franziskanerorden lassen sich genauer bestimmen. Nur wenige Daten können zu dem Versuch, durch Rückschlüsse dies Dunkel zu erhellen, herangezogen werden. 1. Eine Urkunde Bonifaz VIII. vom 30. Juli 1302 erwähnt einen Magister Guilelmus de Ocham, der clericus et familiaris des Bischofs von Durham und Rektor der Pfarrei Langton in der Diöcese York ist und die Erlaubnis erhält, archi-
50 diaconatum Stowie in ecclesia Lincolniensi anzunehmen (s. die Urkunde in Mélanges d'archéologie et d'histoire II, Rom 1882, p. 447). Denifle-Chatelain warnen aber davor, diesen Ockam für unseren Ockam zu halten, da letzterer a iuventa bereits Franziskaner gewesen sei (Chartular. etc. II, 486). Obgleich mir für diese Angabe kein sicherer Beweis bekannt ist, halte ich sie doch auch für wahrscheinlich, da dieser Ockam
55 hier schon als Magister bezeichnet wird, unser Ockam aber bei seinem akademischen Wirken in Oxford diesen Titel noch nicht führte (s. unten). 2. Im Jahr 1312 war Marsiglio von Padua Rektor der Pariser Universität (s. Chartul. univ. Par. II, 158), 1325 oder 1326 verließ er Paris nach Abfassung des Defensor pacis. Papst Clemens VI. erklärt, der mit ihm gleichzeitig in Paris wirkende Ockam habe auf ihn Einfluß ausgeübt (Höfler
60 a. a. O. S. 20). Daraus ergiebt sich, daß Ockam in der Zeit zwischen 1312 und 1325 als Professor in Paris thätig war. Nach der Tradition hat er in Oxford und Paris

gelehrt und ist Schüler des Duns Scotus gewesen. Daß er Mitglied des Merton College gewesen sei, ist durchaus unsicher (Henderson l. c. p. 290 f.). — Aus dem Gesagten läßt sich etwa folgendes herleiten. 1. Ockam ist ca. 1380 geboren, wie gewöhnlich angenommen wird, nicht ca. 1370, wie K. Müller will; 2. er ist jung in den Franziskanerorden gekommen, wann, wissen wir nicht; 3. er wurde wohl in Orford Baccalaureus und wirkte in Paris 5 als Magister etwa seit 1315—20. In den alten Verzeichnissen franziskanischer Magister in Orford wie in Cambridge (bei Brewer, Monumenta francisc., 1858, p. 550. 552. 555) fehlt sein Name, ebenso wie der des Duns Scotus. Dies wird sich bei beiden Männern daraus erklären, daß sie erst in Paris das theologische Magisterium erhielten, in Orford aber nur als Baccalaurei wirkten. 4. Die Überlieferung, daß Ockam Schüler 10 des Duns Scotus war, wird hiernach richtig sein. 5. Ockam mag um 1315 nach Paris gekommen sein. — Ohne Zweifel unrichtig ist die nicht selten gemachte Angabe, daß Ockam Provinzialminister seines Ordens gewesen sei, und ihn als solcher zu Perugia 1322 vertreten habe (z. B. Zöckler Bd VI, 212, 48). Gemeint ist vielmehr ein Magister Wilhelmus de Notingham, der in Orford Professor und seit 1321 Provinzial von 15 England war (s. Brewer, Mon. francisc. I, p. 551. 553. 550. 559 ff.). Nicht nur zeitlich, sondern auch sachlich wird die Pariser Zeit Ockams als Hauptperiode seiner Lehr- thätigkeit zu gelten haben. Daß er nachmals nach England zurückgekehrt sei und jetzt in Orford doziert habe (z. B. Wagenmann 2. Aufl. dieser Encykl. X, 684) ist eine durch nichts zu begründende Annahme, wohl aber haben seine Lehren in Paris feste Wurzel 20 geschlagen, so daß 1339 die philosophische Fakultät vor ihnen zu warnen sich genötigt sieht (Chartular. II, 485).

Damals hatte Ockam selbst freilich längst Paris verlassen. Der große Armutsstreit, der seinen Orden bis in die Tiefen hinein erregte, hat auch sein Lebensschicksal entschieden. Die absolute Armut, wonach nicht nur der einzelne Ordensbruder — das war allen 25 Orden gemeinsame Auffassung —, sondern auch der Orden schlechterdings keinen Besitz haben soll, war das Ideal; auf Christus und die Apostel berief man sich, und die ur- sprüngliche Tendenz des Ordens der Verweltlichung der Kirche entgegenzuwirken, trat wieder zu Tage (vgl. Bd VI, S. 212). Der große Philosoph und Theologe hatte hin- fort alle Kräfte seines Geistes dem Kampf für die Armut geweiht. Bald verband sich 30 hiermit ein zweites Motiv. Der gemeinsame Kampf wider den Papst führte die strenge Minoritengruppe zusammen mit dem deutschen Kaiser Ludwig dem Bayern. Derselbe Johann XXII., der die Rechte der Religion, wie man sie verstand, anficht, griff auch die Rechte des Staates an. So ergab sich der merkwürdige Kampf jener Jahre, ein Kampf für die Freiheit des Staates und für die Freiheit der Religion gegen das Papsttum. — 35 Unter den Opponenten zu Perugia standen neben dem Ordensgeneral Michael von Cesena, Ockam und Bonagratia in der ersten Reihe. Nach dem Ordenskonvent war Ockam eine Weile über in den Sprengeln der Bischöfe von Ferrara und Bologna (Raynald 1323, 62) thätig, die Eigentumslosigkeit Christi und der Apostel verfechtend. Im Dezember 1323 wurde er nach Avignon vor den Papst berufen mit einigen anderen Ordensbrüdern. Hier wurde 40 er über vier Jahre gefangen gehalten (s. Müller, Der Kampf Ludwigs des Bayern I, 208 und ZKG 1884, 108 ff.). Erst zu Ende dieser Zeit ging ihm, nachdem er zu dem Studium der betr. Konstitutionen Johanns XXII. von den Oberen veranlaßt war, die Erkenntnis auf, daß dieser Papst ein notorischer Häretiker sei (ZKG 1884, 111). Am 25. Mai 1328 entfloh er aus Avignon, zusammen mit Cesena und Bonagratia, nach 45 Italien. Bann und Absetzung folgten den Flüchtlingen (6. Juni 1328). Am 9. Juni trafen sie in Pisa ein, sie machten sofort gemeinsame Sache mit dem Kaiser, der sich ja damals in Italien aufhielt. Damals soll nach einer zuerst bei Tritheim auftretenden Überlieferung das Wort gesprochen haben: tu me defendas gladio, ego te defendam calamo · (de script. eccl. fol. 82). Das Wort ist unverbürgt, kennzeichnet 50 aber die Situation. Schon 1329 wurde vom Ordenskonvent in Paris die Absetzung Cesenas anerkannt und Geraldus Odonis zu seinem Nachfolger gewählt. 1331 wurde Cesena mit seinen Anhängern aus dem Orden gestoßen; 1339 verbot die philosophische Fakultät in Paris das Halten und Hören von Vorlesungen ockamistischer Richtung (Chartul. univ. Par. II, 485 cf. 507. 588, auch 587. 720). 55

Jetzt beginnt der Einfluß der Minoriten auf den Kaiser, der sich mit Unterbrechungen — der Kaiser ist bei den Friedensverhandlungen mit Johann XXII. und seinem Nach- folger Benedikt XII. stets bereit sie preiszugeben, erst 1343 heißt es in Bezug auf sie: „da wir ohne sie nicht wollen berichtet werden" vgl. Müller, Kampf Ludwigs I, 268. 270; II, 9. 11. 182. 184 — von ihnen beraten und verteidigen läßt. Es ist besonders 60

Ockam gewesen, der dabei in den Vordergrund trat. Die politischen Ideen, die er schon
früher in Paris gehabt haben wird, hat er an den konkreten Verhältnissen entwickelt und
sie ihnen anzupassen gewußt. Aber über den rein politischen Fragen sind ihm die Interessen und Tendenzen seiner Ordenslehre nie entschwunden. Er war mehr als ein bloßer
Doktrinär, aber seine Doktrin hat er nie vergessen. Daß Johann XXII. ein Häretiker
und kein Papst gewesen sei, und daß die Armut Christi und der Apostel ein Glaubenssatz ist, stand ihm ebenso fest, wie daß der Staat und die Rechte des Kaisers unabhängig
sind vom Papst und von der Kirche. Und beide Gedanken verwoben sich ihm zu einer
einheitlichen Anschauung von dem Verhältnis des Staates zur Kirche, des Papsttums zu
der Christenheit. Davon wird unten zu reden sein. — Nach dem unglücklichen Ausgang
des Römerzuges Ludwigs folgten ihm die Minoriten nach München (Februar 1330).
Hier lebten sie in dem nahe der Herzogsburg gelegenen Minoritenkloster. Hier sind die
kirchenpolitischen Schriften des Ockam entstanden (im einzelnen s. unten), während man
die Mehrzahl seiner philosophischen und theologischen Arbeiten wohl in seine frühere
Pariser Zeit wird verlegen müssen.

Im Jahre 1342 starb Michael von Cesena. Das Ordenssiegel hatte er Ockam übergeben. Damit ging das Ordensvikariat auf diesen über. Alle Versuche Ludwigs, mit
der Kurie Frieden zu schließen, waren fehlgeschlagen. Clemens VI. verfluchte ihn feierlich
im Jahre 1346. Im November desselben Jahres fand zu Bonn die Krönung des
Gegenkaisers Karls IV. statt, nachdem er die päpstlichen Forderungen anerkannt und vom
Papst zum König ernannt worden war. Am 11. Oktober 1347 starb Ludwig. Immer
einsamer wurde es um Ockam, der auch nach dem Tode des Kaisers seiner Sache
treu blieb (de electione Caroli, 1348). Einige der Münchener Minoriten hatten
früher ihren Frieden mit dem Papst gemacht, andere waren unversöhnt gestorben (Müller,
Kampf Ludwigs II, 250 f.). Schließlich war Ockam allein von den alten Führern übrig.
Wieder war er vor das päpstliche Gericht citiert worden (Raynald ad ann. 1349, 17), aber
die Verhandlungen scheiterten an der Weigerung, Ludwig als Häretiker und Schismatiker
anzuerkennen (Raynald ad ann. 1348, 21). Nun forderte Clemens VI., dem, wie er selbst
sagte, nächst seinem eigenen Seelenheil das Ockams besonders am Herzen lag (Höfler
a. a. O. S. 20), daß der Orden einschreiten solle. Das Ordenskapitel nun berichtet
(Pfingsten 1349), daß nur wenige Brüder übrig seien, die Ludwig und Cesena angehangen
hätten, unter diesen besonders Wilhelm von England; dieser habe nun auch das Ordenssiegel an den General eingesandt, er und die übrigen bäten um Befreiung von dem
Bann, könnten aber nicht bequem (commode) an die römische Kurie kommen. Das
Ordenskapitel hat daher um anderweitige päpstliche Verfügungen gebeten. Der Papst
war hierzu bereit (8. Juni 1349) und gab ein Formular, nach dessen Annahme die
Brüder absolviert werden dürfen, wenn sie darum nachsuchen. Sie sollen erklären 1. zu
glauben und geglaubt zu haben, was die römische Kirche glaubt, 2. geglaubt zu haben
und noch zu glauben, daß dem Kaiser die Absetzung oder Einsetzung eines Papstes nicht zustehe, dies vielmehr häretisch sei; 3. sie sollen schwören, den Geboten der Kirche et domini
nostri papae bezüglich aller begangenen Verfehlungen zu gehorchen, dem Papst und seinen
kanonischen Nachfolgern gehorsam zu sein, und 4. den Häresien, Irrtümern, Meinungen,
Auflehnungen Ludwigs und Cesenas oder ihrer Anhänger, oder anderen Häretikern und
Schismatikern nicht anhangen oder helfen zu wollen. Das war im allgemeinen die
seit Johann XXII. übliche Abschwörungsformel (s. Müller a. a. O. II, 241. 253), nur
war sie gemildert durch Fortlassung der Verpflichtung zum Gehorsam gegen Karl IV.,
der Absage an Ludwigs Witwe und Kinder und des Satzes, daß man nur einem von
der Kirche anerkannten Kaiser folgen würde. Auf Grund dieses Thatbestandes hat Tritheim von Ockam gemeint: in morte tandem absolutus fuit. So urteilen auch
Wadding u. a. (Annales minorum ad ann. 1347, 21 ff.). Aber keine Urkunde bezeugt die Unterwerfung Ockams. Dagegen sagt Jakob de Marchia ausdrücklich von
Cesena, Bonagratia und Ockam: qui tres haeretici excommunicati remanserunt
(dialog. c. fraticellos bei Baluze-Mansi, Miscell. II, 595). Angesichts dieses Zeug-
nisses scheint es doch das Wahrscheinlichere zu sein, daß Ockam sich nicht unterworfen
hat, sei es, daß sein Tod früher eintrat, sei es, daß der Greis es ablehnte. — Das
Datum seines Todes ist unsicher. Daß er im Frühling 1349 noch lebte, ist nach Obigem
sicher. Demnach kann er nicht am 10. April 1347 gestorben sein, wie auf seinem Grabstein
in der früheren Franziskanerkapelle zu München gestanden hat (A Dni. 1347 IV id. Apr.
o. A. R. et doctiss. P. F. Wilhelm dictus Ockam ex Anglia ss. theol. doctor).
Dasselbe Datum bezeugen ein dem 15. Jahrhundert angehöriges Anniversarium sowie

Glaßbergers Chronik (f. Riezler a. a. O. S. 127f. 310). Das Monatsdatum wird richtig fein, dagegen muß die Jahreszahl auf dem — nicht gleichzeitigen — Denkmal Erfindung fein. Ocam könnte dann am 10. April 1350 gestorben fein, oder wahrscheinlich schon am 10. April 1349. Bei letzterer Annahme begriffe sich die doppelte Überlieferung am besten: er starb vor der Unterwerfung, aber er hatte seinen Wunsch nach Versöhnung 5 kundgegeben. Als zu Pfingsten 1349 das Ordenskapitel hierüber verhandelte und als Anfang Juni der Papst seine Bedingungen aufstellte, wäre dann allem Streit bereits entrückt gewesen. Man beachte noch das non commode im Bericht des Ordens an den Papst: das kann heißen, daß ein schweres Leiden oder Altersgebrechlichkeit Ocams bekannt war. Aber Sicheres läßt sich hierüber zur Zeit nicht ausmachen. Ocam könnte 10 etwa als kranker blöder Greis auch über das Jahr 1350 hinaus gelebt haben, freilich hätte man dann schwerlich den Vollzug seiner Unterwerfung durchzusetzen und davon zu berichten unterlassen. Die Wahrscheinlichkeit spricht also für den 10. April 1349 als Todes=tag. Eine von Wadding angeführte Überlieferung, daß er 1320 zu Capua gestorben sei, ist natürlich irrig. Eine andere Überlieferung, die Wadding für wenigstens nicht un= 15 möglich hält (O. wäre wegen der Absolution zum General beschieden und dann in das betr. Kloster verwiesen worden), läßt Ocam zu Carinola in Campanien begraben sein (Annal. minor. ad 1347, 20). Doch muß dies als durchaus unwahrscheinlich bezeichnet werden. Verwechselungen werden dieser wie jener Auffassung zu Grunde liegen, z. B. ist zu erinnern an die Notiz im alten Verzeichnis der Orforder Franziskanermagister bei 20 Brewer, Monumenta francisc. p. 553: frater Willielmus de Alnewyke qui postea apud montem Bononiae Neapoli legit, demum episcopus.

2. Über Ocams Schriften haben neuerdings eingehend gehandelt Riezler und K. Müller a. a. O., besonders aber Little in The grey friars in Oxford p. 225—234, wo die handschriftliche Überlieferung und die Ausgaben der einzelnen Werke angegeben 25 sind. Eine Gesamtausgabe der Werke Ocams, wie wir sie von Albert, Thomas, Bona-ventura, Duns Scotus besitzen, fehlt bisher. Das bezeugt nur die Ungunst, die dem mächtigen Mann seitens seiner Kirche zu teil geworden ist; für die geschichtliche Be-deutung seiner Arbeit sprechen die vielen Handschriften und alten Drucke seiner Werke. Die kirchenpolitischen Schriften sind zusammen gedruckt im 2. Band von Goldasts Mo- 30 narchia, Frankfurt 1668 fol., p. 313—1236. Wir handeln zunächst von den philo-sophischen, dann von den theologischen, endlich von den politischen und kirchenpolitischen Werken.

I. Philosophische Werke: 1. Expositio aurea et admodum utilis super totam artem veterem, Bologna 1496 fol. Inc.: Quoniam omne operans quod in 35 his operationibus. Handschriftlich sind die verschiedenen Traktate dieses Werkes unter besonderen, ihrem Inhalt entsprechenden Titeln erhalten: Commentarii in Porphyrii librum; in Aristotelis Praedicamentorum librum (oder: de decem generibus); in Aristotelis de Interpretatione libros duos; in libros Elenchorum (Little 225f.). In Gestalt von Kommentaren zu Porphyrius Isagoge und den betr. aristotelischen Schriften 40 legt Ocam hier seine Logik, Erkenntnistheorie und Metaphysik dar. 2. Summa logices, einem Ordensbruder Adam gewidmet. Inc.: quam magnos veritatis secta-toribus afferat fructus; gedruckt zu Paris 1488 fol., Bologna 1498, Venedig 1508. 1591 u. ö. — 3. Quaestiones in octo libros physicorum, gedruckt Straßburg 1491, Inc.: valde reprehensibilis. — 4. Summulae in libros physicorum, 4 Teile. 45 Inc.: studiosissme saepiusque rogatus; gedruckt Venedig 1506, Rom 1637, vgl. Wadding, Scriptores, p. 156. Hierzu kommen einige ungedruckte Werke: 5. Quaestiones Ockam super phisicam et tractatus eiusdem de futuris contingentibus (Little 227), ob identisch mit 3 oder 4? 6. de successivis f. Little 228; Inc.: videndum est de locis. — 7. Quaestiones Ocham in terminabiles Alberti de Saxonia, f. 50 Little 229.

II. Theologische Werke: 8. Quaestiones et decisiones in quatuor libros Sententiarum, Inc.: circa prologum primi libri Sententiarum quaero primo; gedruckt Lyon 1495. 1496. 1497. Es ist das theologische Hauptwerk Ocams. Das erste Buch ist sehr viel ausführlicher gehalten als die drei folgenden, auch existiert es 55 mehrfach in Handschriften für sich. Dies legt die Vermutung nahe, daß Ocam es auch so veröffentlicht hatte und erst später in kürzerer Bearbeitung die drei weiteren Bücher hinzufügte. Die letzten Worte des vierten Buches zeigen nun, daß es nach einem Werk, das contradictorium in contradictorium war contra Johannem XXII. in materia de fruitione geschrieben ist, bezw. damals Ergänzungen empfing. Gemeint dürfte das 60

Compendium errorum sein. Das führt uns frühestens auf das Jahr 1335 (s. unten). Es scheint also Okam früh, sei es schon in Oxford oder erst in Paris, das erste Buch herausgegeben zu haben. Zur Bearbeitung der letzten Bücher kam er nicht, und erst später, als er sein Lehramt längst aufgegeben hatte, mögen die Kolleghefte durchgesehen und herausgegeben worden sein. Übrigens wäre noch zu untersuchen, ob nicht etwa in den Handschriften auch die drei letzten Bücher in abweichender und reicherer Form, als die gedruckte Ausgabe sie bietet, existieren (vgl. Little p. 227). — 9. Centiloquium theologicum, omnem ferme theologiam speculativam sub centum conclusionibus complectens; Inc.: anima nobis innata eo potius; gedruckt als Anhang zu dem Sentenzenkommentar. Das Büchlein enthält eine pikante Beispielsammlung dafür, was alles die Vernunft in der Theologie als möglich ansehen könnte. Man kann das Werkchen mit Abälards Sic et non vergleichen, das eine zeigt, in welche Sackgassen die ratio führt, das andere macht die Schwierigkeiten der auctoritas eindrücklich. — 10. Quodlibeta septem. Inc.: utrum possit probari per rationem naturalem etc. Gedruckt Paris 1487, Straßburg 1491 in 4°. Zu Ende dieser Ausgabe heißt es: expliciunt quodlibeta septem venerabilis inceptoris magistri Wilhelmi de Ockam anglici, veritatum speculatoris acerrimi, fratris ordinis minorum, post eius lecturam Oxoniensem super sententias edita. In bunter Folge werden hier in der Weise der Quodlibeta die meisten Probleme der Philosophie und Theologie behandelt. Es sind jedenfalls die Disputationen, mit denen Okam sein Pariser Lehramt antrat; ihnen lagen wohl die Resultate der Oxforder Vorlesungen zu Grunde. — 11. De sacramento altaris und de corpore Christi, zwei Teile einer Schrift. Inc.: circa conversionem panis, und: stupenda super munera largitatis. Gedruckt Straßburg 1491 in 4° hinter den Quodlibeta; Paris s. a., Venedig 1516. Die Schrift ist für die theoretischen Stützen der Abendmahlslehre Luthers belangreich geworden. — 12. De praedestinatione et futuris contingentibus, gedruckt zu Bologna 1496 mit der expositio aurea (s. oben I, 1), vielleicht identisch mit der Schrift de motu, loco, tempore, relatione, praedestinatione et praescientia dei, et quodlibetum bei Little 228. — Handschriftlich existiert: propositio an sit concedenda: essentia divina est quaternitas (Little 228). — Die Kathedralbibliothek zu Worcester bewahrt eine Handschrift: Sermones Occham, wir wissen nicht, welcher Okam gemeint ist, unserer oder Nicolaus de Ocham (Little 229. 158, Mon. francisc. I, 552).

III. Politische und kirchenpolitische Schriften. 13. Opus nonaginta dierum. Inc.: doctoris gentium et magistri beati Pauli. Innerhalb von neunzig Tagen verfaßt, wohl noch im J. 1330, jedenfalls vor 1333, enthält das Buch eine Verteidigung der Armut als der wahren Vollkommenheit und eine Bekämpfung der Bulle Johanns XXII.: Quia vir reprobus. Wäre der Dialogus zu Ende geführt worden, so hätte Okam dies Buch wohl als 6. Abteilung des 3. Teils dem Dialogus eingefügt, wie Goldast richtig beobachtet (p. 993). Gedruckt Lyon 1495. 96, dann bei Goldast, Monarchia II, 993—1236. — 14. Am 3. Jan. 1333 soll Okam, daß Johann XXII. in einer Rede im Konsistorium gelehrt habe, quod animae purgatae non vident facialiter deum ante diem iudicii, das gab die Veranlassung zur Schrift Tractatus de dogmatibus Johannis XXII. papae. Inc.: verba eius iniquitas et dolus. Die Schrift wurde später als 2. Teil dem „Dialog" eingefügt; geschrieben wohl 1333. Gedruckt bei Goldast II, 740—770. — 15. Epistola ad fratres minores in capitulo apud Assisium congregatos. Inc.: religiosis viris fratribus minoribus universis; nach der Datierung im Frühjahr 1334 geschrieben, handschriftlich vorhanden in der Pariser Nationalbibliothek 3387 fol. 262ᵇ—265ᵃ (Little 229), herausgegeben von K. Müller, ZKG 1884, S. 108 f. Der Brief ist von besonderem Interesse wegen der scharfen Beleuchtung, in die er seinen Urheber rückt. — 16. Opusculum adversus errores Johannis XXII. Inc.: non invenit locum penitencie Johannes XXII., geschrieben bald nach dem Tode des Papstes, Anfang 1335, handschriftlich erhalten in der Pariser Nationalbibliothek 3387 fol. 175—213ᵇ (Little 232). — 17. Compendium errorum Johannis XXII. papae. Inc.: secundum Bokkyg super sacram scripturam. Das Buch legt dar die Häresien der Konstitutionen: Ad conditorem canonum, Cum inter nonnullos, Quia quorundam und Quia vir reprobus. Geschrieben unter Benedikt XII. (1334—42). Gedruckt Paris 1476. Lyon 1495. 96, bei Goldast II, 957—976. — 18. Defensorium contra Johannem XXII. Inc.: universis Christi fidelibus, gedruckt Venedig 1513, bei Brown, Fasciculus rerum expetendarum et fugiendarum, London 1690, II, 439—464, sowie bei Baluze-Mansi, Miscell. III,

341—355. Diese Schrift wird an dem zuletzt angeführten Ort, d. h. in dem **Chronicon de gestis fraticellos des Johannes Minorita** (vgl. Müller, Kampf Ludwigs I, 354 f.) als von Cesena herrührend mitgeteilt. Sie kann nicht vor der Zeit Clemens VI. geschrieben sein. Das folgt zwar noch nicht aus der von Riezler S. 247 Anm. 1 angeführten Stelle, wohl aber aus der Bemerkung über die eschatologischen Häresien Johanns: successores eius non tenuerunt nec tenent (Baluze III, 350ᵃ). Die Schrift gehört also in die Z t nach 1342. Sie ist ein Sendschreiben an alle Christen, das das gute Recht der Minoriten im Kampf gegen den offenkundigen und hartnäckigen Häretiker Johann XXII. nachweist. Die Schrift könnte etwa damals verfaßt sein, als Kaiser Ludwig im Jahre 1343 behufs Friedensverhandlungen mit der Kurie seine Sache deutlich schied von den besonderen Streitfragen der Minoriten (s. die Urkunde bei Riezler S. 332 vgl. Müller a. a. O. II, 182), mit der Absicht, das Interesse der Christenheit für die Sache der Minoriten aufrecht zu erhalten. Die Abfassung durch Cesena (gest. 29. Nov.. 1342) ist zeitlich nicht wahrscheinlich, Ockam kann sie geschrieben haben, aber es fehlt an positiven Gründen für seine Autorschaft. Es bleibt also zweifelhaft, ob er der Verfasser ist. K. Müller ist geneigt, die Schrift ihm abzusprechen (a. a. O. II, 251 A. 4). —
19. **Tractatus ostendens, quod Benedictus papa XII. nonnullos Johannis XXII. haereses amplexus est et defendit.** Inc.: ambulavit et ambulat insensanter, non re sed nomine Benedictus. In sieben Büchern wird der Papst als Häretiker, Feind des deutschen und des englischen Königs, als verdammungswürdiger Anhänger des französischen Königs angegriffen und dargethan, daß Ludwig das Recht habe, wider ihn mit Waffengewalt vorzugehen. Nun hatte im April des Jahres 1337 der Papst unter französischem Einfluß die Verhandlungen mit Ludwig zum Scheitern gebracht, am 13. Juli desselben Jahres verbündete sich Ludwig mit König Eduard von England, Ludwig faßte den Plan selbst nach Avignon zu ziehen (Müller II, 42 f. 45. 47). Aus dieser Situation ist die Schrift hervorgegangen, sie wird also in der zweiten Hälfte des Jahres 1337 entstanden sein. Sie wurde bisher nicht gedruckt, handschriftlich erhalten in der Nationalbibliothek zu Paris 3387 fol. 214ᵇ—262ᵃ (Müller II, 88, Little 232). — 20. **Octo quaestiones super potestate ac dignitate papali.** Inc.: sanctum canibus nullatenus esse dandum. Von einem dominus mihi quam plurimum venerandus d. h. wohl dem Kaiser selbst sind Ockam acht Fragen zur Beantwortung vorgelegt worden (Vereinbarkeit der höchsten geistlichen und weltlichen Gewalt in einer Hand, ob die weltliche Gewalt ihre Macht unmittelbar von Gott habe, ob alle weltliche Jurisdiktion vom Papst abhänge, ob ein Unterschied zwischen römischem Kaisertum und Königtum sei, ob die geistliche Salbung oder Krönung einem sich Fürsten weltliche Gewalt verleihe oder nur eine geistliche Gabe zur Ausrichtung des Amtes, ob der Monarch seinem coronator unterworfen sei, ob der Besitz der weltlichen Gewalt von der Krönung durch einen bestimmten Bischof abhängig sei, ob dem römischen König die Wahl durch die Kurfürsten ebensoviel Macht verleihe als einem erblichen König die gesetzliche Erbfolge). In eingehender Untersuchung und unter Anführung der verschiedensten Meinungen werden diese Fragen eingehend erörtert. Dabei vermeidet Ockam es, seine eigene Meinung deutlich hervortreten zu lassen, propter exercitium, sagt er zum Schluß, habe er conferendo, allegando et disputando geredet, quid autem sentiam de praedictis, non expressi, quia hoc, ut puto, nequaquam viderati prodesset. Die Abfassungszeit läßt sich danach bestimmen, daß die Beschlüsse von Rense und die Gesetze von Frankfurt (Juli und August 1338) vorausgesetzt werden, und daß dem Verfasser das berühmte Werk Lupolds von Babenburg de iuribus regni et imperii schon vorgelegen hat. Da dies Werk nicht wohl vor 1339 fertig geworden sein kann, so werden die octo quaestiones nicht vor der zweiten Hälfte des Jahres 1339, aber auch kaum viel später verfaßt worden sein. Gedruckt wurde die Schrift Lyon 1496 und bei Goldast II, 314—391. Vgl. Riezler S. 249 ff. — 21. **Tractatus oquá de potestate imperiali.** Inc.: inferius describuntur allegaciones per plures magistros in sacra pagina approbate, per quas ostenditur evidenter, quod processus factus et sentencia lata in frankfort per dominum ludovicum quartum dei gracia Romanorum imperatorem. In einer Handschrift Bibl. apost. Vat. Codd. Palat. Lat. 679 p. I fol. 117 (nach Little 232 f.). — 22. **De iurisdictione imperatoris in causis matrimonialibus.** Inc.: divina providentia disponere. Ludwig hatte im Februar 1342 seinen Sohn mit Margaretha Maultasch verheiratet, nachdem die Ehe der letzteren mit Johann Heinrich, dem Sohn des böhmischen Königs, vom Kaiser aufgelöst worden war. Eine Rechtfertigung dieses Verfahrens bietet unsere Schrift. Sie wird also 1342

verfaßt sein. Gedruckt Heidelberg 1598 und Goldast I, 21—24. Die Echtheit ist bezweifelt worden, aber ohne Grund, s. Riezler S. 254 ff. Müller II, 161. — 23. Dialogus inter magistrum et discipulum de imperatorum et pontificum potestate.
Inc.: in omnibus curiosus existis nec me desinis infestare. Der zeitgenössische
5 Chronist Johann von Viktring erzählt von diesem Werk, daß Ockam es verfaßt habe und
daß, als Clemens VI. Bann und Interdikt über Ludwig und sein Land aussprach (1343),
dieser milde (mitis) Dialog Herzog Albrecht von Österreich bestimmte, jenen Verfügungen
in seinem Lande keine Wirksamkeit zu gestatten (Böhmer, Fontes I, 447). Die dem Werk
nachgerühmte Milde greift freilich über das „suaviter in modo" nicht hinaus. Indem Ockam
10 verschiedene Meinungen über die Streitfragen anführt, will er mit seiner eigenen Meinung zurückhalten; darum bittet ihn der Schüler, ein Anhänger des Papstes ausdrücklich,
um nicht durch die Autorität des verehrten Meisters gefangen zu werden. Es hat daher
hier wie in den octo quaestiones seine Schwierigkeiten im einzelnen Ockams eigene
Ansicht zu eruieren, aber im ganzen wird man trotzdem seine Auffassung ziemlich sicher
15 aus dem Dialog erheben können (vgl. auch Riezler S. 257). In dem Werk hat Ockam
seine gesamte kirchenpolitische Auffassung zusammenfassen wollen. Die Absicht Ockams war,
vom Standort seiner Gesamtanschauung aus prinzipiell das Verhältnis von Staat und
Kirche, Kaiser und Papst, von vermeintlicher und wirklicher Autorität klarzulegen, dann
nachzuweisen, daß Johann XXII. wirklich Häretiker war, und daß somit der Kaiser wie
20 die strengere Minoritenpartei ihm gegenüber im Recht waren, und endlich an einer eingehenden Darstellung der jüngsten Vergangenheit die Richtigkeit seiner Anschauung historisch
zu erweisen. In dem kolossalen Werk sollte das Facit aus dem Arbeiten und Wirken Ockams
gezogen werden. Der politisierende Professor a. D. hat oft seine Feder den politischen
Absichten des Kaisers zu Dienst gestellt, aber er hat es stets mit der Überzeugung des
25 fanatischen Minoriten getan. Das ist das Große an dem Wirken dieses politischen
Theologen, daß es hervorging aus dem Mittelpunkt seiner religiösen Überzeugung. Die
heilige Armut machte ihn zum Kritiker des Papsttums und zum Verteidiger der Selbstständigkeit des Staates. — Nach diesen Bemerkungen versteht sich die Einteilung des
großen Werkes. Der erste Teil handelt von dem Gegensatz des Häretischen und Ka-
30 tholischen in sieben Büchern. Er weist nach, daß Päpste Häretiker sein können, und
daß sie es wirklich gewesen seien. Ebenso wird die Möglichkeit des Irrtums für die allgemeinen Konzilien behauptet. Auch Fürsten und Laien haben Recht und Pflicht, wenn
die geistlichen Instanzen versagen, über einen häretischen Papst zu richten. Obgleich Ockam über
den Mangel an historischer Litteratur in München geklagt hat (Goldast II, 871. 870; die
35 antipäpstliche Streitlitteratur hatte er gesammelt, ib. 398), bewährt dieser Teil des Werkes
doch eine umfassende historische Gelehrsamkeit. Schon der zweite Teil des großen Werkes
ist unvollständig. Ockam schob hier den oben Nr. 14 besprochenen Traktat de dogmatibus
Johannis XXII. ein. Ob das Compendium errorum (oben Nr. 17) hier auch untergebracht
werden sollte, ist fraglich, vgl. Riezler S. 262. Ein ungeheures Werk sollte der dritte Teil
40 des Dialogs werden. Im Prolog des dritten Teiles entwirft Ockam folgenden Plan: 1) de
potestate papae et cleri, 2) de potestate et iuribus romani imperii, 3) de
gestis Johannis XXII., 4) de gestis domini Ludovici de Bavaria, 5) de gestis
Benedicti XII., 6) de gestis fratris Michaelis de Cesena, 7) de gestis et doctrina fratris Geraldi Odonis, 8) de gestis fratris Guilhelmi de Ockham, 9) de
45 gestis aliorum christanorum, regum, principum et praelatorum ac subditorum,
laicorum ac clericorum secularium, religiosorum fratrum minorum et aliorum
(Goldast II, 771). Aber der Plan ist nicht zur Ausführung gekommen. Nur die
beiden ersten Traktate sind vorhanden, der zweite ist kaum vollständig. Der erste
handelt in vier Büchern von der Gewalt des Papstes und des Klerus, den Formen
50 der Staats- und der Kirchenverfassung, von der letzten Autorität in der Kirche (Schrift,
Papst, Konzil), vom Papst als dem Erben des Primates Petri. Der zweite Traktat (des
3. Teils) bespricht in seinem ersten Buch die Bedeutung und den Wert einer Universal-
monarchie und den Ursprung des Kaisertums, das zweite Buch ist einer Besprechung der
Rechte des Kaisers gewidmet, das dritte endlich behandelt die Frage, ob und inwieweit
55 der Kaiser über geistliche Personen und Sachen Gewalt habe. In dem 23. Kapitel bricht
die Erörterung ab mit den Worten: et haec de tertia parte dialogorum pro nunc tibi
tibi sufficiant (Goldast II, 957). Bemessen an dem Prolog fehlen also sieben Traktate. In dem Vorwort zu der ersten Druckausgabe (bei Goldast II, 394) berichtet nun
Badius dem Tritheim, der Buchdrucker Trechsel habe von vielen zu der Drucklegung
60 des Buches gedrängt, dasselbe von Gelehrten prüfen lassen; als sich dabei ergab: mu-

tilum et mancum esse neque omnes qui praelibantur tractatus haberi, habe er so lange, erschreckt, das Unternehmen aufgegeben, bis er erkannte: industria et dedita opera a prioris impressionis artifice tractatulos aliquos praetermissos. Denn beständig sagten sie (aiebant), das Gute sei vorhanden, das Übrige hätte zu scharfe Angriffe gegen die Päpste enthalten, als daß es dem Volk hätte bekannt gemacht werden 5 können. Aus dieser Angabe folgert Riezler, daß Trechsel noch das ganze Werk vollständig vorgelegen habe (S. 263, so auch Wagenmann in der 2. Aufl. dieser Encykl. X, 689). Allein dieser Schluß ist in dem Wortlaut nicht genügend begründet. Die Sachlage ist diese: die gelehrten Ratgeber Trechsels haben aus der Vergleichung von Inhaltsübersicht und Inhalt die Lücken des dritten Buches erkannt, und zwar nicht nach einer 10 Handschrift, sondern nach einem ihnen bereits vorliegenden Druck. Trechsel entschloß sich erst dann zum Neudruck, als er zur Überzeugung kam, daß jene Lücken mit gutem Grund und absichtlich entstanden seien. Ob es nur eine gelehrte Vermutung war, die ja nahe genug lag, durch die er beruhigt wurde, oder ob man eine vollständige Handschrift zum Vergleich heranzog, ist nicht gesagt. Dann kann aber auch aus dieser Notiz nicht das 15 Vorhandensein einer vollständigen Handschrift gefolgert werden. Und in der That brechen die uns bekannten Handschriften entweder dort ab, wo der Text von Trechsel und Goldast schließt, oder es fehlen noch die sieben letzten Kapitel des gedruckten Textes in ihnen, oder sie schließen auch mit dem dritten Buch des zweiten Traktates den dritten Teil des Dialogs; auch Pater d'Ailli, der einen Auszug aus dem Werk herstellte, hat es 20 nur als Torso gekannt (s. die Angaben bei Little p. 231 ff. cf. Müller, AdB XXIV, 125). Demnach ist das große Werk Torso geblieben. Geschrieben wurde es nach der angeführten Angabe des Chronisten etwa 1341—1343. Äußere Gründe bedingten die Veröffentlichung der Schrift vor ihrer Vollendung und wohl auch wie in den octo quaest. die eigentümliche Verschleierung der eigenen Auffassung des Autors. Damit fiel aber auch der unmittelbare An- 25 trieb zur Fortsetzung der Arbeit für den Autor fort. Gedruckt ist das Werk Lyon 1495 und bei Goldast II, 398—957; nach dem Brief des Badius scheint noch ein älterer Druck vorhanden gewesen zu sein. Vgl. Riezler 257—271. — 24. De electione Caroli IV. Inc.: quia sepe viri ignari. Höfler hat Mitteilungen aus dem Traktat gemacht (a. a. O. S. 13). Er findet sich in einer Handschrift des Eichstädter Domkapitels, eine 30 Handschrift soll in Rom in der Bibliothek S. Croce in Gerusalemme sich befinden (vgl. Riezler S. 271 Anm.). Es ist eine Streitschrift gegen die bei der Absolution der Anhänger Ludwigs vorgeschriebene Eidesformel (Müller, Kampf Ludwigs II, 251); geschrieben ist sie etwa zu Anfang des Jahres 1348. Es ist die letzte der uns bekannten Schriften Ockams. — 25. De imperatorum et pontificum potestate. Inc.: universis 35 Christi fidelibus presentem tractatulum inspecturis. Handschriftlich Brit. Mus.: Royal 10A, XV (nach Little 232). — Die Schrift Disputatio inter militem et clericum super potestatem praelatis ecclesiae atque principibus terrarum commissam (gedruckt zuerst 1475, 1498 unter dem Namen Ockams) stammt nicht von Ockam (s. Riezler a. a. O. S. 145 ff.). Die gegebene Übersicht der Schriften Ockams beruht im 40 wesentlichen auf Littles Angaben (Grey friars p. 226 ff.). Wadding (Scriptores ord. min. p. 155 f.) giebt, außer den genannten, noch weitere Traktate und Schriften Ockams an: De paupertate Christi liber unus, De paupertate apostolorum lib. unus, Apologia quaedam lib. unus, Defensorium suum liber unus, Dialectica nova libri duo, Commentarii in Metaphysicam lib. unus, Quaestiones de anima, De 45 quatuor causis, De forma prima, De forma artificiali, De pluralitate formae contra Suttonum liber unus, De materia prima liber unus, De privatione liber unus, De subitanea mutatione liber unus, De perfectione specierum, De actibus hierarchicis liber unus, Errorum quos affinxit papae Johanni liber unus. Leland erwähnt noch eine Schrift de invisibilibus. Auch führt Wad- 50 bing neben den Quodlibeta septem noch an Quodlibeta magna. Über die Existenz dieser Schriften, über ihre eventuelle Echtheit oder über ihre Identität mit bereits angeführten Schriften resp. mit Teilen von ihnen, läßt sich ohne eingehende handschriftliche und bibliographische Forschungen nichts ausmachen. Es ist wahrscheinlich, daß manche der angegebenen Werke nur Teile anderer größerer Werke Ockams sind. Montfaucon 55 (Bibl. bibliothecarum p. 100) erwähnt unter den Haupthandschriften der vatikanischen Bibliothek „947 ad 956 Guil. Occhami opera". Auf diese Sammlung bezieht sich auch Wadding. Eine kritische Ausgabe der Werke Ockams ist nicht nur ein dringendes wissenschaftliches Bedürfnis, sondern wäre auch eine Ehrenpflicht des Ordens, zu dessen Zierden Ockam gehört hat, oder dann der Münchener Akademie der Wissenschaften. 60

Seinen kirchenpolitischen Werken aber kommt ein Platz in den **Monumenta Germaniae** zu.

3. Ockam war nicht nur einer der scharfsinnigsten Gelehrten, die das Mittelalter gekannt hat, sondern auch ein Charakter von ehrfurchtgebietender Konsequenz und Kühnheit.
Bei dem, was er für wahr erkannt hatte, ist er beharrt. Die Chancen, die ihm eine gewaltige Begabung nicht minder als die Zeitbedürfnisse, die seinen geistigen Tendenzen entgegenkamen, boten, hat er aufgegeben, um den Idealen seines Herzens treu zu bleiben. Seit er erkannt hatte, daß Johann XXII. ein Häretiker war und seit es ihm gewiß war, daß die Ideale der „Armut" von Rom beschränkt wurden, ist er der unerbittliche
Gegner der kirchlichen Machthaber seiner Zeit, und hält treu aus bei der Gewalt, von der er eine Besserung einst geglaubt hatte erwarten zu können. Darüber kam er um Amt und Stellung und zerfiel mit dem eigenen Orden. Gebeugt hat ihn das nicht. Von den Herztönen des „ich kann nicht anders" spürt man etwas in seinem Brief vom Jahre 1334: Nemo ergo sic existimet, quod propter multitudinem pseudopapae fa-
ventium aut propter allegationes haereticis et orthodoxis communes velim ab agnita veritate recedere. Quia scripturas divinas viro praefero in sacris litteris idiotae doctrinamque sanctorum patrum cum Christo regnantium traditionibus in hac vita mortali degentium antepono et generale capitulum Perusianum (von 1322), in quo fratres quamquam cum timore tamen ex conscientia
processerunt, omnibus congregationibus fratrum posterioribus, in quibus honore vel ambitione aut odio movebantur reputo praeponendum ac fratres omnes universos et singulos pro tempore, quo veritates fidei et ordinis tenuerunt, sibimet ipsis, si easdem veritates diesserint, praevalere (ZKG 1884, 112).

Das Leben des Mannes ist eine Tragödie gewesen, denn mit seinen tiefsten Idealen
ist er nicht durchgedrungen, in dieser Hinsicht wurde es immer einsamer um ihn in den Tagen des Alters, und die schwankende Politik seines Kaisers konnte nicht dazu angetan sein ihn zu trösten. Und dennoch war der einsame Münchener Mönch einer der mächtigsten Menschen seiner Zeit. Die philosophischen und theologischen Gedanken, die er einst in den Tagen seines amtlichen Wirkens gebildet, strebten sicher dem Siege entgegen
in der Wissenschaft seiner Tage, und die kirchenpolitische Kritik, der er seine Kraft widmete auf der Höhe seines Lebens, drang, trotz aller äußeren Mißerfolge, tiefer und tiefer ein in das Empfinden seiner Zeit. In dreierlei besteht die historische Bedeutung Ockams, 1. er hat den Nominalismus siegreich durchgesetzt in der Philosophie der Zeit; 2. er hat die Kritik an dem überkommenen Dogma auf das Höchste gesteigert und als Gegengewicht
den kirchlichen Positivismus gebrauchen gelehrt; in ersterem wie letzterem folgt er den Anregungen des Duns Scotus, 3. und er hat neue Gedanken über das Verhältnis von Staat und Kirche, von weltlicher und geistlicher Autorität verfochten, die die Geschichte der Folgezeit mitbestimmt haben. Unter diesem dreifachen Gesichtspunkt ist seine Lehre im folgenden darzustellen.

4. Der große Aufschwung der philosophischen und theologischen Arbeit, die das
13. Jahrhundert erlebt hat, war durch die Einwirkungen des Aristoteles bedingt. Die von diesem dargebotene Weltanschauung mußte mit dem überkommenen platonisch-augustinischen „Realismus" ausgeglichen werden. Dies hat Thomas versucht, indem er möglichst eng sich Aristoteles anschloß, dagegen hat Duns den ganzen „Realismus" der
Älteren festzuhalten versucht, ihn aber nach moderner, resp. aristotelischer Methode begründet. Dadurch sind aber in die Wissenschaft des Duns Scotus Interessen und Tendenzen gekommen, die seine Schüler von der Position des Meisters fortdrängten. Die starke Betonung der Empirie und der psychologischen Analyse, sowie der Aktivität der Vernunft im Erkenntnisakt einerseits, die Erkenntnis, daß das Besondere und Einzelne der Zweck
der Natur sei andererseits, haben zu anderen Resultaten geführt, als Duns selbst sie fand (vgl. Seeberg, Die Theologie des Duns Scot., 1900, S. 602 ff. 672 f.). Hier setzte Ockams Lebensarbeit ein. Er war der venerabilis inceptor des Nominalisten, der Begründer der Schule der „Modernen". Auf keinem Gebiet ist sein Erfolg ein so großer und ungehemmter gewesen als auf dem der Philosophie. Wir haben zunächst seine
Hauptgedanken zu reproduzieren. Die Wissenschaft hat es nur mit Sätzen, nicht mit den Sachen als solchen zu thun, denn ihr Gegenstand ist das, was gewußt wird, also das, was ist. Sciendum quod scientia quaelibet, sive sit realis sive rationalis, est tantum de propositionibus tanquam de illis quae sciuntur, quod solae propositiones sciuntur. Die Sachen sind immer nur singulär, während es sich in der
Wissenschaft um allgemeine Begriffe handelt, die als solche nur im menschlichen Geist

exiſtieren. Die Univerſalien beſtehen nämlich nirgends objektiv in der Natur, ſondern nur im ſubjektiven Verſtande (in Sent. I dist. 2 quaest. 8 E; quaest. 4 X). Duns Scotus hatte die objektive Exiſtenz des Univerſale aus den unter Einwirkung der Objekte ent= ſtandenen Begriffen erſchloſſen. Ockam dagegen beweiſt: quod nullum universale sit aliqua substantia extra animam existens. Kein Univerſale iſt nämlich eine einzelne 5 Subſtanz, denn ſonſt müßte jede Subſtanz — alſo etwa auch Sokrates — Univerſale ſein können. Ferner iſt jede Subſtanz una numero et singularis, quia omnis res est una res et non plures. Alſo hat das Univerſale nicht Raum in den einzelnen Dingen. Denkt man das Univerſale als eine den verſchiedenen Singularia einwohnende, von ihnen unterſchiedene Subſtanz, ſo müßte, da jedes Ding, das dem anderen natura- 10 liter vorangeht, auch ohne dies für ſich beſtehen kann, das Univerſale auch ohne die Sin= gularia ſein können, was aber abſurd iſt. Ebenſo wäre es danach unmöglich, daß Gott ein Individuum annihiliert ohne die univerſale Subſtanz anzutaſten und dadurch alle übrigen Individuen auch zu vernichten. So würde auch, da das Univerſale der menſch= lichen Natur ſubſtanziell in Chriſtus ſein müßte, Chriſti Natur elend und verdammt ſein 15 (Logica, pars I c. 15). Aber auch die milderen Formen des Univerſalismus werden von Ockam bekämpft. So die Annahme, daß das Univerſale etwas in den Singularia ſei, was ſich von ihnen nicht realiter, ſondern nur formaliter unterſcheide, d. h. das All= gemeine, das durch die differentia individualis beſonders beſtimmt wird. Aber dagegen wendet Ockam ein, daß man doch nicht einen objektiven Unterſchied annehmen darf, wo 20 nur eine Differenz der Betrachtungsweiſe vorliegt. Und ſoll das Gemeinſame mit den Singularia realiter identiſch ſein, ſo iſt es gerade den differentiae individuales gleich= geſetzt, müßte alſo in derſelben Anzahl wie dieſe vorkommen (Logica, I c. 16). Wenn man aber ſagt: Sokrates (die Ausgabe der Logik wie auch der Quodlib. und der Sent. hat gewöhnlich sortes ohne Zeichen) komme doch mit Plato in etwas überein, worin er 25 mit einem Eſel nicht übereinkomme, dies etwas ſei aber nicht ein unum numero, ſomit ein commune, ſo iſt dies falſch; die Übereinſtimmung bezieht ſich nur auf etwas ihnen beiden Eigentümliches, einer beſonderen Kategorie bedarf es zur Erklärung nicht. Das Reſultat iſt, daß Ockam das Univerſale unbedingt für eine intentio (Vorſtellung) der Seele oder für eine zuſammenfaſſende Bezeichnung der verſchiedenen Dingen gemeinſamen 30 Merkmale erklärt. Omne enim universale est intentio animae vel aliquid signum voluntarie institutum tale, autem non est de essentia substantiae, et ideo nec genus nec aliquá species nec aliquod universale est de essentia substantiae, sed magis proprie loquendo debet concedi, quod universale exprimit vel ex- plicat essentiam substantiae hoc est naturam substantiae quae est substantia 35 (Log. I c. 17; Quodlib. V, 12), das Univerſale iſt eine Qualität der Seele: universale non est aliquid extra animam; et certum est quod non est nihil: ergo est aliquid in anima . . . non obiective tamen . . . ergo subiective et per con- sequens est qualitas mentis (Quodlib. V, 13; vgl. den nächſten Abſatz am Ende).

Wir kommen zur Erkenntnistheorie Ockams. Duns Scotus zwiſchen das er- 40 kennende Subjekt und die zu erkennenden Objekte die species sensibilis und die spe- cies intelligibilis. Nach Ockam ſind ſie überflüſſig, quia frustra fit per plura, quod potest fieri per pauciora (in Sent. II quaest. 150). Die Objekte rufen im Men= ſchen zunächſt Sinneseindrücke hervor. Dieſe verwandelt der aktiv thätige Intellekt in simulacra, idola, phantasmata, imagines (in Sent. II quaest. 178; I dist. 13 45 quaest. 1 J). Intellectus videns aliquam rem extra animam fingit consimilem rem in mente (in Sent. II quaest. 8 E). Die alte Unterſcheidung des intellectus agens und possibilis erkennt Ockam formell an, nur dürfe dabei nicht an zwei differente Potenzen gedacht werden, ſondern beide ſind omnino idem re et ratione, und es bezeichnen die beiden Begriffe die Seele von verſchiedenem Geſichtspunkt aus. Intellectus agens signat 50 animam connotando intellectionem procedentem ab anima active, possibilis autem significat eandem animam connotando intellectionem receptam in anima; sed idem omnino est efficiens et recipiens intellectionem (in Sent. II quaest. 24). Es iſt alſo derſelbe Verſtand, der ſowohl die Fähigkeit hat Begriffe zu bilden als auch dieſe Bildungen in ſich aufzunehmen. Intellectus agens causat aliquid in in- 55 tellectu possibili scil. intellectionem (ib. quaest. 15). Die geiſtigen Bilder als ſolche ſind ſomit ein Produkt des Intellekts, nicht species, die von den Dingen in den intellectus possibilis fließen. Die Realität dieſer Bilder iſt nun natürlich keine gegen= ſtändliche (subiective nach mittelalterlichem Sprachgebrauch), ſondern eine vorſtellungs= mäßige (obiective), nach unſerer Sprechweiſe alſo nicht objektiv, ſondern ſubjektiv. Das gilt 60

sowohl von den unmittelbar aus den Sinneseindrücken gebildeten termini primae intentionis (Vorstellungen), als den aus diesen letzteren gebildeten termini secundae intentionis,
d. h. den abstrakten Begriffen, die etwas Gemeinsames besagen oder den Universalien (in
Sent. II quaest. 250; Quodlib. IV, 19: intentio prima est actus intelligendi significans res, quae non sunt signa; intentio secunda est actus significans intentiones
primas; cf. VII, 16). Sie entsprechen der Art des Menschengeistes, der das Einzelne
nicht wahrnehmen kann, ohne sich zugleich einen allgemeinen Begriff zu bilden. Wer einen
oder mehrere weiße Gegenstände sieht, denkt zugleich das Abstraktum weiß (albedo). Und
wer einen ausgedehnten oder auf etwas bezogenen oder dauernden Gegenstand wahr=
nimmt, denkt zugleich die abstrakten Begriffe quantitas, relatio, duratio. — Das Re=
sultat ist also die schlechthinige Subjektivität aller Begriffe und Universalien und die
Beschränkung der Wissenschaft auf den Geist und seine Begriffe. Diese entia rationis
sind aber freilich vere entia realia, d. h. aber in dem Sinn, daß sie qualitates subiective existentes in anima sind (Quodlib. III, 3; IV, 19; V, 13, s. diese Stelle
oben). Mit anderen Worten: Okam ist der Meinung, daß die Begriffe dadurch, daß
ihnen die an sich außerhalb der Seele seiende Realität abgesprochen wird, keineswegs
aufhören Realitäten zu sein, sie sind es, nämlich in der erkennenden Seele. Aber Okam
geht noch weiter. Die Begriffe, die die Seele bilden muß nach ihrer Art und gemäß
den auf sie einwirkenden Gegenständen, sind eben deswegen keineswegs leere Figmente
der Phantasie, sie geben das Wirkliche wieder, nur in ihrer Art. Universale non est
figmentum tale, cui non correspondet aliquod consimile in esse subiectivo
(gleich: objektives Sein), quale illud fingitur in esse obiectivo (d. h. im subjektiven,
vorstellenden Sein der Seele) (Sent. II quaest. 8 H).

Durch diese Gedanken ist Okam der Anfänger der modernen Erkenntnistheorie ge=
worden. Die rätselhaften Universalien mit den species im Sinn objektiver Realitäten
sind abgetan. Die Dinge wirken auf die Sinne des Menschen ein, aus diesen Ein=
wirkungen bildet der aktive Intellekt seine Begriffe einschließlich der sog. Universalia.
Diese sind an sich also nur subjektive Realitäten, aber sie entsprechen doch auch dem ob=
jektiven Sein. Aber direkt hat die Wissenschaft es nicht mit den Sachen, sondern mit
den Begriffen von ihnen zu tun. Damit empfängt die Erkenntnistheorie eine prinzi=
pielle Bedeutung für die Wissenschaft, eine umfängliche Kritik und Skepsis an der bis=
herigen „realistischen" Wissenschaft wird eröffnet, einer neuen Methode des wissenschaftlichen
Erkennens der Weg gewiesen. An alledem nimmt auch die Theologie teil, aber ihr er=
wächst auch die schwere Aufgabe, die überkommenen Dogmen und Ordnungen von neuen
Gesichtspunkten her als zu Recht bestehend zu erweisen. Man begreift es hieraus, daß
eine ungeheure geistige Bewegung sich an die Philosophie Okams schließen mußte. Aber
Okam war doch im wesentlichen ein kritischer negativer Geist, der Spekulation abhold,
groß im Zerstören, aber — zumal auf religiösem Gebiet — kein königlicher Bau=
herr. Er hatte auch hierin viel von seinem Lehrer Duns Scotus angenommen, aber
er war ärmer als Duns. Die Gesamtanschauung von der Religion, die den Lehrer
bei all den spinösen Versuchen, die alten Beweise zu kritisieren und neue Beweise zu er=
bringen, leitete, fehlte Okam oder er entlehnte einzelnes aus ihr einfach von Duns
Scotus.

5. Es handelt sich um Okams Stellung zum kirchlichen Dogma. Auctoritas, ratio
und experientia sind die Quellen der religiösen Erkenntnis (z. B. Quodlib. III, 7;
in Sent. IV quaest. 8 et 90). Ein wissenschaftlicher Beweis für die Dogmen ist nicht
möglich. Dies zeigt Okam, indem er eine Menge von Beispielen bildet, die nach den
gegebenen kirchlichen Voraussetzungen möglich wären, aber doch der wirklichen Kirchenlehre
strikt zuwiderlaufen. Wenn Gott eine andere Natur annehmen soll, so wären auch die
Sätze möglich: deus est lapis, deus est asinus (Centilog. 7). Oder: ebenso wie der
Sohn könnten auch Vater oder Geist von Maria geboren worden sein (ib. 8. 9). Oder:
aus der Idiomenkommunikation könnten auch solche Sätze gebildet werden, wie: deus est
pes Christi, oder: pes est manus (ib. 13). Indem Okam weiter die scotistische
Theorie vom Willensprimat herübergenommen und die Willkürfreiheit Gottes behauptet
hat, ergab sich von selbst die Erwägung, daß jede nicht absolut vernunftnotwendige
Kirchenlehre dem philosophischen Zweifel unterstellt (z. B. die Trinität, Centilog. 55),
oder ihr Gegenteil als gleich möglich bezeichnet wurde. So meint er, Gott hätte in
seiner Freiheit den Haß wider sich, den Diebstahl und den Ehebruch den Menschen ebenso
gebieten können, als sie jetzt verboten sind (in Sent. II quaest. 19). Oder er lehrt,
daß die Korrespondenz von Lohn und sittlichem Verdienst unmöglich sei, indem letzteres

endlich, ersterer unendlich ist (Centilog. 92); ebenso hätte Gott auch ohne Buße Sünde vergeben können (in Sent. IV quaest. 8 et 9 M) u. s. w.

Man würde den Sinn dieser und ähnlicher Gedanken ganz mißverstehen, wenn man sie im Sinn antikirchlichen Unglaubens oder frivoler Skepsis begreifen wollte. Was Ockam will, ist etwas anderes: es soll gezeigt werden, daß als Fundament der Kirchenlehre die 5 Vernunft unbrauchbar ist. Zu dem actus credendi gegenüber der Kirchenlehre kann nämlich die natürliche Betrachtung nie gelangen. Wiewohl auch der infidelis erlangen kann omnem notitiam actualem, tam complexam quam incomplexam quam potest habere fidelis, so gilt doch von ihm die Einschränkung: praeter solam fidem (in Sent I prol. qu. 7 L). Die actus credendi hängen ab von der fides infusa. 10 Wirkliche Glaubensakte gehen aber erst aus dem Zusammenwirken der fides infusa mit der fides acquisita hervor, wie sie durch den Unterricht, das Bibellesen, die denkende Erfassung der einzelnen Wahrheiten entsteht (in Sent. III qu. 8 L M). Wie nun die einzelnen Glaubensakte je nach den Objekten, auf die sie sich beziehen, different sind, so erwachsen aus ihnen auch differente habitus. Eine Vereinigung vieler solcher geistigen 15 Habitus ist die Theologie. Habitus theologiae includit multos habitus et inter illos est aliquis primus, quicunque sit ille (in Sent. I prolog. quaest. 8 M). Von einer Einheit in dieser Vielheit der Habitus des Theologen kann nur gewissermaßen die Rede sein, sofern einer der vorhandenen Habitus als erster und leitender in Betracht kommt, wie die eben citierte Stelle zeigt. Es kann aber auch nicht mit Duns Scotus 20 Gott als das eigentliche Subjekt der Theologie angesehen werden, da in einigen ihrer Teile nur eine der göttlichen Personen, in anderen etwa der Mensch Subjekt ist (ib. quaest. 12 O). — Sofern nun aber die spezifische Erkenntnis des Glaubens das Wesen der Theologie ausmacht, diese aber nicht gewisse Prinzipien im Sinn der Wissenschaft ergiebt, kann die Theologie nicht als Wissenschaft im eigentlichen Sinne angesehen werden (ib. 25 quaest. 7 E). Nihil scitur evidenter, ad cuius assensum requiritur fides, quia habitus inclinans ad notitiam evidentem non plus dependet a fide quam econverso, sed secundum omnes sanctos ... sine fide nullus potest assentire veritatibus credibilibus, ergo respectu illarum non est scientia proprie dicta (ib. O). Die Theologie ist also nicht natürliche metaphysische Erkenntnis, sondern eine 30 besondere durch den eingegossenen Glaubenshabitus gewirkte Erkenntnis.

Diese Erkenntnis bezieht sich nun auf die Lehre der römischen Kirche. Diese muß in allem geglaubt werden, sei es als bewußter Glaube (fides explicita), sei es so, daß man das Einzelne glaubt, sofern man es durch die allgemeine Anerkennung des Kirchenglaubens mitbekennt (fides implicita). Diesen zweiten, sonst nur den Laien zugestandenen, Glauben 35 hat Ockam auch für sich in Anspruch genommen: haec est mea fides, quoniam est catholica fides; quidquid enim romana ecclesia credit, hoc solum et non aliud vel explicite vel implicite credo (de sacr. altar. 1. 16). Durch diesen Gedanken ist der kirchliche Positivismus des Duns Scotus in verstärkter Weise angenommen. Die Vernunft bezweifelt zwar die Lehren und Ordnungen der Kirche, aber der Christ als 40 Christ nimmt sie an. Je mehr die Kritik sich steigerte, desto mehr bedurfte man dieses Gedankens als eines Gegengewichtes. Die rein rechtliche Auffassung der Kirche kommt hierin zum Ausdruck. Wer zu ihr gehören will, der ist dadurch ihren Gesetzen unterworfen, ob er persönlich nun von ihrer Richtigkeit überzeugt ist oder nicht. Freilich muß hier noch in Anschlag gebracht werden, daß dieser Glaube durch das Wunder der fides 45 infusa dem Menschen gegeben wird. Aber die fides infusa selbst ist nur ein — zudem sehr fraglicher (s. unten) — Glaubenssatz, der solum per auctoritatem, nicht etwa per rationem, per experientiam, per consequens dem Menschen geboten ist (Quodlib. III, 7). Deshalb bleibt für die persönliche Frömmigkeit es schließlich doch dabei, daß man sich den in der Kirche geltenden Satzungen unterwirft, weil man eben zu ihr 50 gehört. Ille est censendus catholicus, qui integram et inviolatam servat catholicam fidem (Dial. p. 434 ed. Golbast). Nun hat aber Ockam prinzipiell die Autorität der Kirchenlehre auf die Autorität der Bibel gestützt. Das war an sich nichts Neues, denn alle Scholastiker haben mit Augustin die Kirchenlehre als den formulierten Ausdruck der Schriftwahrheit betrachtet (f. Seeberg, Dogmengesch. II, 84 f.). Das Neue 55 bei Ockam besteht aber darin, daß er durch die kirchenpolitischen Kämpfe seiner Zeit zur Erkenntnis kommt, daß die jeweiligen kirchlichen Autoritäten abweichen können von der Lehre der Bibel (f. unten). Von hier aus gelangt Ockam zu einer bewußteren strengeren Geltendmachung des Schriftprinzips als seine Vorgänger. Päpste und Konzilien können irren, nur die Schrift ist absolut infallibel. Das ist die formelle Rechtsgrundlage, auf 60

die sich auch Luther im Kampfe zurückzog, etwa wenn er zu Worms „nur durch Zeug=
nisse der Schrift oder durch helle Gründe" sich überwinden lassen will. Genau so urteilt
Ockam: ergo christianus de necessitate salutis non tenetur ad credendum nec
credere quod nec in biblia continetur nec ex solis contentis in biblia potest
5 consequentia necessaria et manifesta inferri (Dialog. p. 411. 769 f.). Absolut ver=
bindliches Recht in der Kirche stellen also eigentlich nur die Sätze der heiligen Schrift
samt den deutlichen und notwendigen Konsequenzen, die die Vernunft aus ihnen herleitet,
dar. Wer die Autorität der Schrift leugnet, ist eo ipso als Häretiker anzusehen. Qui
dicit aliquam partem novi vel veteris testamenti aliquod falsum asserere aut
10 non esse recipiendam a catholicis est haereticus et pertinax reputandus (ib.
p. 449). Die bekannten Schwierigkeiten im Verständnis des Dialogs machen sich auch
hier geltend. Die eben citierte Definition des haereticus pertinax steht zu Beginn
einer Reihe von Definitionen, von denen die meisten die Nichtannahme der Kirchenlehre
zum Merkmal des pertinax machen, und ähnlich wird auch der vorangegangene Satz
15 limitiert. Da nun aber Ockam im Gesamttenor seiner Erörterung die Fallibilität des
Papstes und der Konzilien behauptet und behaupten muß, so wird man berechtigt sein,
in den angeführten Sätzen seine eigene Meinung wiederzufinden, zumal er öfters auf sie
zurückkommt und hinsichtlich der Schriftlehre nie auch nur der leiseste Zweifel verlautbart
wird. Gestützt wird aber diese Autorität der Schrift auf ihre Inspiration, diese Autorität
20 ist eine göttliche, quia instinctu spiritus sancti ibidem est scripta et asserta (ib.
p. 822. 834). Über Art und Wesen der Offenbarung s. Quodlib. IV, 4. Um sich
nun aber von einer Überschätzung dieser Anschauung freizuhalten, muß man zweierlei in
Erwägung ziehen 1. die äußerliche kirchenrechtliche Fassung der Autorität der Schrift,
2. die Haltlosigkeit der ganzen Anschauung, der es eben an der religiösen Begründung
25 völlig mangelt. Schließlich kommt Ockam nicht hinaus über den Gedanken, daß nicht
der Papst, sondern daß die Schrift die infallible kirchliche Rechtsquelle ist und er stützt
dann den zweiten Gedanken durch die Inspiration. Diese ganze Auffassung ist im letzten
Grunde nur berechnet auf — die fides implicita. Dazu kommt aber 3. daß Ockam
auch — gerade wegen dieser ungenügenden und schiefen Begründung — konkret mit
30 seinem Grundsatz wenig anzufangen gewußt hat. Trotz der Erkenntnis der Fallibilität
der Kirche wagt er doch eigentlich nur die Päpste, die in der Armutsfrage irrten, ener=
gisch des Irrtums zu zeihen, mochte immerhin sein kirchengeschichtliches Wissen ihm noch
andere Beispiele zur Verfügung stellen (ib. p. 468 ff.: Petrus, Marcellin, Liberius, Ana=
stasius II., Symmachus, Leo I., Silvester II.). Und immer wieder lähmt er seine Ge=
35 danken durch die Versicherung: non ut aliqua veritas in dubium revocetur, sed
propter exercitium (octo quaest. p. 391. 898 bei Goldast u. o.); absichtlich
läßt er undeutlich im Dialog, zu welcher der in ungeheurer Zahl vorgetragenen Ansichten
er sich eigentlich bekennt (z. B. p. 504. 646. 771). Und was nützt die Alleinigkeit der
Schriftautorität, wenn der Autor in allen Dingen bereit ist, sich und sie der Autorität
40 der Kirche zu unterwerfen? Im Compend. errorum papae bekennt er im Vorwort
(Goldast p. 958): si quid autem scripsero in praesenti opusculo quod scripturae vel doctrinae sanctorum seu sacrosanctae ecclesiae assertioni repugnet
et adversetur, correctioni praefatae ecclesiae catholicae — non ecclesiae ma-
lignantium, non haereticorum, non schismaticorum nec eorum fautoribus —
45 me et dicta mea subicio et expono. Da nur der pertinax, der die Belehrung
ablehnt, Häretiker wird (ib. p. 995), so hat Ockam durch solche Bemerkungen seiner
Sicherheit und vielleicht auch dem nächsten Erfolg — die Berücksichtigung des Erfolges
wird der Hauptgrund dieser Einschränkungen sein, beachte die Tendenz der octo quaestiones wie des Dialogs! — gedient, aber doch auch die Wirkung seines Prinzips
50 gehemmt. Erst recht merkt man seiner Dogmatik nichts von jenem Prinzip an, indem
die Autorität der Heiligen und der römischen Kirche immer wieder ebenbürtig neben
die Schrift tritt und das letzte Wort behält. Die Transsubstantiation etwa, die von der
Schrift nicht ausdrücklich gelehrt werde, wird trotzdem jener Autorität zuliebe bei=
behalten (Quodlib. IV, 35). Die alleinige Autorität der Schrift ist bei Ockam nur ein
55 Prinzip geblieben, mit dem er bis zu einem gewissen Grade nur dort Ernst machte, wo
sein religiöses Leben ihn dazu drängte, in dem Armutsstreit. Das ist nicht wunderbar,
denn wo wäre es anders in der Geschichte gewesen, man denke etwa an Luther. Aber
schwerer wog der andere Mangel, die abstrakt juristische Fassung des Schriftprinzips. Aber
trotz allem kann die bedeutende Stellung nicht verkannt werden, die Ockam in der Ge=
60 schichte des Schriftprinzips einnimmt. Er hat das alte System der Autoritäten im

Prinzip nicht etwa bloß auf die Schrift reduziert, denn das thaten alle, er hat es auseinandergebrochen und prinzipiell nur der Schrift infallible Autorität belassen, dem Papst, den Konzilien, der Kirche sie abgesprochen, aber die Autorität, an die er dabei dachte, war die juristische des alten Systems. Vgl. auch F. Kropatscheck, Ockam und Luther.

Hinsichtlich der theologischen Einzelanschauungen Ockams müssen wir uns kurz fassen. 5 Das ist möglich, denn die Stärke Ockams liegt in der Kritik der überkommenen Lehre, in der Position ist er meist von Duns Scotus bestimmt. In der Gotteslehre wird der große Beweis für das Dasein Gottes bei Duns (s. Seeberg, Duns Scotus S. 143 ff. 165 f.) von Ockam kritisch aufgelöst, indem er zeigt, daß auf den Wegen der efficientia, causalitas, eminentia ebensowenig die Realität Gottes als des infinitus inten- 10 sive erwiesen werden kann, als aus der göttlichen Erkenntnis des Unendlichen oder aus seiner Simplizität (Quodlib. VII, 17—21). Nehmen wir z. B. die Effizienz, so ist weder im strengen Sinn erweisbar, daß alles von Gott gewirkt ist (Quodl. II, 1), noch auch, falls dies und damit die Existenz Gottes vorausgesetzt würde, die Unendlichkeit des primum efficiens, da ja alle uns bekannten Effekte endlich sind, ergo per efficien- 15 tiam illorum non potest probari infinitas dei (ib. III, 1; II, 2). Trotzdem geht die Gotteserkenntnis vom Kausalitätsgedanken aus: dico, quod deus est causa mediata vel immediata omnium, et licet hoc non potest demonstrari, tamen persuadeo auctoritate et ratione. Das Symbol bezeichnet nämlich Gott als Schöpfer Himmels und der Erde. Nimmt man dies an, so hängt alles von Gott essentialiter 20 ab, und das ist nur möglich, wenn er als Ursache von allem gedacht wird (ib. III, 3). Ebenso steht dem Glauben die Unendlichkeit Gottes fest. Auch hiervon gilt: „et potest persuaderi", nämlich so: quia ultra omnem speciem factam potest deus facere perfectiorem speciem, sed non potest virtus finita, cum sit terminabilis per ultimum..., ergo deus est infinitus intensive (ib. VII, 14). — Dadurch ist aber Gott 25 als unendliche Macht oder als absoluter Wille erkannt. Dabei wird auch von Ockam die potentia absoluta von der potentia ordinata unterschieden. Das bedeutet aber nicht eine reale Differenz der göttlichen potentia, quia unica est potentia in deo ad extra, quae omni modo est ipse deus. Auch das ist nicht der Sinn der Unterscheidung, daß Gott das eine ordinate, das andere absolute et non ordinate thun könne, quia 30 deus nihil potest facere inordinate. Es liegt nur eine Differenz der Betrachtungsweise vor, indem einmal das posse aliquid verstanden wird secundum leges institutas et ordinatas a deo, das andere Mal accipitur posse pro posse facere omne illud, quod non includit contradictionem fieri, sive deus ordinavit se hoc facturum sive non, quia deus multa posset facere quae non vult facere. Zum 35 Beispiel: wie jetzt die Taufe in das Reich Gottes einführt, so einst die Beschneidung. Was einst möglich war, also an sich möglich ist, ist jetzt nach Gottes Ordnung nicht möglich, licet absolute sit possibile (Quodl. VI, 1). In Wirklichkeit ist somit Gottes Handeln stets ein besonderes oder ordiniertes, die potentia absoluta bezeichnet nur hypothetisch den Spielraum des an sich der Allmacht möglichen Thuns, oder: Gott will dies 40 und jenes, aber er kann alles wollen, was nicht den Gesetzen der Logik zuwiderläuft (das ist auch die Meinung von Duns, s. Seeberg, Theol. d. Duns Seol. S. 164. 178). — Die Eigenschaften Gottes sind verschieden ratione, von realiter, d. h. sie sind diversae definitiones seu descriptiones des schlechthin einen Gottes, sie sind quaedam praedicabilia mentalia, vocalia vel scripta, nata significare et supponere pro 45 deo quae possunt naturali ratione investigari et concludi de deo. Nun wird aber gewöhnlich das intelligere und velle in Gott real unterschieden, da Gott das Böse wohl erkenne, nicht aber wolle; man sagt: deus intelligit mala, et non vult mala. Dazu bemerkt Ockam: dico, quod non valet, quia ibi commutatur nomen in adverbium et igitur ibi est fallacia figurae dictionis. Richtig ist aber: vult mala, 50 tamen non vult male (Quodl. III, 2). So tragen also auch die göttlichen Attribute rein subjektive begriffliche Art an sich. Gott ist absolute Einheit, so daß auch Denken und Wollen in ihm eins sind. — Die Trinität ist wissenschaftlich nicht zu beweisen (Quodl. II, 3). Die Kirchenlehrer stellen sie sich so vor: quod tres personae sunt unus deus numero; davon gilt: firmiter credendum est ex substantia fidei. Zur Er- 55 läuterung denke man sich unam naturam simplicem und duas res relativas essentialiter distinctas inter se et ab illa essentia simplicissima. Gesetzt nun, Gott höbe jede distinctio der beiden von der essentia unica auf, ließe aber den Unterschied derselben unter sich bestehen, so würde außerhalb der anima der beiden gar kein Unterschied von ihnen zu jener einfachen Substanz bestehen, wohl aber würde an ihnen selbst 60 der reale Unterschied fortdauern. Und zwar ist dieser ein doppelter, sofern die eine Natur nicht die andere war und sofern die eine nicht dieselbe war mit etwas, womit die andere dasselbe war. So scheinen sich die alten Doktoren die Sache vorgestellt zu haben (Quodl. VII, 14). Fragt man aber, wodurch die drei Personen sich voneinander unterscheiden, so hält Okam an sich für das Wahrscheinliche, daß sie durch absolute Proprietäten konstituiert werden und auf diese Art sich voneinander unterscheiden. Nun aber meinen die Kirchenlehrer, daß die Relationen den Unterschied bezeichnen. Das ist für den Nominalisten so aber nicht annehmbar, da die Relationen nichts Reales sind. Er meint daher, daß die relationes originis es sind, die die göttlichen Personen konstituieren und unterscheiden, dann bedarf es der absoluten Proprietäten nicht mehr (in Sent. dist. 26 qu. 1 J L M). Weiteres f. bei Werner, Die nachscotist. Scholastik S. 262 ff.

Als der charakteristische Zug in der Gotteslehre Okams erscheint die absolute Freiheit Gottes. Die ganze Heilsordnung der voluntas ordinata hat mit innerer Notwendigkeit nichts zu schaffen. Alles hängt an dem zufällig gerade dies bestimmenden Gotteswillen, dessen Bestimmungen sich aber in den Schranken der logischen Widerspruchslosigkeit halten. Zum Beispiel: Ex puris naturalibus, nemo possit mereri vitam aeternam nec etiam ex quibuscunque donis collatis a deo, nisi quia deus contingenter et libere et misericorditer ordinavit, quod habens talia dona possit mereri vitam aeternam, ut deus per nullam rem possit necessitari ad conferendum cuicunque vitam aeternam (in Sent. I dist. 17 qu. 1 L). Gott macht mit der Kreatur was er will. Nur weil er die Verdienste gelten lassen will, gelten sie; weil er es so verordnet hat, werden ungetaufte Kinder verdammt. Weil Gott es so will, ist es gerecht (ib. I dist. 17 qu. 2 D; IV qu. 3). Die dialektisch-hypothetische Annahme der potentia absoluta dient im Grunde, wie bei Duns Scotus, doch nur zur Einschärfung der Unverbrüchlichkeit der von Gott wirklich gewollten Heilsordnung. Dieser Gedanke macht einerseits alles von dem absoluten beneplacitum Gottes abhängig und dient doch andererseits nur dazu, die kirchlichen Ordnungen zu verabsolutieren. Nur Gottes Gnade — z. B. — acceptirt die merita als giltig, aber eben dadurch werden die merita schlechthin notwendig. Gott und die Gnade wirken alles, aber sie thun es so, daß der Mensch alles wirkt.

Die Freiheit des Menschen läßt sich zwar nicht eigentlich beweisen, sie ist aber eine Erfahrungsthatsache: potest tamen evidenter cognosci per experientiam, per hoc quod homo experitur, quod quantumcunque ratio dictet aliquod, potest tamen voluntas hoc velle vel nolle. Die Freiheit wird definiert als potestas, qua possum indifferenter et contingenter effectum ponere, ita quod possum eundem effectum causare et non causare nulla diversitate circa illam potentiam facta (Quodlib. I, 16). Wenn etwas dadurch recht ist, daß Gott es will, so besteht das Wesen der Sünde des Menschen darin: quia fecit quod non debet facere. Lediglich der Widerspruch zu Gottes Willen macht die betreffende Handlung sündig, ist doch Gott selbst, der die sündige Handlung mitbewirkt, nicht sündig, sofern sein Wille keiner höheren Norm unterworfen ist (in Sent. II quaest. 19 E H). Durch die sündige Handlung — auch die Todsünde — tritt keine reale Änderung in der Seele ein. Per peccatum mortale nihil corrumpitur nec tollitur in anima, quia licet tunc peccans careat aliquo actu qui deberet sibi inesse et ad quem obligatur, tamen ille actus non corrumpitur, quia non inest nec aliquid tollitur ab anima, quia non substantia nec accidens certum est (in Sent. IV qu. 8 et 9 D). Also in einzelnen Willensakten besteht die Sünde — sola voluntas potest peccare l. c. Z —, sie hebt die Freiheit nicht auf, sie schwächt nicht die Seele, sie giebt aber um das künftige Gut, den Lohn, den Gott denen verordnet hat, die nach seinem Willen handeln. Die Menschen werden nicht anders durch die Sünde, ihr künftiges Geschick aber wird durch sie geändert vermöge der göttlichen Ordnung. Die Sünde ist nicht ein quid rei, sondern ein quid nominis (l. c. S). Da zwischen der Sünde und der Strafe für sie kein positiver innerer Zusammenhang besteht, so versteht man, daß Okam gern betont, Gott könnte nach der potentia absoluta auch ohne Buße die Sünde vergeben und die Gnade eingießen (a. a. O.). In diesem Zusammenhang ergiebt sich auch die Bestimmung der Erbsünde im Gegensatz zur iustitia originalis. Die iustitia originalis ist aliquod absolutum superadditum homini in puris naturalibus existenti, das peccatum originale ist aliqua carentia iustitiae debitae. An sich besteht also die Erbsünde nur in der göttlichen Zurechnung, indem Gott jemanden, der gegen sein Gebot verstieß, für unwürdig ansieht der acceptatio divina und zwar cum omnibus posteris suis.

Dann ist descendens a tali peccante, in peccato originali. So ließe sich auch das Verhältnis der Maria zur Erbsünde verstehen. Als zum Menschengeschlecht gehörig wäre in primo instanti auch sie debitrix iustitiae originalis gewesen, aber es ist nicht undenkbar, daß Gott von jeher darauf verzichtet hätte ab ea exigere illam iustitiam, sowie daß er gewollt hätte non imputare sibi (= ei) 5 carentiam iustitiae ad culpam. Das Resultat wäre: quod peccatum originale sic remanet, tamen per instans (Quodl. III, 9). Allein diese Auffassung wird un= möglich, sobald man von dem kirchlichen Satz ausgeht, daß die Erbsünde durch die gratia creata zerstört wird. Da nun die Gnade unteilbar ist und nicht allmählich angeeignet wird, kann sie nie in demselben Moment da sein, in dem die Sünde ist. Also müssen 10 beide in zwei unvermittelten Momenten seiend gedacht werden, dann würde aber in dem diese Momente vermittelnden Zeitraum Maria weder unter der Sünde noch unter der Gnade sein, was unmöglich ist. Auf Grund dieser höchst fragwürdigen Argumentation bekennt sich Ockam dazu, daß Maria auch nicht per instans mit der Erbsünde behaftet war. Von dem fomes peccati wurde Maria befreit, wie man der Schrift und den 15 Heiligen glauben muß. Das geschah in der prima sanctificatio bei ihrem Empfangen= werden bis zu einem gewissen Grade, nämlich so, daß der fomes den Willen nicht zu einer Todsünde verleiten konnte; erst bei der Konzeption Christi fuit totaliter liberata a fo= mite und zwar so, daß diese qualitas: non potuit inclinare voluntatem ad aliquam actum peccati mortalis vel venialis. Unter dem fomes versteht Ockam quaedam 20 qualitas carnis inordinata inclinans appetitum sensitivum ad actum difformem et vitiosum in habente iudicium rationis; es ist eine Art Krankheit, etwa eine im= proportio humorum (Quodl. III, 10; in Sent. III quaest. 2).

In der Christologie hat Ockam die hypostatische Union als Glaubenssatz festgehalten. Beide Naturen in Christo sollen aber streng von einander geschieden werden. Die Einigung 25 zwischen beiden besteht in einer relatio, indem die menschliche Natur von der göttlichen getragen wird. Es könnte daher auch die ganze Trinität in diesem Sinn die menschliche Natur assumieren, und ebenso könnte auch nur ein Teil der letzteren, etwa der Fuß oder der Kopf, assumiert werden (in Sent. III quaest. 1; Quodlib. IV, 11. 12; Cen= tilog. 13; vgl. Werner, Nachscotist. Schol. S. 350ff. 368f.). Die Bereitschaft, die kirch= 30 liche Lehre anzunehmen und die Formel der Relation in dieser gewähren die Möglichkeit, die Menschwerdung ganz formal zu fassen. Wie bei Duns Scotus handelt es sich schließlich nur darum, daß der Mensch Jesus eine besondere Relation zur Gottheit empfängt, indem Gott der Seele Jesu das höchste Maß von Gnade einflößt (in Sent. III qu. 6; in diesem Zusammenhang werden, wie üblich, die ethischen Grundbegriffe erörtert). — 35 Das eigentliche Produkt des Wirkens Christi ist in der Einsetzung und Wirksamkeit der Sakramente zu erblicken. Die Wirkung der Sakramente bestimmt Ockam in der bei den Franziskanern üblich gewordenen Weise. Nicht wohnt ihnen die Gnade ein, sondern die Sakramente sind Zeichen, die Gott, gemäß seiner Einsetzung, mit der Wirkung der Gnade begleitet (in Sent. IV quaest. 1). — Die Gnade ist die von Gott dem Menschen ein= 40 gegossene Beschaffenheit, durch die der Mensch verdienstlich d. h. nach Gottes Ordnung acceptabel zu handeln vermag. Die Gnade hat einen doppelten Sinn: sie ist die ein= gegossene qualitas animae, und sie ist die acceptatio divina, die gratuita dei vo= luntas (in Sent. IV, quaest. 8 et 9 O). Aber auch hier macht sich die potentia absoluta Gottes als kritisches Prinzip geltend. Da alles an Gottes Willen liegt, so könnte an sich 45 Gott das auch unmittelbar wirken, was er nach der potentia ordinata durch bestimmte Mittel thut. Aber letzteres allein gilt: dico, quod nunquam salvabitur homo nec salvari poterit nec unquam eliciet nec elicere poterit actum meritorium secun= dum leges a deo ordinatas sine gratia creata. Ockam fügt hinzu: et hoc teneo propter scripturam sacram et dicta sanctorum (Quodlib. VI, 1). Also nicht an 50 sich oder auch um Christi willen gelten die Verdienste, sondern nur weil Gott sie als solche acceptiert. Diese willkürliche Acceptation Gottes ist zuhöchst die Gnade. Aber wie Duns Scotus hat auch Ockam überhaupt wider die Notwendigkeit eines eingegossenen Gnadenhabitus die schwersten Bedenken gehegt. Es könnten nämlich die Habitus der theologischen Tugenden sehr wohl durch Gewöhnung auf natürlich psychologischem Wege, 55 d. h. als habitus acquisiti, entstehen. Ein unter Christen lebender Heide könnte etwa, auch ohne Taufe, zum Glauben und zur Liebe gelangen. Da ferner jene theologischen Tugenden nur in natürlichen psychischen Akten sich in der Seele verwirklichen — sonst wären sie nicht verdienstlich — und da demnach auch natürliche habitus acquisiti des Glaubens und der Liebe entstehen, so sind, genau genommen, jene habitus infusi über= 60

18*

flüffig. Es giebt keine ratio evidens für fie, solum propter auctoritatem sacrae scripturae find fie anzunehmen. Gelänge es die Autoritäten fo zu erklären, daß alle ihre Aussagen durch habitus acquisiti gedeckt würden, fo könnte man von den habitus infusi absehen (in Sent. III quaest. 8). In alle dem folgt Okam der scotistischen
5 Kritik (f. Seeberg, Duns Scot. S. 140 f. 307 ff.), aber er geht noch hinaus über Duns. Daß die eingegoffenen Habitus lediglich um der Autorität willen im System fortbestehen, ift klar.

Von den Sakramenten hat Okam am eingehendsten das Abendmahl behandelt. Er schließt fich der feit Duns Scotus üblich werdenden Konfubstantiationstheorie an. Weder die
10 Schrift noch die Vernunft widerspreche dem Gedanken, daß neben dem Leib Christi die Subftanz des Brotes, und nicht bloß feine Accidenzien, fortbeftecht (Quodlib. IV, 35), die Schrift enthalte nicht die Transsubstantiationslehre (de sacr. altar. 3). Eingehend hat er fich mit der Frage nach der Möglichkeit der Gegenwart des Leibes Christi im Abendmahl befaßt (f. bef. Tract. de corpore Christi). Die Quantität ift für ihn als
15 Nominaliften nicht etwas für fich Seiendes, sondern lediglich die res quanta. Nun kann aber die Quantität eines Dinges wachsen oder abnehmen. Demnach könnte das Ding auch quantitätslos werden wie ein mathematischer Punkt. So existiert auch Christi Leib im Abendmahl: corpus Christi non est quantum in sacramento altaris. Dagegen ift der Leib Christi, wie es die Natur des Leibes erfordert, im Himmel an einem Ort,
20 ausgedehnt und quantitativ vorhanden. Der Sache nach kam Okam damit auf die tho= miftische Theorie hinaus, daß der Leib Christi im Sakrament per modum sustaniae, et non per modum quantitatis vorhanden fei (Thomas, Summa theol. III quaest. 76 art. 1); der Kritik des Duns, daß eine Substanz ohne ihre Proprietäten nicht denkbar fei, wollte er entgehen durch die Annahme, daß die Quantität nicht ein wesentliches Merk=
25 mal der Substanz ist. Nun kann aber die leibliche Gegenwart eines Dinges entweder ein circumscriptive esse in loco fein, b. h. fo daß die Teile des Dinges den Raum= teilen entsprechen, oder ein diffinitive esse in loco, b. h. daß das Ganze des Dinges die Raumteile ausfüllt, nicht aber feine Teile den Raumteilen entsprechen. So find die Engel in der Welt, oder ift die Seele im Körper vorhanden, indem nämlich wie im
30 ganzen Körper, fo in feinen einzelnen Teilen die ganze Seele gegenwärtig ift. So ift auch der ganze Christus in jeder einzelnen Hoftie wie in allen ihren Teilen gegenwärtig (Quodlib. I, 4; de sacr. altar. 6). Da nun die Gegenwart des Leibes Christi keine quantitative ift, fo ift die Frage abzuschneiden, ob und wie feine Teile mit den einzelnen Teilen der Hoftie korrespondieren. Er kommt, wie gesagt, nur als ganzes in Betracht.
35 fei es der ganzen Hoftie, fei es ihren Teilen gegenüber. Daß aber der Christusleib an verschiedenen Orten zugleich gegenwärtig fein kann, meint Okam begreiflich machen zu können durch die Analogie der Seele, die auch zugleich in den verschiedenen Körper= teilen gegenwärtig ift. — Wie aber Christus allenthalben in der Hoftie als Ganzes gegen= wärtig ift, fo kann er auch, ganz abgesehen von dem Brot des Abendmahls, überall
40 fein: quod corpus Christi potest esse ubique, sicut deus est ubique (Centi= log. 25. 28; in Sent. IV quaest. 4N). Durch die Gedanken Okams ift die Auf= lösung der Transsubstantiationstheorie beschleunigt worden, denn was lag an der Gegen= wart dieses gewissen Etwas, das allgegenwärtig ift, aber eben dadurch fich genau von dem Leibe Christi im Himmel unterscheidet? Andererseits hat Okam auch für Luthers
45 Abendmahlslehre den Apparat geliefert, aber die Differenz zwischen feiner und Luthers Ubiquitätsidee ift nicht zu übersehen. Vgl. Seeberg, Dogmengesch. II, 116. 189 f. 314 f.; Nettberg, ThStK 1839, 69 ff.

Im Bußsakrament fällt bei Okam, wie überhaupt bei den späteren Scholaftikern, das Gewicht auf die Absolution. Da nämlich die Sünde nicht eine reale Veränderung
50 in der Seele bewirkt, fo besteht ihre Zerstörung auch nur in der Nichtanrechnung der Schuld der Sünde: peccatum deleri non est aliquam rem absolutam vel relativam a peccatore amoveri vel separari, sed est actum commissum ad omissum ad poenam non imputari (in Sent. IV quaest. 8 und 9 J). Diese Nichtzurechnung der Sündenschuld könnte Gott an fich ohne innere Bußakte dem Sünder zusprechen, wenn
55 dieser nur mit der richtigen Intention das Sakrament auffucht b. h. Vergebung begehrt. Sofern nun aber die Sünde mit dem Willen begangen wird, wird fich auch als geeig= netes Mittel zu ihrer Zerstörung resp. Vergebung der Willensakt der detestatio oder der displicentia an der begangenen Sünde erweisen; daher verdient fich der detestans die Vergebung (in Sent. ib. M). Diese detestatio im Sünder ift aber nötig, quia
60 deus sic disponit, quod nulli remitteretur culpa sine omni punitione (ib. M),

oder: non remittitur sine motu bono propriae voluntatis (ib. Q). Hiermit wendet sich Ockam ausdrücklich gegen die Lehre des Johannes, d. h. des Duns Scotus, daß Gott auch ohne Attrition oder Kontrition durch das Sakrament dem Sünder die Gnade giebt, sofern er nach dem Sakrament begehrt und nicht den obex einer Todsünde vorschiebt (ib. P Q; vgl. Seeberg, Duns Scot. S. 410. 417 f.). Mit der Vergebung zugleich 5 erfolgt die infusio gratiae; an sich kann jene ohne diese bestehen, de facto tamen et regulariter prius est expulsio culpae quam infusio gratiae, quia de facto et regulariter non remittitur culpa, nisi infundatur gratia (ib. L). — Das Wesen der sakramentalen Buße besteht also nach Ockam darin, daß Gott durch den Priester den Menschen von der Sündenschuld freispricht. Poenitentia sacramentum sic diffi- 10 nitur vel describitur: quod est absolutio hominis poenitentis facta a sacerdote iurisdictionem habente sub certa forma verborum cum debita intentione pro- lata ex institutione verborum divina efficaciter significantium absolutionem animae a peccato (ib. N). Die bedenkliche Neuerung des Duns hat Ockam auf diesem Gebiet nicht mitgemacht. 15

6. Wir müssen schließlich der kirchenpolitischen Anschauungen Ockams gedenken. Innerlich leiten ihn dabei zwei Gesichtspunkte. Von Johann XXII. schreibt er: duo quidem agere attemptavit: Romanum scilicet imperium vel sibi subiugare vel penitus dilacerare et professionem pauperum fratrum minorum erroneam esse et illicitam quibusdam documentis insanis declarare, ut istis peractis crimini- 20 bus totum mundum subiiceret suae dictioni (compend. error. p. 958 Goldast). Um diese doppelte Tendenz des Papstes zu durchkreuzen, boten sich Ockam zwei Mittel dar. Es handelte sich einmal darum Kirche und Welt scharf zu unterscheiden, einen neuen Kirchenbegriff zu gewinnen; es mußte zweitens die Beschränktheit und Irrtumsfähigkeit der offiziellen kirchlichen Autoritäten dargethan werden. Jenes konnte nur erreicht werden 25 durch Anwendung geschichtlicher Kritik sowie des Naturrechtes, dies trieb zu einer prinzi- piellen Betonung der alleinigen Autorität der Bibel. — Wie schon Marsiglio gethan, hat auch Ockam behauptet, die Gewalt des Papstes erstrecke sich auf rein geistliche Dinge, in weltlichen Dingen steht ihm nur das Recht auf den Lebensunterhalt und die Mittel seiner innerkirchlichen Amtsführung zu (Dial. p. 786). Die Apostel waren der weltlichen 30 Obrigkeit unterthan und standen allen weltlichen Machtansprüchen fern (ib. p. 750 f. 785). Ja selbst die Notwendigkeit des Papsttums kann in Frage gestellt werden. Mag immerhin die Monarchie die empfehlenswerteste Staatsform sein, so bleibt doch zweifelhaft, ob sie auf einen so ausgedehnten Staat wie die Kirche paßt, die zudem an Christus ihr Oberhaupt hat (p. 818 f.). Auch von Mt 16 könnte man sagen, daß die Stelle sich 35 eigentlich auf alle Apostel und nur aliquo modo auf Petrus bezieht (ib. p. 846 ff.). Bei dieser Begrenzung der päpstlichen Gewalt ist jede weltliche Abhängigkeit des Kaisers vom Papst ausgeschlossen. Die Wahl der Kurfürsten macht den Kaiser zum Kaiser, einer päpstlichen Einsetzung und Bestätigung bedarf es nicht (Octo quaest. 2, 7. 8; 4. 8. 9; vgl. oben S. 265, 30 ff.). Es ist nun aber ein generale pactum, daß man dem kaiserlichen 40 Willen gehorchen muß, er gehe denn wider göttliches oder natürliches Recht (ib. p. 924). In weltlichen Dingen steht daher der Papst — nicht anders als die Apostel — unter der kaiserlichen Jurisdiktion (Dial. p. 959. 956). Der Papst hört wenigstens prinzipiell auf, als eine religiöse Größe zum Wesen des Christentums zu gehören, er ist ein Kultus- beamter, über dessen Notwendigkeit Meinungsverschiedenheiten denkbar sind. Dies Ver- 45 hältnis von Papst und Kaiser wird einerseits aus dem positiven geschichtlichen Recht erwiesen, andererseits rekurriert Ockam auf das Naturrecht. Aus der Antike hatte das bürgerliche wie das kirchliche Recht diese Idee übernommen, sie war der Maßstab zur Kritik oder Be- gründung des positiven Rechtes. Oft hatten die Päpste diesen Maßstab wider die staatliche Ordnung gewandt, jetzt fing man an, das päpstliche Recht an ihm zu messen. Die ange- 50 borenen vernünftigen Rechtsbegriffe des Menschen (utens rationali dictamine rationis hoc est utens iure naturali, Dial. p. 629) eröffnen den weitesten Spielraum zur Kritik der kirchlichen Ordnung. Aber freilich, der Maßstab war zu elastisch; wie die revolutionärsten Konsequenzen, die man aus ihm wider den Staat herleitete, schließlich sich doch den kon- kreten Rechtsverhältnissen anschmiegen mußten, so stand es auch auf kirchlichem Gebiet. 55 Ein Mann wie Ockam hat gewiß an die logische Richtigkeit seiner kritischen Erwägungen geglaubt, aber eine Zerstörung des Kirchenorganismus lag ihm innerlich doch ebenso fern, wie etwa die Schöpfung einer neuen biblischen Theologie. Mehr als eine gewisse Ver- besserung des vorhandenen Systems innerhalb seiner selbst hat er nie erstrebt, und selbst die bescheidensten Forderungen brachen sich doch immer wieder an dem Positivismus des 60

Nominalisten. Man muß diese innerlich schwankende Stellung des Mannes, dem sein Nominalismus theoretisch alle Abgründe der Skepsis erschloß und doch wieder praktisch die Brücke des Positivismus jederzeit über sie schlug, begreifen, um die schwebende wider= spruchsvolle Beurteilung der Prinzipien wie der praktischen Konsequenzen aus ihnen billig
5 würdigen zu können. Dieselbe Vernunft, die alle Zwingburgen schleifte und lichte Luft= schlösser leicht statt ihrer erbaute, lehrte die Macht des Positiven und Wirklichen als die alleinige anerkennen. Der Mann war nicht feige, sondern er kritisierte und konstruierte, und er zweifelte dann wieder an seiner Kritik und seinen Konstruktionen. Es sind nicht bloß äußere, sondern auch innere Gründe, die es bei der Lektüre von Okams kirchen=
10 politischen Schriften so sehr erschweren, zu sagen, was er eigentlich „wollte". Es handelte sich schließlich doch nur darum, durch Kritik und dialektische Reflexionen der positiven Politik des Kaisers die Bahn frei zu machen.

Aber dazu kam das zweite Interesse Okams. Waren die Päpste im Recht, als sie seinem Orden das höchste Gut der Armut raubten? Das bestehende Kirchenrecht gab ihnen
15 Recht, also muß seine Autorität gebrochen werden, wieder im Prinzip nur, auch hier bleibt es bei dem Positivismus in der Praxis. Dies geschah, indem mit Bewußtsein die Autorität der Schrift über die Autorität des Papstes gestellt wurde (s. oben S. 271, 52 ff.). Papa errare potest, aber scriptura sacra errare non potest (Dialog. p. 843). Päpste haben geirrt und sind Häretiker gewesen, wie immer wieder an Johann XXII.
20 nachgewiesen wird; also können sie, da ein Häretiker zur Kirche nicht gehört, ihres Amtes entsetzt werden nach Recht wie Vernunft (Dial. p. 464 ff. 568 ff. 585 ff.). Die Sache muß nach Mt 18 vor die Öffentlichkeit gebracht werden, wenn die Ermahnung des Papstes nichts gefruchtet hat (comp. err. p. 965). Es ist heilige Pflicht, einen häre= tischen Papst zu bekämpfen (Dial. p. 737 f.). Auch bei dem Kardinalskollegium oder bei
25 den allgemeinen Konzilien ist nicht die Wahrheit (p. 495 f.). Das Wort, daß Gott seine Kirche in alle Wahrheit leiten werde, ist nicht auf die Kleriker zu beschränken, als wenn sie die Kirche wären. Aber die Schrift versteht unter der Kirche die congregatio christianorum fidelium. Die Wahrheit kann auch bei Bauern, Weibern und Kindern erhalten bleiben, wenn der Klerus sie verliert. Indem sie die Schrift lesen, können sie
30 eine tiefere christliche Erkenntnis gewinnen als die offizielle Kirche (Dial. p. 498. 502. 603. 605. 770). Das ist ein neuer Begriff von der Kirche, die gläubigen Christen sind die Kirche, die Schrift allein ist ihre Autorität. Nicht päpstliche Tyrannis darf in der Kirche herrschen, denn das Evangelium ist ein Gesetz der Freiheit (p. 776 f.). Es wäre haeresis pessima, den Glauben in die Gewalt des Papstes zu stellen, quia secundum
35 eam posset papa mutare totam fidem et omnes articulos fidei et facere arti= culos contrarios articulis contentis in symbolo apostolorum. Et ita in tota fide christiana nihil esset certum et immutabile, sed tota dependeret ex vo= luntate papae. Et evangelium et totam fidem posset destruere et facere no= vam scripturam contrariam, cui omnes christiani quamdiu papa vellet adhae=
40 rere deberent, quam tamen posset mutare successor suus. Wohin man aber hierdurch kommen könne, zeige, daß die häretischen Sätze eines Dominikaners, des Magister Aycardus Theutonicus (d. i. Meister Eckart, zur Sache vgl. aber oben Bd V S. 145) zu Avignon erwogen, aber weder gebilligt noch verdammt worden sind, also dürfe ein Minorit diese Sätze auch weder annehmen noch verwerfen (Dial. p. 909).
45 Man darf auch nicht zuwarten, bis etwa ein Papst das Richtige lehrt, quod non est aliter quam fidem nostram in arbitrio hominis constituere, et quid credere debeamus ab eo exspectare, sed hoc sapit haeresim manifestam, cum dicat b. Paulus 1 Co 2: fides non sit in sapientia hominum, sed in virtute dei (Compend. err. p. 976). Das sind große Gedanken, die nicht klein dadurch werden, daß
50 sie letztlich aus einem uns fremdartigen, aber für Okam maßgebenden Motiv entspringen, der praktischen religiösen Tendenz, das Recht der „Armut" zu beweisen. Es ist interessant, darauf zu achten, wie nahe Okam durch die gemeinsame Tendenz und den reformatori= schen Mitteln der Frommen seit Petrus Waldus kommt. Auch er kämpfte wider die Verweltlichung der Kirche und auch er fand in diesem Kampf kein kräftigeres Mittel als
55 die alleinige Autorität der Bibel. Christus in seinem menschlichen Sein und die Apostel waren arm (op. 90 dier. 1178; Compend. error. p. 962). Die paupertas evan= gelica schließt jede Form des Besitzes aus und gerade dadurch greift sie über die Voll= kommenheit der alten Väter hinaus (p. 1067). Um eine abdicatio omnis dominii et proprietatis omnium rerum temporalium handelt es sich (p. 1067). Der absolute
60 Verzicht auf die zeitlichen Güter steht höher als die Vollkommenheit gemeinsamen Be=

sitzes (p. 1070) oder als die Verwaltung zeitlicher Güter mit dem Zweck der Liebe, wie sie der Papst will (p. 958f.). Die abdicatio ist nicht so viel als die völlige expropriatio; daher ist es falsch, wenn der Papst meint, die Minoriten wären im Grunde nicht freier von der Liebe zum Besitz als die anderen Bettelorden (p. 1123). Die Minoriten handeln nach Christi Beispiel und seinem Wort Mt 19, so thun sie völlig ab die 5 Liebe zur Welt, die an der Liebe zu Gott hindert (p. 1124). Das ist der Weg der Vollkommenheit im eigentlichen Sinn, nicht einer bloßen Vollständigkeit. Wie ein natürlicher Mensch aller Glieder bedarf, so bedarf der Christ des Glaubens, der Hoffnung und der Liebe; wie aber der natürliche Mensch vollkommen erst wird durch Weisheit, Schönheit 2c., so wird der Christ erst vollkommen durch Keuschheit und völlige Armut (p. 1127). 10 Das ist Christi Lehre im Gegensatz zur verweltlichten Kirche, das ist die Bibel im Gegensatz zum Papst. So ist Ockam zur Geltendmachung des Schriftprinzips gegen Papst und Kirchenversammlungen gekommen. Davon war oben die Rede.

Das geschichtliche Recht hinsichtlich des Verhältnisses von Kaiser und Papst hat sich an dem Naturrecht zu bewähren (über die Einteilung des Naturrechts s. Dial. p. 932f.), 15 das kirchliche Recht unterliegt der Kritik der Bibel. Das vernünftige Naturrecht und die Bibel sind letztlich die entscheidenden Maßstäbe. Und diese beiden Maßstäbe sind, materiell betrachtet, identisch, denn beide sind von Gott, der sowohl die Schrift als die Vernunft dem Menschen inspiriert hat. Die lex divina ist sowohl die scriptura sacra als die ratio recta. Daher kann auch das Naturrecht immer aus der Schrift hergeleitet 20 werden: omne ius naturale in scripturis divinis explicite vel implicite continetur (Dial. p. 934). Somit ist der Inhalt der Schrift vernunftgemäß und der Inhalt der natürlichen Vernunft als solcher schriftgemäß. Sofern aber die lex canonica oder die lex civilis diesen Maßstäben widersprechen, sind sie nicht obligatorisch (Dial. p. 630). In dieser Gedankenkombination wird das aufklärerische Element in den Ideen Ockams 25 — es geht auf das kanonische Recht und die antike Rechtsanschauung zurück — deutlich. Von dieser Stimmung aus hat Ockam kühn gemahnt, sich vor Neuerungen nicht zu fürchten. Wenn Alexander der Große, der römische Staat oder die Apostel vor Neuerungen zurückgeschreckt wären, was wäre aus der Welt geworden? Non sunt ergo novitates penitus respuendae, sed sicut vetusta, cum apparuerint onerosa, 30 sunt omnimode abolenda, ita novitates, cum utiles, fructuosae, necessariae, expedientes secundum rectum iudicium videbuntur, sunt animosius amplectendae (Dial. p. 737). Aber mit dieser Stimmung ist zunächst nicht Ernst gemacht worden, der Positivismus des Nominalisten stand ihr entgegen. Vgl. Seeberg, Dogmengesch. II, 151ff. 35

7. Diese Uebersicht über die Theologie und die kirchenrechtlichen Ansichten Ockams zeigt, wie einerseits die Kritik an den überkommenen Dogmen und Rechtsordnungen immer spinöser und detaillierter wird; und wie andererseits der Positivismus der kirchlichen Formel immer derber zu Tage tritt. Der innere Zusammenhang des kirchlichen Lehrsystems wird aufgelöst, aber die einzelnen Elemente bleiben stehen. Zu diesem wie jenem erweist 40 sich der Nominalismus als brauchbares Mittel, und in dem einen wie anderen folgt Ockam den Fußtapfen des letzten großen Verfechters des Realismus, des Duns Scotus. Aber die Theologie ist unter den Händen des Ockam immer skeptischer, negativer und unfruchtbarer geworden. Was sollte dieses beständige Räsonnieren und Kritisieren samt immer neuen Luftschlössern der Möglichkeit, die der Pandorabüchse der potestas abso- 45 luta entstiegen, wenn schließlich doch alles bei dem Alten blieb? Ockam gräbt der Scholastik ihr Grab, diese Theologie erstickt an der dialektischen Kunst und an der Negation; je mehr sie sich von dem kirchlichen Leben entfernt, desto nutzloser und öder erscheint ihre Arbeit. So wird allmählich der Ruf nach einer neuen kirchlichen, praktischen und fruchtbaren, nach einer augustinischen und biblischen Theologie laut. Aber in dem wissenschaft- 50 lichen Schulbetriebe blieb die scotistisch-ockamistische Theologie eine Macht. Und der Nominalismus schlug den Realismus; die kritische Auflösung der Kirchenlehre, die dialektische Widerlegungs- und Beweissucht, das Raffinement der Skepsis und die Resignation der positivistischen fides implicita drangen immer weiter vor. Ockams Lehre blieb die „moderne" Theologie bis in Luthers Zeit. Der „letzte Scholastiker" Gabriel Biel wußte nichts 55 Besseres als ein Collectorium ex Occamo seinen Lesern darzubieten. Und seit Gregor von Rimini mit dem ockamistischen Nominalismus die augustinische Sünden- und Gnadenlehre verbunden hatte — darin besteht seine geschichtliche Bedeutung — hatte der Name Ockams auch in ernsteren Kreisen einen guten Klang, er war der „moderne" wissenschaftliche Theologe. Luther nennt ihn „meinen lieben Meister" (Erl. Ausg. 24¹, 347, und 60

scholasticorum doctorum sine dubio princeps et ingeniosissimus, der trotz aller Verdammungen der Theologen und Päpste doch Parrhisiis et in melioribus scholis regiert (Weim. Ausg. VI, 183), und er bekennt mit Stolz: sum Occamicae factionis (Weim. Ausg. VI, 600. 195). Der Philosoph Ockam hat einen großen Sieg
5 erfochten — auch über seinen größeren Lehrer, Duns —, er ist der Bahnbrecher der modernen Erkenntnistheorie geworden, der Theologe Ockam hat die Methode und die Kritik des Duns der Theologie von anderthalb Jahrhunderten eingeschärft und aufrecht-erhalten, der Kirchenpolitiker Ockam hat Gedanken über das Recht des Staates und das Unrecht der Kirche, über die alleinige Autorität der Schrift ausgestreut, die in die
10 geistige Gärung der Folgezeit als kräftiges Ferment eingegangen sind. So steht er ne-gativ wie positiv in direkter Beziehung zu der größten kirchengeschichtlichen Thatsache der Folgezeit, der Reformation. Diesen Zusammenhang erkennen heißt die historische Be-deutung Ockams verstehen. Ockam war kein Vorläufer Luthers als Reformator — das hat unsere Darstellung erwiesen —, aber er war einer der Faktoren, ohne den die Reforma-
15 tion nicht denkbar ist. Aber mit der Reformation hören seine direkten geschichtlichen Wirkungen auf. Das beweist schon die Geschichte des Druckes seiner Schriften. Zu Ende des 15. und zu Beginn des 16. Jahrhunderts werden sie eifrig gedruckt, dann hat die Nachfrage aufgehört. Ein polemisches Sammelwerk wie das Goldasts reproduzierte seine kirchenpolitischen Werke. Erst das rein historische Interesse unserer Zeit legte uns die
20 Bitte um eine Gesamtausgabe der Werke des venerabilis inceptor, des doctor singu-laris et invincibilis, des caput et princeps nominalium, des „lieben Meisters" Luthers auf die Lippen. **R. Seeberg.**

Odilo von Cluni f. b. A. Cluni Bd IV S. 182,85.

Odo von Cluni f. b. A. Cluni Bd IV S. 181,53.

25 **Oehler,** Gustav Friedrich, gest. 1872. — Worte der Erinnerung an Gustav Friedrich v. Oehler, Tübingen 1872. (Grabreden von Dekan Frant und Prof. Dr. Beck. Reden bei der Trauer-feier im Stift von Direktor Dr. Binder und Prof. Dr. Landerer. Lebensabriß. Gedicht von Ottilie Wildermuth.) Gustav Friedrich Oehler. Ein Lebensbild von Joseph Knapp, Tüb. 1876.

G. F. Oehler gehört zu den bedeutendsten alttestamentlichen Theologen und einfluß-
30 reichsten Universitätslehrern der neueren Zeit, während er zugleich auf praktisch-päbago-gischem Gebiet um die Leitung des Tübinger theologischen Stifts sich bleibende Verdienste erworben hat. Er ist geboren am 10. Juni 1812 in dem Städtchen Ebingen, Oberamts Balingen. Vor manchen seiner Altersgenossen hatte er eine schwere, durch häusliche Sorgen und Kümmernisse getrübte Kindheit. Von seinem Vater, einem strengen und tüchtigen,
35 aber mittellosen Präceptor, erhielt er nicht bloß den ersten Unterricht, sondern auch nach-drückliche, fast allzu starke Impulse zum Privatstudium, denen aber sein eigener Lerntrieb und Wissensdurst von selbst entgegenkam. Die Gymnasialbildung erhielt er auf dem niederen evang.-theologischen Seminar zu Blaubeuren. Im Herbst 1829 bezog er als Zögling des theologischen Stifts die Tübinger Hochschule. Hier warf er sich zunächst mit
40 Eifer auf die gewöhnlichen philologischen und philosophischen Studien, wußte sich aber daneben die sämtlichen semitischen Dialekte in einer Weise anzueignen, daß nur die aus-gesprochene Neigung zur Theologie ihn von der linguistischen Sphäre ablenkte. In der Theologie ließ er sich überwiegend durch den Einfluß seines Lehrers Christian Friedrich Schmid bestimmen, welcher auf dem Boden der positiven Schriftgläubigkeit stand, ohne
45 deshalb die neuen Anregungen, welche von der Schleiermacherschen Lehre ausgingen, prü-fungslos von der Hand zu weisen. Nicht geringe Förderung bot ihm daneben ein Kreis ernster, wackerer Freunde, an welchen er sich in der zweiten Hälfte seiner Studienzeit ver-trauensvoll anschloß. Derselbe zählte Männer, wie Karl Kapff, Wilhelm Hofacker, Joseph Josenhans (den nachmaligen Basler Missionsinspektor) u. a., zu seinen Leitern und suchte
50 in regelmäßigen Zusammenkünften, wie in freierem Verkehr dem Verlangen nach brüder-lichem Gedankenaustausch Rechnung zu tragen. Geistig erstarkt und im Besitz eines ent-schiedenen, seiner Gründe und Ziele bewußten Glaubens, folgte er im April 1834 einem Ruf an das Missionsinstitut nach Basel. Mit jugendlicher Begeisterung, welche selbst während eines längeren Augenleidens nicht abnahm, beteiligte er sich daselbst im Verein
55 mit tüchtigen Amtsbrüdern, namentlich mit Christoph Blumhardt und Heinrich Staudt, an der Erziehung und Heranbildung zahlreicher Missionszöglinge. Auch mit Beck, dem aufstrebenden Professor an der Basler Universität, hatte er damals die ersten persönlichen

Berührungen. Sein ganzer geistiger Horizont erweiterte sich, während sich seine Weltanschauung durch ein genaues Bibelstudium, sowie durch eingehende Beschäftigung mit
Luthers Schriften abklärte. Drei Jahre blieb er auf dieser Stelle, welche ihm große Befriedigung gewährte, weshalb er für Basel bis zu seinem Tode eine dauernde Liebe im
Herzen trug. Nachdem er 1837 den philosophischen Doktorgrad erworben hatte, trat er 5
eine wissenschaftliche Reise nach Norddeutschland an. Den Hauptteil des Sommersemesters
brachte er in Berlin zu, wo er den Unterricht der Orientalisten Bopp, Petermann und
Schott genoß. In Erlangen schloß er einen Freundschaftsbund mit Heinrich Thiersch,
der über ihn das Zeugnis niederschrieb, daß er noch nie so viel wissenschaftliche Bildung
und so viel brüderliche Liebe vereinigt gefunden habe. Seine auswärtigen Studien wurden 10
indes bald unterbrochen durch den im Herbst 1837 erfolgten Ruf auf eine Repetentenstelle
im Tübinger Seminar. Unmittelbar nach seiner Heimkehr ward er von der Familie seines
Lehrers Steudel, welcher kurz vorher gestorben war, mit der Bitte angegangen, die Vorlesungen desselben über alttestamentliche Theologie herauszugeben, eine Arbeit, die ihn
über ein volles Jahr in Anspruch nahm. Das Werk, welches die geschickte Hand des 15
kompetenten Redaktors verrät, erschien 1840 bei Reimer in Berlin. 1839 erhielt er einen
Lehrauftrag für die alttestamentliche Theologie, welche durch Dorners Abgang nach Kiel
ihren Vertreter verloren hatte. Oehler las im Sommer 1839 über dieses Fach mit durchschlagendem Erfolg. Als es sich aber darum handelte, ihn auf Grund desselben für die
erledigte Stelle vorzuschlagen, erklärte sich nicht bloß Baur, sondern auch die Mehrheit 20
des akademischen Senats gegen ihn, weil diese an seiner dem Pietismus zugeneigten Richtung Anstoß nahm. Oehler ging nun nach Stuttgart, wo er vom Frühling bis Herbst
1840 das Amt eines Stadtvikars bekleidete, dann erhielt er eine Professur am niederen
Seminar und zugleich die Pfarrstelle zu Schönthal, Oberamts Künzelsau. Dort gründete
er seinen Hausstand durch die eheliche Verbindung mit Luise Steudel, der zweiten Tochter 25
seines unvergeßlichen Lehrers, an deren Seite er sich bis an sein Ende eines reich gesegneten Familienlebens erfreuen durfte. Oehlers 4¹/₂ jährige Thätigkeit im fränkischen Württemberg war in mehrfacher Hinsicht von einem nennenswerten Erfolg begleitet. Als einen
besonderen Gewinn jener Zeit betrachtete er die Sammlung einer Fülle pastoraler Erfahrungen und den kollegialischen Umgang mit seinem Vorgesetzten, dem berühmten Pä- 30
dagogen und damaligen Ephorus Dr. Karl Ludwig Roth. In das Ende seines dortigen
Aufenthaltes (1845) fällt die Herausgabe seiner „Prolegomena zur Theologie des Alten
Testaments", welcher indes schon die Publikation einer Reihe theologischer Aufsätze und
Rezensionen vorangegangen war. Hieraus erklärt sich, daß während seines Weilens in
Schönthal wiederholt Anfragen wegen Übernahme akademischer Lehrstellen an ihn ergingen, 35
welche sich gegen den Schluß des Jahres 1844 zu offiziellen Vokationen nach Marburg
und Breslau gestalteten. Er folgte im Frühjahr 1845 der letzteren. Seine Übersiedelung
begründete für ihn den Anfang einer völlig neuen Lebensphase. Die Versetzung in einen
größeren Staat schärfte nicht bloß seinen politischen Sinn, sondern erweiterte auch seinen
geistigen und kirchlichen Gesichtskreis, und die mancherlei Erlebnisse auf dieser wichtigen 40
Station seines Laufes trugen zur Klärung und Berichtigung seiner Ansichten nicht wenig
bei. Überraschen aber konnte es immerhin, wie dieser echte Schwabe über ein Kleines
sich in einen begeisterten Preußen umwandelte, und zwar so sehr, daß Oehler an seiner
Ueberzeugung von der deutschen Mission Preußens auch nach seiner Rückkehr in die alte
Heimat unwandelbar festhielt, zu einer Zeit, als dort seine politischen Gesinnungsgenossen 45
kaum nach Dutzenden zählten. Energisch, wie er war, scheute er auch nicht vor der Aufgabe zurück, süddeutsche Eigenart mit dem norddeutschen Wesen, pietistischen Subjektivismus
mit lutherischem Kirchentum zu vermitteln. Seine akademische Stellung war freilich für
den jungen Ordinarius am Anfang nichts weniger als leicht und angenehm. War er ja
doch von dem Ministerium Eichhorn mit einigen anderen Kollegen, unter welchen ihm 50
Gaupp besonders teuer blieb, nach Breslau berufen worden, um die bisher mit fast lauter
rationalistischen Lehrern besetzte theologische Fakultät in positiv-christlicher Richtung umzu-
gestalten. Die älteren Amtsgenossen, zumal der in Stadt und Land hochgefeierte David
Schulz, befanden sich im Besitz der Popularität, und wenn sie auch dem gut empfohlenen
Ankömmling nach außen ungemein freundlich entgegenkamen, so suchten sie ihn doch bei 55
den Studierenden den Boden seiner Wirksamkeit nach Kräften zu entziehen. Dies gelang
ihnen auch in einer solchen Ausdehnung, daß Oehler in den ersten zwei Jahren die an-
gekündigten Vorlesungen öfters nicht zu stande brachte. Der Schwerpunkt seines Wirkens
lag damals in den Seminarien, in welchen er gemeinsam mit Gaupp u. a. die praktisch-
theologischen und dogmengeschichtlichen Studien zu leiten hatte. Allmählich wuchs aber 60

die Zahl seiner Zuhörer, und in den letzten Jahren hatte sich ein solcher Umschwung der öffentlichen Meinung vollzogen, daß er als ein angesehener und beliebter, von dankbaren Schülern geschätzter Lehrer gelten konnte. Seine Vorlesungen erstreckten sich auf alttestamentliche Theologie, biblische Theologie, Dogmatik, Exegese und Geschichte der
5 neuesten Theologie. Für seinen konfessionellen Standpunkt gewann jene Breslauer Periode dadurch eine eigentümliche Bedeutung, daß er durch die Beobachtung, daß die Union vielfach mit den Lichtfreunden liebäugle, auf die Seite der strengen Lutheraner gedrängt wurde. Mit fast agitatorischem Eifer beteiligte er sich an der Gründung eines evang.-luth. Provinzialvereins, welcher die Erhaltung des lutherischen Bekenntnisses für
10 die schlesische Kirche zum Zweck hatte; er wurde bald in der ganzen Provinz als das gelehrte Haupt dieser Richtung angesehen. Übrigens fand seine konfessionelle Entschiedenheit ihre bestimmte Grenze an der theologischen Bildung und christlichen Liebe, die ihn von jeder separatistisch-hierarchischen Überspannung ferne hielt und — im Unterschied von seinem Kollegen Kahnis — gerade auch von den schroffen schlesischen Altlutheranern
15 trennte. Weil es ihm ein Bedürfnis war, das positive Christentum in jeder Form anzuerkennen und zu pflegen, unterhielt er freundliche Beziehungen zu der herrnhutischen Brüdergemeinde, in deren friedevoller Stille er manche Ferienwoche verbrachte. Auf dem praktisch-kirchlichen Gebiet hielt er sich für verpflichtet, jedwede gesunde Thätigkeit zu unterstützen. Demgemäß erhob er seine Stimme für christliche Kolportage, für Hebung des Armen-
20 und Krankenwesens und ähnliche Unternehmungen. So nahm er auch keinen Anstand, dem weiteren Ausschuß des im Jahre 1848 gegründeten Kirchentags beizutreten. Das von ihm bei der zweiten Wittenberger Versammlung im September 1849 angeführte Wort, welches ein alter Bauer ihm einst zugerufen hatte: „enges Gewissen, weites Herz" brachte einen gewaltigen Eindruck hervor und wurde von da an in Kurs gesetzt, ja recht eigentlich
25 ein Gemeingut der norddeutschen Brüder.

Als Wilhelm Hoffmann im Frühling 1852 auf die Stelle eines Hof- und Dompredigers in Berlin berufen wurde, erledigte sich in Tübingen der wichtige Posten eines Stiftsephorus. Nun erhielt Oehler den Ruf zur Übernahme des Ephorats und einer ordentlichen Professur der alttestamentlichen Theologie. So hart ihm der
30 Abschied von seinen schlesischen Freunden und Schülern fiel, und so wenig er sich die Schwierigkeiten des fraglichen Doppelamtes verbarg, so hielt er es gleichwohl für seine Aufgabe, nach beinahe siebenjähriger Abwesenheit seinem württembergischen Vaterland und der Hochschule, welcher er so viel zu danken hatte, von neuem seine Dienste zu widmen. Oehler war 40 Jahre alt, stand somit auf der Höhe seiner Manneskraft,
35 als er mit dem Wintersemester 1852 seine ephorale und akademische Thätigkeit begann, welche mit Recht als der Glanzpunkt seines irdischen Wirkens bezeichnet werden kann. Er behielt dieses mühsame Doppelamt fast zwei Dezennien bis an sein Ende. Als er in die Tübinger Fakultät eintrat, hatte sich ihr Charakter gegen die Zeit, in welcher er als Studiosus und Repetent in der heimischen Musenstadt gewesen war, auffallend ver-
40 ändert. Die negativ-kritische Richtung hatte im Lauf der Jahre immer mehr von ihrem Terrain und Einfluß verloren, und wenngleich ihr berühmtester Vertreter, Ferdinand Christian Baur, fortwährend noch eine bedeutende Anziehungskraft auf viele Studierende ausübte, so war ihm doch in Beck ein Gegner erwachsen, der, wie kein zweiter, im stande war, die Herrschaft des Hegelianismus zu brechen und eine neue theologische Ära zu
45 gründen zu helfen. So kam es, daß Oehler einen für seine Wirksamkeit günstigen, wohlvorbereiteten Boden antraf; in fast ungestörtem Wetteifer und gutem Einvernehmen mit den Amtsgenossen konnte er seinem anstrengenden Beruf nachkommen. Mit Landerer und Palmer verknüpfte ihn das feste Band erprobter Jugendfreundschaft. Vor Beck hegte er eine tiefe Hochachtung, wenn er ihm auch nicht in allen seinen Thesen und Antithesen
50 beipflichten konnte, und in Baur, dem damaligen Senior der Fakultät, durfte er einen unvergessenen Lehrer begrüßen, dem er von seiner Seminarzeit her eine pietätsvolle Anhänglichkeit bewahrt hatte. Auch mit seinem Nachfolger Karl Weizsäcker wirkte Oehler in ungetrübter Eintracht zusammen. Das Seminar betrachtete er als eine Pflanzstätte der evangelischen Kirche. Von seinen Bewohnern verlangte er in erster Linie die Pflege
55 einer echten, gediegenen Wissenschaft, nicht bloß die Sammlung und Aufhäufung von allerlei Kenntnissen, sondern vor allem das Streben nach einer lebendigen Erkenntnis der Wahrheit. Als ein Mann mit engem Gewissen ward er nicht müde, das unum necessarium ihnen einzuschärfen; kraft seiner Weitherzigkeit betonte er jedoch nicht minder den paulinischen Kanon: πάντα ὑμῶν (1 Kor 3, 22). Weit entfernt, sie in die Schranken
60 der bloßen Fachbildung einzuschließen, empfahl er mit Nachdruck zur Vorbereitung auf

die eigentlich theologische Arbeit ein gründliches klassisch-philologisches, philosophisches und historisches Studium, wobei er gern Luthers Wort citierte: „So lieb uns das Evangelium ist, so hart lasset uns über den Sprachen halten!" So wichtig ihm aber die wissenschaftlich-theologische Ausrüstung der Zöglinge blieb, so galt ihm doch ebensoviel, ja noch mehr ihre christliche Charakterbildung, die sittlich-religiöse Haltung, die Selbstzucht und Selbstverleugnung, der stille Wandel vor Gottes Angesicht. Auf die äußere Legalität, auf ein anständiges, geordnetes Wesen legte er großen Wert, wie er denn auch die Fragen der Disziplin und des Dekorums unter den ethischen Gesichtspunkt gestellt wissen wollte. Mit redlichem Ernst und fast peinlicher Gewissenhaftigkeit hat Oehler gerungen, von seinem Standpunkt aus den vielfachen Obliegenheiten als Leiter und Erzieher der ihm anvertrauten studierenden Jugend gerecht zu werden. Doch konnten so, wie die Dinge standen, Streitigkeiten und Reibungen aller Art nicht ausbleiben. Die Überwachung einer Schar junger Leute, von welchen ein Teil den Vorgesetzten immer nur als unbequemen Zuchtmeister ansieht, war für sein reizbares, heftiges Temperament eine schwierige Aufgabe, um so mehr, als er in seiner eigenen Jugend jederzeit in den Geleisen strengster Solidität einhergegangen war. Es war daher kein Wunder, daß er am Anfang ein gleichmäßig ruhiges Verständnis der seiner Aufsicht unterstellten Jugend vermissen ließ und manchmal schon in harmloser Jugendlust eine strafwürdige Zügellosigkeit erblickte. In Sachen der Menschenkenntnis war er überdies zu sehr vom Eindruck des Augenblicks beherrscht. Und wenn er vollends in leidenschaftlichen Affekt geriet, so konnte es nur zu leicht vorkommen, daß er von dem störenden Einfluß der Vorurteile sich nicht frei erhielt, daß der sonst so klare Blick des Mannes offenbar getrübt, sein anderweitig so treffendes Urteil sichtlich befangen war. Überhaupt zeigte er sich im amtlichen Verhältnis seinen Stiftlern gegenüber vorherrschend ernst und würdevoll, stramm und decidiert, mehr als ein Mann des Gesetzes, „als ein Professor des Alten Testaments", wie er einmal selbst sich bezeichnet hat. Darum konnten ängstliche Gemüter von seiner Art leicht eingeschüchtert und zu ihrem eigenen Nachteil von einem näheren Verkehr mit ihm abgeschreckt werden. Was aber auch solche, welche sein Wesen minder sympathisch berührte, immer wieder mit ihm aussöhnte, war seine wandellose Lauterkeit, zumal der Umstand, daß sein unbestechlicher, unbeugsamer Sinn für Wahrheit und Gerechtigkeit gegen ein in seinem Naturell begründeten Fehler so und Eigenheiten wirksam reagierte. Er nahm es äußerst streng mit der Selbstprüfung und mit dem Selbstgericht, und menschliche Augen haben es nicht immer gesehen, wie die Ecken und Spitzen, welche er nach außen zu fühlen gab, als Stacheln in sein Gewissen zurückgekehrt sind und ihm zur Demütigung vor seinem Gott gedient haben.

Eine noch ungeteiltere Anerkennung, als durch seine Leitung des Stifts, wußte sich Oehler als Universitätslehrer zu erwerben. Als solcher hatte er in erster Linie das Alte Testament zu behandeln. Er las über die Theologie des Alten Testaments und über die Einleitung in dasselbe, erklärte Jesaja und Hiob, die Psalmen, messianischen Weissagungen und kleinen Propheten. Neben seinen alttestamentlichen Fächern las er auch über den Hebräerbrief und über die christliche Symbolik. Die Krone seiner Vorlesungen war unstreitig die über die Theologie des Alten Testaments. Er hat sie in Tübingen zehnmal gehalten, zum letztenmal im denkwürdigen Kriegsjahr 1870/71. Das Hauptverdienst seiner Vorlesungen war die lichtvolle, mit äußerster Akribie durchgeführte systematische Darlegung des Schriftinhalts auf Grund eindringender, sorgfältiger Untersuchung der alttestamentlichen Urkunden. Demgemäß galten seine Vorlesungen als ungemein gründlich, zuverlässig und instruktiv. Und doch waren sie nichts weniger als dürre Kompilationen und trockene Elaborate eines kühlen Doktrinärs, sondern lebensvolle, mannhafte Zeugnisse, welche aus einem von der Wahrheit und Herrlichkeit des göttlichen Wortes erfüllten Herzen hervorquollen und nicht bloß als die reife Frucht unermüdlicher Forschung und tüchtigen Denkens, sondern zugleich als das geschlossene Ergebnis geräuschloser Gewissensarbeit sich darstellten. So hat Oehler dazu mitgeholfen, das A. Test., welches manchen zuvor ein halb verschlossenes Buch gewesen war, wieder in sein unveräußerliches Recht einzusetzen, die Liebe zu ihm zu nähren und der Beschäftigung mit seinen Urkunden unter den Studierenden und der Geistlichkeit einen neuen Schwung zu geben. Dem sprachlichen Element ließ er die größte Sorgfalt angedeihen und bot alles auf, die Grundlagen strengster philologischer Forschung zu sichten und zu erweitern. Ebenso wußte er dem geschichtlichen Faktor mit aller Umsicht gerecht zu werden. Seine ganze Auffassung des AT.s im Unterschied vom Neuen ist ja vom Gesichtspunkt des lebendigen Werdens und Wachsens, vom Gedanken der historischen Entwickelung der Offenbarung geleitet und beherrscht. Gegenüber der einseitig-dogmatischen Richtung, wie sich dieselbe in milder Form

in dem früheren Supranaturalismus, konsequenter namentlich bei Hengstenberg und seiner
Schule darstellt, gegenüber ferner der theosophisch-mystischen Richtung, wie sie durch v. Meyer,
Stier u. a. repräsentiert ist, vertrat Oehler den Standpunkt der organisch-geschichtlichen
Auffassung des A.T.s und der alttestamentlichen Religion, welchen er litterarisch zuerst
5 in seinen Prolegomena einläßlicher präzisiert hatte. Die Einheit beider Testamente wird
darin nicht als eine zufällige, sondern als eine innere und wesentliche, zugleich aber als
eine wahrhaft geschichtliche nachgewiesen, als eine solche, welche durch wirklich unterschiedene
Entwickelungsstufen vermittelt ist. Im Alten Testament liegt eine Heilsgeschichte als successive Entfaltung eines göttlichen Heilsplans, der in der Person und im Werk Christi
10 seine Vollendung findet. Ebenso hat die evangelische Wahrheit nach ihrem ganzen Umfang und in allen ihren Teilen ihre entsprechende Vorbereitung im Alten Testament, während andererseits auch nicht eine einzige biblische Lehre schon in ihrer ganzen Fülle erschlossen und somit als in sich fertig, ohne weitere Entwickelung ins Neue Testament
hinübergekommen ist. Hier nun gewinnen wir den klarsten Einblick in die gesunde theo-
15 logische Grundanschauung, von welcher Oehlers gesamte Wirksamkeit auf dem Lehrstuhl
getragen war. Das Alte Testament war ihm die heilige Urkunde der Offenbarungsgeschichte,
in welcher der ewige Ratschluß Gottes in geschichtlicher Entfaltung zu seiner abgeschlossenen
Darstellung gelangt. Darum konnte er das Alte Testament in seiner Göttlichkeit würdigen, ohne es dem Neuen ohne weiteres gleichzustellen; er konnte aber auch umgekehrt
20 die historische Seite an ihm in ihrer Bedeutung anerkennen, ohne darum seinen göttlichen
Offenbarungscharakter preisgeben zu müssen. — Mit seiner Auffassung und Behandlung
des Alten Testaments wurzelt Oehler in der Theologie von Bengel, Oetinger und Menken,
während er sich zugleich mit zeitgenössischen Theologen, wie Nitzsch, Beck und Joh. Chr.
K. v. Hofmann in prinzipiellem Einklang befindet. — Nicht minder gesunde Ansichten
25 hatte er bezüglich der „alttestamentlichen Kritik". War er auch im Zusammenhang mit
seiner entschieden gläubigen Richtung bei seinen Forschungen von einem vorherrschend konservativen und apologetischen Interesse geleitet; so war er doch in seinem Verhältnis zur
biblischen, speziell zur alttestamentlichen Kritik nichts weniger als befangen und einseitig.
Eine lediglich negative und destruktive Kritik durfte selbstverständlich auf seine Zustimmung
30 nicht rechnen, wennschon er einräumte, daß sie viele Halbheiten zerstört, manche morsche
Stützen hinweggenommen und dagegen alle diejenigen, welche überhaupt die Mahnungen
der Zeit verstehen, zu dem einen unerschütterlichen Grund des Glaubens kräftig hinge-
trieben habe. Beim Beginn seines Breslauer Wirkens schien er sich oft noch im pein-
lichsten Dilemma zu befinden. So schreibt er 1847 an Oettinger: „Mit dem Herzen ein
35 Gegner der destruktiven Kritik, mit dem Verstand von ihr gefangen, schwimme ich hier
zwischen zwei Wassern, auf der einen Seite mich des Unglaubens, auf der anderen Seite
der Unredlichkeit anklagend. O dieser Pentateuch, Josua und Richter in der ersten Stell!"
Sein unparteiischer Wahrheitssinn ließ ihn jedoch schließlich auch auf diesem Gebiet den
richtigen Standort finden. So konnte er das Alte Testament, ein paar wichtige isagogische Er-
40 gebnisse der strengeren Kritik zu adoptieren, z. B. die Existenz mehrerer historiographischer
Strömungen im Pentateuch noch vor der ähnlichen Konzession durch Delitzsch. Es heißt
das Ansehen der Prophetie nicht schmälern, wenn man einzelne Stücke der jesajanischen
Sammlung von einem anderen Propheten gesprochen sein läßt. Aber gerade auf diesem
vielumstrittenen Feld alttestamentlicher Forschung treffen wir bei ihm neben der Weite
45 und Klarheit des Blicks eine rühmliche Besonnenheit, die ihn abhielt, irgend ein positives
Datum der kirchlichen Tradition ohne die triftigsten Gründe fallen zu lassen. In Absicht
auf die „Exegese" verschmäht er alle Zwangsmittel und Künsteleien, jede leichtfertige Ober-
flächlichkeit und ebenso die starre Gebundenheit an Dogma und Symbol. Eine gesunde
hermeneutische Theorie fordert die Synthese des philologischen und theologischen Elements.
50 Was schließlich die Form und Diktion seiner Vorträge betrifft, so war sie nicht durch
Form und Eleganz und ebensowenig durch Anmut und Gewandtheit hervorstechend. Auch
stand ihm nicht in gleichem Maß wie manchem anderen eine Fülle von Ausdrücken, Wendungen und Bildern zu Gebot. Seine Darstellung hatte vielmehr etwas bestimmt Aus-
geprägtes, zuweilen fast Stereotypes, war also nichts weniger als salopp und nachlässig.
55 Sie war markig und gedrungen und doch nicht dunkel und unverständlich, zuweilen eine
Neigung zum Bau längerer Perioden verratend, gleichwohl aber frisch und abgerundet.
Alles zusammengenommen erwies sie sich als den abgeklärten und geläuterten Ausdruck
einer kraftvollen, durchsichtigen und charakterfesten echt theologischen Persönlichkeit.

Neben dem Alten Testament war die „Symbolik" ein zweites, seinem Geist und
60 Geschmack, seiner Anlage und Begabung konformes Arbeitsgebiet. Er blieb bis zum

Ende bewußter und begeisterter Lutheraner und war im Gremium seiner Fakultät der erklärte Vertreter dieser Richtung.

In seiner Tübinger Zeit hatte Oehler zwei schwere Krankheiten durchzumachen. Doch war zunächst kein Grund zu einer ernstlichen Besorgnis vorhanden. Im Mai 1871 fühlte er zum erstenmale eigentümliche Schmerzen in der Leber- und Magengegend, deren tieferer 5 Grund sich nicht ermitteln ließ. Im Lauf des Sommers und Herbstes erreichten sie einen so hohen Grad, daß die Ärzte ihre Befürchtung, ein krebsartiges Übel werde die Ursache der Krankheit sein, nicht länger verhehlen konnten. Am 26. November legte er sich tod-müde auf sein letztes Lager, nachdem er Tags zuvor noch mit äußerster Anstrengung zwei Vorlesungen gehalten hatte. Seine Sehnsucht nach der Ruhe des Volkes Gottes, welcher 10 er mit den Worten: „Ich möchte heim" wiederholten Ausdruck gab, sollte bald gestillt werden. Nachdem er sein Haus bestellt und auf den Gang durch das finstere Thal mit der demütigen Einfalt eines Kindes und mit der mutigen Entschlossenheit eines Mannes sich gerüstet hatte, entschlief er im bußfertigen Glauben an seinen Erlöser am 19. Fe-bruar 1872. 15

Seine schriftstellerische Thätigkeit ist nicht umfassend gewesen. Sein mit viel äußerer Unruhe verknüpftes amtliches Wirken gewährte ihm hierzu, namentlich zur Herausgabe seines Lebenswerkes, der Vorlesungen über die alttestamentliche Theologie, nicht die not-wendige Muße. Ein weiterer Grund seiner Zurückhaltung war übrigens der leicht be-greifliche Wunsch, den durch seine bahnbrechende Erstlingsarbeit so hochgespannten Er- 20 wartungen mit etwas Mustergiltigem, in sich Vollendetem zu begegnen, während doch auf der anderen Seite sein rastloses Vorwärtsstreben ihm nie gestattete, sich selbst ganz Ge-nüge zu thun. Zugleich mag er gefürchtet haben, der frischen Unmittelbarkeit, welche seine Vorträge für die Zuhörer so wertvoll machte, den Duft abzustreifen, wenn er deren Haupt-inhalt publizieren würde. Außer seinen bereits erwähnten Prolegomena veröffentlichte 25 er nur noch drei kleinere Arbeiten alttestamentlichen Inhalts, seine Breslauer Habilitations-schrift: Veteris testamenti sententia de rebus post mortem futuris (1846) und zwei Universitätsprogramme: „Die Grundzüge der alttestam. Weisheit"; ein Beitrag zur Theologie des A. Testaments" (1854) und „Über das Verhältnis der alttest. Prophetie zur heidnischen Mantik" (1861). Letztere Abhandlung ist eine Beigabe zu dem Glück- 30 wunschschreiben, welches die Universität Tübingen unter Oehlers Rektorat zu der vom 2.—5. August 1861 begangenen Jubelfeier des 50jährigen Bestehens der Universität Breslau absandte. Eine Frucht seiner ephoralen Wirksamkeit in Tübingen ist das von Oehler selbst 1869 edierte Schriftchen: „Zwei Seminarreden". Außerdem finden sich von seiner Hand zahlreiche Rezensionen und Aufsätze in verschiedenen Zeitschriften, vornehmlich über 35 biblisch-theologische Gegenstände, aber auch über Missionsangelegenheiten, kirchliche Fragen und anderweitige Materien. Die mehr religiös-erbaulichen und belehrenden Blätter, in welchen wir auf Beiträge von ihm stoßen, sind die von Dr. Barth begründeten „Jugend-blätter" und „die neue Erde", ein längst eingegangenes Sonntagsblatt zur christlichen Erbauung zunächst für das fränkische Württemberg. Weiter war er in mehr oder minder 40 fleißiger Mitarbeiter an einer Reihe theologischer Zeitschriften, Kirchenzeitungen und ge-lehrter Blätter, an der Tübinger Zeitschrift, in welcher er 1840 seine umfängliche Ab-handlung über den Knecht Jehovahs erscheinen ließ, am Allgemeinen Repertorium für theologische Litteratur und kirchliche Statistik von Rheinwald, am Neuen Repertorium von Bruns, am Allgemeinen Repertorium von Reuter, an der Hengstenbergschen Kirchenzeitung, 45 an Tholucks Litterarischem Anzeiger für christliche Theologie und Wissenschaft überhaupt, an den Jahrbüchern für wissenschaftliche Theologie, an den unter dem Titel „Janus" erschienenen Jahrbüchern deutscher Gesinnung, Bildung und That, am evangel. Kirchen-und Schulblatt von Schlesien, am „wahren Protestanten" von Dr. Marriott, an der Zeitschrift für lutherische Theologie, am Allg. Litterarischen Anzeiger von Zöckler und 50 Andreä und schließlich an den Studien und Kritiken. Predigten von Oehler sind abge-druckt in dem 1846 zu Stuttgart veröffentlichten Pfarrwaisenpredigtbuch und in dem 1850 vom evangelisch-lutherisch-kirchlichen Verein edierten „Zeugnissen evangelischer Wahrheit".— Besondere Hervorhebung verdienen die 40 Artikel, welche er der 1. Auflage dieser Ency-klopädie einverleibt hat, hauptsächlich die über Themata der alttestamentl. Theologie. 55

Nach Oehlers Hingang erschienen von ihm noch drei posthume Geisteskinder. Zuerst edierte sein ältester Sohn Hermann das schöne Büchlein: „Gesammelte Seminarreden, gehalten während der Führung des Ephorats" (1872). Dieser kleineren Schrift folgte in den Jahren 1873 und 1874 die Herausgabe der „Vorlesungen über die Theologie des Alten Testaments" von demselben, 2. Aufl. 1882, 3. Aufl. 1891, und 1876 das „Lehr- 60

buch der Symbolik", für den Druck bearbeitet von Dr. Johannes Delitzsch. Die Vor=
lesungen über die Theologie des Alten Testaments sind mittlerweile in die englische und
französische Sprache übersetzt worden.   **Joseph Knapp †.**

Oekolampad, gest. 1531 und die Reformation in Basel. I. Litteratur.
5 Quellen: Joannis Oecolampadii et Huld. Zvinglii epistolarum ... mit Biographie von
Capito (mit „Epp." citiert), Basel 1536; Wurstisens Basler Chronik, ed. von Dr. K. Hotz,
Basel 1883 (mit „Wurst." citiert), Basler Chroniken von Ryff und Carpentarius, ed. von
W. Vischer und Ab. Stern, Leipzig 1872.   Schriften und Werke Oekolampads, vgl. die Ver=
zeichnisse bei Heß, Herzog, und Leu, Helvet. Lexikon: Bd XIV S. 241 ff. Wichtig sind vor
10 allem neben den allg. Quellen der Basler Geschichte: Aktensammlung zur Schweiz. Refor=
mationsgeschichte und Sammlung der eidgen. Abschiede v. Strickler; Archiv für schweiz. Ref.=
Geschichte; Anshelms Chronik; Briefe und Werke Zwinglis; Bullingers Reformations=
geschichte. Chronikon des Conr. Pellikan (ed. Riggenbach, Bas. 1877); Antiquitates Gern=
lerianae, Aktensammlung zur Basler Kirchengeschichte; Akten der Badener und der Werner
15 Disputation; Gasts Tagebuch, herausgegeben von Tryphius, ed. von Burzdorf=Falkeisen 1856.
Joh. Keßlers Sabbata, ed. von Wartmann, St. Gallen 1902.   Litteraturangaben vgl.
Archiv für Schw. Ref.=Gesch. I 460 ff. 491 ff.; Finsler, Zwingli=Biographie 1897. Strickler,
Akt. z. Schw. Ref.=Gesch. Bd V, 2, Register u. Litteraturverzeichnis; Stähelin, Litt. z. Schw.
Ref.=Gesch. (ZKG Bd III, VI, XIV).
20   Biographien: Heß, Lebensgeschichte Dr. Joh. Oecolampads, Zürich 1791; Herzog, Leben
Joh. Oecolampads und die Reformation der Kirche zu Basel 1843; Hagenbach, Oecolampads
Leben und ausgewählte Schriften, Elb. 1859; A. Burckhardt, Dr. Joh. Oecolampad, in:
Bilder aus der Geschichte Basels, Bd III, Basel 1879; Wagenmann, in AbⱲ, Bd 24, S 226 ff.;
Kathol. Kirchenlexikon oder Encykl. der Kathol. Theologie, von Hch. Jos. Wetzwer, Freiburg
25 1881. Art. Oecol.; Fehleisen, Joh. Oecolampad, Festschrift, Weinsberg 1882; Dr. Th.
Burckhardt=Biedermann: Ueber Oekolampads Person und Wirksamkeit, Theol. Zeitschrift der
Schweiz X.
      Sonstige Litteratur: vgl. Ochs, Geschichte der Stadt Basel, Bd V—VII; Hermin=
jard, Correspondance des réformateurs dans les pays de langue française, 1866—72;
30 B. Burckhardt, Die Basler Täufer, Basel 1898 (vgl. daselbst die Litteraturangaben p. IX ff.);
M. Usteri, Oecolampads Stellung zur Wiedertaufe, ThStK 1883, 1, S. 155—174; Schneyder,
Oecolampads erste Predigt auf der Ebernburg, 1882; vgl. ferner die Litteratur zu Erasmus,
Zwingli, z. schweiz. und deutschen Reformationsgeschichte und zur Geschichte des Humanismus
an der Basler Universität: W. Vischer, Geschichte der Universität Basel, 1860. A. Rivier
35 Claude Chansonnette, Bruxelles 1878. Lutz, Geschichte der Reformation in Basel 1814. Sehr
wertvoll für das Verständnis der Persönlichkeit Oekolampads ist: Th. Burckhardt=Biedermann:
Bonifatius Amerbach und die Reformation, Basel 1894; ders., Basels erstes Reform=Mandat,
Anz. f. Schw. Gesch. 1894; Riggenbach, Chr. J. 1: Der Kirchengesang in Basel seit der
Reform., Basel 1870.
40   II. Oekolampad wurde 1482 in dem damals pfälzischen Weinsberg geboren. Sein
ursprünglicher Name war laut der Heidelberger Matrikel Heußgen (oder Hußgen, vielleicht
auch Hüßerle [Hußerli], was im süddeutschen Dialekt einen Kerzenstock bedeutet, auf welchem
die Kerzenstumpen aufgebraucht werden können — nur diese Form erklärt das Oeco =
Lampadius — vgl. Ullmann, ThStK 1845). Der gebräuchliche deutsche Name Haus=
45 schein, Hußschyn ist wahrscheinlich die Rückübersetzung seines ihm von gelehrten Freunden
gegebenen griechischen Namens.
      Seine Eltern waren vermögliche Bürgersleute. Nach dem Willen des ehrgeizigen
Vaters hätte der einzige Sohn Kaufmann werden sollen, aber seine Mutter, eine geborne
Baslerin namens Pfister, deren fromm=beschauliches Wesen er geerbt hatte, setzte es durch,
50 daß er seinen litterarischen Neigungen entsprechend studieren durfte. Er studierte zuerst
in Heilbronn, später in Bologna, wo er sich nach dem Wunsche seines Vaters auf die
juristische Laufbahn vorbereiten sollte. Aber das Klima, eine finanzielle Verlegenheit in=
folge Betrugs eines bolognesischen Kaufmanns und vor allem sein Widerwille gegen die
Jurisprudenz veranlaßten ihn, Bologna zu verlassen und zum Studium der Theologie
55 die Universität Heidelberg zu beziehen, 1499 (Capitos Angabe, Oek. habe schon mit zwölf
Jahren von Heilbronn aus Heidelberg bezogen und mit vierzehn Jahren als Baccalaureus
promoviert, steht das klare Zeugnis der Universitätsmatrikel von Heidelberg entgegen.
Die Chronologie des Lebens des Oek. bietet überhaupt verschiedene Schwierigkeiten. Zur
Theologie führte ihn ein starkes Verlangen nach Wahrheit, welches er, der ein „alum=
60 nus sacrae veritatis, non stultorum magistrorum discipulus" (Capito) sein
wollte, in Heidelberg nicht völlig befriedigen konnte. Der damals noch in Kraft stehende
theologische Betrieb mit den sophistischen Untersuchungen und Disputationen sagte ihm

nicht zu, und auf den Rat des Heidelberger Theologen Jost Hahn blieb er ihnen ferne. Dafür genoß er den Unterricht des Humanisten Jakob Wimpheling, der von 1498—1500 in H. lehrte. Nach dem Lehrplan mußte er sich natürlich vor allem mit den Scholastikern beschäftigen. Mehr als der kalte Duns Scotus zogen ihn Thomas von Aquino und besonders die Mystiker, Richard von St. Viktor, an, von späteren Theologen Gerson. 5 Der mystische Zug seines Wesens wurde durch diesen geistigen Verkehr wie durch seinen Hang zur Einsamkeit und seine ängstliche Scheu vor theologischen Unterredungen mit Kollegen bedeutend gestärkt. Jedenfalls fand er hier, was er damals suchte, und das Gleichgewicht seiner Seele wurde weder durch die Erkenntnis der Notstände der Kirche, noch durch Zweifel an der Kirchenlehre, noch endlich, wie bei Luther, durch religiöse Anfechtungen 10 gestört. Noch war er ein frommer gläubiger Katholik. 1503 wurde er unter Magister Johann Hartlieb Baccalaureus, und bald darauf Erzieher der jüngern Söhne des Kurfürsten Philipp des Aufrichtigen in Heidelberg. Aber das höfische Leben behagte ihm nicht, auch fühlte er sich noch innerlich unfertig und sehnte sich nach der Theologie zurück. Über die Jahren 1503—1512 liegt ein noch wenig aufgeklärtes Dunkel. Wir 15 wissen nur, daß er nach seiner Resignation als kurfürstlicher Erzieher die Pfründe Weinsberg antrat, welche die an ihrem Sohne hangenden Eltern um den Preis des größten Teils ihres Vermögens auf seine Anregung hin gestiftet hatten. Aber nach Capito wäre er nur 1½ Monat in Weinsberg auf seiner Pfründe geblieben und hätte nachher in Stuttgart, Tübingen und Heidelberg das Studium der Theologie wieder aufgenommen. 20 In Tübingen wurde er laut den Universitätsurkunden am 9. April 1513 immatrikuliert als M. Joh. Icolampadius de Winsperg. Im Jahre 1512 war er in Stuttgart, um Reuchlin zu hören, und im gleichen Jahre 1512 erschienen seine ersten Predigten im Druck unter dem Titel: „Declamationes oder Reden Ikolampads über das Leiden und die letzte Predigt unseres Herrn Jesu Christi am Kreuz unter dem Bild des weg- 25 ziehenden Predigers" bei Ulrich Zasius in Freiburg. Diese Predigten hatte er in Weinsberg gehalten. Folglich muß seine erste Weinsberger Wirksamkeit ins Jahr 1512 fallen, und die Zeit von 1503—1512 bleibt dunkel. Seine Erzieherthätigkeit dauerte ebenfalls nur ganz kurze Zeit. Es bleibt somit nur die Möglichkeit, daß er, nachdem er sich vom Hofe zurückgezogen hatte, während längerer Zeit in aller Stille in Heidelberg sich mit seinen Studien 30 beschäftigte. Möglicherweise war er nominell bereits einige Jahre Inhaber seiner Pfründe, bevor er sie wirklich antrat. Hingegen scheint (entgegen den älteren Biographen Oekolampads) der Aufenthalt in Stuttgart demjenigen in Tübingen vorangegangen zu sein. In Tübingen lernte er Melanchthon kennen, mit dem er gemeinsam griechische Klassiker las. Die Freundschaft beider Männer war für das Leben geschlossen. Die Rückkehr 35 nach Heidelberg muß schon 1514 (nicht erst 1515) erfolgt sein, denn er verkehrte daselbst während einiger Zeit u. a. mit Brenz und Capito, welch letzterer von 1512—1515 in dem nahen Bruchsal Stiftsprediger war. Neben seinen gelehrten Arbeiten hat er wahrscheinlich von Heidelberg aus sein Predigtamt in Weinsberg versehen. Daß der Verkehr mit den eben genannten Männern und die humanistische Umgebung ihn in reforma- 40 torischem Sinne beeinflußt haben, ist wahrscheinlich, wenn auch nicht direkt nachweisbar. Denn noch war er ein glühender Verehrer der Maria und ein Lobredner des Mönchstums. Immerhin übertraf er viele seiner Zeitgenossen durch seine intensive Hervorhebung Christi in seinen ersten Weinsberger Predigten.

Im Jahre 1515 wurde Oekolampad durch die Vermittlung des inzwischen als 45 Münsterpfarrer von Basel gewählten Capito vom Bischof Christoph von Utenheim als Prediger nach Basel berufen. Dem edeln, evangelisch gesinnten, und auf Hebung des Klerus und der Kirche bedachten Kirchenfürsten lag es wirklich daran, wissenschaftlich tüchtige und ernsthafte Männer an seinen Bischofssitz zu ziehen, er würde vielleicht auch mit seinen guten Absichten mehr erreicht haben, wenn er nicht gerade Bischof von Basel 50 gewesen wäre. Oek. traf in Basel den Erasmus, der, eben mit der Herausgabe seines griechischen Neuen Testamentes beschäftigt, den ihm von dem Schlettstadter Lektor Sapidus empfohlenen Gelehrten alsbald zur Mitarbeit heranzog (vgl. Erasm. Vorrede zur 3. Ausg. des NT). Trotz des im Grunde verschiedenen, ja fast entgegengesetzten Wesens der beiden Männer war damals ihr gegenseitiges Verhältnis herzlich und harmonisch. Der im 55 Innersten geheimnisvolle und rätselhafte Rotterdamer besaß damals unstreitig noch mehr Interesse für das religiöse Moment der Fragen, welche die Zeit bewegten, als später. Für Oek., dessen Natur beständig einer festen Stütze bedurfte, war dies ungemein wertvoll. Dem Erasmus verdankte er die nachdrückliche Mahnung, Christum zu suchen. Er hat ihm auch zeitlebens seine Verehrung und Hochachtung bewahrt, auch als sich 60

Erasmus je länger je mehr von der Bewegung abwendete, an deren Entstehung er einen
so großen Anteil gehabt hatte, und trotzdem er je länger desto ungerechter und gehässiger
gegen die Männer des reformatorischen Kreises wurde. Zu der innern Ursache dieser
Entfremdung zwischen Erasmus und den schweizerischen Reformatoren kam dann auch die
5 freundliche Aufnahme Huttens von seiten der Letztern, was den Erasmus vollends erbitterte.
Als Zwingli und Oek. gestorben waren, äußerte er sich dahin: „es ist gut, daß die
beiden Führer der Evangelischen gestorben sind; wenn sie noch lebten, wäre es um
uns geschehen" (vgl. R. Stähelin, Huld. Zwingli I, 314—318, idem vgl. b. A. Eras=
mus, Bd V, S. 442 f.).

10   Oek. blieb nicht lange in Basel. Er erlangte 1516 an der Basler Universität den
Licentiatengrad und hielt Vorlesungen über Obadja (er hatte in Heidelberg bei einem
getauften Juden, Matthäus Adriani, einem spanischen Arzte, Hebräisch gelernt), Ephefer=
brief und die Sentenzen des Lombarden, aber nach kurzer Zeit kehrte er, aus uns unbe=
kannten Gründen, nach Weinsberg zurück, um neben Privatstudien in Heidelberg seine
15 Pfründe zu versehen. Hier trat er nun gegen eine Zeitunsitte auf, den risus paschalis,
wonach die Geistlichen in der Osterzeit lustige Schwänke auf die Kanzel brachten, um
ihre Zuhörer für den großen Ernst der Fastenpredigten und Passionsmysterien zu ent=
schädigen. Die freundschaftliche Warnung Capitos vor allzu großer Strenge veranlaßte
ihn zu der Rechtfertigungsschrift: de risu paschali (1518). „Reformatorisch" war
20 dieser sein erster Versuch nur etwa im Sinne Savonarolas, indem er das kirchliche
Dogma unangetastet ließ und lediglich die Abbestellung von Mißbräuchen bezweckte. Von
einer Reformation im Sinne Luthers war er damals noch sehr fern.

     1518 finden wir ihn schon wieder in Basel. Es war, als ob etwas Unstetes in seinem
Wesen ihn nirgends zur Ruhe kommen ließ. Diesmal folgte er einem Rufe des Erasmus
25 (13. März 1518, von Löwen aus), um ihm bei der zweiten Ausgabe seines NT behilflich
zu sein. Im Mai dieses Jahres sollte er durch Reuchlin einen ehrenvollen Ruf als
Professor des Hebräischen nach Wittenberg erhalten, seine eben erfolgte Berufung nach
Basel vereitelte aber den Plan Reuchlins. In dieser Zeit beschäftigte er sich fast aus=
schließlich mit gelehrten Studien, u. a. über die hieronym. Bibelübersetzung und griech.
30 Grammatik. Letztere hatte er in Heidelberg vorgetragen, und als Frucht dieser Arbeit
erschien 1518 oder 1520 seine Schrift: graecae linguae dragmata. Am 9. September
1518 doktorierte er in Basel und im Dezember dieses Jahres wurde er als Prediger an
die Hauptkirche nach Augsburg gewählt. Der Weggang von Basel war für ihn nicht
minder bedeutungsvoll als seine erste Berufung vor drei Jahren. Diesmal war es in
35 gewissem Sinne seine Errettung aus der Abhängigkeit von Erasmus, die sich bei der
Gemeinsamkeit der Gelehrtenthätigkeit je länger desto fühlbarer machte. In Augsburg kam
er in eine ganz andere Umgebung und unversehens mußte er Stellung nehmen zu dem
größten Antipoden des Erasmus — zu Luther. Die Trennung von Erasmus fiel ihm
freilich schwer, war er ihm doch „die Krone seines Hauptes".

40   III. Als Oek. nach Augsburg kam, fand er die Bürgerschaft in gewaltiger Auf=
regung. Luthers Thesen und seine ersten reformatorischen Thaten hatten bei ihr einen
tiefen Anklang gefunden, und der neue Geistliche, der bis jetzt in aller Gelassenheit wie
Erasmus die Reformation mehr als eine Angelegenheit der Gelehrten betrachtet hatte,
sah sich einer Volksbewegung gegenüber, die dem einzelnen eine Entscheidung forderte.
45 Wohl fühlte er sich durch diese für ihn ganz neuen Verhältnisse bedrückt, wohl hätte er
sich am liebsten wieder in die Stille seines Gelehrtenlebens zurückgezogen, aber er wich
nicht, nachdem es ihm einmal klar geworden war, daß Luther die Wahrheit für sich habe.
Es ist kein Zweifel, daß Luther zu dem aufrichtig Suchenden und Ahnenden das lösende
Wort gesprochen hat. Seine Predigten über die zehn Gebote und die Thesen brachten
50 ihm die Entscheidung (Bucer an Mycon. 23. April 1534: Oecol. nunquam dissi-
mulavit, se a Luthero edoctum, justitiam nostram esse remissionem peccatorum). Zum Verständnis dieser Wandlung muß man sich den Verkehr Oek.s mit
Brenz, Melanchthon, Capito und auch mit Erasmus gegenwärtig halten. Capito namentlich
mit seiner kräftigern Entwickelung hat auf ihn mehr eingewirkt, als ihm bewußt war,
55 und Oek. war der stille Zeuge der Kämpfe und Zweifel des älteren Freundes. Erasmus
wiederum hat bei aller kalten Zurückhaltung durch seine humanistischen Forschungen die
Fundamente des katholischen Dogmas unterhöhlt, und dazu kamen schließlich die Berichte
Melanchthons, die ihn über den Verlauf der Wittenberger Bewegung unterrichteten. Hält
man alle diese Momente mit der neuen Aufgabe und der lebendigen evangelischen Strö=
60 mung in Augsburg zusammen, so kann es nicht mehr wundernehmen, daß Oek. jetzt

offen und privatim für Luther eintrat. Allerdings, die Lossagung von der katholischen Kirche war noch lange nicht vollzogen, noch stand ihm die schwerste Krisis bevor, in welcher erst der katholische Sauerteig ausgeschieden wurde.

Im katholischen Lager nahm man ihn und seine Augsburger Freunde, den Domherrn Adelsmann von Adelsfeld, den Stadtschreiber Peutinger, Langenmantel und Frosch, nicht gerade ernst. Eck höhnte, in Augsburg hielten es nur einige „canonici indocti" mit Luther. Diese Bemerkung veranlaßte ihn (vgl. Luther an Spalatin vom 10. Jan. 1520, 8. Febr. 1520 und 27. Febr. 1520) und die Brüder Bernhard und Konrad von Adelsmann zu der geharnischten Gegenschrift: responsio indoctorum doctissimorum canonicorum, die Ende 1519 anonym erschien, und dem anmaßenden Hochmute Ecks vorhielt, er habe noch „kein Buch geschrieben, das nicht scholastische Barbarei verrate und von Irrtümern wimmle".

Während er sich so scheinbar mit raschen Schritten dem reformatorischen Standpunkte näherte, überraschte er plötzlich seine Freunde durch seinen am 23. April 1520 erfolgten Eintritt in das Brigittenkloster Altenmünster bei Augsburg. Die Nachricht, daß der gefeierte und mutige Oek. ein Mönch geworden sei, rief bei den einen Spott, bei andern, wie bei Capito, tiefe Trauer hervor. Leider ist die — wahrscheinlich ausführliche — Apologie Oek.s, die er bezeichnenderweise an Erasmus richtete, nicht mehr vorhanden, so daß wir von ihm direkt nichts über seine Beweggründe erfahren. In seiner Antwort (vom 4. Nov. 1520) bemerkte Erasmus nur, er habe seine Schrift noch nicht gelesen. Andern gegenüber erklärte Erasmus: er habe ihn immer im Verdacht gehabt, daß er daran denke. Ob Oek., als er sich vor Erasmus rechtfertigte, hoffte, daß er bei ihm, der selbst in einer unseligen Stunde Mönch geworden, am ehesten Verständnis und Nachsicht finden werde?

Nichtsdestoweniger ist dieser Schritt nach seinen Motiven nicht dunkel. Oek. hatte von frühe an eine starke Neigung und Sehnsucht nach dem Klosterleben gehabt. Dabei inspirierte ihn nicht wie Luther das glühende Verlangen, durch diese That „einen gnädigen Gott zu bekommen", noch bewog ihn ausschließlich, wie Hagenbach annimmt, die Stille des Klosterlebens dazu, der Wunsch, aus der unruhigen Öffentlichkeit in die Einsamkeit der Klosterzelle sich zu flüchten. Vielmehr war es seine natürliche Empfänglichkeit für die Mystik und seine tiefwurzelnde Sympathie für die Ideale des Mönchlebens, welche das treibende Motiv gewesen sind. Schon 1515 hatte er in einer Schrift diejenigen drei- und viermal glücklich gepriesen, die aus Liebe zur Vollkommenheit der Ehe entsagen. Seither kehrte diese Versuchung immer wieder, so daß er in Basel seinen humanistischen Freunden durch seine Vorliebe für katholischen Kultus und das asketische Leben Anstoß gab. Noch in Augsburg beschäftigte er sich mit der Übersetzung der Ermahnungsrede des Gregor von Nazianz an eine Jungfrau. Diese Schrift dedizierte er der Tochter seines Freundes Peutinger, und durch sie wurden sowohl seine Bekannte als auch er selbst in ihren Neigungen für das Kloster bestärkt. Seinem Freunde Peutinger gestand er nach seinem Eintritt: „ich suchte damals nichts irdisches, denn ich hätte der Welt nach auch etwas anderes sein können". Auch hatte er in seinem Amte wenig Befriedigung gefunden, so daß er an seiner Befähigung für das Predigtamt überhaupt verzweifelte, aber trotzdem geschah sein Eintritt, den er ohne Vorwissen seiner Eltern vollzog, aus seiner tiefsten Seele heraus. Als die Freunde ihn tadelten (vgl. Capito an Luther und Zwingli, CR I, 163), ließ er sich nicht irre machen. Er hatte sich vorgenommen, sich selbst zu leben (vgl. Burckhardt-Biedermann. Theol. Zeitschr. der Schw. X, S. 30 ff.).

Immerhin that er den Schritt nicht ohne Klauseln. Er wahrte sich ausdrücklich das Recht, im Kloster nach dem Worte Gottes leben und, falls dies nicht möglich sein würde, jederzeit nach Belieben austreten zu dürfen. Er war doch zu gebildet und mit den thatsächlichen Verhältnissen in manchen Klöstern zu vertraut, als daß er diese selbstverständliche Reserve für überflüssig hätte halten dürfen. Anfänglich fühlte er sich, wie er an Pirkheimer schreibt, wenn nicht glücklich, so doch beruhigt. Die Abkehr von den Menschen und die Einkehr in sich selbst thaten ihm wohl, er versuchte auch ehrlich, ein treuer Sohn seiner Kirche und ein guter Mönch zu sein. Es liegt etwas ungemein rührendes in diesem Bemühen, auch mit den Lehren der Kirche sich abzufinden, welches z. B. in dieser Zeit fallenden Marienpredigten offenbar wird. Aber die innere Aussöhnung mit der Kirche gelang ihm nicht. Im Kloster hatte er Ruhe und Frieden gesucht und im Kloster wurde der Zwiespalt größer. In seiner Marienpredigt am Empfängnisfest — 1521 in Basel gedruckt bei Kratander — suchte er von der Marienverehrung zu retten, was zu retten war, ihre Verehrung zu bejahen, indem in ihr Gott

verehrt werde, ihre Anrufung zu gestatten, wobei er hinwies auf den noch gnädigeren
Fürbitter Christus. Diese Erläuterungen zeigen am besten, wie fern er im Grunde der
Theorie und Praxis der katholischen Marienverehrung stand. Ähnlich erging es ihm mit
der katholischen Abendmahlslehre, über die er am Fronleichnamsfeste predigte (1521 lat.
in Basel und deutsch in Augsburg erschienen). Diese Predigt enthüllt uns ein von
Zweifeln zerrissenes Herz. Er will predigen, was die Kirche lehrt, aber was er wirklich
im Gehorsam gegen sein Gewissen sagt, ist Ketzerei. Thatsächlich giebt er die Wandlung
auf und lehrt, daß die Substanz der Elemente unverändert bleibe. Dafür behauptet
er die mysteriöse Gegenwart des Leibes und Blutes Christi, dessen Genuß die Grundlage
des Auferstehungsleibes bilde. Das Meßopfer ist ihm nur eine Erinnerung, nicht eine
Wiederholung des Opfers Jesu am Kreuz. Schließlich verteidigt er das Abendmahl
unter beiderlei Gestalt als einen leider nicht mehr üblichen, aber noch nicht verjährten
Usus. Ebenso zwiespältig war seine Stellung zur Beichte (vgl. s. Schrift: quod non
sit onerosa Christianis confessio, Basel 1521). Auch hier wollte er das Beicht-
institut retten durch eine Umgestaltung in evangelischem Sinne. Er fordert, daß man
Gott beichte, denn Gott vergebe, nicht der Priester. Jesus habe auch nicht die Beichte
der einzelnen Sünden verlangt, sondern ein allgemeines Sündenbekenntnis. Der Vorschlag, den er hierfür in seiner Schrift aufstellt, ist nicht gerade glücklich für eine allgemeine Beichtformel, dafür aber psychologisch interessant zum Verständnis seiner eigenen
Stimmungen. Überhaupt ist die Schrift aus den Seelenqualen herausgeboren, die er
beim Beichthören erduldet, und sein verhaltener Ingrimm über diese „Folter des Gewissens" bricht mehrmals durch. Was er an die Stelle der priesterlichen Beichte stellt,
daß ein Bruder dem andern sein Herz ausschütte, ist im Grunde die Verwerfung des
katholischen Beichtsakramentes.

Es ist selbstverständlich, daß er so nicht länger im Kloster bleiben konnte, zumal da
er im Kultus keine Erquickung fand. Die Schriften und Predigten, die aus seiner Zelle
ausgingen, wurden je länger desto evangelischer, und schließlich gab er, der aus seiner
Bewunderung für Luther auch im Kloster keinen Hehl gemacht hatte, auf eine Anfrage
Adelmanns ein Urteil über Luther ab, welches an Deutlichkeit nichts zu wünschen übrig
ließ: „Luther steht der evangelischen Wahrheit näher als seine Gegner. Was ich von
ihm gelesen habe, wird so sehr mit Unrecht verworfen, daß damit auch die hl. Schrift
geschmäht wird ... Ja das meiste, was Luther lehrt, ist mir so gewiß, daß wenn auch
Engel Widerspruch dagegen erheben würden, sie mich von seiner Meinung nicht abwendig
machen könnten". Und eben erst hatte Eck die Bannbulle gegen Luther nach Deutschland gebracht! Capito übergab diese Antwort sofort der Öffentlichkeit, wie denn überhaupt Oek.s Freunde vieles ohne sein Wissen drucken ließen und dadurch dem Schwanken manche Entscheidung ersparten. Gleichwohl war es für ihn peinlich, daß seine innersten
Stimmungen und Empfindungen allgemein bekannt wurden, ganz abgesehen davon, daß
dadurch sein Verhältnis zu den Klosterbrüdern unhaltbar wurde. Aber schließlich konnte
es nicht mehr verborgen bleiben, daß er genau so wie jetzt wieder klarer hervorbrechenden Licht
der Wahrheit" freudig zustimme (vgl. auch Luther an Spalatin 10. Juni 1521, an
Melanchthon 13. Juli 1521), und daß für beide Teile eine Lösung unabweislich geworden
sei. Die Befürchtungen seiner Freunde, Oek. könnte gewaltsam entfernt und gefangen
gehalten werden, waren wahrscheinlich grundlos. Die Brüder versahen ihn sogar mit
Reisegeld, und so verließ er unter ihrer und der Eltern Zustimmung Ende Februar
1522 das Kloster. Als ein zweifelnder, aber aufrichtiger katholischer Christ war er Mönch
geworden, als ein werdender Reformator zog er die Kutte aus.

Er war nun heimatslos und arbeitslos. Die Universität Heidelberg verweigerte ihm
die Habilitation. Einen Ruf der baierischen Herzoge als Professor nach Ingolstadt
mußte er ablehnen, da er den von ihm verlangten Widerruf seiner lutherischen Ansichten
nicht leisten konnte. In dieser mißlichen Lage nahm er Mitte April 1522 gerne die
Stelle eines Schloßkaplans auf der Ebernburg an, welche Franz von Sickingen schon so
manchem um seines evangelischen Glaubens Verfolgten als Asyl zur Verfügung gestellt
hatte. Hier erfolgte nun seine erste reformatorische That, indem er die Messe deutsch las
und an den Werktagen zur Messe deutsch predigte. Franz von Sickingen hatte es ihm
freigestellt, die Messe ganz fallen zu lassen, aber er wollte keine zu großen Sprünge und
zu sehr anstoßende Neuerungen vornehmen. Über die Messe war er freilich längst hinaus: „Christus, schreibt er an Hedio, sei die einzige einmal dargebrachte Hostie." In
seinen Predigten wurde er immer schärfer, protestantischer. Er griff die hierarchischen
Häupter der Kirche an, er erklärte, auf Grund des allein maßgebenden Wortes Gottes

alle Änderungen zu wagen, welche zum Lobe Gottes und zum Nutzen des Nächsten dienen. Trotzdem fühlte er sich auf die Dauer nicht glücklich auf der Ebernburg. Das Milieu dieses landsknechtartigen Protestantismus stieß ihn ab, zudem kam er sich vor wie der Sämann, der auf das Steinige säet (an Hedio 15. Oktober 1522). Fliehen wollte er nicht, um nicht undankbar zu erscheinen, aber er wäre gerne auf anständige 5 Weise fortgekommen. In dieser Hoffnung war er schon im Juli 1522 nach Frankfurt gereist und hatte dort, während er etwas passendes suchte, an den Homilien des Chrysostomus gearbeitet. Erst im November 1522 schlug die Stunde der Erlösung. Kratander lud ihn ein, wieder nach Basel zu kommen, und Oek. folgte mit Freuden, obschon er keine bestimmte Anstellung hatte. Am 17. November betrat er die Stadt, in der ihm 10 sein Lebenswerk, die Durchführung der Reformation, wartete.

IV. Wenn man Oek. den Reformator Basels nennt, so darf das nicht in dem Sinne verstanden werden, als ob diese Bewegung ihm ihren Ursprung zu verdanken hätte, etwa so wie Zwingli in Zürich den Anstoß zur Reformation gegeben hat. Ein Niklaus Manuel in Bern z. B. hat mehr ursächlich auf die reformatorische Bewegung eingewirkt 15 als Oek. Als dieser nach Basel kam, waren die Fundamente der alten Ordnung bereits erschüttert und die Bürgerschaft im Suchen nach einer neuen begriffen. Das Verdienst des Reformators von Basel besteht darin, daß er durch seine mächtigen und eindrucksvollen Predigten, durch seine feste Mäßigung und durch seine rücksichtsvolle Milde, und vor allem durch seine geistige Klarheit und seine zielbewußte Konsequenz, die mit poli- 20 tischen Begehrungen stark vermischte Bewegung (man denke an den Kampf mit dem Bischof und Adel) vertieft und in eine ausgesprochen religiöse umzusetzen sich bemüht hat. Seit dem Eintritt Basels in den Schweizerbund (1501) spornte das Vorbild der schweizerischen Demokratien die Bürgerschaft Basels zur Umgestaltung ihres Staatswesens in freiheitlichem Sinne an. Bisher stand Basel unter der sogenannten 25 Handveste, nach welcher der Bischof jedes Jahr eine Regierung einsetzte, wobei nur Adelige (d. h. Angehörige der „hohen Stube"), Ritter und Achtbürger wählbar waren. Als nun Basel schweizerisch wurde und auch Anteil an der schweizerischen auswärtigen Politik erhielt, schien für die Bürgerschaft der Augenblick gekommen, diejenigen Rechte zu fordern, welche dieser Stand in den übrigen schweizerischen Gemeinwesen besaß. Im 30 Jahre 1506 setzte sie bei Bischof von Utenheim eine neue Handveste durch und 1516 erfolgte ein weiterer, wichtiger Schritt in der Demokratisierung der Stadt, indem die „hohe Stube" ihrer Bevorzugung beraubt und der erste bürgerliche Bürgermeister gewählt wurde, Jakob Mayer, dessen Bildnis auf der bekannten Holbeinschen Madonna verewigt ist. Nach dieser demokratischen Reform begann der Kampf mit dem Bischof (vgl. 35 A. Heusler, Verfassungsgeschichte Basels im Mittelalter, Basel 1860). Anläßlich des Todes des letzten Grafen von Thierstein, dessen Schloß Pfeffingen unter gewissen Bedingungen unter die Oberhoheit der Stadt Basel fallen sollte, brach der Streit aus. Basel bestellte einen Vogt, aber der Koadjutor des altersschwachen Bischofs leistete Widerstand und vereitelte alle Vermittelungsversuche der Eidgenossenschaft. Die darob erbitterte 40 Bürgerschaft beschloß 1521, in Zukunft keinem Bischof mehr zu schwören, ihm die Besetzung des Rates wegzunehmen, und keinen Lehensmann des Bischofs in seinem Schoße zu dulden. Das war nun offenkundige Revolution gegen den rechtmäßigen Landesfürsten, ein rechtswidriges Vorgehen, zu welchem der Koadjutor die Bürger allerdings gereizt hatte. Die Basler deckten sich durch die Motivierung, der Bischof habe durch 45 die Uebertragung der Geschäfte an einen Koadjutor selbst die Handveste außer Kraft gesetzt, da dieselbe nur während der „Amtsthätigkeit" des Bischofs bindend sei, und weiter: sie müßten ihre Regierung nach dem wesentlichen Stand der übrigen Eidgenossen einrichten; ihre bisherigen Gebräuche und Pflichten gegen den Bischof und ihre Abhängigkeit vom Adel aber sei unschweizerisch. So wurde die Handveste 1521 umgestoßen. Basel 50 hatte sich der Herrschaft des Bischofs entzogen, als noch kein Mensch ernstlich an eine kirchliche Reformation dachte. In ähnlicher Weise ist im 15. Jahrhundert Bern durch die Unthätigkeit und verkehrte Politik der Kirche gezwungen worden, derselben oberhoheitliche Rechte, die sie besaß, zu entziehen, und die Nationalisierung der Kirche durchzuführen, und das lange vor der Reformation! Es ist aber sehr begreiflich, daß, als nun einmal 55 auch in Basel reformatorische Prediger auftraten, ihre Worte bei der Bürgerschaft auf sehr empfänglichen Boden fielen, und daß der Bischof infolge der kurzsichtigen Politik seiner Koadjutoren von vornherein machtlos war. Und doch hatte der edle Bischof die besten Absichten für eine Reform der Kirche, ja, er war es selbst gewesen, der solche Männer nach Basel zog. Der erste, welcher in Basel reformierend wirkte, war Capito (vgl. d. A. 60

19*

Bd III, S. 715). In Verbindung mit dem Franziskaner Guardian Pellikan und Seb. Münster betrieb er das Studium der Schrift. Seine erste reformatorische That war die Durchbrechung der Perikopenordnung. Leider verließ Capito Basel schon 1519, aber seine Saat ging auf. Ganz anders, gewaltiger und erregender, war das Auftreten des
5 Pfarrers zu St. Alban, Wilhelm Röubli, der im Jahr 1521 anfing, „wider die Opfer= meß, Fegfeuer, der Heiligen Anrufung, die Seelgeräthe und dergleichen Stuck, ernstlich das gemeine Volk zu lehren, daneben ihnen das Fundament aller Propheten und Aposteln, Christum den Gecreutzigten Heiland, mit seinen Verdiensten einzubilden, mit solchem Zu= lauf, daß sich bisweilen viertausend Menschen an seiner Predigt finden liessen" (Wurst).
10 Als er nun bei der Fronleichnamsprozession von 1521 eine Bibel statt der Reliquien vorantragen ließ, mit der Aufschrift: „Biblia, das ist das rechte Heilthum, das andre sind Todtenbein", erhob die Priesterschaft Klage beim Bischof und forderte seine Be= strafung. Dieser durfte es aber bei der gefährlich gespannten Lage nicht wagen, selbst ein= zuschreiten, sondern wandte sich an den Rat, er möge diesen Feind der Kirche gefangen
15 setzen. Da rottete sich das Volk zu Barfüssern zusammen und verlangte stürmisch, daß man ihm den Prädikanten lasse. Der erschrockene Rat sagte dem Volke zu, aber schließ= lich gelang es doch den Umtrieben der Geistlichen, die Verbannung Röublis durchzusetzen 1522. Röubli zog nach Zürich. Er war es, welcher wie einen Feuerbrand die evange= lische Wahrheit und den Zweifel an der kirchlichen Lehre und Praxis in die Seele des
20 Volkes geschleudert hat. Nachhaltiger noch als Röubli wirkten die Predigten des Joh. Lüthard am Basler Barfüsserkloster und des Wolff Wissenburg (Wolfgang Weißen= burg) Prädikant am Spital. Der Letztere las sogar die Messe deutsch und ver= kündigte unter großem Zulauf und unter Zustimmung der Gemeinde die Wahrheit „des gotlichen evangelischen wortz" (Ryff). Trotz der Feindschaft der zahlreichen Geist=
25 lichkeit (Basel zählte neben den vielen Kirchen und Kapellen noch 9 Klöster und 22 Beghinen= und Beghardenhäuser), welche auch seine Vertreibung durchsetzen wollte, blieb er unangefochten, weil er ein Basler und sein Vater, ein frommer angesehener Mann, Mitglied des Rates war.

Als Oek. nach Basel kam, fand er hier bereits das Centrum einer evangelischen
30 Bewegung vor, von dem so viele Bücher und Schriften ausgingen, daß sich die eid= genössische Tagsatzung 1522 bewogen fühlte, Zürich und Basel ernstlich zu warnen, das Drucken neuer Bücher abzustellen, da „große Unruhe und Schaden daraus entstehen könnte." Aber der Basler Bewegung fehlte das Haupt. Das war die Aufgabe, die seiner wartete.
35 Er war zunächst ohne Anstellung. Ende 1522 wurde er — unbesoldeter — Vikar des Pfr. Anton. Zanker zu St. Martin. Im Frühjahr 1523 ernannte ihn der Rat zugleich mit Pellikan zu Lektoren der hl. Schrift an der Hochschule, aber da die anti= evangelisch gesinnte Universität sie nicht anerkannte, mußte er seine Vorlesungen (über Jesaias) außerhalb der akademischen Zunft beginnen. Die Universität wurde mehr und
40 mehr der Hort der Altgläubigen, und selbst Erasmus, erbittert über den Austritt Oek.s aus dem Kloster, — dessen Bedeutung er sehr wohl verstand — trat mit unhöflicher Kälte seinem ehemaligen Freunde entgegen und ließ es ihn fühlen, was es heißt, einen Erasmus zum Feinde zu haben. Aber die Feindschaft der Gelehrten schadete ihm nichts. Geistliche und Laien drängten sich trotz des Verbotes des Bischofs in großer Zahl zu seinen Vorle=
45 sungen, und als die Kunde von den Vorgängen an der Universität und dem Erfolg Oek. in seiner Thätigkeit nach Wittenberg gelangte, schrieb ihm Luther (23. Juni 1523), er möge sich um des Erasmus Mißtrauen nicht kümmern. Nun hatte er es erst recht mit Eras= mus verdorben, aber er gewann als Ersatz die Freundschaft Zwinglis, um die er in einem Briefe (10. Dez. 1522, vgl. die Antwort Zwinglis: Stähelin I, 249) gebeten hatte.
50 Die Nachbarschaft zwischen Zürich und Basel, ihre gemeinsame Stellung innerhalb der Eidgenossenschaft ließen es Oek. rätlich erscheinen, mit dem Führer der Evangelischen in der Schweiz, für den er eine tiefe Achtung besaß, in ein näheres Verhältnis zu treten. Die natürliche Folge war, daß er, der bei aller persönlicher Initiative und Klarheit seines Denkens stets der Anlehnung an einen Stärkeren bedurfte, sich in Zukunft immer
55 weniger von Luther und immer mehr von Zwingli beraten ließ. Ihre Freundschaft war stets innig und ungetrübt. Von Angesicht zu Angesicht sahen sie sich nur selten.

Ende 1522 wollte die Universität, um der latenten Krisis ein Ende zu bereiten, einen Schlag gegen die neue Richtung führen. Der Jurist Wonnecker, ein hohler Kopf, schlug am Weihnachtstag Thesen gegen Luther an. Man erwartete Faber und Zwingli
60 zu der Disputation, sie kam aber nicht zu stande. Zwingli hatte ein Interesse, die erste

Disputation auf Zürcher Boden zu veranstalten und lud nun seinerseits neben den eid=
genössischen Ständen und den Bischöfen die Basler Universität ein. Die Stände trauten
aber dieser Veranstaltung nicht und zogen es damals vor, die Religionsangelegenheiten
kantonal zu behandeln. Auch die Basler Universität blieb fern.

Der Erfolg der Zürcher Disputation, welche trotzdem stattfand, ermunterte die 5
Freunde der Reformation in der ganzen Schweiz, und auch Oek. fühlte sich so gestärkt,
daß er nun seinerseits (30. August 1523) zu einer öffentlichen Disputation vier Sätze
aufstellte, und sie trotz des Widerstandes der Universität unter großer Beteiligung vertei=
digte. Ueber diesen Erfolg soll Erasmus an Zwingli (vgl. Zw. an Oek. 11. Okt. 1523)
geschrieben haben: „Oecolompad apud nos triumphat“. In den uns erhaltenen 10
Erasmusbriefen findet sich nur die Bemerkung: „Er (Oek.) ist ein ganz trefflicher Mann,
aber für Ermahnungen unzugänglich, auch wenn sie von befreundeter Seite stammen“
(Erasmus an Zwingli Ende August 1523). Den Wortlaut der Sätze giebt Hagenbach
S. 47. Das Wort „Oecolomp. triumphat“ war übrigens der Wahrheit durchaus
entsprechend. Schon seine ersten Predigten waren durchschlagend und rißen das Volk 15
mit, so daß bald nach seinem Amtsantritt verschiedene Ceremonien unterlassen wurden,
Priester sich verheirateten und in seine Bahnen traten, und die Bevölkerung sich mit der
Geistlichkeit in zwei scharf geschiedene Parteien spaltete (vgl. Ryff S. 35 ff.). Die Mehr=
heit der städtischen Priesterschaft bekämpfte ihn aufs leidenschaftlichste, aber der Rat war
damals der Reformation eher günstig gesinnt. Er erließ, im Frühjahr 1523 sein erstes 20
Reformationsmandat, „das erste Dokument der Oberherrlichkeit des Staates über die
Kirche in Basel“, welches allen Predigern angesichts „der durch das zwiespältige Pre=
digen entstandenen Zwietracht“ gebot, „nichts anderes denn allein das hl. Evangelium
und Lehr Gottes frei, öffentlich und unverborgen zu verkündigen“. Dasselbe bedeutete
noch keine ausdrückliche Zustimmung zur Reformation, insofern die dem Evangelium nicht 25
entsprechenden Lehren, „sie wären schon von Luther oder andern Doctoribus ausgegangen“,
abgewiesen werden, aber die Freigabe der Predigt des göttlichen Wortes war ein so be=
deutender Fortschritt, daß darin implicite die Bejahung der Reformation lag (über
das Mandat und seine Chronologie vgl. Vischer: Ryff S. 37; Riggenbach, Pellikan
S. 88 ff.; Burckhardt, Anz. f. Schw. 1894 S. 117 ff.). 30

Am 16. Februar 1524 fand eine zweite Disputation statt. Der Liestaler Leut=
priester Stephan Stör, der bisher im Konkubinat gelebt hatte, verheiratete sich mit seinem
illegitimen Weibe und ließ sich kirchlich trauen. Da er aber sein Amt gerne beibehalten wollte,
machte er durch den Stadtrat von Liestal dem Rat von Basel Mitteilung von seinem Schritte
und bat um die Erlaubnis, denselben öffentlich verteidigen zu dürfen. Auch diese Disputation 35
fand Widerspruch von seiten der Universität. Stör verteidigte seine Sätze über die Ehe,
ohne daß ihm einer der anwesenden Vertreter der Universität und des Bischofs entgegen=
getreten wäre. Oek. stimmte mit Berufung auf seine Predigten der Priesterehe zu, doch
erklärte er, immerhin mit der Reserve von 1 Ko 7, 7—9, das Cölibat habe den Vorteil,
daß man seinem Amte besser leben könne. Entschiedener wurde die Priesterehe von Pelli= 40
kan, dem Franziskaner Jakob Wirben und dem Laien Hartmut von Kronberg verteidigt.
Der Erfolg der Disputation war durchschlagend.

Ungefähr zur selben Zeit kam der feurige Farel von Meaux als Flüchtling nach
Basel und erbot sich alsbald zu einer Disputation an. Der Rat erteilte der immer
widersprechenden Universität zum Trotz die Erlaubnis und befahl allen Geistlichen und 45
Professoren, daran teilzunehmen (Die Thesen Farels und das Mandat des Rates
vgl. Ryff S. 40 ff.). Die Disputation fand wahrscheinlich Ende Februar statt (27. oder
29. Febr., nicht schon am 15.). Der Erfolg der Disputation war eine erneute Stärkung
der evangelischen Partei. Farel freilich wurde, weil er mit Erasmus in Streit geriet,
ausgewiesen (vgl. A. Farel Bd V, S. 763). 50

Oek. wurde nun, als infolge einer Berufung des Herzogs Ulrich von Württemberg
der Stadt sein Weggang drohte, zum Prediger von St. Martin erwählt, und ihm auf
seinen Wunsch gestattet, das Wort Gottes nach seiner Überzeugung zu predigen, und die
der Schrift entsprechenden Änderungen vorzunehmen. Auch gab man ihm einen Diakon.
Sie tauften nun in deutscher Sprache, teilten (nach Wurst) das Abendmahl in beiderlei 55
Gestalt aus und stellten die „unnützen“ Ceremonien ab, alles mit Vorwissen des Rates.
Später, im Sommer des Jahres 1526, folgte dann auch die Einführung des deutschen
Kirchengesanges in Basel, indem Oekolampad am 10. August in der St. Martinskirche
deutsche Psalmen singen ließ (vgl. Riggenbach S. 12 ff.).

Inzwischen rafften sich die kath. Stände der Schweiz zu einem energischen Vorgehen 60

gegen die Reformation auf, und das Jahr 1525 schien das bisher Erreichte in Frage stellen zu
wollen. Am 5. Jan. traten die Boten der sechs katholischen Orte vor den Rat und mahnten
ihn, beim alten Glauben zu bleiben. Sie fragten an, ob Basel zu einem gemeinsamen Vorgehen gegen Zürich geneigt sei, sie klagten, daß die Stadt vertriebene Praedikanten auf-
5 nehme, „Schand- und Schmachbüchli" drucken lasse und entgegen den beschworenen
Bünden mit Straßburg in Bündnisverhandlungen stehe. Basel schlug das Hilfegesuch
gegen Zürich ab mit der Begründung: das sei auch gegen den Bund. Infolgedessen
blieb der Friede noch einige Jahre gesichert, und damit war die schweizerische Reformation gerettet. Gleichwohl schöpften die Altgläubigen Basels wieder Mut. Gegen Oek.s
10 ziemlich einschneidende Reformationspläne erhob sich Widerspruch, und der Rat, dadurch bedenklich gemacht, erbat sich von Erasmus ein Gutachten (vgl. Wurst. VII, 14).
Dasselbe ist sehr diplomatisch gehalten, giebt die Berechtigung der Reformation teilweise
zu, rät aber, man möge sich vertrauensvoll an den Papst wenden und inzwischen den
Empörungen vorbeugen. Nicht ohne Absicht hatte Erasmus in diesem Gutachten das
15 Gespenst des Aufruhrs an die Wand gemalt, dehnten doch die aufrührerischen Bauern
ihre Streifzüge bis fast vor die Thore der Stadt aus. Der Sundgau, das Elsaß, der
Breisgau, der Schwarzwald und teilweise die Basler Landschaft (Stephan Stör) war von
ihnen besetzt. Dank der einmütigen Haltung der Bevölkerung Basels blieb die Stadt
verschont, und ein Vertrag mit den Bauern kam zu stande. Natürlich gab man von
20 katholischer Seite nachher der Reformation Schuld, unbegreiflicherweise wurde dieser Vorwurf auch von lutherischer Seite gegen Oek. erhoben.

   In ähnlicher Lage befand sich Oek. gegenüber den Wiedertäufern, deren Radikalismus
auch in Basel die Reformation diskreditierte. Oek. stand ihnen anfänglich, wie Zwingli,
nicht sehr fern, hatten doch viele spätere Wiedertäufer zu den eifrigsten und zum Teil
25 geschicktesten Anhängern der Reformation gehört. Als Karlstadts Buch über die Kindertaufe erschien, schrieb er am 21. November 1524 an Zwingli, er könne dieser Ansicht
noch nicht zustimmen und bitte um Belehrung. Er suchte auch freundschaftlich mit ihnen
zu verkehren, und unterredete sich mit Denk, Hubmeier, Karlstadt und Münzer, die in
Basel Zuflucht gesucht hatten. Den Münzer hatte er, ohne ihn zu kennen, als bemit-
30 leidenswerten Fremdling in sein Haus aufgenommen. Als er sich aber zu erkennen gab,
verwies er ihm seinen Zwiespalt mit Luther. Als von der Kindertaufe die Rede war,
gestand Oek., daß das für ihn noch eine offene Frage sei. Münzer hat sich später auf
der Folter auf diese Unterredung berufen, was für Oek. sehr peinlich war. Auch sein
schriftlicher Verkehr mit Hubmeier verrät noch diese Unsicherheit (Januar 1525), aber im
35 August 1525 vertritt er (an Haller vom 8. August) bereits mit Entschiedenheit jene ab-
weisende Stellung, die er auch bei einer Privatdisputation mit den Wiedertäufern in
seinem Hause (August 1525) einnahm. Die Taufe gilt ihm jetzt als das Seitenstück der
Beschneidung: durch sie trete das Kind in die christliche Familie ein. Einen Erfolg hatte
das Gespräch nicht, und von da an gingen ihre Wege auseinander. (Vgl. Burckhardt,
40 12—27.)

   Auch der Sakramentsstreit warf seine Wellen bis in die Kreise der Basler Reformierten. Ursprünglich stimmte Oek. materiell mit Karlstadt überein (quamvis non sub-
scribamus illi per omnia, summam tamen rei non improbandam esse censeo),
was ihm nicht nur bei seinen altgläubigen Gegnern, sondern auch beim Rat Mißfallen
45 zuzog. Die in Basel gedruckten Schriften Karlstadts wurden verboten, und der Verleger
mit Gefängnis bestraft. Die Geistlichen Basels entzweiten sich darob (Wolfgang Weißenburg z. B. dachte lutherisch), so daß Zwingli sie zur Einigkeit ermahnen mußte (5. April
1525) und ihnen den Oekolampad als einen Mann von unvergleichlicher Gelehrsamkeit
und Klugheit hinstellte, der nur den einen Fehler habe, daß er zu zurückhaltend sei. Anderer-
50 seits ermahnte ihn Melanchthon, nicht von der Wahrheit zu weichen. So war er von
beiden Seiten umworben. Da eine zur Beilegung des Streites in Basel in Aussicht genommene Disputation nicht zu stande kam, veröffentlichte Oek. zur Verteidigung seines
Standpunktes im August 1525 die Schrift: de genuina verborum Dom. „hoc est
corp. meum" . . . expositio (ohne sein Wissen verdeutscht durch den wenig rühmlich
55 bekannten Ludwig Hetzer). Die maßvolle Schrift führte nicht zur Verständigung, sondern
offenbarte, wie groß bereits die Kluft war. Die litterarische Erörterung wurde immer
gereizter. Selbst der sonst so milde Oek. ließ sich hinreißen, Luther den sächsischen Abgott
zu nennen. Eine vom Rat zur Prüfung des Buches eingesetzte Kommission (Erasmus,
Bär [Ursus], und die Juristen Cantiuncula [Claude Chansonnette] und Bonifaz Amer-
60 bach) verwarfen das Buch (vgl. Ryff 45), obschon es Erasmus privatim gelobt hatte.

Voll Entrüstung schrieb Oek. an Zwingli (12. Oktober 1525): „O der Elende, der seine Feder dazu hergiebt, gegen die ihm offenbar gewordene Wahrheit zu schreiben". Auch außerhalb Basels erregte das Buch Widerspruch, z. B. bei Billican und Pirkheimer. Luther antwortete und Brenz und Schnepf gaben gegen ihn das **Syngramma Suevicum** heraus. Fast schien in Basel seine Stellung erschüttert zu sein, so daß man ihm von 5 Straßburg und Zürich aus einen vornehmen Wirkungskreis anbot. Aber er blieb fest, obschon der neue 1526 gewählte Weihbischof Marius (Augustin Maier) ihn unaufhörlich bekämpfte. Dazu kam der Wegzug Pellikans nach Zürich (Februar 1526) und das allgemeine Vordringen der katholischen Partei in der Eidgenossenschaft im Jahre 1526.

Die katholischen Stände der Schweiz bereiteten, um die ihnen günstige Lage auszu= 10 nützen, einen Hauptschlag vor. Sie veranstalteten die Badener Disputation vom Mai 1526 (vgl. d. Art. Bd II S. 347), welche ihnen die moralische Basis bereiten sollte, um Zürich zur Rückkehr zum alten Glauben zu zwingen. Sie war so vorbereitet, daß der Sieg der Altgläubigen von vornherein sicher war. Zwingli fehlte, Haller von Bern redete nicht sehr geschickt, war auch nicht frei zu reden, was er wollte, und so kam alles 15 auf Oek. an, der in täglicher Verbindung mit Zwingli stand. Seine Reden machten trotz der ungünstigsten Bedingungen, unter denen er disputieren mußte, auf manche seiner Gegner einen tiefen Eindruck, Andere verspotteten freilich seine Schüchternheit, und nachher ging in Deutschland das Gerücht um, Oek. sei „mit aller seiner Macht zu Boden gestreckt, er habe auf alles zaghaft und schwach geantwortet, so daß die meisten den alten 20 Oek. in ihm vermißten". Am Schluß des Gesprächs unterschrieben nur 10 für Oek., und 82 für Eck, so daß dieser und Murner triumphierend den Sieg der katholischen Partei verkündigten. Von diesem Ausgang hofften die Altgläubigen nun eine entscheidende Wirkung zu ihrem Gunsten, und sie thaten schon die einleitenden Schritte, um die neue Lehre im ganzen Gebiet der Eidgenossenschaft zu unterdrücken. Auch Oek. hatte 25 gefürchtet, daß ihm der Rat in Basel nunmehr das Predigen untersagen werde. Schließlich war der Erfolg der Katholiken doch nicht so groß, wie sie gehofft hatten. Ja, sie verletzten durch ihren Übermut diejenigen, welche sie hatten gewinnen wollen, ebensosehr, wie sie sie durch die Verweigerung der Herausgabe der Akten gegenüber den Siegesberichten mißtrauisch machten. So erfolgte in Bern gerade infolge dieser Nachklänge der Badener 30 Disputation wider alles Erwarten der entscheidende Umschwung (vgl. Nikl. Manuels Spottgedicht: Ecks und Fabers Badenfahrt, Bächtold, S. 214 f. und A. Haller Bd VII S. 366 f.), so daß Oek. auf der Berner Disputation für eine Sache plaidieren konnte (1528), die ebenfalls schon vor dem Gespräch entschieden war (vgl. d. A. Berner Disputation Bd II S. 615 ff.). Oek., der hier seinen Freund Zwingli wohl zum ersten Male 35 sah, ergriff an dieser Disputation über 40mal das Wort.

Auch in Basel erfüllten sich nach der Badener Disputation die Hoffnungen der Gegner und die Befürchtungen Oekolampads (Stähelin, Zw. II, 35) nicht. Der Rat wollte nicht nur die bisherigen Reformen nicht aufgeben, er schritt sogar zu weiteren Änderungen (Verminderung der Festtage, Einführung der Sittenpolizei). Das Vorgehen 40 Berns übte einen nachhaltenden Einfluß aus. Am 20. Mai 1527 verlangte der Rat ein Gutachten über die Messe. Oek. und 7 Geistliche übergaben ihm die von Oek. verfaßte „Christliche Antwort der Diener des Evangeliums zu Basel, warum sie jetzt bei den Päpstlichen übliche Messe kein Opfer, sondern ein Greuel sei". Marius hatte sich mit Zögern zu einer lahmen Verteidigung herbeigelassen. Noch wollte der Rat die Ent= 45 scheidung über die Messe einem Konzil überlassen, aber schon im Herbst 1527 beschloß er, sie dem Gewissen des Einzelnen frei zu geben. Sie solle weder gelobt noch getadelt werden. Die Bürgerschaft verstand das behutsame, kluge Vorgehen des Rates nicht, welches in den eigenartig komplizierten Verhältnissen der Stadt begründet war. Wenn auch langsam, und mit steter Schonung der immer noch einflußreichen Freunde des alten 50 Glaubens an der Universität und unter den Vornehmen, hatte der Rat doch Schritt für Schritt Reformen durchgeführt. Aber das ungeduldige Volk, welches von Anfang an zu Tumulten geneigt war, begehrte nunmehr eine rasche entscheidende Lösung. Am 22. Oktober nach der Predigt versammelte sich die Bürgerschaft beim Augustinerkloster und beschloß durch eine Abordnung beim Rat Klage einzulegen, daß sein Beschwichtigungsmandat 55 von der Gegenpartei nicht gehalten werde, und Beilegung des Zwiespaltes zu verlangen (damit „einhelliglich geprediget wurt"). Der Rat beschwichtigte die aufgeregten Bürger und stellte in einem neuen Mandat den Grundsatz fest, daß jeder seines Glaubens leben dürfe. Die Einführung der Reformation in Bern, 1528, übte auf Basel einen starken Rückschlag in evangelischem Sinne aus, obschon zuerst der Widerstand der Altgläubigen 60

trotziger und kühner wurde. Es erfolgte am Charfreitag und Ostermontag 1528 ein
Bildersturm zu St. Martin und den Augustinern. Die Übelthäter wurden gefangen gesetzt,
aber ihre Freunde rotteten sich zusammen und verlangten stürmisch ihre Freigabe. Der
Rat wollte entgegenkommen und ordnete die Entfernung der Bilder aus 5 Kirchen an,
5 aber das war nun den Freunden der Reformation zu wenig. Sie wollten keine „Zwie=
spältigkeit“ mehr in der Stadt, sondern eine einheitliche Regelung der Religionsangelegen=
heit. Das Mandat des Rates, welches nach dem Ostermontagsauflauf die „Zwiespältig=
keit“ gleichsam gesetzlich festlegte und aus Basel eine paritätische Stadt zu machen drohte,
war für die gedeihliche Entwickelung der Reformation eine dauernde Gefahr (über das
10 Mandat vgl. Ryff S. 58). So kam es mit Vorwissen Oek.s zu Weihnachten 1528 zu
einer erneuten Kundgebung der Evangelischen auf der Gartner=Zunft, wo eine Suppli=
kation an den Rat beschlossen wurde zur Abbestellung des zwiespältigen Predigens und
der Messe (Ryff S. 67 ff.). Dieser Schritt rief eine gewaltige Aufregung in der Stadt
hervor. Die Altgläubigen bewaffneten sich, worauf sich die Evangelischen ebenfalls auf
15 die Gegenwehr rüsteten. Oek. befürchtete den Ausbruch des Bürgerkrieges und bat Zwingli
um Vermittelung. Es kamen Gesandte von Zürich (Werdmüller), von Bern (Lienhart
Hübschi, Niklaus Manuel, Willading), welch letzteres von den Zünften angegangen worden
war, von Schaffhausen, Mülhausen und Straßburg, die den Streit zu schlichten suchten
und das Blutvergießen zu verhindern vermochten. Aber auch von den VI alten Orten
20 kamen, von den Altgläubigen gerufen, Gesandte. Doch hatten sie einen schweren Stand,
da sich diese Stände bei der letzten Bundesbeschwörung geweigert hatten, den Baslern
den Eid zu geben und abzunehmen. Die Boten von Zürich und Bern schlugen eine Dispu=
tation vor, welche zu Pfingsten 1529 stattfinden sollte. Dieser Vorschlag wurde in einer
Versammlung von über 3000 Bürgern am 6. Januar 1529 einmütig angenommen (vgl.
25 die Verhandlungen des Rates bei Ryff S. 76 ff.). Allein das war nur ein Notbehelf, ein
Aufschub der unvermeidlichen Krisis. Da der Rat, entgegen seinem früheren Verhalten,
der Reformation mehr und mehr einen passiven Widerstand entgegensetzte, brach im
Februar 1529 der Volkssturm los. Zahlreich kamen die Reformierten zusammen und
verlangten stürmisch ohne eigentliche gesetzliche Berechtigung, „dieweil so viel gegen die
30 Verträge, Briefe und Siegel geschehen sei“, daß die mit den Pfaffen verwandten und
befreundeten Ratsmitglieder austreten und die falschen Prädikanten entfernt werden sollten.
Es betraf dies 12 Ratsherren, darunter den katholisch gesinnten Bürgermeister Meltinger.
Ferner verlangte die Gemeinde jetzt, daß der Rat in Zukunft von dem Großen Rat und
die Meister und „Sechser“ von den Zünften gewählt würden. Der Rat zauderte. Da
35 rottete sich das Volk auf dem Kornmarkt zusammen, die Thore und das Zeughaus wurden
besetzt, die Geschütze fuhren auf. Jetzt ergab sich der Rat. Am Abend des 8. Februar
traten die 12 Räte aus. Marius und Meltinger flohen. Tags darauf stürmte die Menge
die Kirchen und Klöster, und zertrümmerte die Bilder. Unter dem Druck dieser Ereig=
nisse erklärte der Rat („als er nun gesäubert war“) die Abschaffung der Bilder und der
40 Messe und ordnete selbst am 10. Februar die Wegschaffung der noch übrigen Bilder an.
Erasmus, Glarean und Bär verließen die Stadt sofort, ebenso viele Altgläubige, die ihr
Bürgerrecht aufgaben. Am 14. Februar fand zum erstenmal im Münster evangelischer
Gottesdienst statt „wart das erstmol dutsch psalmen dorin gesungen“ (vgl. Weber,
Gesch. des Kirchengesangs in der deutsch=reform. Schweiz, Zürich 1876) und am 25. Fe=
45 bruar trat Basel in das christliche Burgrecht ein. Damit war die Reformation Basels
entschieden. An die Universität kamen Simon Grynäus und Sebast. Münster. Oek., der
zum Antistes der Geistlichkeit und zum ersten Pfarrer am Münster gewählt wurde, nahm
seine Vorlesungen erst 1531 wieder auf. Ihm lag nun vor allem die Ordnung des
Kirchen= und Schulwesens ob. Unter seiner Mitwirkung erschien am 1. April 1529 die
50 neue Reformationsordnung, die Verfassung der reformierten Kirche Basels (Ochs V,
S. 680 ff.).

V. Glücklicherweise fand die Reformationsbewegung in Basel ihren Abschluß, bevor die
Krisis in dem gewaltigen Ringen der Abendmahlsanschauungen eintrat. Oek., der neben
seiner Thätigkeit in Basel mehrmals in den Streit eingriff, hat seine Auffassung in seiner
55 bereits erwähnten Schrift von 1525 niedergelegt. Er vertritt in derselben in historischer,
exegetischer und dogmatischer Beweisführung die sog. tropische Auslegung, nur mit der
Modifizierung, daß er nicht wie Zwingli in der Kopula das Tropische suchte und nicht
„est“ mit „bedeutet“ übersetzte (da ja in der aram. Urform die Kopula fehle), sondern
das corpus als figura corporis (Bild oder Zeichen meines Leibes) erklärte und die
60 symbolische Bedeutung des Brotbrechens als des Bildes des Sterbens zu ihrem Rechte

kommen ließ. Die Annahme eines leiblichen Genusses wies er ab auf Grund von Jo 6. Oek. wurde wegen seiner symbolischen Auffassung heftig angegriffen. Schon vor dem Erscheinen seines Buches (November 1524) hatte Luther geschrieben: „Auch Oek. und Pellikan bekennen sich zu Karlstadts Lehren, sieh die wunderbare Macht Satans". Dann haben, als das Buch erschienen war, seine humanistischen Gegner an der Universität ihn 5 gerade wegen seiner Abendmahlslehre angegriffen (vgl. Zwinglis scharf satyr. Antwort. Zw. Op. VII, 472). Neben Brenz entgegneten ihm Pirkheimer (1526, über das wahre Fleisch . . .) und Luther (Juli 1526: Sermon vom Sakrament des Leibes . . .), welch letzterer Oek.s Ausführungen mit der gewaltthätigen Bemerkung abthat, Oekolampad und Zwingli brächten, weil vom Satan besessen, dem Worte Jesu nicht Glauben entgegen. 10 Mit derselben Gewaltthätigkeit gegen die Gegner hatte er Zwinglis, Oek.s und Karlstadts Schriften in Sachsen verbieten lassen. Seinem maßlosen Eifer setzte er, unbeirrt durch alle Entgegnungen Zwinglis und Oek.s (von letzterm: Antisyngramma, 1526, an Brenz; epist. et respons. de re eucharist. prior 1526, respons. posterior 1527, beide an Pirkheimer; Billiche Antwurt J. Ecolampadii uff D. M. Luthers Bericht 15 des Sakraments, 1526), die Krone auf durch die Schrift (Frühling 1527): „Daß die Worte Christi . . . noch feststehen, wider die Schwarmgeister". Oek. und Zwingli wurden in derselben als rettungslos dem Teufel verfallen bezeichnet und der Sünde gegen den hl. Geist angeklagt. Oek. antwortete ihm mit sichtbarer Mäßigung: „Daß der Mißverstand Dr. M. Luthers auf die ewig beständigen Worte: das ist mein Leib, nicht bestehen mag, 20 die andere billige Antwort Oekolampads" (1527), worauf 1528 Luthers „großes Bekenntnis vom Abendmahl" folgte. Zwingli und Oek. beantworteten diese Schrift mit einer gemeinsamen Entgegnung: „Über D. Mart. Luthers Buch, Bekenntnuß genant | zwo antwurten, Joannis Ecolampadij und Huldrychen Zwinglis. Im MDXXVIII= jar".

Nach dem bisherigen Verlauf des Streites erschien in Anbetracht des gereizten Tones 25 und der Beschimpfungen, gegen welche diejenigen der katholischen Gegner oft harmlos waren, der Versuch eines Religionsgespräches zur Vereinigung der Streitenden von vorneherein als aussichtslos. Daß es dennoch im Oktober 1529 in Marburg zu stande kam, beweist, daß das Verlangen nach Frieden doch groß und allgemein war. Oek. namentlich ließ es an Entgegenkommen und versöhnlichen Worten nicht fehlen. Er hatte die Bucerschen 30 Unionsversuche eifrig unterstützt. Dieselbe Haltung nahm er auch in Marburg bei den Verhandlungen ein (vgl.: Oek. Bericht an Haller in Bern, Epp. 24; Bullinger, Ref. Gesch. II, S. 223—39; handschriftl. Bericht im Basler Kirchenarchiv, vermutlich von dem Begleiter Oek.s, dem Basler Ratsherrn Rud. Frei verfaßt [benützt von Schmitt: Relig. Gespräch in Marbg. 1840]; ebendaselbst ein Gespräch zwischen Luther und Oek., 35 bei Hagenbach S. 141 ff. abgedruckt [Achtheit sehr unsicher]). Oek., der mit Zwingli am 6. September von Basel aufgebrochen und von Straßburg her mit Bucer, Hedio und Sturm am 27. September in Marburg eingetroffen war, wurde mit großer Freundlichkeit begrüßt. Melanchthon war von seiner „wunderbaren natürlichen Güte und Milde" entzückt, während ihm Zwingli in seinem äußeren Auftreten zu wenig fein war. Trotzdem 40 ist sehr fraglich, ob, wenn auch nur Oek. und Melanchthon die entscheidenden Verhandlungen zu führen gehabt hätten, eine Einigung zu stande gekommen wäre. Auf jeden Fall waren sie nur die Sekundanten. Bei den Vorverhandlungen des 1. Oktober disputierten Luther und Oek. zusammen, und zwar, falls das oben erwähnte Gespräch inhaltlich auf gute Tradition zurückgehen würde, bereits über den Hauptpunkt, das hl. Abendmahl, 45 aber ohne daß man sich näher gekommen wäre. Oek.s Anteil an der Hauptverhandlung war sehr gering. Als Luther die Bitte Zwinglis um seine Freundschaft mit den Worten zurückwies: bittet Gott, daß ihr euch bekehren möget, entgegnete Oek.: bittet auch ihr darum, denn ihr habt es ebenso nötig". Man war in allen übrigen Punkten einig und doch stand man sich ferner als je. Zwingli und Oek. gingen sehr weit in ihrem Entgegen- 50 kommen, sie wollten sogar nach dem Vorschlage Bucers zugeben, daß für die Gläubigen Christus wahrhaft im Abendmahl gegenwärtig sei und genossen werde, aber dem von Luther verlangten Zusatz, daß er mit dem Munde gegessen werde und leiblich gegenwärtig sei, konnten sie doch nicht zustimmen. Das Marburger Gespräch hatte dem Sakramentsstreit kein Ende bereiten können. Luther setzte alsbald die litterarische Fehde fort 55 und Oek. mußte sich gegen Melanchthon wenden, dessen Unversöhnlichkeit in Marburg gegen seine sonstige zu jedem Entgegenkommen geneigte Gewohnheit merkwürdig abstach. Oek. stellte ihm gegenüber fest, was die lateinischen und griechischen Väter über die Eucharistie gelehrt hätten. Doch war er noch jetzt zu einer Einigung bereit. Er nahm am 4. September 1530 an einer von Capito nach Zürich einberufenen Konferenz mit Zwingli 60

und Megander teil zur Aufstellung eines Bekenntnisses zu handen des in Augsburg weilenden Bucer. Die Einigungsformel, an der Zwingli keine besondere Freude hatte, kam jetzt den Lutherischen noch näher. Sie betonte die wahrhafte und sakramentale Gegenwart Christi beim Abendmahl „für den reinen Geist, aber nicht im Brot oder mit dem
5 Brot vereinigt". Als nun unter dem Druck der Feindseligkeit des Kaisers Luther zu einem Bündnis mit den Schweizern endlich willig war, und Bucer die neue Einigungsformel vorlegte: „daß Christi Leib und Blut wahrhaft im Abendmahl sei für den Geist, nicht für den Leib," da wollte Zwingli, trotzdem ihm Oek. zuredete, nicht mehr darauf eintreten. Die unklare zweideutige Formel mißfiel ihm, und um den Preis einer poli-
10 tischen Verbindung wollte er die Wahrheit nicht schmälern. Noch einmal wirkte Oek. für die Versöhnung, indem er den Beitritt zum schmalkaldischen Bund und die Annahme der Tetrapolitana befürwortete (Februar 1531), aber Bern und Zürich weigerten sich. So haben seine aufrichtigen Unionstendenzen in dem ganzen Streit im Grunde Fiasko gemacht, indem der reale Erfolg ausblieb. Lediglich das Band mit den Straßburgern
15 wurde durch sie gestärkt. Auch seine litterarischen Produkte haben trotz seiner maßvollen Form nicht der Versöhnung gedient, und das, was er von Zwingli abweichend originelles brachte, vermochte sich nicht weiterzupflanzen, trotzdem er unstreitig einer der tüchtigsten Theologen der Reformationszeit war. Sein Verdienst in diesem Streite besteht darin, daß er als Theologe Zwinglis Lehre tapfer und mit guten Gründen verteidigt hat.
20 Die von ihm erstrebte Einigung nicht sowohl der streitenden Parteien als vielmehr der wesentlichen evangelischen Momente in den beiden Theorien hat ein Größerer zu stande gebracht, als er war, — Calvin. Aber sein Ehrenschild ist in dem ganzen Kampfe unbefleckt geblieben.

VI. Oekolampad galt seit der Badener Disputation als der Führer der Evangeli-
25 schen in der Schweiz neben Zwingli, und er wurde je länger je mehr mit der Leitung der reformierten Kirchenpolitik betraut. Er führte in Ulm, wo seit 1524 Som das Evangelium in zwinglischem Sinne verkündigte, im Auftrag der Stadt im Mai 1531 die neue reformierte Kirchenordnung durch. An ihn wandten sich auch die Gesandten der Waldenser, welche im Herbst 1530 über Basel nach Straßburg reisten, um mit den Evan-
30 gelischen in Verbindung zu treten. Sie reichten ihm eine Denkschrift ein, in welcher sie - ihre kirchliche Lage schilderten und um Belehrung ersuchten (Oek.s Antwort ist in Epp. S. 2 wiedergegeben; vgl. Herzog, Oek. II, S. 240 ff.; Scultetus, Anal. p. 290 ff.). Der eine der Deputierten, Masson, wurde auf der Heimreise gefangen gesetzt und in Dijon hingerichtet, der andere, Morel, referierte auf der Synode von 1532 über das Ergebnis
35 seiner Reise. Später nahmen sich die französischen Reformatoren der Waldenser an. Bei den vielen Beziehungen zwischen Basel und Mühlhausen übte Oek. naturgemäß auch auf diese Stadt einen Einfluß aus. So richtete er, als 1529 unter den Geistlichen dieser Stadt Zwistigkeiten ausgebrochen waren, mit seinen Collegen ein herzliches Ermahnungsschreiben an sie. Wie weit sein Ruf gedrungen war, beweist endlich der Umstand, daß
40 er auch durch Vermittelung von Grynäus um ein Gutachten betreffend die Ehescheidung Heinrichs des VIII. ersucht wurde. Er empfahl mit Zwingli (entgegen Luther) wenngleich mit schwerem Herzen die Scheidung als das kleinere Übel gegenüber der Doppelheirat. Noch unangenehmer waren für ihn die erneuten Verhandlungen mit den Wiedertäufern und Antitrinitariern, die ihm seine letzten Lebensjahre verbitterten. Servet drängte sich brieflich
45 an ihn heran und legte ihm das Manuskript seines Buches „De Trinitatis erroribus" vor, worauf er ihm freundlich aber ganz entschieden seine eigene total ablehnende Stellung mitteilte (vergl. Epp. 1 f.). Haller in Bern glaubte sich daraufhin verpflichtet, ihm wegen seiner Freundlichkeit die schwersten Vorwürfe machen zu müssen. Auch die Wiedertäufer regten sich wieder und „Herrn Doctor Oecolampadio widerfuhr im dreißigsten Jahr
50 von derley Leuten ein frecher Trotz" (Wurst.). In Läufelfingen fand er bei der Visitation, daß fast das ganze Dorf „von der Sekte eingenommen war". Alle seine Ermahnungen wurden mit Widerspruch und Schimpfworten beantwortet, und schließlich mußte man mit der Strenge des Gesetzes einschreiten. Man mag daraus ersehen, wie viel auf Oek. lag, und man wird begreifen, warum er frühzeitig ein gebrochener Mann war.

55 Denn nicht nur die Anliegen der reformierten Gesamtkirche waren seiner Fürsorge anheimgestellt, in seinem eigentlichen Wirkungskreis Basel wartete der Ausbau des Reformationswerkes auf ihn. Brennend war namentlich die Frage des richtigen Verhältnisses zwischen Staat und Kirche wegen der Kirchenzucht (die Wiedertäufer warfen der neuen Kirche vor, sie übe keine Kirchenzucht aus). In Abweichung von der staatskirch-
60 lichen Theorie Zwinglis führte deshalb Oekolampad den Kirchenbann ein (vgl. Epp. 112,

oratio de reducenda excommunicatione apostolica 1530; Verordnung wegen der
Bänne, Antiq. Gernl. I p. 77 und 105), deſſen Handhabung er zuerſt den Geiſtlichen
und ſpäter einer beſonderen Behörde von Ratsmitgliedern und Geiſtlichen übertrug, welche
das ſittliche Leben überwachen und die offenbaren Sünder vom Abendmahl ausſchließen
ſollten. Oek. wollte dieſe Einrichtung auf einer Verſammlung in Aarau 1530 in allen 5
reformierten Kirchen einführen, aber Bern und Straßburg waren ebenſo entſchieden dagegen wie Zwingli, aus Furcht vor Übergriffen der Geiſtlichen. Oek. verteidigte ſie mit
dem Hinweis: „Noch unerträglicher als der Antichriſt ſei eine Obrigkeit, welche der Kirche
ihre Autorität wegnehme. Die Obrigkeit könnte durch ihre Strenge die Beſſerung verhindern, während die Ermahnung der Kirche das Heil wirke. Chriſtus habe die Unbuß- 10
fertigen nicht der Obrigkeit ſondern der Kirche zugewieſen, während jene, um Ärgers zu
verhüten, oft das Böſe dulden müſſe, ein Zuſtand, der mit der Reinheit der Kirche unverträglich ſei". Im November 1530 beſchloß man deshalb zu Baſel, den Bann jedem
Orte freizuſtellen. Seine Durchführung in Baſel ſtieß naturgemäß auf Schwierigkeiten,
da die Bevölkerung wie anderwärts ſo auch in Baſel dem Bann abgeneigt war. Aber 15
Oek. trat mit Leidenſchaftlichkeit für dieſe Inſtitution ein und über die rigoroſe Handhabung des Bannes und das rückſichtsloſe Vorgehen gegenüber Andersgeſinnten vernehmen
wir bittere Urteile. Amerbach hatte namentlich darunter zu leiden, da er, innerlich noch
unfertig und ringend, ſich dem allgemeinen Abendmahlszwang nicht fügen wollte (vgl.
Burckhardt, Bonif. Amerb. S. 78 ff.). Oek. gilt in der Tradition beſonders im Gegenſatz 20
zu Zwingli als der „milde" unter den ſchweizeriſchen Reformatoren. Dieſer Eindruck iſt
vielleicht durch ſein Abhängigkeitsbedürfnis und durch ſeine Vermittelungsverſuche hervorgerufen worden. In Wirklichkeit war er feſt und konnte auch hart ſein bis zur Intoleranz. Man vergeſſe aber nicht, daß die damalige Zeit nur harte, einſeitige Leute brauchen
konnte, um einerſeits das Errungene feſtzuhalten mit eiſerner Hand, und andererſeits, da- 25
mit die Reformation nicht zur Revolution ausarte, das freigewordene Volk unter die Zucht
des Evangeliums zu beugen. In dieſer Hinſicht hat Oek. nicht vermittelt. Bezeichnend
iſt das Urteil Amerbachs: „Luther, mit unſern Leuten, nämlich Zwingli und Oek., verglichen, könnte gleich dem Papſt und als ein Verehrer des Alten erſcheinen, ſo ſehr
haben ſich die Unſern verſchworen alles Alte zu vernichten". (Vgl. Lenz, Zwingli und 30
Landgraf Philipp, ZKG II, 1879, 265 ff.) Baſel nahm in der Politik der Städte des
chriſtlichen Burgrechts eine Mittelſtellung ein, welche auch Oek. bis zu einem gewiſſen
Grade vertrat. Als ſich aber im Herbſt 1531 die Verhältniſſe in der Eidgenoſſenſchaft
ſo zugeſpitzt hatten, daß eine friedliche Löſung ausgeſchloſſen war, tadelte er die weitere
Nachgiebigkeit der Basler Geſandten und trat mit heftigen Worten für den Krieg ein. 35
Ebenſo entſchieden hat er nach dem unglücklichen Ausgang der Kappeler Schlacht Zwinglis
Perſönlichkeit und ſeine Politik verteidigt.

Zwinglis Tod brach auch den Freund. Man bot ihm Zwinglis Stelle in Zürich
an, aber er lehnte ab. Nach längerer Kränklichkeit ſank er am 24. November 1531 ins
Grab. Er hinterließ eine Witwe, Wibrandis Keller geb. Roſenblatt (die er 1528 unter 40
dem Spott des Erasmus geheiratet hatte) und drei Kinder. Seine Frau hat nachher
den Capito und nach deſſen Tod den Bucer geheiratet. **W. Hadorn.**

Oekonomos, Konſtantinus, hervorragender griechiſcher Theologe, geſt. 1857. —
Litteratur: Hertzberg, Geſch. Griechenlands ſeit dem Abſterben des antiken Lebens bis zur
Gegenwart Bd 3 u. 4, Gotha 1878 und 1879. Nicolai, Geſch. der neugriechiſchen Litteratur, 45
Leipzig 1876. Von Maurer, Das griechiſche Volk, 3 Bde, Heidelberg 1835. Kyriakos-Rauſch,
Geſchichte der orientaliſchen Kirchen, Leipzig 1902. Wenger, Beiträge zur Kenntnis des gegen-
wärtigen Geiſtes und Zuſtandes der griechiſchen Kirche in Griechenland und in der Türkei,
Berlin 1839. K. Σιβλης, Ὑπόμνημα αὐτοσχέδιον περὶ — Κωνσταντίνου τοῦ ἐξ Οἰκονόμων.
Ἐν Τεργέστῃ, φωνζ'. Μιχαὴλ Γ. Σχεινᾶς, λόγος ἐκφωνηθεὶς κατὰ τὴν τελετὴν τῆς κηδείας 50
K. Οἰκονόμου. Ἐν Ἀθήναις 1857. Ἀρδ. Ῥηγόπουλος, λόγος ἐπιτάφιος εἰς K. Οἰκονόμου.
Konſtantin Tiſchendorf in der Beilage zur Augsburger Allgemeinen Zeitung vom 10. April
1857. Βίος καὶ πράξεις Κωνσταντίνου Οἰκονόμου ὑπὸ Γαβριὴλ Δεστούνη. Ἐν Πετρουπόλει
1860 (Ruſſiſch). Ἀ Παπαδόπουλος Βρετός, Νεοελληνικὴ Φιλολογία, 2 Bde, Athen 1854 und
1857. Κωνσταντίνος K. Σάβας, Νεοελληνικὴ Φιλολογία, Ἐν Ἀθήναις 1868. Θεόκλητος Φαρ- 55
μακίδης, Ἀπολογία, Ἐν Ἀθήναις 1840. ThStKr Jahrgang 1841, S. 7—53. Wiederanfänge
der theologiſchen Litteratur in Griechenland. (Anonym, vielleicht von Pharmakides.)

Konſtantinos Oikonomos (Οἰκονόμος) wurde im Jahre 1780 geboren. Als ſeinen
Heimatsort geben Sathas u. a. das theſſaliſche Städtchen Tſcharitſchena an. O. ſelbſt
ſchreibt einmal „ἐκ Καββαΐας", ſo auch Bretos (a. a. O. II, 182 und 313). Von ſeinem 60
Vater, der Presbyter und οἰκονόμος des Bistums Elaſſon in Theſſalien war, empfing

er den ersten Unterricht, den späteren von dem Arzte Ζήσης Κάβρας in Ampelakia, der bei seinem Studium in Jena abendländische Bildung sich angeeignet hatte. (Sathas, a. a. O. S. 619). Im übrigen war Konstantinos Autodidakt, doch hatte Adamantios Korais auf seine Ausbildung wohl Einfluß. Früh erhielt Oikonomos die Weihen. Als Presbyter wurde er in Nachfolge seines Vaters οἰκονόμος von Elasson. Später, wie wir sehen werden, auch zum μέγας οἰκονόμος des ökumenischen Stuhls ernannt, pflegte er sich, um seinen Titel von seinem Namen zu unterscheiden, Κωνσταντῖνος Οἰκονόμος, ὁ ἐξ Οἰκονόμων γενεαλογούμενος oder kürzer ὁ ἐξ Οἰκονόμων oder Οἰκονομίδης zu nennen (Bretos a. a. O. II, 225, 231 u. 221). Schon 1801, als er noch in Elasson war, trat er mit einer kleinen gediegenen Schrift hervor, dem Τόμος τὰ καθήκοντα τοῖς ἱερεῦσι θεσπίζων. Diese findet sich, wie viele andere kleinere Schriften in Τά Σωζόμενα ἐκκλησιαστικὰ συγγράμματα Κωνστ. Πρεσβ. καὶ Οἰκ. τοῦ ἐξ Οἰκονόμων, herausgegeben von seinem Sohne Σοφοκλῆς Κ. ὁ ἐξ Οἰκονόμων, Athen, 3 Bde, 1862—1866, Bd II, S. 545 ff. Er trat mit ihr für seinen Bischof Joannikios ein, in dessen Sprengel es allerdings schlimm aussah. Doch war seines Bleibens in Elasson nicht lange. Der Teilnahme an dem unglücklichen Aufstand der thessalischen Armatolen unter Εὐθύμιος Βλαχάβας gegen Ali-Pascha von Janina verdächtigt (Hertzberg a. a. O. III. S. 343) wurde er flüchtig und konnte von Glück sagen, daß er 1808 von seinem Gönner, dem Patriarchen Gregorios V. in das Johanniskloster in der Eparchie Serrhes gerettet wurde. Gregor bewirkte auch seine Anstellung in Smyrna, wo er nun die idealsten Jahre seines Lebens zubringen sollte. Hier war neben der schon seit 1723 bestehenden berühmten Εὐαγγελικὴ σχολή namentlich auf Betreiben des Korais, der selbst Smyrniot war und darum großen Einfluß auf seine Landsleute hatte, 1809 das φιλολογικὸν γυμνάσιον errichtet, eine Anstalt, die dem bildungsdurstigen Griechenvolk sowohl die Schätze der Antike als die der abendländischen modernen Bildung vermitteln sollte. Dort fand Oikonomos mit seinem Bruder Stephanos unter Konstantinos Kumas, dem späteren Verfasser des großen Geschichtswerks Ἱστορίαι τῶν ἀνθρωπίνων πράξεων (Wien 1838), als Direktor der Anstalt einen fruchtbaren und weitreichenden Wirkungskreis. Er bewährte sich als ausgezeichneter Erzieher und tüchtiger Philolog. Daneben gewann er als ein Kanzelredner, der in schöner Form die befreienden Gedanken des Evangeliums mit hinreißender Überzeugungskraft vortrug, großen Einfluß. Aus der Stimmung dieser reichen Thätigkeit schuf er 1813 das Werk, das m. E. sein bedeutendstes theologisches bleibt, die κατήχησις ἢ ὀρθόδοξος διδασκαλία τῆς χριστιανικῆς πίστεως, zuerst gedruckt in Wien, auch in den Σωζόμενα ἐκκλησ. συγγράμματα Bd I, S. 1—132. Diese Katechesis, eine Bearbeitung des Katechismus von Platon, darf doch als ein völlig selbständiges Werk gelten, wie sich aus der Vergleichung der beiden Arbeiten ergiebt. Das Bedeutende an dem Buch, abgesehen von seiner schönen und leichtverständlichen Form, ist, daß der Verfasser, soweit das einem orthodoxen Theologen möglich ist, der paulinischen Ausprägung des Evangeliums sich anschließt. Der große Gegensatz von Sünde und Gnade beherrscht den Oikonomos und bringt ihn zu schönen Konsequenzen. Man ist überrascht, wenn man bei der Lehre vom θεῖος νόμος (συγγράμματα I, S. 79) liest: Εἶναι ἀληθές, ὅτι ἐκ πίστεως μόνης δικαιοῦται ὁ ἄνθρωπος, καὶ ὅταν ἐπιστρέφῃ εἰς τὸν θεόν, δὲν ἔχει νὰ καταφύγῃ εἰς ἄλλο, πάρεξ εἰς τὴν πίστιν καὶ ἐλπίδα τὴν εἰς Χριστόν, ὅστις ἀπέθανεν διὰ τὰς ἁμαρτίας ἡμῶν καὶ ἐπροξένησεν εἰς ἡμᾶς τὴν χάριν τοῦ οὐρανίου πατρός — ἀλλ᾽ ὅμως τοῦτο δὲν ἀποκλείει τὴν γυμνασίαν τῶν καλῶν ἔργων· ἀλλὰ μάλιστα ἐξ ἐναντίας καὶ τὴν συνιστᾷ διότι, ἀφ᾽ οὗ διὰ πίστεως δικαιωθῇ ὁ ἄνθρωπος, χρεωστεῖ νὰ ἀποδείξῃ ἐξ ἅπαντος τὴν ἰδίαν ἐπιστροφὴν διὰ τῶν καρπῶν τῆς ἀγάπης καὶ νὰ βεβαιώσῃ τὴν πίστιν του με τὰ καλὰ ἔργα, τὰ ὁποῖα εἶν᾽ ἐκείνης ἐπακολουθήματα κτλ. Diesem Gedanken giebt O. weitgehende Folge, so z. B. in seiner Stellung zu den ἔθιμα der Überlieferung, zu denen er ausdrücklich auch das Feiern der Festtage und den Bilderdienst rechnet. Da heißt es a. a. O. S. 73: Εἰς τὴν Ἐκκλησίαν διετάχθησαν ὑπὸ τῶν ἀποστόλων ἢ τῶν διαδόχων αὐτῶν πολλὰ ἔθιμα, τὰ ὁποῖα ἐφύλαξεν ὅλη ἡ σεβάσμιος ἀρχαιότης· οὐχὶ διότι ἐξήρτηται ἐξ αὐτῶν ἀναγκαίως ἡ σωτηρία ἑκάστου, ἀλλ᾽ ὅτι ὠφελοῦσι τὴν κοινότητα τῶν πιστῶν παντοιοτρόπως — Ταύτας καὶ ἄλλας παραδόσεις φυλάττει ἁγίως ἡ ἡμετέρα ἐκκλησία, ἀποβάλλει ὅμως τὰς δεισιδαιμονίας, αἵτινες ὑπὸ τὸ σχῆμα τῆς εὐσεβείας ἀντιφέρονται εἰς τὴν θείαν γραφήν, ἢ εἶναι ἄγνωστοι εἰς τὴν ἁγίαν ἀρχαιότητα. Konstantinos wurde allerdings auch wegen dieser Katechesis angegriffen, aber wegen nebensächlicher Punkte bei der Taufe. Die Angriffe hatten auch keine weiteren Folgen (συγγράμματα I, 573 ff.).

Leider dauerte sein Aufenthalt in Smyrna nicht lange. Die Eifersucht der Freunde und Beschützer der evangelischen Schule brachte es 1819 zur Aufhebung des Gymnasiums (*Παρανίκας, Ἱστορία τῆς εὐαγγελικῆς σχολῆς Σμύρνης, ἐν Ἀθήναις* 1885). Oikonomos entging den bedrohlichen Wirren, indem er von dem Patriarchen nach Konstantinopel gerufen wurde. Dort zum *μέγας οἰκονόμος τοῦ οἰκουμενικοῦ πατρ. θρόνου* 5 und zum *καθολικὸς ἱεροκήρυξ τῆς μεγάλης ἐκκλησίας καὶ πασῶν τῶν ὀρθοδόξων ἐκκλησιῶν* ernannt, konnte er in der Zentrale der orthodoxen Christenheit eine um so größere Wirksamkeit als Prediger entfalten. Doch auch diese Arbeit wurde jäh abgebrochen, als 1821 der griechische Freiheitskampf aufflammte. Konst. entfloh mit Not den Nachstellungen der Barbaren und rettete sich auf dem Schiffe des *Κυριακὸς Κουμπάρης* 10 nach Odessa. Inzwischen war der Wut des Sultans der Patriarch Gregor zum Opfer gefallen. Seine Leiche wurde nach Odessa überführt. Dort konnte Oikonomos unter gewaltiger Teilnahme dem Märtyrer der griechischen Freiheit am 19. Juni 1821 die Leichenrede halten, die auch im Auslande Anerkennung und Bewunderung fand. Sie ist gedruckt 1821 mit russischer Übersetzung *διὰ ὑψηλοῦ ὁρισμοῦ* bei *N. Γρέτς* in Peters- 15 burg und in Moskau *ὑπὸ Νικολάου Β. Γκούστη παρὰ τῷ τυπογράφῳ Αὐγούστῳ Σιμένῳ* (Bretos I, S. 165), auch mit fünf anderen gleich zu nennenden Reden in Berlin unter dem Titel: *Λόγοι ἐκκλησιαστικοὶ ἐκφωνηθέντες ἐν τῇ Γραικικῇ ἐκκλησίᾳ τῆς Ὀδεσσοῦ κατὰ τὸ 1821—1822 ὑπὸ Ο. Κ. Ο. Ἐν Βερολίνῳ* 1833. Von diesen übrigen fünf Reden ist die erste ebenfalls eine Gedächtnisrede und zwar auf den Patri- 20 archen und die mit ihm hingerichteten Metropoliten. Die folgenden drei handeln *περὶ φιλογενείας, περὶ συνεισφορᾶς,* und *περὶ προσευχῆς.* Die letzte ist der *Προτρεπτικὸς πρὸς τοὺς Ἕλληνας.* Alle zeigen eine feurige Vaterlandsliebe. Wiederum erweisen sie auch Sympathie durch viele evangelische Gedanken, vgl. z. B. die Ausführung über das Gebet des Zöllners (S. 207). 25

Es konnte nicht ausbleiben, daß die Gunst des russischen Kaisers dem so berühmt gewordenen Prediger, Freiheitsredner und tüchtigen Gelehrten sich zuwandte. Konst. wurde sehr bald nach Petersburg berufen. Damit beginnt die zweite Epoche in seinem Leben, zunächst eine arbeitsfrohe und glänzende Zeit. Er hatte Muße, seine großen philologischen Werke auszuarbeiten, sein *δοκίμιον περὶ πλησιεστάτης συγγενείας τῆς Σλαβωνο- 30 Ῥωσσικῆς γλώσσης πρὸς τὴν Ἑλληνικήν,* Petersburg 1828, 3 Bde und *περὶ τῆς γνησίας προφορᾶς τῆς ἑλληνικῆς γλώσσης,* Petersburg 1833 (Sathas a. a. O. S. 735). Auch durfte er hier seine Predigtthätigkeit fortsetzen. Reiche Anerkennung wurde ihm für seine Leistungen zu teil. Nicht nur, daß der Patriarch Konstantios seine Würde als *μέγας οἰκονόμος* und *ἱεροκήρυξ* erneute (Abdruck der Urkunde in der Biographie des 35 Patriarchen von Demetrios Paspalis, Konstantinopel 1866 S. 434 f.), die geistliche Akademie in Petersburg ernannte ihn zu ihrem Beisitzer, die kaiserliche Akademie der Wissenschaften zu ihrem Mitgliede und die Akademie der Wissenschaften in Berlin zu ihrem korrespondierenden Mitgliede. Doch beginnt mit dieser Zeit äußerer Erfolge auch die weniger erfreuliche Periode seines Lebens. Ich lasse es dahingestellt, ob die Vorwürfe 40 gegen seinen Charakter berechtigt sind, die ihm in dieser Zeit von seinen Gegnern gemacht wurden, der Vorwurf der Undankbarkeit gegen *Κυριακὸς Κουμβάρης,* seinen einstigen Retter aus den Händen der Türken, und der Vorwurf schnöden Eigennutzes gegen die verwaiste Tochter seines einstigen Vorgesetzten, des Konst. Kumas (Pharmakides, Apologie S. 226 ff. und Bretos a. a. O. II, S. 314). Aber in seiner religiösen, theologischen 45 und kirchenpolitischen Stellungnahme vollzieht sich jetzt bei ihm eine Änderung und Wendung, die in den Verdacht ausgesetzt hat, daß forthin die evangelische Wahrheit, die wissenschaftliche Unparteilichkeit und die Liebe zu seinem hellenischen Vaterlande nicht mehr seine Ideale waren. Schon 1823, kurze Zeit nachdem er in Petersburg seinen Aufenthalt genommen, konnte derselbe Oikonomos, dem einst die Heiligenverehrung zu den Neben- 50 dingen in der Religion gehört hatten, eine Akoluthie für den heiligen Alexander Newsky schreiben, den der Kaiser Alexander besonders verehrte. Zwar blicken aus seinem ausgezeichneten *σχέδιον ἐκκλησιαστικῆς ἀκαδημίας διὰ τοὺς Ἕλληνας* (*συγγράμματα* I, S. 134—223), einem Gutachten, das er 1828 auf Erfordern des Grafen Johann Kapodistrias verfaßte, noch einmal die edlen und freien Gedanken von ehedem heraus. Was 55 er dort z. B. über die Erziehung des Klerus, über die Bedeutung der Kirchengeschichte als die grundlegende Disziplin der Theologie, über den irenischen Charakter der systematischen Theologie sagt, sichert ihm, wie manches andere in der Schrift, dauernde Anerkennung. Aber zwei Jahre später kann er ein *ψήφισμα συνοδικὸν* an den ökumenischen Patriarchen senden, das die Grundlage des 1850 von der Synode erlassenen *τόμος* 60

bildete, der gegen die Unabhängigkeit der griechischen Kirche gerichtet war (συγγράμματα
II, S. 1 f.). Deutlich tritt indeſſen die von Oikonomos nunmehr eingenommene Stellung
erſt im Jahre 1834 hervor, als dieſer „durch die Gnade des Kaiſers von Rußland reichlich
verſorgt" (ThStKr S. 11) zu gelehrter Muße in Nauplia ſich niederließ, von tiefer
5 blickenden Hellenen ſofort als ein Agent der Politik des Patriarchen und Rußlands beargwöhnt (Pharmakides, Apologie S. 43 ff.). Nun ſtanden allerdings damals in Hellas
die Dinge ſo, daß man zweifeln konnte, ob die Staatsleitung den richtigen Kurs hielt.
Die bayeriſche Regentſchaft, die 1833 die Regierung für den noch nicht mündigen König
Otto angetreten hatte, war namentlich auf kirchlichem Gebiete ohne genügende Berück-
10 ſichtigung des geſchichtlich Gewordenen vorgegangen. Gewiß durfte Hellas völlige Unabhängigkeit der Kirche von allen äußeren Mächten beanſpruchen, aber die Loslöſung von
dem Patriarchen hätte auf gütlichem Wege geſchehen können. Daß der König, der noch
dazu Katholik war, durch die neue Kirchenverfaſſung zu einem ἐξωτερικὸς ἀρχηγός der
Kirche geworden war, konnte jedenfalls mißdeutet werden. Die Einziehung von Bis-
15 tümern und Klöſtern, die geſamte Beteiligung des Staates an der Regierung der Kirche
war zu plötzlich gekommen, als daß nicht namentlich der ältere Klerus hätte mißgeſtimmt
werden können, zumal er bei dem ruſſiſchen Geſandten geneigtes Ohr fand. Aber es
lagen noch weitergehende Differenzen vor. Durch die enge Berührung mit dem Abendlande ſeit der Mitte des 18. Jahrhunderts war ein Zug von abendländiſcher Aufklärung
20 in die Bildung der Griechen eingedrungen, die ſich auf kirchlichem Gebiete namentlich
durch den Geiſt der hiſtoriſchen Kritik bemerkbar machte. Dazu hatten die Schriften des
Korais, den Wenger gut mit Erasmus vergleicht, nicht wenig beigetragen. Unter den in
Griechenland lebenden Vertretern dieſer Richtung war Theoklitos Pharmakides ohne Frage
der bedeutendſte. Dieſer war ſeit 1833 Sekretär der Synode von Hellas und vertrat
25 auch in der Verwaltung die moderne Richtung. Neben ihm mag Neophytos Bambas
genannt werden. Es wäre nun gewiß ſegensreich geweſen, wenn die Kirche in Hellas
den wiſſenſchaftlichen Geiſt dieſer tüchtigen Männer und ihrer Partei hätte in ſich aufnehmen können, allein auch hier fehlte die hiſtoriſche Vermittelung zwiſchen dem Alten
und Neuen. Gegen dieſe Strömungen in der Kirche übernahm nun Oikonomos die
30 Führung einer Oppoſition, die kein höheres Ziel kannte, als möglichſt bald wieder in die
alten Bahnen des orthodoxen Katholicismus einzulenken. Ihr Organ wurde die 1835 gegründete Zeitſchrift „die evangeliſche Poſaune" (ἡ εὐαγγελικὴ σάλπιγξ), deren Schrift-
leiter der harmloſe Mönch Germanos, deren Geiſt aber Oikonomos war. Wie dieſe Zeitſchrift die „Modernen" anſah, mag folgendes Citat aus einem Artikel von 1837 (συγ-
35 γράμματα I, 518) zeigen: Ἐλευθερίαν ἀπεριόριστον καὶ πλατυωνείδητον ἐπαγγέλ-
λονται αἱ τοιαῦται διδασκαλίαι, δελεάζουσαι τὴν φαντασίαν τῶν ἁπλουστέρων καὶ
τοιαύτην ἐλευθερίαν ὀνομάζουσι τὴν ὑποδούλωσιν τοῦ πνεύματος εἰς τὰ θελή-
ματα τῆς σαρκὸς, τὴν ἐξουδένωσιν τῆς σώφρονος ἐγκρατείας, τὴν κατάργησιν
τῶν ἁγνιστικῶν νηστειῶν, τὴν ἀπολάκτισιν τῶν ἱερῶν προσευχῶν, τὴν καταπάτησιν
40 τῶν θείων κανόνων, τὴν ἀθέτησιν τῶν Ἀποστολικῶν παραδόσεων, τὴν παρεξή-
γησιν τῶν θεοπνεύστων Γραφῶν, τὴν καταφρόνησιν τῆς Ἱερωσύνης καὶ τῶν
ἄλλων τῶν θεουργῶν τῆς πίστεως Μυστηρίων κτλ. Doch nicht allein in dieſer Zeitſchrift, ſondern auch in ſelbſtſtändigen kleineren und größeren Werken verfocht Oikonomos
ſeine Meinungen. Man kann wohl ſagen, daß er auch in rein wiſſenſchaftlichen Fragen,
45 in die ſich, wie oft, die Löſung der praktiſchen Probleme hüllte, den kürzeren zog. Ihm
fehlte bei aller Gelehrſamkeit doch die dogmatiſche Unbefangenheit und der hiſtoriſche Sinn,
der die Stärke des Pharmakides ausmachte. Solche Fragen, bei denen es zu ſehr erregten
Auseinanderſetzungen kam, waren, wie das angeführte Citat ſchon ahnen läßt, der Streit
um die Echtheit der apoſtoliſchen Kanones, in tieferen Grunde die Frage nach der Be-
50 rechtigung des orthodoxen Kirchenamts, das ſich weſentlich auf dieſe Kanones ſtützt. Hier
tritt Oikonomos mit ſeinem Werk: περὶ τῶν τριῶν ἱερατικῶν τῆς Ἐκκλησίας βαθ-
μῶν ἐπιστολιμαία διατριβή, ἐν ᾗ καὶ περὶ τῆς γνησιότητος τῶν Ἀποστολικῶν κανόνων. Ἐν Ναυπλίᾳ 1835. Ein anderer Streit heftete ſich an die Auslegung des
βαττολογεῖν Mt 6, 7, das Pharmakides mit πολυλογεῖν erklärte, worin die Gegenpartei
55 mit Recht oder mit Unrecht einen Angriff auf die langen und vielen Gebete im Kultus
und damit auf dieſen ſelbſt ſah. Ebenſo harmlos war dem Anſcheine nach der Streit
darüber, wer der Zacharias Mt 23, 35, den Oikonomos mit der Auslegung der Kirche
nach apokrypher Tradition für den Vater des Täufers erklärte, geweſen ſei. Hier lag
der Kernpunkt in der Frage nach der Wahrheit der evangeliſchen Überlieferung **extra**
60 **canonem**, die ſich auch leicht gegen den Marienkultus wenden konnte (ThStKr S. 26).

Das lebhafteste Interesse aber rief der von Oikonomos begonnene Kampf gegen die vulgär=
griechischen Bibelübersetzungen hervor, die namentlich von der britischen Bibelgesellschaft
verbreitet wurden. Hier hatte m. E. der Sache nach Oikonomos recht, denn die Kirche
muß das Volk zum Verständnis des Altgriechischen erziehen, was ihr seit dem 16. Jahr=
hundert auch schon gut gelungen ist. Aber die Begründung, die Oekonomos vorbrachte, 5
namentlich die Apotheose der Septuaginta war sehr unglücklich. Abgesehen von kleineren
Arbeiten dient dem sein großes vierbändiges Werk: Περὶ τῶν ὁ ἑρμηνευτῶν τῆς
παλαιᾶς θείας γραφῆς βιβλία δ'. Συνταχθέντα ὑπὸ τοῦ πρεσβυτέρου καὶ οἰκονόμου τοῦ οἰκουμενικοῦ πατριαρχικοῦ θρόνου, Κωνσταντίνου τοῦ ἐξ Οἰκονόμων.
Ἀθήνησιν. αωμδ' ff., quattuor volumina eruditionis et studii plena (Tischendorf). 10
Leider fehlte jede Kritik. Neben den Bibelübersetzungen, die von England ausgingen, ver=
folgten die Männer der Evangelischen Posaune auch die ausländischen Schulen, sowohl
die, welche von Protestanten als die von Katholiken im Königreich gegründet waren und die
von hier aus verbreiteten Unterrichts= und Kinderbücher. Viel Aufsehen erregte endlich die
Verurteilung des Theophilos Kaïris, des Direktors einer viel besuchten Schule auf An= 15
dros, der die Konsequenzen der Aufklärung gezogen hatte und das Christentum in völlig
rationalistischer Form lehrte. Auch hier war die Evangelische Posaune stark engagiert,
die nach Pharmakides (Apologie S. 183f.) den Kaïris einst nur günstig beurteilt hatte.
Zweifellos war es recht, dem Kaïris das Handwerk zu legen, höchst bedauerlich aber, daß
man nicht davor zurückschreckte, ihn ins Gefängnis zu setzen (Kyriakos-Rausch a. a. O. 20
S. 191, genauer noch bei Γούδας, Βίοι παράλληλοι, tom. II, Athen 1874 S.145ff.).
Auch auf die kirchenpolitischen Kämpfe näher einzugehen, verbietet der Raum. Hier war
es Oikonomos, der thunlichst die Verbindung mit dem Patriarchen in Konstantinopel
aufrecht erhalten wollte, selbst auf Kosten der Unabhängigkeit der Kirche von Hellas. Das
größte Werk, in dem Oekonomos alle diese Kämpfe dargelegt hat, gleichsam eine Apologie 25
der zweiten Hälfte seines Lebens, ist die Τριακονταετηρὶς ἐκκλησιαστικὴ ἢ συνταγμά-
τιων ἱστορικῶν ἐν τῷ βασιλείῳ τῆς Ἑλλάδος ἐκκλησιαστικῶν συμβεβηκότων
ἀπὸ τοῦ 1821 μέχρι τοῦ 1852, herausgegeben in den συγγράμματα Band II u. III.
Das Werk ist eine Fundgrube für die hellenische Kirchengeschichte im 19. Jahrhundert,
wenn es auch selbstverständlich einseitig und daher mit Vorsicht zu benutzen ist. Leider 30
hat Oikonomos es nicht ganz beendet. Die letzten Partien des Werkes sind nur Entwürfe
geblieben. Auch wird an dieser Stelle zu nennen sein: Σιωνίτης προσκυνητὴς ἤτοι
τοῦ ἐν ἁγίοις πατρὸς ἡμῶν Γρηγορίου ἐπισκόπου Νύσσης αἱ περὶ τῶν Ἱεροσολύ-
μων διαλαμβάνουσαι δύο ἐπιστολαί, Ἀθήνησι 1850, eine kleinere Schrift, in der
Oikonomos das Wallfahren nach den heiligen Stätten in Jerusalem empfiehlt, dabei leb= 35
haft gegen Luther und Calvin polemisiert, wie er denn auch am Ende die älteste Streit=
schrift der griechischen Kirche gegen Luther von Pachomios Rhusanos (Ph. Meyer, Die
theol. Litt. der griech. Kirche im 16. Jahrh. 1899, S. 42ff.) abdruckt.
Konstantinos und seine Partei hatten Erfolg in ihren großen Kampfe gegen
die moderne Richtung. Pharmakides wurde 1839 zeitweilig wenigstens seiner Stellung 40
als Sekretär enthoben, was ihm Anlaß zu seiner vielgenannten Apologie gab. Die Bibel=
übersetzungen wurden verboten, der Einfluß der fremden Konfessionen möglichst beschränkt,
die kirchliche Verfassung des Reichs von ihrer freiheitlichen Tendenz zurückgebildet. Auch
in der griechischen Kirche der Türkei wurden zu gleicher Zeit ähnliche Maßregeln von
dem rigorosen Patriarchen Gregorios VI. (vgl. Bd VII S. 136) gegen alles Abend= 45
ländische ergriffen, wofür Pharmakides dem Oikonomos ebenfalls die Schuld aufzubürden
scheint (Apologie 58 ff.).
Übrigens betrieb Oikonomos in dieser Zeit nicht allein Kirchenpolitik und Polemik.
Er schrieb auch wissenschaftliche Werke ohne nähere Tendenz. Namentlich ist da zu nennen
das Κτιτορικὸν ἢ προσκυνητάριον τῆς ἱερᾶς καὶ βασιλικῆς μονῆς τοῦ μεγάλου 50
Σπηλαίου. Ἀθήνησιν 1840. Es mag bemerkt werden, daß Pharmakides in diesem Buch
einen Anlaß fand, den Oikonomos wegen Gotteslästerung zu verklagen, weil dieser in
einer Ode die Maria (S. 89 des Κτιτορικόν) ἡ ἐξαίρετος κατοικία τῆς ὁμοουσίου
καὶ πανταιτίου Τριάδος genannt hatte (Συγγράμματα II, S. 443 ff.). Ein Werk des
Oikonomos ist auch der wertvolle, unter dem Namen des Zacharias N. Μάθας, des 55
Bischofs von Theta herausgegebene, Κατάλογος ἱστορικὸς τῶν πρώτων ἐπισκόπων
καὶ τῶν ἐφεξῆς πατριαρχῶν τῆς ἐν Κωνσταντινουπόλει ἁγίας καὶ μεγάλης τοῦ
Χριστοῦ ἐκκλησίας. Ἐν Ναυπλίῳ 1837, der 1884 in Athen zum zweitenmale gedruckt
ist. Eine ebenso willkommene Gabe sind die Ὑμνωδῶν ἀνέκδοτα. Ἐκ τῶν Ἀπογρά-
φων τῆς βιβλιοθήκης τοῦ Μεγάλου Σπηλαίου, Ἀθήνησι 1840. Der Prolog des 60

Werkes, der litteraturgeschichtlich von Bedeutung ist, findet sich *Συγγράμματα* I, S. 554 ff. Endlich mag noch auf den Brief an Lampryllos (*Συγγράμματα* I, S. 549 ff.) von 1850 hingewiesen werden, in dem Oikonomos noch die angeblich 1450 in Konstantinopel abgehaltene Synode verteidigt (dagegen neuerdings Papajoannu, Byz. Zeitschrift, Jahr-
5 gang V, S. 237 f. und VI, S. 216). Es soll aber hier ausdrücklich hervorgehoben werden, daß Oikonomos auch in der Evangelischen Posaune einige sehr instruktive und ruhige Abhandlungen veröffentlicht hat, die wiederum in den *Συγγράμματα* abgedruckt sind.

Neben seiner schriftstellerischen Thätigkeit predigte Oikonomos noch fleißig, namentlich zog man ihn heran, wenn es galt, einem alten Freiheitskämpfer die Leichenrede zu halten.
10 Er starb 1857. Man kann über sein Lebenswerk verschieden urteilen. Leicht wird man dabei geneigt sein, seinen Kampf gegen die neue Zeit zu verdammen. Man hat aber dabei zu überlegen, ob Oikonomos nicht die Eigenart der hellenischen Kirche als einer orthodoxen gerettet und sie davor bewahrt hat, daß die Aufklärung ihr empfindlichen Schaden brachte. Denn die Aufklärung in sich verarbeiten kann nur die Kirche,
15 in der die Kraft des Evangeliums nicht gebunden ist.   **Ph. Meyer.**

Ökumenius. — I. **Ausgaben.** Oecumenii Enarrationes in Acta app., in Epp. S. Pauli omnes, in omnes Canonicas, graece ed. Donatus, Veronae 1532. Eaedem lat. ed. J. Hentenius, Antverp. 1545. Gr. et lat. ed. F. Morellus, 2 voll. fol. Paris 1631; abgedruckt in MSG t. 118. 119. — Oecumenii comm. in Apocalypsin ed. J. A. Cramer, in Bd 8 der
20 Catenae in N. Test., Oxford 1840.

II. **Hilfsmittel:** J. A. Fabricius, Biblioth. graeca VIII, 692—696. Fr. Overbeck, Die sog. Scholien des Oekumenios zur Apokalypse: ZwTh 1864, 192—201. Hergenröther, Photius, Patr. v. Konstantinopel, III, (1869), S. 70 ff. O. Bardenhewer, „Oekum.", in KL³, IX, 708—711. Ehrhard bei Krumbacher, Gesch. d. byz. Lit.², 131—133. — Vgl. Heinrici, Art.
25 „Catenen", Bd III S. 758. 762. 765.

Ökumenius (*Οἰκουμένιος*), angeblicher Verfasser eines catenenartigen Kommentars zur Apostelgeschichte, den vierzehn Paulusbriefen (einschließlich Hebr.-Br.) und den sieben katholischen Briefen, sowie einer *Σύνοψις σχολική* zur Apokalypse, soll laut einer Notiz an der Spitze des letztgenannten Texts im Cod. Coisl. saec. 10—11 (fol. 330) Bischof
30 von Trikka in Thessalien gewesen sein. Als sein Zeitalter ist der Ausgang des 10. Jahrhunderts (ca. 990) anzunehmen, da einerseits die genannte Apokalypseauslegung in durchgängigem Abhängigkeitsverhältnis zu der viel älteren Kommentar des Andreas von Cäsarea (s. I, 514, 45 ff.) steht, ja mit demselben größtenteils gleichen Wortlaut hat, andererseits die handschriftliche Überlieferung jener übrigen Kommentare um etwa ein
35 halbes Jahrhundert über die Lebenszeit des die nämlichen Bücher (Act., Epp. Canon. u. Epp. Pauli) kommentierenden Theophylakt hinaufreicht. Freilich scheint die Apokalypseauslegung (deren Herrühren von jenem Andreas durch Erzbischof Arethas bestimmt verbürgt wird, vgl. II, 3, 7 ff.) dem Ökumenius überhaupt abgesprochen werden zu müssen. Und was das Verhältnis der übrigen Kommentare zu Theophylakts gleichnamigen exe-
40 getischen Werken betrifft, so besteht zwar zwischen den dem Ökumenius und den katholischen Briefe behandelnden beiderseitigen Kompilationen ein enges Verwandtschaftsverhältnis von der Art, daß die den Namen des Ökumenius führenden deutlich als die älteren erscheinen, während der Text des Ökumeniusschen Pauluskommentars von dem des Theophylaktischen stärker differiert und dem ben Wortlaut beider kollationierenden Forscher
45 eigentümliche Schwierigkeiten bereitet. Als „ein Mittelding zwischen exegetischer Catene und selbstständigem Kommentar" nennt ersterer die Namen der älteren Ausleger, die er ausgeschrieben (dabei am häufigsten den des Photios), zwar bei einem Teil seiner Exzerpte, aber keineswegs jedesmal. Und die Sachlage wird noch verwickelter dadurch, daß unter diesen Quellenangaben bisweilen auch der Name *Οἰκουμένιος* selbst auftaucht; sowie ferner
50 durch das starke Variieren der Handschriften, von welchen manche sowohl vom gedruckten Ökumeniustext wie von dem des Theophylakt abweichen (Ehrhard, S. 132). Einstweilen repräsentiert also der Name Ökumenius noch ein in mehrfacher Hinsicht ungelöstes Rätsel, zu dessen Aufhellung weitere Forschungen auf dem Gebiete der Catenenlitteratur und sonstige Entdeckungen den Weg zu bahnen haben.   **Zöckler.**

55 **Ölbaum** f. b. A. **Fruchtbäume** Bd VI S. 301, 24 ff.

Ölung, die letzte. — Litteratur: Für die römische Kirche: J. Chr. W. Augusti, Denkwürdigkeiten aus d. christl. Archäologie, 9. Bd, 1828, S. 455 ff. (hier S. 464 Uebersicht über die ältere Litteratur); A. J. Binterim, Die vorzüglichsten Denkwürdigkeiten d. christkath.

Kirche, 6. Bd, 3. Tl, 1831, S. 217 ff. (hier einige weitere Notizen über ältere Litteratur);
M. Heimbucher, D. heilige Oelung mit besonderer Rücksicht auf d. prakt. Seelsorge, Regensb.
1888; Hase, Handb. d. protest. Polemik⁴, S. 472—479; Loofs, Symbolik oder Christl. Konfessionskunde I (1902) S. 343 f.; Weinhart, Art. „Oelung, die letzte", Kath. Kirchenlex.², IX,
716—725; natürlich bieten alle katholischen Dogmatiken und Spezialwerke über die Sakra- 5
mentenlehre Stoff, f. etwa aus neuester Zeit Th. H. Simar, Lehrbuch d. Dogmatik, 2. Bd
(1899), S. 910—919; N. Gihr, Die heil. Sakramente der katholischen Kirche, 2. Bd (1899),
S. 271—311 (im 1. Bd S. XIII—XVII Uebersicht über die Litteratur der Sakramenten-
lehre); für die ältere Entwickelung: Edm. Martene, De antiqu. ecclesiae ritibus I (1763)
cap. 7 de ritibus ad sacr. extremae unct. spectantibus; G. L. Hahn, Die Lehre von den 10
Sakramenten in ihrer gesch. Entwickelung innerh. d. abendl. Kirche bis z. Konz. v. Trient
(1864), S. 348—354; zu benutzen sind auch: Jos. Bach, D. Siebenzahl d. Sakramente,
Regensb. 1864; A. Krawutzky, Zählung u. Ordnung der heil. Sakramente, Breslau 1865;
J. Probst, Sakramente und Sakramentalien in d. drei ersten christl. Jahrhunderten, 1872,
S. 373 ff.; Schrod, Art. „Oele, heilige", KKL² IX, 712—715 und „Oelgefäße", ib. 715—716; 15
Heuser, Art. „Oel", und Krüll, Art. „Oelung, letzte" in Kraus' Realencykl. d. christl. Alter-
tümer II, 522, bezw. 526 ff.; die maßgebenden dogmatischen Bestimmungen bei Denzinger,
Enchiridion symbolorum et definitionum (7. ed. von J. Stahl, 1895), f. b. Index II unter
sacramentum extr. unctionis; die solenne gegenwärtige Form des Vollzugs im Rituale Romanum Pauli V Pontif. Max. jussu editum et a Benedicto XIV auctum etc. (typische 20
Ausgabe, z. B. Regensburg bei Pustet) Tit. V, cap. 1 und 2 (folgen cap. 3—8 weitere Riten
an Kranken= und Sterbebetten, die zum Teil kombiniert werden können mit dem Sakrament
der Oelung).

Für die orthodoxe orientalische Kirche: Heineccius, Abbildung d. alten und neuen griech.
Kirche (1711) II, 302 ff.; Gaß, Symbolik d. griech. Kirche (1872), S. 292 ff.; Kattenbusch, 25
Lehrb. d. vergl. Konfessionskunde I (1892), S. 434 ff.; Loofs a. a. O. S. 151 f.; Εὐχολόγιον
s. Rituale Graecorum ed. J. Goar (2. Ausg. 1730): ἀκολουθία τοῦ ἁγίου ἐλαίου, S. 332 ff.
(Feier des Mysteriums im griech. Orient); A. von Maltzew, D. Sakramente d. orth.=kath.
Kirche d. Morgenlandes (1898), Einleitung S. CCCXXIII ff. und S. 450—553 (hier das
Ritual wie es in Rußland üblich ist); von Muralt, Briefe d. Gottesdienst b. morgenl. 30
Kirche (1838), S. 190 ff.; K. Beth, Die orient. Christenheit der Mittelmeerländer (1902),
S. 316 ff.

Für die orientalischen Nebenkirchen: H. Denzinger, Ritus Orientalium, Coptorum, Syro-
rum et Armenorum, in administrandis sacramentis, 2 Bde (1863 und 64).

Eine genaue Untersuchung der Herkunft der kirchlichen Oelriten fehlt noch. Sie werden 35
letztlich unter sich in der Vorstellung von der Kraft und Symbolik des Oels zusammentreffen,
sind aber im einzelnen verschieden bedingt. Ob die religiöse Krankenölung mit jüdischen Anschauungen oder heidnischen Mysterienbräuchen (vgl. z. B. Firmicus Maternus, De errore profan.
religionum XXII, 1, ed. Halm, C. Script. Lat. Vindob. II, 111 ff.) in Zusammenhang
steht, ist eine gänzlich offene Frage. 40

I. Römische Kirche. 1. Das sacramentum unctionis extremae wird von Petrus
Lombardus in der Serie der Sakramente an fünfter Stelle genannt und behandelt, Sentent. Libr. IV dist. 2 und 23. Es ist bei dogmatisiert, ist aber allgemeine Lehre geworden, daß es als „quintum sacramentum" zu gelten habe und am nächsten zusammenhänge mit dem sacr. poenitentiae. Als biblisches Fundament gelten die Stellen 45
Mc 6, 13 und Jak 5, 14—15. Es ist klar, daß diese nur wenig mit dem fixierten
„Sakrament" zu thun haben. Nach der ersten Stelle salbten die von Jesu ausgesandten
Apostel viele Kranke mit Oel „und machten sie gesund". Bei Jakobus handelt es sich
um einen Rat: die Salbung mit Oel durch die Presbyter ist ein medizinales Verfahren;
die Absicht desselben ist die Herstellung des Kranken, der in Aussicht gestellte Erfolg ist 50
bedingt durch die sittliche Qualität, insbesondere das Glaubensgebet des Gemeinde und
des Empfängers; als zweite Wirkung wird dem Kranken, wenn er Sünde gethan hat,
d. h. wohl wenn die Krankheit Folge der Sünde ist, die Vergebung derselben verheißen.
Wir haben nicht viele Spuren von Krankenölung in der alten Kirche. Origenes bespricht die Jakobusstelle einmal genauer, In Levit. hom. II c. 4 (opp. ed. de la Rue 55
II, 190 f.), aber er bezieht sie auf die Sündenvergebung in der Rekonziliation, und erweitert den biblischen Text: vocet presbyteros ecclesiae et imponant ei manus
ungentes cum oleo u. f. w. Ohne Zweifel hat er die infirmitas als moralische Krankheit gefaßt und verband man damals in Alexandrien die Handauflegung bei der Rekonziliation mit der Salbung. In demselben Sinne führt Chrysostomus (de Sacerd. III, 60
6 (opp. I, 2, MSG XLVII, 644) die Stelle als Beleg für die Macht des Priesters
zur Sündenvergebung und Versöhnung der Gefallenen an. In der abendländischen Kirche
erwähnt Irenäus I, 21, 5 (Mass. — Harvey I, 14, 4), daß die gnostische Sekte der Markosier
ihre Sterbenden mit einer Mischung von Oel und Wasser gesalbt und über ihnen gebetet

hätte, um ihre Seelen den feindlichen Mächten der Geisterwelt unzugänglich zu machen
— aber nur dogmatische Befangenheit kann mit Bellarmin, Binterim, Probst u. a. daraus
schließen, daß auch in der katholischen Kirche damals eine Salbung der Sterbenden üblich
gewesen, die von den Häretikern nur imitiert und depraviert worden sei. Wohl aber be-
5 diente man sich im christlichen Privatleben des Öles zur Heilung von Krankheiten. Nach
Tertullian (ad Scapul. 4) soll der Christ Prokulus den Vater des Kaisers Antoninus,
Severus, mit Öl (scil. geweihtem) hergestellt haben. Andere Beispiele hat Binterim S. 259 ff.
288 ff. gesammelt. Bald deutete der Aberglaube diese Erfahrung aus; wie das Tauf-
wasser in den Bassins, so plünderte er nicht minder das Öl in den Lampen der Kirchen und
10 trug es in die Häuser als Bewahrungs- und Heilmittel gegen Krankheiten; Chrysostomus
hat gegen derartiges nichts einzuwenden (in Matth. hom. XXXII al. XXXIII, 6, opp.
VII, 1, MSG LVII, 384: er preist die Heiligkeit des Kirchengebäudes, alles ist da ehr-
würdiger als in den Wohnhäusern: καὶ γὰρ . . . ἡ λυχνία τῆς λυχνίας . . . καὶ
ἴσασιν ὅσοι μετὰ πίστεως καὶ εὐκαίρως ἐλαίῳ χρισάμενοι νοσήματα ἔλυσαν). Im
15 Jahre 416 läßt sich der römische Bischof Innocentius I. in seinem bekannten Briefe an
den Bischof Decentius von Eugubium (ep. 25 c. 11, Epist. Roman. pontif. a S. Clemente I ad Leonem M., ed. Constant-Schönemann, S. 612 ff.) über Jak 5, 14, 15
aus. Er bezieht den Ausspruch auf die Salbung mit dem hl. Öle, das vom Bischof
„bereitet" sei und dessen sich nicht allein die Priester, sondern auch alle Christen „in sua
20 aut in suorum necessitate" bedienen dürften. Nur den Pönitenten sei dasselbe nicht
zu gestatten, weil es eine Art von Sakrament (genus sacramenti) sei, denn welchen die
anderen Sakramente versagt seien, dürfe auch dieses nicht zugestanden werden. Innocenz
redet nur von der Krankenölung, nicht von der der Sterbenden, und betrachtet sie als
ein Recht, nicht als eine Pflicht der Gläubigen. Interessant ist, daß er die consuetudo,
25 die er dem Decentius empfiehlt (im Notfalle Applikation des geweihten Öls auch durch
Laien), als eine solche, die in Rom ihren Ursprung habe, bezeichnet. Ein Gebet für die
bischöfliche (Wasser- und) Ölweihe, gerade auch für medizinale Zwecke, s. Constitt.
apost. VIII, 29.

Von dem Ende des 8. Jahrhunderts an beginnt die genauere Entwickelung der
30 Lehre von der kirchlichen Ölung. Theodulf von Orleans giebt im 2. Kapitulare an seine
Kleriker ausführliche Anweisungen über die Handlung; er stellt sie mit der Buße und der
Eucharistie zusammen, MSL CV, 220 ff. Noch das zweite Aachener Konzil (836) bezeichnet als ihre Wirkung die salvatio infirmorum (cap. 2, Nr. 8; s. Harduin, Coll.
Conc. IV, 1395). Dagegen nennt sie die Synode zu Chalons 813, can. 48 (Harduin
35 IV, 1040), bereits ein Heilmittel gegen die Schwächen der Seele und des Leibes; die
synodus Regiaticina (zu Pavia, 850) empfiehlt sie als magnum et valde appe-
tendum mysterium, das man gläubig begehren müsse, damit die Sünde vergeben und
„consequenter" die leibliche Gesundheit hergestellt werde (cap. 8, Harduin V, 27).
Deutlich tritt jetzt die Beziehung auf die Sünde in den Vordergrund. Die Mönche von
40 Corbie fragen erst ihren Abt Adelhard in dessen von Paschasius Radbert verfaßten Biographie, ob er mit dem geweihten Öle gesalbt werden wolle, weil sie gewiß waren, daß
er mit keiner Sünde belastet sei.

Die nahe Beziehung, in welche so die Krankenölung zu der Buße, und zwar besonders zu der schwereren Buße trat, veranlaßte die Frage, ob dieselbe wiederholt werden dürfe.
45 Als diese Frage von dem Abte Gottfried von Vendome (vgl. über ihn den Art. in
Bd VII S. 37 f.) um 1100 an den Bischof Ivo von Chartres gerichtet wurde, verneinte
letzterer sie, weil sie ein genus sacramenti sei und ein solches nach Augustin und
Ambrosius die Möglichkeit der Wiederholung ausschließe. Diese Entscheidung, welche sich
Gottfried aneignet (Epist. Lib. II, 19. 20), deutet darauf, daß man schon besonders an
50 die Sterbenden dachte. Das Konzil von Mainz 847 hat diese bereits im Auge (cap. 26,
Harduin V, 13. Theodulf von Orleans empfiehlt noch die Salbung „in der Kirche"
vorzunehmen, denkt also sicher noch nicht vorwiegend an Sterbende, Capitulare II, l. c.).
Eine populäre Anschauung ging dahin, daß nach Empfang der Ölung der Wieder-
genesende die Erde nicht mehr mit bloßen Füßen berühren dürfe und daß er sich des
55 ehelichen Umganges und des Fleischgenusses enthalten müsse. Er galt als ein bereits
Abgeschiedener unter den Lebenden. Doch werden die Namen Sacramentum exeuntium
oder extrema unctio erst im 12. Jahrhundert geläufig.

Hugo a S. Victore (gest. 1141) hat als erster die letzte Ölung im Zusammenhange des theologischen Systems behandelt, vgl. in seiner Summa sententiarum den
60 Tract. VI, wo er in cap. 15 (MSL CLXXVI) kurz davon handelt; (auch in Libri

duo de sacramentis christ. fidei beſpricht er ſie: II, pars XV, MSL l. c. 577 ff.). Der Lombarde widmet ihr in Sentent. IV die Distinctio XXIII. Auch er wirft immer= hin nur erſt zwei Fragen auf, die er leicht erledigt, nämlich die nach der „institutio" des Sakramentes und die nach der Wiederholbarkeit. Alexander von Hales (geſt. 1245) ſtreift die extrema unctio kurz. Er rechnet ſie zu den sacramenta, widmet ihr aber 5 keine beſondere Erörterung (ſ. Summa IV, Quaest. VIII, Membr. VII art. 2). Da= gegen die eigentlich großen Scholaſtiker wenden ihr eine genaue theologiſche Erörterung zu, ſo Albert d. Gr. in ſeinem Kommentar zu Sentent. IV, Dist. XXIII (opp. Lugd. tom. XVI), Bonaventura in der Elucidatio ebendazu, und zumal Thomas von Aquino, Summa IV, Dist. XXIII (Parmeſer Ausg. VII, 2, 872 ff.). Der letztere hat, wie der 10 Lombarde, zwei Quäſtionen, nämlich: I. de ipso sacramento (art. 1 de ipsa extr. unctione [utrum sit sacramentum], 2. de effectu ejus [utrum valeat ad re= missionem pecc.], 3. de materia ipsius [utrum oleum olivae sit conveniens materia], 4. de forma [utrum habeat aliquam formam]); II. de administra= tione et usu sacramenti (art. 1: quis sit minister hujus sacramenti [utrum 15 laicus possit hoc sacramentum conferre], 2. cui debeat conferri [utrum sanis debeat conferri], 3. in qua parte [utrum hoc sacramento totum corpus inungi debeat], 4. utrum debeat iterari). Seither ſteht die kirchliche Lehre in den Haupt= ſachen feſt. Ihre ſanktionierte Geſtalt erhielt ſie zuerſt durch Eugen IV. auf dem Konzil zu Florenz 1439 in dem Decretum pro Armenis, Bulle „Exultate Deo" (ſ. Denzinger= 20 Stahl, S. 160 ff., ſpeziell Nr. 595). Definitiv fixiert wurde ſie in Trient, Sess. XIV, (25. Nov. 1551). Siehe dann noch beſonders den Catechismus Romanus, p. II, cap. VI und Bellarmin, De controversiis christ. fidei tom. III (Colon. 1615), S. 483 ff.

2. Nach dem Lombarden iſt das Sakrament von den Aposteln, nach Alexander von 25 Hales von Chriſtus durch die Apoſtel, nach Bonaventura vom hl. Geiſt durch die Apoſtel eingeſetzt; nach Thomas hat es Chriſtus wohl eingeſetzt (Mc 6, 13), dagegen den Aposteln die Verkündigung überlaſſen. Daran ſchließt ſich die Erklärung des Tridentinums, daß Chriſtus ſelbſt dies Sakrament geſtiftet und den Aposteln Mc 6, 13 „inſinuiert" habe (salvator unctionis specimen quoddam dedisse visus est, ſagt der römiſche 30 Katechismus quaest. 8), daß es aber erſt von Jakobus, dem Apoſtel und Bruder Jeſu, „promulgiert" und den Gläubigen empfohlen worden ſei. Bellarmin verſucht (cap. 2) dieſe Beſtimmung zu rechtfertigen; er giebt zu, daß die Salbung Mc 6, 13 die Heilung des Leibes bezweckt, daß ſie in allen Fällen unfehlbaren Erfolg gehabt habe und in keiner Weiſe ſakramentlich habe ſein könne, da die Apoſtel noch keine Prieſter geweſen ſeien; 35 auf der andern Seite behauptet er, daß Ja 5, 14. 15 bereits alle weſentlichen Erforder= niſſe des Sakramentes gegeben ſeien, daß dieſe Salbung nicht vornehmlich die leibliche Heilung, ſondern das Seelenheil bezweckt habe und daß jene darum auch nicht in allen Fällen erfolgt ſei (cap. 2 u. 3); den Begriff der Inſinuation durch Chriſtus will er letztlich auf die Bedeutung der ſymboliſchen Präfiguration (adumbratio) beſchränken. 40

Als die „Materie" des Sakramentes bezeichnen alle gleichmäßig das vom Biſchof geweihte Olivenöl (Decret. Eugen. IV, Decred. Trid. c. 1. Catech. Rom. qu. 5). Thomas erörtert (quaest. I, art. 3) die Frage, ob nicht Balſam beſſer „conveniens" wäre, beruhigt ſich aber bei dem Wortlaut von Ja 5, 14. Die Theologen ſtellen aus= drücklich feſt, daß unter „Oleum" nur Olivenſaft zu verſtehen ſei. Das Krankenöl, 45 oleum infirmorum, iſt wohl zu unterſcheiden von dem Katechumenenöl und dem Chrisma oder Chriſam. Es muß unbedingt rein, d. h. unvermiſcht ſein, während das Chriſam einen Zuſatz von Balſam hat. Ebenſo unerläßlich iſt, daß es von einem „Biſchof" ge= weiht iſt. Paul V. hat 1655 die Frage, ob das Sakrament der letzten Ölung oleo episcopali benedictione non consecrato in giltiger Weiſe miniſtriert werden könne, 50 verneint. Gregor XVI. beſtätigte 1842 dieſe Entſcheidung und erklärte, daß ein Pfarrer auch nicht in casu necessitatis ſich eines von ihm ſelbſt geweihten Öles bedienen dürfe; vgl. Denzinger=Stahl Nr. 1494 und 1495. Die „Form" des Sakramentes iſt erſt nach langem Schwanken feſtgeſtellt worden. Sofern die erſten Erwähnungen der Krankenölung auf Ja 5 zurückweiſen, konnte für den Kranken nur gebetet werden. Je 55 mehr indeſſen die Richtung zur Zeit darauf hindrängte, dieſe Handlung in den Kreis des Sakramentlichen zu ziehen, mußte ſich auch Neigung zeigen, die Fürbitte mit der indikativen Formel zu vertauſchen. In der von dem Abte Grimoald von St. Gallen beſorgten Bearbeitung des gregorianiſchen Sakramentars finden ſich Formeln beider Art zum freien Gebrauch nebeneinander. Bonaventura (l. c. art. 1, qu. 4) und Thomas 60

(quaest. I art. 4) entſcheiden ſich für die deprekative: Per istam sanctam unctionem et piissimam suam misericordiam indulgeat tibi Dominus quidquid per visum, auditum etc. deliquisti. Beſtätigt wurde dieſelbe zu Florenz. Vgl. auch das Rituale Romanum. Der römiſche Katechismus (l. c. qu. 7) ſucht ſie durch Hinweiſung auf
5 die Erfahrung zu rechtfertigen, daß die Herſtellung des Kranken (von der ſie jedoch kein Wort enthält) nicht in allen Fällen eintrete.

Was Zweck und Wirkung der letzten Ölung betrifft, ſo wird ſie von der tridentiniſchen Synode als das Sakrament bezeichnet, das nicht bloß der Buße, ſondern auch dem ganzen chriſtlichen Leben, das ja eine beſtändige Buße ſein müſſe, ihre Vollendung gebe (sacra-
10 mentum poenitentiae et totius Christianae vitae consummativum). Danach müßte die letzte Ölung an Wirkſamkeit alle übrigen Sakramente weit überbieten, und dennoch nimmt ſie im römiſchen Lehrſyſteme im Vergleiche zu Taufe, Abendmahl und Buße nur eine untergeordnete Stelle ein; ſie iſt nur ein Annexum zum Bußſakramente, eine Handlung, durch welche den beiden ihr in der Praxis voraufgehenden Sakramenten
15 die Bedeutung der unmittelbaren Vorbereitung zum Tode aufgeprägt wird. Es iſt da=
her auch nur wenig gelungen, eine ſpezifiſche Wirkung nachzuweiſen, welche ſie von den übrigen Gnadenmitteln unterſcheidet und ihren ſelbſtſtändigen ſakramentlichen Charakter rechtfertigt. Der Lombarde giebt noch ſehr allgemein als ihren Zweck an peccatorum remissio et corporalis infirmitatis alleviatio. Albert b. Gr. meint, da die Reinigung
20 von der Erbſünde durch die Taufe, von der aktuellen Sünde durch die Buße geſchehe, ſo könne nur an die Reinigung von den Überreſten (reliquiae) der Sünde gedacht werden, welche den Eingang der Seele zur letzten Ruhe hinderten (in lib. IV. Dist. 23, art. 14). Thomas von Aquino beſtimmte den Begriff dieſer Überreſte als geiſtliche Schwäche, eine Art von Mattigkeit und Untüchtigkeit, welche dem Menſchen den perfectus vigor ad
25 actus vitae gratiae vel gloriae nicht geſtatte. Treffe die gratia, die in dem Sakra=
ment der Ölung wirkt, noch oder wieder (nämlich nach der poenitentia, die voran=
gegangen) auf ein peccatum, ſo nehme ſie dieſes freilich auch quoad culpam mit weg, aber „non semper invenit". Das Sakrament ziele nicht auf die eigentlichen peccata, weder die mortalia, noch auch, wie einige meinten, auf die venialia, ſondern princi-
30 paliter eben auf die reliquiae der Sünde, für die es die „medicina" ſei; quaest. I art. 2 quaestiunc. 3 sol. 1. Es wolle keinesfalls poenitentiae suum effectum nehmen. Die körperliche Heilung iſt nach Thomas nur ſekundärer Zweck, ſie tritt nur ein, wenn der primäre Zweck dadurch nicht gehindert, ſondern gefördert wird, l. c. sol. 2. Anders als Thomas ſieht Bonaventura gerade die Überwindung der läßlichen Sünden als die
35 ſpezifiſche Wirkung der letzten Ölung an. Im Leben, meint er, ſeien die läßlichen Sünden unvermeidlich; durch die letzte Ölung würden ſie ſo getilgt, daß ihre Wiederkehr nicht mehr zu befürchten ſtehe und daß die befreite Seele neue Kraft der andächtigen und liebe=
vollen Erhebung zu Gott empfange, was notwendig auch erleichternd auf die Schwäche des kranken Leibes zurückwirken müſſe; dieſe letztere Wirkung aber werde nur per acci-
40 dens geübt (in lib. IV. Dist. 23, art. 1, qu. 1). Das Tridentinum begnügte ſich (c. 2), ſämtliche poſitive Behauptungen, welche von der Scholaſtik aufgeſtellt worden waren, ein=
fach zu ſummieren, und überließ es den Theologen, was darin disparat war, dialektiſch zu vermitteln. Es erklärte, durch die unctio mit dem hl. Geiſte, welche die res dieſes Sakramentes ſei, würden die Vergehungen, wenn deren noch einige zu ſühnen ſeien, und
45 die Überreſte der Sünde getilgt, des Kranken Seele aber erleichtert und geſtärkt im Vertrauen auf Gottes Barmherzigkeit, ſo daß er ſein Leiden leichter trage und den Ver=
ſuchungen des Teufels erfolgreicher widerſtehe; auch die körperliche Geneſung erfolge bis=
weilen, wenn ſie dem Seelenheile zuträglich ſei. Dieſer mittlere Durchſchnitt ſcholaſtiſcher Lehrbildung konnte nicht befriedigen und mußte zu dem Verſuche reizen, die tridentiniſche
50 Beſtimmung ſchärfer zu fixieren. Der römiſche Katechismus nimmt zwei Wirkungen dieſes Sakramentes an; die erſtere iſt die Nachlaſſung der leichteren oder läßlichen Sün=
den; die zweite die Aufhebung der Sünde verſchuldeten Schwäche ſamt den ſonſtigen Überreſten der Sünde (l. c. c. 14). Bellarmin unternahm eine präziſere Definition des Begriffs der reliquiae peccati; er verſtand darunter einerſeits ſolche Ver=
55 gehungen, läßliche oder tödliche, in welche der Menſch nach der Beichte und der Eucha-
riſtie wieder falle, oder welche trotz derſelben ungeſühnt geblieben ſeien, weil er beide Sakramente, ohne es zu wiſſen, nicht in der rechten Weiſe und folglich ohne die rechte Wirkung empfangen habe; andererſeits die Angſt und Trauer, welche als Folge der Sünde die Todesſtunde verbittert und erſchwert (c. 8). Die neueren Dogmatiker haben
60 die Sache nicht weiter gefördert.

3. Das Krankenöl wird von dem Bischof am grünen Donnerstage unter der Messe zugleich mit dem Katechumenenöl und dem Chrisma geweiht. Jedem Dekanate wird eine Quantität desselben zugestellt und von diesem an die einzelnen Parochieen verteilt. Ist das Öl nach Ablauf des Jahres noch nicht aufgebraucht, so wird der Rest (in der Lampe vor den Hostien) verbrannt; droht es früher auszugehen, so darf ungeweihtes Öl, aber nur in geringer Quantität, zugegossen werden. Vgl. Rituale Rom. l. c. cap. 1, § 3.

Die Salbung selbst geschieht vom Priester, der dabei nicht in seiner Person thätig ist, sondern die Stelle der gesamten Kirche und Jesu Christi vertritt, Thomas, quaest. II, art. 1 quaestiunc. 3, sol. 1. Seine Fürbitte, die dem Sakramente die Form, d. h. nach scholastischem Sprachgebrauche das Wesen gibt, hat nach ihrem primären Zwecke eine unfehlbare Wirkung („quantum est de se habet certitudinem"), freilich nur wenn kein defectus ex parte recipientis vorhanden ist, Thomas, quaest. I, art. 4 quaestiunc. 3, sol. 2. Der Laie kann dieses Sakrament nicht spenden, weil er, als Privatperson ohne öffentlichen kirchlichen Charakter, nicht in der Person der Kirche reden kann. Thomas, quaest. II, art. 1 quaestiunc. 3, sol. 1. Nach der Jakobusstelle kann aber auch kein Diakon die Ölung in giltiger Weise vornehmen; auch der Papst vermag einen solchen nicht zu bevollmächtigen. Natürlich macht die oben (S. 306,15) berührte Äußerung des Papstes Innocenz I. und die darin bezeugte alte consuetudo romana den neueren Theologen dabei zu schaffen; vgl. z. B. Gihr, S. 296. Wenn Jakobus von „presbyteri" spricht, so bedingt das doch nicht, daß das Sakrament von einer Mehrzahl von Priestern vollzogen werden müsse. Andererseits ist es freilich erwünscht, daß mehrere Priester oder doch Kleriker der Handlung assistieren, Gebete sprechen (die Bußpsalmen und die Litanei rezitieren). Das Rituale Rom. bestimmt ausdrücklich (Tit. V, cap. 2), daß „saltem unus clericus" den Priester begleiten solle, um das geweihte Wasser mit dem Weihwedel bereit zu halten ꝛc. Sind mehrere Priester zugegen, so „dürfen" sie sich in die Handlung insoweit teilen, als verschiedene Sinne (Gliedmaßen) in Betracht kommen, doch muß jeder bei der unctio, die er vornimmt, auch die dazu gehörigen Worte sprechen, denn Materie und Form müssen immer von derselben Person administriert werden, Gihr, S. 297.

Seit die Ölung ihren spezifischen Charakter als Sterbesakrament erhalten, also spätestens seit dem 12. Jahrhundert, ist strittig, bei welchem Maße von Krankheit sie gespendet werden dürfe oder solle. Thomas, quaest. II, art. 2 quaestiunc. 4, sol. 2 bezeichnet das Sakrament als ultimum remedium quod ecclesia potest conferre und als quasi immediate disponens ad gloriam, sonach „soll" es nur denen exhibiert werden „qui sunt in statu exeuntium". Aber freilich, es ist schwer zu entscheiden, wann dieser status anzunehmen ist. Das Tridentiner Dekret drückt sich unbestimmt aus: esse hanc unctionem infirmis adhibendam, illis vero praesertim, qui tam periculose decumbunt, ut in exitu vitae constituti videantur (cap. 3). Der römische Katechismus beschränkt seine Spendung auf schwer Erkrankte und empfiehlt, diese es zur Zeit des noch ungetrübten Bewußtseins begehren sollen, weil der Glaube und die religiöse Stimmung einen reicheren Empfang der Gnade vermittle; Besinnungslose und Rasende sollen es dagegen nur empfangen, wenn sie es noch bei vollem Verstande begehrt haben, aber vor der Ausspendung in ihren Zustand verfielen. Ebenso soll es Kindern nicht gegeben werden (l. c. qu. 9). Indem der Begriff der Krankheit festgehalten wird, gilt als ausgemacht, daß keiner, der in „Gesundheit" dem Tode sicher oder möglicherweise entgegensieht, das Sakrament empfangen dürfe. Rit. Rom. l. c. cap. 1, § 9: non ministretur praelium inituris aut navigationem, aut peregrinationem, aut alia pericula subituris, aut reis ultimo supplicio mox afficiendis; auch Frauen, die der Geburt entgegensehen, dürfen es nicht erhalten ꝛc.

Indem Thomas in quaest. II, art. 3 erörtert, ob totum corpus zu salben sei, stellt er fest (quaestiunc. 3, sol. 2), daß es für die Sünden drei principia gebe, 1. das principium dirigens scl. vis cognoscitiva, 2. das princ. imperans scl. vis appetitiva, 3. das princ. exequens, scl. motiva. Das erstere ist repräsentiert durch die fünf Sinne und ist das wichtigste; diese (die Augen, Ohren, Nase, Mund, Hände) sind demnach in erster Linie zu salben. Sekundär kommen die beiden anderen Prinzipien in Betracht, sie haben ihren Sitz in den Nieren bez. Lenden und in den Füßen. So sind jedenfalls nicht mehr als sieben Salbungen nötig und sie bilden die eigentlich solenne Gestalt des Sakraments. Das Rit. Rom. gestattet für eilige Fälle die möglichste Abkürzung. Es genügt, daß eine Salbung vorgenommen wird, wobei die „Form" kurz

zusammenzuziehen ist. Bei Frauen ist mit Rücksicht auf das Schamgefühl von einer Salbung der Lenden und Füße abzusehen. — Um die Ölung würdig zu erhalten, soll der Kranke in der Regel vorher das Bußsakrament und die „heilige Wegzehrung" empfangen haben. In eiligen Fällen genügt die Ölung für sich selbst als Bereitung zur
5 Seligkeit.

Die Möglichkeit der Wiederholung der letzten Ölung galt im 12. Jahrhundert im allgemeinen für ausgeschlossen. Doch wurde sie in Clugny behauptet und Petrus Venerabilis (seit 1122 Abt von Clugny, gest. 1156) rechtfertigt sie (Epist. Libr. V Nr. 7, MSL CLXXXIX, 392 ff.) in weitläufiger Erörterung damit, daß auch die Wiederkehr
10 der Sünden unvermeidlich sei, gegen welche dieses Sakrament geordnet sei. Hugo von St. Viktor und Peter der Lombarde treten ihm darin bei. Bonaventura begründet die Iterabilität derselben damit, daß sie keinen Charakter imprimiere (l. c. art. 2, qu. 4), Thomas damit, daß sie keinen „effectus perpetuus" habe (quaest. II art. 4 quaestiunc. 2 sol. 1). Die Frage war nun im allgemeinen erledigt, und die Scholastiker
15 stritten nur darüber, wann die Wiederholung stattfinden dürfe. Albert der Große entschied: erst nach Ablauf eines Jahres (l. c. art. 20). Bonaventura fand es absurd, die Verwaltung der Sakramente nach dem Lauf der Gestirne zu regeln, und verlangte, daß der kritische Moment der Krankheit den Ausschlag gebe. Nach Thomas (l. c. sol. 2) kann es schon in derselben Krankheit bei einer Rezidive gegeben werden, weil diese als
20 alia infirmitas angesehen werden dürfe. Das Tridentinum und der Katechismus begnügen sich, die Wiederholbarkeit im allgemeinen auszusprechen.

II. Die griechische Kirche stimmt nur in beschränktem Maße mit der römischen überein. Seit dem Konzil von Lyon 1274 bezw. vom Florenz 1439 gilt ihr die Krankenölung als eins der Hauptmysterien und als Äquivalent der römischen letzten Ölung. Sie ver-
25 wirft jedoch die Bezeichnung ἐσχάτη χρίσις, und hält an dem Namen εὐχέλαιον (Gebetsöl) fest, weil sie die Ölung nicht erst in der letzten Not, sondern gerade, wenn noch Hoffnung zur Genesung ist, anwendet. Die einigermaßen romanisierende Confessio orthodoxa des Mogilas bietet nur ganz knapp die dogmatische Lehre p. I quaest. 117—119, der Katechismus des Philaret (im Anhang zu Philaret, Gesch. der Kirche Rußlands II,
30 S. 293 ff.) sagt fast dasselbe. Beide geben Heilung der Seele und des Leibes als „Frucht" des Mysteriums an. Metrophanes Kritopulos, Confessio cap. 13 (Monumenta fidei ecclesiae orient. ed. Kimmel, App. S. 151 ff.) ist ausführlicher, er schildert besonders den Ritus. Ihm steht die leibliche Heilung als Zweck im Vordergrund, freilich unter Betonung der Sünde als Quell vieler Krankheiten und der „vergebenden" Gnade als
35 Grundlage des Mysteriums. Es scheint, daß ein gewisser Unterschied zwischen der Betrachtung der Gebetsölung bei den Russen einerseits, den Griechen andererseits herausgebildet hat, denn bei ersteren bleibt die körperliche Heilung eine Hauptsache, während die Griechen, wie wenigstens Beth S. 316 f. es darstellt, jetzt ganz vorab an Vergebung der Sünde denken. Beth sagt, es werde in der griechischen Kirche empfohlen, das Mysterium
40 möglichst oft zu begehren, häufig werde es vor dem Abendmahl anstatt der Beichte oder aber nach der Beichte zur völligen Reinigung und Kräftigung der Seele in Anspruch genommen. Griechen und Russen begehen die Feier, wo möglich, in der Kirche. Maltzew schreibt (a. a. O. 450 Anm. 1): „Die heilige Ölung wird in der Kirche vollzogen, wenn der Kranke sein Lager verlassen kann, oder zu Hause inmitten des ver-
45 sammelten Volks. Die Kirche wünscht auch, daß die Vollziehung des Sakraments von einer Versammlung von Priestern geschehe". Es gehören sieben Priester zu der Feier, aber man muß sich notgedrungen oft an nur einem genügen lassen. Jeder der sieben vollzieht die volle Salbung, die während siebenfacher biblischer Vorlesungen (sieben epistolischer, sieben evangelischer) und siebenfacher Gebete, sowie unter vielen Ge-
50 sängen geschieht. Gesalbt werden (Maltzew S. 493) die Stirn, die Nasenflügel, Wangen, Mund, Brust und beide Hände, indem eine Kreuzform darauf beschrieben wird. Das Gebet, unter dem jeder Priester die Salbung vornimmt, vgl. bei Maltzew S. 493 ff., Beth S. 418. Das εὐχέλαιον wird stets für den Einzelfall geweiht von dem „ersten Priester" (Maltzew S. 475); die Ölweihe (mit vielen Gebeten und Gesängen) bildet den
55 Eingang der Feier, es handelt sich um das Öl der heiligen Lampe, die der Priester eventuell in das Haus des Kranken mitbringt (s. o. S. 306,10 ff. die Notiz aus Chrysostomus). Alljährlich am Gründonnerstag (bei den Griechen nach Beth am Karmittwoch) wird in der Kirche ein „Fest des Euchelaion" gefeiert, an dem alle, auch Gesunde, gesalbt werden; der Ritus hat statt „vor der Liturgie", s. ihn bei Maltzew S. 549 ff.
60 Die Nestorianer und Armenier üben keine Krankenölung, doch haben wenigstens die

letzteren sie ehedem gekannt; s. Denzinger, Ritus Orient. I 184ff., auch Maltzew
S. CCCXXXIII ff. Die Kopten und syrischen Jakobiten haben einen Ritus derselben,
der dem der „orthodoxen Kirche" zu vergleichen ist; Denzinger, II, 483ff. 506ff.; Maltzew,
S. CCCXXIX ff.   (G. E. Steitz †) F. Kattenbusch.

Österreich (Cisleithanien, „die im Reichsrate vertretenen Königreiche und Länder"), 5
kirchlich-statistisch. — Litteratur: Justiz-Gesetz-Sammlung v. 1780—1848, 14 Bde;
Politische Gesetz-Samml. v. 1781—1848, 76 Bde; G. Rechberger, Handbuch d. österr. Kirchenrechts, 1807, 3. A. v. Gapp 1816; Das allgem. bürgerl. Gesetzbuch v. 1811; Histor. und
topograph. Darstellung der Pfarren, Stifte . . im Erzherzog. Oesterreich, 1824—40, 18 Bde;
Wanisch, Statistik aller Seelsorgerbezirke, Kirchen und Klöster im Königreich Böhmen, 1835; 10
B. Barthenheim, Oesterreichs geistl. Angelegenheiten in ihren polit.-administrativen Beziehungen,
1841; v. Helfert, Die Rechte u. Verfassung der Kathol. i. d. österr. Kaiserstaat, 3. A. 1843;
Phillps, Kirchenrecht, 1845ff., 6 Bde; Bericht über die v. 3. bis 11. Aug. 1848 in Wien
abgehaltene Konferenz frei gewählter Vertreter mehrerer Gemeinden, 1848; v. Helfert, Handbuch d. Kirchenrechts aus den gemeinen und österr. Quellen, 3. A. 1848; Reichs-Gesetz-Blatt, 15
seit 2. Dez. 1848; seit 1870: Reichs-Gesetz-Blatt für die im Reichsrat vertretenen Königreiche
und Länder; Beidtel, Untersuchungen über die kirchl. Zustände in den kais. Staaten, 1849;
Verhandlungen und Vorschläge der zur Regelung des Verhältnisses d. ev. Kirche zum Staat
im Sommer 1849 nach Wien einberufenen Versammlung der österr. Superintendenten und
ihrer Vertrauensmänner, 2. A., 1850; Schimko, D. kirchl.-rel. Leben im konstitution. Staat, 20
1850; Brühl, Acta ecclesiastica, T. VI, 1853; (Feßler), Studien über das österr. Konkordat,
1856; Jacobson, Ueber das österr. Konkordat v. 18. Aug. 1855, 1856; Kuzmany, Lehrbuch
des allgemeinen und österr. ev.-protest. Kirchenrechtes, 1856; Ginzel, Handbuch des neuesten
in Oesterreich geltenden K.-Rechtes, 1857ff. 3 Bde; Kuzmany, Handbuch d. allg. u. protest.
Eherechtes, 1860; Schulte, Betrachtungen über die Stellung b. kath. Kirche u. b. protest. Kirche 25
in Oesterr., 1861; Buß, Oesterreichs Umbau im Verhältnisse des Reiches zur Kirche, 1862;
Pachmann, Lehrbuch des K.-R. mit Berücksichtigung der auf die kirchlichen Verhältnisse Bezug
nehmenden österr. Gesetze und Verordnungen, 3 Bde, 3. A., 1863/66; Neher, Kirchl. Geographie und Statistik, 1. Abt. 2. Bd, 1865; Roscovany, Monumenta Catholica T. VI, 1865;
Porubsky, Die Rechte der Protestanten in Oesterreich, 1867; Schulte, Die juristische Person- 30
lichkeit der kath. Kirche, ihrer Institute und Stiftungen, sowie deren Erwerbsfähigkeit nach
dem gemeinen, bayerischen, österreichischen ꝛc. Rechte, 1869; ders., Die Stifte der alten Orden
in Oesterreich ihre Aufgabe, Stellung, Wirksamkeit, 1869; Aichner, Compendium juris eccles.
cum singulari attentione ad leges partic. vi conventionis XVIII. Aug. MDCCCLV, cum
sede apostol. initae in Imp. Austriaco vigentes, 3. A., 1870; Porubsky, Kritische Beleuch- 35
tung der neuen österreichischen Gesetze vom 25. Mai 1868 über Ehe, Schule und interkon-
fessionelle Verhältnisse. In: Ztschr. f. KR. IX. Bd, 1870; Schulte, Lehrbuch des Kirchenrechts, 3. A. 1873; Sammlung der allgemeinen kirchlichen Verordnungen des k. k. Oberkirchenrates A. u. H. Bekenntnisses seit 1873; Statistische Monatsschrift, Wien 1875ff. Herausgegeben von der k. k. Statist. Centralkommission; Die Länder Oesterreichs-Ungarns, 13 Bde, 40
1880ff.; Die Völker Oesterreichs-Ungarns, 11 Bde, 1881ff.; Umlauft, Die österr.-ungar.
Monarchie, 2. A., 1881ff.; G. Frank, Das Toleranzpatent Kaiser Josephs II., 1882; E. Friedberg, Die geltenden Verfassungsgesetze der evangelischen Landeskirche in Oesterreich u. Siebenbürgen AB. 1885; J. P. Jordan, Schematismus der gesamten katholischen Kirche Oesterr.-
Ung. 1887; Schematismus d. ev. Kirche Augsb. und Helvet. Bekenntnisses in den im Reichs- 45
rate vertretenen Königreichen und Ländern, 1887; O. Werner, Orbis terrarum cath., 1890,
S. 87—100; Organische Bestimmungen für die Militär-Seelsorge. Normal-Verordnungs-Blatt
für das k. u. k. Heer, 15. Stück A—1, h; Brachelli, Statistische Skizzen b. österr.-ungar.
Monarchie, 13. Aufl. 1892; Verfassung der ev. Kirche Augsburg. u. Helvet. Bekenntnisses in
den vom Reichsrate vertretenen Königreichen und Ländern, 1892; G. Frank, Die Lippowaner, 50
KwTh 35 (1892), 93—98; Rieker, Die rechtl. Stellung der ev. Kirche Deutschlands, 1893;
Vering, Lehrbuch b. kath., oriental. und protest. KR. mit besonderer Rücksicht auf Deutschland,
Oesterreich und der Schweiz, 3. A., 1893; Joh. Heindl, Das kirchliche Oesterreich-Ungarn. Allg.
Real- und Personal-Handbuch der katholischen Kirche in Oesterreich-Ungarn einschließlich
Bosnien und Hercegovina, 1894; Hermann Zschokke, Die theologischen Studien und Anstalten 55
d. katholischen Kirche in Oesterreich 1894; Neher, Oesterreich in Wetzer und Weltes Kirchen-
lexikon, 2. A., 9 (1895), 728—761; Beidtel-Huber, Geschichte der österr. Staatsverwaltung,
1896/98; E. Mischler u. J. Ulbrich, Oesterr. Staatswörterbuch, 2 Bde, 1895—97 (Neue Aufl. im
Erscheinen); Hans Mayerhofer, Oesterreich.-ungar. Pfarrorte-Lexikon, 1896, enthaltend die
Pfarrorte, Kultusgemeinden und Filialen aller Konfessionen; Beer, Kirchl. Angelegenheiten 60
Oesterreichs (1816—1842) in „Mt. d. Instituts f. österr. Geschichtsforsch.", Bd XVIII, 1897;
G. A. Skalsky, Zur Geschichte d. evang. Kirchenverfassung in Oesterreich, 1898; Th. A. Witz,
Die evang. Kirchen Augsburg. und Helvet. Bekenntnisses, 1898; [Johann Schrammel], Reich
illustr. Schematismus sämtlicher Männer- und Frauenklöster, Abteien, Stifte . . . in Oesterr.-
Ungarn . . . Wien, ohne Jahrzahl [1900] 2 Bde; Groß, Katholisches Kirchenrecht, 3. A. 1900; 65

O. Braunsberger, Rückblick auf das kath. Ordenswesen im 19. Jahrh., 1901, S. 124 ff.; P.
M. Baumgarten, D. kath. Kirche unserer Zeit und ihre Diener in Wort und Bild, 3 Bde,
1902 (3. Bd); Frommes Kalender für d. kath. Klerus Oesterr.-Ungarns, 24. J., 1902; O. Hüb-
ner-v. Juraschek, Geogr. statist. Tabellen 51 ff., 1902; Loesche, Geschichte des Protestantis-
mus in Oesterreich 1902 (u. die Quellen daselbst); Vollständiges Ortschaften-Verzeichnis der
im Reichsrate vertretenen Königreiche und Länder, hrsgg. v. d. k. k. statistischen Central-
Kommission 1902; Schematismus der allgemeinen Volks- und Bürgerschulen, Wien 1902;
Oesterreichische Statistik, hrsgg. v. d. k. k. Statist. Central-Kommission, 62. Bd, 2. H. 1902
(Statistik der allgemeinen Volks- und Bürgerschulen v. 15. Mai 1900); 63. Bd, 1. H., 1902;
(D. Ergebnisse d. Volkszähl. v. 31. Dezember 1900, S. XXXII f. und Tabelle II, S. 38 f.);
Altkathol. Volkskalender, 13. Jahrg. 1903, S. 29—34; A. L. Hickmann, Entwickelung Wiens
im 19. Jahrh., Histor.-stat. Atlas mit 41 Tafeln, 1903, (Tafel 29/30); Akten des k. k. ev.
Oberkirchenrates in Wien.

Anwesende Bevölkerung nach der Religion f. S. 313.

Die katholische Kirche.

Nachdem der Staat durch Gewaltmittel und Reformationsmaßregeln die katholische
Kirche von dem Protestantismus befreit hatte, begann er, sie zu beherrschen. Lange vor
Kaiser Joseph II. waren Gallikanische und Jansenistische Lehren eingedrungen, die durch
den Febronianismus (siehe Bd V S. 787) vertieft wurden. Unter Joseph II. wurde
die katholische Kirche Österreichs fast in eine schismatische umgewandelt. Es hatte sich
ein Kirchenregiment ausgebildet, infolge dessen das jus circa sacra bis in die Einzelheiten der kirchlichen Angelegenheiten durch Staatsgesetze festgestellt war. Es gab kaum
ein Gebiet der kirchlichen Thätigkeit, Rechtssprechung und Verwaltung, wo die Staatsgewalt ihren Einfluß nicht hätte geltend machen können. Ein neuer Abschnitt brach mit
dem Konkordat vom J. 1855 an. Nachdem das kaiserliche Patent vom 4. März 1849,
sowie die kaiserlichen Verordnungen vom 18. und 23. April 1850 den Grundsatz der
vollen Selbstständigkeit der Kirche ausgesprochen hatten, begannen im Jahre 1853 die
Unterhandlungen mit der mehr umworbenen als werbenden Kurie zur Durchführung
jenes Grundsatzes. Das Ergebnis war das Konkordat vom 18. August 1855, welches
durch eine Bulle des Papstes und durch ein kaiserliches Patent, beide datiert vom 5. November 1855, veröffentlicht wurde. In 36 Artikeln wird die Zuständigkeit in Bezug
auf sämtliche kirchliche Angelegenheiten endgiltig geordnet. Die kirchliche Gesetzgebung
und Verwaltung (jurisdictio et administratio) ist in allen innerkirchlichen Dingen der
Kirche selbst vollständig freigegeben, namentlich der Wechselverkehr zwischen den Bischöfen,
der Geistlichkeit, dem Volke und dem hl. Stuhle, die Erziehung für und die Aufnahme
in den Klerus, die Bestellung der Organe für die Diöcesanverwaltung, die Anordnung
von öffentlichen Gebeten, Prozessionen, Wallfahrten, Leichenbegängnissen, Provinzial-Kon-
zilien und Diöcesansynoden; die Überwachung und Leitung des Unterrichtes der katholischen Jugend und der gesamte Religionsunterricht von der theologischen Fakultät bis
zur Volksschule herab, das kirchliche Recht der Bücherzensur, die Jurisdiktion in Ehesachen,
in Betreff der Diszplin des Klerus und der geistlichen Strafgewalt über die Laien und
hinsichtlich des Patronatsrechtes; die Besitzergreifung von Kirchengut, die innere Leitung
des Ordenswesens. Dem Staate bleibt vorbehalten das Urteil über die bürgerlichen
Wirkungen der Ehe, die bürgerlichen Rechtsverhältnisse des Klerus und die Strafgerichts-
barkeit über denselben. Das Einvernehmen zwischen Staat und Kirche wird gefordert
für Neuerrichtung oder Veränderung der Diöcesen, Pfarreien und sonstigen Benefizien,
Besetzung der Pfründen und kirchlichen Ämter, Anstellung von Professoren der Theologie,
Katecheten, Schuloberaufsehern, Einführung von Orden und religiösen Genossenschaften,
Verwendung der Mittel des Religionsfonds. Ausdrücklich wurden „alle bis gegenwärtig
in was immer für einer Weise und Gestalt erlassenen Gesetze, Anordnungen und Verfügungen, insoweit sie diesem feierlichen Vertrage widerstreiten, durch denselben aufge-
hoben". Das Konkordat sollte „von nun an immerdar die Geltung eines Staats-
gesetzes" haben. — Die Wirkungen des Konkordates, das freilich nur in wenigen Punkten
ins Leben trat, machten sich auf dem Gebiete des öffentlichen Lebens besonders nach zwei
Richtungen sofort geltend. Das bisher zu Recht bestandene Ehegesetz (Allgem. bürgerl.
Ges.-Buch, II. Hauptst.) wurde einer einschneidenden Prüfung unterzogen und für die
Katholiken durch das kais. Patent vom 8. Oktober 1856 ein neues Ehegesetz veröffentlicht,
das in jeder Beziehung den Beschlüssen des Conc. Trid. entsprach und die Ehegerichts-
barkeit den neu eingesetzten bischöflichen (geistlichen) Ehegerichten überwies. Sodann aber
wurden in allen Diöcesen die von dem Conc. Trid. vorgesehenen, in den Art. VI und

Anwesende Bevölkerung nach der Religion
nach den Ergebnissen der Volkszählung vom 31. Dezember 1900.

	Römisch-Katholisch	Griech. uniert	Armen. uniert	Altkatholisch	Griech. orientalisch	Armen. orientalisch	Evangelisch Augsb. Konfession	Evangelisch Helvet. Konfession	Herrnhuter	Anglikaner	Mennoniten	Unitarier	Lippowaner	Israeliten	Muhammedaner Buddhisten	Andere Konfessionen	Konfessionslos	Zusammen
Nieder-Österreich	2864222	3215	96	1054	4285	119	58052	7408	5	552	7	84	6	157278	891	265	2954	3100493
Ober-Österreich	790178	88	4	193	47	4	18143	230	—	12	—	5	—	1280	—	4	58	810246
Salzburg	191223	7	—	7	14	2	1211	73	—	11	—	—	—	199	—	9	17	192763
Steiermark	1339240	117	—	284	850	—	12675	484	1	35	1	—	4	2283	362	1	148	1356494
Kärnten	346598	65	—	9	31	—	20100	383	—	10	1	—	—	212	—	—	14	367324
Krain	506916	357	1	3	269	—	285	128	2	14	1	1	—	145	—	22	11	508150
Triest u. Gebiet	169921	41	2	10	59	47	1346	456	—	134	1	—	—	4954	4	3	291	178599
Görz u. Gradiska	322139	9	—	—	389	—	269	85	2	15	1	—	—	295	—	—	22	232897
Istrien	343815	61	8	10	54	47	290	187	2	2	—	1	—	285	—	28	17	345050
Küstenland*)	745875	111	8	10	502	47	1905	718	4	151	1	1	—	5534	4	28	330	756546
Tirol	848157	100	—	8	57	2	2806	426	5	87	1	1	5	1008	5	6	46	852712
Vorarlberg	127544	7	—	23	—	2	946	589	—	2	—	—	2	117	—	7	8	129237
Tirol u. Vorarlbg.*)	975711	107	—	23	57	2	3752	1015	5	89	1	5	5	1125	5	51	54	981947
Böhmen	6065213	1784	15	10351	369	23	72922	71736	483	155	—	5	1	92745	1	973	1894	6318697
Mähren	2325057	613	4	910	184	1	26605	37760	63	25	—	5	—	44255	—	50	282	2437706
Schlesien	576099	397	—	10	38	—	91264	477	6	3	3	—	—	11988	2	12	126	680422
Galizien	3350512	3104103	1532	69	2233	110	40055	5327	1	45	383	2	4	811371	1	15	219	7315990
Bukowina	58656	23388	439	4	500262	381	18383	889	—	2	1	—	3544	96150	3	49	40	730195
Dalmatien	496778	187	1	—	96278	—	153	29	—	2	2	1	—	334	12	—	2	593784
Im ganzen	20660270	3134439	2096	12937	606764	698	365505	128557	656	1104	418	104	3559	1224899	1281	1414	6149	26150759
gegen d. Jahr 1890:	18934166	2814072	2611	8240	544739	1275	315828	120624					3218	1143305		745	4308	
Zuwachs absolut	1726113	320367	515	4697	62025	577	49677	8033					341	81594	1200	669	1841	
in Prozenten	9.12	11.38	19.72	57.00	11.39	45.26	15.73	6.67	51.09	14.81	14.69	29.25	10.60	7.14	1.81	48.89	89.80	42.73

*) Küstenland (umfassend: Triest und Gebiet, Görz und Gradiska, Istrien) sowie Tirol und Vorarlberg sind nochmals zusammengefaßt, weil sie gemeinsame Statthalter haben.

Man vgl. die Erörterung dieser Tabelle in Oesterr. Statistik, l. c. 63. Bd. 1. H. S. XXXII ff. In Bezug auf Galizien ist nachträglich eine hier bereits zum Ausdruck gekommene amtliche Verbesserung erfolgt. Das geschlossene Gebiet des griechisch-unierten Glaubens liegt in Galizien, des armenisch-unierten in Galizien und in der Bukowina, des griechisch-orientalischen in der Bukowina und in Dalmatien, des armenisch-orientalischen in der Bukowina. Von den beiden ev. Bekenntnissen ist das Augsburger viel gleichmäßiger verteilt als das Helvetische, dessen Bekenner meist in Böhmen und Mähren ansässig sind. Fast die Hälfte der Konfessionslosen findet sich in Nieder-Oesterreich. Ueber die konfessionellen Verhältnisse in der Armee sind außer für Wien allein neuere Daten nicht zugänglich.

XVII des Konkordates zugestandenen Knabenseminare errichtet. Diese Anstalten bildeten die Pflanzschule für die künftigen Kleriker (Seminarium Dei ministrorum perpetuum). Unmittelbar aus der Volksschule wurden ehelich geborene Knaben, meist aus den niederen Ständen, aufgenommen, fanden volle Verpflegung und empfingen neben der Gymnasial-bildung zugleich die Vorbereitung für die späteren theologischen Studien. Zur Erhaltung wurden die Mittel teils dem Kirchenfonds entnommen, teils durch Beiträge aus den Einkünften der Benefizien gedeckt. Der staatliche Einfluß erstreckte sich nur auf die Überwachung der vermögensrechtlichen Verhältnisse und auf die Oberaufsicht über den Schulunterricht, soweit sie dem Staate zustand. Die Folge war, daß die Zahl der Studierenden der katholischen Theologie wuchs; sie betrug im Jahre 1861 1804, im Jahre 1868 3286. Ein Rückschlag fand von 1869 bis 1879 statt und das Jahr 1879 weist gegen 1868 einen Ausfall von 40,5% auf. Der Grund hierfür ist in der Staatsgesetzgebung zu suchen, besonders in dem Wehrgesetz vom 5. Dezember 1868, welches die seitherige Befreiung der Studierenden der Theologie vom Militärdienst aufhob (vgl. die Wehrgesetze vom 5. Dezember 1868, 2. Oktober 1882, 11. April 1889), und in der Schulgesetz-gebung von 1868 und 1869, welche die Aufnahme in eine Fakultät von dem Nachweis der bestandenen Reifeprüfung abhängig machte. Im J. 1899/1900 studierten an allen cisleithanischen Universitäten katholische Theologie, im Wintersemester 1174, im Sommer-semester 1098, oder 6,6% und 7% der einzelnen Fakultäten von der Gesamtzahl. Die Risse in das Konkordat wurden sehr rasch vergrößert: durch das Gesetz vom 25. Mai 1868 wurde das kaiserliche Patent vom 8. Oktober 1856 aufgehoben und die Vorschriften des II. Hauptst. des Allg. B.G.B. über das Eherecht auch für die Katholiken wieder hergestellt, die Gerichtsbarkeit in Ehesachen staatlichen Gerichtsbehörden überwiesen und Bestimmungen über die Zulässigkeit der Eheschließung vor weltlichen Behörden (fakulta-tive Civilehe) erlassen. Endlich erklärte Österreich mit einer Depesche vom 30. Juli 1870 zufolge kaiserlicher Verfügung das Konkordat „als in sich verfallen und abgeschafft, weil der römische Mitkontrahent ein anderer geworden und es unmöglich sei, mit dem Mit-kontrahenten, welcher sich für unfehlbar erklärt habe, im Vertragsverhältnisse zu verharren, und weil der Staat die Aufgabe habe, den gefährlichen Folgen, welche aus dem neuen Dogma (der Unfehlbarkeit) für den Staat selbst sowie für das bürgerliche Leben entstehen, zu begegnen".

Die theologische Bildung des katholischen Klerus vermitteln teils die theologischen Fakultäten an den verschiedenen Universitäten, teils die Diöcesan-Lehranstalten an den Sitzen der Ordinariate. Theologische Fakultäten bestehen an den Universitäten Wien, Graz, Innsbruck, Prag (zwei), Lemberg (für den lateinischen und griechischen Ritus ge-meinsam), Czernowitz und Krakau; zwei selbständige, zu keinem Universitätsverband gehörende theologische „Fakultäten" befinden sich in Salzburg und Olmütz. (Näheres „Die katholische Kirche" l. c. 3, 316 f.) Zuschnitt und Lehrgang an den Diöcesan-Lehranstalten entspricht im wesentlichen dem an den Universitäts-Fakultäten; es mangelt diesen Lehr-anstalten jedoch das Recht der Verleihung akademischer Grade und der Bischof hat die Leitung der Anstalt ganz in der Hand. Einzelne Orden besitzen eigene „Hausstudien", in 20 Kloster-Lehranstalten, deren verschiedene Jahrgänge in Tirol in verschiedene Klöster verlegt sind. (Die Tabelle: „Der Klerus im Jahre 1895" s. nächste Seite.)

Die Militär-Geistlichen gehören der „gemeinsamen Armee" an und können nicht für Cisleithanien allein aufgeführt werden.

Der Aktiv-Personalstand derselben besteht im Frieden aus:

Röm.-kathol. 1 apostol Feldvikar,
     „   „   1 Feld-Konsistorialdirektor,
     „   „   2 Feld-Konsistorialsekretären,
     „   „   15 Militär-Pfarrern,
Griech.   „   1 Militär-Erzpriester
   „ orient. 1   „   „
Röm.-kathol. 32 Militär-Kuraten,
             39 römisch-
Griech.- „   11 griechisch- } kathol. Militär-Kaplänen,
   „ orient. 8 griechisch-orient. Militär-Kaplänen,
Röm.-kathol. 8 geistlichen Professoren in den Militär-Erziehungs- und Bildungsanstalten.

(Dazu für das „Okkupationsgebiet" [Bosnien und Herzegowina] 1 Militär-Pfarrer, 2 Militär-Kuraten 1. Klasse, 6 Militär-Kapläne 2. Klasse.)

Die Zahl der Ordenshäuser und -Mitglieder im Jahre 1895 s. S. 316.

Der Klerus im Jahre 1895.

	Zahl der						Individuen			
	Erzbistümer	Bistümer	Doms und Kollegiatkapitel bezw. Konsistorien	Pfarreien	Kaplaneien, Exposituren und sonstige Benefizien	Seminarien	Kapitulare	In der Seelsorge beschäftigte und sonstige Weltgeistliche	Seminar-Zöglinge	Summa des Säkularklerus (samt Nachwuchs)	
1. Römisch-kathol. Kirche											
a) Lateinisch- und armenisch-katholische											
Niederösterreich	1	1	2	844	82	2	23	1077	170	1270	5
Oberösterreich	—	1	1	415	44	1	7	560	75	642	
Salzburg	1	—	1	125	4	1	12	306	58	376	
Steiermark	—	2	2	556	366	2	16	923	143	1082	
Kärnten	—	1	1	352	162	1	8	355	60	423	10
Krain	—	1	1	283	30	1	12	476	90	578	
Triest mit Gebiet . . .	—	1	1	16	6	—	7	72	—	79	
Görz und Gradiska . .	1	—	1	73	160	1	7	143	120	270	
Istrien	—	2	6	160	51	—	28	281	—	309	
Küstenland)	1	3	8	249	217	1	42	496	120	658*	15
Tirol	—	2	2	502	252	2	15	1569	264	1848	
Vorarlberg	—	—	—	107	—	—	—	175	—	175	
Tirol und Vorarlberg)	—	2	2	609	252	2	15	1744	264	2023*	
Böhmen	1	3	7	1863	8	4	56	4011	386	4453	
Mähren	1	1	4	911	31	2	34	1523	343	1900	20
Schlesien	—	—	—	157	30	—	—	370	—	370	
Galizien	2	3	5	876	4	4	35	1579	134	1748	
Bukowina	—	—	—	14	13	—	—	39	—	39	
Dalmatien	1	5	10	308	133	1	78	432	60	570	
Summa	8	23	44	7572	1376	22	338	13891	1903	16132	25
b) Griechisch-katholische											
Niederösterreich . . .	—	—	—	1	—	—	—	2	—	2	
Galizien	1	2	3	1893	—	3	20	2579	24	2623	
Bukowina	—	—	—	4	12	—	—	21	—	21	
Dalmatien	—	—	—	3	—	—	—	3	—	3	30
Summa	1	2	3	1901	12	3	20	2605	24	2649	
2. Griechisch-orient. Kirche											
Niederösterreich . . .	—	—	—	1	—	—	—	1	—	1	
Trient mit Gebiet . . .	—	—	—	2	—	—	—	4	—	4	
Görz und Gradiska . .	—	—	—	—	—	—	—	—	—	—	35
Istrien	—	—	—	1	—	—	—	2	—	2	
Küstenland)	—	—	—	3	—	—	—	6	—	6*	
Galizien	—	—	—	—	1	—	—	1	—	1	
Bukowina	1	—	1	237	21	1	14	310	50	374	
Dalmatien	—	2	2	96	9	1	5	74	14	93	40
Summa	1	2	3	337	31	2	19	392	64	475	

*) Siehe die Anmerkung auf S. 313.

Kirchenvermögen. Wo der Tischtitel, d. h. der Anspruch auf ein bestimmtes Einkommen nicht kanonisch ist, d. h. aus dem Vermögen der Pfründe oder des Benefiziums nicht gedeckt werden kann, da hilft der titulus fundi religionis (Religionsfonds), wohl auch der Staat aus. Der Anspruch auf den Tischtitel und auf die Versorgung im Defizientenstande beginnt mit dem Empfang der Priesterweihe. Wollen Stifte und Klöster einem Nichtangehörigen den Tischtitel verleihen, so haben sie die Bewilligung der Landesstelle nötig. Der Religionsfonds ist gebildet aus dem Vermögen der unter Kaiser Joseph II. und später säkularisierten Klöster, der aufgelassenen Kirchen, aufgehobenen

Zahl der Ordenshäuser und =Mitglieder im Jahre 1895.

Verwaltungsgebiete	Männerorden		Frauenorden		Zusammen	
	Ordens=häuser	Ordens=mitglieder	Ordens=häuser	Ordens=mitglieder	Ordens=häuser	Ordens=mitglieder
5 a) Lateinisch= u. armenisch= kathol. Regular=Klerus						
Niederösterreich . . .	36	1 686	70	3 046	106	4 732
Oberösterreich . . .	22	590	97	1 311	119	1 901
Salzburg	10	186	9	822	19	1 008
10 Steiermark	35	900	14	1 140	49	2 040
Kärnten	12	208	16	266	28	474
Krain	8	94	4	161	12	255
Küstenland	17	203	10	214	27	417
Tirol und Vorarlberg .	68	1 605	56	3 320	124	4 925
15 Böhmen	78	1 050	142	1 399	220	2 449
Mähren	29	260	60	856	89	1 116
Schlesien	8	70	41	668	49	738
Galizien	94	1 205	119	2 288	213	3 493
Bukowina	—	—	—	—	—	—
20 Dalmatien	71	473	9	125	80	598
Summa	488	8 530	647	15 616	1 135	24 146
b) Griechisch=oriental. Regular=Klerus						
Bukowina	3	48	—	—	3	48

25   Vgl. dazu die Tabelle in: Die kath. Kirche l. c. 3, 313.

Bruderschaften, Kanonikate, Benefizien und geistlichen Lehen. Er erhält einen fortdauernden Zuschuß durch die Interkalarien (das Einkommen der unbesetzten vakanten Stellen), durch die Religionsfonds= und geistlichen Aushilfssteuern der Bistümer und Orden, endlich in Böhmen durch ein bestimmtes Prozent vom Salzverkauf. Der Fonds besteht jetzt, wo die 30 meisten Güter verkauft sind, in Staats=Obligationen und ist Eigentum der betreffenden Kirchenprovinz, beziehungsweise der Diöcese und wird von der Landesstelle unter Mit= wirkung des Bischofs oder der Bischöfe verwaltet. Er ist belastet mit der Bestreitung prinzipaler Verpflichtungen (so beziehen die Domkapitel von Budweis, Salzburg, Trient und Brixen ihr Einkommen ganz aus dem Religionsfonds) und aller jener Bedürfnisse, 35 für welche eine Verpflichtung Dritter nicht vorhanden ist. Demnach hat der Fonds auf= zukommen für Patronatslasten, die Tischtitel und Dotierung neu errichteter Pfarreien, für Kirchenbauten, Ergänzung der Kongrua (festes Einkommen einer Pfründe), Besoldung der Kapläne, Pension der Defizienten, Unterstützung der Bettelorden, Besoldung der Reli= gionslehrer an den Staatslehranstalten, Unterhaltung der theologischen Fakultäten und der 40 Seminare. — Laut Gesetz vom 7. Januar 1894 haben die ersten Dignitäten der Dom= kapitel den Anspruch auf ein Jahresgehalt je nach den verschiedenen Ländern, von 1600 bis 2000 fl. Die übrigen Kapitulare auf einen solchen von 1200—1800 fl., so daß der Religionsfonds bezw. die staatliche Dotation desselben ein Jahreseinkommen bis zu jener Höhe leistet, wenn die eigenen Güter des Kapitels ein solches nicht ergeben. Ähnlich ist 45 das Einkommen des Seelsorgeklerus, soweit dafür nicht gesorgt ist, durch Gesetz vom 19. Sept. 1898 durch Kongrualbeiträge des Religionsfonds und der staatlichen Dotation desselben gewährleistet, so daß je nach den Ländern und anderen Rücksichten (Stadt, Land) selbstständige Seelsorger Anspruch auf 600—1200 fl. (1800 fl. Wien), Hilfs= priester auf 300—400 fl. (für Wien 500 fl.) Jahresgehalt haben. — Ein anderer Fonds 50 ist der Studienfonds; er ist gebildet aus dem Vermögen der durch die Resolution der Kaiserin Maria Theresia vom 23. Dezember 1774 aufgehobenen Jesuitenklöster und be= stimmt für die Bestreitung der Kosten des mittleren und höheren katholischen Unterrichtes. Aus den Erträgnissen dieses Fonds werden seit der neuen Schulgesetzgebung auch die notwendigen Zuschüsse für die konfessionslosen Kommunalschulen geleistet, da die Güter der Jesuitenklöster als Kircheneigentum nicht betrachtet werden. Über den Ertrag der Pfründen und die Einkünfte der Ordenshäuser sind keine neuen Daten vorhanden. Nach denen vom Jahre 1875 betrug der erstere für alle Länder 7644611 fl., die letzteren 4100375 fl.

Kirchliche Einteilung. Das gesamte Gebiet ist in neun Kirchenprovinzen geteilt.

I. Kirchenprovinz Wien für Nieder= und Oberösterreich, mit den zwei Suffragan=Bistümern St. Pölten und Linz.

II. Kirchenprovinz Salzburg für Salzburg, Steiermark, Kärnten, Tirol und Vorarlberg, mit den fünf Suffragan=Bistümern Seckau, Lavant, Gurk, Brixen und Trient.

III. Kirchenprovinz Görz für Krain, das Küstenland und die Insel Arbe, mit den fünf Suffragan=Bistümern Laibach, Triest=Capodistria, Parenzo=Pola und Veglia.

IV. Kirchenprovinz Prag für Böhmen, mit den drei Suffragan=Bistümern, Leitmeritz, Königgrätz und Budweis.

V. Kirchenprovinz Olmütz für Mähren und einen Teil von Schlesien, mit dem Suffragan=Bistum Brünn.

VI. Der österreichische Teil der exempten Diöcese Breslau für die übrigen Teile Schlesiens.

VII. Der österreichische Teil der Kirchenprovinz Warschau mit der Diöcese Krakau.

VIII. Kirchenprovinz Lemberg für Galizien (ohne Krakau) und die Bukowina, mit den zwei Suffragan=Bistümern Przemysl und Tarnow.

IX. Kirchenprovinz Zara für Dalmatien (ohne Arbe) mit fünf Suffragan=Bistümern: Sebenico, Spalato=Macarsca, Lesina, Ragusa und Cattaro. (Vgl. zum Folgenden: „Die kath. Kirche" l. c. Tabelle bei 3, 312.)

I. Die Kirchenprovinz Wien. Ihr Gebiet umfaßt die beiden Erzherzogtümer Österreich unter und ob der Enns.

1. Die Erzdiöcese Wien. Zu ihr gehören die beiden Viertel oder Kreise unter dem Mannhartsberg und unter dem Wiener Walde mit der Reichs=Haupt= und Residenzstadt Wien. Das Bistum ist 1469 gestiftet (Bulle Pauls II. vom 18. Januar 1468), seit 1722 Erzbistum, der Bischof seit 1631 Reichsfürst. 29 Dekanate (4 Stadt=, 25 Land=) mit 520 Pfarreien. Die Residenz des Erzbischofs ist in Wien, wo sich auch das Metropolitan=Kapitel, bestehend aus 16 Domherren (darunter 5 Dignitäre: infulierte Prälaten) befindet; 8 derselben werden von dem Kaiser, 4 von der Universität und 4 von den Fürsten von Liechtenstein ernannt. Die Würde des Dompropstes (der zugleich Cancellarius perpetuus der Wiener Universität war, eine Würde, die seit Gesetz vom 27. April 1873 auf die kath.=theol. Fakultät beschränkt ist), wird von dem Papst verliehen. Zur Erziehung des Säkular=Klerus befindet sich in Wien das fürsterzbischöfliche Alumnat, für dessen Zöglinge die theologischen Vorlesungen an der Universität gehalten werden; das Augustineum ist eine höhere Bildungsanstalt für Weltpriester, die sich für die akademische Laufbahn an den theologischen Fakultäten vorbereiten; das Pazmaneum (gestiftet 1623 von dem Kardinal Peter Pazmany (f. d. A.), Erzbischof von Gran, ist für ungarische Kleriker, und das ruthenische Seminar für griechisch=katholische Studierende der Theologie. Das erzbischöfliche Konsistorium besorgt mit seinen zahlreichen Beamten die Verwaltung der Diöcese. (Vgl. „Die kath. Kirche" l. c. 3, 479.)

2. Die Diöcese St. Pölten (Sti. Hippolyti), 1476 als Bistum Wiener=Neustadt errichtet, 1784 nach St. Pölten übertragen, erstreckt sich über die Kreise ober dem Mannhartsberg und ober dem Wiener Wald. 20 Dekanate mit 386 Pfarreien. Die Residenz des Bischofs ist St. Pölten (Opp. Sampolitanum, Fanum Sti. Hippolyti). Das Domkapitel zählt 8 Domherren, den Propst ernennt der Papst. Die Kleriker werden in dem bischöflichen Seminar gebildet. Zu den Räten des Konsistoriums gehören sämtliche Dekane der Diöcese. Unter den Männerklöstern ragen die großen Abteien Göttweih und Melk hervor; das Haus der englischen Fräulein zu St. Pölten ist das Mutterhaus aller übrigen in der Monarchie befindlichen Anstalten dieses Namens.

3. Die Diöcese Linz, errichtet 1784, umfaßt das ganze Erzherzogtum Österreich ob der Enns. 31 Dekanate mit 415 Pfarreien. Die Residenz des Bischofs ist Linz; das Domkapitel zählt 7 Domherren; das Konsistorium und das Diöcesan=Seminar befindet sich an dem Sitze des Bischofs.

II. Die Kirchenprovinz Salzburg umfaßt das Gebiet der Herzogtümer Salzburg, Steiermark, Kärnten, die gefürstete Grafschaft Tirol und Vorarlberg. Außer

den gegenwärtigen fünf Suffraganbistümern gehörte ehedem auch das Bistum Leoben zu dieser Kirchenprovinz; es wurde 1786 errichtet, hatte aber nur 1 Bischof, wurde seit 1800 nicht mehr besetzt und ist seit jener Zeit von dem Bischof von Seckau bis zum Jahre 1858 verwaltet worden, wo es ganz aufgehoben und seit 1. September 1859 mit
5 der Diöcese Seckau vereinigt wurde.

1. Die Erzbiöcese Salzburg (gestiftet angeblich 580, seit 798 Erzbistum) umfaßt das Herzogtum Salzburg mit 18 Dekanaten und 5 weiteren Dekanaten in Tirol. 181 Pfarreien. Der Klerus empfängt seine Bildung an der theologischen Fakultät in Salzburg. Der Erzbischof ist legatus natus sedis apostolicae und Primas Ger-
10 maniae; er hat seine Residenz in Salzburg, wo sich das Metropolitan=Kapitel befindet, dessen Mitglieder sämtlich vom Kaiser ernannt werden. Außerdem besteht ein Kollegiat=stift zu Mattsee (gestiftet 760) und eines zu Seekirchen (gestiftet 1679). Konsistorium in Salzburg.

2. Das Bistum Trient, angeblich gestiftet im 2. Jahrhundert, umfaßt die drei
15 südlichen Kreise von Tirol (Rovereto, Trient und Bozen) und ist in 35 Dekanate, davon 25 mit italienischer Sprache, geteilt. 162 Pfarreien. Der Bischof hat seine Residenz in Trient; außer dem Domkapitel in Trient bestehen 2 Kollegiatstifte: zu Bozen und zu Arco. Statt des Konsistoriums das Ordinariat.

3. Das Bistum Brixen (gestiftet im 6. Jahrhundert) umfaßt den übrigen Teil
20 von Tirol, mit 22, und Vorarlberg mit 6 Dekanaten — die letzteren stehen unter einem Generalvikar, der zugleich Weihbischof und episc. in part. infid. ist; er hat seinen Sitz in Feldkirch. Das Bistum hat 391 Pfarreien; das Domkapitel in Brixen, das Kollegiat=kapitel zu Innichen und 2 Propsteien. Der Fürstbischof hat seine Residenz in Brixen, wo auch das Priesterseminar und das theologische Studium sich befindet; zur Diöcese
25 gehört auch die theologische Fakultät an der Universität Innsbruck. Die Verwaltung der Diöcese wird von dem Ordinariat (an Stelle des Konsistoriums), für Vorarlberg aber durch das Generalvikariat in Feldkirch besorgt.

4. Das Bistum Gurk umfaßt das gesamte Herzogtum Kärnten und wurde 1071 von dem Erzbischof Gebhard II. von Salzburg gestiftet. Es ist in 24 Dekanate geteilt,
30 mit 347 Pfarreien. Die Residenz des Fürstbischofs ist Klagenfurt, die Hauptstadt Kärn=tens. Dort befindet sich auch das Konsistorium, das bischöfliche Seminar mit dem theo=logischen Studium und das Domkapitel. Im Lande sind noch das Kollegiatkapitel Maria Saal, die Propstei Friesach, Straßburg (ehemals Sitz des Bischofs) und Völkermarkt.

5. Das Bistum Seckau, gestiftet 1219 von Salzburg aus, umfaßt Ober= und
35 Mittelsteiermark und teilt sich in 44 Dekanate mit 332 Pfarreien. Die Residenz des Fürstbischofs ist die Landeshauptstadt Graz, wo sich nebst dem Konsistorium auch das bischöfliche Seminar befindet, dessen Zöglinge an der theolog. Fakultät der Universität ihre Studien machen. Dem Domkapitel stehen zwei Propsteien zur Seite.

6. Das Bistum Lavant, (gestiftet 1228 durch den Metropoliten von Salzburg,
40 wird aus einem kleinen Teile Kärntens und aus Unter=Steiermark gebildet; es ist dies der ehemalige Marburger Kreis, die Einwohner gehören dem südslavischen Stamme (Slo=venen) an. Der Name des Bistums ist dem Lavantthal entlehnt, in welchem der ehe=malige Sitz des Bischofs, St. Andrä liegt; jetzt hat der Fürstbischof seinen Sitz in Marburg, wo sich das Domkapitel, das Seminar mit dem theolog. Studium und das
45 Konsistorium befindet. 24 Dekanate, 219 Pfarreien.

III. Die Kirchenprovinz Görz (Prov. Gorlciensis) erstreckt sich über das Her=zogtum Krain, Görz und Gradiska, das Küstenland, die Markgrafschaft Istrien, die Stadt Triest mit deren Gebiet. Im J. 1827 wurden die Grenzen dieser Kirchenprovinz fest=gestellt, zugleich auch in Görz ein Central=Klerikalseminar mit einer theologischen Lehr=
50 anstalt für die ganze Provinz errichtet.

1. Das Erzbistum Görz (Archidioec. Goriciensis et Gradiscana) umfaßt die gefürstete Grafschaft Görz und Gradiska und zählt 16 Dekanate mit 85 Pfarreien. Der Sitz des Erzbischofs ist Görz, wo sich auch das Konsistorium, das Metropolitan=kapitel und das Centralseminar befindet.

55 2. Das Bistum Laibach (Dioec. Labacensis) umfaßt das Gebiet des Herzog=tums Krain. Die Diöcese ist in 21 Dekanate geteilt und zählt 287 Pfarreien. Der Fürstbischof hat seinen Sitz in Laibach, der Hauptstadt des Landes; daselbst befindet sich das Konsistorium, ein Klerikalseminar und das Domkapitel — ein Kollegiatkapitel ist in Neustadt.

3. Das Bistum Triest=Capodistria (Dioec. Tergestina et Justinopolitana)
60 besteht eigentlich aus 2 Diöcesen; ihm gehört das Gebiet der Stadt Triest nebst einem

kleinen Teile von Görz und Grabiska an. Das ursprüngliche Bistum Triest wurde schon im J. 524 gestiftet, auch das Bistum Capodistria stammt aus dem 6. Jahrhundert. Beide zusammen zählen jetzt 7 Dekanate mit 100 Pfarreien. Die Residenz des Bischofs ist Triest; daselbst befindet sich das Domkapitel und das Konsistorium. Das Kathedral-Kapitel zu Capodistria besteht noch aus alter Zeit.

4. Das Bistum Parenzo=Pola, seit 1827 aus den beiden kleinen Diözesen Parenzo und Pola (im 6. und 5. Jahrhundert gestiftet) bestehend, umfaßt das Gebiet der Markgrafschaft Istrien und zählt in 7 Dekanaten nur 50 Pfarreien. Der Bischof residiert in Parenzo, wo das Domkapitel sich befindet. Auch in Pola ist ein Domkapitel, Kollegiatstifte dagegen in Rovigno, Montona, Albona und Barbara.

5. Das Bistum Veglia=Arbe, gestiftet zu Anfang des 11. Jahrhunderts, umfaßt die Inseln Veglia, Cherso, Arbe und mehrere der kleineren quarnerischen Inseln, sowie einen Teil von Pago. Das Bistum ist zusammengesetzt aus den alten Diözesen Veglia (seit 1146 unter Zara, seit 1830 unter der Metropole Görz), Arbe und Ossero. Es ist eingeteilt in 6 Ruralkapitel und 7 Dekanate mit 20 Pfarreien. Der Bischof hat seinen Sitz in Veglia, wo sich auch das Domkapitel befindet.

IV. Die Kirchenprovinz Prag mit den drei böhmischen Suffraganbistümern Leitmeritz, Königgrätz und Budweis.

1. Erzbistum Prag. Anfangs der Jurisdiktion des Bischofs von Regensburg unterworfen erhielt Böhmen 973 einen eigenen Bischof mit der Residenz in Prag. In-folge der Bulle vom 30. April 1344 wurde 1346 der Bischof von Prag zum Erzbischof erhoben und demselben (neben Olmütz in Mähren) das neu errichtete böhmische Bistum Leitomischel untergeordnet. (Letzteres ging schon in den ersten Tagen der Hussitenstürme wieder unter). Die Prager Erzbischöfe stiegen nach und nach an Macht und Ansehen und jetzt führen sie den Titel: Primas von Böhmen, Legatus natus in Böhmen und in den Diözesen Bamberg, Meißen und Regensburg; sie haben das Recht, die Könige von Böhmen zu salben und zu krönen.

Das Metropolitankapitel zu St. Veit in Prag („semper fidele"), welches 12 Dom-herren zählt, hat 4 Dignitäten: 1 Propst, 1 Dechant, 1 Archidiakon (zugleich General-vikar und Offizial) und 1 Scholastikus. Außerdem bestehen im Erzbistum 3 Kollegiat-kapitel: a) zu St. Peter und Paul am Wyschehrad bei Prag, b) zu St. Cosmas und Damian in Alt=Bunzlau und c) zu Allerheiligen in Prag. An der Spitze des erz-bischöflichen Konsistoriums steht der Generalvikar; dasselbe zählt 12 wirkliche und 2 Räte extra statum. 40 Dekanate 472 Pfarreien (ohne die Grafschaft Glatz). Bischöfliches Seminar.

Die Erzdiöcese erstreckt sich über den Prager, Taborer, Čáslauer, Bunzlauer, Leit-meritzer, Egerer, Saazer, Pilsener und Piseker Kreis, ist also sprachlich gemischt.

2. Bistum Leitmeritz, 1654 durch Ferdinand III. unter Innocenz X. gegründet. Das Domkapitel besteht aus 1 Dechant, 5 Kapitular= und 6 Ehrendomherren. Bischöf-liches Konsistorium und Seminar. 26 Dekanate, 427 Pfarreien.

3. Bistum Königgrätz, durch Alexander VII. im J. 1664 errichtet. Das Dom-kapitel besteht aus 1 Dechant, 6 wirklichen und 8 Ehrendomherrn. Bischöfliches Kon-sistorium und Seminar. Das Bistum erstreckt sich über den Königgrätzer, Bidschawer, Chrudimer und Čáslauer Kreis; 31 Dekanate, 460 Pfarreien.

4. Bistum Budweis, wurde durch Pius VI. 1785 errichtet und umfaßt den südlichen Teil Böhmens, nämlich den Budweiser, Klattauer, Prachiner und Taborer Kreis. Bischöfliches Konsistorium und Seminar, 34 Dekanate, 423 Pfarreien.

V. Die Kirchenprovinz Olmütz erstreckt sich über die Markgrafschaft Mähren und einen Teil von österr. und preuß. Schlesien.

1. Die Erzdiöcese Olmütz zählt (ohne preuß.=schles. Anteil) 8 Archipresbyteriate mit 50 Dekanaten und 593 Pfarreien in Mähren. Der Erzbischof, der seine Residenz in Olmütz hat, ist Reichsfürst und Comes regiae capellae Bohemiae; neben seinem Metropolitankapitel am Sitz des Erzbischofs besteht noch ein Kollegiatkapitel zu Kremsier. In Olmütz befindet sich das Diöcesanseminar und das erzbischöfliche Konsistorium.

2. Das Bistum Brünn, gestiftet 1777, bestehend aus 7 Archipresbyteriaten mit 36 Dekanaten und 428 Pfarreien. Der Bischof hat seinen Sitz in Brünn, woselbst sich auch das Konsistorium, das bischöfliche Seminar und die theologische Lehranstalt befinden. Die Mitglieder des Brünner Domkapitels sind sämtlich von Adel; wird ein Bürgerlicher in das Kapitel berufen, so erhält er den Ritterstand. Außerdem das Kollegiatkapitel zu Nikolsburg.

VI. Der österreichische Teil des exemten Bistums Breslau. Es ist dies derjenige Teil von österr. Schlesien, der nicht zum Erzbistum Olmütz gehört; steht unter der Administration des Generalvikariates zu Teschen (Johannesberg). 12 Archipresbyteriate mit 81 Pfarreien.

VII. Der österreichische Teil der Kirchenprovinz Warschau für die Diöcese Krakau. Das Bistum Krakau ist schon im J. 1000 gestiftet und umfaßt den österreichischen und russisch-polnischen Anteil des ehemaligen Großherzogtums Krakau. Das österreichische Gebiet hat in 3 Dekanaten 72 Pfarreien; es wird von einem Kapitularvikar verwaltet. Das Domkapitel befindet sich in Krakau.

VIII. Die Kirchenprovinz Lemberg umfaßt das ganze Königreich Galizien und Lodomerien (ohne den österreichischen Anteil des Bistums Krakau) und das Fürstentum Bukowina.

1. Das Erzbistum Lemberg (Archidioec. Leopoliensis) begreift den östlichen Teil Galiziens und die Bukowina in sich; 26 Dekanate, 242 Pfarreien. Der Sitz des Erzbischofs ist die Hauptstadt Lemberg, wo sich auch das Priesterseminar mit einer theologischen Lehranstalt befindet, außerdem das Metropolitankapitel und das Konsistorium.

2. Das Bistum Przemysl (Dioec. Presmiliensis) umfaßt das mittlere Galizien. 26 Dekanate, 282 Pfarreien. Die Residenz des Bischofs ist Przemysl; ebendaselbst das Priesterseminar, eine theologische Bildungsanstalt und das Domkapitel mit dem Konsistorium.

3. Das Bistum Tarnow bildet der westliche Teil Galiziens; eine Schöpfung des Kaisers Joseph II. 20 Dekanate, 179 Pfarreien. Der Sitz des Bischofs ist Tarnow, woselbst auch das Domkapitel.

IX. Die Kirchenprovinz Zara erstreckt sich über das Königreich Dalmatien ohne die Insel Arbe.

1. Die Erzbiöcese Zara (Archidioec. Jadrensis). Die Hauptstadt Dalmatiens, Zara, war schon im 4. Jahrhundert Sitz eines Bischofs, der im 12. Jahrhundert zum Metropoliten erhoben wurde. Die gegenwärtige Erzdiöcese besteht aus einem Teil des Festlandes von Dalmatien und aus den Inseln Selve (Salbon), Gissa (Pagus), Ulbo (Aloëpium), Premuda (Palmodon), Melada (Meleta), Isola Lunga-Grossa, Raba, Ehi, Uglian, Sestrunj, Pasman u. s. w. 11 Dekanate, 54 Pfarreien. Der Erzbischof hat mit dem Metropolitankapitel seinen Sitz in Zara; das dortige Centralseminar will mit seiner theologischen Lehranstalt der ganzen Kirchenprovinz dienen.

2. Das Bistum Sebenico wurde aus den ehemaligen Bistümern Scardona und Knin, sowie aus einem Teil der alten Diöcese Trau gebildet. In all diesen Gegenden war das Christentum schon sehr frühzeitig verbreitet. Innerhalb seiner jetzigen Grenzen zählt die Diöcese 8 Dekanate mit 50 Pfarreien. Der Bischof residiert in Sebenico; ebendaselbst das Domkapitel.

3. Das Bistum Spalatro-Macarsca. Der Sitz des Bischofs war ursprünglich in Salona, der alten, 639 von den Avaren zerstörten Hauptstadt Dalmatiens; eine zweite Metropole war in Dioclea, dem Geburtsorte des Kaisers Diocletian. Aus dem Gebiete dieser beiden Bistümer entstand nach wechselvollen Geschicken die heutige Diöcese, die in 1 Vikariat, 1 Provikariat und 7 Dekanaten 98 Pfarreien zählt. Der Bischof residiert in Spalato; hier und an der Kathedrale zu Macarsca befindet sich je ein Domkapitel, in Trau ein Kollegiatkapitel. Das Diöcesanseminar zu Spalato hat eine theologische Lehranstalt und ein philosophisches Hausstudium.

4. Das Bistum Lesina führt seinen Namen von dem Hauptort Lesina auf der gleichnamigen Insel und umfaßt die 3 Inseln Lesina, Brazza und Lissa. 8 Dekanate mit 28 Pfarreien. Die bischöfliche Residenz und das Domkapitel ist in Lesina.

5. Das Bistum Ragusa zählt in 5 Dekanaten 45 Pfarreien. Der Sitz des Bischofs und des Domkapitels ist in Ragusa; hier und in Curzola ist je 1 Kathedralkirche. Das Diöcesanseminar in Ragusa wird von Jesuiten geleitet.

6. Das Bistum Cattaro; die Stadt gleichen Namens war schon im 6. Jahrhundert der Sitz eines Bischofs. Zur Diöcese gehören die zwei alten Bischofsstädte Budua und Risano. Die heutige Diöcese hat 4 Dekanate mit 19 Pfarreien. Das Domkapitel und ein Kollegiatkapitel haben mit dem Bischof ihren Sitz in Cattaro.

Die Bischöfe von Prag, Olmütz, Wien, Salzburg, Brixen, Gurk, Laibach, Lavant, Seckau, Trient und Görz führen den Titel "Fürstbischof", beziehungsweise "Fürst-Erzbischof"; sie sind sämtlich Mitglieder des Herrenhauses. Der Erzbischof von Prag ist zugleich Primas von Böhmen. Jeder Erzbischof und Bischof ist in seinem Kronland

Mitglied des Landtags. Die Wahl der Bischöfe wird noch streng nach dem alten Recht vollzogen; sie geschieht in Olmütz und Salzburg durch das Domkapitel; in der Diöcese Gurk findet die Wahl abwechselnd statt, so daß bei den zwei ersten Vakanzen der Kaiser dem Erzbischof von Salzburg den Bischof präsentiert, bei der dritten Vakanz ernennt ihn der Erzbischof von Salzburg selbstständig. Außerdem setzt der Erzbischof von Salzburg 5 die Bischöfe von Seckau und Lavant ein. Alle übrigen Bischöfe werden vom Kaiser ernannt. Der apostolische Feldvikar oder Feldbischof (Vicarius apostolicus castrensis), der stets Bischof in partibus infidelium ist, wird vom Kaiser ernannt und vom Papst bestätigt. — Der vornehmste Kirchenfürst des Kaiserreiches ist der Primas von Ungarn, der jeweilige Erzbischof von Gran; ihm folgen der Erzbischof von Prag (als Primas von 10 Böhmen), die Erzbischöfe von Olmütz, Salzburg, Wien, Lemberg, Erlau, Colocza, Zara, Görz und Agram, sodann die übrigen Bischöfe.

Vereinswesen. Wie das deutsche Reich ist auch Österreich von zahllosen katholischen Vereinen, Anstalten und Stiftungen überzogen.

Fast in allen Pfarreien giebt es Gebetsvereine und Bruderschaften; dazu die Standes- 15 bündnisse der Geschlechter und Altersstufen, Priestervereine, marianische Kongregationen, der dritte Orden des hl. Franziskus, der Verein d. hl. Familie (in der Lavanter Diöcese allein mit 25000 Familien), Wallfahrtsvereine, solche für Kirchenbau und -Verschönerung, Kirchenmusik, Volksmissionen und Exerzitien, Männer-, Frauen-, Mütter-, Jünglings- und Jungfrauen-Vereine, St. Michaelsbruderschaften, Severinus-Vereine; katholisch-politische 20 Landes- und Bezirks-Vereine und Kasinos, allgemeine kath. Volks-Vereine (letztere allein in Oberösterreich mit 40000 Gliedern); Missions-Stiftungen.

Der Förderung kath. Jugenderziehung und Volksbildung dienen Kinderbewahranstalten, Kindergärten, Waisenhäuser, Konvikte, Pensionate, Asyle, Lehrlingsoratorien u. s. w. Der große kath. Schulverein zählt etwa 40000 Mitglieder. 25

Die kath. Volksbildung fördert Lese- und Fortbildungs-Preßvereine, Volkslesehallen, Pfarr- und Volksbibliotheken.

Die Pflege kath. Wissenschaft, Litteratur und Kunst bezwecken die Leo-Gesellschaft, der tschechische Verein Blaff, Zeitschriften, Litteraturblätter.

Zahllos sind die der Charitas im engeren Sinne gewidmeten Veranstaltungen; 30 Armen- und Versorgungshäuser; Armen-Ausspeisungen in Klöstern; Gedächtnis-Spenden, Armen-Innungsstiftungen, Nikolai-Spenden; Fußwasch-, Getreide-, Brot-, Weinstiftungen; St. Vincenz-, Elisabeth-, Agnes-Vereine, Kranken- und Siechenhäuser mannigfacher Art.

Katholisch-wirtschaftliche Zwecke verfolgen die Meister-, Gesellen- und Lehrlings-, Bauern-, Arbeiter-, Gewerbe-, Kredit-, Konsum-, Versicherungsvereine. 35

Die kath. Studenten-Verbindungen sind erst in Ansätzen vorhanden. (Vgl. „Die kath. Kirche" l. c. 3. Bd Tabelle bei S. 312.)

Neben den römischen Katholiken giebt es eine große Zahl von griechischen und armenischen Christen; sie sind teils uniert, teils nichtuniert.

1. Die unierten Griechen, griechischen Katholiken bilden eine besondere Kirchen- 40 provinz mit dem Erzbistum Lemberg und dem Suffraganbistum Przemysl.

a) Das griechisch-unierte Erzbistum Lemberg zählt 30 Dekanate mit 755 Pfarreien; da der Säkularklerus sich verehelichen darf, so besteht auch ein Pfarr-Wittwen- und Waiseninstitut. Der Metropolit hat seinen Sitz in Lemberg, wo sich auch das Priesterhaus und das griechisch-katholische Generalseminar befindet. 45

b) Das Bistum Przemysl zählt in 40 Dekanaten 686 Pfarreien. Auch hier besteht für die Pfarrgeistlichkeit ein Wittwen- und Waiseninstitut. Der Klerus wird in dem ruthenischen Generalseminar zu Lemberg gebildet; in Przemysl selbst befindet sich ein Diöcesanseminar. Der Bischof und dessen Kapitel residiert ebendaselbst.

Für die gesamte Kirchenprovinz bestehen 14 männliche und 2 weibliche Ordenshäuser, 50 deren Bewohner nach der Regel des hl. Basilius sich halten.

2. Das Erzbistum Lemberg des armenisch-katholischen Ritus (uniert). Die Union mit Rom wurde im J. 1624 vollzogen. Der Erzbischof, welchem auch die nicht-unierten Armenier Galiziens und der Bukowina untergeordnet sind, wird vom Kaiser aus drei von dem Klerus vorgeschlagenen Priestern ernannt. Es bestehen im ganzen nur 55 3 Dekanate.

3. Die nicht-unierten Griechen (Christen des griechisch-orientalischen Ritus) haben in der österr.-ungarischen Monarchie ein Patriarchat zu Carlowitz mit 10 Bistümern oder Eparchien, von denen 7 in Ungarn, 1 zu Czernowitz in der Bukowina, 1 in Hermannstadt in Siebenbürgen und 1 in Sebenico für Dalmatien und Istrien sich be- 60

finden. Sämtliche Religionsgenossen bilden ein Ganzes, an dessen Spitze der Patriarch zu Carlowitz steht. Die Neubesetzung des Patriarchenstuhles geschieht durch den serbi= schen Nationalkongreß. Dieser muß so lange versammelt bleiben, bis der gewählte Pa= triarch die Bestätigung des Kaisers erhalten hat; hierauf folgt die feierliche Bekleidung
5 mit der Patriarchenwürde. Zu dem Sprengel des Patriarchen von Carlowitz gehört auch die Wiener Gemeinde.

4. Die nicht=unierten armenischen (armenisch=orientalischen) Christen sind dem Vorstand des Mechitaristenklosters in Wien und durch diesen dem armenisch= unierten Erzbischof in Lemberg untergeordnet.
10 Die Altkatholiken haben 3 Pfarreien, zu Wien, Warnsdorf, Ried, seit 1902 zwei neue Kirchen zu Schönlinde und Blottendorf.

Aus Rußland vertriebene Philipponen oder Lippowaner bilden einige Ge= meinden in Galizien und der Bukowina.

In diesem wesentlich katholischem Staate haben sich außer den nicht=unierten Griechen
15 und Armeniern auch die

Evangelischen

ein Daseinsrecht errungen.

Was sie einst bedeutet haben, wie sie vernichtet wurden und wieder emporkamen, gehört der Geschichte an und nicht hierher. Statt neun Zehntel in ihrer Blüte im
20 16. Jahrhundert betragen sie jetzt ein Fünfzigstel der Gesamtbevölkerung; abgesehen von Schlesien, Galizien, der Bukowina und Dalmatien gehören sie in allen Ländern mehr als neun Zehntel dem römisch=kath. Bekenntnis an. Ihre großen Freibriefe sind das Toleranz= patent vom 13. Oktober 1781 und das Protestantenpatent vom 8. April 1861, welches letztere ihnen für immerwährende Zeiten die grundsätzliche Gleichheit vor dem Gesetz auch
25 in Betreff der Beziehungen ihrer Kirche zum Staat gewährleistet und die Gleichberech= tigung aller anerkannten Konfessionen nach allen Richtungen des bürgerlichen und staat= lichen Lebens zur Geltung bringt.

Nun war endlich die Zurücksetzung der „Akatholiken" in politischen, bürgerlichen und akademischen Rechten — grundsätzlich wenigstens — beseitigt; aufgehoben die Beitrags=
30 leistung zu gottesdienstlichen Zwecken einer anderen Kirche, alle frühere Einschränkung hinsichtlich der Kirchenausstattung, der religiösen Feste und Seelsorge. Am Tage nach dem Patent (9. April) erschien eine vorläufige Kirchenverfassung; die am 6. (23.) Januar 1866 oktroyierte hat wichtige Rechte nach Seite der Selbstbestimmung beseitigt; die jetzt giltige ist die von jener nur in untergeordneten Einzelheiten verschiedene vom 9. Dez. 1891.
35 Die ev. Kirche, in der vierfachen Gliederung der Pfarr= (Pfarramt, Presbyterium, Gemeinde=Versammlung, =Vertretung), Seniorats= (Senior [auf 6 Jahre], Seniorats= ausschuß, Senioratsversammlung), Superintendential= (Superintendent [auf Lebenszeit], Superintendential=Ausschuß, Superintendentialversammlung), Gesamt= (Oberkirchenrat, Sy= nodal=Ausschuß, Generalsynode [alle 6 Jahre]) Gemeinde ordnet ihre Angelegenheiten
40 selbstständig, frei in ihrem Bekenntnis, ihren religiösen Büchern, in der Gründung der zu kirchlichen und Unterrichtszwecken nötigen Vereine und deren Verbindung mit Aus= wärtigen. Im k. k. Oberkirchenrat (mit dem Präsidenten, je einem geistlichen und einem weltlichen ordentlichen und einem außerordentlichen geistlichen Rate A und HB, Sekre= tären nebst der Kanzlei) sind die beiden Konsistorien aufgegangen. Die hierländige ev.
45 Kirche ist mithin eine Landeskirche, als deren Bischof der Kaiser zu gelten hat; seine Be= fugnisse in ihr unterscheiden sich inhaltlich von den entsprechenden der kath. deutschen Landesherren nur dem Umfang, nicht der Beschaffenheit nach; aber in der Form gehen sie auf die staatsrechtliche Stellung des Kaisers, nicht wie bei den deutschen Fürsten auf deren kirchliche zurück. Zur Vollziehung der gesetzlichen Verfügungen der ev. Behörden,
50 zur Einbringung der Einkünfte und Umlagen wird der staatliche Schutz zugesichert.

Kirchliche Einteilung. Die Kirche ist in 10 Superintendenzen, 6 AB, 4 HB und eine gemischte eingeteilt.

1. Wiener Superintendentur AB (bisher in Arriach, Kärnten, unbesetzt, Vertretung in Schladming).
55 mit dem niederösterr. Seniorat (in Wien),

„ „ Triester Seniorat (in Triest),

„ „ steirischen Seniorat (in Wald, Steierm.),

„ „ Seniorat jenseits der Drau in Kärnten (in Feld, Kärnten)

und „ Seniorat diesseits der Drau und im Gmündthale in Kärnten (in
60 Trebesing, Kärnten).

2. **Oberösterreichische Superintendentur AB** (in Wallern, Oberösterr.)
mit dem Oberländer Seniorat (in Gmunden, Oberösterr.),
und „ Unterländer Seniorat (in Gallneukirchen, Oberösterr.).
3. **Westliche Superintendentur AB in Böhmen** (in Aussig, Böhmen).
4. **Oestliche Superintendentur AB in Böhmen** (in Opatowitz, Böhmen). 5
5. **Ascher Superintendentur AB** (in Asch, Böhmen).
Die drei letztgenannten ohne Seniorate.
6. **Mährisch-schlesische Superintendentur AB** (in Teschen, Schlesien)
mit dem Brünner Seniorat (in Brünn, Mähren),
„ „ Zauchtler Seniorat (in Wsetin, Mähren), 10
und „ schlesischen Seniorat (in Skotschau, Schlesien).
7. **Galizisch-Bukowinaer Superintendentur A und HB** (in Biala,
Galizien)
mit dem westlichen Seniorat AB (in Hohenbach, Galizien),
„ „ mittleren Seniorat AB (in Brigidau, Galizien), 15
„ „ östlichen Seniorat AB (in Czernowitz, Bukowina)
und „ galizischen Seniorat HB (in Josefsberg, Galizien),
alle, mit Ausnahme des letztgenannten Seniorates dem Kirchenregimente AB
unterstehend.
8. **Wiener Superintendentur HB** (in Wien) ohne Seniorat. 20
9. **Böhmische Superintendentur HB** (in Welim, Böhmen).
mit dem Prager Seniorat (in Nebužel, Böhmen),
„ „ Chrudimer Seniorat (in Chotzen, Böhmen),
„ „ Pobebrader Seniorat (in Chleby, Böhmen)
und „ Cáslauer Seniorat (in Chwaletitz, Böhmen). 25
10. **Mährische Superintendentur HB, in Klobouk Mähren**
mit dem westlichen Seniorat (in Nußlau, Mähren),
und „ östlichen Seniorat (in Stritez, Mähren).

Das unter 7. angeführte Seniorat HB, sowie die unter 8. bis 11. genannten
unterstehen dem Kirchenregiment HB. Die kleine anglikanische Gemeinde in Triest der 30
Wiener Superintendentur HB.

Mischehen.

Land	vor einem evangel. Pfarrer geschlossen			vor einem anderen Forum geschlossen			Zusammen		
	in AB Gemeinden	in HB Gemeinden	Zusammen	in AB Gemeinden	in HB Gemeinden	Zusammen	in AB Gemeinden	in HB Gemeinden	Zusammen
Niederösterreich . .	303	35	338	189	—	189	492	35	527
Oberösterreich . . .	35	—	35	18	—	18	53	—	53
Salzburg	6	—	6	2	—	2	8	—	8
Steiermark . . .	42	—	42	26	—	26	68	—	68
Kärnten	46	—	46	10	—	10	56	—	56
Krain	—	1	1	—	—	—	—	1	1
Triest und Gebiet .	7	2	9	2	—	2	9	2	11
Görz und Gradiska .	1	—	1	—	—	—	1	—	1
Istrien	—	—	—	—	—	—	—	—	—
Tirol	17	—	17	5	—	5	22	—	22
Voralberg	—	4	4	—	—	—	—	4	4
Böhmen	226	138	364	180	40	220	406	178	584
Mähren	37	19	56	32	11	43	69	30	99
Schlesien	96	—	96	43	—	43	139	—	139
Galizien	29	1	30	3	2	5	37	3	40
Bukowina	9	—	9	25	1	26	34	1	35
Dalmatien . . .	—	—	—	—	—	—	—	—	—
Zusammen	854	200	1054	535	54	589	1 394	254	1 648

21*

Über die Kindererziehung in den Mischehen
stehen keine Daten zur Verfügung, höchstens wird dieser Punkt von einzelnen Super=
intendenturen in ihren Zustandsberichten im allgemeinen berührt.

Uneheliche Geburten und Verhältnis derselben zu den gesamten Geburten.

Land	AB			HB			Zusammen		
	Uneheliche Geburten	Gesamt= zahl der Ge= burten	Verhältnis der unehel. Geburten zur Gesamt= zahl der Geburten	Uneheliche Geburten	Gesamt= zahl der Ge= burten	Verhältnis der unehel. Geburten zur Gesamt= zahl der Geburten	Uneheliche Geburten	Gesamt= zahl der Ge= burten	Verhältnis der unehel. Geburten zur Gesamt= zahl der Geburten
Niederösterreich .	395	1 728	22.86 %	42	226	18.58 %	437	1 954	22.41 %
Oberösterreich .	129	633	20.38 %	—	—	—	129	633	20.38 %
Salzburg	2	38	5.26 %	—	—	—	2	38	5.26 %
Steiermark . .	123	408	30.15 %	—	—	—	123	408	30.15 %
Kärnten . . .	317	726	43.66 %	—	—	—	317	726	43.66 %
Krain	—	—	—	—	20	0.— %	—	20	0.— %
Triest u. Gebiet	3	39	7.69 %	—	22	0.— %	3	61	4.92 %
Görz u. Gradiska	3	10	30.— %	—	—	—	3	10	30.— %
Istrien	—	13	0.— %	—	—	—	—	13	0.— %
Tirol	4	46	8.70 %	—	—	—	4	46	8.70 %
Vorarlberg . .	—	—	—	5	44	11.36 %	5	44	11.36 %
Böhmen . . .	287	2 461	11.66 %	211	2 438	8.65 %	498	4 899	10.17 %
Mähren . . .	137	1 174	11.67 %	125	1 474	8.48 %	262	2 648	9.89 %
Schlesien . . .	366	4 024	9.10 %	3	11	27.27 %	369	4 035	9.15 %
Galizien . . .	57	1 567	3.64 %	9	270	3.33 %	66	1 837	3.59 %
Bukowina . .	39	797	4.89 %	1	12	8.33 %	40	809	4.94 %
Dalmatien . .	—	—	—	—	—	—	—	—	—
Zusammen	1 862	13 604	13.63 %	396	4 517	8.77 %	2 258	18 181	12.42 %

Zahl der geistlichen Stellen (Pfarrer und Vikare).

Land	AB	HB	Zusammen
Niederösterreich	14	2	16
Oberösterreich	18	—	18
Salzburg	1	—	1
Steiermark	12	—	12
Kärnten	19	—	19
Krain	—	2	2
Triest und Gebiet . . .	2	1	3
Görz und Gradiska . .	1	—	1
Istrien	1	—	1
Tirol	2	—	2
Vorarlberg	—	1	1
Böhmen	44	67	111
Mähren	22	31	53
Schlesien	27	1	28
Galizien	23	2	25
Bukowina	5	1	6
Dalmatien	—	—	—
Zusammen	191	108	299

Was die Militär=Pfarrer betrifft vgl. oben S. 314, 45.

Für die gemeinsame Armee giebt es 1 Militär=Senior (derzeit HB) und 7 Militär=
Seelsorger (4 AB, 3 HB).

In Cisleithanien sind ihre Amtssitze Wien mit dem Dienstbereich Wien, Graz, Innsbruck, Prag, Josefstadt; und Krakau mit dem Dienstbereich Krakau, Przemhsl und Lemberg.

Über die wahlfähigen Kandidaten werden wohl Verzeichnisse geführt, bezüglich der bis Ende 1900 im hierländigen Kirchen= oder Schuldienste nicht Angestellten kann aber nicht mit Bestimmtheit angegeben werden, ob dieselben nicht vielleicht anderwärts Stellung genommen haben und infolge dessen — wenigstens vorläufig — auf eine Anstellung im hierländigen Kirchen= oder Schuldienste nicht reflektieren.

Zahl der gottesdienstlichen Stätten:

Land	AB	HB	Zusammen
Niederösterreich	28	2	30
Oberösterreich	25	—	25
Salzburg	2	—	2
Steiermark	28	—	28
Kärnten	29	—	29
Krain	—	4	4
Triest und Gebiet . . .	1	1	2
Görz und Gradiska . . .	3	—	3
Istrien	2	—	2
Tirol	7	—	7
Vorarlberg	—	3	3
Böhmen	117	121	238
Mähren	55	64	119
Schlesien	34	2	36
Galizien	72	14	86
Bukowina	25	1	26
Dalmatien	—	—	—
Zusammen	**428**	**212**	**640**

Zahl der Kirchspiele.

Land	Pfarrgemeinden			Filialgemeinden			Predigtstationen			Zusammen		
	AB	HB	Zu= sammen	AB	HB	Zu= sammen	AB	HB	Zu= sammen	AB	HB	Im ganzen
Niederösterreich .	[1]) 7	1	8	7	—	7	4	1	5	18	2	20
Oberösterreich .	17	—	17	1	—	1	5	—	5	23	—	23
Salzburg . .	1	—	1	—	—	—	—	—	—	1	—	1
Steiermark . .	[2]) 7	—	7	3	1	4	6	—	6	16	1	17
Kärnten . .	) 17	—	17	10	—	10	3	—	3	30	—	30
Krain . . .	—	[4]) 1	1	—	—	—	—	1	1	—	2	2
Triest u. Gebiet	1	1	2	—	—	—	—	—	—	1	1	2
Görz u. Gradiska	1	—	1	—	—	—	2	—	2	3	—	3
Istrien . . .	1	—	1	—	—	—	1	—	1	2	—	2
Tirol	[5]) 2	—	2	—	—	—	4	—	4	6	—	6
Vorarlberg . .	—	[6]) 1	1	—	1	1	—	—	—	—	2	2
Böhmen . . .	[7]) 36	57	93	15	8	23	47	27	74	98	92	190
Mähren . . .	[8]) 19	24	43	4	6	10	11	17	28	34	47	81
Schlesien . . .	21	1	22	4	—	4	6	—	6	31	1	32
Galizien . . .	21	[9]) 3	24	47	9	56	3	1	4	71	13	84
Bukowina . .	4	1	5	12	—	12	—	—	—	16	1	17
Dalmatien . .	—	—	—	—	—	—	—	—	—	—	—	—
Zusammen	**155**	**90**	**245**	**103**	**25**	**128**	**92**	**47**	**139**	**350**	**162**	**512**

Darunter gemischte Gemeinden: [1]) 3; [2]) 2; [3]) 1; [4]) 1; [5]) 1; [6]) 1; [7]) 1; [8]) 1; [9]) 1.

Sonach: Zahl der gemischten Gemeinden:

A. Dem Kirchenregimente AB unterstehend: B. Dem Kirchenregimente HB unterstehend:

In Niederösterreich 3   In Krain 1
„ Steiermark 2   „ Vorarlberg 1
„ Kärnten 1   „ Galizien 1
„ Tirol 1   Zusammen 3
„ Böhmen 1   Im ganzen 12
„ Mähren 1
          Zusammen 9

Anzahl der Taufen (mit Ausschluß der unehelichen Kinder):

Land	AB			HB			Zusammen		Im ganzen
	Kinder aus		Zu= sammen	Kinder aus		Zu= sammen	Kinder aus		
	evang. Ehen	gemisch= ten Ehen		evang. Ehen	gemisch= ten Ehen		evang. Ehen	gemisch= ten Ehen	
Niederösterreich . .	719	579	1 298	101	83	184	820	662	1 482
Oberösterreich . .	376	113	489	—	—	—	376	113	489
Salzburg	21	14	35	—	—	—	21	14	35
Steiermark . . .	196	72	268	—	—	—	196	72	268
Kärnten	320	82	402	—	—	—	320	82	402
Krain	—	—	—	12	7	19	12	7	19
Triest und Gebiet .	16	19	35	12	14	26	28	33	61
Görz und Gradiska .	7	1	8	—	—	—	7	1	8
Istrien	10	7	17	—	—	—	10	7	17
Tirol	21	20	41	—	—	—	21	20	41
Vorarlberg . . .	—	—	—	29	8	37	29	8	37
Böhmen	1 490	629	2 119	1 819	341	2 160	3 309	970	4 279
Mähren	936	102	1 038	1 265	72	1 337	2 201	174	2 375
Schlesien	3 537	263	3 800	7	—	7	3 544	263	3 807
Galizien	1 491	65	1 556	257	2	259	1 748	67	1 815
Bukowina	669	88	757	12	—	12	681	88	769
Dalmatien . .									
Zusammen	9 809	2 054	11 863	3 514	527	4 041	13 323	2 581	15 904

Anzahl der Konfirmierten:

Land	AB		HB		Zusammen	
	Insge= samt	darunter aus ge= mischten Ehen	Insge= samt	darunter aus ge= mischten Ehen	Insge= samt	darunter aus ge= mischten Ehen
Niederösterreich . . .	643	324	94	40	737	364
Oberösterreich	293	52	—	—	293	52
Salzburg	16	7	—	—	16	7
Steiermark	183	43	—	—	183	43
Kärnten	452	39	—	—	452	39
Krain	—	—	4	2	4	2
Triest und Gebiet . .	14	4	9	6	23	10
Görz und Gradiska . .	12	8	—	—	12	8
Istrien	3	2	—	—	3	2
Tirol	16	7	—	—	16	7
Vorarlberg	—	—	27	9	27	9
Böhmen	1 148	269	1 354	164	2 502	433
Mähren	480	36	875	39	1 355	75
Schlesien	1 930	96	—	—	1 930	96
Galizien	844	49	170	—	1 014	49
Bukowina	423	49	20	2	443	51
Dalmatien . . .	—	—	—	—	—	—
Zusammen	6 457	985	2 553	262	9 010	1 247

Übertritte und Austritte:

Land	AB			HB			Zusammen		
	Über-tritte	Aus-tritte	Über-schuß (Minus)	Über-tritte	Aus-tritte	Über-schuß (Minus)	Über-tritte	Aus-tritte	Über-schuß (Minus)
Niederösterreich . .	1 217	172	1 045	117	48	69	1 334	220	1 114
Oberösterreich . . .	79	15	64	—	—	—	79	15	64
Salzburg	48	3	45	—	—	—	48	3	45
Steiermark	506	19	487	18	2	16	524	21	503
Kärnten	108	9	99	2	1	1	110	10	100
Krain	4	2	2	10	—	10	14	2	12
Triest und Gebiet .	5	3	2	22	1	21	27	4	23
Görz und Gradiska .	2	3	1	1	1	—	3	4	1
Istrien	8	—	8	—	—	—	8	—	8
Tirol	27	5	22	—	2	2	27	7	20
Vorarlberg	1	1	—	—	—	—	1	1	—
Böhmen	1 986	91	1 895	299	210	89	2 285	301	1 984
Mähren	330	54	276	66	79	13	396	133	263
Schlesien	113	35	78	1	—	1	114	35	79
Galizien	53	37	16	3	—	3	56	37	19
Bukowina	32	20	12	—	—	—	32	20	12
Dalmatien	—	—	—	—	—	—	—	—	—
Zusammen	4 519	469	4 050	539	344	195	5 058	813	4 245

Abendmahlsbeteiligung:

Land	AB	HB	Zusammen
Niederösterreich	13 885	1 658	15 543
Oberösterreich	20 038	—	20 038
Salzburg	474	—	474
Steiermark	9 209	—	9 209
Kärnten	14 604	—	14 604
Krain	—	148	148
Triest und Gebiet . . .	245	182	427
Görz und Gradiska . . .	202	—	202
Istrien	93	—	93
Tirol	959	—	959
Vorarlberg	—	498	498
Böhmen	18 486	94 380	112 866
Mähren	22 456	59 103	81 559
Schlesien	104 207	387	104 594
Galizien	20 498	3 996	24 494
Bukowina	7 492	268	7 760
Dalmatien	—	—	—
Zusammen	232 848	160 620	393 468

Während die Römisch-Katholischen sich im letzten Jahrzehnt nur um 9,12 v. H. vermehrten, betrug die Vermehrung der Evangelischen AB 15,71 v. H. gegen 9,28, der HB 6,67 gegen 9,05 im vorletzten Jahrzehnt. Sie haben sich in Böhmen um 20,06, in Steiermark um 25,90, in Niederösterreich sogar um 37,01 v. H. vermehrt. Nur in Schlesien und Galizien bleibt das Wachstum der Evangelischen hinter dem der Gesamtbevölkerung zurück. Das liegt an der steigenden Auswanderung aus den deutschen Gebieten Westschlesiens und den deutschen Kolonistendörfern Galiziens. Dazu kommt in Schlesien die massenhafte Einwanderung galizischer Arbeiter in das Ostrauer Kohlenrevier.

Das Zahlenverhältnis der Protestanten nach ihren Muttersprachen ist nicht festzustellen.

In Beziehung auf die Veränderungen infolge der Aus- und Einwanderungen werden wohl von einzelnen Gemeinden in ihren jährlichen Berichten Angaben gemacht; sie sind aber zu unvollständig, um als Grundlage für statistische Daten zu dienen.

Trauungen und Scheidungen:
A. Trauungen.

Land	AB			HB			Zusammen		
	Ge-mischte Paare	Evang. Paare	Zu-sammen	Ge-mischte Paare	Evang. Paare	Zu-sammen	Ge-mischte Paare	Evang. Paare	Zu-sammen
Niederösterreich . .	303	392	695	35	60	95	338	452	790
Oberösterreich . . .	35	118	153	—	—	—	35	118	153
Salzburg	6	13	19	—	—	—	6	13	19
10 Steiermark . . .	42	107	149	—	—	—	42	107	149
Kärnten	46	93	139	—	—	—	46	93	139
Krain	—	—	—	1	2	3	1	2	3
Triest und Gebiet .	7	4	11	2	6	8	9	10	19
Görz und Gradiska .	1	1	2	—	—	—	1	1	2
15 Istrien	—	3	3	—	—	—	—	3	3
Tirol	17	7	24	—	—	—	17	7	24
Vorarlberg	—	—	—	4	4	8	4	4	8
Böhmen	226	444	670	138	420	558	364	864	1 228
Mähren	37	229.	266	19	301	320	56	530	586
20 Schlesien	96	766	862	—	1	1	96	767	863
Galizien	29	285	314	1	35	36	30	320	350
Bukowina	9	139	148	—	3	3	9	142	151
Dalmatien									
Zusammen	854	2 601	3 455	200	832	1 032	1 054	3 433	4 487

25　　　　B. Scheidungen: Stehen keine Daten zur Verfügung.

Über Kirchenbesuch und Wahlbeteiligung bei der Wahl der Gemeindeorgane werden keine amtlichen Listen geführt.

In diesen Zahlen aus dem J. 1900 kommen die Ergebnisse der „Los von Rom-Bewegung" 1898—1902 noch nicht ganz zum Ausdruck. Sie sind erheblich genug, 30 um berücksichtigt zu werden. Die römisch-katholische Kirche hat 34—40 000 Köpfe verloren. Evangelisch wurden 24 304, altkatholisch etwa 9000; eine unbestimmte Anzahl wandte sich den Herrnhutern und Methodisten zu; die übrigen sind als konfessionslos zu betrachten. Rücktritte zur römischen Kirche sind nicht ausgeblieben. Neu errichtet wurden 100 Predigtstationen. 11 Predigtstationen und Filialgemeinden wurden zu selbständigen 35 Pfarrgemeinden erhoben, während weitere 13 die Selbständigkeit anstreben. 37 Kirchen, 13 Bethäuser und Betsäle, 3 Friedhofskapellen sowie 2 altkatholische Kirchen, insgesamt 55 gottesdienstliche Stätten wurden ihrer Bestimmung übergeben. 9 Kirchen befinden sich noch im Bau, während an mehr als 40 Orten der Kirchbau geplant ist. 6 ev. Friedhöfe wurden geweiht, 8 Pfarrhäuser errichtet. 75 Vikare, meist aus dem Deutschen Reiche, 40 traten in den Dienst der Arbeit. Am anschaulichsten wird der Fortschritt durch die Gegenüberstellung der beiden Hauptgebiete in Böhmen und Steiermark. 1898 gab es in Böhmen 23 ev. Kirchen, 18 Seelsorgesprengel, 28 Pfarrer und Vikare, 48 Orte mit regelmäßigem, teilweise recht seltenem Gottesdienst und 28 Orte, wo nur Religionsunterricht erteilt wurde. Heute giebt es hier 45 Kirchen und 7 Bethäuser, gegen 50 Seelsorge-45 sprengel und etwa 60 Pfarrer und Vikare, 125 Orte mit regelmäßigem Gottesdienste und eine weit größere Zahl von Religions-Unterrichtsstationen. In Steiermark wirkten vor der Bewegung 6 Pfarrer und 2 Vikare an 8 Kirchen und 4 Bethäusern. In 6 Pfarrsprengeln wurde an 17 Orten regelmäßig Gottesdienst und Religionsunterricht gehalten. Heute wirken auf demselben Gebiet 11 Pfarrer und 10 (12) Vikare in 11 Pfarrgemeinden 50 an 10 Kirchen und 8 Bethäusern; an 59 Orten halten sie regelmäßig Gottesdienste und Religionsunterricht ab. Die Geldmittel hat vor allem der „Ev. Bund" aufgebracht, neben ihm die Gustav Adolph-Stiftung. (Vgl. „Sammlung 2c. des Oberkirchenrates" a. a. O. Evang. Kirchen-Zeit. f. Österreich, 1903 Nr. 5 u. ö. A. L., Vier Jahre Los von Rom-Bewegung in Oesterreich 1903.)

55　　Der Religionsunterricht an Volks- und Bürgerschulen ist durch den zuständigen Pfarrer zu erteilen, gegebenenfalls durch weltliche Religionslehrer, sei es in der

Schule, sei es in „Stationen". Kraft Gesetz vom 17. Juni ·1888 wird für den Religionsunterricht an den höheren Klassen einer mehr als dreiklassigen allgemeinen Volksschule oder an einer Bürgerschule eine Entschädigung gegeben oder ein eigener Religionslehrer bestellt. Über 160 Religionslehrer wirken an über 560 Stationen.

Die Kirche sorgt auch für die Erteilung des Religionsunterrichtes an Lehrerbildungsanstalten und Mittelschulen. Eine staatliche Verpflichtung tritt erst ein, wenn in einer Anstalt alle Klassen zusammen wenigstens 20 ev. Schüler (A und HB) zählen (Gesetz vom 20. Juni 1872, § 4), (weshalb man gewöhnlich nur 19 aufnimmt!).

Zur Leitung und Aufsicht über die Volks-Mittelschulen und Lehrerbildungsanstalten bestehen in jedem Lande ein Landes-, Bezirks- und Orts-Schulrat. In fast allen Landesschulbehörden hat die ev. Kirche Sitz und Stimme, wenigstens beratende Stimme. (Vgl. Witz a. a. O. S. 99f.) Die konfessionellen ev. Schulen gehen infolge des drückenden Wettbewerbes der staatlichen, sogenannten interkonfessionellen in Wahrheit mehr oder minder ultramontanen und infolge der doppelten Beitragsleistung der Evangelischen mehr und mehr ein.

Im Jahre 1869 bestanden noch 372 evang. Schulen; 1876 nur 213, somit — 199 und zwar:

Kronland	Anzahl		
	AB	HB	Summe
Niederösterreich	6	—	6
Oberösterreich	14	—	14
Salzburg	1	—	1
Steiermark	2	—	2
Kärnten	2	—	2
Krain	—	—	—
Tirol	1	—	1
Vorarlberg	—	1	1
Küstenland (Triest mit Gebiet) Görz u. Gradiska, Istrien	—	1	1
Böhmen	18	39	57
Mähren	4	2	6
Schlesien	4	—	4
Galizien	75	17	92
Bukowina	11	1	12
Summa	138	61	199

Die Freude an den auch hinsichtlich der Schule gesunden Grundsätzen der (inter-)konfessionellen Gesetze (25. Mai 1868) wurde durch das an sich freiheitliche Reichsvolksschulgesetz (14. Mai 1869) erheblich getrübt, weil es, wider Willen, die Konfessionsschule aufs ärgste bedrohte; nur wenige Landtage und Kommunen haben sich dem ev. Schulwesen hilfreich erwiesen.

Eine neuerliche Schädigung trat durch die Schulgesetznovelle (2. Mai 1883) ein.

Für die Heranbildung ev. Lehrer besteht in Bielitz die ev. Lehrerbildungsanstalt, und in Časlau das ev.-reformierte (tschechische) Lehrer-Seminar für Böhmen und Mähren.

Die Ausbildung ev. Geistlicher liegt der nur aus Staatsmitteln erhaltenen k. k. evang.-theologischen Fakultät zu Wien ob. Die zu solchem Zwecke im 16. Jahrhundert von den Ständen gewünschte theologische Schule ward, allerdings schon 1782 erbeten, doch erst infolge der Lostrennung des Kaiserstaates von dem deutschen Reichsverbande also seit 1806 ernstlicher erwogen, und nach dem Verbote des Besuches der deutschen Universitäten ins Leben, 2. April 1821 als „theologische Lehranstalt". Neue Gestaltung und Umwandlung in eine Fakultät mit Promotionsrecht erfuhr sie am 8. Oktober 1850 (18. Juli 1861). Obwohl die einzige evang.-theologische Hochschule im Gesamtreich hat sie trotz aller Versuche und Denkschriften (die letzte 1902) die wiederholt beinahe genehmigte Aufnahme in den Universitäts-Verband und den Neubau, in dem ihr bereits Räumlichkeiten angewiesen waren, nicht erreichen können, durch Schuld klerikaler Quertreibereien, protestantischer Engherzigkeit und liberaler Abgunst oder Gleichgiltigkeit.

Das Kollegium besteht aus sechs Professoren, da die Dogmatik A und HB getrennt ist; (dazu derzeit zwei Privatdozenten). Die Studienzeit beträgt mindestens sechs Semester, von denen wenigstens zwei in Wien zuzubringen sind. Das examen pro candidatura nimmt eine aus sämtlichen Professoren und zwei Geistlichen gemischte Kommission ab, das pro ministerii der betreffende Superintendent. Seit dem Dualismus (1861), infolge dessen Ungarn keine österr. Staats=Stipendien erhalten können, ferner infolge der ungarischen betr. Gesetzgebung, auch der nationalen Spannung ist die Zahl der Studierenden herabgegangen; doch betrug sie, zum Teil dank privater Stipendien, im Winter=Semester 1902/3: 39. So lange die meisten Pfarrstellen so ärmlich besoldet sind, ist eine Steigerung des Besuches nicht zu erwarten.

Seit 1901 besteht dank privaten Mitteln ein kleines national und konfessionell utraquistisches Theologenheim zu Wien, um Unbemittelten das Studium zu erleichtern, unter Leitung eines Inspektors und eines Ephorus.

Kirchenvermögen. Bei der Notwendigkeit, Kirche, Schule und Wohlthätigkeits=anstalten selbst zu erhalten, haben die Gemeinden das Recht, zur Einbringung der Umlagen staatlichen Beistand anzusprechen. Doch macht man davon nicht gern Gebrauch, zumal manche, zumal in Wien, wegen angeblich zu hoher Beiträge sich konfessionslos erklärt haben, während es Bauern giebt, die zur Beschämung der reichen Städter an 400 % der Staatssteuern leisten. Über die Höhe der Beiträge fehlen umfassende und verläßliche Daten. Bei der großen Armut der meisten Gemeinden, insbesondere in Galizien, seufzen sie unter großen Schuldenlasten. Daher ist die auswärtige Hilfe Lebensbedingung. Der älteste und glänzendste Wohlthäter ist der Gustav Adolf=Verein — der österreichische ist in einem Hauptverein nebst 15 Zweig=, 30 Frauen=, 324 Orts= und 49 Kindervereinen und 108 Sammelorten gegliedert — der im Lauf der Jahre Millionen gespendet hat; dann folgt der „Lutherische Gotteskasten", in neuerer Zeit der „Evangelische Bund", ferner Vereine und Private in der Schweiz und den Niederlanden. Das Staatspauschale ist von 41 600 fl. im J. 1860 auf 210 000 Kronen gestiegen, aber im Hinblick auf die unermeßlichen Gütereinziehungen in der Gegenreformation, die Staat und Kirche zu gute kamen, und angesichts der Steuerkraft der Protestanten gering zu nennen und der Erhöhung bedürftig, obschon der Protestant dem Staate jährlich eine Krone, der Katholik nur 60 Heller kostet, was wieder bei dem riesigen, auf zwei Milliarden Kronen berechneten Gesamtbesitz der österr. kath. Kirche zu viel ist.

Von dem Staatspauschale werden in erster Linie zur Bestreitung der Funktions=gebühren für Superintendenten, Senioren und Superintendentialvikare

a) des Augsb. Bekenntnisses   55 200 K.
b) „ Helvet.   „   25 400 „
           Zusammen . . . .   80 600 K.

verwendet, während der Rest mit . . . . 129 400 K.
zu Unterstützungen für evang. Kirchengemeinden und Schulen, sowie für Seelsorger und Lehrer bestimmt ist, und zwar für solche

Augsb. Bekenntnis mit 78 800 K.
Helvet.   „   50 600 „

Das Vermögen der einzelnen Superintendenzen wird von den betreffenden Super=intendential=Ausschüssen verwaltet; über die Höhe derselben fehlen Angaben.

Die Stiftungen und Fonds für die einzelnen Superintendenzen, Seniorate und Gemeinden stehen in Verwaltung der Superintendential= und Senioratsausschüsse, des Ober=kirchenrates und auch des Gustav Adolf=Vereins. Sie dienen mannigfachen Bedürfnissen: kirchlichen Zwecken im allgemeinen, kirchlichen Funktionären nebst deren Wittwen und Waisen, Pfarramts=Kandidaten und Theologie=Studierenden, der Schule im allgemeinen, Lehrern nebst Wittwen und Waisen, dem Religions=Unterricht, der Erziehung, Wohlthätig=keit, Beerdigung (vgl. die Übersicht bei Witz a. a. O. S. 100—146).

Die **Pensionsanstalt** der evang. Kirche A und HB in Österreich erfüllt einen doppelten Zweck und zwar:

1. In ihrem Pensionsfonde, dienstunfähig gewordenen Seelsorgern und Lehrern Ruhegenüsse, deren Wittwen Wittwenpensionen und deren Kindern Erziehungsbeiträge zu leisten.

2. In ihrem Unterstützungsfonde, den vor Erlangung eines Pensionsanspruches dienst=unfähig gewordenen Seelsorgern und Lehrern, bezw. deren Wittwen und Waisen Unterstützungen zu gewähren.

Der Pensionsfond besaß Ende 1900:
Wertpapiere im Nominalwerte von 827 980 K. im Kurswerte von   806 047 K. 90 h.
Guthaben bei der I. österr. Sparkasse . . . . 3 023 „ 03 „
    „   „ „ k. k. Postsparkasse . . . . 3 577 „ 21 „
Bar „   „ „ . . . . 1 704 „ 64 „
                                 Zusammen 814 352 K. 78 h.

Der Unterstützungsfond betrug Ende 1900:
In Wertpapieren nach dem Nominalwerte 8800 K. nach dem Kurswerte 8426 K. — h.
In Barem . . . . 1 827 „ 61 „
                            Zusammen 10 253 K. 61 h.

Für den Pensionsfond sind im Jahre 1900
an Mitgliederbeiträgen zugewachsen . . . . 27 451 K. 06 h.
und an Zinsen von Effekten ꝛc. . . . . 33 003 „ 19 „
eingegangen, während ausgezahlt wurden
an Ruhegehalten, Witwenpensionen (36) und Erziehungsbeiträgen (13) 5 429 K. 02 h.
    Der Unterstützungsfond erhielt an satzungsmäßigen Anteil aus
den Pensionsfonde . . . . 2 845 K. 85 h.
und zahlte an 13 Personen Unterstützungen von zusammen . . . . 1 270 K. — h.
aus.

Die Pensionsanstalt zählte zu Ende des Jahres 1900 338 ordentliche Mitglieder.
Über die Kollekten fehlen vollständige Daten; für den allgemeinen Kirchenfond sind im J. 1900 3126 K. eingegangen.

Über die Geschenke und Vermächtnisse gelangen nur von einzelnen Landes-stellen und Gerichtsbehörden Mitteilungen an das Kirchenregiment; einzelne Superinten-denturen erwähnen sie in ihren Zustands-Berichten, gleichmäßige und umfassende und genaue Daten fehlen.

Vereinsleben. Das kirchliche Vereinsleben ist mannigfaltig, groß die Zahl der Wohlthätigkeitsanstalten.

Zunächst seien die in vielen Stadtgemeinden bestehenden Frauen-Vereine genannt, wenn auch bei dem vielgestaltigen Elend ihre Hilfe oft nur dem Tropfen auf den heißen Stein gleicht. Neuerdings ist die Konfirmandenanstalt besonders in Zug gekommen, die die zerstreut Wohnenden in Mittelpunkte sammelt, für Unterkommen und Kost sorgt.

Waisenhäuser bestehen zu Biala, Bielitz, Goisern, Graz, Krabschitz, Russic̆, Stanislau, Teleci, Uštron, Weikersdorf (Gallneukirchen), Waiern, Wien (St. Pölten).

Für Ferienkolonien sorgt der „Erste evang. Unterstützungsverein für Kinder".

Der Krankenpflege dient der „Oberösterreichische evang. Verein für innere Mission" mit eigenem Vereinsgeistlichen und Rektor; er erhält in Gallneukirchen außer dem „Dia-konissen-Mutterhause" ein Krankenasyl, Siechenhaus, Asyl für Epileptische, Blöde und „Geisteskranke", ein Heim für Rekonvaleszenten und Erholungsbedürftige.

Die hier ausgebildeten Diakonissen finden auch auswärts Verwendung, wie in Gablonz, Graz, Hall, Marienbad, Meran, Wien; in Aussig und Teplitz wurde ihnen nach Entfernung der Nonnen die Pflege des städtischen Krankenhauses anvertraut.

Mit dem oberösterr. verbunden ist der „Verein für die ev. Diakonissensache in Wien", mit dem Diakonissenheim, Sommerheilstation und Krankenhaus.

Neben dem „Friedensheim" in Graz, den Hospizen zu Karlsbad und Meran sei noch besonders erwähnt die vom mährisch-schlesischen Superintendenten D. Theodor Haase mit einem Kostenaufwande von einer halben Million Kronen ins Leben gerufene, kürzlich an die Verwaltung des Landes Schlesien übergegangene Musteranstalt, das ohne Unterschied der Nationalität und Konfession zugängliche Krankenhaus in Teschen, wo die im „Schlesischen ev. Schwesternhause" (Bielitz) gebildeten Schwestern pflegen.

Seit 1901 besteht auch als drittes in Oesterreich ein Diakonissenhaus in Prag.

Für die Toten und Hinterbliebenen sorgen der „ev. Leichenbestattungsverein" in Wien und die „Sterbekasse für ev. Pfarrer und Lehrer Oesterreichs".

Von der Pensionsanstalt und dem Gustav Adolf-Verein war schon die Rede.

Der weiblichen Jugend der Volks- und Bürgerschule dienen die ev. Mädchen-Erziehungsanstalt in Krabschitz bei Raudnitz in Böhmen, das Mädchen-Alumnat in Teschen, die Unterrichts- und Erziehungsanstalt in Meran. Den Mittelschülern (Gym-nasiasten): das „Studentenheim" in Klagenfurt, das „Jubiläums-Lutherstift" in Königgrätz, das „Alumneum" in Teschen und das zu Wallachisch-Meseritsch; den Schülern der

Lehrerbildungsanstalt in Bielitz: die Lauterbach-Stiftung (Alumneum); zur Ausbildung ev. Lehrer: die „Deutsche Evangel. Lehrerbildungsanstalt und Seminar-Übungsschule" zu Bielitz, und das tschechische Evangel.-reformierte Schullehrerseminar zu Čáslau. Dazu die „Evangelischen Lehrervereine".

Ein Pfarrverein ist in der Bildung begriffen (Theologenheim s. oben S. 330,11). Der geistlichen Pflege dienen ferner die Kinder-, Volks-, Gemeinde-, Pfarr- und Schul-Bibliotheken, in etwa 100 Gemeinden, die „Familien-Abende", die Kirchen-Konzerte; die Kinderlehren, Sonntagsschulen in Gruppen, die „christlichen Vereine junger Männer" in fast allen Kronländern, vereinzelt Jungfrauen- und Tabea-Vereine.

Bonnen und Gouvernanten finden Schutz und Hilfe im englischen Home und im „Home suisse" („Schweizer-Heim") zu Wien.

Litterarisch wirken, in tschechischer Sprache zu Prag die „Comenius-Gesellschaft", der „Evang. litterarische Verein AB", sowie „Comenium", deutsch der „ev. Volksbildungs-Verein" in Teschen.

Die einzige ev. wissenschaftliche Zeitschrift ist das der Erforschung und Darstellung der ev. Protestantengeschichte dienende „Jahrbuch der Gesellschaft für die Geschichte des Protestantismus in Oesterreich" seit 1880. In der hier alljährlich erscheinenden biblio-graphischen Rundschau finden sich auch Hinweise auf die Kirchenzeitungen (vgl. namentlich die zu Bielitz und Klagenfurt), Kirchen-Vereins-Berichte, Kalender und Flugschriften in den verschiedenen Zungen des vielsprachigen Reiches (näheres über alle Vereine bei Witz l. c. S. 147—158).

Von anderen protestantischen Gemeinschaften ist nur die Herrnhutische Brüder-gemeinde staatlich anerkannt (seit 1880). Baptisten, Irvingianer, Mennoniten, Methodisten, amerikanische Kongregationalisten, die schottische New Free Church in Wien, die „Freie ev. Kirche" (in Böhmen), gelten als konfessionslos und müssen sich auf Hausgottesdienst beschränken.

Die Juden (vgl. die Tabelle S. 313)

sind jetzt in allen Ländern vertreten, während vor d. J. 1848 in Salzburg, Steiermark, Kärnten, Krain, Istrien, Tirol und Vorarlberg kein Jude seinen Wohnsitz haben durfte.

Israelitische Religionsgenossenschaft im J. 1895.

Zahl der Kultus-Gemeinden	Niederösterreich	Oberösterreich	Salzburg	Steiermark	Kärnten	Krain	Triest mit Gebiet	Görz u. Gradiska	Istrien	Küstenland	Tirol	V.arlberg	Tirol u. Vorarlberg	Böhmen	Mähren	Schlesien	Galizien	Bukowina	Dalmatien	Summa
	13	2	—	1	—	1	1	—	2	—	1	1		197	50	10	252	15	2	545

Die Muhammedaner (in der Armee) haben bisher nur in Kasernen Kultusstätten.

(B. Czerwenka †) Georg Loesche.

Ötinger, Friedrich Christoph, gest. 1782: — Im Jahre 1902 erschien in dem Calwer Verlagsverein, Fr. Chr. Oe., Lebens- und Charakterbild (55. Band der Fam.-Bibl.) von J. Herzog. Eine sehr ansprechende Skizze von ihm hat auch O. Wächter entworfen. — Ein Verzeichnis sämtlicher Schriften s. bei Ehmann, Oe.s Leben und Briefe, wo 110 Num-mern aufgezählt sind.

Friedrich Christoph Ötinger, württembergischer Theologe und Theosoph, geb. zu Göppingen am 6. Mai 1702, gest. zu Murrhardt am 10. Februar 1782 als Prälat, nicht die einflußreichste, aber die eigenartigste Gestalt in der Kirchengeschichte Württembergs, wo nicht Deutschlands, im 18. Jahrhundert. „Denn er, der Christ, der Edle und der Weise, war eine hohe Schul allein", singt von ihm der Dichter Schubart. Sein Lebens-gang bietet keine äußerlich hervortretenden Ereignisse und Wendepunkte. Die innere Entwickelungsgeschichte ist die Hauptsache. Er durchschritt die Laufbahn eines damaligen württembergischen Theologen: Zuerst der Drill in der Lateinschule, dann nach dem Landexamen der wohl disziplinierte Studiengang des Seminars (Blaubeuren und Beben-hausen 1717—1722), sodann — nach geschehener Berufswahl — die akademischen Jahre in Tübingen 1722—1727, auf welche die Studienreise des Kandidaten (1729 f.) folgte, weiterhin die Repetentenzeit 1731—1738 mit einer jahrelangen Unterbrechung durch eine zweite Kandidatenreise (1733—1737), endlich die Anstellung als Pfarrer in Hirsau bei Calw (1738—1743), Schnaitheim (1743—1746) und Walddorf (1746—1752), sodann als Dekan in Weinsberg (1752—1759) und Herrenberg (1759—1766), schließlich als Prälat in Murrhardt (von 1766 an). Die innere Geschichte, deren Denkmal sein unter 5 der für den Mann höchst bezeichnenden Überschrift „Genealogie der reellen Gedanken eines Gottesgelehrten" erschienenen Selbstbiographie ist, gewährt das Bild eines Mannes, der verglichen werden kann dem „Baum gepflanzet an Wasserbächen" Ps 1. Schon als Kind verrät er ein seltenes Sensorium für die Realität Gottes und der unsichtbaren Welt, fühlte sich einmal beim Memorieren des Liedes „Schwing dich auf zu deinem Gott" — 10 wirklich zu ihm aufgeschwungen, als Knabe besinnt er sich, ob die Reden in Jesaia Kap. 40 ff. auch ihn persönlich angehen, hat ein andermal den Mut, für die todkranke Mutter das Leben zu erbitten. Die Seminarzeit brachte nur eine vorübergehende Abschwenkung von dem Zuge zu dem ewigen Pol, an ihrem Schluß tritt der erste große, wo nicht größte Wendepunkt seiner inneren Entwickelung ein, den man füglich als seine 15 Bekehrung bezeichnen darf. Als es sich, der Studien wegen, um die Wahl des Berufs handelte, ob er ein „Politikus" (Jurist) werden sollte, wie die Mutter wollte, oder Theologe, wie der Vater dringend verlangte — da war es ihm, nach heißem Ringen und brünstigem Gebete, wie wenn Gott ihn zu seinem Dienste beriefe und die Art und der Inhalt dieses Dienstes nur der geistliche Beruf sein könnte: „Deo servire libertas" 20 — das war der Wahlspruch, in dem seine umgetriebene Seele zur Ruhe kam. Ein heilig ernstes Wollen und Streben, „Gott zu dienen" war fortan die Direktive seiner Lebensführung. Ein schweres und langwieriges Leiden führte ihn noch mehr in die Tiefe und Stille. Von dieser Zeit in seinen Jugendjahren bekennt er, daß er „immer selbzweit gewesen", wenn er auch allein war, daß er sich vor sich selbst gefürchtet habe, weil 25 er glaubte, der Geist Jesu wohne in ihm. Sprach sich auch hierin wieder der unverfälschte und ungebrochene Sinn für Realität (was Lagarde Religion nennt) aus, so ist es kein Wunder, daß sich Ötinger in seinen Studienjahren von der herrschenden Zeitphilosophie, dem Leibniz-Wolffschen System, auf die Dauer nicht befriedigt fühlen konnte. Er lernte und lebte sich fleißig in dieselbe ein, aber sie wurde ihm bald zu einem dürren, 30 unlebendigen, mechanischen Schema, das in das Geheimnis der Dinge, zumal des Lebens, nicht eindringt.

Desto begieriger ergriff er und desto tiefer und nachhaltiger wurde er ergriffen von der Philosophie Jakob Böhmes, dessen Werke er „durch Gottes Schickung" bei dem Pulvermüller in Tübingen entdeckt hatte. Hier fand er, was er suchte, eine Philosophie, 35 die in den Kern, in das Wesen der Dinge eindrang, und eine Weltweisheit, die Gottesweisheit, Theosophie, war, geschöpft aus der ersten Quelle, aus Gott selbst. Er wurde Schüler, dann Dolmetsch und dadurch Testamentsvollstrecker des philosophus teutonicus, dessen Geistesschätze bisher nur wenige kannten und niemand ausbeutete. Für Ötingers Forschung dämmerte nun jetzt an, heller und heller worden, das Ziel auf, dem er nach- 40 strebte, das der Gedanke seines Lebens war und blieb bis in seine alten Tage hinein, die philosophia sacra zu finden, „ein wissenschaftliches System, das nicht Gott aus der Welt, sondern die Welt aus Gott begriffe" (Rothe). Es war das ja ihrer Natur nach ihre Aufgabe, an deren Gewicht er sich berhoben hat, ja die an sich unlösbar ist (vgl. unten); aber nicht nur war die Frucht seiner unermüdlichen Bemühungen um dieses 45 Ideal dieselbe, wie bei den Söhnen in der Parabel, die in des Vaters Weinberg nach dem versprochenen, darin verborgen sein sollenden, Schatze gruben: die Fruchtbarkeit seines Geistes wurde dadurch in einem Grade gesteigert, der sonst nicht erreicht worden wäre — sondern es war für Ötinger auch ein heilsames Korrektiv erwachsen in dem von Bengel, seinem Vetter und Paten, auf ihn ausgeübten ebensowohl befruchtenden, wie ernüchtern- 50 den Einfluß. Dessen biblischer Realismus hielt sich ja in viel festeren, klareren Schranken, als Ötingers Gnosis, und obwohl der Letztere sich seine Lieblingsgedanken und Strebungen von der in biblischer Zucht sich haltenden, allein „die Wahrheit zur Gottseligkeit" suchenden Weisheit des Meisters nicht abschneiden ließ, so blieb doch dieser Biblicismus Bengels die einzig tragfähige Grundlage für das in die Höhe, Tiefe und Breite weiterstrebende, 55 teilweise luxurierende Philosophieren des Schülers. Die Selbständigkeit desselben gegenüber dem hochverehrten Freund und Vater war im übrigen begründet durch ein weiteres Bildungselement, das zu den genannten drei. teils schon den Studenten und mehr noch den Kandidaten beeinflussenden Potenzen, der Zeitphilosophie, der Theosophie Böhmes und dem biblischen Realismus Bengels, hinzutrat: Ötinger warf sich früh auf das 60

Studium der Naturwissenschaften, was für ihn nicht nur die Brücke war zu dem später begonnenen medizinischen Studium, sondern auch die lockende Aufforderung, seine theologische Forschung in das breitere Bett einer das All, Natur und Geist, Irdisches und Himmlisches umspannenden Philosophie hineinzuleiten.

Was konnte aber der Ertrag eines Studiums sein, das sich mit einer solch erdrückenden Fülle von Elementen und so disparaten geistigen Strömungen befaßte und auseinandersetzte? Von einer Einheitlichkeit und Klarheit der Erkenntnis konnte ja wohl auf lange hinaus keine Rede sein — ja, ein konsequenter Systematiker ist er sogar nie geworden. Man kann nur sagen, daß die „theologia ex idea vitae deducta" von da an und je länger je mehr das Materialprinzip seines Denkens geworden ist. Aber schon formal betrachtet, trug sein einzigartig universalistisches Studium ihm reiche Früchte ein: nicht nur eine Weite des Horizonts und des Interesses, die ihn über alle, auch gelehrte, Durchschnittstheologen emporhob, sondern auch im Zusammenhang damit eine unbegrenzte Fähigkeit der Anempfindung für fremde Standpunkte und Gesichtspunkte, ebendarum endlich auch eine Weitherzigkeit des Urteils, welche ihm für seine ganze Lebenszeit und alle Situationen, in die er gestellt werden sollte, über die Schranken des Dogmatismus, des Konfessionalismus und des Kirchentums hinübergeholfen hat. Und weit entfernt, daß sein nicht zu bändigender Wahrheitsdurst ihn in uferlose und zwecklose Vielwisserei hineingetrieben hätte — verfolgte er bei seinem Forschen immer und bewußterweise den Zweck, daß er „zu seinen Zeiten" dem Willen Gottes recht und ohne innere Widersprüche dienen könnte. Endlich vergaß er darüber auch die nächste und größte Aufgabe nicht, die dem Menschen, zumal dem Christen, gestellt ist: nachzujagen der — persönlichen — Heiligung, ohne welche niemand den Herrn sehen kann. Liegt für jenes Streben, sich Gott mit allen seinen Kräften zur Verfügung zu stellen, der kräftigste Beweis in seiner Bereitschaft, sich im Dienst der Brüdergemeinde verwenden und gar, wenn es die Umstände verstattet hätten, den bedrängten Hugenotten in Frankreich zu Hilfe senden zu lassen, so ist der sprechende Beleg für den Ernst der Selbsterziehung im persönlichen Christentum gegeben in den vom Geist der Heiligung geweihten Zusammenkünften des Studenten und späteren Repetenten mit seinen Gesinnungsgenossen in Tübingen. In dieser Zeit schrieb er ein schon vom 23. Lebensjahr an meditiertes Buch: „Abriß der evangelischen Ordnung zur Wiedergeburt" — „noch sehr gesetzlich", wie er später selber bekennt, aber ein Zeugnis von heroischer Entschiedenheit. — Die Sturm= und Drangperiode des Wahrheitssuchers sollte aber lange dauern: die auf die Studienjahre folgende Reisezeit (mit Unterbrechungen von 1729—1737 dauernd), war einerseits eine willkommene Gelegenheit, die Energie des Suchens und Strebens nach Wahrheit zur Auslösung zu bringen, andererseits führte sie ihn in neue Fragen und Rätsel hinein. Er suchte alles auf, was irgend groß und bedeutsam schien im Reich des Geistes, an Persönlichkeiten und Bewegungen; der Hauptgravitationspunkt aber war Zinzendorf und die Brüdergemeinde. Die Auseinandersetzung mit jenem und mit dieser war der Exponent seiner Entwickelung bis fast in sein fünfzigstes Lebensjahr. Ein wunderbares, teilweise tragisches Schauspiel war das abwechselnd durch die Kraft der Anziehung und der Abstoßung bestimmte Verhältnis dieser zwei polarisch gerichteten Männer, des großen Evangelisators und Organisators einerseits, des Forschers und Grüblers andererseits. Einer brauchte den andern so nötig — zur Ergänzung der Gaben — und keiner konnte auf die Dauer den andern — ertragen! Und als sie — nach zwei Jahrzehnten — endgiltig und mit tiefem Weh schieden, waren es nicht nur sachliche Differenzen, sondern, ohne daß der Ehrenschild des einen oder des andern befleckt erscheinen müßte, auch persönliche Gründe. Für Ötinger aber war ein Problem für immer gelöst: die Frage, ob der Bau des Reiches Gottes geschehen könne, dürfe, müsse auf dem Wege der Evangelisation („Graf Zinzendorf springt mit Füßen hinein und sagt nur: Jesus Christus!") und der Organisation der Gemeinde, wofür er anfänglich mit Gut und Blut eingetreten wäre, war mit Nein! entschieden. Er mußte das Wahrheitszeugnis auf breiteren Boden stellen. Ebenso wurde ein zweites Problem, und zwar schon in den Wanderjahren gelöst: Kirchendienst oder Separation? Diese Frage hatte ihm schwer zu schaffen gemacht, weil sein rückhaltloser Wahrheitsernst die Mängel und Widersprüche des Kirchentums, die „Leiden der kontrabiktorischen Arbeit" im Kirchendienst mit scharfem Blicke entdeckt hatte. Er rang sich los von seinen Bedenken (vgl. die Schrift „von der Herunterlassung" 2c.); dazu halfen die Reise und die darauf gemachten Erfahrungen. Im Zusammenhang damit wurde ein drittes, persönliches Problem gelöst. War ihm sein geistlicher Beruf — wenigstens als Diener der Kirche — unsicher geworden und die Flucht in die Medizin offen gestanden, so wurde er auch von dieser Anwandlung — für ihn selbst doch nur eine ultima ratio — geheilt. Und endlich hatte die Reise mit ihren Kreuz- und Querzügen noch einen wichtigen Ertrag für ihn. Er fand nirgends, „daß jemand auf die Grundideen der Apostel und Propheten seine Gewißheit baute, sondern daß jeder allein auf der Führung Gottes nach dem zu seinem Standpunkt herabgebogenen Sinn der Schrift bestand". Das konnte ihn nicht 5 beruhigen. „Ich mußte drei Säulen haben, auf welchen mein Gebäude ruhen konnte, nämlich 1. die Grundweisheit, welche ich aus der Sozietät und aus der Natur vernahm; 2. den Sinn und Geist der hl. Schrift; 3. die Führungen Gottes mit mir nach diesem Grunde." In diesem Bekenntnis spiegelt sich der ganze Ötinger. All sein weiteres Forschen und Reden und Zeugen und Schreiben ist eine Auswickelung dieser axiomatischen 10 Grundgedanken.

Mit diesem geistigen Erwerb trat Ötinger in den heimatlichen Kirchendienst ein — zuerst der Behörde verdächtig und von ihr beanstandet, daher nicht ohne ein examen rigorosum über seine Rechtgläubigkeit und kirchliche Loyalität — und durchlief in sechs Bedienstungen die geistliche Laufbahn vom Pfarrer zum Dekan und Prälaten. Die Ge- 15 legenheit zu einer akademischen Stellung trat mitunter nahe an ihn heran, aber zur Verwirklichung reichte es nie und vielleicht darf man sagen: er ist ohne sie größer geworden, denn er war zum Hirten, Lehrer und Prediger mindestens ebensosehr berufen, als zum Forscher und Denker. — Und die Schule des praktischen Amtes hat er sich treulich zu nutze gemacht. Auf der ersten Station, in Hirsau, lernte er, der bisher sich 20 mehr in dem Kreis von auserlesenen Christen aller Farben und Schattierungen bewegt hatte, zum erstenmal die niedere Wirklichkeit des Volkslebens und der Volkskirche kennen. Die hohen Ideale, die er in der Seele trug, erlitten schwere Erschütterungen. Aber die Hemmnisse wurden ihm zur Förderung, die Probleme zum Anlaß, die Wirksamkeit als Prediger, Katechet und Seelsorger sich programmatisch zurechtzulegen. Das Büchlein 25 „Etwas Ganzes vom Evangelio", eine dichterische Paraphrase über Jes 40—66 mit den viel bedeutsameren Anhängen über die Mundart der Schrift u. ä. spiegelt seine Bemühungen wieder, für das Wahrheitszeugnis und die Verkündigung des Evangeliums neue, populäre und doch gründliche Bahnen zu suchen und allgemeine Wahrheitserkenntnis an der Hand der Sprüche Salomos zu pflanzen. Nach einigen Jahren stiller Vertiefung 30 auf der Pfarrei Schnaitheim, wo er bekennt, soweit gekommen zu sein, „daß, was er glaubte, er ohne Zweifel glaubte", kam eine Periode der fruchtbarsten schriftstellerischen Produktion in Walddorf. Vor allem war seine Forschung und seine Schriftstellerei dem Ziel gewidmet, dem sensus communis als Organ der Wahrheitserkenntnis die ihm gebührende Stellung zu erobern. Zwei grundlegende Schriften gab er darüber heraus: die 35 wissenschaftlich gehaltene „inquisitio in sensum communem" und die deutsch geschriebene populäre Nutzanwendung hiervon: „die Wahrheit des sensus communis oder des allgemeinen Sinnes in den Sprüchen und Prediger Salomo." Dieses von ihm gleichsam neuentdeckte Organ für die Erkenntnis, in dem er nicht nur ein formales Seelenvermögen sah (Herz oder Gewissen), sondern zugleich etwas Inhaltliches (= Wort, 40 Leben, Licht), das höher ist als der Mensch, etwas für ihn „Oberherrschaftliches" (Souveränes) und ein Sensorium für die Ewigkeit (nach Prd 3, 11) erkannte, war und blieb ihm der wertvolle Ansatzpunkt und Rückhalt für das Bestreben, das Wahrheitszeugnis auf eine breitere Basis zu stellen, als z. B. die Evangelisation Zinzendorfs je einnehmen konnte. Mit diesem Wahrheitsinstrument in der Predigt und im Unterricht zu operieren, 45 war und blieb fortan sein Bestreben. Auch in dem einzigen systematischen Werk, das er in Walddorf verfaßte, der „theologia ex idea vitae deducta", welches in seiner Zeit als Kompendium der christlichen Wahrheit seinesgleichen nicht hatte, hat er diesem allgemeinen Wahrheitsgefühl der Menschenseele seine unersetzliche Stellung als Vorempfindung des Wahren, Guten, Göttlichen, welche zum Tempel der wahren Gotteserkenntnis 50 hinleitet, gesichert. Eröffnet wird dieser ja erst durch die biblische Offenbarung — das ist ihm unerschütterliche Überzeugung gegenüber jeder rationalistischen Flachheit und Verschwommenheit. — Die Walddorfer Zeit ist übrigens noch ausgezeichnet durch das Hervortreten eines ganz neuen Zweiges der Ötingerschen Forschung: er ist unter die Chemiker, genauer, unter die Alchimisten gegangen. Das war aber bei ihm nur eine Konsequenz 55 aus seinen Grundvoraussetzungen, nicht Liebhaberei. „Betreffend die Chemie", so schreibt er, „so gehört sie zur wahren Erkenntnis dessen, was zu wissen notwendig, einfältig und nützlich ist ... In heiligen Dingen muß eine Panharmonie sein, in der Natur auch; alsdann giebt sich nervus probandi bald. Die Wahrheit Gottes in der Natur und Schrift bei so skeptischer Zeit ist mein Grund". Er glaubte hier eine Erkenntnis zu finden, 60

welche die Dinge in ihrem Leben und Werden begriff, m. a. W., weil seine Theologie der Chemie wesensverwandt war, so arbeitete er mit der Retorte auf dasselbe Ziel einer um=
fassenden Wahrheitserkenntnis hin, das er als Theologe verfolgte. Die Chemie war ihm nicht nur „per analogiam" ein Anschauungsunterricht für göttliche und geistliche Wahr=
5 heit, sondern eine Provinz der Einen, allumfassenden Wahrheit, die vom Leben und von der Kraft Gottes Zeugnis giebt. — Lange Jahre blieb er seinem Laboratorium treu, dessen bewußt, daß er seinem Amt keinen Abbruch thue; endlich nötigten ihn Geschäfts=
überhäufung, aber auch ganz gewiß Enttäuschungen und Verluste, und die aufdämmernde Einsicht, daß er viel Kraft und Zeit vergeude, zum Einstellen der Experimente, ohne daß
10 er seinen Grundvoraussetzungen untreu geworden wäre.

Gleich die nächste Bedienstung als Dekan, d. h. Spezialsuperintendent in Weinsberg nötigte ihn zur Selbstbeschränkung nach dieser, aber auch nach litterarischer Seite hin, um so mehr, als der neue größere Wirkungskreis zugleich für ihn zu einer Hochschule des Leidens wurde. Sein unerschrockenes und eindringendes Wahrheitszeugnis war für den
15 oberflächlichen Durchschnitt der Gemeinde nicht nur unerwünscht, sondern unerträglich: man rächte sich durch allerhand Verleumdungen, die schließlich, da man seinem tadellosen Wandel nicht beikommen konnte, seine Familie zur Zielscheibe erkoren. Aus diesem Läuterungs=
feuer ging er als Held und Nachfolger Christi hervor, der auch für seine Feinde betete und die Liebe zu seiner Gemeinde sich nicht verleiden ließ. Von der Art, wie er seines
20 Predigtamtes waltete, giebt gerade das „Weinsberger Predigtbuch" Zeugnis, das unter dem bezeichnenden Titel: „Reden nach dem allgemeinen Wahrheitsgefühl" (1758 u. 1759) ausging. In dem Vorwort und der Nachschrift hierzu hat sich auch Ötinger über die Grundlinien des Predigens nach dem sensus communis eingehend ausgesprochen und in die Werkstätte seines praktisch=theologischen Denkens einen besonders deutlichen Einblick
25 verstattet. Als Anhang dazu ließ er zugleich erscheinen den „Versuch eines biblischen Wörterbuchs", welches neben der „theologia", den Predigtbüchern, zumal in der mit Anmerkungen versehenen Ausgabe von Dr. Hamberger die größte Verbreitung und Wertschätzung bis heutzutage gefunden hat und zwar eine wohlverdiente, wenn man unter Absehen von den für uns unverdaulich gewordenen, der damaligen Stufe der Wissen=
30 schaft entsprechenden Elementen teils theosophischer, teils anthropologischer, psychologischer und physiologischer Art auf die Tiefe und Gründlichkeit seiner Untersuchungen und auf die markige Kraft und Fruchtbarkeit der Gedanken achtet, die er darin niedergelegt hat. — Wenn aber Ötinger doch auch in Weinsberg Zeit und Kraft fand, neben so großer amtlicher und persönlicher Inanspruchnahme noch der Forschung und litterarischen Arbeit sich zu
35 widmen, so war ihm in Herrenberg eine neue Zeit der fruchtbarsten Produktion trotz seiner hohen Jahre beschieden. Das neue Ferment, das in seine Gedankenwelt eintrat, war die Naturforschung und die Prophetie des nordischen Sehers Swedenborg. Dessen irdische und himmlische Philosophie bot zuviel Berührungs= und Anknüpfungspunkte an Ötingers Forschungen und Strebungen, als daß dieser nicht mit der ganzen Energie und
40 Feuerglut seines noch jugendfrisch gebliebenen Geistes sich auf die Probleme geworfen hätte, welche sowohl das System dieses Naturphilosophen, als seine Enthüllungen aus der unsichtbaren Welt ihm darboten. Und Ötinger war nicht der Mann, der Probleme nur „wälzen", nein, in solcher, der sie bewältigen wollte. Was ihn an Swedenborgs System anzog, war zunächst seine Geschlossenheit und Universalität, welche Erde und
45 Himmel, Sichtbares und Unsichtbares umfaßte; sodann aber leuchtete ihm auch der Blick in die Geheimnisse der jenseitigen Welt, für welche er selber ein eigentümliches Sensorium hatte — wie wären sonst die vielen Sagen von seinem Verkehr mit den Geistern ent=
standen?" — so sehr ein, daß er das Auftreten dieses Propheten mit den Worten be=
grüßte: „der Unglaube der Welt hat Gott bewegt, einen berühmten philosophum zu
50 einem Verkündiger himmlischer Nachrichten zu machen." Die weitere Geschichte des Ver=
hältnisses zu Swedenborg gestaltete sich aber ganz ähnlich, wie seine Berührung mit Zinzendorf. Auf die Attraktion folgte die Abstoßung. Diese Geschichte ist aber merk=
würdig genug. Zunächst trug die Übersetzung der „audita et visa" Swedenborgs im 1. Teil von „Swedenborgs und anderer irdischen und himmlischen Philosophie" anno
55 1765 und der Herausgabe des 2. Teils in demselben Jahre ihm nicht nur den Hohn und Spott der Bildungsaristokratie im geistlicher und weltlicher Stande, sondern auch scharfe behördliche Disziplinierung, Konfiskation der Bücher und kleinliche Chikanierung ein. Aber das hätte ihn so wenig irre oder wankend gemacht, ihn, der für die Wahrheit zu leiden und zu streiten schon geübt war, daß es ihn umgekehrt in der Stellungnahme
60 für Swedenborg verfestigt hätte, wenn er in ihm die verfolgte Unschuld und den ver=

kannten Wahrheitszeugen sah. Vielmehr waren es die rein sachlichen Gründe der immer
deutlicher werdenden Überzeugung von der rationalisierenden Verflüchtigung, welche Swe=
denborg sich gegenüber dem Schriftzeugnis, zumal der biblischen Eschatologie gestattete —
welche ihn zur ausgesprochenen Trennung von ihm und Absage an ihn gebieterisch
nötigten. Während er noch a. 1771 schreibt: „es bleibt ewig wahr, daß er sein De= 5
partement hat, die Welt die geistliche Welt zu entdecken", bekennt er zugleich: „vielleicht
werde ich noch sein größter Widersacher; denn er bläst nur in einem anderen Sinn mit
Semler in ein Horn: er schwächt und entkörpert den vollen Sinn der hl. Schrift." So
war auch Swedenborg in der Entwickelung Ötingers nur eine Etappe. Die Haupt=
bedeutung ihrer in einem sehr interessanten Schriftwechsel niedergelegten Berührung für 10
die Charakteristik Ötingers liegt aber nicht nur in der Thatsache, daß derselbe ganz harm=
los und fast ohne Rückhalt die Eröffnungen und Enthüllungen des Geistersehens gelten
ließ, also sich in dieser Beziehung als seinen Geistesverwandten kund gab, sondern ebensosehr
darin, daß er mit unerhörter Weitherzigkeit eine fortgehende Offenbarungsmitteilung für
möglich gehalten und an dieses neue Werkzeug geknüpft hat, sofern dieses „die Gemein= 15
schaft mit der unsichtbaren Welt wieder in Bewegung bringen sollte." Wie entschlossen
er an diesem, wie an anderen Punkten, den Rahmen der kirchlichen Rechtgläubigkeit ge=
sprengt hat, liegt auf der Hand.

Bezeichnet die fruchtbare, zumeist philosophische Produktion Ötingers in der Herren=
berger Zeit den Zenith seiner schriftstellerischen Laufbahn, — er schrieb darin u. a. „die 20
Philosophie der Alten, wiederkommend in der güldenen Zeit" 1. u. 2. Teil, sodann das
„öffentliche Denkmal der Lehrtafel der Prinzessin Antonia" (das theosophische Haupt=
werk), endlich den „Historisch=moralischen Vorrat von katechetischen Unterweisungen" —
so brach für ihn auch als Prälaten von Murrhardt, zu welchem er 1766 auf die eigene
Initiative des Herzogs von Württemberg hin befördert wurde, der Feierabend noch nicht 25
an. Nachdem er die Swedenborgsche Kontroverse und die daran sich anschließenden An=
feindungen überstanden hatte, gab er noch (außer dem erst später von der Hahnschen Ge=
meinschaft a. 1819 zum Druck beförderten „Herrenberger Predigtbuch") einen Epistel= und
einen Evangelienpredigtjahrgang heraus und beschloß sein litterarisches Schaffen bezeich=
nenderweise mit dem „Versuch einer Auflösung der 177 Fragen aus Jakob Böhme" — 30
zum Erweis, daß der Jünger seinem Meister treu geblieben war. — Obwohl er, zumal
durch die Swedenborgschen Händel, auch seinen früheren Freunden fernergerückt und auf
eine einsame Höhe gestellt war, lassen die vorhandenen Zeugnisse erschließen, daß seine
christliche Persönlichkeit, die durch soviele Anfechtungen, auch häusliche, familiäre Leiden
hatte hindurchgehen müssen, im Alter zu einer ungewöhnlichen Stufe von Geistesgröße 35
und Klarheit herangereift war. Daher hat sich um seine Gestalt eine Fülle von Sagen
gewoben, deren historischer Kern zwar sehr verschiedenwertig, aber bedeutsam genug ist, um
zu erklären, daß und warum er nicht nur durch seine Schriften, sondern ebensosehr durch
die Ausstrahlung seiner vom Geist der Weisheit und Kraft durchleuchteten Persönlichkeit
in der Erinnerung des württembergischen Volkes fortlebt. Er stand da als ein Mann, 40
dem anzumerken war, „daß er mit dem Lenker der Geschicke in einem besonders nahen
Umgange stehen müsse" (Justinus Kerner). Die Tradition, daß er in den letzten Jahren
in den Zustand völliger Kindlichkeit — bis ans Kindische streifte — zurückgetreten sei,
ist nicht sicher; gewiß ist nur, daß ein — mehr als begreiflicher — Nachlaß der Geistes=
kräfte eintrat und im letzten Jahr seine Zunge fast ganz verstummte. Sein Hingang 45
war kurz und leicht. — Daß er einige Jahre vor seinem Ende erklärte, „daß sich seine
ganze Theologie in Luthers Katechismus konzentriere", das bedeutet nicht etwa eine
Widerrufung seiner theologischen und theosophischen Forschung, sondern nur eine gewiß
sehr leicht erklärliche Zurückstellung des bunten Vielerlei seines Lehrsystems hinter die
große Hauptsache. 50

Die Bedeutung des Mannes und sein Lebenswerk in das richtige Licht zu stellen,
ist aus mehr als einem Grunde schwer: die Vielseitigkeit seiner Interessen und Bemühungen
verhindert den einheitlichen Überblick; die Schwere, Ungewandtheit und teilweise Nach=
lässigkeit seines Stils verstellt den Wert und die Schönheit seiner Gedanken; und da
das Edelmetall und die Schlacken in dem reichen Bergwerk seines Geistes nicht genügend 55
geschieden wurden, so hat die positive Leistung des unermüdlichen Wahrheitssuchers und
Schatzgräbers mehr den Charakter bruchstückartiger Errungenschaften, als den einer einheit=
lichen Größe gewonnen. Eine einigermaßen zutreffende Würdigung des Mannes wird
von folgendem Gesichtspunkten auszugehen haben: 1. Ötinger als Theolog und Theosoph;
2. seine kirchliche Stellung; 3. Ötinger als Prediger und Katechet; 4. bleibende Nach= 60

wirkungen seines Lebenswerkes. 1. Ötingers Theologie ist Theosophie, und zwar in doppeltem Sinne. Einmal wollte er alles Wissen über Gott und göttliche Dinge von Gott selber haben oder bekommen, wie Jakob Böhme, also aus erster Quelle schöpfen, nach Pf 36, 10ᵇ. Sodann aber wollte er wirkliches Wissen über Gott und göttliche
5 Dinge erzielen, um ganz festen Grund unter den Füßen zu haben, — ein Ziel, das ja über 1 Ko 2, 12 hinausgreift. Beide Bestrebungen führten ihn ganz von selbst zu dem Zweck, dem er sein Leben weihte, den wesenhaften Begriffen nachzuforschen, die den Aposteln und Propheten, welche ja aus erster Hand die Wahrheit Gottes empfingen, eigen gewesen sein müssen. Die Zusammenschau derselben mußte dann ein großes System göttlicher
10 Wahrheiten ergeben. Das ist die philosophia sacra, „ein allumfassendes System von Erkenntnissen ..., das nicht Gott aus der Welt, sondern die Welt aus Gott begriffe" (Rothe). Was aber den Umfang dieses Systems betrifft, so ergab sich hieraus von selbst, daß es „nicht etwa Gott allein, sondern wesentlich die Kreatur, die Natur ausdrücklich eingeschlossen, in sich begreifen sollte". Die Grenzüberschreitungen, die er damit beging,
15 kamen ihm nicht zum Bewußtsein, wiewohl er merken mußte, daß er sich an dieser Aufgabe verhebe. Jeweils scheint die Erkenntnis durchzuschimmern, daß Glaubenserkenntnis und Welterkennen nicht nur verschiedenen Gebieten angehören, sondern verschiedene Methoden befolgen müssen, wenn er dagegen protestiert, daß man den Glauben „in eine Wissenschaft, in eine logische Demonstration" verwandle. Aber er wendet diese Erkenntnis nicht auf seine
20 philosophia sacra an. Deshalb leidet sie unter der Vermischung heterogener Elemente und Gesichtspunkte. Darf man auch gegen ihn den Vorwurf der Verwandlung der ethischen und persönlichen Kategorien in dynamische und methaphysische, bez. hyperphysische, in Bezug auf die Heilsthatsachen und die Heilsordnung nur mit Einschränkungen erheben — er kennt und schätzt den persönlichen Charakter derselben wohl — so sind doch sowohl die
25 Mängel der Kombination von Offenbarungsglauben und Naturspekulation in seinem System der philosophia sacra offensichtlich, als auch der demselben zu Grunde liegende intellektualistische Begriff von Offenbarungsmitteilung unhaltbar und endlich bewegt er sich mit der Ansicht von der authentischen, d. h. göttlichen Herkunft der biblischen Grundbegriffe, wie er sie verstand und auswählte (zu denen z. B. das Salz gehörte, das „Rad
30 der Geburt" u. a.) in einer gründlichen Selbsttäuschung, da der Ursprung derselben eine andere — theosophische oder kabbalistische — Heimat hat.

Aber von diesen Mängeln wird nicht berührt teils die Richtigkeit seiner Intention, der christlichen Wahrheitserkenntnis ihren alle natürliche Philosophie teils überragenden und überwindenden (z. B. gegenüber dem Rationalismus), teils erfüllenden und krönen-
35 den Wert und Charakter zu erobern und zu wahren, teils die prinzipielle Richtigkeit gewisser Axiome, von denen er felsenfest überzeugt war: daß es eine Natur in Gott gebe und weiter eine ursprüngliche Natur, der gegenüber die gegebene eine Trübung und Degeneration bedeutet — und auch das vielberufene geflügelte Wort „Leiblichkeit ist das Ende der Wege Gottes" bekommt nur durch die geläufige grob-massive Deutung einen
40 verschrobenen Sinn.

Dementsprechend hat man auch in der Theologie Ötingers keine wesentliche und grundsätzliche Abweichung vom evangelischen Lehrbegriff zu erblicken. Daß er mehr eine „Rechtfertigung zu einem Kinde Gottes", als „von den Beschuldigungen" lehrte, das bedeutet nicht eine Verirrung von der Spur der Gerechtigkeit aus Gnaden, sondern ein
45 Hinausgewachsensein über die Schulbegriffe, und daß er einmal in einer Predigt am 6. n. Trin. (im Weinsberger Predigtbuch — wohl der herrlichsten eine, die er gehalten hat) dem Zuhörer sagt: „Deine Liebe zu Jesu wäre deine Gerechtigkeit, wenn sie rechter Art wäre", beweist nur, welch feines Gefühl er für den persönlichen Charakter der Glaubenswahrheit hatte. Die energisch betonte Wiederbringungslehre, die er auch umfassend
50 begründet hat, gehört so wie so zu den Positionen, die man dem Rechtgläubigen frei giebt, Ötinger aber hat ihr, worauf insbesondere Ritschl aufmerksam gemacht hat, mit dem Gedanken des Zusammenschlusses der Kreaturen mit Christus in der Gemeinde einen tragenden Untergrund gegeben, welcher ihr den Charakter des Willkürlichen oder des bloß Naturhaften, geschweige des bloß Sentimentalen benimmt. Daher wagt er auch, sie in
55 der Predigt zu verkündigen.

2. Ötinger verdient als Prediger und Katechet eine besondere Würdigung. Er war nicht „Kanzelredner", sondern Zeuge, nicht Evangelisator, sondern Lehrer. Von homiletischer Virtuosität ist nichts zu entdecken und der Stil ist meist schmucklos, oft trocken. Dennoch wirkt er am meisten durch seine Predigtbücher (5 Bde) bis auf den heu-
60 tigen Tag. Das rührt daher, daß er nie bloße Gedanken, sondern immer die Sachen

bringt und den Zusammenschluß der göttlichen Wahrheit mit dem Wahrheitsgefühl (sensus communis) nach seinen verschiedenen Bedürfnissen und Lebensinteressen kennt und vollzieht: der Schlüssel paßt ins Schloß. Deshalb wirken seine Predigten mit der stillen Kraft des Hebels, der den Menschen im Innersten erfaßt und aus den Angeln des Gewohnheitslebens hebt. Man muß sich aber in ihn hineinlesen und dazu manche spröde 5 Elemente seiner Theosophie und Naturspekulation mit in Kauf nehmen. — Als Katechet ist er bemerkenswert insofern, als er dem Drill und Gedächtniswerk und dem mechanischen Schriftbeweis gegenüber die Notwendigkeit der psychologischen Anknüpfung, des Bauens auf die praktischen Ideen betont — ein Sokratiker vor der Sokratik. Ob er immer Pädagoge genug war, um der Aufnahmefähigkeit des jugendlichen Alters Rechnung zu tragen, 10 ist eine andere Frage (das katechet. Hauptwerk f. o.).

3. Die kirchliche Stellung Ötingers konnte nach dem oben ausgeführten keine andere, als eine frei= und weitherzige sein, so daß er darüber auch den besten Freunden unverständlich wurde. Die ökumenische Aber in ihm war stärker, als die konfessionelle, und die evangelische Bewegungsfreiheit ihm wichtiger, als das geschlossene Paradigma des 15 Kirchentums. Im Verhältnis zum Separatismus hat sich freilich eine charakteristische Wandlung mit ihm vollzogen: er wurde nüchterner und freier zugleich, nachdem er früher der Separation bedenklich zugeneigt gewesen. In einer Predigt (Herrenberger Predigtbuch am Tag Joh. d. Täufers) sagt er: ein Separatist „richtet nach dem Ansehen, nicht nach der Sache; er versteht die öffentlichen Anstalten Gottes nicht zum allgemeinen Besten." 20 In Bezug auf die Symbole wahrt er sich große Freiheit.

4. Was die bleibenden Nachwirkungen Ötingers betrifft, so ist die Frage zu beantworten, ob das getroste Bewußtsein, dem er am Schluß seiner Selbstbiographie Ausdruck giebt, Recht behalten hat: „Inzwischen sehe ich von weitem, daß meine Lehre von der Schriftphilosophie wie ein Reis aufschießt". Daß im buchstäblichen Sinne nicht davon 25 die Rede sein kann, das sahen wir. Dagegen erlebten seine Ideen, die seinen Zeitgenossen (mit Ausnahme von Fricker, Haritmann, Hahn u. a.) unverstanden geblieben, eine Wiederauferstehung sowohl im theosophischen Pietismus des Bauern Joh. Mich. Hahn, als in dem Kreise der spekulativen Philosophie der ersten Hälfte des 19. Jahrhunderts. Schelling fußt in wesentlichen Elementen seiner Spekulation auf ihm. Und wenn sich 30 heute die Anzeichen mehren, daß nach der zuerst einseitig idealistischen, sodann einseitig naturalistischen Hochflut im modernen Denken der Hunger nach einer höheren Wirklichkeit und ihr ahnendes Erfassen sich mehr und mehr Bahn bricht (vgl. Eucken, der den „Wahrheitsgehalt der Religion" „aus der wirksamen Gegenwart eines göttlichen Lebens in unserem Lebenskreise" ableitet, und Glogau, der von der Grundvoraussetzung ausgeht: 35 „Das Dasein Gottes, aus dem alles Sein geflossen ist, in dem alles lebt und webt, ist . . . die erste und gewisseste menschliche Erkenntnis. Gott tönt durch alle Wesen hindurch . . . aus ihm quellen die formenden, heilenden, die Welt immer mehr verklärenden Kräfte"), so finden wir da und dort schon mehr als nur Anklänge an Ötingersche Grundgedanken, wie sie der beste Darsteller des Ötingerschen Systems, Auberlen, in die Worte 40 verfaßt hat: „Gott, das unauflösliche Leben, teilt sich in der Selbstbewegung der (gefallenen) Natur mit zu ihrer Erhöhung in seine Herrlichkeit".

Nebst Auberlen („Die Theosophie Ötingers 2c. 1847") hat besonders Dr. Julius Hamberger sich das Verdienst erworben, der Testamentsvollstrecker des Erbes unseres Theosophen zu werden, der selbst eines Kommentators fast noch mehr bedarf, als sein 45 größerer Meister Jakob Böhme. Hamberger hat das „Wörterbuch", die „Theologie", übersetzt und mit Anmerkungen versehen und die Selbstbiographie herausgegeben. — Der Aufgabe, die aus großen, kleinen und kleinsten Schriften bestehenden, gesammelten Werke Ötingers herauszugeben, hat sich der Pfarrer Ehmann, welcher auch Ötingers Leben und Briefe 1859 edierte, mit großem Sammelfleiß und sorgfältiger Sichtung der Vorlagen 50 unterzogen. Diese Sammlung umfaßt zwei Abteilungen, 1. die homiletischen Schriften, 5 Bde und 2. die theosophischen, 6 Bde.   Joh. Herzog.

Offenbarung. — Cremer, Bibl. th. WB., 9. A., S. 559 f. 1045 f.; Oehler, Th. d. ATest. § 5 f.; H. Schultz, Alttest. Th., 5. A., Kp. 4 und einzeln n. d. Register; Lutz, Bibl. Dogm. 1847, S. 215 f.; Weber, Syst. d. altsynagog. Pal. Theol. § 20 f. Die Dogmengeschichten, Dogma= 55 tiken, Apologetiken. Einzelnes aus früherer Zeit Bretschneider Versf. e. syst. Entw. aller in den Dogm. vorkommenden Begr. 1805, S. 27 f. 36 f.; (Hase) Hutt. red. loc. 4; H. Schmid, Dog. der ev. luth. K., Kp. 4; Fr. Nitzsch, Lehrb. I, § 26 f.; Auberlen, Die göttl. Off. 1861 bes. 2 T.; C. J. Nitzsch, Syst. der chr. L., § 22 f.; Rothe, Z. Dogm., 1863; A. Krauß, L.

von der Off., 1868; Lipsius, Lb. der ev. prot. Dogm., 3. A., § 120 f.; Tiele, Einl. in die
Rel. W. überf. Gehrich 1899. 1901; J. T. Beck, Einl. in das Syst. der chr. L., 1838, S. 48 f.;
J. Chr. K. Hofmann, Weißf. und Erf., 1841. 1844; Fr. H. R. Frank, Syst. der chr. Gew.,
II, § 43; Lobstein, Einl. 1897, S. 122 f.; Kaftan, Dogm. § 4; Reischle, Chr. Gl. L., 2. A.,
5 S. 22 f.; J. A. Dorner, Chr. Gl.-L. I, § 50 f.; M Kähler, Wiff. b. chr. L., 2. A., § 195—200
§ 214—241. § 99—101. Histor. Jef., 2. A., S. 175 f. D. Offb.ansehen der Bibel, 1903.

Der Begriff mit seinen stehenden Übersetzungen in die verschiedenen christianisierten
Sprachen kommt hier als wissenschaftlicher Kunstausdruck zunächst der Theologie in Unter=
suchung. Er stammt ihr zweifellos aus der griechischen Bibel; neben den vorwiegenden
10 Ausdrücken ἀποκαλύπτειν und φανεροῦν werden andere wie δηλοῦν, γνωρίζειν ver=
wendet; daraus erhellt, daß es hier so wenig zu fester Prägung gekommen ist, wie später
in der Sprache des Gebetes und Liedes. Hierfür zeugt das seltene Vorkommen im Kirchen=
liede und die Gleichartigkeit mit dem unbestimmten biblischen Sprachgebrauche. Die den
späteren Kunstausdruck veranlassende Anwendung bezeichnet deutlich ein — unmittelbares
15 oder mittelbares — Thun Gottes. Den Übergang zur bestimmten Prägung bildet das
Kirchenlatein; erst dieses legt revelare dafür fest; manifestare tritt in engerem Ge=
brauche dahinter zurück.

Seit der christlichen Ära hört die Philosophie auf, sich nur mit dem Begriffe Gottes
zu beschäftigen. Sie beginnt auch die religiösen Erscheinungen und infolge davon auch
20 den Begriff der Offenbarung in ihren Bereich zu ziehen; zumal seit der genus-Begriff
religio in Gebrauch kommt, den ja die Bibel nicht kennt. In wachsendem Maße werden
die Begriffe revelatio und religio zu Zwillingen, die Anschauung der Offenbarung damit
ihrem ursprünglichen geschichtlichen Boden entfremdet und mit dem Wechselbegriffe, der
im Dienste vergleichender Verallgemeinerung geprägt ist, in die dünne Luft der Abstrak=
25 tion erhoben. Als ohngefährsten Inhalt solcher Fassungen wird man bezeichnen können:
das, was neben den menschlichen Anlagen den Grund für die Religion ausmacht. In
dieser Verbindung macht das Denken alle Wandlungen mit, denen die Fassung des Reli=
gionsbegriffes verfällt. Es gilt noch heute, was Bretschneider a. a. O. S. 28 schreibt:
Die Bestimmung des Begriffes sei überaus verschieden ausgefallen, weil man neben an=
30 deren Gesichtspunkten vornehmlich „auf die Bequemlichkeit in einem theologischen System,
das man eben machen wollte", sah; man darf hinzufügen, daß von der Religionsphilo=
sophie das Gleiche zu sagen ist. Bei der an dieser Stelle erforderten Beschränkung ist
es deshalb unmöglich, eine erschöpfende Geschichte der Begriffswandlungen im Zusammen=
hange mit den begründenden Beziehungen dieser Veränderungen zu geben; es lassen sich
35 nur die geschichtlich herausgetretenen Probleme in möglichster Vollständigkeit feststellen.

In allen je gebrauchten Bezeichnungen ist die Grundanschauung die des Sichtbar=
machens bezw. =werdens, sei es, daß der Gegenstand erst in den Gesichtskreis kommt, ob
er nun vorher bestand oder eben zugleich entstand, sei es, daß ein Hemmnis für seine
Wahrnehmung beseitigt wird, ob es nun außerhalb oder innerhalb des Wahrnehmenden
40 zu beseitigen war. Dabei ist darin meistens die Übertragung der ursprünglich für das
Sinnenfällige gefundenen Bezeichnung auf die geistige Wahrnehmung vollzogen, wenn
diese sich auch zunächst sinnenfällig vermittelt. Die offenbarende Wirkung setzt mithin
das Bewußtsein als den Beziehungspunkt voraus. Durch die Beschlagnahme der An=
schauung für das Gebiet der Religion sind der Offenbarung als Inhalt die möglichen
45 oder wirklichen Gegenstände religiöser Beziehung zugewiesen.

Nun ist das Denken über diese Punkte aber in Anschluß an den geschichtlichen Mo=
notheismus der Bibel in Bewegung gekommen. Hier herrscht durchweg eine unbefangene
Vorstellung von einem Verkehre Gottes mit den Menschen; er erscheint als von Gott be=
gonnen und bedient sich mannigfacher Mittel. Theophanie oder Angelophanie wechseln
50 oder verbinden sich mit Gespräch. Wundervorgänge gewinnen den Wert von Zeichen,
d. h. auf Gott und das Verhältnis zu ihm hinweisender Vorgänge; die gleiche Bedeutung
haben entscheidende Erlebnisse des Volkes oder der von Gott erwählter Personen, indem
sie als besonderer Absicht dienende Fügungen Gottes erfaßt werden. Im Verlaufe tritt
in die vorderste Linie das Prophetentum; denn hinter ihm tritt zurück, was spurweise an
55 Orakel erinnert (Urim und Tummim), weil Gott im vollen Sinne durch die Propheten
zu seinem Volke redet. So kommt das von Gott stammende Wort in die herrschende
Stellung; es wird von Menschen unter der Einwirkung seines Geistes geredet. (An diese
geschichtlichen Erscheinungen wird hier nur erinnert, da einzelne Artikel ausführlich von
ihnen handeln.) — In der letzten vorchristlichen Zeit lebt das endgiltig vom Götzendienste
60 bekehrte jüdische Volk in dem Bewußtsein, daß die Prophetie verstummt sei. An die

Stelle tritt die Apokalyptik und läßt die Männer der Offenbarungszeit reden. Dieser Zeit ersetzt die Überlieferung den fortgehenden Verkehr mit Gott; da bildet sich das Dogma von der heiligen Schrift und ihrer Inspiration, an Wunderbarkeit der Vorstellung sich steigernd. In Abhängigkeit vom hellenismus greift man zur allegorischen Inter- pretation. — Diese jüdische Theologie ist nicht ohne Einfluß auf die neutestamentliche 5 Denkweise geblieben. Ein solcher Einfluß ist unverkennbar in der Schätzung und beson- ders der Behandlung der γραφή; das tritt nicht bloß in den Anführungen aus dem alten Testament und ihrer Verwertung entgegen. Doch bleibt ein entscheidender Abstand zwischen den neutestamentlichen Anschauungen und den gleichzeitigen jüdischen. Der eine Unterschied liegt darin, daß dort das Nachdenken sich mit Ergebnissen der Vergangenheit 10 beschäftigt, während man im neuen Testament unter dem Eindrucke lebendigsten Verkehres mit Gott, und zwar des fortführenden und zugleich abschließenden, steht und denkt. Damit hängt ein weiterer Unterschied zusammen. Im Judentume wird das Denken von dem Probleme des überseienden und des die Welt und in ihr wirkenden Gottes gefesselt; deshalb wird in ihm Gewißheit oder Bedürfnis in Betreff eines Verkehres mit Gott über- 15 wogen von den Fragen nach umfassender Erkenntnis des All. Das neue Testament ist dem gegenüber zur vollsten Unbefangenheit der Beziehung zu Gott wie im alten Testament zurückgekehrt (vgl. Bd IV S. 5 f.); es bedarf schlechterdings keines zweiten minderen Gottes oder Mittelwesens; hier gehört der in Christo und in den Christen wohnende heilige Geist zugleich durchaus in das Innere Gottes; innerhalb der Gemeinde des Auf- 20 erstandenen sind alle mit Gott im unmittelbarsten Verkehre, wie die Propheten. Diese Gewißheit hängt aber durchaus an der Erkenntnis der Person dessen, den der allein wahre Gott gesandt hat, Jo 17, 3. Der Prophet von Nazareth ist mehr als ein Prophet; er redet nicht nur Gottes Wort, sondern es ist in ihm menschliche Person geworden und diese nach dem unsichtbaren Gott anschaulich; was sie geschichtlich dargestellt hat, davon 25 überführt und das legt der andere Beistand, der Geist Gottes und Christi, in den Herzen seiner Gläubigen wohnend, aus. In diesem Christus liegen zwar alle Schätze der Weis- heit, aber nicht ihr Erwerb, sondern die Versöhnung ist das bestimmende Gut.

In der neutestamentlichen Anschauung von dem in der Christenheit wirksamen Geiste Christi sind zwei Elemente christlicher Überzeugung enthalten, die für das Nachsinnen 30 leichter auseinandertreten, als in voller Wechselwirkung erfaßt werden, nämlich die ab- schließende Bedeutung der geschichtlichen Thatsache, die uns Christus heißt, und die un- mittelbare Berührung jedes Christen mit Gott durch seinen Geist. Gilt jene Thatsache als zureichender Ausdruck für Gott in seinem Verhalten uns gegenüber, so ist ihre Auf- fassung durchaus an die Überlieferung von ihr gebunden, des weiteren an die Bibel. So 35 lange es noch bloß eine alttestamentliche Bibel in der Kirche gab, konnte Treue im Über- liefern der Kunde von Christo mit dem Bewußtsein des Geistesbesitzes leicht zusammen- fließen. In dem Maße als der doppelseitige Kanon zur Abschließung gelangte und, er- klärlicherweise, die jüdische Schätzung der Schrift auf die Stellung der Christen zu ihrer ganzen Bibel einwirkte, mußte das Bewußtsein um den Geistesbesitz entweder in die Be- 40 stätigung der sich festigenden Überlieferung aufgehen oder versuchen, seine Selbständigkeit durch eine — jener widersprechende — Produktivität zu erweisen, im Montanismus und allen späteren „enthusiastischen" Regungen, eklektisch biblicistischen wie mysticistischen. Zunächst stand die Kirche im ganzen unter dem überwältigenden Eindrucke des Überkom- menen und verfiel bald der Verwechselung des in ihrem Umkreise Überlieferten, zumal 45 des Dogma, mit der Offenbarung. Die Sachlage sowie die Beanlagung und Vorbildung der griechischen Theologen führte dahin, die Wirkung der Offenbarung wesentlich in För- derung der Erkenntnis zu setzen und aus der übernatürlichen Art der Mitteilung die un- bedingte Giltigkeit und das maßgebende Ansehen der so gewonnenen Erkenntnisse abzu- leiten. Für die Thatsache, daß sie übernatürlich mitgeteilt seien, wurde in Anlehnung 50 an die Bibel der Beweis des Geistes und der Kraft aus der Zusammenstimmung von Weissagung und Erfüllung und durch die Wunder geführt. Im Verlaufe der mittel- alterlichen Entwickelung trat im Gefolge dieser Auffassung das Problem des Verhältnisses der Vernunft oder der philosophischen Erkenntnisweise zu dem mit Ansehen bekleideten überlieferten Gedankengehalte hervor. 55

Zuvor indes hatte sich bald eine Beobachtung von großer Tragweite eingestellt. Die hellenische Mission benutzte gern den philosophischen und auch den volkstümlichen Mono- theismus als Anknüpfung; man meinte hier auf ein Gleichartiges mit der offenbarten Gotteserkenntnis zu stoßen. Der Heidenapostel wies darauf hin, und nicht minder die Geschichte der Urzeit vor Abraham, die wohl für Paulus selbst mit bestimmend war. So 60

kam man dahin, in allem Religiösen, soweit es nicht polytheistisch verschlackt war, auch in Grundzügen des Sittlichen eine Offenbarung zu erkennen und diese Reste oder vereinzelten Strahlen für den Offenbarer, den λόγος, in Anspruch zu nehmen. Damit tritt das weitere Problem des Verhältnisses der besonderen, im Christentum vermittelten Offen-
5 barung zu einer allgemeineren hinzu.

Die Reformation zerstörte unwiderbringlich die unbefangene Zuversicht dazu, daß sich die kirchliche Überlieferung mit der Offenbarung decke. Sofern es sich um die in Christo dargebotene Offenbarung handelt, ist sie nur durch die Bibel zu erfassen; das kam zu unabweisbarer Klarheit. Die orthodoxe Theologie der Protestanten schritt dazu fort zu
10 erklären, für die Nachlebenden falle die Offenbarung durchaus mit dem Texte der Bibel zusammen. Um diese Einsicht zum Ausgangspunkte für eine mit dem Ansehen offenbarter Erkenntnis bekleidete Dogmatik machen zu können, wurde sie durch den Hilfssatz von der Inspiration des biblischen Textes gestützt, in dem unbestimmtere uralte und unvergessene Aussagen über die Würde der heiligen Schrift in ein logisch abgeschlossenes System ge-
15 bracht waren. Den Schlußstein bildet der Satz: forma revelationis divinae est θεο-πνευστία per quam revelatio divina est quod est (Calow). Während sich nun die Fassung der Offenbarung als einer göttlichen Belehrung zu der Annahme der wunderbaren Hervorbringung eines in seinem Wortlaut unwandelbaren Lehrbuches zuspitzte, trat man doch zugleich unter dem Drucke der anhebenden Angriffe im Namen der Vernunft
20 näher auf die Erörterung der ursprünglicheren allgemeinen Offenbarung ein, auf die angeborenen Ideen und auf die beiden „Bücher" der Natur und des Gewissens.

Fortan vollzieht sich der Fortschritt während der Aufklärungszeit in den Verhandlungen über einen übernatürlichen Unterricht und die Stellung des auf sich selbst gestellten Denkens und Forschens zu seinem etwanigen Ansehen. Dieser Unterricht erschien in seinem
25 Verhältnisse zu einem in und mit der Schöpfung gegebenen nur als ein Zusatz; und dieser Zusatz mußte sich erklärlicherweise an seiner Unterlage ausweisen. Eine philosophische, weiterhin eine litterarhistorische Kritik zerstörte den Unterbau einer wunderbaren Beschaffenheit des biblischen Textes und setzte an Stelle seines unbedingten Ansehens ein kaum minder unbedingtes Mißtrauen in seine Verläßlichkeit. Man vertritt nur noch ein
30 bedingtes Ansehen des übernatürlichen Unterrichtes, entweder durch den Nachweis, daß sein Inhalt seine Bestätigung von der Vernunfterkenntnis empfange (Wolff), oder unter dem Gesichtspunkte der Erziehung. Auf ihrem Gebiete kommt einem Unterricht Ansehen zu, so lange der Zögling seinen Inhalt noch nicht angeeignet hat; so kann die Bibel jedem einzelnen in seiner sittlichen Ausbesserung einen Dienst thun (Semler), oder der
35 Gesamtheit für eine beschleunigte Erfassung gewisser Einsichten (Lessing); jedenfalls gründet hinterher die gereifte Erkenntnis auf ihr selbst und nicht mehr auf dem Ansehen der Offenbarung. Ja, es ist nicht schwer, sobald die Frage auf diese Sandbänke abstrakter Abwägung möglicher und förderlicher Quellen der Einsicht geraten ist, die „Unmöglichkeit" einer Offenbarung, die alle Menschen auf eine genügende Art glauben könnten" neben
40 der „natürlichen" zwingend zu erweisen (Reimarus, Wolfenbüttl. Fragm.). Das thut der vulgäre Rationalismus in einer Kritik der kirchlichen und biblischen Fassung auf Grund des Deismus in ausführlicher Darlegung der Überflüssigkeit, Unmöglichkeit und Unwirklichkeit einer solchen bei Wegscheider, Instit. 7. Aufl. S. 31 f.

Inzwischen hatte bereits eine eindringende Beschäftigung mit der heiligen Schrift
45 etliche Theologen von der einseitigen Beschränkung auf die Geltung der Lehre ab und auf die Beachtung der zusammenhängenden „biblischen" Geschichte, deren Pädagogik nicht wie bei Lessing in eine didaktische Leistung aufgeht, hingelenkt (J. A. Bengel, J. J. Heß, Collenbusch). Die Romantik aber brachte dann einen Umschwung in der allgemeinen Schätzung und Ableitung der Religion. Seit Schleiermacher wird in ihrer Bestimmung
50 der mystische Einschlag nicht leicht mehr übersehen. Zu dieser Einwirkung psychologischer oder anthropologischer Empirie ist nur noch ein neuer Gesichtspunkt hinzugekommen; man könnte ihn den der ethnologischen Empirie nennen; unter ihm wird neuerdings die Vergleichung der Religionen betrieben, eine mit Rückblicken auf Entstehung und Ausbildung ausgestattete Statistik der Religionen, die man bei den durch die Quellen abgedrungenen
55 bescheidenen Ansprüchen Religionsgeschichte nennt und auf Grund der evolutionistischen Hypothese zu einer Religionswissenschaft verarbeitet.

Während der langen Zeit orthodoxer Denkweise diente der Begriff der Offenbarung der Verbürgung für den Empfang eines dem Menschen ohne sie unerreichbaren Inhaltes. Um dessen überzeugt zu bleiben, daß man ihn unversehrt überkomme, wird die Vorstellung
60 von seiner Übermittelung ausgebildet, ohne ernstliche Rücksichtnahme auf die Thatsachen

des geschichtlichen und individuellen Personlebens. In der schärfsten Fassung gilt die Ekstase oder das Pausieren des persönlichen Lebens und das Wunder im Sinne einer Unterbrechung des zusammenhängenden Geschehens als kennzeichnend für den offenbarenden Vorgang. Die Schroffheiten der Fassung werden vielfach abgemildert, aber das Außerordentliche des vermittelnden Vorganges bleibt Grundkennzeichen, zuletzt — beim ratio= 5 nalen Supranaturalismus — noch unter Verzicht auf einen sonst unerreichbaren Inhalt. Das ist das warnende Ergebnis einer Denkweise, welcher über dem Eifer für das „daß" des Offenbarens das „was" der Offenbarung in Verlust zu geraten drohte, während es doch darauf im Beginne der Bewegung allein angekommen war. Jenes Was ist das Wissen um Gott und sein Verhalten zu den von Natur Gottlosen und doch für die Be= 10 ziehung zu ihm Geschaffenen.

Die folgende „moderne" Bewegung hat bei sehr verschiedenen Wendungen im ein= zelnen das Gemeinsame, daß für ihre Betrachtung die menschliche Erscheinungsform der Offenbarung im Vordergrunde steht; hier wird das Problem durch das Verhältnis der menschlichen Selbständigkeit gegenüber dem göttlichen Wirken, weiterhin durch den hoch= 15 gespannten psychologischen und ethischen Subjektivismus gestellt. Das tritt besonders in den Verhandlungen über den Prophetismus hervor. Damit gerät der Inhalt der Offen= barung von vornherein leicht ins Hintertreffen. Wenn sich das bei zwei grundleglich ver= schiedenen Behandlungsweisen gleichmäßig ereignet, so liegt das wohl daran, daß es sich eben um eine Form der Vermittelung geistigen Gehaltes handelt; bei vereinzelnder oder 20 nur einen Beziehungspunkt einseitig beachtender Betrachtung einer solchen wird über dem Werkzeuge der Zweck vergessen, dem es dient. Innerhalb dieses, zunächst irdisch abge= schlossenen, anthropocentrischen Gesichtskreises macht es dann keinen grundlieglichen Unter= schied, ob man vornehmlich die geschichtliche Empirik ins Auge faßt oder die psycholo= gische; den Beobachtungspunkt kann zunächst nur das religiöse Leben bilden, entweder die 25 positive Religion oder die Religiosität. Jene Linie geht von Bengel durch Hegel zur modernsten Religionswissenschaft; diese von den orthodoxen testimonium spiritus sancti internum durch Schleiermacher in den agnostischen Mysticismus der Religion des Un= bestimmten oder der inhaltlosen Religiosität, in der sich Uraltes aus der Zeit des antiken Zusammenbruches wiederholt. Diese Linien gehen nicht ohne Berührung neben einander 30 her, sondern kreuzen sich reichlich; aber die Erscheinungen werden nicht richtig beurteilt, wenn man die Richtungen vorwiegend entweder geschichtlicher oder individualistischer Be= trachtung nicht zunächst für die Beobachtung auseinanderhält.

Schon Aristoteles hat die schaffende Thätigkeit der Vernunft nur in dem Denken der Denkformen erkannt; demgemäß hängt unserm überschauenden Denken die Überschätzung 35 der zusammenordnenden Abstraktion und der leereren Allgemein= und Formbegriffe an. Diesem Geschick verfällt auch die Betrachtung des religiösen Lebens und von seiner Fassung hängt fortan das Verständnis dafür ab, was Offenbarung sei. Von dem allgemeingiltigen Begriffe der Religion aus gewertet, wird sie entweder nicht allgemein und kann dem für Religion an sich nicht wesentlich, oder als ihre unausbleibliche Begleiterscheinung erscheinen. 40 Nun leitet die Theologie dazu an, in der Offenbarung die Ursache der Religion zu sehen, und so bietet sich der Ausdruck bequem dar, um die unbekannte Größe zu bezeichnen, deren wirksames Eingreifen in die Seelenvorgänge das Auftreten des Religiösen in un= serem inneren Haushalt erklären kann. Die Anknüpfung an die Anschauungen von der natürlichen Religion und Offenbarung liegen für diese Verknüpfung der Anschauungen 45 bereit vor. Es ergiebt sich die Annahme: ohne Offenbarung keine Religion, und zwar nicht etwa bloß keine geschichtliche Religion, sondern auch keine Religiosität in einzelnen Menschen. Was man als solche Offenbarung zu denken habe, bemißt sich durchaus nach dem waltenden Begriff von Religion, nach ihrer psychologischen Bestimmtheit. In diesem Zusammenhange verschmilzt die Unmittelbarkeit der religiösen Beziehung oder die 50 Ursprünglichkeit des religiösen Erlebens jedes Menschen für die Betrachtung mit der Offen= barung. Mit besonderer Entschiedenheit erklärt Lipsius das mystische Erlebnis für den Lebenspunkt der Religion und zugleich für das Wesentliche der Offenbarung. Dieser Vor= gang ist aber — das leuchtet ein — nicht eine Enthüllung, da er ja nur ein für unser Auffassen nie völlig faßbares spürbar macht. Die Anwendung des Ausdruckes für das 55 Gegenteil seines nächsten Sinnes wird zu einem schlagenden Beispiel dafür, daß die Re= ligion um ihres Gehaltes willen nie über das Zungenreden hinauskomme. Die Grund= anschauung ist aber überall da vorhanden, wo man das Wesen der Religion in der von Geschichte im Grunde unabhängigen allgemeinen Religiosität findet. Findet man sich in der Lage, diese Religiosität bei einer atheistischen Weltanschauung zu begreifen, dann giebt 60

es auch Offenbarung ohne eine Gottheit. Die Übertragung des kirchlichen Kunstausdruckes auf formale Analogien, wie man sie in anderen Gebieten menschlichen Lebens beobachtet, bietet dann die Mittel näherer Bestimmung. Man hat Entdeckungen, seien sie ein Fund nach langem vergeblichen Suchen, seien sie unvermutens in den Schooß gefallen, Offen-
5 barungen genannt, die einem zu teil geworden. Die geniale Konzeption des Denkers, zumal aber des Künstlers, die Anschauung, bietet die Analogie für das Aufleuchten des religiösen Funkens. Kommt dem Denken die Überzeugung in Betreff des Gehaltes der Religion nicht von anderswoher zuhilfe, namentlich von dem angeblich sicherer begründeten sittlichen Bewußtsein, erlebt der Fromme nur sich selbst und sein an sich gegebenes Ver-
10 hältnis zum Nicht-Ich, dann drängt sich das Bedenken auf, solche Offenbarung sei nichts als eine Selbsttäuschung der Einbildung, möglicherweise eine allgemeine Zwangsvorstellung, doch ohne sachlichen Hintergrund (Feuerbach).
Gegen eine solche subjektivistische Zersetzung des generalisierten Begriffes von Offen-
barung bietet auch die Hinüberführung aus dem Gebiete der abstrakten Religionstheorie
15 auf das der Religionsvergleichung keine Abhilfe. Man spricht freilich in diesen Dar-
stellungen, ohne genauer auf den Begriff einzugehen, nicht wenig von Offenbarung und setzt eine solche bei allen Religionen voraus. Doch fehlt es daneben nicht an dem Zugeständnisse, man habe eine Gattung von Offenbarungsreligionen herauszuheben, diejenigen nämlich, welche sich des Besitzes von Offenbarungen bewußt sind (Tiele). Indessen bleibt
20 für dieses Bewußtsein nur die Beurteilung, es sei eine Phantasiespiegelung anderweitig erklärbarer psychologischer Vorgänge, so lange Religion nichts anderes ist, als das Inne-
werden einer unabweislichen Übermacht. Handelt es sich eben nur um Einwirkungen und ihre psychologische Verarbeitung, dann liegt das religiös Besondere entweder im Inhalt oder lediglich auf der Seite der verarbeitenden Seele und ihrer Art der Auffassung; eine
25 besondere Vermittlung religiöser Vorgänge aber fällt aus und damit der Anlaß, die An-
schauung der Offenbarung zu verwenden. Wird sie trotzdem nicht beiseite geschoben, so dient ihr verallgemeinerter Gebrauch dazu, die biblischen Religionen mit den andern auszugleichen, indem sie sich nur als eine besonders schattierte Verwirklichung des allgemeinen Religionsbegriffes darstellen.
30 Dieser gesamten Denkweise haftet eine Geringschätzung des Geschichtlichen an. Schleier-
machers Bestimmung, die Ethik sei das Formelbuch der Geschichte, die Geschichte das Beispielbuch zur Ethik, drückt das aus; man muß nur im Auge behalten, daß ihm die Ethik die Naturgesetze des sozialen Lebens formuliert. Das Wesentliche also sind die Gesetze, nach denen sich das Leben gleichmäßig entfaltet; die Verschiedenheiten der Er-
35 scheinung sind das Nebensächliche. Unter den gleichen Gesichtspunkt treten die verschie-
denen Religionen; sie werden zu Varietäten, wie die Bäume einer Gattung. Das ändert selbst die Einführung der religionsgeschichtlichen Betrachtung nicht ohne weiteres. Wird nämlich der Stufengang der religiösen Bewegung nicht aus dem der Religion Eigentümlichen, sondern aus dem Aufstiege der Geisteskultur, aus der Läuterung der sittlichen An-
40 schauungen, aus der Vervollkommnung des philosophischen Denkens abgeleitet, also aus Einwirkungen, deren Träger vom Religiösen unabhängig sind, so bleibt die Religion und ihr Bildungsgesetz an sich dieselbe, nämlich die sich im Grunde immer gleiche Religiosität; nur ihre Widerspiegelungen im Bewußtsein und ihre geistige Verarbeitung ändert sich. Die Maßstäbe für die Beurteilung dieser Wirkungen liegen also auch anderswo als
45 im Religiösen.
In diesem Zusammenhange stellt sich dann mit einer gewissen Folgerichtigkeit eine Wendung im Gebrauche des Begriffes der Offenbarung ein. Bezeichnet er zuerst jene Wirkung, deren Eindruck das Wesen der Religion ausmacht, so führt seine gegebene Verknüpfung mit der Geschichte zu der Beobachtung, daß es auch im religiösen Leben überwiegend
50 bestimmende und überwiegend empfängliche Menschen gibt; jene sind die stark religiös Erregten, und ihre Religiosität wird in ihrer eigentümlichen Beschaffenheit für die Empfänglichen zur religiösen Anregung und Gestaltung; sie wird diesen zur Offenbarung (Schleierm. Reden). Es ergiebt sich also ein Verhältnis, in welchem die Religiosität offenbarend wirkt: Die Religion offenbart sich (Tiele 2 S. 5 f.). Freilich führt eine solche Übertragung nur
55 dann wahrhaft zu Religion, wenn in der Folge jene Einwirkungen selbst erlebt werden. Da die Übermittelung sich nur in der Gestalt der verarbeiteten religiösen Antriebe voll-
ziehen kann, diese Verarbeitung aber durch äußere Einflüsse bestimmt wird, so müssen diese Vermittelungen gleichgiltig, ja im Grunde als Hemmungen empfunden werden, sobald es zur eigenkräftigen Religiosität kommt. Diese vermittelnde Offenbarung scheidet
60 also unter den bei dieser Denkweise geltenden Voraussetzungen aus dem Gebiete des

Religiösen im eigentlichsten Sinne aus. Deshalb darf auch von einem übermittelten besondern Inhalte religiöser Art eigentlich nicht die Rede sein. Wie viel man dann immer von religiösen Genien und ihrer offenbarenden Bedeutung rede, es bleibt bei der Religion des Unbestimmten, dem immer gleichen Bewußtsein um das Bedingtsein, und dieses bleibt im Grunde allen individuellen und geschichtlichen Zusätzen gegenüber spröde; der Begriff der Offenbarung aber ist von dem abstrakten Begriffe der nackten Kausalität aufgezehrt.

Das ist so, weil man durchweg mit Anschauungen arbeitet, die der Beobachtung des Zusammenhanges der Dinge entnommen sind, ohne Rücksicht auf die Besonderheit des persönlichen Lebens; nur daß man sich freilich der Widerspiegelung im Bewußtsein nicht entschlagen kann; doch auch sie wird nach der Art jener Anschauungen behandelt. Darum ändert sich in der Hauptsache nichts, wenn man die Entfaltung der Gattung in ihren Varietäten durch den Stufengang einer notwendigen Entwickelung ersetzt, wenn das Nebeneinander im Nacheinander aufgewiesen wird. Es handelt sich immer nur um wechselnde Verarbeitungen des immer gleichen Grundes für das religiöse Bewußtsein. Ist dessen Thatsächlichkeit einmal zugegeben, so läßt sich seine wirksame Ausprägung oder „Offenbarung" ebensowohl bei der atheistischen als bei der pantheistischen Hypothese erklären.

Auf diesem Wege ist der Begriff zu einem bloßen Anhängsel des Religionsbegriffes geworden und zwar eine Bereicherung von zweifelhaftem Werte, denn er dient teils die Ursprünglichkeit der Religion in jedem herauszuheben, teils bezeichnet er in schwankender Weise die religiöse Wechselwirkung. Im Gegensatze dazu ist er entschieden für sein Entstehungsgebiet, für das geschichtliche Leben zurückgefordert. Das ist im Namen der Bibel (die neueren Biblicisten) und auf Grund der Beobachtung geschehen, daß es Religion nur in geschichtlicher Positivität giebt (A. Ritschl). Die Geschichte ist das Gebiet derjenigen Thatsachen, die in handelnden Personen, ihren wirksamen Handlungen und deren Wirkungen bestehen. Auf diesem Gebiete ist die Zwecksetzung Thatsache. Hier ist Raum für ein Handeln Gottes, das sich von seinem allumfassenden naturgesetzlichen Wirken abhebt. Es kann sich bethätigen in Ereignissen, in der planvollen Verknüpfung von Thatsachen, in der Setzung von eigentümlichen Personen. Ein solches Handeln greift wirksam in den Zusammenhang ein; es ist aber für den aufnehmenden Sinn zugleich Darstellung. Das nennt man Offenbarung durch Manifestation. Im Widerspruch zu der sich selbst zersetzenden intellektualistischen Fassung der Offenbarung kam man dahin, lediglich jene Offenbarung durch Thaten Gottes anzuerkennen (Hofmann). Dann erhebt sich die Frage, was eine Thatsache oder einen Thatsachenkreis in seinem offenbarenden Werte zweifellos mache. Es giebt zwei Antworten; die eine weist auf den zweckdurchsetzenden Zusammenhang; die andere darauf, daß die offenbarende Thatsache nicht befriedigend aus geschichtlichen Bedingungen abgeleitet werden könne. Diese Beobachtungen lassen sich stützend verbinden, aber auch widereinander kehren. Beide kommen darauf hinaus, den Kernpunkt der geschichtlichen Offenbarung in Jesu Christo zu erkennen. Damit ist zugleich gesagt, daß sie nur die durch ihn bestimmte Geschichte als eigentliche Offenbarung gelten lassen.

Dahin führt auch ein anderer Gesichtspunkt. Faßt man das persönliche Leben in seiner Besonderheit ins Auge, so wird seine sittliche Bestimmtheit wichtig und mit Anschluß an die Bibel die Thatsache der Menschheitsünde. Mit ihr wird die Forderung einer besondern Offenbarung verständlich und so ergiebt sich die Ansicht, daß man sie nur als eine Seite an dem erlösenden Thun Gottes zu betrachten habe (Krauß). Erscheint dem generalisierenden Denken die Erlösung als eine besondere Gestalt der Offenbarung, so hier eben ein dienender Zug in dem Thun Gottes zur Überwindung des Sündenschadens. Die Ausnahmestellung innerhalb des umfassenden göttlichen Weltwirkens wird für sie ebenso selbstverständlich als kennzeichnend.

So gewaltig nun dieses besondere wirksame Handeln Gottes — in der Erscheinung Christi — auch vorgestellt werde, es verfällt doch notwendig, wiefern es Darstellung sein soll, der auffassenden Verarbeitung von seiten der Menschen. Dann erwacht die alte Frage, wo man die Bürgschaft für eine zutreffende Auffassung und ihre verläßliche Überlieferung zu suchen habe, wenn eben dieses Darstellen doch ein unentbehrliches Stück des erlösenden Thuns bilde. Ja, wie ist ferner die Gewißheit zu gewinnen, in diesen Thatsachen den darstellend handelnden Gott in andrer Art als in seinem allgemeinen Weltwirken vor sich zu haben? Verfließt nicht die besondere Geschichte nach allen Seiten in den Strom der gesetzmäßigen Menschheitentwickelung? Innerhalb seiner will sich das bloß verneinende Kennzeichen eines unableitbaren Inhaltes der Thatsache oder der Einsam-

Wenn die abstrakte Metaphysik bis in den Deismus hinein den Begriff des höchsten
Wesens zu spröde für eine Wechselwirkung mit dem Endlichen gefaßt hat, so faßt die
moderne Anthropologie die Subjektivität der Personen zu spröde, um die Einwirkung auf
sie über einen Anreiz zur selbsteignen Bewegung hinausgehen zu lassen. Beide schließen
eine solche offenbarende Wirkung Gottes aus, die etwas anderes ist als Bedingung für die 5
Wohlordnung des Ganzen; deshalb muß der Gottmensch eine von der Rücksicht auf die
Sittlichkeit unabhängige Welteinrichtung sein und mit und in ihm die Offenbarung
(Dorner). An diesem Punkte springt die Abhängigkeit der verschiedenen Fassungen des
Begriffes der Offenbarung von der Kosmologie, wie immer sie geartet sei, in die Augen.
Dergleichen scheint mit der Lösung des Problemes der Natürlichkeit und Übernatürlichkeit 10
der Offenbarung durch das Generalisieren dieser eigentlich doch nur im Umkreise der testamen-
tarischen Religionen heimischen Anschauung unvermeidlich verbunden. Deshalb wird es
geraten sein, bei ihrer theologischen Behandlung nicht zu übersehen, wie sehr sie in ihren
Ursprüngen dient, die durch sie gebotene Gotteskunde andern Vorstellungen nicht nur
überlegen, vielmehr als die wahre dem Täuschungen gegenüber zu kennzeichnen; wie durch- 15
aus Offenbarung nicht bloß mit Wirklichkeit der Berührung mit Gott, sondern vornehmlich mit Wahrheit der Gotteserkenntnis zusammengedacht wird. In der Beschränkung des
Begriffes auf diese eine Seite der umfassenden Handlung Gottes, durch welche er das
neue Leben und in ihm die vollkommene Religion begründet, bewahrt er seine eigentümliche Bedeutung und ist unentbehrlich um das Verständnis des religiösen Verhältnisses, 20
sei es in der Form der Religiosität, sei es in der der positiven Religion, auf der Höhe
des persönlichen Lebens zu erhalten.   **M. Kähler.**

Offene Schuld. — Litteratur: Cruel, Gesch. der deutschen Predigt im Mittelalter,
1879, S. 220 f.; Rietschel, Die offene Schuld im Gottesdienste und ihre Stellung nach der
Predigt in: Monatsschr. f. Gottesdienst und kirchl. Kunst I (1896/7), S. 396 ff.; derselbe, 25
Glossen zu der Ordnung des Hauptgottesdienstes nach der sächs. Landeskirche.
Progr. Leipzig 1898, S. 31 ff.; derselbe, Lehrb. der Liturgik I (1900), S. 369 ff.; 429 ff.;
Achelis, Lehrb. der Prakt. Theol.² I (1898), S. 389 ff.; Art. Beichte Bd II, 537 f.

Mit dem Namen „offene Schuld" (= öffentliches Schuldbekenntnis) bezeichnet man,
im Gegensatz zur Ohren- und Privatbeichte des Einzelnen, die „allgemeine Beichte", die 30
im Namen der Gemeinde der Geistliche unter Anfügung der Absolution spricht. Name
wie Sache stammen aus dem Mittelalter und gingen in die Reformationskirchen über,
nur daß das Luthertum den Ausdruck „offene Schuld" nicht kennt und dafür den Ausdruck „allgemeine Beichte" braucht.

Die „offene Schuld" ist jedenfalls deutschen, genauer südostdeutschen (baierischen) 35
Ursprungs und geht wahrscheinlich auf Karls d. Gr. Zeit zurück. Sie wurde deutsch gesprochen und fand nach der, ebenfalls deutschen, Predigt statt, unter Hinzufügung der Absolution und wohl auch des deutschen Glaubens und Vaterunsers. Die ältesten Zeugnisse dieser Sitte sind zwei altslavische Beichtformeln, die sehr wahrscheinlich aus dem
Deutschen übersetzt sind und im 9. Jahrh. gehören werden (die Formeln bei Kopitar, 40
Glagolita Clozianus [Wien 1836], S. XXXV und XXIX; zur Sache Hauck, Kirchengesch. Deutschlands II, S. 667 und 427). Ferner haben wir aus dem 11. und
12. Jahrh. eine Anzahl solcher Beichtgebete, meist mit folgender Absolution, mit Glaubensbekenntnis und Vaterunser (Müllenhoff und Scherer, Denkm. deutscher Poesie und
Prosa, 3. Aufl. [1892], I, 287 f.; einige Proben daraus bei Hering, Hilfsbuch zur Ein- 45
führung in das liturg. Studium [1888], S. 95 ff.; vgl. auch Kopitar, a. a. O. S. XLVII
und die mittelalterlichen Predigtsammlungen, Cruel a. a. O. S. 221 ff.). Der Priester
bez. der Diakon sprach die Beichte vor, das Volk sprach sie kniend still nach, worauf der
Priester die Absolution erteilte. Die Gebete selbst weichen mannigfach voneinander ab,
doch scheint sich im Laufe der Zeit ein gewisses Schema durchgesetzt zu haben. Von An- 50
fang an waren sie in der ersten Person der Einzahl gehalten, entsprachen also ganz der
Privatbeichte. Diese Sitte der offenen Schuld lebte durch das ganze Mittelalter hindurch
in Deutschland; sie ist bezeugt für Nord- und Süd- und Mitteldeutschland.

So fand sie auch die Reformation vor. Luther spricht davon in seinem Sermon von
den guten Werken 1520 (EA², 16, 170; WA 6, 238) und in der deutschen Messe (EA 22, 55
240; WA 19, 96), aber er hat diese alte Sitte in Wittenberg nicht beibehalten. Indessen sah er sich später (1533 und 1536) veranlaßt, sich für die Beibehaltung dieses
liturgischen Stückes auszusprechen. Es handelte sich um einen Streit in Nürnberg. Hier
war seit den kultischen Reformen der Jahre 1524 und 1525 die öffentliche Beichte an

den „Feiertagen" nach der Predigt und vor dem Abendmahlsempfang im Gebrauch;
außerdem war auch das Confiteor des Priesters am Anfang der Messe durch eine all=
gemeine Beichte mit folgender Absolution ersetzt worden (Kolde, Analecta, 185; Smend,
Evangel. deutsche Messen S. 163, 172 und 177). Die Privatbeichte vor dem Abendmahl
5 war dabei zwar nicht in Abgang gekommen, drohte aber außer Brauch zu kommen. Um
die Privatbeichte zu retten, tilgte die 1533 von Osiander und Brenz verfaßte Nürnberg=
Brandenburgische KO die allgemeine Beichte überhaupt, und zwar auf Betreiben Osianders.
(Richter, KOO I, 203, 204, 206). Allein die alte Sitte erhielt sich trotzdem. Da er=
hob Osiander auf der Kanzel leidenschaftlich seine Stimme dagegen, zur großen Beun=
10 ruhigung der Gemeinde. Der Rat sah sich veranlaßt, ein Gutachten über die Frage bei
den Wittenbergern einzuholen. Luther, der mit Recht der Frage keine prinzipielle Be=
deutung beilegte, trat doch um des Friedens willen für den alten Nürnberger Brauch
ein. Denn die allgemeine Beichte sei doch nichts anderes, als eine Verkündigung des
Evangeliums in spezieller Form (be Wette IV, 444, 465, 470, 480; VI, 176; Kolde,
15 Analecta, 185, 190, 195. Die Litteratur zu diesem Streit bei Rietschel, Liturgik I, 430
Anm. 15). In Wittenberg selbst wurde die Sitte aber nicht eingeführt.

Im Gebiete des Luthertums in Norddeutschland hatte sich die allgemeine Beichte
weithin erhalten. Die Preußische KO von 1525, auf die die Nürnberger Messen stark
eingewirkt haben, schreibt sie mit folgenden Worten vor: „Am Ende der Predigt des
20 Sonntags und Feiertags soll dem Volk eine gemeine christliche Beichte vorgesagt werden"
(Richter, KOO I, 29). Die Beichte selbst steht bei Smend, Evangel. deutsche Messen
S. 190. Die sächs. Visitationsartikel von 1533 bezeugen die Sitte und schreiben sie vor
(Richter, KOO I, 229). Die sächs. Konferenz von Altenzelle 1544 empfiehlt sie ebenfalls.
(Sehling, Kirchl. Gesetzgebung unter Moritz v. Sachsen S. 61, vgl. auch S. 181 f.).
25 Auch Bugenhagen hat sie in seinen KOO, offenbar der ortsüblichen Tradition folgend;
so in den KOO von Braunschweig 1528, Hamburg 1529, Lübeck 1531. Wenn er in
der KO von Schleswig-Holstein 1542 die allgemeine Beichte nach der Predigt wegläßt,
so liegt dem gewiß keine besondere Absicht, sondern wiederum nur die örtliche Sitte zu
Grunde. Bemerkenswert ist, daß die eigentliche Absolution in diesen KOO fehlt. Andere
30 norddeutsche lutherische KOO haben die öffentliche Beichte nach der Predigt mit der Ab=
solution: Nordheim 1539; Halle 1541; Braunschweig-Lüneburg 1542 und 1569; Kalen=
berg 1569; Lauenburg 1585. Auffallend ist es, daß weder die Herzog Heinrich-Agende
von 1539, noch die kursächsische KO von 1580 die allgemeine Beichte anordnen.

Eigenartig ist der Brauch der reformierten Kirche und der von ihr beeinflußten süd=
35 und westdeutschen Gebiete. Schon sprachlich heben sich diese Gebiete vom Luthertum ab:
sie behalten den alten Ausdruck „offene Schuld" bei. Charakteristisch ist, daß hier die
offene Schuld nicht nur nach der Predigt, sondern bereits am Anfang des Gottesdienstes,
als Ersatz des Confiteor des Priesters oder des Kyrie erscheint — eine Sitte, die bereits
mittelalterliche Anfänge hatte, denn nach der salus animae von 1503, einer Erbauungs=
40 schrift für Laien, sollen diese während des Confiteor die „offene Schuld" beten (Smend,
Evangel. deutsche Messen, S. 14); ferner wird hier die Abendmahlsfeier mit der offenen
Schuld eingeleitet. In Zürich wurde nach Zwinglis Anordnung die offene Schuld
nach jeder Predigt gesprochen, mit folgenden Schlußworten: „Allmächtiger, ewiger Gott,
verzeih uns unsere Sünd, und führ uns zum ewigen Leben, durch Jesum Christum unsern
45 Herrn. Amen" (Richter, KO I, 136; Stähelin, Zwingli II, 62). Sicher bestand dieser
Brauch 1525, aber höchst wahrscheinlich ist er viel älter und von Zwingli aus katholischer
Zeit herübergenommen worden. Daß nach Zwinglis Anordnung in Zürich die offene
Schuld auch beim Abendmahl, das hier bekanntlich vom gewöhnlichen Sonntagsgottes=
dienst getrennt war, gebraucht worden sei, wie Smend, a. a. O. S. 208 angiebt, läßt sich
50 nicht erweisen. Denn in der „Vorrede" von Zwinglis „Aktion oder Bruch" ist zwar
von der Predigt als Einleitungsakt des Abendmahls die Rede, nicht aber von der offenen
Schuld (vgl. Smend, a. a. O. S. 196; das Richtige bei Stähelin, Zwingli I, S. 444).
In Basel begann 1526 die Abendmahlsfeier ebenfalls mit der Predigt, dieser ging
aber eine „Ermahnung", die „offene Beichte" und das Pater noster (Smend, a. a. O.
55 S. 214 f., Anm. 1 und S. 227) voraus. In Straßburg begann nach der „Ordnung
und Inhalt der deutschen Meß" von 1524 der Gottesdienst — Predigt- und Abendmahls=
gottesdienst sind hier noch nicht getrennt — mit der „offenen Schuld", die kniend ge=
betet wurde (Smend, a. a. O. S. 126; Huber, Straßburger liturg. Ordnungen [1900],
S. 57, 77. Vgl. S. 83, 91 ff.). Ferner wurde das tägliche sogen. „Morgengebet" mit
60 der offenen Schuld begonnen (nach „Psalmen, Gebet und Kirchenübung" von 1526 bei

Smend, a. a. O. S. 138 Anm. 6; vgl. Huber, a. a. O. S. 88, 90). Die Straß=
burger Sitte und die Straßburger Formeln hat Calvin einfach für Genf übernommen
(Erichson, Die Calvin. und die Altstraßb. Gottesdienstordnung [1894], S. 13 ff.), und daß
die Nürnberger Sitte, von der oben die Rede war, vom Süden her beeinflußt war, ist
nach dem Gesagten höchst wahrscheinlich. Reformierter, bez. Straßburger Einfluß ist wohl 5
auch in Hessen anzunehmen. Die reformatio ecclesiarum Hassiae von 1526 sagt:
„Proinde laudamus publicam confessionem, quae in coenae Dominicae initio
fieri consuevit, modo lingua vulgi dixtincte et ab omnibus simul fiat"
(Richter I, 59). Nach dieser Äußerung muß in Hessen die deutsche allgemeine Beichte
vor dem Abendmahl, also nach der Predigt, in Übung gewesen zu sein. Man könnte 10
zweifeln, ob damit wirklich die übliche allgemeine Beichte gemeint ist. Die Kasseler KO
von 1539 bietet nämlich vor dem Abendmahl ein Gebet (in einer längeren und in einer
kürzeren Form), das mit einem allgemeinen Sündenbekenntnis beginnt (Richter I, 299 f.).
Aber kaum dürfte dieses Gebetsstück mit der publica confessio gemeint sein. In Mar=
burg wurde 1548 nach der Predigt, dem allgemeinen Kirchengebet und einer „Vermahnung 15
an die Kommunikanten" eine „gemeine Beicht und publica absolutio" gesprochen
(Herrmann, Das Interim in Hessen [1901], S. 181). Nach der hessischen KO von 1566
sollen, bis die Gemeinde sich versammelt hat, ein oder zwei Psalmen gesungen
werden; der eigentliche Gottesdienst aber beginnt mit dem Sündenbekenntnis „mit Auf=
nehmung der Absolution" (oder Gesang des 51. Psalms) (Richter I, 293). Hier ist der 20
süddeutsche Einfluß ganz offenbar. Bemerkenswert ist, daß Sündenbekenntnis und Ab=
solution nochmals nach der Predigt erscheinen. Bei der Abendmahlsfeier folgt ebenfalls
auf die Predigt Beichte und Absolution (ebenda, S. 206). Später, 1574, ist für den
vollen Sonntagsgottesdienst, bei dem Predigt und Abendmahl stattfand, die offene Schuld
am Anfang gestrichen worden, sie blieb aber nach der Predigt; dagegen blieb die Sitte, 25
wenn kein Abendmahl gehalten wurde, mit Gesang die Zeit hinzubringen, bis die Ge=
meinde versammelt war und dann den Gottesdienst mit der „gemeinen Konfession samt
folgender Absolution" zu beginnen (Diehl, Zur Gesch. des Gottesdienstes u. s. w. in
Hessen [1899], S. 93 f.; vgl. auch S. 98, 133 f.). Das Beicht= und Absolutionsformular
von 1574 ist noch lange, noch 1780 in Hessen in Gebrauch gewesen. Die Württem= 30
berger KO von 1536 sieht die allgemeine Beichte und Absolution bei der Abendmahls=
feier ebenfalls nach der Predigt vor, gesprochen vom Altar aus. Sie lehnt sich in der
Absolutionsformel an die Nürnberger KO von 1533 an (Richter I, 268; vgl. auch die
KO von 1553 bei Richter II, 136).

Heute ist fast ausnahmslos die allgemeine Beichte nach der Predigt geschwunden. 35
Sie hat in fast allen neueren Agenden am Anfang des Gottesdienstes ihre Stelle ge=
funden. Nach der Predigt ist sie regelmäßig nur noch in Sachsen im Gebrauch, fällt
aber an den Bußtagen weg, um durch die Litanei ersetzt zu werden. Diese Sitte besteht
seit 1581, wo sie zuerst in der Dresdner Hofkirche eingeführt wurde. (Näheres bei
Rietschel, in d. Monatsschr. f. Gottesd. und kirchl. Kunst I, S. 399). Die separ. luthe= 40
rische Kirche Preußens läßt sie nach der Predigt zu, wenn nicht am Eingang des Gottes=
dienstes Confiteor und Gnadenspruch vorhanden waren. Die sächsische Sitte wird heute
von keinem Liturgiker mehr vertreten. Mit stichhaltigen Gründen hat sie in neuerer Zeit
besonders Rietschel bekämpft. Vor allem ist dagegen geltend zu machen, daß dadurch die
Predigt unter den Gesichtspunkt der einseitigen Gesetzesverkündigung gerückt wird, die auf 45
die Weckung der Bußstimmung ausgeht, während die Predigt doch ebenso die Glaubens=
gewißheit der erfahrenen Gotteskindschaft zum Ausdruck bringt.   **Drews.**

Offizial. Nach kanonischem Rechte bezeichnet dieser Ausdruck einen Stellvertreter für
die Jurisdiktion. So waren die Archidiakonen (s. d. A. Bd I S. 783) schon seit dem
sechsten Jahrhundert die Hauptvertreter der Bischöfe in Beziehung auf die potestas juris= 50
dictionis, in c. 7. Rotomag. ann. 1050 (Mansi T. XIX. col. 753) werden sie offi=
ciales episcopi genannt. Als die Gewalt der Archidiakonen sich zu einer jurisdictio
ordinaria gesteigert hatte, finden wir auch officiales dieser erwähnt, z. B. in c. 3. X.
De oper. nov. nunc. V, 32. (Honor. III), c. 3. X. De solut. III. 23. (Greg. IX),
Conc. Turon. 1239, c. 8. Conc. ad vall. Guidon. 1242. c. 4. („officiales seu 55
allocatos habeant"), c. 3. De appell. in VI. II. 15. (Innoc. IV), Conc. Ex=
cestrens. i. Angl. 1287 u. a. Den mannigfachen Übergriffen der Archidiakonen traten
aber seit dem Ende des 12. Jahrhunderts eine Reihe von Synoden entgegen und auch
die Bischöfe selbst suchten die Wirksamkeit der Archidiakonen durch die Einrichtung be=

sonderer „officiales" zu beschränken und zu schwächen. Diese, welche bereits in den Briefen des Petrus Blesens. (ep. 25 u. 214, Ende des 12. oder Anfang des 13. Jahrh.), sowie in c. 3 de appell. in VI. II. 15 (Innoc. IV. 1245), und in den Praecepta decanis facta v. J. 1245 bei Pommeraye, Rotom. eccl. conc. (Rotom. 1677) p. 253. 256, neben den Archidiakonen genannt werden, waren teils officiales foranei, teils officiales principales oder vicarii generales. Erstere wurden für die einzelnen Archidiakonats=sprengel außerhalb (foras) des Bischofssitzes ernannt und konkurrierten hier als bischöf=liche Delegaten mit den Archidiakonen (c. 1. De off. ordin. in VI. I. 16, c. 2. De rescr. in Clem. I. 2, Conc. Narbon. 1609. c. 42. 43); letztere dagegen übten die bischöfliche Gerichtsbarkeit in allen dem Bischof reservierten Fällen in erster Instanz, in allen von den Archidiakonen und officiales foranei entschiedenen Sachen aber in zweiter Instanz.

Während vielfach die Bezeichnungen officialis principalis und vicarius generalis als gleichbedeutend gebraucht wurden, z. B. in c. 16. Conc. Trid. De reform. Sess. 24, und noch jetzt so gebraucht werden in allen italienischen Ländern, Ungarn, Dalmatien, sowie im Orient, wurden anderwärts beide unterschieden, und für die bischöfliche Juris=diktion ein besonderer Vertreter, der officialis, für die bischöfliche Verwaltung ein anderer, der Generalvikar, bestellt, wie dies auch jetzt noch in Frankreich, Belgien (vgl. Van Espen, Jus eccles. univ. P. I. tit. 12. c. 4. 5), Spanien, England, Afrika und in den meisten deutschen Diöcesen der Fall ist. Nachdem durch das Tridentinum den Archidiakonen die Jurisdiktion in Ehe= und Kriminalsachen entzogen worden (c. 3. 12. 20. De reform. Sess. 24), sind auch die officiales foranei immer seltener ge=worden, so daß in der Regel die gesamte Jurisdiktion und Verwaltung in der Hand des Generalvikars vereinigt erscheint (s. d. A. Bd VI, S. 509). Unter dem Vorsitze des=selben besteht regelmäßig eine besondere beratende, meist aus Domkapitularen zusammen=gesetzte Behörde, das Generalvikariat oder Ordinariat, auch Konsistorium genannt; wo aber die eigentliche Gerichtsbarkeit, namentlich in Ehesachen, von einem besonderen Stell=vertreter des Bischofs ausgeübt wird, dem Offizial, und dies ist, wie vorhin bemerkt, in den meisten deutschen Diözesen der Fall, steht diesem ein besonderes richterliches Kollegium zur Seite, das sogenannte Offizialat oder Konsistorium. Vgl. Hinschius, System des kathol. Kirchenr., Bd II (Berlin 1878), S. 192 ff. 205 ff. Außerdem existieren noch einige durch besondere Verhältnisse hervorgerufene Offizialate in Deutschland, welche teils die rechtliche Bedeutung der Generalvikariate haben, z. B. das Offizialat des Bischofs von Münster in Vechta für Oldenburg, teils nur als delegierte Behörden anzusehen sind, wie das Amt des Großdechanten in Habelschwerdt, welches ein Offizialat des Erzbischofs von Prag für die Grafschaft Glatz ist, das Kommissariat des Erzbischofs von Olmütz für den Distrikt Katscher in Oberschlesien und das Kommissariat des Bischofs von Hildesheim zu Obernfelde im Eichsfelde (vgl. Hinschius a. a. O. S. 227, Anm. 4).

(Wasserschleben †) Sehling.

Ohrenbeichte s. d. A. Beichte Bd II S. 534, 82 ff.

Oktave, ein der katholischen Liturgik angehöriger Ausdruck, bedeutet die achttägige Feier gewisser hervorragender Feste; insonderheit den achten Tag, an welchem sich diese Feier zu einer ähnlichen Höhe erhebt, wie am ersten. Wie die Feste, so sind die Oktaven von verschiedener Würde. Die von Ostern und Pfingsten, auch die des Epiphaniasfestes werden so hoch gehalten, daß innerhalb des sie konstituierenden Zeitraums weder ein Heiligenfest, noch Votiv= oder Seelenmessen zugelassen werden, wogegen die Oktaven von Weihnachten und Fronleichnam das Eintreten von Heiligenfesten gestatten, alle übrigen aber, sowohl für diese Feste, als für jene Messen Raum gewähren. Demnach sind sie das eigentümliche Kennzeichen hoher Festfeier überhaupt, und hieraus erklärt sich, daß in der Quadragesimalzeit, welche ihrer Abzweckung nach das gerade Gegenteil von Festfeier ist, Oktaven nicht vorkommen. Das Missale schreibt für jeden ihrer Tage gewisse Gebete, für den achten Tag aber ein Offizium vor, welches dem des Festes insofern entspricht, als es teils einzelne seiner Bestandteile wiederholt, teils Momente beibringt, welche der Idee des Festes innewohnen, ohne doch am ersten Tag zur Erwähnung gekommen zu sein, wie z. B. die Epiphaniasoktave einerseits an die Weisen aus dem Morgenland, andererseits an den Gegenstand der griechischen Epiphaniasfeier, die Taufe Christi, erinnert. Für die evangelische Theologie und Kirche haben die Oktaven keinen anderen, als nur einen geschichtlichen Belang. Geschichtlich aber sind sie insofern nicht unbedeutend, als ihr Aufkommen im Altertum mit besonderer Bestimmtheit bezeugt, wie gern die Kirche für ihr gottesdienstliches Leben Formen benutzte und weiterbildete, welche ursprünglich der israelitischen Theokratie angehörten. Nach der Festordnung Israels wurde das Passahfest sieben Tage lang gefeiert, und unter diesen wurde der erste und der letzte am glänzendsten begangen (Le 23, 6; Nu 28, 17; Dt 16, 3). „Anfang und Ende", bemerkt [5] Philo darüber mit gewohnter Sinnigkeit und Kühnheit, „bekommen so das ihnen gebührende Vorrecht; wie auf einem musikalischen Instrumente soll ein Zusammenklang der äußersten (Töne) hervorgebracht werden" (de septenario et festis, ed. Francof. p. 1191) — ein Gedanke, welcher, obwohl unmittelbar an die Siebenzahl angeschlossen, die liturgische und die harmonische Bedeutung des Wortes Oktave ineinanderspielen läßt. [10] Diese Einrichtung der Passahfeier ist nun, unter der Modifikation, daß nicht der erste und siebente, sondern der erste und achte Tag gefeiert wurde, in die Kirche aufgenommen worden; eine Änderung, zu welcher neben dem Umstande, daß die israelitische Feier mit dem ihr vorausgehenden Tage des Passahlammessens acht Tage dauerte (ἑορτὴν ἄγομεν ἐπ᾽ ὀκτὼ ἡμέρας, τὴν τῶν ἀζύμων λεγομένην Joseph. antiq. II, 15, 1), und dem [15] weiteren, wonach am Laubhüttenfest außer dem siebenten noch der achte gefeiert ward (Le 23, 36; Philo p. 1195), hauptsächlich die evangelische Thatsache der Erscheinung des Auferstandenen acht Tage nach der ersten (Joh. 20, 26) Veranlassung gegeben haben mag. War so die Oktavenfeier in die Kirche einmal eingeführt so verbreitete sie sich im Laufe der Zeit von dem hohen Feste, bei welchem sie zuerst Platz gefunden, leicht zu [20] allen den anderen, für welche sie dem Meßbuch nach angeordnet wird. Ist dem nun so, so steht die Oktave, die Nachfeier der Feste, zur Vorfeier derselben, der Vigilie, in dem eigenthümlichen Verhältnisse, daß diese auf die ersten Zeiten des Christentums zurückweist, wo die Gläubigen durch Verfolgungen gehindert wurden, sich bei Tage zu versammeln Bingham, Origg. IX, 45), jene aber an die Jahrhunderte vor Christo erinnert, in [25] denen die Grundsteine zum Bau der Kirche gelegt worden sind.   **E. Ranke †.**

Olaf s. b. A. Norwegen oben S. 214, 57.

Oldenburg, Bistum s. Lübeck Bd XI S. 670.

Oldenburg, kirchliche Statistik. — Das Großherzogtum Oldenburg besteht aus drei in Rücksicht auf ihre kirchliche Organisation voneinander unabhängigen Teilen, dem [30] Herzogtum Oldenburg (5376 qkm), dem Fürstentum Lübeck (535 qkm) und dem Fürstentum Birkenfeld (503 qkm). Im Herzogtume Oldenburg herrscht das evangelische Bekenntnis und zwar wesentlich das lutherische; die einzige evangelisch-reformierte Gemeinde des Landes ist Accum mit 542 Seelen (1 Katholik). Die Reformation gelangte, als Graf Johann XVI. im Jahre 1573 Hermann Hamelmann (vgl. Bd VII, S. 385, 16) [35] zum Superintendenten nach Oldenburg berief, durch die von diesem und Nikolaus Selneccer abgefaßte und am 13. Juli 1573 eingeführte Kirchenordnung zum Abschluß. (Diese Kirchenordnung, welche nach der mecklenburgischen von 1552 und der braunschweigischen von 1569 gearbeitet ist und nirgends eigentümliche Momente darbietet, erschien Jena 1573; sie ist bei Richter nicht abgedruckt; vgl. Richter, Die evangelischen Kirchen- [40] ordnungen des 16. Jahrhunderts, 2. Bd, Weimar 1846, S. 353). Als dann im Jahre 1575 die Herrschaft Jever an Oldenburg kam, führte Hamelmann sie auch hier ein, obschon hier einige Reformierte und Wiedertäufer widerstrebten (vgl. Hamelmann, Oldenburgische Chronik, Oldenburg 1599, S. 422 f.). Oldenburg blieb dann auch in der dänischen Zeit (1667—1773) ein durchaus lutherisches Land. Unter den Herrschern aus [45] dem Holstein-Gottorpschen Hause (seit dem Jahre 1773) brach dann auch in Oldenburg der Rationalismus ein, wovon u. a. das Gesangbuch vom Jahre 1791 ein sprechender Beweis war. Die Bewegungen des Jahres 1848 blieben sodann auch für die Kirche Oldenburgs nicht ohne Einfluß; eine konstituierende Synode löste die Kirche ganz vom Staate und gab ihr im Jahre 1849 eine neue „Kirchenverfassung", welche nach der da- [50] mals allgemein beliebten Weise keine „Beschränkung der Glaubens- und Gewissensfreiheit" mehr dulden wollte und die wichtigsten kirchenregimentlichen Funktionen den Gemeinden und einer Synode übergab. Da wandten sich im Jahre 1851 einige Geistliche Oldenburgs an den vierten deutschen evangelischen Kirchentag zu Elberfeld mit der Bitte, der Kirchentag möge intercedieren, da diese Verfassung „irgend eine Gewähr des Schutzes des evan- [55] gelischen Bekenntnisses ausdrücklich nicht, wohl aber den zerstörendsten Angriffen der unumschränkten Lehrfreiheit Stützpunkte biete"; der Kirchentag beschloß, seinen Ausschuß zu

beauftragen, im Falle eine genaue Erforschung der Sachlage eine solche Verwendung
recht und nötig erscheinen lasse, dieselbe auszuführen.   Der Ausschuß gewann die Überzeugung, daß diese Kirchenverfassung „an einem doppelten radikalen Mangel leide, an
Bekenntnislosigkeit und Revolutionierung des Kirchenregimentes", und richtete unter dem
5 29. Dezember 1851 ein ausführliches Schreiben an den Großherzog (vgl. Verhandlungen
des vierten Kirchentages zu Elberfeld, Berlin 1851, I, S. 99, und Verhandlungen des
fünften Kirchentages zu Bremen, Berlin 1852, S. 20 f. u. S. 159 ff.).   Darauf beschloß
der Oldenburger Landtag im Jahre 1852 eine Revision der Kirchenverfassung, und am
11. April 1853 wurde dann als Abschluß der infolge hiervon gepflogenen Beratungen
10 einer besonderen Kommission, des Oberkirchenrates und der Synode vom Großherzog das
neue „Verfassungsgesetz der evangelisch-lutherischen Kirche des Herzogtums Oldenburg"
verkündet, das an demselben Tage in Kraft trat.   Die vier ersten Artikel dieser Verfassung lauten: „Die evangelisch-lutherische Kirche des Herzogtums Oldenburg ist ein Teil
der evangelischen Kirche Deutschlands und betrachtet sich mit dieser als ein Glied der
15 evangelischen Gesamtkirche. Sie steht demnach auf dem Grunde der hl. Schrift und bleibt
in Übereinstimmung mit den Bekenntnissen der deutschen Reformation, vornehmlich mit
der Augsburgischen Konfession.   Sie ordnet und verwaltet ihre Angelegenheiten selbstständig, unbeschadet der Rechte des Staates.   Der den evangelischen Bekenntnisse zugethane Großherzog hat das den evangelischen Landesfürsten Deutschlands herkömmlich
20 zustehende Kirchenregiment, beschränkt durch die Bestimmungen dieser Verfassung".   Aus
den folgenden Paragraphen ist noch hervorzuheben, daß der Großherzog die Mitglieder
des Oberkirchenrates ernennt; unter den fünf Mitgliedern derselben müssen zwei Geistliche und zwei Weltliche und unter den letzteren ein Jurist sein.   Der Oberkirchenrat
stellt für jede erledigte Pfarrstelle einen Aufsatz von dreien auf, aus welchen, nachdem
25 sie eine Wahlpredigt und Katechese gehalten haben, die Gemeindeversammlung wählt.
Die Gemeindeversammlung besteht aus allen selbstständigen Männern der Pfarrgemeinde,
welche das 25. Jahr vollendet haben, nicht vom Stimmrecht ausgeschlossen sind und nicht
durch Religionsverachtung oder unehrbaren Lebenswandel öffentliches Ärgernis geben. —
Diese Kirchenverfassung findet sich vollständig abgedruckt im „Allgemeinen Kirchenblatt
30 für das evangel. Deutschland", 2. Jahrg., Stuttgart u. Tübingen 1853, S. 359—384. —
Im Jahre 1868 wurde im Herzogtum nach langen Beratungen ein neues Gesangbuch
eingeführt, welches zwar ein wenig besser als das vom Jahre 1791 ist, aber doch in der
Änderung der alten und Bevorzugung neuer Kirchenlieder noch viel weiter geht, als die
meisten der seit dem Eisenacher Entwurf vom Jahre 1854 in Deutschland erschienenen
35 Gesangbücher; vgl. die Beurteilung desselben in Kochs Geschichte des Kirchenlieds und
Kirchengesangs 7. Bd., Stuttgart 1872, S. 78 f.   Seitdem hat das Gesangbuch einen
Anhang erhalten.
     Katholiken wohnen zumeist in der Münsterschen Geest, dem früher zum Hochstifte
Münster gehörigen Landesteile; die hier wohnhaften Katholiken machen 39% aller Ka-
40 tholiken des Großherzogtums, 87% derjenigen des Herzogtums aus.   Ihre Angelegenheiten
ordnet das bischöfliche Offizialat zu Vechta.
     Im Fürstentum L ü b e c k ist die dortige Regierung die Oberbehörde in Angelegen-
heiten der lutherischen Kirche; der erste Geistliche in Eutin ist für diese Angelegenheiten
mit dem Titel eines Kirchenrates der Regierung beigeordnet.
45   Im Fürstentum B i r k e n f e l d haben die zwölf lutherischen und zwei reformierten
Gemeinden gegen Ende der dreißiger Jahre die Union angenommen; seit dem Jahre
1875 besitzt die dortige evangelische Kirche auch eine Synodalverfassung.   Das Kirchenregiment liegt in den Händen eines Konsistoriums, das aus zwei weltlichen und einem
geistlichen Mitgliede besteht.   Für die Angelegenheiten der katholischen Kirche besteht eine
50 ebenso zusammengesetzte Kommission.
     Die Konfessionsverhältnisse des Landes sind folgende:
     1. Herzogtum O l d e n b u r g :

Evangelische	Röm. Katholische	andere Christen	Juden	sonstige Personen
221 299	72 847	914	855	75.

55   Die Zahlen stammen von der Zählung von 1895 (Statistische Beschreibung der Gemeinden des Herzogtums Oldenburg von Dr. Kollmann, Oldenburg 1897).   Die wenigen
Reformierten des Landes sind in der ersten Zahl einbegriffen; die anderen Christen sind
wohl Mitglieder der Sekten u. ä.   In Prozenten ausgedrückt würde also Oldenburg zu
75% lutherisch und zu 25% katholisch sein.   Die Zahlen sind abgerundet: denn die
60 andern drei Rubriken zusammen machen noch nicht 1% aus.   Kommunikanten waren

1897/99 136719, um 2019 Personen weniger als 1894/96; die Trauungen rein evan=
gelischer Paare betrugen 99,08%, die Taufen erreichen fast die Zahl der Geburten,
kirchliche Beerdigungen sind 88,72%. Von den gemischten Paaren sind evangelisch ge=
traut 53,61%; von der katholischen Kirche übergetreten sind 73, zur katholischen Kirche
ausgetreten 15 Personen. Das Diensteinkommen der Geistlichen ist in der 20. Synode 5
(22. Nov. bis 7. Dez. 1900) neu geregelt worden.

2. **Fürstentum Lübeck.** Konfessionsverhältnisse nach der Zählung von 1900:

Evangelische	Röm. Katholische	andere Christen	Juden	sonstige Personen
36 912	390	18	15	5

also zu 99% lutherisch. Die Römisch=Katholischen machen etwa 1% aus, die meisten 10
wohnen in Eutin. Die Verhältniszahlen sind abgerundet, da die anderen drei Rubriken
der statistischen Zählung nicht in Betracht kommen können. An Amtshandlungen zählte
dasselbe Jahr 1301 Taufen, 839 Konfirmierte, 317 Trauungen, 7860 Kommunikanten
und 826 Beerdigungen, in Prozenten zu den Geburten 2c. 103,49 Taufen; 98,93 Trau=
ungen; 96,15 Beerdigungen und 19,82 Kommunikanten.   15

3. **Fürstentum Birkenfeld.** Konfessionsverhältnisse nach der Zählung von 1900.

Evangelische	Röm. Katholische	andere Christen	Juden	sonstige Personen
34 523	8180	182	524	—
oder 79,53	18,84	0,42	1,21%.	

An Amtshandlungen aus demselben Jahr sind zu verzeichnen Taufen 1211 (105,24% 20
der Geburten), 330 Trauungen (100,99 der Eheschließungen), 668 Beerdigungen (93,30
der Todesfälle), 10 698 Kommunikanten (30,99 der Seelenzahl) und 819 Konfirmierte.

Quellen: Dr. Kollmann, Statistische Beschreibung des Herzogtums Oldenburg (Olden=
burg 1897) und der Gemeinden des Fürstentums Lübeck 1901; Verhandlungen der
20. Landessynode der evang.=luth. Kirche des Herzogtums Oldenburg 1900; Hof= und 25
Staatshandbuch des Großherzogtums Oldenburg 1902; Statistische Mitteilungen aus den
deutschen evangelischen Landeskirchen 1900.   **v. Broecker** (D. Bertheau).

Olearius, eine vom Ende des 16. bis in die Mitte des 18. Jahrhunderts blühende,
weitverzweigte Gelehrtenfamilie, aus der eine große Zahl namhafter Theologen und an=
gesehener Kirchenlehrer hervorgegangen ist. — Quellen: J. G. Leuckfeld, Historia Hes= 30
husiana, Quedlinburg und Aschersleben 1716, S. 3, 234—248; Geschlechts=Register aller ge=
lebten und noch lebenden Herren Olearien; Vollständige Register über die andern Zehen
Jahr der Unschuldigen Nachrichten von Anno 1711 bis 1720, Leipzig 1728, s. v.; E. Chr.
v. Dreyhaupt, Beschreibung des ... Saal=Creyses, Halle 1750. 2. Teil, S. 110—113; Ge=
schlecht derer Olearius; M. Ranfft, Leben und Schriften derer Churfächsischen Gottesgelehrten, 35
2. Theil, S. 809—892; Chr. G. Jöcher, Allg. Gelehrten=Lexicon, III. Teil, S. 1050—1057;
Rotermund, Fortsetzung und Ergänzungen, V. Bd, Sp. 1041—1064; E. Rößiger u. G. Rath=
geber in Ersch u. Gruber, Allg. Encyklopädie III. Sektion, 3. Theil, Leipzig 1832, S. 37—44;
AdB Bd 24, S. 269—284; E. Meusel, Kirchliches Handlexikon, 5. Bd, S. 53 f. — Zu 1. Opel
in AdB Bd 24, S. 278 f.; Rotermund a. a. O. V, 1050—1051; J. Chr. von Dreyhaupt, Be= 40
schreibung des Saalkreises (1749), Bd 1, S. 1007 ff.; D. H. Arnold, Historie der königs=
berg. Universität, Königsberg i. Pr. 1746, Tl. I, S. 40; Ph. J. Rehtmeyer, Der berühmten Stadt
Braunschweig Kirchenhistorie, 3. Teil (1710), S. 529 ff.: Coll. opusculorum historiam Marchi-
cam illustrantium, Berlin 1730, 8. u. 9. Stück, S. 111; J. A. Gleich, Annalium Ecclesiasticorum I. Theil (Dreßden und Leipzig 1730), S. 146. 533; II, 654. 677. — Zu 2. H. Pip= 45
ping, Sacer decadum septenarius memoriam theologorum ... exhibens, Lipsiae 1705, I,
41—62; Rotermund a. a. O., V, 1045—1047, wo auch seine Schriften verzeichnet sind; J. J.
Mascovius in den Acta Eruditorum auf das Jahr 1716, p. 235—237; Opel in der AdB
Bd 24, S. 276 f.; Koch, Geschichte des Kirchenliedes und Kirchengesangs, 3. Aufl., Bd III,
S. 349 ff.; Gleich a. a. O., I, 152. 184. 190. 573 590.; II, 130. 676. 678. 685. — Zu 3. Lechler 50
in der AdB Bd 24, S. 279 f.; Rotermund a. a. O., V, 1051—1052; Pipping a. a. O., I,
17—33; J. C. Wetzel, Historische Lebens=Beschreibung der berühmten Lieder=Dichter, Herrnstadt
1721, Bd II, S. 252—261; J. B. Liebler, Hymnopoiographia Oleriana, Naumburg 1727,
S. 7 ff.; A. J. Rambach, Anthologie Christlicher Gesänge, Altona und Leipzig 1819, Bd III,
S. 200—204; Koch, a. a. O., 3. Aufl., Bd III, S. 344—349; A. F. W. Fischer, Kirchenlieder= 55
Lexicon, 2. Hälfte, Gotha 1879, S. 461; Tholuck, Vorgesch. d. Rationalismus II, 2, 127—129;
K. Goedeke, Grundriß zur Geschichte der deutschen Dichtung, 2. Aufl., Bd III, S. 186,
Nr. 148; H. Holstein, Sebastian Göbel, Abt des Klosters Berge (1660—1685) in den Ge=
schichtsblättern für Stadt und Land Magdeburg, 21. Jahrg. (1886), S. 171 f.; G. Hertel,
Nachrichten über die St. Johanniskirche in Barby, ebenda 22. Jahrg., S. 324; Gleich a. a. O., 60
II, 217. 330. 841. — Zu 4. Lechler in der AdB Bd 24, S. 280; Rotermund a. a. O., V,

1063; J. C. Wetzel a. a. O., Bd II, S. 262—266; J. B. Liebler a. a. O., S. 11 f.; Koch a. a. O.,
3. Aufl., Bd III, S. 350—352; A. J. Rambach a. a. O., Bd III, S. 153—156; Fischer a. a. O.,
2. Hälfte, S. 462; K. Goedeke a. a. O., Bd III, S. 289, Nr. 17. — Zu 5. Anemüller in der
AdB Bd 24, S. 283 f.; Rotermund a. a. O., V, 1057—1061; Vollst. Register über die ersten
5 10 Jahre der Unschuldigen Nachrichten von Anno 1701 bis 1710, Leipzig 1721, s. v.; Unschuldige Nachrichten auf das Jahr 1720, S. 341—345, 646—648; Fortgesetzte Sammlung
von Alten und Neuen Theologischen Sachen auf das Jahr 1721, Vorrede, Bl. A 4ᵇ; J. C.
Wetzel a. a. O., Anderer Theil (Herrnstadt 1721), S. 261 f.; Götte, Das jetzt lebende gelehrte
Europa, 2. Teil, S. 255; J. J. Moser, Beitrag zu einem Lexico der jetzt lebenden Lutherisch-
10 und Reformirten Theologen, Züllichau 1740, S. 621—625; J. Chr. Coleri, Auserlesene Theol.
Bibliothek, Bd III, S. 679; Gleich a. a. O., I, 454; A. Harnack, Geschichte der kgl. Preuß.
Akademie der Wissenschaften, Berlin 1901, S. 174. — Zu 6. Lechler in der AdB Bd 24,
S. 280—282; Rotermund a. a. O., V, 1052—1055; Acta Eruditorum, Lipsiae 1713,
p. 428—434; Unschuldige Nachrichten auf das Jahr 1713, S. 1038; Sein Bild im 15. Teile
15 der deutschen Acta Eruditorum; Ranfft a. a. O. — Zu 7. Lechler in der AdB Bd 24,
S. 277/8; Unschuldige Nachrichten auf das Jahr 1715, S. 1151; ebenda auf das Jahr 1722,
S. 435; eben:da auf das Jahr 1714, S. 176. 965—969; Rotermund a. a. O., V, 1047—1050;
Gelehrte Fama 1715, S. 714 ff. mit Bildnis; Acta Eruditorum, Lipsiae 1716, p. 235;
Kramer a. a. O., II, 318; K. R. Hagenbachs Encyklopädie u. Methodologie der Theologischen
20 Wissenschaften, 12. Aufl., Leipzig 1889, S. 535; B. Boeckh, Encyklopädie und Methodologie der
philologischen Wissenschaften, hgg. von E. Bratuschek, 2. Aufl., Leipzig 1886, S. 610; A. Harde-
land, Geschichte der Seelsorge in der vorreformatorischen Kirche und der Kirche der Refor-
mation, Berlin 1898, S. 399. 403—407. — Zu 8. Rotermund a. a. O., V, 1056—1057;
Wetzel a. a. O., II, 261; Fischer a. a. O., II, 462; K. Goedeke a. a. O., 2. Aufl., Bd III, S. 190,
25 Nr. 191; W. Schrader, Geschichte der Friedrichs-Universität zu Halle, Berlin 1894, I, 42. —
Zu 9. Rob. Naumanni De Adamo Oleario narratio, Leipzig 1868 (Progr. d. Nikolaischule);
F. Ratzel in der AdB Bd 24 S. 269—276; F. M. Rendtorff, Die schleswig-holsteinischen
Schulordnungen vom 16. bis zum Anfang des 19. Jahrhunderts, Kiel 1902, S. 200. 225.
238. 245; E. Große, Adam Olearius' Leben und Schriften. Jahresbericht der Realschule
30 I. Ordnung zu Aschersleben, 1867; G. Müller, Adam Olearius der Orientfahrer des 17. Jahrhunderts in der Wissenschaftl. Beilage der Leipziger Zeitung, Dezember 1903.

Der Stammvater des Geschlechts ist

1. **Johannes**, der seinen Familiennamen Coppermann oder Kupfermann mit
Anspielung auf das Geschäft seines Vaters, eines Ölschlägers, in Olearius verwandelte.
35 Er war zu Wesel den 17. September 1546 geboren, er besuchte das damals berühmte
Gymnasium in Düsseldorf und studierte in Marburg und Jena, wo er im Jahre 1573
Magister wurde. Hier kam er mit seinem Landsmann Tilemann Heßhusius, damals
Professor in Jena, in freundschaftliche Verbindung und zog ihm 1574 nach Königsberg
nach, wo er auf dessen Verwendung als Archipädagogus oder Rektor des mit der Uni-
40 versität verbundenen Gymnasiums angestellt, 1577 auch als Professor der hebräischen
Sprache in Vorschlag kam. Nach Heßhusens Vertreibung folgte er ihm abermals nach
Helmstädt und erhielt auf seine Empfehlung 1578 daselbst eine Professur der Theologie,
wurde auch 1579 Heßhusens Schwiegersohn und an seinem Hochzeitstage von demselben
zum Doktor der Theologie promoviert. Er verließ jedoch schon 1581 die akademische
45 Laufbahn, um einem Rufe als Superintendent und Oberpfarrer zu Unserer Lieben Frauen
nach Halle zu folgen, wo er am 26. Januar 1623 starb. In Halle setzte er seine gelehrte
Thätigkeit insofern fort, als er den hebräischen Unterricht an der lateinischen Stadtschule
übernahm und eine Art theologischer Schule errichtete, in welcher er den nach ihrer Uni-
versitätszeit in Halle sich aufhaltenden jungen Theologen zur Vorbereitung auf das geist-
50 liche Amt Vorlesungen hielt. Wie sein Schwiegervater, jedoch mäßiger und besonnener
als dieser,. war auch er ein eifriger Vertreter des reinen Luthertums und ein rüstiger
Bestreiter des in dem benachbarten Anhalt herrschend gewordenen Calvinismus. Noch
1594 schrieb er eine Vorrede zu dem „Protocol oder Acta des Colloquii zu Hertzberg"
(ThRE ³III, 190. ²VIII, 12, Z. 48. ²XVII, 109), zwischen der Chur- und Fürstlich
55 Sächsischen, Brandenburgischen, Braunschweigischen und Anhaltischen Theologen, von dem
Concordibuch und Subscription" ... Sehr achtungswert ist seine Thätigkeit als Kommissarius bei der von 1583 an vor sich gegangenen Generalvisitation des Erzstifts Magdeburg, deren noch vorhandene Akten seinen Eifer und seine Sorge um das Heil der
Kirche bekunden. Um die Ordnung des Hallischen Kirchenwesens hat er sich als Ephorus
60 während seiner langen Amtsführung vielfach verdient gemacht, unterschrieb auch nach
seinem Amtsantritte im Jahre 1579 die durch Martin Chemnitz vermittelte Erklärung der
Halleschen Geistlichen über die Konkordienformel (vgl. d. A. III, S. 803, 39—43).

Von seinen drei Söhnen sind zu erwähnen Gottfried und Johannes.

2. **Gottfried** ist geboren zu Halle am 1. Januar 1605 (nicht 1604). An der lateinischen Schule unter Evenius vorgebildet, studierte er seit 1622 in Jena, dann in Wittenberg, wurde hier 1625 Magister, 1629 Adjunkt der philosophischen Fakultät und erhielt 1633 ein Diakonat an der Stadtkirche; 1634 folgte er einem Rufe als Pastor zu St. Ulrich in seiner Vaterstadt, worauf er in Wittenberg die theologische Doktorwürde 5 annahm. Im Jahre 1647 wurde er Superintendent und Oberpfarrer zu Unserer Lieben Frauen und verblieb in dieser Stellung bis an sein Ende (20. Februar 1685). Er war ein Mann von ausgebreiteter Gelehrsamkeit und vielseitiger Thätigkeit und dabei von ernster, frommer Gesinnung, eifrig für lutherische Orthodoxie, aber nicht ohne Einsicht in die Gebrechen und Bedürfnisse der Kirche seiner Zeit und ernstlich bemüht, 10 zur Besserung der kirchlichen Zustände mitzuwirken. Von seinem großen Fleiße zeugen die zahlreichen, teils erbaulichen, teils gelehrten Schriften, die er neben seiner vielbeschäftigten Amtsthätigkeit auszuarbeiten vermochte. Mehrere der letzteren haben die Anleitung zur würdigen Führung des Predigtamtes und die Beförderung einer biblischen Predigtweise zum Zweck, so seine freilich gänzlich veraltete Ideae dispositionum biblicarum, Halle 15 1681, 5 Bände, Predigtentwürfe über jedes Kapitel der ganzen hl. Schrift enthaltend; ferner Annotationes biblicae theoretico-practicae, Hal. 1677, 4°, und die Aphorismi homiletici, Lips. 1658, 8°, eine Sammlung von Aussprüchen alter und neuer Kirchenlehrer über alle Regeln und Aufgaben der geistlichen Redekunst. Seine gelehrten Beschäftigungen beschränken sich nicht bloß auf die Theologie, sondern umfaßten auch 20 historische Studien, aus denen seine schätzbare Halygraphia oder historische Beschreibung der Stadt Halle, Leipzig 1667, 4° und sein Coemiterium Saxoniae-Hallense. Das ist, des wohlerbauten Gottes-Ackers ... Beschreibung, der Stadt Hall ..., 1674, 4°, hervorgegangen ist. Auch mit Botanik und Astronomie beschäftigte er sich und legte ein Naturalienkabinett an, das später, von seinem Sohne und Enkel (4. und 5.) vermehrt, in 25 großen Ruf kam.

3. **Johannes**, geboren zu Halle am 17. September 1611, nach dem frühen Tode der Eltern zuerst im Hause des Andreas Sartorius in Halle, dann des Superintendenten Gedicke in Merseburg erzogen, an beiden Orten in den lateinischen Schulen vorgebildet, studierte von 1629 an in Wittenberg, wo er 1632 Magister, 1635 Adjunkt der philo= 30 sophischen Fakultät und 1637 Licentiat der Theologie wurde. In demselben Jahre erhielt er die Superintendentur in Querfurt, von wo ihn im Jahre 1643 der in Halle residierende letzte Administrator des Erzstifts Magdeburg, Herzog August von Sachsen-Weißenfels, als seinen Hofprediger und Beichtvater nach Halle berief, worauf er zu Wittenberg die theologische Doktorwürde annahm. Später wurde er zum Oberhofprediger 35 und 1664 zum Generalsuperintendenten der weißenfelsischen Lande ernannt und folgte im J. 1680 nach dem Tode des Herzogs August, mit welchem das Erzstift an Brandenburg fiel, dem herzoglichen Hofe als Oberhofprediger, Kirchenrat und Generalsuperintendent nach Weißenfels, wo er am 14. April 1684 starb. Seine ausgezeichneten Gaben, seine Gelehrsamkeit und seine fromme, auf praktisches Christentum gerichtete Gesinnung, wie seine angesehene amt= 40 liche Stellung befähigten ihn, im kirchlichen Leben seiner Zeit einen vielseitigen heilsamen Einfluß zu üben. Obwohl der orthodoxen Schule angehörig, hatte er ein warmes Herz für den traurigen Zustand der Kirche seiner Zeit und ein klares Verständnis für das, was der Kirche not thue (vgl. sein von Tholuck, Kirchl. Leben des 17. Jahrhunderts, 2. Abt., S. 127, angeführtes Bedenken über Abstellung kirchlicher Mißbräuche). Auch 45 für die Hebung des Schulwesens trat er auf der Kanzel, wie als Mann der Verwaltung kräftig ein, wie dies u. a. aus seinem „Bedenken und Consilium, ob es zulässig und ratsam sei, daß man aus einem Kloster die öffentliche Landesschule mache", hervorgeht. Mit Spener stand er in freundschaftlicher Verbindung und begrüßte dessen pia desideria mit lebhafter Teilnahme und Zustimmung (vgl. seinen Brief an Spener, die pia desideria 50 betreffend, in dessen Beantwortung des Unfugs der Pietisten § 16). Seine zahlreichen Erbauungsschriften: Geistliche Gedenkkunst, Geduldschule, Betschule, Sterbenschule, wunderliche Güte Gottes u. a. waren allgemein verbreitet und beliebt und wurden zum Teil mehrfach wieder aufgelegt. Wenn auch in der Form steif und veraltet, sind sie durch ihren einfältigen und zuversichtlichen Glauben und den warmen Ton der Frömmigkeit ansprechend. Unter 55 seinen wissenschaftlichen Arbeiten sind zu nennen Methodus studii theologici, Hal. 1664, Oratoria sacra, Hal. 1665, und seine biblischen Erklärungen, Leipzig 1678 bis 1681, 5 Bde in Fol., fortlaufende kurze Anmerkungen zur Erklärung des Textes mit hinzugefügten Andeutungen zur erbaulichen Anwendung und Auszügen aus Luther und den Kirchenvätern. Hervorzuheben sind seine Verdienste um den Kirchengesang. Das von 60

ihm herausgegebene Gesangbuch „Geistliche Singekunst", Leipzig 1671, 8°, ist eines der besten jener Zeit und zeichnet sich bereits durch ein bei späteren Sammlern freilich sehr oft ausgeartetes Streben nach Vollständigkeit aus. Von ihm selbst sind darin 240 Lieder enthalten. Viele derselben sind matt und trocken, da sie offenbar nur gedichtet wurden, 5 um bestimmte Rubriken des Gesangbuchs auszufüllen oder für jede Perikope ein Lied zu liefern. Andere dagegen schließen sich durch ihre biblische Einfachheit und warme Frömmigkeit nach Inhalt und Form der edlen Einfalt und Kraft der älteren Kirchenlieder würdig an. Eine ziemliche Anzahl derselben hat sich im Gemeindegesang erhalten.

10 Von Gottfried (2) und Johannes (3) stammen die beiden bis ins 18. Jahrhundert blühenden Linien der Familie ab. Aus der ersteren nennen wir:

4. Johann Gottfried, geb. zu Halle am 25. Sept. 1635, seit 1658 Amtsgenosse seines Vaters in Halle, seit 1688 Pastor und Superintendent, Assessor des Konsistorium und Ephorus des Gymnasiums in Arnstadt, daselbst gest. am 21. Mai 1711; er gehört, wie sein Oheim 15 Johannes (3), unter die Lieberdichter unserer Kirche. Seine Lieder, die er zuerst in seinen „Poetischen Erstlingen", Halle 1664, und dann vermehrt (73 an der Zahl) in seiner „Geistlichen Singe-Lust", Arnstadt 1697, herausgab, sind zwar nicht von hervorragender Bedeutung, dürfen aber den besseren jener Zeit zugezählt werden, und einzelne sind noch immer in vielen Gesangbüchern zu finden, z. B. das Adventslied: Komme, du wertes Lösegeld. 20 Außerdem hat er viele erbauliche oder gelehrte Schriften geschrieben, unter anderen auch eine „Ehrenrettung gegen Johann Scheffler, Lutheromastigem". Sein Abacus Patrologicus, Halae 1673, 8°, Nachrichten über Leben und Schriften der Kirchenväter und kirchlichen Schriftsteller bis zur Reformation, alphabetisch geordnet, wurde von seinem Sohne Johann Gottlieb (geb. zu Halle den 22. Juni 1684, gest. als Professor der Rechte 25 zu Königsberg 12. Juli 1734) unter dem Titel: Bibliotheca Scriptorum ecclesiasticorum vermehrt und erweitert, mit Buddeus Vorrede, 1711, in 2 Bänden, 4°, wieder herausgegeben. Die Halygraphia seines Vaters hat er vermehrt und fortgesetzt, Halle 1678, 4°. Auch beschäftigte er sich mit Naturwissenschaften, erweiterte die von seinem Vater angelegte Naturaliensammlung und schrieb ein Specimen florae Halensis. Eine nicht 30 uninteressante Probe erbaulicher Anwendung botanischer Liebhaberei ist seine „Geistliche Hyacinth-Betrachtung".

Sein Sohn ist der seiner Zeit sehr berühmte Polyhistor

5. Johann Christoph, geboren zu Halle am 17. September 1668, gestorben als Oberpfarrer, Superintendent der Diöcese Arnstadt und Ephorus des Lyceums am 35 31. März 1747. Sein ausgebreitetes und vielseitiges Wissen, seine umfangreichen gelehrten Forschungen und die Menge seiner einen staunenswerten Fleiß bekundenden Schriften erwarben ihm bei seinen Zeitgenossen einen berühmten Namen, die königliche Sozietät der Wissenschaften zu Berlin nahm ihn 1714 unter ihre Mitglieder auf. Seine geistliche Amtsführung war von ernster Frömmigkeit durchdrungen; dem Pietismus jedoch 40 war er sehr abhold und verfaßte gegen denselben sogar ein Kirchenlied: „Ach Gott vom Himmel, sieh darein" 2c., eine Parodie des Lutherschen Liedes gleichen Anfangs, welches in dem von ihm besorgten Arnstädtschen Gesangbuche von 1701 zu finden ist. Abgesehen von einigen in das historische Gebiet einschlagenden Abhandlungen, z. B. dem Clericatus Schwarzburgicus, und von verschiedenen Predigten und erbaulichen Traktaten hat er 45 nichts eigentlich Theologisches geschrieben. Nur in der Hymnologie hat er sich einen Namen gemacht und durch seine Forschungen auf diesem Gebiete wenigstens für die Geschichte der Lieder und Liederverfasser bei anderen zuerst Bahn gebrochen. Seine Arbeiten in diesem Fache (Entwurf einer Lieberbibliothek, Arnst. 1702; Evangelischer Lieberschatz, 4 Tle., Jena 1705 u. f.; Jubilierende Lieberfreude und Nachricht von den 50 ältesten lutherischen Gesangbüchern, 1717; Evangelische Lieber-Annales über 100 Gesänge, 1725; viele Abhandlungen über einzelne alte Lieder und deren Geschichte u. a.) sind noch immer für den Hymnologen von Wert. Nächstdem wendete er seinen gelehrten Fleiß besonders der Numismatik, die er durch die Behandlung der Brakteaten förderte, und der thüringischen Historie zu (Curieuse Münzwissenschaft, Jena 1701, 8°, Syntagma rerum 55 Thuringicarum, Erfurt 1704, 2 Tle., 4°). Seinen vielseitigen Sammlerfleiß bekundet übrigens noch, daß er außer einer ausgezeichneten Bibliothek ein sehr geschätztes Münzkabinett und eine große Kupferstichsammlung zusammenbrachte und die von seinem Großvater ererbte Naturaliensammlung zu einem für die damalige Zeit bedeutendem Umfange erweiterte. Seit 1721 war er Mitarbeiter an der Fortgesetzten Sammlung von Alten 60 und Neuen Theologischen Sachen.

Ein zweiter Sohn Gottfriebs (f. 2)

6. **Johannes**, geboren zu Halle am 5. Mai 1639, habilitierte sich 1663 in der philosophischen Fakultät zu Leipzig und erhielt 1664 die Professur der griechischen und lateinischen Sprache. Im Jahre 1668 wurde er Licentiatus theol. und fing an, theologische Collegia zu lesen. Im Jahre 1677 wurde er zum Professor der Theologie berufen, worauf er 1678 die theologische Doktorwürde erwarb. Er wurde auch zum Ephorus der Alumnen, sowie zum Kanonikus von Zeitz ernannt und starb als Senior der ganzen Universität, 74 Jahre alt, am 6. August 1713. Nicht lange nach seinem Eintritt in die theologische Fakultät erlebte er den Ausbruch der pietistischen Streitigkeiten. Als ein Mann von lebendiger Frömmigkeit stand er im Herzen auf seiten der jungen Magister und ihrer auf Erweckung lebendigen biblischen Glaubens gerichteten Unternehmungen. Auch bewilligte er als Rektor Francke'n für die Collegia pietatis ein öffentliches Auditorium, und wie dieser berichtet hat, umarmte er ihn dabei mit Thränen im Auge und dankte ihm für den heilsamen Einfluß dieser Übungen, den er an seinem eigenen Sohne wahrgenommen habe (f. Guericke, A. H. Francke, Halle 1827, S. 49). Doch hielt seine Friedensliebe und wohl auch natürliche Schüchternheit ihn ab, offen für Francke und dessen Freunde einzutreten, und er blieb in einer mehr zurückhaltenden und vermittelnden Stellung; das gewaltsame und ungerechte Verfahren Carpzovs und seiner Anhänger drängte ihn jedoch, kollegialische Rücksichten beiseite zu setzen und für Wahrheit und Freiheit der Gewissen entschiedener hervorzutreten. Als Carpzov 1692 den in Dresden versammelten Landständen, bei denen sich Olearius als Deputierter der Universität befand, sein mit gehässigen Beschuldigungen erfülltes Bedenken gegen die Pietisterei einreichte, legte er gegen dieses in seiner Abwesenheit und ohne Zustimmung der Fakultät abgefaßte Bedenken in öffentlicher Versammlung Protest ein und erklärte die darin enthaltenen Beschuldigungen für nicht in der Wahrheit begründet. Ein schönes Zeugnis seines frommen Herzens ist ein Brief, den er auf diese Veranlassung unter dem 14. März 1692 an Spener schrieb (abgedruckt bei Ranfft, S. 838 f. o.), worin er Carpzovs eigenmächtiges Verfahren in starken Ausdrücken mißbilligt und seine volle Zustimmung zu der von Spener bevorworteten Widerlegung der Schmähschrift Imago pietismi ausspricht, weiter sich entschlossen erklärt, in dem Kampfe, in welchen er geraten sei, mutig und standhaft auszuharren und nichts als die Ehre Gottes im Auge zu haben, zugleich aber mit großer Demut klagt, daß er noch so viel mit Verzagtheit zu kämpfen habe und so oft der Freudigkeit des Geistes entbehre. In seinen Vorlesungen, die er, was damals nicht immer geschah, mit regelmäßigem Fleiße hielt, suchte er seine Zuhörer zu einem praktischen Christentume und gottseligen Leben anzuleiten, und war der Überzeugung, daß Heiligkeit des Lebens ein wesentliches Stück eines Theologen sei, und daß bei einem Unwiedergeborenen nur eine buchstäbliche oder historische Erkenntnis göttlicher Dinge, nicht aber eine wahre Erleuchtung stattfinden könne; eine Ansicht, über die er, als er sie in Dissertationen öffentlich behauptet hatte, mit Löscher und Wernsdorf in Streit geriet. Von seinen Schriften sind außer einer sehr großen Zahl von Dissertationen die Exercitationes philologicae ad epistolas dominicales, Lips. 1674, 4°, die bei seiner Promotion zum Licentiaten verfaßte Abhandlung de Stylo Novi Testamenti, Lips. 1678, die für jene Zeit sehr brauchbare Synopsis controversiarum cum Pontificiis, Calvinistis, Socianistis cet., Lips. 1698, 8°, 2. Aufl. 1710; ferner Hermeneutica sacra, Introductio ad theologiam moralem et casuisticam und 2 Voll. Consilia theologica zu nennen.

Der bedeutendste unter seinen drei Söhnen ist

7. **Gottfried**, geboren zu Leipzig am 23. Juli 1672. Er zeigte frühzeitig schon große Fähigkeiten, bezog sehr jung die Universität und wurde schon im 20. Jahre seines Alters Magister. Hierauf trat er 1693 eine Reise nach Holland und England an, besuchte die dortigen Universitäten und knüpfte mit vielen Gelehrten Verbindungen an, die er auch bis in seinen späteren Jahren durch einen ausgebreiteten gelehrten Briefwechsel fortsetzte. Nach seiner Rückkehr nach Leipzig habilitierte er sich und wurde 1699 Professor der griechischen und lateinischen Sprache. Im Jahre 1708 rückte er, nachdem er schon 1701 Licent. theol. geworden war und theologische Vorlesungen angefangen hatte, in die theologische Fakultät ein und erwarb in demselben Jahre den Doktorgrad. Im Jahre 1710 eröffnete er den damals neu begründeten Universitätsgottesdienst in der Paulinerkirche, den er fernerhin mit seinen Kollegen besorgte. Er starb am 10. November 1715, nur 43 Jahre alt, an der Schwindsucht. Bei gleicher Herzensfrömmigkeit, wie sein Vater, hing er noch weniger als dieser an kirchlicher Orthodoxie und hatte über manche theologische Lehrsätze sehr selbständige Meinungen, wobei er denn auch anderen gern gleiche Freiheit der Ansicht ge-

währte und dem Verketzern von Herzen feind war. Von seinem Glauben hat er in den
letzten Tagen das schöne Zeugnis abgelegt: er habe in der Welt nichts vollkommen er=
funden, als allein das Verdienst Christi, dessen er sich herzlich tröste. Bezeichnend ist auch
seine Verordnung, daß er in aller Stille, ohne Leichenpredigt und ähnliches Gepränge
5 begraben und auf seinen Grabstein nichts als die Inschrift gesetzt werde: Dr. Godofr.
Olearius theologus Lips. hic situs est; darunter aber: Domine misertus es mei,
ut promiseras mihi. Seine gelehrten theologischen Arbeiten bestehen aus zahlreichen
Dissertationen, besonders zur Exegese und Dogmatik, unter denen seine Observationes
in Evang. Matthaei (zuerst einzeln als Disputationen erschienen, dann zusammen ge=
10 druckt, Leipzig 1713, 4°) auszuzeichnen sind. Lange Zeit sehr geschätzt war seine aus er=
weiterter Ausführung einer Predigt entstandene Schrift: Jesus, der wahre Messias, Leipzig
1714, 3. Aufl. 1736. Große Gelehrsamkeit und sorgfältigen Fleiß verwendete er auf
die Ausgabe der Opera Philostratorum quae supersunt omnia, mit Kommentar
und Übersetzung, Leipzig 1709, Fol., sowie vorher schon auf Stanleji historia philo-
15 sophiae, Lips. 1702, 4°, und John Lockes Schrift über Erziehung, die er aus dem
Englischen übersetzte und vielfach vermehrte. Nach seinem Tode erschien noch sein Collegium pastorale, Lips. 1718, 4°.

Eine zweite Linie der Familie bilden die Nachkommen von Johannes (3). Wir er=
wähnen von dessen Söhnen

20 8. Johann Christian, geboren zu Halle am 22. Juni 1646. Er studierte in Jena
und Leipzig, dann auch in Kiel, wo er Kortholds Hausgenosse war. Er besuchte von
dort aus Holland und die dortigen Universitäten. Nach seiner Rückkehr begab er sich
nochmals nach Jena und dann noch ein Jahr nach Straßburg, wo ihn Bebel in sein
Haus aufnahm. Schon in seinem 26. Lebensjahre erhielt er die Berufung zum Super=
25 intendenten und Oberpfarrer in Querfurt und wurde darauf in Jena Licentiat und 1674
Doktor der Theologie. Von da kam er 1681 als Pastor zu St. Moriz nach Halle und
wurde 1685 als Nachfolger seines Oheims Gottfried (2) Superintendent und Ober=
pfarrer zu Unserer Lieben Frauen, nachher auch Konsistorialrat in dem damals noch in
Halle bestehenden magdeburgischen Konsistorium. Einen Ruf als Professor an die dortige
30 neugegründete Universität lehnte er wohl mit Rücksicht auf die an ihr vertretene, von
der seinigen abweichende Richtung ab. Er starb am 9. Dezember 1699. In seine Amtszeit
fielen die heftigen Streitigkeiten des Halleschen Stadtministeriums mit den als Pietisten
verschrieenen Professoren der theologischen Fakultät. Obwohl selbst dem Pietismus ent=
schieden abgeneigt und gegen Breithaupt und Francke Partei nehmend, bewährte er doch
35 dabei eine löbliche Mäßigung und trug als Ephorus durch Besonnenheit und Friedens=
liebe viel dazu bei, den Vermittlungsversuchen der unter dem Kanzler V. L. v. Secken=
dorf eingesetzten kurfürstlichen Kommission günstigen Erfolg zu verschaffen. Außer einigen
Disputationen hat er nichts geschrieben. Die von ihm vorhandenen Predigten haben noch
sehr den steifen Formalismus der orthodoxen Schule und lassen von dem durch den Pie=
40 tismus erweckten neuen Geiste nur wenig spüren. Er ist der Dichter des Liedes: O Gott,
du weißt es, wie ich sinne.

9. Adam, zu Aschersleben als Sohn eines Schneiders um die Mitte des Monats
August 1603 geboren, bezog die Universität Leipzig, wurde 1627 Magister der Philosophie,
später Assessor der philosophischen Fakultät und Kollegiat des kleinen Fürstenkollegs, von
45 1630 bis 1633 auch Konrektor der Nikolaischule. Dann nahm er an der von Herzog
Friedrich III. von Schleswig-Holstein-Gottorp an den Großfürsten Michael Feodorewitsch
und den persischen Schah abgeordneten Gesandtschaft als Sekretär und Rat teil. Die
von ihm verfaßte Reisebeschreibung erfreute sich großer Anerkennung. Eine Berufung
nach Moskau lehnte er ab und blieb als Mathematikus und Antiquarius am Hofe seines
50 Gönners und dessen Nachfolgers, Christian Albrecht. 1650 wurde ihm die Verwaltung
der Bibliothek und Kunstkammer übertragen, auch ordnete er die von der Reise mit=
gebrachten arabischen, persischen und türkischen Handschriften. 1665 gab er das Schleswig-
Holsteinische Kirchenbuch heraus, die erste hochdeutsche Agende Schleswig-Holsteins, trat
auch warm für Hebung des Schulwesens ein. In die fruchtbringende Gesellschaft wurde
55 der „holsteinische Plinius" und „Gottorpische Ulysses" 1651 aufgenommen. Er starb am
22. Februar 1671.   (Dryander †) G. Müller.

Olevianus, Kaspar, gest. 1587. — K. Sudhoff, K. Olevianus und Z. Ursinus, Elber=
feld 1857; Joh. Piscator, Kurzer Bericht vom Leben und Sterben D. Casp. Olevani in O.s
Schrift: Der Gnadenbund Gottes, Herban 1590; M. Adam, Vitae Germ. theol., S. 596—603;

J. H. Wyttenbach, Versuch einer Gesch. von Trier, Trier 1817, Band 3, S. 32—57; Hont=
heim, Hist. Trevir. diplom., Augsburg und Würzburg 1750, Band II. Hier sind S. 783 bis
860 die wichtigsten Quellen zu den Vorgängen in Trier abgedruckt. Thesaurus epistolicus
Calvinicus im Corp. Ref. vol. 45—47. J. Marx, K. Olevian und der Calvinismus in Trier,
Mainz 1846; Förstemann in der allg. Encykl. von Ersch und Gruber; (F. Birkner) J. Thele= 5
mann in der 2. Aufl. dieses Werkes; Neudecker, Neue Beiträge I, 209 ff.; Cuno, K Olevianus,
Westheim 1881, und verschiedene andere Schriften; Back, Die ev. Kirche im Lande zwischen
Rhein, Mosel 2c., Bonn 1873, I, 203 ff. Ferner die bekannten Werke über pfälzische Kirchen=
geschichte von Wundt, Struve, Seisen, Kluckhohn 2c.

Kaspar Olevianus wurde am 10. August 1536 zu Trier geboren. Sein Vater 10
stammte aus dem nahen Dorfe Olewig, von welchem die Familie ihren Namen führte,
und war Zunftmeister der Bäckerzunft und Mitglied des Rats. Rasch durchlief der be=
gabte Knabe die Schulen seiner Vaterstadt. Noch nicht vierzehn Jahre alt, wurde O.
1550 von seinen Eltern zu seiner weiteren Ausbildung nach Paris geschickt, von wo er
später zum Studium der Rechte auf die Hochschulen zu Orleans und Bourges überging. 15
An beiden Orten hielt er sich zu den dort heimlich bestehenden reformierten Gemeinden.
Ein erschütterndes Ereignis gab seinem Leben eine neue Richtung. In Bourges studierte
damals auch ein Sohn des späteren Kurfürsten Friedrich III., der junge Pfalzgraf Her=
mann Ludwig, mit dessen Hofmeister Nikolaus Juder O. befreundet war. Bei einem ge=
meinsamen Spaziergange begegneten dieselben am 3. Juli 1556 am Flußufer einigen an= 20
getrunkenen deutschen adeligen Studenten, auf deren Bitten sich der Prinz zu einer Kahn=
fahrt verleiten ließ. Die ausgelassenen jungen Leute brachten das Fahrzeug durch über=
mäßiges Schaukeln zum Umschlagen. Alle fielen ins Wasser und ertranken. O. war
am Ufer zurückgeblieben und stürzte sich in den Fluß, um den Prinzen zu retten, geriet
aber selbst in den schlammigen Grunde in Lebensgefahr. In dieser Bedrängnis gelobte 25
er, daß er, wenn Gott ihm das Leben erhalte, seinen Mitbürgern in der Heimat das
Evangelium verkünden werde. Durch einen Diener gerettet, erkannte er darin Gottes
Fügung und warf sich nun mit brennendem Eifer auf das Studium der hl. Schrift und
der Kommentare Calvins. Daneben vernachlässigte er jedoch das juristische Studium nicht
und erwarb sich am 6. Juni 1557 die Würde eines Doktors des Zivilrechts. 30

Bald danach kehrte O. nach Trier zurück und trat hier in nähere Berührung mit
den ziemlich zahlreichen Freunden der Reformation, zu denen namentlich auch der ältere
Bürgermeister Johann Steuß gehörte. Im März 1558 ging er nach Genf, um hier
hebräische Studien zu treiben und Calvins mündlichen Unterricht zu genießen. Von da
wandte er sich nach Zürich, trat hier Petrus Martyr als Tischgenosse nahe und übte sich 35
vor Bullinger im Predigen, kehrte aber bald über Lausanne, wo er Th. Beza kennen
lernte, nach Genf zurück. Bei der Fahrt über den Genfer See traf er auf dem Schiffe
mit W. Farel zusammen, der ihn dringend ermahnte, sobald als möglich seiner Vaterstadt
das Evangelium zu predigen. Da auch Calvin und Viret ihm demselben Rat gaben,
lehnte er einen Antrag, als Prediger der reformierten Gemeinde nach Metz zu gehen, ab 40
und kam im Juni 1559 nach Trier zurück.

Hier richtete er alsbald am 19. Juni die Bitte an den Rat, ihm eine Lehrerstelle
zu übertragen, damit er nicht länger seine Zeit mit Müßiggehen verlieren und seiner
inzwischen verwitweten Mutter zur Last fallen müsse. Er wurde auch wirklich zum Lehrer
angenommen und erhielt den Auftrag, in der von den Räte der Universität übergebenen, 45
aber von dieser nicht benützten Burse nach der Dialektik Melanchthons Philosophie zu
lehren. Dieses Lehrbuch bot ihm durch seine Zitate aus der hl. Schrift die erwünschte
Gelegenheit, für die evangelische Wahrheit einzutreten. Da er bei diesen in lateinischer
Sprache gehaltenen Vorträgen aber nur wenige Zuhörer hatte, entschloß er sich auf die
Bitte seiner Anhänger, das Wort Gottes auch in deutscher Sprache zu verkündigen. Am 50
Laurentiustage, dem 10. August 1559, hielt O. unter großem Zulaufe des Volks in der
Burse seine erste Predigt und zeugte freimütig von der Rechtfertigung durch den Glauben
allein, sowie gegen die Messe, den Heiligendienst und andere Mißbräuche der Kirche. Er
fand damit bei vielen begeisterte Zustimmung, bei anderen aber so entschiedenen Wider=
spruch, daß ihm der Rat nach Befragung der Zünfte verbot, in der Burse zu pre= 55
digen. Dagegen stellte ihm der Rat die der Stadt gehörige Kirche des Jakobsspitals
zur Verfügung, in welcher O. am 20. August unter noch größerem Zudrang des Volks
zum erstenmal predigte. Nun schritten die zurückgebliebenen Räte des noch auf dem
Reichstage zu Augsburg abwesenden Kurfürsten Johann von der Leyen (1556—1567)
ein, machten dem Rate Vorstellungen und untersagten am 25. August O. jede weitere 60
Predigt. Als dieser unbeirrt weiter predigte, forderten sie am 7. September O.s Ver=

haftung, wurden aber durch einstimmigen Beschluß des in seiner Mehrheit zwar katho=
lischen, aber über die Freiheiten der Stadt eifersüchtig wachenden Rates abgewiesen.

Um O. hatte sich um diese Zeit bereits eine täglich wachsende Gemeinde gesammelt,
welche sich am 21. August in einer von dem Bürgermeister Steuß unterzeichneten Ein=
5 gabe in aller Form zur Augsburgischen Konfession bekannte und auf Grund des Reli=
gionsfriedens von 1555 freie Religionsübung begehrte. Bei einer durch den Rat veran=
laßten Abstimmung der Zünfte erklärte zwar am 4. September die Mehrheit, bei dem
alten Glauben bleiben zu wollen, aber schon waren in fast allen Zünften Evangelische
zu finden. Am 9. September betrug ihre Zahl bereits an sechshundert Personen, „sonder
10 Weiber, Kinder und Dienstboten" und stieg im Oktober bis auf fast achthundert. Bei
O.s Predigten war die Kirche stets „gedrückt voll" und die Hörer hingen mit Begeiste=
rung an seinem Munde. Als am Feste der Kreuzerhöhung (14. Sept.) der kurfürstliche
Rat von Winnenburg unter ernster Strafandrohung das Predigtverbot wiederholte und
O. beim Nachmittagsgottesdienste die Frage an die Gemeinde richtete, ob seine Berufung
15 sie gereue oder ob er in seinen Predigten fortfahren solle, bestärkte ihn ein allgemeines
lautes Amen der tiefbewegten Versammlung in seinem Entschlusse, das Wort Gottes
furchtlos weiter zu verkündigen. Weil seine Kraft aber zur Bewältigung der Arbeit nicht
mehr ausreichte, sandte Pfalzgraf Wolfgang von Zweibrücken auf die bringende Bitte der
Trierer Evangelischen zur Unterstützung O.s den trefflichen Superintendenten Cunemann
20 Flinsbach (geb. in Bergzabern 1527, gest. in Zweibrücken 1571) von Zweibrücken nach
Trier, wo er am 23. September ankam und, obwohl die kurfürstlichen Räte auch ihm
sogleich jede Predigt untersagten, seine Thätigkeit alsbald begann und Hand in Hand
mit O. „unangesehen des Geistlichen Wüten, Toben und Dräuen" mutig fortsetzte.

Schon vor Flinsbachs Ankunft war Kurfürst Johann selbst nach Trier gekommen,
25 entschlossen, die evangelische Bewegung um jeden Preis zu unterdrücken. Am 16. Sep=
tember hatte der Rat ihm und den von ihm mitgebrachten rasch geworbenen 170 Reitern
die Thore geöffnet, nachdem Johann die städtischen Freiheiten zu schonen versprochen hatte.
Die Aufregung der Bevölkerung stieg nun aufs höchste. Die um ihre Sicherheit besorgten
Evangelischen legten ihre Waffen an, gaben O. eine Schutzwache und versperrten die
30 Straßen mit Ketten. Heftige Reden und Gegenreden wurden unter beiden Parteien ge=
wechselt und erhitzten die Gemüter. Einen von dem Kurfürsten Sonntag den 17. Sep=
tember in die Jakobskirche geschickten katholischen Geistlichen, Peter Fae von Boppard,
welcher dort dem O. zuvorkommen und an seiner Stelle predigen wollte, ließ die erregte
Menge nicht zu Worte kommen und zwang ihn durch Lärmen und Getöse, die Kanzel
35 zu verlassen. Nur dem Dazwischentreten O.s hatte es Fae zu danken, daß er unversehrt
aus der Kirche entkam. Da auch die katholische Bevölkerung die dem Herkommen zuwider=
laufende Anwesenheit einer bewaffneten kurfürstlichen Macht in Trier mit unverholenem
Mißtrauen betrachtete, hielt es der Erzbischof für geraten, am 28. September Trier wieder
zu verlassen. Zugleich rief er den Adel und das Landvolk unter die Waffen, schloß die
40 Stadt enge ein und schnitt ihr alle Zufuhr ab. In einer von dem nahen Städtchen
Pfalzel aus an den Rat gerichteten Zuschrift vom 2. Oktober erklärte er, die Augsburger
Konfession in Trier nicht zulassen zu können, und verlangte gleichzeitig die Verhaftung
O.s und Flinsbachs, sowie der Führer der evangelischen Bürgerschaft, die sich der Re=
bellion und des Hochverrats schuldig gemacht hätten. Noch immer trat auch der katho=
45 lische Teil des Rates für seine Mitbürger fürbittend ein. Als aber die Belästigungen
der Bürgerschaft sich täglich mehrten, beschloß er endlich, den kurfürstlichen Befehl zu
vollziehen, und nahm O. und Flinsbach nebst Bürgermeister Steuß, acht evangelischen
Ratsgenossen und vier Bürgern in Haft. Eine erneute Fürbitte des Rats für sie fand
kein Gehör. Der Erzbischof kündigte vielmehr an, er werde selbst mit bewaffneter Macht
50 in Trier einziehen und nach dem peinlichen Rechte gegen die Gefangenen vorgehen. Am
25. Oktober führte er auch diesen Vorsatz trotz aller Gegenvorstellungen des Rates aus.
Er brachte 120 Reiter und 600 Landsknechte mit, welche alle bei protestantischen Bürgern
einquartiert wurden und ihnen manche Unbill zufügten. Am meisten wurde O.s Mutter
belastet, indem man ihr zehn Landsknechte in das Haus legte.

55 Die Nachricht von den Vorgängen in Trier war inzwischen auch im Reiche bekannt
geworden. Als Kurfürst Friedrich III. am 16. Oktober davon Kenntnis erhielt, legte
er alsbald Fürsprache für die Gefangenen bei dem Erzbischofe ein, erreichte aber nur,
daß am 1. November Flinsbach freigelassen wurde. Gegen die übrigen wurde der pein=
liche Prozeß fortgeführt. In der ihnen am 15. November vor dem Gerichte bekannt
60 gegebenen Anklageschrift wurden sie unter anderem beschuldigt, sie hätten die Stadt in

Brand stecken und den Kurfürsten ums Leben bringen wollen. Bevor aber noch eine den Gefangenen eingeräumte Bedenkfrist abgelaufen war, kamen am 27. November die Gesandten von sechs evangelischen Fürsten in Trier an, um für ihre Glaubensgenossen einzutreten. Sie kamen von Worms, wo sie sich auf Anregung Friedrichs III. am 19. November zur Beratung der Sache versammelt und nach eingehender Prüfung der Rechtsfrage 5 zu dieser Abordnung entschieden hatten. Nach längeren Verhandlungen gelang es ihnen auch den Erzbischof zu bestimmen, daß er das peinliche Verfahren einstellte und seine anfängliche Forderung einer Geldbuße von 20000 Thalern auf 3000 Gulden ermäßigte. Dagegen bestand Johann darauf, daß, wer evangelisch bleiben wollte, aus Trier auswandern müsse. Seinem Drucke nachgebend, machte dann der Rat am 23. Dezember 10 bekannt, daß die Anhänger der Augsburger Konfession binnen vierzehn Tagen die Stadt verlassen müßten. Damit war es um die Sache der Reformation in Trier geschehen. Am 4. Januar 1560 schon erklärten 47 Bürger dem Rate, sie wollten wieder katholisch werden, und viele andere folgten später ihrem Beispiele. Die von dem Kurfürsten berufenen Jesuiten, deren erste im Juni 1560 nach Trier kamen, sorgten dann dafür, daß 15 der Katholicismus allmählich wieder die ausschließliche Herrschaft über die Gemüter gewann. Eine nicht geringe Zahl von Trierer Bürgern aber verließ die Heimat, um den evangelischen Glauben nicht verleugnen zu müssen, und fand freundliche Aufnahme in den benachbarten evangelischen Gebieten. Zu ihnen gehörten die Gefangenen, welche nach Beschwörung einer Urfehde am 19. Dezember aus der Haft entlassen worden waren 20 und schon in den nächsten Tagen Trier verließen.

Auch O. war nach zehnwöchentlicher Gefangenschaft freigegeben worden. Auf die Einladung des kurpfälzischen Gesandten Val. von Erbach begab er sich nach Heidelberg und fand hier bereits im Januar 1560 einen seiner Begabung angemessenen Wirkungskreis als Lehrer und Vorstand in dem gerade um diese Zeit in eine Art Predigerseminar um- 25 gewandelten Sapienzkollegium. Im folgenden Jahre verheiratete er sich mit einer frommen Witwe Philippine aus Metz, die er auf einer Reise in Straßburg kennen gelernt hatte. Am 4. März 1561 zum Professor der Dogmatik an der Universität bestellt, wurde O. am 8. Juli 1561 Doktor der Theologie. Da ihn aber Begabung und Neigung mehr auf eine Thätigkeit im praktischen Kirchendienste hinwies, vertauschte er sein Lehramt mit 30 dem Pfarramte, zunächst an der Peterskirche und 1562 an der Heiliggeistkirche. Bald wurde O. auch Mitglied des 1562 neu besetzten Kirchenrats und übte als solcher, von dem besonderen Vertrauen des Kurfürsten getragen, bei der Umgestaltung des pfälzischen Kirchenwesens in reformiertem Sinne den größten Einfluß aus. Von jeher ein begeisterter Verehrer Calvins, war er bei seiner kurzen Wirksamkeit in Trier, wo es sich um weit 35 wichtigere Gegensätze handelte, mit den speziell calvinischen Grundsätzen so wenig hervorgetreten, daß selbst der streng lutherische Pfalzgraf Wolfgang die Beschuldigung des Trierer Kurfürsten unbeachtet ließ, O. habe als Calvinist kein Recht, sich als Augsburger Konfessionsverwandten zu bezeichnen, und ihn noch im Juni 1560 an sein Gymnasium nach Hornbach berufen wollte. In Heidelberg aber zeigte sich O. bald als der eifrigsten 40 Wortführer des Calvinismus. Schon am 12. April 1560 erbat er sich von Calvin die Gesetze des Genfer Konsistoriums zur Mitteilung an den Kirchenrat und blieb auch später mit ihm in steter Fühlung. Als der Kurfürst 1562 die theologische Fakultät beauftragte, mit den Superintendenten und bedeutendsten Kirchendienern zur Unterweisung der Jugend einen Katechismus auszuarbeiten, welcher zugleich einen gemeinverständlichen Lehrbegriff 45 darbieten sollte, setzte sich O. durch seine Mitarbeit an dem Heidelberger Katechismus, dessen Schlußredaktion wahrscheinlich auf ihn zurückzuführen ist, ein bleibendes Gedächtnis. (s. den Art. Katechismus, Heidelberger, Bd X, 164 ff.). Auf dem im April 1564 stattgehabten Maulbronner Gespräch (s. b. Art. Bd XII, S. 442 f.) war er einer der bedeutendsten und schlagfertigsten Vertreter des reformierten Standpunktes. Bei einem am 1. 50 und 2. November 1566 in Amberg begonnenen und am 6. Dezember fortgesetzten Kolloquium mit den lutherischen Theologen Netzmann und Pankraz hatte O. weniger Erfolg. Der Kurfürst vermochte mit seiner Absicht, auch in den Oberpfalz den Calvinismus einzuführen, nicht durchzubringen. Dagegen zog sich O. durch sein Auftreten den Unwillen des streng lutherischen Kurprinzen Ludwig zu und hatte das nach dessen Regierungsantritt 55 zu entgelten.

An allen durch Friedrich III. (s. b. A. VI, 275) vorgenommenen Änderungen in der rheinpfälzischen Kirche war O. beteiligt. Namentlich die Kirchenordnung vom 15. November 1563, durch welche die 1556 von Ottheinrich erlassene durchgreifend nach reformierten Grundsätzen umgestaltet wurde, entstand unter O.s hervorragender Mitwirkung. 60

Die bei der Erweiterung des Heidelberger Pädagogiums 1565 erlassene Schulordnung ist von ihm verfaßt. Bei seinen Bemühungen, der in den Gemeinden herrschenden Zuchtlosigkeit durch Einführung einer Kirchenzucht nach dem Vorbilde der Genfer Kirche zu steuern, stieß er auf entschiedenen Widerspruch, besonders bei dem kurfürstlichen Leibarzte
5 Thomas Erast und anderen. Erst nach langen und erbitterten Kämpfen drangen die Freunde der Kirchendisziplin mit ihren Bestrebungen durch. Ein kurfürstlicher Erlaß vom 15. Juli 1570 ordnete in allen Gemeinden die Einrichtung von Presbyterien an, welche die Zensur der Sitten handhaben sollten. Wenn schon bei diesen Kämpfen O.s und seiner Freunde Auftreten zuweilen mehr an den Geist des alten Testaments, als an den des
10 neuen erinnerte, so trat das noch mehr in dem Gutachten hervor, welches O. und die übrigen Heidelberger Theologen 1570 in dem sog. Arianischen Handel über die Bestrafung der Gotteslästerung dem Kurfürsten erstatteten. Gestützt auf das mosaische Gesetz, welches die Steinigung der Gotteslästerer befiehlt, erklärten sie, daß auch christliche Obrigkeiten Gotteslästerung mit dem Tode zu bestrafen verpflichtet seien. Eine Schonung solcher
15 Frevler sei „die allergrausamste Unbarmherzigkeit gegen die christliche Gemeinde". Ja sie empfahlen sogar die Anwendung der Folter bei dem Prozesse. Leider entschloß sich Friedrich nach langem Schwanken endlich, dem Gutachten seiner Theologen zu folgen und am 23. Dezember 1572 den ehemaligen Pfarrer von Ladenburg Joh. Silvanus hinrichten zu lassen. Mit Recht erinnert Wundt daran, daß O., der gewiß bei der Abgabe des
20 Gutachtens nur einer schweren Pflicht zu genügen glaubte, schon durch seine Trierer Erlebnisse hätte abgehalten werden müssen, sich auf diesen, zu seiner Zeit freilich von vielen trefflichen Männern geteilten, Standpunkt zu stellen.

Nach dem Tode des Kurfürsten Friedrich (26. Oktober 1576) mußte O. aus Heidelberg weichen. Der neue Kurfürst Ludwig VI., durch heftige Ausfälle, die sich O. in einer
25 vor der kommenden lutherischen Reaktion warnenden Predigt erlaubt hatte, noch mehr gereizt, ließ ihn am 17. November, drei Tage nach seiner Ankunft in Heidelberg, vor sich rufen, entsetzte ihn seiner Ämter und kündigte ihm Hausarrest an. Nach seiner Freigabe des Landes verwiesen, blieb er zunächst ohne festen Wohnsitz, folgte aber dann mit Freuden einem Rufe des kurfürstlichen Oberhofmeisters Grafen Ludwig von Wittgenstein,
30 welcher ihn am 28. Januar 1577 von Heidelberg aus einlud, zu ihm nach Berleburg zu kommen, um dort „die Seelen mit dem Worte zu weiden". Im März 1577 kam O. in Berleburg an. Hier leitete er die Erziehung der Söhne des Grafen und entwickelte außerdem eine ausgedehnte Thätigkeit durch Predigten und litterarische Arbeit. Zugleich wirkte er dort und in den benachbarten Gebieten der Grafen von Nassau, Wied und
35 Solms bei der um diese Zeit erfolgten Neuordnung des Kirchenwesens in calvinischem Geiste kräftig mit. Im Jahre 1584 wurde er durch den Grafen Johann den Älteren von Nassau-Dillenburg als Pfarrer nach Herborn berufen und übernahm an der am 1. August 1584 hier eröffneten Akademie die Professur der Dogmatik, während dem auf seinen Vorschlag berufenen Joh. Piscator die exegetischen Fächer zugewiesen wurden. Aber
40 schon nach wenigen Jahren wurde O. aus dieser Wirksamkeit abgerufen. Am 15. März 1587 entschlief er nach mehrmonatlicher Krankheit, noch nicht 51 Jahre alt, im Glauben an seinen Erlöser. O.s Freund Piscator schildert eingehend sein erbauliches Ende. Er hinterließ außer seiner Wittwe zwei Söhne und eine Tochter. Auch O.s Mutter überlebte ihn um neun Jahre und wurde an seiner Seite in der Pfarrkirche zu Herborn beigesetzt.
45 Unter den reformierten Theologen seiner Zeit war O. zweifellos einer der bedeutendsten. Ein volkstümlicher Prediger und trefflicher Katechet, ein klarer Denker und unbeugsamer Charakter suchte er mit rücksichtsloser Energie durchzuführen, was er für recht erkannte, bewies sich aber zugleich als aufrichtig frommen, demütigen Christen, der seinem Heilande nachzufolgen mit allem Ernste sich bestrebte. Von den zahlreichen Schriften
50 O.s wurden mehrere erst nach seinem Tode durch seinen Sohn Paul herausgegeben. Ein durch Förstemann in der Ersch-Gruberschen Encyklopädie berichtigtes Verzeichnis derselben giebt Rotermund im Jöcherschen Gelehrtenlexikon V, 1069. Außer zahlreichen Predigten und aus denselben ausgezogenen Noten zu den apostolischen Briefen und zu den evangelischen Perikopen ist von diesen Schriften besonders sein 1585 in Genf erschienenes Werk:
55 „De substantia foederis gratuiti inter Deum et electos" zu nennen, welches 1590, 1593 und 1602 auch in deutscher Bearbeitung unter dem Titel: „Der Gnadenbund Gottes" herausgegeben wurde.   Ney.

Olier, Johann Jakob, gest. 1657. — Quellen: (Le P. Giry), La Vie de M. J. J. Olier 1687, in-12; Nagot, Vie de M. Olier, Paris 1818; De Bretonvilliers, Mémoires sur M. Olier, Paris 1841, 2 B.; M. Olier, Lille 1861, in-12; H. J. Icard, Doctrine de M. Olier, Paris 1889. Von demselben: Explication de quelques passages de Mémoires de M. Olier, Paris 1892.

J. J. Olier, der Gründer des Seminars von Saint=Sulpice zu Paris, das der ka=tholischen Kirche Frankreichs bedeutende Dienste geleistet hat, wurde geboren zu Paris den 5 20. September 1608. Noch sehr jung erhielt er zwei einträgliche Pfründen, studierte Theologie an der Sorbonne und wohnte den Konferenzen bei, die Vincenz von Paula über die Pflichten des geistlichen Standes zu Saint=Lazare hielt. Der Umgang mit Vincenz entschied die Richtung seines Lebens und entwickelte in ihm den mystischen Zug, der sich in einzelnen seiner Schriften ausspricht. Nachdem er eine höhere kirchliche Stellung, 10 die ihm von Ludwig XIII. angeboten ward, ausgeschlagen, beschloß er, sich der Erziehung junger Geistlicher zu widmen; er begann dies Werk Januar 1642 zu Vaugirard. Das Jahr darauf ward er Pfarrer zu St. Sulpice, erlangte die Erbauung der Kirche dieses Namens, sowie die eines Seminars, das königliche Bestätigung erhielt. Seine Thätigkeit als Seelsorger wird von den Zeitgenossen allgemein gerühmt; er stiftete Vereine für Ver= 15 sorgung der Armen, der Kranken, der Waisen. 1652 entsagte er dem Pfarramte, um nur dem Seminarium zu leben, dessen Zöglingen er wissenschaftliche Bildung, mit Frömmigkeit und Menschenliebe gepaart, mitzuteilen sich bemühte. Man hat von ihm gesagt: „Il est une énergie morale en face des procédés extérieurs du Jésuite". Bossuet nannte ihn sanctitatis odore florentem. Bald konnte er in verschiedenen 20 Städten des Landes, ja selbst zu Montréal in Kanada, ähnliche Anstalten ins Leben rufen; er gründete die Kongregation von St. Sulpice und war noch Zeuge von deren erstem Gedeihen, als er den 2. April 1657 starb. Von seinen wenigen, meist erbaulichen und erst nach seinem Tode erschienenen Schriften nennen wir bloß seinen Catéchisme chrétien pour la vie intérieure, Löwen 1686 und öfter. Später wurde das Seminar 25 von St. Sulpice von der Kirche dieses Namens getrennt; es besteht auch jetzt noch und hat zu verschiedenen Zeiten ausgezeichnete Direktoren gehabt und einzelne, von einem bessern Geiste beseelte Priester gebildet, als die meisten übrigen geistlichen Lehranstalten Frankreichs. Fénelon hatte fünf Jahre in diesem Seminar zugebracht.

(C. Schmidt †) Pfender. 30

Olivetan, Pierre Robert, geb. 1506 (?), gest. 1538. — Litteratur: Hermin= jard, Correspondance des Réformateurs II, 132. III, 290. V, 228, 280; Lichtenberger, Encyclopédie des Sciences religieuses IX, 186, Art. Douen; Zeitschrift „Le Lien", 15 Juillet 1843 (Art. Graf); und 1868 (Art. Dardier); H. Lutteroth, Rapport à la Société Biblique française et étrangère, 1835; Ed. Reuß, Fragments littéraires et critiques relatifs à la 35 Bible française (dans la Revue de théologie de Strasbourg, Janvier et Juin 1851 et Janv. 1852;) Abel Lefranc, La jeunesse de Calvin, Paris 1888; O. Douen, Coup d'oeil sur l'hi= stoire du texte de la Bible d'Olivetan (dans la Revue de théologie et philosophie de Lau= sanne, 1889;) E. Doumergue, Vie de Calvin, Iᵉ vol., Lausanne 1901.

Pierre Robert O. wurde geboren zu Noyon (Pikardie), der Vaterstadt Calvins, mit 40 dem er verwandt war, wenige Jahre vor den letztern. Sohn eines Kirchenvogts von Noyon, wurde er zuerst nach Paris, dann nach Orleans geschickt, um beide Rechte zu studieren, dort kam er in Verkehr mit Anhängern der Reformation und pflichtete schnell den protestantischen Grundsätzen bei. — Sodann bemühte er sich eifrig, dieselben zu ver= breiten und, nach Bezas und Papirius Massons (Calvinus a Roberto, hebraicae lin= 45 guae perito, consanguineo suo, religionis novae principia hauserat, priusquam Aurelianum, ad juris civilis studia, proficisceretur [Vita Calvini]) Zeugnissen, konnte er sich rühmen, seinen Vetter Jean Calvin zur reinen Religion bekehrt zu haben. Dieses ereignete sich zu Noyon oder zu Paris, vor Olivetans Aufenthalt zu Orleans, wo er die Jahre 1526—27 zubrachte. Dort kam er in Verdacht der lutherischen Ketzerei 50 und mußte nach Straßburg flüchten, wo er im Laufe des Monats April 1528 ankam. In dieser freien, schon damals protestantisch gewordenen, Stadt wurde er von Bucer und Capito freundlich empfangen und hörte, ohne Zweifel, von dem Versuche, welchen zwei Jahre vorher G. Roussel, Farel, S. Robert u. s. w. gemacht hatten, die Bibel nach den Originaltexten zu übersetzen. Seitdem gab er sich dem Studium der hebräischen und 55 griechischen Sprache gänzlich hin und griff vielleicht schon zur Übersetzung des AT. 1531 reiste er nach Genf, wo er zwei Jahre als Hauslehrer bei einem vornehmen Bürger lebte; aber, da er einst einer Mönchspredigt öffentlich widersprochen hatte, wurde er nach dem Magistrat verbannt. November 1531, flüchtete er nach Neuenburg, wo er das Schul= lehreramt trieb. — In dieser Stadt wurde er mit den Waldensern bekannt, welche nach 60

Deutschland und der Schweiz gesandt waren, um sich über die neue Reformation zu er=
kundigen. Mit Farel und Saunier folgte O. ihrer Einladung zu der Synode zu Chan=
forans (1532 12. September), welche ihn mit einer Übersetzung der Bibel beauftragte.
Er verbrachte die Zeit vom September 1532 bis März 1535, als Schullehrer in den
5 piemontesischen Thälern, und endigte dort seine französische Übersetzung. Im Mai 1536
oder 1537 kam er nach Genf zurück, wo er als Lehrer an dem neu errichteten Gym=
nasium angestellt wurde. Bald nachher kam sein Vetter J. Calvin, welcher Ende August
Theologie zu lehren anfing, dorthin, beide arbeiteten nun gemeinsam an der Begrün=
dung der reformierten Kirche. Nach März 1538 reiste O. nach Italien ab, besuchte
10 Renata von Frankreich, Herzogin zu Ferrara, drang weiter in Italien ein, verschwand
aber in einem unbekannten Orte, am Ende des Jahres. Sein Tod wurde dem Calvin durch
einen Brief von Françoise Bouffiron, Frau des Leibarztes Sinapi, aus Ferrara (Mitte
Januar 1539) gemeldet.

Werke: Olivetans Hauptwerk ist seine französische Bibel, deren erste Ausgabe (Folio)
15 1535 zu Neufchatel erschien, bei P. de Vingle, unter dem Titel: La Bible, qui est
toute la Saincte Ecriture, en laquelle sont contenuz le Vieil Testament et le
nouveau, translatez en françois, le vieil de lébrieu, et le nouveau du grec.
Vermutlich hatte er sich schon 1528 in Straßburg an dieses Werk gemacht, indem er die
von Roussel, Farel 2c. aufgegebene Arbeit übernahm. O., welcher imm Hebräischen und
20 Aramäischen bewandert war und die jüdischen Kommentare aus dem 12. und 13. Jahr=
hundert gelesen hatte, übersetzte wirklich alle Bücher des AT aus dem Originaltexte und
dieser Teil seiner Bibel ist ein Meisterwerk. Aber, was die apokryphen Bücher und das
NT betrifft, begnügte er sich mit einer haftigen Revision von Lefevres Übersetzung, nach
dem lateinischen Texte. Calvin schrieb zwei Vorreden, die eine lateinisch vor dem AT,
25 die andere, im Französischen vor dem NT und verbesserte die folgenden Ausgaben. O.
gab 1537 eine 2. verbesserte Ausgabe des Psalmbuches: Les Psalmes de David trans=
laty d'ebrieu en français und eine Instruction des enfants (Lyon 1537). Olivetans
Bibel, ursprünglich für die Waldenser bestimmt, wurde von allen französisch-sprechenden
Protestanten angenommen und ist die Grundlage aller folgenden, in Genf veröffentlichten
30 Ausgaben gewesen. G. Bonet-Maury.

Olivi, Petrus Johannis, gest. 1298, und die Olivisten. — Wadding, Annales Minorum, ad ann. 1297, n. 33, und: Bibliotheca s. Scriptores Ord. Minorum, Rom.
1650, p. 284; Sbaraglia, Bullar. Franciscanum, Rom. 1759, t. IV; Daunou, Hist. littér.
de la France, XXI, p. 41 — diese alle antiquiert durch die gründliche Arbeit von Franz
35 Ehrle S.J.: Petrus Johannis Olivi, sein Leben und seine Schriften: ALKM III (1887),
S. 409—552. Vgl. noch Feret, La faculté de théol. de Paris et ses docteurs etc. (1894 ff.),
II, 94—96; Zeiler, Art. „Olivi" in KRL² IX, 828—834; H. Hurter, Nomencl. theol. cath.
IV, 321—326; Vital Motte, Scala divini amoris: mystischer Traktat aus dem 14. Jahr=
hundert 2c. Halle 1902, S. XVII f.
40 Ueber Ubertino de Casali als Führer der Olivisten s. Döllinger, Sektengesch. des MA.s,
II, 508—526; Ehrle im ALKM II 377—416 und III, 48 ff.; Felten, Art. Ubertino in KRL²,
XII, 168—172; Hurter, Nomencl. IV, 485—487; Fr. X. Kraus, Dante; sein Leben und
sein Werk, Berlin 1897, S. 479. 738 ff.; J. C. Huck, Ubertin v. Casale und dessen Ideenkreis,
Freiburg 1903.

45 Peter Olivi, des Johannes Sohn, wurde 1248 (oder Anfang 1249) zu Sérignan
in Languedoc geboren, trat vierzehnjährig zu Beziers in den Minoritenorden und stu=
dierte später in Paris, wo er theologischer Baccalaureus wurde. Seine mit apokalyp=
tischer Schwärmerei verbundene rigoristische Auffassung des franziskanischen Armutsgelübbes
zog ihm zu wiederholten Malen Anfeindungen zu. Schon unter dem Generalat von
50 Hieronymus von Ascoli (späteren Papsts Nikolaus III.) soll ihm — zunächst noch nicht
wegen seiner Apokalyptik, sondern wegen gewisser Lehrsätze über die Gottesmutter — eine
Zensur seitens dieses Ordensoberen widerfahren sein; ja derselbe soll einige seiner Quä=
stionen mariologischen Inhalts zu verbrennen befohlen haben (c. 1276). Später, unter
dem General Bonagrazia, erhob eine ihm feindlich gesinnte Partei auf dem Straßburger
55 Generalkapitel des Ordens (1282) wider ihn heftige Anklagen (vgl. unten). Infolge der=
selben wurden seine bis dahin bekannt gewordenen Schriften von einer Pariser Theo=
logenkommission, bestehend aus sieben Lehrern des dortigen Ordensstudiums, einer genauen
Prüfung unterzogen. Zu einer förmlichen Abschwörung der von diesen Zensoren für
bedenklich erklärten Sätze wurde er damals nicht gezwungen; auch unterzeichnete er die
60 22 Sätze, welche die Zensoren ihrerseits (in der sog. Littera septem sigillorum) seiner

Lehrweise entgegen stellten, nur zum Teil und mit Vorbehalt. Noch mehrere Male wies er in der Folge die gegen ihn gerichteten Beschuldigungen glücklich zurück, besonders auf dem Ordenskapitel zu Montpellier 1287. Hier gelang seine Rechtfertigung betreffs der theoretischen Seite seiner Lehrweise ihm so vollständig, daß General Aquasparta ihm sogleich nachher die wichtige Stelle eines Lesemeisters im Konvent von Santa Croce an- 5 vertrauen konnte. Später rückte er von da nach dem noch einflußreicheren Posten eines Ordenslehrers in Montpellier vor. Er starb in Franziskanerkonvent zu Narbonne am 14. März 1298, nachdem er den um sein Lager versammelten Ordensbrüdern nochmals seine strengen Grundsätze betreffs der apostolischen Armut in einer feierlichen Erklärung, die von da an als sein Testament galt (mitgeteilt von Wadding a. a. O.), ans Herz 10 gelegt hatte.

Nachdem so bei Olivis Lebzeiten das Ausbrechen schärferer Konflikte zwischen seiner rigorosen Richtung und derjenigen der laxeren Ordensgenossen oder Kommunitätsbrüder noch glücklich vermieden worden war, entbrannte der Kampf um so heftiger alsbald nach seinem Tode. Gegen die mit leidenschaftlicher Heftigkeit für Olivis Lehrweise und aske- 15 tische Grundsätze auftretenden Spiritualen oder Olivisten, welche die Heiligsprechung ihres Meisters (auf Grund angeblicher Wunder, die an seinem Grabe geschehen seien) begehrten, schritt schon der erste Avignoner Papst, Clemens V., insofern ein, als er beim allgemeinen Konzil zu Vienne 1312 durch das dogmatische Dekret „Fidei catholicae fundamento" drei der von der Kommunitätspartei inkriminierten Lehrsätze Olivis (betreffend die Wir- 20 kung des Lanzenstichs in die Seite des gekreuzigten Heilands, die Substanz der mensch-lichen Vernunftseele und das Wesen der den Kindern eingegossenen Taufgnade) als irrig verurteilte. Gegen die Person und die Mehrzahl der Schriften Olivis jedoch brachte dieses Dekret (vgl. Hefele, Conciliengesch.², IV, 536 ff.; Hurter, Nomencl. IV, 323) nichts Ungünstiges zum Ausdruck. Auch stimmte die bald nachher von demselben Papst er- 25 lassene Konstitution „Exivi de Paradiso" vom 6. Mai 1313 dem, was jener über den usus pauper s. arctus des irdischen Guts gelehrt hatte, im wesentlichen zu (s. Bd VI S. 212, 9 ff.). Schärfer ging dann Johann XXII. gegen die Olivisten vor. Den Spiri-talen von Narbonne und Beziers, welche besonders eifrig für die Heiligsprechung Olivis agitiert hatten, wurden ihre Häuser entzogen und der Kommunität zugesprochen. Fanatisch 30 erregte Mönche der letzteren durften die Grabstätte des von jenen als Heiliger Verehrten ungestraft überfallen, seine Gebeine ausgraben, die ihm dargebrachten Votivgeschenke zer-stören 2c. (1318). Gegen die Hauptschriften O.s wurde ein inquisitorischer Prozeß ein-geleitet, der schließlich (8. Februar 1326) zur Verdammung seiner Postille zur Apokalypse führte — desjenigen seiner Werke, das in der damaligen schwärmerischen Beghinen- und 35 Joachimiten-Bewegung Südfrankreichs ein besonderes Ansehen erlangt hatte. Die zahl-reichen übrigen Werke O.s wurden durch diese Sentenz indirekt mitbetroffen; ihrer weiteren Verbreitung wurde dadurch ein Ziel gesetzt, so daß sie der Mehrzahl nach ungedruckt ge-blieben sind, ja teilweise wohl einer frühzeitigen Vernichtung anheimfielen.

Nach der Schätzung von O.s Anhängern soll die Gesamtheit der von ihm hinter- 40 lassenen Schriften das Siebzehnfache vom Umfang des Sentenzenwerks des Lombardus betragen haben! Das von Ehrle (l. c. III, 465—533) auf Grund alter Bibliotheks-kataloge zusammengestellte Verzeichnis derselben unterscheidet 1. spekulative Schriften — dabei besonders eine Sammlung von Quaestiones (gedruckt Venedig 1509), ein Kommentar zu den Sentenzen des Lombardus, Traktate de sacramentis, de virtuti- 45 bus et vitiis, de quantitate, de perlegendis philosophorum libris etc.; 2. exe-getische Arbeiten — Postillen über Genesis, Hiob, Psalter, Sprüche, Prediger, Hohes-lied, Ezechiel 2c.; desgleichen über die vier Evangelien, den Brief an die Römer u. a. Briefe; über die Apokalypse (das oben erwähnte Werk, gedruckt Amsterdam 1700); auch ein Kommentar über die Hierarchia angelica des Areopagiten; 3. auf die Ordens- 50 observanz bezügliche Schriften: Quaestiones de evangelica perfectione, Trak-tate über den „usus pauper", über (bezw. gegen) die Lehre des Thomas Aqu. von der religiösen Armut, über die Abdankung Cölestins V.; auch eine Expositio super regu-lam fratrum minorum. Als verschieden vom Inhalt der dritten dieser Gruppen scheint noch eine Reihe mystisch-asketischer Schriften vorhanden gewesen zu sein, wozu der bei 55 Sbaraglia erwähnte Tractatus de gradibus amoris gehörte (s. Motte, S. XVII). — Sowohl in jenen spekulativen Werken wie in den übrigen erscheint O. als ein vor allem auf dem Grunde der Bonaventuraschen Mystik fußender Schriftsteller, der von diesem Standpunkte aus mehrfach auch antiaristotelische und antithomistische Anschauungen zu verteidigen wagte (Ehrle III, 458 f.; Hurter 324). 60

Von den Anhängern O.s erscheint Ubertino von Casale (nach Huck l. c. geb. 1259, in den Orden des hl. Franz eingetreten 1273; später teils in Paris teils an anderen Orten lehrend; seit 1317 im Benediktinerkloster zu Gemblours; zuletzt angeblich zum Karthäuserorden übergetreten; gest. wohl erst gegen 1338 [wonach die Angabe in Bd VI
5 S. 211,56 zu berichtigen ist]) als der eifrigste und geschickteste Anwalt der Lehrweise und der praktischen Grundsätze seines Meisters. Auch seine schriftstellerische Produktivität scheint eine beträchtliche gewesen zu sein. Er stellte jenem Angriff des Generals Bonagrazia eine mit Wärme für die Sache O.s eintretende Responsio entgegen (s. dieselbe bei Ehrle, ALKM II, 377—416) und verfaßte später noch mehrere Arbeiten von gleicher Tendenz;
10 so unter Johann XXII. eine Responsio circa quaestionem de altissima paupertate Christi et apostolorum eius (gedruckt bei Baluzius, Misc. I, 307—310). Sein Hauptwerk ist: Arbor vitae crucifixae, ll. V (oder nach anderer Einteilung ll. XV; gedruckt Venedig 1485; ins Ital. übersetzt durch Lor. de Tosano, ebb. 1564) — eine im Stile Bonaventurascher Mystik und Joachimscher Apokalyptik gehaltene Apologie der
15 vollkommenen Armut der wahren Jünger Christi, die er im Jahre 1305 während eines dreimonatlichen einsamen Verweilens auf dem Alvernusberge in Toskana niedergeschrieben haben soll. Der Traktat De septem statibus Ecclesiae iuxta septem visiones Apocalypseos, worin die bekannte franziskanische Gliederung der Kirchengeschichte in sieben Epochen oder „Zustände" geschildert wird (gedruckt Venedig 1516
20 in 4°; auch 1525), ist nur eine Separatwiedergabe von Buch V der Arbor vitae (s. Huck, S. 73). — Darüber, daß Dante in seinen geschichtsphilosophischen und kirchenpolitischen Anschauungen mehrfach durch Ubertin beeinflußt war, bietet Kraus a. a. O. 738—746 lehrreiche Ausführungen, die sich besonders auf das fünfte Buch der Arbor v. stützen; vgl. Huck, S. 58 ff. — Wegen anderer Vertreter der Spiritualen-Partei des
25 Franziskaner-Ordens, welche O. mehr oder weniger nahe standen, vgl. Ehrle III, 458 f. und 553 ff. **Böckler.**

Olshausen, Hermann, gest. 1839. — Lübker, Lexikon der schlesw.-holstein. Schriftsteller von 1796—1828, 2. Abt., S. 413 f. Ein Netrolog von seiner Gattin in Rheinwalds allg. Repertor. f. theol. Litteratur und kirchl. Statistik, 1840, 7. Heft, S. 91—94 und ein
30 Schreiben aus Erlangen in der Berl. Allg. Kirchenzeitung, 1839, Nr. 76.

Hermann Olshausen, ein frommer und in den Bewegungen seiner Zeit vielfach wirksamer Theologe, der sich besonders um die Exegese des NTs Verdienste erworben hat, war der Sohn eines angesehenen und gelehrten Kirchenbeamten Detlev Johann Wilhelm Olshausen (geb. am 30. März 1766 zu Nordheim im Hannoverschen, Prediger in
35 Oldeslohe, Hohenfelde, Glückstadt im Herzogtum Holstein, zuletzt Konsistorialrat und Superintendent des Herzogtums Lübeck zu Eutin, bekannt besonders durch ein homiletisches Handbuch, Predigten über die Sittenlehre und eine Übersetzung der philosophischen Werke des Seneca, gest. am 14. Januar 1823. Vgl. Dr. Heinrich Döring, die gelehrten Theologen Deutschlands im 18. und 19. Jahrh., 1833, III, S. 136—41; Berend Kordes,
40 Lexikon der schlesw.-holst.-eutin. Schriftsteller, S. 257 ff.; Dr. L. Lübker und H. Schröder, Lexikon derselben von 1796—1828, II, Altona 1830, S. 411—13). Als ältester Sohn dieses tüchtigen Mannes war Hermann Olshausen zu Oldeslohe am 21. August 1796 geboren. Den ersten Unterricht erhielt er vom Vater, dann auf der Gelehrtenschule in Glückstadt. 1814 bezog er die Kieler Universität, wo Twesten damals eben
45 seine bedeutende und segensreiche Wirksamkeit begann, indem er dem herrschenden Rationalismus gegenüber in Schleiermachers Geiste die Selbständigkeit des Christentums und das alleinige Heil des Menschen in Christo lehrte. Dadurch ward der Blick der Jüngeren nach Berlin gelenkt, wohin sich H. O. auch nach zwei Jahren begab. Für die Geschichte seiner Bildung ist sein dortiger Aufenthalt vorzüglich wichtig, hauptsächlich, „neben nicht
50 zu verkennenden Schleiermacherschen Einflüssen, durch Neanders sehr tief einwirkende öffentliche Thätigkeit und anregenden persönlichen Umgang", wie er sich denn damals viel mit Kirchengeschichte beschäftigte, wofür seine Historiae eccles. veteris monumenta, Berol. 1820 und 22) zeugen. Bei der Feier des Reformationsjubiläums 1817 gewann er den auf die beste Bearbeitung des zum Leben Phil. Melanchthons in dessen Brief
55 wechsel enthaltenen Stoffes gesetzten Preis (Mel. Charakteristik aus seinen Briefen dargestellt, Berlin 1818), wodurch er die Aufmerksamkeit des preußischen Unterrichtsministeriums in dem Maße auf sich zog, daß er, nachdem er 1818 als Licentiat der Theologie die venia docendi erworben hatte, sofort Repetent der Theologie an der Berliner Universität ward, wie 1820 Privatdozent, in welcher Stellung er blieb, bis er im Herbst 1821

zum außerordentlichen Professor an der Universität zu Königsberg ernannt ward. Nun
begann für ihn eine, wenn auch nicht lange, doch sehr segensreiche Zeit wissenschaftlicher
und religiöser Wirksamkeit; denn in dem Kreise junger Freunde, der in Berlin, besonders
um Neander, sich gebildet hatte, war ihm der lebendige Glaube an Christus in seiner
vollen Kraft aufgegangen. „Er drang durch Buße zum Glauben, und sein ganzes Be- 5
streben ging von der Zeit an dahin, ein treuer Diener der Kirche seines Herrn und Heilandes zu werden". Das religiöse Leben in Königsberg hatte zu der Zeit, da O. dorthin
kam, manches Besondere, vornehmlich durch die Einwirkung, welche der Theosoph J. H.
Schönherr dort in einem weiten Kreise, namentlich auch unter Vornehmeren, gewonnen
hatte. Der geistreiche Schimmer, mit welchem sich diese Richtung, deren bedenkliche Seiten 10
damals noch nicht offen zu Tage traten, in der Stadt Kants, Hippels und Hamanns
umgab, zog auch O. im Anfange an. „Doch sah sein klarer, nur auf das eine Notwendige gerichteter Blick bald die vielen Unrichtigkeiten darin ein, und es lag ihm von
der Zeit an, wo er dies erkannte, sehr am Herzen, die Seelen von allen löcherichten,
von Menschenhänden gegrabenen Brunnen hinweg zu dem ewigen Quell des Heils, auf- 15
gethan in Jesus Christus, dem Sohne Gottes, zu führen." Dazu hatte er eine besondere
Gabe, so daß sein persönliches Wirken sehr bedeutend wurde (vgl. Leben und Lehre des
Theosophen J. H. Schönherr, Königsb. 1834). — Er war inzwischen 1827 ordentlicher
Professor geworden und hatte sich mit Agnes von Prittwitz-Gaffron verheiratet, einer
ausgezeichneten, tief im Christentume gegründeten Frau, mit der er eine sehr glückliche, 20
wenngleich kinderlose Ehe in inniger, christlicher Gemeinschaft führte. Leider ward sein
Glück durch fortgesetzte Kränklichkeit getrübt, die eine Folge zu angestrengter Studien bei
nicht sehr kräftiger Leibesbeschaffenheit war. Daher folgte er, weil er von einer Luft-
veränderung günstige Einwirkung auf seine Gesundheit erwartete, 1834 einem Rufe nach
Erlangen, wo er wieder in Segen wirkte, aber schon am 4. September 1839 einer 25
Lungenkrankheit erlag. Wie er im Glauben an seinen Heiland gelebt und gewirkt hatte,
so besiegelte er denselben auch durch einen christlichen Tod.

Sein Hauptfeld war die Bibelauslegung, namentlich die neutestamentliche. Er bereitete sich hier den Boden durch die Schrift: „Die Ächtheit der vier kanonischen Evangelien,
aus der Geschichte der zwei ersten Jahrhunderte erwiesen" (Königsberg 1823). Darauf 30
entwickelte er seine Auslegungsgrundsätze entgegen der herrschenden Art, wie die Exegese
von rationalistischer Seite nicht nur, sondern auch von supranaturalistischer damals behandelt zu werden pflegte, in den Schriften: „Ein Wort über tieferen Schriftsinn" (Königsberg 1824) und „Die bibl. Schriftauslegung; noch ein Wort über tieferen Schriftsinn"
(Hamburg 1825). Hier tritt er zwar als Verteidiger der allegorischen und typischen 35
Interpretation auf, während doch ein Gegner der grammatisch-historischen zu sein, die
er vielmehr als Grundlage für die Worterklärung festhält; auch redete er nicht einer
dogmatischen Interpretation aus einem bestimmten kirchlichen oder sonst festen System
das Wort. „Er wollte vielmehr die Idee des Christentums als göttlicher Offenbarung,
deren unmittelbares Zeugnis die Schrift ist, von den Fesseln beider Methoden, sofern sie 40
als Maßstab der Entscheidung gelten, befreien, und in ihrer absoluten Geltung, als das
die Form wie den Inhalt schaffende Prinzip erfassen." Das Ganze der Weissagungen
im AT, wozu auch die vorbildliche Geschichte gehört, ist O. „ein wunderbares Bild der
Entwickelungsgeschichte der Menschheit, in dessen Mitte Jesus, seine Thaten, seine Leiden,
sein Sterben prophetisch strahlt, als die funkelnde Sonne; aber innig eins mit den Men- 45
schen, seinen Brüdern, so daß von ihm aus das Licht über uns durchströmt durch alle
Stadien bis in die fernsten Punkte des Umkreises. Alles, was seine Heiligen gethan
haben je und je, das that Er in ihnen, aber auch sie in ihm." Man habe nicht nach
Tiefen in der Schrift zu suchen, sondern vor allem die grammatisch-historische Interpretation mit Treue und Konsequenz zu üben, im übrigen nur göttlich zu leben und Christo 50
nachzufolgen: dann würde sich der tiefere Schriftsinn schon aufschließen (Jo 7, 16. 17).
„Wahres religiöses Leben ist die Bedingung des Verständnisses einer religiösen Schrift
und namentlich der Bibel nach ihrem eigentümlichen religiösen Gehalte"; O. nennt diese
Auslegungsweise die biblische, weil die biblischen Schriftsteller sie selbst anwenden und
„wir nur aus ihnen selbst sie können verstehen lernen", vermöge des lebendigen Glaubens, 55
„der nicht aus der Vernunft schöpferisch geboren, aber in ihr als einem köstlichen Organ
empfangen, geoffenbart und vernünftig, göttlich und menschlich zugleich sei". — Die großartigen Grundzüge einer wahren biblischen Auslegung regten die Zeitgenossen mächtig
an, obwohl mehr zum Gegensatze als zur Beistimmung; aber sie wurden in konzentrierte
Anwendung gebracht in dem geistvollen Schriftchen: „Christus der einzige Meister" (Königs- 60

berg 1826) und thatsächlich dargelegt in seinem „Kommentar über sämtliche Schriften des neuen Testaments" (Königsb., von 1830 an in mehreren Auflagen; von O. nur Bd 1 bis 4), worin er oft tiefsinnig den inneren Zusammenhang der göttlichen Offenbarung entwickelte, ohne doch den Wortsinn zu vernachlässigen. Er ließ mehrere kleine Schriften ausgehen, unter welchen ihn die bereits in Erlangen (1835) erschienene: Was ist von den neuesten kirchlichen Ereignissen in Schlesien (den durch die exklusiven Lutheraner hervorgerufenen Bewegungen) zu halten? in Streitigkeiten mit der lutherischen Partei verwickelte, seine unparteiische Ruhe aber bekundete gegen Scheibel, Kellner und Wehrhan, wie hart er auch von diesen angelassen wurde (Erwiederung u. s. w. 1836).

Olshausens Beifall als akademischer Lehrer war groß, sagt eine Stimme aus Erlangen, kein Theologie Studierender überging ihn, um so beachtenswerter, als das Urteil über seine Theologie, besonders seine Exegese, niemals sich fixieren wollte". Sein Andenken wird in Ehren bleiben als das eines christlichen Forschers, und die Saat, die er ausgestreut hat, nicht verloren gehen für das Reich Gottes. Zu solchen Samenkörnern dürfte unter seinen kleineren Schriften noch gehören: Ein Wort der Verständigung über die Stellung des Evangeliums zu unserer Zeit, Königsb. 1833.   L. Pelt †.

Olshausen, Justus, gest. 1882. — Für seine am 28. Juni 1883 in der Akademie der Wissenschaften zu Berlin gelesene „Gedächtnisrede auf Justus Olshausen" konnte Eb. Schrader autobiographische Notizen verwerten; sie erschien 1883 in den Mitteilungen der Akademie, umfaßt im Sonderdruck (bei Dümmler in Berlin) 21 Quartseiten und ist wie das Schriftstellerlexikon von Lübker-Schröder und Alberti s. v. bereits von Carstens in der Allg. Deutschen Biographie (Bd 24, S. 328—330) benutzt worden. Einen kurzen Nekrolog von Ed. Sachau brachte am Abend des 16. Januar der Deutsche Reichsanzeiger und Kgl. Preußische Staatsanzeiger 1883, Nr. 14.

Dem Landpfarrer Detlef Joh. Wilh. Olshausen wurde am 9. Mai 1800 zu Hohenfelde in Holstein Justus geboren, der schon 1804 zu Glückstadt, wohin der Vater als Hauptprediger übergesiedelt war, nach der Geburt eines vierten Kindes, des späteren Juristen und Politikers Theodor, seine treffliche Mutter verlor. Von den beiden älteren Brüdern widmete sich Hermann der Theologie, Wilhelm der klassischen Philologie. Seinen vier Söhnen war der gelehrte Vater, der sie fleißig unterrichtete, ein sorgsamer Erzieher und bis zu seinem Tode am 14. Januar 1823 ein treuer Berater. Als ein tüchtiger praktischer Geistlicher, der sich zugleich auf dem theologischen, philosophischen und pädagogischen Gebiete (vgl. AdB 1887, Bd 24) schriftstellerisch hervorthat, wurde er 1815 Superintendent des Fürstentums Lübeck in Eutin, so daß Justus die Gelehrtenschule von Glückstadt mit dem Gymnasium zu Eutin vertauschen konnte, das den frühreifen Jüngling im Herbst 1816 nach Kiel zur Hochschule entließ.

Begleiten wir jetzt O. auf seinem äußeren Lebensgange, so finden wir neben dem stillen Verlauf, den das Leben eines deutschen Gelehrten gewöhnlich auf mehreren Universitäten nimmt, und außer wiederholtem Besuche des Auslandes, wie der vielseitig begabte Mann nicht nur auf dem weiten Gebiet der orientalischen Philologie den Ruf eines Forschers und Gelehrten ersten Ranges durch wertvolle Arbeiten sich erwarb, sondern auch mit der gelehrten Thätigkeit eine erfolgreiche praktische Wirksamkeit zu verbinden wußte, die in hohem Grade der Förderung der Wissenschaft diente. In Kiel verkehrte O. vornehmlich in dem Hause Jahn, dem er, wie er selbst bekannt ist, eine fröhliche Jugendzeit verdankte. Zu dem von Hause aus beabsichtigten Studium der Theologie ist O. nie gekommen; von Anfang an führte ihn seine Neigung zur Philologie, namentlich zu den orientalischen Sprachen. Das Studium des Hebräischen, das er schon 1814 bei seinem Vater angefangen hatte, setzte er in Kiel eifrig fort und trieb im dritten Jahre unter Anleitung von Joh. Friedr. Kleuker auch das Syrische und Arabische. Im Herbst 1819 besuchte er bis zum Februar 1820 die Universität Berlin, wo er sich von J. L. Ideler ins Persische einführen ließ und mit August Tholuck, dem im Arabischen wohlgeübten Freunde seines Bruders Hermann, das Leben Timurs von Ibn Arabschah las. Da der Vater ihn nicht weiter unterstützen konnte, mußte er ein halbes Jahr lang die Stelle eines Hauslehrers versehen, bis ihm ein für 2 Jahre verliehenes königlich dänisches Reisestipendium von je 400 Speciesthalern im Oktober 1820 die Reise nach Paris zu Sylvestre de Sacy, dem berühmten Lehrer des Arabischen und Persischen, möglich machte und ihm damit zugleich den Weg zum akademischen Lehramte bahnte. Der bis·zum April 1823 dauernde Aufenthalt in der französischen Hauptstadt und ihrer Umgebung wurde von O. mit bestem Erfolge besonders zum Studium des alten und neuen Orients benutzt; außer

der arabischen und persischen Umgangssprache erlernte er auch das Türkische. Über den
vielseitigen und anregenden Verkehr, zu dem der von seinen Pariser Lehrern hochgeschätzte
Jünger der Wissenschaft nebenher noch Zeit fand, sowie über das Säbelduell, das O.
mit einem rauflustigen Arzte ausfocht, berichtet das 1893 von Ad. Michaelis zum Andenken an seine Mutter als Manuskript zum Druck beförderte Buch „Julie Michaelis, 5
geb. Jahn, und die Ihrigen", das auch ein Bild des 22jährigen O. enthält, wie mein
Freund H. Holtzmann mir mitteilt. Der genannte Straßburger Archäologe ist nämlich
ein Brudersohn von Maria Michaelis, einer Enkelin des bekannten Orientalisten Joh.
Dav. Michaelis, mit der O. von 1831 bis 1874 in glücklichster Ehe gelebt hat, und
während seines ersten Pariser Aufenthalts verkehrte O. viel mit seinem nachherigen 10
Schwager, dem Gynäkologen G. A. Michaelis. Auf den damaligen Verkehr mit dem
hülfreichen Alexander von Humboldt komme ich sogleich noch zurück. Der wohlbegründete
Ruf von O.s ungewöhnlicher wissenschaftlicher Tüchtigkeit verschaffte dem in die Heimat
zurückgekehrten und durch vortreffliche Charaktereigenschaften sich überall empfehlenden
jungen Gelehrten schon am 4. November 1823 die Ernennung zum außerordentlichen 15
Professor der orientalischen Sprachen in Kiel.

Das folgende Vierteljahrhundert bis 1848, in welchem Jahre O. Kurator der Universität wurde, verlief für den unermüdlich thätigen Gelehrten verhältnismäßig ruhig,
wenn auch sein Aufenthalt in Kiel öfters durch Reisen unterbrochen wurde. Er lehrte
seit 1830 als ordentlicher Professor die orientalischen Sprachen, hielt durch Scharfsinn 20
und Klarheit ausgezeichnete Vorlesungen über das Alte Testament und erfreute sich als
beliebter Lehrer und Kollege einer erfolgreichen Wirksamkeit und des allgemeinen Vertrauens, so daß er viermal zum Rektor der Universität gewählt wurde. Sein hervorragendes Verwaltungstalent, das er später auch als geschickter Vermittler von Berufungen
für die schleswig-holsteinische Hochschule und dann für alle preußischen Universitäten be- 25
währt hat, konnte schon der dänischen Regierung nicht verborgen bleiben. Wiederholt
nahm er seinen Aufenthalt in Kopenhagen, wo er 1825, 1828, 1841—1844 mit Zend-
studien und der Bearbeitung des Katalogs der arabischen und persischen Handschriften der
königlichen Bibliothek beschäftigt war. Zur Vorbereitung einer Ausgabe des Avesta erhielt er im Herbst 1826 einen längeren Urlaub für eine zweite Reise nach Paris, von 30
wo er erst im Januar 1828 zurückkehrte. Sein Plan einer Orientreise nach Syrien und
Jerusalem kam nur bis Konstantinopel zur Ausführung, da ihn 1841 der Ausbruch der
Pest zu schleuniger Umkehr nötigte. Nur kurz kann ich berühren, wie 1848 die Politik
in sein Leben eingriff. Die Bewegung in den Elbherzogtümern brachte ihm hohe Ehren,
das Vizepräsidium der schleswig-holsteinischen Landesversammlung und das Bürgerrecht 35
der Stadt Kiel, aber auch von seiten der wieder zur Herrschaft gelangten dänischen
Regierung 1852 die Entfernung aus seinen bisherigen Ämtern. In dieser Notlage war
es Alexander von Humboldt, der durch warme Empfehlung O. wieder zu einer gesicherten
Lebensstellung verhalf. Der Freund Friedrich Wilhelms IV., der mit O. in Paris Jahre
lang verkehrt hatte, schrieb dem Könige, dem Senat der Universität Königsberg habe O. 40
„wegen seiner allgemein anerkannten Gelehrsamkeit und nach dem Rufe seines vortrefflichen,
friedsamen Charakters" in Vorschlag gebracht, und fügte hinzu: „Es wäre ein Verlust
für die Wissenschaft und den akademischen Unterricht, wenn eine so hervorragende Kraft,
wie O. ist, lange brach liegen müßte". So trat den O. am 2. Juli 1853 als ordentlicher Professor der orientalischen Sprachen und Oberbibliothekar zu Königsberg in den 45
preußischen Staatsdienst. In diesem konnte er sich die größten Verdienste erwerben, als
er im Dezember 1858 unter dem Minister von Bethmann-Hollweg vortragender Rat für die
Universitäts-Angelegenheiten geworden war und die Pflichten, die das schwierige hohe Amt
ihm auferlegte, bis zu dessen Niederlegung im Februar 1874 treu und taktvoll erfüllte.
Mit Recht sagt Sachau: „Man darf es als O.s bleibendes Verdienst in Anspruch 50
nehmen, daß er den blühenden Zustand, in dem er die Universitäten bei seinem Amtsantritt vorfand, nicht allein erhalten, sondern mit glücklichem Erfolge weiter entwickelt
hat". Noch mehr als 8 Jahre wissenschaftlichen Arbeitens waren dem rüstigen Greise in
seiner Mußezeit beschieden. Die Gattin, die ihm eine Tochter und vier Söhne geboren,
hatte er zwar schon in dem auf sein 50jähriges Dienstjubiläum folgenden Jahre verloren; 55
aber er erlebte das glückliche Wirken mehrerer Söhne in angesehenen Stellungen, bis ein
sanfter Tod am 28. Dezember 1882 dem reichen, vielbewegten Leben sein Ziel setzte.

Gehen wir nun zu den von O. verfaßten Schriften über, so kommen hauptsächlich
die den alttestamentlichen Text und die hebräische Grammatik betreffenden hier für uns
in Betracht. Was O. sonst noch in den Druck gegeben hat, verzeichnen Schrader und 60

Carstens; indes stehen die meisten dieser Arbeiten, die zum guten Teil von dem Pehlevi oder Mittelpersischen handeln, auch die der Berliner Akademie, deren ordentliches Mitglied O. seit 1860 war, eingereichten und in Harnacks großer Jubiläumsschrift der Akademie auf=
gezählten Abhandlungen, in keiner näheren Beziehung zur Theologie. Als ein Zeichen
5 von O.s Bescheidenheit und Gewissenhaftigkeit, die der gelehrten Welt nichts Unfertiges vorlegen wollte, kann die Thatsache gelten, daß er nicht vor 1826 der Öffentlichkeit seine erste Druckschrift übergab: „Emendationen zum Alten Testament, mit grammatischen und histo=
rischen Erörterungen," die mit der eigentümlichen Art, in der hier die Heilung des be=
schädigten hebräischen Textes in Angriff genommen wurde, wie Schrader nicht ohne Grund
10 sagt: „eine neue Bahn exegetisch=kritischer Forschung eröffnet". Mit Recht weist er zu=
gleich in seiner Rede auf den divinatorischen Scharfsinn hin, mit dem O. schon hier (S. 44—47) auf Grund von Gen 10 und Jes 23 zu Ansichten über Babel und die Chaldäer gelangte, für deren Richtigkeit die Assyriologie erst viel später den Beweis erbringen konnte. Das Verdienst, das sich O. als Akademiker und Ministerialrat um der
15 Keilschriftforschung erworben hat, darf nicht unerwähnt bleiben. Seine erste Arbeit, die er 1864 der Berliner Akademie vorlegte, galt der „Prüfung des Charakters der in den assyrischen Keilinschriften enthaltenen semitischen Sprache" und das von dem besonnenen Kritiker gefällte Urteil (vgl. Bleeks Einleitung 1870, S. 52) ist durch die spätere For=
schung vollauf bestätigt worden. Nachdem dann 1872 der Gießener Theologe Eb. Schrader
20 durch sein wichtiges Werk über die assyrisch=babylonischen Keilinschriften für die junge Wissenschaft auch in Deutschland weitere Kreise gewonnen hatte, vermittelte O. 1875 die Berufung des bisherigen Alttestamentlers nach Berlin. Wie ferne auch O. die, nicht nur bei Friedr. Delitzsch, höchlich zu beklagende Überschätzung der Assyriologie lag, ebenso unmöglich wäre es ihm gewesen, daß ich den genannten Assyriologen reden lasse
25 (Babel und Bibel. Leipzig 1902, S. 24), „die weittragende Bedeutung" zu verkennen, „welche die Keilschriftforschung — dank der außerordentlich nahen Verwandtschaft der babylonischen und hebräischen Sprache und dem gewaltigen Umfang der babylonischen Litteratur — für das immer bessere Verständnis des alttestamentlichen Textes gewinnt."
Außer den alttestamentlichen Emendationen von 1826 hat O. noch mehrere text=
30 kritische Arbeiten veröffentlicht, nämlich die Observationes criticae ad V. T., die im Januar 1836 als Kieler Programm (19 S. kl. 4°) erschienen, und in den Monatsberichten der Berliner Akademie vom Juni 1870 „Beiträge zur Kritik des überlieferten Textes im Buche Genesis" (32 S. 8°). Natürlich wird niemand allen von O. vorgeschlagenen Textänderungen zustimmen können, wenn man auch schülermäßiges Hebräisch, das mit=
35 unter neuere Textkritiker kraft eigener Vollmacht zu Tage fördern, bei ihm ebensowenig antrifft als „die gegenwärtig blühende unvorsichtige Verwendung der LXX zur Korrektur des MT", die im Einverständnis mit Nöldeke jetzt von Wellhausen (GgA 1902, S. 127) beklagt wird. So muß ich den ersten Vorschlag der Observationes (S. 8), der die von Duhm und Marti nicht einmal erwähnte Wegschaffung des Wagenseils aus
40 Jes 5, 18 betrifft, als einen unglücklichen bezeichnen, mag er auch exegetisch (vgl. Riehms HWB.¹ 1723) anregend gewirkt haben; dagegen haben verhältnismäßig viele Emen=
dationen, z. B. die zu Am 1, 11 (Observ., S. 13f.) wohl allgemeine Zustimmung ge=
funden. An der Stelle Gen 35, 16f., wo noch Ball das doch vorhergehende Pi'el in das Non Vs. 17 dargebotene Hif'il verwandeln zu müssen meint, nimmt O. keinerlei An=
45 stoß; sie rechtfertigt aber den von O. (Observ., S. 4) ausgesprochenen Grundsatz, daß die meisten Textfehler in den Konsonanten zu suchen sind, nicht in den Vokalen, wenn man mit Ed. König (Syntax § 401 t) מבלדתה als erläuternde Glosse aus Vs. 16ᵇ be=
trachten darf. Die bekannteste Durchführung seiner kritischen Grundsätze hat O. 1852 und 1853 in zwei größeren exegetischen Schriften über das Buch Hiob und den Psalter
50 gegeben. Bei der zweiten Auflage des vom seligen Hirzel für das kurzgefaßte exegetische Handbuch gelieferten Hiobkommentars, die O. eine von ihm „durchgesehene" nannte, wies der Herausgeber schon auf eine nicht geringe Zahl von Fehlern in der masoretischen Rezension hin, der einzigen Textrezension, die uns vollständig erhalten (S. X) vorliege, und machte in den mit O. bezeichneten Anmerkungen kurze Vorschläge zu besserer Lesung
55 und Erklärung, falls er nicht lieber auf jeden Versuch verzichtete, wie z. B. Hi 19, 26—29, wo nur einzelne Brocken zu verstehen seien. Noch deutlicher tritt die hier nicht weiter zu erörternde Meisterschaft, mit der O. die Textkritik handhabte, in der von ihm selbst für das erwähnte Leipziger Handbuch verfaßten Erklärung der Psalmen (VIII und 504 S. 8°) hervor, einem Werke, das teils durch eigene Schuld, teils durch die Un=
60 gunst der Zeit nicht die verdiente Anerkennung gefunden hat. Es forderte nicht nur den

heftigen Widerspruch eines Ewald (Jahrbb. V, S. 250 ff.) heraus, sondern zog sich durch
die Annahme, die allermeisten Psalmen, nicht nur die beiden letzten Bücher, seien erst in
der Makkabäerzeit entstanden, auch den berechtigten Tadel unbefangener Forscher zu.
Übrigens ließ O. der Königszeit, der jetzt Baudissin (Einleitung in die Bücher des AT,
S. 660, 664 ff.) nur etwa ein halbes Dutzend zuweist, doch einige Psalmen angehören, 5
wenn er auch bloß wenige andere (vgl. S. 7 f.) in die Zwischenzeit zwischen dem Exile
und Antiochus Epiphanes versetzte. In geringerem Grade hat O. durch geographische
Studien die biblische Wissenschaft gefördert. Die mit 2 Tafeln versehene Schrift „Zur
Topographie des alten Jerusalem" (Kiel 1833, VIII, 76 S. 8°) ist zwar durch spätere
Forschung überholt, handelt aber streng methodisch von der Hauptstadt nach Josephus 10
(§ 1—11), nach dem AT (§ 12—15) und nach neueren Reisenden und Gelehrten
(§ 10—20), um anhangsweise Bemerkungen des großen Reisenden Carsten Niebuhr mitzuteilen. Den in der Einleitung (S. VII) ausgesprochenen Wunsch, daß aus Niebuhrs
handschriftlichem Nachlaß der dritte Teil seiner Reisebeschreibung nach Arabien und den
umliegenden Ländern herausgegeben werde, konnte O. selbst mit J. N. Gloyer im 15
Jahre 1837 erfüllen.

Zur Erwähnung der wichtigen grammatischen Arbeiten bahne die zum Teil gegen
Hitzig gerichtete, noch immer recht beachtenswerte Abhandlung den Weg, die O. über den
Ursprung des Alphabetes und die Vokalbezeichnung in den heiligen Schriften der Israeliten in Kiel 1841 (40 S. 8°) herausgab. Im Gegensatz zu Ewald entwickelt hier O. 20
seine Ansicht vom Verhältnis des Altarabischen zu der im AT vorliegenden hebräischen
Sprache, die eine moderne (S. 26) sei, und verlangt (S. 37) „eine vollständige Reform
in der Behandlung der hebräischen Grammatik". Die von Carstens (S. 330) aus dem
Jahre 1865 verzeichnete Abhandlung „Über das Vokalsystem der hebräischen Sprache
nach der sogenannten assyrischen Punktation" wird von Schrader übergangen (S. 17 f.); 25
sie bildet ebenfalls eine Ergänzung zu dem jetzt noch zu besprechenden Lehrbuche. Dieses
führt den Titel: „Lehrbuch der hebräischen Sprache von J. Olsh. Buch I Laut- und
Schriftlehre. Buch II Formenlehre, Braunschweig 1861 (XVII und 676 S. 8°)" und
sucht durch umfassendes Zurückgehen auf die ältere Gestalt des Hebräischen ein volleres
Verständnis der im AT vorliegenden Sprache aufzuschließen, ohne bei dem Leser die 30
Kenntnis der verwandten semitischen Sprachen, namentlich der wichtigsten unter ihnen,
der arabischen, vorauszusetzen. Gegen die Frage, welche von den semitischen Sprachen
die älteste sei, hatte z. B. schon Bleek (Einleitung 1870, S. 76 f.) das berechtigte Bedenken
erhoben, es könne sich nur darum handeln, welche der semitischen Sprachen der gemein-
schaftlichen Stammmutter am nächsten komme. Stellte sich nach Schraders Urteil O., 35
dessen Formenlehre mit S. 170 beginnt, in manchen Stücken erfolgreich der Anschauung
Ewalds entgegen, so wird dieser Kritiker wohl auch darin Recht behalten, daß beide
Forscher, ein jeder in seiner Weise, berechtigte Momente vertreten haben. Der dritte
Teil des Lehrbuchs, der die Syntax bringen sollte, ist nicht erschienen. Es sei mir zum
Schluß gestattet, über die Bedeutung des leider unvollendet gebliebenen und jetzt ver- 40
griffenen Lehrbuchs die Urteile einiger Semitisten anzuführen. Th. Nöldeke sagt in der
unter dem Titel „Die semitischen Sprachen" 1899 in zweiter Auflage erschienenen Skizze
(S. 5), die Anschauung, daß das Arabische dem Ursemitischen noch ganz nahe stehe, habe
O. in seiner „übrigens sehr empfehlenswerten hebräischen Grammatik ins Extrem durchgeführt." Ed. Sachau aber schrieb im Nekrolog: „Sein Lehrbuch der hebräischen Sprache, 45
das seitdem durch Bearbeitungen in verschiedenen Sprachen eine weite Verbreitung gefunden hat, darf mit Recht als eine in der Geschichte der orientalischen Sprachwissen-
schaft Epoche machende Leistung bezeichnet werden"; vgl. auch Wellhausen in GgA
1901, S. 741 f. *Adolf Kamphausen.*

Oltramare, Hugues, 1813—1891. — F. Chaponnière, H. Oltramare, pasteur et 50
professeur, Genève 1891; A. Bouvier, Notice biographique, im 2. Bd des Komment. zu den
Briefen an die Kol., Ephes. u. Philemon, Paris 1892.

H. Oltramare war der Nachkomme eines lombardischen Flüchtlings, der im 16. Jahrhundert um des Glaubens willen nach Genf gekommen war. Er besuchte dort das
Colleg und die Akademie und begab sich dann nach Berlin, wo er den großen Neander 55
hörte, dessen Theologie den größten Einfluß auf ihn gewann.

Bei seiner Rückkehr nach Genf bekleidete er dort von 1845—1854 und von
1856—1881 ein geistliches Amt. Er zeichnete sich durch die Kraft seiner Polemik gegen
die römischen Irrtümer aus und nahm thätigen Anteil an den durch die Frage der

24*

Glaubensbekenntnisse- und der Trennung der Kirche vom Staat hervorgerufenen Kämpfen. Er trat als Gegner der Geltung der Glaubensbekenntnisse und Verteidiger der National-kirche auf.

Nachdem er im Jahre 1844 freie Vorlesungen gehalten hatte, wurde er 1854 zum ordentlichen Professor der Exegese an der Akademie (1876 zur Universität umgestaltet) ernannt. Durch seine orginalen und eindringlichen Vorlesungen übte er einen großen Einfluß auf die Studenten aus. Sein hervorragendstes theologisches Werk ist die Über-setzung des Neuen Testaments (Genf und Paris 1872), herausgegeben unter dem Schutz der Compagnie des pasteurs de Genève. Sie zeichnet sich durch Treue und Klarheit aus; am meisten kommen ihre Vorzüge in den Episteln Sankt Pauli zur Geltung, dessen Lebhaftigkeit und Beweglichkeit er in hervorragender Weise wiedergegeben hat. Man hat ihm vorgeworfen, daß er zu familiäre Ausdrücke gebrauche und besonders die Übersetzung von Jo 1, 1, La Parole était dieu beanstandet. Das kleine d rief lebhafte Verhand-lungen im Lager der Orthodoxen hervor.

Im Jahre 1881—1882 gab O. in Genf einen Kommentar über den Brief an die Römer in zwei Bänden (die erste Ausgabe von Bd I war schon 1843 erschienen) heraus. Er bestand darauf, daß ἀπολύτρωσις mit délivrance, nicht mit rachat oder rédemption übersetzt werden müsse. Im 5. Kap. fand er nicht das überlieferte Dogma von der Erbsünde und verkannte in seiner Auslegung den großen Einfluß, den die der Freiheit des Individuums vorausgehende Erblichkeit der Neigungen auf den Menschen ausübt.

Im 8. u. 9. Kap. endlich bezog er die freie, unumschränkte Gewalt Gottes auf die Wahl der Mittel der Rettung, nicht auf die ewige in gewisser Weise namentliche Er-wählung der Einzelnen.

Man besitzt von ihm noch einen Kommentar über die Briefe an die Kolosser, die Epheser und den Philemon (Paris 1891—1892, 3 Bände). Er bemüht sich hier zu zeigen, daß der Apostel Paulus immer derselbe sei; was in den Gefangenschaftsbriefen neu erscheint, erkläre sich durch die neuen Umstände.

Oltramare war als Exeget ausgezeichnet durch sein ausgebreitetes Wissen und seine philologische Bildung. Er hat in die französisch-theologische Litteratur die ernste deutsche Art mit einigen Modifikationen übertragen. Sehr unabhängig in seinen Ansichten und Auslegungen läßt er in etwas den historischen und psychologischen Sinn vermissen. Er glaubt der erste zu sein, der die Gedanken des Apostel Paulus wirklich verstanden habe. In der Kritik war er sehr konservativ; er hielt an der Echtheit der am meisten an-gefochtenen Bücher fest, des vierten Evangeliums, der Apostelgeschichte, aller Briefe Pauli, selbst der Pastoralbriefe. Das Studium der Gedanken und des Werkes des Apostels erfüllte sein Leben. Er hatte sich gewissermaßen in die Anschauungen des Apostels ver-senkt und sein Ehrgeiz war, auch andere dahin zu führen. Oltramare war eine der charakteristischsten Gestalten der Genfer Kirche des 19. Jahrhunderts.　　　E. Choisy.

Omophorion s. Kleider und Insignien Bd X S. 533, 33.

Omri. — Litteratur: Die Handbücher der Geschichte Israels und Kommentare zu den Büchern der Könige; Schrader, KAT³ 246 f.

Über König Omri von Israel besitzen wir dreierlei Nachrichten: im biblischen Königsbuch, bei Mesa und in den assyrischen Inschriften. Das biblische Buch der Könige berichtet über ihn an mehreren Orten, aber immer in ganz summarischer Weise, so daß wir kein wirkliches Bild der Persönlichkeit erhalten. 2 Kg 16, 15—22 wird über König Simri erzählt: sobald das Heer, das die Philisterstadt Gibbeton belagerte, die Kunde von der Thronbesteigung Simris erhielt, habe es den Obersten des Feldlagers, Omri, zum König ausgerufen. Omri habe sich darauf an die Spitze des Heeres von Gibbeton, die Belagerung aufgebend, nach der Hauptstadt Tirza gewandt und sie belagert und bald darauf erobert. Simri suchte in den Flammen seines Palastes den Tod. Zugleich wird in diesem Zusammenhang noch mitgeteilt, damals habe das Volk sich in zwei Lager ge-spalten, die eine Hälfte hielt es mit Tibni, dem Sohn Ginats, und machte ihn zum König, die andere mit Omri. Doch habe die Partei Omris die Oberhand gewonnen.

Hieraus ist zunächst zu ersehen, daß Omri Usurpator war und daß er seinen Thron einer Militärrevolution verdankte. Zugleich fällt auf, daß nicht einmal sein Vatersname oder sein Geschlecht genannt wird. Die Vermutung, daß er von untergeordneter Her-kunft war und lediglich durch das Kriegsglück hochgehoben wurde, scheint nicht ungerechtfertigt. Vielleicht darf hierzu auch die Thatsache gestellt werden, daß der Name Omri im Hebräischen keine rechte Ableitung findet. Vielleicht war er ein fremder (arabischer) Söldner gewesen. Das stehende Heer, das seit David sich in Israel einzubürgern begonnen hatte, konnte leicht allerlei Elemente in sich schließen.

Weiter ist aus dem Texte zu ersehen (besonders wenn eine nur in LXX noch 5 erhaltene Notiz dazu genommen wird), daß Omri die von ihm angezettelte Militärrevolution nicht ohne auf Schwierigkeiten zu stoßen, durchführen konnte. Vor allem wird es durch jene Notiz deutlich, daß Omri nach Verfluß der sieben Tage, welche als die Regierungszeit Simris angegeben werden, d. h. nach dem Tode Simris, keineswegs sofort unbestrittener Herr der Lage ist. Vielmehr scheint es, daß die Erhebung Omris 10 und der Tod Simris einem neuen Prätendenten Tibni, der vielleicht als Angehöriger des israelitischen Geschlechtsadels einen höheren Anspruch auf den Thron hatte als Omri, Veranlassung giebt, sich selbst in den Vordergrund zu stellen. Ihm steht, wie der genannte Zusatz der LXX meldet, sein Bruder Joram zur Seite. Auch haben wir Gründe anzunehmen, daß die im Texte genannte Partei Tibnis zunächst die Oberhand gewann 15 und wir für die erste Zeit nach Simris Tode eher von einer Regierung Tibnis als Omris zu reden Veranlassung hätten. Nach V. 23 dürfen wir vielleicht (vgl. meinen Kommentar S. 132) die Zeit des Bürgerkrieges und der Nebenregierung Tibnis auf vier Jahre ansetzen. Aus dem Umstande, daß Tibnis Herkunft (Sohn Ginats) genannt wird, will Winckler, KAT² 247 schließen, daß er nicht sowohl von der einen Hälfte des 20 Volkes, wie der Text sagt, gegen die andere, als vielmehr vom Volke gegen das Heer aufgestellt war. Die Möglichkeit dieser Vermutung ist zuzugeben, um so mehr, als der Ausdruck „Volk" (עם) nicht selten auch vom Heere gebraucht wird, freilich weniger wo von einem Gegensatze zwischen Volk und Heer die Rede ist, als wo beide ihrer Zusammengehörigkeit nach ins Auge gefaßt werden. 25

Ueber die Regierung Omris selbst, deren Dauer auf 12 Jahre angesetzt wird, berichtet 1 Kg 16, 23—28. Ist die obige Annahme richtig, so muß von diesen zwölf Jahren ein volles Drittel auf die Nebenregierung Tibnis angesetzt werden, Omri wäre also nur acht Jahre unbestrittener Herr des Thrones gewesen. Leider verweist uns der biblische Berichterstatter in Betreff seiner Geschichte und seiner „tapfern Thaten" (V. 27) auf seine 30 Quelle und läßt uns nur wissen, daß er nach sechs= (bezw. nach dem oben Gesagten zwei=) jähriger Regierung in Tirza den Sitz des israelitischen Königtums nach Samaria verlegt habe, sowie daß er auf den Wegen Jerobeams, des Sohnes Nebats, gewandelt sei. Schon jene eine Thatsache, daß er sich für sein Reich um eine würdige Hauptstadt umsah, die in stande war, der Sitz und die Stütze des unlängst neugeschaffenen Königs= 35 tums zu sein, könnte uns zeigen, daß in Omri ein Mann den Königsthron Israels bestiegen hatte, der seinen Vorgängern seit Jerobeam an königlichem Herrscherblick überlegen war. Einen Teil der Größe Davids Saul gegenüber macht unstreitig der Umstand aus, daß er sich mit dem Bauerndorfe Gibea oder der Landstadt Hebron nicht zufrieden gab, sondern eine ihres Namens würdige Königsstadt sich erkor. Was 40 die Wahl Jerusalems für Juda, das bedeutete die Wahl Samarias für Efraim. Dies ist unstreitig das Verdienst Omris. Die Lage Samariens zeigt bis zum heutigen Tage, daß die Stadt der alten Residenz Tirza an Schönheit der Lage kaum nachstand (vgl. Jes 28, 1), sie aber an Festigkeit weit übertraf, und ihre Geschichte, vor allem diejenige der mehrfachen Belagerungen Samariens, hat Omris Wahl glänzend gerechtfertigt (vgl. 45 meine Gesch. d. Hebr. II, 222).

Gewinnen wir schon von hier aus das Bild von Omri, daß er ein Mann war, der im stande war, das unter Baesa und wohl auch Ela tief gesunkene Königtum in Israel wieder äußerlich zu Ehren zu bringen, so wird derselbe Eindruck verstärkt durch die im Königsbuch gegebene Andeutung von seinen „tapfern Thaten". Omri hat ohne 50 Zweifel auch nach Kräften gesucht, die Konsequenzen aus der Erwerbung und Befestigung Samariens nach außen hin zu ziehen. Einen namhaften Erfolg der Waffen des ehemaligen Generals nennt uns die Inschrift des Königs Mesa von Moab (s. nachher). Wahrscheinlich hat er auch nach der andern Seite hin, den Syrern gegenüber, sich als tüchtigen Soldaten bewährt, wenn auch das letzte Ergebnis der Kämpfe mit ihnen ihm augenscheinlich 55 minder günstig war.

Wir besitzen nämlich noch eine dritte Stelle im Königsbuch, die Omris Erwähnung thut. 1 Kg 20, 34 in der Geschichte Ahabs wird erzählt, daß Ahab nach seinem Siege über Benhadad (Bir=idri, Benhaber) von Damask mit seinem Gegner das Abkommen traf, daß Benhaber die Ahabs Vater Omri abgenommenen Städte her= 60

ausgeben und den israelitischen Kaufleuten Bazare in Damask eröffnen müsse, wie Omri
solche den damaszenischen Händlern in Samarien eröffnen mußte. Das zeigt uns, daß
Omri Syrien gegenüber, mindestens zuletzt, unglücklich gekämpft hatte, so daß er wichtige
Zugeständnisse zu machen genötigt war. Vielleicht ging damals auch Rama in Gilead,
um das später zwischen beiden Teilen gekämpft wurde, an Aram verloren. Aber allem
nach, was wir bei der Lückenhaftigkeit unserer Berichte vermuten können, fällt das Miß=
geschick Omri selbst viel weniger zur Last als seinen Vorgängern. Er hatte von Baesa eine
üble Erbschaft überkommen. Die Syrer waren von Asa von Juda gegen Baesa herbei=
gerufen worden, hatten sich damals eines Teils des Landes Israel bemächtigt, und Omri
scheint es nicht gelungen zu sein, sich ihrer vollständig zu erwehren. Wüßten wir mehr,
so würde sich höchst wahrscheinlich das Bild. ergeben, daß Omri Jahre lang in helden=
mütigem Kampfe gegen Aram um die Unabhängigkeit seines Landes gerungen hat (vgl.
Gesch. d. Hebr. II, 223).

Zu dieser Annahme berechtigt uns auch das Bild, welches Mesa auf seiner Inschrift
von Omri entwirft. Es heißt hier auf Zeile 4 ff.: „Omri, der König von Israel, unterdrückte
Moab lange Zeit, weil Kemosch über sein Land erzürnt war. Ihm folgte sein Sohn
[Ahab] und er sprach ebenfalls: ich will Moab unterdrücken. In meinen [Mesas] Tagen
sprach er so. Doch ich sah meine Lust an ihm und seinem Hause ... Omri aber hatte
Besitz genommen von (vom Lande?) Medeba und [Israel] hatte sich darin festgesetzt seine
[Omris] Zeit über und während der Hälfte der Zeit seines Sohnes [Ahab] — vierzig
Jahre lang". Die Moabiter waren von David besiegt und fast aufgerieben worden; sie
hatten aber nach Salomos Tode die Wirren in Israel zu nützen verstanden und hatten
sich langsam wieder unabhängig gemacht. Besonders Mesas Vater Kemoschmelet (Kemoschkan?)
scheint nach der Inschrift an der Befestigung der Selbstständigkeit Moabs hervorragenden
Anteil gehabt zu haben. Hier greift Omri mit starker Hand ein und weist Moab wieder
in die Schranken.

In den assyrischen Inschriften wird Omri nicht direkt genannt, wohl aber mehrfach
indirekt, insofern das Reich Israel neben seiner eigentlichen Benennung (Sirlai) auch die=
jenige Haus Omris (bit-Humria) führt. Desgleichen wird Jehu von Salmanassar als
Sohn Omris bezeichnet. An dieser Bezeichnung ist besonders bemerkenswert, daß Jehu,
obwohl gerade er der Dynastie Omris das Ende bereitete, doch von den Assyrern als
Sohn Omris angesehen wird, wie auch die Benennung Israels als Haus Omri erst
der Zeit nach Ahab, also nach dem Sturze der Dynastie Omris, angehört. Die Be=
nennung ist aus der Anschauung geflossen, daß die Völker Söhne eines Stammvaters
sind und zugleich der König als Vater des Volkes zu gelten habe. Auf diese Weise
kann Israel als Familie oder „Haus" Omris gelten und Jehu seiner Nationalität als
„Sohn" Omris d. h. als Israelit bezeichnet werden. Immer aber setzt diese Ausdrucks=
weise voraus, daß Israel erst in der Zeit Omris ernstlich in den Gesichtskreis Assurs
eintrat. Wäre dies früher der Fall gewesen, so hätte man Israel Haus Davids,
Salomos, Jerobeams u. s. w. benannt. Mindestens ist anzunehmen, daß erst dieser König
erstmals einen tieferen Eindruck auf Assur hervorzubringen im stande war. Vorher be=
kümmerte man sich dort wenig um die Dinge in Kanaan.

Omris Sohn Ahab ist in feindliche Berührung mit Assur gekommen. Zugleich
wissen wir von ihm, daß seine Gemahlin Isebel eine tyrische Prinzessin war. Von
Omri ist uns, wie bereits bemerkt, keine direkte Berührung mit Assur bekannt. Wir
werden aber nicht fehlgehen mit der Annahme, daß die Heirat seines Sohnes mit Isebel
und damit der enge Anschluß an Tyrus schon auf politische Erwägungen Omris zurück=
gehen, die mit dem immer drohender werdenden Auftreten Assurs zusammenhingen. Man
hatte noch keine richtige Schätzung der Macht Assurs gewonnen und glaubte in Israel
noch, durch enges Zusammengehen mit dem phönizischen Nachbar des von Osten vor=
drängenden Gegners Herr werden zu können — ein Irrtum, der freilich der Dynastie
Omris teuer zu stehen kam. Denn ihr Sturz durch Jehu ist ohne allen Zweifel unter
assyrischen Einflusse und unter der Protektion Assurs erfolgt.   Kittel.

On. — Die ägyptische Stadt On (ägypt. Onu, assyr. Unu), von den Griechen Heliupolis
genannt, war eine der ältesten Städte des Niltales und von alters her die Hauptstadt
eines besonderen Gaues. Ihre ziemlich unbedeutenden Ruinen liegen bei dem Dorfe Ma=
tarije, etwa 10 km nordöstlich von Kairo. Die Ortsgottheiten von On waren der
sperberköpfige Sonnengott Rē=Harmachis, der von den Griechen dem Helios gleichgesetzt
wurde — daher der Stadtname Heliupolis — und der menschenköpfige Atum, der sich

in dem heiligen Mnevisstiere offenbarte. Ihnen war der berühmte Tempel, das „Haus der Rē" geweiht, den der erste König der 12. Dynastie Amenemhēt I. an Stelle eines älteren Heiligtums neu erbaute und vor dem sein Sohn und Nachfolger Sesostris I. (Senwosret, Usertesen) gelegentlich eines Jubiläums zwei große Obelisken errichtete. Einer dieser Obelisken steht jetzt noch an seiner alten Stelle. Den Priestern von On verdankt 5 ein großer Teil der ägyptischen religiösen Litteratur seine Entstehung; ihre Lehren haben schon in sehr alter Zeit eine weite Verbreitung im Lande gefunden und den Rē-Harmachis zum angesehensten der ägyptischen Götter gemacht. Noch in griechischer Zeit standen sie im Rufe großer Weisheit. Als Strabo (geb. ca. 60 v. Chr.) Ägypten bereiste, war die Stadt On schon verödet; dagegen war ihr Tempel bis auf einige Zerstörungen, die man 10 dem Kambyses zur Last legte, erhalten, selbst die Häuser der Priester und die Wohnzimmer des Plato und seines Freundes Eudoxos wurden noch gezeigt. — In der Bibel wird On Gen 41, 45. 50; 46, 20 genannt: die Gattin Josephs Asnath war eine Tochter des Potiphera (Πετεφρῆς, äg. Pet̮e-prē „der den der Sonnengott Rē gegeben hat") von On. Ez 30, 17 wird On neben Pibeset als eine der wichtigsten Städte Ägyptens 15 erwähnt.   **Steindorff.**

Oncken, Johann Gerhard, Begründer der Baptistengemeinden in Deutschland, gest. 1884. — Litteratur: Th. Duprée, Leben u. Wirken von J. G. Oncken, Kassel 1900; J. Lehmann, Geschichte der deutschen Baptisten, I, Hamburg 1896, II, Kassel 1900. Gedenkblatt des „Wahrheitszeugen", Hamburg 1884. Licht und Recht, Predigten und Reden von 20 J. G. Oncken, Kassel 1901; G. Ecke, Die evangelischen Landeskirchen Deutschlands im 19. Jhdt., Berlin 1904, S. 109 f.

Johann Gerhard Oncken wurde zu Varel am 26. Januar 1800 geboren. Da sein Vater unter dem Drucke der französischen Fremdherrschaft nach England flüchtete, wo er bald darauf verstarb, wurde der Knabe im Hause der Großmutter erzogen, erhielt aber 25 sehr geringen Schulunterricht und bei dem herrschenden Rationalismus nur dürftige religiöse Eindrücke. Nach seiner Konfirmation ging er 1814 als Lehrling eines schottischen Kaufmanns, der an dem begabten und aufgeweckten Jungen Gefallen gefunden, nach Leith und weilte nun neun Jahre in Schottland und England, im Geschäft und auf weiten Reisen erfolgreich für seinen Lehrherrn thätig und dabei in ernstem Streben bedacht, die großen 30 Lücken seiner Schulbildung auszufüllen. Auch mit dem reichen christlichen Leben Großbritanniens kam er in segensvolle Berührung und lernte neben den mannigfachen Werken der Barmherzigkeit besonders das mächtig aufgeblühte Sonntagsschulwerk kennen, dessen Wegbereiter er in seinem Vaterlande werden sollte. Zumeist waren es Independenten-Gemeinden, denen er die Anregungen für sein inneres Leben verdankte, und in ihren 35 Kreisen kam er in London, wohin er 1819 übergesiedelt war, zum lebendigen Glauben. Der Neubekehrte bewies nun einen so regen Zeugeneifer, daß die eben gegründete Continental Society, welche es sich zur Aufgabe gesetzt hatte, der Macht des Rationalismus auf dem Festlande durch Entsendung „gläubiger" Evangelisten entgegenzuwirken, auf ihn aufmerksam wurde. 40

In ihren Diensten ging er dann im Dezember 1823 nach Hamburg und entfaltete dort im Anschluß an die (englisch-reformierte) Independenten-Gemeinde eine reiche evangelistische Thätigkeit. Bald war er eins der eifrigsten Glieder und Sekretär der „Niedersächsischen Traktat-Gesellschaft", durch welche er mit dem trefflichen Pastor Rautenberg bekannt wurde, und gründete einen „Verein gegen das Branntweintrinken". Daneben 45 wirkte er als Kolporteur und leitete Gemeinschaftsstunden, in denen er mit lebendiger Beredsamkeit, die ihm von Natur in hohem Grade eignete, auf Buße und Bekehrung drang. Der Erfolg des „Winkelpredigers" wurde bald derart, daß ihm einige Freunde für die immer zahlreicher herbeiströmenden Zuhörer einen großen Versammlungssaal mieteten. Viele kamen aus Neugier und Lärmlust, aber auch die Zahl der Erweckten wuchs. Dieser 50 nahm sich Oncken besonders an und pflegte die Beziehungen zu ihnen durch regelmäßige Hausbesuche. Als er hierbei aus eigener Anschauung die große Zügellosigkeit und Verwilderung der in den Armenvierteln Hamburgs fast ohne jeden Schulunterricht aufwachsenden Jugend kennen lernte, unternahm er es mit der ihm eigentümlichen Thatkraft, diesem Elend entgegenzutreten. Er setzte sich mit Rautenberg zur Gründung eines 55 Sonntagsschulvereins, wie er sie von England her kannte, in Verbindung. Mit Freuden willigte dieser ein; in der „Ansprache an die Freunde des Guten" wurde der Christenheit Hamburgs die Not der Jugend ans Herz gelegt; und als Oncken von der Sonntagsschulunion in London die erbetenen Mittel erhielt, konnte am 9. Januar 1825 im ärmsten

Stadtteil, St. Georgen, die erste Sonntagsschule eröffnet werden. Sie stand unter der
Aufsicht der Schulbehörde und im engsten Anschluß an die Kirche, so daß Oncken, als
Mitglied der reformierten Gemeinde, öffentlich nur als Buchführer gelten durfte, obwohl
er die Seele der ganzen Bewegung war. Es war eine Sonntagsschule der Armen,
5 ganz nach dem Vorbilde der ersten englischen, da man den verwahrlosten Kindern die
Elemente der Volksschule beibringen mußte, ehe man ihnen das Evangelium darbieten
konnte. Der Unterricht wurde von Anfang an in kleineren Gruppen von freiwilligen
Helfern erteilt, — und damit waren die Vorposten jener gewaltigen Schar auf den Plan
gerufen, die sich in dem Trieb rettender Liebe auf dem großen Arbeitsfelde der Inneren
10 Mission zusammenschließen sollten (Wichern, Denkschrift S. 124). Für Oncken, der nun
schon eine stadtbekannte Persönlichkeit war, bedeutete diese Gründung eine nicht geringe
Vermehrung seiner Arbeitslast, zumal da er sich noch der zahlreichen Seeleute in Hamburg angenommen hatte und unter ihnen durch Schiffsversammlungen und Verbreitung
christlicher Schriften wirkte. Auch der Besuch seiner Evangelisationsstunden wurde nun
15 derart, daß auf Veranlassung der Geistlichkeit wiederholt die Polizei einschritt und die
Versammlungen auflöste. Da Oncken noch nicht das Hamburger Bürgerrecht besaß,
mußte er mehrmals der Gewalt weichen, benutzte aber diese Gelegenheiten zu längeren
Missionsreisen. So hielt er besonders in Bremen mehrere Wochen hindurch sehr zahlreich besuchte Erbauungsstunden, auch hier bestrebt, bei ihm wohlgesinnten Geistlichen wie
20 Treviranus und Mallet auf die Gründung von Sonntagsschulen hinzuwirken, die dann
einige Jahre später ins Leben gerufen wurden.

Der Druck der geistlichen Behörde legte sich lähmend auf die Onckensche Bewegung.
Viele zogen sich ängstlich von ihm zurück, während sich ein kleines Häuflein Getreuer nur
noch enger an ihn anschloß. In diesem Kreise, der sich durch die polizeiliche Bedrückung
25 immer mehr von der Kirche abgedrängt sah und nun um so eifriger dem apostolischen
Gemeinde=Ideal nachforschte, tauchten die ersten Bedenken gegen die Kindertaufe auf, die
bei Oncken bald so stark wurden, daß er sein erstgebornes Kind nicht taufen ließ. In
seinen Gewissensbedenken wandte er sich an den bekannten Baptistenprediger Robert
Haldane in Glasgow, mit dessen Kommentar zum Römerbrief er bekannt geworden war,
30 und erhielt von ihm den Rat, in Ermangelung eines Täufers sich selbst zu taufen. Das
erschien Oncken und den Seinen als völlig unbiblisch und unangemessen, obwohl sie sich
von der Notwendigkeit einer nach apostolischer Weise durch Untertauchung vollzogenen
Taufe überzeugt hatten. So kamen denn Jahre stillen Wartens für den kleinen Kreis
„Taufgesinnter", bis auf Anregung des Kapitäns Tubbs, eines amerikanischen Baptisten,
35 welcher bei seiner Überwinterung in Hamburg näher mit der Bewegung bekannt geworden war, 1833 der baptistische Professor Dr. B. Sears auf einer Studienreise in
Deutschland Oncken besuchte und in ihm und seinen Anhängern Gläubige fand, welche er
nach dem Ritus seiner Gemeinschaft zu taufen sich bereit erklärte. Größere Evangeli-
sationsreisen Onckens schoben den Plan noch einige Zeit hinaus, bis dann Sears bei
40 seiner Rückkehr nach Hamburg am 22. April 1834 in der Elbe die biblische Taufe an Oncken,
seiner Gattin und noch fünf anderen Personen vollzog. Am Tage darauf traten diese
sieben unter Sears' Vorsitz zu einer „Gemeinde getaufter Christen" zusammen, welche
Oncken als ihren Ältesten anerkannte: Damit war die erste Baptistengemeinde auf dem
europäischen Festlande gegründet.

45 Für die mit Oncken verbundenen kirchlichen Kreise war seine „Wiedertaufe" ein
großes Ärgernis. Der Traktatverein verschloß ihm seine Thore, und auch in der Sonntagsschule veranlaßte man ihn, von seinem leitenden Posten zurückzutreten. Hier wurde
sein Nachfolger der Kandidat Johann Hinrich Wichern, durch dessen Mitarbeit die erste
Hamburger Sonntagsschule, „der Mutterboden der Inneren Mission geworden ist" (s. b. A.
50 Kindergottesdienst Bd V S. 286). Auch Oncken empfand diese Trennung sehr schmerzlich,
zumal da er sich aus seinem bisherigen großen Wirkungskreise in die Enge seiner kleinen
Gemeinde versetzt sah, wandte sich aber nun mit um so größerem Eifer den neuen Aufgabe zu, welche sein Glaubensschritt ihm stellte. Die Traktatmission setzte er in einem
neugegründeten Verein mit seinen Gemeindegliedern fort, und auch der Bibelverbreitung,
55 welche er seit 1828 als Agent der Edinburger Gesellschaft betrieb, widmete er vermehrte
Aufmerksamkeit. Auf Sears' Empfehlung nahm sich dann seit 1835 die amerikanische
Baptistenmissionsgesellschaft seiner an und unterstützte ihn mit Beihilfen für die Gemeinde-
arbeit. Auch diese wuchs, schneller, als er zu glauben gewagt; denn seine Taufe war
allgemein bekannt geworden, und manche aus der großen Zahl der Neugierigen, welche
60 die Versammlungen der „neuen Münsterschen Wiedertäufer" besuchten, wurden durch sein

geistesmächtiges Zeugnis überwunden. Bis 1836 war die Gemeinde schon auf 68 Glieder
angewachsen, unter denen besonders Julius Köbner (geboren 1806 zu Odense in Däne=
mark, gestorben 1884 als Prediger der Gemeinde in Berlin) hervorragte, der seine
tüchtigen philologischen Kenntnisse und seine nicht unbedeutenden litterarischen Gaben bald
ganz in den Dienst der jungen Gemeinschaft stellte. Aber auch in den christlichen Gesell= 5
schaften hin und her im Lande, mit denen Oncken durch sein ausgedehntes Bibel= und
Verlagsunternehmen in Beziehungen stand, hatte seine Taufe in diesen Kreisen nie
völlig ruhende Tauffrage wieder mächtig angeregt. Von vielen Seiten wurde er mit
Anfragen und Einladungen bestürmt, und überall trat er nachdrücklich für seine Tauf=
überzeugung ein. So kam es schon 1837 zur Gründung einer kleinen Gemeinde in 10
Berlin, wo Gottfried Wilhelm Lehmann (geb. 1799 zu Hamburg, gest. 1882 in Berlin)
als Ältester und Prediger die Sache des Baptismus erfolgreich führte. Es war Oncken
eine besondere Ermutigung, daß er so bald in Köbner und Lehmann treue und begabte
Mitarbeiter fand; sie sind es ihm geblieben und werden mit ihm als die Säulen und
Väter der Gemeinschaft geehrt.   15
   Für die weitere Ausdehnung des Werkes sorgte auch hier wie so oft eine in Ham=
burg nach dem Rücktritt des wohlwollenden Polizeiherrn Dr. Hudtwalker eintretende
polizeiliche Drangsalierung Onckens und seiner Anhänger. Dieser hatte selbst Veran=
lassung dazu gegeben, indem er, um die im Umlauf befindlichen bösen Gerüchte zu
widerlegen, die bisher bei Nacht vollzogenen Taufen im September 1837 am Tage 20
öffentlich in der Elbe vornahm. Hierbei trieb der Pöbel seinen Unfug, und die Auf=
regung über diesen Schritt nahm solchen Umfang an, daß der neue Polizeiherr
Dr. Binder, um der Sache gründlich ein Ende zu machen, Oncken verhaften ließ. Die
Versammlungen wurden verboten und auch die kleineren Kreise überall gesprengt; Oncken
selbst wurde zu vier Wochen Kerker verurteilt, und dadurch der Gemeinde ihr Haupt 25
genommen. Aber die Ausgewiesenen wurden überall, wohin sie kamen, zu Aposteln der
neuen Lehre, die vielfach empfängliche Gemüter fand. Auf diese Weise kommt es dann
an mehreren Orten zur Gründung von kleinen Gemeinden, wie 1838 in Stuttgart und
Oldenburg; und 1839/40 wird durch Köbner und Oncken die erste Baptistengemeinde in
Dänemark gegründet und der Anstoß zur Ausbreitung der Gemeinschaft nach Schweden 30
gegeben. Der Widerstand in Hamburg freilich dauerte fort, obwohl sich die englischen
Glaubensbrüder und die evangelische Allianz beim Senat für die Bedrängten verwandten.
Als dann aber bei dem großen Brande im Mai 1842 Oncken der Behörde großmütig
das Gemeindehaus zur Aufnahme der Heimatlosen zur Verfügung stellte und sich mit
der Gemeinde der Ärmsten aufopfernd annahm, war mit einem Schlage die Feindschaft 35
besiegt: Die Gemeinde konnte sich fortan in Frieden bauen. Es waren Jahre schwerer
Prüfung, die Oncken durchgemacht hatte. Denn zu dem äußeren Ungemach kam eine
langwierige Halskrankheit, die ihn im Sprechen außerordentlich behinderte, und das
jahrelange Siechtum seiner Frau, welche ihm 1845 durch den Tod entrissen wurde.
Aber das Werk seiner Gemeinschaft nahm seinen gesegneten Fortgang nahm, hielt ihn auf= 40
recht. Es war ihm dabei ein Gegenstand ernstester Fürsorge, daß die jungen Gemeinden
nun nicht in schrankenloser Freiheit zersplitterten, sondern in ein festes brüderliches Ver=
hältnis traten. Schon gegen die Angriffe von außen her war es nötig, ein gemein=
sames Glaubensbekenntnis aufzustellen, an dessen Formulierung nächst Köbner und Leh=
mann Oncken hervorragenden Anteil hatte, der es 1847 in seinem Verlage herausgab 45
(s. A. Baptisten, Bd II, 391 f.). Der politische Umschwung des Jahres 1848 ermög=
lichte es dann, die engere Verbindung der Gemeinden öffentlich zu betreiben; und nach=
dem in diesem Jahre G. W. Lehmann die Baptistengemeinden in Preußen zu einer
„Vereinigung" zusammengeschlossen hatte, brachte Oncken im Januar 1849 in Hamburg
eine Konferenz von 56 Abgeordneten der zur Zeit bestehenden 37 Baptistengemeinden 50
mit über 2000 Gliedern zu stande, welche einmütig zu einem „Bunde der Gemeinden
getaufter Christen in Deutschland und Dänemark" zusammentraten. Der Bund sollte
nur das Band geistlicher Gemeinschaft um die glaubensverwandten Gemeinden schließen,
deren völlige Selbstständigkeit gegen Onckens Anschauungen grundsätzlich anerkannt wurde,
und zu einheitlicher Missionsübung anregen; Köbner gab ihm in der „Glaubensstimme" 55
das gemeinsame Gesangbuch und wurde mit Oncken berufen, die geeigneten Kräfte für
den Evangelistendienst vorzubilden. Hamburg bestellte man zum Vorort des Bundes
und Oncken zum Vorsitzenden der „ordnenden Brüder".
   In dem Zusammenschluß der Gemeinden hatte Oncken ein Hauptziel seines Lebens=
werks erreicht; wir finden ihn von nun ab unausgesetzt für die Bundesinteressen thätig. 60

Zunächst unternahm er es, durch ausgedehnte Kollektenreisen in England und Amerika die für das junge Werk nötigen Geldmittel aufzubringen und neben der regelmäßigen Unterstützung der Evangelisation durch die amerikanische Missionsgesellschaft einen Kapellen= baufonds zu sammeln. Dann wieder führte ihn sein Bundesamt auf weite Reisen, bis tief nach Rußland hinein, wo er unter den Mennonitengemeinden eine nachhaltige Er= weckung einleitete. Es waren für den Vielbeschäftigten besondere Erquickungszeiten, wenn er nach solchen Missionsfahrten im Schoße der Hamburger Gemeinde rasten konnte. Mit ihr feierte er 1859 freudig bewegt das 25jährige Jubiläum: Den ersten Sieben waren in Hamburg allein während dieses Zeitraums 1288 Seelen in der Taufe gefolgt, und aus der verachteten Schar war eine vom Staat anerkannte Religionsgemeinde geworden. Da die erste Kapelle längst zu klein geworden, sammelte Oncken auf neuen Reisen die Mittel zu einem größeren Bau und konnte bei Gelegenheit der siebenten Bundeskonferenz am 17. August 1867 im Beisein C. H. Spurgeons die neue Kirche ihrer Bestimmung über= geben. Dieser Besuch des „Fürsten unter den Predigern" war ein Beweis für das große Ansehen, dessen sich Oncken bei seinen englischen und schottischen Glaubensbrüdern erfreute. Bewunderten sie doch mit Recht an ihm die nimmermüde Energie, mit welcher er die Ausbreitung evangelischen Glaubens weit über die Grenzen seines Vaterlandes hinaus betrieb; denn selbst bis nach China hat er aus der Enge seines Kreises glaubens= mutig seine Missionare entsendet und in Südafrika ein blühendes Missionswerk be= gründet. So ist er auch beim Ausbruch der deutschen Kriege und besonders 1870 mit seinen wackeren Kolporteuren mit als der erste auf dem Platze gewesen, um die christ= liche Schriftenverbreitung, welche ihm stets sonderlich am Herzen lag, segensreich zu organisieren; 128000 Exemplare und Teile der hl. Schrift sowie 2000000 Traktate und Erbauungsschriften sind unter seiner Leitung an Freund und Feind verteilt worden.

Gerade aber um diese Zeit regsten Wirkens senkte sich über das Leben des betagten Streiters ein tiefer Schatten; denn im eigenen Lager brach ein Zwist aus, welcher die Einheit der Gemeinschaft in Frage stellte. Oncken war eine zu selbständig angelegte Natur und ein zu ausgesprochener Charakter, daß er nicht seiner ganzen Thätigkeit und Umgebung den Stempel seiner starken Persönlichkeit aufgeprägt hätte. Die Geschichte selbst hatte ihn zum Begründer und Vorkämpfer seiner Gemeinschaft gemacht, und in seiner Sorge um die Einheit der Gemeinden hatten sich seine Verfassungsanschauungen immer monarchischer zugespitzt. Hamburg erschien ihm durch Gottes Walten zum Mittel= punkte des deutschen Baptismus erkoren und in der Organisation des Werkes zu ausschlag= gebender Bedeutung berufen. Von hier aus wurden die Evangelisten entsendet und die amerikanischen Missionsgelder verwaltet, hier wachte die erste Gemeinde und ihre Ältesten über Reinheit und Einheit der Lehre. Oncken hat es zu wiederholten Malen auf den Konferenzen deutlich ausgesprochen, daß ihm die independentistische Verfassung der ameri= kanischen und englischen Baptisten (vgl. hierüber Loofs' Ausführungen im A. Kongre= gationalisten, Bd X, 681 ff.) gründlich mißfiele, und dabei die Einheit der deutschen Ge= meinden stark betont. So sollte auch die neue große Kapelle in Hamburg nach seinen eignen Worten ein bleibendes Denkmal der Bundeseinheit und der Sammelpunkt der regelmäßigen Konferenzen sein, eine Schutzwehr wider Zersplitterung. Viele seiner Brüder teilten durchaus diese Auffassung und gaben sich willig unter seine geistesmächtige Lei= tung, durch welche der Baptismus wirklich vor dem Krebsschaden der kleineren Kirchen= parteien, der Auflösung in Atome, bewahrt worden ist. Je größere Aufgaben aber an die örtlichen Gemeinden herantraten, und je mehr selbständige Kräfte in ihnen empor= wuchsen, desto drückender empfand das independentistische Gemeindebewußtsein die Centrali= sation, welche sich als ein schweres Hemmnis für die Ausbreitung erwies. Gerade in Hamburg zuerst, wo die größte Bundesgemeinde bestand, mußte Oncken die Durchbrechung seines prinzipiellen Standpunktes erleben. Mißhelligkeiten in der Leitung, die zum Teil auch in persönlichen Gegensätzen wurzelten, führten hier 1871 zur Begründung einer zweiten Gemeinde in Altona, wobei Köbner und Lehmann mitwirkten, nachdem sie Oncken, wie sie glaubten, von der Notwendigkeit dieses Schrittes überzeugt hatten. Gleich darauf aber erklärte dieser, daß die Gründung gegen seinen Willen erfolgt sei, und versagte der neuen Gemeinde die Anerkennung und Aufnahme in den Bund. Der Gegensatz zwischen den „ordnenden Brüdern" verschärfte sich dadurch und konnte auch auf der Bundeskonferenz von 1873, nicht ausgeglichen werden. Denn durch unbesonnene Preßfehde war die Fackel der Zwietracht in alle Gemeinden geworfen worden und entfachte nun einen mehrjährigen Bruderkrieg, in welchem das eigentliche Kampfziel völlig verrückt und auf beiden Seiten mannigfach gefehlt wurde. Oncken beharrte, wenn auch tiefgebeugt, lange Zeit hartnäckig auf seinem Standpunkt, und nur ganz allmählich reifte in ihm die Erkenntnis, daß er um des gesegneten Fortgangs seines Werkes willen den Widerstand aufgeben müsse. Auf der Konferenz von 1876 wurde der Friede geschlossen und die persönlichen Gegensätze in herzlicher Versöhnung ausgeglichen. Die Gemeinde Altona erhielt die nachgesuchte Anerkennung, und dadurch war mit dem Grundsatz der „Centralisation", den Onden in 5 bester Absicht so starr festgehalten hatte, endgiltig gebrochen.

Waren diese Jahre eine Zeit tiefster Demütigung für Onden, so verklärte ihm nun um so innigere Liebe und Verehrung der Seinen den Lebensabend, welcher ihm nach Gottes Ratschluß noch schweres körperliches Leid brachte. Der Greis spürte, daß seine Kraft gebrochen, und beschloß die Arbeit seines Lebens, indem er 1878 sein christliches 10 Verlagsgeschäft dem Bunde als Missionsunternehmen vermachte. Im folgenden Jahre ereilte ihn ein Schlaganfall, der ihn lähmte und fortschreitend auch seiner Geisteskräfte beraubte. In fünfjährigem Siechtum reifte er der Ewigkeit entgegen, behütet von der treuen Fürsorge seiner dritten Gattin, getragen von den Gebeten seiner Glaubensbrüder und bei aller Schwachheit seiner Erlösung in Christo sich klar bewußt. Am 2. Januar 15 1884 ist er fern der Heimat in Zürich entschlafen; seine Gebeine ruhen auf dem reformierten Kirchhof zu Hamburg, wo ihm die Gemeinde ein schlichtes Granitdenkmal setzte. Dreißigtausend Baptisten in Deutschland und den Nachbarländern trauerten um ihren geistlichen Vater, den seine Treue gegen die Schrift und seine siegreiche religiöse Thatkraft zu einem Großen im Himmelreich machen. Onden ist eine hervorragende Christen- 20 gestalt reformierten Gepräges; hierin wurzeln seine Vorzüge und seine Schwächen. Steht er auch außerhalb der Grenzen der verfaßten Kirche, so ist ihm doch nichts Christliches fremd gewesen, und überall auf den Pfaden der Inneren und Äußern Mission begegnen wir seinen bahnbrechenden Segensspuren und seinem brennenden Eifer für die Werke des Evangeliums. Als Begründer des Baptismus in Deutschland gehört er der Kirchen- 25 geschichte an, denn die von ihm entfachte Bewegung ist durch ihre Größe und Kraft nicht die unbedeutendste Erscheinung des deutschen religiösen Lebens im 19. Jahrhundert.   S. Gieselbusch.

Onias s. d. A. Hoher Priester Bd VIII S. 255, 33 ff.

Onkelos s. Thargum. 30

Oosterzee, Johannes Jacobus van, gest. am 29. Juli 1882. — A. W. Bronsveld, J. J. van Oosterzee (Mannen van beteekenis, Haarlem 1882); G. H. Lamers, J. J. van Oosterzee en de dienst des Woords (Stemmen voor Waarheid en Vrede 1882, blz. 267 v. v.); J. J. van Oosterzee, Uit mijn levensboek. Voor mijne vrienden. Utrecht 1883; J. J. Doedes, Een woord ter gedachtenis (Utrechtsche Studenten-Almanak 1883); F. v. Gheel 35 Gildemeester, J. J. van Oosterzee als homileet en evangeliepredicker (Theol. Studien 1883 blz. 371 v. v.); W. Francken Az, J. J. v. Oosterzee (Levensberichten der afgestorven medeleden van de Maatschappij der Ned. Letterkunde 1883 blz. 43—79. Daran schließt sich blz. 80—102 eine Lijst der geschriften van Dr. J. J. v. O. an); A. W. Bronsveld, Een theologisch klaverblad, Rotterdam 1897. 40

van Oosterzee ist geboren zu Rotterdam den 1. April 1817 und gestorben in Wiesbaden, wohin er sich zur Herstellung seiner Gesundheit begeben hatte, den 29. Juli 1882. Er wurde in dem Erasmianischen Gymnasium in Rotterdam für den akademischen Unterricht vorbereitet, von 1830—1834, besuchte dann vom Januar 1835 an die Universität Utrecht. Hier hörte er zuerst unter andern Ph. W. van Heusde und J. F. L. Schröder; 45 dann während der Jahre 1836—1839 in der Theologie Heringa (emeritus), Bouman, Royaards, Vinke. Schon im Anfang seiner Studentenzeit fand er in J. J. Doedes (s. d. A.), seinem späteren Kollegen in Rotterdam und Utrecht, einen Freund und Studiengenossen, mit dem er, trotz der großen Verschiedenheit in Persönlichkeit und Charakter, die man bei ihnen wahrnahm, bis an seinen Tod in innigster Freundschaft verbunden 50 blieb. Schon als Student der Theologie that sich van Oosterzee durch seine Gewandtheit, Lebendigkeit, durch seine Anlagen und seinen Eifer hervor, ebenso durch seine besondere Liebe zur theologischen Wissenschaft. Auch offenbarten sich bei ihm schon hier hervorragende Gaben für die Kanzel, so daß er zum Prediger geboren schien. Im Oktober 1839 wurde er Predigtamtskandidat der niederländischen reformierten Kirche; den 55 22. Juni 1840 erwarb er sich, wie dies in Holland geschehen kann, den Grad eines Doktors der Theologie durch die Verteidigung seiner theologischen Dissertation „de Jesu e virgine Maria nato". Die Wahl dieses Gegenstandes stand mit seiner Vorliebe

für das Studium des Lebens Jesu in Verbindung; ebenso mit seinem Wunsche, als
Apologet der Glaubwürdigkeit der evangelischen Geschichte aufzutreten, wozu ihn Strauß
angeregt hatte. Das Destruktive von dessen „Leben Jesu" (1835) zog ihn durchaus
nicht an. Schriften wie die von Tholuck und Neander, von Hagenbach, Ullmann, Dorner
5 hatten für ihn sehr viel Anziehendes. Obwohl damals ebensowenig als später blind für
das relative Recht der Angriffe, welche die sogenannte negative Kritik gegen die überlieferte konservative Vorstellung richtete, konnte er sich doch durchaus nicht in die Preis-
gebung des Wunders finden, und folgte auch später nicht der Tübinger Schule, wenn
er auch sehr lebendiges Interesse für die Schriften von F. Ch. Baur und dessen Schülern
10 hatte. Von Anfang an hatte die biblische Geschichte, wie sie in den Schriften des
Alten und Neuen Testamentes enthalten ist, große Anziehungskraft für ihn und so
blieb es bis an das Ende seines Lebens. Hierbei ist die Erziehung, welche er von
seiner frommen Mutter erhalten hatte (seinen Vater hatte er frühe durch den Tod
verloren), von großem Einflusse gewesen, ebenso auch der Unterricht, welchen er in
15 seiner Jugend von dem frommen und tüchtigen Rotterdamer Prediger Abr. de Bries
erhalten hatte, welchem Manne sich van Oosterzee allzeit zu großem Danke verpflichtet
fühlte.

Gut ausgerüstet und vorbereitet trat er am 7. Februar 1841 das Predigtamt in
der Gemeinde Eemnes-Binnen (Provinz Utrecht) an. Von hier kam er zwei Jahre
20 später nach Alkmaar, sah sich aber bereits im November 1844 nach Rotterdam versetzt.
Bald hatte van Oosterzee als Kanzelredner einen großen Ruf, und in Rotterdam Gelegenheit, seine volle Kraft auf dem Gebiete der geistlichen Beredsamkeit zu entwickeln
und sich dadurch bekannt zu machen. Während eines Zeitraumes von achtzehn Jahren
hat die Gemeinde zu Rotterdam ihn in ihrer Mitte arbeiten sehen, bis er im Beginne
25 des Jahres 1863 als Nachfolger seines Lehrers Vinke an die Universität Utrecht berufen wurde.

Daß van Oosterzee, mit seltenen Predigergaben ausgerüstet, zu den am reichsten
begabten Kanzelrednern der neueren Zeit gehört hat, ist über allen Zweifel erhaben.
Was im engeren Sinne die berühmtesten niederländischen Kanzelredner betrifft, so steht
30 er keineswegs in ihrem Schatten. Wie hoch man auch die Professoren van der Palm,
Borger, des Amorie van der Hoeven stellen mag, oder den Haagschen Prediger Dermout,
oder andere aus den letzten Jahren, so reiht sich van Oosterzee ihnen als ein Stern erster
Größe an dem homiletischen Himmel an. In hohem Maße geistvoll in der Wahl seiner
Texte, in der Disposition der Teile seiner Rede, in der Formulierung des Themas oder
35 auch der Überschrift, ist er Meister in der Bearbeitung des Stoffes, reich an Bildern,
gewandt in den verschiedensten rednerischen Formen. Durch seinen allezeit lebendigen
Vortrag zog er seine Zuhörer mit unwiderstehlicher Kraft an, erhob er sie, und erhielten
sie durchweg den Eindruck, als ob sie eine Festrede gehört hätten. Kein Wunder, daß
er allezeit und überall eine große Schar Hörer vor sich sah, deren Anzahl sich auch nie
40 verminderte, obwohl sich ihre Zusammensetzung, von geistlichen Gesichtspunkte aus betrachtet, veränderte. Auch später, zu Utrecht, wo er ebenso wie seine Amtsgenossen in
der theologischen Fakultät als Universitätsprediger auftreten mußte, blieb die Kirche stets
gefüllt, wie man es bei ihm gewöhnt war. Die Toga des Professors hat denn auch
die Entfaltung der glänzenden Eigenschaften des Kanzelredners nicht im mindesten be-
45 einträchtigt. Van Oosterzee hat stets in reichem Maße Sorge getragen, daß die, welche
ihn nicht hören konnten, in den Stand gesetzt wurden, ihn zu lesen. Beinahe zwei-
hundertsiebzig Predigten sind von ihm selbst veröffentlicht worden, denen man nach
seinem Tode noch zwölf hinzugefügt hat, so daß wir nun in ungefähr zweihundertachtzig
im Drucke erschienenen „Leerredenen" (so hier er sie selbst genannt), ein „monumentum
50 aere perennius" dieses vor vielen gefeierten niederländischen Kanzelredners errichtet sehen.
Die folgenden Bände „Leerredenen" (Predigten) sind im Drucke erschienen: Leerredenen (12-tal) 1846. Nieuwe Leerredenen (12-tal) 1848. Woorden des Levens (12-tal) 1851. Stemmen van Patmos (9-tal) 1852. Stemmen des Heils
(12-tal) 1854. Verspreide Leerredenen 1843—1855 (17-tal) 1856. Mozes (12-tal)
55 1859. Levens vragen beantwoord (12-tal) 1860. Gedachtenis (10-tal) 1863.
Feestbundel (16-tal) 1864. Zestal Leerredenen 1866. Christelijke Tijdstemmen
(10-tal) 1866. Laatste Leerredenen (16-tal) 1872. Genade en waarheid (12-tal)
1881. Überdies: Twaalf Lijdenspreeken: „Zie het Lam Gods" 1883 (nach dem
Tode des Autors). Früher erschienen noch: De Heidelbergsche Catechismus
60 in 52 Leerredenen, 1869, 1870 (2. Aufl. 5. Tausend 1872, 3. [Titel-]Ausg. 1882)

und zu verschiedenen Zeiten noch ohngefähr „48 preeken of toespraken" besonders.
Wenn man an seinen Predigten etwas auszusetzen muß, dann ist es dies, daß sie zu
blumenreich und zu oratorisch sind. Wurden auch die Hörer durch die große rednerische
Begabung van Oosterzees gefesselt und gezwungen, mit gespannter Aufmerksamkeit seinen
Predigten zu lauschen, für den Leser sind sie bisweilen ermüdend Seine besten Pre= 5
digten, die einfachsten und praktischsten, sind die über den Heidelbergischen Katechismus,
die als musterhaft gelten können. Seine herausgegebenen Predigten werden gerne gekauft
und fanden ihre Leser in allen Kreisen. Bekannt ist die Thatsache, daß von seiner
Predigt „Rome's Overwinnaar", die er in den Tagen der Aprilbewegung des Jahres
1853 über Offenb. 19, 16 b hielt, innerhalb zwölf Tagen 14 000 Exemplare verkauft 10
wurden (auch ins Deutsche übersetzt „Roms Überwinder", Frankf. a. M. 1857). Unter
wie großem Beifalle auch van Oosterzee gewöhnt war zu predigen, so blieb er doch sehr
weit davon entfernt, die Form über den Inhalt zu stellen, oder um der Form willen
den Inhalt zu vernachlässigen oder zu verwahrlosen. Die Predigt war und blieb für
ihn Predigt des Evangeliums, Verkündigung Jesu Christi nach den hl. Schriften, Ver= 15
kündigung des Heiles, durch Gottes Gnade in Christo Jesu allen verlorenen Sündern
geschenkt. Mehr und mehr war es denn auch Glaube an Jesum Christum und Bekeh=
rung und Heiligung, worauf seine Predigt hindrängte, oder welche er als zur Seligkeit
erforderlich verkündigte. „Nach den hl. Schriften," dies müssen wir mit vollem Nach=
druck in den Vordergrund stellen. Wie van Oosterzee, im ganzen genommen, kein 20
Konfessionalist war, so war die Kanzel für ihn am allerwenigsten der Platz, auf dem
er über das Evangelium der hl. Schriften hinaus dogmatisierte oder theosophierte,
nach welcher Seite hin auch immer. Brachte es die Sache mit sich, oder lag es
auf seinem Wege, ein oder das andere „Dogma" zur Sprache bringen zu müssen
(man denke an die Katechismuspredigten), so ließ er der Forderung des Augenblicks 25
ihr Recht widerfahren, ebenso dem Gegenstande selbst. Jedoch etwas predigen darum,
weil es Kirchenlehre war, weil es in den Bekenntnisschriften stand, war seine Ge=
wohnheit nicht. Nie war es ihm um Orthodoxie zu thun, auch auf der Kanzel nicht,
wie unzweideutig er auch als Apologet gegen jede Art von Unglauben auftrat. Das
von ihm gerne gebrauchte Wort „Christianus mihi nomen, Reformatus cogno= 30
men" ist sehr bezeichnend für seine ganze Art. Der reiche Vorrat an Predigten,
welcher durch van Oosterzee in mehr als zwölf Bänden hinterlassen worden ist, giebt den
Eindruck von einem Prediger, der biblisch=orthodox genannt werden muß, und der ein
Recht hatte, sich selbst „evangelisch=orthodox" zu nennen, wohl in dem Geiste und Sinne
der niederländisch=reformierten Kirchenlehre, aber wahrlich nicht minder in dem Geiste und 35
Sinne des Evangeliums der hl. Schriften. Nicht ohne Wert ist es, hier in Erinnerung
zu bringen, was er bei der Herausgabe seines ersten Bandes „Leerredenen" (1846)
erklärte, da er es bei Herausgabe seines letzten Bandes (1881) wiederholen konnte. „Man
wird", so läßt er sich hören, „bei dem Lesen bemerken können, daß der Autor sich gern
an die Seite derer stellt, welche den Beruf des Predigers nicht vorzugsweise dahin auf= 40
fassen, daß er unterrichte, sondern vornehmlich, daß er erbaue, aufbaue, erhebe, und die
Zuhörer gleichsam beseele . . ., daß er auf der Kanzel die Grenze zwischen Frömmigkeit
des Herzens und wissenschaftlicher Theologie genau einzuhalten suche, und seine Subjek=
tivität nicht ängstlich unterdrücke und verleugne. Es giebt vielleicht einige, welche diese
Predigten vor allem vom Standpunkte der Rechtgläubigkeit oder Freisinnigkeit prüfen 45
und zuerst nach der Farbe und dem Stempel fragen; diese möge die einfache Versicherung
nicht ärgern, daß ich die Gemeinde lieber auf das Eine hinweise, was nach dem Evan=
gelium allen Gläubigen not thut, als daß ich das Vielerlei biete, was besonderen Schulen
und Auffassungen der Theologie eigen ist. Während ich für mich selbst auf einem ge=
mäßigten, versöhnenden Standpunkte des christlich=philosophischen Offenbarungsglaubens 50
vorwärts zu streben suche . . ., wünsche ich jeglichem, der Christum lieb hat, die Bruder=
hand zu reichen und in der Liebe der Diener aller, aber niemandes Sklave zu werden."
Sein Verhältnis zu den verschiedenen Parteien und Richtungen hat van Oosterzee gegen
Ende seines Lebens selbst beschrieben (Uit mijn Levensboek, blz. 204—208). Von
den Modernen fühlte er sich wie durch eine Kluft geschieden. „Wo der Naturalismus 55
beginnt, hört für mich das Christentum auf". Bei der Mittelpartei (den Groningern)
zog ihn das Supranaturalistische und Christocentrische an, aber ihr Christus war nach
seiner Ansicht nicht der volle Christus der Schrift. Der Semiarianismus und Apollina=
rismus verdarb bei ihnen in seinen Augen alles; ihr Liebäugeln mit den Modernen und
ihre Abneigung und Furcht auch vor einer sehr gemäßigten Orthodoxie konnte ihm nicht 60

gefallen. Dennoch näherte er sich in den letzten Jahren mehr als früher der rechten Seite dieser Mittelpartei, sowohl infolge einer gewissen ihm angeborenen Weite des Herzens, als auch „aus sittlichem Abscheu gegen das unerträgliche Treiben der sich reformiert nennenden Konfessionellen". Zu den Ethischen stand er „in selbstständigem Freundschafts=
5 verhältnis, mit dem Bewußtsein einer nicht unwesentlichen Verschiedenheit". Die zumal auf historisch=kritischem Gebiet sich vollziehende Annäherung der jüngeren Ethischen an die Modernen, von denen jene als „juvenes bonae spei" betrachtet wurden, beobachtete er mit Bedauern, und ihre Vorliebe für die negative Kritik hielt ihn von ihnen zurück. Der kritischen Richtung stand er „keineswegs als Gegner" gegenüber, aber man kann auch
10 durchaus nicht sagen, daß er für sie schwärmte. „Zwischen einem Kritiker und einem Pektoraltheologen, wie ich bin, ist ein großer Unterschied". Seine Stellung zu den Kon= fessionellen war zuerst verhältnismäßig brüderlich, später bewußt geschieden, schließlich fast feindlich. Sein Urteil ging dahin, daß es dieser Richtung, wie sie unter Leitung von Dr. Kuyper auftrat, „nicht um den Herrn, sondern um die Lehre, nicht um das Leben,
15 sondern um das System, nicht um die Herde, sondern um das Futter zu thun war", und im Blick auf Kirche und Wissenschaft hielt er „keine Partei für so verhängnisvoll, wie diesen intellektualistischen Formalismus". Bei ihm selbst stand die supranaturalistisch= historische Auffassung des Christentums im Vordergrund, doch betonte er gegenüber der ethischen und kritischen Richtung seine apologetische Stellung und nannte sich im Unter=
20 schied von den Modernen auf der einen und den Konfessionellen auf der anderen Seite mit Vorliebe evangelisch= oder christlich=orthodox.

Wie sehr van Oosterzee auch mit Herz und Seele sich der anstrengenden Arbeit widmete, welche die Kanzel von ihm forderte, so ist van Oosterzee doch zugleich von An= fang an mit Herz und Seele auf dem Gebiete der theologischen Wissenschaft thätig ge=
25 wesen. Schon in seiner ersten Gemeinde begann er seine Abhandlung über „den Wert der Apostelgeschichte" (Werken van het Haagsch Genootschap, 7e dl. 1846), zu welcher er durch eine Preisfrage der Haagschen Gesellschaft angeregt wurde. Im Jahre 1845 schritten van Oosterzee und Doedes zur Ausführung des schon früher entworfenen Planes, eine wissenschaftliche theologische Zeitschrift herauszugeben. Die „Jaarboeken
30 voor Wetenschappelijke Theologie" (Jahrbücher für wissenschaftliche Theologie) be= gannen damals zu erscheinen und haben damals und später an van Oosterzee eine sehr kräftige Stütze gefunden. Er eröffnete sie mit einer wichtigen apologetischen Studie (Ver= handeling over den tegenwoordigen toestand der Apologetiek, I, 1—71), und ließ es später niemals an Beiträgen fehlen. Neben seiner Beteiligung an dieser Zeitschrift
35 muß vor allem das Werk genannt werden, an welchem er mit besonderer Vorliebe ge= arbeitet und in welchem er viele Resultate seiner Studien aus seinen früheren Jahren vereinigt hat, das „Leben Jesu" (het leven van Jezus), ausgegeben in sechs Abteilungen, von 1846—1851. Dieses umfangreiche, auf breiter Grundlage angelegte Werk läßt uns van Oosterzee am besten in seiner ganzen Eigenart kennen lernen. Um es jetzt billig zu
40 beurteilen, muß man nicht allein die Zeit beachten, in welcher es erschienen ist, sondern auch die Leser, die er sich dachte. Auch unter dem gebildeten, nicht eigentlichen theologi= schen Publikum wünschte er Interesse für sein Werk zu finden, und benützte dann diese Gelegenheit, um eins oder das andere hier zu behandeln, das streng genommen nicht in dieser Biographie behandelt werden sollte. Später erschien eine zweite, neue, vermehrte
45 und verbesserte Auflage (1863—1865), als er schon als Professor in Utrecht thätig war. Damals jedoch mangelte ihm die Zeit und die Ruhe, um in gedrängter Form und unter völliger Vermeidung alles dessen, was nicht zum „Leben Jesu" gehört, eine Lebens= beschreibung zu geben, bloß für das besondere theologische Publikum bestimmt. Nach seinem Leben Jesu hat er zu Rotterdam noch eine ausführliche, für gebildete Leser be=
50 stimmte Christologie folgen lassen (in 3 Teilen, Rotterdam 1855—1861. Eine deutsche Uebersetzung des 3. Teiles erschien Hamburg 1864). In naher Verbindung mit diesen Studien stand eine andere Arbeit, zu welcher sein Freund und in mancher Beziehung Geistesverwandter, Professor J. P. Lange in Bonn, ihm Veranlassung gegeben hatte. Wir meinen die Bearbeitung des Evangeliums Lucä für das theologisch=homiletische Bibel=
55 werk. Dies war eine für van Oosterzee in jeder Beziehung sehr erwünschte Arbeit, für welche er ganz der rechte Mann war. Allgemein bekannt ist, wie gut er sich der ihm von Professor Lange aufgetragenen Aufgabe entledigte, und daß der Teil, in welchem das dritte Evangelium behandelt ist (Bielefeld und Leipzig 1859, 4. Aufl. 1874) mit zu den besten von Langes Bibelwerk gerechnet werden kann. Im Jahre 1861 erschien dann
60 noch seine Bearbeitung der Pastoralbriefe und des Briefes an Philemon, im Jahre 1862

die mit Lange gemeinsam unternommene des Briefes Jacobi. Außer dem hier Genannten
kamen noch vielerlei andere Aufsätze verschiedener Art aus der Feder des Rotterdamer
Predigers, der stets fortfuhr, vor der Gemeinde mit seiner Arbeit auf der Kanzel aufzutreten, als ob er für nichts anderes als hierfür Auge und Herz gehabt hätte.

Es ist hierbei merkwürdig, daß van Oosterzee, den niemand der Streitlust auf wissen- 5
schaftlichem oder kirchlichem Gebiete beschuldigen kann, dennoch in seiner Rotterdamer Periode auf wissenschaftlichem Gebiete als Kämpfer auftreten mußte. Zuerst kam er mit
Opzoomer im Jahre 1846 und 1847 eine wissenschaftliche Streitigkeit infolge seiner apologetischen Studie in den Jahrbüchern für wissenschaftliche Theologie, wogegen Opzoomer
seine Bedenken vorgebracht hatte; später, im Jahre 1850, mit Scholten, dessen „Leer 10
der Hervormde Kerk" (Lehre der reformierten Kirche) er in der genannten Zeitschrift
beurteilt hatte, wogegen der genannte Theologe sich wehrte. Auch später hat van Oosterzee,
wie friedlich er auch gesinnt war, und wie sehr auch des Titels eines Theologus pacificus würdig, auf den Kampfplatz treten müssen, sei es der notwendigen Selbstverteidigung wegen, sei es, daß er das angegriffen sah, was er allezeit mit Wärme vertreten 15
hatte; so z. B. als er kurz vor seinem Heimgange die Feder ergreifen mußte, um gegen
Dr. A. Kupyer über die Theopneustie zu schreiben. (Theopneustie. Brief aan een
vriend over de Ingeving der Heilige Schriften, Utrecht 1882). Ging es auch dann
und wann warm in dem Streite zu, niemals hat er zu den Kontroversisten gehört, welche
Personen und Sachen nicht voneinander zu unterscheiden wissen. Von Bitterkeit war 20
bei ihm keine Sprache, und eine feindliche Haltung hatte man bei ihm nie zu befürchten.

Daß man ihn allgemein auch für einen akademischen Lehrstuhl bestimmt ansah, wird
Niemanden in Verwunderung setzen. Endlich schlug auch die Stunde, daß er das Katheder
besteigen sollte. Hatte er bis dahin unter großem Beifall als Prediger des Evangeliums
in Rotterdam arbeiten dürfen, so öffnete ihm der Tod des H. E. Vinke, Professors in 25
Utrecht, den neuen Wirkungskreis an der Alma Mater, in welcher er früher, außer Vinke,
auch noch Bouman und Royaards hatte hören können. An die Stelle von Royaards
(gest. 1854) war inzwischen Bernard ter Haar getreten. Dr. J. J. Doedes war im Jahre
1859 seinem Lehrer H. Bouman (zuerst emeritus und dann gest. 1863) gefolgt, nachdem er während zwölf Jahren der Amtsgenosse van Oosterzees an der reformierten Ge- 30
meinde zu Rotterdam gewesen war. Am 30. Januar 1863 hielt der letztgenannte seine
Inauguralrede: „De scepticismo, hodiernis Theologis caute vitando", und hatte
nun, als Nachfolger Vinkes, Biblische Theologie (des neuen Bundes), christliche Dogmatik
und praktische Theologie zu lehren. Wie er das gethan hat, davon zeugen die akademischen Lehrbücher, welche er später herausgegeben hat, von denen ein Teil ebenso wie viele 35
seiner anderen Schriften auch in das Deutsche und anderen Sprachen übersetzt worden sind,
und den Lesern dieser Realencyklopädie nicht unbekannt geblieben sein werden. Ist seine
biblische Theologie des NT (Theologie des Nieuwen Verbonds, Utrecht 1867, 2. verm.
Ausg. 1872) kurz und gedrängt, so ist er viel ausführlicher in seiner „Christelijke Dogmatiek" (2 Tle. Utrecht 1870—1872). Diese Arbeit vergegenwärtigt, wie der Verfasser selbst 40
in der Vorrede sagt, deutlich genug den evangelisch-kirchlichen Standpunkt, von dem aus
er der Wissenschaft und der Gemeinde des Herrn zu dienen trachtete. Gegenüber einer
polemischen Behandlung der Sachen hat er einer thetischen und apologetischen den Vorzug
gegeben. Die christliche Dogmatik ist ihm eine historisch-philosophische Wissenschaft. Ihr
Objekt ist die sittlich-religiöse Wahrheit, welche von der christlichen Kirche im ganzen, oder 45
von einer besonderen christlichen Kirchengesellschaft besonders bekannt wird. Christliche und
kirchliche Dogmatik brauchen in keiner Weise einander gegenüber zu stehen. Was die
Quellen betrifft, so ist auf christlich-reformiertem Standpunkte nach van Oosterzee zu
unterscheiden zwischen der hauptsächlichsten und der untergeordneten Quelle (fons primarius et secundarius). Bei der Betrachtung der beiden muß, meint er, die Wert- 50
schätzung der Person Christi selbst als der eigentlichen Hauptquelle voranstehen, und hat
sich zugleich die Untersuchung anzuschließen, ob und inwiefern auch das christliche Bewußtsein unter die Quellen unserer Wissenschaft aufgenommen werden darf. In der
Folge wird dann Christus als die Hauptquelle bei der Erörterung der Dogmatik dargestellt. Die hl. Schrift, insbesondere das NT, wird als die vornehmste Erkenntnisquelle 55
und als der Prüfstein der Wahrheit besprochen, die Bekenntnisschriften der reformierten
Kirche gelten als Quellen zweiten Rangs, durch welche die christliche Dogmatik sich vielmehr bei ihrem geschichtlichen, denn bei ihrem philosophischen Teile leiten lassen kann.
In der Dogmatik selbst handelt van Oosterzee nacheinander über Gott als den obersten
König des Reiches Gottes, über den Menschen als den Unterthan des Reiches Gottes, 60

über Jesus Christus als den Stifter des Reiches Gottes, über die Erlösung oder über das Heil des Reiches Gottes, über den Heilsweg oder über das Grundgesetz des Reiches Gottes, über die Kirche oder über die Erziehungsanstalt des Reiches Gottes, über die Zukunft oder über die Vollendung des Reiches Gottes. Von dieser christlichen
5 Dogmatik erschien im Jahre 1876 eine durchgesehene und verbesserte Ausgabe, in der Hauptsache, so wie man es von dem Schreiber erwarten konnte, nicht verändert. Obwohl er so viel als möglich biblisch-evangelisch und reformiert zu sein bestrebt war, so gab doch sein eigenes Urteil stets den Ausschlag, und man empfing also, wie vorauszusehen war, in dieser „Christelijke Dogmatiek" die Dogmatik von van Oosterzee. —
10 Besonders lebte er jedoch in der „Praktischen Theologie", namentlich in der Homiletik, die seine wärmste Sympathie genoß. In der Homiletik konnte der Meister in der heiligen Beredsamkeit theoretisch und methodologisch auseinandersetzen, was er während vieler Jahre praktisch auf der Kanzel ausgeübt hatte und was er noch fortwährend als akademischer Prediger in der Praxis anzuwenden suchte. Hierbei sprach er vor allem als ein der
15 Sache Kundiger mit ganz besonderer Vorliebe. Außer der Homiletik behandelte er hier noch Liturgik, Katechetik und Pastoral-Theologie, in einem Anhange noch kurz die christliche Halieutik (Missionswissenschaft) und christliche Apologetik. Seine Vorlesungen über die praktische Theologie und die Übungen, die er, zumal in der Predigtkunde, mit seinen Schülern abhielt, wurden von diesen sehr gerne besucht. Van Oosterzee wußte die Stu-
20 denten mit herzlicher Liebe zu beseelen für das Predigeramt, vor dem er ihnen eine hohe Achtung einzuflößen verstand, und seinen praktischen Winken haben jene in ihrem späteren Leben als Pfarrer sehr viel zu verdanken gehabt. Sein Handbuch der praktischen Theologie (Praktische Theologie. Een handboek voor jeugdige godgeleerden. 2 dln. Utrecht 1877, 78; 2° verm. Uitg. 1895, 98), ins Englische, Deutsche (Heilbronn
25 1878, 79) und Dänische übersetzt, ist ohne Zweifel das beste seiner akademischen Lehrbücher und verdient noch lange in mehrfacher Beziehung ein Mentor besonders für junge Prediger zu bleiben. Stellt man sich nun vor, mit wie viel Liebe van Oosterzee an seinen dogmatischen und praktischen Kollegien hing, so kann man leicht ermessen, wie wenig ihm die Veränderung behagte, welche in den Niederlanden durch das neue Gesetz in den
30 höheren Unterricht gebracht wurde. Durch dieses Gesetz wurde der Unterricht in der biblischen Theologie, in der Dogmatik und in der praktischen Theologie nicht der theologischen Fakultät übertragen, sondern der Vorsorge der Kirche überlassen. Auf diese Weise sah van Oosterzee sich aller seiner Lehrfächer beraubt. Andere Lehrfächer wurden ihm jetzt aufgetragen. Daß diese Vertauschung der Fächer ihm nicht angenehm war, ist zu ver-
35 stehen. „Die Aufgabe, die ich hatte — schrieb er später (Uit mijn Levensboek blz. 166) — war mir lieber als jede andere, und es fiel mir nicht schwer einzusehen, daß bei dem Tausch für mich der Verlust den Gewinn ziemlich bedeutend übersteigen würde. Von Anfang an hatte mir, auch im Dienst der Wissenschaft vor allem das Wohl der Kirche des Herrn am Herzen gelegen, und es konnte mir nur tiefen Schmerz bereiten,
40 jetzt die Aufgabe der unmittelbaren Ausbildung ihrer Hirten und Lehrer anderen Händen überlassen zu müssen. Vielleicht hätte ich darum das kirchliche Professorat nicht verschmäht, falls es mir von befugter Seite auf gesetzliche Weise und wenigstens mit einiger Dringlichkeit angeboten worden wäre. Doch dies ist, mögen die Gründe sein, die sie wollen, durchaus nicht der Fall gewesen. Die von mir bis dahin mit Gottes Hilfe und ehren-
45 voll erfüllte Aufgabe glaubte die hohe Kirchenversammlung [die Synode] — vielleicht im Interesse der konservativen Akademie Utrecht — vorzugsweise in Groningische und modernisierende Hände legen zu müssen". Er erhielt nun den Unterricht in der Religionsphilosophie, die Einleitung in das NT und die christliche Dogmengeschichte. So bewegte er sich nach dem 1. Oktober 1877 auf einem für ihn teilweise neuen Boden. Hierzu
50 kam, daß die Mitglieder der theologischen Fakultät nun nicht mehr wie bisher Universitätsprediger waren, da das neue Gesetz keine Universitätsprediger mehr kennt. Gegen seinen Willen und Wunsch sah er sich denn nach dem 1. Oktober 1877 der Stelle eines Universitätspredigers enthoben; er, der dieses Amt so gerne behalten hätte, fühlte sich einigermaßen in seinem Berufe geschädigt. Jedoch fuhr er unermüdet fort, mit Wort und Feder
55 für Kirche und Theologie zu arbeiten. (Kleinere Aufsätze hat er in den letzten Jahren als „Mitteilungen und Beiträge für Kirche und Theologie" erscheinen lassen, I, 1871, 1872; II, 1873—1875). Am 6. Februar 1881 durfte er das 40jährige Jubiläum seines kirchlichen Amtes (7. Februar 1841) festlich feiern, nachdem er kurz zuvor (25. Januar) das Gedächtnis seiner 40jährigen Ehe hatte feiern dürfen. Aber allmählich
60 schwächte eine Krankheit in der letzten Zeit seine Kräfte. Wiederherstellung der Gesund-

heit wurde gesucht, aber nicht gefunden. Dem Geiste nach allezeit hell und klar, mit einem Gedächtnis, das viel und vielerlei festhalten konnte und stets ihm zu Gebote stand, hatte er doch nicht mehr die frühere Beweglichkeit, sah sich auch leiblich mehr und mehr beschränkt, und entschlief gegen Ende Juli 1882, bereit und fertig zur ewigen Ruhe ein= zugehen. Noch immer spricht er durch das, was er geschrieben hat, und in mancher Fa= 5 milie hört man noch täglich sein Wort, wenn man bei der Hausandacht sein auch ins Englische und Schwedische übersetztes christliches Hausbuch, Het jaar des Heils, Le= venswoorden voor iederen dag (Amsterdam 1874, 75), gebraucht.

Will man van Oosterzee selbst über sein Leben und über seine Lebenserfahrungen in den verschiedenen Perioden seiner Wirksamkeit kennen lernen, so hat er seinen Freunden ein Ge= 10 dächtnis hinterlassen in der nach seinem Tode erschienenen Schrift „Aus meinem Lebens= buche; für meine Freunde; Utrecht 1883". (Uit mijn Levensboek, Voor mijne vrienden, Utr. 1883.) Es umfaßt eine Serie von mehr oder weniger vertraulichen Mitteilungen, die für einen engeren Freundeskreis bestimmt sind, bei denen der Autor sichtlich auf Einstimmigkeit in Sympathie und Antipathie rechnet. Will man ihn in der 15 Eigentümlichkeit seiner Persönlichkeit kennen lernen, so suche man in diesen, von einem seiner Söhne, dem würdigen Prediger zu Enschedé (jetzt zu Ooij), P. C. van Oosterzee herausgegebenen Blättern Auskunft. Derselbe fügte einen Anhang hinzu (S. 192—272), in dem wir auch eine vollständige Liste aller Werke finden, kleiner und großer Aufsätze, Beiträge und Gelegenheitsschriften, die überhaupt aus der Feder des reichbegabten Redners, 20 Lehrers und Schriftstellers hervorgekommen sind, welche zum Teil auch in das Gebiet der schönen Wissenschaften und Kunst gehören, ebenso in das der Poesie. Hier findet man auch angegeben, was in andere Sprachen übersetzt ist (bekanntlich ist dessen nicht wenig), zugleich hat man eine Übersicht dessen, was er außerhalb des theologischen, kirchlichen oder erbaulichen Gebietes geliefert hat. Sehr viele der kleinen Aufsätze und Beiträge sind 25 später in zwei Sammlungen erschienen. a) 1. Redevoeringen, Verhandelingen en verspreide geschriften, Rott. 1857. 2. Varia. Verspreide geschriften, Rott. 1861. b) Verspreide geschriften. I. Christelijk-litterair. Opstellen, Amst. 1877. II. Chris= telijk-historische Opstellen, Amst. 1878. III. Christelijk-kerkelijke Opstellen, Amst. 1879. 30

Der Verfasser der bekannten „Vorlesung über das Verhältnis Goethes zum Christen= tum" („Voorlezing over de betrekking van Göthe tot het Christendom, 1856), und von „Dichterisches Genie; eine Schillerstudie" (1859), hat stets gezeigt, daß er ein offenes Auge und auch ein warmes Herz für Litteratur und Kunst besaß. Sehr richtig ist er in dieser Hinsicht von einem seiner jüngeren Freunde und früheren Rotterdamschen 35 Amtsbruder, Dr. W. Francken, beurteilt worden, in der „Lebensskizze", welche in den Lebensbeschreibungen der Mitglieder der Gesellschaft für niederländische Litteratur zu Leiden zu finden ist (Levensschets, in de Levensberichten van Leden der Maatschappij van Nederlandsche Letterkunde te Leiden), auch besonders herausgegeben, Rott. 1884. Eine warme, wohlverdiente Anerkennung hat der Entschlafene als Kanzelredner 40 gefunden in einer homiletischen Studie „J. J. van Oosterzee als Homilet und Prediger des Evangeliums", durch einen seiner Schüler, Dr. F. van Gheel-Gildemeester, in der Zeitschrift: „Theologische Studien", 1883, S. 371 ff., vgl. damit den Aufsatz von Pro= fessor Dr. Lamers: „J. J. van Oosterzee und der Dienst am Worte" in „Stemmen voor Waarheid en Vrede", 1882, S. 267 ff. Eine Übersicht über sein Leben und 45 Wirken gab Dr. A. W. Bronsveld in der Serie von Biographien: „Mannen van Be= teekenis" (Männer von Bedeutung), Haarlem 1882, XIV. Sein Kollege und Freund Doedes gab eine kurze Skizze seines Lebens bereits im Jahre 1882 in: „Een woord ter gedachtenis" (Ein Wort zum Gedächtnis), aufgenommen in dem Utrechter Stu= denten=Almanach, 1883. Daß van Oosterzee eine dichterische Anlage hatte, beweist der 50 Band „Uit de dichterlijke nalatenschap" (aus der dichterischen Hinterlassenschaft) von Dr. J. J. van Oosterzee, herausgegeben von J.J.L. ten Kate, Amst. 1884, in welchem auch die Verse vorkommen, welche von diesem unserm gefeierten niederländischen Dichter am Grabe seines Freundes, 3. August 1882, vorgetragen worden sind. Das, was an diesem Tage weiter von andern Freunden, ebenso wie von Doedes an dem Grabe ge= 55 sprochen worden ist, wurde später vereinigt herausgegeben unter dem Titel: Bij het graf van Dr. J. J. van Oosterzee", Utrecht 1882. Später erschien: „Onthulling van het gedenkteeken van Dr. J. J. van Oosterzee", 1. Mai 1884; Worte, ge= sprochen von Professor Dr. Kruyf, um von kürzeren Kundgebungen zum Gedächtnis des Entschlafenen nicht zu sprechen. 60

Was auch immer über van Oosterzee geschrieben sein mag, es giebt doch nicht den
Eindruck wieder, welchen seine lebendige, aufgewecke, von Natur lebenslustige, geistreiche
Persönlichkeit machte. Er war ein Mann des frischen Wortes in allen Zuständen und
Verhältnissen des Lebens. Er war zum Prediger geboren, vorzugsweise zum Festredner.
5 Sollte sein Auftreten ihn in seiner vollen Kraft zeigen, dann mußte man ihn an einem
Feste hören. Ein Jubelgruß, eine Weiherede, eine fröhliche Gedächtnisfeier, ein Erinne=
rungswort, er war der Mann dazu wie wenige. Ein Meister in dem Halten von Fest=
reden begann er stets mit etwas Zutreffendem, wußte er gerade den rechten Ton anzu=
schlagen, um die Zuhörer in eine Feststimmung zu versetzen . . . Man brauchte nicht
10 zu fürchten, daß etwas Übertriebenes, eine künstliche Wärme zum Vorschein kommen
würde. So haben wir ihn gehört und gesehen, in Kirchen und in Versammlungssälen,
unter freiem Himmel oder im kleinen Kreise in einem geselligen Hause; mochte es bei
einer Versammlung der evangelischen Allianz oder bei Errichtung eines Monumentes sein,
bei einer Predigerversammlung oder bei der Feier eines 100jährigen Jubiläums. Be=
15 sonders bei großen christlichen Festen, wo gleichsam mit allen Orgelzügen gespielt werden
konnte, war er in seinem Elemente als würdiger Dollmetscher der heiligen christlichen
Festfreude. Dies alles muß man auch in Rechnung bringen bei Beurteilung seiner
Schriften und seiner ganzen Wirksamkeit. Das „Sursum corda" war seine Losung im
weitesten und reichsten Sinne des Wortes.   **(J. J. Doedes †) S. D. van Veen.**

20 **Open Brethren** f. b. A. Darby Bd IV S. 491,56 ff.

Opfer in der kathol. Kirche f. b. A. Messe Bd XII S. 664 ff.

Opferkultus des Alten Testaments. — Litteratur: J. Saubert, De sacrificiis veterum, 1659; W. Outram, De sacrificiis, 1678; Sykes, Versuch über die Natur u. f. w. der
Opfer, mit Zusätzen von Semler, 1778; W. Vatke, Religion des A.T.s, 1835; Scholl, Die
25 Opferideen der Alten, insbesondere der Juden, in Klaibers Studien der ev. Geistlichen Würt-
tembergs, Bd I, II, IV, V; B. Thalhofer, Die unblutigen Opfer des mosaischen Kultus, 1848;
Neumann, Die Opfer des alten Bundes, deutsche Zeitschr. für christl. Wissensch. und christl.
Leben, 1852 f.; E. Riehm, Ueber das Schuldopfer, ThStK, 1854, S. 93 ff.; W.F. Rinck, Das
Schuldopfer, ThStK, 1855, S. 369 ff.; K.F. Keil, Ueber die Opfer des alten Bundes, luther.
30 Ztschr. 1856 f.; Franz Delitzsch, Kommentar zum Hebräerbrief, 1857, S. 735 ff.; C.C. W.
F. Bähr, Symbolik des mosaischen Kultus II, S. 189 ff.; J. Chr. K. v. Hofmann, Schriftbeweis II, 1, S. 214 ff., 2. Aufl. 1859; A. Tholuck, Komm. zum Brief an die Hebräer, Beilage 2, 5. Aufl., 1861; J.H. Kurtz, Der alttestamentliche Opferkultus, 1862; H. Ewald, Alter-
thümer des Volkes Israel, 3. Aufl., 1866; Wangemann, Das Opfer nach der hl. Schrift, 1866;
35 E.W. Hengstenberg, Geschichte des Reiches Gottes II, 1 (1870) S. 129 ff. (Vgl. desselben
Art.: Das Opfer, Evang. Kirchenztg. 1852); A. Ritschl, Lehre von der Rechtfertigung und Versöhnung II, 1874; 3. Aufl. 1889. Und dagegen E. Riehm, Begriff der Sühne im A.T. 1877
und v. Orelli, Alttest. Prämissen zur neutest Versöhnungslehre, ZKWL. 1884; und Schmoller,
Das Wesen der Sühne in der alttest. Opfertora, ThStK 1891; J. Wellhausen, Prolegomena
40 zur Gesch. Isr., 1878; 5. Aufl. 1899; R. Kittel, Neueste Wendung der pentateuch. Frage in
den Theol. Studien aus Württemberg II, 1881, bes. S. 47 ff.; J. C. Bredenkamp, Gesetz und
Propheten 1881; Ed. König, Hauptprobleme der altisr. Religionsgeschichte 1884; Robertson
Smith, Religion der Semiten, deutsch 1899; Andrew Lang, The Making of Religion 1898;
James Robertson, Alte Religion Israels, deutsch 1896; Paul Haupt, Babylonian Elements
45 in the Levitic Ritual im Journal of Biblical Literature 1900; H. Zimmern bei Schrader
KAT³ 1903, S. 594 ff. — Vgl. auch P. Volz, Die Handauslegung beim Opfer, ZatW 1901,
S. 93 ff.; A. Büchler, Theophrastus Bericht über die Opfer der Juden, ZatW 1902, S.202 ff.
Ferner die Handbücher über alttestamentliche Theologie und Religionsgeschichte von Oehler,
Dillmann, H. Schultz, Smend u. f. w. und über alttestamentliche Archäologie von J. D. Mi-
50 chaelis (Mosaisches Recht), Saalschütz, De Wette, Ewald, Keil, Nowack, Benzinger u. f. f.
Endlich die Artikel Opfer in den biblischen Realwörterbüchern von Winer, Schenkel, Riehm,
Guthe u. f. f. Die rabbinischen Erörterungen über das Opfer siehe bei Otho, Lex. rabb.
phil. p. 549 s. und Hottinger, Juris Hebr. leges p. 143 s.

Den alten Völkern ist im allgemeinen die Gewohnheit eigen, ihre Verehrung der
55 Gottheit nicht in bloßen Worten, sondern hauptsächlich durch Darbringung von Gaben,
Opfern (von offerre) zu bezeigen. Bei ihrem Kultus ist das Opfer in der Regel die
Hauptsache; es ist die vornehmste heilige Handlung, daher geradezu sacrificium genannt.
Erst durch die dargebrachten Geschenke von größerem oder geringerem Wert, die der
Mensch sich selbst entzieht, erweist sich seine Gottesverehrung als ernst gemeint; erst diese
60 Gegengaben lassen seine Dankesworte aufrichtig erscheinen; erst wenn er sich etwas kosten

läßt, erhält die Bitte an die Götter den rechten Nachdruck und Aussicht auf Gewährung; wo er aber sich einer Verfehlung gegen jene bewußt ist, kann sein Bußgebet erst auf Erhörung hoffen, wenn er durch ein Sühnopfer das an der Gottheit begangene Unrecht einigermaßen gutgemacht hat. Dies ist dem gemeinmenschlichen Gefühl so natürlich, daß es weithergeholter Erklärungen nicht bedarf, welche neuerdings oft versucht worden sind, 5 um den Opferbrauch zu verstehen. Das allerdings setzt derselbe voraus, daß die Gottheit an solchen Gaben Wohlgefallen und davon einen Genuß habe wie der Mensch. Im naivsten, ältesten Stadium wird dies so verstanden, daß auch der Gott die Speisen ißt, welche der Mensch ihm mit Vorliebe darbietet; wenigstens wird angenommen, der Duft der in der Flamme zu ihm emporgesandten Gabe sei ihm angenehm (Gen 8, 21; Le 1, 10 9. 13. 17). Das gröbere Heidentum denkt sich die Götter hungrig und durstig nach solchen Spenden, wodurch sie leicht in Abhängigkeit von den Darbringern geraten. Bei späterem Fortschreiten der Reflexion, wo die Wertlosigkeit der materiellen Güter für die Gottheit erkannt wird, bleibt doch die Überzeugung, daß die Entäußerung davon seitens der Menschen zu Ehren der Gottheit dieser wohlgefällig sein müsse, sogut wie sonstige 15 freiwillige Entsagung und Kasteiung.

Dies alles ist psychologisch leicht begreiflich. Man hat wohl gemeint alle Speisopfer vom Totenkultus ableiten zu sollen und in ihnen sogar einen Beweis dafür finden wollen, daß die Gottheiten, denen sie dargebracht werden, samt und sonders aus Ahnengeistern hervorgegangen seien. Andrew Lang (The Making of Religion, London 1898), welcher 20 diese letztere Theorie gut widerlegt, ist der Meinung, der oberste, erhabene, himmlische Gott sei — nach Analogie heutiger Beispiele in Afrika und Australien — ursprünglich nicht mit Opfern verehrt worden. Auch bei Jahveh, dem Gott Israels, stelle der Opferkult eine Entartung dar, vielleicht unter Übertragung der Gebräuche des Geisterdienstes auf ihn. Allein es bedarf bei dem kindlichen Verhältnis des Menschen zu Gott in so 25 früher Zeit dieses Mittelgliedes nicht. Ein Kind fühlt sich auch gedrungen, seinen Eltern von dem zu schenken, was ihm wertvoll ist, unbekümmert um die Frage, was sie damit anfangen können. Robertson Smith (Religion der Semiten, deutsch 1899) hinwieder will den Ursprung aller Tieropfer in einem Gemeinschaftsmahl sehen, in welchem je ein Stamm von dem seinen Gott und Ahnen (Totem) darstellenden heiligen Tiere aß. Die eigent- 30 liche Opferidee würde dabei ganz zurücktreten; die cerealen Gaben dagegen hätten den Charakter eines dargebrachten Geschenks oder Tributs. Diese Seite wäre mehr durch landwirtschaftliche Verhältnisse nahegelegt und erst in späterer Zeit auch beim Tieropfer die vorherrschende geworden. Allein alle diese, zum Teil auf recht späte Gebräuche gestützten, Theorien vom prähistorischen Ursprung des Opfers lassen sich zum mindesten nicht 35 beweisen und stehen mit dem, was das Alte Testament aus früher und frühester Zeit mitteilt, nicht im Einklang. Hier zeigt sich gerade in den ältesten Zeugnissen das Bedürfnis, die Gottheit, welche dem Menschen erschienen ist, zu bewirten durch eine Opfergabe (Ri 6, 17 ff.; 13, 15 ff.), sie durch Opfer zu begütigen, wenn man ihren Zorn erfahren oder zu fürchten hat (Gen 8, 20 f.; 1 Sa 26, 19). Mindestens ebenso alt wie 40 das sakramentale Bundesmahl (z. B. Gen 31, 54) ist die ʿolah, das Brand- oder Ganzopfer, welches ausschließlich zur huldigenden Darbringung an Gott bestimmt ist. Von jeher drückte man, wie es von Kain und Abel erzählt ist, seinen Dank an Gott aus, indem man die Erstlinge von Herden und Feldfrüchten, also blutige und unblutige Opfergaben ihm darbrachte, Gen 4, 3 f. Kurz, das Opfer war vor allem Verkörperung des 45 Gebets. Zur Anrufung Gottes gehörte der Altar, Gen 12, 7 f. In ihre Opfer legten die Menschen schon in vorisraelitischer Zeit ihre wärmsten religiösen Empfindungen, die sie nur unvollkommen in Worte zu fassen wußten. Die ersten Opfer sind in der Bibel nicht auf ausdrücklichen göttlichen Befehl zurückgeführt, noch weniger im Interesse einer Priesterschaft angeordnet; sie sind dem unwillkürlichen Drang des Gottesbewußtseins ent- 50 sprungen so gut wie die Gebete. Als Verkörperung derselben Empfindungen kann das Opfer alles das ausdrücken, was der Mensch im Gebete vorträgt. Selbstverständlich darf, wie schon Gen 4 sich zeigt, die entsprechende Gesinnung dabei nicht fehlen, ohne welche kein Opfer Gott angenehm sein kann. — Schon in der patriarchalischen Zeit tritt aber auch das Opfermahl (זֶבַח, Schlachtfest) auf, welches die Besiegelung einer Gemeinschaft 55 unter den Menschen im Angesichte der Gottheit bezweckt. Dies findet seine Stelle besonders bei Bündnissen, Friedens- und Vertragsschließungen u. dgl. Überhaupt aber waren wichtige Unternehmungen von Opferhandlungen begleitet (Gen 46, 1) und vollends religiöse Feste ohne dieselben nicht denkbar (Ex 10, 25). Wie die Feste selbst nahmen daher die Opfer den Charakter periodischer Regelmäßigkeit an. Mose hat diese Bräuche auf- 60

25*

genommen. Die grundlegende Bundesschließung der israelitischen Stämme am Sinai vollzog sich nicht ohne ein feierliches Bundesopfer und Bundesmahl (Ex 24, 5 ff.; vgl. Pf 50, 5). Seit Mose ist der Jahvekultus in Israel bis zum Exil sicher nie ohne Opfer gewesen. Mose selber hat ohne Zweifel die längst geübten Opferbräuche der neuen Gottes-
5 erkenntnis und Nationalreligion entsprechend revidiert und ausgestaltet, mag immerhin vieles, was sich jetzt im Pentateuch von Opferregeln findet, später aus der Praxis geflossen sein. Vgl. den Art. Mose, Bd XIII, S. 500 f.

I. Was den Ort betrifft, wo geopfert werden sollte oder durfte, so ist er von Anfang an nicht gleichgiltig gewesen. Vielmehr setzte man von jeher an solchen Stätten
10 eine besondere Gegenwärtigkeit Gottes voraus und errichtete daher Altäre vorzugsweise an Örtlichkeiten, wo Gott oder eine göttliche Macht erschienen war oder ein ihr besonderes Walten bethätigt hatte (Ex 17, 15; Gen 28; Ri 6, 24). Der gegebene Mittelpunkt des nationalen Opferdienstes war schon unter Mose die Hütte Jahvehs mit der Bundeslade. Le 17, 1 ff. verbietet sogar jede Schlachtung an einem anderen Ort als vor der Hütte,
15 wo das Blut an den Opferaltar kam. Dt 12 enthält eine Abänderung dazu für die Zeit des Wohnens im Lande Kanaan, wo sich jene Bestimmung nicht mehr durchführen ließ, indem Vs. 15 f. profane Schlachtung von Haustieren von der kultisch geweihten unterschieden wird: erstere soll überall gestattet, aber das eigentliche Opferschlachten an das Centralheiligtum gebunden sein. Anders Ex 20, 24 (J), wo zwar auch nicht der
20 Ort des Opferns völlig freigegeben, sondern eine Bezeugung Gottes zu Gunsten eines Platzes, an dem er dadurch geehrt sein wolle, vorausgesetzt wird, aber eine unbestimmt große Zahl von Altären zur Darbringung von Opfern, sowohl Brandopfern als Gemeinschaftsopfern, in Aussicht genommen ist. Daß diese offenbar vordeuteronomische Bestimmung gar kein Centralheiligtum kenne, ist nicht zutreffend. Wird doch schon im
25 Bundesbuch eine dreimalige jährliche Wallfahrt aller Männer nach demselben verlangt Ex 23, 14 ff.; vgl. Vs. 19; ebenso 34, 23 f. Auch drängt sich für die Zeit des Wüstenzuges die Konzentration des Kultus auf ein einziges Heiligtum unabweislich auf. Allein unbeschadet des nationalen Centralheiligtums gestattet Ex 20, 24, zum Lokalgebrauch kunstlose Erd- und Steinaltäre für Darbringung von Opfern zu errichten, wie sie in der
30 That von Männern wie Gideon, Samuel, Elia hergestellt worden sind. Auch von den Kanaanitern her sind unzweifelhaft manche Heiligtümer übernommen und dem Jahveh geweiht worden. Dabei hat sich aber auf diesen Bamoth viel heidnisches Unwesen eingenistet, und so erklärt sich, daß späterhin jene Erlaubnis wieder zurückgenommen und die altmosaische Idee der Vereinigung des ganzen Volkes um Ein Heiligtum durchgeführt
35 wurde. Dies verlangt das Deuteronomium, welches die strikte Einheit der Opferstätte fordert und dafür das Zugeständnis des profanen Schlachtens machen muß Dt 17, 1 ff. Die Idee eines centralen Sitzes Jahvehs innerhalb seines Landes war ohnehin nie aufgegeben worden. Zu beachten ist, daß schon die frühesten Propheten, deren Bücher der Kanon enthält, einen solchen voraussetzen. So Joel 4, 16; Am 1, 2 und wenn das
40 Alter dieser Stellen angefochten wird, Jesaja durchgängig 28, 16; 31, 9; 29, 1; 33, 14 (mit unverkennbarer Anspielung auf Jahvehs Altar zu Jerusalem). Centralisierende Reformationen werden denn auch gemeldet von den theokratisch gesinnten Königen Asa (2 Chr 14, 2; vgl. aber 15, 17), Josaphat (2 Chr 17, 6; vgl. aber 20, 33), Hiskia (2 Kg
18, 4. 22) Josia (2 Kg 23, 8). Deutlich ist übrigens gerade bei diesen beiden letzten,
45 sicher bezeugten Reformationen, daß sie in erster Linie gegen das heidnische Unwesen, das auf jenen „Höhen" spielte, gerichtet waren und die Centralisation mehr als Mittel zum Zweck diente. Es bedurfte aber mancher Anläufe, ehe diese beim Volke beliebten Bamoth ihre Sonderkulte abgeben mußten. Ihren Todesstoß erhielten sie erst durch das babylonische Gericht, nach welchem die ausschließliche Anerkennung des jerusalemischen Tempels
50 nur noch von den aus dem Volksverband ausgestoßenen Samaritanern bestritten wurde. Hier war fortan die einzig legitime Opferstätte. Bemerkenswert ist, daß man im zweiten Tempel den Brandopferaltar aus unbehauenen Quadern errichtete (1 Mak 4, 47) nach dem Statut, das ursprünglich den Lokalkulten galt, während der salomonische wie der der Stiftshütte von Erz gewesen war. Vgl. Delitzsch, ZKWL 1880, S. 64; van Hoonacker,
55 Sacerdoce Lévit. S. 12. Durch die Ablösung von den heimischen Opferaltären wurde der Opferdienst förmlicher und feierlicher, er verlor etwas von seiner familiären Freiheit und Urwüchsigkeit; doch hat man dies nicht dahin zu verallgemeinern, als ob dieser Kult in älterer Zeit bloß heitern, fröhlichen, in der späteren nur amtlich ernsten oder gar düsteren Charakter an sich getragen hätte.
60 In Betreff des opfernden Personals siehe die Art. Leviten, Priester, Hoherpriester.

II. **Das Material.** Die israelitischen Opfer zerfallen nach ihrem Bestand in zwei Hauptgattungen: blutige Tieropfer und unblutige Opfergaben vom Ertrage des Landes. Beiderlei Opfer werden zusammengefaßt durch das Wort מִנְחָה, Opfergabe (Gen 4, 2 ff.) oder קָרְבָּן, da im allgemeinen jedes Opfer Hingabe eines Gutes ist, dessen sich der Mensch entäußert zu Ehren seines Gottes. Allein in der Opfertechnik hat der erstere Ausdruck, minchah, die speziellere Bedeutung: unblutige Opfergabe: Luther: Speisopfer, im Unterschied von זֶבַח, das in seinem weiteren Sinn alle Tieropfer umfaßt (1 Sa 2, 29). Die dem Speisopfer beigefügte flüssige Spende heißt נֶסֶךְ. Sämtliche Tieropfer werden zusammengefaßt durch die zwei Unterarten: 'olôth und šelāmîm (Ex 20, 24) oder zĕbāchîm (Ex 10, 25), von denen die erstere zu gänzlicher Verzehrung durch die Opferflamme bestimmt ist, während die letztere ein Gemeinschaftsmahl bezweckt. Hier steht also זֶבַח in engerem Sinn als oben.

Ehe wir auf das Tieropfer eingehen, ist ein Wort über das im Mosaismus nicht zulässige Menschenopfer zu sagen. Daß es in der vormosaischen Zeit den Semitenstämmen, aus welchen Israel hervorging, nicht ferne lag, diese kostbarste Gabe, über welche ein Mensch verfügt, das eigene Leben, bezw. das seiner Kinder, der Gottheit zu weihen, erhellt schon aus der Erzählung Gen 22, welche mit Mi 6, 7 den inneren Erklärungsgrund zu dieser Unsitte darbietet: Sollte der Mensch irgend etwas seinem Gotte vorenthalten und ihm nicht vielmehr sein Teuerstes, sein eigenes Fleisch und Blut weihen? Zugleich aber lehnt Jahveh in dieser Geschichte das Opfer des geliebten Sohnes ab und weist Abram an, ihm statt dessen einen Widder zu schlachten. Auch der Umstand, daß im mosaischen Kultus die Darbietung des Tierblutes als Ersatz für die der Menschenseele angesehen wird (Le 17, 11), beweist, daß eigentlich das menschliche Leben als Gott verfallen angesehen wird, was in weniger erleuchteter Zeit zum Menschenopfer führen konnte. Ebenso verhält sichs mit den menschlichen Erstgeburten, welche, den Erstlingen des Viehes und der Feldfrüchte gleich, eigentlich Jahveh gehören, aber nicht zu opfern, sondern auszulösen sind. Siehe darüber Bd V, 750, 4 ff. Abzuweisen ist die Vorstellung, daß je in Israel der echte, legitime Jahvehdienst mit Menschenopfern sei betrieben worden, wie Daumer, Ghillany und in gemäßigter Weise auch Vatke, Kuenen u. a. behaupteten. Siehe dagegen Ed. König, Hauptprobleme der israel. Religionsgeschichte S. 72 ff.; James Robertson, Die alte Religion Israels, deutsch 1896, S. 171 ff.

Gesetz und Propheten brandmarkten die Unsitte, seinen Samen dem Molech zu geben, die immer wieder von den heidnischen Nachbarn her eindrang und sich allerdings auch in den Jahvehdienst einzuschleichen suchte. Über die Häufigkeit der Menschen-, besonders Kinderopfer bei den Kanaanitern, Phöniziern, Karthagern siehe meine Allgemeine Religionsgeschichte (1899) S. 245 ff., aber auch bei den Nachbarn: Moabitern, Ammonitern u. a. s. ebenda (S. 256 f. Von solchem Beispiel, nicht aus dem Geiste der mosaischen Religion, ist das Devotionsopfer Jephtas abzuleiten, worüber siehe Bd VIII S. 645. Auch 2 Kg 3, 27 zeigt wohl, daß man in Israel dem grausigen Menschenopfer eine gewisse verhängnisvolle Wirkung zutraute, aber nur ferne nicht, daß man dasselbe billige. Dieser heidnische Einfluß wurde seit Ahas mächtiger als je, daher die Kinderopfer im Hinnomthal bis auf Josia in großer Menge bluten mußten.

Nicht mit dem Opfer zu verwechseln ist der Blutbann (חֵרֶם), durch welchen gottwidrige Feinde und Dinge weggetilgt wurden. Allerdings wurde auch dieser Bann zu Ehren Jahvehs vollzogen, an ganzen Städten und Stämmen (Amalek 1 Sa 15, 15; 45 Jericho Jos 6, 21 u. f. f.). Allein dies ist im Unterschied von der heidnischen Auffassung, wobei im Vordergrund das Verlangen des Gottes nach Menschenblut stand, das man durch Hingabe von Kriegsgefangenen befriedigte (vgl. auch Mescha stele Zle. 16) nicht ein Opfer im geweiteten Sinne des Worts, sondern eigentlich eine Exekution nach dem Grundsatz, daß was Jahveh zuwider ist, vertilgt werden soll. Vgl. die Vergeltungssentenz 1 Sa 15, 33. Auch beachte man den ausgesprochenen Gegensatz zwischen Verwendung des Viehes zum Opfer an Jahveh und dessen Wegräumung durch den Cherem 1 Sa 15, 21. Das schließt nicht aus, daß Le 27, 28 f. das Gebannte „hochheilig dem Jahveh" heißt und unter keinen Umständen wieder in den Gebrauch des Menschen genommen werden soll; es ist eben Gott unbedingt und unwiderruflich verfallen. Auch der Fall 2 Sa 21, 9, wo David, dem Verlangen der Gibeoniten willfahrend, Nachkommen Sauls umbringen und vor Jahveh ausstellen läßt, ist ein Vergeltungsakt, eine Gerichtsvollstreckung, wodurch unschuldig vergossenes Blut an der Familie des Missetäters gerächt und so Gott versöhnt werden soll.

A. Das Tieropfer. Waren Menschenopfer in der Jahvehreligion unstatthaft, so

fand das Tieropfer darin um so reichlicheren Raum und erschien eben wegen seiner Be=
ziehung zum Menschenleben besonders bedeutsam und wirksam. Nach dem allgemeinen
Grundsatz, daß der Mensch von seinem wirklichen Eigentum oder dem Ertrag seiner Arbeit
opfern soll, wurden im allgemeinen nur Haustiere dargebracht, nicht Wild, Feld= oder
Waldtiere, während sonst Hirsch, Reh, Gazelle u. dgl. bei den Nachbarvölkern häufig als
Opfer erscheinen (Opfertafel von Massilia). Außerdem konnten nur Tiere aus den rein
erklärten Gattungen geopfert werden, wie Rindvieh, Schafe, Ziegen, nicht aber Esel,
Hunde, Schweine, Kamele; von den Vögeln wurden überhaupt nur Tauben zu Opfern
verwendet, nicht Gänse (die in Ägypten beim Kultus eine große Rolle spielen), oder
Hühner, die im alten Israel überhaupt nicht vorkommen, oder Wachteln, Rebhühner und
ähnliche eßbare, aber wilde Vögel, noch weniger die unreinen Raub= und Sumpfvögel.
Von Tauben werden Turteltauben und junge Täubchen öfter als Surrogat für größere
Opfertiere zugelassen, weil sie auch den Armen zur Hand waren, deren Fleischnahrung sie
bildeten. Le 5, 7; 12, 8. Siehe Riehm, Hdwb. unter Taube. Die zur Reinigung des
vom Aussatz Genesenen verwendeten beiden „Vögelchen" sind nicht speziell Sperlinge
(Vulg., Rabbiner), sondern beliebige „reine", kleinere Vögel. Für das Opfertier war
auch das Geschlecht in manchen Fällen vorgeschrieben, und zwar in der Regel das männ=
liche als das vornehmere und vollkommnere. Vgl. Mischna Temura 2, 1, wonach für
Gemeindeopfer, nicht aber für private, das männliche Geschlecht gefordert ist. Außer=
liche Fehlerlosigkeit der Opfertiere wird vorgeschrieben Le 22, 20—24 unter Angabe ver=
schiedener unstatthafter Gebrechen der Tiere. Nur beim freiwilligen Opfer sind leichte
Körperfehler kein Hindernis, Vs 23. Vgl. auch Mal 1, 13 f. Hinsichtlich des Alters sollen
ein Kälblein, Lamm oder Zicklein mindestens acht Tage alt sein, wenn es geopfert wird
(Le 22, 27; vgl. Ex 22, 29); anderseits erwartet man, daß das Tier noch jugendlich
kräftig sei (vgl. בְּרֵשִׁ Le 1, 5); die Rabbinen sagen: in der Regel nicht über 3 Jahre
alt, was vielleicht aus Gen 15, 9 geflossen; vgl. jedoch Ri 6, 25. Zuweilen ist ein
jähriges Opfertier angeordnet: Le 9, 3; 12, 6; 14, 10; Nu 15, 27; 28, 3. 9. 11.
   B. Vegetabilisches Speisopfer. Feldfrüchte werden erstens so geopfert, daß man
Ähren, am Feuer geröstet, oder ausgeriebene Körner von der frischen Frucht darbringt,
mit Beigabe von Öl und Weihrauch; letzterer soll ganz, vom übrigen nur ein Teil in
Flammen aufgehen Le 2, 14 ff.; zweitens als Feinmehl (סֹלֶת) mit denselben Beigaben,
in derselben Weise verwendet, Le 2, 1 ff., das nicht Verbrannte fällt den Priestern zu;
drittens in Form von Mazzen, ungesäuerten Broten, sei es im Ofen gebacken oder auf
flacher Platte, oder in einer Pfanne bereitet 2, 4 ff. Siehe dort die näheren Bestimmungen.
Säuerung durch Sauerteig oder Honig ist davon ausgeschlossen, weil beide Gärung, also
eine Alteration des natürlichen Zustandes bewirken. Gesäuert werden nur die Erstlings=
brote (Le 2, 12; 23, 17), weil sie die gewöhnliche Nahrung darstellen und gewisse Dank=
opfer (7, 13), die aber so wenig wie jene auf den Altar kommen. Honig, der immerhin
als selbständige Erstlingsgabe auch vorkommt 2 Chr 31, 5, war auch bei den Griechen
und Römern von den Opferkuchen ausgeschlossen und dem flamen Dialis zu genießen
ganz verboten. Er geht leicht in Gärung über (Plinius, hist. nat. 11, 15 [45]; vgl.
das rabbinische הִרְבִּיש, fermentescere, corrumpi. Gemeint ist Bienenhonig (Philo,
de vict. § 6); doch galt das Verbot ohne Zweifel auch dem Fruchthonig. Daß der
Gärungsprozeß mit dem der Fäulnis verwandt angesehen wurde, vgl. Plutarch, Quaest.
Rom. 109. Zur moralischen Anwendung Le 12, 1; 1 Ko 5, 6 ff. Dagegen war das
aus Getreide bereitete Speisopfer nach Le 2, 13 mit Salz zu würzen, nach LXX zu
Le 24, 7 auch die Schaubrote (siehe den Art.). Ob erstere Stelle die Zugabe des Salzes
auch für Tieropfer vorschreiben will, ist sehr fraglich; die Tradition hat aber später die
Vorschrift so allgemein gefaßt und befolgt (vgl. Mc 9, 49). Verwendung des Salzes
beim Brandopfer s. Ez 43, 24; Josephus Ant. 3, 9, 1. Ferner Mischna Sebachim 6, 5. 6
beim Geflügelbrandopfer, das aber doch giltig sei, wenn auch die Reibung mit Salz
unterbleibe. Zu den Naturallieferungen, die in späterer Zeit dem Tempel geleistet wurden,
gehörte daher ein großes Quantum Salz Esr 6, 9; 7, 22; Joseph. Ant. 12, 3, 3, zu
dessen Aufbewahrung eine besondere Salzkammer im Tempel diente M. Middoth 5, 3.
Man bediente sich für heilige Zwecke des „sodomitischen Salzes", das vom toten Meere
stammte. Während die Wirkung des Sauerteigs an Fäulnis erinnerte, galt das Salz
im Gegenteil als Reinigungsmittel. Was für vegetabilische Erstlingsgaben dargebracht
und wie sie verwendet wurden, siehe Bd V, S. 483 f. Über das Material des Rauch=
opfers den Art. Räuchern.
   Was die flüssigen Spend= oder Trankopfer anlangt, die meistens, im Gesetz immer

als Beigabe zu andern Opfern erscheinen, so dürften Wasserspenden in der frühesten Zeit den nomadischen Semiten nicht ungewohnt gewesen sein, bei dem hohen Wert, den der Trunk frischen Wassers oft für sie hatte. Überreste davon finden sich etwa noch 2 Sa 23, 17; 1 Sa 7, 6. Doch erhielt sich der Brauch im nationalen Kultus nicht, außer in jenem Jo 7, 37 vorausgesetzten Ritus des Laubenfestes, wo Wasser aus der Siloah- 5 quelle geschöpft, unter Drommetenklang zum Altar gebracht und dort ausgegossen wurde. Siehe M. Sukkah 4, 9. Vgl. Bd XI, 306. Milch wurde bei den Israeliten, im Unterschied von Arabern und Phöniziern, nicht zu Libationen verwendet, dagegen Öl (Gen 28,18; 35, 14) und besonders Wein. Dieser erscheint als vorgeschriebene Beigabe zu gewissen Opfern Nu 28, 7. 14 in bestimmter Quantität. Nähere Vorschriften darüber enthält 10 M. Menachoth 8, 6. 7. Der gespendete Wein durfte nicht etwa von den Priestern getrunken werden, sondern wurde am Altar hingegossen Si 50,15; Joseph. Ant. 3, 9, 4. — Bei den Arabern dagegen kam das Weinopfer nur selten vor. Wellhausen, Reste des arab. Heidentums² (1897) S. 114.

Alle diese Materialien — mit Ausnahme des Weihrauchs — sind den Lebensmitteln 15 entnommen, von welchen der Mensch sich nährt. Es ist die beste, reinste menschliche Nahrung, wie sie unter der Arbeit und Pflege des Menschen Gott hat wachsen lassen, die dem Spender aller guten Gaben vorgesetzt wird zu seiner „Speise". Das Opfer heißt geradezu Gottes לֶחֶם Le 3, 11. 16; 21, 6. 8. 17; 22, 25; Nu 28. 2. 24; Ez 44, 7; Ma 1, 7. Dem entsprechend ist Ez 41, 22 der Brandopferaltar „der Tisch vor Jahveh" 20 genannt; vgl. Ma 1, 7. 12. Hier liegt also, wie schon in den Vorbemerkungen gesagt wurde, die naive Vorstellung zu Grund, daß auch Gott von solchen Speisen und Getränken (vgl. Ri 9, 13) einen wirklichen Genuß habe, wenngleich seine Weise des Verzehrens und Genießens als eine feinere, höhere gedacht wurde, woran besonders der Weihrauch erinnert. Der Opferbrauch bleibt auch dann noch bestehen, nachdem man sich 25 bewußt geworden, daß Gott an diesen materiellen Gaben sich unmöglich erlaben kann. Auch dann bleibt ihre Darbringung bedeutsam und ausdrucksvoll, da der Opfernde sich seiner eigenen, durch ehrliche Arbeit erworbenen Subsistenzmittel entäußert, um Gott zu ehren, und namentlich das Tieropfer in einem psychisch-biotischen Zusammenhang mit dem Menschenleben steht, so daß seine Hingabe ein sprechendes Sinnbild der menschlichen 30 Hingabe des eigenen Selbst ist. Dringend notwendig ist dann freilich, daß der äußerlichen Handlung die Gesinnung der Darbringer wirklich entspreche, ohne welche das Opfer nun ganz wertlos erscheint.

III. Das Ritual ist verschieden je nach der Bestimmung des Opfers, nach welcher zunächst beim Tieropfer zwei Hauptklassen zu unterscheiden sind: Ganzopfer und Gemein- 35 schaftsopfer.

A. Das Ganz- oder Brandopfer, schon Gen 8, 20 genannt, hat seinen Namen עֹלָה, „Steigopfer" vom Aufsteigen der gesamten Opfergabe in Flamme und Rauch. Die gänzliche Hingabe derselben drückt auch der außerhalb der eigentlichen Gesetzessprache nicht seltene Ausdruck כָּלִיל, Ganzopfer, aus (Dt 33, 10; 1 Sa 7, 9; Pf 51, 21); vgl. das- 40 selbe Wort für die ganz zu verbrennende priesterliche mincha Le 6, 15 f. und außerdem Dt 13, 17. LXX übersetzt עֹלָה meist mit ὁλοκαύτωμα, zuweilen mit ὁλοκάρπωμα. Die einzelnen Momente des Opferverfahrens sind dabei folgende (Le 1, 3 ff.): Erst war das junge Rind oder Kleinvieh (stets männlichen Geschlechts) vom Darbringer am Eingang des Heiligtums vor dem Brandopferaltar darzustellen, wobei ohne Zweifel das Tier 45 auf seine Fehlerlosigkeit untersucht wurde. Hierauf legte, genauer stützte oder stemmte er seine Hand auf den Kopf desselben. Durch diesen kraftvollen Gestus (סמיכה), der nach M. Menachoth 9, 8 mit beiden Händen zu geschehen hatte, stellte er die innere Verbindung seiner Person mit dem Opfer her und übertrug auf dasselbe die Intention der Handlung, nicht speziell nur seine Sündenschuld, sondern ebensosehr seinen Dank, seine 50 Bitte und Anbetung. Vgl. denselben Ritus bei Übergabe der Leviten Nu 8, 10. Darauf folgte die Schlachtung des Tiers auf der Nordseite des Altars, bei Privatopfern durch den Darbringer, wobei natürlich Hilfeleistung durch das Tempelpersonal nicht ausgeschlossen war; dabei kam es vor allem auf die Gewinnung des Blutes an, dessen Darbringung durch die Priester den ersten Hauptakt der eigentlichen Opferung bildete. Es wurde von 55 diesem fleißig umgerührt, um das Gerinnen zu verhüten und rings um den Altar nach diesem hin ausgeschwenkt. Sodann wurde das Tier ausgehäutet (die Haut allein fiel dem Priester zu) und regelrecht zerlegt, aber alle Stücke nach Reinigung von Unrat auf dem Holzstoß des Altars aufgeschichtet und verbrannt. Etwas einfacher gestaltete sich das Verfahren beim Taubenbrandopfer Le 1, 14—17. Bestand das Brandopfer aus Rind- 60

oder Kleinvieh, so mußte ein entsprechendes Speis= und Trankopfer beigegeben werden. Dieses Brand= und Ganzopfer ist keineswegs eine sekundäre, sondern eine uralte, wohl die älteste Opferform. Sie findet sich schon Gen 8 sowie im babylonischen Seitenstück zur biblischen Flutgeschichte. Es ist die allgemeinste Opferart, welche die Verehrung der
5 Gottheit überhaupt ausdrückt und gewissermaßen alle die Opferweisen mit' speziellerem Anlaß und Anliegen in sich befaßt. Auch die Sühnung kommt darin kräftig zum Aus= druck, da im Blut eine Tierseele sozusagen an Stelle der menschlichen Gott dargebracht wird. Nur ist dieses Moment nicht das einzige oder auch nur das vorherrschende. Der Hauptnachdruck liegt auf der Ganzheit des Opfers, wodurch die völlige, ungeteilte und
10 unbedingte Hingabe an die Gottheit dargestellt ist. Eben um ihrer Allgemeinheit willen eignete sich diese Opferart zu täglicher Darbringung namens des Volkes. Ein jähriges Lamm wurde jeden Morgen und ein gleiches jeden Abend („zwischen den Abenden") dar= gebracht Ex 29, 38—42; Nu 28, 3—8. Die später ausgebildete Ordnung dafür siehe ausführlich im Traktat M. Thamid. — Auch Nichtisraeliten, die von den übrigen Opfern
15 ausgeschlossen waren (wenigstens nach der späteren Ordnung; siehe dagegen Le 17, 8; 22, 18. 25) durften Brandopfer für sich bringen lassen (M. Schekalim 7, 6), ohne daß sie selber hätten beiwohnen dürfen, während ihnen im herodianischen Tempel gestattet war, im Vorhof der Heiden zu opfern. Seit Alexander d. Gr. ließen die heidnischen Beherrscher der Juden Brandopfer für sich darbringen, wie denn Augustus sogar ein täg=
20 liches Brandopfer von zwei Lämmern und einem Stier für sich anordnete (Philo, Leg. ad Caj. § 40). Mit dieser Zulassung anerkannte man die kaiserliche Oberhoheit (vgl. Jos. c. Ap. 2, 6). Als im Anfang des jüdisch-römischen Krieges auf Betreiben Eleazars jede Annahme eines Opfers von einem Nichtjuden untersagt wurde, bedeutete dies einen offenen Bruch mit der römischen Herrschaft (Jos. Bell. Jud. 2, 17, 2).
25   B. Das Gemeinschaftsopfer. Eine zweite Hauptgattung bilden die Schlachtopfer, welche zu Opfermahlzeiten Anlaß gaben. Sie heißen זְבָחִים (im engern Sinn) oder שְׁלָמִים, welches letztere Wort nach den verwandten Gen 34, 21; Pf 7, 5; 41, 10 zu erklären: Freundschaftsverhältnis; also sind diese Handlungen der Ausdruck trauter Ge= meinschaft zwischen Gott und den Seinigen und diesen untereinander. Da in der ältesten
30 Zeit das häusliche Schlachten stets mit einer Opferfeier verbunden war, so ist auch das einfache זֶבַח häufig Bezeichnung der Opfer dieser Art, wobei ursprünglich eine größere Sippe zusammenkam. Regelmäßige Familienfeste in engerem und weiterem Kreis fanden z. B. an Neumonden oder auch alljährlich statt 1 Sa 20, 5 f. Tritt hier mehr die so= ziale Seite hervor, so kennt das Gesetz Le 7, 11 ff. verschiedene Arten von Gemeinschafts=
35 und Friedensopfern mit besonderen religiösen Motiven und Veranlassungen: 1. Das Lob= opfer תּוֹדָה עַל, 2. das Gelübdeopfer (נֶדֶר), 3. das ganz freiwillige Opfer נְדָבָה. Das erstgenannte, wohl aus Anlaß besonderer Gnadenheimsuchung dargebrachte, ist das vor= nehmste unter den dreien; das zweite ein solches, wozu man sich durch ein Gelübde für den Fall der Erhörung einer Bitte u. dgl. verpflichtet hat. Im Gegensatz dazu trägt
40 die dritte Art den Charakter völliger Freiwilligkeit, wobei auch nicht (wie wohl bei dem ersten) ein besonders glückliches Erlebnis zum Opfern drängte, sondern dieses aus dem spontanen Trieb des Frommen hervorging. Dem entsprechend war man in diesem Fall (nedaba) etwas weniger streng hinsichtlich der Fehllosigkeit des Opfers, Le 22, 23. Beim Gemeinschaftsopfer überhaupt können auch weibliche Tiere verwendet werden (Le 3, 6).
45 Doch wurden auch hier männliche vorgezogen; vgl. Le 9, 4. 18; Nu 7, 17 ff. Zum Gemeinschaftsopfer gehörte auch ein Speis= und Trankopfer, wie Le 7, 12 speziell für das Lobopfer vorgeschrieben ist, was aber auch auf die anderen Gattungen sich zu er= strecken scheint; s. Nu 15, 3 ff. Das Ritual ist bei diesen Opfern zunächst wie beim Brandopfer bis zur Ausschwenkung des Blutes am Altar. Auch hier geht die Hand=
50 aufstemmung voraus (Le 3, 2), durch welche der Opfernde sich in Rapport mit dem Opfertier setzt und diesem seine Intention imputiert. Die Schlachtung war nicht an die Nordseite des Altars gebunden. Allein der wesentliche Unterschied vom Ganzopfer liegt darin, daß hier beim Gemeinschaftsopfer nur die Fettteile zur Verbrennung auf den Altar kommen, die bei der Zerlegung abgelöst worden, Le 3, 3—5. 9—11. 14—16;
55 9, 19 f. Mit diesem Fett ist nicht das äußerlich sich ansetzende gemeint, sondern das um die Eingeweide gelagerte (Nieren, Leberlappen u. dgl.), wozu bei den Schafen der Fettschwanz kommt; diese Stücke durften überhaupt nicht genossen werden (Le 7, 25), sondern blieben Gott vorbehalten, und zwar als das Delikateste, gewissermaßen die Quint= essenz des Leibes (flos carnis, Neumann), wie denn die hebräische Sprache das חֵלֶב in
60 weitgehender Übertragung vom vorzüglichsten gebraucht, (Gen 45, 18; Nu 18, 12; Dt

32, 14 u. a. Sodann hatte nach Le 7, 30 der Darbringer die Brust des Tiers, den sog. Brustkern (meist aus Knorpelfett bestehend und zu den schmackhaftesten Stücken gerechnet) als „Webeopfer" darzubringen. Diese Ceremonie der tenūpha bestand nach der talmudischen Tradition, womit auch die biblischen Andeutungen (Le 8, 27; Ex 29, 24 u. a.) zusammenstimmen, darin, daß der Priester den zu webenden Gegenstand auf die Hände 5 des Opfernden, seine eigenen Hände aber unter die des letzteren legte, und nun dieselben vorwärts und rückwärts bewegte. Dadurch sollte wohl die Reziprozität des Gebens und Nehmens zwischen Gott und dem Opfernden zum Ausdruck kommen. Endlich wurde die rechte Keule als Hebeopfer (terūma) abgehoben, Le 7, 34. Unter diesem שוק wird meist die Schulter des Tiers (LXX βραχίων, Vulg. armus) verstanden; es bedeutet aber auch 10 den Hinterschenkel, die Keule. LXX sucht diese Bestimmung des Priestergesetzes zu harmonisieren mit der abweichenden Vorschrift Dt 18, 3, wo die dem Priester abzugebenden Opferteile bestimmt werden: das (rechte) Vorderbein (זרע), die Kinnbacken und der Magen. — Das Wort terūma hat mit der Zeit die bloße Bedeutung einer Abgabe an die Priester angenommen, bezeichnet aber ursprünglich ebenfalls (wie tenūpha) einen weihenden 15 Gestus. Aber allerdings fielen Webebrust und Hebekeule den Priestern zu, welche sie mit ihren Familien an einem beliebigen reinen Ort verzehren durften Le 10, 14. Auch von dem beigegebenen Speisopfer erhielten sie einen Kuchen (7, 14). Beim Pfingstfriedensopfer (2 Lämmer) fiel ihnen das ganze Fleisch zu (Le 23, 19 f.). In der Regel aber verzehrten die Darbringer das Opfer in einer geweihten Mahlzeit, ob nun eine ein- 20 zelne Familie, oder eine größere Sippe, oder bei gewissen Gelegenheiten eine ganze Volksmenge die festfeiernde war, Dt 27, 7. Vgl. die Massenopfer 1 Kg 8, 63. Zu der eigentlichen Hausgemeinde wurden auch Gäste geladen, besonders Arme und Leviten Dt 16, 11; vgl. Pf 22, 27; doch durften nur levitisch reine Personen an der Mahlzeit teilnehmen, Le 7, 19—21. Diese Opfermahlzeiten hatten im allgemeinen einen fröhlichen Charakter. 25 Wein wurde dabei reichlich getrunken. Das etwa übrig gebliebene Fleisch sollte nicht profaniert werden. Beim Lobopfer mußte es am selben Tage verzehrt werden (Le 7, 15; 22, 29), bei den andern Gemeinschaftsopfern wenigstens am zweiten Tage; am dritten Tag waren allfällige Überreste zu verbrennen (7, 16 ff.; 19, 6 ff.); dies mußte auch geschehen mit Opferfleisch, das mit Unreinem in Berührung gekommen war (7, 11). — 30 Die Frage, ob bei diesen Opfermahlzeiten Jahveh als der zu Tisch gebetene Gast gedacht sei, oder umgekehrt die Opfernden als Gäste Gottes, denen das Opfer war zugeeignet worden, ist schwerlich einseitig im einen oder andern Sinn zu beantworten. Da bei diesen Opfern die Gemeinschaft durch gegenseitiges Geben und Nehmen zum Ausdruck kommen soll, ist Gott dabei mehr als bloßer Gast; er spendet in der Mahlzeit seine 35 göttlichen Gaben zu Leben und Freude, wie er anderseits von der Gemeinde mit Hingabe ihres Besten geehrt wird.

C. Besonders wichtige Spezialopfer sind das Sünd- und das Schuldopfer, beide unter sich zwar verschieden, aber jedes in seiner Weise dazu bestimmt, die Folge von Sünde und Verschuldung gut zu machen, also Sühnopfer, was in ihrem Ritual sich aus- 40 prägt. Während aber beim Sündopfer die Sühnung (expiatio) des ethischen Fehlers im Vordergrund steht, bezweckt das Schuldopfer eine Genugthuung (satisfactio), wodurch ein zugefügter Schaden vergütet werden soll.

a) Das Schuldopfer (אשם) ist daher namentlich vorgeschrieben für Fälle der Veruntreuung oder der materiellen Schädigung der Interessen des Heiligtums oder der Privat- 45 personen. So sollte, wer aus Nachlässigkeit oder Versehen die dem Heiligtum geschuldeten Abgaben oder Leistungen verkürzt oder sich am Eigentum desselben vergriffen hatte, das Veruntreute mit Zugabe eines Fünftels erstatten und außerdem einen Widder als Schuldopfer darbringen Le 5, 14—16. Denselben Ersatz hatte zu leisten, wer anvertrautes Gut seines Nächsten veruntreut oder diesen sonst übervorteilt oder beraubt oder Gefun- 50 denes dem Besitzer nicht zurückerstattet hatte Le 5, 20—26; vgl. Nu 5, 5—10, wo besonders betont wird, daß dabei ein offenes Schuldbekenntnis erforderlich sei, und daß, wenn kein Goël (Rechtsnachfolger) des Übervorteilten mehr vorhanden, der Schadenersatz an den Priester falle. Dieser Ersatz (sechs Fünftel des Wertes) ist hier wohl deshalb viel geringer als sonst beim Diebstahl, weil der Schuldige nicht überführt worden, sondern 55 aus freiem Antrieb Geständnis ablegt und Sühne leistet. Zu beachten ist, daß auch bei Beeinträchtigungen des Nächsten außer der Entschädigung desselben auch ein Schuldopfer an Jahveh dargebracht werden muß, weil Gottes Rechtssphäre durch jene Übervorteilungen ebenfalls verletzt ist. Ein andersgearteter Eingriff in das Eigentumsrecht des Nächsten wird Le 19, 20—22 ebenfalls mit einem solchen Bußopfer belegt. Ein Ersatzopfer ist 60

aber auch das Ascham, welches der Aussätziggewesene (Le 14, 11 ff.) und das, welches
der unrein gewordene Nasiräer (Nu 6, 12) zu entrichten hat. Bei beiden ist eine gottes=
dienstliche Leistung zeitweilig unterbrochen worden. Für den satisfaktorischen Charakter
des **ascham** vgl. auch den Ausdruck 1 Sa 6, 3 f. Ebenso verlangte Esra von denen,
5 die heidnische Weiber genommen hatten, einen Widder als **ascham** Esr 10, 18 f., weil
ein Treubruch (מעל) an ihrem Gott und Volk dabei angenommen wurde (Esr 10, 2. 10;
vgl. 9, 2). Endlich die Verordnung Le 5, 17—19 (ähnlich lautend wie 4, 27), die
wegen ihrer scheinbar allgemeinen Forderung eines Bußwidders für alle Fälle der Ueber=
tretung eines Gebotes überrascht, ist mit Dillmann (z. d. St.), Strack (z. d. St.) zu er=
10 klären von einer Übertretung, die man überhaupt nicht kennt, aber von der man ein
dunkles Schuldgefühl hat, so daß ein מעל darin stecken könnte. So lehren die Rabbinen
ein אשם תלוי (im Gegensatz zum אשם ודי), das man zu opfern habe, wenn man nicht
genau wisse, ob man sich gegen das Gesetz vergangen habe; Mischna Kerithoth 3, 1;
4, 1. 2; Horajoth 2, 7.
15 Das Ritual des Schuldopfers Le 7, 1—7 steht mit der angegebenen Idee desselben
im Einklang. Als Material dient stets ein Widder, nur beim **ascham** des Nasiräers
und des Aussätzigen genügt ein einjähriges männliches Lamm, Nu 6, 12; Le 14, 10. 12
(LXX einjährig); sonst ist ein ausgewachsener Widder gemeint (nach M. Sebachim 10, 5
ein zweijähriger). Die Handaufstemmung ist zwar hier so wenig erwähnt als beim Sünd=
20 opfer Le 6, 7—23, aber an beiden Orten vorauszusetzen, und zwar war wohl damit die
Bekenntnis der Schuld oder Sünde verbunden. Das Tier wird beim **ascham** an der
Nordseite des Altars geschlachtet, das Blut einfach rings an den Altar gesprengt, das
Fett wie beim Gemeinschaftsopfer auf demselben verbrannt, das übrige Fleisch als hoch=
heilig nur von den Priestern (mit Ausschluß ihrer Frauen und Töchter) an heiliger Stätte
25 gegessen. Der Nachdruck liegt darauf, daß das ganze Opfer als Schuld an Jahveh und
seine Vertreter entrichtet wird.

b) Eigenartig unterschieden von diesem Opfer, das die Abzahlung einer Buße an
Gott darstellt, ist das Sündopfer, חטאת, wo es sich nicht so fast um Erbringung einer
solchen Vergütung, als vielmehr um Entsündigung der Person des Darbringers handelt,
30 und wobei demgemäß die Verwendung des Opferblutes das wichtigste ist. Die Anlässe
zu diesem Opfer sind weit mannigfaltiger, ebenso das Material recht verschieden nach der
Stellung des Darbringers und der Beschaffenheit des Falles. Als Opfer erscheint 1. ein
junger Stier bei den Sündopfern des höchsten Grades: der Hohepriester bringt einen
solchen dar am Versöhnungstag (Le 16, 3) oder wenn er sich „zur Verschuldung des
35 Volks" (4, 3), d. h. in seinem Amte als Vertreter des Volks versündigt hatte; ferner
bei Vergehungen des ganzen Volks (4, 13); das gleiche Sündopfer bei der Priester= und
Levitenweihe siehe Ex 29, 10. 14. 36; Nu 8, 8. 2. Ein Ziegenbock ist das Sündopfer
für das Volk am Versöhnungstag (Le 16, 5), desgleichen an den übrigen Jahresfesten
und Neumonden (Nu 28, 15. 22. 30; 29, 5 u. s. w.), bei der Versündigung eines
40 Stammfürsten (Le 4, 23), bei Versündigungen der Gemeinde, die hinter dem Rücken
geschehen sind (Nu 15, 24). 3. Eine Ziege oder ein weibliches Lamm genügte, wenn
ein gewöhnlicher Israelit sich versündigt hatte (Le 4, 28. 32; 5, 6); ein jähriges weib=
liches Lamm dient als Sündopfer bei der Lösung des Nasiräatsgelübdes Nu 6, 14 und
bei der Reinigung des Aussätzigen Le 14, 10. 19. — 4. Turteltauben und junge Tauben
45 bei den Reinigungen Le 12, 6; 15, 14. 29; Nu 6, 10. Ebenso als Ersatz für ein
Stück Kleinvieh beim Armen Le 5, 7; 14, 22. 5. Wer nicht einmal Tauben aufbringen
konnte, durfte bei gewöhnlichen Versündigungen statt dessen ein Zehntel Epha Weißmehl
opfern, aber ohne Öl und Weihrauch, zum Unterschied von der gottgefälligen Mincha.
Bei der Ausrichtung des Sündopfers ist nun das Charakteristische die mit dem Blute
50 vorgenommene Manipulation. Dasselbe wird nicht einfach an den Altar gesprengt, son=
dern an besonders geheiligter Stelle appliziert, und zwar in folgenden aufsteigenden
Graden: α) Beim Sündopfer des einzelnen Israeliten (außer beim Hohenpriester) wird
das Blut (von Bock, Ziege, Lamm), an die Hörner des Brandopferaltars gestrichen, der
Rest am Grund desselben ausgegossen Le 4, 25. 30. 34. Ebenso wurde bei dem Sünd=
55 opfer der Priesterweihe Ex 29, 12 und ohne Zweifel bei dem der Leviten verfahren.
β) Bei Sündopfern für die Gemeinde oder den Hohenpriester (abgesehen vom Versöh=
nungstag) wurde das Blut des Opferstiers siebenmal gegen den innern Vorhang gesprengt,
an die Hörner des Rauchopferaltars gestrichen und der Rest am Grund desselben aus=
gegossen (Le 4, 5 ff. 16 ff.). γ) Beim Sündopfer des Versöhnungstages (Le 16) wird
60 zuerst vom Blute des Stiers, den der Hohepriester für sich und sein Haus dargebracht

hat, dann ebenso von dem Blut des Bockes für das Volk im Allerheiligsten einmal auf die Vorderseite der Kapporeth und siebenmal vor der Kapporeth gesprengt, darauf vom Blute beider Sündopfer an die Hörner des Rauchopferaltars gestrichen und vor den letzteren ebenfalls siebenmal gesprengt. — Das Fleisch des Sündopfers ist sakrosankt (Le 6, 22). Es war bei den Opfern unter *a*) (mit Ausnahme des Priesterweihopfers) von den Priestern (nur den Männern) im Vorhof des Heiligtums zu verzehren (6, 18 f.), bei den Opfern unter *β*) und *γ*) dagegen sowie beim Stier des Priesterweihopfers (Ex 29, 14) samt Fell, Kopf, Beinen, Eingeweiden und Mist an einem reinen Ort außerhalb des Lagers zu verbrennen (Le 4, 11 f. 21; 6, 23; 16, 27), nach 4, 12 an dem Ort, wohin die Opferasche gebracht wurde. Wer vom Blute des Sühnopfers an sein Kleid spritzte, mußte es an heiliger Stätte auswaschen. Ebenso mußte das Opferfleisch jeder profanen Berührung entzogen werden; bei den Opfern unter *a*) mußten irdene Gefäße, in denen es gekocht war, zerschlagen, eherne oder kupferne gründlich gescheuert werden (6, 20 ff.); bei den Opfern unter *β*) und *γ*) mußte der, welcher das Fleisch außerhalb des Lagers verbrannt hatte, vor seiner Rückkehr in das Lager sich baden und seine Kleider waschen (16, 28). Ob beim Taubenopfer, nachdem der Kropf samt dem Unrat abgesondert und auf den Aschenhaufen geworfen war, der ganze Vogel auf dem Altar verbrannt, oder, wie Mischna Sebachim 6, 4 angiebt, dem Altar nichts als das Blut zukam, den Priestern das übrige gehörte, läßt sich nicht sicher entscheiden. Vom Mehlopfer der Ärmsten sollte der Priester eine Hand voll abnehmen und auf dem Altar anzünden; das übrige gehörte ihm wie beim Speisopfer (5, 12 f.).

Das Opferblut, dessen Bedeutung in dieser Gattung am eigenartigsten hervortritt, dient nach der maßgebenden Stelle Le 17, 11 überhaupt dazu, die Seele des Darbringers schirmend zu decken, und zwar kraft der Tierseele, die im Blute ist. Zwar darauf liegt der Hauptnachdruck, daß das Tier die Strafe erleide, welche der Mensch verdient hätte; sonst müßte die schmerzensreiche Schlachtung als der Hauptakt erscheinen, welche doch nur als Mittel zum Zweck der Gewinnung des Sühnblutes angesehen wird. Die Hauptsache ist die Darbringung einer Seele, eines Lebens an Gott. Diese Darbringung geschieht in Gestalt des Blutes, und zwar so, daß die Seele des Tieres derjenigen des Menschen substituiert wird. Das ist die Sühnung, vielleicht „Deckung" (siehe unten), welche der Person des Sünders aus dem Opfer erwächst. Daß die geringere Tierseele statt der wertvollen menschlichen dargebracht werden darf und zu deren Deckung genügt, ist Gottes gnadenvolle Verstattung. Bei allen blutigen Opfern ist dies die Bedeutung der Blutspende. Auch wo der Mensch sich keiner besonderen Verschuldung bewußt ist, hat er doch um seiner habituellen Unreinigkeit und Sündhaftigkeit willen eine Sühne zu leisten nötig, wenn er sich dem heiligen Gott nahen will. Beim Sündopfer aber ist diese Sühnung nicht bloß ein wichtiges Moment wie beim Brand- und Gemeinschaftsopfer, sondern der eigentliche Zweck des ganzen Opfers. Darum sind diese Sündopfer mit einziger Ausnahme des Falles äußerster Armut stets blutig. M. Sebachim 6, 1 stellt den Grundsatz auf: אֵין כַּפָּרָה אֶלָּא בְדָם „Keine Sühnung außer durch Blut". Dies ist im allgemeinen richtig, wenn man unter kappara die Wirkung des eigentlichen Sündopfers versteht, während allerdings ein כֹּפֶר, eine schirmende Sühngabe ohne blutigen Charakter öfter vorkommt, z. B. Ex 30, 12; Nu 31, 50. Beim Verbum כִּפֵּר ist in außerordentlichen Fällen (Ex 32, 30; Jes 6, 7) und im außergesetzlichen Sprachgebrauch (Jer 18, 23; Ps 65, 4; 78, 38; 79, 9) nicht selten die Sünde oder Schuld als das vor Gottes Augen zuzudeckende Objekt genannt; das eigentliche Subjekt der Handlung ist dabei überall Gott; auch Mose kann Ex 32, 30 nur „vielleicht" eine Sühnung beschaffen, nämlich wenn Gott es gewährt. In der gesetzlichen Kultussprache ist der Priester Subjekt der sühnenden Handlung, und zwar als Organ der Gemeinde, innerhalb welcher durch Gottes Stiftung diese Gnadenanstalt besteht. Objekt des כִּפֶּר, der Deckung, ist hier regelmäßig die menschliche Person, der das Opfer zu gute kommt; sie wird so durch das gestiftete Gnadenmittel vor dem verzehrenden Zorne Gottes geschützt; aber auch hier ist diese Deckung nötig nicht um ihrer bloßen Schwachheit, Endlichkeit und Hinfälligkeit willen, die vor der erhabenen, lebenvernichtenden Gegenwart Gottes zu schirmen wäre, sondern eben wegen ihrer Sündhaftigkeit und damit zusammenhängenden Unreinigkeit, welcher die Heiligkeit Gottes verhängnisvoll werden müßte. Siehe wider die gegenteilige Auffassung A. Ritschls (Rechtfertigung und Versöhnung, 3. A. II, 185 ff.) meine ausführlichen Darlegungen in ZKWL 1884 S. 127 ff. 169 ff. und vgl. Ed. Riehm, Der Begriff der Sühne im Alten Testament, 1877.

Zu beachten ist nun aber, daß keineswegs jede Sünde durch diesen gesetzlichen Apparat

von Gnadenmitteln kann gutgemacht werden. Vielmehr ist das Sündopfer nur anwendbar, wo unabsichtliche Verfehlung stattgefunden hat, בשגגה, aus Versehen, d. h. entweder aus Unkenntnis des Gebots oder Vergeßlichkeit, oder aus irriger Beurteilung des gegebenen Falles; dieser Irrtum gilt als Milderungsgrund. Le 4, 2 f. 22. 27; 22, 14; vgl. Nu
5 15, 25 f. Dieselbe Einschränkung gilt in der Regel auch beim Schuldopfer Le 5, 15. 18 (dagegen nicht Vers 20 ff.). Vgl. zum Begriff Nu 35, 11. 15; Jos 20, 3. 9, wo vom Totschlag בשגגה die Rede ist, was auch mit בבלי דעת, unwissentlich, unvorsätzlich, um- schrieben wird. Wer dagegen בְיָד רָמָה, mit erhobener Hand, d. h. in bewußter, absicht- licher Auflehnung gegen Gott und seine Ordnung gefrevelt hat, dem sollen diese Sühn=
10 mittel nicht zu gute kommen. Seine Empörung stellt ihn außerhalb des Gnadenrechts und zieht Gottes Zorn auf ihn herab. Er muß sterben (Nu 15, 30), wenn nicht der Herr selbst eine außerordentliche Sühnung schafft und so den Bundesbruch heilt.

IV. Zur Geschichte des Opferwesens. Daß das vorexilische Opferwesen eine geschichtliche Entwickelung durchgemacht hat und nie ganz stabil geblieben ist, geht aus
15 manchen Anzeichen hervor. Vielfach bezeugt ist, daß die Opfer nicht erst mit Mose be- gonnen haben, sondern in ähnlicher Form und Absicht, wie sie in Israel dargebracht wurden, seit Menschengedenken Übung gewesen sind. Zu dem Versuch Robertson Smiths (vgl. auch Wellhausen, Reste arabischen Heidentums[2] S. 142), das Opfer im Sinn einer Gabe an Gott, ebenso die Substitution eines Tierlebens statt eines menschlichen, als
20 ähnliche Ideen als sekundäre, relativ junge Auffassung darzuthun, während ursprünglich das Opfer mit seiner Mahlzeit die Teilnahme der Genießenden am göttlichen Leben des Tieres bezweckt habe, siehe die Bemerkungen am Anfang dieses Art. S. 387, 28. Hat Mose nach dem dort Gesagten schon die verschiedenen Opferarten schon vorgefunden, so hat er sie in den Jahvehdienst aufgenommen und nach dessen Grundsätzen geregelt. Man hat zwar
25 neuerdings die Meinung aufgestellt, Mose habe überhaupt keine Verordnungen betreffend die Opfer erlassen, sondern sich darauf beschränkt, alle Opfer dem Gott Jahveh zuzu- wenden. Opfergesetze habe man erst in exilischer Zeit aufzuzeichnen angefangen. Früher sei die Darbringung der Opfer nicht etwas gesetzlich vorgeschriebenes und normiertes ge- wesen, sondern in ungezwungener Weise aus freiwilliger Neigung hervorgegangen und
30 habe regelmäßig mit fröhlichen Opfermahlzeiten in Verbindung gestanden. Die Art und Weise der Jahvehopfer habe sich von der der heidnischen Kulte kaum anders unterschieden als dadurch, daß sie eben Jahveh, und nicht einem Baal oder Moloch dargebracht wurden. In starkem Gegensatz dazu lege das Priestergesetz (P) allen Nachdruck auf die Form des Ritus, und nehme für diese, welche es auf Mose zurückführe, göttliche Autorität in An=
35 spruch. Daß man zur Zeit der großen Propheten von einer solchen rituellen Opferthora noch nichts wußte, gehe hervor aus Stellen wie Am 4, 4 f.; 5, 21 ff.; Ho 6, 6; 8, 11 ff.; Jes 1, 11 ff.; Jer 6, 19 f.; 7, 21 ff. Erst bei Ezechiel (bes. 40—48) zeige sich die Wen- dung zur Hochschätzung der Opfer, an denen den früheren Propheten nichts lag, und in- sonderheit die Verehrung der bisherigen Praxis als einer göttlichen, heiligen. So im
40 allgemeinen nach Vatkes Vorgang Reuß, Graf, Kuenen, Wellhausen, und die meisten Neuern.

Dem gegenüber ist zunächst zu erinnern, daß das Opfer gerade im höheren Altertum, wo die Symbolik am lebendigsten war, weder an sich noch in Bezug auf die Form der Darbringung als etwas untergeordnetes, nebensächliches kann erschienen sein. Daß Mose
45 gerade auch das Opferwesen regelte, welches den Kern des Kultus bildete, ist von vorn- herein eine unausweichliche Forderung, wenn man ihn als Stifter der Jahvehreligion an- erkennt. Dies gesteht auch Reuß zu. In der That finden sich nun auch schon im alten „Bundesbuch" einzelne rituelle Vorschriften in Betreff dieses Kultus Ex 20, 24—26; 23, 18 f.; vgl. 34, 25 f., und zwar so, daß man weder an dem Gewicht, das auf die Opfer
50 gelegt wurde, noch an dem Vorhandensein vollständigerer Opfervorschriften in oder neben demselben zweifeln kann. Die oben angeführten Prophetenworte berechtigen denn auch nicht zu dem Schlusse, daß es in den Tagen, wo sie gesprochen wurden, ein als mosaisch geltendes Opfergesetz noch gar nicht gegeben habe. Die Polemik jener Pro- pheten, welche auch den Festen und Sabbaten gilt (Am 5, 21; Jes 1, 13 f.), die doch
55 im Bundesbuch, sogar im Dekalog, feierlich vorgeschrieben waren, richtet sich weder gegen eine solche Thora, noch gegen den Kultus an sich, sondern gegen die Überschätzung des opus operatum, in welchem falsche Frömmigkeit mit Umgehung des von Gott in erster Linie geforderten Gehorsams sich gefiel. Diese Prophetenworte sind somit Aus- führung des 1 Sa 15, 22 aufgestellten Grundsatzes. Die verschieden ausgelegte Stelle
60 Am 5, 25 bezeugt nur, daß nach alter Tradition der Opferdienst während der 40 Wüsten=

jahre im allgemeinen sistiert war: hat der Herr damals dessen entraten können, so wird
er ihn auch künftig nicht vermissen. Jer 7, 21 kann auch nicht von gänzlicher Bestreitung
des mosaischen Ursprungs irgend welcher Aufforderungen zum Opfer verstanden werden, da
Jeremia sich sicherlich nicht in einen Gegensatz zu JE (Ex 5, 1. 3. 8), Bundesbuch (Ex
20, 24; 23, 18; vgl. 34, 25), Deuteronomium setzen wollte, welch letzteres den Opfer- 5
dienst ebenfalls als göttliche Ordnung voraussetzt, vielmehr der Prophet selber den Opferdienst in dem Zustand künftiger Heilsvollendung als selbstverständlich ansieht. Vgl. Jer
17, 26; 31, 14; 33, 11. 18, welche Stellen nicht alle mit triftigen Gründen angefochten
werden. Die Meinung von Jer 7, 21 f. ist somit, daß nach der unter Mose gewordenen
Offenbarung der Opferdienst keineswegs das grundlegende war, sondern daß diese Gnaden- 10
ordnung dem Gehorsam gegen Gottes Hauptgebote zur Voraussetzung hatte. Der an sich
relative Gegensatz zwischen Opfern und Gehorsam ist hier wie Ho 6, 6 in absoluter Form
ausgesprochen. Ebenso sind die ähnlichen Psalmstellen zu verstehen. Indem das Prophetentum einen Rangunterschied des Ritual- und des Sittengesetzes zum Bewußtsein
bringt, und die Vollziehung der Kultushandlungen als bloß äußerliches Thun für wertlos 15
erklärt, hat es im Grund die wahren Konsequenzen des Mosaismus gezogen, der zwar
die moralischen und die rituellen Gebote meist unvermittelt nebeneinander stellt, dabei aber
was des Gesetzes Sinn und das Ziel seiner Pädagogie sei, unschwer zu erraten giebt,
teils dadurch, daß er alle Gebote durch Hinweisung auf die göttliche Erwählungsgnade
und die Heiligkeit Gottes motiviert, teils dadurch, daß auch seine rituellen Satzungen 20
überall eine geistige, ethische Bedeutung durchleuchten lassen und so die Ahnung sittlicher
Lebensaufgaben und Pflichten erwecken. Siehe zu den erörterten Prophetenstellen meine
Kommentare und vgl. Karl Marti JprTh VI S. 309 ff. (der allerdings den hier ein-
genommenen Standpunkt nicht festgehalten hat); Öhler, Altt. Theol.[3], S. 717 ff.; Bredenkamp, Ges. und Proph., S. 59 ff. 108 ff.; Köhler, Geschichte III, 26 ff. 56 ff.; W. Volck, 25
De nonnullis V. T. proph. locis ad sacrificia spectantibus 1893; James Robertson,
Alte Religion Israels S. 322 ff.; W. Riedel, Alttest. Untersuchungen I (1902) S. 53 ff.

Zuzugeben ist dagegen, daß auch nach Mose die Geschichte eine größere Freiheit in
der Form des Opfers aufweist, als sie im P zugestanden ist. Dies hängt damit zusammen, daß nach der Einnahme Kanaans die Opferstätte nicht einheitlich blieb und 30
unbeschadet eines Centralheiligtums der Kultus der Sippen und Stämme sich um Lokal-
heiligtümer bewegte. Siehe darüber oben Seite 388, 15 ff. Ebenso sind in Bezug auf
das Personal des Opferdienstes ähnliche centrifugale und centripetale Bewegungen im
Laufe der Zeit nachzuweisen wie hinsichtlich der Opferstätten. Siehe darüber die Artt.
„Levi" (bes. Bd XI S. 423, 82 ff.), „Priestertum", „Hoherpriester" (Bd VIII S. 251 ff.). 35
— Aber auch hinsichtlich des Materials und Rituals ist nicht starr an den mosaischen
Bestimmungen festgehalten worden, sondern die priesterliche Praxis und überlieferte Ord-
nung hat einen Entwickelungsgang durchgemacht, dessen Abschluß P darstellt, und der
Volksbrauch wich von den Satzungen der Priesterschaft des Centralheiligtums vielfach ab.
Wie die anerkannte Praxis in wichtigen Punkten sich wandelte, zeigte schon das Ver- 40
hältnis von Dt 12 zu Le 17. In Einzelheiten sind Abweichungen noch häufiger. Z. B.
ist das dem Priester zufallende Opferdeputat Dt 18, 3 anders bestimmt als Le 7, 31 ff.
Das Bewußtsein souveräner Freiheit des gesetzgebenden Gottes dem Buchstaben der Thora
gegenüber bekundet sich auch in der Neuordnung des Kultus bei Ezechiel. Siehe darüber
meinen Kommentar zu Ezechiel[2] S. 8. — Daß durch die Ablösung von den Lokalheilig- 45
tümern (seit Josia und nach dem Exil) der Gottesdienst sich feierlicher und förmlicher
gestalten mußte, während die Familienfeste am Lokalheiligtum mehr heiteren, geselligen
Charakter hatten, wurde schon oben (S. 388, 55) bemerkt. Doch ist dies nicht dahin zu verallgemeinern, daß man in der älteren Zeit in der Regel nur zu Opfermahlzeiten geopfert
und nur fröhliche Opferfeste gekannt habe. Das Brandopfer steht schon Gen 2, 20 (vgl. 50
K. 22) als uralter Brauch da und wird gewöhnlich als das Anbetungsopfer ersten Ranges
vor den Schelamim genannt. Vgl. 1 Sa 15, 22; Jer 1, 11; Jer 7, 21 f. und sehr oft.
Auch ist es nicht so, daß die ältere Zeit nur den fröhlichen Typus der Opferhandlung
gekannt hätte. Vielmehr zeigt sich schon von Anfang an ein ernstes Bedürfnis nach
Sühne, das sogar, wenn mißleitet, zu Menschenopfern führen konnte. Umgekehrt hatten 55
auch die später in den Hallen des Tempelvorhofs veranstalteten Opfermahlzeiten überwiegend heiteren, fröhlichen Charakter. Die Ansicht, daß die Sünd- und Schuldopfer erst
bei Ezechiel sich fänden und wohl nicht lange vor ihm an die Stelle von Geldbußen
getreten seien (Wellhausen), wird schon durch Ho 4, 8 widerlegt. Daß das ascham schon
vor dem Exil üblich war, beweist die exilische Verwendung Jes 53, 10. Vgl. Delitzsch, 60

ZAWW 1880, S. 8; Strack, Kommentar zu Le 5. Daß die Darbringung von Räucher=
werk außer der Thora erst Jer 6, 20 erwähnt wird, beweist nicht, daß sie etwas so
Junges sei. Delitzsch bemerkt übrigens: „Jes 1, 13 ist das „Räucherwerk" nichts anderes
als die azkara oder der Weihrauch des Speisopfers". Die Sache ist wohl uralt. Wohl=
5 riechendes Rohr u. dgl. werden nach der assyrischen Flutversion schon nach diesem Er=
lebnis der Vorzeit verbrannt.

Nach dem oben angedeuteten geschichtlichen Entwickelungsgang des israelitischen Opfer=
wesens kann es nicht befremden, daß darin manche Ausdrücke, Gebräuche und Anschauungen
vorkommen, welche bei andern, besonders verwandten Völkern ähnlich zu Hause sind.
10 Solche Analogien lassen sich aufzeigen bei den vorislamischen Arabern (Wellhausen), in
den minäischen Inschriften (Hommel), bei den Phöniziern und Karthagern (Opfertafel
von Massilia) und in der priesterlichen Litteratur der Babylonier und Assyrer (Paul Haupt,
Bab. Elem. in the Levit. Ritual; Zimmern, KAT³ S. 594—606). Bei der nahen
Verwandtschaft der Sprachen und dieser Völker selbst, sofern sie auf den semitischen
15 Hauptstamm zurückgehen, können mannigfache Berührungen zwischen ihnen in den reli=
giösen Anschauungen und der kultischen Terminologie von Hause aus nichts Befremdendes
haben und sind daher nur mit größter Vorsicht zum Erweis einer historischen oder litte=
rarischen Abhängigkeit nach der einen oder andern Seite zu verwerten. Auch sind israe=
litische Ausdrücke oder Gebräuche nicht ohne weiteres nach solchen Analogien zu inter=
20 pretieren, da sie bei jenem Volke einen wesentlich ganz andern Sinn angenommen haben können
als bei den heidnischen Beduinen oder den babylonischen Priestern. Daß das priesterliche
pentateuchische Gesetzbuch P mit seinen ausführlichen kultischen Ordnungen die zahlreichsten
Berührungspunkte mit den ebenfalls stark entwickelten Priestersatzungen der Babylonier
aufweist, läßt noch lange nicht den Schluß zu, daß es im babylonischen Exil müsse ent=
25 standen sein. Mit jenem Lande hatten ja die frühesten Väter Israels schon Fühlung.
Unbefangene Vergleichung ergiebt denn auch, daß die Opferterminologie des P eine ganz
andere ist als die der babylonischen Priesterschaft. Vgl. Schrader, KAT², S. 595 f.
Die Hauptbenennungen der Opfer sind an beiden Orten verschieden, und auch wo das=
selbe Wort vorkommt, hat es in der Regel einen abweichenden Sinn, wie sich bei unab=
30 hängig nebeneinander entstandenen semitischen Religionssystemen begreifen und erwarten
läßt. Dagegen sind solche Parallelen religionsgeschichtlich von nicht geringem Interesse.
Sie beweisen jene verschiedenen Entwickelungen zu Grunde liegende gemeinsame
Basis nicht bloß in der Sprachbildung, sondern auch in den religiösen Anschauungen.
Daß z. B. die Gottheit mit Opfern gespeist wird, daß sie den süßen Duft des Opfers
35 riecht, daß zur Sühnung ein Tier für den Menschen substituiert wird, sind auch den
Babyloniern und Karthagern geläufige Vorstellungen, welche ebendeshalb uralt sein
müssen. Leicht erklärt sich z. B. auch ohne jede Entlehnung, daß die babylonischen wie
die israelitischen Priester fehlerlose Opfertiere verlangten, oder daß die Priester selbst von
körperlichen Gebrechen frei sein mußten, oder daß die rechte Seite des Opfertieres bei der
40 Darbringung besondere Verwendung erhielt (KAT³ 597) und die Priester einen beson=
dern Anteil am Opfer hatten, der übrigens anders festgesetzt ist als in der Thora (KAT³,
598) u. dgl. m. Eine der frappantesten Parallelen bilden die Schaubrote, welche in
Babylonien sehr häufig den Göttern vorgesetzt wurden, vielleicht unter demselben Namen:
akal-pânu (s. v. a. לֶחֶם פָּנִים): Dieselben sind aber nicht bloß dem P bekannt, sondern
45 auch sonst als altisraelitisch bezeugt (1 Sa 21, 5 ff.). Auch ihre Zwölfzahl kann nicht
auf exilischen Einfluß zurückgeführt werden, da deren Bedeutsamkeit den Israeliten längst
vor dem Exil geläufig war und die ihrer Überlieferung treue Priesterschaft sich sicherlich
nicht an das Ceremoniell des von ihr verabscheuten Götzendienstes angeschlossen hätte.
Als Entlehnung aus dem Babylonischen wurde der Ausdruck קָרְבָּן für Opfer im allge=
50 meinen (althebr. mincha) angeführt, der sich außer P nur bei Ezechiel findet. Aber hier
ist das angebliche babylonische Grundwort kurbânu noch nicht einmal nachgewiesen
(KAT³ 596), und es ist auch äußerst unwahrscheinlich, daß Ezechiel einen babylonischen
Priesterterminus für eine so gangbare Sache eingeführt hätte. Eher läßt sich sagen, קָרְבָּן
sei kein althebräisches Wort, sondern gegen das Exil hin eingedrungenes aramäisches Lehn=
55 wort. — Beachtenswert ist, daß das hebräische kipper, sühnen, sein Gegenstück hat am
assyrischen kuppuru, inf. pl. mit entsprechendem Substantiv takpirtu (KAT³ 601), und
daß hier die sinnliche Grundbedeutung nicht die des Deckens, Zudeckens, zu sein scheint,
wie man nach dem Arabischen für das Hebräische angenommen hat, sondern die des Ab=
wischens, Wegstreichens, die auch das Syrische bietet. Doch spricht die in der Thora
60 häufige Konstruktion mit עַל und לִפְנֵי vor der Person eher für Anlehnung an jene erstere

Vorstellung. Erklären ließe sich dieser Sprachgebrauch allenfalls auch von jener andern Grundbedeutung aus, wenn den Hebräern das Wort nur noch in der Bedeutung „sühnen" bekannt war. Jedenfalls aber ist diese Bedeutung wie beim verwandten כפר schon althebräisch.

In Bezug auf die geistige, sittlich=religiöse Wertung des Opfers in Israel haben ver= innerlichende und veräußerlichende Strömungen wohl zu allen Zeiten nebeneinander bestanden, und sind sich zuweilen schroff gegenübertreten. War, wie wir sahen, die Opferhandlung eine überaus ausdrucksvolle Sprache des Herzens, so mußte das Vorhandensein der entsprechenden Gesinnung ursprünglich als selbstverständlich gelten. Es liegt jedoch auf der Hand, wie leicht das Vertrauen auf die äußerliche Leistung gesetzt und die ethi= schen Bedingungen außer acht gelassen werden konnten. Schon Samuel verwahrt sich gegen ein solches Abfinden Gottes auf Kosten des Gehorsams gegen seine Gebote 1 Sa 15, 22 f. Und die Propheten Amos, Hosea, Jesaja u. a. verwarfen, namens ihres Gottes, ein solches seiner ethischen Weihe beraubtes Opfern völlig. Aus den Psalmen aber ergiebt sich, daß auch tiefer und ernster Angelegte in der Gemeinde des höheren Wertes einer geistigeren Huldigung an Gott sich vollkommen bewußt wurden: Die Zerknirschung des Herzens ist dem Herrn lieber als die Darbringung von Sühnopfern für eine schwere Schuld, Ps 51, 18 f. (was von dem nachexilischen Zusatz Vs. 20 f. abgeschwächt wird). Wertvoller als Dank= und Lobopfer nach der Errettung ist das Opfer, daß man die That Gottes vor der Gemeinde verkünde Ps 40, 7 ff.; 69, 31 f.; 50, 8 ff. Die letztere Stelle zeigt besonders lehrreich, wie man sich darüber klar wurde, daß von einem Bedürfnis Gottes nach Opfern oder von einem Genießen derselben seinerseits keine Rede sein könne. Eine geistigere Gestalt des Gottesdienstes kündet sich hier an, wenn auch die alten Formen noch fortbestehen. Andererseits ist der pädagogische Wert des alttestamentl. Opferkultus nicht gering anzuschlagen. Ihm war es nicht zuletzt zu verdanken, daß Israel eine ernste Auffassung seines Verhältnisses zu Gott bewahrte und es mit seinen Verfehlungen gegen ihn und seinen Bund so genau nahm. Die alles Unreine verzehrende Heiligkeit Gottes, die Notwendigkeit, jedes Unrecht als Beleidigung seiner Majestät zu sühnen, die Möglichkeit, daß durch Gottes gnädige Veranstaltung ein Reines, Schuldloses für die Schuldigen eintreten könne — sind Ideen, welche in diesem Opferkult verkörpert waren und so ins innerste Geistesleben dieses Volkes übergegangen waren, als sie dort ihre vollendete Verwirklichung finden sollten. Manche Stellen der Propheten und Psalmen zeigen, daß die Opferriten ihre Bestimmung nicht bei allen verfehlt haben, höhere unsichtbare Vorgänge und Verhältnisse zur Anschauung zu bringen. Aber allerdings überwog im nachexilischen Judentum entsprechend dem gesetzlichen Geist, der es be= herrschte, der Zug zur Veräußerlichung der Religion und zur Überschätzung des hieratischen Apparats. Die Opferthora wurde mehr nach allen Äußerlichkeiten untersucht und erörtert, als daß man nach ihrem idealen Gehalt gefragt hätte. Von fremdartigen religiösen Anschauungen aus verwarfen die Essener das blutige Opfer prinzipiell und beschränkten sich darauf, andere Weihegaben an den Tempel zu senden. S. meine Allg. Religionsgeschichte S. 275. Die Christen sahen in dem Tod ihres Erlösers die Erfüllung und damit auch das Ende des alttestamentlichen Opferkultus. Aber auch für die Juden nahm er ein Ende mit der Zerstörung Jerusalems und seines Tempels durch die Römer.

Wie aus dem Neuen Testament zu ersehen, fanden sich die Christen der ersten Zeit, namentlich die aus dem Heidentum gewonnenen, vor eine nicht immer leicht zu entscheidende Frage gestellt hinsichtlich des Genusses von Fleisch, das aus heidnischem Opferkultus stammte. Zwar die Beteiligung an eigentlichen Opfermahlzeiten der Heiden, wobei es ohne Huldigungen an heidnische Götter nicht abgehen konnte, verbot sich ihnen von selbst, wie sie auch den Juden (Ex 34, 14 f.; vgl. Nu 25, 2 f.; Ps 106, 28 f.) streng untersagt war. Doch zeigt sich, daß auch hierin, wie in Bezug auf andere heidnische Unsitten, die Gewissen nicht selten zu lax waren und durch die Apostel geschärft werden mußten, was sich bei den mannigfachen familiären und sozialen Banden, welche solche gläubig Gewordene noch mit ihren Volksgenossen zusammenhielten, unschwer verstehen läßt. Gegen derartige Abgötterei wendet sich 1 Ko 10, 14—22; vgl. 8, 10. Schon beim Apostelkonvent AG 15, 20. 29; 21, 25 war den Heidenchristen Enthaltung vom Genuß der εἰδωλόθυτα empfohlen worden. Paulus hat diese Verordnung immerhin nicht als eine unabänderliche angesehen, wie er denn auch ihrer in jener Verhandlung mit den Korinthern nicht gedenkt, sondern aus innern Gründen die Antwort erteilt.

Ohnehin war die Frage um die Zulässigkeit des Essens der εἰδωλόθυτα keine einfache. Sie wurde dadurch verwickelter, daß solches Essen auch außerhalb eines kultischen

Altes geschehen konnte. Da beim griechischen Opfer in der Regel nur die mit Fett um=
hüllten Knochen auf dem Altar verbrannt wurden, der Hauptbestand des Opfertiers aber,
nachdem auch hier der Priester seinen Teil bekommen, dem Darbringer anheimfiel und
oft von ihm zu Hause bei einem Gastmahl vorgesetzt oder gar auf den Fleischmarkt ge=
5 bracht wurde, so hielten sich freier gerichtete Christen in solchem Fall nicht für gebunden,
gaben aber damit andern leicht Anstoß. Für gesetzestreue Juden verstand es sich von
selbst, daß sie überhaupt kein Fleisch aßen, das nicht von Volksgenossen auf gesetzliche
Art geschlachtet war; noch weniger hätten sie solches angerührt, dessen Blut einer fremden
Gottheit geweiht worden war. Siehe Da 1, 8; Tob 1, 12; Jud 12, 2. Aber auch die
10 Judenchristen und vielleicht manche Heidenchristen waren ängstlich nach dieser Seite. Paulus
hat die Frage für die überwiegend heidenchristliche korinthische Gemeinde 1 Ko 8 und 10 in
liebevoller Weisheit dahin beantwortet, der Christ soll beim Einkaufen in der Fleischhalle
unbedenklich zugreifen, ohne um des Gewissens willen nach dem Ursprung des Fleisches
zu forschen (10, 25 f.); ebenso bei Einladungen genießen, was ihm vorgesetzt sei, ohne
15 zu untersuchen, ob es einem Idol geweiht worden (Vs. 27). Mache ihn aber ein Bruder
darauf aufmerksam, daß dies der Fall, dann soll er um des andern willen, welcher der Sache
Gewicht beimißt, davon abstehen (Vs. 28 f.). — Endlich bekämpft Apk 2, 14. 20 in
mehreren kleinasiatischen Gemeinden solche Irrlehrer, welche die Christen anweisen, Götzen=
opferfleisch zu genießen und Unzucht zu treiben. Schon um der Verbindung mit letzterm
20 willen kann nicht die paulinische Lehre (Baur) gemeint sein. Eher wäre möglich, daß
diese Libertinisten das Prinzip Pauli von der Freiheit des Christen vom Gesetz zu solcher
Emanzipation des Fleisches mißbrauchten und auch in anstößiger Weise das den Götzen
konsekrierte Fleisch verzehrten, was ja Paulus ausdrücklich verboten hat. Möglich ist
immerhin, daß der Apokalyptiker die Frage strenger beurteilt hat als jener und es scheint
25 auch, daß die strengere Praxis bald allgemein herrschend wurde, da Plinius d. J. in seinem
Brief an Trajan erzählt, es wollten sich keine Käufer für das Opferfleisch mehr finden,
weil die Christen sich dessen enthielten.   **v. Orelli.**

Opferstock s. Kirchenkasten Bd X S. 398 f.

Ophir. — Litteratur: Chr. Lassen, Indische Altertumskunde (1844—1863) I, 538 ff.
30 651 ff., II, 553 ff.; K. Ritter, Erdkunde XIV (1848), 343—387; A. Sprenger, Die alte Geo=
graphie Arabiens (1875), 57; derselbe in ZDMG XLIV, 515 f.; L. Herzfeld, Handelsgeschichte
der Juden (1879), 18—36; K. E. von Baer, Reden III (1880), 112—180; Ad. Soetbeer,
Das Goldland Ophir in Vierteljahrsschrift für Volkswirtschaft, Politik und Kulturgeschichte,
Jahrgang XVII, 4 (Bd LXVIII), 104—169; Ed. Glaser, Skizze der Geschichte und Geo=
35 graphie Arabiens II (1890), 345—354, 357—383; derselbe in ZDMG XLIV, 721; K. Mauch
in Petermanns Mitteilungen 1872—74; Ergänzungsband VIII, 122 f.; K. Peters, Das gol=
dene Ophir, 1895; derselbe, Im Goldlande des Altertums, 1902; G. Oppert, Tharshish und
Ophir in Zeitschr. f. Ethnologie, 35. Jahrgang, 50—72, 212—265 (mit reichlichen Litteratur=
nachweisen; auch im Sonderdruck 1903).
40   Ophir wird in dem jahwistischen Teile der Völkertafel Gen 10, 29 als ein jokta=
nidischer, d. h. südarabischer Stamm oder als ein südarabisches Gebiet bezeichnet (vgl. unter
Arabien Bd I, S. 765, 48 ff.) und zu Sem gerechnet. Obgleich die Grenzen dieser süd=
arabischen Gebiete (Gen 10, 30 ausdrücklich angegeben werden, so sind wir doch nicht in
der Lage, daraus eine nähere Bestimmung für O. zu gewinnen, weil wir die dort ge=
45 nannten Orte nicht mit Sicherheit nachweisen können. Immerhin behält diese Stelle
ihren nicht geringen Wert, insofern sie mit voller Bestimmtheit lehrt, daß die alten He=
bräer eine Gegend mit dem Namen O. im südlichen Arabien kannten. Ob man diese
nun im SW., im heutigen Jemen, oder im O., am persischen Meerbusen, oder an der
S.-Küste, im heutigen Hadramut, zu suchen habe, bleibt freilich offen. Die Frage nach
50 der Lage O.s ist aber deshalb immer wieder aufgeworfen und beantwortet worden, weil
dieses Land als das Ziel der Handelsfahrten Salomos genannt und teils direkt, teils
indirekt mit wertvollen Handelsgütern des alten Orients in Verbindung gebracht wird.
          Die Stellen des ATs, die von dem Seehandel Salomos erzählen, sind durchaus
nicht gleichwertig; das darf nicht übersehen werden. Den Eindruck einer glaubwürdigen
55 Nachricht, die zu dem eigentlichen Bestande einer über Salomo handelnden Quellschrift
gehört, macht 1 Kg 9, 26—28: "Der König Salomo ließ Schiffe bauen in Eзeongeber,
das neben Eloth (= Elath Bd V, S. 285—287) am Ufer des Schilfmeeres im Lande
Edom liegt, und Hiram sandte auf die Schiffe seine Leute, seekundige Schiffsleute, zu=
sammen mit den Leuten Salomos. Sie fuhren nach O. und holten von dort Gold,

420 Talente, und brachten es dem Könige Salomo". Dieser Wortlaut wird in allem Wesentlichen durch die LXX bestätigt; 2 Chr 8, 17 f. wird dagegen gesagt, daß Hiram nicht nur seine Leute, sondern auch die Schiffe nach Eloth gesandt habe. Man weiß nicht recht, ob der Verfasser an eine Benutzung des von Necho II. und Darius I. nach dem roten Meere gegrabenen Kanals oder an einen Landtransport der Schiffe gedacht 5 hat. Doch kann diese Frage beiseite bleiben, da sie für die Bestimmung des Landes O., auf die es hier ankommt, nichts ausmacht. Die zweite Stelle 1 Kg 10, 11 f. ist eine Einschaltung in die Geschichte von dem Besuch der Königin von Saba; sie besagt, daß auch die Schiffe Hirams, abgesehen vom Golde, sehr viel Almuggimholz und Edelsteine aus Ophir für Salomo gebracht hätten. Sie stimmt also mit 2 Chr 8, 17 f. darin 10 überein, daß Schiffe Hirams, nicht solche, die Salomo hat bauen lassen 2 Kg 9, 26, nach O. gefahren sind. Die Parallelstelle 2 Chr 9, 10 f. läßt aber die angegebenen Waren durch die Leute Hirams und Salomos nach Jerusalem gebracht werden, ganz in Übereinstimmung mit 1 Kg 9, 27; die LXX weichen in dieser Beziehung nicht ab. Die dritte Stelle 1 Kg 10, 22 gehört ebenfalls einer späteren Erweiterung des Textes 15 an; sie weist zur Begründung des Reichtums Salomos darauf hin, daß der König Tharsisschiffe auf dem Meere hatte bei den Schiffen Hirams, und daß diese einmal in drei Jahren heimkamen mit einer Ladung von Gold, Silber, schenhabbîm, kôfîm und tukkijjîm (s. unten). Die LXX weichen nur darin ab, daß sie statt der drei letzten Handelswaren setzen λίθων τορευτῶν καὶ πελεκητῶν (so B), d. h. gravierte und ge- 20 schnitzte (eigentlich behauene) Steine, nach L jedoch ἀπελεκήτων, unbehauene, rohe Steine, also wohl ungeschliffene Edelsteine neben den vorhergenannten bearbeiteten Edelsteinen. In der Parallelstelle 2 Chr 9, 21 heißt es, daß Salomo Schiffe hatte, die mit den Leuten Hirams nach Tharsis fuhren u. s. w. (die Waren sind die gleichen wie 1 Kg 10, 22). Die LXX stimmen hier mehr mit dem hebräischen Text überein; B hat χρυ- 25 σίον καὶ ἀργυρίον καὶ ὀδόντων ἐλεφαντίνων καὶ πιθήκων (Affen), L χρ. κ. ἀργ. καὶ ὀδόντων ἐλεφαντίνων καὶ πιθήκων καὶ τεχειμ (Umschrift des hebräischen tukkijjîm). Wenn wir zunächst von den angegebenen Handelswaren ganz absehen, so fehlt in 1 Kg 10, 22 die ausdrückliche Angabe des Reiseziels, wohin die Schiffe fuhren. Nimmt man den Verfasser aber beim Worte, so ist sie in dem Ausdruck „Tharsisschiffe" enthalten; 30 denn darunter muß man zunächst solche Fahrzeuge verstehen, die nach Tharsis (wahrscheinlich Südspanien) fahren, und 2 Chr 9, 21 finden wir klar gesagt, daß man an Schiffe denken soll, die (auf dem Mittelmeere) nach Tharsis fahren. Die herrschende Auslegung ist das nicht. Sie richtet sich nach dem Wortlaut von 1 Kg 22, 49 f., wo erzählt wird, daß der König Josaphat von Juda Tharsisschiffe (richtiger wohl nach dem 35 Ketib und LXX: ein Tharsisschiff) für die Fahrt nach O. in Ezeongeber habe bauen lassen, daß das Schiff jedoch dort gescheitert sei. Da hier O. als das Ziel der Fahrt bestimmt angegeben wird, so faßt man den Ausdruck Tharsisschiff in dem allgemeinen Sinne „großes Meerschiff". Für diese Stelle ist eine andere Auffassung kaum möglich, aber dem Chronisten oder dem Verfasser der von ihm benutzten Quelle wird sie nicht 40 gerecht. Denn 2 Chr 20, 35—37 giebt er durch die Art und Weise, wie er den Versuch Josaphats bespricht, deutlich zu erkennen, daß er von Fahrten nach O. nichts weiß, daß er vielmehr Fahrten nach Tharsis dafür setzt. Viele Ausleger haben darin „selbstverständlich" einen Irrtum gesehen; sie hielten sich um so mehr für berechtigt, so sicher über die Schwierigkeit hinwegzukommen, als der Chronist angiebt, daß die Schiffe von Ezeon- 45 geber aus hätten nach Tharsis fahren sollen. Das war aber für die Zeit der persischen Herrschaft seit Darius und für die Zeit der Ptolemäer durchaus möglich, weil der von Necho II. begonnene, von Darius I. vollendete Kanal einen Wasserweg zwischen dem roten und dem mittelländischen Meere eröffnet hatte, und dieser Zeit gehören sowohl der Chronist als auch seine Quellschriften an. Käme nun der Gedanke, Salomo hat Fahrten 50 nach Tharsis veranstaltet, vereinzelt beim Chronisten vor, so ließe sich wohl von einem Irrtum reden. Aber zu der Stelle 2 Chr 20, 35—37, die für sich allein schon wegen ihrer Bestimmtheit schwer ins Gewicht fällt, kommt 2 Chr 9, 21; beide lehren uns, daß man sich in späterer Zeit von Handelsverbindungen Salomos mit Tharsis mancherlei erzählte, daß man aber über die Fahrten nach O. nichts mehr wußte. Mit der Zeit 55 hatten sich die Handelswege, der Verkehr mit fernen Ländern geändert, damit auch die Kenntnisse. Fragen wir uns nun, nachdem wir die Meinung der späteren Zeit über die Handelsfahrten Salomos kennen gelernt haben, zu welcher Gruppe von Nachrichten 1 Kg 10, 22 zu zählen ist, so kann die Antwort kaum zweifelhaft sein. Die Stelle ist, literarisch angesehen, ein junger Zusatz zu älteren Nachrichten, gewiß nachexilisch; sachlich 60

angesehen, paßt sie nicht zu der Angabe über die einmalige Fahrt nach O. 1 Kg 9, 26—28 — sie redet von Fahrten, die alle drei Jahre einmal stattfanden — und zählt außer dem Gold, das für O. die Hauptsache ist, auch Silber und andere Gegenstände (s. unten) als Ausbeute der Fahrt auf. 1 Kg 10, 22 gehört demnach nicht zu den Nachrichten
5 aus älterer Zeit, die von O. handeln, sondern zu denen, die aus späterer Zeit herrühren und wiederholte Fahrten Salomos auf dem Mittelmeere zugleich mit Schiffen des Königs Hiram von Thyrus nach Tharsis annehmen.

Aus dieser Prüfung der Angaben des AT.s hat sich ergeben, daß für die Unternehmung Salomos nach dem Lande O. nur in Betracht kommen 1 Kg 9, 26—28 und
10 10, 11 f. neben den Parallelstellen 2 Chr 8, 17 f. und 9, 10 f. In ihnen ist uns oben der Unterschied aufgefallen, daß teils nur von Leuten Hirams, die neben den Leuten Salomos als die seekundigen Schiffer in Betracht kommen, die Rede ist, 1 Kg 9, 26—28; 2 Chr 9, 10 f., teils von Schiffen Hirams, die von Ezeongeber ausgefahren seien (nicht von Schiffen Salomos) 1 Kg 10, 11 f.; 2 Chr 8, 17 f. Dieser Unterschied muß wohl
15 zu Gunsten der ältesten Angabe 1 Kg 9, 26—28 beurteilt werden: Salomo hat in Ezeongeber Schiffe bauen lassen (wie es später Josaphat wieder versucht hat, 1 Kg 22, 49 f.) und teils mit phönizischen Seeleuten, teils mit von ihm selbst gedungenen Seeleuten bemannt.

Zu diesen Stellen des AT.s mögen hier noch die Angaben des Josephus und des
20 Eupolemus gestellt werden. Der erstere giebt Antiq. VIII, 6, 4 § 163 f. den Inhalt von 1 Kg 9, 26—28 mit einigen Erweiterungen wieder, setzt für O. im Anschluß an die LXX den Namen Σώφειραν und erklärt dieses durch das „Goldland" seiner Zeit, nämlich Indien. Die zweite O.-Stelle 1 Kg 10, 11 f. umschreibt er VIII, 7, 1 § 176 und versteht sie ebenfalls von Indien. Dagegen wird Tharsis 1 Kg 10, 22 von ihm
25 VIII, 7, 2 § 181 in freier Weise wiedergegeben durch „auf dem sogenannten tarsischen Meer" (von Tarsus in Cilicien?). Eusebius von Cäsarea hat in seiner Praeparatio Evang. IX, 30, 4 (ed. Heinichen II, 49) ein Fragment des Eupolemus (160—150 v. Chr.) mitgeteilt, nach dem David in der arabischen Stadt Ailanoi habe Schiffe bauen und Bergleute nach der im roten Meer gelegenen Insel Uphre (Οὐφρῆ) fahren lassen;
30 diese Bergleute hätten aus dem dortigen Goldbergwerk Gold nach Judäa gebracht. Bei Josephus begegnet uns der Name Σώφειρα; er ist identisch mit der Wiedergabe O.s durch die LXX an den oben besprochenen Stellen: Σωφιρα, Σωφηρα, Σωφαρα, Σουφειρ, Σουφιρ, und meint, wie sich abgesehen von Josephus auch durch koptische Vokabularien belegen läßt, einen Teil Vorderindiens. Man hat Σούπαρα des Ptole-
35 mäus und Οὔππαρα des Arrian verglichen, einen Ort an der Malabarküste unweit des heutigen Goa. Das Uphre des Eupolemus entspricht wohl dem alttestamentlichen O.; im übrigen ist seine Angabe nur eine Deutung der im AT überlieferten Nachrichten, die nur insofern von Wert ist, als sie nach Arabien weist.

Auf der vom AT gewiesenen Spur, vgl. besonders Gen 10, 29, bleiben alle die-
40 jenigen, die O. in Südarabien suchen. Sprenger suchte es mit Rücksicht darauf, daß von griechischen und arabischen Schriftstellern Flußgold und Goldbergwerke an der Westküste Arabiens und in einiger Entfernung davon erwähnt werden, in der Landschaft ʿAsïr zwischen dem Hedschäz im Norden und dem eigentlichen Jemen im Süden (17. bis 19. Grad n. Breite). — Herzfeld hat vorgeschlagen, Ophir an der Südküste Arabiens anzu-
45 setzen. Er betont die Nachbarschaft der Sabäer Gen 10, 28 f., die nach Ptolemäus ein Binnenvolk waren, und sucht das Küstenland O. in ihrer südlichen Nachbarschaft, in der Gegend der späteren Homeriten (Himjariter). — Soetbeer denkt wie Sprenger an die Westküste Arabiens und hebt hervor, daß es hier im Altertum auf Grund der Angaben besonders des Agatharchides reiche Goldlager an der Küste gegeben habe, die gediegene
50 Stücke dieses Metalls bis zur Größe einer Wallnuß enthielten. Man muß annehmen, daß die von dem hohen Gebirge des Innern nach der Schneeschmelze mit großer Heftigkeit herabstürzenden Gewässer das Gold in kleineren und größeren Stücken aus dem Felsen des Hochlandes gelöst und bis in die Küstenebene hinabgeführt haben. Es entstanden dadurch Goldfelder ganz ähnlicher Art, wie sie in neuer Zeit in Minas Geraes,
55 in Kalifornien und Australien abgesammelt worden sind. Für die Einwohner hatte das Gold nicht viel Wert; sie tauschen, sagt Agatharchides, Kupfer ein gegen dreimal so viel Gold an Gewicht, Eisen aber gegen das Doppelte. Doch hält Soetbeer mit von Baer dafür, daß die Leute Salomos den großen Betrag an Gold, 420 Talente (im Reinertrag 45—50 Millionen Mark), nicht durch Tauschhandel erlangt haben, sondern daß sie, weil
60 der erste und Hauptgewinn aus den Goldlagern an der Küste den Sabäern zugefallen

sein werde, die eigentlichen Goldlager im Hochlande, im Gebiete der von Agatharchides genannten Aliläer und Kasandrer haben aufsuchen und ausbeuten müssen. Diodor (III, 25 f. II, 50) nennt das Gold dieser Gegend ἄπυρον, weil es nicht wie sonst aus Stufen ausgekocht, sondern schon gediegen in der Erde gefunden werde. Er versteht den Ausdruck offenbar in dem Sinne von „feuerlos"; es ist aber schon mehrfach darauf aufmerksam gemacht worden (z. B. von Glaser), daß dieser Name mit O. (in der Aussprache Aphir) zusammenhängen könnte. — Glaser verlegt O. an die Ostküste Arabiens und sieht es als das westliche Küstenland des persischen Meerbusens an, etwa von Norden bis an das Vorgebirge Räs Musandum. Nach dem südarabischen Geographen Hamdäni (um 940 n. Chr.) lagen die meisten Goldbergwerke in dem nordöstlichen Teil des inneren Arabiens, am und um den Dschebel Jemäma. Dorthin verlegt Glaser das Goldland Hawila Gen 2, 11 und versteht O. als das dazu gehörige Küstenland nach dem persischen Golf zu. An die Bucht zwischen der Halbinsel Katar und dem Räs Musandum verlegt er den Hafen Ommana, der von dem Periplus Maris Erythraei (80—90 n. Chr.) als Ausfuhrort für Gold erwähnt wird. Er vergleicht ferner den keilschriftlichen Namen Apira, Apir, der südlich von Babylonien, also an der Westküste des persischen Meerbusens angesetzt werden müsse, jedoch auch für die nordöstlichen Ufer dieses Golfs vorkomme, so daß Apira, Apir = O. einst gemeinsamer Name der dortigen Ufergebiete gewesen sei. Das biblische O. versteht er jedoch nur von der arabischen Küste. — Diese drei Versuche, das Land O. zu bestimmen, halten sich mit Recht an Arabien; denn Arabien ist ohne Zweifel für die älteren Schriften des AT.s das Goldland (vgl. den Art. Parwaim). Der Vorschlag Soetbeers scheint mir den Vorzug zu verdienen; wenn es an der Südwestküste ergiebige Goldlager gegeben hat, so wird man es schwer begreiflich finden, daß Salomo und Hiram ihr Augenmerk auf die arabische Küste des persischen Meerbusens gerichtet hätten. Auch sind Bedenken dagegen laut geworden, die Gen 10 genannten südarabischen Stämme und Gebiete so weit im Norden der arabischen Halbinsel zu suchen. Die 1 Kg 10, 22 angegebene Frist von drei Jahren gilt, wie oben gezeigt worden ist, für die einmalige Fahrt nach Ophir nicht.

Lassen und Ritter suchen O. in Indien in der Gegend der Mündungen des Indus und des Golfs von Kambhajat, teils unter Berufung auf den Namen eines Hirtenstammes Abira, teils unter Hinweis darauf, daß 1 Kg 9, 10 und 22 genannten Waren indischen Ursprungs seien (schenhabbīm Elfenbein, kōfīm Affen, tukkijjīm Pfauen, almuggīm Sandelholz). Allein die vorgeschlagenen Erklärungen aus dem Sanskrit sind durchaus zweifelhaft. Nach dem oben Gesagten bleibt außerdem für O., abgesehen von Golde, nur das Almuggimholz. Die übliche Erklärung „Sandelholz" ist nur geraten; Glaser will darin den in Arabien einheimischen Baum Storax oder Styrax erkennen, der ein wohlriechendes Harz liefert. Bei dieser Unsicherheit ist es nicht möglich, danach die Lage O.s zu bestimmen. Gegen den Vorschlag Lassens kommt noch in Betracht, daß die Bewohner Syriens doch erst durch die Perser und Griechen mit Indien bekannt geworden sind. Dasselbe gilt auch für den Versuch von Baers, O. in der hinterindischen Halbinsel Malakka nachzuweisen, in der er das von Josephus (s. oben) erwähnte „Goldland" erkennt. Soetbeer betont mit Recht, es sei höchst unwahrscheinlich, daß man in der Zeit Salomos ein solches Unternehmen, eigene direkte Goldgewinnung, für eine so weite Entfernung geplant und zur Ausführung gebracht habe. Neuerdings hat die schon früher geäußerte Meinung, O. habe an der Ostküste von Südafrika gelegen, wieder begeisterte Vertreter gefunden. Merkwürdige Ruinen auf dem Berge Fura oder Afura, die nach portugiesischen Berichten aus dem 16. Jahrhundert von den dortigen Einwohnern auf die Königin von Saba oder auf Salomo zurückgeführt wurden, sind 1871 von dem deutschen Reisenden Karl Mauch wieder aufgefunden worden, nämlich in Zimbabye in einer früher von den Malotse bewohnten, jetzt aber unbewohnten Gegend, 41 deutsche Meilen westlich von der portugiesischen Station Sofala oder Sofara. Afura soll dem hebräischen O. entsprechen, Sofala dem Sophir der LXX. Aber Sofala erklärt sich aus dem arabischen safala = niedrig sein und bedeutet, wie das hebräische שְׁפֵלָה Niederland, Niederung. Der Name Fura oder Afura könnte nur ins Gewicht fallen, wenn andere Umstände diese Annahme begünstigten. Die Goldlager an den Quellflüssen des Nils (Fassokl) waren freilich schon früh bekannt; aber die ersten, noch unsicheren Spuren einer Kenntnis der Goldlager Südafrikas gehen nicht über Ptolemäus (2. Jahrh. n. Chr.) hinauf. Die Araber hingegen wissen seit dem 10. Jahrhundert um den Goldreichtum von Sofala. Und selbst wenn diese Kunde schon um 1000 v. Chr. in Syrien verbreitet gewesen sein sollte, so ist es doch kaum glaublich, daß die Arbeiter Hirams und

Salomos Goldlager ausgebeutet hätten, die 40 deutsche Meilen von der Küste entfernt waren. (S. Oppert, der zuletzt über O. gehandelt hat, unterscheidet zwischen den nach O. gerichteten und so genannten und den unbenannten und nicht nach O. gerichteten Fahrten; die ersteren sollen nach der Ostküste Afrikas, die letzteren nach Indien gegangen sein; O. bezeichne wohl zunächst ein Gebiet im südlichen Arabien, der Name sei dann aber allmählich auf immer weiter entfernte Küstenländer Ost-Afrikas übertragen worden.

Guthe.

Ophiten. — Quellen: Irenäus, adv. haer. I, 29—31; Hippolyt, refut. omn. haer. V; Clemens Al., Strom. III, 4; Origenes, ctr. Cels. VI, 24—35; Epiphanius, haer. 25 f. 37—40. 45. Pistis-Sophia, ed. Schwartze und Petermann, Berlin 1851; C. Schmidt, Gnostische Schriften in koptischer Sprache aus dem Kodex Brucianus, TU VIII, 1. 2, Leipzig 1892; ders., Ein vorirenäisches gnostisches Originalwerk in kopt. Sprache, SBA 1896, S. 839 ff.

Litteratur: Die bei dem A. Gnosis Bd VI, 728 angeführte. Mosheim, Gesch. d. Schlangenbrüder 1746; A. Fuldner, do Ophitis, 1834; A. Hilgenfeld, Der Gnosticismus und die Philosophumena, ZwTh 1862, S. 400 ff.; R. A. Lipsius, Ueber die ophitischen Systeme, ib. 1863, S. 410 ff.; J. R. Gruber, Die Ophiten, 1864; Hönig, Die Ophiten, 1889; W. Anz, Zur Frage nach dem Ursprung des Gnosticismus, TU XV (S. 1—32 und passim); E. Preuschen, Die apokryphen gnostischen Adamschriften, in der Festschrift für Stade, 1900; R. Liechtenhan, Die Offenbarung im Gnosticismus, 1901 (passim); L Zscharnack, Der Dienst der Frau in den ersten Jahrhunderten der christlichen Kirche, 1902 (S. 156 ff.); G. R. S. Mead, Fragmente eines verschollenen Glaubens, deutsch von A. v. Ulrich 1902 (S. 150—189. 367—486); E. H. Schmitt, Die Gnosis Bd I 1903 (passim).

Zu einzelnen Sekten: K. R. Köstlin, Das gnostische System des Buches Pistis-Sophia, Theol. Jahrb. v. Baur und Zeller 1854, S. 1 ff.; A. Harnack, Untersuchungen über das gnostische Buch Pistis-Sophia, TU VII, 2; C. Schmidt: in dem unter den Quellen angeführten Werke; ders., Plotins Stellung zum Gnosticismus und kirchlichen Christentum, TU, XX, 4; R. Liechtenhan, Untersuchungen zur koptisch-gnostischen Litteratur, ZwTh 1901, S. 236 ff.; ders., Die pseudepigraphe Litteratur der Gnostiker, ZNTW 1902, S. 222 ff.

Ophiten (Ophianer) ist in der Kirchengeschichtschreibung die angenommene Bezeichnung für eine Gruppe gnostischer Sekten. Sobald man aber nach einem gemeinsamen Merkmal dieser Sekten fragt, kommt man in Verlegenheit. Die Schlange, von der sie den Namen haben, kommt gar nicht in der Lehre aller dieser Sekten vor und hat nicht überall, wo sie vorkommt, dieselbe Stellung. Auch nicht die Verbindung mit einer bestimmten vorchristlichen Religion oder die besondere Betonung bestimmter christlicher Gedanken ist charakteristisch, denn Bestandteile verschiedener Religionen, Astralreligion, griechische, persische, ägyptische, orphische Einflüsse sind zu bemerken; aber was die Ophiten daraus entnommen haben, ist nicht allein von ihnen angeeignet worden und gibt nicht das für sie Charakteristische. Man kann das Kennzeichen auch nicht in einer bestimmten Verfassungsform oder in besondern Mysterien suchen, da in diesen Dingen, soweit wir davon erfahren, unter den ophitischen Sekten die größte Mannigfaltigkeit herrscht. Auch das älteste Dokument, das zugleich die Ideen dieser Sekten am einfachsten ausspricht, enthält nichts, was diesen gegenüber den andern gnostischen Sekten eigentümlich wäre. .

Ein Kennzeichen ist nur, daß in diesen ophitischen Sekten keine Gründer, Propheten und Philosophen hervortreten, die den Sekten den Namen geben. Wo solche Namen genannt werden, sind es keine religiösen Autoritäten. Ophiten ist ein bloßer Sammelname für diejenigen gnostischen Sekten, die sich nicht an Schulhäupter, prophetisch oder philosophisch besonders begabte Personen anschließen. Aus dem großen Strom der synkretistischen Bewegung, die, soweit sie auch das Christentum an sich gezogen, als Gnosticismus den Christengemeinden gefährlich geworden ist, sind einzelne Männer emporgetaucht, haben eine selbständige Weltanschauung gebildet und dadurch Schule gemacht, wie Satornil, Basilides, Valentin ꝛc. Daneben bleibt aber der Hauptstrom aller der Sektenbildungen, die von der in pseudepigrapher Offenbarungslitteratur niedergelegten Tradition leben und diese wieder in mannigfacher Weise umgestalten. Diese Sekten werden als Ophiten bezeichnet. Die Natur der Sache bringt es mit sich, daß sie im Durchschnitt mehr in die heidnische Superstition verstrickt sind, mehr den Charakter von Mysterienvereinen als von Philosophenschulen annehmen. Aber eine scharfe Grenze gegen die andern Sekten kann man auch in dieser Hinsicht nicht ziehen.

Man pflegt die Sekten nach ihren Kosmologien und Kosmogonien zu scheiden. Zweifellos haben dieselben auch eine große Rolle gespielt, denn ihre Kenntnis galt dem Gnostiker für heilsnotwendig. Als zweites die Sekten unterscheidendes Merkmal sind die Mysterien zu nennen. Wir wissen aber nicht, wie weit die Übereinstimmung in diesen

Punkten zwischen den Gliedern ein= und derselben Sekte gehen mußte, wie groß die Ver=
schiedenheit sein durfte, damit eine wirkliche Gemeinschaft bestehen konnte. Ziehen wir
ferner die mangelhafte Kenntnis und die noch mangelhaftere Berichterstattung der Kirchen=
väter in Betracht, so kommen wir zu dem Ergebnis, daß wir nicht im stande sind, feste
Grenzen zwischen den einzelnen Sekten zu ziehen. Wie leicht können die Häreseologen 5
verschiedene Sekten zu einer zusammengezogen, eine in eine Vielheit auseinandergerissen
haben. Deshalb gebe ich, unter Vorbehalt des eben Gesagten, nur eine kurze Aufzäh=
lung der einzelnen Sekten und fasse die Darstellung der Theologie möglichst zusammen.

Die zu behandelnden Sekten sind: 1. Die von Jrenäus sogenannten Gnostici Bar=
belo, Iren. I, 29. Die von ihm benutzte Quelle besitzen wir in koptischer Übersetzung, die 10
bis jetzt noch nicht im Druck erschienen ist; sie heißt Apocryphum Johannis. Zugleich
damit sind überliefert zwei andere Werke: Evangelium Mariae und Sophia Jesu
Christi, vgl. über den Fund SBA 1896, S. 839ff. Über Zeit und Verbreitung der
Sekte erfahren wir nichts.

2. Die Ophiten des Jrenäus, von ihm geschildert Iren. I, 30; vgl. Epiph. haer. 37. 15

3. Die eng damit verwandten „Ophianer" des Origenes; sie waren schon dem Celsus
bekannt, der sie von den Christen aus der Großkirche nicht zu unterscheiden vermochte.
Origenes sagt, die Sekte sei zu seiner Zeit so gut wie ausgestorben. Celsus und Ori=
genes kannten eine graphische Darstellung des Weltbildes dieser Sekte, das sogenannte
„Diagramm der Ophiten". 20

4. Die von Hippolyt geschilderten Naassener. Über den von ihnen gebrauchten
„Naassenerhymnus" vgl. unten. Sie brauchen „Mitteilungen des Jakobus an Mariamne",
ein apokryphes Evangelium, sowie das Evangelium des Thomas und das Ägypterevan=
gelium. Zeit und Verbreitung unbekannt.

5. Die Peraten, von Hippolyt geschildert. Als Lehrer in dieser Sekte nennt Hipp. 25
den auch von Origenes bei seinen Ophianern erwähnten Euphrates, bei Hipp. mit dem
Beinamen ὁ Περατικός; ferner einen Akembes (auch als Ademes und Kelbes über=
liefert) der Karystier. Hipp. bringt ein Excerpt aus einer Schrift: οἱ προάστειοι ἕως
αἰθέρος."

6. Justin der Gnostiker, vgl. den Art. Bd IX, S. 640f. 30

7. Die Sethianer, von Hippolyt geschildert, brauchen als heiliges Buch eine Para=
phrasis Seth.

8. Eine andere, Sethianer genannte Sekte schildert Epiph. haer. 39. Heilige
Schriften sind: 7 Bücher Seth, Bücher Allogenes oder der 7 Söhne Seths, Apokalypse
Abrahams, Bücher Mose. Ob die von Preuschen in der Festschrift für Stade heraus= 35
gegebenen armenischen apokryphen Adamschriften sethianisch sind, ist mir fraglich.

9. Eine Abzweigung dieser Sekte sind die Archontiker, Epiph. haer. 40. Ein Ana=
choret Petrus hat sie in Palästina vertreten, sein Schüler Eutactus nach Armenien ver=
pflanzt; diese Männer sind Zeitgenossen des Epiphanius. Heilige Schriften: Große und
kleine Symphonia, 7 Bücher Seth und Bücher Allogenes oder der 7 Söhne Seths, 40
Anabaticon Isaiae, Visionen des Martiades und Marsianus.

10. Der Name Marsianus kommt in der Form Marsanes als Offenbarungsautorität
auch vor in dem zweiten der von Schmidt herausgegebenen koptisch=gnostischen Werke.
Als solche Autoritäten erscheinen dort ferner Phosilampes und Nikotheos. Prophetien des
Nikotheos sowie des Allogenes erwähnt auch Porphyrius, vita Plotini 16 bei den gno= 45
stischen Gegnern Plotins. Als deren Vertreter werden genannt: Adelphius, Aquilinus,
Alexander der Libyer, Philocomus, Demostratus und Lydus; heilige Schriften außer den
genannten noch Apokalypsen des Zoroaster, Zostrianus, Mesos und „von andern solchen
Männern". Plotins Schüler Amelius schrieb 40 Bücher gegen die Apokalypse des
Zostrianus. 50

11. Die Severianer, Epiph. haer. 45 zeigen wenig Charakteristisches, gehören aber
in diese Gruppe.

12. Nahe damit verwandt sind die Sekten, aus denen die Pistis-Sophia (abge=
kürzt P.S.) und das erste (zweiteilige) der von Schmidt herausgegebenen koptisch=gnostischen
Werke stammt (das Buch vom großen λόγος κατὰ μυστήριον, von Schmidt m. E. 55
fälschlich Bücher Jeu genannt). Die Sekten, welche die P.S. und das erste koptische
Werk brauchen, sind nahe miteinander verwandt, aber m. E. nicht identisch.

13. Die Kainiten, Iren. I, 31 und Epiph. haer. 38. Sie brauchen ein Evan=
gelium des Judas.

14. Die Nikolaiten, bekämpft von Apk 2 in Ephesus, Pergamum und Thyatira, 60

erwähnt von Irenäus (I, 26, 3) und Clemens Alexandrinus (Strom. III, 4); Epiphanius behandelt sie in haer. 25, berichtet aber nichts, was nicht bei andern Sekten wieder-
kehrte. Nach Iren. und Clem. berufen sie sich auf den Diakon Nikolaus AG 6, 5.
Clemens citiert eine Kosmogonie dieser Sekte und entrüstet sich darüber, daß sie solche
5 Frevel auf eine „heilige Prophetie" zurückführen; es handelt sich demnach um ein Pseud-
epigraphum.

15. Antitakten.

16. Prodicianer, antinomistische Sekten, beide nur von Clemens (Strom. III, 4)
erwähnt; letztere brauchen apokryphe Zoroaster-Schriften.

10 17. Die Epiph. haer. 26 geschilderte Rotte, von ihm „Gnostiker", Phibioniten,
Barbeliten, Borborianer, Stratiotiker, Kobbianer geheißen; Epiphanius ist in seiner Jugend
in Ägypten mit ihnen zusammengekommen und hat ihre Verbannung aus einer Stadt
bewirkt. Sie haben zahlreiche heilige Schriften: Bücher Jaldabaoth, Apokalypse Adams,
Evangelium Evas, Bücher Seth, Buch Noria, Prophetien des Barkabbas, Himmelfahrt
15 des Elias, Geburt Marias, Evangelien der Apostel, große und kleine Fragen der Maria,
Evangelium des Philippus, *Εὐαγγέλιον τελειώσεως*.

Unzweifelhaft das älteste Dokument des ophitischen Gnosticismus ist der Naassenerhymnus; er spricht am einfachsten und ergreifendsten die Grundgedanken nicht nur der
Ophiten, sondern der Gnosis überhaupt aus. Ich gebe ihn nach der Übersetzung von
20 Harnack (SBA 1902, S. 542 ff.):

„Das zeugende Prinzip des Alls, das erste, war der *νοῦς*, das zweite Prinzip aber
war des Erstgeborenen ausgegossenes *χάος*, das dritte Prinzip aber empfing die *ψυχή*,
die von beiden stammt. Daher, wie ein zitternder Hirsch gestaltet, ringt sie sich ab, ge-
packt vom Tode, ein Übungsstück (für ihn). Bald gewinnt sie die Herrschaft und sieht
25 das Licht, bald ins Elend geworfen weint sie, bald ist die Unglückselige, in Übel versenkt,
in ein Labyrinth geraten. Da aber sprach Jesus: Schaue an, o Vater, dies von Uebeln
heimgesuchte Wesen irrt auf Erden, fern von deinem Hauche, umher. Dem bittern Chaos
sucht es zu entfliehen, und nicht weiß es, wo es hindurchschreiten soll. Deshalb sende
mich, o Vater! Mit den Siegeln in der Hand werde ich hinabsteigen, alle Äonen werde
30 ich durchschreiten, alle Mysterien werde ich enthüllen und die Gestalten der Götter zeigen;
das Verborgene des heiligen Weges werde ich überliefern, es Gnosis nennend."

Es stehen sich hier Nus und Chaos, die geistige und die materielle Welt gegenüber,
dazwischen die menschliche Seele, beiden Sphären angehörend, aber nach der höhern,
geistigen strebend. Sie vermag sich aus eigener Kraft nicht zu erheben; deshalb steigt
35 im Einverständnis mit dem obersten Prinzip ein himmlisches Wesen in die Menschenwelt
herunter und erlöst die Seele, indem es ihr den Weg durch die Sphären zeigt, die sie
noch von der göttlichen Welt scheiden. Diese einfachen Gedanken werden nun in den
einzelnen Sekten auf verschiedene Weise weiter ausgesponnen. Aber es ist nicht reiner
Wissensdrang, der die Gnostiker zu Spekulationen über diese Dinge treibt, sondern in
40 erster Linie das Heilsinteresse, denn vom Besitz der „Gnosis" dieser Dinge hängt das
Heil des Gnostikers ab.

Wir gehen nun zur Darstellung der Weltanschauung der ophitischen Sekten über.

1. Das höchste Wesen. Wie die gesamte Gnosis so lehren auch die Ophiten ein
höchstes, unendlich hoch über der sichtbaren Welt stehendes, seiner Qualität nach rein
45 geistiges Wesen, den Urgrund aller Dinge, den Ausgangspunkt des Weltprozesses. Es
wird auch etwa, z. B. in der P.S. als reines Licht vorgestellt. Seine Namen sind:
Vater des Alls, erster Mensch, *ἀγέννητος*, Ineffabilis, unnahbarer Gott. Es entfaltet
sich selbst und wird so die Quelle alles Seins; die ersten Produkte dieser Selbstentfal-
tung gehören noch der rein geistigen Sphäre an.

50 Die Theologie der Ophiten tendiert dahin, diesen höchsten Gott in eine immer
größere Zahl von einzelnen Wesen auseinander treten zu lassen. Im Hymnus noch
finden wir neben dem Vater erst den Sohn; ebenso bei den Peraten und den Sethianern
des Hipp.; doch fragt es sich bei diesen Sekten, ob diese Einfachheit auf Altertümlichkeit
oder auf Vereinfachung beruht oder gar erst auf Rechnung des Berichterstatters Hipp. zu
55 setzen ist; mir ist die zweite Möglichkeit am wahrscheinlichsten. Bei den Ophiten des
Iren. und den Naassenern finden wir eine Tetras: neben dem Vater und dem Sohn
steht der heilige Geist als prima femina, und wo ihr zeugen Vater und Sohn den
Christus. Im Diagramm der Ophianer nehmen die oberste Sphäre Vater, Sohn und
Liebe ein, was auf ähnliche Vorstellungen weist. Bei den Gnostici Barbelo entsteht
60 im Vater des Alls beim Anschauen seines Bildes, der Barbelo, seine erste Ennoia,

weiter aber zwei parallele Reihen von je fünf Wesen, wovon die entsprechenden zu Syzy=
gien verbunden sind; also eine ganze Dekas nimmt die oberste Sphäre ein. Auch die
koptischen Schriften zeigen solche Komplikation; der Ineffabilis der P.S. ist umgeben
vom ersten und zweiten Mysterium, ihren „Mysterien" und χωρήματα; auch die Bücher
vom großen λόγος κατὰ μυστήριον kennen eine ganze Reihe solcher Emanationen. Den 5
Gipfel der Komplikation nimmt das zweite koptisch=gnostische Werk ein, das ich nicht im
gleichen Maße wie der Herausgeber Schmidt bewundern kann.

Das Gesagte zeigt, wie die Entfaltung des höchsten Wesens bald als Zeugungs=,
bald als psychologischer Prozeß vorgestellt wird; oft sind beide Vorstellungen kombiniert.
Ein Beispiel für das erstere ist die nikolaitische Kosmogonie, welche Clem. Al., Strom. III, 4 10
mitteilt: Als die Einheit nicht mehr allein sein wollte, ging aus ihr hervor ein Hauch,
mit dem sie den „Geliebten" zeugte, und dieser zeugte auf dieselbe Weise weitere Mächte.
Umgekehrt redet der „große λόγος κατὰ μυστήριον" vom Aufstrahlen von Ideen im
unnahbaren Gott; eine Kombination giebt die Theogonie der Oph. b. Iren. Offenbar
liegt heidnische Mythologie zu Grunde; ihr entstammt jedenfalls auch die Syzygien= 15
vorstellung; die Ophiten waren, wenigstens zum Teil, bestrebt, die alten Mythen in psy=
chologische Prozesse umzudeuten, haben es aber nur mit halbem Geschick und wenig Kon=
sequenz gethan.

2. Das Chaos. Dem höchsten Wesen steht das Chaos, das materielle Prinzip
gegenüber. Aber von einem scharfen Dualismus kann man nicht reden. Im Hymnus 20
heißt es: des Erstgeborenen ausgegossenes Chaos; es wird also von einem höheren Wesen
abgeleitet. Die Frage nach dem Ursprung des Chaos, ob es eine der äußersten Emana=
tionen des höchsten Wesens ist, wie in der P.S., oder ihm von Anfang an gegenüber=
steht, wie bei den Oph. b. Iren., ist gar nicht so sehr wichtig. Das Chaos ist in den
wenigsten Fällen eine böse Macht, ein thätiges Prinzip; nicht die Existenz des Chaos 25
ist das Nichtseinsollende, sondern die Mischung der Lichtteile mit materiellen Bestandteilen;
diese Mischung ist das große Unglück, das durch die Erlösung beseitigt werden muß. An
der Entstehung dieser Mischung trägt das Chaos größere oder kleinere Schuld. Bei ver=
schiedenen Sekten, z. B. Peraten, Sethianern, Justin, Ophianern b. Orig., P.S. wird das
materielle Prinzip als Schlange oder Drache vorgestellt, bei den Peraten mit dem Wasser 30
identifiziert; wir haben es mit der alten mythologischen Größe des Chaosdrachen zu thun.

3. Die gemischte Welt. Wie ist die Mischung entstanden? Der Hymnus be=
zeichnet die Seele, das Prinzip dieser Mischung, als gemeinsames Produkt des Nus und
des Chaos. So ist es auch bei den Peraten und Sethianern des Hipp. Diese Sekten
nähern sich am meisten dem Dualismus. Bei den Peraten sind die Mächte über die 35
sichtbare Welt, die Gestirnmächte, durch Emanation dem ἀγέννητος entstanden und
haben sich die untere Welt geknechtet. Zugleich aber ist die böse Macht, das Wasser
oder die Schlange, in der Welt wirksam; das peratische Fragment beschreibt die Ent=
stehung aller hylischen Mächte aus dem Meere, dem Schlamm des Abgrundes. Das
Verhältnis der von oben emanierten, aber schlechten Sternmächte zu den von unten, aus 40
dem Chaos stammenden, wird nicht klar.

Auch bei den Sethianern finden wir zwei verschiedene Betrachtungsweisen neben=
einander. Einerseits drückt das πνεῦμα ἀκέραιον, das thätige Prinzip, die im Urwesen
ruhenden χαρακτῆρες, die Ideen, der materiellen Welt ein wie man das Siegel in Wachs
drückt. Andererseits wird der Finsternis, die auch hier als Wasser vorgestellt wird, das 45
Bestreben zugeschrieben, die Lichtteile festzuhalten. Die so entstandene Mischung ist die
ἀκάθαρτος μήτρα. In sie bringt der aus der Finsternis kommende Wind als Schlange
und zeugt den Menschen oder Nus. Dieser Nus hat aber den Trieb, sich von seinem
untern Vater, der Schlange zu befreien; ebenso möchte das πνεῦμα ἀκέραιον die in
der Welt gefangenen Lichtteile zum Vater zurückbringen. So finden wir auch hier den 50
Dualismus nicht rein ausgeprägt.

Auch bei Justin wird der Dualismus gemildert; wohl stehen der höchste Gott
und Edem, das materielle Prinzip, einander gegenüber. Zwischen ihnen steht aber von
Anfang an Elohim, der Vertreter der gemischten, erlösungsfähigen Welt; er hat sich wohl
eine Zeit lang mit der Edem verbunden, und das Produkt ihrer Freundschaft ist die 55
sichtbare Welt; aber er löst sich von ihr los samt den aus ihr gezeugten zwölf guten
Geistern, unter denen besonders Baruch, der Geist der Prophetie, hervortritt, und schlägt
sich auf die Seite des höchsten Gottes.

Am ausführlichsten wird die Entstehung der gemischten Welt bei den Ophiten des
Irenäus erzählt. Als der Vater und der Sohn aus dem heiligen Geist den Christus 60

zeugten, konnte der Geist, die prima femina, die Fülle des in sie einbringenden Lichtes nicht fassen; so entstand durch Überfließen und Übersieden der Lichtteile der ersten masculi aus der ersten femina eine zweite Geburt, die Sophia oder Prunicos, auch Sinistra genannt, ein mannweibliches Wesen. Sie gehört nicht mehr der Sphäre der

5 Aphtharsia an, sondern sie wird nun Trägerin des Weltprozesses. Diese Figur, die wir auch bei den Ophianern des Origenes und in der P.S. finden, ist wohl mythologischen Ursprungs; aber die „Weisheit" der Sprüche und der Sapientia Salomonis hat m. E. auch Einfluß auf ihre Gestaltung gehabt, nur daß sie jetzt aus einer innergöttlichen Potenz zu einer selbständigen Emanation, dem eigentlichen thätigen Prinzip geworden ist,

10 während die Gottheit selbst als etwas Ruhendes vorgestellt wird. Die Frage, ob Valentin die Gestalt der Sophia von den Ophiten entlehnt habe oder umgekehrt, möchte ich zu Gunsten der Ursprünglichkeit der ophitischen Sophia beantworten, denn die Teilung in eine obere und eine untere Sophia bei Valentin ist eine spätere Phase der Entwickelung.

Die Prunicos steigt nun nieder in die Elemente; diese hängen sich an sie und so

15 entsteht die gemischte Welt. Prunicos spannt ihren Leib am Himmel aus (der Firsternhimmel) und zeugt die sieben Archonten, die Planetengeister Jaldabaoth, Jao, Sabaoth, Adoneus, Eloeus, Horeus, Astaphäus; dieselben Archonten finden wir bei den Ophianern des Origenes, nur daß Astaphäus den fünften statt den siebenten Platz einnimmt. Diese Archonten haben schon keine Kenntnis von der obern Welt mehr; sie setzen die Zeugung

20 nach unten fort; zuerst entstehen die Engel, dann, von Jaldabaoth im Zorn aus der Materie gezeugt, der Nus serpentiformis und die schlechten Kräfte, zuletzt die Menschen. Auch die Oph. b. Orig. haben eine zweite Reihe von 7 Namen, die der ἄρχοντες δαίμονες: Michael der Löwengestaltige, Suriel der Stiergestaltige, Raphael der Drachengestaltige, Gabriel der Adlergestaltige, Thautabaoth der Bärengestaltige, Erathaoth der

25 Hundsgestaltige, Onoel, Thartharaoth oder Thaphabaoth der Eselsgestaltige; nur wird nicht klar, ob es sich nur um eine zweite Namenreihe für dieselben Archonten oder eine untere, böse Hebbomas handelt.

Bedeutend komplizierter ist die Welt zwischen der göttlichen Sphäre und der Menschenwelt in der P.S. Schon die oberste Sphäre ist reich an göttlichen Wesen; für die Re-

30 ligiosität wichtig sind jedoch nur die Ineffabilis und das nächste, das primum mysterium, von dem die Erlösung ausgeht. Unter dieser obersten Lichtwelt kommt der „Lichtschatz", der Ort, wo die Seelen hinkommen, bevor sie ihren Bestimmungsort erreichen; dort waltet die „Lichtjungfrau" ihres Amtes, über das Schicksal der vom Leib befreiten Seelen zu verfügen. Unter dieser Region sind die dreizehn Aeonen; der oberste, dreizehnte,

35 ist der Ort der Pistis-Sophia, die der Prunicos entspricht. Von ihrer Entstehung wird nichts erzählt, als daß sie Tochter der Barbelo, ebenfalls eines Wesens des 13. Aeons ist. Pistis-Sophia hatte eine Sehnsucht nach dem Lichte des Lichtschatzes, aber die Archonten der zwölf unten dran liegenden Aeonen und der ebenfalls dem 13. Aeon angehörende τριδύναμος αὐθάδης verfolgten sie und spiegelten ihr in der Tiefe ein Licht vor; sie, in

40 der Meinung, das gesuchte obere Licht zu erblicken, ging darauf los, geriet aber in das Chaos, wo die vis facie leonis sie ihres Lichtes beraubt. So entstand die ungehörige Mischung von Lichtteilen mit der Materie. Auch hier folgen unterhalb der Sophia Sternmächte, die 12 Archonten und die εἱμαρμένη; ihre Entstehung wird nicht erzählt. Auch in den andern koptischen Schriften ist das Reich der Mitte ungemein reich bevölkert.

45 4. Die Entstehung der Menschen. Von ihr finden wir wieder die genaueste Darstellung bei den Oph. b. Iren. und in der P.S.; die Darstellung Hippolyts von der naassenischen Lehre über diesen Punkt ist unklar und muß wohl nach dem Vorbild der Oph. b. Iren. korrigiert werden. Das Rätsel für die Ophiten ist nun, wie der Mensch, der doch offenbar der materiellen Welt angehört und ein Geschöpf der hylischen

50 Mächte ist, zugleich einen Zug nach der obern Welt in sich trägt; die Lösung ist die, daß die Erschaffung des Menschen selbst schon ein Anfang der Erlösung, der Scheidung des unrechter Weise Gemischten ist. So hat Prunicos den Jaldabaoth, der den (noch leblosen) Menschen nach seinem Bilde geschaffen hatte, ohne sein Wissen veranlaßt, seinem Geschöpfe den Lebensodem einzublasen und so sich selbst des letzten Restes der ihm noch

55 innewohnenden göttlichen Kraft zu entleeren. Prunicos und Jaldabaoth kämpfen um den Menschen, Jaldabaoth sucht ihn durch das Weib seiner Lichtkraft zu berauben, Prunicos wiegelt durch die Schlange die Menschen zum Ungehorsam gegen Jaldabaoth auf, dieser raubt ihnen wieder die Lichtkraft und wirft sie auf die Erde, Prunicos giebt ihnen wieder den odor suavitatis humectationis luminis. Die Schlange, die von Jalda-

60 baoth um der Menschen willen ebenfalls gestürzt wurde, faßt nun gegen diese einen Haß

und sucht ihnen im Verein mit den sieben von ihr gezeugten Dämonen zu schaden, wo sie kann.

In der P.S. soll Melchisedek, der *παραλήμπτωρ* luminis, den Archonten das Licht, das sie der Pistis-Sophia geraubt haben, wieder rauben, indem er den Hauch ihres Mundes, das Wasser ihrer Augen und ihren Schweiß reinigt; ein Residuum dieser Sekrete bleibt 5 aber und daraus werden Menschenseelen gemacht; nun gilt es, die so in die Menschen gelangten Lichtteile in die Lichtwelt zu retten, damit die Archonten schließlich allen Lichtes entleert werden.

Die Menschen sind nun allerdings nicht alle gleich; die Ophiten sind wie alle Gnostiker Deterministen. Am ausdrücklichsten betont Hippolyt die Lehre von den Menschen- 10 klassen bei den Naassenern; sie unterscheiden die *νοεροί* oder *ἀγγελικοί*, die *ψυχικοί* und die *χοϊκοί*, auch als drei „Kirchen" voneinander unterschieden. Nicht alle Menschen haben den „Wohlgeruch des Lichtsamens" in sich (Oph. b. Iren.), nicht alle vermögen sich als Abdrücke göttlicher *χαρακτῆρες* zu erkennen, nicht aller Augen sind gesegnet, um die Offenbarung des Heils zu erfassen (Peraten, Sethianer). 15

Eine ganze Menge von Menschenklassen kennt die P.S. Jede Menschenseele hat von den guten Mächten das *πνεῦμα*, von den bösen das *ἀντίμιμον πνεύματος* erhalten, dazu die *μοῖρα*, ihr persönliches Schicksal. Je nachdem nun die eine oder andere Macht das Übergewicht hat, ist der Mensch zur Erlösung fähig oder nicht. Die Sache wird 20 nach dem Tode nach längern oder kürzern Qualen oder direkt vor die Lichtjungfrau gebracht und diese entscheidet nun je nach dem Leben des Verstorbenen, ob die Seele in eine höhere Sphäre eingehen darf oder noch ein Menschenleben durchmachen muß, entweder in einem gerechten oder einem gottlosen Leibe, d. h. wo das *πνεῦμα* oder das *ἀντίμιμον πνεύματος* die Herrschaft hat. Auf den Lebenswandel hat aber auch die 25 Konstellation bei der Geburt eines Menschen Einfluß. Auch die Peraten legen auf die Astrologie großes Gewicht, bei den Oph. b. Iren. und den Ophianern des Orig. sind die Herren der sichtbaren Welt Sterngeister. Die Astralreligion hat also auf die Weltanschauung dieser Sekten großen Einfluß.

5. Die frühere Offenbarung. Bevor wir zur Darstellung der Erlösungslehre 30 übergehen, haben wir noch ein Wort von der Beurteilung der vorchristlichen Religionen zu sagen. Eine relative Gotteserkenntnis wird auch dem Heidentum zugestanden. Die Naassener allegorisieren alle möglichen heidnischen Mythen, Vorstellungen und mysteriösen Gebräuche, überall finden sie verborgene Andeutungen der höchsten Wahrheiten; Homer wird in derselben Weise verwendet wie das alte Testament. Justin weiß von einem 35 Versuch, die erlösende Gnosis auch den Heiden zu offenbaren; Baruch, der Geist der wahren Prophetie, wollte den Herakles zu seinem Offenbarungsmittler machen; dieser wurde aber ebenso wie die Propheten Israels von den bösen Mächten verführt. Das letzte Buch der P.S., das in manchen Punkten von den ersten abweicht, kennt heidnische Götter als Herrscher über die große Menge der Archonten; die himmlischen Götter Kronos, Ares, 40 Hermes, Aphrodite, Zeus sollen den Kosmos in Ordnung halten, während Paraplex (?), Ariuth Äthiopica, Hekate, Typhon und Jachthanabas durch die ihnen untergebenen Dämonen Unheil anrichten.

Die gewöhnliche Ansicht ist, daß die Heiden, von untergeordneten Geistern verführt, diese als ihre Götter angebetet haben; so die ersten Bücher der P.S. Das peratische 45 Fragment sagt von verschiedenen Geistern seines Kataloges der bösen Mächte: *τοῦτον ἡ ἄγνοια ἐκάλεσε Κρόνον, Ποσειδῶνα* etc.

Mit der übrigen Gnosis teilen die Ophiten die Ansicht, der Gott der Juden sei nur der Demiurg und habe sich vor dem Volk Israel fälschlich als der höchste Gott ausgegeben. Diese Theorie nimmt allerlei Gestalt an. Bei den Oph. b. Iren. wird jeder 50 israelitische Prophet einem der sieben Archonten zugeteilt; sie haben demnach abwechselnd die Rolle des Judengottes gespielt, womit denn auch stimmt, daß sie sich unter die alttestamentlichen Gottesnamen teilen. Origenes berichtet von seinen Ophianern, sie nennten den Judengott den *θεὸς κατηραμένος*, weil ihre Adepten ihm fluchen müßten. Die Borborianer haben in einem Buch „Geburt der Maria" die Legende von der Eselsgestalt 55 des Judengottes verbreitet. Justin hat den Judengott gnädig behandelt; Elohim ist der Geist der gemischten Welt und bekehrt sich von der Materie zum wahren Gott; um so schlechter kommt das Judenvolk weg; Edem, das materielle Prinzip wird auch Israel genannt.

Hand in Hand mit dieser Stellung zur Religion Israels geht eine eigentümliche 60

Beurteilung der biblischen Geschichte. Die Peraten, Kainiten und Borborianer haben für alle diejenigen Partei genommen, welche im alten Testamente als Bösewichter dargestellt werden, und sie zu Dienern des wahren Gottes und erleuchteten Feinden des Demiurgen gemacht. Andere Sekten vertreten nur eine von der biblischen abweichende Auffassung 5 der Paradiesesgeschichte. Die Schlange stand im Dienst der guten Mächte und brachte den Menschen die Gnosis vom obersten Gott und der Inferiorität des Demiurgen, so bei den Oph. b. Jren., wahrscheinlich auch den Naassenern, den Kainiten.

Hier ist auch der Ort, von der Schlange zu reden. Als böser Geist ist sie uns schon bei mehreren Sekten begegnet. Aber schon Jrenäus weist darauf hin, daß sie ver= 10 schieden dargestellt wird; nach ihm ist bei einigen die Sophia selbst mit der Schlange identisch. Bei einigen nimmt sie eine Doppelstellung ein, sowohl die eines bösen Wesens, wie auch die des Erlösers und Bringers der heilsnotwendigen Gnosis; so bei Peraten, Sethianern, Oph. b. Orig. und Oph. b. Epiph. Von den letztern wird auch ein eigent= licher Schlangenkult berichtet.

15 **6. Die Erlösung.** Wir gehen nun über zu der Anschauung der Ophiten von der Erlösung, deren Aufgabe ist, die mit der Materie gemischten Teile der göttlichen Licht= welt wieder aus ihrer falschen Verbindung zu lösen. Diese Verbindung besteht haupt= sächlich in den Menschen, wenigstens den pneumatischen, aber auch in der Sophia, soweit dieselbe im Vorstellungskreis der Sekten eine Rolle spielt. In die obere Welt über= 20 geführt wird aber nicht das vom Menschen, was aus ihr stammt, sondern die Person selbst; nur das Hylische an ihm wird abgestreift. Die Erlösung selbst besteht teils in der Schwächung der Weltmächte, teils in der Offenbarung der Kenntnisse, die ihrem Besitzer Überlegenheit über die Weltmächte verleihen. Bringer der Erlösung ist stets ein Wesen aus der obern Welt, der Soter oder Christus; stets steht er auch mit der Person Jesus 25 in loserer oder festerer Verbindung. So haben die Ophiten den Charakter des Christen= tums als einer geschichtlichen Erlösungsreligion nicht verwischt, aber aus dem Heiland der Sünder ist das himmlische Wesen geworden, das den Menschen Kenntnis der gött= lichen Sphäre bringt und sie dadurch emporhebt.

Zwar bei den Peraten scheint die geschichtliche Erlösung keine Rolle zu spielen; der 30 Sohn oder Ophis ist der Mittler zwischen der göttlichen und der materiellen Welt, er trägt die Ideen, die im Vater sind, in die Materie, um dadurch die Einzelwesen zu ge= stalten; sind dieselben zum Selbstbewußtsein erwacht, so zieht er sie wieder an sich wie ein Magnet das Eisen und trägt sie zum Vater zurück. Dieser Schein des geschichts= losen Charakters der Erlösung ist aber nur durch Hipp.s Darstellung verursacht. Wenn 35 dieser berichtet, daß die Peraten lehren, der Erlöser habe Teile aller drei Naturen an sich getragen, so zeigt das, daß ihnen seine geschichtliche Gestalt auch wichtig war.

Eine Vorbereitung der Erlösung durch die Buße eines Wesens der Mitte finden wir bei Justin. Elohim, durch dessen Verbindung mit Edem, dem bösen Prinzip, die Menschenwelt entstanden ist, hat sich zum obersten Gott, dem guten Prinzip bekehrt, und 40 hat damit eine erste Wendung des Weltverlaufs auf das Gute hin herbeigeführt. Auch im letzten Buch der P.S. ist die Rede von den zwölf Archonten, von denen sechs unter Sabaoth, sechs unter Jabraoth stehen. Jabraoth hat sich bekehrt, während Sabaoth in der Feindschaft gegen die göttliche Lichtwelt verharrt. Doch das sind ganz vereinzelte Ausführungen.

45 Im Hymnus geht die Initiative zur Erlösung vom Erlöser (Jesus genannt) selbst aus (vgl. oben), während sie bei den Oph. b. Jren. und in der P.S. vom höchsten Wesen auf die Bitten der Sophia hin veranstaltet wird. Mit dem Niederstieg des Erlösers durch die Sphären der Archonten ist eine Art Kenosis verbunden; er nimmt nach den Oph. b. Jren. die Gestalt der Geister der Sphäre an, durch die er gerade 50 steigt (vgl. die Ascencio Jesajae); nach der P.S. legt er ein himmlisches Lichtkleid ab, bevor er in die niederen Sphären kommt. Er kommt zur Sophia, umarmt sie als seine Braut (Oph. b. Jren.), auch nach einer Version der P.S. fällt die Erlösung der Sophia vor die Menschwerdung des Erlösers.

Die Verbindung mit dem Menschen Jesus wird verschieden gedacht. Dieser hat 55 auch psychische und hylische Bestandteile in seiner Person; nach den Oph. b. Jren. war er als Jungfrauensohn weiser, gerechter und heiliger als andere Menschen. Auch die P.S. betont die Jungfrauengeburt. Mehr symbolische Bedeutung hat sie bei den Sethianern des Hipp. Die ἀκάθαρτος μήτρα, d. h. die materielle Welt, die sonst nur dem bösen Ophis Eingang in sich verschaffte, wurde dadurch getäuscht, daß auch der 60 Logos die Knechtsgestalt des Ophis annahm und so Einlaß erhielt, zuerst aber mußte er in die μήτρα der Jungfrau eingehen „um die Wehen der Finsternis zu lösen". Der Leib der Maria wird hier sozusagen das Symbol der ἀκάθαρτος μήτρα (vgl. den Hymnus auf die μήτρα der Maria in den apokr. Fragen des Bartholomäus ZNTW 1902, S. 236).

Die Verbindung des Logos oder Christus mit Jesus geschieht teils schon bei der 5 Geburt (Naassener, P.S.), teils beim Zwölfjährigen (Justin, Kindheitstradition in der P.S.), teils bei der Taufe (Oph. b. Iren.). Sie ist aber nicht das große Problem, das sie für die kirchliche Theologie geworden ist; denn die Menschwerdung Gottes ist hier noch nicht die große, entscheidende Heilsthatsache, sondern die Erlösung besteht hauptsächlich in der Offenbarung der erlösenden Gnosis. Auch Vorgänge in Christi Leben, Tod und Auf= 10 erstehung haben keine Heilsbedeutung; nach den Oph. b. Iren. ist überhaupt Christus vor der Kreuzigung von Jesus gewichen und hat dann den psychischen und pneumatischen Teil des Menschen Jesus auferweckt. Solche Vorgänge können höchstens symbolische Bedeutung haben. Es handelt sich ja auch nicht um Versöhnung; die ist nicht not= wendig, weil bei dem Determinismus der Gnosis auch nicht von einer Schuld die Rede 15 sein kann. Das schuldlos in die Materie Verstrickte muß aus dieser Verstrickung gelöst werden, indem es in Berührung mit dem Pneumatischen gebracht wird, und zwar ge= schieht das durch Gnosis, Offenbarung der oberen Welt und der erlösenden Riten.

Die öffentliche Wirksamkeit Jesu hat hier wenig Bedeutung, das Hauptgewicht fällt auf die offenbarende Thätigkeit nach der Auferstehung, nur unter den Auserwählten; 20 so bei Oph. b. Iren., Barbelioten (Iren. I, 29), P.S., Büchern vom großen λόγος κατὰ μυστήριον, Borborianern, wahrscheinlich auch den Naassenern. Die Zeit der Wirk= samkeit nach der Auferstehung beträgt bei den Oph. b. Iren. 18 Monate, in der P.S. sogar 11 Jahre; sie besteht teilweise auch darin, daß Jesus das, was er vor seinem Tode ἐν παραβολῇ, geheimnisvoll andeutend, gesprochen hat, nun seinen Jüngern er= 25 klärt. In manchen solchen Offenbarungsschriften erscheinen die Jünger am Anfang ihres Verkehrs mit dem Auferstandenen noch höchst unwissend. Aus der P.S. muß man schließen, daß diese Litteratur der Offenbarungen des Auferstandenen sehr umfangreich war. Entweder erzählt Jesus selbst, oder er wird von seinen Jüngern gefragt, oder er feiert mit ihnen in vorbildlicher Weise die Mysterien, die erlösenden Sakramente. Nach= 30 dem diese Thätigkeit vollendet ist, fährt er wieder auf, vernichtet noch einen Teil der Macht der Archonten (Heidengötter), erlöst endgiltig die Sophia (P.S.) oder setzt sich unbemerkt zur Rechten Jaldabaoths, nimmt die erlösten Seelen in Empfang und hindert den Demiurgen, sie aufs neue in die Welt zu schicken. Die Erlösung ist vollendet, wenn Jaldabaoth keine mit dem Licht begabten Seelen mehr hat (Oph. b. 35 Iren.), oder wenn die „Zahl der auserwählten Seelen" voll ist (P.S.). Die P.S. kennt auch ein Millennium, ein Reich Christi, das 1000 Lichtjahre (365 000 000 Erdenjahre) dauert.

7. Die Mysterien. Wir haben nun noch davon zu reden, was das Erlösungs= werk dem Einzelnen bringt. Dieses Werk hat erst den Seelen die Möglichkeit gebracht, 40 in das Lichtreich einzugehen, aber die Verwirklichung dieses Eingangs ist nun noch von allerlei Schwierigkeiten bedroht. Die Seele muß durch die vorgeschriebenen Weihen von unreinen Bestandteilen gereinigt werden und muß die Zauberformeln lernen, durch die sie sich vor den Nachstellungen der Archonten schützen kann. Diese Gedanken treten bei den meisten Ophitensekten als den populäreren Ausgestaltungen der Gnosis am meisten 45 hervor; sie sind auch praktisch am wichtigsten, sie sind das eigentlich Sektenbildende.

Die Wirkung der Weihen ist rein magisch, wie auch die dabei gesprochenen Worte Zauber= laute sind; dieselben sind ganz unverständlich oder mindestens liturgisch peinlich genau fixiert. Nach der P.S. gleichen die Taufen einem Feuer und verzehren nach dem Tode die un= reinen Bestandteile im Menschen; es sind Sühnriten, welche die Folgen der Sünden 50 tilgen. Die Zahl dieser Riten ist in den koptischen Schriften ins Unglaubliche gewachsen; es ist müßig, sie alle aufzuzählen. Diese Vermehrung ist durch die Bußdisziplin ver= ursacht; für erneute Sünden nach Empfang der sühnenden Sakramente mußten auch neue Mysterien geschaffen werden. Selbstverständlich hebt dieser Sakramentalismus den sittlichen Ernst auf. In der P.S. sehen wir nebeneinander die Tendenz der endlosen 55 Vermehrung der Sakramente und diejenige, ihre üblen Folgen für das sittliche Leben zu bekämpfen. Auch die höchsten Mysterien helfen dem nicht, der ohne Buße über eine nach ihrem Empfang begangene Sünde stirbt. Umgekehrt kann man durch Mysterien bewirken, daß verdammte Seelen aus dem Ort der Qual entlassen und in „gerechte Körper" gebracht werden, wo sie nun die „Mysterien des Lichtes" finden. Das Ver= 60 trauen der Gläubigen beruht doch auf den Mysterien; durch sie kommt die Seele in den Zustand, wo keine feindlichen Mächte ihr etwas anthun können.

Solche heilige Weihen finden wir auch bei älteren ophitischen Sekten. Naturgemäß erfahren wir durch die Häreseologen am wenigsten darüber, denn diese Sakramente sind
5 eben Geheimnis und werden keinem Uneingeweihten mitgeteilt. So darf man daraus, daß Irenäus von seinen Ophiten keine solchen Weihen berichtet, keineswegs schließen, daß sie keine gehabt haben. Schon im Hymnus sagt Jesus: „Mit den Siegeln in der Hand werde ich hinabsteigen", wobei jedenfalls solche Weihen gemeint sind. Von einer Salbung berichtet Celsus, bei welcher der Mystagog Vater, der Myste Sohn genannt
10 wurde, und bei den Naassenern spielt das Mysterium im dritten Thor eine Rolle; es ist die „Salbung mit der unaussprechlichen Salbe aus einem Horn wie David", es ist die Thüre, durch die man allein zum Heil eingeht; an einem andern Ort ist das Bad im lebendigen Wasser genannt als den Eingang verschaffend zur unvergänglichen Freude.

Wir dürfen hier das scheußliche Abendmahl der Borborianer nicht unerwähnt lassen;
15 es wird auf Jesum selbst zurückgeführt; statt Brot wird der männliche Same, statt Wein das Menstrualblut gebraucht. In den sexuellen Sekreten wohnt nämlich die Seele und diese wird von dem Schicksal, stets wieder in die Welt zu müssen, durch das Essen dieser Sekrete befreit; selbst vor dem Verzehren der eigenen Kinder aus demselben Grunde soll diese Sekte nicht zurückschrecken. Man würde nicht an ihre Existenz glauben,
20 wenn nicht neben Epiphanius auch die koptischen Schriften sie bezeugten.

Die „Mysterien" bestehen auch in dem „die Gestalten der Götter zeigen" und „das Verborgene des heiligen Weges überliefern", wie es im Hymnus heißt. Dieser heilige Weg ist der, den die vom Leib befreite pneumatische Seele gehen muß, um in die göttliche Sphäre zu gelangen; die „Götter" sind die Archonten, die ihr diesen Weg versperren
25 wollen. Die Seele muß deshalb die Reihenfolge dieser Wesen genau kennen und wissen, was sie einem jeden zu sagen hat, damit es sie durchlassen muß. Solche Anreden, „Apologien" an die sieben Archonten auf dem Weg ins Lichtreich teilt schon Origenes mit. Jede nennt dem Archon seine Attribute, beruft sich auf ein Symbol, einen τύπος, den sie mit sich trägt und schließt mit den Worten: „Die Gnade sei mit mir, ja Vater, sie sei
30 mit mir!" Eine solche Apologie teilt Epiphanius auch aus dem Philippusevangelium der Borborianer mit; sie besteht aus einer Berufung auf die Teilnahme an den oben erwähnten obscönen Mysterien der Sekte.

Haben diese Apologien noch einen Sinn, so führen uns die koptischen Schriften in die Tiefe der Magie. Das erste Buch vom großen λόγος κατὰ μυστήριον ist zum größten
35 Teil eine Belehrung Jesu über die zahlreichen „Schätze", welche die Seele zu passieren hat. Sie besteht aus einer Beschreibung jedes Schatzes (eine Zeichnung wird im Buche beigegeben), einer Nennung seiner Merkmale, seiner Wächter, der in ihm wohnenden Emanationen. Dann macht Jesus selbst mit den Jüngern eine Reise durch die Schätze (die Situation ist übrigens höchst unklar), nennt den Namen des Schatzes, den man einmal
40 aussprechen muß, das Psephos, eine geometrische Figur, die sich in der Hand befinden soll (vielleicht ein kompliziertes Sichbekreuzen) und das Paßwort, das man dreimal aussprechen muß. Das ist der Zauber, der die Wächter, τάξεις und Vorhänge des Schatzes davonstieben macht und den Durchgang ermöglicht. Die Namen und Paßwörter sind aber ganz sinnlose Buchstabenkonglomerate wie ιεαζωηηζαοσαεζ als Name, dazu das
45 Paßwort: ζωζωζωιεηζωα. Harnack hat darin glossolalische Laute vermutet; der Vergleich mit antiken Zauberbüchern zeigt, daß sie aus der Zauberei stammen; dabei ist jedoch nicht ausgeschlossen, daß auch dort die Glossolalie eine Rolle gespielt und solche Laute erzeugt hat. Ein Generalpaßwort wird zum Schluß mitgeteilt, wobei man sich nur wundert, warum dann auch die Paßwörter für die einzelnen Schätze bekannt sein
50 müssen. Wir sind hier bei der vollständigen Karrikatur der Religion angelangt. In der P.S. finden wir zwar diese Art der Belehrung nicht, aber nicht, weil die Sekte sich nicht damit abgegeben hätte; auch hier braucht man für jeden τύπος des Lichtreiches ein besonderes Mysterium; das Buch (abgesehen vom letzten Teil, der eine selbstständige Schrift ist) befaßt sich nur mehr theoretisch mit der Notwendigkeit und Wirksamkeit der
55 Mysterien; es teilt sie nicht selbst mit.

Die Überwindung der Schwierigkeiten auf dem Wege ins Jenseits spielt auch in den apokryphen Apostelgeschichten eine Rolle, namentlich in den Gebeten der Apostel vor ihrem Tode. Wir können diese Akten nicht einer bestimmten Sekte zuteilen, sie sind Produkte der Vulgärgnosis; aber sie sind noch frei von diesem Zauberwesen; Gott wird
60 einfach um Hilfe gegen diese feindlichen Mächte angerufen.

8. **Ethik.** Zum Schluß haben wir noch ein Wort über die Ethik der Ophiten zu sagen. Charakteristisches finden wir nicht außer den Scheußlichkeiten der Borborianer. Als libertinistische Sekten sind außerdem zu nennen die Nikolaiten und Kainiten. Ferner die schon im Artikel Karpokrates erwähnten Prodicianer, die sich als Königskinder bezeichnen und sagen, für solche sei das Gesetz nicht geschrieben. Endlich die „Antitakten"; sie sagen, ⁵ der „zweite Gott" habe in die gute Schöpfung des „ersten Gottes" das Unkraut gesät, nämlich das Gesetz; weil das Gesetz das Verbot des Ehebruchs enthält, huren sie, um sich als Gegner des zweiten Gottes zu erweisen.

Asketische Tendenz finden wir bei den Naassenern, wohl auch bei den Oph. b. Iren., wo das Weib von Jaldabaoth geschaffen ist, um Adam seiner Lichtteile zu entleeren. ¹⁰ Asketisch waren alle die Sekten, welche die apokryphen Apostelgeschichten brauchten, denn diese sind die großen Lehrbücher der Askese. „Der Welt zu entsagen" ist auch die Forderung der P.S., aber man weiß nicht, wie weit dieser Ausdruck asketisch zu verstehen ist; ein ausdrückliches Eheverbot findet sich nicht, aber Johannes wird als παρϑένος besonders hoch geschätzt. ¹⁵

Die letzten Ausläufer der Vulgärgnosis, Borborianer und die Sekten, welche die koptischen Schriften brauchten, sind deutliche Zeugen des Verfalls. Das zeigt, daß ihre Überwindung durch den Katholicismus ebenso sehr ihre eigene Schuld als das Verdienst der Großkirche gewesen ist.   **R. Liechtenhan.**

Optatus, Bischof von Mileve in Numidien. — Ausgaben: Die ²⁰ editio princeps ist zu Mainz 1549 erschienen; es folgten verschiedene Pariser, von welchen die vom Jahre 1631 cum observat. et notis Albaspinaei die beste ist. Sie alle wurden durch die vorzügliche Ausgabe von du Pin (zuerst Paris 1700) übertroffen, der alle Urkunden zur Geschichte des Donatismus (aus dem Cod. Colbert. und sonst) beigab, den Text des Optatus kritisch und historisch kommentierte und reichhaltige Prolegomena vorausschickte. Die Aus= ²⁵ gaben von Gallandi (T. V.), Oberthür (2 Bde 1789) und Migne (S. L. XI) sind nur Nach= drucke. Im Jahre 1893 erschien als Bd 26 der Wiener KVVV Ausgabe die Edition von Zwsa mit ausführlichen Prolegg. Ueber die donatistischen Aktenstücke hat Duchesne das Zuverlässigste geschrieben (Le dossier de Donatisme 1890). Zur Sprache des Optatus s. Ztschr. f. österreich. Gymnas. 1884, S. 401 ff. Monographien über Optatus sind mir nicht bekannt ³⁰ geworden; s. die Prolegg. von du Pin, die Litteraturgeschichten von Ceillier, Cave, Barden= hewer u. s. w. Dazu Tillemont, Mém. T. VI, und die Dogmengeschichten.

Von ihm ist ein Werk auf uns gekommen in 6 (7) Büchern unter dem Titel: „De schismate Donatistarum adversus Parmenianum" (Hieron., De vir. inl. 110: „Optatus Afer ... scripsit ... adversus Donatianae partis calumniam libros ³⁵ VI, in quibus asserit crimen Donatianorum in nos falso retorqueri"). Augustin hat in seiner Schrift gegen Parmenian (I, 3) auf den „venerabilis memoriae Mile= vitanum episcopum catholicae communionis Optatum" seine Leser verwiesen und Fulgentius ihn dem Ambrosius und Augustin an die Seite gestellt. Über die Person und das Leben des Optatus ist, abgesehen von seinem Werke, nichts bekannt (daß er ⁴⁰ ursprünglich Heide gewesen, läßt sich mit einiger Wahrscheinlichkeit aus Augustin, De doctr. christ. II, 40, 61 schließen). Das Werk ist nach Hieronymus unter Valentinian und Valens abgefaßt worden (364—375), und damit stimmt, daß Optatus selbst bis zur maximianischen Verfolgung 60 Jahre (et quod excurrit) zurück rechnet (I, 13; III, 8), d. h. seine Schrift auf ± 368 zu datieren scheint. Dem widerspricht aber, daß ⁴⁵ II, 3 als römischer Bischof Siricius genannt wird, der erst im Jahre 384 den römischen Bischofsstuhl bestiegen hat (die übrigen Zeitspuren sind unsicher; IV, 5 heißt Photinus (gest. 376) „haereticus praesentis temporis"; Julian der Apostat wird II, 16 in einer Weise eingeführt, die leichter verständlich ist, wenn man annehmen darf, daß er schon geraume Zeit tot gewesen ist). Schon ältere Gelehrte haben die Worte „Siricius ⁵⁰ hodie, qui noster est socius" (II, 3) für eine Interpolation erklärt und deshalb an der bestimmten Angabe des Hieronymus, der selbst bereits im Jahre 392 geschrieben hat, festgehalten. Man wird aber vielleicht noch einen Schritt weiter gehen dürfen: das Werk ist ursprünglich auf sechs Bücher berechnet gewesen, und Hieronymus hat auch nur so viele gekannt; uns aber liegen sieben vor. Das letzte ist ein selbständiger Nachtrag. ⁵⁵ Er will von Optatus geschrieben sein (VII, 1. 2), und bei dieser Annahme läßt sich, wenn auch gewisse Bedenken zurückbleiben (freundlichere Haltung des 7. Buchs), nicht widerlegen, er scheint vielmehr durch den Stil des Buchs gerechtfertigt. Es ist mithin wahrscheinlich, daß Optatus selbst sein unter Valentinian im Jahre ± 368 verfaßtes Werk in den

Jahren 384 f., mit jenem Anhang versehen, zum zweiten Male hat ausgehen lassen (Genaueres bei Zitwsa p. VIII ff.).

Das im Fortgang des donatistischen Streits häufig citierte und als Quelle benützte Werk ist eine katholische Antwort auf die verloren gegangene Schrift des Donatisten Parmenian und ist in der Anlage von dieser abhängig. Optatus faßt (I, 7) die Hauptpunkte der Kontroverse zusammen. Er will handeln (Buch I) über das Schisma und seinen Ursprung im allgemeinen, zeigen, welches die eine, wahre Kirche sei und wo sie sei (Buch II), und nachweisen, daß die Katholiken keine militärische Hilfe gegen die Donatisten verlangt hätten (Buch III); er will im IV. Buche die Beschuldigung, daß die Katholiken Todsünder seien, deren Opfer Gott mißfällig seien, widerlegen, und im V. und VI. von der Taufe (Wiedertaufe) und von den Anmaßungen, beleidigenden Maßnahmen und Irrtümern der Donatisten handeln. Optatus hat die angekündigte schlechte Disposition in den sechs Büchern wirklich durchgeführt, nachdem er in einer Einleitung (I, 1—12) einzelne Stücke aus der Schrift des Parmenian herausgegriffen und beleuchtet hatte. Unter ihnen ist die Ausführung des Donatisten über die Natur des Fleisches Christi (I, 8) das interessanteste (dixisti enim, carnem illam peccatricem Jordanis demersam diluvio ab universis sordibus esse mundatam" ... „Aliud est enim caro Christi in Christo, aliud uniuscujusque in se. Quid tibi visum est, carnem Christi dicere peccatricem? utinam diceres: Caro hominum in carne Christi"). Von Wichtigkeit sind auch die beiläufigen Angaben des Optatus über die älteren Häretiker (I, 9), welche Parmenian in seiner Schrift ohne rechten Grund citiert hatte („Haereticos cum erroribus suis mortuos et oblivione jam sepultos quoddammodo resuscitare voluisti, quorum per provincias Africanas non solum vitia sed etiam nomina videbantur ignota, Marcion, Praxeas, Sabellius, Valentinus et caeteri usque ad Cataphrygas"). Die eigentliche Ausführung anlangend, so ist sie eine der schätzbarsten Quellen für die Geschichte des Donatismus (s. d. A. Bd IV, S. 788 ff.). Der Verfasser hat seine Schrift letzlich im Interesse der Aussöhnung geschrieben. Sie ist deshalb so freundlich und entgegenkommend wie möglich gehalten. Dadurch sind freilich die heftigsten Angriffe im einzelnen und namentlich höchst beleidigende allegorische Deutungen von Schriftstellen auf die aufrührerischen Sektierer nicht ausgeschlossen. Aber der Verfasser erinnert sich immer wieder, daß seine Gegner im Grunde christliche Brüder seien (IV, 1. 2), die sich von der Kirche in Hochmut getrennt hätten und das nun nicht annehmen wollen, was man ihnen mit Freuden entgegenträgt, die kirchliche Gemeinschaft. Gleich im Anfange (I, 10) weist er den prinzipiellen Unterschied zwischen Häretikern und Schismatikern auf und hält diesen Unterschied bis zum Ende seiner Darstellung sich vor Augen. Die Häretiker sind „desertores vel falsatores symboli" (I, 12; II, 8), also keine Christen; die Donatisten sind aufrührerische Christen. Da die Definition gilt (I, 11): „Catholicam facit simplex et verus intellectus in lege (d. h. in der hl. Schrift; „in lege" ist freilich kritisch nicht gesichert), singulare ac verissimum sacramentum et unitas animorum", so fehlt den Donatisten nur ein Stück, das letzte, um katholische Christen zu sein. Die Häretiker haben keine wahre Taufe, kein legitimes Schlüsselamt, keinen wahren Gottesdienst; „vobis vero schismaticis, quamvis in catholica non sitis, haec negari non possunt, quia nobiscum vera et communia sacramenta traxistis (I, 12). Daher heißt es auch III, 9: „Nobis et vobis ecclesiastica una est conversatio: et si hominum litigant mentes, non litigant sacramenta. Denique possumus et nos dicere: Pares credimus et uno sigillo signati sumus; nec aliter baptizati quam vos. Nec aliter ordinati quam vos. Testamentum divinum pariter legimus: unum deum pariter rogamus. Oratio dominica apud nos et apud vos una est, sed scissa parte partibus hinc atque inde pendentibus sartura fuerat necessaria"; III, 10: „Pars vestra quasi ecclesia est, sed catholica non est"; V, 1: „Apud vos et apud nos una est ecclesiastica conversatio, communes lectiones, eadem fides, ipsa fidei sacramenta, eadem mysteria". Mit diesen Zugeständnissen, die von den Donatisten durchaus nicht erwidert wurden, geht Optatus hinter die Bestimmungen zurück, welche Cyprian im Kampfe mit den Novatianern letzlich festgestellt hatte. Nach Cyprian ist der Glaube und sind die Sakramente der Schismatiker keine legitimen (s. ep. 69), und der Unterschied zwischen Häresie und Schisma ist somit eigentlich nicht mehr vorhanden. Allein auch nach Optatus ist schließlich der Besitz der Schismatiker ein fruchtloser, weil ihr Verbrechen ein besonders gravierendes. Sie sind eben doch nur eine „quasi ecclesia". Denn Merkmal der einen wahren und heiligen Kirche ist 1. nicht die

Heiligkeit der Personen, sondern lediglich der Besitz der Sakramente (II, 1: „Ecclesia una est, cujus sanctitas de sacramentis colligitur, non de superbia personarum ponderatur. Haec apud omnes haereticos et schismaticos esse non potest; restat, ut uno loco sit"), und ist 2. die räumliche Katholizität nach der Verheißung: ich will dir die Heiden zum Erbe geben und der Welt Enden zum Eigentum (II, 1: „Ubi ergo proprietas catholici nominis, cum inde dicta sit catholica, quod sit rationabilis et ubique diffusa?"). Das erste Merkmal kommt in seiner negativen und exklusiven Bedeutung bei Optatus noch nicht zur Klarheit, ja man könnte ihm hier leicht einen Selbstwiderspruch aufweisen; um so wichtiger ist ihm das zweite, da die Donatisten nur in Afrika (resp. durch Auswanderer auch in Rom) Boden gefaßt hatten. In beiden hat er aber die Lehre Augustins von der Kirche vorbereitet, und hierin ist die dogmenhistorische Bedeutung des numidischen Bischofs zu erkennen, die um so höher anzuschlagen ist, als Cyprian das Prädikat der Katholizität in diesem Sinne, der freilich zur schlechten, empirischen Konstituierung des Begriffs der Kirche direkt überleitete, noch nicht bearbeitet hat. Was aber die „sanctitas sacramentorum" betrifft, so hat Optatus auch in diesem Stücke an Cyprian keinen Vorläufer (wohl aber einen Gesinnungsgenossen an seinem Zeitgenossen, dem Verfasser der pseudoaugustinischen Quästionen in Vet. et Nov. Test.). Wie sie zu verstehen ist, das hat Optatus selbst am Sakramente der Taufe angegeben (V, 1—8). Zur Taufe gehören drei Stücke: „Die handelnde heilige Trinität („confertur a trinitate"), der Gläubige und der Spendende. Diese drei Stücke sind aber nicht gleichwertig; vielmehr gehören nur die beiden ersten zum dogmatischen Begriff der Taufe („duas enim video necessarias et unam quasi necessariam"); denn die Taufenden sind nicht domini, sondern operarii vel ministri baptismi. Sie sind nur dienende Organe, tragen also zum Begriff und Effekt der Taufe nichts bei; denn: „dei est mundare per sacramentum". Ist aber das Sakrament unabhängig von dem, der es zufällig spendet, so kann es durch den Spendenden in seinem Wesen nicht alteriert werden (V, 4: „Sacramenta per se esse sancta, non per homines"). Das ist der berühmte Satz von der Objektivität der Sakramente, der für die Ausbildung der abendländischen Kirchendogmatik so fundamental geworden ist, obgleich er in der römisch-katholischen Kirche nie völlig rein durchgeführt werden konnte, weil er sonst die Prärogativen des Klerus vernichtet hätte. Es ist aber zu beachten, daß Optatus die sanctitas sacramentorum nur durch die fides credentis wirksam werden läßt und in dieser Hinsicht sich über die ausschließliche Bedeutung des Glaubens gegenüber allen Tugenden völlig klar ist (V, 8). Immerhin aber dient auch dem Optatus die ganze Reflexion dazu, um die Ansprüche an das Leben der Glieder der Kirche herabsetzen zu können. Es wird hier besonders deutlich, daß die katholische Lehre von den Sakramenten ihre Wurzeln auch in dem Interesse hat, die Heiligkeit und so die Wahrheit der Kirche trotz der Unheiligkeit der kirchlichen Christen aufweisen zu können.

Durch Parmenian ist Optatus veranlaßt worden, gewisse Dotes der Kirche aufzuzählen, d. h. wesentliche Stücke ihres Besitzes (II, 2 f.). Parmenian hatte 6 gezählt, Optatus zählt 5, und wie es scheint dieselben wie sein Gegner: 1. cathedra, 2. angelus, 2. spiritus, 4. fons, 5. sigillum. Die Aufzählung ist eine so ungeschickte, daß man die Anpassung an die Formel des Gegners nur bedauern kann. Aber wir erfahren wenigstens auf diese Weise, daß die cyprianische Anschauung von der in der durch cathedra Petri repräsentierten Einheit des Episkopats in Afrika rezipiert und arglos kultiviert worden ist. „Claves solus Petrus accepit" (I, 10. 12). „Negare non potes scire te, in urbe Roma Petro primo cathedram episcopalem esse collatam, in qua sederit omnium apostolorum caput Petrus, unde et Cephas est appellatus, in qua una cathedra unitas ab omnibus servaretur, ne caeteri apostoli singulas sibi quisque defenderent, ut jam schismaticus et peccator esset, qui contra singularem cathedram alteram collocaret (II, 2)". Der Zusammenhang mit der cathedra Petri ist nicht nur für Optatus, sondern auch für seinen Gegner (II, 4) von entscheidender Bedeutung, der sich auf den donatistischen Bischof in Rom berufen hat. Aber man darf das nicht überschätzen. Optatus betont bei der Besprechung der zweiten dos (angelus = rechtmäßiger Bischof der Lokalgemeinde, während die cathedra die ökumenische Einheit verbürgt) den Zusammenhang der katholisch-afrikanischen Kirchen mit den orientalischen Kirchen und mit der septiformis ecclesia Asiae (Apoc. 2. 3) fast ebenso wie den mit der römischen Kirche (II, 6; VI, 3). Seine Ausführungen über Spiritus (der Donatist hatte gesagt II, 5: „Nam in illa ecclesia

quis spiritus esse potest, nisi qui pariat filios gehennae?"), über Fons und
Sigillum (symbolum trinitatis) sind ohne besonderes Interesse (II, 7—9). Dagegen
ist es wichtig, daß Optatus die Betrachtung der dotes ecclesiae II, 10 ausdrücklich
zurückstellt hinter die Konstatierung der sancta membra ac viscera ecclesiae, von
⁵ welchen Parmenian geschwiegen hatte. Diese bestehen in den Sakramenten und in den
Namen der Trinität („cui concurrit fides credentium et professio"), und damit lenkt
Optatus in die ihm natürliche und bedeutungsvolle Betrachtungsweise zurück.

Von einzelnem sei noch hervorgehoben, daß Optatus die doch bereits von Tertullian
für bedenklich erklärte Formel von Christus „natus per Mariam" braucht (I, 1), und
¹⁰ daß er gegen die staatsfeindlichen Donatisten den ihm später so übel genommenen Satz
ausgesprochen hat (III, 3): „Non respublica est in ecclesia, sed ecclesia in republica, id est in imperio Romano". Diese prägnante Formel, die indes nicht gepreßt
werden darf, zeigt allerdings, daß Optatus die Eindrücke des Umschwungs unter Kon=
stantin nicht verleugnet, noch sie sich durch neue Erwägungen verdrängt hat. In Be=
¹⁵ zug auf das Abendmahl findet sich bereits bei ihm der Satz (VI, 1): „Quid est altare,
nisi sedes et corporis et sanguinis Christi ... Christi corpus et sanguis per
certa momenta (in altaribus) habitant". Die Unterscheidung von praecepta und
consilia hat er VI, 4 in seiner Erklärung des Gleichnisses vom barmherzigen Samariter
bestimmt ausgesprochen. Der Wirt im Gleichnis sei der Apostel Paulus, die beiden
²⁰ Denare die beiden Testamente, die weitere vielleicht nötige Summe seien die consilia. Lehrreich endlich ist für den Zustand des soteriologischen Dogmas im Abendlande
in der zweiten Hälfte des 4. Jahrhunderts die Ansicht, welche er dem donatistischen An=
spruch auf aktive Heiligkeit und spontane Heiligung gegenüberstellt (II, 20): „Est
christiani hominis, quod bonum est, velle, et in eo, quod bene voluerit,
²⁵ currere; sed homini non est datum perficere, ut post spatia quod debet
homo implere, restet aliquid deo, ubi deficienti succurrat, quia ipse solus
est perfectio et perfectus solus dei filius Christus; caeteri omnes semiperfecti
sumus".

In dem 7. Buch ist die Haltung eine noch entgegenkommendere (s. oben), zugleich
³⁰ aber eine noch laxere und mehr klerikale. Hier wird übrigens nicht Parmenian angeredet,
sondern die Donatisten überhaupt. Der Gedanke der Einheit der Kirche („ex persona
beatissimi Petri forma unitatis retinendae vel faciendae descripta recitatur")
wird noch schärfer betont; s. c. 3: „Malum est contra interdictum aliquid facere;
sed pejus est, unitatem non habere, cum possis" ... „Bono unitatis sepe-
³⁵ lienda esse peccata hinc intelligi datur, quod beatissimus Paulus apostolus
dicat, caritatem posse obstruere multitudinem peccatorum" (also bereits die
augustinische Zusammenstellung von unitas und caritas) ... „Haec omnia Paulus
viderat in apostolis caeteris, qui bono unitatis per caritatem noluerunt a com-
munione Petri recedere, ejus scil. qui negaverat Christum. Quodsi major
⁴⁰ esset amor innocentiae, quam utilitas pacis et unitatis, dicerent se non debere
communicare Petro, qui negaverat magistrum". **Adolf Harnack.**

Option (Optio) ist der Erwerb einer vakant gewordenen Kirchenpfründe kraft eigener
Wahl des Acquirenten. Für Stiftskirchen insbesondere, in welchen eine bestimmte Zahl
von Präbenden vorhanden waren, die einen verschiedenen Wert hatten, mußte über den
⁴⁵ Anspruch auf eine zur Vakanz kommende Stelle statutarische Bestimmung getroffen
werden. Man unterschied canoniae ligatae und liberae also, daß jene fest an eine
bestimmte Stelle gebunden waren, diese dagegen im Falle der Vakanz von den dazu
Berechtigten gewählt werden durften (du Fresne, Glossar. s. v. optari). Das Options=
recht bestimmte sich nach dem Alter des Präbendaten, welcher in einer bestimmten
⁵⁰ Frist sich darüber erklären mußte, ob er die frei gewordene Stelle, insbesondere die
Wohnung (curia canonicalis) statt der bisher innegehabten einnehmen wolle. Nach
gemeinem Recht beträgt die Optionsfrist 20 Tage (c. 4 de consuet. in VI°, I, 4).
Häufig hat der Optierende den Erben der erledigten Präbende zugleich eine gewisse
Summe (Optionsgelder) zu entrichten, auch für die Kirchenfabrik (s. den A. Bd X,
⁵⁵ S. 366) einen Beitrag zu zahlen. In den Statuten der Kapitel finden sich parti=
kulare, vielfach voneinander abweichende Festsetzungen. Außer bei den Kapiteln (bei
denen aber, wenigstens für Deutschland, infolge der fest geregelten Besetzungsweise der
Kanonikate dieses Recht heute außer Geltung ist) findet sich eine Option noch bei dem
Kardinalskollegium.

Eine Option ist auch möglich bei beneficia incompatibilia secundi generis (s. d. A. Benefizium Bd II, S. 591, van Espen, Jus eccl. univ. P. II, XX, cap. IV, Nr. 11).   (F. Jacobson †) Sehling.

Opus operatum s. Sakramente.

Opus supererogationis. — 1. Dieser Begriff der katholischen Dogmatik hat 5 seinen Platz in der Lehre vom Ablaß. Indem die Kirche das Recht in Anspruch nimmt, dem Sünder bestimmte zeitliche Sündenstrafen zu erlassen, ist sie genötigt, dies Recht zu begründen. Dies haben die großen Scholastiker gethan und zwar von dem Gedanken der organischen Einheit der Kirche her. Das Verdienst Christi sei größer gewesen als es zur Vergebung der Sünden notwendig war (satisfactio superabundans), ebenso haben 10 aber auch die Heiligen mehr gute Werke gethan und mehr Leiden getragen, als sie verpflichtet waren (in operibus poenitentiae supererogaverunt ad mensuram debitorum suorum, et multi etiam tribulationes iniustas sustinuerunt patienter, per quas multitudo poenarum poterat expiari si eis deberetur, Thomas Summa suppl. quaest. 25 art. 1). Diese supererogationes membrorum Christi sowie des Herrn 15 selbst, diese überschüssigen Werke sind nun aber zusammengefaßt in dem thesaurus spiritualis der Kirche, sie gehören ihr und unterstehen der Verwaltung und Verwendung durch das Haupt der Kirche. Da nun der Leib Christi oder die Kirche eine Einheit bildet, zu der auch die im Fegfeuer befindlichen Seelen, sofern sie sich noch in zeitlicher Entwickelung befinden, gehören, so kann die Kirche die opera supererogationis ihres Hauptes und ihrer 20 Glieder denjenigen ihrer Glieder, die der gehörigen Zahl satisfaktorischer Werke er= mangeln, zu gute kommen lassen. Das geschieht im Ablaß, per modum iudiciariae potestatis für die Lebenden, per modum suffragii für die im Fegfeuer befindlichen Seelen. Siehe hierüber Alexander von Hales Summa IV quaest. 23 membr. 3 art. 1; art. 2 m. 5. Albert in Sent. IV dist. 20 art. 16. Bonaventura in Sent. IV 25 dist. 20 pars 2 art. 1 quaest. 5. Thomas Summa supplem. quaest. 25 art. 1 u. 2 vgl. die Exposit. symboli ap. zur communio sanctorum. Gabriel Biel Expositio canon. miss. lect. 57. Die Lehre vom thesaurus und damit von den ihn bildenden überschüssigen Werken erkennt Papst Clemens VI. in der Konstitution Unigenitus dei filius (1343) ausdrücklich an, vor allem bezüglich des überschüssigen Verdienstes Christi, 30 dann aber auch hinsichtlich der Heiligen: ad cuius quidem thesauri cumulum beatae dei genitricis omniumque electorum a primo iusto usque ad ultimum merita adminiculum praestare noscuntur, de cuius comsumptione seu minutione non est aliquatenus formidandum, tam propter infinita Christi ... merita, quam pro eo quod quanto plures ex eius applicatione trahuntur ad iustitiam, tanto 35 magis accrescit ipsorum cumulus meritorum. — Obgleich das Konzil von Trient diese Lehre als solche nicht symbolisch fixiert hat, ist sie doch durch die Anerkennung des Ablasses implicite anerkannt. Leo X. hat in der Bulle Exsurge domine (1520) an 17. Stelle den Satz Luthers: thesauri ecclesiae, unde papa dat indulgentias, non sunt merita Christi et sanctorum verdammt. Siehe noch den 60. Satz unter den 40 Lehren des Michael Bajus, die Pius V. (1567) und Gregor XIII. (1579), Urban VIII. (1641) verdammt haben (bei Denzinger, Enchiridion definit. n. 940), Pius VI. ver= dammt in der Konstitution Auctorem fidei (1794) unter den Sätzen der Synode von Pistoja den Satz (n. 41): scholasticos suis subtilitatibus inflatos invexisse thesaurum male intellectum meritorum Christi et sanctorum, und fügt von sich aus hinzu: 45 quasi thesauri ecclesiae, unde papa dat indulgentias, non sint merita Christi et sanctorum. — Die Lehre von den überschüssigen Werken ist also allerdings — im Zu= sammenhang mit dem Ablaß — kirchlich anerkannt. Sie ist demgemäß zu allen Zeiten gegenüber dem Widerspruch der Protestanten von den katholischen Polemikern und Dog= matikern festgehalten worden. So sagt ein neuerer Dogmatiker, Simar (Lehrbuch der 50 Dogmatik, 2. Aufl. 1887, S. 767): „Die nächsten Voraussetzungen und Grundlagen des Ablasses bilden demnach einerseits die Lehre von den zeitlichen Sündenstrafen, andererseits die Lehre von dem Verdienstschatze der Kirche, d. i. von dem überfließenden Reichtum der Verdienste und Genugthuungen Christi und seiner Heiligen, dessen Verwaltung von Gott der Kirche anvertraut worden ist" (vgl. noch S. 888). 55

2. Nachdem wir die Bedeutung und den Zweck des Begriffes der supererogatorischen Werke erkannt haben, ist die Frage nach ihrer Begründung im Ganzen der katholischen Lehre aufzuwerfen. Die katholische Lehre von den guten Werken wurzelt in einem drei=

sachen Gedankenkomplex. Erstens kommt die augustinische Gnadenlehre samt der Vorstellung von der Allwirksamkeit Gottes in Betracht. So betrachtet sind merita nostra
nur munera dei, ein verdienstliches Werk im strengen Sinn ist undenkbar. Dieses
Gedankengefüge wird aber durch ein anderes durchbrochen und ergänzt, nämlich durch
5 den Gedanken, daß der freie Mensch in einem Rechtsverhältnis zu Gott steht und verpflichtet ist, sich vor Gott Verdienste zu erwerben und durch sie für seine nach dem
Gnadenempfang begangenen Sünden Gott Satisfaktion zu bieten (vgl. schon Tertullian).
Der stoische Moralismus und der jüdische Legalismus haben zur Erzeugung dieser Gedanken-
reihe mitgewirkt. Nun bot aber drittens sowohl die stoische Ethik mit ihrer Unterscheidung
10 des καϑῆκον und des κατόρϑωμα oder des medium und des perfectum, als auch die
jüdische Betonung besonderer und außerordentlicher Tugenden (z. B. Tob. 12, 8: ἀγαϑὸν
προσευχὴ μετὰ νηστείας καὶ ἐλεημοσύνης καὶ δικαιοσύνης) den Anlaß zu einer
Gradation der guten Werke. Mt 19, 16 ff., 1 Ko 7, 25. 40 schienen dem zu entsprechen.
Besonders aber legte die Praxis des Lebens, die es verbot die höchste Form des sittlichen Lebens
15 von allen Christen gleichermaßen zu fordern, eine derartige Abstufung nahe. So kam man
schon früh zu einer Unterscheidung gemeinsittlicher und höhersittlicher Forderungen (s. z. B.
Hermas Sim. V, 3, 3: ἐὰν δέ τι ποιήσῃς ἐκτὸς τῆς ἐντολῆς τοῦ ϑεοῦ, σεαυτῷ
περιποιήσῃ δόξαν περισσοτέραν). Wurde nun diese Abstufung an das Schema des
Gesetzes gerückt, so ergab sich, daß die gemeine Sittlichkeit vom Gesetz geboten ist, die
20 höhere Sittlichkeit dagegen erscheint bloß als etwas Angeratenes; in diesem Sinn deutete
man die angeführten Bibelstellen und das urchristliche Bewußtsein der Freiheit vom
Gesetz trat verstärkend hinzu. Daraus ergab sich die Theorie der consilia evangelica,
vgl. über sie Thieme oben Bd IV, 274 ff. Diese Theorie erfuhr aber durch den asketischen Zug der katholischen Kirche eine immer tiefer gehende Begründung. Der voll-
25 kommene Christ war derjenige, der auf die Güter dieser Welt — Besitz, Sinnenlust,
· Ehre — prinzipiell Verzicht leistete, d. h. der Mönchsstand wurde der status perfectionis, die religio. Für ihn gelten die über das gemeingültige Sittengesetz hinausgehenden perfectionis consilia (Thomas Summ. I. II quaest. 107 art. 2), die zum
opus supererogationis oder perfectionis führen (ib. II. II qu. 147 art. 3), zur
30 perfectio supererogationis oder zur iustitia superabundans (Bonav. Breviloq. 5, 9).
Als Bestandteile dieser höheren Vollkommenheit werden die von den consilia evangelica
gebotenen Tugenden, speziell die mönchischen, angeführt. Auch das Tridentinum (sess. 24
can. 10) verdammt die Ansicht: non esse melius ac beatius in virginitate per-
manere aut coelibatu quam iungi matrimonio. Der Katechismus des Canisius
35 führt als principalia der evangelischen Ratschläge an: paupertas voluntaria, castitas
perpetua et oboedientia integra.

Die römische Werktheorie hat also einen dreifachen Ausgangspunkt: 1· die augustinische Gnadenlehre, nach der Gott das Gute in uns wirkt oder uns die Kraft zu guten
Werken giebt, 2. die (jüdische) Idee, daß der freie Mensch durch gute Werke sich Ver-
40 dienste vor Gott erwirkt und durch sie — unter Mithilfe der sakramentalen Rechtfertigung — die begangenen Sünden sühnen kann (Trident. sess. 6 cap. 16; can. 32),
3. die antike durch das asketische Ideal gesteigerte und spezifizierte Idee einer doppelten
Sittlichkeit. Aus diesem letzteren Punkte gehen dann die evangelischen Ratschläge und
die ihnen korrespondierenden supererogatorischen Werke des status perfectionis hervor.
45 Indem nun den Werken überhaupt sühnende Bedeutung beigelegt wurde und die Idee
einer stellvertretenden Satisfaktion dem Denken geläufig war, entstand der Gedanke von
der sühnenden Bedeutung der opera supererogationis. Die Ablaßpraxis veranlaßt
dann die Zusammenfassung dieser Werke im geistlichen Schatz der Kirche. Die praktische
Bedeutung der opera supererogationis hängt mit dem Ablaß zusammen, ihre theore-
50 tische Grundlage ist im Verdienstbegriff und in der Fassung der christlichen Vollkommenheit zu erblicken. So ist der Begriff theoretisch wie praktisch auf das engste mit der
katholischen Lehre verknüpft.

3. Indem der Protestantismus den ganzen Gedankenzusammenhang, innerhalb welches
die opera supererogationis ihren Platz haben, auflöst, fällt auch dieser Begriff selbst
55 dahin. „Werke der Übermaße oder überlange Werke" kann es nach Luther nicht geben,
denn man darf Jesu Auslegung der zehn Gebote nicht in bloße „Räte" verwandeln,
und es ist einfach unmöglich je über das „Grundgebot Gott zu lieben von ganzem Herzen"
in seinem Handeln hinauszukommen. „Was ist's denn, solche schändliche Lügen und
Narrentheidung vorgeben von etlichen Werken, die da Übermaß sein über die gebotenen,
60 so doch niemand das Maß der zehn Gebote völlig auf Erden erlanget?" (Luther Erl.[1] 14,

35. 36). So werden auch von der Conf. Aug. mit der mönchischen Vollkommenheit
die opera supererogationis, die dem Gebot Gottes nicht gemäß sind und denen keine
Sühnewirkung zukommt, verworfen (C. A. 27, 61, dazu Apol. 3, 239; 6, 45; 12, 14.
Articul. Smalc. III, 3, 29). Eines näheren Nachweises für die innere Berechtigung
dieser Urteile bedarf es nicht. Wenn die evangelische Anschauung das gute Werk des 5
Menschen von Gott gewirkt sein läßt, so fällt der Verdienstbegriff zusammen; wenn
Christus der einige Sühner und Mittler ist, so fällt die Notwendigkeit und Möglichkeit
von Satisfaktionsleistungen seitens des Menschen hin; und wenn Christus allein das
Haupt der Kirche ist, das sie in dem Geist leitet, so sind derartige Fiktionen, wie der
aufgesammelte Schatz „überlänger" Werke, als solche durchschaut.   **R. Seeberg.** 10

Opzoomer, Cornelis Willem, gest. 1892 (22. August). — Litteratur, kritisch
und biographisch: J. J. van Oosterzee in Jaarboeken voor wetenschappelijke theologie III,
S. 211 ff.; J. H. Scholten, De leer des Vaders, des Zoons en des Heiligen Geestes, eene
bijdrage tot de kennis u. s. w. in Jaarbb. v. wetensch. theol. II, 2. St., S. 235 ff.; Mr. C.
W. Opzoomer op het gebied der godgeleerdheid en wijsbegeerte beoordeeld; Het kritisch 15
standpunt van Mr. C. W. Opzoomer beoordeeld; Over het Godsbegrip van Krause;
H. Obreen, Het geloof de eenige weg tot waarheid etc.; Scholten en Opzoomer voor de
rechtbank der zedelijkheid gedaagd (anonym erschienen); W. Francken, Het wezen der
deugd volgens het Evangelie; J. J. Doedes, Het recht des Christendoms tegenover de
wijsbegeerte gehandhaafd; „Oud en Nieuw!" de leus der christelijk orthodoxe theologie; 20
J. P. Trottet, La question religieuse en Hollande in Revue chrétienne 1860, S. 340 ff.;
G. Groen van Prinsterer, Ter gedachtenis van Stahl (Naschrift); Anastasio, Christendom
en Empirisme, terechtwijzing van Dr. A. Pierson; Open Brief, antwoord op den O. B.
van Mr. C. W. O.; F. A. Hartsen, Het Empirisme van Mr. C. W. O. door zich zelven
geoordeeld; S. Hoefstra Bzn, Iets over het godsdienstig gevoel, in Godgeleerde bijdragen 25
1864; Bronnen en grondslagen van het godsdienstig gevoel, 1. Teil; C. Sepp, Proeve
eener pragmatische geschiedenis der Theologie, 3. Aufl. 1869, S. 311 ff.; A. D. Loman,
De godsdienst voor onzen tijd in de Gids, Nov. 1869; C. B. Spruijt, Aangeboren Waar-
nemingsvormen I u II in de Gids, Juli und Sept. 1871; L. H. E. Rauwenhoff, Staat en
Kerk, het stelsel van Mr. C. W. O. 1875; S. van Houten, Bijdragen over God, eigendom 30
en familie; B. H. C. K. van der Wijk, Opzoomer in Eigen Haard 1882, S. 8 ff. in Mannen van beteekenis 1883, S. 1 ff. und in Jaarboek van de Koninklijke Academie van
Wetenschappen, 1892, S. 47 ff.; A. Pierson, Over Opzoomer in de Gids, März 1893. —
Weiter unzählige Stellen in mehreren anderen holländischen Zeitschriften.

Mr. C. W. Opzoomer, geboren zu Rotterdam am 20. April 1821, hat in den 35
Niederlanden während eines halben Jahrhunderts als eine strahlende Sonne am wissen-
schaftlichen Himmel geleuchtet. Von der Natur reich begabt, und an der Hochschule zu
Leiden unter dem Einfluß namhafter Lehrer (Thorbecke, Weijers, Peerlkamp, Bake, Kaiser,
van der Hoeven, Scholten) und talentvoller Studienfreunde (Goudsmit, Dozy, Fruin,
Matth. de Vries) vielseitig gebildet, hat er Arbeiten geleistet denen er nicht bloß in seinem 40
Fachstudium, der Jurisprudenz, die rühmlichsten wissenschaftlichen und staatlichen Aus-
zeichnungen, sondern auch in der Litteratur, klassischen, modernen, ja sogar
in der Kunstlehre eine höchst ehrenvolle Berühmtheit zu verdanken gehabt. Insonderheit aber seine philosophischen, namentlich auch religionsphilosophischen Schriften, wovon
an dieser Stelle hauptsächlich die Rede sein soll, haben seinen Ruf verbreitet. Schon als 45
Student lieferte er von seiner philosophischen Begabung Proben von so großer Tüchtigkeit, daß er, noch keine 24 Jahre alt, zum Lehrstuhl der Philosophie an der Universität
von Utrecht berufen wurde, wo Männer wie van Heusde und Schröder gelehrt hatten.
Er hat denselben vom 9. Juni 1846 bis 16. Mai 1890 bekleidet; eine Berufung an
die Leidener Fakultät (1871) schlug er aus.   50

Die Überschriften der am Haupte dieses Artikels verzeichneten Bücher und Abhandlungen stellen nur annähernd die Anzahl, gar nicht die Heftigkeit der Angriffe dar,
denen O. in den ersten Jahren seiner amtlichen Thätigkeit ausgesetzt gewesen. Er war
nach Leiden gekommen (1839) als ein jugendlicher Eiferer für die reformierte Konfession,
in der er auferzogen (1846—1871, Redevoering op den dag zijner 25jarige 55
ambtsbediening; Uit vroeger dagen, 1883, in Losse Bladen II, 1887, 22. Abh.).
Allmählich aber geriet er unter den Eindruck und den Einfluß der antikonfessionellen, auch
in dem Dogma der Unfehlbarkeit der Bibel heterodoxen Groninger Theologie (s. d. A.
Bd VII S. 180) und verteidigte dieselbe gegen die heftigen Anfälle von Da Costa (s.
d. A. Bd IV S. 401). Eine Antwoord aan Mr. Isaac Da Costa, ter wederlegging 60
van het stukje: Rekenschap van gevoelens u. s. w. 1843, kam anonym ins Licht,

als der Verfasser wurde bald der Leidener Student O. offenbar. In die Länge aber konnte auch eine solche Theologie seinen klaren und wahrheitsbedürftigen Geist keineswegs befriedigen. Überhaupt wurde damals in der Apologetik des Christentums die Philosophie bedenklich vernachlässigt, kaum erkannte man einen anderen Überzeugungsgrund seiner Wahrheit an als die Wunder Jesu und der Apostel. Neues Leben wachte auf mit der Begründung einer neuen Zeitschrift durch van Oosterzee (s. b. A. oben S. 379), worin der alte Weg verlassen und die Apologetik aufgegeben wurde auf der christlichen Empirie, „dem Zeugnisse des heiligen Geistes", „der innerlichen Erfahrung von Versöhnung und Heiligung". Von vielen Seiten klang laut der Beifall. O. aber gefiel die neue Methode übel. Ungeachtet des Rufes ihres Urhebers und seiner eigenen Jugend griff er dieselbe an und verurteilte sie als unbestimmt, willkürlich, ganz ungenügend, philosophisch unverteidigbar. Er selbst schied im Christentum das Thatsächliche vom Idealen. Hinsichtlich des ersteren forderte er historische Beweise und schloß sich der Kritik der Tübinger Schule an. Hinsichtlich des letzteren verweigerte er irgendwelche andere als Vernunftbeweise anzuerkennen, nur solche erklärte er für einen unwiderlegbaren Überzeugungsgrund. Der Glaube konnte nach ihm nur zulässlich sein, wenn derselbe von der Vernunft gutgeheißen und begründet wäre, die Bürgschaft seiner Wahrheit lag nach ihm in der Möglichkeit denselben zum Objekt der Erkenntnis zu erheben. Als das Mittel dazu empfahl er eifrig nicht eben das System, sondern die Methode von Krause (De gevoelsleer van Dr. J. J. van Oosterzee beoordeeld. I, II, 1846). Weil aber mancher in der Pantentheismus des letzteren einen Pantheismus erblickte, stand O. jetzt ganz und gar als der große Ketzer da, nicht ungefährlicher als Strauß. Sogar der moderne Scholten (s. b. A.) nahm gegen O. Partei, insonderheit nachdem dieser in De leer des Vaders, des Zoons en des H. Geestes, eene verhandeling van Dr. J. H. Scholten wijsgeerig beoordeeld, 1846, auch jenen Gelehrten, der das „christliche Selbstbewußtsein" als den Probierstein der Glaubenswahrheit betrachtete, als einen Gefühlstheologen bezeichnet und in seiner Antrittsrede: De wijsbegeerte den mensch met zich zelven verzoenende 1846, abermals und noch kräftiger als zuvor die Philosophie als die höchste Autorität auf dem Gebiet der Glaubenslehre betont hatte. O. sah sich zu einer persönlichen Abwehr genötigt: De beschuldigingen van Dr. J. H. Scholten uit de bronnen wederlegd, 1846. Nach Scholten hatte sein Gegner sich selbst außerhalb dem Christentum gestellt. Daß O. abermals seine wahre Absicht bloßlegte: eben mittelst der Philosophie eine unerschütterliche Grundlage für den christlichen Glauben zu gewinnen (De leer van God bij Schelling, Hegel en Krause, Eerste stuk, Krause), half wenig. Weil es geschah mit Beseitigung nicht nur von einem bedeutenden Teil sondern auch von dem Grundprinzip der Kantschen Philosophie, kam im Gegenteil Scholten von neuem und mit ihm die halbe theologische Welt Hollands in Empörung, zur Rechten insonderheit Doedes (s. b. A. Bd IV S. 717) der das Recht der Philosophie in der Apologetik durchaus leugnete, zur Linken sogar die ehemaligen Lobredner O.s, die Groninger Theologen, die den allgemeinen Irrtum, als wenn hier von einer Ersetzung des Christentums durch die Philosophie die Rede wäre, teilten. Noch heftiger erhob sich die Opposition als O. bald darauf, von den spekulativen Systemen getäuscht und gesättigt, die Millsche Erfahrungsphilosophie samt einem Begriff der Logik zu verkündigen begann, zufolge dessen dieselbe fortan gefaßt werden sollte als die Lehre nicht vom Denken überhaupt, sondern von einer bestimmten Denkmethode und zwar von der in der Naturwissenschaft befolgten, welche er ihrer sicheren Resultate wegen auch für die ethischen Disziplinen empfahl (De twijfel des tijds, de wegwijzer der tockomst, 1850; De weg der wetenschap, 1851, deutsch von Schwindt: „Die Methode der Wissenschaft, spätere Auflage: Het wezen der kennis, 1863; Oratio de philosophiae natura, 1852; Het karakter der wetenschap, 1853; De geschiedenis der wijsbegeerte, 1854 in L. Bl. II, 2. Abh.; Wetenschap en Wijsbegeerte, 1857; Geschiedenis der Wijsbegeerte, 1860; Een nieuwe kritiek der wijsgeerte, 1871). Jetzt schalt man ihn einen Prediger des Sensualismus und einer grobsinnlichen Moral (Het teeken des tijds, 1858). Ganz ungerecht, denn O. gab dem Empirismus eine neue Anwendung, insofern er der sinnlichen Empfindung, die er als die alleinige Quelle der Naturerkenntnis (samt, gegen Whewell, der mathematischen) behauptete, eine innerliche als die selbstständige Quelle unserer geistigen Erkenntnis hinzufügte und dies keineswegs nach der Auffassung R. Zimmermanns, der sie als das Denken über die äußerliche verstand. In derselben unterschied er abermals das sinnliche, das ästhetische und das sittliche Gefühl als gegenseitig unabhängig, und maß der auf den hier bezeichneten Grundlagen aufgebauten Weltanschauung eine wissenschaftliche Gewißheit bei, da doch dieselbe aus unmittelbarer Erfahrung und insoweit sie mit Hilfe der wahren Logik gewonnen wäre. Außerdem lehrte er dann noch eine absonderliche Quelle der religiösen Erkenntnis: „das religiöse Gefühl" (De waarheid en hare kenbronnen, 2. Aufl. 1862). O. blieb denn auch von den Beschuldigungen seiner Gegner unbewegt, und fuhr mit der energischen Verteidigung und Verkündigung seiner Überzeugung unermüdlich fort. Allmählich gewann er Rast und Boden: van Oosterzee zog rückwärts und gestand zuletzt die Unhaltbarkeit seines Subjektivismus, es sei denn daß er sich jetzt der Autorität des Schriftwortes gefangen gab. Scholten kam ihm näher. Die allgemeine Würdigung von O. nahm zu. Die Liberalen fingen an ihn zu ehren als ihren Führer und Propheten. Bald war er von einer breiten Schar enthusiastischer Verehrer umgeben. Seine Hörsäle waren gefüllt von den tüchtigsten Musensöhnen aller Fakultäten, mit denen Zuhörer jeglicher gesellschaftlichen Lage und sogar gefeierte Gelehrte wie Mulder und Buys Ballot sich vereinigten; von den wichtigsten Gedanken, dem klaren Vortrag, der glänzenden Beredsamkeit des jugendlichen Lehrers wurden alle gefesselt. Sein Einfluß wuchs tagtäglich und wurde Ursache, daß die orthodox besetzte theologische Fakultät zu Utrecht der Kirche Niederlands während vieler Jahre einen Überfluß freisinniger Vorkämpfer lieferte, welche der Gemeinde, namentlich ihrem „denkenden Teil", die neuen theologischen Ansichten als ein mit zunehmender Begierde ersehntes Lebensbrot darboten. Mit Scholten und sogar früher als dieser war O. der Urheber der modernen Theologie in seinem Vaterlande, dieselbe bleibt, ungeachtet der Veränderungen welche sie seitdem erlitten, von seinem Namen untrennbar und zeigt noch heutzutage, namentlich unter der älteren Generation ihrer Bekenner, die unverkennbaren Spuren seines Geistes.

Auf das gebildete Publikum hat O. einen unmittelbaren Einfluß ausgeübt durch seine vielen außerakademischen Vorträge, und nicht weniger durch die Form seiner Schriften. Ein von ihm selbst hochgelobtes Beispiel (Cartesius, 1861) befolgend, hat er, ohne der schönen Form die Gründlichkeit des Inhalts zum Opfer zu bringen — ein Fehler Renans, worüber er sich in Wat dunkt u van den Christus? 1863, und in Een woord van Renan 1876, in L. Bl. II, 22. Abh. ernstlich beklagt —, den Reiz der Beredsamkeit hauptsächlich in der Klarheit des Ausdrucks gesucht; dadurch ist es ihm gelungen, die schwierigen Probleme der Philosophie auch dem Laienverstande durchsichtig zu machen. In der Klarheit erblickte er das Geheimnis der Popularität, wie in Herder das glänzende Beispiel von einer richtigen Erfüllung der wichtigen Aufgabe, von deren Pflichtmäßigkeit er tief überzeugt war, die Wissenschaft zu popularisieren (Natuurkennis en Natuurpoëzle 1858).

Der religionsphilosophischen Arbeit O.s liegt die Überzeugung von der Wahrheit der Religion und der Undenkbarkeit eines prinzipiellen Widerspruchs derselben mit der Wissenschaft zu Grunde. Ihr ganzes Bestreben ist darauf gerichtet, diese Überzeugung zu rechtfertigen, und also zugleich dem Aberglauben und dem Unglauben das Maul zu stopfen, das Denken und die Frömmigkeit zu befriedigen. Anfangs verfolgte O. dieses Ziel durch einen Monismus, worin er Glauben und Wissenschaft einheitlich zusammenfaßte. Dem Satz Kants vom Unzugänglichen des Übersinnlichen verweigerte er seinen Beifall, und urteilte, derselbe sei die Folge einer sinnleeren Unterscheidung (zwischen dem Sein an sich und dem Sein für uns) und stehe im Widerspruch mit der behaupteten aprioristischen Natur der Anschauungsbegriffe. Er setzte einen übersinnlichen Grund unseres Bewußtseins voraus und glaubte an die Möglichkeit den Beweis für denselben zu liefern, nämlich durch eine genaue Analyse des Bewußtseins zum Begriff des absoluten Wesens sich erheben zu können. Also war der Glaube nicht nur wissenschaftlich begründet, sondern es war auch ein untrüglicher Maßstab für die Bestimmung seines Inhalts gewonnen. Die Existenz eines persönlichen Gottes, die sittliche Freiheit, das Sündenbewußtsein, die Unsterblichkeit wurden von O. aus dem Begriffe des unendlichen Wesens entwickelt; der Anthropomorphismus hingegen, ebenso wie die Idee eines wunderthätigen Gotteswaltens, zurückgewiesen; denn sie entsprächen dem Dualismus, seien aber unvereinbar mit dem bezeichneten Begriffe durch welchen die Gegensätze von Deismus und Pantheismus, von Transcendenz und Immanenz, von Natur und Übernatur überwunden wären, in der Erkenntnis daß alles Endliche nur in und durch das Unendliche sei. Daß in einem solchen System die Moral als ein Ausfluß des religiösen Glaubens gefaßt und folglich sowohl der Kantschen als der abhängigen, der eudaimonistischen und der Utilitätsmoral entgegengesetzt wurde (Het wezen der deugd, 1848, spätere Auflage: De vrucht der godsdienst), ergiebt sich von selbst. Als aber bei O. die oben erwähnte Umwälzung seiner philosophischen Ansicht eintrat und hiermit die Brücke von der endlichen zur unendlichen Welt-

anschauung, der Syllogismus, zerbrochen war, durfte er letzterer Weltanschauung zwar noch
eine unerschütterliche, weil unmittelbare, nicht länger aber eine wissenschaftliche Gewißheit
beimessen und folglich das Mittel der Aussöhnung von Glauben und Wissenschaft nicht
länger in dem Satz ihrer Einheitlichkeit suchen. Jetzt bestand er auf einer scharfen
5 Unterscheidung zwischen den beiden, indem er die religiöse Überzeugung: „daß Gott regiere", durchaus unabhängig erklärte von der wissenschaftlichen: „wie er regiere", folglich sei
der Glaube mit jeglicher Wissenschaft vereinbar, ja, die Möglichkeit sich unaufhörlich einer neuen
anschließen zu können, eine Lebensbedingung seiner bleibenden Würdigung. In seinem Verknüpfung mit einer veralteten Wissenschaft erblickte O. die Ursache der leidenschaftlichen Angriffe,
10 welche die Religion fortwährend von der Wissenschaft zu erbulden gehabt, und das Merkmal
der orthodoxen Theologie, welche er nicht ohne Spott als „die antike" bezeichnete. Die
moderne aber lobte er als die Theologie für den Mann der Wissenschaft, und trat
öffentlich als ihr Vertreter auf, ungeachtet des Mangels an Übereinstimmung und eben auf
Grund des Mangels an Folgerichtigkeit bei ihren Bekennern, die er, ebenso wie seine
15 orthodoxen Gegner, in „halbe und ganze" unterschied. Er forderte unbedingte Treue
gegen ihr Grundprinzip, die Anerkennung des Gesetzes der Kausalität als des Postu-
lates der Empirie, der Grundlage und des Leitfadens alles menschlichen Wissens und
Handelns und deswegen auch des Probiersteins der geschichtlichen Wirklichkeit, dessen Anwendung er ebensowohl auf die biblischen Nachrichten verlangte als auf jegliches Zeugnis
20 aus der Vergangenheit. Also leugnete O. nicht nur die Wirklichkeit, sondern die Möglichkeit des Zufalls, des Wunders, nicht nur in der Natur, sondern auch im Reiche des
Geistes, aus dem er, auch im Namen der Religion, den freien Willen verbannte.
In der modernen Theologie sah er die Aussöhnung von Glauben und Wissen verwirklicht, nämlich die Religion zugleich unversehrt und von unwissenschaftlichen Be-
25 standteilen gereinigt, sah er den Gegensatz von Gott und Natur aufgehoben, nämlich
die Natur zum einzigen und ewigen Schauplatz der göttlichen Allgewalt umgebildet
und hiermit sowohl den Kern des religiösen Glaubens als das einzige unentbehrliche
Dogma des Christentums, jenes geistigen aber, das er schon im frühsten christlichen Altertum entdeckte (De brief aan Diognetus 1860, in L. Bl. II, 4. Abh.), unangreifbar
30 gesichert. In ihrer Erscheinung und Thätigkeit sah er insonderheit eine abermalige
und prinzipielle Reformation, in ihren Bekennern die wahren Protestanten (De geest
der nieuwe richting, 1862; De wijsbegeerte der ervaring en de moderne
theologie, open brief aan Anastasio, 1863; De godsdienst, 1864; Oud en Nieuw,
1865; Nog eens: Oud en Nieuw, 1866; Onze godsdienst, 1875). Raum in der
35 Kirche forderte er nicht nur für das „Fragliche" (Eenheid in het noodige, vrijheid
in het twijfelachtige; in alles de liefde, 1847), sondern für eine unbegrenzte Wirksamkeit der Kritik. „Hyperkritik" war ihm ein Fehlbegriff, angemessen und ersonnen die
Freiheit der Kritik zu beschränken. Ebenso, wie z. B. beim Erscheinen von Wolfgang
Menzels „Kritik des modernen Zeitbewußtseins" (1869) (De vrije wetenschap, 1869),
40 stand er immerwährend auf seinem Posten zu warnen vor der Gefahr und zu kämpfen
gegen den Geist der Reaktion, die fortwährend darauf ziele die Seelen unter das Joch
einer absoluten Autorität zurückzuführen. Er nahm Stellung gegen die Partei der
Antirevolutionäre und ihren Urheber und Führer Groen van Prinsterer (s. d. A.),
welche eiferten für die Alleinherrschaft der Konfession nicht nur in der Kirche, sondern
45 auch in der Politik, und welche die Staatsschule, nachdem durch das Schulgesetz von 1857
der Religionsunterricht aus derselben beseitigt worden war, als die moderne Sektenschule
und ein Bruthaus des Unglaubens an den Pranger stellten, indem sie auf ihre eigenen
Kosten ihre „christlichen" Schulen zu erbauen begannen. O. von seiner Seite brandmarkte
die letzteren als bestimmt den Obskurantismus und den Religionshaß zwischen den
50 Landesbürgern zu erziehen, und legte von seinem Vertrauen auf den versöhnenden Einfluß
der „gemischten" Schule mit ihrem „neutralen", nichtkonfessionellen Unterricht kräftig und
unermüdet Zeugnis ab (De gemengde school; Onzijdig onderwijs, 1856 in L. Bl.
12. und 13. Abh.; Lessing de Vriend der Waarheid, 1858; Onderzoekt alle
dingen, 1864 in L. Bl. II, 17. Abh.; Wat wil Mr. Groen van Prinsterer; Een
55 verdediger van Mr. Groen v. Prinsterer, 1855 in L. Bl. II, 10. und 11. Abh.).
Von Herzen willkommen war ihm die Stiftung des niederländischen Protestantenvereins,
der eine Schutzwehr gegen das Treiben des Konfessionalismus sein sollte und dessen
erste allgemeinen Versammlungen er selbst als Gründer und Ehrenvorstand geleitet hat
(Aaneensluiting in zake den vrijen godsdienst, 1871; Het vrije Christendom,
60 1873, in L. Bl. II, 12. und 13. Abh.). Als der römische Klerus, nachdem er das ka-

tholische Niederland ganz unter den päpstlichen Stuhl zurück und den Sturz des liberalen
Ministeriums Thorbecke herbeigeführt hatte, in einem bischöflichen Erlaß den Wieder=
hall des päpstlichen Syllabus ausposaunte; als er, ungeachtet der heftigsten Protest=
bewegungen vieler, namentlich deutscher, Katholischen, die Verkündigung des Dogmas der
päpstlichen Unfehlbarkeit vorbereitete und durchzuführen wußte, trat O. diesen Äußerungen 5
geistlicher Anmaßung entgegen und erhob er die Stimme, um seine Landesgenossen, die
Protestanten, aber auch die Katholischen selbst, vor der immer näher rückenden ultramon=
tanischen Gefahr zu warnen (Een woord tot mijne katholieke landgenooten, 1869;
Vrijheid en onfeilbaarheid, 1872) und, ungeachtet der ernstlichen Opposition vieler
Geistesverwandter, die künftige Unumgänglichkeit von niederländischen „Mai=Gesetzen" zu 10
prophezeien (Scheiding van kerk en staat, 1875). Auch bei vielen Katholischen setzte
er Freiheitsliebe voraus, auch unter ihnen gedachte er zu sammeln für die große Zukunfts=
kirche, von welcher er bisweilen geträumt; er dachte sie gegründet auf der Herzensfröm=
migkeit, und war vorurteilsfrei genug, diese in den heterogensten Glaubensbekenntnissen ent=
decken zu können; sie lag ihm am Ende mehr denn alles Übrige am Herzen und, besonders 15
in späteren Jahren, hat sie ihm manches Friedenswort abgelockt. Den gefährlichsten aller
Feinde erblickte er in dem Unglauben, den er unaufhörlich bekämpfte, indem er einerseits die
Unbeweisbarkeit und die Unvernünftigkeit desselben ins Licht rückte, andererseits die an
wissenschaftliche Sicherheit grenzende Wahrscheinlichkeit der religiösen Weltanschauung dar=
legte, wenn man nur dieselbe aufbaue nach der eigenen Methode und mit den eigenen 20
Hilfsmitteln der Wissenschaft, die ja auch selbst es wagt aus der Empfindung zu schließen
auf die Existenz einer Realität, von welcher dieselbe erregt wird. Mathematik und Poesie
heißen nach O. die Bestandteile sowohl der wissenschaftlichen als der religiösen Welt=
anschauung (De strijd over God 1878, in L. Bl. II, 9. Abh.). Eine materialistische
Naturwissenschaft betrachtete er als verderblich, eben deshalb aber sah er in einer einseitig 25
wissenschaftliche Entwickelung den Weg zu einem trostlosen Pessimismus und eine ernst=
liche Gefahr für die Kultur. Nur aus dem Bunde der Wissenschaft mit der Religion
erwartete er die Geburt jener harmonischen Weltanschauung, die zur gleichen Zeit den
Verstand, das Gemüt und den Charakter ernährt, und da eine solche Weltanschauung
nur von der Philosophie zu schaffen sei, hat O. bis ans Ende die Philosophie geehrt 30
und gepredigt als die souveräne Wissenschaft, welche den Menschen mit sich selbst auszu=
söhnen vermöge.   **J. Molenaar.**

Orange, Synoden. — Sirmond, Conc. ant. Galliae, I 70 ff. 215 ff.; Bruns, Can.
apost. et concil., II 122 ff., 176 ff.; Hefele, Conciliengesch. II² 291 ff. 724 ff.
In einer Kirche (ecclesia Justi[ni]anensis) auf dem Gebiete der südfranzösischen 35
Stadt, deren altrömisches Theater noch gegenwärtig vorhanden ist und zu antiken Auf=
führungen benutzt wird (Pariser Zeitschrift Le Théâtre 1900 Nr. 43, p. 6—8), fand
am 8. November 441 unter dem Vorsitz des Bischofs Hilarius von Arles (s. d. A Bd VIII
S. 56) und in Gegenwart des Eucherius von Lyon (s. d. A. Bd V S. 573) eine
Kirchenversammlung von 17 Bischöfen (einer hatte einen Vertreter gesandt) und ihren 40
Begleitern statt (vollständiges Verzeichnis bei Maaßen, Gesch. der Quellen S. 951 f.),
die 30 Beschlüsse faßte. Es wurde über Salbung (can. 1 f.), Verstattung der Buße
(can. 3 f.) und kirchliches Asylrecht (5—7) verhandelt, den Bischöfen in der Ordination
fremder Kleriker (8 f.), Weihung einer Kirche auf fremdem Gebiet (10) und anderen Ver=
richtungen (11. 21. 30 vgl. 16) Vorsicht empfohlen, über die Erteilung kirchlicher Hand= 45
lungen an körperlich oder geistig Gebrechliche (12—15) und Katechumenen (18—20)
Bestimmung getroffen und die Keuschheitsvorschrift für Geistliche (Diakonen, Witwen
can. 22—28, vgl. 24 mit ausdrücklicher Berufung auf einen Beschluß — can. 8 — der
Turiner Synode von 401) eingeschärft. Die Deutung einiger Beschlüsse (2. 3. 17) ist
schwierig; can. 4 steht mit einem Dekretal des römischen Bischofs Siricius in Wider= 50
spruch. Auch 2 und 18 verraten, daß man sich noch gegen das Eindringen römischer
Bräuche wehrte. Die Beschlüsse sind zu Arles im J. 443 (? s. Bd II S. 59,52) wieder=
holt, can. 23 von Cäsarius nebst anderen Synodalbeschlüssen citiert. Gratian hat un=
echte Kanones beigefügt. Über das Zusammentreten einer Synode im Gebiete von Orange
am 18. Oktober 442 (can. 29) ist nichts bekannt. — Am 3. Juli 529 trat bei Ge= 55
legenheit der Weihe einer vom Statthalter der Gallia Narbonensis erbauten Kirche in
der inzwischen burgundisch gewesenen und sodann ostgotischen Stadt eine Versammlung
von 14 Bischöfen unter dem Vorsitz des Cäsarius von Arles zusammen, die in der Ge=
schichte des Augustinismus eine Rolle spielt (Text auch bei Hahn, Bibl. der Symbole

3. Aufl. § 174) und päpstliche Sanktionierung erfuhr (s. Bd III S. 626; ausführlicher Arnold, Cäsarius von Arelate S. 350ff. 533ff.).   **E. Hennecke.**

Orarium s. d. A. Kleider und Insignien Bd X S. 528,57.

Oratio ad Graecos s. d. A. Justin Bd IX S. 643,57.

5   **Oratorianer** s. d. A. Neri Bd XIII S. 712ff.

Oratorium der göttlichen Liebe. — Vgl. Caracciolo, Vita Pauli IV., p. 182 (Coloniae Ubiorum 1612).

Durch Ranke, Päpste I, 2. Buch (S. 88 der 6. Aufl., 1874) ist auf diese Vereinigung frommer Männer in Rom zu Leos X. bezw. Hadrians VI. Zeit die Aufmerksam=
10 keit gelenkt worden. Dieselbe bezweckte Pflege der Frömmigkeit in den üblichen Formen katholischen Kirchenwesens; sofern dessen Besserung schließlich eine Frucht der von ihnen zunächst erstrebten Förderung der individuellen Frömmigkeit und Kirchlichkeit hätte werden können, sind ihre Bestrebungen von Ranke selbst unter den Begriff „Analogien des Pro=
testantismus" gebracht worden, obwohl sie mit dem Protestantismus im eigentlichen
15 Sinne nichts zu thun haben. Den Namen gab sich oder erhielt diese Vereinigung, zu der Ranke nach dem Biographen Caraffas fünfzig bis sechzig Mitglieder zählt, unter denen ein Giberti (s. d. Art.), Sadoleto (s. d. A.), Bonifazio da Colle, Paolo Consiglieri, Latinio Giovenale, Luigi Lipomano, Giuliano Dati und Giovanni Pietro Caraffa die hervorragendsten waren (vgl. m. Ochino, 2. Aufl. S. 58), von dem Oratorium der Kirche
20 San Silvestro e Santa Dorotea in Trastevere, in welchem sie ihre Zusammenkünfte abhielten. Dati selber war Rektor dieser Kirche, in deren Vorhalle heutzutage eine Gedenktafel an die Stiftung des „Oratoriums" erinnert. Die Mitglieder verpflichteten sich zu fleißigem Kirchenbesuch, zu häufigem Gebete am heiligen Orte, zu regelmäßiger Teilnahme an der Messe. Eine Einwirkung auf die kirchlichen Verhältnisse in Rom über
25 den engsten Kreis der Mitglieder hinaus scheint das „Oratorium" nicht geübt zu haben — die Stürme der Einnahme und Plünderung Roms im Jahre 1527 hat es nicht überlebt. Jedoch hatte der Gedanke, der Hadrians VI. offene Beistimmung erhielt, auch anderswo Raum gefunden: in Verona begegnet eine ähnliche Einrichtung bald darauf mit gleichem Namen; sie verdankte dem inzwischen dort Bischof gewordenen Giberti ihre
30 Gründung. (vgl. Miß Tucker, Gian Matteo Giberti I in The English Historical Review XVIII, n. 69, S. 27; 66). Über das Verhältnis des „Oratoriums" zu den protestantischen Reformversuchen in Italien vgl. oben Bd IX S. 535,54ff.   **Benrath.**

Ordinarius. — Mit diesem Ausdruck bezeichnet das kanonische Recht den Diöcesanbischof (s. d. A. Bischof Bd III S. 245) als den ordinarius judex, d. h. den ordentlichen und
35 regelmäßigen Inhaber der Jurisdiktion innerhalb der Diöcese (c. 3 in VI. De off. ordin. 1,16 c. 12. X. De off. jud. ord. I. 16). Im Gegensatze zum Ordinarius stehen zunächst alle diejenigen Geistlichen, welche zwar auch regelmäßig im Besitz der Jurisdiktion sind, aber nur kraft einer Übertragung von seiten des Ordinarius, wie namentlich die Generalvikare und Offiziale, sodann aber diejenigen, welche aus besonderen Gründen und aus=
40 nahmsweise vom Papste zur Leitung der kirchlichen Verhältnisse einer Diöcese berufen sind, wie die Koadjutoren (s. d. Art. Bd X S. 609). Nicht alle Bischöfe sind Ordinarien, so namentlich nicht die Weihbischöfe (s. den Art.), da diese keine Jurisdiktion besitzen, sondern nur als Stellvertreter eines Ordinarius die Pontifikalien ausüben, und überhaupt nicht alle sogenannten Titularbischöfe oder episcopi in partibus infidelium, weil diese
45 keine wirkliche Diöcese zu verwalten haben, sondern nur auf den Titel einer solchen ordiniert sind. In den Missionsländern wird den apostolischen Vikaren, welche in der Regel Bischöfe in partibus sind, eine jurisdictio ordinaria zugeschrieben, auch werden dieselben häufig Ordinarien genannt, gleichwohl besteht zwischen ihnen und einem Ordinarius ein sehr wesentlicher Unterschied, insofern letzterer der ordentliche, nicht willkürlich
50 absetzbare Inhaber seiner Diöcese ist mit einem durch die allgemeinen kirchlichen Normen bestimmten Inbegriffe von Amtsrechten, jene dagegen nur päpstliche Delegaten sind, welche mit ihrer ganzen amtlichen Existenz, ihrer Dauer, den Grenzen ihrer Amtsbefugnisse ganz vom Belieben der römischen Kurie abhängen. Vgl. Mejer, Die Propaganda, Göttingen 1852, Tl. 1, S. 265 u. ff.   (Wasserschleben †) **Sehling.**

Ordination a) in der evang. Kirche s. d. A. Geistliche Bd VI S. 471 f.

b) in der kathol. Kirche s. d. A. Priesterweihe.

Ordinationsstreit s. d. A. Knipstro Bd X S. 596, 86.

Ordines. — Bingham, Origines eccl. L II, P. I, S. 53 ff. und L. III, P. II, S. 1 ff.; Augusti, Denkwürdigkeiten, 11. Bd, S. 75 ff.; Binterim, Denkwürdigkeiten, 1. Bd, 1. Abt., 5 S. 281 ff.; Hinschius, System des kath. Kirchenrechts, I, S. 5 ff.; Phillips, Kirchenrecht, I, S. 297 f.; Friedberg, Kirchenrecht, 5. Aufl., S. 25 ff.

Die Bezeichnung ordo für die kirchliche Beamtenschaft und ordines für die einzelnen Stufen innerhalb derselben kommt sehr frühzeitig vor; man begegnet ihr schon bei Tertullian; vgl. de idol. 7; de exhort. cast. 7; de monog. 11 u. ö. Schwerlich hat 10 Tertullian den Ausdruck zuerst gebraucht; er wird ihn im Sprachgebrauch der Kirche vorgefunden haben; er entstand, indem man die auf bürgerlichem Gebiete übliche Unterscheidung zwischen ordo superior und inferior, und zwischen ordo im Sinne von curia und plebs (s. Heumann, Handlexikon zu den Quellen des römischen Rechtes s. v.) auf das kirchliche Gebiet übertrug. Vgl. de exh. cast. 7: Nonne et laici sacerdotes 15 sumus? . . . Differentiam inter ordinem et plebem constituit ecclesiae auctoritas.

Indem ich für die Ausbildung der einzelnen Ämter auf die betreffenden Artikel und für das sacramentum ordinis auf den Artikel „Priesterweihe" verweise, erinnere ich hier nur daran, daß anfangs weder auf die Zahl der Ämter noch auf die prinzipielle Sonderung in ordines maiores und minores Gewicht gelegt wurde. Sicher ist, daß schon 20 Tertullian nicht nur Bischöfe, Presbyter und Diakonen zum Ordo rechnete (dies nimmt v. Schubert, KG. I, S. 370 an, aber vgl. de praescr. haeret. 41 S. 578: Alius hodie episcopus, cras alius, hodie diaconus qui cras lector, hodie presbyter qui cras laicus). Aber wir können nicht mit Sicherheit feststellen, welche Ämter zu 25 seiner Zeit üblich waren. Dagegen wissen wir aus dem Briefe des Cornelius von Rom an Fabius, daß zu den Beamten der römischen Gemeinde Presbyter, Diakonen, Subbiakonen, Akoluthen, Exorcisten, Anagnosten, Pyloroi gehörten (Euseb. h. e. VI, 43). Diese sämtlichen Ämter mit Ausnahme der Ostiarii sind in derselben Zeit in Afrika nachweislich (Subdiakon und Lektor Cypr. ep. 29 S. 548, Akoluth ep. 7 S. 485, 30 Exorcist ep. 23 S. 536). Dagegen wird im 8. Buch der apostolischen Konstitutionen nur von der Ordination der Bischöfe, Presbyter, Diakonen, Subdiakonen, Anagnosten gehandelt (c. 16—22 und 27), obgleich dem Kompilator die Exorcisten und Sänger bekannt sind (c. 26 und 28). Der Terminus clerus minor, damit die Unterscheidung zwischen ordines maiores und minores, begegnet zum ersten Male in der anonymen 35 Schrift de rebaptism. 10 (Cypr. opp. III S. 82); vgl. auch Cypr. ep. 38, 2 S. 580. Allein noch lange stand die Zahl der Grade nicht fest; während man bei Isidor von Sevilla liest: Generaliter clerici omnes nuncupantur qui in ecclesia Christi deserviunt, quorum gradus et nomina haec sunt: ostiarius, psalmista, lector, exorcista, acolythus, subdiaconus, diaconus, presbyter et episcopus (Etymol. 40 VII, 12), zählt die anonyme, nach-isidorische Schrift de sept. grad. eccl. nur folgende ordines auf: fossores, ostiarii, lectores, subdiaconi, levitae, sacerdotes, episcopi (MSL XXX, p. 152 sq.), wogegen Walahfrid Strabo in seiner Comparatio ecclesiasticorum ordinum et secularium von den unteren Stufen die Subbiakonen, Exorcisten, Ostiarii, Akolythen, Lektoren, Kantoren und Psalmisten nennt, de exord. 32. 45

Was aus dem Bedürfnissen des Lebens entstanden war, und sich deshalb in den verschiedenen Gegenden etwas verschieden gestaltet hatte, wurde durch die Scholastik systematisiert. Bei dem Lombarden steht die Siebenzahl der ordines bereits fest, wie er sie auch in zwei Klassen sondert. Gerade sieben ordines (= spiritualium officiorum gradus) giebt es wegen der siebenfältigen Gnade des heiligen Geistes. Er zählt die 50 ordines der ostiarii, lectores, exorcistae, acolythi, subdiaconi, diaconi, sacerdotes; unter ihnen ragen zwei als sacri ordines hervor: der Diakonat und Presbyterat, quia hos solos primitiva ecclesia legitur habuisse et de his solis praeceptum apostoli habemus; . . . subdiaconos vero et acolytos procedente tempore ecclesia sibi constituit. Jeder ordo wurde von dem Herrn selbst verwaltet: 55 der des ostiarius, als er die Käufer und Verkäufer aus dem Tempel trieb; der des lector durch die Schriftverlesung in der Synagoge zu Nazareth Lc 4, 16 ff.; der des

Exorcisten durch die Heilung des Taubstummen Mc 7; daß er das Amt des Akoluthen hatte, bezeugt er selbst, indem er spricht: Ich bin das Licht der Welt 2c. Jo 8; den Dienst des Subdiakon übte er aus bei der Fußwaschung, den des Diakon, indem er seinen Jüngern das Sakrament austeilte und sie zum Gebet aufforderte. Der Episkopat
5 ist nach Petrus Lombardus nicht ein besonderer ordo für sich, sondern er ist dignitatis et officii nomen; er zerlegt sich wieder in die vier Stufen der Patriarchen, Erzbischöfe, Metropoliten und Bischöfe (Sent. I. IV, dist. 24 Pariser Ausg. v. 1553, f. 345 ff.). — Thomas lehnt die Ableitung der sieben ordines aus den sieben Gaben des heiligen Geistes ab, quia in quolibet ordinum septiformis gratia datur. Er selbst gewinnt
10 die ratio, numeri et gradus ordinum durch die Reflexion auf das Altarsakrament. Die potestas ordinis bezieht sich entweder auf die consecratio eucharistiae oder auf aliquod ministerium ordinatum ad hoc sacramentum. Der Konsekration entspricht der ordo der Priester. Die Thätigkeit der Diener richtet sich entweder auf das Sakrament selbst oder auf die Empfänger desselben. In ersterer Hinsicht kommt in Betracht
15 die Austeilung des Sakraments (Diakonen), die Sorge für die heiligen Gefäße (Subdiakonen), die Präsentatio der Abendmahlselemente (Akoluthen); in letzterer Hinsicht die Ausschließung der Unwürdigen (Ostiarii), der Unterricht der Katechumenen (Lektoren), die Bereitung der Energumenen (III. par. summ. suppl. qu. 37 art. 2, Ausg. v. Parma 1855, S. 250 f.). Die Unterscheidung von ordines sacri und non sacri wird von
20 Thomas gebilligt, nur daß er auch den Subdiakonat zu den ordines sacri rechnet. Nur ihnen liegt die Pflicht der continentia ob, ut sancti et mundi sint qui sancta tractant (ib. art. 3 p. 254). Den Episkopat zählt auch Thomas nicht als eigenen ordo, sondern als officium ad sacras et hierarchicas actiones innerhalb des ordo sacerdotalis (ib. qu. 40 art. 5 p. 281). Über die bischöfliche Macht erhebt sich nach
25 ihm die päpstliche, durch die die ganze Kirche regiert wird zum Zweck der kirchlichen Einheit (ib. art. 6, p. 282).

Abweichend von den Theologen zählten die Kanonisten acht oder neun ordines; man vgl. hierüber Phillips, Kirchenrecht I, S. 297 ff., und Hinschius, System des kathol. Kirchenrechts I, S. 5 f.
30 Durch die tridentinische Synode ist die scholastische Theorie in der römischen Kirche bekenntnismäßig geworden, obgleich die alten Ämter zum Teil längst nicht mehr bestehen. Die Beschlüsse der 23. Sitzung handeln von dem sacramentum ordinis und stellen c. 2 (Danz, Libr. symb. eccl. Rom. cath. p. 159sq.) die Siebenzahl der ordines fest: De sacerdotibus et de diaconis s. litterae apertam mentionem faciunt ... et
35 ab ipso ecclesiae initio sequentium ordinum nomina atque uniuscuiusque eorum propria ministeria subdiaconi sc., acolythi, exorcistae, lectoris, ostiarii in usu fuisse cognoscuntur, quamvis non pari gradu. Nam subdiaconus ad maiores ordines a patribus et s. conciliis refertur. Demgemäß wird denn auch can. 2 (Danz S. 162) das Anathema über jeden ausgesprochen, der behauptet, praeter
40 sacerdotium non esse in ecclesia catholica alios ordines et maiores et minores, per quos velut per gradus quosdam in sacerdotium tendatur. Vgl. Cat. Rom. de ord. sacr. c. 3 (Danz S. 608 ff.).

In der griechischen Kirche wurde die Stufenfolge der kirchlichen Ämter nicht ähnlich genau durchgebildet wie in der römischen. Bedeutung haben für sie nur die drei Stufen
45 des Diakonats, Priestertums und Episkopats, s. Kattenbusch, Confessionskunde I, S. 348. Demgemäß begnügt sich die confessio orthodoxa daran zu erinnern, daß in dem Priestertum die anderen kirchlichen Ämter zusammengefaßt sind, das des Lektor, Kantor, Lampadarius, Subdiakon und Diakon, die ihre besonderen Pflichten haben, worüber ihre Träger von den Bischöfen zu unterrichten seien p. 1 qu. 111 (Kimmel, Libr. symb.
50 eccl. orient. p. 188). Vgl. Gaß, Symbolik der griech. Kirche, S. 277 ff.

Für das Gebiet des Protestantismus haben die alten ordines nur noch historische Bedeutung. **Hauck.**

Ordo Romanus. — Ersch und Gruber, Allgem. Encyklopädie, Sekt. III, Teil V (1834), S. 74—76: Ordo Romanus von Rhelnwald; Thalhofer, Handbuch der katholischen
55 Liturgik I (1883), S. 41—44; Probst, Die ältesten römischen Sakramentarien und Ordines, 1892, S. 386—422; Duchesne, Origines du culte chrétien. II. éd. (1898), p. 138—143; III. éd. (1903), p. 146—150; Rietschel, Lehrbuch der Liturgik I (1900), S. 346 f.; Meckel in: Tübinger Quartalschrift 1862, S. 50—83; Grisar in: ZfTh IX (1885), S. 409—421;

X (1886) S. 727 ff. — Ueber die veröffentlichten ordines Romani vgl. die Angaben im Artikel.

Unter einem Ordo in liturgischem Sinne versteht man in der mittelalterlichen Kirche die Angaben über den Verlauf aller liturgischen Handlungen; der Ordo giebt an, wie die einzelnen Ceremonien einer kultischen Handlung aufeinander zu folgen haben und wie 5 sie auszuführen sind; er bietet aber nicht die liturgischen Texte selbst (wie das Sakramentar und das Antiphonar). Man vereinigte oft verschiedene Ordines, z. B. über die Taufe, die Kirchweih, die letzte Ölung u. s. w., in einer Schrift und diese trug dann den Titel Ordo. Der Ausdruck Ordo scheint seit dem 12. oder 13. Jahrhundert durch den Ausdruck ceremoniale in der liturgischen Sprache ersetzt worden zu sein. Jeden- 10 falls ist er heute nicht mehr im offiziellen Gebrauch. Die uns erhaltenen Ordines tragen alle römischen, wenn auch nicht immer rein römischen Charakter. Es lag in der Entwickelung des gesamten kirchlichen Lebens, daß der römische Ordo die in den Provinzen des Abendlandes geltenden Ordines allmählich überwand, wenn es ihm auch erst spät gelang, alle nichtrömischen Spuren zu tilgen (vgl. Art. Messe, liturgisch, Bd XII 15 S. 697 ff.). Was die alten ordines Romani enthielten, finden wir heute in dem ceremoniale Romanum und in dem ceremoniale episcoporum wieder. Das erstere enthält die päpstliche Liturgie; es ist 1488 von Augustinus Patricius Piccolomini verfaßt, aber erst 1516 unter dem Titel: Rituum ecclesiasticorum sive sacrarum ceremoniarum S. R. E. libri tres zu Venedig erschienen (wieder abgedruckt 1557; 20 1560; 1750 u. ö.). Das ceremoniale episcoporum wurde im J. 1600 von Clemens VIII. veröffentlicht und von den Päpsten Innocenz X., Benedikt XIII. und XIV. vermehrt.

Die wichtigsten bisher veröffentlichten mittelalterlichen ordines Romani sind folgende: 1. der sogen. ordo Romanus vulgatus, zuerst herausgegeben von Georg Cassan- 25 der, Köln 1559 und 1561 (in seinen opera, Paris 1616, p. 97 ff.; neu herausgegeben von G. Ferrarius, Rom 1591; Paris 1610; abgedruckt bei Hittorpius, De divinis cath. eccl. officiis, 1568; ed. II. 1610, p. 1—180). Er enthält fast die gesamte Liturgie; sein Alter dürfte kaum über das 10. Jahrhundert hinaufreichen. — 2. Die 15 von Mabillon in seinem Museum italicum, tom. II (Paris 1689, ed. II, 1724), 30 p. 3—544 veröffentlichten Ordines. (Ordo I und II wieder abgedruckt bei Muratori, Liturgia Romana vet., Venedig 1748, I.) Man pflegt allgemein die einzelnen dieser Ordines mit der Nummer zu bezeichnen, die sie in der Sammlung von Mabillon tragen. Die ersten 6 Ordines bieten die Pontifikalmesse. Ihr Alter ist sehr verschieden; die ältesten sind wohl die beiden ersten. Für die Datierung ist wichtig, daß 35 den ersten Ordo Amalarius von Metz kommentiert hat in seiner Schrift: De officiis ecclesiasticis (um 830) (abgedruckt bei Hittorpius, a. a. O. p. 305 ff.). Grisar und Probst führen diesen Ordo auf Gregor I. zurück (daher abgedruckt in den opp. Gregorii MSL 78, p. 937 ff.); Duchesne setzt ihn ins 9. Jahrhundert. Der zweite Ordo ist entschieden jünger als der erste. Erst recht gilt dies von den Ordines III—VI. Ordo VII 40 behandelt die Taufe (abgedruckt bei Probst, Katechese und Predigt von Anfang des 4. bis z. Ende des 6. Jahrh. [1884]; vgl. darüber Probst, Sacr. und Ordines, S. 398 ff. und Wiegand, Die Stellung des apost. Symbols im kirchlichen Leben des Mittelalters I [1899], S. 209 f.); die Ordines VIII und IX behandeln die Ordination. Ordo X vereint die verschiedensten Ordines (Liturgie an den drei letzten Tagen der Karwoche; 45 Sündenbekenntnis, Krankenbesuch, letzte Ölung und Krankenkommunion u. s. w.). Ordo XI enthält die päpstliche Liturgie für das ganze Kirchenjahr, ist vor 1143 von Benediktus, Kanonikus von St. Peter, verfaßt und dem Guido v. Castello, dem späteren Papst Cölestin II., zugeeignet. Ordo XII stammt von Kardinal Cencius de Sabellis, dem späteren Papst Honorius III. (1216—1227) (daher steht dieser Ordo auch bei Horoy, Medii 50 aevi bibl. patristica I (Paris 1879), p. 23—94; vgl. Art. Honorius III. Bd VIII S. 320, 4 ff.). Er handelt von den päpstlichen Riten von Advent bis zu Kreuzes-Erhöhung, von den jährlichen Ausgaben für das Presbyterium und von verschiedenen päpstlichen Ämtern, von der Papstwahl und Papstweihe und endlich von der Kaiserkrönung. Ordo XIII, ceremoniale Romanum genannt, ist auf Befehl Gregors X. (1272) zu- 55 sammengestellt und bespricht die Wahl und die Funktionen des Papstes. Der nächste Ordo XIV behandelt die gleichen Materien in ausführlicherer Form; er stammt nach Mabillon vom Kardinal Jakob Cajetan, der in der ersten Hälfte des 14. Jahrhunderts lebte. Der Ordo trägt den Namen Ordinarium S. R. E. Endlich der letzte Ordo XV hat den Bischof von Senogallia (Sinigaglia) Petrus Amelius (gest. 1398) zum Ver- 60

faſſer, doch fehlt es nicht an Zuſätzen von anderen Händen; er behandelt die Ceremonien
während des ganzen Kirchenjahrs. Wir können an dieſen von Mabillon geſammelten
Ordines geradezu das Wachſen dieſes beſonderen liturgiſchen Litteraturzweiges verfolgen:
von ziemlich geringen und unvollſtändigen Anfängen an wächſt ſich der Ordo allmählich
5 zu einem ſtattlichen Buch aus und tritt ſogar unter einem neuen Titel in die Erſcheinung. 3. Duchesne hat eine Reihe von wichtigen Ordines veröffentlicht; zunächſt 9 Ordines nach einer Pariſer Handſchrift, im Vulgärlatein, etwa ums Jahr 800 geſchrieben
(vgl. Origines du culte chrétien II. éd. p. 439—464); ſodann druckt er einen ordo
Romanus. ab (ebenda. p. 464—466), den ſchon de Roſſi (inscriptiones christianae
10 urbis Romae II, part. 1, p. 34) nach einer Einſiedelner Handſchrift veröffentlicht hatte;
endlich läßt er noch 2 Ordines über die Kirchweih folgen, beide ins 9. Jahrhundert
gehörig (ebenda, p. 467—471). 4. Weitere Ordines finden ſich bei Gerbert (liturg.
Alem. monum. I. II); Martène (de antiqu. eccl. ritibus und Thesaurus anecd.)
u. a. Wie viele dieſer Ordines noch handſchriftlich in den Bibliotheken ſchlummern,
15 davon kann man ſich durch einen Blick in Ebners Missale Romanum I (1896) überzeugen.   Drews.

Organiſche Artikel ſ. b. A. Konkordate Bd X S. 713,30 ff.

Orgel (vgl. b. Art.: Bach, Kirchenmuſik, ſ. Bd. II S. 340 ff., bezw. Bd X S. 443 ff.). —
Litteratur: 1. Zur Geſchichte der Orgel und des Orgelbaues: Michael Prätorius,
20 Syntagma musicum (1614—1620) Tl. II (De organographia). Neu herausgegeben in den
„Publikationen älterer Muſikwerke" durch die Geſellſchaft für Muſikforſchung, Bd XIII,
Leipzig; Chryſander, Hiſtor. Nachricht von Kirchenorgeln, Rinteln 1753; (Mittag, Hiſtoriſche
Abhandlung über Entſtehung und Gebrauch u. ſ. f. der Orgel, Lüneburg 1756); Bedos de
Celles, P., L'art du facteur d'orgues . . . Paris 1766—1778 (3 B.); Adlung, Musica me-
25 chanica organooedi, Berlin 1768; Sponſel, Orgelhiſtorie . . . Nürnberg 1771; Gerbert,
De cantu et musica sacra . . . (ſ. Bd X S. 448, 23) im II. Band; F. J. Anthony, Geſchichtliche Darſtellung der Entſtehung und Bervollkommnung der Orgel, Münſter 1832; (Organ für
chriſtl. Kunſt, Köln 1852, Nr.5 und 8); Couſſemaker, Essai sur les instruments de musique
en moyen âge, Paris 1859 (in Didrons Annales archéologiques. vol. III, S. 199 ss.); R.
30 v. Rettberg, Zur Geſchichte der Muſik-Inſtrumente. Im Anz. des German. Muſeums, Nürnberg 1860 Nr. 5—9; Zur Geſchichte der Orgel. Von einem öſterr. Benediktiner. Im Archiv
für kirchliche Baukunſt und Kirchenſchmuck von Th. Prüfer, Berlin (II u. III) 1873 u. 1878;
H. Riemann, Orgelbau im frühen Mittelalter. Allgem. Muſik-Zeitung, Leipzig 1879, Nr. 4—6
und 1880, Nr. 29; A. Schubiger, P., Orgelbau und Orgelſpiel im Mittelalter, in Spicileg.
35 1876, II, S. 79—95; O. Wangemann, Geſchichte der Orgel und der Orgelbaukunſt von den
erſten Anfängen bis zur Gegenwart, Demmin 1880, 2. A. 1881; Edward John Hopkins,
The organ, its history and construction, London 1855; 5. A. 1887 (Geſchichtlicher Teil von
E. F. Rimbault); Otte-Wernicke, Handbuch der kirchlichen Kunſt-Archäologie, 5. A., Leipz. 1883
(S. 322 ff.).— 2. Zur Geſchichte der Orgelmuſik und des Orgelſpiels: Konrad Pauls-
40 mann (Paulmann), „Fundamentum organisandi 1452" (herausgeg. und erl. von W. Arnold,
H. Bellermann in Chryſanders Jahrbüchern f. Muſik-Wiſſenſchaft II (1867); U. Kornmüller, P.,
Die alten Muſiktheoretiker, in F. X. Haberls Kirchenmuſik. Jahrb. (Regensburg 1886 S. 1 ff.
und 1887 S. 21 ff.); Das Buxheimer Orgelbuch (1480—1560). Herausgeg. von R. Eitner als
Beil. zu den Monatsheften für Muſikforſchung 1887 und 1888 (Leipzig); A. G. Ritter, Zur
45 Geſchichte des Orgelſpiels, vornehmlich des deutſchen vom 14. bis zum Anfang des 18. Jahrhunderts, Leipzig 1884; Frenzel, Die Orgel und ihre Meiſter, Dresden 1899; G. Rietſchel,
Die Aufgabe der Orgel im Gottesdienſt bis in das 18. Jahrhundert, Leipzig 1893. Wertvolle Beiträge ſ. Ph. Spitta, J. S. Bach, Leipzig I und II (1873. 1880) I, S. 96. 100. 106.
111. 124. 478. 499. 645. II, 137. 122. 132 (in den Kompendien der Geſchichte der Muſik
50 von A. v. Dommer, H. A. Köſtlin; bei H. Riemann, Geſch. der Muſik ſeit Beethoven, Stuttg.
1900 S. 561. 653 u. ff.); B. Kothe, und Th. Forchhammer, Führer durch die Orgellitteratur,
Leipzig 1890—1895. — 3. Zur Orgelkunde: Arnold Schlick (der Vater), Spiegel der
Orgelmacher und Organiſten, Heidelberg 1511, neu gedruckt in den Monatsheften für Muſik-
geſchichte, Leipz. 1869 S. 76 (vgl. ib. 1870 Nr. 10. 11. 12); J. H. Bendeler, Organopoiia,
55 Frankfurt u. Leipzig 1690. Neu aufgelegt „Orgelbaukunſt" ib. 1739; A. Wertmeiſter, Orgelprobe, oder kurze Beſchreibung, wie man die Orgelwerke von den Orgelmachern . . . annehmen
könne, Quedlinburg 1681, 2. A. („Erweiterte Orgelprobe"), Leipzig 1689; G. H. F. Schlim-
bach, Ueber die Struktur, Erhaltung, Stimmung und Prüfung der Orgel, Leipzig 1801 (1825);
J. H. Zang, Der vollkommene Orgelmacher, Nürnberg 1804; A. Müller, Die Orgel, ihre
60 Einrichtung und Beſchaffenheit, Meißen 1830; J. G. Töpfer, Lehrbuch der Orgelbaukunſt,
Weimar 1856. Neu von H. M. Allihn u. d. T. „Theorie und Praxis des Orgelbaus, 1888;
Die Orgel, ihre Aufgabe und Lage in der kath. Kirche, Münſter 1868; J. G. Heinrich,
Struktur und Erhaltung der Orgel, Glogau 1861; J. H. Seidel, Die Orgel und ihr Bau,

Dresden 1843, 2. A. von Kunze 1875; 4. A. von Kothe 1887; J. M. Anding, Handbüchlein
für Orgelspieler, 3. A. 1872; C. F. Richter, Katechismus b. Orgel, 2. A., Leipz. 1875; Lederle,
Die Kirchen-Orgel, 1882; Zimmer, Die Orgel (1896); K. Locher, Erklärung der Orgelregister
und ihrer Klangfarben, 1887, 2. A. 1896 u. a. m. — 4. Zur liturgischen Verwen=
dung der Orgel: G. Rietschel, Die Aufgabe der Orgel im evang. Gottesdienst. Denkschrift 5
des XII. deutsch-evang. Kirchengesang-Vereinstages zu Hannover, Leipzig 1894; Chr. Staiger
und A. Beutter, Kirchliches Orgelspiel. In Nachrichten von dem Ev. Kirchengesangverein für
Württemberg, Waiblingen 1896; J. Abel, Der evang. Choral und seine Behandlung. Korr.=
Blatt des Evang. Kirchengesang-Vereins für Deutschland (Leipzig) 1889, S. 9; Ph. Spitta,
Die Wiederbelebung protestantischer Kirchenmusik auf geschichtlicher Grundlage. Deutsche Rund= 10
schau, 1882, S. 116ff.; A. Hänlein, Ueber Registerwahl beim kirchlichen Orgelspiel mit Rück=
sicht auf die verschiedenartigen Gottesdienste des Kirchenjahrs. Korr.-Blatt d. Ev. Kirchenges.=
Ver. für Deutschland, 1892, S. 85; P. Stöbe, Ueber die Begleitung des Gemeindegesanges.
Monatschr. f. Gottesd. u. kirchl. Kunst. Herausgeg. von Smend und Spitta, Göttingen V,
S. 148; Fuchs, Orgel und Kirchengesang, ib. IV S. 97ff.; Eindram, Orgelspiel und Kirchen= 15
gesang, ib. IV, S. 252ff.; R. Hartter, Zur Sache des kirchlichen Vor= und Nachspiels . . .,
ib. II, S. 79ff. 226ff.; H. Lang, Noch ein Wort über kirchliches Vor= und Nachspiel, ib. II,
S. 152; vgl. IV, S. 78ff. 116ff. V, 201; Siona, Monatschr. f. Lit. und Musik, hrsgeg. von
D. Herold, 1893, S. 87, 124ff., 1902, Nr. 11. 12. — Zur Stellung der Orgel im Gottes=
haus: F. Spitta, Chorraum und Sängerchor. Monatschr. f. Gottesdienst und K.=Kunst . . . I, 20
192ff.; ders., Die Prinzipien für die Aufstellung der Orgel im evangelischen Gotteshause,
ib. II, 212ff.; Th. Krause, Votum aus der Chorhöhe, ib. I, 328ff.; Reblin, Orgelempore
und Sängerchor, ib. I, 387ff.; F. Brathe, Die Stellung der Orgel in der Kirche, ib. II, 176;
ders., Die Spittasche Orgelstellung, ib. III, 106; J. Guyot, Kanzel, Altar, Orgel und Chor=
anlage im evang. Kirchengebäude, ib. III, 179; vgl. Sulze, Die ev. Gemeinde, Gotha 1891; 25
F. Spitta, Zur Reform des ev. Kultus, Göttingen 1891 (S. 74ff.). Ferner die Lehrbb. der
Prakt. Theol. von Schleiermacher, Nietzsch (II §317), Moll (§ 715), Gaupp (I, S. 279), Otto
(I, § 250), Th. Harnack (I, S. 519), Knode (S. 93), Achelis (II, 114), A. Krauß (I, S. 72),
der Liturgik, so G. Rietschel I, 146 u. f. — 5. Zum Ganzen: Art. „Orgel" in C. Küm=
merle, Encyklopädie der ev. K.=Musik, Gütersloh II (1890) S. 580; Wetzer u. Welte, Kath. 30
Kirchenlexikon (v. W. Bäumker).

Das Interesse, welches die Aufnahme eines Artikels über die Orgel in diesem Werke
fordert und rechtfertigt, gründet sich auf die Bedeutung der Orgel und des Orgelspiels
für den Gottesdienst, beschränkt sich also auf die Orgel als liturgisches Instrument.
Die Entwickelung der Technik des Orgelbaues und des Orgelspiels ist hier nur soweit 35
zu berücksichtigen, als sie für die Bedeutung der Orgel im Gottesdienst in Betracht
kommt; im übrigen aber ist auf die orgelgeschichtliche und orgeltechnische Litteratur zu
verweisen.

1. Geschichte der Orgel und ihrer Einführung in den Gottesdienst.
Das Wort Orgel stammt aus dem griechischen ὄργανον, welches ganz allgemein Werkzeug 40
aller Art bedeutet, dann zur Bezeichnung von Musikinstrumenten überhaupt, so von den
LXX in Übersetzung von כִּנּוֹר, עֻגָב, נֵבֶל, insbesondere von Blasinstrumenten, im engsten
Sinn zur Bezeichnung desjenigen Instrumentes gebraucht wird, das den Alten seit dem
2. Jahrhundert v. Chr. bekannt ist und im Prinzip unserer heutigen Orgel entspricht,
vgl. August. enarr. in ps. 56, 7: „organa dicuntur omnia instrumenta musi= 45
corum. Non solum illud organum dicitur, quod grande est et inflatur folli=
bus" . . . vgl. ps. 150, 7: „organum generale nomen est omnium vasorum
musicorum, quamvis jam obtinuit consuetudo ut organa proprie dicuntur ea
quae inflantur follibus" . . . und Isidorus (560—636 n. Chr.), etymol. s. orig.
lib. III, c. 21: „organum vocabulum est generale vasorum omnium musi= 50
corum; hoc autem cui folles adhibentur hydraulum Graeci nominant, ut
autem organum dicatur magis ea vulgare est consuetudo" . . . Dieses In=
strument beschreibt Cassiodorus (480—570) in ps. 150 Mig. LXX, 1053: „Organum
itaque est quasi turris diversis fistulis fabricata, quibus flatu follium vox
copiosissima destinatur, et ut eam modulatio decora componat, linguis quibus= 55
dam ligneis ab interiore parte constructis, quas disciplinabiliter magistrorum
digiti reprimentes grandisonam efficiunt et suavissimam cantilenam". (Vgl.
ep. 1, 45 Mig. LXIX p. 540): eine Anzahl von Pfeifen, bis zu 10, die nach den
Tönen der diatonischen Scala abgestimmt sind, ist zur Reihe verbunden (nach dem Vor=
bild der Pansflöte) die Pfeifen werden durch den Wind zum tönen gebracht, der durch 60
Blasebälge erzeugt wird; sie werden von dem Spieler mittelst einer Klaviatur angespielt.
Eine besondere Gattung bildet die Wasserorgel (organum hydraulicum), bei welcher
das Zuströmen der Luft zu den Pfeifen durch Wasserdruck reguliert wird. Als Erfinder

derselben gilt nach Tertullian, De anima c. 14 p. 1017 Archimedes (gest. 212 v. Chr.), nach Vitruv und Plinius jedoch Ktesibius von Alexandrien (gest. 170 v. Chr.). Beschreibung und Abbildung s. D. Wangemann a. a. D. S. 19 und Anhang Fig. 5 u. 6.

Die Orgel war für die antike Gesellschaft ein Instrument des musikalischen Genusses. Das Überhandnehmen der Instrumentalmusik, also auch das Aufkommen der Orgel, galt in ernsten Kreisen als Zeichen des Verfalls echter Kunst („Fuit vero pudens ac modesta musica, dum simplicioribus organis ageretur" meint Boethius), der gesteigerte Musikbetrieb überhaupt als Zeichen des geistigen Rückgangs der Geistesbildung (Ammianus Marcellinus XIV, 6, 18: . . . statt des Philosophen gehe der Sänger, statt des Lehrers der Beredsamkeit der Lehrer der Musik aus und ein; während die Bibliotheken gleich Grüften verschlossen seien, sehe man Instrumente [organa] aller Art"). Die ablehnende Haltung, welche die christlichen Kreise gegen den Musikbetrieb der antiken Gesellschaft, insbesondere gegen die Instrumentalmusik einnahmen, erstreckte sich natürlich auch auf die Orgel (vgl. Bd X S. 449 ff.). Wenn diese gleichwohl von den Organen der Kirche, insbesondere in den Klöstern in Gebrauch und Pflege genommen wurde, so geschah es ausschließlich unter dem rein praktischen Gesichtspunkt, daß das Instrument mit seinen feststehenden Tönen ein treffliches Hilfsmittel für den Unterricht im Kirchengesang darstellte. Die Orgel gab den Ton sicher an und ließ denselben, wenn die Taste niedergedrückt war, so lange fortklingen, bis diese wieder in die vorige Lage gebracht war. Derselbe Gesichtspunkt, Ermöglichung einer sicheren Tonangabe, Stütze für den liturgischen Gesang, führte dazu, auch im Gotteshause selbst solche Instrumente aufzustellen, die dann naturgemäß ihren Platz in der Nähe des Chors (gewöhnlich im Presbyterium oder Unterchor auf der Nordseite) fanden. Erst viel später rückten sie an die Seite des Langschiffs (z. B. in Friedberg i. H. die 1422 erbaute Orgel der Stadtkirche [Monatsh. für Musik-Gesch. XIII, 34], in der Marienkirche zu Dortmund, im Münster zu Straßburg u. a.) Noch später rückten sie an das Westende der Kirchen. Die beim Gesangsunterricht verwendeten Orgeln waren klein (o—c') und nicht schwierig zu spielen. Die für den Kirchengebrauch bestimmten Orgeln wurden größer und größer, hier kam es auf Stärke des Tons an. Die erste Orgel zum Gebrauch in der Kirche, von der wir sicher wissen, ist die, welche Karl der Große im Dome zu Aachen aufstellen ließ. Denn ob unter den „organa", welche der byzantinische Kaiser Konstantin Kopronymos dem fränkischen Könige Pippin zum Geschenk machte, Orgeln zu verstehen sind oder überhaupt Orgeln sich befunden haben, ist mindestens unsicher. Vom 10. Jahrhundert ab erhielten die Kirchen an den Bischofssitzen in Deutschland und England Orgeln (Winchester 980; München, Freising, Magdeburg, Halberstadt, Erfurt, im 10. und 11. Jahrhundert. Diese Orgeln waren kompliziert, deshalb umständlich zu spielen. Die Klaviatur enthielt nur diatonische claves. Von einem kunstmäßigen Orgelspiel konnte nur in bescheidenen (vgl. Schubiger in den Monatsheften f. Musikforschung I, S. 127, Leipzig 1869) Grenzen die Rede sein. Die erste Orgel, welche neben 14 diatonischen auch 8 chromatische claves besaß, ist, soweit unsere Kenntnis reicht, die im Dom zu Halberstadt (13. Jahrhundert). Die Orgel auf dem Genter Altar der Gebr. van Eyck besitzt eine chromatisch geordnete Klaviatur, aber noch kein Pedal. Die Erfindung des Pedals bedeutet den wichtigsten Fortschritt im Orgelbau. Sie darf nicht viel vor 1426 (Genter Altar!) und keinenfalls später als 1444 angesetzt werden, denn in diesem Jahre baute Heinrich Traxdorf aus Mainz eine Orgel mit Pedal für die Kirche S. Lorenz zu Nürnberg, Konrad Rothenburger eine solche für die Barfüßerkirche daselbst 1475. Nach Italien brachte Bernhard der Deutsche das Orgelpedal 1470 (Prätorius a. a. D. S. 96 . . . „so hat ein Deutscher mit Namen Bernhardus das Orgel umb das Jahr nach Christi Geburt 1470 aus Deutschland gen Venedig in Italien gebracht").

Im Jahre 1426 schreibt der Propst Felix Hemmerli in Solothurn urkundlich nieder, daß „nach der löblichen, und durch ganz Deutschland schon lange eingeführten Sitte fast alle Kirchen, insbesondere die Kathedral- und Kollegiatkirchen mit melodischen Orgeln geziert seien". Daß das Orgelspiel jetzt schon selbständige Bedeutung gewonnen hatte, erhellt aus dem Umstande, daß Nördlingen 1412 und 1413 zwei besoldete Orgelmeister hatte (s. Beyschlag, Nördl. Schulgesch. St. 4 S. 5); daß in Bingen 1475 eine Altarpfründe in eine Organistenstelle umgewandelt wurde. Das 15. und vollends das 16. Jahrhundert kennt hochberühmte Orgelmeister (in Italien: Francesco Landino il cieco zu Florenz; Bernhard den Deutschen in Venedig, 1445—59; Antonio Squarcialupi in Florenz, gest. 1475; Giovanni Andrea Gabrieli, 1510—1586; Claudio Merulo, 1533—1604; Girolamo Frescobaldi, 1583—1644 u. a.; in Deutschland: Konrad Paumann, 1410—1473; Paul

Hofhaymer, 1459—1537; Hans Leo Haßler, 1564—1612; Elias Nikolaus Ammerbach, 1550 Organist an der Thomaskirche zu Leipzig; Matthias Greiter, gest. 1550 und Bernhard Schmid d. Ä., 1520—1592 in Straßburg u. v. a. Das 17. Jahrhundert brachte die Erfindung der Windwage durch Chr. Förner (1610—1678) mindestens vor 1667, welche die genaue Regulierung des Windstroms ermöglicht; das 18. Jahrhundert die 5 Durchführung der gleichschwebenden Temperatur (J. S. Bach, G. A. Sorge, A. Werkmeister, G. H. Töpfer, F. Wille), das 19. Jahrhundert unter anderem nebst Voglers Simplifikationssystem, die Verbesserung der Kegellade durch E. F. Walcker (1799—1872), die Erfindung des pneumatischen Hebels durch Ch. Barker (1806—1879), die Einführung und Verbesserung der Elektromechanik durch Bryceson 1868, Hope Jones, Weigle, der 10 Röhrenpneumatik durch H. Willis (1867). Infolge dessen ist das einst so ungefüge Instrument dem Willen des spielenden Meisters völlig unterworfen und seinen künstlerischen Absichten völlig dienstbar gemacht worden: die Töne, die er auf der Klaviatur anschlägt, sprechen mit einer Präzision an, die kaum mehr etwas zu wünschen übrig läßt; die Spielbarkeit ist so leicht und bequem, wie die des Klaviers. Die große Zahl der Re- 15 gister und die Leichtigkeit ihrer Handhabung und Kombinierung stellt dem Spieler eine Mannigfaltigkeit von Klangtypen und Klangmischungen zur Verfügung, wie sie kein anderes Instrument bietet. Die Einfügung von freischwingenden Zungen in Verbindung mit sinnreichen Pedal-Koppelungen ermöglicht den allmählichen Übergang vom zartesten Piano zum mächtigsten Forte, und umgekehrt, die reichste Schattierung des Tons, 20 die mannigfaltigsten Klangwechsel. Das volle Instrument wetteifert mit dem größten Orchester an Macht und Fülle, Farbenreichtum und Rundung des Klanges; seine Register bergen die ganze Mannigfaltigkeit der Stimmindividuen, die im Orchester zusammenwirken, und stellen sie alle in den Dienst eines einzigen, des spielenden Künstlers. Die Orgel ist in der That die „Königin der Instrumente" geworden. Aber gerade diese 25 ungeahnte Vervollkommnung ist ihre Gefahr, denn sie täuscht leicht über die Schranken hinweg, welche der Orgelmusik durch die Natur des Instruments, bezw. durch die Entstehung der dadurch bedingte Beschaffenheit des Orgeltons gezogen sind, und verleitet dazu, der Orgel Aufgaben zuzumuten, welchen sie nur unter Verläugnung ihres Wesens, also auf Kosten der künstlerischen Wahrheit gerecht zu werden vermag. Denn ob sie auch 30 in Spielweise und Klangwirkung den übrigen Musikinstrumenten noch so sehr angenähert wird, sie behält doch ihren individuellen, musikalischen Grundcharakter, der ihre Behandlung und den Stil der für sie bestimmten Musik bedingt.

2. Die Orgel als Musikinstrument, der Orgelstil. Der Orgelton wird auf rein mechanischem Wege hervorgebracht. Mag der Mechanismus noch so sehr vervoll- 35 kommnet, die Spielweise noch so sehr erleichtert und vereinfacht werden, der Orgelspieler vermag doch immer nur den bereits fertigen Ton hervorzubringen, auf dessen Beschaffenheit selbst vermag er durchaus keinen Einfluß auszuüben. Er kann ihn an Stärke ab- und zunehmen lassen vermöge der im Werke befindlichen freischwingenden Zungen, er kann durch geschickte Wahl und Kombination der Register dem Spiel die größte Mannig- 40 faltigkeit der Klangschattierung verleihen, aber er vermag nicht den Ton selbst zu beseelen, ihm die Farbe, den Ausdruck des unmittelbar Persönlichen zu geben, wie der Sänger, der seine Stimme in der Gewalt hat, dem Gesange, der Meister eines Bogeninstrumentes, der Meister eines Blasinstrumentes dem Tone, den sie selbst hervorrufen. Die Natur des Orgeltones schließt die persönliche Beseelung des Tons, den unmittelbaren 45 Ausdruck aus, der selbst dem Klavierspieler in der Beherrschung des Anschlags und in der individuellen Belebung des Rhythmus zu Gebote steht. An die Stelle des unmittelbaren Ausdrucks tritt für den Orgelspieler der mittelbare. Was er dem Tone selbst nicht einzuhauchen vermag, muß er in das entstehende Gebilde von seiten selbst hineinlegen. Dieses muß für sich selbst zeugen, durch ihre Gestaltung teilt sich die Per- 50 sönlichkeit des Orgelkünstlers mit, die in dem Tonwerk um so kraftvoller und erkennbarer hervortritt, je mehr es dem Künstler gelungen ist, sich völlig an dasselbe hinzugeben, in demselben gewissermaßen abzudrücken, objektiv zu werden. Hauptmerkmal des Orgelstils, wie ihn die Natur des Instruments bedingt, ist somit Objektivität in dem Sinne, als von künstlerischer Bedeutung und Wirkung selbstständiger Orgelmusik nur in 55 dem Maße die Rede sein kann, als dieselbe Tonformen darbietet, die als solche durch sich selbst interessieren und etwas sagen. Diese Objektivität bedingt einen gewissen Formalismus, nicht bloß deshalb, weil es eben nur geschlossene Formen sind, durch welche die Orgel zum Geiste des Hörers zu sprechen vermag, sondern weil auch die Mittel, welche dem Orgelkünstler zu Gebote stehen, um die Form zu charakterisieren, ihr das in- 60

dividuelle Gepräge zu geben und sie so zum Abdruck seines Wesens zu machen, vorwie=
gend formaler Natur sind (Schärfe des melodischen Umrisses, Gewicht und Gedrungenheit
der Tonfolge, sinnreiches Ornament und Figurenwerk u. s. f.). Aber dieser Formalismus
ist kein toter, leerer, sofern ja eben die künstlerische Wirkung davon abhängt, daß die
5 Form Trägerin des Individuellen sei, etwas sage, Sinn habe, von einer künstlerischen
Absicht zeuge. Die Geschichte des Orgelspieles zeigt freilich, daß eine Hauptgefahr der
Orgelkunst in dem einseitigen Formalismus liegt.

In ihren Anfängen begnügte sich die Orgelkunst mit der einfachen Übertragung von
Vokalsätzen auf die Orgel. Als sie selbstständiger wurde, schritt man weiter zur Durch=
10 flechtung derselben mit Figurenwerk, und zur Erfindung von Sätzen, die aus dem In=
strument heraus gedacht und auf die demselben eigentümliche Wirkung berechnet waren.
Claudio Merulo (s. o.) schafft in der „Toccata", „einem Tonwerke, welches durch ab=
wechselnde Verknüpfung glänzenden Laufwerks mit getragenen Harmoniefolgen den Klang=
reichtum der Orgel zu entfesseln suchte, eine wenn auch noch regellose und phantastische
15 so doch sehr entwickelungsfähige Form" (Spitta a. a. D. I, S. 46). Giovanni Andrea
Gabrieli (s. o.) bereitet mit seinen Kanzonen und Sonaten die Orgelfuge vor; Fresco=
baldi und Froberger (gest. 1667) stellen deren Form fest (Durchführung des frei erfun=
denen Themas nach strenger Regel, Herabsetzung der Ornamentik zum bloßen dienenden
Mittel).

20 Nun erst wird die Orgelmusik ein selbstständiger Zweig der Instrumentalmusik. Für
diese ist das mannigfaltige Formenspiel einerseits Bethätigung der musikalischen Schaffens=
lust, des Gestaltungsdrangs überhaupt, der reinen Freude an der Hervorbringung immer
neuer Gebilde; andererseits doch immer auch Ausdruck des Dranges, die bewegte Inner=
lichkeit auszusprechen. Die Orgel verfügte noch über ganz unzulängliche Ausdrucksmittel,
25 wie Lauf= und Figurenwerk, unbehilfliche Harmonienverknüpfung u. a., ihre Eigensprache
war noch sehr unentwickelt. Es war daher natürlich, daß die Orgelkunst, um ihren
architektonisch=ornamentalen Gebilden individuellen Lebensgehalt zu verleihen, Anlehnung
an die fertige Melodie suchte, die solches Leben in sich birgt, und ihre Aufgabe darin
sah, diese Melodie nach ihrem Gehalte auszuschöpfen, mit den ihr zu Gebot stehenden
30 Mitteln gewissermaßen auszulegen. Durch diese Verbindung mit der fertigen Melodie
gewinnen die bei aller Bestimmtheit doch immer vieldeutigen Formen und Figuren der
Orgelmusik für den Hörer eine bestimmte Bedeutung: sie treten in lebendige Beziehung
zur Welt des Gemüts. So haben die Orgelmeister schon frühe damit begonnen, beliebte
Volksweisen für die Orgel zu bearbeiten, sei es, daß sie dieselben ganz oder stückweise selbst=
35 ständigen Orgelstücken zu Grunde legten, sei es, daß sie sich damit begnügten, sie zu
kontrapunktieren, zu variieren, in das kunstvolle Figurenwerk einzuflechten. Durch die
enge Verknüpfung mit der Volksweise wird der Orgelstil dichterisch befruchtet. Sie be=
stimmt die Entwickelung des Orgelstils in der evangelischen, genauer der lutherischen
Kirche Deutschlands und giebt ihm sein eigentümliches Gepräge. Indem hier der Orgel
40 als höchste Aufgabe die künstlerische Auslegung der Gemeindeweise gestellt wird, erfährt
ihre musikalische Ausdrucksweise die höchste ihr erreichbare Ausbildung. Sie gelangt zur
klassischen Vollendung als Kirchenkunst.

3. Die Orgel im Gottesdienst, als liturgisches Instrument. In den
Gebrauch der Kirche war die Orgel zunächst als praktisches Hilfsmittel für den Unterricht
45 im liturgischen Gesang gekommen. Im Gotteshause aufgestellt diente sie zur Unter=
stützung desselben, zuerst durch einfache Tonangabe, dann indem sie stellenweise mit dem
Gesange ging, stellenweise mit ihm alternierte, bei höherer Entwickelung des Orgelspiels,
indem sie den Gesang durch ein Vorspiel, Praeambulum einleitete (s. d. Art. Prae=
ambulum bei Kümmerle a. a. D. II, S. 717. 720. „Eine Präambel ist eine prae=
50 censio, die man vorher spielt, daß der Zuhörer in den rechten Ton kommt, ehe man das
rechte Stück anfängt", erklärt Sebastian Brandt im Narrenschiff 1494). Die Mitwirkung
der Orgel diente insbesondere bei Gesängen des Lobpreises, ähnlich wie das Läuten der
Glocken, zur Erhöhung des festlichen Gepränges. Sie hat sich diesen genau anzuschließen,
vgl. die Weisung an den Organisten zu Frankfurt a. D. von 1330: „wer der Orgel
55 vorsteht, der soll zu den Zeiten, da man auf den Orgeln singen soll, in den Chor zu
dem Schulmeister gehen und ihm um einen Treter bitten, daß Chor und Orgel überein=
stimmen, damit nicht eine Konfusion entstehe" (Ch. W. Spicker, Beschreibung und Ge=
schichte der Marien= oder Oberkirche zu Frankfurt a. D.). So bestimmt die kurze An=
weisung für den Organisten in den Statuten des Kapitels S. Sixt zu Merseburg die
60 Feste, an denen „organista in organis cantabit" (Urk.B. des Hochstifts Merseburg I

S. 965. 966 „organis", wohl, weil seit dem 13. Jahrh. häufig 2 Orgeln aufgestellt waren?). So wurde auf den Konzilien von Basel 1440 und Konstanz 1470 das Te deum mit Orgelbegleitung gesungen. Mißbrauch war es, wenn die Orgel ganze Stücke der Messe den Sängern abnahm, sei es, um sie zu entlasten, oder, wo sie fehlten, zu ersetzen, oder wenn das Orgelspiel, um die Dauer der Messe abzukürzen, den rezitierenden 5 Priester unterbrach und ganze Meßstücke, das Credo, die Praefatio, das Pater noster abschnitt (Beispiele und Nachweise s. G. Rietschel, Die Aufgabe der Orgel ... S. 11 ff.). Daß namentlich auf deutschem Gebiete die Orgel in Verbindung mit dem Kunstgesang weiten Spielraum im Gottesdienst gewonnen hatte, erkennen wir aus den Instruktionen der Organisten; so wird Sebaldus Grave zu Nördlingen 1474 verpflichtet, „auf der Orgel 10 zu St. Jürgen alle hochzeitlichen Tage und Feste (sic), und sonst auf Befehl, Amt, Vesper, und zu Zeiten Salve mit gutem Fleiß zu schlagen". Was ursprünglich ein Not- behelf gewesen, war vielerorts Regel geworden, so daß eine Reihe von Synoden gegen das Überwuchern des Orgelspiels einschreiten mußten (Trier 1549; Augsburg 1567; Roermund 1570; Thorn 1600 u. v. a.). Als Konzession an den in weiten Gebieten 15 thatsächlich eingebürgerten Gebrauch der Orgel beim Gottesdienst sind die Bestimmungen des Caeremoniale 1600 (De Organo, Organista, et Musicis seu cantoribus et norma per eos servanda in divinis 1, c. 28) zu verstehen. Danach wird der Orgel die Ausführung einzelner Meßgesänge (z. B. im Kyrie das „Christe eleyson"; ähnlich im Gloria in excelsis ... u. s. f.) zugebilligt. Der strengen Observanz jedoch galt 20 und gilt die Orgel als liturgisches Instrument im eigentlichen Sinne des Wortes nicht. Als Hilfsmittel des liturgischen Gesanges hat sie im Gottesdienst Raum, sofern und soweit derselbe solchen bedarf; im Prinzip, d. h. wo der Gesang richtig bestellt ist, sollte sie entbehrlich sein, wie sie denn z. B. in der päpstlichen Kapelle fehlt. Als In- strument der Kunstmusik, sei es selbständiger Orgelmusik, sei es im Zusammenwirken mit 25 dem kunstmäßigen Chorgesang steht sie für die strenge Observanz unter demselben Ge- sichtspunkt, wie die kunstmäßige Kirchenmusik überhaupt, bezw. die Instrumentalmusik (s. Bd X S. 445. 455). Wer gegen diese Bedenken hat, weil die ästhetische Wirkung so leicht vom eigentlichen Zweck des Gottesdienstes ablenkt, der wird diese Bedenken auch auf das Orgelspiel erstrecken. So meint Thomas von Aquino, Tract. 2, 2 qu. 91, art. 2: 30 „. . . dergleichen Musikinstrumente (mithin auch die Orgel) dienen mehr dazu, Wohl- gefallen zu erwecken, als innerlich zur Andacht zu stimmen".

Ein liturgisches Instrument im eigentlichen Sinne des Wortes ist die Orgel auch nach evangelischer Anschauung nicht. Orgelspiel ist so wenig ein wesentliches Erfor- dernis des Gottesdienstes, wie Kunstgesang. Als Kunstübung steht das Orgelspiel für 35 die evangelische Anschauung unter denselben Gesichtspunkt, wie die kunstmäßige Kirchen- musik, ja wie die Kunst überhaupt: es ist als willkommene Bereicherung des Gottes- dienstes zuzulassen, sofern und soweit es sich als Mittel der Erbauung erweist, diese nicht hindert, sondern fördert, genauer, sofern und soweit es die Verkündigung und Vergegen- wärtigung des Evangeliums nicht aus dem Mittelpunkt des Gottesdienstes verdrängt oder 40 die Aufmerksamkeit von ihr ablenkt, vielmehr auf sie hinleitet und sich in ihren Dienst stellt, und sofern und soweit sie das Gebet der Gemeinde nicht stört, die Andacht nicht unterbricht oder ablenkt, sondern anregt und vertieft (s. Bd X S. 446). Daher die ab- lehnende Haltung der Reformatoren, selbst Luthers im Anfang, weil ihnen im Hinblick auf den Mißbrauch die Gefahr den Nutzen überwog (vgl. G. Rietschel a. a. O. S. 17 u. 18). 45 In enge Verbindung mit dem Gottesdienst der evangelischen Kirche ist die Orgel erst als die Führerin des Gemeindegesanges, des musikalisch stilisierten Chorgebetes der Gemeinde getreten (s. Bd X S. 452). Aber auch diese Verbindung ist keine wesentliche, keine innerlich notwendige, sondern eine geschichtlich gewordene, eine bloß thatsächliche, auf Gewohnheit beruhende. Das praktische Bedürfnis hat sie herbeigeführt, sie erfolgte 50 aus Gründen der Zweckmäßigkeit. Thatsächlich hat der evangelische Gottesdienst lange ohne sie bestanden, nicht bloß in der reformierten Kirche, sondern über ein Jahrhundert lang auch in der sonst orgelfreundlichen lutherischen Kirche. Der Gemeindegesang erfolgte unter der Führung des Kantors und der Schüler ohne Begleitung der Orgel. Letztere fehlte z. B. in Straßburg noch 1670, in Wernigerode noch 1712; von der beginnenden 55 Sitte, den Gemeindegesang mit der Orgel zu begleiten, hören wir zuerst 1636 aus der Vorrede des Organisten an St. Lorenz in Nürnberg, Siegmund Theophilus Stade zu einer Neu-Ausgabe Haßlerscher Chorgesänge. Allgemein herrschend ist sie erst im 18. Jahr- hundert geworden: z. B. in Frankfurt a. M. wird erst am 12. August 1712 „der Anfang gemacht mit Schlagung der Orgel des ganzen Gesanges durch, vom Anfang bis Ende" 60

(S. Friese, Verzeichnis der Kantoren an der St. Bartholomäuskirche in Frankfurt a. M., in den Monatsheften für Musikgeschichte XXIII S. 186, Leipzig 1891). In Nordhausen findet sich die Orgelbegleitung erst 1735, in Rothenburg a. d. T. erst 1770 (die einzelnen Zeugnisse f. bei G. Rietschel, Die Aufgabe der Orgel . . . S. 46 ff.).

5 Dieser Dienst der Orgel ist erst Bedürfnis geworden, als einerseits die Zahl der Melodien so angewachsen war, daß sie der Gemeinde nicht mehr alle vertraut und ge= läufig sein konnten, und als die erste volkstümliche Frische des frühesten evangelischen Gemeindegesanges schon nachgelassen hatte, so daß er einer kräftigeren Stütze und Nachhilfe bedurfte, als sie der Chorgesang gewährte, selbst wenn dieser die Weise des Gemeinde=
10 liedes zum Mittelpunkt und zur Grundlage hatte, und diese, wie seit 1586 immer all= gemeiner der Fall war (s. Bd X, 456) in der Oberstimme lag. Die Orgel wurde (so schon seit 1536 [Anal. luth. ed. Kolde 1883, S. 217] in Wittenberg und wohl überall, wo eine Orgel stand) beim Chorgesang verwendet, wie man es von der katholischen Kirche her gewöhnt war, sei es daß sie ihn zu begleiten, sei es daß sie mit ihm zu alternieren
15 hatte. Sie verfügte mithin über mehrstimmige Liedsätze, die, je mehr der Satz den Cha= rakter der Begleitung annahm, sich ebensogut zum Vortrag durch den Chor, wie zum Vortrag auf der Orgel und zur Begleitung des Gemeindegesanges eigneten. Das erste Orgelchoralbuch in diesem Sinne ist das von Samuel Scheidt in Halle 1650 heraus= gegebene „Tabulaturbuch", welches zwar den von der Orgel begleiteten Gemeindegesang
20 noch nicht voraussetzt, aber ermöglicht und ihm den Weg ebnet (vgl. Arno Werner, Sa= muel und Gottfried Scheidt. In Sammelbände der Internat. Musikgesellschaft I, S. 420, Leipzig 1898/99. 1662, bezeichnet es G. Olearius noch als etwas Außerordentliches, daß aus besonderem Anlaß „die Orgel zu den deutschen Liedern mit eingeschlagen worden"). Erst geht die Orgel nur strophenweise mit dem Gemeindegesang und setzt wieder aus,
25 wenn dieser im Gange ist. Bald erwies sich dies als ungenügend, ja mißständig, „weil durch das ofte Einhalten des Orgelschlagens bei einem und anderem ausgesungenen Vers einige Unordnung entstanden" (S. Friese a. a. O. S. 186). So begleitet die Orgel den ganzen Gesang durch. In der Folge überwucherte das Orgelspiel den Gemeindegesang. Das Lied der Gemeinde wurde des ursprünglichen Rhythmus entkleidet, der Zusammen=
30 hang der Melodie durch Zwischenspiele zwischen den Verszeilen zerrissen, der Gemeinde= gesang sozusagen in das Orgelspiel eingeschmolzen. Aus dieser ungünstigen Einwirkung der Orgelbegleitung auf den Gemeindegesang erklären sich die Bedenken, welche von ge= wichtiger Seite gegen die Heranziehung der Orgel zum Gemeindegesang erhoben worden sind, sofern diese nicht überhaupt sich gegen die Verwendung der Kunst, speziell von
35 Musikinstrumenten im Gottesdienst richten, wie die Großgebauers (Wächterstimme 1661 Kap. 11, S. 225), so von Claus Harms, Pastoraltheologie II. Bd, 5. Rede, wenn er meint, „ihre (der Orgel) Nützlichkeit ist gering, ihre Schädlichkeit ist groß, und kein Mittel, um ihre Schädlichkeit abzuhalten, ist hinlänglich", von A. Krauß, Prakt. Theologie, Tl. I, S. 72: „Gegen die Verwendung der letzteren (der Orgel) spricht der Umstand, daß der
40 Kirchengesang ohne ihre Unterstützung eher auf die gewünschte Höhe gelangt"; von Eduard Grell, der meint: „ein Musikkenner und Freund der Kirche kann nichts besseres und heilsameres für ihren Kultus wünschen und verordnen, als die gänzliche Verweisung der Orgel wie jedes musikalischen Instrumentes aus derselben". Es leuchtet ein, daß diese Bedenken doch nur den Mißbrauch treffen, der darin besteht, daß das Orgelspiel den Ge=
45 meindegesang überwuchert und nach seinem Interesse meistert. Dieser Mißbrauch ist aber nicht notwendig mit der Orgelbegleitung verbunden. Diese hat ihr gutes Recht nicht bloß als notgedrungenes Hilfsmittel zur Nachhilfe und Unterstützung des Gemeinde= gesanges, wo dieser etwa nicht ohne sie gehen will, sondern als das durch die geschicht= liche Führung der Gemeinde an die Hand gegebene und darum willkommene Mittel, den
50 Gemeindegesang als das Chorgebet der Gemeinde mit Hilfe der musikalischen Stilisierung dieser seiner Bestimmung gemäß würdig zu gestalten, ihm die erbauende Kraft zu sichern und dadurch die erbauende Wirkung des Gottesdienstes selbst zu erhöhen. Es ist die Aufgabe der Orgelbegleitung, die mannigfaltigen Stimmen der singenden Masse zu einem einheitlichen Tonstrom zu verschmelzen, durch die harmonische Unterlage die an und für sich
55 mehrdeutige Melodie mit der Stimmung des Gotteshauses und der gottesdienstlichen Feier jedesmal in Einklang zu bringen, und dadurch das Chorgebet der Gemeinde zu eindringlichster Kraft und Weihe zu steigern. In vollem Maße wird dieser Aufgabe dann Genüge geleistet, wenn die Orgelbegleitung nicht bloß dem Charakter der gottesdienstlichen Zeit und des betreffenden Liedes, sondern auch der mit den einzelnen Strophen wechselnden Stimmung
60 gerecht wird, und so der Gemeinde das, was sie singend betet, gleichsam deutlich macht,

zu unmittelbarem Gefühlsverständnis bringt. So gefaßt kann es die Aufgabe der Begleitung mit sich bringen, daß an bestimmten Höhepunkten der Feier, wenn einmal der
Gemeinde die Zunge gelöst ist und der Gesang mühelos und von Begeisterung getragen
dahinströmt, die Orgel schweigt, oder daß sie in freier Tongestaltung sich über den Gesang emporhebt, ihn umspielt und auf ihren Tongebilden wie auf lichten Wolken empor- 5
trägt (vgl. Paul Stöbe, Monatschrift für Gottesdienst und kirchl. Kunst, V, S. 148),
Gemeindegesang und Orgelkunst zusammenschließend zum Lied im höheren Chor. Diese
Aufgabe aber erfordert einen Meister ersten Ranges. Da ein solcher der großen Mehrzahl der Gemeinden nicht zu Gebote steht, bei den Durchschnittsorganisten nicht immer
das hierzu erforderliche Maß künstlerischen Könnens und liturgischen Verständnisses voraus- 10
gesetzt werden darf, so wird die Begleitung für die Regel an den Satz des in der Gemeinde eingeführten Choralbuchs gebunden sein müssen. Nur ist dies nicht als absolutes
Gesetz zu verstehen, sondern als Schutzmaßregel gegen Stilwidrigkeiten und Mißgriffe,
als Handleitung und Wegführung für den Organisten vom durchschnittlichen Können;
der Meister, der als Künstler und Liturg seiner Sache sicher ist, darf sich darüber erheben, 15
wie dies die großen Orgelmeister früherer Tage so angesehen und gehalten haben (vgl.
Ph. Spitta, Die Wiederbelebung protest. Kirchenmusik a. a. O. S. 116).

Aus der engen Verbindung mit dem Gemeindelied ergaben sich außer der Aufgabe,
den Gemeindegesang zu begleiten und künstlerisch zu stilisieren, bezw. zu idealisieren, weitere selbstständige Aufgaben für die Orgel: sie hat die Gemeinde auf die von ihr anzu- 20
stimmende Weise vorzubereiten, zur Andacht zu sammeln (Vorspiel, Präludium); sie hat
das Chorgebet der Gemeinde mit den umgebenden Teilen des Gottesdienstes in angemessener Weise zu verknüpfen (Zwischenspiele, Interludien) und die in ihm lautgewordene
Andacht in würdiger Weise ausklingen zu lassen (Nachspiel, Postludium). Die ganze
Mannigfaltigkeit der dem Instrumente zur Verfügung stehenden Kunstformen (Choral- 25
Vorspiel, Choral-Motette, Choral-Figuration, Choral-Phantasie, Choralfuge u. s. f.) kommt
zur Anwendung. Was alle Formen mit dem Gottesdienst verknüpft, das ist die Beziehung zum Kirchenlied, zum Chorgebet der Gemeinde.

Die Verkirchlichung der Orgelkunst in diesem Sinn, die zugleich als höchste Ver-
geistigung und Idealisierung der Orgelkunst anzusehen ist, vollzieht sich auf dem Boden 30
der lutherischen Kirche in Deutschland, sie ist das Werk, zugleich die besondere Eigentümlichkeit und Größe der klassischen deutschen Orgelmeister, die ihren großen Lehrmeister in
John Pieter Sweelinck 1562—1621, ihren größten Klassiker in Johann Sebastian Bach
(s. d. A. Bd II S. 340) haben (Sweelincks Schüler Jakob Prätorius in Hamburg gest.
1651, Heinrich Scheidemann in Hamburg gest. 1663, Samuel Scheidt in Halle 1587 bis 35
1654, der Herausgeber des „Tabulaturbuchs" von 1650, s. o., der in der orgelmäßigen
Bearbeitung des Chorals die Bahn gebrochen hat. Ihm folgen in dieser Richtung Strunck,
Theile, Alberti, Adam Reinken 1623—1722, Dietrich Buxtehude 1637—1674, endlich
Johann Pachelbel 1653—1706, der die von den Süddeutschen ererbte Neigung zu Anmut
und Glätte mit der norddeutschen Formenstrenge vermittelt). J. S. Bach „machte den 40
Choral mit allen seinen kirchlichen Beziehungen zum Gegenstand rein künstlerischer Verklärung", das Lied der Gemeinde sah er „gleichsam als ein Naturschönes an für seine
Kunst" (Ph. Spitta). Diese selbst ist Orgelkunst im vollsten Sinne des Wortes: er denkt
und schafft aus dem Geiste der Orgel heraus, sie ist es, die seiner schaffenden Phantasie
die Sprache leiht. Alle ihre Formen beherrscht er mit Freiheit und erfüllt sie mit indi- 45
viduellem Leben. Sein Orgelstil steht fest auf dem Boden der Überlieferung, aber er trägt
durchaus das Gepräge seiner Person, es ist sein persönlicher Stil, durchaus wahrhaftig,
echt protestantischer Orgelstil.

Die Folgezeit hat diesen Stil im Zusammenhang mit der Entwickelung der Technik
des Orgelbaues, die das Instrument immer geschmeidiger machte und damit aus der 50
zünftlerischen Isolierung heraus in den Strom der allgemeinen musikalischen Entwickelung
hineinstellte, erweitert und modernisiert. Die Orgel lernte im 18. Jahrhundert die Sprache
Mozarts, sie lernte im 19. Jahrhundert die Sprache Mendelssohns reden, im 20. beginnt
sie sogar die Polychromie der Wagner-Lisztschen Musik sich anzueignen. (Im 18. Jahrhundert: Bachs Söhne: Wilhelm Friedemann, Karl Philipp Emanuel, Johann Christoph; 55
Bachs Schüler: Johann Philipp Kirnberger 1721—1783 (Berlin); Johann Ludwig Krebs
(Altenburg) 1713—1780; Gottfried August Homilius (Dresden) 1714—1785; Johann
Christian Kittel (Erfurt) 1732—1809; ferner: M. G. Fischer (Erfurt) 1773—1829; Johann Christian Heinrich Rinck (Darmstadt) 1770—1846; Georg Joseph Vogler 1749 bis
1814; Justin Heinrich Knecht (Biberach) 1752—1817; M. G. Töpfer (Weimar) 1791 bis 60

1870. Im 19. Jahrhundert: August Gottfried Ritter 1811—1885; Wilhelm Valentin Volckmar 1812—1887; Karl Ludwig Thiele 1816—1848; Gustav Flügel (geb. 1812); Adolf Friedrich Hesse 1809—1863; Heinrich Bernhard Stade 1816—1882 und Friedrich Wilhelm Stade (geb. 1817); Gustav Adolf Merkel 1827—1885; Karl August Haupt (Berlin) 1810—1891; Immanuel Faißt (Stuttgart) 1823—1894; Karl Armbrust 1849 bis 1897; Reinhold Sehereen 1848—1897; Eduard Tod 1839—1867; Chr. Finck und Friedrich Finck; Johann Georg Herzog, geb. 1822; Arnold Mendelssohn; Philipp Wolfrum; Max Reger; A. Hänlein; Richard Bartmuß; Heinrich Reimann; Karl Straube u. v. a.

Ob die Modernisierung des Orgelstils sich mit der gottesdienstlichen Aufgabe der Orgel verträge, das ist zunächst weniger eine liturgische, als vielmehr eine musikalisch= ästhetische Frage. Denn an und für sich wäre liturgischerseits gegen die Annäherung der musikalischen Ausdrucksweise der Orgel an die allgemeine musikalische Ausdrucksweise der Zeit nichts einzuwenden, sofern nur den Forderungen, welche an die gottesdienstliche Musik überhaupt gestellt werden müssen (s. Bd X, S. 447) Rechnung getragen wird. Ja, so= fern durch die Modernisierung ihrer musikalischen Ausdrucksweise die Orgelmusik an Faß= lichkeit gewinnt und dem Verständnis der Gemeinde näher gebracht wird, entspräche sie der Grundforderung der Gemeindemäßigkeit, die auf alles Anwendung findet, was im Gottesdienst zur Erbauung der Gemeinde mitwirkt. Die Frage ist aber die: ob und wie weit die Modernisierung des Orgelstils sich mit diesem selbst verträgt, wie er durch die Natur des Instruments bedingt ist. Denn was den Orgelstil im Widerspruch zu sich selbst setzt, eine Orgelmusik, die der Natur des Instruments widerstrebt, sie vergewaltigt oder auch nur über sie hinausgeht, ist künstlerisch unwahr. Was aber künstlerisch un= wahr ist, das ist auch liturgisch unzulässig. Denn die Hauptforderung, die an den evan= gelischen Gottesdienst und alles, was in ihm geschieht, zu stellen ist, bleibt die Forderung der Wahrheit im objektiven und subjektiven Sinne. Es wird also darauf ankommen, daß die Orgelmusik, ob ihre Ausdrucksweise die der Bachschen Zeit sei oder die der Gegen= wart, sich streng in den Grenzen halte, die ihr durch die Natur und die Eigenart des Instruments gezogen sind, daß die Orgel nicht gezwungen werde, ihr eigenes Wesen zu verleugnen, eine Formsprache und Ausdrucksweise anzunehmen, die ihr unnatürlich ist, also z. B. in die Aufgabe des Sängers oder des Klaviers oder des Orchesters überzu= greifen, Aufgaben, bei deren Lösung sie stets hinter den Instrumenten zurückbleibt, die sie nachahmen will, und der sie selbst eigentümlichen Größe und nur ihr erreichbaren künstlerischen Wirkung verlustig geht. Ob und wie weit die Natur des Instruments den polyphonen Stil bedinge oder die polychrome Tonsprache zulasse, ist hier nicht zu erörtern.

Freilich ist nicht alles, was künstlerisch wahr ist, damit schon kirchlich angemessen, die Orgelmusik damit, daß sie stilgerecht, orgelgemäß ist, noch nicht kirchliche, liturgische Musik im positiven Sinne. Dazu gehört, daß sie die Merkmale der Kirchenmusik über= haupt an sich trage (s. Bd X, S. 447) und die Beziehung auf das Lied der Gemeinde, um dessen willen sie im Gottesdienst Raum hat, erkennen lasse. In dem Maße, als sie auf dieses, das Chorgebet der Gemeinde, gerichtet ist, von ihm seinen Ausgangspunkt nimmt, von ihm sich befruchten läßt, und in seiner künstlerischen Auslegung und Ver= herrlichung seine gottesdienstliche Aufgabe erkennt, erweist sich das Orgelspiel als homo= genes Element evangelischen Gottesdienstes, als kirchliches Orgelspiel. H. A. Köstlin.

Orientalische Kirche. — Litteratur: J. M. Heineccius, Abbildung der alten und neuen griech. Kirche, 3 Tle, Leipzig 1711. (Im Anhang zum 3. Tl. S. 55 ff. eine „Biblio= théque oder Verzeichniß der vornehmsten Bücher, welche zu genauer Erkänntniß der neuen Griechischen Kirche dienen können", eine noch immer brauchbare Uebersicht über die ältere Litteratur); Ribera P. Bern. O. Praed. Enarratio hist. de statu ecclesiae Moscovit., Ed. nova etc., juxta exempl. Viennens. a. 1733, cur. J. Martinov, Paris 1874; J. Mason Neale, A History of the holy eastern church, bef. Part I (in 5 books: 1. geography, 2. ecclesiology, 3. liturgies, 4. calendars and office books, 5. dissertations), London 1850; Hasemann, Art. Griech. Kirche bei Ersch und Gruber, I. Sect. 84. Tl., 1866, S. 1—290; Gaß, Symbolik d. griech. Kirche 1872 (dazu Kattenbusch „Krit. Studien zur Symbolik", ThStK 1878, S. 94 ff. und Gaß' Replik „Zur Symbolik d. griech. K.", ZKG III, 1879, S. 329 ff.); Herm. Schmidt, Handb. d. Symbolik, 1890, S. 30—83; Kattenbusch, Lehrb. d. vergleichenden Confessionskunde I, Die orient. anatolische K., 1892; C. F. Karl Müller (Erlangen), Symbolik, 1896, S. 195—242; Loofs, Symbolik oder chr. Konfessionskunde, I, 1902, 2. Tl. 2. Abschn. (S. 109—169); Plitt, Grundriß d. Symb. 4. Aufl. von V. Schultze, 1902, S. 4—20; ‘I. E. Μεσολωρας, Συμβολικὴ τῆς ὀρθοδόξου ἀνατολικῆς ἐκκλησίας, I, 1883 (mit einem παρά= τημα, 1893), II, 1901 (unvollendet); Leroy=Beaulieu, D. Reich d. Zaren u. die Russen, 3 Bde (aus dem Französ. übersetzt), 1884—90 (besonders der 3. Band); Beth, Die orientalische

Christenheit der Mittelmeerländer, 1902. Wichtige Spezialabhandlungen besonders in den kath. Zeitschriften Revue de l'Orient chrétien (ROChr), seit 1896, Echos d'Orient (EO) seit 1897/98 und in der altkath. Revue Internat. de Theol. (RITh.), seit 1893.

In der vorigen Auflage hat diese Kirche ihre Darstellung gefunden unter dem Titel „Griechische und griech.=russische Kirche", Art. von Gaß. Es ist berechtigt, daß an Stelle 5 dessen der obige Titel getreten ist, denn jener erstere läßt nicht vermuten, daß es sich um ein qualitativ eigenartiges und einheitliches Kirchentum, eine der großen „Konfessionen" der Christenheit handelt. Man kann nur zweifeln, ob der diesmal gewählte Titel nicht auch zu äußerlich sei. Loofs empfiehlt (S. 117) vielmehr „orthodoxe Kirche" zu sagen; in der Überschrift des ihr geltenden Abschnitts seines Werks fügt er in Klammern hinzu 10 „griechisch=katholische" (S. 109). Ich habe in meinem Lehrbuche die Bezeichnung „ortho= doxe anatolische Kirche" benutzt und halte diesen Titel auch für den richtigsten. Handelt es sich darum, eine der hier in Betracht kommenden Landeskirchen als solche namhaft zu machen, so ist es nicht anstößig, diese nach ihrer Qualität einfach als „orthodoxe" zu be= zeichnen, doch ist es selbst dann üblich, wenigstens ein „katholisch" hinzuzufügen, also zu 15 sagen: die „orthodoxe katholische Kirche Rußlands" ıc. Kommt es darauf an, von der Gesamtkirche, zu der diese Landeskirchen sich rechnen, zu reden, so fehlt bei „orthodox= katholisch" kaum je der Zusatz „morgenländisch" oder „des Morgenlands". Der eigent= liche solenne Titel der Gesamtkirche ist: ἡ ὀρθόδοξος καθολικὴ καὶ ἀποστολικὴ ἐκ= κλησία τῆς ἀνατολῆς. Soll man die kürzeste Überschrift für einen Artikel wie den vor= 20 liegenden wählen, so scheint mir „orientalische Kirche" richtiger als bloß „orthodoxe Kirche". Denn es fehlt nirgends in dieser Kirche das Bewußtsein um den historischen Zusammen= hang mit der Kirche des „Ostens" des alten römischen Reiches. Durch die Erinnerung an Ostrom wird in ihr sowohl nach außen wie nach innen die Vorstellung ihres Wesens maßgebend mitbestimmt. Diese Kirche empfindet sich als begrenzt. Sie will gar nicht 25 in dem Sinn „Weltkirche" sein, wie die des Papstes. Ihr Missionsinteresse ist immer politisch beschränkt gewesen. Rußland hat in spezifischer Weise „oströmische" Aspirationen übernommen. Freilich nicht in dem Sinn, als ob es sich dadurch hindern ließe, große Gebiete, die mit Ostrom nichts zu thun gehabt, zu erobern, wohl aber in dem Sinn, daß es den alten historischen „Westen" respektiert, während es umgekehrt den ganzen alten 30 Osten als seine berechtigte „Einflußsphäre" in Anspruch nimmt. Eine Unsumme der kirchlichen und politischen Traditionen im Gebiete der „orthodoxen" Christenheit hängt noch immer unmittelbar mit Ostrom zusammen. Zumal der Begriff der Orthodoxie selbst wird dadurch bestimmt. Es handelt sich in diesem Gebiete um eine konkret historische Ortho= doxie, diejenige, die den alten Maßstäben des „Ostens" entspricht. Die letzteren gelten nicht 35 unbedingt als die einzig christlichen. Daß kraft derselben die „katholischen" und „aposto= lischen" Überlieferungen am richtigsten gewahrt seien, ist in dieser Kirche zwar eine feste Zuversicht, aber als Kirche bloß des „Ostens" übt die orthodoxe Kirche doch eine gewisse Bescheidung in ihrer Selbstbeurteilung. Sie ist nicht so absprechend dem Westen gegen= über, wie dieser in seiner päpstlichen Gestalt ihr gegenüber ist. In Rom 40 gilt die Kirche des Ostens nur für ein Konglomerat „schismatischer" Gruppen. Unter dem Titel „orientalische Kirche" versteht man dort im offiziellen Sprachgebrauch nicht die sich selbst als „orthodoxe" bezeichnende anatolische Kirche, sondern die „Kirche der orien= talischen Riten" d. h. diejenigen Splitter jener und der kleineren erhalten gebliebenen Kirchen des Orients (der Armenier, Syrer ıc.), die sich mit Rom „uniert" haben. In 45 diesem Sinn bietet das Kath. Kirchenlexikon einen kleinen Artikel „Orientalische Kirche" (von Hergenröther), Bd IX, 1051—52. Von der großen orientalischen Kirche handelt das Lexikon ohne zusammenfassende Schilderung nur unter dem Gesichtspunkt ihres Ver= hältnisses zu Rom, ihrer Trennung von und temporären Wiedervereinigungen mit diesem, so in dem Art. „Griechische Kirche", und unter Titeln wie „Konstantinopel", „Russen" 50 und dergl. Die im weiteren dargebotene Übersicht hat auch eine Reihe von Sonder= artikeln zur Seite (so besonders für alle Landeskirchen als solche), sie will aber ihrerseits vielmehr zusammenfassen, was die innere Einheit der „orientalischen" Christenheit bedingt und den historischen und religiösen Gemeinbesitz derselben als „orthodoxe" Kirche ausmacht.

I. Trennung der Kirche des Ostens von der des Westens und Wieder= 55 vereinigungsversuche. — Litteratur: A. Pichler, Gesch. der kirchlichen Trennung zwischen dem Orient und Occident von den ersten Anfängen bis zur jüngsten Gegenwart, 2 Bd, 1864 u. 1865; A. Δημητρακόπουλος, Ἱστορία τοῦ σχίσματος τῆς λατινικῆς ἐκκλησίας ἀπὸ τῆς ὀρθοδόξου ἑλληνικῆς, 1867 (hebt mit dem Streite des Photius an und schließt mit der Ablehnung der in Florenz vereinbarten Union seitens des griechischen Volks); Hergen= 60

röther, Photius, Patr. von Konst., s. Leben, s. Schriften und das griechische Schisma, 3 Bde,
1867—69; Baxmann, Politik d. Päpste von Gregor I. bis auf Gregor VII., 2 Bde, 1868 u. 69;
G. B. Howard, The schism between the oriental and western church (mit besonderer Beziehung auf das filioque), 1892; L. Bréhier, Le schisme oriental du XIe siècle, 1899;
5 W. Norden, Das Papsttum und Byzanz. Die Trennung beider Mächte und das Problem
ihrer Wiedervereinigung bis zum Untergange des byzant. Reichs (1453), 1903 (setzt nach
kurzer Einleitung bei der Politik Gregors VII. ein); Hefele, Konziliengeschichte; Will, Acta
et scripta quae de controversiis ecclesiae graecae et latinae saeculo XIo composita exstant
1861; Mirbt, Quellen zur Gesch. des Papsttums u. d. röm. Katholiz., 2. Aufl. 1901; Karl
10 Müller (Tübingen), Kirchengeschichte I, 1892; II, 1, 1897; Möller-v. Schubert, Lehrb. der
Kirchengesch. I, 1902; J. v. Döllinger, Ueber die Wiedervereinigung der christlichen Kirchen
(7 Vorträge aus dem Jahre 1872), 1888, speziell S. 34ff.; L. Duchesne, Eglises separées
(zum Teil), 1896. Eine vollständige Uebersicht über die Litteratur, die die byzantinische Geschichte betrifft, ist bei Krumbacher, Gesch. der byz. Litteratur von Justinian bis zum Ende
15 des oström. Reichs, 2. Aufl. 1897, S. 1068ff., zu treffen.

1. Es kann keinem Zweifel unterliegen, daß der Zerfall der alten katholischen Kirche
in zwei Teile seinen Anlaß von der Teilung der Reichsgewalt besonders seit dem Tode
Konstantins des Großen genommen hat. Diese Teilung war ja nur als eine administrative gedacht und sollte die innere Einheit des Reiches nicht aufheben, sie wirkte jedoch
20 tiefeinschneidend auf die Stimmung, zumal die beiden Hälften sehr verschiedene äußere
Geschicke erlebten. Der Osten blieb von den Stürmen der Völkerwanderung wesentlich
verschont, er wurde erst seit dem 7. Jahrhundert durch den Islam, dann freilich
auf die Dauer um so tiefer in ähnliche Wirren gestürzt. Die zwei Jahrhunderte re-
lativen Friedens von außen, die ihm beschert waren, während im Westen die Ger-
25 maneninvasion alles erschütterte und schon 476 ein Ende des Kaisertums gebracht
hatte, gaben dem Osten jenes Gepräge, welches man unter dem Titel „byzantinisch" versteht. Er war und blieb wirklich das „Römerreich", freilich mit durchaus griechischer
geistiger Art. Die Verwaltung ging hier in ihren alten Formen weiter, Heer und Beamtenschaft behielten ihr Gefüge und ihre leitende Rolle. Und vor allem verwuchs hier
30 die Kirche völlig mit dem Reiche. Im Westen konnte sich gar nicht eine einheitliche
Reichskirche gleicher Art bilden. Die Verhältnisse dort gestatteten keine Parallelgestaltung
zu dem Kirchentum des Ostens, in welchem Kaiser und Kaiserstadt den lebendigen Mittelpunkt darstellten. Die „Lateiner" waren gar nicht in der Lage, sich in dem Sinn um
Rom zu gruppieren, wie die Griechen oder „Rhomäer" — die Ägypter, Syrer 2c. re-
35 agierten ja schon seit dem 5. Jahrhundert mit erwachtem nationalen Sondergefühl gegen
die Zentrale am Bosporus — um ihre Kaiserstadt, das „neue Rom".

Wenn die kirchliche Verfassung im Osten bis zur Mitte des 5. Jahrhunderts sich so
ausbildete, daß Konstantinopel eine überragende Stellung erhielt, so hing das mit sehr
früh, vielleicht von allem Anfang an wirksamen Gesichtspunkten zusammen. Es kann
40 nämlich keinem Zweifel unterliegen, daß im Osten sich die Kirche in der Ausgestaltung
ihrer Verfassung an den Schematismus des Reiches anlehnte. Über die einzelnen Stadien
der Entwickelung der Kirchenverfassung zu handeln, ist hier nicht der Ort. Im Osten
gewinnen die Dinge früher eine deutliche und grundsatzmäßige Gestalt als im Westen.
Das hängt damit zusammen, daß dort die Zahl der Christen bis ins 4. Jahrhundert
45 ungleich viel größer war wie hier. Es mag auf sich beruhen, wie weit auch im Westen
das Vorbild der staatlichen Provinzialeinteilung auf die Entwickelung der innerkirchlichen
Abgrenzungen und episkopalen Rangordnungen eingewirkt hat, hier haben eben die Verhältnisse, die oben berührt wurden, solcher Entwickelung frühzeitig genug entgegengewirkt,
um dem Bischof von Rom zu gestatten, seine besonderen Ideen über die „wahren" Grund-
50 lagen der Kirchenverfassung und seinen in Petrus begründeten Primat zu Einfluß zu
bringen. Dagegen im Osten ist die Idee, daß die Kirche ihren hierarchischen Organismus
der staatlichen Eparchialverfassung anzupassen gut thue, ja gerade darin eine alte, auf
die Apostelzeit zurückgehende Tradition besitze, mit allen Konsequenzen zur Ausführung
gekommen. Die neueste Arbeit über die grundlegende Entwickelung der Kirchenverfassung
55 im Osten, die von K. Lübeck „Reichseinteilung und kirchl. Hierarchie des Orients bis zum
Ausgange des 4. Jahrhunderts", 1901, glaubt den Nachweis erbringen zu können, daß
sie noch viel bewußter und strenger schon bis Nicäa zur Anwendung gebracht sei, als
man erkannt habe. Ich selbst habe in meiner Konfessionskunde (I, 79ff., speziell 83) gemeint, die Ausbildung auch einer kirchlichen Diöcesanverfassung im Anschluß an die staat-
60 liche sei erst zwischen 325 und 381 erfolgt. Es ist möglich, daß L. mit seiner anders-
artigen Auffassung Recht hat, das ist hier nicht zu entscheiden.

An gegenwärtigem Orte ist nur darauf hinzuweisen, daß das Emporkommen der *Κωνσταντινουπόλις* speziell mit der von Diokletian vorgenommenen, von Konstantin weiter durchgeführten Einteilung des Reiches in viele relativ kleine Eparchien und eine Anzahl zusammenfassender Diöcesen in Verbindung steht, indem damit nach der Erhebung von Byzanz zur Kaiserresidenz sich notwendigerweise auf die Dauer eine besondere Auszeich= 5 nung dieser Stadt als *νέα Ῥώμη* ergab. Jede *ἐπαρχία* (provincia) hatte durch Dio- kletian eine Hauptstadt, *μητρόπολις*, erhalten. Die Kirche leitete daraus ab, daß die Bischöfe der Eparchien eine relative Einheit unter dem Bischof der Hauptstadt als ihrem „Metropoliten" bilden sollten oder „müßten". Die „Diöcesen", die Diokletian herstellte, hatten aber wieder ihre besonderen Hauptstädte. Die Kirche schuf entsprechend „Ober= 10 metropoliten", die mit der Zeit den Titel *ἀρχιεπίσκοποι* oder *ἔξαρχοι*, zum Teil *πα- τριάρχαι*, erhielten. Für den Osten kamen da in Betracht die Bischöfe von Antiochia, Cäsarea Kappadociä, Ephesus, Heraklea (Hauptstadt der Diöcese Thrake) und — nach einem Gesichtspunkt, der sich freilich von dem rein politischen Schematismus entfernte — Alexandria. Die Stellung von Konstantinopel war bis auf Theodosius I. noch keine 15 gefestete als „Residenz". Erst durch diesen Herrscher wurde sie definitiv die Kaiserstadt des Ostens. Es entsprach dieser ihrer Sonderwürde, daß sie durch das Konzil von 381 wenigstens zu einem Sonderrange erhoben wurde. Can. 3 jenes Konzils verlieh der neuen Kaiserstadt nur bloß eigentümliche *πρεσβεῖα τῆς τιμῆς*, nämlich die nach denen der unbestrittenen alten Kaiserstadt. In der Jurisdiktion blieb Konstantinopel unter Hera- 20 klea als seiner Diöcesanhauptstadt stehen. Allein bis 451 hatten sich die Verhältnisse praktisch so gestaltet, daß Konstantinopel kühn die Hand danach ausstrecken konnte, nicht nur selbst die Hauptstadt seiner Diöcese zu werden, sondern sogleich drei Diöcesen sich zu unterstellen, nämlich auch die von Ephesus und Cäsarea Kappadociä. War es schon 381 an „Rang" auch noch über alle „Obermetropoliten" des Ostreichs gestellt, so wurde es in 25 Chalcedon (durch can. 28) an „Macht" soweit gesteigert, daß es jedenfalls mit Erfolg sich praktisch neben und wider die beiden Obermetropoliten, die es sich immerhin nicht zu unterwerfen vermochte, die von Antiochia und Alexandria, behaupten konnte. Konstan- tinopel besaß jetzt die Jurisdiktion über ganz Kleinasien. Auf europäischer Seite reichte seine Macht zunächst nicht weiter als die Diöcese Thracien; es hat sich erst nach vielen 30 Wirren und Streitigkeiten — definitiv erst 730 durch Kaiser Leo III. den Jsaurier — ergeben, daß ihm auch Illyricum (Illyr. orientale), d. h. alles Land südlich der Donau, auch Dalmatien, Epirus, Griechenland einschließlich der Jnseln (Kreta), unterstellt wurde. Can. 28 von Chalcedon hatte ihm noch das ganze „Missionsgebiet" von Thrake zu- erteilt; das wurde praktisch erst wichtig, als sich die Slaven dem Christentum anschlossen. 35 Die gewaltige Herrschaftserweiterung der *νέα Ῥώμη* in Chalcedon sollte nicht die Macht des Bischofs der *παλαιά Ῥώμη* treffen, sondern wahrscheinlich nur die des ge- fährlichen geistlichen Herrschers in Alexandria. Schon die Erhebung der Kaiserstadt zu einem exemten Range im Osten 381 hatte vermutlich diese Tendenz. Daß in Chalcedon sie im Vordergrunde stand, ist zumal daran zu erkennen, daß Konstantinopel auch mit 40 Bezug auf die Diöcesen von Antiochia und Alexandria ein Recht indirekter Art erhielt, nämlich ein Recht, Appellationen anzunehmen, can. 9. Damit wurde es für den ganzen Osten jetzt faktisch in Parallele mit Rom gerückt. Denn letzteres besaß nach dem Herkommen ein solches Recht im Westen. Es erstrebte seit Sardica dieses Recht für die ganze Kirche. Insofern traf die Machtausstattung Konstantinopels in Chal- 45 cedon es freilich indirekt auch mit. Leo der Große hat alsbald die ganze Gefahr der Erhebung der neuen Kaiserstadt für die jetzt schon durchaus „papalen" Ambitionen Roms erkannt. Seinen flammenden Protesten dawider, daß Konstantinopel mit Rom gleich- gestellt werde — auch das proklamierte das Konzil von Chalcedon als eine selbstver- ständliche Konsequenz der Stellung der Kaiserstadt, daß es *ἴσα πρεσβεῖα* wie Rom, 50 wenn auch „nach" ihm, besitze — ist eine Folge nicht gegeben worden. Der Titel *πα- τριάρχης οἰκουμενικός*, der (die genauen Umstände sind nicht bekannt) um 500 dem Bischof von Konstantinopel vom Kaiser verliehen worden ist, brachte seine überragende Stellung für den Osten im Ausdruck zur Geltung. Er hat nicht den Sinn von epi- scopus universalis, „Weltpatriarch", wie es Leo I. schon zu sein beanspruchte. Jm 55 Sinne des Ostens dürfte der Papst sich ruhig auch als *πατριάρχης οἰκουμενικός* an- sehen und bezeichnen. Der Titel ist zu übersetzen durch „Reichspatriarch" (ich halte die Akten des Streites darum, trotz einer Notiz bei Norden, für geschlossen), und stellt den Bischof, der ihn führt, im Sinne des Ostens an die Spitze des „Ostreichs". Sofern dieses in der Jdee noch mit dem „Westen" eine Einheit repräsentiert, hat sein Reichspatriarch 60 auch eine Bedeutung im Westen, doch nur die eines „Ranges" in gleicher Höhe mit dem dortigen obersten Bischof. Man sieht in Konstantinopel den Titel noch immer dem Papste gegenüber nur in dem Sinne als einschränkend an, daß jenem keine „Macht" über den Osten zustehe.

5 2. Es hätte vielleicht gelingen mögen, die Kirche, trotzdem der Osten eine andere Orientierung der hierarchischen Gliederung für sich festlegte als der Westen, in der Einheit zusammenzuhalten, wenn wirklich volle religiöse Übereinstimmung geherrscht hätte. Aber auch da bahnt sich früh ein Gegensatz an, der so wenig wie jener erstere ein absoluter ist, doch aber bedeutsame Konsequenzen ergab. Der Differenz mit Bezug auf die
10 Grundlagen der Verfassung sind sich die Gebiete des Papstes und des ökumenischen Patriarchen bewußt geworden, der religiösen kaum oder doch nur an Symptomen, deren tiefere Gründe man nicht zu erfassen vermochte. Im Westen hat sich eine andere Vorstellung von der praktischen Bedeutung des Christentums herausgebildet als im Osten. Nicht als ob das Bild, das der Glaube und die Hoffnung den Christen vor Augen stellte,
15 erheblich andere Umrisse hüben und drüben gehabt hätte: beiderseits war alles regiert von der Idee des ewigen Lebens, des Lebens nach dem Tode. Aber im Osten war bei dem Gedanken an den Tod das Gewissen weniger im Spiele, als im Westen. Dort fürchtete man stärker den Tod an sich als hier, und hier gedachte man mehr des Gerichts, das hinter dem Tode warte, oder das bei der Wiederkunft Christi gehalten werde. Der
20 Abstand ist bei den einzelnen Theologen oft ein minimaler. Aber in der historischen Perspektive ist er aufs Ganze geblickt, nicht zu verkennen. Er drückt sich deutlich in dem verschiedengearteten Interesse an der Person Christi und an der Formel, mit der sie zu beschreiben sei, aus. Im Osten kommt alles darauf an, daß in Christus eine Naturmacht in die Welt hineingetreten ist, die stärker ist als der Tod. Im Westen sieht man in
25 Christus eine Person, die die Menschen vor dem Gerichte zu schützen vermöge. Im Osten hat man ein Interesse Christi Gottmenschheit so zu denken, daß er wie ein unbedingt zuverlässiger Vermittler von Lebenskräften Gottes an die Menschen erscheint, im Westen die andersartige, daß er der Inhaber göttlicher Vollmachten für eine gnädige Beurteilung der Menschen sei. Dort kam es eigentlich darauf an, daß er in seiner persönlichen
30 Sondernatur die Qualitäten Gottes und des Menschen in einer vollkommenen gegenseitigen Durchbringung und in unlöslicher Einheit an sich habe, hier, daß er gleich wahrhaftig teil habe an der Weise des Wollens sowohl Gottes wie des Menschen, daß er mit seinem Empfinden in der göttlichen und menschlichen Sphäre heimisch sei und bleibe, daß er „als Mensch" etwas beschaffen könne, was Gott gegen die Menschen gnädig
35 mache und was er dann selbst „als Gott" im Gerichte den Menschen zur Freisprechung gereichen lassen könne. Orientalisch war es, ihn als lebendige Berührung von Himmel und Erde vor Augen zu haben, und als den Menschen, in dem sich Gottes ἀφθαρσία der menschlichen φθορά entgegensetze und über diese den Sieg behalte; fast wie ein unpersönliches, bloßes Kraftzentrum mochte er hier vergegenwärtigt werden, die Auferstehung
40 war das eigentliche Heilsdatum an seiner Geschichte. Occidentalisch war es, ihn als einen Doppelmandatar, Gottes vor den Menschen, den Menschen vor Gott, aufzufassen, sein „Leiden", nicht bloß sein Tod, sondern sein Kreuzessterben als Mensch, gab ihm Heilsbedeutung. Die christologische Formel von Chalcedon war abendländisch empfunden. Das Morgenland hat sich ihr nur nicht zu entwinden vermocht; es hat sich mit ihr zwar aus-
45 gesöhnt, nachdem es Mittel und Wege gefunden, sie begrifflich so zu interpretieren, daß sie unschädlich erschien, es hat sich jedoch nie an ihr zu erfreuen und innerlich zu orientieren vermocht. Aber es hat dann auch den Begriff des „Dogmas" so eingeengt, daß es daneben noch einen Spielraum für theologisches Denken und Spekulieren behielt. Die Welt seiner kirchlichen Feiern, der „Mysterien", der „Bilder", gewährt ihm die Sphäre, in der
50 es seine eigentlichen religiösen Intuitionen verfolgen kann. Das Abendland blieb in der Lage, Christologie und Soteriologie in lebendigem Kontakt zu erhalten und in seiner Weise gerade vom 5. Jahrhundert ab einen neuen Abschnitt der „Geschichte des Dogmas" zu inaugurieren. Der religiöse Gegensatz zwischen Orient und Occident, zwischen „Rom" und „Konstantinopel" hat sich ausgewirkt in wachsender Verständnislosigkeit für einander.
55 Zumal der Osten ist teilnahmslos für den Westen geworden. Der Westen hat wenigstens stets Herrschaftsaspirationen gegenüber dem Osten behalten. Je nach den Zeitläuften hat man im Osten sich wider den Westen salviert oder auch ad hoc mit ihm paktiert. Aber es ist doch kein Zufall, daß man sich nicht wieder zusammengefunden hat, nachdem unter relativ zufälligen Umständen einmal ein öffentlicher Bruch zu stande
60 gekommen war.

3. Ein vorübergehendes Schisma hat zwischen Konstantinopel und Rom in der Zeit von 484 bis 519 geherrscht. Es knüpfte sich an das Henotikon des Zeno, das dem Papste als eine Außerkraftsetzung des dogmatischen Tomus von Chalcedon erschien und ihm Anlaß bot, den mit dem Kaiser gehenden Patriarchen zu exkommunizieren. Der Papst erzielte schließlich ein Nachgeben in Konstantinopel, aber es hatte ein Menschenalter gedauert, ehe er sein Verlangen durchsetzte und es war ein Pyrrhussieg, den er erstritt. Der Osten hatte Zeit gehabt, sich verfassungsmäßig in seiner Weise vollends zu konsolidieren, und übrigens war die Preisgabe des Henotikons nur eine der politischen Vorbereitungen auf die Okkupation des Westens, die Justinian vollzog. Noch einmal wurden Rom und Konstantinopel unter das gleiche kaiserliche Szepter gebracht, und es war nicht gerade eine Glanzzeit für Rom, die damit heraufzog. Bei weitem überstrahlte Konstantinopel jetzt durch Menschenfülle, Pracht der Lebensverhältnisse, politische Bedeutung die ehrwürdige Nebengängerin. Nur in der Theorie konnte der Papst seine alte Selbstbeurteilung fortsetzen, und umgekehrt hat der ökumenische Patriarch in dieser Zeit den Beweis erbracht, daß es ihm mit seiner Theorie von den zwei Kaiserstädten und zwei obersten Bischöfen ernst war. Die wiederhergestellte Reichsgemeinschaft hat ihr Teil dazu beigetragen, daß noch drei weitere „ökumenische" Konzilien gehalten worden sind. Das letzte, siebente, fand wie das erste in Nicäa statt, 787. Es sanktionierte die „Bilder". In dem großen Streit um das Recht der Bilder (vgl. den Art. Bd III, 221 ff.) war den Griechen die Beihilfe Roms willkommen gewesen. Eigentlich war er doch nur ein Stück innerer Geschichte des Ostens gewesen, er war hier die definitive Konstituierung des Verhältnisses zwischen Kirche und Staat. In ihm hat die orientalische Kirche gezeigt, daß sie bei aller Anschmiegung an den Staat und damit je länger je völliger gewordenen Untergebung unter den Staat in hierarchischen Organisations- und Personalfragen, doch ein kräftiges Bewußtsein von sich selbst als „Kirche" behalten hatte. Der Bilderstreit hat im „Osten" dem Staat ein für allemal klar gemacht, daß die Kirche in Kultusdingen sich nicht regieren lasse, sondern sich selbst regiere. Die orientalische Kirche ist hier in dem Sinne sich über ihr Wesen und ihre Kraft klar geworden, daß sie fortan vollends auch der westlichen Kirche gegenüber sich ganz als in sich selbst ruhend empfunden hat.

Das „Schisma des Photius" im 9. Jahrhundert hat das Interesse, blitzartig die historische Situation und das innere Verhältnis der beiden Kirchenhälften zu beleuchten. Es ist ja noch einmal beglichen worden. Aber Photius hat Argumente gefunden, um sich des Papstes, und es war wahrlich kein geringer mit dem er es zu thun hatte, Nikolaus I. (s. den Art. in diesem Bande, S. 68 ff.), zu erwehren, welche den Griechen gar sehr einleuchteten. Er hat den Finger auf die Differenzen des Kultus gelegt und damit das Recht eines Schismas motiviert. Es war seiner Kirche schon selbstverständlich, daß sie in solchen Dingen nicht nachgeben könne und von ihnen aus andere Christen ins „Unrecht" setzen könne. Photius hat zumal das nie wieder verschollene Argument, daß der Westen durch das „filioque" das heilige Symbolum, den „Glauben", verderbt habe, zuerst geltend gemacht. Das hat das Vertrauen des orientalischen Kirchenvolks zur „Orthodoxie" des Westens, Roms, unheilbar erschüttert. Photius hat auch eine Tendenz gehabt, den Stuhl von Konstantinopel über den von Rom zu erhöhen. Das hängt mit dem „Abfall" des Papstes vom „Kaiser" zusammen. Denn noch immer hielt man in Konstantinopel die Fiktion des „alten" Reiches und der „rechtlichen" Herrschaft des byzantinischen Kaisers auch im Westen aufrecht. Waren die Eroberungen, die Justinian dort gemacht und die ihm die Herrschaft über Rom thatsächlich verschafft hatten, auch fast völlig wieder verloren, so galt es in Konstantinopel doch für „Hochverrat", daß der Papst Karl den Großen 800 gekrönt hatte. Photius machte Anstalten, den kaisertreuen ökumenischen Patriarchensitz nunmehr als den einzigen obersten ϑρόνος in der Kirche zu proklamieren. Er war in der ganzen Aktion durchaus aggressiv, und er hat der orientalischen Kirche eine Fülle von Hochbewußtsein wider Rom geschaffen. Seit ihm weiß diese Kirche sich recht eigentlich als die „orthodoxe", als die wahre Hüterin des Christenglaubens.

Zum definitiven Bruch ist es beim drittenmale, wo ein Patriarch und ein Papst wegen des „Glaubens" zusammenstießen, gekommen. Das war im Jahre 1054, wo der Patriarch Michael Cärularius (s. b. Art. Bd III, 620 f.) starken, (wie immer) politisch bedingten, Neigungen seines Kaisers, römischen Herrschaftsansprüchen nachzugeben, Ansprüchen, die zunächst den ökumenischen Stuhle unterstellten süditalischen Gebiete betrafen, dadurch entgegenzuwirken unternahm, daß er neue Vorwürfe wider Rom schleuderte; es sind, abgesehen von der Anklage der Symbolfälschung, andere Einzelheiten, die er urgiert, als seiner Zeit Photius: das Gebiet der Sitten und Bräuche ist ja ein unübersehbares

und wenn erst das Detail verglichen wurde, konnte gar vieles als „anders" im Westen
als im Osten ermittelt werden. Cärularius begann damit, daß er die Kirchen, die die
„Lateiner" in Konstantinopel besaßen, schließen ließ, weil sie ein Ärgernis böten durch
ihre „unerlaubten" Bräuche, dann veranlaßte er den Erzbischof Leo von Achrida in einem
5 Briefe an seinen Suffraganbischof in Trani (Apulien) die Fehler der Lateiner aufzudecken,
den Gebrauch von ungesäuertem Brote (ἄζυμα) bei der Eucharistie, Sabbathfasten während
der Quadragesima ꝛc. ꝛc. Der Papst Leo IX. nahm den Fehdehandschuh auf und versuchte durch eine Legation den Kaiser in Konstantinopel wider den Patriarchen zu gewinnen. Nach vergeblichen Verhandlungen mit dem Patriarchen haben die Legaten am
10 16. Juli 1054 das Exkommunikationsurteil über den Patriarchen, den sie jetzt ihrerseits
als neunfachen Ketzer brandmarkten, in der Sophienkirche auf dem Altar niedergelegt.
Der Patriarch erwiderte den Akt dadurch, daß er den Namen des Papstes aus den Dip-
tychen (d. h. aus der Fürbitte) tilgte. Bei dieser wechselseitigen Aufsage der Gemeinschaft unter den Kirchenhäuptern und eben damit zwischen den Kirchengebieten ist es
15 bisher geblieben.

4. Freilich hat es nicht an Wiedervereinigungsversuchen gefehlt. Die Not der Zeiten
trieb wiederholt die Kaiser in Konstantinopel, sich womöglich mit dem Papste zu versöhnen.
Der erste kaiserliche Versuch mit Rom in kirchlichen Frieden zu kommen, wurde unter den
Nachwehen der Episode des lateinischen Kaiserreichs in Konstantinopel angestellt. Auf
20 dem Konzil zu Lyon 1274 unterwarfen die kaiserlichen Gesandten die orientalische Kirche
dem Primat des Papstes gegen die Zusage der „Gestattung" der kultischen Formen, die
dieser Kirche für überliefert gölten (s. den Art. Gregor X., Bd VII, 123, 54 ff., ferner
speziell J. Dräseke, Der Kirchenvereinigungsversuch des Kaisers Michael VIII. Paläologus,
ZwTh XXXIV, 1891, S. 325 ff.; Finke, Konzilienstudien zur Gesch. des 13. Jahrhunderts,
25 1891). Der Patriarch Johannes Bekkos (s. den Art. Bd IX, 286) war mehr als bloßes
„Werkzeug" des Kaisers, er war wirklich für die Union innerlich gewonnen. Einen Erfolg von irgendwelcher Dauer konnte er jedoch nicht erzielen. Es flammte im griechischen
Volke noch mit vollster Intensität der Haß, den die „Franken" und die Päpste während
der Herrschaft der Lateiner in Konstantinopel 1204—1261 durch maßlose Beutegier, durch
30 die Verdrängung der orthodoxen und die Stiftung einer vollständigen lateinischen Hierarchie u. a., hervorgerufen hatten. In dieser Zeit hatte das Volk von Konstantinopel
die Lateiner recht eigentlich als „Barbaren" zu betrachten gelernt, und es hatte jetzt erst
ganz gesehen, wie anders der occidentalische Kultus sei als der ihm angestammte orthodoxe. Eine Frucht hat das Unionskonzil von Lyon immerhin gehabt, nämlich auf theo-
35 logischem Gebiete: seither zählen die Orthodoxen auch „sieben Sakramente", d. h. sie lassen
gelten, daß unter ihren Mysterien jene sieben, die den in der römischen Kirche sanktio-
nierten Sakramenten taliter qualiter entsprechen, die Hauptsachen seien. — Ernster und
feierlicher noch als im 13. Jahrhundert wurde im 15. Jahrhundert in der Türkennot zu
Florenz 1439 die Wiedervereinigung des Ostens und Westens proklamiert (s. den Art.
40 „Ferrara-Florenz" Bd VI, 45 ff., auch den gleichen im K. Kirchenlex. IV, 1363 ff.). Papst
Eugen IV. konnte glauben völlig gesiegt zu haben. Aber Marcus Eugenicus (s. d. Art.
Bd XII, 287 f.), der Metropolit von Ephesus, der vor, auf und nach dem Konzil nicht
müde wurde, der Union zu widersprechen, hatte die richtigere Fühlung mit dem Volksbewußtsein des Ostens; das Unionsdekret blieb auf dem Papiere stehen.
45 Am 29. Mai 1453 fiel Konstantinopel den Türken in die Hände und damit wurde
die Periode der orientalischen Kirche eingeleitet, die noch heute für einen großen Teil derselben nicht zu Ende gekommen ist. Über die Organisation der Christen im türkischen
Reiche bis auf die Reformen im vorigen Jahrhundert s. meine Darstellung, Konfessionsk.
I, 157 ff. An einer Union zwischen dem ökumenischen Patriarchen und dem Papste hatten
50 die Sultane begreiflicherweise kein Interesse. Sie duldeten den christlichen Kultus, wie
sie ihn vorfanden, und die Rajah schickte sich in ihre Lage. Noch ziemlich lange blieben
größere griechische Gebiete (in Hellas bis 1571, ganz Kreta bis 1669) von der Türkenherrschaft frei. In ihnen behauptete sich die „lateinische" Herrschaft, d. h. zuletzt diejenige
Venedigs, mit ihr zum Teil an Stelle, zum Teil neben einer orthodoxen Hierarchie eine
55 lateinische. Überall hier wurde die Etablierung der Türkenherrschaft vom Volke immerhin
als eine Art von Befreiung eben von der lateinischen Hierarchie empfunden. Es war
nirgends der Blick nach dem Westen, der das griechische Volk in der Hoffnung auf bessere
Zeiten erhielt. Vielmehr war es teils und seit dem 17. Jahrhundert schon stark der Rückhalt an dem freien orthodoxen Rußland. Dazu die Erinnerung an Konstantinopels ehe-
60 malige Herrlichkeit. Daß die „gottbehütete Stadt" in die Hände der Ungläubigen ge-

fallen, war ein Unglück, vielleicht eine Strafe, aber unmöglich der endgiltige Wille Gottes. Gerade in den letzten Jahrhunderten vor seinem Falle war Konstantinopel mehr als je das Centrum der orthodoxen Christenheit gewesen. Die anderen Patriarchensitze waren schon längst in die Gewalt des Islam gekommen. Ihre Inhaber residierten schon im Mittelalter meist in Konstantinopel. Ein anschauliches Bild der kirchlichen Situation, die 5 sich in der „kaiserlichen Stadt" herausgebildet hatte, giebt der Aufsatz von Holl, Die kirchl. Bedeutung Konstantinopels im Mittelalter, ZThK XI, 1901, S. 83 ff. Nichts fehlte der Stadt des ökumenischen Patriarchen, um sie zu einem bewunderten, verehrten Centrum des Christentums des Ostens zu machen. Die Sammlung von Reliquien daselbst war unermeßlich, von allen Seiten hatte man dorthin solche gerettet, und sie lockten die Wall= 10 fahrer. Der herrlichste Dom der ganzen damaligen Christenheit, die Hagia Sophia, der „Himmel auf Erden", war in Konstantinopel. Reiche und bedeutende Klöster (Studion) boten dem Mönchtum einen Mittelpunkt. Nicht minder blühte noch mancherlei Bildung; ein letzter Glanz der Philosophie lag auf dem Leben der höheren Gesellschaft. Die Kunst der Mosaiken war zur vollen Entwickelung gebracht. An technischer Kultur war man 15 dem Abendlande weit voraus. Es war, auch nach allem, was schon vorangegangen war, noch ein gewaltiger Verlust der orientalischen Kirche, als Mohammed II. die Stadt eroberte. Seither waren die „Orthodoxen" hier auf ein „Viertel", den Fanar, eingeschränkt. Die Hagia Sophia ward zur Moschee, der ökumenische Patriarchat bald, und auf Jahr= hunderte, zu einer Geldquelle für die Sultane und ihre Beamten. Es deutet auf außer= 20 ordentlich tiefe Anhänglichkeit an der angestammten Form des Christentums, daß die Rajah doch sich selbst treu blieb.

Der Protestantismus und die jesuitische Gegenreformation schlugen Wellen auch nach dem Osten hinüber. In Polen, welches große russische Gebiete gewonnen hatte, insze= nierten die Jesuiten auf der Synode zu Brest (der leider kein Artikel in der R.=E. ge= 25 widmet ist) eine Union. Diese rief eine Gegenbewegung von Kiew aus hervor (die übrigens völlig erst im letzten Viertel des 19. Jahrhunderts, soweit das jetzige Rußland in Betracht kommt, zu ihrem Ziele gelangte). Bekannt sind die Wirren, die Cyrillus Lukaris (s. den Art. Bd XI, 682 ff.) veranlaßte. Es tritt immer wieder zu Tage, daß die orientalische Kirche im großen gewillt ist, ihre Eigenart und ihre Unabhängigkeit unverkürzt zu be= 30 haupten. Fast nur am Westrande derselben, wo die Papstkirche ihr in Ländern mit rö= misch=katholischer Regierung (Österreich, Italien) begegnet, sind gewisse bleibende Unionen zu stande gekommen. Die auf dem vatikanischen Konzil 1870 proklamierte Unfehlbarkeit des Papstes ist das neueste und vielleicht schwerste Hemmnis für eine Annäherung der Kirchen von Rom und des Ostens. Leo XIII. hat in der Epistola apostolica ad 35 principes populosque universos (Bulle „Praeclara gratulationis") vom 20. Juni 1894 sich auch an die Orthodoxen gewendet und ihnen zumal seine Hoffnung auf Wieder= vereinigung bezeugt. Vgl. darüber u. a. Harnack, Das Testament Leos XIII., Preuß. Jahrbb. Bd 77, S. 321 ff. (jetzt auch in „Reden u. Aufsätze",1904, II, 265 ff.); G.Krüger, Die neueren Bemühungen um Wiedervereinigung der christl. Kirchen (Hefte zur Chr. W. 40 Nr. 28), 1897. Der ökumenische Patriarch Anthimos VII. hat im Jahr nachher (29. Sep= tember 11. Oktober 1895; s. den offiziellen Text in dem Organ des Patriarchats Ἐκ- κλησιαστικὴ Ἀλήθεια unter diesem Datum) herb ablehnend geantwortet. Er hat dem Papste vorgehalten, wie viele „Neuerungen" die römische Kirche sich seit Alters und zumal in letzter Zeit gestattet habe (Filioque, Azyma, Fegefeuer, Besprengungstaufe, unbefleckte 45 Empfängnis der Maria, Unfehlbarkeit), und ihn aufgefordert, zunächst von solchen Ketze= reien abzustehen. Doch ist durch den päpstlichen „Brief" eine Bewegung hervorgerufen, die noch nicht ganz verlaufen ist. S. vieles daraus in den „Chroniques" der einzelnen Hefte der Echos d'Orient. Im Januar 1902 hat der ökumenische Patriarch Joachim III. (der 1878—84 schon einmal Patriarch war) der Synode zu Konstantinopel ein neues 50 Schreiben in der Sache vorgelegt und es dann an alle „autokephalen Kirchen" des Ostens gesendet; es ist viel milder als das des Anthimos (s. darüber EO V, 243 ff. u. VI, 276 ff.). Am ehesten hat Rom von gewissen, nicht einflußlosen russischen Kreisen aus, die dadurch eine „Regeneration" für ihre Kirche und ihr Reich erhoffen, Annäherungen zu erwarten. Sehr aussichtsvoll sehen die Altkatholiken die Unionsbestrebungen zwischen ihrem Kirchen= 55 tum und dem orthodoxen bez. dem aller romfreien „Katholiken" (zumal auch der Angli= kaner) an. Ihre Revue Internationale de Théologie ist zum Dienste dieser Bestre= bungen geschaffen. (Vgl. Goetz, Zur Union der romfreien kath. Kirchen des Abend= und Morgenlands, ZKG XVIII, 1897.) Es fehlt in der That nicht ganz an Gegenliebe, weder in Konstantinopel, noch in Athen, noch auch in Petersburg, doch ist auch, beson= 60

bers in Griechenland, starker Widerspruch laut geworden. Vgl. z. B. Z. Ρώσης, Αἱ θε-
μελειώδεις δογματικαὶ ἀρχαὶ τῆς ὀρθοδόξου ἀνατολικῆς ἐκκλησίας ἐν ἀντιβολῇ
πρὸς τὰς τοῦ παλαιοκαθολικισμοῦ, Athen 1898. Am weitesten gediehen ist unter
Joachim III. die Annäherung zwischen der orientalischen und der anglikanischen Kirche.
5 Vgl. The orthodox Patriarchate and the Church of England, RJTh X, S. 207 ff.
Schon 1899 wurde eine ἐπικοινωνία (nicht κοινωνία!) zwischen Konstantinopel -und
Canterbury perfekt. Man will sich in „regelmäßiger Korrespondenz" alle Hauptvorgänge
mitteilen, zumal auch sofern dabei „ceremoniale" Fragen im Spiele sind.

II. Der gegenwärtige Bestand der orientalischen Kirche und die
10 Grundlagen ihrer Einheit. — Litteratur: Der Bestand an Bistümern ist
teilweis noch in Uebereinstimmung mit uralten Abgrenzungen. Darum sind Werke, die
der früheren Zeit gelten, auch für die Gegenwart nicht ohne Interesse. So besonders Le
Quien, Oriens Christianus, 3 Bde, 1740. Eine kritische Sichtung und Erweiterung des Materials hat u. a. Gelzer angebahnt; vgl. von ihm besonders „Ungedruckte und wenig bekannte Bis-
15 tümerverzeichnisse der orient. Kirche", I u. II, Byz. Zeitschr. I, 1892, S. 245 ff. u. II, S. 22 ff.,
„Patrum Nicaenorum nomina" (zugleich von H. Hilgenfeld u. Cunz), 1898, „Ungedruckte und
ungenügend veröffentlichte Texte der Notitiae episcopatuum, ein Beitrag zur byz. Kirchen-
und Verwaltungsgesch.", AMM 1901, S. 529 ff., „Der Patriarchat von Achrida", ASG 1902.
Ueber eine geplante (und schon weit geförderte) Ausgabe, in der das griechische Gebiet durch
20 die Assumptionisten von Konstantinopel bearbeitet sein wird, s. L. Petit, Un nouvel „Oriens
christianus", EO III, 1900, S. 323 ff. (das Werk soll nach neuem Plan ausgeführt und
bis auf die Gegenwart weiter geführt werden; Vorarbeiten von Petit, Vailhé u. a. in EO
und ROChr).
Döllinger, Kirche u. Kirchen, 1861, S. 156 ff.; Silbernagl, Verfassung u. gegenwärtiger
25 Bestand sämtlicher Kirchen des Orients, 1865; Dion. Kyriakos, Gesch. d. orient. Kirchen von
1453—1898, deutsch von E. Rausch 1902 (geht die einzelnen Gebiete durch); ders., D. System
der autokephalen, selbständigen orthodoxen Kirchen, RJTh X, 1902, S. 99 ff. und S. 273 ff.;
H. Gelzer, Geistliches u. Weltliches aus dem türkischen Orient, 1900; A. d'Avril, Les églises
autonomes et autocéphales 1895; ferner Les hiérarchies orientales, Revue d'hist. diplom.
30 1901, S. 293 ff.; E. Meinhardt, Die gegenwärtige Verfassung der griech. orthod. Kirche in der
Türkei, ZwTh, NF, IX, 1901, S. 418 ff. Für die Patriarchate Jerusalem und Konstantinopel s. die Art. in Bd VIII u. XI. Sonst die Art. über die einzelnen Länder. — O. Hübner,
Geogr. statist. Tabelle aller Länder der Erde, giebt in der 2. Auflage (von Juraschek) 1901
auch eine Konfessionsstatistik. Vgl. daneben das diplomat. Jahrbuch des Gothaischen Hof-
35 kalenders, 1904. — E. J. Kimmel, Monumenta fidei ecclesiae orientalis, 2 Tle., 1850;
Ph. Schaff, The Creeds of christendom, 5. Aufl., 1887 ff., I, 24 ff., 43 ff.; II, 57 ff., 275 ff.;
J. B. Pitra, Juris ecclesiastici Graecorum historia et monumenta, 2 voll., 1864 u. 1868;
E. N. Biener, D. canonische Recht b. griech. Kirche, Krit. Zeitschr. f. Rechtswissenschaft und
Gesetzgebung des Auslands, XXVIII, 1856, S. 163 ff.; E. W. E. Heimbach, Griech.-röm.
40 Recht im Mittelalter und in d. Neuzeit, bei Ersch und Gruber, Sect. I, in Bd 86 und 87;
Γ. Α Ῥάλλης, καὶ Μ. Πότλης, Σύνταγμα τῶν θείων καὶ ἱερῶν κανόνων etc., 6 Bde, 1852 ff.
(sog. Athener Syntagma); N. Milaš (Bischof von Zara), Das Kirchenrecht der morgenländ.
Kirche (deutsch von A. v. Pessić), 1897; M. Σαχελλαρόπουλος, Ἐκκλησιαστικὸν δίκαιον τῆς
ἀνατολικῆς ἐκκλησίας μετὰ τοῦ ἰσχύοντος νῦν ἐν τῇ ἐκκλησίᾳ τοῦ πατριαρχείου καὶ ἐν Ἑλλάδι,
45 1898; E. Renaudot, Liturgiarum orientalium, collectio, 2 Bde, 1716, wiederabgedruckt 1847;
Neale (s. oben S. 436, 50) I, 4; H. A. Daniel, Codex Liturgiarum ecclesiae orient., 1853
(= Cod. Liturgicus eccl. univ. tom. IV); J. E. Brightman, Liturgies Eastern and Western
I, 1896 (s. speziell p. LXXXI ss. u. S. 307 ff.). — Aus der Revue de l'Orient chrétien
kommen folgende Aufsätze in Betracht, vol. I, 1896: A. d'Avril, La Serbie chrétienne, II: von
50 dems., La Bulgarie chrétienne, III u. IV: M. L. Clugnet, Les offices et les dignités
ecclésiastiques dans l'église grecque; L. Petit, Réglements généraux de l'église orthodoxe en Turquie; IV: A. d'Avril, Les hiérarchies en Orient (Tafel); V: Th. Michailo-
vitch, Entre Grecs et Russes; A. d'Avril, Sur les couvents dédiés de Roumanie; VI: X., Griefs
de l'Hellénisme contre la Russie; VII: von dems., La Russie et l'Orient Chrétien durant
55 ces derniers mois; Lammens, La question gréco-arabe en Égypte; von dems., Un nouveau diocèse grec-orthodoxe en Syrie. — Aus dem Echos d'Orient ist besonders zu nennen:
I: Korrespondenz betreffend den Patriarchat von Antiochia (S. 179 ff.), II: Constantinos o
Parodités, Le patriarcat oecuménique en Asie Mineure; M. Thearvic, Le patriarcat oecuménique en Turquie; von dems., Le patriarc. oec. dans les Iles, en Bulgarie et en Bosnie;
60 desgl. L'église bulgare; III: M. Thearvic, Hiérarchie et population du patriarcat orthodoxe d'Antioche; Anonymus, La Macedoine et les Grecs, S. Pétridès, Statistique religieuse de la Bessarabie; M. Thearvic, L'église de Grèce; von dems., L'église serbe en
Turquie; C. Crévi, Les écoles russes dans la Palestine et la Syrie; IV: N. Palmieri, La
hiérarchie de l'église russe; T. Xanthopoulos, L'épiscopat de la Grande église; V: M. Thear-
65 vic, L'église serbe orthodoxe de Hongrie; A. Rateł, L'église orthodoxe de Bukovine; von

bemf., L'église serbe orthodoxe de Dalmatie; M. Thearvic, Pour le siège archiepiscopal de Chypre; VI: D. Dugard, L'école théologique de Bulgarie; S. Pétridés, Les seminaires orthodoxes en Roumanie; X. Béren, Choses de Bulgarie; Bousquet, Statistique réligieuse de Russie. — Aus der Revue Internat. de Théol. kommen manche Abhandlungen in Betracht, die darauf ausgehen, das Maß der Uebereinstimmung der Kirchen des Ostens und Westens 5 zu ermitteln. Von sonstigen Artikeln nenne ich N. Rusitschic, Das kirchl.-rel. Leben bei den Serben, III, 1895, S. 645 ff. u. IV, 29 ff., 235 ff. (ein Abriß der serbischen Kirchengeschichte bis auf die Gegenwart. Die Aufsätze erschienen in einer Bearbeitung auch als selbständige Schrift, 1896; vgl. dazu die scharfe Kritik von Milaš, ZkTh XXI, 1897, S. 700 ff.).

Die orientalische Kirche zerfällt zur Zeit in fünfzehn oder sechszehn selbständige Ge- 10 biete, ἐϰϰλησίαι αὐτοϰέφαλοι. Dieselben sind so abgestuft, daß die des ökumenischen Pa= triarchats unbestritten die „erste" ist. Es folgen 2. Alexandria, 3. Antiochia, 4. Jeru= salem. Dann 5. Cypern, welches seit Alters (Konzil zu Ephesus 431) als selbständig anerkannt ist und ein Erzbistum bildet. Unter den erst in der neueren Zeit autokephal gewordenen Kirchen steht 6. Rußland voran; es löste sich nach dem Konzil von Florenz, 15 das zwar der Metropolit Isidor von Kiew besuchte, doch ohne Zustimmung seines Groß= fürsten, der auch die Anerkennung der Union unbedingt weigerte, so weit vom ökumeni= schen Patriarchate, daß es sich von da an selbst Metropoliten gab, doch aber noch die „Bestätigung" derselben in Konstantinopel nachsuchte; 1589 erhielt Moskau sein (seit 1721 wieder beseitigtes) Patriarchat. Es folgen 7. Karlowitz, die Metropolie der ungari= 20 schen Serben, 8. Montenegro; diese beiden als Abzweigungen von dem alten serbischen Patriarchat zu Ipec, abgelöst Ende des 17. Jahrhunderts; 9. das Erzbistum Sinai; der Abt erhält die Weihe in Jerusalem, ist aber, definitiv seit 1782, jurisdiktionell unab= hängig. 10. Kirche des Königreichs Hellas, definitiv vom ökumenischen Patriarchat ent= lassen 1850. 11. Hermannstadt, Metropolie der Rumänen in den Ländern der ungari= 25 schen Krone, 1864 von Karlowitz abgezweigt. 12. Bulgarisches Exarchat, seit 1870. 13. Czernowitz, Metropolie der Bukowina und von Dalmatien, befaßt die Ruthenen und anderen cisleithanischen Orthodoxen, selbständig nach der Teilung der österreichischen Monarchie in zwei administrativ unabhängige Gebiete, 1873; 14. Kirche des Königreichs Serbien, selbständig seit 1879; 15. Rumänien, seit 1885. Autokephal war ehedem auch 30 die Kirche der Georgier (Iberer); sie ist jedoch ganz von der russischen absorbiert. In einem losen Verhältnis zu dem ökumenischen Patriarchat steht die Kirche von Bosnien und Herzegovina. Sie besteht aus drei Metropolien, die gegeneinander selbständig sind. Die österreichische Regierung zahlt auf Grund einer Vereinbarung von 1880 dem Pa= triarchen noch eine bescheidene Summe und ernennt die Metropoliten unter einer ge= 35 wissen Mitwirkung desselben; der ernannte Metropolit ist vom Patriarchen unabhängig. Es ist interessant, wie riesengroße und minimale Gebiete innerhalb des orthodoxen Kirchen= tums nebeneinander rangieren.

Die Gesamtziffer der Mitglieder der orthodoxen Kirchen wird etwas über 100 Mil= lionen betragen, wovon auf Rußland 85 Millionen zu rechnen sind. Eine genaue Sta= 40 tistik ist zumal für die Türkei nicht zu erreichen.

Fast alle Reorganisationen, die in den letzten Jahrhunderten innerhalb des Gebietes der Orthodoxie getroffen wurden, sind auf Kosten der Macht des ökumenischen Patriarchen geschehen. Die verfassungsrechtliche Grundidee, die in der alten Zeit den Sitz von Kon= stantinopel groß werden ließ, hat in der neuen Zeit dazu gereicht, ihn immer mehr zu schwächen. 45 Der kanonische Grundsatz, daß der Kirchenschematismus dem staatlichen nachzubilden sei, ist in der neuen Zeit hauptsächlich dahin ausgedeutet worden, daß souveräne Staaten werdende Gebiete mit Recht, ja mit „Notwendigkeit", auch autokephale Kirchen erhalten müßten. Es liegt dem ökumenischen Patriarchen zur Ehre anzurechnen, daß er sich meist mit Würde darein gefunden hat, immer wieder alte „Provinzen" aus seiner Obedienz zu ent= 50 lassen, und daß er ihnen seinen Segen dabei nicht vorenthalten hat. Milaš teilt S. 288 f. das Schreiben mit, durch welches die Kirche von Serbien als ϰανονιϰῶς αὐτοϰέφαλος, ἀνεξάρτιτος ϰαὶ αὐτοδιοίϰητος anerkannt wird; es hat neben dem, daß wir darin sehen können, wie die Stellung der Landeskirche als solcher im Verhältnis zur Gesamtkirche gedacht wird, den Reiz, die vornehme Stimmung des Patriarchen der als 55 πνευματιϰὴ ἀδελφή verselbständigten neuen Kirche gegenüber zu bekunden. Der öku= menische Patriarch ist immer in hohem Maße auf Repräsentation angewiesen gewesen, er ist es jetzt mehr als je, denn er ist kaum noch etwas anderes als eine symbolische Figur. Doch darf er sich betrachten als den berufenen Wächter aller orthodoxen Traditionen. Man hat nicht immer auf ihn gehört und wird auch in Zukunft oft nicht auf ihn hören, aber 60 sein Ansehen gehört zu den Imponderabilien der orientalischen Kirche. Die wirkliche

Machtbefugnis des ökumenischen Patriarchen reicht auf europäischer Seite nicht mehr weiter als die des Sultans muß selbst in diesem Gebiete muß er sich, zumal in Macedonien und Albanien, noch stetige Verkürzungen zu Gunsten der Bulgaren und Serben gefallen lassen. Auf asiatischer Seite ist in den letzten Dezennien wenigstens in den Küstenstädten die griechische Bevölkerung sehr gewachsen. Bei Hübner-Juraschek S. 41 ist die Gesamtbevölkerung der Türkei auf europäischer Seite „geschätzt" auf etwas über 6 Millionen (es handelt sich dabei nur um die unmittelbaren und vollständigen Herrschaftsgebiete des Sultans), davon rund 40% orthodoxe Christen, also etwa 2½ Millionen; für Kleinasien (inkl. der Inseln) scheinen ca. 2 Millionen angesetzt werden zu dürfen. Das offizielle Prädikat des ökumenischen Patriarchen ist ʽΗ Αὐτοῦ Θειοτάτη Παναγιότης. Ihm unterstellt sind 74 (bez. wenn die von Österreich okkupierten Gebiete Bosnien ꝛc. noch mitgerechnet werden, 77) Metropoliten (Prädikat: ʽΗ Ἀ. Θ. Μακαριότης), die jedoch größtenteils keine „Bischöfe" mehr unter sich haben. Nur fünf von ihnen haben solche Untergebene, die meisten (acht) der von Kreta; alles in allem giebt es 20 abhängige Bischöfe; s. die Verzeichnisse bei Reinhardt S. 436 ff. u. 450 f. Die Einkünfte des Patriarchen sind neuerdings fixiert worden auf 500 000 Piaster, d. i. etwas über 80 000 Mark, eine sehr bescheidene Summe, wenn man hört, wie weitgehende Anforderungen mit Bezug auf Wohlthätigkeit u. dgl. an ihn gestellt sind. Es kommen allerdings auch noch gewisse Nebeneinnahmen in Betracht. — Die drei anderen Patriarchen des türkischen Reichs, die seit dem Mittelalter in starke persönliche Abhängigkeit von ihrem vornehmeren „Bruder" geraten waren, sind neuerdings wieder selbstständiger geworden. Am meisten im Aufblühen begriffen erscheint der Patriarchat von Alexandria, welcher gegenwärtig 50—60 000 Seelen befaßt, Hübner-Juraschek, S. 2 (er hatte vor einem Menschenalter noch kaum 10 000). — Das „besterhaltene Stück" der alten griechischen Kirche des Orients" nennt Loofs (S. 114) mit Recht das autokephale Erzbistum Cypern: es hatte nach Hübner-Juraschek (S. 22) im Jahre 1891 etwa 160 000 Seelen. — Das Prädikat der drei Patriarchen ist abgestuft, nur der von Alexandria ist auch eine Παναγιότης, die beiden anderen bloß Ἁγιότης, wie auch der ἀρχιεπίσκοπος τῆς Ἰουστινιανῆς καὶ πάσης Κύπρου.

Bekannt ist der Hader, in welchem der ökumenische Patriarch mit der bulgarischen Kirche lebt. Er hat bisher eine Anerkennung des bulgarischen Exarchen (der in Konstantinopel residiert) nicht ausgesprochen, betrachtet die bulgarische Kirche vielmehr als „schismatisch". In dieser Frage tritt eine Unklarheit der kirchlichen Verfassungsidee zu Tage. Der Patriarch ist bereit alle diejenigen Gebiete kirchlich zu verselbstständigen, die politisch verselbstständigt werden. Die Bulgaren aber beanspruchen als „Nation" auch kirchlich verselbstständigt zu werden. Das involviert ihren Anspruch auch auf „türkischem" Boden eine eigene Kirche darzustellen. Die Synode des Patriarchen in Konstantinopel 1872 hat dieses Streben unter dem Titel des „Phyletismus" für irrgläubig erklärt. Die Bulgaren (auch die Serben) haben mit Hilfe der Pforte erreicht, daß in manchen Orten ein Bischof ihrer Nation neben dem vorhandenen griechischen Bischof installiert ist. Das geht wider den altkirchlichen Grundsatz, daß an einem Orte nur ein Bischof sein dürfe. Natürlich steht bei den Bulgaren die Hoffnung im Hintergrunde, auf die Dauer die zunächst kirchlich beanspruchten Gebiete auch politisch gewinnen zu können. — In anderer Weise hadert der Patriarch mit Rumänien, hier allerdings nicht sowohl mit der Kirche, als mit dem Staate. Durch die Freigebigkeit der alten Hospodare der Moldau und der Walachei hatte der ökumenische Stuhl (daneben besonders auch der von Jerusalem) große Liegenschaften, μετοχεῖα, in diesen Landen erhalten. Unter dem Fürsten Kusa sequestrierte die rumänische Regierung mit den meisten Klöstern auch diese Metochien. Der Wert der letzteren wird auf 120 Millionen Drachmen (Francs) veranschlagt. Die rumänische Regierung bot den Besitzern eine Abfindung von 27 Millionen Drachmen. Aber die Patriarchen lehnten diese ab und bestanden auf ihren „Rechten". Gelzer nennt das a. a. O. sehr richtig „ebenso großartig wie unpraktisch". Denn seit 1867 hat die rumänische Regierung nunmehr die Frage für erledigt erklärt und hält einfach an ihrem „Raube" fest. Aehnliche, wenn auch nicht ganz so rücksichtslose Rechtsverletzungen hat sich der ökumenische Patriarch von der russischen Regierung gefallen lassen müssen.

2. Was die verschiedenen Landeskirchen thatsächlich zu einer einheitlichen Großkirche verbindet, ist die gemeinsame Tradition und die durch sie dargebotenen gleichen Normen. Als solche kommen in Betracht:

A. Das gemeinsame kanonische Recht. Es befaßt in einer nicht allzu großen Summe altkirchlicher Satzungen diejenigen Bestimmungen, die allein völlig unbedingte

Geltung haben. Ihnen, den ἅγιοι καὶ ἱεροὶ κανόνες, stehen zur Seite von der alten römischen Reichsgesetzgebung her eine Reihe von νόμοι. Beide Arten von Normen sind ergänzt, zum Teil nur maßgebend interpretiert durch spätere Synoden, unter denen diejenigen von Konstantinopel bzw. des ökumenischen Patriarchen besonders hervorragen (vgl. diese letzteren in der Sammlung von Ἰ. Γεδεών, Κανονικαὶ διατάξεις, ἐπιστολαί, λύσεις, θεσπίσματα τῶν ἁγιωτάτων πατριαρχῶν Κωνσταντινουπόλεως, 1888 ff., soviel ich weiß, noch nicht mehr als 2 Bde). Natürlich ist die auf die Kirche bezügliche staatliche Gesetzgebung auch in stetigem Flusse. Aber sie muß eben in Übereinstimmung bleiben mit den alten Normen. Zu diesen werden auch die „von den Vätern überlieferten Gewohnheiten", die kirchliche συνήθεια, das ἔθος ἐν τῇ ἐκκλησίᾳ ἐνεργούμενον, die ἔθιμα καὶ διατυπώσεις τῆς ὀρθοδόξου ἀνατολικῆς ἐκκλησίας, gerechnet. Auch die Ansichten bestimmter großer Kanonisten gelten, ihre ἀποκρίσεις καὶ ἀπαντήσεις auf schwierige ἐρωτήσεις, in immerhin begrenztem Maße, als Normen. Eine eigene und formell festgelegte „Gesetzgebung" haben, wie Milaš S. 128 bemerkt, nur die europäischen orthodoxen Landeskirchen, Montenegro ausgeschlossen (welches sich, wie es scheint, an Rußland hält). Für den Patriarchat von Alexandria in arabischer Zeit ist zu vergleichen W. Riedel, Die Kirchenrechtsquellen des Patriarchats Alexandrien, 1900. Die Praxis der Gegenwart hält sich auch in den nicht unmittelbar zu Konstantinopel gehörigen, bzw. nicht aus dem ök. Patriarchate hervorgewachsenen Kirchen, an die von diesem ausgegangenen giltigen Normen, wenigstens in allen wesentlichen Fragen.

Das Grundgesetz der Orthodoxie in derjenigen Weise, die soeben bezeichnet worden, ist der sog. Nomokanon (s. d. A. o. S. 154 f.). Derselbe erfuhr 883 seinen Abschluß und ist 920 auf einer großen Synode zu Konstantinopel für die „gesamte christliche Kirche" verbindlich erklärt worden, J. Milaš S. 177. Es darf als ausgemacht gelten, daß der Nomokanon nicht, wie man lange geglaubt hat, auf Photius zurückzuführen ist. Er reicht sicher bis ins 7. Jahrhundert hinauf und ist später nur noch ergänzt worden, in der Zeit des Photius. Vgl. näheres in Konfessionskunde I 200 f. Der Nomokanon ist eingeteilt in vierzehn sachlich geordnete Kapitel und befaßt sowohl kirchliche κανόνες als staatliche νόμοι. Von ersteren werden als maßgebend verwertet die Canones apostolorum (in der durch das Concilium quinisextum gebilligten, spezifisch orientalischen Zahl von 85 Verordnungen), sodann diejenigen der sieben ökumenischen Konzilien, ferner solche einer Reihe von Partikularkonzilien (der sog. „zehn topischen Synoden") seit dem 4. Jahrhundert (Ancyra, Neo-Cäsarea, Gangra 2c.), hierbei sind auch die beiden Synoden des Photius von 861 und 879 herangezogen: die letztere wird von den Griechen besonders hochgeschätzt und auch, in übrigens unverbindlichem Sprachgebrauch, als „achtes ökumenisches Konzil" bezeichnet. Neben diesen „apostolischen" und „synodalen" Erlasse sind benutzt die sog. „Kanones der dreizehn hl. Väter" (von Dionysius von Alexandria bis Tarasius von Konstantinopel, gest. 809). Im athenischen Syntagma (s. oben S. 444,41) ist der Nomokanon in Bd I abgedruckt. In Bd IV, wo die κανόνες der „hl. Väter" in ihrem vollständigen Wortlaut und Zusammenhang mitgeteilt sind, schließen die Herausgeber S. 386 ff., unter einer freilich erst im Register, S. 624, dargebotenen Überschrift „διάφορα" noch eine Anzahl Vorschriften, Antworten 2c. besonders angesehener weiterer Theologen und Synoden bis zum 9. Jahrh. (Chrysostomus u. a., Konstantinopel überwiegt) als gleichwertig an, erst zum Schlusse auch dieser Serie, S. 446, findet sich hier: τέλος τῶν ἱερῶν κανόνων. Die Herren Rhallis und Potlis haben damit, genau genommen, eine eigenmächtige Erweiterung des „κανόνες" vorgenommen, doch sind sie dabei in Übereinstimmung mit einer altkanonistischen und von den Synoden, sie sich mit ihrem Syntagma befaßten, gebilligten „Gewöhnung". Die staatlichen „νόμοι", die der Nomokanon heranzieht, sind die Rechtsbücher Justinians. Diese Bestimmungen sind naturgemäß am meisten praktisch außer Kurs gekommen. Seit dem 12. Jahrhundert haben Kompilationen älterer und neuerer kaiserlicher Gesetze, das Prochirum, die Epanagoge, besonders die sog. Basiliken, die Sammlungen Justinians im Gebrauch (nicht in der eigentlichen Rechtskraft) verdrängt. Die kritisch beste Ausgabe ist die von Pitra (oben S. 444,37), II, 433 ff.

Was neben den genannten eigentlichen „Rechtsquellen" die Kommentare betrifft, die von Kanonisten geschaffen sind und die allenthalben die Interpretation leiten, so ragen unter diesen Gelehrten besonders hervor Johannes Zonaras (Mönch auf dem Athos), Alexius Aristenus (in Konstantinopel) und Theodor Balsamon (zuerst Würdenträger an der μεγάλη ἐκκλησία zu Konstantinopel, zuletzt Patriarch von Antiochia), alle drei dem 12. Jahrhundert angehörend. Eine alphabetische Übersicht über die Materien, die die

„Canones" behandeln, gab im 14. Jahrhundert der Priestermönch Johannes Blastáres; sie war sehr verbreitet und einflußreich. Vielleicht noch mehr wurde das eine auch die zivilen Gesetze mit verarbeitende Sammlung, die Hexabiblos, des auch im 14. Jahr=hundert schriftstellernden Konstantin Harmenopulos, Richter in Thessalonich. An letzterer
5 Arbeit knüpft in neuerer Zeit das sog. Πηδάλιον der Athosmönche Nikodemus und Agapius an, welches 1793 erschien und von einer Synode zu Konstantinopel sanktioniert wurde. Ruß=land und die anderen slawischen Kirchen besitzen eine Übersetzung und Kommentierung des Nomokanon in der sog. Kormtschaja Kniga (soviel wie „Pedalion", Buch des Steuers, nämlich des Schiffs der Kirche; das slawische Werk ist viel älter als das
10 griechische und wird für dieses den Titel geliefert haben; vgl. Tschedomilj Mitrovits, Nomokanon der slavischen morgenländischen Kirche oder die Kormtschaja Kniga, 1898). Für die rumänische Übersetzung und Bearbeitung des Nomokanon vgl. Milaš S. 191 ff.

Alles Recht und alle Verwaltung realisiert sich in der orthodoxen Kirche durch „Synoden". An diesen haben die Laien überall einen geregelten Anteil, zumal auch in
15 Personalfragen der Hierarchie. In Rußland liegt die ganze Kirchenregierung in den Händen des „hl. Synods". Diese Kirche hat überhaupt kein „geistliches" Oberhaupt mehr. Daß der Staat, der Landesherr, Rechtsbefugnisse über und in der Kirche bis an die Schwelle der „Mysterien" hat, ist überall zugestanden und eben „oströmische" Tradition.
20 Das kanonische Recht regelt nicht nur das Leben der Kirche in sich selbst, die hierarchischen Organisations= und Standesfragen, die Fragen der Mitgliedschaft der Kirche, der Rechte der Laien an die Kirche 2c., sondern dadurch, daß es zum Teil Strafrecht, ferner Vermögensrecht, zumal dadurch, daß es auch Eherecht ist, viele Verhältnisse des bürgerlichen Lebens. Es ist an seinem Teile die Grundlage für eine große Gleichförmig=
25 keit gerade auch der „äußeren" Verhältnisse, der sozialen Beziehungen in den orthodoxen Völkern. Gewiß ergiebt die Verschiedenheit der Volksindividualitäten auch sehr bemerk=bare Differenzen, aber ein Orthodoxer wird sich in den verschiedenen seiner Kirche ergebenen Ländern oder Völkern relativ leicht heimisch fühlen.

B. Das gemeinsame Dogma. Gestattet das gemeinsame kanonische Recht
30 immerhin noch manche praktische nicht unbedeutende Variationen in der Anwendung auf die einzelnen Länder, so ist das Dogma der Orthodoxie kaum zu nüancieren. Soweit es produziert ist, gilt es für absolut. In der Theorie wird festgehalten, daß es noch „erweitert" werden könnte, durch „ökumenische Synoden". Aber die Aussicht auf solche bewegt niemanden ernstlich, praktisch ist nach orthodoxer Empfindung das Dogma fertig.
35 Die „sieben" alten ökumenischen Konzilien, deren Zahl schon an sich darauf deutet, daß sie ein heiliges Ganzes sind, haben ihm gegolten; mehr als sie geschaffen haben, braucht der Glaube jedenfalls nicht. Es ist ein ziemlich einfacher Thatbestand von Lehren, der damit festgelegt ist, um so einfacher, als es sich dabei mehr um Formeln als Gedanken handelt. Die Knappheit und die dem Volke unter Reduktion aller Begriffe auf die
40 schlichtesten (nicht etwa die verständlichsten) Worte zum Bewußtsein gebrachte Festigkeit des Dogmas hat eine mächtig uniformierende Kraft für das religiöse Empfinden. Ver=möge dieser Basis ist überall in der orthodoxen Kirche die gleich tiefe Abneigung gegen „Neues" vorhanden. Nur das Bleibende kann ein Wahres sein und was lange „geblieben" ist, „ist" wahr, es hat den Beweis seines Rechtes erbracht. Im gleichen „alten" Glauben
45 begegnen sich alle Orthodoxen. Nun ist natürlich die orientalische Kirche nicht wirklich mit ihren Gedanken seit dem Altertum stehen geblieben. Das 17. Jahrhundert ist für sie zumal noch eine Periode gewesen, die faktisch, wenn auch nicht dem Bewußtsein nach, dem alten Dogma Erweiterungen gebracht hat. Eine Reihe bis dahin „frei" das „Dogma" umspielender, in der praktischen Anwendung dasselbe ergänzender Anschauungen ist da=
50 mals, auf den Synoden, die den „Neuerungen" des Cyrillus Lukaris galten, kodifiziert worden. Die Synode zu Jerusalem 1672 (s. d. A. Bd VIII S. 703) kann praktisch nur verglichen werden mit den wichtigsten der „alten" Synoden, auf die die orientalische Kirche ihr Dogma zurückführt. Seit jener Zeit ist für diese Kirche nicht mehr bloß fest=gelegt, daß Gott als τριὰς ὁμοούσιος, Christus als Gott und Mensch in gleich wahrer
55 Zweiheit der Naturen zu denken sei, sondern auch das meiste dessen, was man von dem Mysterien, der Rechtfertigung und anderem in dem Doppelgegensatz zu den παπικοί und den διαμαρτυρόμενοι plötzlich manchen Orthodoxen unsicher Gewordenen zu „denken" habe. Es sind immerhin deutliche, ja scharfe Linien, die damals gezogen wurden. Und es hat sich um gemeinsame Aktionen aller Autoritäten gehandelt. Aber die Vorstellung
60 ist doch nicht entstanden, daß man das Dogma erweitert habe. Im Gegenteil, man hat

sich fast noch mehr wie zuvor an die Vorstellung gehängt, daß das Dogma von den Vätern stamme. Das Richtige daran ist, daß eine kontinuierliche Stimmung das Dogma seit alters umwoben hatte. Man gab eigentlich nur dieser Ausdruck, in antithetischer Wendung besonders gegen die an den Thoren klopfenden protestantischen, doch nur undeutlich vernommenen, Ideen des Westens, und deshalb empfand man sich nicht als produktiv, sondern höchstens als reproduktiv gegenüber der Überlieferung. Die gemeinsamen Aktionen mit Bezug auf die Lehre im 17. Jahrhundert haben erst der modernen orientalischen Kirche wieder ein Gepräge von eigentlichem „Konfessionalismus" gegeben, wie es die patristische Kirche besessen, sie auch zweifellos schärfer. Es kommt vorwiegend nur gewissen Kreisen der Bildung zu klarerem Bewußtsein, daß im Namen der Kirche eine „Lehre" zu vertreten, zumal auch zu verfechten sei. Aber diese Kreise in Konstantinopel, Athen, Moskau, Petersburg sind schließlich doch die führenden.

Bislang ist der Begriff der Toleranz, der Gewissensfreiheit, in der orthodoxen Kirche noch ein unbegriffener. Man toleriert Angehörige anderer Kirchen, auch anderer Religionen. Rußland bedrängt die zahlreichen Muhammedaner in seinem Gebiete nicht. Aber seine Raskolniks, die Stundisten 2c. spüren die Überzeugung der orthodoxen Kirche und ihres „Schutzherrn", des Zaren, daß wer in ihr getauft ist, wer „ein Kreuz hat", auch an das Dogma gebunden sei. In Griechenland ist Kairis, der dem orthodoxen Christentum ein „vernunftgemäßes", eine Art von „supranaturalem Rationalismus" (den sog. θεοσεβισμός) entgegensetzte, im Gefängnis gestorben, 1853 (s. Kyriakos, der das offenbar ein so gerechtes Los findet, S. 191 ff.). Einen Mann wie Tolstoi schützt nur sein europäischer Ruhm. — Es giebt in beschränktem Maße gegnerische Richtungen innerhalb der Orthodoxen. Es hat nie an sog. λατεινόφρονες gefehlt. Neustens giebt es, wohl mehr unter den Laien, als unter den Theologen, einen gewissen orthodoxen „Liberalismus", der Fragen wie die der Reform des Kalenders, der Gestattung einer zweiten Ehe für den Klerus u. dgl., wenigstens diskutieren möchte. Schon das wird mißliebig empfunden. Am ehesten hat eine freie Bahn für subjektive Spekulationen die mystagogische Theologie; wer sie pflegt, gilt durch seine Art von theologischem Interesse, die „geistliche" Ausbeutung der Riten, eo ipso für „dogmatisch" sicher, so mag er sich in „Gedanken" mehr oder weniger nach seinen persönlichen Empfindungen ergehen.

Normgebende Dokumente der Lehre sind die folgenden: a) Allen anderen absolut voraus „das Symbol", ehedem mit Vorliebe als ἡ πίστις, in modernen Schriftstücken gern auch als ἡ ὁμολογία τῆς πίστεως bezeichnet. Es gilt für verfaßt durch die beiden ersten ökumenischen Synoden, 325 und 381. Vgl. zu seiner Geschichte den Art. „Konstantinopolitanisches Symbol" in Bd XI, S. 12 ff. Seine Legende, seine wirkliche (nur mutmaßlich festzustellende) Herkunft, darf hier auf sich beruhen. Seit Justinian ist es das Symbol der „Reichskirche". Bei der Taufe und bei der eucharistischen Feier hat es seine feste Stelle. Seit dem 17. Jahrhundert ist es oft der Gegenstand theologischer Auslegung gewesen; es ist das Rückgrat jeder „Dogmatik". Seine innere Verbindlichkeit wird daraus hergeleitet, daß es ein Kompendium der Lehre der hl. Schrift sei. Die orthodoxe Kirche geht nicht von dem Gedanken ab, daß die Bibel die primäre Quelle alles „Rechtes", zuoberst aller autoritativen Lehre sei. (Loofs hat 124 f. mit Recht festgestellt, daß die Ansichten über den Umfang des biblischen Kanons bis jetzt nicht ganz einhellig sind: die Synoden des 17. Jahrhunderts wollen die sog. Apokryphen des ATs, d. h. die dem hebräischen Kanon fremden Stücke der LXX, mit zur „ἱερὰ γραφή" gerechnet wissen; sie sind jedoch nicht allenthalben durchgedrungen. Die hl. Schrift repräsentiert das unmittelbare jus divinum in der Kirche. Aber, wie Milaš sich S. 76 ausdrückt, „der Inhalt dieses jus divinum, speziell was die Lehre betrifft, ist aus den symbolischen Büchern zu entnehmen." Damit ist die Bibel praktisch zu Gunsten . der „Tradition" zurückgestellt. Das „Symbol" wird im Grunde empfunden, als gehöre es in die Bibel, es hat Teil an dem Prädikate der „Heiligkeit" wie die „Schrift", es ist die „hl. Schrift" in einer περιγραφή. Was man die „symbolischen Bücher" nennt, hat die Bedeutung weniger zusammenzufassen als zu erläutern, was Bibel und Symbol verlangen. Der Ausdruck „symbolische Bücher" ist eine Anlehnung an protestantischen Sprachgebrauch. Auch Mesoloras in dem oben S. 436,59 namhaft gemachten Werke übt ihn, sein τόμος α' gilt den συμβολικὰ βιβλία. Es ist noch keine Übereinstimmung erreicht über den Umfang derselben; noch keine Synode hat ihn fixiert. Unbestritten den ersten Rang unter ihnen nimmt ein

b) die Confessio orthodoxa des Mogilas von Kiew; vgl. Art. „Mogilas" in Bd XIII, S. 249 ff. Sie ist 1638 verfaßt und wurde von sämtlichen Patriarchen

gebilligt, den griechischen 1662 und 63 (a. a. O. sind die Zahlen S. 250, 48—50 zu korrigieren), von russischen wiederholt; von Peter d. Gr. ist sie in das „geistliche Reglement", die Urkunde der Konstitution des „hl. Synods" 1721 mit aufgenommen. Sie bietet die erste ausgeführte Erklärung des „Symbols". Vgl. Kimmel I, 56 ff.; Mesoloras I, 876 ff.
5 (vorher bei beiden die griechischen Testimonien über ihre „ἀξία"); Loofs S. 128 f. Ihr sehr nahe in der Schätzung steht

c) die Confessio Dosithei (Patriarch von Jerusalem), die 1672 von der Synode zu Jerusalem sanktioniert wurde. Sie wurde 1723 durch ein Sendschreiben sämtlicher griechischen Patriarchen der russischen Kirche empfohlen und ist von daher auch dort als
10 autoritativ anerkannt; s. Kimmel I, 425 ff.; Mesoloras I, παράρ. S. 103 ff.; Loofs S. 129. Eine deutsche Übersetzung s. in RJTh I, 210 ff. Besonders Interesse hat sie für die Lehre von den Mysterien, Decr. XV. Vgl. d. A. Dositheos Bd V S. 1 ff.

Alle anderen Schriften sind von mehr arbiträrer Giltigkeit. Milas nennt noch als besonders wichtig den Katechismus des Philaret, Metropoliten von Moskau, gest. 1867;
15 er ist in der That in Rußland unter der Sanktion durch den hl. Synod (seit 1840) all= gemein verbreitet und auch von den griechischen Patriarchen anerkannt; s. Schaff, Creeds, I, 71 u. II, 445 ff. (hier eine englische Uebersetzung der „großen" Ausgabe; eine deutsche Uebersetzung bei Blumenthal, Gesch. d. Kirche Rußlands von Philaret [von Tschernigow!] II, 298 ff. — Die „kleine" Ausgabe war mir nicht zugänglich); Loofs S. 129. —
20 Mesoloras bevorzugt spezifisch griechische Dokumente, so besonders die „Antworten" des Patriarchen Jeremias II. von Konstantinopel (s. den Art. Bd VIII, S. 660 ff.) an die Tübinger Theologen (ediert zuerst 1584), auch das von Kimmel bereits aufgenommene „Bekenntnis" des jungen Metrophanes Kritopulos (s. den Art. in Bd XIII, S. 30 ff.), das doch keinerlei Autorität genießen würde, wenn sein Autor nicht Patriarch von
25 Alexandria geworden wäre (gest. c. 1640).

Nicht mit Unrecht hat L. Petit in einem Aufsatze „L'entrée des catholiques dans l'église orthodoxe", EO II, S. 129 ff. sich verwundert, daß niemand bisher daran gedacht habe, das Bekenntnis, das römische Katholiken, die zur orientalischen Kirche übertreten, abzulegen haben, als Quelle für das, was dieser Kirche in Hinsicht des
30 Glaubens maßgebend sei, zu werten. Eine Synode zu Konstantinopel hat die „Akoluthie" für diesen Uebertritt vorgeschrieben; sie ist einfach, und die „Absagen" und das „Ge= löbnis" sind kurz: im Positiven wird nur die feierliche Recitation des „Symbols" ver= langt! S. den Wortlaut der ganzen Handlung bei Petit, sonst im Ath. Syntagma V, 143 ff., bei Gedeon, Διατάξεις II, 65 ff., bei Maltzew, Die Sakramente d. orth. kath.
35 Kirche d. Morgenlands, S. 146 ff. Zu vergleichen damit ist bei Maltzew S. 164 ff. das „Ritual der Vereinigung der Prinzessin Dagmar von Dänemark (Braut des Großfürsten Thronfolger) mit der orthodoxen Kirche"; es zeigt, was ein Protestant zu bekennen hat: das ist recht instruktiv.

Wie die „Kanonisten" für das „Recht", so sind natürlich für das „Dogma" die
40 wissenschaftlichen „Theologen" nicht ohne Belang. Es würde an diesem Orte zu weit führen, festzustellen, wer da etwa besonders zu nennen wäre. Ich habe in meiner Kon= fessionsk., S. 283 ff. die wichtigsten Theologen, die mir bekannt geworden, kurz charakte= risiert. Für moderne russische „wissenschaftliche" Autoritäten vgl. jetzt K. Graß, Gesch. d. Dogmatik in russischer Darstellung; hier werden besonders Makári (gest. 1882 als
45 Metropolit von Moskau) und Silwéstr (lebt noch in einem Kloster zu Kiew) vorgeführt. Eine Reihe moderner griechischer anerkannter Theologen macht Loofs S. 131 ff. namhaft. Er notiert zumal auch eine größere Anzahl von „Katechismen", S. 128 Anm. 6. Seine Freundlichkeit hat mir einige, die ich noch nicht kannte, zugänglich gemacht. Am wert= vollsten oder einflußreichsten dürfte die in Konstantinopel und Athen in den Schulen
50 eingeführte Ἱερὰ κατήχησις von Δ.Ν. Βερναρδάκης sein. Wichtiger als alle solche Einzelwerke ist die Thatsache, daß die Russen und Griechen die wissenschaftliche Theologie in Hochschulen pflegen. In Athen hat die Universität eine theologische Fakultät. Doch braucht in Griechenland der gewöhnliche παπᾶς nicht mehr als den Ritus zu lernen. Der ök. Patriarch unterhält in Chalki ein theologisches Seminar, (auch nur die Pflanz=
55 stätte des höheren Klerus). In Rußland giebt es in Moskau, Petersburg, Kiew, Kasan „geistliche Akademien". Oesterreich hat für seine orthodoxen Theologen in Czernowitz eine theologische Fakultät eingerichtet (für den ganzen Klerus?). So gebunden die Dogmatik ist, die gepflegt wird, so frei und tüchtig sind manche historische Arbeiten. Nur notieren will ich hier das letzte griechische dogmatische Werk, Z. Ῥώσης (s. bereits oben S. 444,1),
60 Σύνταγμα Δογματικῆς τῆς ὀρθοδόξου καθολικῆς ἐκκλησίας, tom I, 1903. —

Die RJTh bietet regelmäßig Übersichten über neue Schriften griechischer und slawischer Theologen. Vgl. hier auch (II, 450 ff.) einen Aufsatz von Popowitsky, La Presse religieuse de Russie.

C. Der gemeinsame Kultus. Das dritte Merkmal der Einheit der orthodoxen Kirche ist für das Volksbewußtsein das deutlichste und bei weitem das wichtigste. Vom kanonischen Recht und Dogma wissen viele kaum etwas, den Kultus sehen und erleben alle täglich. Und es ist das Hauptcharakteristikum dieser Kirche gegenüber den anderen, welche Rolle in ihr der rituale Vollzug des Gottesdienstes und die Feier der Mysterien spielt. In Bezug auf die Uniformität des Kultus steht die orientalische Kirche der römischen freilich in gewisser Weise nach. Sie bedient sich nämlich der Landessprachen. Es giebt deren noch vier: das Griechische, Slawische, Rumänische, Arabische. Das Syrische ist, soviel ich weiß, nirgends mehr im Brauch. Im Patriarchate von Antiochia, wo man es am ehesten vermuten könnte, ist das Arabische, (in gewissen Stücken) auch das Griechische, die Kultsprache; vgl. Art. „Antiochia" RKL I, 952. Das Georgische ist außer Brauch gesetzt, seit die Autokephalie der Kirche aufgehoben ist, 1845, und in Tiflis ein russischer Exarch residiert; s. Art. „Iberien" RKL VI; 567, auch Nilles, Aus Iberien oder Georgien, ZKTh 1903, S. 635 ff. Eine wirklich lebendige Sprache ist nun freilich das Kirchenslawisch und Kirchengriechisch nicht mehr. Das erstere ist eine frühe Form der Sprache der Balkanslawen; es hat in den verschiedenen Ländern sich nach der Lokalsprache modifiziert (so daß man jetzt ein Bulgarisch-, Serbisch- und Russischslawisch in der Kirchensprache unterscheiden kann), ist aber nirgends in Übereinstimmung mit der wirklichen Umgangssprache; s. Leroy-Beaulieu (oben S. 436,60) III, 81 ff.; Jagic, Zur Entstehungsgeschichte der kirchenslawischen Sprache, AWA, 1900. Das Kirchengriechisch ist etwa das Griechisch der LXX und des NTS und steht vom heutigen vulgären Idiom weit ab. Nur das Rumänische ist in einer wirklich modernen Form Kirchensprache geworden, denn es ist überhaupt erst im Laufe des 18. Jahrhunderts in liturgischen Brauch gekommen; vgl. Bousquet, Le roumain langue liturgique, EO IV, 30 ff. Hat die orthodoxe Kirche keine Einheitssprache, wie die römische, so wirkt die relative Unverständlichkeit, welche die Kirchensprache doch fast überall für das Volk besitzt, in gewisser Weise nivellierend. Denn sie lenkt überall die Hauptaufmerksamkeit des Volkes auf den Ritus als solchen, und der ist allenthalben so sehr der gleiche, daß der Orthodoxe sich in jedem Lande von dem Gottesdienste, vor allem der Liturgie, heimisch angesprochen fühlt und die Gemeinschaft des religiösen Geistes unmittelbar empfindet. Erst das im Laufe des 19. Jahrhunderts neuerwachte scharfe Nationalgefühl der Völker, die zur Orthodoxie halten, hat es auf der Balkanhalbinsel dahin kommen lassen, daß Bulgaren und Serben das Griechische in ihren Kirchen nicht mehr dulden wollten; ein religiöses Interesse ist dabei nur mittelbar im Spiele!

Die inhaltlich fast vollkommene Übereinstimmung aller Landeskirchen im Kultus zeigt sich schon im Äußerlichsten, in der Berechnung des kirchlichen Jahrs. Daß der gregorianische Kalender in Rußland und den christlichen Balkanländern noch nicht angenommen ist, hat seine Hauptveranlassung an dem Widerstreben der orthodoxen Kirche, ein Widerstreben, welches sie religiös zu motivieren weiß. Schon sofern durch den besonderen Kalender zwar nicht die Wochentage als solche, wohl aber die Tage der Feste, sich abheben von den Tagen an denen der Westen feiert, ist der Osten für seine Gläubigen als eine besondere und in sich selbst einheitliche Kirche deutlich charakterisiert. Die Differenz des gregorianischen und julianischen Kalenders erweitert sich mit jedem Jahrhundert um einen Tag, sie beträgt seit 1900 dreizehn Tage. Nur das Osterfest fällt vermöge der besonderen Rechnung, durch die es für die einzelnen Jahre bestimmt wird, unter Umständen einmal auf dasselbe Datum, an welchem es auch im Westen gefeiert wird. Die Marien- und Heiligenfeste sind großenteils besondere für die orthodoxe Kirche, nicht nur dem Datum, bezw. Tage nach, sondern auch in Hinsicht ihrer speziellen Veranlassung. Mit Bezug auf die Heiligen bestehen tiefergreifende Differenzen in dieser Kirche selbst nach den Landschaften und Orten, als in der römischen, doch keine solchen, daß dadurch das Einheitsgefühl alteriert werden könnte. Die Hauptsache aber ist, daß überall die gleichen Grundformen der kirchlichen Feiern selbst bestehen. Die Mysterien sind überall die gleichen, Tageszeit und Gestalt der regulären Feiern sind allenthalben identisch. Was sich an Nüancen der Riten unterscheiden läßt, ist minimal im Vergleich zu dem, was der Orthodoxe überall in Übereinstimmung findet. Nicht ganz zu übersehen ist, daß auch die Form der Kirchengebäude überall den gleichen typischen Charakter hat. Erwähnt sei hier nur die zu jeder orthodoxen Kirche gehörige hl. Bilderwand, die Ikonostase. Sie trennt den Altarraum und zwei andere Räume, die nur für den Klerus zugänglich sind, von dem den Laien gestatteten Raum. Die Verrichtung des Priesters spielt sich zum Teil hinter den geschlossenen Thüren ab. Es handelt sich stets um drei Thüren, deren mittlere die „heilige" κατ' ἐξοχήν ist, die „königliche", hinter der speziell der Altar steht. Die „Thüren" sind notwendigerweise mit zwei Bildern, demjenigen Christi und demjenigen der θεοτόκος, geschmückt. In großen Kirchen ist die Ikonostase beliebig weiter mit Heiligenbildern versehen. Vgl. näheres über die typische Gestalt einer ortho-doxen Kirche in meiner Konfessionsk. I 487 ff.

Allem voran ist die Feier der Eucharistie, die „Liturgie", überall im Gange der Handlung, in Lesungen und Gesängen, im priesterlichen Thun und im Mithandeln (Art des Empfangens) der Gemeinde, die gleiche. Die orthodoxe Kirche hat zwei vollständige Formen der Liturgie, eine, die nach Chrysostomus und eine, die nach Basilius dem Großen benannt ist. Die erstere ist die regelmäßige; sie ist detaillierter, dennoch im ganzen zeitlich kürzer, als die — unzweifelhaft ältere — des „Basilius", die besonders längere Gebete hat. Letztere wird nur an bestimmten Tagen, besonders in der Fastenzeit vor Ostern, daneben noch vereinzelt, so dem Basilius zu Ehren an seinem Festtage, 1. Januar, celebriert. Vgl. Lit. Chrysostomi bei Daniel, Cod. liturg. IV, 325 ff. (eine deutsche Übersetzung und Kommentar bei Cracau, Die Liturgie d. hl. Chrys., 1890), die Lit. Basilii bei Daniel IV, 421 ff. Noch ist zu nennen die λειτουργία τῶν προηγιασμένων, die auf „Gregorius Dialogus" zurückgeführt wird, und wie der Name andeutet, keinen Konsekrations= und Opferakt hat. Sie ist diejenige unvollständige Liturgie, die an be-stimmten Tagen in den Fasten gebraucht wird. Andere Liturgien giebt es im Gebiete der Orthodoxie gegenwärtig nicht mehr. Die sog. Liturgia Jacobi- ist längst nirgends mehr im Brauche, die Lit. Marci ist im 11. Jahrhundert in Alexandria zu Gunsten der-jenigen Formen, die Konstantinopel vertrat, abgeschafft worden, Daniel IV, 135.

Für alle Arten von Feiern haben die orthodoxen Landeskirchen feste, von Un-bedeutendem abgesehen, identische Formulare, die sog. „heiligen Bücher". S. über diese Leo Allatius (konvertierter Grieche in Rom), De libris et rebus ecclesiasticis Graecorum, 1646; Daniel IV, 314 ff. Die wichtigsten seien hier kurz bezeichnet. Sie sind meist neuerdings durch A. v. Maltzew nach der slavischen Form ins Deutsche übertragen worden; die hier beigegebenen Einleitungen orientieren nach manchen Seiten. Es giebt offizielle Ausgaben und die Drucke haben ihre Geschichte. Für die griechischen Kirchen-drucke war lange Venedig der einzige Erscheinungsort, für slavische ursprünglich Cetinje. Jetzt haben die Landeskirchen ihre Sonderausgaben. Vgl. Krumbacher², S. 658 f. In Venedig blüht noch eine Druckerei für kirchliche Bücher, ὁ Φοίνιξ. Wie Ph. Meyer, ThLZ 1893, Col. 12 hervorhebt, „geht man immer sicher", wenn man sich an die hier erscheinenden Ausgaben hält.

a) Das Τυπικόν. Es ist nichts als ein Verzeichnis aller regelmäßigen Feiern des Jahres, wobei die möglichen Koinzidenzen der Feste berücksichtigt sind, speziell das Zu-sammentreffen eines solchen mit dem Sabbath oder Sonntag. Notiert wird, was an jedem Feiertage nach dem speziellen Charakter für die Liturgie in Betracht kommt, was für die Horen ꝛc.; die Lesungen, Gesänge ꝛc. sind mit ihren Anfängen bezeichnet. Der celebrierende Priester wird sich danach informieren und vorbereiten für die Gottesdienste des Tages. Nur wer sachlich völlig orientiert ist über alle technischen Ausdrücke und in der Anlage der anderen, dem Speziellen dienenden hl. Bücher, wird sich in dem Ty-pikon zurechtfinden bezw. von ihm Gebrauch zu machen wissen. S. eine Probe (Fest der Verklärung des Herrn, 6. August) bei Nilles, Ἑορτολόγιον s. Kalendarium I², p. LXV ss.

b) Das Εὐχολόγιον. In ihm findet man die vollständigen Texte der drei Liturgien, mit ihren regulären Vorbereitungsgottesdiensten, die Texte zur Feier der übrigen Mysterien, sowie zu einer Menge von Einzelhandlungen (Segnungen ꝛc.). Die in Deutschland be-kannteste Ausgabe ist die von J. Goar (Εὐχολόγιον s. Rituale Graecorum, com-plectens ritus et ordines divinae liturgiae, officiorum, sacramentorum, conse-crationum, benedictionum, funerum, orationum etc. cuilibet personae, statui vel tempori congruos. Ed. II, Paris 1730). Auch hier ist manches nur andeutend bezeichnet. Mitgeteilt sind nur die Gebete, Zurufe u. dgl.; angegeben ist, was der Priester, der Diakon ꝛc. von Moment zu Moment zu thun hat. Die Bücher, die Maltzew ediert, sind zum Teil nur Stücke des Euchologiums, zum Teil Ergänzungen. Sie bilden als solche Sonderausgaben und haben offenbar in den verschiedenen Ländern einen mehr oder weniger verschiedenen Inhalt und Umfang. Vgl. Liturgikon, slaw.

Sluschebnik (hier, nach der „Hierodiakonia" = Ordnung der regulären Horen= oder Vorbereitungsgottesdienste, die Liturgien, aber auch noch eine Menge von Gebeten für besondere Anlässe), 2. Aufl. 1902; Die Sakramente (außer dem der Eucharistie; mit Ge= beten, die die Feiern locker oder je nach gewissen Gelegenheiten umgeben), 1898; Be= gräbnisritus (und einige spezielle und altertümliche Gottesdienste; hier besonders viele 5 „Weihungen"), 1898; Die Nachtwache oder Abend= und Morgengottesdienst (durchgeführt durch die verschiedenen Zeiten, besonders auch durch die wichtigste Zeit des Jahres, die großen Fasten und die Osterzeit), 1892; dieses Werk wird wesentlich dem griechischen Ὡρολόγιον entsprechen. Andachtsbuch (private, häusliche Feiern), 1895. Bitt=, Dank= und Weihegottesdienste (noch eine Menge spezieller Gebete, Segnungen, Weihungen für 10 Einzelgelegenheiten), 1897.

c) Das Τριῴδιον und Πεντεκοστάριον. Vgl. Maltzew, Fasten= und Blumen= triodion, nebst den Sonntagsliedern des Oktoichos, 1899. Enthält die Besonderheiten der sog. beweglichen Feste, d. h. derjenigen, die vom Osterfeste abhängen. Das Triod regelt die Gottesdienste der Fasten und der hl. Woche, das Pentekostarium diejenigen 15 des Osterfestes und der Zeit bis zum Sonntag nach Pfingsten (orthodoxes „Allerheiligen= fest"). In dieser ganzen Zeit sind nur Kanones von je drei „Oden" üblich, daher der Name, der für beide bezeichnete Bücher, wie auch der Titel bei M. andeutet, zugleich anwendbar ist.

d) Ὀκτώηχος und Παρακλητική. Vgl. Maltzew, Oktoichos oder Parakletike 20 I. T., 1903 (noch nicht vollendet). Die beiden Namen bezeichnen auch nur Teile eines Gesamtwerks, das auch als Ganzes den erstgenannten Titel führen könnte. Es bezieht sich auf die Zeit vom Sonntag nach Pfingsten bis zum Wiederbeginn der großen Fasten= zeit und enthält die Gesänge dieser Zeit. Der Oktoich im engeren Sinn befaßt die an den „gewöhnlichen" (also nicht mit einem „Feste" sich treffenden) Sonntagen dieser Zeit 25 üblichen Gesänge in der Verteilung auf die einzelnen; das zweitgenannte Werk gilt den Gottesdiensten, die in dieser Zeit auf Wochentage fallen. Die „acht Töne" repräsentieren, daß ich so sage, Stimmungen der Weisen oder Melodien. Vgl. Neale (oben S. 436,50), S. 830; auch Daniel, IV, 320 (wie Neale es ausdrückt: grave, mournful, mystic, harmonious, joyful, devout, angelic, perfect, peregrine). Je acht Sonntage 30 bezeichnen einen Cyklus der ἦχοι, die Wochengottesdienste haben den „Ton" ihres Sonntags.

e) Ψαλτήριον, Εὐαγγέλιον, Ἀπόστολος sind die arrangierten biblischen Lesestücke der Gottesdienste.

f) Μηναῖα und Μηνολόγιον. Vgl. Maltzew, Menologion, 2 Bde 1900 u. 1901; 35 Nilles, Ἑορτολόγιον s. Kalendarium, I², p. XLIXss. Betreffen die Heiligenfeste, nämlich teils die Historie der Heiligen (zum Vorlesen), teils die speziellen, den einzelnen an ihrem Festtage zukommenden Ehrungen durch Hymnen; dazu die Lesungen und Gebete ihrer Feste. Die Menäen sind in zwölf Bänden befaßt, anhebend mit dem September (am 1. September beginnt das altbyzantinische Jahr, welches noch als „Kirchenjahr" 40 gilt — das bürgerliche Jahr ist seit Peter dem Großen mit dem des Westens in Ueber= einstimmung gebracht). Das Menologium ist nur eine knappe Form der Menäen, unter Vorwiegen des historischen Stoffs. Ein anderer Name dieses Werkes nur ist Συναξάριον (oder Συναξάρια).

Eine historische und komparative Beleuchtung des Inhalts von Triod, Pentekostarion, 45 Oktoich (inkl. Parakletike) bietet Nilles Bd II². Hier eine Fülle wertvoller Mitteilungen. Für die zahlreichen technischen Namen, die in allen „hl. Büchern" zu finden sind, s. u. a. Maltzew, Nachtwache p. XLI ss.; Nilles, I², p. LVII ss.

III. Der Inhalt der Lehre und die Hauptfeiern der Kirche. — Einen Musterdogmatiker, wie die römische Kirche an Thomas von Aquino, besitzt die orien= 50 talische Kirche nicht. Als „ökumenische Lehrer" werden geehrt: Basilius d. Gr., Gregor von Nazianz, Chrysostomus; aus der späteren Zeit ist Johannes von Damaskus vor anderen an= gesehen, spielt aber doch keine direkte Rolle. Eine Uebersicht über die Geschichte der griech. Theologie in der byzantinischen Zeit von Ehrhard bei Krumbacher², S. 37—218. Ph. Meyer, D. theol. Litteratur d. griech. Kirche im 16. Jahrhundert, 1899; A. Palmieri, L'ancienne 55 et la nouvelle théologie russe, ROChr VI, 1901, S. 88 ff. (noch nicht abgeschlossen); vgl. noch die Verweise oben S. 450, 40 ff. Sathas in seiner Νεοελληνικὴ Φιλολογία, 1868, und Le= grand in seiner Bibliographie Hellénique von 15. Jahrhundert an (1885 ff., bisher sechs Bände), geben nur Titel und allenfalls Inhaltsübersichten. Wichtig ist Steitz, D. Abendmahls= lehre d. griech. Kirche, s. besonders die beiden letzten Aufsätze, JbTh XIII, 1868, S. 3 ff. u. 60 649 ff. Spezialarbeiten, die der Entwicklung der Hauptlehren in der neueren Zeit und der

Feiern nachgingen, fehlen noch fast ganz. Vgl. Art. „Mystagogische Theologie" in Bd XIII.
S. 612. Aufsätze von Pobedonoszew, wie „Die Kirche" (in „Streitfragen d. Gegenwart", 3. Aufl.
1897) sind als Stimmungszeugnisse von Bedeutung.

Einen Abriß der Lehre etwa in der Art zu geben, daß auch nur eine der nam-
5 haftesten approbierten katechetischen Schriften in der Kürze reproduziert würde, hat keinen
Zweck. Der erste Eindruck dieser Schriften, ja auch jeder ausführlicheren russischen oder
griechischen Dogmatik, ist der, daß sie an der Oberfläche haften bleiben. Gaß, Loofs,
ich selbst haben in verschiedener Weise versucht, die Lehre der orientalischen Kirche in das
richtige Licht zu rücken. Man kann urteilen, daß die beschreibende Methode die richtige
10 sei, man kann auch versuchen, die praktischen Motive aus den Decken, mit denen sie verhüllt sind, herauszuwickeln und deutlich zu machen, was Kern und Schale sei; man wird
bald merken, daß die Schale sehr dick geworden ist und daß sie doch offenbar mit zur
Nahrung des Glaubens gehört.

1. Charakteristik der orthodoxen Lehre. Die Lehrdarstellungen der ortho-
15 doxen Theologen führen zunächst in lauter uns Protestanten geläufige Gedanken, Formeln,
Anschauungen ein. Auch Katholiken werden das meiste wie etwas ihnen nicht minder
Feststehendes empfinden. Das kommt daher, daß das Symbol als Summe des Dogmas
nicht nur bezeichnet, sondern auch zur Darstellung gebracht wird. Dieses Symbol aber,
das „Nicäno-Konstantinopolitanum", hängt in seinen Grundlagen mit unserem abend-
20 ländischen „apostolischen Symbol" zusammen. So treffen wir alsbald einen uns bekannten Rahmen für die Lehre. Die begriffliche Ausführung der Lehre von Gott und
der Person Christi bewegt sich in den altkirchlichen Ausdrücken. Je schlichter die Reproduktion, um so leichter erinnert sie auch uns an „Katechismuswahrheiten". Das theologische Interesse der orientalischen Dogmatiker ist seit Photius im Grunde in Hinsicht
25 der Trinitätslehre absorbiert von dem „filioque". Ist dieses Stichwort erst berührt, so
wird jeder Grieche und Russe lebendig, bewährt Gelehrsamkeit und Scharfsinn. Aber
man kann sich bald überzeugen, daß das nicht etwa „Forschungsinteresse" bedeutet. Das
Symbol, welches nun einmal einen „Ausgang" des Geistes bloß „vom Vater" ausspricht, hat selbstverständlich recht und muß verteidigt werden. — Was das Symbol
30 demnächst an die Hand giebt, ist der Gedanke der Schöpfung und Vorsehung. Wie von
selbst ergänzt man durch die kurzen Worte des Symbols die Lehre von einer ursprünglichen Reinheit der Menschen, einem Sündenfall, einer Heilsgeschichte, einem Erlösungs-
werke Christi, einer Erneuerung des Menschen, dem seine Freiheit geblieben ist, durch
Glauben und gute Werke. Eine Lehre von einem Endgericht, einem zwiefachen Aus-
35 gang der Menschen, der einen in ewiger Seligkeit, der anderen in ewiger Pein, macht
den Schluß.

Die Ausführung der einzelnen Stücke bringt auch wenig „Überraschungen". Bemerkenswert ist, daß in der Lehre von Christi Werk, von der Bedeutung des Todes Christi,
gegenwärtig kaum andere Grundgedanken geäußert werden, als die der „Westen".
40 zunächst wie die seinigen empfindet. Gott hat durch Christus eine ίκανοποίησις für
unsere Sünden erhalten, und eine solche zu leisten war der Zweck des Kommens des
Gottessohnes im Fleisch. Es ist keine Frage, daß die orientalische Lehre hier unter Einflüsse vom Westen her getreten ist. Die ursprünglichen Motive und Tendenzen der
christologischen Lehrbildung (s. oben Abschnitt I, Absatz 2 S. 440) sind wie verschollen.
45 Das Dogma ist eben seiner Geschichte entfremdet worden. Es hat sich zu einer Größe
herausgebildet, die einerseits nur noch in „Begriffen", heiligen „Worten", besteht und
die andererseits sich praktisch von teilweise sehr zufälligen, labilen Stimmungen begleiten
läßt. Auf die Frage der inneren Zusammengehörigkeit der Lehre vom Werke und von
der Person Christi wird man nicht mehr geführt; daß diese beiden Lehren aneinander
50 in der Intuition gemessen wurden, weiß man nicht mehr. Das „Dogma", meint man,
giebt wieder, einesteils was von der „Person" Christi „geoffenbart" ist, anderenteils was
man nach der gleichen Quelle vom Werke Christi weiß. Daß man es glaubt, ist
Sache des Gehorsams. Es wäre Unbotmäßigkeit, Impietät, wollte man den Häretikern
folgen. Auch die Katechismen notieren die Namen der Häresiarchen und die Schlag-
55 worte, an denen man ihre Lehre erkennt. Man kann die νεολαλία nicht früh genug
warnen.

Was uns die Lehre der orientalischen Kirche wie eine großenteils gar nicht fremdartige erscheinen läßt, ist ferner die in ihr auftretende Gestalt der „biblischen Geschichte".
Es ist derselbe Abriß der Geschichte der Urzeit, der Patriarchenzeit, der Geschichte des
60 Volkes Israels, letztlich alles unter dem Gesichtspunkt einer „Verheißung", einer Vor-

bereitung und Weissagung auf Christus, wie wir ihn in den Gemeinden verbreiten. Die Geschichte Jesu wird schlicht nach den Evangelien erzählt. Das ist nun in der That das zweite Moment, das die orientalische Lehre charakterisiert, ein unleugbares Maß von Biblicität neben der Symbolicität.

Die Stellung der orientalischen Kirche zur heiligen Schrift wurde oben, S. 449,89 ff. 5 berührt. So durch und durch dogmatisch gebunden diese Kirche ist, so ist sie doch frei von der Aengstlichkeit, die die römische Kirche verrät. Den Theologen wird es durchaus empfohlen, die Bibel zu lesen und im Gottesdienst hat sie einen breiten Platz. Aber dabei kommt freilich eine Grenze in Betracht. Die orthodoxe Kirche hat sich stets gegen die Über= setzung der Bibel in die Vulgärsprache gesträubt. Insonderheit in Konstantinopel; in 10 Rußland ist man in den Zeiten Alexanders I. und wieder in denen Alexanders II. dem Gedanken, die Bibel auch dem „Volke" ganz zugänglich zu machen, geneigt gewesen. Es hat weder in der griechischen, noch auch in den verschiedenen slawischen Kirchen an Über= tragungen der Bibel in die Umgangssprache gemangelt (s. für die neugriechischen Über= setzungen die Nachweise von Ph. Meyer in dem A. „Bibelübersetzungen" Bd III, S. 118 ff.; 15 ferner Xanthopoulos, Traductions de l'Écriture sainte en néo-grec avant le XIXᵉ siècle EO V, 1902, S. 321 ff., Les dernières traductions de l'Écriture en néo-grec ib. VI, 230 ff.; für die altslawische im gottesdienstlichen Brauch stehende Übersetzung einerseits, die verschiedenen modernen bulgärslawischen Uebersetzungen anderer= seits s. die Nachweise von Leskien S. 151 ff.). Aber bei den Griechen steht auch das 20 Volk selbst auf der Seite seiner Hierarchie wider die vulgärgriechischen Übersetzungen; im März 1903 hat es in Athen geradezu Volksaufläufe wider eine solche gegeben (vgl. die Bemerkungen Ph. Meyers zu der Darstellung bei Kyriakos [oben S. 444,25], Th. Litz 1903 Col. 550 f., und zu der neuesten Übersetzung von Pallis, ib. 591 f.). Dabei wirken hochgespannte nationale Empfindungen und kirchliche Ehrfurchtsempfindungen mit= 25 einander (vgl. auch Kleanthes Nicolaides in Allgem. Zeitg., März 1903).

Die Kirche „wünscht" nur, daß das Volk aus der Bibel „hören" möge. Die Synode zu Jerusalem 1672 hat, was Dositheus in seiner Confessio, Decr. XVIII, quaest. 1 (Kimmel I, S. 465 f.) in dieser Richtung ausführt, gebilligt und das ist noch immer der Standpunkt der „Kirche". Ihr erscheint nur die gottesdienstliche Auswahl 30 von Lesungen aus der Bibel als heilsam für „alle". Aber die Theologen sind unbe= schränkt und durch ihre Vermittlung wird eben die Lehre in einer Form von wirklicher Biblicität dem Volk nahe gebracht. Etwas von historischer Christusanschauung ist da= durch lebendig erhalten. Die Ehrfurcht vor der Bibel ist die höchste in allen Schichten. Ein Vorzug der Bibelverwertung im Volksunterricht ist die Verwendung der Maka= 35 rismen der Bergpredigt, für die bei den abendländischen Katechismen beider Konfessionen keinen Platz haben: an diesen Herrenworten wird die wahre Freude der Christen illustriert.

Alsbald muß nun aber auf eine empfindbare Schranke der Lehrdarstellungen der orientalischen Kirche verwiesen werden. · Es ist alles darin, ich möchte sagen, eigentümlich lau. Man spürt zumal auch bei der Darstellung der Lehre von der σωτηρία, als 40 Christus vermittelt habe, wenig von innerer Gemütsbeteiligung; weder Furcht noch Zu= versicht tritt irgendwie lebendig hervor. Die „Lehre" weckt in dieser Kirche keine Herzenstöne. Erst wo Polemik ins Spiel kommt, geht es lebhaft her; da ist es dann ihren Vertretern nur in sehr geringem Maße gegeben, die Gegner zu verstehen. Die Vorstellungen auch an sich nicht untüchtiger orthodoxer Theologen vom Protestantismus 45 sind unglaublich thöricht.

Ich könnte den Eindruck der orthodoxen Theologie so charakterisieren, daß ich sagte, es gelinge ihren Darstellern unter Umständen nicht die Stimmung der religiösen meditatio auszubreiten, von tentatio merke man kaum etwas bei ihnen. Und doch fehlt ein Be= wußtsein auch von solcher der orientalischen Christenheit nicht. Das erkennt man, wenn 50 man sie in der oratio beobachtet. Aber das führt uns auf ein anderes Gebiet als das des Dogmas und kann uns daran erinnern, daß diese Kirche ihre wahre Eigenart auf dem Gebiete ihrer Feiern bewährt. Wer nur die Technik ihrer Lehre kennt, hat kaum eine andere Vorstellung gewonnen, als die der Zäune, womit sie sich umgeben hat.

2. Wir sind doch nicht in der Lage, dem Kultus der orientalischen Kirche näher 55 zu treten ohne zuvor freilich noch eine Reihe von Theorien ins Auge zu fassen. Es ist die „Kirche", die den Kultus feiert, und aller Kultus der Kirche gruppiert sich um die „Mysterien". Vergessen wir nicht, daß Kirche und Mysterien als objektive Realitäten gelten, die sich im „Leben" zu spüren geben und niemals bloß theoretisch vergegenwärtigt werden, so werden wir davor gesichert sein, die ihnen gewidmeten „Gedanken" zu über= 60

schätzen, müssen aber doch eben diese kennen, um zu begreifen, was die orientalische Kirche ist oder sein will.

A. Die Idee der Kirche. Das Symbol bietet für die Kirche die Prädikate μία, ἁγία, καθολική und ἀποστολική. Es ist nicht gerade häufig, daß orthodoxe Theo=
5 logen sich darauf besinnen, das Subjekt ἐκκλησία sei wohl auch einer Besprechung be= dürftig, und nicht bloß die Prädikate. Der oben S. 450, 10 genannte Bernardakis gehört zu denjenigen, die das Subjekt selbst nicht übersehen, ἱερὰ κατήχησις § 84. Er stellt sie charakteristischer Weise sofort unter den Begriff eines πρᾶγμα, näher unter den einer βασιλεία, diese als ein geordnetes spezifisches Gemeinwesen gedacht, dessen σκοπός zu
10 bezeichnen ist als ἡ διὰ τοῦ εὐαγγελίου τῆς χάριτος συντήρησις καὶ προσαγωγὴ τοῦ ἔργου τῆς σωτηρίας. Die σωτηρία wird in der Kirche durch dreierlei realisiert: ἡ διδασκαλία τοῦ λόγου τοῦ θεοῦ, ἡ τέλεσις καὶ κοινωνία τῶν μυστηρίων, ἡ κυβέρνησις. Diesen drei Mitteln entsprechen die drei Prädikate: μία ist die Kirche, so= fern sie ἀλώβητον (unverletzt) τηρεῖ τὴν διδασκαλίαν, ἁγία erweist sie sich, indem
15 sie προσηκόντως (vorschriftsmäßig) die Mysterien verrichtet, καθολικὴ καὶ ἀποστολικὴ ist sie, wenn sie „nach den Vorschriften der Apostel und der Synoden" verwaltet wird. Also die Kirche ist begrifflich Anstalt. Im Centrum steht ihr Prädikat als ἁγία. Daß eigentlich alles auf dieses mittlere Prädikat ankomme, ergiebt das weitere, wo nur noch polemisch gezeigt wird, daß weder die ῥωμαϊκή noch die διαμαρτυρομένη ἐκκλησία
20 dem Begriff der Kirche entsprechen, sondern nur „ἡ ἐκκλησία ἀνατολική", die daher auch mit Recht als „ὀρθόδοξος" bezeichnet werde, und wo dann alsbald das Symbol verlassen und in einem besonderen μέρος zu ausführlicher Erörterung der μυστήρια übergegangen ist.

Die Kirche ist für den orientalischen Christen eben durchaus eine konkrete empirische
25 Anschauungsgröße. Den Sinn ihrer Prädikate bemißt er kurzerhand nach ihrer möglichen Verteilung auf die Anstalt, in der er sich als Christ lebendig fühlt. Und diese Anstalt ist ihm eine „Hierarchie" nach dem genuinen Begriff dieses Ausdrucks. Der ἱεράρχης ist nach altem Sprachgebrauch derjenige, der den ἱερὰ „vorsteht". Er ist als solcher unter= schieden vom λαός, der nicht selbst opfert, sondern für den geopfert wird. Aber der
30 „Hierarch" hört auf eine religiös bedeutsame Persönlichkeit zu sein und sich vom „Volke" zu unterscheiden, wenn er den Altar oder Tempel verläßt und sich im bürgerlichen Leben bethätigt. Der ἱεράρχης ist also nur der ἱερουργός. Eine „Herrschaft" über das Volk übt er nicht. In der orientalischen Kirche besitzt in der That der Priester als solcher keinerlei Obergewalt über seine Gemeinde, und die Vorstellung, daß ein „Priester" nur
35 in der Kirche, bei Verrichtung der Mysterien, einen religiösen Charakter repräsentiere, ist im Volke sehr lebendig. Erst der Bischof hat neben seiner mysteriösen Vollmacht auch ein Maß von regimentlicher Gewalt. Aber die letztere übt er fast nur im Namen der ihm zugeordneten „Synode", und diese wieder ist für die eigentlichen Regierungsbefugnisse auf die Mitwirkung eines mehr oder weniger starken Laienelements angewiesen. — Der
40 Priesterstand wird durch ein besonderes Mysterium, die ἱερωσύνη, begründet; darüber hernach. Es entspricht der bezeichneten Grundanschauung vom Priester, daß die orien= talische Kirche dem Klerus die Ehe gestattet. Freilich nur die „einmalige", der verwit= wete Priester darf nicht wieder heiraten. Die Eheschließung muß auch der Einweihung des Priesters vorausliegen. Vom bloßen Priester verlangt die Kirche die Verehelichung
45 sogar. Umgekehrt darf der Bischof nicht verheiratet sein (wohl gewesen sein; in der Regel wird der Bischof aus den Mönchen gewählt). Alle diese Spezialitäten, zum Teil Sonderbarkeiten, des „Priestercherechts" haben ihre Anhalte an Verhältnissen der Geschichte, die hier nicht zu verfolgen sind.

B. Die großen Mysterien. Daß es insonderheit sieben Mysterien gebe, war
50 ein Gedanke, der sich seit dem Konzil von Lyon 1274 deshalb einbürgerte, weil die Siebenzahl an sich für die Zahl der χαρίσματα τοῦ ἁγίου πνεύματος gilt und es doch eben die „Gaben des Geistes" sind, die durch die Mysterien den Menschen in der Kirche zu teil werden. Die Confessio orth. rechtfertigt die Siebenzahl auf diese Weise und beruft sich dabei auf den Patriarchen Jeremias II., der das den Lutheranern „εἰς
55 πλάτος" dargethan habe; p. I, quaest. XCVIII. Seit dem 17. Jahrh. steht diese Lehre definitiv fest, Conf. Dosithei, Decr. XV; zuvor war sie noch eine Art von „freier" Lehr= meinung gewesen. Die Mysterien bringen die Gnade εἰς τὴν ψυχήν: das ist aber nicht etwa so zu verstehen als ob sie bloß „geistige" Größen seien, ψιλὰ σημεῖα. Sie sind τελεταί, „Feiern", in denen durch ein „φυσικόν" ein ὑπερφυές gewährt wird Dosith.
60 l. c. (Kimmel I, 450). Für anatolische Anschauung ist das Pneumatische nie bloß eine

ἔννοια, sondern stets auch ein πρᾶγμα. — Eine Lehre von der Reihenfolge der Mysterien giebt es nicht. Doch denkt jeder Theolog bei dem Worte zuerst an

a) Die Taufe. Sie ist die einzige Form, wie man ein Christ wird, und höchstens bei Kindern, die vor der spätestens auf den vierzigsten Tag nach der Geburt festgesetzten Taufe sterben, kann man „zweifeln", ob sie nicht vielleicht doch selig werden; im Notfall darf ein Laie taufen. Getauft wird durch völliges Untertauchen, und es ist ein ständiger Vorwurf gegen den Westen, daß er durch bloße Besprengung taufe. Es knüpft sich daran die Frage nach der Giltigkeit der „westlichen" Taufe. Im griechischen Gebiet wird sie durchgehends verneint, im russischen bejaht. Die Conf. Dosith. berührt die Frage auffälligerweise nicht, gewiß nicht durch Zufall. Vgl. aus der Litteratur (dazu Konfessionsk. I, 405) zuletzt A. P. La rebaptisation des Latins chez les Grecs, ROChr. VII, 1902, S. 618 ff. VIII, 111 ff. Zur Taufe gehören Abrenuntiation und Bekenntnis des Symbols. Die Verscheuchung des Teufels von dem Wasser, eine Exorcisation des Täuflings selbst zeigen einen Hintergrund der Handlung, der dem Volksbewußtsein sehr lebhaft gegenwärtig ist. In allem Wesentlichen ist der Taufritus noch derjenige der alten Kirche, der doch auf Erwachsene berechnet war. Unmittelbar mit der Taufe verbunden ist

b) Die Salbung mit dem μύρον, einer aus vielerlei Substanzen bereiteten, duf= tenden Salbe. Sie gilt für identisch mit dem römischen Sakrament der „Firmung", hat aber fast nichts damit gemein. Der Täufling wird am ganzen Körper gesalbt. Natur= gemäß darf jeder „Priester" salben. Das Mysterium wird als „Versiegelung" durch den „Geist" gedeutet. Am richtigsten schließt man jetzt wohl an

c) Die Eucharistie. Gelehrt wird, daß Brot und Wein eine „Transsubstantiation", μετουσίωσις erfahren kraft der ἐπίκλησις τοῦ ἁγίου πνεύματος. Für die lange Ge= schichte der Vorstellungen von dem Verhältnis zwischen den Elementen und dem Herrn selbst s. besonders die oben genannte Serie von Abhandlungen, die Steitz verfaßt hat (eine Uebersicht in Konfessionsk. I, 413 ff.). Ferner Art. „Abendmahl II, Kirchenlehre" Bd I S. 38, auch „Transsubstantiation". Die Eucharistie ist „Opfer" (θυσία, προσφορά) und „heilige Speise" (κοινωνία); vgl. Art. „Messe, dogmengeschichtlich" in Bd XII S. 664 ff. In Bezug auf ersteren Gedanken ist die orthodoxe Theologie bei viel einfacheren Vorstellungen stehen geblieben, als mit Bezug auf letzteren, der unverkennbar praktisch das höhere Interesse in Anspruch nimmt. CO. I qu. 107 wird erörtert, was alles für die Eucharistie zu „beobachten" sei. Die wichtigsten Voraussetzungen sind ein ἱερεὺς νόμιμος und ein „Altar" oder doch ein Tisch mit ἀντιμήνσιον, einer bestimmten heiligen Decke (vgl. Art. „Antimensium" Bd I S. 585; S. Petridès, L'antimension, EO III, 1899, S. 193 ff.). Sodann kommt es darauf an, daß „gesäuertes Brot" verwendet wird; daß das Abend= land ungesäuertes, ἄζυμα, benutzt, ist einer der ständigen Vorwürfe. Begegnet sich die gegenwärtige orientalische Kirche mit der römischen in der Vorstellung von der Art der Wandelung der Elemente, so bleibt es eine Differenz, daß sie das Medium der Wand= lung in einem „Gebet" findet, nicht in der Rezitation der Einsetzungsworte. An die Eucharistie knüpfen sich, wie in der römischen Kirche (nur hier mehr an das Opfer, in der orientalischen mehr an die Speise) die tiefsten religiösen Empfindungen. Von ihr wird gesagt, daß sie alle anderen Mysterien „ὑπερέχει", CO I, 106. In allen anderen wird nur eine von dem Herrn gewissermaßen abgelöste δωρεά geboten, hier er selbst als παρών. Die Taufe ist als das Eingangsmysterium an sich „unbedingt" für den Christen „nötig", sie ist aber „unwiederholbar"; die Eucharistie ist das regelmäßigste, wunderbarste, inhaltreichste Mysterium. Geistig-leiblich, denkend-fühlend tritt der Christ hier in eine lebendige Gemeinschaft mit Christus, wie sie ihm die Taufe unmittelbar noch nicht giebt. Die orientalische Kirche gewährt den Laien so gut wie das Brot, nämlich beides in Einem, indem das Brot in den Kelch gebrockt und die Mischung mit einem Löffel dargeboten wird. Das geringe Quantum dieser eigentlichen heiligen Speise, das immer nur unter wenigen verteilt werden kann, wird ergänzt durch die sog. Eulogien; s. Art. „Eulogia", Bd V S. 593 f. Auch Kinder werden zur κοινωνία zugelassen.

d) Die Buße, μετάνοια. Dieses Mysterium ist das am wenigsten bedeutsame, offenbar weil es wenig Ritual hat. Die „Lehre" über es ist ganz wesentlich in Übereinstimmung mit der römischen, aber sie kann ihm nicht entfernt die bedeutsame Stellung verschaffen, die das Bußsakrament in der römischen Kirche hat. An ihm wird besonders klar, daß der orientalische Priester gar nicht die „führende", herrschende Stelle im „Leben" seiner Gemeinde hat, wie der römische. Die Hauptsache ist die ἐξομολόγησις, die Beichte; der Gläubige „soll" sie einem „Priester" ablegen, „so oft ihn seine Sünden drücken". In feierlicher Form geschieht sie in der Kirche, wie es scheint, vor dem Bilde des Herrn an der Ikonostase. Aber mehr geübt als die „mysteriöse" Beichte wird offenbar die private bei irgend einem angesehenen Mönch. Es wird sich da der Regel nach um „Priestermönche" handeln, doch sind nicht nur solche als πατέρες πνευματικοί gesucht. Am längsten haben sich in der Bußinstitution der alten Kirche „enthusiastische" Elemente erhalten und sie fehlen noch heute nicht. Vgl. das lehrreiche Buch von K. Holl, Enthusiasmus und Bußgewalt beim griech. Mönchtum, 1898.

e) Das Gebetsöl, εὐχέλαιον. Es genügt hier auf den Art. „Ölung, letzte" in diesem Bande, speziell S. 310 f. zu verweisen. Zu der dort benutzten Litteratur ist hinzuzufügen: G. Jacquemier, L'Extrême-onction chez les Grecs, EO II, S. 193 ff. Das Mysterium hat nur wenig Gemeinsames mit dem römischen angenommenen Parallelsakrament. Es ist zum Teil der Ersatz des Bußmysteriums.

f) Die Ehe, γάμος. Vermöge des reichen Rituals ist die Verlöbnis- und Ehesegnung ein eindrucksvolles Mysterium. Doch führen die meisten Fragen und „Lehren", die die Ehe betreffen, auf das Gebiet des kanonischen Rechts. Bedeutsam sind die verbotenen Verwandtschaftsgrade, wobei noch leibliche und geistliche (durch Patenschaft und dgl. begründete) Verwandtschaft unterschieden wird. Ehescheidung ist möglich, die Kirche will höchstens eine dritte Ehe noch „segnen".

g) Die Priesterweihe, ἱερωσύνη. Sie geschieht durch eine Handauflegung, χειροτονία, seitens des Bischofs. Es ist hier der Ort, um die „Lehre" von der Hierarchie zu Ende zu führen. Es giebt drei hierarchische, auf Christus bezw. die Apostel zurückgeführte „Stufen" (βαθμοί), deren jede für sich ein „Amt" repräsentiert: die Stufe des „Diakonen", des „Priesters", des „Bischofs"; erst der Priester darf alle die Laien betreffenden Mysterien vollziehen, der Bischof hat das ausschließliche Recht der Priester und der Altarweihe. Unter dem Diakonen, den der Priester in den Gebeten unterstützt, stehen eine Reihe noch nicht eigentlich hierarchischer, doch aber kirchlich festbeamteter Funktionäre, die Vorleser (Anagnosten) 2c. Über dem Bischof erheben sich die wiederum nicht „hierarchisch" gestaffelten „Rangstufen" der Archiepiskopen, Metropoliten, (zum Teil auch umgekehrt), zuletzt Patriarchen. Die Priester unter sich sind auch in Rangstufen (Protohiereis 2c.) gegliedert. Das alles sind zur Zeit mehr Titel als Ämter und Würden; speziell in Rußland ist ein „Metropolit" nur ein höher charakterisierter Bischof; in den anderen Kirchen ist der Metropolit theoretisch oder wirklich ein Vorgesetzter von Bischöfen, die er zu weihen hat; in Rußland scheint der heil. Synod, dem die Bischöfe dem Zaren vorschlägt, den Konsekrator zu belegieren. Der ökumenische Patriarch hat noch eine Art von hierarchischem Vorrecht, nämlich das der Myronweihe. Freilich ist ihm dieses nur für die Kirchen, die im letzten Jahrhundert aus seiner Obedienz austraten, geblieben. Rußland bereitet sein Myron selbst (in Moskau, daneben in Kiew im Höhlenkloster). An sich hat jede autokephale Kirche das Recht der eigenen Myronbereitung. Indem diese heil. Salbe von Einem, dem „obersten" Hierarchen, bereitet wird, bringt man den geistlichen Zusammenhang des betreffenden Sprengels zur Anschauung. Vgl. u. a. L. Petit, Du pouvoir de consacrer le saint chrême, EO III, 1899, S. 1 ff., 129 ff. Für die besonderen Würdenträger der μεγάλη ἐκκλησία in Konstantinopel, die sog. „Chöre", die den ökum. Patriarchen umgeben (jetzt nur noch gewisse Reste ehemaligen Glanzes seines Θρόνος) vgl. L. Clugnet, Les offices et les dignités ecclésiastiques dans l'église grecque ROChr. III, 1898, S. 142 ff.; 260 ff.; 452 ff.; IV S. 116 ff. und E. Reinhardt (oben S. 444, 30), S. 434—35. Es handelt sich dabei im hierarchischen Sinn bloß um Titel und zum „Schmucke" des Gottesdienstes dienende Funktionen; daneben um gewissermaßen höfische Ämter im Dienste der Patriarchen; der wichtige „Großlogothet" ist der Geschäftsführer des Patriarchats bei der Pforte und gewöhnlich Laie.

3. Die heiligen Zeiten und die Liturgie. A. Kleinere Mysterien, Geistliche Dichtungen und Musik. Alle Mysterien sind nur lebendig als Feiern und jedes von ihnen hat seine vorgeschriebene Form, seine „Akoluthie". Die mannigfachsten Nebenfeiern umgeben die grundlegenden und für die Erhaltung des Glaubens bezw. die „προσαγωγὴ τοῦ ἔργου τῆς σωτηρίας" notwendigen. Wenn man ansieht, welch eine Rolle die Totenriten spielen, so kann man zugleich erkennen, wie zufällig es ist, daß gerade die oben besprochenen sieben τελεταί allein im Vollsinn als „μυστήρια" gelten. Die mystagogische Theologie hat sich auch keineswegs bloß mit ihnen befaßt. Sie wendet sich allem und jedem zu, was im Kultus eine Stelle hat, den kirchlichen Räumen, Geräten, Gewanden 2c. 2c. Alles was in der Kirche eine Aufgabe erfüllt, sei es die minimalste, wird „geweiht" und gewinnt damit einen „mysteriösen" Charakter. Die mystagogische Theologie ist jene uferlose Spekulation, die an alles was zur Kirche gehört, in

ihr geschieht, den „Sinn" aufspürt, bezw. in phantasievoller Weise alles darin mit „geheimem" geistlichen Sinne begabt; für den orthodoxen Christen ist der Ritus die Verdeutlichung der Lehre; für das Volk lebt die Lehre, das Dogma nur im Ritus, in den Symbolen, Personen, Bräuchen der Kirche.

Aber die Mysterien haben sämtlich ein Moment von Gelegenheitsfeier an sich. 5 Natürlich, immer wieder wird getauft, gesalbt, gebeichtet, getraut 2c. Aber eine eigentliche Regel ist da doch nicht vorhanden. Die orthodoxe Kirche hat auch nicht, wie die römische Kirche, eine tägliche Messe oder „Liturgie". So gilt es, ihr „Kirchenjahr" und das feste Gerüst der regelmäßig sich abspielenden Feiern in ihr ins Auge zu fassen, um von ihrem Kultus und dessen Bedeutung im Leben ihrer Völker die richtige Vor- 10 stellung zu gewinnen. In den heil. Büchern treten uns bestimmte feste Unterschiede der kultischen Handlungen in verschiedenen Zeiten des Kirchenjahrs entgegen. Die Zeiten des zwiefachen Triodions und Oktoichs sind kultisch hauptsächlich unterschieden durch die zu ihnen gehörigen Hymnen und Musikformen. Ich versage mir, auf die Dichtung und den Gesang der orthodoxen Kirche hier einzugehen. Anderes als was Krumbacher, 15 Gesch. d. byzant. Litteratur, 2. Aufl., in dem Abschnitt „Kirchenpoesie", S. 653—705, bietet, hätte ich nicht vorzubringen. Eine Auseinandersetzung über die verschiedenen Formen der Gesänge, die Oden, Troparien, Sticheren, Kontakien, Iken 2c. wäre hier nicht am Platze f. Nilles I², p. LVIII ss.). Über die Formen der in der orthodoxen Kirche heimischen Musik ist vollends noch soviel Unsicherheit vorhanden, daß darüber vorerst noch kaum 20 zweckmäßig zu berichten ist. Wer je in großen und reichen Kirchen dem orthodoxen Gottesdienst beigewohnt hat, weiß, wie eigenartig schön der dazu gehörige Gesang ist. Nicht die Gemeinde singt, sondern ein geschulter „Kirchenchor". Instrumentalbegleitung giebt es nicht. Orgeln, Posaunen u. dergl. benutzt die Kirche nicht; alles ist reine Vokalmusik. Deren technische Struktur ist offenbar voller Rätsel, die hier nicht einmal anzudeuten 25 sind. Als Begründer des Oktoichs wird Johannes von Damaskus angesehen; f. dazu den Art. in Bd IX, speziell S. 298; das κανόνιον τῆς μουσικῆς, das ihm zugeschrieben wird, kenne ich nicht. Übersicht über die Litteratur bei Krumbacher, S. 599 f.; vgl. noch J. Thibaut, L'harmonique chez les Grecs modernes, EO III, 1900 S. 211 ff.; auch J. Parisot, Essai sur le chant liturgique des églises orientales, ROChr. III, 30 221 ff.

B. Feste, Heilige, Bilder und Fasten. Über die Feste instruiert man sich in der Kürze am besten nach Nilles, Ἑορτολόγιον s. Kalendarium manuale (in der 2. Aufl., 1896—97, I, S. 32 ff.), danach in meiner Konfessionsk. I, 454. Nach vier Gesichtspunkten werden dieselben unterschieden: a) nach dem Objekt, bezw. der Person, 35 der sie gelten; danach ergeben sich die „Herrenfeste", „Muttergottesfeste" und „Heiligenfeste"; b) nach der Art der Feier; danach giebt es „große", „mittlere" und „kleinere". Die großen haben eine Vorfeier, προεόρτιον, und eine besondere Schlußfeier, ἀπόδοσις. Zu ihnen gehören zwölf Feste, die teils dem Herrn, teils seiner Mutter gelten. Das eigentliche Großfest der orthodoxen Kirche ist Ostern, τὸ πάσχα. Es ist in jeder Weise 40 ausgezeichnet. Die ganze auf dasselbe hinleitende Woche ist von besonderen Feiern durchzogen, f. dazu den Art. „Woche, große"; daneben auch „Passah, christliches". Überall wird schließlich der Ostertag selbst als der Höhepunkt des kirchlichen Lebens empfunden. Das entspricht der alten religiösen Grundstimmung des Orients; f. oben S. 440 Charfreitag ist natürlich ein Trauertag, nur sieht das Volk schon ihn im Lichte 45 des kommenden Osterfestes. Will man sich klar machen, daß die orthodoxe Kirche doch noch in einer Kontinuität der geistlichen Empfindung mit der „Zeit der Väter" steht, so muß man beachten, daß immer noch das Grundprädikat des „Kreuzes" ist: „das lebenspendende". Weihnachten, Himmelfahrt, Pfingsten, dann zumal noch Epiphanias, d. i. das „Jordanfest" oder das Fest der „Wasserweihe", und das Fest der „Kreuzerhöhung", 50 14. September („ἡ παγκόσμιος ὕψωσις τοῦ τιμίου καὶ ζωοποιοῦ σταυροῦ", knüpft an bei der Wiederfindung, dann öffentlichen Aufstellung des Kreuzes des Herrn in Jerusalem 326 bezw. 335, vgl. Nilles I, 274 ff., ferner P. Bernardakis, Le culte de la croix chez les Grecs, EO V, 1902, S. 193 ff.) gehören weiter in erster Linie zu den großen Festen, von Marienfesten das der ὑπαντή (Begegnung mit Symeon im Tempel, Fest der 55 purificatio Mariae, 2. Februar), das der κοίμησις (dormitio Mariae, 15. August) u. a. c) Eine dritte Unterscheidung der Feste ist die nach dem Maße ihrer „äußeren" Ehrung, nämlich danach, ob auch der Staat sie anerkennt und daraus einen „bürgerlichen Feiertag" macht, d. h. seinen Behörden die Arbeit untersagt. Dieser festa fori giebt es im Laufe des Jahres einige zwanzig, also erheblich mehr als auch in römisch-katholischen 60

Ländern. Da die mittleren Feste für das Volk auch mindestens „Halbfeiertage" sind, so bleiben für den korrekten Orthodoxen kaum 250—270 Arbeitstage übrig; (Leroy Beaulieu III, 128 ff. bringt damit die üble wirtschaftliche Lage Rußlands zum Teil in Verbindung). d) Endlich unterscheidet man „bewegliche" und „unbewegliche" Feste, d. h.
5 solche, die vom Ostertermin aus berechnet alljährlich das Datum wechseln, und solche, deren Datum feststeht.

Über die Heiligen ist hier etwa das folgende am Platze. Man hat deren in der orientalischen Kirche ungezählte. Am höchsten steht die Mutter des Herrn, die am liebsten als die Θεοτόκος und ἀειπάρθενος bezeichnet wird, sie ist die παναγία. Immer wieder
10 kommen neue Heilige in Geltung. Einen „Kanonisationsprozeß", wie die römische Kirche ihn kennt, hat die orientalische Kirche nicht entwickelt. Nur gewisse Prüfungen nimmt die kirchliche Behörde vor, wenn jemand im „Geruche der Heiligkeit" gestorben ist, oder wenn ein Heiliger „gefunden" wird. Das Hauptmerkmal der Heiligkeit ist nämlich die „Unverweslichkeit" des Körpers, oder doch besondere Merkmale der exhumierten Knochen
15 eines Verstorbenen. Der „Geruch" im physischen Sinn ist eine sehr wesentliche Sache bei einem Heiligen; in Rußland muß auch das Heiligenbild „wohlriechend" sein (und wird daher auf besonderem Holze gemalt). — Als das „glänzendste Heiligenoffizium, das die griechische Kirche kennt" bezeichnet Nilles dasjenige des „Festes der drei ökumenischen Lehrer" (s. oben S. 453, 51), 30. Januar, ZkTh XVIII, 1894, S. 743 f., auch Ἑορτολόγον
20 I, 87 f. Der Bollandist Ratß teilt es mit ausführlichem Kommentar mit, um ein „klassisches Meisterstück" solcher Offizien (Akoluthien), zu geben, Acta Sanct., Jun., tom. II, p. XV ss. (Bei Maltzew, Menologion I, 859 heißt der 30. Januar übrigens das „Fest der drei Hierarchen" und hat auf die Verfasser der drei Liturgien [s. oben S. 452, 11 f. u. 20 Bezug!).
25 Die Heiligenbilder sind dem Volke wie reale Gegenwartsbezeugungen der im Himmel lebenden Originale. Sie dürfen in keiner Kirche und keinem orthodoxen Hause fehlen. Für die Geschichte der Bilder vgl. den Art. „Bilderverehrung und Bilderstreitigkeiten" in Bd III S. 221 ff. Die orthodoxe Kirche widmet keinem Heiligen einen Altar. Sie kennt überhaupt in einer Kirche nur einen einzigen Altar, der dem Herrn
30 gilt. Aber jeder Heilige hat sein „Bild" und sein „Fest". Die Konformierung des orthodoxen Kalenders mit dem abendländischen hat von seiten der Kirche u. a. die Schwierigkeit, daß wenigstens in dem Jahre der Zusammenlegung zur Zeit dreizehn Tage und damit die Feste einer Menge von Heiligen ausfallen müßten. Als Bilder duldet die orthodoxe Kirche nur Mosaiken und Gemälde (meist auf Holz), keine Statuen. Viele
35 Heiligenbilder sind in den Kirchen, liegend auf kleinen Pulten, zum Küssen ausgestellt. Es ist nicht uninteressant, daß der Festtag der Bilder, d. h. des Siegs der Bilderfreunde über die Bilderfeinde in Konstantinopel 843, als κυριακή τῆς ὀρθοδοξίας gefeiert wird (1. Sonntag der großen Fasten). Natürlich sind die Heiligen wunderthätig. Und zwar sind sie es durch Vermittelung ihrer Bilder. An die letzteren wendet sich zumal
40 der Russe in jeder Sorge. Dem niederen Russen ist sein Heiligenbild sein „Gott" (s. Bd III S. 226, 2 ff.). Mit dem Heiligenkult hängt auch das Wallfahren zusammen. Besonders der Russe trachtet möglichst viele „heilige Orte" im Leben zu besuchen; am glücklichsten ist, wer bis nach Jerusalem gelangt. Wo wirkliche alte Heiligenleiber zu sehen sind, wie in dem berühmten Höhlenkloster zu Kiew, gar wo die „Spuren"
45 des Lebens des Herrn noch zu erkennen sind, wie in der Grabeskirche zu Jerusalem, ist natürlich der Himmel am nächsten. Aber alle Arten von Reliquien (λείψανα) sind geehrt und feiernswert. — Neben den Heiligen sind die Engel ein Gegenstand festlicher Verehrung; der Glaube an sie wird im Zusammenhang mit der Lehre von Gott selbst eingeschärft, CO I, quaest. XIX ff.
50 Nicht Festzeiten, wohl aber heilige Zeiten, durchzogen mit besonderen kultischen Veranstaltungen, sind die Fastenzeiten. Es giebt ihrer vier „große" d. h. vierzigtägige, die Fasten vor Ostern, die Apostelfasten (vom Sonntag nach Pfingsten an), die Marienfasten (vom 1. August an), die Adventsfasten. Voll ausgehalten werden doch nur die vierzig Fasttage vor Ostern, die eigentliche Τεσσαρακοστή. Die orientalische Kirche hat nun die
55 Besonderheit, daß sie am Sonntag und Sabbat (außer Ostersabbat) nicht fastet. Danach ergiebt sich, daß die Tessarakoste für sie acht Wochen befaßt. Die römische Kirche, die nur Sonntags das Fasten unterbricht, hat sechsundeinhalb Woche nötig. Seit Photius ist die Differenz der Fastenberechnung einer der Kontroverspunkte zwischen den Kirchen.

C. Der Sonntag und die Liturgie. Die Feier der Eucharistie oder Liturgie
60 (vgl. für diesen Ausdruck die Erörterung im Art. „Messe" Bd XII S. 667, 35 ff.) ist

die eigentlich regelmäßige, zwar nicht alltägliche, jedoch jedenfalls allsonntägliche und fest-
tägliche Kultübung der orthodoxen Kirche. Sie ist nur einmal am Tage möglich; eine
Mehrzahl von „Messen" für den einzelnen Tag kennt die orientalische Kirche nicht, deshalb auch die Votivmessen im römischen Sinne nicht; bei der regulären Liturgie kann
eine besondere Fürbitte stattfinden, aber „Seelenmessen" nach römischer Art giebt es so 5
wenig als andere spezielle Zweckmessen. Was sich nicht einfügen läßt in die Gebete und
Lesungen der für den bestimmten Tag vorgesehenen Liturgie wird in einer besonderen Akoluthie gefeiert.

Zu notieren ist hier, daß in der orthodoxen Kirche nicht der Sonntag, sondern der
Montag die Woche beginnt. Dem entspricht es, daß die Woche heißt nach dem sie ab- 10
schließenden Sonntag. Das ist der umgekehrte Brauch als der abendländische. Wiederum
beginnt in der orthodoxen Kirche der Tag nicht mit der Mitternacht, sondern mit sechs Uhr
abends. Schließlich die „Stunden" werden von morgens sechs Uhr ab gerechnet. Die
Liturgie beginnt mit der „dritten Stunde". Sie ist dementsprechend in ihrem Eingange
kombiniert mit der Akoluthie dieser Hore. Für gewöhnlich wird auch die der sechsten 15
und neunten Stunde mit ihr zusammengezogen (den Hauptinhalt der Horen bilden Lesungen). In welchem Umfange die anderen Horen, Apodipnon, (großer) Hesperinos, Me-
sonyktikon, Orthros 2c. abgehalten werden, ist sehr verschieden. „Nachtwachen" (ἀγρυπ-
νίαι) sind, außer bei besonderen Festen (Ostern; auch Weihnachten, Pfingsten und sonst),
nicht üblich (die „Totenwachen" sind eine Sache für sich). In den Klöstern allein werden 20
die Gottesdienste überhaupt nach dem vollen Ritual gefeiert, und auch da werden Ausnahmen gemacht. Denn die Länge der einzelnen Feiern ist eine außerordentlich große.

Die Liturgie hat drei Hauptteile, einen vorbereitenden Akt, die sog. Proskomidi
(προσκομιδή), dann zwei Teile, die noch als Katechumenenmesse und Messe der Gläubigen bezeichnet werden, also den Rahmen des Rituals der alten Kirche festhalten: 25

a) Die Proskomidi, „Zurüstung", zerfällt wieder in zwei Teile. (Vgl. für ihre geschichtliche Entwickelung Pétridès, La préparation des oblats dans le rite grec,
EO III, 65 ff.) Der erste ist eine Eröffnungsceremonie vor der Bilderwand. Priester
und Diakon begrüßen sich, verneigen sich vor den „heiligen Thüren" gegen Osten und
beten um Entsündigung und rechte innere Bereitung, wenden sich dann nach rechts zu 30
dem Bilde Christi, ferner nach links zum Bilde der Maria, beide küssend und um Fürsprache anrufend. Hierauf gehen sie in den Altarraum, küssen auch hier die heiligen
Bilder, darauf das Evangelium auf dem Altar und diesen selbst, und legen dann im
Diakonikon (Sakristei) die liturgischen Gewande an, bei jedem einzelnen Stück ein Gebet
sprechend. Über die kultische Kleidung in der orientalischen Kirche s. den Art. „Kleider 35
und Insignien, geistliche", Bd X, speziell S. 533 ff. Fünf Stücke gehören zur Tracht
des Priesters bei der Liturgie, das Sticharion, ein langherabfallendes, weißes Gewand,
darüber ein Gürtel, an den Händen Stulpen (um das Sticharion an den Händen zu
halten), um den Hals ein ziemlich breites, auf beiden Seiten langherunterhängendes Band,
auf das Kreuze gestickt sind (das Epitrachelion), endlich ein Obergewand, das Phelonion, 40
welches dem Wechsel der liturgischen Farben unterliegt (ohne Ärmel, mit einem Ausschnitt
für den Kopf). Die Bischöfe, Metropoliten, Patriarchen, haben zum Teil eigentümliche
Formen der Gewande, zum Teil besondere Abzeichen, so speziell ein kostbares Kreuz und
ein Heiligenbild auf der Brust (der Patriarch trägt zwei Kreuze), ferner eine Mitra (eine
kronenartige, mit Edelsteinen geschmückte, von einem Kreuze überragte Mütze). Jedes ein- 45
zelne Stück hat längst seine geistliche Deutung gefunden (s. über diejenige, die Symeon
von Thessalonich, hierfür die Hauptautorität, gegeben hat, meine Konfessionskunde I,
355 f.). — Nachdem dieser Akt abgeschlossen, begeben sich Priester und Diakon in den
Raum auf der anderen Seite des Altars, der als „Prothesis" bezeichnet wird. Dort geschieht die Zurüstung des Brotes und Kelches für die Feier. Die orientalische Kirche 50
verwendet wirkliche Brote von flacher, tellerartiger Gestalt und zwar jedesmal fünf. Diese
sind die „Prosphoren", die „Opfergaben", und der Priester schneidet aus jedem der Brote
einzelne Stücke heraus, die er auf einen Teller (Diskos) eigentümlich zu einem Aufbau
ordnet. Aus der ersten Prosphore nimmt der Priester das „Lamm." Auf dem Brote
ist nämlich ein viereckiges Mittelstück, in welches auf der einen Seite ein „Kreuz" ein- 55
geprägt ist, auf der anderen das sog. „Siegel", die Sphragis, d. h. vier Felder, welche
oben die Buchstaben ΙΣ oder ΙΗΣ (Jesus), ΧΣ (Christus), unten die Buchstaben ΝΙ
und ΚΑ (νικᾷ) tragen. Dieses Mittelstück wird herausgeschnitten aus der Prosphore
und repräsentiert den Herrn selbst. Der Priester vollzieht an ihm eine „Schlachtung"
indem er mit einer „Lanze" in alle vier Felder sticht und schließlich das ganze Stück 60

„kreuzweis" schneidet. Es wird zu unterst auf den Diskos gelegt. Dann nimmt der Priester von den anderen Prosphoren bestimmte Teile, von der „zweiten" ein Stück zu Ehren der Gottesgebärerin, von der „dritten" im ganzen neun Stücke, zuerst (es wird eine genaue Reihenfolge innegehalten) zu Ehren Johannes des Täufers, dann der Pro-
5 pheten, Apostel, der Väter (besonders der „ökumenischen Lehrer"), der Märtyrer, zuletzt des Chrysostomus oder Basilius, je nachdem die Liturgie des einen oder des anderen ge-feiert wird. Die vierte Prosphore gilt dem Klerus (wobei vorab des Oberhaupts der betreffenden Landeskirche, also in Rußland des Synods, dann der Patriarchen, des spe-ziellen Bischofs ꝛc. gedacht wird) und dem Landesherrn (natürlich nur des „orthodoxen")
10 sowie der Familie desselben. Die fünfte Prosphore, sowie auch schon die letzten Stücke der vierten, werden für alle Lebenden und Toten bestimmt, wobei der Priester mit Namen jedes Einzelnen gedenken mag, den er „will". Ist der Aufbau fertig, so wird ein Deckel (der Asteriskos) oben darauf gelegt, damit er nicht stürze. Der feierliche Akt des „Ge-denkens" der verschiedenen Gruppen stellt in wirksamer Weise die große einheitliche Ge-
15 meinschaft der Kirche aller Zeiten vor Augen. Der Kelch wird schon nach der Schlachtung des Lammes (also ehe sich der Priester zur zweiten Prosphore wendet) in der Weise zugerichtet, daß Wein und warmes Wasser zusammen hineingegossen wird. Die „Seg-nung" geschieht im Anschluß an den letzten „Stich" in das Lamm, der die „Seiten-wunde", aus der „Blut und Wasser" hervortrat (Ev. Jo 19, 34 f.), andeutet. Zum
20 Schluße des ganzen Aktes werden Teller und Kelch mit Decken verhüllt und in mannig-facher Weise beräuchert. Während all dieses in der Verborgenheit der Prothesis vor sich geht, hat sich das Volk gesammelt und die Lesungen und Gebete der dritten und sechsten Hora angehört.

b) Die eigentliche Liturgie vollzieht sich in folgenden zwei Akten. Zunächst in einem
25 solchen großer Gebete, einer Reihe von Gesängen und Lesungen. Die letzteren geschehen, wenn der Priester in Begleitung seiner Diakone (bezw. des ganzen „Chors", soweit die betreffende Kirche einen solchen besitzt), den sog. „kleinen Einzug" (die μικρά εἴσοδος) vollzogen hat. Mit dem Evangelium in der Hand tritt er aus der Prothesis heraus und bewegt sich in einem Rundgang durch die Kirche. Er repräsentiert jetzt den „lehrenden"
30 Christus, sein Gefolge die „Jünger." — Der zweite Akt ist der der eigentlichen Opfe-rung und zuletzt der Kommunion. Es geschieht der „große Einzug", der mit dem Diskos und den Prosphoren darauf, sowie mit dem Kelch. Jetzt repräsentiert der Priester den seinem Todesleiden bezw. zuletzt seiner Auferstehung entgegengehenden Christus. Der Zug geschieht von der Prothesis aus zu den „heiligen Thüren" und durch sie zum Altar.
35 Der eigentliche Akt der Darbringung (Wandelung) geschieht hinter den geschlossenen Thüren (die jedoch meist in durchbrochener Art sind, so daß das Volk den Priester und die Hierarchen irgendwie sehen kann). Das Volk hört unterdessen viele Gebete und Gesänge, spricht das Glaubensbekenntnis und vielemale ein Kyrie eleison (russ. gospodi pomilui). Tritt der Priester zuletzt, den Kelch, in den das „Lamm" mitgelegt ist, in der Hand, aus
40 dem Altarraum wieder heraus, so stellt er den Auferstandenen dar, der das „Leben" ausspendet. Gewöhnlich kommunizieren nur Priester und Diakon. (Über die Frage, wie oft man die heilige Speise begehren solle, ist Ende des 18. Jahrhunderts auf dem Athos und in der griechischen Kirche lebhaft gestritten worden.) Den Schluß bildet eine ἀπό-λυσις „Entlassung" in weitläufigen Formen.
45 Die Gesamtfeier ist von großer Länge. Sie ist körperlich für alle höchst anstrengend. Denn ein orientalischer ναός hat keine Sitze. Gepredigt wird in der anatolischen Kirche nur wenig. Jedenfalls gehört keine Predigt zur Liturgie. Wann eine solche even-tuell stattfindet, weiß ich nicht zu sagen. A. Markow, Geschichte der Predigt in der russischen Kirche, 1890, giebt darüber keine Auskunft. Es hat immer einzelne berühmte
50 Prediger gegeben. So unter den Griechen den Damaskinos (s. den Art. „Damascenus, der Stubit", Bd IV S. 428 f.), der im 16. Jahrhundert lebte und das Volkspredigtbuch, das als θησαυρός bezeichnet ist, verfaßte. In Griechenland hat sich zuerst wieder ein Verlangen nach Predigten geregt. Es wurde neuerdings besonders geweckt und gestärkt durch den Priester Lathas im Piräus. Von Smyrna aus ist ein Laienbund begründet wor-
55 den, der für Prediger sorgen will, die „Bruderschaft" der „Eusebeia"; sie wird zum Teil von Bischöfen gefördert. Gewünscht werden Predigten in der Volkssprache; solchem Verlangen steht aber auch wieder manches entgegen (s. oben S. 455, 20 ff.). In Rußland hat der mit protestantischer Theologie vertraute Platon von Moskau unter Alexander I. „Kate-chismuserklärungen" in Predigtform eingeführt, die jedoch keine regelmäßige Institution
60 geworden. Gerade solche Erklärungen begehrt auch das griechische Volk; in Smyrna

werden sie jetzt regelmäßig an den Sonntagnachmittagen veranstaltet. Vgl. Diavast, La prédication chez les Grecs orthodoxes du patriarcat de Constantinople, EO I, 86 ff.; zum Teil danach auch Gelzer S. 74 ff.

IV. Die praktische Frömmigkeit in der orientalischen Kirche. — Litteratur: Besonders die ob. S. 436, 60 u. 61 genannten Werke von Leroy-Beaulieu (Rußland) u. Beth (griech. Orient) Kattenbusch S. 502 ff., Loofs S. 162 ff. Instruktiv vielfach die Reiselitteratur. Vgl. aus der älteren: J. Ph. Fallmerayer, Fragmente aus d. Orient, 2 Bde, 1845; aus der neueren: Gelzer (ob. S. 444, 28); E. Freih. v. d. Golz, Reisebilder aus dem griech.-türkischen Orient, 1902; A. Schmidtke, D. Klosterland d. Athos, 1903; K. Holl, Ueber d. griech. Mönchtum, Preuß. Jahrbb. 94. Bd, 1898, S. 407 ff.; Art. „Athosberg" in Bd II, 209 ff., wo die Hauptlitteratur über die merkwürdige Mönchsrepublik angegeben ist, die Arbeiten von Phil. Meyer gehören zu den wertvollsten darin. Vgl. noch B. Laurés, La vie cénobitique à l'Athos, EO IV, 80 ff. und 145 ff.; Les monastères idiorrhytmes de l'Athos, ib. 288 ff.; A. de Stourdza, Considérations sur la doctrine et l'esprit de l'église orthodoxe, 1816; (A. St. Chomjakow): Quelques mots par un Chrétien orthodoxe sur les communions occidentales, 1855. Von demselben: L'église latine et le Protestantisme au point de vue de l'Eglise d'Orient, 1872 (Auszug daraus in RJTh IV, 46 ff.); Pobedonoszew, Streitfragen der Gegenwart, 3. Aufl. 1897. (Chomjakow und Pobedonoszew gleichen sich sehr in ihrer untheologischen, aber tiefblickenden Art, den Charakter der orientalischen Kirche, zumal ihrer Frömmigkeit im Kontrast zu der Weise des Westens zu verdeutlichen.) Für Rußland sind auch moderne Erzählungen vielfach sehr lehrreich; besonders die von Dostojewski und Tolstoi. Vgl. auch „Erinnerungen eines Dorfgeistlichen", 1894 („Bibliothek russischer Denkwürdigkeiten", herausgeg. von Th. Schiemann, 5. Bd), die für die Gegenwart jedoch nur mit Vorsicht zu verwenden sind. Für die Balkanslawen s. Fr. S. Krauß, Volksglaube und religiöser Brauch d. Südslawen, 1889; Radulowits, Die Hauskommunion bei den Südslawen, 1891. Manche Artikel in den EO über Hochzeitsgebräuche und Begräbnisfeierlichkeiten bei den Bulgaren, von Gisler. Bd V und VI; über den Kolywastreit, von Petit, in Bd II: letzterer große neuzeitliche Streit betrifft eine „Totenspeise", bezw. die erlaubten Tage ihrer Darbringung, und ist in seiner Art sehr charakteristisch). — Wertvoll sind auch die Beichtbücher, z. B. das Ἐξομολογητάριον ἤτοι βιβλίον ψυχωφελέστατον περιέχον διδασκαλίαν σύντομον πρὸς τὸν Πνευματικόν, πῶς νὰ ἐξομολογῇ μὲ καρπόν, von dem Athosmönch Nikodemus (vgl. ob. S. 448, 5; über den Mann selbst den Art. „Nikodemus Hagiorites", oben S. 62 f.), 10. Ausg. Venedig 1893.

1. Die Volksfrömmigkeit. Die orientalische Kirche empfindet sich in erster Linie als Kultusanstalt und Kultusgemeinschaft. Damit ist der Grundcharakter ihrer Frömmigkeit gegeben. Verschiedene Momente sind darin zu unterscheiden. Zuoberst vielleicht die große religiöse Ehrerbietung mit der alles Kultische mindestens äußerlich, offenbar aber auch von vielen in innerlicher, tiefer Empfindung umgeben wird. Jede Kirche, jede Kapelle wird gegrüßt; der Kuß des Evangeliums ist eine geläufige, mit wahrer Devotion geschehende Ceremonie; auch dem Klerus — wohlverstanden dem im kultischen Gewande erscheinenden — wird Unterwürfigkeit bezeugt. Gelzer, S. 90 ff. will bemerkt haben, daß in Griechenland in den Städten (noch nicht auf dem Lande) die Ehrerbietung vor der Kirche sehr abgenommen habe. Die „moderne Indifferenz" habe seit einem Menschenalter große Fortschritte auch bei den Griechen gemacht. Das wird richtig sein, und bei den Slawen dürfte es kaum anders stehen. Aber nicht das ist für uns die Frage, wie weit das orientalische Volk noch an der Frömmigkeit festhält, sondern wie es seine Frömmigkeit äußert, soweit es eben noch fromm ist. Da ist das zunächst ins Auge fallende Merkmal die Ehrerbietung vor allem, worin es die Kirche „sieht", vor ihren Gebäuden, ihren Feiern, ihren Bildern, ihren Reliquien 2c. Zugleich die Neigung des Volks, auch das bürgerliche Leben vielfach „weihen" zu lassen. In letzterer Beziehung geht es ohne Frage weiter, als im Westen das gleiche auch dem römischen Volke naheliegt. Aber dabei ist zu betonen, daß das orientalische Volk von der Kirche auch kaum etwas anderes weiß und erwartet, als daß sie weiht und betet. Bei der Fülle der Gottesdienste ist es begreiflich, daß sich das Volk zum Teil auf Kosten der Priester entlastet hat. So reiche Anerbietungen die Kirche für die Andacht in vorgeschriebenen oder doch empfohlenen kultischen Feiern macht, so geneigt ist das Volk, vieles einfach dem Klerus zu überlassen. Es drückt sich darin eine Art von gutem Zutrauen zum Klerus aus, welches dieser nicht ganz rechtfertigt; denn auch ihm ist des vorgeschriebenen Feierns und Betens zu viel, auch er begnügt sich, manche „Akoluthie" in der Kirche oder auch daheim bloß zu markieren. Der Drang der Systematisierung des Kultus hat so viele „öffentliche", „gemeinsame" Feiern geschaffen, daß Abstumpfung des kultischen Gewissens nicht zu vermeiden gewesen. Willkommener als die periodisch geregelten Kultübungen (abgesehen von der „Liturgie", dem sonn- und festtäglichen „Opfer"!) sind die jeweils durch persönliche Ver-

hältniſſe bedingten. In dieſer Form äußert ſich in der orientaliſchen Kirche der Indivi=
dualismus. Inhaltlich hat die Frömmigkeit wenig Individuelles, aber das Maß der Ein=
beziehung von Andachten und Weihen in das häusliche Leben, in die private Betätigung
iſt individuell. Und der wirklich fromme anatoliſche Chriſt liebt es, dieſes Maß ſehr zu
steigern. Höchſt beliebt ſind Pilgerfahrten, wenigſtens bei den Slawen. Im Hauſe be=
wegt ſich die Andacht um die Heiligenbilder. Die Faſten gehören zur ſozialen Sitte,
der der einzelne ſich kaum entziehen kann, auch wenn er möchte.

Sieht man die Gebete an, die die Kirche durch den Klerus sprechen läßt, ſo fällt
ihre Wortfülle auf. Das wirkt zweifellos im einzelnen abſtumpfend und einſchläfernd.
Aber es iſt doch zu ſagen, daß die orientaliſche Kirche ein Charisma des Betens beſitzt.
Viele Gebete ſind hervorragend ſchön, in ihrem Pathos ergreifend, durch Weichheit und
Reinheit der Empfindung die Stimmung wahrhaft veredelnd. Ich weiß nicht ganz, wie
das Sündengefühl in der orientaliſchen Chriſtenheit zu tarieren iſt. Wieweit iſt es
wirklich ernſtes Schuldgefühl, dem ein feſter Wille der Beſſerung zur Seite geht, und
wie weit iſt es bloß ſchlaffes Unwürdigkeitsbewußtſein, ſentimentale Bereitwilligkeit, ſich
als „ſchlecht“ zu bekennen? In keiner Kirche iſt das „Herr erbarme dich“ ein ſo ge=
läufiger Ruf, als in der orientaliſchen. Er wird begleitet — im öffentlichen Kultus —
mit Niederfallen auf die Kniee und endloſem Aufſchlagen der Stirn auf dem Boden. Sicher
ſteckt darin für manche letztlich eine geiſtige Kraft, aber es iſt charakteriſtiſch, wie viel auch
hier offenbar bloß rituell ſich darſtellt.

Chomjakow und Pobedonoszew ſind einig, daß ein Hauptvorzug ihrer Kirche der
iſt, daß ſich die Frömmigkeit in ihr nicht ſehr mit Gedanken belaſte, eigentlich kein
„Grübeln“ kenne, ſich in der Sphäre des Gefühls, des unmittelbaren Innewerdens der
Gegenwart Gottes, Chriſti, der Heiligen, des Himmels bewege. Es muß nur geſagt
werden, daß dabei viel vage, im „Leben“, ſeinen Gefahren und Nöten wirkungsloſe
Stimmung erzeugt wird. Zu einer Weltanſchauung in klaren, ſittlich anwendbaren, poſitiv
verwertbaren Ideen bringt die orientaliſche Kirche wenige. Sie läßt gewiß oft den Ein=
druck einer oberen Welt, zu der es einen Zugang für den Chriſten gebe, ſo tief in das
Gemüt eindringen, daß der Gläubige das Leben in Hoffnung „überſteht“. Aber Auf=
gaben poſitiver Natur ſtellt die Kirche dem Leben nur in geringem Maße. Sie kann
zweifellos „Gleichgiltigkeit“ gegen die Güter der Welt erzeugen, aber kaum ein ſittliches
Intereſſe an ihnen d. h. ein Intereſſe, darüber zu ſinnen, wie man mit ihnen etwas
Gutes „ſchaffe“.

Der letzteren Bemerkung kann freilich zum Teil widerſprochen werden, wenn man
ſich das ſittliche Intereſſe bloß in den Formen des Privatlebens vergegenwärtigt. In
der That iſt die orientaliſche Kirche eine ſtarke Quelle ſittlicher Impulſe nicht bloß as=
ketiſcher, ſondern auch poſitives Gute ſchaffender Art an der in ihr nicht vergeſſenen Bibel.
Sie kennt ſehr wohl die bibliſchen Gedanken der Liebe, der Selbſtloſigkeit, des opfer=
willigen Helfens und Dienens. Aber ſie hat noch keine Möglichkeit gefunden, von ihnen
aus ein Ideal des öffentlichen, gemeinſamen Lebens zu zeigen, die organiſatoriſchen, gar
die kulturwerdenden Kräfte der Liebe ſind ihr verborgen, man „nachdenken“ will ſie auch
über die Liebe nicht! Pobedonoszew hebt hervor, wie wohltuend und ſittlich groß
ſeine Kirche darin daſtehe, daß ſie ein unbedingtes Gefühl von Gemeinſchaft und Gleich=
heit aller gerade im Kultus ſchaffe. In der That liegt hier ein Moment von Stärke
und chriſtlicher Schönheit an dieſer Kirche vor. Es iſt in ihr etwas übrig geblieben von
dem alten Gedanken der Chriſtenheit als einer brüderlichen intimen Gemeinſchaft. Am
Oſterfeſt tritt dieſe Empfindung in dem Bruderkuß, den da niemand dem andern weigern
kann, beſonders deutlich hervor. Wenn man wieder das „Gefühl“ betont und ſich die
„Gemeinſchaft“ nach der Art bloß der Familie und der Freundſchaft vergegenwärtigt, ſo
iſt nicht zu verkennen, daß die orientaliſche Kirche ihre Gläubigen wohl geiſtlich zu ver=
binden weiß. Auch daß iſt bemerkenswert, daß die Kirche in perſönlicher Weiſe als eine
ehrwürdige Gemeinſchaft empfunden wird. Der Ruſſe, der ſich zum Beten anſchickt, ver=
beugt ſich dreimal vor Gott, dann auch nach beiden Seiten vor der „Gemeinde der
Rechtgläubigen“. Dieſe andächtige Stimmung gegenüber den Mitchriſten erinnert an die
urchriſtliche Anſchauung von der ἁγία ἐκκλησία. Sie gehört zu den ·feinſten Zügen
orthodoxer Frömmigkeit.

Sieht man die Confessio orthodoxa, dieſes immerhin wichtigſte offizielle Dokument
einer Selbſtcharakteriſtik der orientaliſchen Kirche aus neuerer Zeit darauf an, was ſie als
Idee rechter Frömmigkeit verrate, ſo wird man leicht ungerecht gegen dieſe Kirche werden
können. Denn in ihr ſtehen neben ziemlich blaſſen Gedanken über den Dekalog, das

Vaterunser, die Seligpreisungen, so viele besonders betonte rituelle Forderungen zum
Teil höchst kleinlicher Art, daß man in erster Linie nur an die Schranken und Gefahren
der „Kultfrömmigkeit" erinnert wird. Aber die CO darf nicht überschätzt werden. Sie
hat zum Teil zufällige Bedingungen. Darf man bei ihr nicht vergessen, daß es in der
orientalischen Kirche auch Wege zu geistigen Höhen giebt, so freilich umgekehrt bei 5
manchen anderen Dokumenten, etwa dem Katechismus des Philaret, nicht, daß es doch
noch mehr Wege in geistige Niederungen giebt. Der Engel-, Heiligen-, Reliquien-, zumal
auch auf der andern Seite der Teufelsglaube, der in sehr drastischen Formen neben dem
Gottesglauben steht, eröffnet solcher Wege dem Volke nur zu viele. Kann der Kultus, zumal
die eucharistische Feier, die Phantasie emportragen in die reine, wahre Himmelssphäre 10
(gegenüber dem Islam hat sich die orientalische Christenheit darauf besonnen, daß der christliche Himmel, das Reich Gottes, doch etwas anderes sei als das „Paradies" des „Propheten"),
so können die vielerlei als Wunder empfundenen Mysterien nur zu leicht auch die Vorstellung von allerhand Magie wecken, durch die der Christ „gefeit" werde. — In Bd VI
S. 402 ff. ist in dem Art. „Gebote der Kirche" auch der neun Forderungen gedacht, die 15
Mogilas unter diesem Terminus aufstellt. Sie sind in ihrer Art charakteristisch, haben
aber ihren Anlaß (wahrscheinlich) an römischen Einfluß und gelten nur in begrenztem
Maße.

Ein Moment an der Volksfrömmigkeit überall in dieser Kirche darf schließlich nicht
übergangen werden, ich meine den strengen Konservatismus und Nationalismus der- 20
selben. Beides hängt unter sich und insonderheit mit dem kultischen Grundcharakter
dieses Christentums zusammen. Ist der Ritus heilsmittlerisch, so muß er unbedingt ge-
schont werden. Und er wieder verwuchs mit allem, was ihn trägt, Dogma und Rechts-
satzung, mit dem Volkstum eo ipso von da ab, wo der Staat sich seiner schützend annahm. Die Kirche hat dann den Staat mit gezwungen konservativ zu werden, die „alte" 25
Art seines Volks zu schonen. Geschichtliche Verhältnisse (in Rußland die lange Mongolen-
herrschaft, auf der Balkanhalbinsel ꝛc. die Türkenherrschaft) haben das ihrige dazu beigetragen, daß die christlichen Völker mit ihrer Kirche, ihrem stärksten Bollwerk, stimmungs-
mäßig solidarisch wurden, daß jetzt russisch oder griechisch, oder bulgarisch, rumänisch ꝛc.
und orthodox bei ihnen zusammenzufallen scheint. Zum Teil ergiebt das für diese Völker 30
in ihrer Selbstbeurteilung eine Glorie, die das Christentum fast auf das Niveau antiker
Volksreligionen herabzieht. Die Rede vom „heiligen Rußland" ist eine dem Russen sehr
geläufige, Nikolaus II. spricht so von seinem Reiche selbst in seinem Thronbesteigungs-
manifest 1894. Es ist ein interessantes Problem, daß ein und dieselbe Kirche, ein und
dieselbe Art von Frömmigkeit mit so grundverschiedenen Völkern wie es das russische 35
einerseits, das griechische andererseits sind, gleich sehr hat verwachsen können. Die Völker-
psychologie muß hier ihr Wort mitreden und ich darf nicht versuchen, ihr die Frage an
diesem Orte näher zu treten. Auch das ist hier nicht zu verfolgen, wie die besonders
der russischen (vielmehr der ganzen slawischen) Kirche eigene Neigung zu Sektenbildungen
bedingt ist, ob durch ihre Frömmigkeit als solche, oder durch Rassenmomente. 40

2. Das Mönchtum. Es darf den Schluß der Darstellung der orientalischen Kirche
bilden. Nicht zwar in dem Sinne, als ob es den allgemein geehrten Gipfelpunkt des
Lebens in dieser Kirche bedeutet, wohl aber in dem Sinne, daß es noch immer die wahre
Konsequenz der religiösen Ideen derselben repräsentiert. Es ist ganz richtig, was besonders Beth hervorhebt, aber auch Loofs vor ihm, und was in der That die theologische 45
Litteratur aller Art bezeugt, daß im Laufe der Zeit die ursprüngliche Heilsidee der Kirche
des Ostens sehr verblaßt und zurückgetreten ist. Das Abendland und seine Lehre ist nicht
ohne Einfluß geblieben. Das praktische Leben hat auch verdunkelnd auf die alten Vorstellungen von dem, was Christus gebracht habe, was sein „Werk" gewesen, eingewirkt.
Ein lebendiges Volk wird nie auf die Dauer sich gänzlich religiös befriedigen lassen durch 50
Verweisungen auf das zukünftige Leben und in der Gegenwart in Mysterien dargebotene
momentane Berührungen mit dem „Himmel". Aber die Kirche hat doch eben nichts
Durchschlagendes an die Stelle der alten Heilsidee zu setzen gewußt. Sie hat diese Idee
in der Lehre gewissermaßen vertrocknen lassen, ohne einen neuen Quell zu erschließen.
Und ihr Kultus, dessen Grundtriebe in jener Idee lagen, hat sich zu einer Art von 55
Selbstzweck ausgestaltet. Das Mönchtum war die korrekte Form des wahrhaft ernsten
Christenlebens, so lange die alte Heilsidee noch kräftig und deutlich an die Herzen und
Sinne herantrat. Es bedeutete die entschlossene Hingabe der Seele an das Heil, die
darin notwendig begründete Abkehr von der Welt, die Hinwendung zur oberen Welt in
Askese und Kontemplation. Mit der Zeit ist der Mönch eigentlich nur der unbedingte 60

Kultuschrift geworden. Neuerdings sind freilich auch in die Klöster, speziell des Athos, Ideen eingedrungen, die auf Reorganisationen vorbereiten.

Beth meint behaupten zu dürfen (S. 322 ff.), daß die Klöster nur noch geringes Ansehen genießen. „Die Klosterleute gelten auch dem orthodoxen Christen [von heute] für Menschen untergeordneten Schlages. Als Untermenschen und Unterchristen belächelt sie das Volk wie die Geistlichkeit." Er berichtet nach Beobachtungen unter den Griechen. In Rußland ist das Mönchtum wahrlich auch nicht besonders angesehen. Was Beth für Griechenland 2c. sagt: „man spricht es dort zu Lande offen aus, daß sie [die Mönche] sich rekrutieren aus den Gebrechlichen und aus dem arbeitsscheuen Gesindel; kein anständiger Mensch kann mehr ins Kloster eintreten, das von dem Dunst der untersten Sphäre umhüllt ist", das alles läßt sich auch in Rußland vielfach bestätigen. Aber danach allein ist die Sache doch nicht zu beurteilen. Es giebt auch sehr vornehme, sehr reiche Klöster. So besonders in Rußland. Die Athosklöster haben durch die Säkularisationen in Rumänien große Einbußen erfahren, denn auch sie besaßen in diesem Lande viele Metochien. Aber verarmt sind sie nur zum Teil. „Der Dunst der untersten Sphäre" ist keineswegs in jedem Kloster zu spüren. Es sind auch viele gesunde und vermögende Leute, die sich speziell nach dem Athos „zurückziehen". Noch immer rekrutiert sich aller hohe Klerus aus den Klöstern. Beth will das so verstanden wissen, daß nicht sowohl das Mönchsleben, als der „Cölibat" die Kirche stark erobert habe. Ein anderes seien die „Priestermönche", ein anderes die bloßen „Mönche". Letztere sind für Beth die eigentlichen „Klosterleute", jene sind die begabten und ehrgeizigen Vertreter des klerikalen Standes, die nur begriffen haben, daß nach alter, nicht zu beseitigender Tradition und übrigens auch nach richtiger Würdigung der „Freiheit", die ein Kirchenfürst besitzen müsse, derjenige, der Bischof und mehr werden wolle, ehelos bleiben müsse; sie leben in den Klöstern nur vorläufig, nur mit dem Blick in die Welt, in der Hoffnung auf den Ruf zu einer der hohen hierarchischen Stellen. Daran mag viel Richtiges sein. Es ist aber doch eine einseitige Schilderung der Verhältnisse, die Beth giebt. Noch ist nicht geschwunden die eigentlich religiöse Begeisterung für das „engelmäßige" Leben der Mönche. Noch dankt man es weithin den Klosterleuten, daß sie vollen Ernst machen mit den kultischen Forderungen der Kirche, daß bei ihnen der Laie wahrhaft heiligen Boden treffe, auf dem er zeitweilig selbst sich „reinigen" könne vom Staube der Sorgen und Lüste der Welt.

Die orientalische Kirche hat Mönche und Nonnen, aber sie hat keine verschiedenen Orden. In ihr gilt noch im Prinzip die alte, „ursprüngliche" Regel des Basilius. Darüber ist hier nicht genauer zu handeln. Die Gelübde betreffen unbedingt die Keuschheit, in abgestufter Weise den Gehorsam; über den Besitz herrscht Streit, bezw. in wesentlichen Übereinstimmung, daß er sich in bestimmten Formen mit dem Mönchtum vertrage, so zwar, daß gerade der einzelne als solcher seinen Besitz behalte. Man kennt Klöster (μοναστήρια, λαῦραι), Mönchsdörfer (σκηταί) und Einsiedeleien (κελλία). Der Sprachgebrauch der einzelnen Ausdrücke ist kein ganz strikter. Die Klöster stehen unter einem Oberen („ἡγούμενος"), die Skiten entbehren des Igumenen, in räumlicher Nähe wohnen in ihnen einzelne oder kleine Kreise (je drei) in eigenen Hütten, die eigentlichen Einsiedler ermangeln überhaupt der Kontrolle, wenn sie auch meist in einem gewissen Versorgungsverhältnis zu irgend einem Kloster stehen und in diesem zu den Gottesdiensten sich zeitweilig einfinden. Bedeutsam ist auf dem Athos, dem klassischen Lande des Mönchtums, die Unterscheidung von „koinobitischen" und „idiorrhythmischen" Klöstern. Die ersteren gestatten dem einzelnen Mönch kein Eigentum und führen das Leben in strenger Gemeinsamkeit sowohl der Nahrung als der Gebetsübungen. In den μοναστήρια ἰδιόρρυθμα ist das Privateigentum freigelassen. Hier „mietet" der einzelne einen größeren oder kleineren Teil des Klosters, besorgt sich selbst seine Nahrung, ist in seinen Bewegungen wenig beschränkt, darf nach Gutdünken Reisen machen im Interesse seines Vermögens 2c. In ihnen hat besonders der gebildete Mönch seinen Sitz. Auch hat sich in ihnen die eigentümliche Sitte ausgebildet, daß ein älterer Mann „geistliche Söhne" um sich sammeln darf, die er anleitet und mit denen er z. B. auch in erbrechtlicher Beziehung sich zu einer „Familie" zusammenschließt.

Innerhalb des Mönchtums werden drei Stufen unterschieden: 1. Die ῥασοφόροι (Träger des ῥάσον, einer schwarzen Kutte), die Novizen, 2. die μικρόσχημοι oder σταυροφόροι, welche die vollen Gelübde abgelegt haben und denen ein Kreuz in die Haare eingeschoren ist, 3. die μεγαλόσχημοι, die noch mit Bezug auf Fasten und Beten sich zu spezifischer Strenge und „Stetigkeit" verpflichten; die Mönche letzterer Art trifft man

in den Klöstern kaum anders als in den κοινόβια. — Was die Gottesdienste betrifft,
so können nicht alle Klöster alle Tage die Liturgie feiern, „verpflichtet" dazu sind im
Gebiete des ökumenischen Patriarchats, also speziell auch auf dem Athos, nur Klöster mit
„mehr als zwanzig" Insassen. „Gebetsnächte" sind auf dem Athos — je nach der
Strenge der Klöster — fünfundzwanzig bis siebzig im Jahre vorgeschrieben. Sie bedeuten 5
Gottesdienste, die sich bis zu fünfzehn oder sechszehn Stunden ausdehnen; ab und zu
dürfen die Feiernden sich dabei mit Kaffee u. dgl. stärken. Neben dem, daß der Kloster-
mönch sich an den gemeinsamen Gottesdiensten beteiligen muß, soll er auch noch manche
private Gebetsübungen halten. Ein hohes Fest ist die Mönchsweihe.

Ernste, hochstrebende Mönche sind noch heute auf dem Athos der sog. Hesychia er- 10
geben; vgl. den Art. „Hesychasten", Bd VIII S. 14 ff. Sie ist das eigentlich „geistige
Gebet", die νοερά προσευχή. Bemerkenswert ist, daß das orientalische Mönchtum in
manchen Vertretern zumal auch der religiösen Betrachtung der Naturschönheit erschlossen ist.   **F. Kattenbusch.**

Orientius, altkirchlicher Dichter, nach 400. — Ausgaben: Erste, unvollständige, 15
Ausgabe von M. Delrius, Antwerpen 1600; erste vollständ. Ausg. von E. Martene (Vet.
Script. Monum. Coll. Tom. I), Rouen 1700; kritische Ausgabe v. R. Ellis (in CSEL 16:
Poetae Christiani minores, Tom. I), Wien 1888, 191—261. MSL 61, 977—1006. Litteratur: A. Ebert, Allg. Gesch. der Lit. des Mittelalters im Abendland, 1. Bd, Leipzig 1889,
410—414; M. Manitius, Gesch. der christl.-lat. Poesie bis zur Mitte des 8. Jahrh., Stutt- 20
gart 1891, 192—201 (hier ältere Litteratur). Vgl. Fessler-Jungmann, Institutiones Patro-
logiae 2. Bd, 2. Abt., Innsbruck 1896, 374—376; O. Bardenhewer in KL² 9, 1052 f.; ders.,
Patrologie¹, Freiburg 1894, 395.

Orientius nennt sich (2, 417) der Verfasser eines christlichen Lehrgedichtes (seit Sigeb.
Gembl. script. eccl. Commonitorium genannt) in zwei Büchern, den Venantius 25
Fortunatus (Vit. S. Martini 1, 17) nach Juvenkus und Sedulius, vor Prudentius, Paulinus Petricordias und anderen Dichtern aufführt. Sicheres ist von ihm nicht bekannt,
doch lassen innere Gründe es als wahrscheinlich erscheinen, daß er mit dem Bischof Orientius von Auch identisch ist, der 439 hochbetagt im Auftrag des Gotenkönigs Theodorich I.
als Gesandter zu den römischen Feldherren Ateius und Litorius ging (s. seine Vita in 30
AS Mai I, 61). Dafür spricht nicht nur, daß auch unser Dichter ein Gallier war (2, 184),
sondern auch der Umstand, daß er wie der Bischof (vgl. Comm. 1, 405 f. mit Vit. cp. 1:
mundanae lubricitatis squallore deposito) erst nachdem er das weltlich-sinnliche Leben
gründlich kennen gelernt, sich mit keuschem Sinn ganz Gott geweiht hatte. Endlich redet
aus dem Comm. offenbar der erfahrene Seelsorger. Das Gedicht (1036 Verse), im ele- 35
gischen Versmaß (Distichen) verfaßt, beschreibt den Weg zur Seligkeit (ad aeternae fe-
stinus praemia vitae .. disce viam) mit eindringlicher Ermahnung vor den verschiedenen Abwegen, wobei der Dichter bei lascivia, invidia, avaritia, vana laus,
mendacium, gula, ebrietas (die Bezeichnungen der Sünden nur am Rande der Handschrift) verweilt. Von auffallender Schärfe sind die (1, 337 ff.) aus eigener Erfahrung 40
gefällten Urteile über das Weib, kraß die Schilderung des Endgerichtes (2, 271 ff.). Die
Abfassung des Gedichtes dürfte durch die deutliche Bezugnahme auf die Verwüstung Gal-
liens durch die Alanen, Sueven, Burgunder und Vandalen 406 (1, 165—184) und das
oben zu Bischof Orientius gegebene Datum begrenzt sein. Die von Ebert und Manitius
behauptete Abhängigkeit von dem wahrscheinlich 415 entstandenen anonymen Gedichte 45
De providentia divina (s. d. A. Gedichte, altkirchliche, Bd VI, S. 409, 10 ff.) verschwindet
bei näherem Zusehen (vgl. die Texte bei Ellis 193—195). Abhängigkeit von Prudentius
(s. Manitius 194 N. 3, 195 N. 3, 197 N. 3) ist möglich, sicher nur die Benutzung klassischer Dichter, besonders Catulls, Ovids, Virgils. In der Handschrift (Cod. Ashburnh.
saec. X) folgen dem Comm. noch fünf kleinere Gedichte (de nativitate domini, de 50
epithetis salvatoris nostri, de trinitate, explanatio nominum domini, laudatio),
deren Ursprung unsicher ist. Den Beschluß machen zwei poetische Gebete. **G. Krüger.**

Origenes, geb. 182, gest. 251. — Litteratur. 1. Bibliographie. Hoffmann,
Bibliogr. Lexikon III, 22 ff.; H. Chevalier, Repertoire des sources histor. du moyen-Age
p. 1683 s., 2756 s.; Richardson, Bibliograph. Synopsis p. 51 ff. Die Litteratur von 1880 55
bis 1900 verzeichnet A. Ehrhard, Die altchristl. Litteratur und ihre Erforschung (Straßburger
Theol. Stud. I, 4. 5) S. 103 ff. (für 1880—1884). Straßb. Theol. Stud. Erstes Supplem.,
S. 320 ff. (für 1885—1900).

2. Ausgaben. A. Gesamtausgaben. Die einzige Gesamtausgabe, die wir vollständig

besitzen, ist die von dem Mauriner Charles de la Rue, Paris 1733—1759, 4 Bde Fol. (vollendet
von Vincent de la Rue, der den 4. Band zufügte). Nachgedruckt von C. H. E. Lommatzsch,
Berlin 1831—1848, 25 Bde ll. 8. (Der Vorzug dieses Nachdrucks besteht in seiner Handlich-
keit und seinem verhältnismäßig billigen Preis. L. hat für den Text so gut wie nichts ge-
5 than.) Der Abdruck bei MSG XI—XVII, Paris 1857—1860 giebt den Text der Mauriner-
ausgabe, vermehrt um zahlreiche Nachträge. Von der neuen Ausgabe im Berliner Corpus
sind vier Bände erschienen: Die Ermahnung zum Martyrium, die Bücher gegen Celsus u. v.
Gebet, herausgeg. v. P. Koetschau, Leipzig 1899, 2 Bde (dazu Wendland, GgA 1899, 276 ff.;
Koetschau, Krit. Bemerk. z. m. Ausgabe, Leipzig 1899. Dagegen wieder Wendland, GgA 1899,
10 613 ff.; Preuschen, Berliner philol. Wochenschr. 1899, 1185 ff. 1220 ff.). — Jeremiahomilien,
Klageliederkommentar, Erkl. der Samuelis- und Königsbücher, herausgeg. v. E. Klostermann,
Leipzig 1901 (dazu Wendland, GgA 1901, 777 ff.; Preuschen, Berl. philol. Wochenschr. 1902,
673 ff.). — Reste des Johanneskommentares herausgeg. v. E. Preuschen, Leipzig 1903. —
B. Die exegetischen Schriften sind mit einer für ihre Zeit hervorragenden Einleitung
15 von P. D. Huet herausgegeben (Rouen 1688) 2 Bde Fol. Mehrfach nachgedruckt, so Paris
1679, Köln 1685, Frankfurt 1686. — C. Ausgaben einzelner Schriften. Die älteren
Sonderausgaben sind sämtlich durch die neue Ausgabe des Berliner Corpus antiquiert. Von
den Büchern gegen Celsus sind es: D. Hoeschel, Augsburg 1605; nachgedruckt v. W. Spencer,
Cambr. 1658; Band 1—4 gab Selwyn, London 1876, unvollkommen heraus. — Die Schrift
20 vom Gebet erschien zuerst anonym Oxford 1686 (herausgeg. von Fell). Ferner herausgeg. v.
Wetstein, Basel 1694; v. W. Reading, London 1728 (mit sehr wertvollen Anmerkungen z.
Text). Die Ermahnung zum Martyrium zum erstenmale herausgegeben von R. Wetstein,
Basel 1674. Die Hexapla sind nach dem unzureichenden Versuche des Flaminius Nobilius,
Rom 1587 von B. de Montfaucon, Paris 1713, 2 Bde Fol. und am besten von F. Field, Ori-
25 genis hexaplorum quae supersunt, Oxford 1867—1875, 2 Bde 4° herausgegeben worden.
Nachträge bei Pitra, Analecta sacra III, 551 ff.; E. Klostermann, Analekten z. Septuaginta,
Hexapla und Patristik, Leipzig 1895. Die Homilien zu Jeremia gab zuerst Michael Geißler
(Ghislerius) in seinem Kommentar zu Jeremia, Lyon 1623, heraus. Corderius druckte sie
unter dem Namen des Cyrill v. Alexandrien ab (Antwerpen 1646), ohne die Ausgabe des
30 Ghislerius zu kennen. Die Homilie über die Hexe v. Endor wurde zuerst von Leo Allazzi
(Allatius) herausgegeben (Lyon 1629). Eine neue Ausgabe lieferte A. Jahn (Leipzig 1886;
TU II, 4). Den Johanneskommentar gab A. E. Brooke heraus, Cambridge 1891; 2 Bde.
Die Schrift de principiis wurde von Redepenning mit Anmerkungen herausgegeben,
Leipzig 1836. Der Brief an J. Afrikanus ist von Draeseke, JprTh VII (1881), S. 102 ff.
35 und der an Gregorius Thaumaturgus v. Koetschau, des Gregorios Thaumaturgos Dankrede
an Origenes, Freiburg 1894, S. 40 ff. abgedruckt worden. Die Sammlung von Auszügen
aus Origenes Werken, die Gregor v. Nazianz und Basilius unter dem Titel Philocalia (vgl.
Bd II, S. 439, 53) veranstaltet hatten, wurde zuerst von J. Tarinus, Paris 1618 (1624,
1629), zuletzt und am besten von J. A. Robinson, Cambridge 1893, heausgegeben. Frag-
40 mente finden sich bei Gallandi, Biblioth. XIV; Pitra, Anal. sacra II. III; Tischendorf, Analecta sacra, Leipzig 1860; Monum. sacra III.

3. Uebersetzungen. In die Arbeit des Uebersetzens teilten sich im Altertum vornehmlich Hieronymus und Rufin. Von letzterem rühren die Uebersetzungen von de principiis, des
Kommentares zum Römerbrief, die Homilien zu Gen, Ex, Lev, Nu, Dt, Jos, Ri, Ps her. Von
45 Hieronymus stammt die Uebersetzung des Kommentars u. d. Homilien z. HL, zu Jer, Ez, Lc.
Unsicherer Herkunft sind die Uebersetzungen der Homilie z. 1Kg (Hieronymus?), Jes (Hieronymus?), des Matthäuskommentares, die allerdings nicht intakt zu sein scheint (vgl. Chapman,
Journ. of Theol. St. III (1902), 436 ff. Ausgaben dieser Uebersetzungen v. Merlin, Paris
1512 (1519. 1522), Erasmus, Basel 1536, (1545, Lyon 1536); G. Genebrardus, Paris 1574
50 (1594, 1604, 1619). Außerdem in den Gesamtausgaben.

Neuere Uebersetzungen sämtlicher Werke existieren nicht. Deutsche Uebersetzungen
der Bücher gegen Celsus von Mosheim, Hamburg 1745. Röhm (Kemptener Bibl. d. KB.).
Die Schrift περὶ ἀρχῶν ist von Schnitzer vortrefflich übertragen worden: Origenes über die
Grundlehren der Glaubenswissenschaft, Stuttgart 1835. Die Schriften vom Gebet und die
55 Ermunterung z. Martyrium hat Kohlhofer (Kemptener Bibl. d. KB.) übersetzt. Ausgewählte
Predigten sind von F. A. Winter (Klassikerbibliothek der christl. Predigtlitteratur XXII),
Leipzig 1893 übersetzt worden. Eine Auswahl aus den Werken in engl. Uebersetzung erschien
Ante Nicene Library X, 1 ff. XXIII, 1 ff. (v. Crombie).

4. Handschriften. Zusammenstellung v. Preuschen bei Harnack, altchristl. Litteratur-
60 geschichte I, 390 ff. Dazu sind die Einleitungen im Berliner Corpus zu vergleichen. Contra
Celsum: Vatic. gracc. 386 s. XIII/XIV. Aus diesem sind 23 jüngere Hss. abgeschrieben.
(Vgl. dazu Koetschau, TU VI, 1 [später modifiziert]; Wallis, Classic. Rev. 1889, 392 ff.;
Robinson, Journ. of Philol. XVIII [1890], 288 ff.) De oratione: Cantabr. S. Trin. B. 8.
10 s. XIV. Schluß von c. 31 an auch in Paris 1788 s. 1440. Exhort. ad martyrium:
65 Venet. Marc. 45 s. XIV. Paris. gr. 616 s. 1339. Kommentar zu Matthäus: Monac. gr.
191 s. XIII, Cantabr. S. Trin. B. 8. 10. Kommentar zu Johannes: Monac. gr. 191 s. XIII,
von dem alle anderen Hss. abhängen. Homilien zu Jeremias: Scorial. Ω—III—19 s. XI/XII.

Homilie über die Hexe v. Endor.: Monac. gr. 331 s. X. Die lateinischen Hss. sind sehr zahlreich; die größere Masse ist junges und wertloses Zeug.

5. Biographien. Die ausführlichste und auch heute noch vielfach mit Nutzen zu gebrauchende Darstellung des Lebens und der Lehre des Origenes sind die Origeniana von D. Huet (abgedruckt bei de la Rue IV, 2. MSG XVII. Lommatzsch B. 23—25). Für alles 5 Äußere unentbehrlich Tillemont, Mémoires pour serv. à l'hist. eccl. III, 494—595. 753—777. Vgl. auch K. J. Neumann, Der röm. Staat und die christl. Kirche, I passim. Brauchbar auch noch v. Coelln, Origenes; Origenismus und origenistische Streitigkeiten in Ersch und Gruber, 3 Sekt. 5, 251 ff. Gewissenhaft und langweilig: Redepenning, Origenes. Eine Darstellung s. Lebens und seiner Lehre, Bonn 1841—1846, 2 Bde; F. Böhringer, KG in Biographien² I, 2, 1, 10 Zürich (Leipzig) 1869; Freppel, Origène, Paris 1868 (1875) 2 Bde; B. F. Westcott, Origenes im Dict. of Chr. Biogr. IV, 96—142 (gehört zu dem Besten, was wir über Origenes besitzen); Fairweather, Origen a. greek Patristic Theologie, Edinburgh 1903. Dazu die Litteraturgeschichten von Cellier, hist. générale des auteurs sacrés II. 584 ss.; Dupin, Bibl. des auteurs ecclés. I, 326 ss.; Le Clerc, Bibl. univ. VI, 31 ss.; Cave, Script. hist. eccl. I, 15 172 sqq.; Bardenhewer, Patrologie § 29; Gesch. der altkirchlichen Litteratur II, S. 68—158; Krüger § 61.

6. Zur Lehre des O. Gesamtdarstellungen (außer den oben genannten Biographien): G. Thomasius, Origenes, Nürnberg 1837; A. Vincenzi, In S. Gregorii Nysseni et Originis scripta et doctrinam nova recensio, Rom 1864 ff. 4 Bde; J. Denis, Philosophie d'Origène, 20 Paris 1884; Ch. Bigg, The Christian Platonists of Alexandria, Oxford 1886. Ferner die Dogmengeschichten von Baur, Lehrb. passim; Vorlesungen I, 274 ff.; Lehre v. der Dreieinigkeit I, 186 ff. 560 ff. und passim.; Harnack, Lehrb.³ I, 603 ff.; Loofs § 28; Seeberg § 15.

Einzelheiten seines Systemes. Seine Stellung zur Schrift: A. Zöllig, Die Inspirationslehre des Origenes (Straßb. theol. Stud. V, 1), Freiburg 1903; Bochinger, De Ori- 25 genis alleg. S. Scripturae interpr., Straßburg 1829, 1830, 3 Teile; Diestel, Gesch. d. AT.s in der christl. Kirche, 1867, 36 ff. 53 ff.; J. A. Ernesti, de Origene, interpr. libror. S. Script. grammatici auctore (Opusc. philol. crit. p. 228 sqq.); K. R. Hagenbach, Observationes historico-hermeneut. circa Origenis methodum interpr. S. Script., Basel 1823; Georgiades in 'Εκκλ. 'Αλήθεια 1885, 529 ff. 1886, 1 ff. 49 ff. 93 ff. 193 ff. 241 ff.; Contestin, Origène 30 exégète (Rev. des sciences ecclés. IV (1866), V (1867). Stellung zur Glaubensregel: F. Kattenbusch, Das apost. Symbol II, 134—179 (vgl. auch den Inder). Gotteslehre: F. G. Gaß, De dei indole et attributis Or. quid docuerit, Breslau 1838 (Diss.). Christologie: H. Schultz, Die Christologie des Origenes, JprTh I (1875), S. 193 ff. 369 ff., Lehre von der Gottheit Christi, S. 45 ff.; Knittel, Orig. Lehre von der Menschwerdung des Sohnes 35 Gottes, ThQS LIV (1872), 97 ff. Logoslehre: F. W. Rettberg, Doctrina Orig. de λόγῳ divino, 3hTh III, 39 sqq. Kosmologie: W. Möller, Gesch. der Kosmologie, S. 536 ff.; P. Fischer, Commentatio de Orig. theologia et cosmologia, Halle 1846 (Diss.); F. Borkowski, De Orig. cosmologia, Greifswald 1848 (Diss.). Erlösungslehre: A. Fournier, Expos. critique des idées d'Origène sur la rédemption, Straßburg 1861 (Diss.); Th. Boyer, La 40 rédemption dans Origène, Montauban 1886 (Diss.). Anthropologie: A. Rind, Der Kampf des Origenes gegen Celsus um die Stellung des Menschen in der Natur, Jena 1875 (Diss.); M. Lang, Ueber d. Leiblichkeit d. Vernunftwesens bei Orig., Leipzig 1892 (Diss.); C. Ramers, Orig. Lehre von der Auferstehung des Fleisches, Trier 1851; F. B. Kraus, Die Lehre des Origenes von der Auferstehung der Toten, Regensburg 1859 (Progr.); P. Mehlhorn, Die 45 Lehre von der menschlichen Freiheit nach Orig. περὶ ἀρχῶν, KG II (1878), 234 ff.; C. Klein, Die Freiheitslehre des Origenes, Straßburg 1894; W. Schüler, Die Vorstellungen v. d. Seele bei Plotin u. Origenes 3ThK X (1900), 167 ff. Ethik: W. Capitaine, De Origenis ethica, Münster 1898. Eschatologie: Atzberger, Geschichte der christl. Eschatologie, S. 366—456; H. H. Davies, Origens theory of knowledge, Am. Journ. of Theol. II (1898), 737 ff.; Höf- 50 ling, Die Lehre vom Opfer, S. 129 ff. Verhältnis zum Neuplatonismus: J. H. Bestmann, 3tWL 1883, 169 ff. Origenes als Prediger: H. Baßermann, JprTh V, 123 ff.; G. Nebe, Gesch. der Predigt I, 1 ff. (einseitig und ungerecht); F. Barth, Prediger und Zuhörer im Zeitalter des Origenes, Theol. Abh. u. Skizzen C. v. Orelli gewidmet, Basel 1898, 24 ff. 55

7. Quellen für die Biographie außer den Schriften des Origenes: Eusebius, h. e. VI. Auszüge aus der verlorenen Apologie des Pamphilus (s. b. A.) bei Photius, Biblioth. cod. 118. Von Euseb abhängig und oberflächlich, wie immer, Hieronymus de uiris inl. 54. Voll fanatischen Hasses und kleinlicher Borniertheit Epiphanius haer. 64. Zerstreute Notizen bei Rufin, Hieronymus, Sokrates u. a. werden an ihrem Orte genannt. 60

1. Leben. a) Zur Chronologie. Das Geburtsjahr des Origenes wird nicht genannt, läßt sich aber aus seinem Todesjahr noch berechnen. Nach der Apologie des Pamphilus und der Aussage von Leuten, die Origenes noch gekannt haben, starb Origenes unter Decius infolge der bei der Verfolgung erlittenen Marter (Photius c. 118 p. 92b, 14 Bekker). Damit stimmt Eusebius (h. e. VII, 1), der zu dem Regierungs- 65 wechsel nach Decius Tod bemerkt: Ὠριγένης ἐν τούτῳ ἑνὸς δέοντα τῆς ζωῆς ἐβδο-

μήχοντα ἀποπλήσας ἔτη τελευτᾷ. Das „währendem" geht demnach auf die letzte
Zeit des Decius oder den Anfang der Regierung des Gallus. Decius ist im Sommer
251 verschollen (jedenfalls vor dem 29. August s. Schiller, Gesch. d. röm. Kaiserzeit I,
807,[1]); spätestens Herbst 251 wird also Origenes gestorben sein. Er stand bei seinem
5 Tode im 69. Lebensjahr. Demnach ist er 182 geboren. Nach einer anderen Berechnung
setzt man seinen Tod ins Jahr 254, seine Geburt demnach in das Jahr 185. Hieronymus behauptet de viris inl. 54, daß Origenes bis zu Gallus und Volusianus gelebt
und im 69. Jahre gestorben sei. Eine andere Quelle als die oben genannte Stelle in
Eusebs KG hat Hieronymus augenscheinlich nicht besessen. Seine Notiz stellt also nicht
10 ein besonderes Wissen, sondern nur sein Verständnis jener Stelle dar. Dennoch hat diese
leichtsinnige Bemerkung Unheil angerichtet. In der griechischen Übersetzung des Katalogs
war die Notiz auch Photius bekannt geworden, der sie neben die aus der Apologie des
Pamphilus entnommene setzte (l. c. p. 92ᵇ, 19) und so zu der chronologischen Verwirrung
beitrug. Mit der Datierung der Geburt des Origenes auf das Jahr 182 steht allerdings
15 eine andere Notiz des Eusebius in unlösbarem Widerstreit. Nach h. e. VI, 2, 12 soll
er beim Tode seines Vaters noch nicht 17 Jahre alt gewesen sein. Sein Vater starb
jedoch nach VI, 1 in der Verfolgung des Septimius Severus. Diese Verfolgung fand
statt im 10. Jahre des Severus (h. e. VI, 2, 2). Am 13. April 193 wurde Severus
zum Kaiser ausgerufen. Sein zehntes Jahr wäre demnach 202, oder wenn man die
20 Rechnung erst mit 194 beginnen läßt 203 (Eusebius setzt in der Chronik [II, p. 177
ed. Schöne] das 10. Jahr = 204). Trotz dieser scheinbar bestimmten Aussage, die als
Geburtsjahr 185 voraussetzt, wird man auf die Angabe kein Gewicht legen dürfen, sondern vielmehr von der Angabe über das Todesjahr und das Alter beim Tode auszugehen
haben. Denn Eusebius nennt Origenes VI, 1 νέος κομιδῇ παῖς beim Tode des Vaters
25 und VI, 2, 3 κομιδῇ παῖς. Von einem Siebzehnjährigen wird man schwerlich sagen
können, er sei noch „ein ganz kleiner Junge" gewesen. So scheint diese Angabe des Eusebius aus unsicherer Quelle geflossen zu sein und weniger Beachtung zu verdienen, als
sie gefunden hat. Fällt aber diese Zahl, so würde mit ihr auch die andere fallen müssen,
daß Origenes mit 18 Jahren die Leitung der Katechetenschule übernommen habe (Euseb.,
30 h. e. VI, 3, 3). Möglicherweise ist diese Zahl von Eusebius auf Grund der andern
erst erschlossen worden; so viel wird festzuhalten sein, daß er im Jahre nach dem Tode
seines Vaters, also 203, die Schule leitete. Ein weiterer fester Punkt für die Chronologie läßt sich gewinnen durch die Erwähnung der alexandrinischen Revolte im Jahre
215, die zu einer Plünderung der Stadt und einer Vertreibung der Gelehrten führte
35 (Dio Cass. 77, 22 sq. Clinton, Fasti Rom. ad ann. 215. Schiller, Gesch. d. röm.
Kaiserzeit I, 747. Mommsen, Röm. Gesch. V, 583). Origenes verließ damals Alexandria
und begab sich nach Cäsarea in Palästina, bis ihn Demetrius wieder zurückrief (Eusebius,
h. e. VI, 19, 15 ff.). In die Zeit vor 215 fällt ein kurzer Aufenthalt in Rom (Euseb., h. e. VI, 14, 10), sowie eine Reise nach Arabien, dessen Präfekt Origenes zu sich
40 beorderte. Nach Eusebius (h. e. VI, 26) verließ Origenes Alexandria dauernd im 10. Jahr
des Alexander Severus. Da Alexander Severus in dem ersten Viertel des Jahres 222
zur Regierung kam — die Datierung schwankt zwischen Januar und März, letztere ist
wahrscheinlicher — so ist das zehnte Jahr = 230,231. So hat auch eine Hs. bei Schöne
den Ansatz in der Chronik überliefert (II, p. 179, vgl. zu dem Datum v. Gutschmid,
45 Kl. Schriften II, S. 423). — Noch ein anderes Datum ist für die Chronologie der
Schriften wichtig: die Verfolgung unter Maximin, die in der zweiten Hälfte des Jahres 235
stattfand und von der Ambrosius und Protoktetus betroffen wurden (Euseb. h. e. VI, 28;
Epist. Firmiliani inter epp. Cypriani 75. Dazu Neumann, Der röm. Staat und die
christl. Kirche I, 223 ff.). Endlich ist ein Datum noch sicher zu berechnen: die Weihe
50 zum Presbyter. Nach Eusebius (h. e. VI, 23, 4) wurde Origenes unter dem Episkopate
des Pontianus in Rom und des Zebinus in Antiochien in kirchlichen Angelegenheiten
nach Griechenland geschickt, dehnte diese Reise bis Palästina aus und empfing dort in
Cäsarea die Weihe zum Presbyteramt. Pontianus wurde am 28. September 235 nach
Sardinien in die Verbannung geschickt (Catal. Liberianus bei Mommsen, Chron. minora
55 I, 73 sq.) nachdem er 5 Jahre, 2 Monate, 7 Tage amtiert hatte. Sein Amtsantritt muß
demnach, wenn die Zahlen richtig sind, am 21. August 230 stattgefunden haben. Um
230 ist demnach, da Origenes bereits im nächsten Jahre Alexandria verließ, die Reise
nach Griechenland und die Erteilung der Presbyterweihe anzusetzen. Über das Todesdatum
ist bereits oben gesprochen. Die chronologisch mehr oder minder genau fixierbaren Punkte
60 im Leben des O. sind demnach: Geburt 182; Verlust des Vaters 202. Amtsantritt an

der Katechetenschule 203. Erste Reise nach Palästina 215. Reise nach Griechenland und Palästina; Empfang der Priesterweihe 230. Übersiedelung nach Cäsarea in Palästina 231. Tod 251.

b) Biographie. Origenes ist im Jahre 182 als Sohn eines christlichen Elementarlehrers (γϱαμματικός) namens Leonides (der Name weist auf griechischen Ursprung; s. CIA I, 447. II, 804. 966 A 27. 1044. 1204. 1416. III, 667. 676. 935 u. o.) geboren worden. Sein Geburtsort wird nicht genannt. Daß er im Ägypter war und daß als seine Vaterstadt Alexandria anzusehen ist, läßt sich nicht sicher beweisen, darf aber mindestens als sehr wahrscheinlich angesehen werden. Sein vollständiger Name scheint Origenes Adamantius gewesen zu sein. (Für den Namen Ὠϱιγένης vgl. die Inschrift CIGr III, 4705 vom Jahre 232/33 und CIG Sept. I, 1766 aus Thespia. Für Ἀδαμάντιος ib. IV, 9373, CIA II, 1368. Andere nennt Pauly Wissowa I, 343. Der letztere Name ist meist als Epitheton ornans gefaßt worden [s. Hieron., ep. 33, 3, Photius, Cod. 118]; ohne Grund. Denn Eusebius spricht ausdrücklich von dem Doppelnamen h. e. VI, 14: ὁ μέντοι Ἀδαμάντιος, καὶ τοῦτο γὰρ ἦν τῷ Ὠϱιγένει ὄνομα. Der erste Name weist auf den Gott Hor). Die erste Erziehung leitete sein Vater, der ihn schon in früher Jugend mit der hl. Schrift vertraut machte und ihn in den Elementarfächern (τῇ τῶν ἐγκυκλίων παιδείᾳ) gründlich unterwies (Euseb., h. e. VI, 2, 7). Der Unterricht bestand in Auswendiglernen und Aufsagen. Darüber hinaus aber überraschte der Knabe den Vater durch seine verständigen Fragen über den tieferen Sinn dessen, was er lernte, so daß er diesem oft Not machte. Und wenn der ihn auch an das wies, was dem Knaben zukomme, so bewunderte er doch den Verstand des Sohnes, der sich schon so früh offenbarte. Inzwischen war Origenes über die Knabenjahre hinausgekommen. Da brach 202 (nach dem Chronic. Alex. p. 266 setzen de Ceulencer Essai sur la vie de Septime Sevère p. 222 und A. Wirth, Quaestiones Severianae p. 32 sqq. den Ausbruch der Verfolgung in das Jahr 201) die Verfolgung über die Christen herein, die Origenes den Vater, der aus neun Köpfen bestehenden (Euseb., h. e. VI, 2, 12) Familie den Ernährer raubte. Am liebsten hätte der Sohn mit dem Vater das Martyrium erlitten. Absichtlich brachte er sich in Gefahr, und es fehlte nicht viel, so hätte er seinen Zweck erreicht (Euseb. l. c. § 3 f.). Nur durch eine List konnte ihn die Mutter zurückhalten. Bitten und Flehen hatten nichts geholfen. Da verbarg sie ihm seine ganze Kleidung und zwang ihn so, zu Hause zu bleiben (ib. § 5). Origenes blieb nichts weiteres zu thun, als den Vater zur Standhaftigkeit zu ermahnen. Er that das in einem ungestümen Brief, in dem er seinem Vater zurief: „Halt aus; laß dich unsretwegen nicht auf andere Gedanken bringen" (ib. § 6). Nach dem Tode des Vaters stand die Familie mittellos da; denn das Vermögen war konfisziert worden (ib. § 13; dazu Mommsen, röm. Strafrecht S. 1006 f.). Da nahm eine reiche und vornehme Frau sich des jungen Mannes an. Schon früher hatte sie einem Häretiker namens Paulus, einem geborenen Antiochener, bei sich Unterkommen geboten; jetzt sollte auch Origenes ihre Hausgemeinde vermehren. Der war aber von solchem Eifer für die Rechtgläubigkeit erfüllt, daß er nicht einmal an den gemeinsamen Gebetsversammlungen dieser Hausgemeinde teilnehmen wollte; so sehr verabscheute er die Lehren der Häretiker (ib. § 13 f.). So scheint er es nicht lange in der nach seiner Meinung ungesunden Atmosphäre ausgehalten zu haben. Der Unterricht seines Vaters hatte ihn in den Stand gesetzt, selbst Elementarunterricht zu erteilen. Nicht lange nach dem Tode seines Vaters begann er es damit und erwarb so, was er und die Seinen brauchte, durch eigene Arbeit (ib. § 15).

Die Katechetenschule, die in Alexandria bestand (s. d. A. Bd I, S. 536 ff.) und an der zuletzt Clemens gewirkt hatte, war verwaist. Clemens, den letzten Leiter, scheint die Verfolgung aus Alexandria vertrieben zu haben (s. d. A. Bd IV, S. 156). Die Wißbegierigen wandten sich nun an Origenes. Als erster wird Plutarch genannt (Euseb., h. e. VI, 3, 2), der mit andern Schülern des Origenes noch unter Severus das Martyrium erlitt (Euseb., h. e. VI, 4, 1). Das war 203. Die Verfolgung wütete unterdes weiter. Der junge Lehrer besuchte die Gefangenen, wohnte allen Verhören bei und stärkte bis zum Tode Verurteilten auf dem letzten Gang. Wunderbarerweise blieb er unbehelligt, so oft auch bie der Hinrichtung zuschauende Volksmenge gegen ihn tobte, wenn er sich von den dem Tode Geweihten mit einem Bruderkuß verabschiedete (Euseb., h. e. VI, 3, 4). Dabei nahm sein Ruf von Tag zu Tag zu. Die Zahl seiner Zuhörer wuchs so sehr, daß nach des Eusebius Bemerkung (h. e. VI, 3, 5) ein Truppenaufgebot vor seiner Wohnung die Ordnung aufrecht erhalten mußte, weil die Heiden zu tumultuieren versuchten. In richtiger Würdigung der Bedeutung des jungen Mannes nahm ihm Deme-

trius, der Bischof von Alexandrien, den Unterricht in den Elementarfächern ab und betraute ihn ausschließlich mit der Unterweisung in der christlichen Lehre. Um fernerhin nicht mehr von fremder Unterstützung abhängig zu sein, verkaufte nun Origenes die von ihm gesammelte Bibliothek für eine Summe, die ihm eine tägliche Rente von vier Obolen
5 brachte (52 Pfennige) — dem üblichen Tagelohn eines Handarbeiters in Athen (Blümner, Leben und Sitten der Griechen III, S. 165). Nur bei äußerster Bedürfnislosigkeit konnte man damit leben; Origenes lebte davon, wie er denn Zeit seines Lebens arm und bedürfnislos geblieben ist (vgl. die von Bornemann, In investiganda monachatus origine quibus de causis ratio hab. sit Orig. p. 15 sqq. gesammelten Stellen; dazu
10 Hieronymus, de uiris inl. 54. Origenes, de mart. 15 p. 15, 17 K.). Während der Unterricht seine Zeit am Tag ausfüllte, gönnte er sich nachts keine Ruhe, sondern widmete den größten Teil der Nächte dem Studium der heiligen Schrift, fastete und kasteite sich, indem er zum Schlaf nicht das Lager suchte, sondern sich auf der bloßen Erde ausstreckte, ging barfuß und aß nur so viel, als er unbedingt brauchte, um zu leben. So
15 suchte er sein Fleisch zu töten (Euseb., h. e. VI, 3, 9). Unterstützungen, die man ihm anbot, wies er zurück, zur Betrübnis derer, die ihm damit eine Freude machen wollten (Euseb., h. e. VI, 3, 11).

Origenes hatte die Freude, daß die von ihm mit so viel Mut und Selbstaufopferung vorgetragene Lehre Früchte brachte. Eine ganze Anzahl seiner Schüler wird von Euseb
20 (h. e. VI, 4. 5) aufgezählt, die das Martyrium erlitten: so Plutarch, sein erster Schüler, Serenus, Herakleides, Heron. Auch eine Frau, Herais, eine Katechumenin, fand den Tod. Auch das trug dazu bei, daß der Ruhm seines Unterrichtes stets wuchs und mit ihm die Zahl seiner Schüler und Schülerinnen. Die überspannte, weltflüchtige Askese, die er sich erwählt hatte, weil er der Meinung war, daß der Christ die Worte seines
25 Meisters unbedingt befolgen müsse (Euseb., h. e. VI, 3, 10), trieb ihn in dieser Zeit seiner ersten jugendlichen Erfolge zu einem Schritt, der für unser Empfinden widernatürlich ist, über den Origenes selbst später anders urteilte, der sich aber aus seiner jugendlichen Einseitigkeit und Schwärmerei genügend erklärt. Origenes nahm das Wort Mt 19, 12 von den Eunuchen, die sich um des Himmelreiches willen selbst entmannten,
30 wörtlich, und da er befürchtete, daß seine Lehrthätigkeit, die sich auf Männer und Frauen zugleich erstreckte, den Heiden Anlaß zu Verleumdungen geben könnten, so machte er mit dem Gebote Jesu Ernst und entmannte sich selbst (Euseb., h. e. VI, 8, 2; die Versuche, an dieser Thatsache zu rütteln und Euseb einen Irrtum zuzuschieben, dürfen als mißlungen angesehen werden: s. gegen Schnitzer, Orig. über d. Grundlehren d. Glaubens-
35 wissenschaft, S. XXXIII ff.; Böhringer S. 28 ff. namentlich die Bemerkungen von Redepenning, Orig. I, 444 ff. 202 ff. Einen Irrtum des Eusebius wahrscheinlich zu machen ist keinem der vermeintlichen Verteidiger des Orig. gelungen). Die Sache wurde, obgleich Origenes kein Interesse an dem Bekanntwerden hatte, ruchbar; doch blieb sie zunächst ohne weitere Folgen. Demetrius selbst soll, wie Euseb berichtet (h. e. VI, 8, 3),
40 Origenes beruhigt (θαρρεῖν αὐτὸν παραχελεύεται), auch ihm unter Anerkennung der Beweggründe die Leitung der Katechetenschule weiterhin gelassen haben.

7   Am 4. Februar 211 starb Septimius Severus. Die letzten Jahre seiner Regierung waren für das Christentum friedlich gewesen (Neumann, D. röm. Staat u. d. christl. Kirche I, S. 182). Unter der Regierung seines Nachfolgers Caracalla (c. 211/12) unter-
45 nahm Origenes eine Reise nach Rom, wo Zephyrinus als Bischof wirkte. Sein Wunsch war, „die älteste Gemeinde, die römische, zu sehen" (Euseb., h. e. VI, 14, 10). Der Aufenthalt war nur von kurzer Dauer (ἔνθα οὐ πολὺ διατρίψας ἐπάνεισιν εἰς τὴν Ἀλεξάνδρειαν Euseb., l. c.). Gründe werden für die rasche Rückkehr nicht angegeben. Aber man wird nicht fehlgehen, wenn man annimmt, daß die laxe Bußpraxis, wie sie
50 schon unter Zephyrin geübt wurde, dem strengen Alexandriner nicht zusagte und daß er darum bei seinem Besuch eine Enttäuschung erlebte, wie sie Tausende nach ihm erlebt haben. Mit um so größerem Eifer nahm er nach seiner Rückkehr seine Lehrthätigkeit wieder auf (Euseb., h. e. VI, 14, 11). Aber die Anforderungen, die die Schule an ihn stellte, waren mit der Zeit so gewachsen, daß eines Mannes Kraft nicht mehr aus-
55 reichte. Von Morgen bis Abend drängten sich Katechumenen und Getaufte zum Unterricht. Jene wollten die erste Unterweisung empfangen, diese suchten Belehrung durch die Auslegung der hl. Schrift. Da nahm sich Origenes einen Gehilfen in der Person des Heraklas, des Bruders seines ersten Schülers, des Märtyrers Plutarch. Ihm überließ er die Katechumenunterweisung; er befaßte sich nur noch mit den Geförderten (Euseb., h. e.
60 VI, 15). Sein Interesse wandte sich nun immer ausschließlicher der hl. Schrift und ihrer

Erklärung zu. Er lernte daher noch Hebräisch und erwarb sich die hebräischen Originale der biblischen Schriften. Sein Lehrer im Hebräischen (de princ. I, 3, 4; IV, 26 u. ö.) ist nicht weiter bekannt. Wer der mehrmals von ihm citierte Julius (oder Huillus) war, der als Patriarch bezeichnet wird (Sel. in Ps., XI, 352 Lommatzsch. Hieron., adv. Rufin. I, 13), läßt sich nicht mehr ausmachen. Wenn Hieronymus (ep. 39, 1) die 5 hebräischen Kenntnisse des Origenes auf dessen Mutter zurückführt, die er damit als eine Jüdin zu bezeichnen scheint, so widerspricht das direkt den Angaben des Euseb (h. e. VI, 16, 1).

Aus dieser Zeit (c. 212/13) stammt auch die Verbindung des Origenes mit Ambrosius, die für beide von den größten Folgen war. Ambrosius, ein sehr wohlhabender Mann, 10 war Anhänger der valentinianischen Sekte. Der große Ruf, den Origenes als Lehrer genoß, veranlaßte den nach Belehrung suchenden Mann, die Schule des Origenes aufzusuchen. Die Folge war, daß Ambrosius die Verbindung mit der Sekte aufgab und sich der Kirche anschloß (Euseb., h. e. VI, 18, 1). Später (c. 218) schloß er mit Origenes einen förmlichen Vertrag ab, nach dem dieser auf seine Kosten eine Art Offizin 15 einrichtete und dafür ihm Schriften zu liefern hatte. Alle späteren Schriften des Origenes — von den nicht eigentlich für die Publikation bestimmten Predigten abgesehen — tragen daher die Widmung an Ambrosius (Euseb., h. e. VI, 23, 1 f. Fragment aus B. V b. Johanneskommentars S. 100 f. m. Ausg.; dazu Einl. S. LXXVI ff.).

Etwa in das Jahr 213 oder 214 wird auch die Reise nach Arabien fallen, die 20 Origenes auf Wunsch des dortigen Präfekten unternahm. Dieser sandte durch einen Offizier ein Schreiben an den Bischof Demetrius und den kaiserlichen Statthalter, in dem er diese ersuchte, ihm „mit allem Fleiß" den Origenes zum Zwecke einer Unterredung zu senden. Dieser reiste ab und kehrte nach kurzem Aufenthalt in Petra, wo der Statthalter residierte, nach Alexandrien zurück (Euseb., h. e. VI, 19, 15). Einige Zeit 25 nachher (χρόνου δὲ μεταξὺ διαγενομένου) brach die Revolte in Alexandria aus, in der Caracalla, von dem Pöbel verhöhnt, die Stadt den Soldaten zur Plünderung preisgab, die Fremden aus ihr vertrieb (Dio Cass. LXXVII, 23), die Schauspiele verbot, die Kollegien der Philosophen schloß und gegen die Gelehrten vorging. Von dem Ausweisungsbefehl ist auch Ambrosius betroffen worden, der als Antiochener die Stadt verlassen 30 mußte und sich nun nach Cäsarea in Palästina wandte, wo er seinen dauernden Wohnsitz genommen zu haben scheint. Das war im Sommer 215 (Clinton, Fasti Romani I, p. 224 sq., nach Eckhel, Doctrina num. vet. VII, p. 214).

Bei der starken Erregung des Volkes, die eine Folge dieser Revolte war, glaubte auch Origenes, an seiner Lehrthätigkeit gehindert, seine Sicherheit gefährdet und verließ 35 Ägypten. Vielleicht in Begleitung des Ambrosius kam er nach Palästina, wo er sich in Cäsarea längere Zeit aufhielt (Euseb., h. e. VI, 19, 16). Auf Verlangen der dortigen Bischöfe, des Bischofs Alexander von Jerusalem und Theoktistus von Cäsarea, machte er sich in der Gemeinde dadurch nützlich, daß er in dem Gottesdienste predigte und die Schrift auslegte (Euseb., ib. § 16). Obwohl er keinerlei kirchliche Weihe besaß, erblickte 40 man dort in einem derartigen öffentlichen Auftreten eines Nichtklerikers nichts Auffallendes. Dort bestand noch die aus dem Judentum übernommene (Schürer, Gesch. d. j. V.² II, S. 457) Sitte, daß jedes kundige Gemeindeglied das Wort ergreifen durfte. So war es in urchristlicher Zeit Brauch, wie die Briefe des Paulus beweisen, und so zeigt es auch noch die Didache, wo Bischofsamt und Lehramt ausdrücklich getrennt waren. 45 Für alexandrinische Verhältnisse war das öffentliche Auftreten des Origenes im Gottesdienst allerdings unerhört. Als sich der Sturm in Alexandria gelegt hatte, berief Demetrius, der von den Ehren, die Origenes in Cäsarea zu teil geworden waren, Kunde erhalten hatte, der aber wohl auch den erfolgreichen Lehrer seiner Schule nicht auf die Dauer entbehren konnte, diesen nach Alexandria zurück. In dem Brief, den er (an die 50 Bischöfe?) sandte, führte er Klage über die Anmaßung des Origenes, der jeder Ordnung zuwider in Gegenwart von Bischöfen zu predigen gewagt habe (Euseb., h. e. VI, 19, 17). Diakonen, die er mit dem Brief abgesandt hatte, machten die Sache dringlich, und so kehrte denn Origenes wieder zu seiner gewohnten Beschäftigung zurück (216?).

Ueber die Thätigkeit des Origenes in den nächsten zehn Jahren erfahren wir nichts 55 Genaueres. Sie waren offenbar ausgefüllt von der Lehrthätigkeit. Was Origenes an Zeit übrig blieb, benutzte er zu litterarischen Arbeiten, deren Anlaß in einem Vertrag zu suchen ist, den er mit Ambrosius geschlossen hatte. Dieser Mann hatte Origenes ein zahlreiches Personal zur Verfügung gestellt, mit dessen Hilfe er, ohne seine Lehrthätigkeit einschränken zu müssen, auch wissenschaftlich produktiv sein konnte. Er überließ ihm mehr 60

als sieben Stenographen, die seine Diktate aufzeichneten, indem sie einander ablösten, ebensoviele Schreiber, die die Stenogramme in Buchschrift übertrugen und eine Anzahl von Mädchen, die die Abschriften zu besorgen hatten (Euseb., h. e. VI, 23, 2; dazu Orig., Comm. in Joh. VI, 2, 9 [S. 108, 4 mit Ausg.]). Daburch, daß Origenes der
5 Arbeit des Schreibens überhoben war und nun seine Schriften diktieren konnte, war ihm überhaupt erst eine umfangreichere litterarische Thätigkeit ermöglicht worden. Auf Geheiß des Ambrosius begann er nun eine großangelegte gelehrte Auslegung der hl. Schrift, die mit dem Kommentar zum Johannesevangelium eröffnet wurde (in Joh. I, 2, 13 [S. 6, 6ff. m. Ausg.]). Daneben schrieb er an einer Auslegung des Genesis, von der er acht Bücher
10 fertig stellte, ferner einen Kommentar zu den ersten 25 Psalmen, einen Kommentar über die Klagelieder, dazu noch die kurzen Erörterungen über einzelne Bibelstellen, die er unter dem Titel Στρωματεῖς in zehn Büchern herausgab. Außer diesen exegetischen Schriften verfaßte er in Alexandria die zwei Bücher über die Auferstehung, sowie die Schrift περὶ ἀρχῶν (Euseb., h. e. VI, 24 nach den ἐπισημειώσεις, den „Vorreden" des Origenes
15 vor den einzelnen Büchern).

Etwa im Jahre 230 trat Origenes die verhängnisvolle Reise an, die ihn zur Aufgabe seines alexandrinischen Wirkungskreises zwang und ihm die nächsten Lebensjahre verbitterte. Kirchliche Angelegenheiten riefen Origenes wieder aus seiner Gelehrtenruhe ab. Mit einer Mission betraut, über deren Charakter nichts Zuverlässiges bekannt ist (Hierony-
20 mus behauptet de uiris inl. 54 es habe sich um Auseinandersetzung mit Häretikern gehandelt; doch scheint das nur eine haltlose Vermutung von ihm zu sein), begab er sich nach Griechenland. Nachdem er seinen Auftrag ausgeführt hatte, benutzte er die Gelegenheit zu einem Abstecher nach Cäsarea. Dort wurde er von seinen alten Freunden herzlich aufgenommen, und damit sich nicht wieder irgend eine Unannehmlichkeit ergebe,
25 glaubten die palästinischen Bischöfe nichts Besseres thun zu können, als daß sie dem Gelehrten die Presbyterweihe erteilten (Euseb., h. e. VI, 23, 4). Die Bischöfe hatten es gut gemeint; aber sie hatten nicht bedacht, daß die Anschauungen, die in Palästina noch herrschten, im Lande der ausgebildeten Gemeinde- und Kirchenverfassung unmöglich waren. Demetrius war wütend. Er sah in dem Vorgehen der beiden Paläftiner
30 einen Eingriff in seine Rechte, zu dem er nicht stillschweigen mochte. Über die kirchenrechtlichen Verhältnisse, die den Protest begründeten, sind wir nicht soweit unterrichtet, daß man die ganze Streitfrage klar lösen könnte. Jedenfalls läßt sich soviel noch erkennen, daß Origenes, der der kirchlichen Jurisdiktion des Demetrius unterstellt war, der vielleicht als διδάσκαλος sogar mit dem Klerus in irgend welcher Weise in Beziehung
35 stand, nicht ohne die Genehmigung des zuständigen Bischofs die Ordination erhalten konnte. Es scheint nun, daß sich eben zur Zeit des Demetrius in Alexandria Vorgänge abspielten, die zu wichtigen kirchenrechtlichen Neuordnungen führten. Haben die orientalischen Quellen (s. Brooks, Journal of Theol. Stud. II, p. 612. Gore III, p. 278ff.; dazu Hieron., ep. 85 vgl. Bingham, Antiq. I, 91) recht, so hat es bis auf Demetrius
40 in Ägypten auf dem Land keine Bischöfe, sondern nur Presbyter gegeben, und die Ordination des alexandrinischen Bischofs erfolgte durch Presbyter. Erst Demetrius hat den Anfang mit der Verfassungsänderung gemacht und zunächst drei Bischöfe eingesetzt. Das Presbyterinstitut scheint in der That ägyptischen Ursprungs zu sein (vgl. Hauschild, ZntW IV, S. 235ff.), so daß nach dieser Seite die Notiz nichts Unwahrscheinliches enthält.
45 Ist die Nachricht zuverlässig, so läßt sich verstehen, warum Demetrius über das Eingreifen in seine Metropolitangewalt so aufgebracht war, und es ist nicht nötig, ihm mit Euseb (VI, 8, 4) die niedrigen Motive des Neides und der Eifersucht unterzuschieben. Das geht aus dem Exzerpt des Photius auch noch deutlich hervor. Wie dieser weiter berichtet (Cod. 118 p. 93ᵃ, 2ff. Bekker), berief Demetrius eine aus Bischöfen und Pres-
50 bytern zusammengesetzte Synode, die Origenes aus Alexandria verbannte und ihm die weitere Lehrthätigkeit zugleich mit dem Aufenthalt in der Stadt untersagte. Auf einer zweiten Synode, die nur von einigen ägyptischen Bischöfen — vielleicht eben von den durch Demetrius eingesetzten — besucht war, setzte Demetrius durch, daß man die Priesterweihe für ungültig erklärte, und daß man von diesem Beschluß den andern Gemeinden
55 durch ein gemeinschaftlich unterzeichnetes Rundschreiben Kenntnis gab. Daraufhin floh Origenes aus Alexandria und siedelte nach Cäsarea in Palästina über (i. J. 231), wo er nun dauernd seinen Wohnsitz genommen zu haben scheint (über die Trennung von Alexandria vgl. Orig., in Joh. VI, 2, 8f. Was Epiph., haer. 64, 2 [p. 587, 19ff. Dind.] von seiner angeblichen Verleugnung bei einer Verfolgung erzählt, ist elende Ver-
60 leumdung, da um diese Zeit die Kirche Frieden hatte). Die Sache war damit noch

nicht zum Abschluß gekommen. Origenes spricht (in Joh. VI, 2, 9) von Schriften, die nach seiner Übersiedelung nach Cäsarea von seinen alexandrinischen Gegnern wider ihn gerichtet worden sind, und er bezeichnet sie als unevangelisch, da sie alle Stürme der Bosheit wider ihn entfesselten. Was damit gemeint ist, läßt sich nicht mehr ausmachen. Euseb deutet an (h. e. VI, 8, 2), daß Demetrius später von der Thatsache der Selbst- 5 entmannung geredet habe, vielleicht in dem Sinne, daß er Origenes ein todeswürdiges Verbrechen vorwarf. Denn auf Selbstentmannung stand Todesstrafe (Mommsen, Röm. Strafrecht S. 637 f.). Spätere reden von Angriffen auf die Rechtgläubigkeit des Origenes (Justinian, ep. ad Mennam bei Mansi, Concil. ampl. coll. IX p. 524). Die Beschlüsse wurden nur in Rom anerkannt; in Palästina, Phönizien, Arabien und Achaja 10 kümmerte man sich nicht darum (Hieron., ep. 32, 4). Origenes rechtfertigte sich in einem Brief, den er an seine Freunde in Alexandria richtete (Hieron., adv. Ruf. II, 18. Rufin, De adulterat. libr. Orig. XXV, p. 388 Lomm.). Dort übernahm Heraklas die Leitung der Schule. Nicht lange danach starb Demetrius (b. Gutschmid, Kl. Schr. II, S. 423 nimmt 230 als Todesjahr an) und derselbe Heraklas ward sein Nachfolger. 15

Mit Freuden wurde Origenes in Cäsarea aufgenommen und zwar nicht nur von seinen Freunden. Der Bischof Firmilian von Cäsarea in Kappadozien rief ihn in sein Bistum, besuchte ihn dann auch selbst in Palästina (Euseb., h. e. VI, 27). Die Bischöfe von Jerusalem und Cäsarea gestatteten ihm, seinen Unterricht fortzusetzen und zugleich kirchliche Funktionen auszuüben d. h. zu predigen (Euseb., l. c.). Über den Unterricht, die Methode 20 und den Erfolg haben wir ein schönes Denkmal in der Abschiedsrede des Gregorius Thaumaturgus, der nicht lange nach 231 nach Cäsarea gekommen zu sein scheint (Paneg. 5, 63). Aus dieser Rede ergiebt sich nicht nur, daß die Schüler mit außerordentlicher Liebe an ihrem Lehrer hingen, sondern sie zeigt auch, wie vielseitig der Unterricht war. Origenes legte zunächst ein Fundament, indem er Dialektik, Physik, Ethik, Metaphysik 25 behandelte, und setzte darauf als Krönung des Gebäudes die Theologie (Paneg. 7, 102 ff.). Er machte also zuerst im großen Stil den Versuch, das gesamte Wissen seiner Zeit vom christlichen Standpunkt aus darzustellen, das Christentum zu einer in der Welt des Hellenismus möglichen Weltanschauung zu erheben. Bald nach seiner Übersiedelung nach Cäsarea sprach die Mutter des Kaisers Julia Mamäa den Wunsch aus, Origenes zu 30 sehen. Eine militärische Eskorte brachte ihn nach Antiochien, wo sich die Kaiserin damals aufhielt (i. J. 232; Euseb., h. e. VI, 21, 3 f. Dazu Neumann, D. röm. Staat I, 207 Anm. 3). Origenes blieb einige Zeit dort, hielt der Kaiserin Mutter Vorträge und kehrte dann wieder zurück. Ein Briefwechsel schloß sich an den Besuch, war ihm vielleicht auch schon vorausgegangen. 35

Die Friedenszeit der Kirche fand inzwischen ihr Ende. Am 18. Februar 235 wurden Alexander Severus und seine Mutter ermordet. Sein Nachfolger Maximin, ein Soldat von altem Schrot und Korn, ging gegen das Christentum in der Weise vor, daß er die Kleriker allein zur Verantwortung zog (Euseb., h. e. VI, 28; dazu Neumann, Der röm. Staat I, 211 f.). In unmittelbarer Nähe des Origenes forderte das Edikt neue Opfer; 40 Origenes Freund Ambrosius ward verhaftet, ein Presbyter namens Protoktetus wurde Märtyrer. Ambrosius wurde Konfessor, kam dann aber wieder frei. In das J. 235 setzt man zumeist den Aufenthalt des Origenes in Cäsarea in Kappadozien, wo er sich im Hause der Jungfrau Juliana zwei Jahre verborgen gehalten haben soll. Die Nachricht geht auf eine Notiz des Palladius zurück (hist. Laus. 147), dessen Quelle sich nicht mehr nachweisen 45 läßt, und dessen Angabe daher nicht über jeden Zweifel erhaben ist. Die Inskription, die in einem Buche von der Hand des Origenes gefunden worden sein soll, erweckt allerdings kein schlechtes Zutrauen. Sie könnte auf irgend eine Glosse in Euseb (etwa zu h. e. VI, 17) zurückgehen, die in Cäsarea in Palästina gemacht sein würde. Doch muß das Ganze zweifelhaft bleiben. 50

Ueber die letzten zwanzig Jahre des Lebens wissen wir wenig. Origenes scheint nun eine ungeheure schriftstellerische Thätigkeit entwickelt zu haben, die ab und zu durch Reisen unterbrochen wurde. Regelmäßig am Mittwoch und Freitag predigte er (Socr., h. e. V, 22); später, wie es scheint, täglich (hom. in Num. 13, 1). Eine Reise nach Athen (Euseb., h. e. VI, 32, 2) läßt sich nicht mehr fixieren. Sie kann nicht allzu kurz 55 gewesen sein, da Origenes in Athen Gelegenheit zu wissenschaftlicher Arbeit fand. Nach seiner Rückkehr lag neue Arbeit vor. Der Bischof Beryll von Bostra hatte eine adoptianische Lehre vorgetragen, die sich aus dem Referat des Euseb (h. e. VI, 33, 1) nicht mehr klar erkennen läßt (s. Bd XIII, 319, 1 ff.). Es fanden zahlreiche Disputationen statt, die zu keiner Einigung führten. Endlich berief man „mit andern" auch 60

Origenes, der zunächst im Zwiegespräch mit Beryll dessen Anschauungen kennen zu lernen suchte, dann seine Irrlehren feststellte und ihn endlich durch seine Beweisführung zur Recht=gläubigkeit zurückführte. In Predigten, die er in seinem Sprengel hielt, scheint er dann auch den Gemeindegliedern die Kirchenlehre oder vielmehr die biblische Lehre vorgetragen
5 zu haben (Euseb., h. e. VI, 33, 3; der Zeitpunkt der Disputation ist nicht mehr zu bestimmen, jedenfalls fällt sie vor 244; die zu Eusebs Zeit noch vorhandenen Akten sind leider verloren). In diese Jahre (um 240) mögen auch die Angriffe auf die Recht=gläubigkeit des Origenes fallen, die ihn veranlaßten, in Schreiben an den römischen Bischof Fabian (236—250) und viele andere Bischöfe sich gegen die erhobenen An=
10 griffe zu verteidigen (Euseb., h. e. VI, 36, 4). Von wem die Angriffe ausgingen, ist ebensowenig bekannt, wie die Punkte der Lehre, gegen die sie sich richteten. An einen Zusammenhang mit dem Novatianismus zu denken liegt nahe, ist aber nicht zu erweisen. Nach dem erfolgreichen Gespräch mit Beryll begehrte man die Hilfe des Origenes öfter im Kampfe gegen die Sekten. Als in Arabien die Lehre auftauchte, daß die Seele mit
15 dem Leibe sterbe und verwese, und daß sie erst bei der Auferstehung wieder zum Leben zurückkehre, forderte man abermals Origenes auf, zu der deswegen zusammenberufenen Synode zu kommen. Er leistete Folge und wiederum vermochte er es, durch die Ueber=zeugungskraft seiner Predigt die Abgefallenen zurückzuführen (Euseb., h. e. VI, 37).
Da brach 250 die Verfolgung aufs neue aus. Diesmal entging ihr Origenes
20 nicht. Alexander von Jerusalem wurde zum zweiten Male Märtyrer. Man stellte ihn in Cäsarea vors Gericht; im Gefängnis verschied der Greis. Auch Origenes wurde an=geklagt, gefoltert, ins Halseisen gelegt, viele Tage lang mit Händen und Füßen in den Block gespannt, ohne daß man ihn zum Nachgeben und Abfall zwingen konnte. An den Folgen dieser Mißhandlungen scheint der 69jährige ungebeugten Mutes gestorben zu sein
25 (251; Euseb. VI, 39. VII, 1). Eine Euseb (Photius, Cod. 118) noch nicht bekannte Legende läßt ihn in Tyrus gestorben und begraben sein (Hieron., de uiris inl. 54, zahlreiche Itinerare, die Huet, Origeniana I, 4, 9, Westcott, DchrB IV, 103ª zu=sammenstellen). Eine angeblich unkontrollierbare und wahrscheinlich wertlose moderne Tra=dition (Vincenzi, In S. Gregor. Nyss. et Origenis scripta et doctr. IV, 400 sqq.,
30 vgl. Hergenröther, Bonner Theol. Litteraturbl. 1866, S. 551) behauptet, daß Origenes neben dem Episkopium unter dem ehemaligen Kloster der Mönche von St. Salvator be=graben liege an einer Stelle, wo einst eine dem hl. Johannes geweihte Kirche im Namen des Origenes gebaut worden sei. Wahrscheinlich ist Origenes in Cäsarea gestorben, wie Euseb in der Apologie ausdrücklich angegeben hat (Photius, Cod. 118 p. 92ᵇ, 17 Bekker),
35 und vermutlich war er auch dort begraben. Wie die andere Tradition entstanden ist, ob in irgend welchen Zeitläuften der Leib des Märtyrers nach Tyrus gebracht worden ist, läßt sich nicht mehr ausmachen.
II. Schriften. Ein Verzeichnis der Schriften des Origenes, deren Zahl sich nach Epiphanius (haer. 64, 63 p. 669, 11 f. Dindorf; vgl. Hieron., Adv. Ruf. III, 23.
40 Suidas s. v. Ὠριγένης u. a.) auf 6000 belaufen haben soll, war nach Euseb (h. e. VI, 32, 3) dessen Biographie des Pamphilus einverleibt, der sich um die Sammlung der Schriften des Origenes die größten Verdienste erworben hat. Eine Bearbeitung dieses Verzeichnisses ist wahrscheinlich dasjenige des Hieronymus (ep. ad Paulam, am besten hgg. v. E. Klostermann, SBAW 1897, 855 ff.). Bei der Aufzählung sind hier sachliche
45 Gesichtspunkte befolgt.
1. Textkritische Arbeiten. a. Die Hexapla. Über das große textkritische Werk des Origenes, durch das er eine den wissenschaftlichen Anforderungen genügende Grundlage für den Gebrauch des AT schaffen wollte, sind wir genauer unterrichtet, seit wir ein Stück aus eigener Anschauung kennen, gelernt haben. S. den A. „Bibel=
50 übersetzungen, griechische" Bd III, S. 17; vgl. auch Schürer, Gesch. des jüd. V.⁴ III, S. 312 ff.; E. Schwartz, NGGW 1903, 6. Zur Veranschaulichung der Arbeit mag Ps 45 [Hbr 46], 1 ff. dienen (vgl. Klostermann, ZatW 16, S. 336 f. Das Hebräische füge ich zu und emendiere wo es nötig ist: s. Tabelle S. 477)
Über die Schicksale der Hexapla ist nichts bekannt. Der Mailänder Fund beweist,
55 daß mindestens einzelne Teile viel länger existiert haben, als man bis dahin annahm. Die hexaplarischen Notizen späterer Handschriften und Autoren gewinnen daher eine größere Bedeutung, als es seither schien.
b. Die Tetrapla (τὰ τετραπλᾶ) bildete eine Verkürzung der Hexapla, indem Origenes hier nur die Übersetzungen (Aquila, Symmachus, Theodotion und LXX neben=
60 einander stellte. Auf sie geht wohl auch, was Origenes selbst (in Mtth. XV, 14) von seiner

Hebr. (hebr.)	Hebr.	Aquila	Symmachus	LXX	Theodotion	Varr.
לַמְנַצֵּחַ	λαμαναασαηα	τῷ νικοποιῷ	ἐπινίκιος	εἰς τὸ τέλος	εἰς	εἰς τὸ τέλος
לִבְנֵי־	λαβνη	τῶν υἱῶν	τῶν υἱῶν	τῶν υἱῶν	τῶν υἱῶν	
קֹרַח	κορε					σφοραη?
עַל־עֲלָמֹות	αλ · αλαμωθ	ἐπὶ νεανιοτήτων	ὑπὲρ τῶν αἰωνίων	ὑπὲρ τῶν κρυφίων	ὑπὲρ τῶν κρυφίων	
שִׁיר	σιρ	ᾆσμα	ᾆσμα	ᾠδή	ᾠδή	
אֱלֹהִים לָנוּ	ελωειμ · λανου	<ὁ θεὸς ἡμῖν>	ὁ θεὸς ἡμῖν	ὁ θεὸς ἡμῶν	ὁ θεὸς ἡμῶν	
מַחֲסֶה וָעֹז	μααse [ουοζ]	σκέπη καὶ κράτος	πεποίθησις	καταφυγὴ καὶ δύναμις	καταφυγὴ καὶ δύναμις	
עֶזְרָה	εζρα	βοήθεια	βοήθεια	βοηθὸς	βοηθὸς	
בְצָרֹות	βσαρωθ	ἐν θλίψεσιν	ἐν θλίψεσιν	ἐν θλίψεσιν	ἐν θλίψεσιν	
נִמְצָא מְאֹד	νεμσα [μωδ]	εὑρέθη σφόδρα	εὑρισκόμενος σφόδρα	ταῖς εὑρούσαις ἡμᾶς σφόδρα	ταῖς εὑρούσαις ἡμᾶς	
עַל־כֵּן	αλ · χεν	ἐπὶ τούτῳ	διὰ τοῦτο	διὰ τοῦτο	διὰ τοῦτο	
לֹא־נִירָא	λω · νιρα	οὐ φοβηθησόμεθα	οὐ φοβηθησόμεθα	οὐ φοβηθησόμεθα	οὐ φοβηθησόμεθα	
בְּהָמִיר	βαμιρ	ἐν τῷ ἀνταλλάσσεσθαι	ἐν τῷ συγχεῖσθαι	ἐν τῷ ταράσσεσθαι	ἐν τῷ ταράσσεσθαι	
אָרֶץ	[α]αρς	τὴν γῆν	γῆν	τὴν γῆν	τὴν γῆν	
וּבְמֹוט	ου βαμωτ	καὶ ἐν τῷ σφάλλεσθαι	καὶ κλίνεσθαι	καὶ μετατίθεσθαι	καὶ σαλεύεσθαι μετατίθεσθαι	
הָרִים	αρημ	ὄρη	ὄρη	ὄρη	ὄρη	
בְּלֵב	βλεβ	ἐν καρδίᾳ	ἐν καρδίᾳ	ἐν καρδίᾳ	ἐν καρδίᾳ	
יַמִּים	ναμιν	θαλασσῶν	θαλασσῶν	θαλασσῶν	θαλασσῶν	

Arbeit an dem griech. Text des AT erzählt, daß er durch Anwendung kritischer Zeichen
(f. über diese Epiphan., de pond. et mens. 7—19; Hieron., ep. 106, 7; Serruys,
Melanges d'Archéol et d'histoire XXII, p. 157 ss.) die Zuverlässigkeit der Überliefe=
rung kenntlich zu machen gesucht habe. „Die Differenzen in den Handschriften des AT
5 habe ich mit Gottes Hilfe zu beseitigen vermocht, indem ich die andern Uebersetzungen als
Maßstab brauchte. Was bei den LXX wegen der Differenzen der Hff. zweifelhaft erschien,
habe ich nach den anderen Übersetzungen recensiert, und beibehalten, was mit diesen über=
einstimmte. Einiges, was sich im Hebräischen nicht fand, habe ich mit dem Obelos ver=
sehen, da ich es nicht wagte, es ganz zu streichen. Anderes habe ich zugesetzt und zwar mit
10 Asteriskus, damit deutlich sei, was bei den LXX fehle, und was wir dem Hebräischen
entsprechend aus den andern Übersetzungen zugefügt haben. Wer es will, mag das gelten
lassen; wer aber daran Anstoß nimmt, mag es mit der Annahme halten, wie er es will.“
Bescheidener kann man von einer solchen Riesenarbeit schwerlich sprechen. Die Bedeutung
dieser textkritischen Arbeiten kann man nicht hoch genug anschlagen. Origenes hat in der
15 That mit den für die damalige Zeit möglichen Mitteln eine kritische Benützung des AT
ermöglicht (f. Wendland, ZntW I, S. 272 ff.). Daß die Folgezeit mit seiner Arbeit
nichts anzufangen wußte und sie verwahrlosen ließ, war nicht seine Schuld.

c. Auch auf dem Gebiete des NT hat Origenes die Schwierigkeit und Zersplitte=
rung der handschriftlichen Überlieferung empfunden, wenn es auch nicht zu einer ab=
20 schließenden Arbeit gekommen ist. Noch in einer seiner letzten Schriften beklagt er die
Zwiespältigkeit der Überlieferung des NT, und behauptet, „daß nicht einmal die Hff. des
Mt miteinander übereinstimmten, sei es infolge der Leichtfertigkeit der Abschreiber, sei
es infolge der Liederlichkeit der Korrektoren, sei es infolge der Eigenmächtigkeit von solchen,
die bei der Korrektur Zusätze und Abstriche machten“ (In Matth. XV, 14). Auf die
25 Verschiedenheit der LAA hat er in seinen exegetischen Schriften häufig hingewiesen (f. d.
Zusammenstellung bei Nestle, Einführung in d. NT³, S. 267). Warum es aber nicht
mehr möglich ist, einen zuverlässigen „Origenestext“ aus den Kommentaren zu entnehmen,
habe ich ZntW IV, S. 67 ff. zu zeigen gesucht. Die Textcitate zeigen eine außerordent=
liche Verschiedenheit, die darauf zurückzuführen ist, daß die Abschreiber diese Citate selbst=
30 ständig einsetzten, während Origenes bei dem Diktat die Citate nur allgemein bezeichnete.
Wie der Cod. Athous Lawra 184 s. X beweist, sammelte man aus den Kommen=
taren des Origenes dessen LAA und stellte so „Origenestexte“ her (f. v. d. Golz, TU 17
[NF 2], 4).

2. Exegetische Arbeiten. Nach Hieronymus (Orig. homil. in Ezech. prolog.)
35 zerfielen die exegetischen Arbeiten des Origenes in drei Gruppen: 1. σχόλια, kurze
Notizen, in denen er knapp und summarisch den Sinn schwieriger Stellen erörterte;
2. Homilien (ὁμιλίαι, tractatus); 3) τόμοι (eig. Bücher), Kommentare im eigentlichen
Sinn, in denen er eingehend nach den verschiedenen Methoden die Texte behandelte. Er
stellte zunächst den historischen Sinn fest und suchte dann vor allem mit Hilfe der
40 Uebersetzung der Eigennamen in den tiefern Sinn einzudringen, der ihm der allein
wertvolle zu sein schien. Reste von diesen drei Arten sind noch erhalten. Die Aus=
legung erstreckte sich fast über die ganze hl. Schrift. Eine Aufzählung dessen, was be=
kannt ist, würde hier zu weit führen (vgl. m. Liste bei Harnack, Altchr. Litteratur=
gesch. I, 343 ff.). Eine kurze Übersicht und sachliche Gruppierung der drei Formen mag
45 genügen.

a) Scholien. Es waren nach Hieronymus (ep. ad. Paulam) Scholien vor=
handen zu Le, Jes, Pf 1—15, Prd, zu Teilen des Jo. Auch die Stromateis gehören
hierher. Davon ist wahrscheinlich in den Katenen noch viel erhalten, wenn sich der
Nachweis auch nicht mehr erbringen läßt. Die glossatorische Art vieler Katenenfragmente
50 stimmt jedoch vortrefflich zu den für die Scholien anzunehmenden Charakter (ein Scholion
zu Gen 5, 26 wird ausdrücklich citiert im Cod. Ath. Lawra 184 f. v. d. Golz, TU
NF II, 4, S. 87). Citate aus den Stromateis finden sich Orig. in Joh. XIII,
45, 298 (danach war in B. III Mt 6, 4 erklärt). Aus B. I eine sehr verstümmelte Notiz
am Rand von Cod. Ath. Lawra 184 (bei v. d. Golz a. a. O. S. 46). Aus demselben
55 Buche ein anderes zu 1 Ko 6, 14 (v. d. Golz a. a. O. S. 62). B. III wird von der=
selben Hf. zu Rö 9, 23 erwähnt (v. d. Golz a. a. O. S. 59). Aus B. IV zu 1 Ko
7, 31. 31.; 9, 20 f.; 10, 9 (v. d. Golz a. a. O. S. 62. 63. 65. 66). Citate aus B. VI
u. X finden sich bei Hieronymus (Lommatzsch XVII, p. 69 sqq.).

b) Homilien. Homilien waren fast über alle Bücher der hl. Schrift vorhanden,
60 da Origenes in seiner späteren Zeit sehr häufig predigte. Von seinem 60. Jahre an ge=

stattete er, daß die Homilien bei den Gottesdiensten nachgeschrieben wurden (Euseb., h. e. VI, 36, 1). Aus einer solchen Nachschrift ist die Predigt über die Hexe von Endor veröffentlicht worden (Wendland, GgA 1901, S. 780 ff.) Auch die Homilien über Jer sind wahrscheinlich aus verschiedenen Nachschriften herausgegeben worden (Berl. philol. Wochenschr. 1902 Nr. 22 Sp. 676 ff.), und es ist nicht unwahrscheinlich, daß sich Origenes 5 selbst um die Veröffentlichung dieser Nachschriften nicht mehr gekümmert hat, da sich sonst zahlreiche Nachläßigkeiten im Stil (vgl. Wendland a. a. O. S. 783 f.) nur schwer erklären laßen. Die Auslegung war in den Homilien gemeindemäßiger, als in den Kommentaren, die wissenschaftliche Zwecke verfolgten, stellte jedoch an die Faßungskraft der Zuhörer immerhin noch recht hohe Anforderungen. Das Hauptaugenmerk richtete Origenes 10 auf die praktische Auslegung des Textes. Satz für Satz folgt er dem Text. Die sterilen Texte von Nu und Le hat er durch allegorische Auslegung nutzbar zu machen gesucht. Wo der Text ihm genügend Material bot, wie bei den Propheten, ist er nur selten genötigt gewesen, nach einem tieferen Sinn zu suchen. Rhetorische Kunstgriffe verschmähte Origenes, dem die Phrase in jeder Form widerwärtig war. Erhalten sind Homilien zu 15 Gen (17), Ex (13), Le (16), Nu (28), Jos (16), Ri (9), 1 Sa (2), Pf 36 (5), Pf 37 (2), Pf 38 (2), HL (2), Jes (9), Jer (7 nur griech., 12 griech. u. latein., 2 nur lat.), Ez (14), Le (39). Alles andere ist verloren. Ob die Predigten stets in Serien gehalten wurden, oder ob nicht zuweilen die Predigten über ein einziges Buch aus verschiedenen Serien zusammengestellt wurden, ist nicht mehr auszumachen (vgl. die Behandlung von Jer 15, 10 20 in hom. XIV, 3 und XV, 5).

c) Kommentare. Zweck der Kommentare war, eine wissenschaftliche Auslegung der hl. Schrift mit den Mitteln der damaligen Exegese zu liefern. Origenes unterschied dabei überall streng zwischen der zufälligen und minderwertigen historischen Bedeutung der zu erklärenden Schriftstelle und der in ihr verborgen liegenden tieferen geistigen Wahr= 25 heit, die ewig und unvergänglich ist. Diese letztere herauszustellen war daher stets sein letztes Ziel. Doch hat er darüber auch die philologische Erklärung ebensowenig vernachläßigt, wie die Sacherklärung. In zahlreichen Exkursen hat er, um die Wortbedeutungen festzustellen, verwandte Schriftcitate zusammengetragen, sich um historische, geographische Dinge u. ä. eifrig bemüht, auch sonst, wo es nötig war, antiquarisches Material herbei= 30 geschafft. In dem Johanneskommentar hat er, wohl einem Auftrag des Ambrosius folgend, die Exegese des Valentinianers Heracleon ständig berücksichtigt und deßen Gloßen kurz besprochen, auch sonst stillschweigend oder mit ausdrücklicher Erwähnung die Gnostiker herangezogen und ihre Anschauungen widerlegt. Leider sind von den Kommentaren nur ganz kümmerliche Reste erhalten geblieben; vollständig besitzen wir keinen einzigen mehr. 35 Außer den in der Philokalie erhaltenen Bruchstücken aus dem Kommentar zu Gen (B. III), Pf 1. 4. 50, dem kleineren Kommentar zum HL und B. II des größeren, zu B. XX), zu Ho, haben wir noch Reste des Johanneskommentares (B. I. II. X. XIII, ein Stück vom B. XIX, B. XX, XXVIII. XXXII Inhaltsangabe bei Westcott, DchrB IV, p. 114 f.). Den Römerbriefkommentar besitzen wir nur in einer stark verkürzenden Be= 40 arbeitung des Rufin. Was es mit den acht erhaltenen Büchern des Kommentars zu Mt auf sich hat, bedarf noch der Untersuchung. Wie es scheint, ist das Erhaltene nur eine verkürzende Bearbeitung oder ein Entwurf. Alle Eigentümlichkeiten der schriftstellerischen Eigenart des Origenes (Vorreden und Schlüße in den einzelnen BB.) fehlen; die Exegese vermeidet die Breite und beschränkt sich auf die Hervorhebung des Hauptsächlichen; die 45 alte lateinische Übersetzung, die ein Stück über den Griechen hinaus aufbewahrt hat, weicht nicht selten wesentlich ab, so daß sie vielfach eine verschiedene Vorlage beseßen zu haben scheint. Durch zwei Hff. kennen wir die Einteilung einiger Kommentare. Nämlich die des Kommentares zu Jes und Ez aus Cod. Vatic. 1215 (Anfang von B. VI, VIII, XVI; B. X reicht von Jes 8, 1—9, 7; XI b. 9, 8—10, 11; XII b. 10, 12—23; 50 XIII: 10, 24—11, 9; XIV: 11, 10—12, 6; XV: 13, 1—16; XXI: 19, 1—17; XXII: 19, 18—20, 6; XXIII: 21, 1—17; XXIV: 22, 1—25; XXV: 23, 1—18; XXVI: 24, 1—25, 12; XXVII: 26, 1—27, 11*; XXVIII: 26, 16—27, 11*; XXIX: 27, 11 b—28, 29; XXX: 29, 1 ff.). Zu Ez ist die Einteilung der sämtlichen 25 BB. erhalten (s. Harnack, Altchristliche Litteraturgeschichte I, 927). Aus Cod. Ath. Lawra 55 184 kennen wir die Einteilung der 15 BB. des Kommentares zum Rö (mit Ausnahme von XI u. XII) der 5 BB. zu Ga und den Umfang der Kommentare zu Phi und Ko (Römerbr. I: 1, 1—7; II: 1, 8—25; III: 1, 26—2, 11; IV: 2, 12—3, 15; V: 3, 16—31; VI: 4, 1—5, 7; VII: 5, 8—16; VIII: 5, 17—6, 15; IX: 6, 16 bis 8, 8; X: 8, 9—39; XIII: 11, 13—12, 15; XIV: 12, 16—14, 10; XV: 14, 11 60 bis Schluß. Ga I: 1, 1—2, 2; II: 2, 3—3, 4; III: 3, 5—4, 5; IV: 4, 6—5, 5; V: 5, 6—6, 18. Der Kommentar zu Phi reichte nur bis 4, 1; der zu Eph bis 4, 13).

3. Systematische, praktische und apologetische Schriften. a) Hier ist zunächst die wichtige, nach Euseb (h. e. VI, 24, 3) noch in Alexandria entstandene Schrift „von den Grundlehren" (περὶ ἀρχῶν) zu nennen. Es liegt nahe, ihre Entstehung mit dem katechetischen Unterricht des Origenes in Verbindung zu bringen, doch läßt das sich nicht beweisen. Wenn sie wirklich dabei benutzt wurde, so müßte das auf der obersten Stufe geschehen sein, da nur die am meisten Vorgeschrittenen ein Buch gebrauchen konnten, das eine gute philosophische Vorbildung voraussetzt. Da Rufins Übersetzung unsre Hauptquelle bildet · (nur Stücke aus B. III und IV sind durch die Philokalie, kleinere Reste durch den Brief Justinians an Mennas erhalten), und dieser eingestandenermaßen sich viele Freiheiten erlaubt hat, so lassen sich nicht mehr alle Fragen, die das Buch stellt, mit Sicherheit beantworten. Man hat aus den Lebensumständen des Origenes, sowie aus seiner Erwähnung des Kommentares zu Gen 1, 2 (de princ. I, 3, 3) und zu Pf 2, 5 (II, 4, 4) und endlich der Schrift von der Auferstehung (II, 10, 1) geschlossen, daß das Werk zwischen 212 und 215 abgefaßt sein werde (s. bes. die scharfsinnige Erörterung von Schnitzer, Origenes über die Grundlehren S. XIX ff.). Sicher ist, daß das Werk in die erste Periode von Origenes Schriftstellerei und zwar mitten in die Abfassung seines Kommentares über Gen fällt. Da nach einer Andeutung des Origenes (Comm. in Joh. I, 2, 14) der Anfang des Kommentares zu Gen vor dem zu Jo anzunehmen ist, letzterer aber erst c. 218 begonnen wurde und Origenes 215 Alexandria verließ, so wird in der That das Werk zwischen 212 und 215 entstanden sein. In dem I. Buch behandelt Origenes die Lehre vom Geist und den Geistern (Gott, Logos, hl. Geist, Vernunftwesen, Engel); im II. die von der Welt und der Menschheit (darunter auch von der Menschwerdung des Logos, der Seele, dem freien Willen und den letzten Dingen). Das III. Buch beschäftigt sich mit der Lehre von der Sünde und der Erlösung, das IV. mit der hl. Schrift. Zum Schluß giebt Origenes noch einen kurzen Abriß des ganzen Systems. Die Schrift war epochemachend. Ihr Zweck war gewesen (prol. 2), die Unsicherheit zu beseitigen, in der sich viele Christen nicht nur hinsichtlich der nebensächlicheren Fragen, sondern gerade hinsichtlich der Grundwahrheiten befanden. Als einen Versuch hat Origenes die Arbeit selbst angesehen und mehrfach hat er hervorgehoben, daß andere vielleicht eine bessere Antwort zu geben vermöchten als er. Aber dennoch ist die Schrift von allergrößter Bedeutung gewesen. Sie ist der erste Versuch das Christentum als eine geschlossene Weltanschauung zur Darstellung zu bringen. Damit erst konnte es den heidnischen Systemen gegenüber konkurrenzfähig werden. Keiner vor Origenes hat etwas derartiges gewagt; es hätte es auch keiner vor ihm vermocht.

b) Ebenfalls in Alexandria abgefaßt und zwar noch vor de princ. ist die Schrift „über die Auferstehung", in zwei Büchern. Die Schrift ist verloren (Euseb. h. e. VI, 24, 2. Hieron., contra Joh. Hieros. 25. Rufin., Apol. II, 20). Ebenso sind zwei Dialoge über die Auferstehung verloren, die dem Ambrosius zugeeignet waren (Hieron., ep. 92, 4 vgl. 96, 16).

c) In der Zeit nach seiner Übersiedelung nach Cäsarea sind entstanden die noch erhaltenen Schriften vom „Gebet", vom „Martyrium" und „gegen Celsus". Die erstere, vielleicht kurz vor 235 (oder vor 230?) abgefaßt (Koetschau in seiner Ausgabe I, LXXVII), verdankt ihre Entstehung einer schriftlichen Aufforderung des Ambrosius (de or. 5, 6). Sie behandelt in einem einleitenden Teil Zweck, Notwendigkeit und Nutzen des Gebetes und gipfelt in einer Auslegung des Vater Unsers, um die es wohl Ambrosius in erster Linie zu thun gewesen ist. Zum Schluß werden noch einige Äußerlichkeiten (Haltung beim Gebet, Ort, Himmelsrichtung, Gattungen des Gebetes) besprochen. Der Verfolgung unter Maximin, die 235 ausbrach und die auch in den Bekanntenkreis des Origenes eingriff, verdankt die Ermunterung zum Martyrium ihre Entstehung. Ambrosius und Protoktetus waren in Cäsarea verhaftet worden. Wie Origenes einst seinen gefangenen Vater zum Ausharren ermahnt hatte, so nun die Freunde. Das Sendschreiben ist in dem προτρεπτικὸς πρὸς μαρτύριον noch erhalten. Origenes warnt darin, es mit der Abgötterei leicht zu nehmen, da dies die schwerste Sünde sei. Daraus folge die Pflicht standhaft das Martyrium zu ertragen, den makkabäischen Märtyrern gleich. Im zweiten Teil erörtert Origenes den Begriff des Martyriums, um zum Schluß wiederholt er noch einmal seine Mahnungen. Beide Schriften, die vom Gebet und die vom Martyrium sind reich an praktischen Winken und wichtig, nicht nur für die Kenntnis der Anschauungen des Origenes, sondern auch für die Kirchengeschichte seiner Zeit. In das Jahr 248 fällt

die Abfaffung der acht Bücher gegen Celfus (f. Neumann, D. röm. Staat I, S. 265 ff.
Koetschau vor f. Ausgabe I, S. XXIIff.). Anlaß bot die Streitschrift des heidnischen
Philofophen Celfus gegen das Christentum (f. o. Bd III, S. 772 ff.). Ambrofius hatte
Origenes aufgefordert, den Heiden zu widerlegen und diefer Aufforderung¹ verdankt die
Schrift ihre Exiftenz. Mit feiner ganzen Gelehrfamkeit hat fich hier Origenes in den 5
Dienft der Apologetik geftellt. Schritt für Schritt folgt er den Ausführungen des Celfus,
zerpflückt feine Argumente, bekämpft feine Angriffe mit den gleichen Waffen und nach
derfelben Taktik. Selten wird er ungerecht, nie hat er feinen Gegner heimtückifch nicht
verftehen wollen, um fich die Widerlegung leichter zu machen (über den Inhalt vgl.
Koetschau, ZprTh 18 [1892], S. 604 ff. u. in f. Ausg. I, S. LI ff.). 10

4. Briefe. Eufeb befaß eine Sammlung von über 100 Stück (h. e. VI, 36, 3)
und von mehreren Büchern von Briefen fpricht das Verzeichnis des Hieronymus (Kloftermann, SBBA 1897, S. 869, 3. 191 ff.). Erhalten ift davon außer einigen Fragmenten
nur der Brief an Julius Afrikanus (in der gewundener Logik die Echtheit der von
Afrikanus angegriffenen Zufätze in der griechifchen Überfetzung des Daniel zu verteidigen 15
fucht, und ein kurzes Schreiben an Gregorius Thaumaturgus. Mit den zahlreichen andern
Briefen ift leider eine der wertvollften Quellen für die KG des 3. Jahrhunderts fowie
für die Lebensgefchichte des Origenes verloren gegangen.

5. Unechte Schriften. Der Dialogus de recta in deum fide f. ben A.
Bd IV, S. 620 f. Die Philosophumena f. A. „Hippolyt" Bd VIII, S. 131, 26 ff. Der 20
Hiobkommentar des Julian von Halikarnaß f. b. A. Bd IX, S. 607, 22 ff. Über Verfälfchungen, die Origenes Schriften fchon zu Lebzeiten ihres Verf. erlitten haben f. Rufin,
de adulterat. libror. Orig. bei Lommatzfch XXV, p. 382 sqq.

III. Das Syftem des Origenes. — Ueberficht: 1. Bildung; Stellung zur
Philofophie Platos. 2. Stellung zur Bibel und Kirche. 3. Gotteslehre. 4. Offenbarung; 25
Logoslehre. 5. Verhältnis des Logos zu Gott; Wirkfamkeit des Logos. 6. Der Weltprozeß.
7. Menfchheitsgefchichte. 8. Chriftologie. 9. Soteriologie. 10. Eschatologie.

Die Bedeutung des Origenes nach allen Seiten gerecht darzuftellen, kann nicht Sache
eines Lexikonartikels fein, fondern verlangt ein eigenes Buch. Immerhin ift der Einfluß,
den er auf die theologifche Arbeit der Folgezeit ausgeübt hat, fo ungeheuer groß gewefen, 30
daß eine Darftellung feiner Gedankenwelt in ihren Hauptzügen notwendig erfcheint. Im
folgenden foll der Verfuch gemacht werden, die treibenden Kräfte feiner Gedankenbildung
fchärfer hervorzuheben, denen gegenüber das Detail feiner Lehre verhältnismäßig geringfügig erfcheint.

1. Origenes ift ohne Zweifel durch die Schule des Clemens hindurchgegangen 35
(Euseb., h. e. VI, 6; der Text der Stelle fteht nicht ficher feft), wie er andererfeits den
Unterricht feines Vaters genoffen hat (Euseb., h. e. VI, 2, 7 ff.). Bei jenem wie bei
diefem wird er die Grundlage zu feinem Wiffen gelegt und die Richtung für fein Denken
empfangen haben. Mit feinen Kenntniffen hat er nie Mißbrauch getrieben, indem er fie
zur Folie feiner eignen Perfon ausbreitete, wie das Clemens pflegte. Nur felten citiert er 40
— von der Schrift gegen Celfus abgefehen, wo der Zweck der Arbeit es verlangte —
einmal eine Schrift, obwohl er fich um alles kümmerte. Als er das Gleichnis von der
köftlichen Perle zu erläutern hatte, trägt er zufammen, was er in der einfchlägigen Litteratur über die verfchiedenen Arten von Perlen und Edelfteinen findet (in Matth. X, 7);
aber er begnügt fich, feine Quellen (das Steinbuch des Theophraft und das des Sudines 45
f. Ufener Theol. Abhandl. f. K. Weizfäcker S. 205 f.) mit den Worten zu bezeichnen:
ταῦτα δὲ συναγαγὼν ἐκ τῆς περὶ λίθων πραγματείας (l. c. X, 8). Wie würde
Clemens in ähnlichem Fall mit Namen geprunkt haben! Von nichtkirchlichen Schriftftellern citiert Origenes gelegentlich Jofephus (c. Cels. I, 16. 47; II, 13; IV, 11; in
Mtth. V, 17; dazu Schürer, Gefch. b. jüb. B.³ I, 546 f. 581 f.), Tatian (c. Cels. I, 50
16); von Heiden Ariftandros (c. Cels. VI, 8), Chäremon (ib. I, 59), u. v. a. (vgl. b.
leider recht ungefchickt angelegten Index bei Koetschau II, S. 431 ff., der nicht erkennen
läßt, was wirkliches Citat ift). Auch ohne die zahlreichen Citate in der Schrift c. Cels.
würden wir auf eine ausgiebige Vertrautheit mit den Werken und mit den Gedanken
der heidnifchen Philofophen fchließen müffen. Das ganze Syftem des Origenes ift ab- 55
hängig von der Gedankenwelt Platos, zuweilen auch von der Stoa.

Platonifch ift vor allem der ausgeprägte Idealismus, der in der Materie das Unwirkliche, in der Idee das allein Wirkliche und Ewige fieht. Alles, was mit dem Zeitlichen und Materiellen zufammenhängt, ift daher für Origenes bedeutungslos und gleichgiltig. Die hiftorifchen Fakta bedeuten ihm ebenfowenig wie dem Plato. Wie bei diefem 60

bewegt sich das Denken daher auch um den rein ideellen Mittelpunkt dieser geistigen und ewigen Welt, die Gottheit, die auch von Origenes als die absolut denkende Ursache alles Seins, das schlechthin Gute vorgestellt wird. Von dieser reinen Vernunft stammt die ganze geschaffene Welt ab, die vermittels der schöpferischen Vernunftkräfte ins Dasein
5 getreten ist. Die Materie bot das dazu notwendige Substrat. Wie bei Plato findet sich auch bei Origenes die Lehre von der Freiheit der zur Erkenntnis der höchsten Vernunft befähigten Geister, die auf Erden in ihr leibliches Gefängnis gebannt, nach diesem Leben geläutert durch das Reinigungsfeuer zur Gottheit aufsteigen.

2. Origenes will aber ein christlicher, genauer ein kirchlicher Lehrer sein. Darum
10 hat er es unternommen, das großartigste System, das die antike Spekulation zu stande gebracht hatte, mit dem Christentum zu amalgamieren. Den Weg hatte ihm Philo gezeigt, von dem er in der Methode seiner Beweisführung durchaus abhängig ist. Wie Philo vermag er der hl. Schrift alle Beweisgründe zu entnehmen, da er wie dieser durch die von den Platonikern geübte Interpretation in den Stand gesetzt ist, die ewigen Ver-
15 nunftwahrheiten aus jeder Stelle zu entnehmen, wenn er es nur vermag, von dieser die zufälligen Beziehungen abzustreifen. Das hatten auch die Gnostiker getan und materiell unterscheidet sich die Exegese des Origenes von der des Herakleon durchaus nicht. Doch besitzt er in dem Kanon des NT und in der kirchlichen Tradition ein Korrektiv, das ihn befähigt, die Exzesse der gnostischen Schriftauslegung nicht nur zu beurteilen,
20 sondern auch zu vermeiden. Vergleicht man seine Arbeit mit der des Clemens, so ergiebt sich, daß Origenes biblischer und kirchlicher ist, als dieser. Die Arbeit, die zur Ausbildung des Kirchenbegriffes geführt hatte, für den, wie einst bei der jüdischen Gemeinde, ein Kanon, ein Amt und eine Tradition grundlegend wurden, ist nicht vergeblich gewesen. Der erste Theologe, der die Errungenschaften der neuen Zeit zu verarbeiten und syste-
25 Häretiker, Heiden und Juden zu schützen wußte, war Origenes. Im folgenden wird passend zunächst die Stellung des Origenes zur Schrift und zur Kirche vorausgestellt und daran eine Darstellung seines theologischen Systemes angeschlossen.

Kaum ein anderer Theologe ist in dem Maße Biblizist gewesen, wie Origenes. Er hat keine Behauptung aufgestellt, ohne sie irgendwie aus der hl. Schrift zu begründen.
30 In welchem Maße das A und NT für ihn maßgebend gewesen sind, zeigen schon die Indices der Citate. Das sollte nicht leerer Prunk sein, sondern entsprach durchaus der Schätzung, die er von der Schrift hatte. Sie ist göttlich, aus Gottbegeisterung heraus geschrieben (ἐκ θεοφορίας ἀπηγγελμένη c. Cels. III, 81). Den Beweis hat Origenes schon in de princ. IV, 1, 1ff. zu führen versucht, wo er die Göttlichkeit der hl. Schrift
35 nachzuweisen suchte aus der erfüllten Weissagung und aus dem unmittelbaren Eindruck, den sie auf den Leser mache (παιδὸν ἐξ αὐτοῦ τοῦ ἀναγιγνώσκειν ἴχνος ἐνθουσιασμοῦ de princ. IV, 1, 6 nach Philoc. 1 p. 7, 26 Rob.). Hauptsache ist ihm, daß der göttliche Logos in der Schrift redet und darum bedarf es im Grunde keiner menschlichen Beweise; der Logos erweist sich als mächtig im Geist und in der Kraft (ib. IV. 1, 7).
40 Da demnach in der Schrift ein göttliches Prinzip herrscht, so ist die Schrift eine Einheit, ein Ganzes. Die von den Gnostikern gelehrte Minderwertigkeit des AT hat er in keiner Hinsicht anerkannt und bei jeder Gelegenheit hat er die Lehre bestritten. Die Schwierigkeiten seines Standpunktes sind ihm nicht verborgen geblieben. Die zahlreichen Differenzen zwischen dem A und NT hat er ebenso gekannt, wie die Widersprüche in den Erzäh-
45 lungen der Evangelien. Er sieht jedoch darin nur Widersprüche für eine ungeistliche, rein historische Auslegung, die die Geschichten nimmt, wie sie sind. Die geistliche Auslegung findet auch in dem scheinbar Widerspruchsvollen die Einheit, da sie das vom göttlichen Logos Gewollte zu ermitteln weiß (vgl. bes. in Joh. X, 1ff. de princ. IV, 2, 1ff.). Die Grundsätze, nach denen Origenes bei seiner Exegese verfährt, hat er syste-
50 matisch de princ. IV, 2 entwickelt. Er bemüht sich, die Andeutungen der hl. Schrift zu verstehen und danach den tiefern Sinn zu erfassen (IV, 2, 4). Ein Hauptmittel ist für ihn die Übersetzung der Eigennamen, die er einem aus hellenistischen Kreisen stammenden Onomastikum (ἑρμηνεία τῶν ὀνομάτων in Joh. II, 33, 197) entnommen hat. Die Wortübersetzung macht es ihm, wie Philo, möglich, auch in jeder historischen Erzählung
55 eine tiefere Wahrheit zu finden. Bestimmte Namen haben eine feststehende Bedeutung; so Ägypten (= Welt, κόσμος, Sünde), Jerusalem (= Reich des Guten, Gemeinde, Seligkeit); die „Werke der sichtbaren Schöpfung" sind Bilder für die geistigen Vorgänge u. s. w. In alledem ist Origenes wesentlich von Philo und der alexandrinischen Schulmethode abhängig. Konsequent hat er das System auch auf das NT ausgedehnt
60 und auch da die zufälligen historischen Fakta von den ewigen Geheimnissen des Logos

getrennt. Daneben aber hat er auf genaue grammatische Erklärung des Textes als der Grundlage jeder Exegese gedrungen (Redepenning II, S. 199 ff.).

Von den Gnostikern, die dieselbe Methode an dem NT übten, wie das Beispiel des Herakleon zeigt, unterschied ihn nicht nur seine Stellung zum AT, bei dem NT seine Beschränkung auf die anerkannten Schriften, sondern auch seine oft betonte Kirchlichkeit. Den Häretikern, die das mosaische Gesetz verwerfen, stellt er entgegen ἡμεῖς οἱ ἀπὸ τῆς ἐκκλησίας (c. Cels. II, 6), die das von Gott gegebene Gesetz nicht übertreten. Doch scheidet er scharf zwischen der idealen Kirche, der κυρίως ἐκκλησία, auf die er Eph 5, 27 anwendet, und der empirischen Kirche, die auch Ägyptern und Idumäern d. h. Sündern Unterschlupf gewährt (de orat. 20, 1 [doch darf man nicht übersehen, daß diese Schrift aus der Zeit des Streites stammt, in dem Tertullian, de pud. geschrieben wurde]; de princ. III, 1, 21). Jener, die allein die Kirche Christi genannt zu werden verdient, gelten die Verheißungen Gottes vom wahren Israel; sie ist über das ganze Erdenrund zerstreut (hom. in Gen. IX, 2; in Ex. 1, 4; in Cant. I, 4. Comm. in Cant. II passim; hom. in Ez. I, 11. IV, 1. Comm. in Mt. X, 23). Wo sie zusammenkommt, nimmt nicht nur Christus teil, sondern auch die Engel (de orat. 31, 5; hom. in Luc. XXIII [V, p. 177 Lomm.]), daher Origenes von einer διπλῆ ἐκκλησία τῶν ἀνθρώπων καὶ ἀγγέλων redet (de or. l. c.; es ist die untere Kirche und ihr himmlisches Idealbild nach platonischer Vorstellung). Gelegentlich (hom. in Jes. Nave III, 5) hat er auch den Gedanken scharf formuliert, daß die Kirche, weil sie im Besitz der Mysterien ist, auch die einzige Heilsanstalt darstellt (extra hanc domum i. e. ecclesiam nemo salvatur). Der Gedanke liegt schon bei Hermas vor s. IX, 26). Die äußere Verfassung der Kirche ist daher Origenes gleichgiltig gewesen, wenn er auch zuweilen die Gemeindebeamten als die Säulen der Kirche bezeichnet hat (de princ. II, 7, 3), auch sonst gelegentlich von den schweren Pflichten und der Verantwortlichkeit der kirchlichen Beamten geredet hat (hom. in Jer. XI, 3. XIV, 4; in Ez. V, 4; de or. 28, 4). Wichtiger ist die von Plato entlehnte Scheidung der großen, nur zu sinnlichem Schauen berufenen Masse, und derer, die den verborgenen Sinn der Schrift und der göttlichen Geheimnisse zu erfassen vermögen (τὰ τοῦ εὐαγγελίου γράμματα τοῖς μὲν ἁπλοῖς κατ᾽ οἰκονομίαν ὡς ἁπλᾶ γεγένηται, τοῖς δὲ ὀξύτερον ἀκούειν αὐτῶν βουλομένοις καὶ δυναμένοις ἐγκέκρυπται σοφὰ καὶ ἄξια λόγου θεοῦ πράγματα in Matth. X, 1 a. E.; vgl. de princ. IV, 2, 4: ὁ μὲν ἁπλούστερος οἰκοδομῆται ἀπὸ τῆς οἱονεὶ σαρκὸς τῆς γραφῆς . . . ὁ δὲ ἐπὶ ποσὸν ἀναβεβηκὼς ἀπὸ τῆς ὡσπερεὶ ψυχῆς αὐτῆς· ὁ δὲ τέλειος . . . ἀπὸ τοῦ πνευματικοῦ νόμου [griech. nach Philoc. 1 p. 17, 31 ff. Rob.] u. ö.). Durch diese aristokratische Zweiteilung ist Origenes veranlaßt, über den Wert der äußeren Ordnungen in der Kirche, die eben nur für die untere Schicht Bedeutung haben, gering zu denken. So läßt sich auch nicht mit Sicherheit nachweisen, ob er ein verpflichtendes kirchliches Bekenntnis besessen hat (s. Kattenbusch, D. apost. Symb. II, S. 134 ff., der die Frage mit Rücksicht auf Comm. in Joh. XX, 30, 269 ff. XXXII, 16, 190 ff. bejaht; de princ. prol. 2 ist offenbar von Rufin stark überarbeitet; vgl. Schnitzer S. 3 Anm). Jedenfalls ist das Bekenntnis für ihn nicht in dem Sinne Norm gewesen, wie das inspirierte Schriftwort; und wenn er gelegentlich einen κανὼν ἐκκλησιαστικός nennt (hom. in Jer. V, 14), so erläutert er das durch πρόθεσις τῆς ὑγιοῦς διδασκαλίας, braucht also den Begriff im Gegensatz zur gnostischen Irrlehre (ebenso de princ. IV, 2, 2 [Philoc. 1 p. 16, 4 Rob.] und Comm. in Joh. XIII, 16, 98, wo ἐκκλησίας mit πολλούς zu verbinden ist und ausdrücklich gesagt wird, daß der Vollkommene über diese Richtschnur hinausgeht, indem er θεωρητικώτερον καὶ σαφέστερον καὶ θειότερον anbetet). So bleibt als Erkenntnisquelle nur die durch die vom göttlichen Logos erleuchtete Vernunft, die im stande ist, die geheimnisvollen Tiefen der Gottheit zu erforschen. Das κήρυγμα ἐκκλησιαστικόν (de princ. III, 1, 1 [Philoc. 21 p. 152, 4 Rob.]) ist wohl dem Sinne nach identisch mit dem κήρυγμα εὐαγγελικόν, der antihäretischen Verkündigung der biblischen Wahrheit (Comm. in Joh. V, 8. VI, 1, 3. 44, 229. XIII, 44, 295).

3. Origenes mahnt selbst (Comm. in Joh. X, 18, 106), bei der theologischen Arbeit mit dem Himmlischen zu beginnen und von da fortschreitend zu enden mit dem Materiellen oder den bösen Geistern. So ist im wesentlichen auch seine Schrift περὶ ἀρχῶν angelegt (s. o. S. 408, 8 ff.), die demnach auch hierin ein treuer Spiegel seiner Gedanken ist. Sein Gottesbegriff ist vollkommen abstrakt. Gott ist eine vollkommene Einheit (ἓν καὶ ἁπλοῦν in Joh. I, 20, 119), unsichtbar und körperlos, jenseits von allem Materiellen (c. Cels. VII, 38; in Joh. XIII, 21, 123 ff.), daher auch unbegreiflich und unfaßbar

31*

(de princ. I, 1, 5), doch nicht von unendlicher Macht, da er sich dann selbst nicht erfassen könne (de princ. II, 9, 1 nach platonischer Lehre). Vielmehr wird seine Macht
begrenzt durch seine Güte, Gerechtigkeit und Weisheit (c. Cels. III, 70; in Matth.
ser. lat. 95). Wie Gott über jede räumliche Grenze erhaben ist, so auch über jede
5 zeitliche. Er ist unveränderlich, unwandelbar (ἄτρεπτος ἀναλλοίωτος, in Joh. VI, 38,
193; vgl. II, 17, 123; c. Cels. I, 21 a. E.; IV, 14. VI, 62). Die Allmacht Gottes
verlangt, daß er zu keiner Zeit unthätig zu denken ist (de princ. III, 5, 3: otiosam
et immobilem dicere naturam dei impium simul est et absurdum; vgl. I, 2,
2. 10). Zwar ist er vollkommen bedürfnislos (ἀνενδεής in Joh. XIII, 34, 219;
10 c. Cels. VII, 65), aber seine Güte und Allmacht drängte ihn zur Offenbarung.

4. Diese Offenbarung, das ewige Aussichheraustreten Gottes, wird von Origenes
verschieden bezeichnet (vgl. bes. in Joh. I, 21ff.). Von den Bezeichnungen ist die als
λόγος nur eine unter vielen (ib. I, 21, 125). Diese Offenbarung ist Geschöpf Gottes
(nach Spr. Sal. 8, 22) und zwar das erstgeschaffene, geschaffen zu dem Zwecke, die
15 schöpferische Vermittlung zwischen Gott und der Welt darzustellen. Notwendig war diese
Vermittlung, weil Gott als unwandelbare Einheit nicht Grund der in eine Vielheit zer-
spaltenen Schöpfung sein kann. Der Logos ist daher als das schöpferische, die Welt des
Vernünftigen durchdringende Prinzip angesehen (in Joh. II, 35, 215 προηγουμένην
αὐτοῦ ὑπόστασιν διήκουσαν ἐπὶ πάντα τὸν κόσμον κατὰ τὰς ψυχὰς τὰς λογικάς;
20 vgl. VI, 30, 154; die Terminologie ist stoisch). Alles, was ist, hat durch ihn, das ewig
waltende Schöpfungsprinzip erst Realität empfangen (in Joh. VI, 38, 188). Als Offenbarungsmittler ist der Logos, da Gott ewig sich offenbarend ist, ebenfalls ewig (de
princ. II, 6, 1 u. ö.) und bildet so die Brücke, zwischen dem ἀγέννητος und dem γε-
νητά (c. Cels. III, 34). Nur durch ihn kann der unfaßbare und körperlose Gott er-
25 kannt werden, da er das sichtbare Bild dieser Vernunft ist (c. Cels. VII, 38). Nur
durch ihn hat die Schöpfung Existenz erhalten, während Gott letzter Weltgrund nur dadurch ist, daß er den Befehl zur Schöpfung gab (c. Cels. VI, 60: τὸν μὲν προσεχῶς
δημιουργὸν εἶναι τὸν υἱόν, τοῦ θεοῦ λόγον καὶ ὡσπερεὶ αὐτουργὸν τοῦ κόσμου·
τὸν δὲ πατέρα τοῦ λόγου τῷ προστετάχεναι τῷ υἱῷ ἑαυτοῦ λόγῳ ποιῆσαι τὸν
30 κόσμον εἶναι πρώτως δημιουργόν). Im Unterschied von Gott, der absoluten Einheit,
ist daher der Logos eine Vielheit (in Joh. I, 9, 52: πολλὰ ἀγαθά ἐστιν ὁ Ἰησοῦς),
da er alle Tugenden, alle λόγοι umfaßt (c. Cels. V, 39: περιεκτικὴ πασῶν ἀρετῶν
ἀρετὴ καὶ παρεκτικὸς παντὸς οὑτινοσοῦν λόγου . . . λόγος). So ist er substanziell
eine Einheit, umschließt aber eine Vielheit der Begriffe, die sich in den Namen aussprechen
35 (hom. in Jer. VIII, 2: τὸ μὲν ὑποκείμενον ἕν ἐστιν, ταῖς δὲ ἐπινοίαις τὰ πολλὰ
ὀνόματα ἐπὶ διαφόρων ἐστιν), und platonisch nennt er ihn die οὐσία οὐσιῶν und
ἰδέα ἰδεῶν (c. Cels. VI, 64).

5. Über das Verhältnis des Logos zum Vater hat Origenes häufig geredet und
seine Anschauungen in konsequenter Entwickelung dargeboten (vgl. Loofs oben Bd II,
40 S. 8, 56ff. IV, S. 43, 40ff., dessen Ausführungen mir nicht durchaus zutreffend zu sein
scheinen). Durch den Gedanken der Einheit Gottes, den Origenes gegen jede gnostische
und heidnische Beeinträchtigung zu schützen suchte, war ihm die Unterordnung des Logos
unter Gott gegeben. Neu ist der Gedanke einer ewigen Zeugung des Logos, durch den
die kleinasiatische Vorstellung von der Ewigkeit des Logos mit der apologetischen von
45 seiner vorzeitlichen Zeugung in Verbindung gesetzt wurde. Die Selbständigkeit seines
Wesens hat Origenes dabei scharf betont (in Joh. VI, 38, 188: τοῦ λόγου . . . ὑφεστη-
κότος οὐσιωδῶς κατὰ τὸ ὑποκείμενον τοῦ αὐτοῦ ὄντος τῇ σοφίᾳ; vgl. de or. 27,
12 [II, p. 371, 8 K.]), wie auch die Verschiedenheit von Wesen und Substanz Gottes
hervorgehoben (de or. 15, 1: ἕτερος κατ' οὐσίαν καὶ ὑποκείμενόν ἐστιν ὁ υἱὸς τοῦ
50 πατρός). Den Ausdruck ὁμοούσιος τῷ πατρὶ hat Origenes nicht gebraucht (doch vgl. die
Erörterung in Joh. VI, 24, 202ff.), konnte ihn auch nicht brauchen, wenn er die Selbstständigkeit der ἀγέννητος καὶ παμμακαρία φύσις Gottes nicht preisgeben wollte (vgl.
in Joh. XIII, 25, 149). Daher ist auch der Logos nur θεός, nicht ὁ θεός, ein θεο-
ποιούμενος, nicht Gott an sich (in Joh. II, 2, 17); so daß er in einer Reihe steht mit
55 andern „Göttern", allerdings an erster Stelle (ib.). Er ist nur ein Bild, ein Reflex,
der eben darum mit Gott nicht verglichen werden kann (in Joh. XIII, 25, 153: εἰκὼν
ἀγαθότητος, ἀπαύγασμα τῆς δόξης θεοῦ, ἀτμὶς τῆς δυνάμεως, ἀπόρροια τῆς δόξης, ἔσοπτρον τῆς ἐνεργείας).

Die Wirksamkeit des Logos hat sich Origenes de princ. II, 1, 3 entsprechend der
60 platonischen Lehre nach Art der Weltseele gedacht (universum mundum velut animal

quoddam immensum atque immane opinandum puto, quod quasi ab una anima virtute dei ac ratione teneatur). In ihm beweist Gott seine Allmacht (de princ. I, 2, 10). Schöpferisch thätig tritt der Logos zuerst in der Schaffung des göttlichen πνεῦμα auf, das eine selbstständige Existenz hat (in Joh. II, 10, 75: τρεῖς· ὑποστάσεις πειθόμενοι τυγχάνειν, τὸν πατέρα καὶ τὸν υἱὸν καὶ τὸ ἅγιον πνεῦμα καὶ 5 ἀγέννητον μηδὲν ἕτερον τοῦ πατρὸς εἶναι πιστεύοντες, ὡς εὐσεβέστερον καὶ ἀληθὲς προσιέμεθα τὸ πάντων διὰ τοῦ λόγου γενομένων τὸ ἅγιον πνεῦμα πάντων εἶναι τιμιώτερον καὶ τάξει ⟨πρῶτον⟩ πάντων τῶν ὑπὸ τοῦ πατρός διὰ Χριστοῦ γεγεννημένων). Teilreflexe des Logos kamen auf die geschaffenen Vernunftwesen (in Joh. XXXII, 29, 353), die als auf den vollkommenen Gott als letzten Grund zurückgehend, 10 ebenfalls vollkommen sein mußten (in Joh. XIII, 37, 238; 42, 282; de princ. II, 1, 1; c. Cels. VI, 69). Diese Vollkommenheit, die der absoluten Vollkommenheit Gottes, seines Logos und des hl. Geistes nicht gleichartig ist, muß jedoch von den geschaffenen Vernunftwesen zugleich erworben werden. Die Willensfreiheit hat Origenes aufs strengste festgehalten (de princ. I, 2, 4. 5, 3. 5. 8, 3. III, 1). Die Freiheit ist ein 15 wesentliches Moment der Vernunft (de princ. III, 1, 3 mit stoischer Terminologie), und auch durch die Vorsehung Gottes nicht aufgehoben; vielmehr weiß Gott, in welcher Art der Mensch von seiner Freiheit Gebrauch machen wird, ohne daß er ihn hindert (de or. 6, 3).

6. Weil der Logos ewig ist, muß er auch ewig schöpferisch sein (de princ. I, 2, 10. 20 III, 5, 3). So ergiebt sich ihm eine unendliche Reihe von Welten, die einander ablösen. Diese Welten sind begrenzt, darum faßbar; die Vernunftwesen gehen durch sie hindurch in wechselnden Schicksalen, und die Materie entsteht und vergeht, je nachdem die Vernunftwesen ihrer bedürfen oder nicht (de princ. II, 3, 1. 3). Origenes zeigt sich auch hier als Schüler Platos, noch mehr der Stoiker; einen Anfang für seine geistige Welt kann 25 er sich nicht denken. Da diese geistige, durch den Logos vermittelte Schöpfung ein Teilreflex der Gottheit ist, muß sie ewig und unendlich sein. Die kirchliche Lehre redete von einem Anfang und Ende der Welt. Beide Gedankenreihen suchte er in dieser Weise zu vereinigen, daß er einen ewigen Weltprozeß annahm, in dem die sinnlichen Welten die einzelnen Etappen bilden. Dieser ewige Wechsel der Welten bot ihm zugleich eine Er- 30 klärung für die Verschiedenheit der menschlichen Schicksale, des Lohnes und der Strafe (de princ. III, 3, 5).

In diesem ewigen, geistigen Entwickelungsprozeß hat die materielle Welt zunächst keinen Raum. Sie verdankt ihre Entstehung erst dem Abfall der Geister von Gott. Einst lebten die Heiligen in einem immateriellen, körperlosen Wesen; da fiel die sogen. 35 Schlange von dem reinen Leben ab und wurde in die Materie und den Leib gefesselt (in Joh. I, 17, 97). Gott schuf zu diesem Zweck die Materie aus dem Nichts und unterwarf nun die Welt zur Strafe der Vergänglichkeit. Die Materie nimmt nach dem Abfall der Geister eine bestimmte Gestalt an; der Teufel wird der Anfang der Gebilde ἀρχὴ τῶν πλασμάτων [nicht κτισμάτων oder ποιημάτων] in Joh. I, 17, 97. XX, 40 22, 182). Letzter Zweck Gottes bei der Bildung der Materie ist nicht die Strafe, sondern die Erziehung der abgefallenen Geister (in Joh. XX, 22, 183. I, 17, 100). In diesen Zwiespalt sieht sich der Mensch hineingestellt. Sein zufälliges Sein wurzelt in der vergänglichen Materie; sein höheres Wesen ist nach dem Bilde des Schöpfers geschaffen (in Joh. XX, 22, 182). Mit seiner Seele partizipiert er an dem Leben, wie 45 es auch die ἄλογα ζῷα führen. Denn die Seele ist eine οὐσία φανταστικὴ καὶ ὁρμητική, mit Vorstellungsvermögen und dem Trieb der Bewegung ausgestattet (de princ. II, 8, 1), oder, wie er Platos Trichotomie folgend annimmt, geteilt in ψυχὴ λογικὴ und ψυχὴ ἄλογος, von denen die zweite in θυμός, ὀργή, ἔβρις zerlegt wird (de princ. III, 4, 1). Die letztere ist, weil unvernünftig, körperlich; allem Lebenden ist sie eigen, 50 Tieren, Menschen und Engeln. Unkörperlich, der Materie entkleidet, ist nur die vernünftige Seele, die nur den λογικοί zukommt. Sie hat die Freiheit des Willens und die Fähigkeit, wiederum emporzusteigen zu dem reineren Leben (de princ. II, 8, 3).

Der starke ethische Einschlag dieser Kosmologie läßt sich nicht verkennen. Die Rückkehr zu dem der göttlichen Vernunft gemäßen ursprünglichen Dasein ist der Zweck dieses 55 ganzen Weltprozesses. Die Welt wird so die Bühne, auf dem sich das Drama der geistigen Erlösung abspielt. Durch den Wechsel der Welten, die in ewigem Wechsel einander folgen, wird den Geistern die Möglichkeit gegeben, zu dem reinen Leben, dem seligen Paradies, in dem das Böse abgestreift ist, zurückzukehren. Und von Gott ist dieser Weltprozeß so geordnet worden, daß alle einzelnen Akte sich eng zusammenschließen, um dies letzte Ziel 60

herbeizuführen. Wenn ein Teil der Vernunftwesen der Hilfe bedarf, so hat Gott dafür
gesorgt, daß andere sie gewähren können; andere bringen Streit und Kampf in das
Leben hinein, damit der Sieg des Guten desto sicherer errungen werde (de princ. II,
1, 2). Das ist eine großartige Spekulation, die es vermocht hat, die disparaten Ele-
5 mente des Welterkennens in seinem höchsten Sinne zu einem einheitlichen Ganzen zusammenzuschließen, und die von Gott ausgehend auf das Ende in Gott wieder hinweist.
Auch die Strafe, die Gott in dieser und jener Welt über die Bösen verhängt, hat keinen
andern Zweck, als den der Erziehung und Besserung (c. Cels. IV, 10). Die von ihren
Leidenschaften zerrissene Seele, uneins in sich, findet in diesem Zustand ihre Strafe (de
10 princ. II, 10, 5). Daneben hat er die Idee von dem reinigenden Höllenfeuer und
auch diesen Gedanken zuweilen vergeistigt zu einem Läuterungsprozeß rein geistiger Art
(Anrich, Theol. Abh. f. H. Holtzmann 1902, S. 95 ff.).

7. Ein Ausschnitt aus der großen Weltengeschichte ist die Menschheitsgeschichte. Die
Ideen, die Origenes in jener als die treibenden Kräfte erkennt, findet er auch in dieser
15 wieder. Wie ihm der Weltprozeß eine Geschichte der göttlichen Heilsökonomie ist, so
findet er auch in der Geschichte der Menschen dieselben Heilsgedanken Gottes verwirklicht.
Der Mensch hat von Anfang an die Ebenbildlichkeit Gottes empfangen, und mit ihr die
Möglichkeit, durch Nachahmung Gottes in vollkommen guten Werken zur Gottähnlichkeit
zu gelangen (de princ. III, 6. 1: imaginis dignitatem in prima conditione per-
20 cepit . . . ut ipse sibi eam propriae industriae studiis ex dei imitatione con-
sciseret, cum possibilitate sibi perfectionis in initiis data per imaginis dignitatem, in fine demum per operum expletionem perfectam sibi ipse similitu-
dinem consummaret). Den hierdurch nahegelegten Gedanken an die eigene Werk-
gerechtigkeit lehnt Origenes energisch ab. Nur der wird zur Vollkommenheit gelangen,
25 der die eigene Schwachheit zuvor erkannt und alles der Güte Gottes überlassen hat (de
princ. III, 1, 12). Die Hilfe, die der Mensch in seiner Schwachheit braucht, ist ihm
stets zu teil geworden. Origenes hat aus der jüdischen Theologie (Bousset, Rel. des
Judent. S. 313 ff.) den Glauben an Schutzengel aufgenommen, die nicht nur den Gemeinden, den Aposteln und Großen, sondern jedem, selbst dem Geringsten in der Ge-
30 meinde beistehen (de princ. I, 8: tum demum per singulos minimorum qui sunt
in ecclesia vel qui adscribi singulis debeant angeli, qui etiam quotidie
videant faciem dei; sed et quis debeat esse angelus qui circumdet in cir-
cuitu timentium deum; vgl. c. Cels. V, 28 ff. hom. in Num. XI, 1, in Lev. IX, 8).
Neben dieser Thätigkeit der Engel geht die größere und wichtigere des Logos, der sich
35 in jeder Generation wirksam erwiesen hat, indem er Seelen ergriff und in verschiedenen
Formen je nach dem Fassungsvermögen der Menschen durch seine Organe (die Heiligen
und Propheten) die Menschen der Vollendung entgegenzuführen suchte. Je nach der
Beschaffenheit dieser menschlichen Organe war der Logos mit mehr oder weniger Irrtum
vermischt, so daß er nicht völlig zur Wirkung gelangen konnte.

40 8. Den Abschluß dieser stufenförmigen Offenbarung bildet diejenige in Christus
(über die geschichtlichen Zusammenhänge von Origenes Christologie vgl. in Kürze Loofs
in dem Art. „Christologie" oben Bd IV S. 44, 30 ff.). Zwischen den Offenbarungen des
Logos in früheren Zeiten und der endgiltigen Offenbarung in Christus bestehen Grad-
unterschiede, nicht aber prinzipielle. Während die früheren Offenbarungen nur „im Winkel"
45 geschahen — Origenes denkt an die jüdischen Propheten — ist die Christusoffenbarung
universal (c. Cels. IV, 4 a. E.; in Joh. I, 15, 87). Während früher Gott nur als
der Herr erschien, hat er sich in Christus als der Vater erwiesen (in Joh. XIX, 5, 27):
so daß sich auch hier der Liebe Gottes offenbart, der die Menschen zunächst den
Knechtsstand erfahren ließ, damit sie dann geeignet würden, die höhere Stufe zu erreichen
50 und die Liebe Gottes zu erfahren (c. Cels. IV, 8; in Joh. XX, 33). Die Verkörperung
des Logos aber war notwendig, weil er sonst den an sinnliche Anschauung gebundenen
Menschen nicht vorstellbar gewesen wäre. So allein konnte der Logos die Menschen zu
geistiger Anschauung heranziehen. Wie aber der göttliche Logos in der menschlichen Natur
Wohnung nehmen konnte, ist ein Geheimnis (in Joh. VI, 5, 29. 30, 157. 34, 172;
55 de princ. II, 6, 2; c. Cels. I, 27. III, 28. VI, 68), das wir uns nur nach Analogie der Art vorstellen können, wie der Logos in den Heiligen wirkt (in Joh. XXXII,
29, 359 f.). Das Geheimnis dieser Verkörperung des Logos in Christus zu erklären ist
Origenes nicht gelungen. Er redet von einem „wunderbaren Körper" (σῶμα τερατῶδες,
σῶμα πάντη παράδοξον c. Cels. I, 33), spricht davon, daß die sterbliche Qualität des
60 Leibes Jesu von Gott in eine luftförmige und göttliche verwandelt worden sei (c. Cels.

III, 41), so daß er sich mit dieser Auffassung hart an der Grenze des von ihm bekämpften Doketismus bewegt. Ebenso ist seine Auffassung von der Seele Jesu unbestimmt und schwankend. Sie ist der Versuchung unterworfen, aber dadurch, daß sie beständig das Gute wollte, hat sie ihre Natur so geändert, daß das Böse an ihr nicht mehr haften konnte (de princ. II, 6, 5. IV, 31), so daß Origenes die Frage aufwerfen kann, ob sie nicht 5 vielleicht ursprünglich in Vollkommenheit bei Gott gewesen und von ihm ausgegangen sei, um auf sein Geheiß von dem aus Maria geborenen Leibe Besitz zu ergreifen (in Joh. XX, 19, 162). Als bloße Akkommodation ist es anzusehen, wenn Origenes gelegentlich davon redet, daß sich in Jesus der Beginn einer Verschmelzung von göttlicher und mensch= licher Natur zeige (c. Cels. III, 38). Da er in der Materie nur die allgemeine Be= 10 schränktheit der geschaffenen Geister erblickt, sie wie Aristoteles aber als Subjekt alles Wer= bens und sich Veränderns auffaßt, qualitätslos und doch fähig jede Qualität anzunehmen, (de princ. II, 1, 4. IV, 33; c. Cels. IV, 66), so scheint es unmöglich zu sagen, in welcher Form sich diese Materie mit dem vollkommenen Logos verbinden könne. Origenes hat darum auch eine Lösung des Rätsels gar nicht versucht, sondern durch den Hinweis auf 15 das Geheimnis der weisen göttlichen Weltleitung das Problem zurückgeschoben. Von der Kirchenlehre abzugehen verbot ihm nicht nur sein kirchlicher Standpunkt, sondern auch die Rücksicht auf den Gnosticismus. Konsequenter ist er da verfahren, wo er die Materialität der Welt nur als eine Episode in dem geistigen Entwickelungsprozeß bezeichnet und wo er das Ziel der Entwickelung in der Aufhebung und Vernichtung alles Materiellen erblickt 20 (de princ. II, 3, 2: consumetur corporalis universa natura et redigetur in ni= hilum, quae aliquando facta est de nihilo [nach Hieronymus]), und die Rückkehr zu Gott, der dann wieder Alles in Allem sein wird (in Joh. I, 37, 235; de princ. III, 6, 1. 9). Daneben weiß er sich freilich mit der Lehre von der leiblichen Auferstehung in der Art abzufinden, daß er die stoische Lehre von den λόγοι σπερματικοί in seiner 25 Weise umdeutet. Der Logos hält danach die Einheit unserer Existenz fest, indem er den Körper in immer neuen Gestalten umformt (de princ. II, 10, 3; c. Cels. V, 18. 22 f. u. o.). Damit wird wenigstens die Einheit und Identität der Persönlichkeit ge= wahrt, und die Auferstehungslehre mit der Gesamtanschauung des Origenes von einem unendlichen Weltprozeß in Einklang gesetzt. 30

9. Über das Erlösungswerk Jesu kann Origenes bei seiner Auffassung vom Wesen und Wirken des Logos keine besonderen Aussagen machen. Die menschliche Lebensform ist etwas Accidentielles gegenüber der immanenten Weltwirksamkeit des Logos. Da ihm Sünde Abfall von Gott, Trübung des Gottesbewußtseins, also im letzten Grund ne= gativ der Mangel an reiner Erkenntnis ist, so ist die Wirksamkeit Jesu im wesentlichen 35 Erleuchtung durch Beispiel, Belehrung durch Wort und Rede. Den Tod Jesu hat er dabei als Opfertod betrachtet, und ihn in Parallele gesetzt zu den von den Historikern berichteten Fällen der Selbstaufopferung zum allgemeinen Besten bei Seuchen, Hungers= nöten und Naturereignissen (in Joh. XXVIII, 19, 162; vgl. VI, 54, 279 und zahl= reiche andere Stellen bei Höfling, Lehre v. Opfer S. 182 ff.). Aber es leuchtet ein, daß 40 hier nur eine äußerliche Verbindung mit der Kirchenlehre erreicht ist, der Zusammenhang dieser Anschauungen mit dem ganzen System ist lose, muß ebenso lose sein, wie die Ver= bindung des ewigen Logos mit dem Menschen Jesus. Zu den nur locker mit der Ge= samtdarstellung verbundenen Gedanken gehört auch, daß Jesus mit seinem Tod den Satan überwunden und den Zugang zum Totenreiche erzwungen habe, durch den sich 45 Origenes den Zugang zu einem anderen, in seinem System wichtigeren bahnt. Christus ist nicht nur die vollendete Offenbarung für die Menschen; er hat sich nach seinem Tod der abgeschiedenen Geister angenommen, ja daß sein Werk universal ist nicht nur im räumlichen Sinn, sondern auch im zeitlichen (c. Cels. IV, 4. II, 42; in Joh. 1, 15, 87: Jesus predigte οὐ μόνον τῷ περιγείῳ τόπῳ ἀλλὰ καὶ παντὶ τῷ συστήματι τῷ ἐξ 50 οὐρανοῦ καὶ γῆς ἢ ἐξ οὐρανῶν καὶ γῆς. VI, 55, 284: Jesus starb ἵνα ἄρῃ τὴν ἁμαρτίαν οὐκ ὀλίγων ἀλλ' ὅλου τοῦ κόσμου ὑπὲρ οὗ καὶ πέπονθεν). So zeigt sich auch an diesem Punkte, wie die Grundvoraussetzungen dieses ganzen Systems, der Idealismus, der nur das Geistige als real zu fassen vermag, zu einer Auflösung der historischen Thatsachen und einer Umdeutung in das Geistige geführt haben. Was Jesus 55 erlebte, ist nichts anderes, als was jeder Märtyrer auch erlebt, ja was jede Menschenseele erlebt im Kampf mit der Sünde.

19. Auch in dem, was Origenes über die letzten Dinge lehrt, ist ihm eine organische Verbindung der Kirchenlehre mit seinem System nur unvollkommen gelungen. Gerade . hier befand er sich allerdings in einer besonders schwierigen Lage. Er stand Anschauungen 60

gegenüber, an denen das christliche Bewußtsein besonders zäh festhielt, der Gemeindeglaube besonders hing, Hoffnungen, Verheißungen, die sich nicht so ohne weiteres bei seite schieben ließen. Zwar den grobsinnlichen Chiliasmus, der sich das Jenseits in den satten Farben rein irdischen Genießens ausmalte, hat er mit aller Energie bekämpft (de princ. II,
5 11, 2f.; in Matth. XVII, 35; c. Cels. II, 5). Aber mit den klar ausgeprägten Jenseitshoffnungen und Paradiesesvorstellungen hat er doch nicht vollkommen gebrochen, wenn er auch stets einen geistigen Sinn hineinzulegen suchte. Die seinem System entsprechende Vorstellung war die einer fortschreitenden Reinigung und Läuterung der Geister bis zu dem endlichen Ziel, wo der von allen Nebeln des Bösen gereinigte Geist die Wahrheit erkennt
10 und Gott erkennt, wie der Sohn ihn schon erkannt hat (de princ. III, 6, 3; in Joh. I, 16, 92). Dann erhalten wir den hl. Geist vollkommen, nicht stückweise in der oder jener einzelnen Gabe (c. Cels. VI, 70), schauen Gott von Angesicht zu Angesicht, in ewiger Erkenntnis seines unsichtbaren Wesens (c. Cels. V, 10. VI, 20) und werden so mit Gott wahrhaft vereint (in Joh. XIX, 4, 22. XX, 16, 134). Der Weg, auf dem dies Ziel
15 erreicht wird, ist von Origenes verschieden beschrieben worden. Vor allem ist ihm hier die Vorstellung von einem Reinigungsfeuer, die an platonische Lehren anknüpfte, wichtig geworden (de princ. II, 10, 3. III, 1, 6). Dies Feuer, ein πῦρ καθάρσιον, reinigt die Welt vom Bösen und führt so zur Welterneuerung (c. Cels. IV, 21). Eine geistige Umdeutung, die ohne Zweifel dem ganzen System des Origenes besser entspricht, findet
20 sich häufig (de princ. II, 10, 4ff.; in Matth. ser. lat. 69; in ep. ad Rom. II, 6). So kann er Gott selbst dies verzehrende Feuer nennen (hom. in Jer. II, 3. XVI, 6; c. Cels. IV, 13). In dem Maße, wie die Befreiung der Geister von Sünde und Unwissenheit erfolgt, vergeht auch die materielle Welt, bis nach unendlichen Äonen das letzte Ziel erreicht ist und Gott Alles in Allem ist (hom. in Lev. VII, 2). Dies Ziel be-
25 schreibt Origenes so: εἰς δ καταλήγειν οἶμαι καὶ τὸ τέλος αὐτῆς (d. h. τῆς ἀγαθοῦ ὁδοῦ) ἐν τῇ λεγομένῃ ἀποκαταστάσει διὰ τότε καταλείπεσθαι μηδένα ἐχθρόν . . . τότε γὰρ μία πρᾶξις ἔσται τῶν πρὸς θεὸν διὰ τὸν πρὸς αὐτὸν λόγον φθασάντων ἢ τοῦ κατανοεῖν θεόν (in Joh. I, 16, 91f.). Zur Erkenntnis Gottes, von dem die Welten ihren Ursprung nahmen, kehren die Welten und die Geister zurück.

30   IV. Charakteristik. In Origenes hat die christliche Kirche ihren ersten Theologen im höchsten Sinn besessen, in vieler Hinsicht ist er ihr größter Theologe überhaupt gewesen. Die griechische Kirche hat jedenfalls keinen größeren in ihrer Mitte gehabt. Auf den Höhen der Bildung seiner Zeit stehend, ausgerüstet mit wahrem wissenschaftlichen Sinn, ist er emporgestiegen bis zu den höchsten Höhen menschlicher Spekulation. Was er
35 lehrte, sollte Leben sein, nicht Wissen. Denn das Wissen, jene im Abenteuerlichen wühlende Gnosis, die nicht zugleich auch sittliche Kraft und sittliches Streben war, hat er bekämpft bis aufs Blut. Freilich war seine Lehre nur für die starken Geister. Der großen Menge ließ er ihre Symbole, die Bilder, deren sie für ihr fleischliches Schauen bedurften. Aber auch sie sollten dereinst zu dem hohen geistigen Ziele gelangen, wo sie
40 der Krücken und Stützen nicht mehr bedurften. So lag vor seinem Blick die Welt aufgeschlagen, nicht die Welt, die das Auge erfaßt, sondern die Welt der Geister, die sich losringen von Sünde, Tod und Teufel und die geführt von der göttlichen Vernunft emporstreben zum ewigen, unkörperlichen und nur dem reinen Denken erfaßbaren Lichte Gottes. Heidentum und Christentum hat in seiner Person den innigsten
45 Bund geschlossen; nicht das Heidentum, das die Christen verbrannte, sondern das Heidentum, in dem etwas von dem Wahrheitsdrang und der Gottessehnsucht der Besten lebte.

Noch war Origenes nicht tot, da fingen schon die kleinen Geister an, den Bau, den er gebaut hatte, mit den schwachen Pfeilen ihrer kurzsichtigen Vernunft zu beschießen. Und
50 als er gestorben war, zeigte es sich, daß er keinen Schüler hatte, der das Erbe seines reichen Geistes antreten konnte; und die Kirche seiner Zeit war noch nicht reif, als Ganzes dies Erbe zu übernehmen. So ist seine Wissenschaft begraben worden und was von ihren Trümmern erhalten blieb, hat genügt, Geschlechtern über Geschlechtern das Leben zu fristen. Dreihundert Jahre später aber hat es pfäffische Dummheit fertig gebracht,
55 den größten Sohn der Kirche noch nachträglich aus ihren Büchern zu streichen. Zur Strafe hat die griechische Theologie Mücken seigen und Kamele verschlucken müssen. Was noch lebendig blieb von ihrer Arbeit, das kam aus den Klöstern, und der geistige Vater dieses Mönchtums war Origenes, der Origenes, bei dessen Name die Mönche schauderten.

60   Erwin Preuschen.

Origeniſtiſche Streitigkeiten. — Litteratur: Walch, Hiſtorie der Ketzereien, BdVII, 362—760; Heſele, Konziliengeſchichte² II, 89 ff. 786 ff. 859 ff.; A. W. W. Dale, DchrB IV, 142—156; Fr. Loofs, Leontius von Byzanz und die gleichnamigen Schriftſteller der griechi= ſchen Kirche, TU III, 1. 2, Leipzig 1887; W. Rügamer, Leontius von Byzanz, Diſſ., Würzburg 1894 (dazu Loofs, Byz. Ztſchr. V, 185 ff.); Fr. Dielamp, Die origeniſtiſchen Streitigkeiten 5 im 6. Jahrhundert und das 5. allg. Konzil, Münſter 1899; N. Bonwetſch, Die Theologie des Methodius von Olympus, Abh. d. Gött. Geſ. d. Wiſſ. VII, 1. 1903. S. a. d. A. Chry= ſoſtomus II, 105 ff., Epiphanius V, 417 ff., Leontius XI, 394 f., wo auch noch weitere Lit= teratur.

In der theologiſchen Entwickelung der griechiſchen Kirche iſt ebenſo ein andauerndes 10 Fortwirken des Origenes bemerkbar, wie eine Reaktion gegen das in ihm waltende helle= niſche Element. Schon Origenes ſelbſt hatte ſich mit Angriffen gegen ſeine Orthodoxie abzufinden (Orig., Ep. adamicos MSG 17, 624; hom. 25 in Lucam MSG 13, 1867), aber dennoch beherrſcht er die Theologie des 3. Jahrhunderts. Ein Gregorius Thau= maturgus (ſ. Bd VII, 155 ff.) und Dionyſius von Alexandrien (Bd IV, 685 ff.) ſind 15 ſeine verehrungsvollen Schüler, Theognoſt (vgl. Photius, Bibl. 106; Dielamp, ThLS 1902, S. 481 ff.; Harnad, TU, NF. IX, 3, S. 73 ff.) iſt ein ſolcher „ſtrikteſter Obſer= vanz" und Pierius wurde Origenes iunior genannt (Hier., De vir. ill. 76). — Jedoch der Widerſpruch gegen Origenes iſt nie vollſtändig verſtummt. Es ſcheint, daß ſelbſt Heraklas (ſ. d. A. Bd VII, 692 f.), der Schüler und Freund des Origenes und ſein Nach= 20 folger an der Katechetenſchule, als Biſchof die Exkommunikation durch Demetrius wieder= holt hat (gegen Dale S. 143). Entſchieden hat der Biſchof Petrus von Alexandrien (ſ. d. A.) die Anſchauungen des Origenes bekämpft. Bedeutſamer iſt dies durch Metho= dius von Olympus (ſ. d. A. Bd XIII, 25 ff.) geſchehen. Aber auch dieſer läßt nicht nur erkennen, welches Anſehen Origenes genoß (vgl. z. B. De resurr. I, 19), ſondern 25 hat auch ſelbſt Wertung des Origenes Ausdruck gegeben (ebd. III, 3. Sokr., h. e. VI, 12) und ſich von ihm beeinfluſſen laſſen (vgl. Abhandl. A. v. Oettingen gewidmet, S. 44). Nur das Intereſſe der als kirchliche Lehre überkommenen Glaubenswahrheit iſt Methodius überzeugt gegen Origenes vertreten zu müſſen, und er wendet ſich daher gegen ſeine Lehre von der Ewigkeit der Welt, der Präexiſtenz der Seelen und einer Auferſtehung 30 nur des εἶδος. Die Anfeindungen, die ihn an der Vollendung des Werkes über die Auferſtehung behinderten (Meth., De cibis 1, 1), bekunden den Einfluß der Origenes= ſchüler. Ihr Wortführer in dieſer Zeit iſt Pamphilus (ſ. d. A.). Zu ſeiner Apologie des Origenes in 5 Büchern hat ſein Schüler Euſebius noch ein 6. hinzugefügt. In ſeiner Zuſchrift an die paläſtinenſiſchen Konfeſſoren in den Bergwerken vor dieſer Apologie redet 35 Pamphilus von Gegnern des Origenes, die doch ihre Bildung dieſem verdanken, und be= merkt, daß Bibelerklärungen verdächtig werden, ſobald man ihre Herkunft von Origenes erfährt. Aber auch er ſelbſt hat das Bedürfnis, die Lehren ſeines Meiſters zu recht= fertigen, teils durch Ablehnung ihm zugeſchriebener Ausſagen, teils durch Entſchuldigung, Milderung oder Begründung ihrer Rechtgläubigkeit. Im Anſchluß an Methodius iſt 40 Euſtathius von Antiochien in De engastromytho dem Origenes ſcharf entgegengetreten.

Die arianiſchen Kämpfe haben zunächſt das Intereſſe von den Fragen abgelenkt, um die es ſich bei der Auseinanderſetzung zwiſchen den Verehrern und Gegnern des Origenes handelte. Alexander von Alexandrien giebt ſich in ſeiner Trinitätslehre deutlich als Schüler des Origenes zu erkennen (ſ. Bd II, 11, 22 ff.). Athanaſius ſucht nicht nur die den Aria= 45 nern günſtigen Außerungen des alexandriniſchen Dionyſius in freundlichem Sinn zu deuten, — er iſt auch nicht geſonnen, den Gegnern des Origenes zu überlaſſen, deſſen Lehre in der That die noch einheitliche Baſis der ſich entgegengeſetzten Anſchauungen bildete (ſ. Bd II, 8 f.) und in der Formel von der ewigen Zeugung dem Athanaſius eine kräftige Stütze bot. Dieſer unterſcheidet zwiſchen dem, was der fleißige und gelehrte 50 Mann unterſuchend vorbringe, und dem, was er thetiſch und antithetiſch beſtimmt be= haupte, und glaubt ihn in letzterem auf ſeiner Seite zu haben (De decr. Nic. Syn. c. 27). Unbefangen führt er (Ad Serap. IV, 9 f.) eine für die orthodoxe Trinitätslehre keines= wegs unbedenkliche Stelle an. Haben ſich dann auch Arianer auf ihn berufen (Sokrat., h. e. IV, 26) und muß die durch Euſebius von Cäſarea repräſentierte Mittelpartei als 55 bie der origeniſtiſchen Gotteslehre am meiſten ſich anſchließende angeſehen werden, ſo hinderte ihr entſchiedenes Fortſchreiten zur nicäniſchen Lehre die drei Kappadocier doch nicht, an ihrer Verehrung des Origenes feſtzuhalten, dem ſie vornehmlich ihre Bildung verdankten, und eben hierdurch haben ſie die helleniſche Wiſſenſchaft in den orthodoxen Kreiſen heimiſch gemacht. Baſilius ſchätzt in des Origenes Lehre vom hl. Geiſt die Macht 60

der durchschlagenden kirchlichen Überlieferung höher ein als die Unkorrektheit (De spir.
s. 29. 73), und mit seinem Freunde Gregor von Nazianz hat er in der „Philokalie"
eine Sammlung der Schrifttheologie des Origenes dargeboten. Gregor von Nyssa aber
und der letzte bedeutende Lehrer der alexandrinischen Katechetenschule, der blinde Didymus,
5 sind beide zugleich entschiedene Vorkämpfer der nicänischen Lehre und doch Vertreter origenistischer Sonderlehren gewesen. Orthodoxe lateinische Kirchenlehrer wie früher Vik-
torinus von Pettau, jetzt Hilarius, Eusebius von Vercelli, Ambrosius, haben die Schätze
der Schrifttheologie des Origenes dem Abendlande zugänglich zu machen begonnen, worauf sich denn Hieronymus beruft (die Stellen bei Walch, VII, 436 f.). In dem jetzt
10 mächtig aufstrebenden Mönchtum mit seiner Verbindung von Askese, Kontemplation und
kirchlichen Tendenzen stehen leidenschaftlicher Ketzereifer gegen Origenes und begeisterte
Verehrung für ihn — verbunden mit eifrigem Studium seiner Schriften — dicht neben
einander. Die beiden Richtungen im Mönchtum, deren eine das Ideal des asketischen
Weisen noch irgendwie festhielt, während die andere die Askese als solche wertete, gaben
15 gerade in ihrem verschiedenartigen Verhalten zu Origenes ihrem eigentümlichen Wesen
einen Ausdruck. Wie der Haß gegen Origenes (vgl. die Vita Pachomii 21 ASS Mai
III², 303 f. und App. 25 S. 30), so fand auch das Studium seiner Werke (vgl. z. B.
Hist. Laus. 12 MSG 34, 1034 B) in den Kreisen des Mönchtums eine Heimstätte.
Epiphanius, in dem der Eifer um Orthodoxie, wie ihn die arianischen Kämpfe gezeitigt
20 hatten, sich mit dem mönchischen Interesse verband, sah in Origenes den Vater aller
Häresie und machte es sich zu einer Lebensaufgabe, dem Einfluß seiner ἑλληνικὴ παιδεία
auf die Kirche entgegen zu wirken. Schon im Ankyrotos bekämpft er ihn (13. 54 f. 62 f.),
und im Panarion hat er der Polemik gegen ihn einen breiten Raum gewidmet (64). Er
hat dann bei seiner Anwesenheit in Jerusalem (wohl 292 oder 293, oben Bd V, 419,16 f.)
25 den entscheidenden Anlaß zu den Streitigkeiten über Origenes in der palästinensischen
Mönchskolonie gegeben. Hier hatte sich nämlich ein Kreis gelehrter und asketischer Studiengenossen zusammengefunden, die zu Bischof Johannes von Jerusalem, einem warmen
Verehrer des Origenes, Freund des Chrysostomus und von Theodoret (h. e. V, 35) hochgeschätzt, in naher Beziehung standen; die vornehmste Schatzkammer ihrer Studien waren die
30 Schriften des Origenes. Zu jenem Kreis gehörte Rufinus (s. d. A.), Schüler und Verehrer des Makarius und anderer Eremiten, seit 378 am Oelberg. Asketisch wie literarisch von gleichem Geist getrieben, kam 386, ebenfalls über Ägypten, Hieronymus. Origenes, dessen Schriften er eifrig sammelte und übersetzte, begehrte er gleich zu werden an
Gelehrsamkeit und Einsicht, ob auch unter Erfahrung ähnlicher Anfechtungen (vgl. auch
35 noch ep. 33 I, 153 f. ad Paulam vor 385). Aber schon gegenüber den Angriffen des
Antiorigenisten Aterbius ließ er sich zu einer Erklärung über Origenes herbei, und seit
dem Auftreten des Epiphanius nahm er seine Stellung unter den Gegnern des Origenes.
Der eifernden Predigt des Epiphanius in der Auferstehungskirche, begegnete Johannes
durch eine Predigt gegen den Anthropomorphismus (s. Bd V, 419,17 ff.). Epiphanius
40 floh zu den Mönchen des Hieronymus bei Bethlehem und suchte sie zum Bruch der Gemeinschaft mit Johannes zu bestimmen. Hieronymus schloß sich Epiphanius an und übersetzte auch dessen Rechtfertigungsschrift ins Lateinische (ep. 51 I, 241 ff.; zur Chronologie der im origenistischen Streit geschriebenen Briefe des Hieronymus vgl. G. Grützmacher, Hieronymus I, 68 ff.). Unter Vermittlung des Theophilus von Alexandrien
45 auch an den ägyptischen Statthalter hatte sich Johannes gewandt, selbst Rom wurde
hineingezogen, — der den Presbyter Isidor sandte, welcher wesentlich auf Johannes Seite
trat, wurde der Streit beigelegt (Hieron., C. Joann. 37 ff. II, 446 ff. Apol. C. Ruf.
III, 18, II, 547 ff.). Indessen hatte nicht nur Vigilantius den Hieronymus als Origenisten charakterisiert, sondern auch Rufin warf in der Vorrede zu seiner Übersetzung der
50 Apologie des Pamphilus für Origenes, die er nach seiner Rückkehr nach Rom auf Wunsch
des Mönchs Makarius lieferte, Seitenblicke auf die, welche sich beleidigt fühlten, wenn
man nicht schlecht von Origenes urteile, und verwahrte sich selbst wie der Bischof Johannes von Jerusalem gegen Irrlehre in Betreff der Trinität und der Auferstehung. In
der angehängten Schrift De adulteratione librorum Orig. (Hieron., Opp. ed. Mart.
55 V, 249 ff.) suchte er die Annahme zu begründen, daß die Schriften des Origenes von
Häretikern verfälscht worden seien. Sodann berief sich Rufin im Vorwort der bald
darauf (398/9) von ihm übersetzten Bücher περὶ ἀρχῶν sowohl für seine Übersetzung der
Origenes, als für das dabei beobachtete Verfahren in Beseitigung des Anstößigen auf den
Vorgang seines „Bruders" Hieronymus, welcher Origenes so hoch gelobt, jetzt aber die
60 Fortsetzung seiner Übersetzungen, wie es scheine, aufgegeben habe. Hieronymus, davon

sofort unterrichtet, setzte nun der Rufinschen eine wörtliche Übersetzung des gefährlichen Werks entgegen und suchte seine origenistische Vergangenheit möglichst zu verleugnen (ep. 84). Hieraus entwickelte sich eine häßliche, von Augustin schmerzlich bedauerte (ep. 73, 6—10) Fehde zwischen den beiden alten Freunden (Rufini apol. in Hier. ll. 2 [Vall. 307 ff.]; Hier. apol. adv. Ruf. ll. 2 [Vall. II, 583 ff. 457 ff.] und als Antwort 5 auf eine uns nicht erhaltene Mahnung des Rufin und des Bischofs Chromatian von Aquileja ein drittes Buch [II, 531 ff.], sämtlich um 402). Der römische Bischof Ana= stasius, der von Alexandria aus jetzt (s. u.) betriebenen Verdammung des Origenes zu= stimmend, hatte Rufin, der sich (399) in seine Heimat Aquileja zurückgezogen, zu seiner Rechtfertigung nach Rom gefordert. Aber Rufin, für den sich auch Johannes von Je= 10 rusalem verwandte, wich dem aus (Apol. ad Anast., ed. Vall. 403 ff., Hier. Vall. II, 573 ff.), und Anastasius überließ ihn seinem Gewissen (ep. ad Joann. ebb. 408 ff. 577 ff.). Noch über den Tod Rufins (410) hinaus verrät sich die feindliche Gesinnung des Hie= ronymus gegen ihn (ep. 125, 16 S. 944).

Auf diese Anfeindungen Rufins hatte bereits die Wendung in Alexandria entscheidend 15 eingewirkt. Der Bischof Theophilus (385—412) hatte noch in dem Osterschreiben von 399 die unter den ägyptischen Mönchen verbreitete Ansicht der „Anthropomorphiten" be= kämpft, d. h. gegen jene den spiritualistischen Ansichten des Origenes am schroffsten gegenüberstehende Partei, die Gott Körper und menschliche Gestalt beilegte, da doch der Mensch nach Gottes Bilde geschaffen sei (Gennad., De vir. ill. 33. Joh. Cassian, Collat. 20 X, 2, 383), im Sinne des Origenes geltend gemacht, daß die Gottheit, aber auch sie allein, völlig immateriell zu denken sei. Die im Rufe großer Heiligkeit stehenden Mönche der sketischen Wüste, hierdurch in gewaltige Aufregung versetzt, kamen nach Alexandrien und schüchterten Theophilus so ein, daß er eine Verurteilung der Werke des Origenes zusagte. Zugleich benutzte er diesen Stellungswechsel gegen hervorragende origenistische 25 Mönche der nitrischen Berge, namentlich die vier „langen Brüder" (Hist. Laus. 10. 12), deren einen er selbst zum Bischof von Hermopolis gemacht hatte; durch ihr Eintreten für den in feindlichem Gegensatz gegen Theophilus geratenen Presbyter Isidor hatten sie seinen Zorn erregt. Eine Synode zu Alexandria (399 oder 400) mußte die Verdammung des Origenes aussprechen, das Gleiche setzte Theophilus in einer stürmischen Versammlung in 30 den nitrischen Bergen durch (Mansi III, 971, und bes. die ep. encycl. ib. 979 ff.). In brutaler Weise vertrieb Theophilus die ihm mißliebigen Mönche mit militärischer Hilfe, ließ ihnen auch auswärts keine Ruhe, veranlaßte Erklärungen gegen origenistische Irrlehren selbst in Jerusalem; Anastasius in Rom stimmte zu, Hieronymus pries Theo= philus wegen seiner Heldenthaten überschwenglich, und Epiphanius, der auch in Cypern 35 gegen den Origenismus vorging, jubelte. In den drei Osterschreiben (401, 402 und 404), welche Hieronymus uns lateinisch erhalten hat (ep. 96. 98. 100. I, 560 ff.) polemisiert Theophilus sowohl gegen Apollinaris als gegen Origenes, wobei ersterem immer noch das Verdienst der Bekämpfung der Arianer und des Origenes angerechnet wird. In Kon= stantinopel, wohin die vier langen Brüder, Isidor und 50 verjagte Mönche sich gewendet 40 hatten, entwickelte sich nun jenes häßliche Schauspiel, das mit der Verbannung des Chry= sostomus (s. d. A. Bd IV S. 101) endete.

Die Anhänger des Origenes verschwinden damit natürlich nicht (Hier., Ad Demetr. ep. 130, 16 I, 992 f.; Augustin, De haer. 43). Unter ihnen ragte damals Evagrius Pontikus (s. d. A. Bd V, 650 ff.) hervor. Wie Palladius, so ist auch der Kirchenhisto= 45 riker Sokrates sein begeisterter Verehrer und sieht durch ihn im voraus einen Porphyrius und Julian widerlegt (h. e. III, 23) und die nicänische Lehre trefflichst verteidigt (IV, 26. VI, 13); nur Böswilligkeit hat zu Angriffen gegen ihn geführt (VI, 13). Theodoret, sein Gegner in der Hermeneutik (Quaest. in Gen. 39. I, 52), hat ihn benützt und giebt ihm im Ketzerkatalog keine Stelle. In den Mönchskreisen Südfrankreichs waren ebenso 50 Sympathien für Origenes vorhanden, wie ihn Vincentius Lerinensis als Beispiel dafür nennt, daß große gelehrte Verdienste durch Emanzipation von der kirchlichen Überlieferung aufgehoben werden. Leo d. Gr. hält an seiner Verurteilung fest (ep. 35). Ist der Bischof Ammon von Adrianopel, der gegen die Auferstehungslehre des Origenes geschrieben haben soll (Walch, VII 598 f.), der Freund des Chrysostomus, so gehört seine Schrift wohl 55 noch der Zeit vor den origenistischen Streitigkeiten an. Dagegen hat Antipater von Bostra wohl nach der Mitte des 5. Jahrhunderts gegen die Eusebius Apologie für Origenes geschrieben (Walch 616). Etwa um die gleiche Zeit wies den Abt Euthymius in Palä= stina Mönche aus der Gegend von Cäsarea ab wegen origenistischer Irrtümer, namentlich in der Präexistenzlehre (Cyrill von Skythopolis, Vita Euthymii, S. 92). 60

Im einzelnen läßt sich der Zusammenhang dieser Origenisten mit den zu Anfang des 6. Jahrhunderts in Palästina Begegnenden nicht nachweisen. Schwerlich aber haben die letzteren eine ernstliche Beeinflussung durch den einer radikalen pantheistischen Mystik huldigenden Mönch Stephan bar Sudaili erfahren, obwohl dieser in einem Kloster bei
5 Jerusalem eine Zufluchtsstätte gefunden (vgl. den Brief des Xenajas bei Frothingham, Stephen Bar Sudaili, the Syrian mystic and the book of Hierotheos, Leyden 1886, S. 29. 43). Von vier Origenisten, Anhängern der Präexistenzlehre, unter Führung des Nonnus berichtet aber Cyrill von Skythopolis in der Vita des Sabas 36 (Cotelier, Monum. eccl. gr. III, 274 f.), daß sie 514 in die neue Laura aufgenommen worden
10 seien; der neue Abt des Klosters habe sie vertrieben, sein Nachfolger (nicht vor 519) aber wieder angenommen, und bei Lebzeiten des Sabas hätten sie mit ihren Anschauungen zurückgehalten. Bei einem von ihnen, Leontius von Byzanz, seien sie schließlich doch zu Tage getreten. Dieser habe nämlich bei einem Religionsgespräche mit den Monophysiten (531), an dem er nach Konstantinopel gereiste greise Sabas teilnahm, obwohl scheinbar
15 das Chalcedonense verteidigend, origenistische Anschauungen bekundet; Sabas habe ihn daraufhin ebenso, wie die heimlichen Verehrer des Theodor von Mopsveste von sich entfernt. Leontius ist sehr wahrscheinlich (vgl. Loofs S. 274 ff.) identisch mit dem bekannten gleichzeitigen Schriftsteller Leontius. Ist es aber an dem, so hat der Vorwurf des Origenismus jetzt auch solche getroffen, die nicht etwa die Sonderlehren des Origenes teilten,
20 jedoch sich weigerten, schon jeden zu verurteilen, der von Origenes zu lernen bereit war. Damit stimmt, daß nach Cyrill (VS S. 361) nach dem Tode des Sabas Nonnus alle begabten und gelehrten (λογιώτεροι) Mönche der neuen Laura gewonnen haben soll. Zwei von ihnen, darunter Theodorus Askidas, erlangten (seit der Synode 536) unter Vermittlung des Leontius in Byzanz die Gunst des Kaisers und erhielten angesehene
25 Bischofssitze, während nun Nonnus und Leontius die neue Laura beherrschten und Einfluß auch auf die benachbarten Klöster auszuüben verstanden. Aus der alten Laura aber wurden ihre Anhänger (vierzig Mönche) vertrieben, im Sturm der Neolauriten auf die alte Laura mißlang und ebenso ihre weiteren Bemühungen um Wiederaufnahme. Von beiden Seiten wandte man sich nach auswärts um Unterstützung. Mit Hilfe des von
30 der Synode zu Gaza (nach Diekamp S. 39 ff. wohl Ostern 542) heimkehrenden, beim Hof sehr angesehenen πάπας Eusebius erlangten die Origeniten die Entfernung auch ihrer schroffsten Gegner aus der alten Laura. Diese aber mußten nicht nur den Patriarchen Ephräm von Antiochien zur Verurteilung des Origenismus zu bestimmen (Cyrill, VS 85, S. 364 f.), sondern gewannen auch den Beistand des päpstlichen Apokrisiars
35 Pelagius und des Patriarchen von Konstantinopel Mennas, der den Einfluß des Theodorus Askidas beneideten (Liberatus, Breviar. 23, MSL 68, 1046 B). Durch sie veranlaßt, erließ Justinian (s. d. A. Bd IX, S. 657) sein berühmtes Schreiben an den Patriarchen Mennas (Mansi IX, 488—534. MSG 86, 1, 945—990) voll der heftigsten Anklagen gegen Origenes, zugleich mit der Aufforderung, auf einer endemischen Synode
40 dessen Lehren zu verdammen, und der Bestimmung, daß jeder Bischof und Abt vor seiner Weihe auch den Origenes und seine Häresien mit dem Anathema zu belegen habe. Mit 24 Belegen aus De principiis und 10 Anathematismen von Lehren des Origenes schließt die Schrift. Mennas und seine endemische Synode, aber auch Vigilius von Rom haben dies Edikt unterschrieben und den übrigen Bischöfen des Reichs zugestimmt. Jedoch
45 auch Theodor Askidas unterzeichnete und wußte durch einen erfolgreichen Gegenzug nicht nur den Kaiser von der weiteren Verfolgung dieser Sache abzulenken, sondern auch die Gegner empfindlich zu treffen, indem er den Kaiser zu jener dogmatischen Verurteilung der Antiochener bewog, die den Dreikapitelstreit (s. d. A. Bd V, 21 ff.) heraufbeschwor. Auch über seine palästinensischen Gesinnungsgenossen hielt er seine Hand und erzwang
50 ihre Wiederaufnahme, als sie wegen ihrer Weigerung dem Edikt gegen Origenes sich zu fügen aus der neuen Laura vertrieben worden waren. Aber nach dem Tode des Nonnus (547) kam es unter den origenistischen Mönchen selbst zu einer Spaltung, indem die einen ihre Gegner ἰσόχριστοι (wegen der in der Apokatastasis zu erreichenden vollkommenen Gleichheit mit Christus), diese jene πρωτόκτιστοι und τετραδῖται (so wegen ihrer
55 Fassung der Lehre von der Präexistenz der Seele Christi) schalten. Das Übergewicht der Isochristen trieb die Protoktisten zur feierlichen Aussöhnung mit den Orthodoxen (Abt Konon von der großen Laura); und als die Isochristen die Erhebung eines der Ihren (wohl 552) zum Patriarchen von Jerusalem durchsetzten, erreichten die Orthodoxen in Konstantinopel nicht nur dessen Entfernung (gegen Ende 552), sondern auch, daß die
60 fünfte ökumenische Synode (553) zugleich mit den Antiochenern auch den Origenismus

verurteilte. Die Neolauriten, die anhaltend die Anerkennung des Konzils verweigerten, wurden aus der neuen Laura verjagt und diese mit orthodoxen Mönchen besetzt. Aber hat eine Verurteilung der Origenisten in gesonderter Verhandlung auf dem Konzil von 553 wirklich stattgefunden? Zuletzt hat Diekamp diese Frage untersucht und seine Resultate sind m. E. zutreffend. Gegen eine Verhandlung über den Origenismus 5 scheint zu sprechen, daß Vigilius weder in seinem Schreiben an den Patriarchen Eutychius von Konstantinopel, noch in seinem Constitutum vom 23. Februar 554 einer Verurteilung des Origenes Erwähnung thut, und daß dies ebensowenig von Pelagius II. und Gregor d. Gr. geschieht, wo diese über die Beschlüsse jener Synode handeln; auch in der Leichenrede des Eustratius auf Eutychius wird dessen nicht gedacht. Dennoch ist 10 an dieser Verurteilung nicht zu zweifeln. Georgius Monachus hat einen „Brief des Kaisers Justinian an die hl. Synode über Origenes" aufbewahrt als an die fünfte allgemeine Synode gerichtet, der die Verdammung der auf Pythagoras, Plato und Origenes zurückzuführenden Irrtümer der palästinensischen Mönche und die Verwerfung des Origenes und seiner Anhänger fordert (Mansi IX, 533 ff.). Das hier erwähnte Verzeichnis der 15 zu verurteilenden Sätze ist in fünfzehn Anathematismen erhalten, die Lambeccius aus einer Wiener Handschrift herausgegeben hat. Den Beweis für die Zusammengehörigkeit der Anathematismen und des Briefes s. bei Diekamp S. 89 ff. Da hier auch auf die in der Ep. ad Mennam noch nicht erwähnte Lehre der Isochristen Bezug genommen wird, kann es sich nicht — wie Hefele S. 793 und andere meinten — um in das Jahr 543 20 anzusetzende Schriftstücke handeln. Diekamp hat aber auch genügend Zeugnisse gleichzeitiger — so namentlich das des Cyrill und des Kirchenhistorikers Evagrius — und späterer Schriftsteller beigebracht, die die Verurteilung des Origenes bekunden, und hat die Unmöglichkeit einer Verwechslung der Synode von 553 mit der von 543 nachgewiesen. Das Schweigen der anderen Zeugen erklärt Diekamp daraus, daß die origenistische Sache 25 hinter dem Dreikapitelstreit sehr zurücktrat und vor der Eröffnung der eigentlichen ökumenischen Synode stattgefunden, diese als solche daher nur dem letzteren gegolten habe. Jedenfalls hat er gezeigt, daß, wie namentlich schon von Noris und den Ballerini und von Möller in der 2. Auflage geschehen, an der Verurteilung des Origenes auf der 5. ökumenischen Synode festzuhalten ist. 30

Welche Punkte in des Origenes Lehre besonders anstößig wurden, zeigen neben der Apologie des Pamphilus Methodius, De resurrectione und De creatis; Epiph., haer. 64; Hieron., C. Joann. Hieros.; der Synodalbrief des Theophilus (Hieronymus, ep. 92, I, 541 ff.); Orosius, Common. und Augustins Antwort; Theophilus bei Mansi III, 979 f. und Hieronymus I, 540 ff.; der Anonymus bei Photius, Bibl. 35 117; Justinian, Ad Mennam und in den Anathematismen. Im Unterschied von Späteren verteidigt Pamphilus die Trinitätslehre des Origenes noch ebenso gegen den Vorwurf des Sabellianismus und gnostischen Emanatismus, wie gegen den des Subordinatianismus. Daneben gereicht von Anbeginn zum Anstoß seine Beschränkung der Auferstehung auf das εἶδος des Leibes im Zusammenhang mit seiner Ableitung der 40 Verleiblichung aus einem vorzeitlichen Fall der Geister, ferner seine Lehre von einer Präexistenz der Seelen, einer ewigen Weltschöpfung, seine vergeistigende Umdeutung besonders des biblischen Berichts von der Schöpfung und dem Paradies und seine Behauptung einer Apokatastasis aller, auch des Teufels. Fehlte es Origenes auch nicht an Verteidigern seiner meisten Sonderlehren, so haben die später als Origenisten Angegriffenen 45 doch nur in sehr beschränktem Umfang die Anschauungen des Origenes sich angeeignet. Durch das eigene Zeugnis eines Origenisten des 6. Jahrhunderts (bei Fakundus, Defens. trium capit. IV, 4) sind nur die Präexistenz der Seelen und die Apokatastasis als Lehren dieser Origenisten bezeugt. Aber ihnen wurden auch schon Lehren, welche diese Lehre als Adiaphora behandelten (vgl. Loofs S. 293), wie denn Leontius die ori- 50 genistische Eschatologie sicher nicht geteilt hat (Loofs S. 297). Aber auch die Isochristen, gegen die sich die Beschlüsse der Synode von 553 richteten, dürften nur eine Zusammenfassung der vorzeitlichen Geistwesen zu einer Einheit im Logos und ein entsprechend ein dereinstiges Aufgehen der vergotteten Seelen in ihn gelehrt haben (vgl. die Anathematismen dieser Synode und den Brief Justinians).   (Möller †) Bonwetsch. 55

Orosius, Presbyter, gest. nach 418. — Ausgaben: Ein genauer Bericht über die älteren Ausgaben, unter denen die von S. Havercamp, Leiden 1738 (1767), hervorragt, mit kurzen Bemerkungen zu Person und Schriften bei C. T. G. Schönemann, Biblioth. Hist.-Litt. Patr. Lat., 2. Bd, Lips. 1794, 481—507. Die Edit. princ. der Historiae erschien

August. Vind. 1471 (Joh. Schüßler). Neueste Ausg. von C. Zangemeister, in CSEL 5. Bd,
Wien 1882 (edit. min. Leipzig, Teubner, 1889). Bei 8. auch der Liber Apologeticus (Edit.
princ. von Joh. Cofter, Löwen 1558). MSL 31, 663—1216, druckt außer Hist. und Lib.
(beides nach Haverkamp) auch das Commonitorium, das sonst mit Augustins Antwort (f. u.)
5 unter den Werken Augustins abgedruckt zu werden pflegt (MSL 42, 665—670), neuerdings auch
von G. Schepß im Anhang seiner Priszillian-Ausgabe (CSEL 18, Wien 1889) herausgegeben
wurde. König Alfreds angelsächsische Uebersetzung der Hist. ed. H. Sweet, 1. Tl., London
1883 (vgl. H. Schilling, K. A.s angels. Bearbeitung der Weltgeschichte des O., Halle 1886).
Ueber einen noch ungedruckten Brief des O. an Augustin f. A. Goldbacher in der Zeitschr. f.
10 d. österr. Gymnasien 34, 1883, 104 Anm. 1. — Litteratur: Die Notizen bei Gennadius,
Vir. ill. cp. 39, ed. Czapla, Münster 1898, 87—89; vgl. auch cp. 46 (Lucian) und 47
(Avitus); Th. de Mörner, De Orosii vita eiusque historiarum libris VII adv. paganos,
Berl. 1844 (sorgfältige Quellenuntersuchung, genaue Angaben zur älteren Litteratur); C. Mé-
jean, Paul Orose et son apologétique contre les païens (Straßb. 1861 [1862?]; P.B.Gams,
15 D. Kirchengesch. v. Spanien, 2. Bd, 1. Abt., Regensb. 1864, 398 ff.; H. Sauvage, De Orosio,
Par. 1874; C. Paucker, Die Latinität d. Or., Berl. 1883 (abgedr. aus: Vorarbeiten z. latein.
Sprachgesch., 3. Tl.); A. Ebert, Allgem. Gesch. d. Litter. d. Mittelalters im Abendl.², 1. Bd.,
Leipz. 1889, 337—344. Vgl. auch Teuffel-Schwabe, Gesch. d. röm. Litteratur⁵, Leipz. 1890,
1165—68; Feßler-Jungmann, Institutiones Patrologiae³, 2. Bd, 1. Abt., Innsbruck 1892,
20 412—418; Potthast, Bibliotheca medii aevi², Berl. 1896, 882 f.; Bardenhewer, Patrologie²,
Freib. 1901, 449 f. und RE² 9, 1084—87.

Drosius — der Vorname Paulus ist vor dem 8. Jahrhundert nicht nachweisbar —
wurde, unbekannt wann, wahrscheinlich (f. Gams 399) zu Bracara (Braga) in Galläcien
geboren. Aus unbekannter Ursache, vielleicht vor den Vandalen fliehend (Hist. 3, 20;
25 doch f. Comm. 1: sine voluntate, sine necessitate, sine consensu de patria
egressus sum), verließ er sein Vaterland und kam, noch jung an Jahren, aber schon
Presbyter (August. Ep. 166), nach Afrika, wo er im Jahre 414 dem Augustin, um sich
über die Priszillianisten und die durch diese Sekte angeregten Fragen Rats zu erholen,
eine Schrift überreichte unter dem Titel Commonitorium de errore Priscillianistarum
30 et Origenistarum, die Augustin mit der Schrift ad Orosium contra Priscillianistas
et Origenistas beantwortete. Mit einem Empfehlungsbrief an Hieronymus, der ihm
seine Wißbegier über den Ursprung der Seele befriedigen sollte, versehen (August Ep.
166: religiosus iuvenis, catholica pace frater, aetate filius, honore compres-
byter noster, vigil ingenio, promptus eloquio, flagrans studio . . . vgl. auch
35 Ep. 169 an Evodius), reiste O. nach Bethlehem. Hier wurde er in die pelagianische
Frage verwickelt. Auf dem Konvent zu Jerusalem (f. d. Art. Pelagius) trat er 415 als
Ankläger des Pelagius vor dem Bischof Johannes auf, mit dem er eine lebhafte Auseinandersetzung hatte und der ihn bald darauf der Ketzerei beschuldigte (Lib. Apol. 7:
ego te audivi dixisse, quia nec cum del adiutorio possit esse homo sine pec-
40 cato). Um sich zu reinigen, schrieb er seinen an die jerusalemischen Presbyter gerichteten
Liber apologeticus, vom augustinischen Standpunkt eine scharfe, vielfach ungerechte
Kritik der pelagianischen Lehre bietend. Dann begab er sich auf die Rückreise. Der Presbyter Lucian von Caphar Gamala hatte damals die Gebeine des Erz-
märtyrers Stephanus aufgefunden zu haben. Einen Teil dieser Reliquien nahm O. mit
45 sich samt einem von dem damals in Jerusalem weilenden Presbyter Avitus aus Bracara
ins Lateinische übersetzten Schreiben Lucians (Genn. 46 und 47; MSL 41, 805—818),
ließ sie aber auf der Insel Minorka zurück, wo durch die Reliquien viele Juden bekehrt
wurden (vgl. Severus von Minorka, de virtutibus ad Judaeorum conversionem in
Minoricensi insula facta, MSL 41, 821—832), und kehrte nach Afrika zurück. Hier
50 hat er seine Historien geschrieben, die wahrscheinlich 418 vollendet waren (Ebert 337
Anm. 3). Dann verliert man ihn aus den Augen. Das Geschichtswerk, das seinen
Namen bekannt gemacht hat, führte nach der besten Überlieferung den Titel: Historiarum adversum paganos libri VII (Genn.: adv. querulos Christiani nominis;
der seit 1100 in den Handschriften auftauchende Titel: de (h)ormesda oder (h)ormesta
55 oder (h)ormista mundi ist trotz vieler gelehrter Versuche [de miseria mundi? f. die
Liste der Konjekturen bei Mörner 180 f.] unaufgeklärt geblieben). Es ist auf Augustins
Veranlassung geschrieben (f. den Prolog), der damals (prol. § 11) mit der Abfassung
seiner Civitas Dei beschäftigt war und zur Ergänzung seiner geschichtsphilosophischen
Betrachtung aus der Geschichte (§ 10: ex omnibus qui haberi ad praesens pos-
60 sunt historiarum atque annalium fastis) den Nachweis geliefert zu sehen wünschte,
daß in der vorchristlichen Zeit Krieg, Krankheit und verderbliche Naturerscheinungen die
Menschheit schlimmer noch heimgesucht hätten als in der Gegenwart, eine Betrachtung,

die sich dem Orosius (vgl. prol. § 14) durchaus bestätigte. Den Vorwurf der Heiden, daß
der Abfall von der alten Religion und die Verbreitung des Christentums die eigentliche
Ursache der Leiden und Drangsale der Zeit seien, widerlegt also auch die Geschichte.
Dieser apologetischen Tendenz entsprechend ist das Quellenmaterial zurechtgelegt. Benutzt
sind zahlreiche Autoren, am meisten Cäsar, Livius, Sueton, Florus, Justin, Eutrop, Eu- 5
sebius-Hieronymus (s. den Index bei Zangemeister 684—700). Vielfach eingestreute selbstständige und kluge Bemerkungen zeugen doch dafür, daß O. kein gedankenloser Ausschreiber
war, und trotz mancher Flüchtigkeiten und Willkürlichkeiten im einzelnen bleibt das —
leider zu rasch (s. o.) gearbeitete — Werk eine beachtenswerte Leistung, die für die Gegenwart des Verf. Quellenwert besitzt. Es ist sehr wohl verständlich, daß das Buch im 10
Mittelalter als Leitfaden der Universalgeschichte im Unterricht viel gebraucht wurde. Für
seine Beliebtheit sprechen noch heute die fast 200 (Potthast 882 b) erhaltenen Handschriften.
Von 1471 bis 1738 erschienen 26 Ausgaben.   **G. Krüger.**

Orthodoxie und Heterodoxie sind keine biblischen Begriffe. Was in den Pastoral-
briefen dahin bezügliches gefunden werden will, trifft doch nicht ganz den in diesen Be- 15
zeichnungen ausgedrückten Gegensatz. Tit 1, 9 ist ὁ κατὰ τὴν διδαχὴν πιστὸς λόγος
das Wort, welches mit der unter den Christen schlechthin geltenden Lehre im Einklang
steht und darum sicher und verlässig ist (Hofmann z. d. St.); gleichbedeutend mit den
häufig begegnenden Wendungen: ἡ καλὴ διδασκαλία 1 Ti 4, 6; ἡ κατ᾽ εὐσέβειαν
διδασκαλία, οἱ ὑγιαίνοντες λόγοι τοῦ κυρίου ἡμῶν Ἰησοῦ Χριστοῦ ib. 6. 3; ὑγιαί- 20
νοντες λόγοι ὧν παρ᾽ ἐμοῦ ἤκουσας 2 Ti 1, 13; ὑγιαίνουσα διδασκαλία ib. 4, 3
und Tit 1, 9; vgl. Tit 1, 13: ἵνα ὑγιαίνωσι τῇ πίστει. Auf den Anklang der Worte
ὀρθοτομεῖν τὸν λόγον τῆς ἀληθείας 2 Ti 2, 15, und ἑτεροδιδασκαλεῖν 1 Ti 1, 3;
6, 3 dürfte nicht viel zu geben sein. Denn jenes ὀρθοτομεῖν heißt doch: das Wort der
Wahrheit gerade durchschneiden und so in der Mitte, in den Kern des Wortes hinein- 25
führen, ohne sich beim Außenwerk aufzuhalten (Hofmann z. d. St.); und ἑτεροδιδασκαλεῖν steht an beiden Stellen ganz allgemein vom Lehren sonderlicher Dinge, die
mit der gesunden und heilsamen Lehre von der Gottseligkeit nichts zu schaffen haben; das
ἕτερο ist Objektsbestimmung, während es in Heterodoxie adverbial gemeint ist.

Immerhin wird die Grundlage für die Bestimmung dessen, was Orthodoxie sei, in 30
den berührten Stellen gegeben sein. Der Apostel geht doch von der Annahme aus, daß
es nach den von Christus auf Erden gesprochenen Worten und nach der Verkündigung
des Evangeliums durch seine Jünger eine öffentliche Lehrthätigkeit in der Kirche giebt,
die nicht lediglich in buchstäblicher Wiederholung des von Christus und den Aposteln Gesagten besteht, sondern freie Reproduktion der daraus geschöpften Wahrheitserkenntnis ist; 35
und er verlangt nur, daß diese Lehrthätigkeit mit jener grundlegenden Predigt und mit
dem darauf ruhenden Glaubensbewußtsein der Gemeinde im richtigen Verhältnis stehe.
Indem er das einemal (1 Tim 6, 3) die ὑγιαίνοντες λόγοι τοῦ κυρίου ἡμῶν Ἰησοῦ
Χριστοῦ, das anderemal (2 Tim 1, 13) die ὑγιαίνοντες λόγοι ὧν παρ᾽ ἐμοῦ ἤκουσας
als solche Richtschnur der Lehre bezeichnet, nimmt er allerdings für die apostolische Ver- 40
kündigung gleiche normative Autorität wie für das Wort des Herrn in Anspruch; das
Recht hierzu wird ihm aber nicht bestritten werden können angesichts solcher Aussagen
wie Mt 10, 20. 40; Lc 10, 16; Jo 14, 12; 15, 27; 16, 13; 17, 18. 20, durch welche
das Zeugnis der Apostel unter die ganz spezielle Garantie des hl. Geistes gestellt ist;
und die Kirche hat denn auch bei Festsetzung des neutestamentlichen Kanons diese Lehr- 45
norm endgiltig und in ausschließender Weise anerkannt.

Die Kirchenlehre geht jedoch nicht unmittelbar aus der hl. Schrift hervor; dazwischen
tritt jederzeit das gemeinsame Verständnis vom Worte Gottes und der Gemeinglaube der
Christenheit; und während der Schriftkanon unverändert derselbe bleibt, ist Schriftverstand
und Glaube der Christen in steter Entwickelung begriffen, und zwar nicht in gleichmäßig 50
fortschreitender und gerade ansteigender Linie, sondern in vielfach gebogener Kurve oder
Spirale: auch nicht so, daß biblische Erkenntnis und Glaube immer miteinander Schritt
halten, sondern so, daß bald dieser, bald jene voraus ist; wie denn unsere Zeit mit all
ihrer historischen und philologischen Geschicklichkeit der Exegese hinter dem Glaubensleben der
patristischen oder der reformatorischen Periode erheblich zurückbleibt, und die Kirchenlehre 55
damals Fortschritte machte, an welche heute nicht zu denken ist.

Verstehen wir nun unter Orthodoxie, zunächst ganz allgemein ausgedrückt, Übereinstimmung mit der geltenden Kirchenlehre, so ergibt sich von selbst, daß, wie Bestmann in
seiner Streitschrift „Theologische Wissenschaft und Ritschlsche Schule" S. 40 richtig, ob-

wohl von einem andern Gesichtspunkt aus, sagt, Orthodoxie keine „konstante Größe". ist.
Indem sie in der Glaubensüberzeugung des Einzelnen, in der kirchlichen Predigt, Katechese,
Liturgie, in der wissenschaftlich-theologischen Darstellung den getreuen Abdruck der doctrina publica bildet, schließt sie sich notwendig an die stufenweise Entwickelung der
letzteren aufs engste an und folgt ihren Wandlungen Schritt für Schritt, so daß sehr
wohl zu einer Zeit orthodox heißen kann, was zur anderen heterodox war, und umgekehrt. Aber nicht bloß der geschichtliche Verlauf der christlichen Lehrentwickelung bedingt
eine zeitliche Verschiedenheit des Begriffes Orthodoxie, sondern fast noch mehr Einfluß
übt darauf die konfessionelle Spaltung der Kirche. Lutherische und reformierte, römisch-
und griechisch-katholische Orthodoxie verhalten sich doch, je schärfer sie ausgeprägt sind, je
genauer sie ihrem Begriff innerhalb der einzelnen Teilkirche entsprechen, um so polemischer
gegeneinander, und selbst den mannigfaltigen Sekten kann es nicht verwehrt werden,
Uebereinstimmung mit ihrer Sonderlehre von ihren Angehörigen zu fordern und Orthodoxie
zu nennen. (Spricht man doch auch von jüdischer und muhammedanischer Orthodoxie.) So
tritt zu dem Nacheinander ein weitschichtiges Nebeneinander, auf welches unser Begriff in
seiner weitesten Fassung Anwendung findet.

Wir gelangen aber zu einer engeren Begrenzung, wenn wir in Betracht nehmen,
in welchem Maße die Übereinstimmung mit der zeitweilig anerkannten und geltenden
Kirchenlehre den Gliedern einer kirchlichen Gemeinschaft zuzumuten ist. Bei Laien oder
Nichttheologen pflegt von Orthodoxie nicht die Rede zu sein. Zwar gilt auch ihnen,
was 1 Pt 3, 15 geschrieben steht, und die Unterweisung, welche sie empfangen haben,
auch wenn sie über den Katechismus nicht hinausging, soll sie dazu in stand setzen.
Doch wird ihre *ἀπολογία* nur kräftiger sein, wenn sie nicht den Charakter einer lehr-
haften Darlegung ihres Glaubens an sich trägt. (Vgl. die weitgehende Forderung der
Testakte in England von 1673—1828, oder das Verfahren, womit die Bischöfe in
Deutschland die Anerkennung der vatikanischen Dekrete im Beichtstuhl erzwangen.) —
Fraglich erscheint auch, ob mit Fug von Kirchenvorstehern, Gemeindeältesten, Zustimmung
zum kirchlichen Bekenntnis, bei uns etwa zur Augustana, begehrt wird. Dagegen ist
schon bei Schullehrern, denen ein Teil des öffentlichen Religionsunterrichts übertragen
ist, ernstlich darauf zu sehen, daß sie sich genau an die Kirchenlehre halten, und von
entscheidender Wichtigkeit wird endlich die Frage der Orthodoxie für die Träger des
Kirchenamts und des theologisch-wissenschaftlichen Berufes. Denn von ihnen wird erwartet
und sie übernehmen eine ausdrückliche Verpflichtung, daß sie die Lehre der Kirche, in deren
Dienst sie stehen, allseitig bewahren und vertreten.

Der Geistliche soll orthodox nicht bloß predigen und unterrichten, sondern sein. Er
gelobt jenes beim Eintritt in sein Amt, aber sein Gelübde setzt dieses voraus. Es kommt
uns hier nicht zu, die vielumstrittenen Grenzen der Lehrfreiheit und des Symbolzwanges
festzusetzen. Darüber kann aber kein Zweifel obwalten, daß der ein unseliger Mann ist,
der wider seine innere Überzeugung bekenntnismäßig lehrt, und der ein unredlicher Mann,
der sein Lehramt mißbraucht, um das Bekenntnis seiner Kirche zu untergraben und an-
zufechten. Und wenn wir zugeben, daß dem akademischen Lehrer und theologischen Schriftsteller ein weiterer Spielraum gegönnt sein muß als dem praktischen Geistlichen, so wird
doch keine Kirche ihre Theologie aus der Verbindlichkeit gegen das kirchliche Bekenntnis
so entlassen können, daß der Theologe das Panier der Kirche mit dem der freien Wissenschaft
vertauschen dürfte, — so lange wenigstens, als die künftigen Kirchendiener ihre wissenschaftliche Vorbildung bei den theologischen Fakultäten zu erwerben gehalten sind. (Mit den
von Rothe in der 2. Auflage seiner Ethik, Bd 5, S. 433ff. entwickelten Ansichten ist
schlechterdings nicht auszukommen. Er will keine unbegrenzte Lehrfreiheit, aber so elastische
Grenzen, daß sie eben keine sind. Er will normative Autorität der Symbole, behauptet
aber, daß wir keine wirklichen, d. h. keine lebendigen Symbole haben.)

Immerhin werden wir, im Hinblick auf das Pfarramt wie auf das theologische
Lehramt, die Fragen nicht umgehen können: wo hört die Orthodoxie auf und beginnt die
Heterodoxie? wie weit ist Heterodoxie zu dulden und wo schlägt sie in eigentliche Irrlehre
um? Und diese Fragen fordern ein näheres Eingehen auf die Geschichte.

Marheineles berühmte Abhandlung „Über den Ursprung und die Entwickelung der
Orthodoxie und Heterodoxie in den drei ersten Jahrhunderten des Christenthums" in
Daub und Creuzers Studien, Bd III, 1807, — obwohl in manchen Einzelpunkten durch
die neueren Forschungen überholt, doch immer sehr lesenswert, — bietet für unsere Unter-
suchung darum wenig Ertrag, weil er unter Orthodoxie die Kirchenlehre selbst und unter
Heterodoxie den an ihr und ihr gegenüber sich entwickelnden Widerspruch, die Häresie,

versteht. Er zeigt trefflich, wie es zu einer fixierten und autoritativ geschützten Kirchen=
lehre allmählich gekommen ist durch den ineinander greifenden Einfluß der regula fidei,
der theologischen Arbeit der Kirchenväter und des sich bildenden Lehrkörpers, des katho=
lischen Episkopats. Er berücksichtigt aber nicht den allerdings nicht greifbaren, aber im
Stillen doch mächtig wirkenden Faktor des in der Gesamtchristenheit stets vorhandenen 5
Heilsglaubens, in welchem der Geist Christi seine verheißene Gegenwart und Kraft je
und je geübt hat und noch übt. Jene Festellung der Kirchenlehre, welche er bis zum
Anfang des 4. Jahrhunderts schildert und welche dann durch die ökumenischen Konzilien
fortgesetzt wurde, hat zwei Seiten an sich, eine, nach welcher sie göttlich berechtigt und
notwendig war und die bleibende Grundlage des christlichen Glaubens, das richtige Ver= 10
ständnis der Schriftlehre, sicherte, — eine andere, als Menschenwerk, nach welcher sie den Über=
gang bildete zu der starren gesetzlichen Rechtgläubigkeit, in die das Geistesleben der morgen=
ländischen Kirche nach Abschluß der großen Lehrstreitigkeiten seit Johannes Damascenus
mehr und mehr versank. Vor einem solchen Triumph der Orthodoxie (den die griechische
Kirche seit 19. Februar 842 durch ein besonderes Fest, ἡ κυριακὴ τῆς ὀρθοδοξίας, all= 15
jährlich am ersten Fastensonntag feiert) blieb die abendländische Kirche durch providentielle
Leitung bewahrt. Das Papsttum verfolgte andere Ziele; seine Herrschaft ließ das ganze
Mittelalter hindurch, neben aller Verfolgung und Mißhandlung der Ketzer, für die indi=
viduelle Auffassung und Darstellung der Kirchenlehre genügenden Raum, und was die
Reformation nach dieser Seite zu strafen und zu bessern fand, war im Grunde doch 20
mehr Vernachlässigung als Verderbnis der Heilswahrheiten. Heterodoxien von sehr weit=
gehender Art, kühne Spekulation, scharfe Kritik ertrug das geltende System der Scho=
lastik ohne gewaltsame Reaktion, wenn sie nur nicht an das politische System der Kirche
rührten.

Mit der Reformation trat eine große Wendung ein. Indem die Protestanten 25
Deutschlands, von innen und von außen gedrängt, ihre Lehre in symbolischen Schriften
zusammenfaßten und dem öffentlichen Urteil vorlegten, nötigten sie alle anderen Kirchen
und Parteien, das gleiche zu thun. Das 16. Jahrhundert ist das Jahrhundert der
Bekenntnisschriften — und das 17. das der Orthodoxie. In den reformatorischen
Gemeinschaften zumal, und am meisten in Deutschland, wird die Kirchenlehre zum Mittel= 30
punkt der ganzen Lebensbewegung; jedermann ist theologisch gebildet, um an dem Streite
über Lehrbestimmungen regen, ja leidenschaftlichen Anteil zu nehmen, und wenn die
Kanzeln mit den Kathedern in Erörterung dieser Dinge wetteiferten, so ist wohl zu be=
achten, daß die Gemeinden dies erwarteten und begehrten. — Auch die römisch=katho=
lische, vielmehr jesuitische Orthodoxie besteht um dieselbe Zeit in Frankreich ihren großen 35
und aufregenden Kampf mit dem Jansenismus; sogar die spezifisch sich so nennende
orthodoxe Kirche wird durch die von Cyrillus Lukaris hervorgerufene Bewegung aus ihrer
Apathie aufgerüttelt und faßt in der confessio des Petrus Mogilas ihre Lehre noch
einmal zusammen.

Die Gleichzeitigkeit dieser Vorgänge giebt doch zu denken, und man wird veranlaßt, der 40
so hart beurteilten lutherischen Orthodoxie des 17. Jahrhunderts insoweit Gerechtigkeit wider=
fahren zu lassen, daß man sie nicht bloß für ein Werk spitzfindiger haarspaltender Subtilität
einerseits und hochfahrender theologischer Rechthaberei andererseits ansieht, sondern ihr
eine gewisse innere Notwendigkeit zugesteht. Die reine Lehre war doch einmal das Kleinod,
ja das eigentümliche Charisma unserer Kirche; die liebende Versenkung in sie und das 45
ernste Bemühen, ihre Wahrheit, ihren logischen Zusammenhang, ihre innere Konsequenz
aufzuzeigen, verdient entschiedene Anerkennung und hat unleugbar dauernde Früchte ge=
tragen. Die heute noch in der lutherischen Kirche übliche katechetische Unterweisung,
wenn auch durch Spener belebt und in volksmäßiger Bahn geleitet, verbankt jener
Orthodoxie unendlich vieles, was längst Gemeingut unseres evangelisch=christlichen Volkes 50
geworden ist; und der Theologiestudierende wird zu seiner Einführung in die Dogmatik
nichts besseres thun können, als einmal gründlich das System jener orthodoxen Dog=
matiker durchzuarbeiten, vor dessen dialektischem Aufbau selbst ein Lessing Respekt hatte.
Aber allerdings drohte Gefahr, daß die reine Lehre zum Götzen werde, und die Art und
Weise, wie sie ihre Alleinherrschaft in der Kirche durchsetzen und behaupten wollte, er= 55
innerte zuletzt allzusehr an das vom Herrn selbst gerichtete Vorbild aller falschen und toten
Orthodoxie: an den Pharisäismus.

Daher mußte sie als die Kirche beherrschendes System zusammenbrechen; aber die
über alles Maß anschwellende Flut der Heterodoxie im 18. Jahrhundert zeigte bald, welch
einen Damm man zerrissen hatte. Weder der Pietismus, der im Gegensatz zur Betonung 60

der reinen Lehre sich entwickelte, noch der Supranaturalismus, in welchen sich die alte Orthodoxie nach und nach verflüchtigte, besaßen die Widerstandskraft, dem um sich greifenden Vernunftglauben, der platten Aufklärung, der historisch-kritischen Skepsis, der philosophischen Spekulation Einhalt zu thun. Daß aber die aus schwerer Zeit sich wieder
5 durchringende Gläubigkeit einen festeren Boden fand, auf den sie sich von neuem stellen konnte, daß sie sich nicht mit der schwankenden Basis einer Schleiermacherschen Gefühlstheologie sich begnügen mußte, daß sie mit ihrer Rückkehr zum kirchlichen Bekenntnis an noch vorhandene Traditionen gesunder Lehre in den Gemeinden, an alte Gesang- und Gebetbücher z. B., anknüpfen konnte: wir danken es der zu Unrecht oft geschmähten treuen
10 und unverdrossenen Arbeit jener orthodoxen Dogmatiker, deren Lehrzucht immerhin eine nachhaltige Wirkung zurückgelassen hatte.

Wir reden damit keineswegs einer Repristination des 17. Jahrhunderts das Wort. Die Orthodoxie der Gegenwart muß und will ein ganz anderes Maß von Heterodoxie innerhalb der Kirche ertragen. Buchstabengläubigkeit, peinlich-knechtischer Symbolzwang,
15 engherzige Verketzerungssucht haben ihre Zeit gehabt; niemand denkt bei uns daran, sie zu erneuern. Die Christologie von Thomasius und Dorner, die Versöhnungslehre von Hofmann und Philippi, die Fassung der Rechtfertigungslehre von Hengstenberg und von Frank, die Eschatologie von Kliefoth und von Luthardt und so manche andere Lehrdifferenzen haben in der Kirche nebeneinander Raum. Welche freie Stellung zum Kanon
20 nehmen Kahnis in der 1. Auflage seiner Dogmatik und die Bearbeiter der neuesten Ausgabe der Calwer Bibelerklärung ein! Es herrscht darum kein fauler Friede. Man wird angegriffen und man verteidigt sich; solch ein Streit wird manchmal lebhaft und heftig; aber die Gegner sind beiderseits im Grunde orthodox, ihrer Abweichungen von der Kirchenlehre im einzelnen ungeachtet.
25 Es ist ein anderer Kampf seit lange im Anzug, von dem bezweifelt werden muß, ob er auf gemeinsamem kirchlichen Boden zum Austrag kommen kann, oder ob er die letzte Spaltung in der Christenheit mit anbahnen wird. Rob. Kübels treffliche Schrift: „Ueber den Unterschied zwischen der positiven und der liberalen Richtung in der modernen Theologie" (Nördlingen 1881; in 2. sehr erweiterter Auflage 1893) gewährt einen
30 klaren Einblick in den gegenwärtigen Stand dieses Gegensatzes. Hier handelt es sich nicht mehr um verschiedene Auffassung und Darstellung einzelner Lehren, nicht mehr um Annahme oder Ablehnung dieser und jener kirchlichen Position, sondern zwei Weltanschauungen stehen sich gegenüber, die schärfer kontrastieren als je eine Häresie mit dem kirchlichen Bekenntnis, zwei Religionen möchte man sie beinahe nennen. Wo man, unter dem
35 Vorgeben, das Christentum zu ethisieren, ihm den Glaubensnerv durchschneidet, wo der wesentlichen Gottheit Christi seine menschliche Einzigkeit substituiert wird, wo an die Stelle der normativen Autorität der hl. Schrift das jeweilige Gemeindebewußtsein treten soll: da ist man über den Streit um Orthodoxie und Heterodoxie hinaus, da steht die Fortdauer unserer Bekenntniskirchen in Frage, die einen solchen Widerspruch in sich nicht
40 auf die Länge ertragen können, und es muß zu ganz neuen Gestaltungen der religiösen Gemeinschaft kommen, welche die letzte Phase der göttlichen Reichsgeschichte ausfüllen werden.

Augenscheinlich ist der Protestantismus berufen, den Schauplatz dieser Entwickelung abzugeben, die, seit Vorstehendes geschrieben wurde, gewaltige Fortschritte gemacht hat.
45 Man spricht nicht mehr von „positiver und liberaler Richtung in der modernen Theologie"; der Gegensatz lautet jetzt: „kirchliche und moderne Theologie". Wir halten diese Bezeichnung allerdings für unzutreffend, weil „modern" ein Zeitbegriff ist, unter welchen auch die kirchliche Theologie notwendig fällt. Noch weniger aber können wir gelten lassen, daß in dem gegenwärtigen Kampf „kirchliche und wissenschaftliche Theologie" sich gegenüber-
50 stehen. Denn auch das hierbei in Frage kommende kirchliche Interesse muß nicht etwa nur mit kirchenregimentlichen Maßregeln, sondern mit Waffen der Wissenschaft vertreten werden. Jedenfalls ist für unsere Zeit der Unterschied von Orthodoxie und Heterodoxie im früheren Sinne abgethan, wenn sichs heute darum handelt, ob sich das Christentum als die Offenbarungsreligion behauptet, oder zu einer Phase der allgemeinen Evolution
55 der Religionsgeschichte herabsinkt.   **Karl Burger.**

Ortlieb von Straßburg (um 1200) **und die Ortlieber.** — C. Schmidt, Die Sekten zu Straßburg im Mittelalter, ZhTh Bd X, 46 ff. 1840; Gieseler Kircheng. II, 2⁴ 612 f. 1848; A. Jundt, Histoire du panthéisme populaire au moyen âge 1875, S. 31 ff. 35 ff.; Preger, Gesch. d. deutschen Mystik I, 191 ff. 1877; Reuter, Gesch. d. relig. Aufklärung im Mittelalter II, 237 ff. 375 ff. 1877; K. Müller, Die Waldenser S. 130 ff. 169 ff.; H. Haupt, Waldensia, ZKG 1889, Bd X, 316 ff.; H. Delacroix, Essai sur le mysticisme spéculatif en Allemagne au 14me siècle 1900, S. 52 ff.; Hauck, KG Deutschlands IV S. 872.

In den Schriften der Ketzerverfolger des 13. und 14. Jahrhunderts finden wir öfter neben anderen Sekten verschiedener Art auch eine der Ortlieber (Ortlibarii) er- 5 wähnt, die auf einen Ortlieb von Straßburg zurückgeht; von diesem selbst haben wir nur einen ihm zugeschriebenen Lehrsatz (f. u.), und dieser Satz ist von Innocenz III. verdammt worden; ob auch Ortlieb selbst, wird nicht berichtet. Dagegen sind uns nähere Angaben über die Sekte und ihre Lehre bei dem sog. Passauer Anonymus erhalten (vgl. über diesen Müller, S. 147 ff.; nach M.s Untersuchung ist der Redaktor des in neuerer 10 Zeit so benannten Sammelwerkes und zugleich der Verfasser mehrerer Abschnitte desselben, darunter des hier in Betracht kommenden [dieser gedruckt in der Bibliotheca maxima Lugdunensis Bd XXV; wir citieren im Folgenden die Seitenzahlen] ein Dominikaner aus Krems, der bald nach 1316 seine Arbeit niedergeschrieben hat). Obwohl die Zuver- lässigkeit auch dieser Angaben nicht durchweg über den Zweifel erhaben ist, so bilden sie 15 doch die Grundlage, von der jede Erörterung über die Sekte ausgehen muß. Danach werden ihnen folgende Lehrsätze zugeschrieben. Sie behaupten die Ewigkeit der Welt 267 C. Die kirchliche Trinitätslehre und Christologie deuten sie in einer Weise um, die eine vollständige Aufhebung dieser Lehren ist. Denn sie sagen (266 H) der, der zuerst in die Sekte eintritt, ist der Vater, der, welcher durch ihn bekehrt wird, der Sohn, wer 20 dazu hilft und den Bekehrten befestigt, der hl. Geist. Wenn sie sich aber auch so äußerten, daß, als Christus das Wort aufnahm, Gott einen Sohn bekommen habe, und als er nun andere bekehrte und die Apostel dabei halfen, die dritte Person hinzugekommen sei — was sie die Trinität im Himmel nannten — so liegt dem derselbe Gedanke zu Grunde. Andererseits soll Adam der erste Mensch gewesen sein, der durch das Wort Gottes neu 25 geschaffen wurde und Gottes Gebote erfüllte, 267 C. Das widerspricht sich, so wie sie es meinten, nicht, denn weder bei Adam noch bei Christus kommt es ihnen auf die ge- schichtliche Person an, sondern beide sind Symbole des vollkommenen Menschen im Sinne der Sekte; in diesem Sinne konnten sie denn auch sagen quod trinitas non fuerit ante nativitatem Christi 267 A. Von Jesus aber wird ausdrücklich angegeben, daß 30 er ein natürlich erzeugter Mensch war, der Sohn des Zimmermanns Joseph, und nicht frei von Sünde, 266 G; als das Wort ist fleischlich geworden, als das fleischliche Herz Jesu durch den Geist umgewandelt wurde. Maria hat früher zur Sekte gehört als er, und durch sie ist er zu derselben gezogen worden. Alles aber, was das Evangelium von der humilitas Christi erzählt, erklärten sie moraliter, besonders sein Leiden und Sterben, 35 denn dann wird der Sohn Gottes gegeißelt und gekreuzigt, wenn Einer ihrer Sekte in eine Todsünde gerät, oder gar von der Sekte abfällt; durch die Buße aber kommt er zur Auferstehung 267 D. Wie die Grundlehren der Kirche, so verwarfen sie auch die Sakramente; die Kindertaufe ist nutzlos, wenn nicht der Täufling nachher in der Sekte vollkommen wird (f. u.) und auch ein Jude kann ohne Taufe in der Sekte selig werden. 40 Wenn sie die Firmung für gut erklärten, so meinen sie, es sei gut, in der Sekte befestigt zu werden. Was die Kirche den Leib Christi nennt, das ist bloßes Brot; der wahre Leib Christi ist der Leib der Gläubigen 267 E. Die Hierarchie verwerfen sie und stellen ihr die Vollkommenen ihrer Sekte gegenüber; ein solcher bindet und löst und vermag alles. Demgemäß erkennen sie auch keine Verpflichtung an, den Zehnten zu entrichten, denn 45 die Kleriker sollten von ihrer Hände Arbeit leben. Die Wurzel alles Übels sehen sie im Papsttum; die Papstkirche ist ihnen die Buhlerin der Apokalypse. Wenn aber einstmals Papst und Kaiser sich zu ihrer Sekte bekehren werden, dann wird das Endgericht ge- halten werden, d. h. alle die nicht zu der Sekte gehören, werden abgethan werden, und dann wird man ruhig leben in Ewigkeit, aber auch dann werden Menschen geboren 50 werden und sterben wie jetzt. Die Auferstehung des Leibes leugnen sie, nehmen aber ein Fortleben der Geister an. Auch hier haben wir eine völlige Umdeutung; in Wirk- lichkeit haben sie kein jüngstes Gericht, überhaupt keine Eschatologie in dem gewöhnlichen Sinne, sondern nur die Erwartung, daß einstmals ihre Sekte zur allgemeinen Herrschaft auf Erden kommen werde. Von ihren Einrichtungen erfahren wir, abgesehen von dem 55 Bestehen eines Unterschiedes zwischen Vollkommenen und anderen, fast nur, daß sie zu Dreien (gemäß ihrer Trinitätslehre) zu beten pflegen; ihr Leben soll streng gewesen sein, so daß manche einen Tag um den andern fasten 267 E; die Ehe verwarfen sie nicht, wohl aber die geschlechtliche Gemeinschaft in ihr, 267 F.

Ein paar Punkte bedürfen noch einiger Bemerkungen, da sie für die Beurteilung 60

der Sekte wesentlich sind. Erstens steht die angebliche Verwerfung der ehelichen Gemein=
schaft mit dem Satze, daß bei allgemeiner Herrschaft der Sekte doch fort und fort Menschen
werden geboren werden, im Widerspruche, und man kann sich nur für einen oder den
andern Teil entscheiden; da aber sind doch die Angaben über das jüngste Gericht und
5 was damit zusammenhängt, so eigentümlich, daß man sie nicht wird fallen lassen dürfen
und eher bei dem andern Punkte einen Irrtum annehmen muß. Übrigens ist, daß der
Berichterstatter beides ruhig nebeneinander stellt, ein Beweis, wie oberflächlich er bei aller
anscheinenden Genauigkeit verfahren ist. Das Zweite betrifft die Stelle über die Taufe,
die so lautet De baptismo dicunt quod nihil valeat nisi quantum valeant merita
10 baptizantis, parvulis vero non prodest, nisi fuerint perfecti in secta illa;
item dicunt quod Judaeus possit salvari in secte sua sine baptismo. Von
den drei hier enthaltenen Sätzen ist der erste meist so verstanden worden, wie wir es
angegeben haben, dagegen faßt ihn K. Müller S. 169 in dem Sinne, daß die Taufe
den Kindern nur helfe, wenn perfecti da sind (die sie vollziehen). Dagegen scheint doch
15 zu sprechen, daß man bei dieser Auffassung die eingeklammerten Worte erst ergänzen muß;
mit Recht hat ferner Haupt darauf hingewiesen, daß der dritte Satz, in Betreff der
Juden, beweist, daß die Ortlieber der Taufe überhaupt keine wesentliche Bedeutung,
also natürlich auch nicht für die Kinder, beilegen. Weiter möchte aber der erste Satz
anders als gewöhnlich zu verstehen sein; man läßt ihn besagen, daß die Giltigkeit der
20 Taufe durch die Würdigkeit des Täufers bedingt sei, was mit der Ansicht der lombar=
dischen Armen übereinkommen würde. Aber die Worte sagen doch etwas anderes, näm=
lich daß die Taufe so viel gelte, wie die Verdienste des Täufers, d. h. je nach den Um=
ständen mehr oder weniger. Hat das jemals eine Sekte behauptet? Wenn die Ortlieber
diesen Satz aussprachen, so konnte damit nur gemeint sein, daß die Taufe an sich über=
25 haupt nichts helfe, sondern nur die Verdienste, die sich der Täufer durch seine Belehrung
des Täuflings (oder auch, wie Reuter S. 239 will, durch sein Beispiel) erwirbt. Da=
nach erscheint es zweifelhaft, ob die Sekte überhaupt einen der Taufe entsprechenden Brauch
hatte, dessen Vollziehung Sache der perfecti war; jedenfalls könnten sie ihm nur die
Bedeutung einer Ceremonie beigelegt haben. Dagegen scheint eine Art von Absolution
30 durch sie geübt worden zu sein, wenn es 266 H in Bezug auf die perfecti heißt talis
et solvit et ligat et omnia potest.

Bei dem Lückenhaften und z. T. verschiedener Deutung Fähigen der Aussagen über
die Ortlieber ist es nicht zu verwundern, daß man sie sehr verschieden klassifiziert hat;
teils wurden sie mit den Amalricianern, teils mit den Katharern in Verbindung gebracht,
35 weiter haben Hahn Gesch. d. Ketzer im MA. II, 268 und Schmidt S. 54 auf eine
Verwandtschaft zwischen ihnen und den Waldensern wie sie Stephan von Bourbon in der
Schrift De septem donis spiritus s. schildert, aufmerksam gemacht. Unabhängig von
den Genannten hat K. Müller in einer sehr gelehrten Untersuchung den Nachweis unter=
nommen, daß ihnen ihre Stelle unter den Waldensern anzuweisen sei, doch so, daß sie
40 Gedanken der Amalricianer und der Brüder des freien Geistes aufgenommen hätten.
Er zeigt, daß sich unter den Angaben des Stephan über die Waldenser, Sätze finden,
die in auffallender Weise sich mit solchen berühren, die der Passauer Anon. den Ort=
liebern beilegt und folgert daraus, daß die Waldenser des Stephan Ortlieber seien. Die
Richtigkeit der ersten Beobachtung steht außer Frage, zu schließen möchte daraus zunächst
45 aber doch nur sein, daß Stephan in seiner inquisitorischen Thätigkeit auch Ortlieber ge=
hört hat; die Thatsache, daß er sie für Waldenser hielt, wird dadurch in ihrer Bedeu=
tung gemindert, daß nach seinen eigenen Angaben die Aussagen der von ihm als Wal=
denser angesehenen Ketzer viel Widersprechendes enthalten und daß er wie Haupt S. 318 ff.
gezeigt hat, sich über die Verhältnisse der verschiedenen Sekten zu einander nicht wohl
50 unterrichtet erweist. Dasselbe gilt aber auch von manchen anderen Inquisitoren, und
deshalb wird wenn sie die Ortlieber im Zusammenhange mit Gruppen waldensischer (doch
z. T. auch anderer!) Häretiker nennen, sich daraus kein sicherer Schluß über deren Zuge=
hörigkeit ziehen lassen. Wie steht es aber mit der inneren Verwandtschaft? Was dafür
Positives angeführt werden kann, ist weniges und dies meist nicht einmal spezifisch wal=
55 densisch. Perfecti haben auch die Katharer; wenn Lügen, Schwören und einen Menschen,
aus welcher Ursache auch immer, töten als Hauptsünden bei Ortliebern und Waldensern
gelten so, wenigstens die beiden letzten Stücke, auch bei den Katharern. So bliebe nur
das Gewicht, das sie auf das Predigen gelegt haben sollen, und auch das wird kaum
ausschließlich waldensisch gewesen sein. Die übrigen Stücke sind nur negativ d. h. ent=
60 halten Momente des Gegensatzes gegen die katholische Kirche, die verschiedenen Sekten

gemeinſam ſind. Andererſeits aber welche Differenzen! Bei den Waldenſern Annahme
des kirchlichen Dogmas mit wenigen Ausnahmen, bei den Ortliebern vollſtändige Ableh=
nung desſelben, dort Beibehaltung der Hauptſakramente, hier entweder völlige Verwer=
fung oder Herabdrückung zu bedeutungsloſen Zeichen, dort, worauf Haupt S. 328 ff. mit
Recht Nachdruck legt, grundſätzlich buchſtäbliche Schriftauslegung, hier freieſte Umdeutung. 5
Soll alſo, was als möglich angeſehen werden kann, ein gewiſſer geſchichtlicher Zuſammen=
hang zwiſchen Ortliebern und Waldenſern ſtattgefunden haben, ſo wird man annehmen
müſſen, daß ihre Abzweigung von dieſen einem faſt vollſtändigen Abfall gleichgekommen
ſei, bei dem nur ein paar nicht eigentlich weſentliche Punkte von früher beibehalten wurden;
ihrem Geſamtcharakter nach ſcheint es mir unmöglich, ſie den Waldenſern zuzuzählen. — 10
Viel weiter als die Verwandtſchaft mit den Waldenſern reichen die Berührungen mit
den Katharern; die Auslegung des Neuen Teſtamentes, die Leugnung der Notwendigkeit
der Taufe, die Behauptung, daß die wahre Buße im Anſchluß an ihre Sekte beſtehe,
ebenſo, daß unter dem Leibe Chriſti nichts anderes zu verſtehen ſei als der Leib des
Gläubigen u. ſ. w., finden Analogien bei dieſer oder jener kathariſchen Partei (vgl. Haupt 15
S. 320 ff. wo indeſſen hinſichtlich einiger Punkte doch Einwendungen zu machen ſein
möchten). Indeſſen auch hier handelt es ſich um Dinge und Sätze, die ſich bei
verſchiedenartigen Sekten finden könnten; ſpezifiſch Kathariſches, das mit Sicherheit als
Zeichen der Zugehörigkeit zu dieſer Sektenklaſſe angeſehen werden könnte, iſt darunter
nicht enthalten. Dagegen deutet manches nach einer ganz anderen Seite hin. Jener 20
eine Satz der ſich in der compilatio de novo spiritu (bei Preger I, 461. Döllinger,
Beiträge z. Sektengeſch. d. MA. II, 305 ff.; nach Haupt ZKG VII, 503. 559 in einer
Mainzer Hdſchr., die auch das richtige Ortlibi gegenüber ſonſtigen Entſtellungen des Namens
hat, Albert d. Gr. beigelegt) Nr. 78 verzeichnet iſt, lautet: dicere hominem debere
abstinere ab exterioribus et sequi responsa spiritus intra se est haeresis 25
cuiusdam Ortlibi qui fuit de Argentina quam Innocentius III condemnavit.
Der Satz zeigt in dem Gegenſatze, den er zwiſchen allem Äußeren und dem inneren Be=
wußtſein des Menſchen aufſtellt, einen Spiritualismus, der eine Verwandtſchaft mit den
Amalricianern oder auch den Brüdern des freien Geiſtes enthält. Doch wie der Spiri=
tualismus ſelbſt verſchiedene Wendungen nehmen kann, ſo läßt auch dieſer Satz ſowohl 30
eine rationaliſtiſche wie eine enthuſiaſtiſche Deutung zu. Vergegenwärtigen wir uns nun,
was wir von der Sekte wiſſen, ſo finden wir darin kaum etwas entſchieden Enthuſia=
ſtiſches, und das unterſcheidet ſie von den Brüdern des freien Geiſtes. Uebrigens iſt auch
ſpezifiſch Amalricianiſches, beſonders die Lehre von den drei Zeitaltern, von ihnen nicht
berichtet, und ob ihre Denkweiſe pantheiſtiſch war, iſt fraglich. Dagegen erhalten wir, 35
wenn wir zuſammennehmen, was ſie über Trinität, Chriſtologie, Sakramente und nament=
lich das jüngſte Gericht lehren, den Eindruck einer rationaliſtiſchen Denkweiſe. Vielleicht
hat Reuter, der ſonſt ja oft Aufklärung findet, wo ſie nicht iſt, gerade hier richtig geſehen.
Demnach könnte man ſich denken, daß Ortlieb, der vielleicht den Katharern angehört
hatte, nachdem er — es muß ganz dahingeſtellt bleiben, auf welche Weiſe — zu einem 40
rationaliſierenden Spiritualismus gekommen war, von da aus die kathariſche Lehre revi=
diert hat, ſo daß er manches davon beibehielt, im ganzen aber etwas neues aufſtellte —
vielleicht hat er dies und das auch von den Waldenſern aufgenommen — und daß es
ihm gelang, um dieſe neue Lehre einen Anhang zu ſammeln. Ich ſtelle dies als Mög=
lichkeit hin, glaube übrigens aber mit Haupt, daß ein ſicheres Urteil über die Ortlieber 45
auf Grund des bisher bekannten Quellenmaterials nicht möglich iſt.   S. M. Deutſch.

Oſiander, Andreas, geſt. 1552. — Quellen ſind vornehmlich die zahlreichen
Schriften O.s, von welchen der Königsberger (ſpäter Berliner) Kirchenhiſtoriker Lehnerdt im
Jahre 1835 ein Verzeichnis unter dem Titel „Auctarium" (in 8°) zuſammenſtellte. Ergänzt
wurde dasſelbe durch W. Möller in ſeiner gleich zunennenden Monographie über O. Dazu 50
kommen Briefe O.s, einer bei K. und W. Krafft, Briefe und Dokumente u. ſ. w., Elberfeld 1876,
andere bei P. Tſchackert, Urkundenbuch zur Reformationsgeſchichte des Herzogtums Preußen,
I—III (= Publikationen aus den K. Preuß. Staatsarchiven, Bd 43—45) Leipzig 1890 (vgl.
daſelbſt die Inhaltsverzeichniſſe) und bei P. Tſchackert, Ungedruckte Briefe zur allgemeinen
Reformationsgeſchichte, Göttingen 1894. — Litteratur: Die ältere Speziallitteratur ſ. bei 55
Wilken, Andreas Oſ.s Leben, Lehre und Schriften I, Stralſund 1844, 4°, u. bei W. Möller,
Andreas Oſ.s Leben und ausgew. Schriften, Elberfeld 1870 (Leben ꝛc. der Väter u. Begr. d.
luth. K., V), auf welches ſich die Seitenzahlen im Text beziehen. Für den Oſianderiſchen
Streit: Von Gottes Gnaden Unſer Albrechten des Elteren ... Ausſchreiben ꝛc., Königsberg
1553; J. Funck, Wahrheit u. gründl. Bericht ꝛc., Königsberg 1553; Mörlin, Historia etc., 60

Braunschweig 1554; Matth. Vogel, Dialogus 2c., Königsberg 1557; Joh. Wigand, De Osian-
drismo 1586, 4° (herausg. von Corvinus); C. Schlüsselburg, Catal. haeret. lit. VI, Francof.
1598; Salig, Histor. der A. Conf. II; Hartknoch, Preuß. Kirchenhist., Frankfurt a. M. und
Leipzig 1686, 4°; Planck, Gesch. des prot. Lehrbegr. IV, 249 ff.; W. Möllers A. „Ofiander"
5 in AdB XXIV (1887), 473 ff.; Erdmanns A. „Brießmann" oben Bd III, 404, 10 ff.;
(Schmid) Kunzes A. „Chemnitz" oben Bd III, 796 ff.; Möllers A. „Fund", oben Bd VI,
320 ff.; Wagenmann-Lezius' A. „Mörlin" oben Bd XIII, 237 ff.
        Zur Beurteilung noch: Heberle in ThStK 1844, 371 ff.; Baur, Christl. Lehre von der
Versöhnung, S. 316 ff.; Ritschl, Die Rechtfertigungslehre d. A. Of. in den JdTh II, 1857
10 und in Rechtf. u. Versöhnung, I, S. 72 ff.; Frank, Theol. d. Konkordienformel II; P. Tschackert,
UB I (f. oben), S. 302 ff.

        Andreas O., der Nürnberger Reformator und Königsberger Streittheologe, Stamm-
vater eines angesehenen Theologengeschlechtes, ist am 19. Dezember 1498 zu Gunzen-
hausen an der Altmühl unter markgräflich brandenburgischer Herrschaft geboren als Sohn
15 eines Schmieds, der ebenfalls Andreas hieß. Seine Gegner deuten den Namen = Ho-
siander, Heiligmann, als selbstgewählte griechische Umbildung; aber Ofiander versichert,
daß schon sein Großvater Konrad den Namen geführt, und die deutschen Bezeichnungen
Hosander, Hosanderle sind vielmehr populäre Germanisierungen. Unmöglich ist es nicht,
daß wirklich nach mehreren Andeutungen jüdisches Blut in seinen Adern floß, welches
20 man in den schwarzen Haaren und der dunkeln Gesichtsfarbe wiedererkennen wollte; der
griechische Name könnte dann etwa bei der Konversion des Großvaters angenommen
sein. Die ganze Annahme kann aber auch nur aus der Vorliebe Ofianders für hebräische
Studien und den dadurch veranlaßten öfteren Verkehr mit Juden entstanden sein. (Vgl.
W. Möller, Leben Ofianders S. 561. Die dort erwähnte seltene Schrift ist: Ob es
25 war vñ glau | blich sey | daß die Juden der Chri | sten kinder heymlich ertwürgen, vnd
jr blut | gebrauchen / ein treffenliche schrifft | auff eines yeden vrteyl gestelt. | Wer Menschen
blut vergeußt / des blut sol ouch vergossen werdñ. 3 Bogen kl. 8° [die beiden letzten Blätter
leer] D. D. u. J.). Als Knabe besuchte O. die Schulen zu Leipzig und Altenburg, kam
dann vor 1517 auf die Universität Ingolstadt, wo er noch mit Böschenstein hebräische
30 Studien trieb. Im Jahre 1520 erhielt er in Nürnberg, wo seine Eltern durch Anton
Tucher in einem Spital Versorgung fanden, die Priesterweihe und wurde Lehrer der
hebräischen Sprache am Augustinerkloster. Schon 1522 gab er eine nach dem Urtext verbesserte und mit Randbemerkungen versehene Vulgata heraus (Biblia sacra etc.). In
demselben Jahre zum Prädikanten von St. Lorenz berufen, gewann er den größten und
35 entscheidendsten Einfluß auf die Durchführung der Reformation in der Reichsstadt. Schon
während des Nürnberger Reichstages 1522—1523 beschwerte sich der päpstliche Legat
Chieregati über seine und anderer Prädikanten lutherische Predigten; während des Reichstages im folgenden Jahre, als die Bewegung sich unaufhaltsam Bahn brach in jenen
großen österlichen Abendmahlsfeiern, war es Ofiander, der auch der Königin Isabella
40 von Dänemark, Schwester Karls V. und Ferdinands, das hl. Abendmahl unter beiderlei
Gestalt reichte und, während der päpstliche Legat Campegius in der Stadt war, in der
Charwoche gewaltig gegen den römischen Antichrist donnerte. Er gab ein deutsches (allerdings noch sehr am römischen Ritual festhaltendes) Taufbüchlein heraus und stand den
Pröpsten der beiden Pfarrkirchen in Einführung kirchlicher Neuerungen sowie in ihrer
45 Verantwortung vor dem Bischof von Bamberg („Grund und Ursach" 2c.) zur Seite.
Zugleich verfaßte er eine größere Reformationslehrschrift, welche von ihm und den Predigern Schleupner und Venatorius dem Rat eingereicht und noch 1524 außerhalb Nürnbergs gedruckt wurde: Ein gut Unterricht und getreuer Ratschlag aus heiliger göttlicher Schrift,
weß man sich in diesen Zwietrachten unsern heiligen Glauben und christliche Lehre be-
50 treffend, halten soll; darin, was Gottes Wort und Menschenlehre, was Christus und
Antichrist sei, fürnämlich gehandelt wird (f. Möller, Leben Ofianders S. 24). In demselben Jahre gab er den Brief des Bambergischen Hofmeisters, Johann von Schwarzen-
berg, worin dieser den Austritt seiner Tochter aus dem Kloster rechtfertigte, mit einer
geharnischten Einleitung gegen das Mönchtum heraus, erregte aber durch die Rücksichts-
55 losigkeit derselben das Mißfallen des Rats. Dennoch war er es, welcher in dem entscheidenden, vom Rate veranstalteten Gespräche in den Fasten 1525 von evangelischer Seite
das Wort führte. Gegen die Angriffe des Franziskaners Kaspar Schatzgeier richtete er
(1525) eine heftige Schrift zur Bekämpfung der Lehre vom Meßopfer. Er und Lazarus
Spengler (f. d. A.) erscheinen als die Hauptfaktoren der kirchlichen Umgestaltung der
60 Reichsstadt, während der früher beiden nahe stehende Pirkheimer sich jetzt grollend zurückzog. Dabei suchte Ofiander, der bei aller Eigentümlichkeit seiner Auffassung und vollem Be-

wußtſein ſeiner Selbſtſtändigkeit ſich mit Luther einig wußte, ſowohl die ſchwärmeriſchen Tendenzen jener Jahre, die ſchriftgeſeßlich theokratiſche, wie die enthuſiaſtiſche, abzuhalten (ſ. das wichtige Gutachten gegen Schwertfeger a. a. O., S. 63 ff.), als auch die bloß ſymboliſche Faſſung der Abendmahlslehre (gegen Greiffenberger ebend. S. 66 ff.) aus- zuſchließen, überdies die Sache des Evangeliums gegen den Aufruhr zu ſichern (Predigt 5 vom Zollpfennig S. 72 ff.). Im November 1525 beſiegelte er ſeine Stellung durch Eintritt in den Eheſtand. In den nächſten Jahren greift Oſiander erfolgreich ein in jenes Ringen der ſächſiſchen Reformation mit der ſchweizeriſchen in Oberdeutſchland, ſo in dem auf Spenglers Veranlaſſung geſtellten Gutachten vom März 1527 in Betreff Billikans, welcher ſich, wie auch Urbanus Rhegius, vorübergehend von Zwingli gewinnen 10 ließ. Zwingli, durch das Verbot ſeiner Schriften in Nürnberg verleßt, wandte ſich brieflich (6. März 1527) an Oſiander und wurde von dieſem in einer gereizten und hißigen Antwort zurückgewieſen. (Epistolae duae etc. S. 85 ff.)

Auf die Bemühungen Philipps von Heſſen, durch das Marburger Geſpräch eine Ausgleichung herbeizuführen, blickte Oſiander ebenſo mißtrauiſch als die Wittenberger; er 15 folgte aber gleichwohl der Aufforderung Philipps zur Teilnahme, und wir verdanken ihm eine Relation über das Geſpräch und eine Ausgabe der Marburger Artikel. Damals erſt wurde er mit den Wittenbergern perſönlich bekannt und bei der gemeinſamen Stellung gegen die Schweizer war der Eindruck ein günſtiger. Hier einig mit Luther, iſt Oſiander doch bei den Verhandlungen der proteſtantiſchen Partei (Tag zu Nürnberg 6. Januar 20 1530) abweichend von dieſem für die Berechtigung einer eventuellen bewaffneten Notwehr auch gegen den Kaiſer eingetreten und hat den Gedanken verfochten, „daß nicht alle, ſondern nur die ordentliche Gewalt von Gott ſei, und daß deswegen die untere Obrigkeit im Reich wohl befugt, wider die unordentliche Gewalt in Glaubensſachen ihre Unter- thanen zu ſchützen" (S. 126 ff.). Auf dem Reichstage zu Augsburg war eine Zeit lang 25 Oſiander auch anweſend und mit den evangeliſchen Theologen in täglichem Verkehr. Dabei hat er mit Melanchthon von ſeinem unten zu bezeichnenden Geſichtspunkte aus über die Rechtfertigungslehre verhandelt im Hauſe des Urbanus Rhegius, der ihm die hebräiſche Bibel dazu liefern mußte. Anfangs in gehobener Stimmung, gewinnt er all- mählich eine trübere Anſicht und rügt Melanchthons unzeitige Nachgiebigkeit. Vor der 30 Verleſung der römiſchen Konfutation (3. Auguſt) nach Nürnberg zurückgekehrt, ſchrieb er auf Grund der Aufzeichnungen des Camerarius eine beachtenswerte Apologie gegen dieſe (S. 139 ff.), ebenſo infolge der ſchmalkaldiſchen Verhandlungen (Ende 1530) ein Gutachten für Appellation vom Reichstagsabſchied an ein gemeinchriſtliches Konzil (ebb. 147). In- zwiſchen war Oſiander bereits einflußreich thätig geweſen für die Kirchenviſitation, welche 35 von Nürnberg in Gemeinſchaft mit dem Markgrafen Georg von Brandenburg für beide Gebiete unternommen worden war. Die von markgräflicher Seite geſtellten 23 Artikel hat Oſiander mit Schleupner lehrhaft ausgearbeitet — die ſogenannten Schwabacher Viſi- tationsartikel von 1528 (v. d. Lith, Erläuterungen von der Reformationshiſtorie, Schwa- bach 1738, S. 247 ff. u. ö.). An dieſe 1528 und 1529 ausgeführte Kirchenviſitation 40 ſchloſſen ſich die Bemühungen um eine Kirchenordnung, bei deren Beratung es zwiſchen Oſiander, der ſelbſtſtändig und rückſichtslos ſeinen Weg zu gehen liebte, und den anderen Nürnberger Geiſtlichen nicht an Reibungen fehlte. Aus den fortgeſeßten Verhandlungen, zu denen Georg beſonders Brenz heranzog, ging zuleßt die nach Begutachtung durch die Wittenberger von Oſiander und Brenz zuſammen im Herbſt 1532 redigierte Branden- 45 burgiſch-Nürnbergiſche Kirchenordnung hervor, welcher die ſogenannten „Kinderpredigten", an denen Oſiander mindeſtens ſtarken Anteil hat, beigefügt wurden. Vergeblich hatte Oſiander verſucht, in der Kirchenordnung den Artikel vom Banne durchzuſeßen; es war nur möglich geweſen, eine Beſtimmung über zeitweiſe Zurückweiſung vom Sakramente aufzunehmen. Aber auch zu deren Ausführung bedurfte es der auf große Schwierigkeiten 50 ſtoßenden Privatbeichte, welche bei der Abſchaffung der Ohrenbeichte (1527) nur als etwas Freies empfohlen war. Oſiander bekämpfte, nicht ohne berechtigten Anſtoß an der ein- geriſſenen Zuchtloſigkeit des Sakramentsgenuſſes, die in Nürnberg aufgekommene „offene Schuld" und allgemeine Abſolution von der Kanzel und kämpfte mit ſeiner ganzen Leiden- ſchaftlichkeit, Rechthaberei und Übertreibung für die Privatbeichte, ſo daß die Wittenberger, 55 auch Luther, obwohl den Wert der Privatbeichte und der beſonderen Aneignung der Ab- ſolution an den Einzelnen anerkennend, doch erinnern mußten, daß auch durch die Pre- digt des Evangeliums Sündenvergebung mitgeteilt werde und andererſeits jede Abſolution (was Oſiander an jener allgemeinen getadelt hatte) in gewiſſem Sinne nur bedingt ſei. Der hißige Streit, welcher Oſiander mit ſeinen Nürnberger Kollegen in harte Spannung 60

brachte, wurde 1533 zwar beschwichtigt, brach aber 1536 und 1539 aufs neue aus und
trug viel dazu bei, Ofianders Popularität in Nürnberg zu vermindern (zu Möllers Nach=
weisungen S. 169ff.; vgl. noch Seidemann, Aus Spenglers Briefwechsel, ThStR 1878,
320). Es wird damit zusammenhängen, daß Ofiander 1534 vom Rate seine Entlassung
5 forderte; er ließ sich aber durch günstigere Gehaltsbedingungen halten. Die Verhöhnung
Ofianders beim letzten sogenannten Schönbartlaufen (1539) spiegelt die öffentliche Stim=
mung gegen ihn. Mit der Herstellung des evangelischen Kirchenwesens hing auch Ofian=
ders gegen den Wunsch des Rates veröffentlichtes Gutachten „von verbotenen Heirathen"
(1537) zusammen. Trotz solcher Differenzen, welche Ofiander sehr unbequem werden
10 ließen, legte Melanchthon 1537 Gewicht darauf, daß ihn der Rat auf die Versammlung
zu Schmalkalden senden möchte. Hier erregte er durch eine Predigt, welche gewissermaßen
gegen Luther seine eigentümliche Anschauung geltend machte (f. u.), Anstoß, ohne daß
doch damals die Sache weitere Folgen hatte. Auch an jenen wichtigen Vergleichsverhand=
lungen in Hagenau (Sommer 1540) und Worms, welche dem Regensburger Religions=
15 gespräch vorauf gingen, war Ofiander mit Wenz. Link beteiligt. An erfterem Orte lernte
ihn Calvin kennen, der sich an seinen unziemlichen Tischscherzen ärgerte. Mit den Witten=
bergern in dem Wunsche nach Herstellung festerer kirchlicher Zucht einig, wurde er doch
andererseits in Worms durch das schüchterne und diplomatische Verfahren Melanchthons
gegenüber den Intriguen Granvellas zu schroffem und leidenschaftlichem Auftreten gereizt.
20 Der für die Vergleichsverhandlungen sehr gestimmte Rat von Nürnberg sandte daher zum
Regensburger Gespräch (1541) nicht ihn, sondern Veit Dietrich. Dafür berief ihn im
Sommer 1542 der Pfalzgraf Ottheinrich von Pfalz=Neuburg zur Einführung der Kirchen=
reformation in sein Gebiet. Ofiander stellte dann in Nürnberg auf Grund der Branden=
burgisch=Nürnbergischen, aber mit Herübernahme mancher dem Katholicismus näher stehenden
25 Ceremonien aus der Kurbrandenburgischen die Kirchenordnung für Pfalz=Neuburg zu=
sammen, zu deren Einführung er 1543 noch einmal nach Neuburg kam. Damals erfolgte
die Leichenfeier der verstorbenen Pfalzgräfin nach gereinigtem Ritus und mit einer Pre=
digt Ofianders.

Neben alledem hat die litterarische Arbeit Ofianders nicht geruht. Ein Zeugnis der
30 eigentümlichen Richtung seiner Schriftstudien ist die Evangelienharmonie von 1537, zu deren
Ausführung ihn bereits 1532 Cranmer ermuntert hatte, welcher bei seiner Anwesenheit in
Deutschland im Interesse der Ehescheidung Heinrichs VIII. mit Ofiander in Verkehr trat,
von ihm ein zustimmendes Gutachten erhielt und eine Verwandte Ofianders heimlich zur
Ehe nahm. Jene Harmonie treibt die mechanische Harmonisierung der evangelischen Er=
35 zählung rücksichtslos auf die Spitze, hat aber seinerzeit viel Beifall gefunden. Die Polemik
gegen Rom ruhte nicht. Mit Hans Sachs verbündet, gab er (1527) die „wunderliche
Weissagung", eine Deutung älterer antirömischer Bilder in reformatorischem Sinne heraus;
in demselben Jahre auch St. Hildegards Weissagungen (S. 97 ff.). Am schärfsten ging
Ofiander gegen Eck vor, welcher bereits 1533 eine Schrift gegen die Nürnbergische Kirchen=
40 ordnung herausgegeben, dann in seinen Predigten über die 10 Gebote gegen die „Kinder=
predigten" polemisiert hatte; Ofianders „Verantwortung des Nürnbergischen Katechismi",
eine sehr grobe Schrift, vertrat besonders die protestantische Lehre von der Erbsünde gegen
die scholaftische Abschwächung, brachte ihn aber durch Uebertreibungen und Absonderlich=
keiten in unliebsame Erörterungen mit Melanchthon. Ziemlich verächtlich fertigte er auch
45 den wunderlichen Ruppert Mosham mit seinen unklaren Vermittelungsideen ab in der
epistola theol. Norimb. 1539 (S. 228ff.). Endlich begründete er in seiner Schrift
„Coniecturae de ultimis temporibus" 1544 mit großer Gelehrsamkeit, aber auch
großer Zuversicht zu den keckſten Kombinationen seine apokalyptischen Anschauungen von
dem Papst als dem Antichrist. Cochläus bekämpfte sie in einer eigenen Schrift. Auch
50 auf anderem als theologischem Gebiete hat sich Ofiander umgesehen. Sein Interesse an
mathematischen und astrologischen Studien veranlaßte, daß Rheticus ihn für die Heraus=
gabe des berühmten Werkes des Nikolaus Copernicus 1543 „De revolutionibus orbium
coelestium" in Anspruch nahm (S. 257). Ofiander besorgte die Korrektur dieses Werkes,
das in Nürnberg gedruckt wurde, fügte ihm aber ohne Wissen des Autors eine Vorrede
55 hinzu, in welcher er die von Copernicus vorgetragenen Lehren über die Bewegungen der
Himmelskörper um die Sonne als Hypothesen charakterisierte. Daß dies nicht die An=
sicht des Autors war, kann als sicher gelten, und daß die Freunde des Copernicus, der
bald nach Fertigstellung des Druckes (1543) verstorben war, über Ofianders Vorrede
empört waren, wissen wir durch einen von ihnen, Tidemann Giſe. Dennoch ist es ge=
60 rade dieser Vorrede zu danken gewesen, daß das Buch des Reformators der Aftronomie

im 16. Jahrhundert freie Bahn fand; denn als „Hypothesen" ließ man sich diese Ansichten zunächst selbst an der römischen Kurie gefallen, bis man den wahren Thatbestand, die genuine Absicht des Autors des Buches, erkannte und es — im 17. Jahrhundert auf den Index libr. prohib. brachte, von dem es erst im 18. Jahrhundert verschwand.

Die Lage wurde für Ofiander in Nürnberg allmählich schwül. Rein persönlich durch 5 manche Charakterschwächen Ofianders veranlaßt, aber doch auf unverbürgten Klatsch hinauslaufend, waren die Angriffe in einer anonymen Schmähschrift (Speculum Osiandri 1544), in welcher Ofiander einen zwinglisch gesinnten Gegner vermutete; und in der That hatte Ofiander in den Konjekturen die zwinglische Ketzerei neben dem antichristlichen Papsttum nicht vergessen. Dagegen spiegelt sich die allgemeine bedrohliche Lage der Protestanten 10 vor dem schmalkaldischen Krieg in der Schrift „Von den Spöttern des Wortes Gottes 1545", welche Lauheit auch auf evangelischer Seite (bei der vorsichtigen Haltung Nürnbergs) rügt. Und unter den Bedrohungen des ausbrechenden schmalkaldischen Krieges erleichtert er sein Herz in der viel Schönes enthaltenden Schrift „Trostschrift wider die gottlosen Verfolger des Wortes Gottes (1546)". Bei dem siegreichen Vordringen der 15 kaiserlichen Waffen sah sich Ofiander ernstlich bedroht, blieb jedoch auch bei der Anwesenheit des Kaisers in Nürnberg unangefochten. Als dann in Nürnberg über das Interim verhandelt werden mußte und dasselbe, wenigstens formell, eingeführt wurde, blieb Ofiander den Vorstellungen Agricolas unzugänglich, widerstand (mit Veit Dietrich) aufs entschiedenste, hierin unterstützt durch die Volksstimmung, und ließ ein dem Rat eingereichtes, 20 sehr abfälliges Gutachten gegen das Interim auswärts (wahrscheinlich in Magdeburg) im Druck erscheinen: Bedenken auf das Interim (S. 293 ff.). Er kam um seinen Abschied ein und verließ am 22. November 1548 noch ohne Genehmigung des Rates die Stadt. Mit erschütternden Worten legte er in seinem Abschiedsbriefe an den Rat seine Gewissensnot dar und die Gründe, die ihn zwingen, „auszuziehen" und „in eine andere 25 Stadt zu fliehen", um sich den Frieden seines Gewissens zu erhalten und auf die Sicherheit seines Weibes und seiner Kinder bedacht zu sein. (Der Brief bei P. Tschackert, Ungedr. Briefe Nr. XVI.) Dieser Brief ist der Schlußstein der gesamten Wirksamkeit Ofianders in Nürnberg. Kurze Zeit darauf finden wir Ofiander in Breslau.

Von hier aus wandte er sich brieflich an Herzog Albrecht von Preußen, welcher einst, 30 als er in seiner bedrängten Lage (1522) beim Reiche Hilfe suchte, in Nürnberg Ofianders Predigten gehört und im Verkehr mit ihm für den Anschluß an die Reformation gewonnen worden war. Schon damals hatte Ofiander ihm das Papsttum im Lichte des Antichrists gezeigt. Mehrfach war er seitdem, gleich so vielen anderen Gelehrten, mit Albrecht in brieflicher Verbindung geblieben; seine Konjekturen hatte er ihm dediziert. 35 Jetzt bot er ihm seine Dienste an (2. Dez. 1548), und wohl ohne noch dessen freundliche Antwort zu haben, machte er sich auf den Weg. Am 27. Januar 1549 in Königsberg eingetroffen, erhielt er die Pfarrstelle an der altstädtischen Kirche, welche bis dahin der gleichfalls um des Interims willen geflüchtete Johann Funck verwaltet hatte, und zugleich eine theologische Lektur, ja er wurde bald darauf, obgleich ohne einen akademischen Grad, 40 Professor primarius der theol. Fakultät, geriet aber damit von vornherein bei dem an der jungen Hochschule herrschenden Fraktionsgeiste in häßliche Reibungen, welche durch sein selbstbewußtes und herrschsüchtiges Wesen und bei seiner offenbar parteiischen Begünstigung durch den Herzog gesteigert wurden. Die Angriffe des wittenbergischen Magisters Matthias Lauterwald gegen seine Antrittsdisputation „De lege et evangelio" 45 (5. April 1549), sowie gegen Sätze, welche derselbe aus Ofianders Vorlesungen über die ersten Kapitel der Genesis nahm, und wobei Staphylus (f. d. A.) im Hintergrunde gegen ihn wirkte, führten zu widerwärtigen Streitigkeiten, in denen Ofiander, unterstützt von Funck, welcher inzwischen Hofprediger des Herzogs geworden war, rücksichtslos seine Gegner zu unterdrücken suchte. Die Berufung Lauterwalds auf Melanchthon und seinen 50 der Wittenberger Akademie geleisteten Eid, das Eingreifen des Leipziger Ziegler erhöhte Ofianders Gereiztheit (epist., in qua confutantur etc., S. 320), der in letzterem zugleich das Interim bekämpfte. Gegen dieses suchte Ofiander in mehrfachen Schriftstücken (S. 323 und 369) dem Herzog seinen Haß einzuflößen. Auch in der merkwürdigen Schrift „Von dem neuen Abgott und Antichrist zu Babel" (S. 363) verknüpfte sich mit 55 dem ganzen Zorn gegen Rom der Gegensatz gegen die, „welche subtiler Weise unter dem Interim wieder zum Antichrist kriechen". Die persönlichen Reibungen wurden noch dadurch erhöht, daß Ofiander, im Besitz des Vertrauens Albrechts, auch auf die kirchliche Verwaltung starken Einfluß gewann und besonders nach Brießmanns Tode (Oktober 1549) in formloser Weise in die Geschäfte eingriff, und daß endlich der viel vermögende Leibarzt 60

des Herzogs, Andreas Aurifaber (Goldschmidt), für welchen der Herzog selbst den Werber machte, Osianders Tochter heiratete und bei dieser Hochzeit (19. Januar 1550) Albrecht weder Gunst und Kosten sparte. Es erschienen jetzt boshafte Epigramme und Pasquille gegen Osiander; an der Universität kam es zu bitteren Verfeindungen voll kleinlicher
5 Gehässigkeit von beiden Seiten, wobei (wie besonders in der Verfolgung kompromittierter Studenten) Osiander sich unzweifelhaft großer Leidenschaft und Rachsucht schuldig machte. Bis in den Sommer 1550 dauerten diese Kämpfe, wo Lauterwald verabschiedet wurde und der beteiligte Mediziner Bretschneider ebenfalls Königsberg verließ. Am 24. Oktober 1550 erfolgte dann die verhängnisvolle Disputation von der Rechtfertigung des Glaubens,
10 welche der aufgesammelten Feindseligkeit gegen Osiander nun den bestimmten Angriffs-punkt gab.

Blicken wir hier auf die eigentümliche Gestalt der Lehranschauungen Osianders, deren Grundlinien allerdings früh sich festgesetzt haben. Im Gegensatz gegen römische Werk-gerechtigkeit und unter den allgemein reformatorischen Voraussetzungen über die sündliche
15 Verderbnis war Osiander mit Luther einig in der Betonung des alleinigen Heils aus Gnaden in Christo, der Rechtfertigung aus dem Glauben; er blieb aber stehen in der mystischen Fassung derselben als der durch den Glauben vermittelten wesentlichen Ein-wohnung Gottes (nach Osiander schon in seiner ersten Predigt, was durchaus wahrschein-lich, s. Möller, 8 f.), und empfand ebenso früh das Bedürfnis, diesen mystischen Gedanken
20 spekulativ zu entwickeln. So bereits in dem „guten Unterricht ꝛc." von 1524, welcher ausgeht von Entwickelung der Gotteslehre: Gott gebieret einen Sohn von Ewigkeit, d. h. begreift und bildet sich ab in seinem heiligen göttlichen Wort, sein ganzes göttliches Wesen fließt in das Bild; und es gehet aus der heil. Geist, die Liebe, darin hervorbricht Gottes höchstes und eigentlichstes Werk, nämlich: Gottes Güte erzeigen und derselben alle Kreatur
25 nach ihrem Maße teilhaftig machen. In dem Worte nun, das Gott selbst ist, steht unser Leben; es muß aber mitgeteilt werden durchs äußere Wort und aufgenommen vom Glauben. Wer Christi Wort hört, hat ihn, hat Vater und heiligen Geist, hat die Liebe, den Brunnen guter Werke. So wird durch den Glauben an das Wort Gottes der Mensch gerecht-fertigt und mit Gott vereinigt. In diese allgemeinen Grundlinien aber wird nun mit
30 Rücksicht auf Adams Sündenfall die heilsgeschichtliche Füllung hineingezeichnet, die Ver-kündigung des Gesetzes, welches Liebe fordert (Liebe aber ist Gott selbst; wer Gott nicht hat, hat sie nicht), und des Evangeliums, welches lehrt, was Gott sei, gerecht, wahrhaft, gnädig, und daß er das alles in Christo unserm Heiland uns erzeigt habe, um welchen das Wort ins Fleisch kommen mußte. Erste Frucht dessen ist, daß wir Gott dem Vater
35 durch den Tod seines Sohnes wieder versöhnet sind, er der Gerechtigkeit Gottes für uns genug thut. Aber es muß auch zweitens, da Sünde und Tod noch in uns sind, das alte Wesen in uns abgetilgt und das neue errichtet werden: durch den Glauben empfahen wir Gott selbst; das Wort, Christus wohnt in uns und wir werden eins mit ihm und so durch den Glauben gerechtfertigt; der Sinn und Geist Christi ist und lebt in uns, der
40 kann nicht anders denn gerecht sein und Gerechtigkeit in uns wirken. So ist Christus unsere Gerechtigkeit, nicht daß er im Himmel zur Rechten des Vaters gerecht sei und wir hienieden in allen Sünden und Unflat wollten leben und dann sprechen, Christus wäre unsere Gerechtigkeit. Er muß in uns und wir in ihm sein, und wenn das, so haben wir auch den heil. Geist. So rechtfertigt der Glaube dadurch, daß wir mit Gott ver-
45 einigt werden, und er alsdann seine eigene Gerechtigkeit selbst durch den Glauben in uns wirket. Daher Jer 23, 6: Der Herr (Jehova) unsere Gerechtigkeit. Auch in dem Nürn-berger Kolloquium (1525) werden die beiden Stücke des Evangeliums unterschieden: 1. Christus hat der Gerechtigkeit Gottes genug gethan und 2. er hat uns von Sünden gereinigt und rechtfertigt uns, so er in uns wohnt. In Augsburg 1530 war es jener
50 Spruch des Jeremia, durch dessen Erläuterung Osiander die Rechtfertigungslehre gegen Mißverstand sicher stellen und klarer machen wollte, auch in den Augen der Papisten (nicht der bloße Glaube als eine Tugend, sondern der Glaube, der Christum selbst in sich schließt, unsere Gerechtigkeit); in der Predigt zu Schmalkalden zog er 1 Jo 4, 1—3 nicht bloß auf die Menschwerdung, sondern vornehmlich auf die wesentliche Einwohnung
55 durch den Glauben. Da nun aber von Osiander ausdrücklich auf dies Successive der Tötung des alten und Lebendigmachung des neuen Menschen durch die göttliche Ein-wohnung hingewiesen war, so schien der Rechtfertigung die für das Vertrauen des Glau-bens wesentliche Vollendung zu fehlen, und sie als werdende Rechtfertigung mit der nova obedientia als einer durch die Gnade gewirkten zusammenzufließen; wirklich sagt er im
60 Unterricht: „Die Werke, die der heil. Geist in uns wirkt, gelten allein vor Gottes Ge-

richt". Nach dieſer Seite hin verwahrt ſich aber Oſiander ſpäter (gegen Rup. Mosham, S. 232 ff.) genauer unter Berufung auf die vielbenußten Sprüche Jeſ 53, 11 und be= ſonders 1 Ko 1, 30; obgleich er auch hier an der effektiven Bedeutung der Rechtfertigung feſthält, ſo liegt der effectus doch nur in der vom Glauben ergriffenen eingepflanzten, unſer gewordenen Gerechtigkeit Chriſti ſelbſt, nicht in den von den Gerechtfertigten durch 5 Wirkung des Geiſtes geſchehenden Werken; daher nun die erſte Königsberger Disputation (de lege et. ev.) ſagt: Die Gerechtigkeit Chriſti (=Gottes) werde durchs Evangelium dar= geboten und denen, die es glauben, zugerechnet, oder der Glaube werde zur Gerechtigkeit gerechnet wegen ſeines Objektes, der göttlichen Gerechtigkeit, die er faktiſch hat. Die be= rühmte zweite Disputation zeigt nun in der Anknüpfung an den ſchon in der erſten gel= 10 tend gemachten Saß: Niemand wird gerechtfertigt, der nicht zugleich auch lebendig gemacht wird, auf der einen Seite dasſelbe Intereſſe, wie die Jugendarbeit: Die Rechtfertigung aus dem Glauben ſoll nicht zu einer bloßen Beruhigung bei der Sündenvergebung ohne reellen Gerechtigkeitsbeſiß werden; Gott kann den nicht für gerecht halten, in dem ganz und gar nichts von wahrer Gerechtigkeit iſt; aber dieſe Gerechtigkeit kann keine andere 15 als die weſentliche ewige göttliche Gerechtigkeit ſelbſt ſein, die auf dem myſtiſchen Wege des Glaubens unſer wird; und es kann daher andererſeits auch das Intereſſe ge= wahrt werden, daß die in der myſtiſchen Vereinigung wirklich uns gehörende Gerechtig= keit von unſerem empiriſchen Zuſtand unterſchieden wird: die Gerechtigkeit Chriſti wird uns, wenn ſie reell in uns iſt, imputiert, aber wir, obgleich im Glauben gerecht 20 gemacht, haben uns erſt (in der Heiligung) in den wachſenden Gehorſam gegen dieſe Gerechtigkeit zu ſtellen. Allerdings iſt auch die Rechtfertigung eine fortgehende, nur nicht durch unſer Werk, ſondern aus Glauben im Glauben, durch welchen die wachſende Ver= einigung mit Chriſtus bedingt iſt. Die ſpekulativen Grundlagen der geſamten Anſchauung, hier nur angedeutet, treten nun aber in der Schrift hervor: An filius dei fuerit in= 25 carnandus, si peccatum non introivisset in mundum. Item de imagine dei (18. Dez. 1550 f. S. 387 ff.), woran ſich dann als reifſte zuſammenfaſſende Darſtellung ſchließt: Von dem einigen Mittler Jeſu Chriſto und Rechtfertigung des Glaubens, Be= kenntnis Andreas Oſianders, 1551, 4⁰ (dem deutſchen Druck vom 8. September 1551 folgte der lateiniſche de unico mediatore, 24. Oktober). Der Menſch erſcheint, wie 30 ſchon die Jugendarbeit erkennen läßt, als urſprünglich beſtimmt für die weſentliche Ein= wohnung Gottes, ja als im Urſtand bereits derſelben teilhaftig, die iustitia originalis war die in Adam wohnende Gerechtigkeit Gottes. Das Bild Gottes, nach welchem oder vielmehr zu welchem der Menſch geſchaffen iſt, iſt Jeſus Chriſtus, das fleiſchgewordene Wort, wie es vor der Menſchwerdung ſchon im Verſtande Gottes prädeſtiniert und in 35 den Theophanien des ATs gewiſſermaßen abgeſchattet war. Wie Chriſtus durch perſön= liche Vereinigung der göttlichen Natur mit der menſchlichen Gottes Bild und Herrlichkeit ſein ſollte, ſo der Menſch aus Gnaden. Chriſtus würde daher auch, wenn Adam nicht geſündigt hätte, Menſch geworden ſein. Der Menſch, ohne Sünde gedacht, iſt zuerſt natürlich, dann (durch göttliche Einwohnung) geiſtlich. Das Reich Gottes würde ſonſt, 40 ohne Zwiſchenkommen der Sünde, das ihm weſentliche Haupt entbehrt haben. „Der Sohn hat ſeine ewige Gerechtigkeit mit herabgebracht in ſeine allerheiligſte Menſchheit und alſo mit der That bezeugt, daß unſer Fleiſch und Blut ſolcher Frommkeit fähig iſt und empfänglich, und dieweil wir nach Gottes Bilde geſchaffen ſind, ſind wir auch ſchuldig, ſolche Gerechtigkeit zu haben" (Handſchr. Gutachten vom Interim, ſ. S. 328). Auch in 45 Chriſtus iſt es die ewige göttliche Gerechtigkeit, durch welche er gerecht iſt, auf welcher alſo auch Leiden und Gehorſam, das Werk Chriſti, als auf ihrem Grunde ruhen. Das Verdienſt Chriſti, die vor 1500 Jahren am Kreuz geſchehene Erlöſung, durch welche die Sündenvergebung vermittelt iſt, iſt nun die notwendige Vorausſeßung dafür, daß die weſentliche göttliche Gerechtigkeit auch unſere Gerechtigkeit werde. Die bedenkliche Aus= 50 einanderhaltung jener einſt geſchehenen Erlöſung und der am Gläubigen geſchehenden Rechtfertigung, deſſen, was Chriſtus mit ſeinem Vater, und deſſen, was er mit uns han= delt, erhält doch eine Überbrückung dadurch, daß eben die Predigt der Buße und Ver= gebung der Sünde, wenn ſie im Glauben aufgenommen wird, im äußeren Wort zugleich das innere lebendige, das Gott ſelbſt iſt, ins Herz bringt; und ſo ſehr unſere Gerechtig= 55 keit lediglich die weſentlich göttliche iſt, ſoll doch, da wir durch Glaube und Taufe in das fleiſchgewordene Wort eingeleibt werden, die göttliche Natur, nur wie ſie Menſch ge= worden iſt, in uns gebracht werden; wir können der göttlichen Natur nicht teilhaftig werden, wenn ſie nicht aus ſeiner Menſchheit als aus dem Haupt in uns ſeine Glieder fließt. In dieſem Zuſammenhang findet die lutheriſche Abendmahlslehre eine ſo entſchie= 60 bene Verwertung, daß er geneigt ist, alle Gegner der wesentlichen göttlichen Gerechtigkeit als im Herzen zwinglisch anzusehen.

Der Eindruck jener Disputation, in welcher der junge Martin Chemnitz und Melchior Isinder opponierten, war wohl auf die meisten ein etwas verblüffender durch die 5 Plerophorie Osianders; man fühlte das Frembartige, ohne sich der Sache recht erwehren zu können; man hatte es von den Wittenbergern anders empfangen. Der vor kurzem erst nach Königsberg gekommene Mörlin suchte durch Verständigung zu vermitteln und kam zunächst auf guten Fuß mit Osiander. Das Erscheinen der Schrift von der Menschwerdung und dann besonders der anderen: Bericht und Trostschrift (Anf. 1551 s. S. 415 f.) 10 an seine Nürnberger Anhänger mit ihren feindseligen Außerungen gegen Melanchthon einerseits, das Umsichwerfen unselbstständiger Parteigänger (Funck) mit den Schlagworten andererseits erhöhten den Gegensatz; des Staphylus Vorstellungen wies Osiander ziemlich schnöde zurück. Die auf des Herzogs Wunsch im Februar 1551 von Mörlin nebst Andr. 15 Aurifaber unternommene Vermittelung, wobei Mörlin in den aufgestellten Sätzen Osianders Gesichtspunkten vorsichtig in mehr populärer Form Rechnung trug, scheiterte besonders an Staphylus, der nichts zugeben wollte, was etwa den Wittenbergern mißfiel. Die Gegenpartei stellte eine Reihe von Sätzen Luthers denen Osianders gegenüber; Osiander, der in den Außerungen Luthers von der Aneignung der Person Christi durch den Glauben einen Anhalt hatte und überzeugt war, ihn in „seinen besten Büchern" auf seiner Seite 20 zu haben (wenn er auch meinte, Luther habe vielen die Augen nicht genug aufgethan S. 318), veröffentlichte dagegen seine Excerpta quaedam mit Aussprüchen Luthers für seine Auffassung (s. S. 426). Mörlin beginnt jetzt bedenklich zu werden (zunächst an dem successiven Unserwerden der Frömmigkeit Christi, dann: Osiander mache die Wohlthat und das Verdienst Christi zunichte), und bringt, von Osiander schroff behandelt (Brief- 25 wechsel s. S. 428 f.), den Kampf in drastischster Weise auf die Kanzel, Osiander aufs Katheder; der Bruch ist vollständig. Die durch das Mandat vom 8. Mai 1551 vom Herzog eingeleiteten theologischen Verhandlungen zwischen Osiander und seinen ihm meist nicht gewachsenen Gegnern kommen nicht vorwärts. Mitten hinein wird Osiander als „Verwalterpräsident" mit den geistlichen Geschäften des samländischen Bistums beauf- 30 tragt. Aber Mörlin prüft und ordiniert Kandidaten, die ihm von adeligen Patronen präsentiert werden, „weil sie das Heiligtum nicht beim Teufel suchen wollen", und versagt Osiandristen das Sakrament; auch die anderen (Hegemon, Isinder, Venediger) versagen ihm die Anerkennung. Stankarus (s. d. A.), der jetzt unter ihnen eine Rolle spielt, gab in einem groben Briefe, der Osiander für den persönlichen Antichristen erklärt, seine De- 35 mission. Osiander, welcher während der Verhandlungen die Schrift: Daß unser lieber Herr rc. (S. 440) veröffentlicht hatte, setzt nun den Druck seiner Konfession (vom einigen Mittler rc.) durch, während Albrecht die Gegner vom Druck abhielt. Am 5. Oktober sendet Albrecht das Bekenntnis Osianders mit Darstellung des bisherigen Streites an evangelische Fürsten und Städte Deutschlands zu ordnungsmäßiger Beratung auf Synoden, 40 während die Gegner auf einer preußischen Synode Osiander einfach als offenen Ketzer zu verurteilen gewünscht hatten, denn hier sah sich Osiander mit Andr. Aurisaber und Funck immer mehr in die Rolle einer kleinen, aber durch Albrechts Gunst mächtigen Partei gedrängt und dem wachsenden Hasse ausgesetzt, der bis in die unmittelbarste Umgebung Albrechts reichte. Im evangelischen Deutschland begann die Sache allerwärts die Gemüter 45 in Bewegung zu setzen, in Nürnberg besonders für und wider (vgl. S. 455 und über Leonhard Culmann: Zeltner, Paralip. Osiandr., Altorf 1710, 4° und Strobel, Beitr. I, 91), in Stettin fand Osiander an Petrus Artopöus und dem Arzt G. Curio Verehrer (S. 454), sonst aber fand seine Sache außerhalb Preußens fast nur Widerspruch, wie die im Laufe des Winters (1551/2) und im Frühjahr eintreffenden Gutachten (s. den 50 Überblick S. 495 ff.) und zahlreiche gedruckte Publikationen (ebb. 453, 467 f., 478 ff., 490 f.) zeigen. Man stieß sich an der gefährlichen Mystik der göttlichen Einwohnung, an der einseitigen Betonung der göttlichen Natur Christi, welche im Zusammenhang mit der bedenklichen Auseinanderreißung von Sündenvergebung und Rechtfertigung die Menschheit Christi zu entwerten und das Verdienst Christi herabzusetzen schien, endlich an der Ver- 55 schmelzung von Rechtfertigung und Erneuerung. Das Württemberger Responsum vom 5. Dezember 1551, im wesentlichen das Werk von Joh. Brenz (s. S. 470 f.), machte zwar hiervon, indem es in seiner wohlwollenden Haltung für Osiander die Gegensätze vermittelnd abschwächte, eine Ausnahme, vermochte aber den Frieden nicht herzustellen. Während der Herzog sich noch einmal an Brenz wandte, die anderen eingehenden Gut- 60 achten aber zurückhielt, ging der Kampf weiter. Osiander druckte rüstig weiter (Beweisung,

daß ich nun über die breißig Jahr alleweg einerlei Lehre geführt habe u. a. m.), wäh=
rend Mörlin mit dem Druck seiner voluminösen Schrift (von der Rechtfertigung des
Glaubens, ausgegeben 23. Mai, f. S. 491) hingehalten wurde. Ein von den Wittenbergern
zum Druck gebrachtes und mit gehässigen Erklärungen begleitetes, selbst aber sehr ge=
mäßigtes Gutachten Melanchthons, reizte Ofiander zu der maßlosen, aber bedeutenden 5
Gegenschrift: Widerlegung der ungegründeten undienstlichen Antwort Philippi Mel. 2c.
(21. April 1552 gedruckt). Die hier von Ofiander eingenommene Stellung, als stehe
ihm eigentlich nur der verschworene philippische Haufe, der nach dessen Pfeife tanze, gegen=
über, war nun aber nicht zu halten, da auch die Gnesiolutheraner, Flacius voran, mit
einer ganzen Anzahl Schriften (f. Preger, M. Fl. Jll. II, 550ff. und dazu meine Anm. 10
zu S. 490) ihm entschieden gegenübertraten. Ofiander aber ließ sich nicht wankend
machen. Gegen Mörlins Buch war er sofort auf dem Plan, gegen eine ganze Anzahl
im Druck erschienene Schriften) die nicht veröffentlichten Gutachten mußten aus dem Spiele
bleiben) ging er summarisch vor in der ebenso pöbelhaft groben als von theologischer
Klarheit und Schärfe zeugenden Schrift: „Schmeckbier" (24. Juni 1552). Jetzt traf die 15
zweite vom Herzog erbetene Erklärung der Württemberger ein, aber der vermittelnde Cha=
rakter, der wiederum in der Schwebe ließ, in welchem Momente des Prozesses das eigent=
lich Rechtfertigende liege, wirkte nichts, da Ofiander Recht behalten, die Gegner sich nur
mit seiner Revokation begnügen wollten. Da ward Ofiander nach kurzer Krankheit am
17. Oktober abgerufen und am 19. Oktober mit großen Ehren und einer stark rühmenden 20
Leichenrede Funcks in der altstädtischen Pfarrkirche beigesetzt (später ist sein Sarg ver=
schwunden). Das Ausschreiben des Herzogs vom 24. Januar 1553, welches Ruhe befahl
und auf die Artikel des zweiten Württemberger Responsum als maßgebend verwies, ver=
mochte, da Funck und die Ofiandristen unangetastet blieben, den Kampf nicht zu stillen.
Mörlin, der hitzigste Gegner, wurde des Landes verwiesen, aber der Streit ging weiter 25
und endete erst mit der Hinrichtung Funcks 1566, mit der Wiederherstellung des genuinen
Luthertums in Preußen 1567 und der Berufung Mörlins als Bischof von Samland.
Die anziehendste Darstellung dieser späteren Periode des Ofiandrischen Streites findet sich
in dem Buche von C. A. Hase, Herzog Albrecht von Preußen und sein Hofprediger, 1879.
Neue Studien, besonders nach Handschriften des Kgl. Staatsarchivs zu Königsberg, bietet 30
Franz Koch, „Briefwechsel Joachim Mörlins in den Jahren 1551 und 1552" (Altpreuß.
Monatsschrift 1903) und „Die sächsische Gesandtschaft zu Königsberg während des Osian=
berischen Lehrstreits im Jahre 1553". (Ebendaselbst 1903.)

(W. Möller †) P. Tschackert.

Ofiander, süddeutsche Theologen= und Gelehrtenfamilie, abstammend von dem 1552 35
zu Königsberg gestorbenen Nürnberger Reformator Andreas Ofiander (f. d.), in verschie=
denen Zweigen noch heute blühend. — Litteratur: Joh. Adam Ofiander, Gens Osian=
drina larga benedictione divina florens. Tub. (1720). Lehmann, Stammtafel der Familie
O., Königsberg in Pr. 1890. Verzeichnis Ofiandrischer Familienpapiere. Deutscher Herold 31,
110. Wappenbrief des Luk. O. 1591. Ebb. 31, 29ff. N. Arch. (N. F.) 6, 172. Jöcher, Gel. L. 40
Fischlin, Mem. theol, Wirtb. AdB 24, 484ff. Württb. KG (1893). Lukas I.: Pfaff, Württb.
Plutarch 2, 84ff.; Koch, Gesch. d. Kirchenl. 1, 2, 358ff.; Kümmerle, Encyklop. 2, 616.
BlWKG 1893, 37ff. Andreas: Matth. Hasenreffer, Oratio lugubris in funere A. O., Tub.
1617. Lukas II.: Leichenrede von Melch. Nicolai, 1638; Weßsäcker, Lehrer und Unterricht an
der ev. theol. Fak. zu Tüb.; Ritschl, Gesch. des Pietism. 2, 32ff., 99, 577; Joh. Adam: Hoch= 45
stetter, And. Ad. Chr., Denkmahl bey Leichbegängnis des ... J. A. O., Tüb. 1698; Dorner,
Entw. G. II, 803; Johann Pregizer, Leichenrede, Tüb. 1725; Abel, Lebensbeschr. J. O.,
Tüb. 1795; Schmidt, J. O., Tüb. 1843. Ves. Beil. des Staatsanzeigers f. Württb. 1880,
196. Joh. Rudolf: Gaß, Gesch. der prot. Dogm. 3, 126. Joh. Ernst ALKZ 1870, 328.
W&B 1870, 195. 50

1. Lukas Ofiander, der ältere, der Sohn des Andreas erster Ehe, ist geboren
den 15. Dezember 1534 zu Nürnberg. Er besuchte die Schulen seiner Vaterstadt, über=
siedelte 1549 mit seinem Vater nach Königsberg und hatte hier seine Studien noch nicht
beendigt, als sein Vater am 17. Oktober 1552 plötzlich starb. Der Herzog Albrecht nahm
sich der hinterlassenen freundlich an: mit seiner Beihilfe vollendete Lukas seine theo= 55
logischen Studien in Königsberg und Tübingen, wo er im Jahre 1553 immatrikuliert
ist. Er trat in den württembergischen Kirchendienst und wurde, erst 21 Jahre alt, 1555
Diakonus in Göppingen, Kollege und bald auch Schwager von Jakob Andreä, indem er
die Schwester von Andreäs Frau, Margaretha, geb. Entringer, die Witwe von Kaspar
Leyser, Mutter von Polykarp Leyser (f. Bd XI, 448) heiratete. Nach 2 Jahren wurde 60

er Pfarrer und Superintendent in Blaubeuren, 1562 Pfarrer zu St. Leonhard und Superintendent in Stuttgart, 1564 Dr. theol. in Tübingen, 1567 Hofprediger und Kon-
siftorialrat in Stuttgart. Unter Herzog Ludwig (1568—1593) ftieg fein Einfluß immer
höher: er ift neben Bidembach der Religionslehrer Ludwigs, erklärt ihm jeden Morgen
5 ein Kapitel aus der Bibel, einen Abschnitt aus der Conf. Aug. und Wirtemb., und
befeftigt ihn fo in jener Rechtgläubigkeit, die ihm den Beinamen des Frommen verfchaffte,
aber leider nicht durch entfprechende Tugenden fich bethätigte (f. Stälin 4, 780). Immerhin übte O. einen wohlthätigen Einfluß auf Regierungsmaßregeln (vgl. Eifenlohr,
W. K.-Gefetze 9, 91), wußte aber auch feine eigene Stellung zu einer immer einfluß-
10 reicheren zu machen (Spittler, Gefch. Würt. S. 199). Am 18. April 1587 ließ ihm
der Herzog 1000 fl. aus dem Kirchenkaften für feine guten Dienfte zuweifen (Rechnung des K. K. 1586/87). Ein Umfchwung trat ein mit dem Regierungsantritt des
Herzogs Friedrich (1593 ff.). Diefer konnte den zurechtweifenden Ton, den die Hofprediger unter H. Ludwig angefchlagen hatten, nicht vertragen. Er fand feine Predigten
15 zu fcharf, verfetzte ihn von der Hof- auf die Stiftspredigerftelle 1593 und ernannte ihn
1596 zum Prälaten von Adelberg. Als Ofiander in diefer Stellung, als Mitglied der
Landfchaft, es wagte, dem Herzog wegen feiner dem Landesrecht widerftreitenden Begün-
ftigung der Juden freimütige Vorftellungen zu machen (13. März 1598, f. Sattler 5, 209),
fo erregte dies den Zorn des Herzogs; er gab ihm nicht bloß auf feine Vorftellung eine
20 höchft ungnädige Antwort, fondern entfetzte ihn auch, weil er fich weigerte, fußfällig zu
deprecieren, feiner Prälatur und verwies ihn des Landes. Ofiander ging nach der Reichs-
ftadt Eßlingen und verwaltete hier eine Zeit lang unentgeltlich das Amt eines Oberpredigers.
Doch hatte der Herzog fo viel Billigkeitsgefühl, daß er die ihm entzogene Prälatur feinem
Sohne Andreas übertrug, auch ihm felbft bald wieder die Rückkehr nach Stuttgart ge-
25 ftattete, nachdem er auch in Eßlingen große Unruhe verurfacht hatte (Keim, Eßl. Ref. Bl.
164). Ofiander erkrankte bald darauf infolge eines Schlaganfalls und ftarb im 70. Lebensjahre den 17. September 1604; feine Grabfchrift in der Stiftskirche zu Stuttgart
rühmt ihn als einen Mann, qui utiliffimis fuis scriptis, concionibus, confiliis
ecclesiam Dei feliciter aedificavit, veritatem evangelicam ore et calamo fortiter
30 defendit, und fchließt mit dem Wunfche: similes da sine fine viros!

Ofianders kirchliche Thätigkeit war eine vielfeitige. Er nahm perfönlich teil an dem
Religionsgefpräch mit den Pfälzern zu Maulbronn 1564, wo er als Notarius fungierte
(XII, 443), an dem Maulbronner Theologenkonvent und der Abfaffung der Maulbronner
Formel (X, 740), an der Begutachtung des torgifchen Buchs im September 1576; er be-
35 teiligt fich an der Korrefpondenz der Tübinger mit dem Patriarchen Jeremias 1577, liefert
mit Heerbrand (VII, 522. X, 743) die erfte lateinifche Überfetzung der Konkordienformel,
der epitome fowohl als der solida declaratio, wie diefe in die erfte lateinifche Ausgabe des Konkordienbuchs aufgenommen wurde, reift 1579 nach der Pfalz zu Verhandlungen mit Weiß (XXI¹, 485), 1582 zum Augsburger Reichstag, 1583 nach Bonn
40 zu Erzbifchof Gebhard von Köln, um bei der Einführung der Reformation mitzuhelfen,
erftattet 1583 ein Gutachten über den Gregorianifchen Kalender, nimmt 1586 teil am
Mömpelgarder Gefpräch, 1594 am Regensburger Gefpräch mit S. Huber (VIII, 411).

Als Prediger lernen wir ihn kennen teils aus zahlreichen, einzeln gedruckten Gelegenheitspredigten (f. bei Fifchlin S. 155 ff.); teils aus einigen größeren Predigtfamm-
45 lungen, z. B. 8 über das Vaterunfer, 50 über den Katechismus und die Haustafel, befonders aber aus feiner 1597—1600 in 5 Teilen erfchienenen Bauernpoftille oder einfältige, gründliche Auslegung der Evv. und Epp. für das einfältige Völklein auf den
Dörfern (urfprünglich Predigten, die er in den kleinen zum Klofter Adelberg gehörigen
Gemeinde Hundsholz gehalten); — teils endlich aus feinen homiletifchen Anweifungen,
50 die er giebt 1. in der Vorrede zur Bauernpoftille, 2. in einer Schrift de ratione con-
cionandi, 1582, 8°. Er bleibt im ganzen der melanchthonfchen Weife treu, indem er
die Kategorien und Einteilungen der antiken Rhetorik auf die chriftliche Predigt anwendet
(inventio, dispositio, elocutio; genus didascalicum, demonstrativum etc.); doch
wird der fpezififche Charakter der chriftlichen Predigt dadurch gewahrt, daß der Text in
55 die erfte Linie geftellt, die Kategorien der Rhetorik nur in fekundärer Weife für den
Zweck der theoretifchen Anleitung benutzt, daß vor allem Rückficht auf die Bedürfniffe
der Zuhörer verlangt und auf das Vorbild der höchften Lehrmeifters Chrifti, auch auf
folche ev. Mufterprediger wie Luther, Brenz ꝛc. hingewiefen wird (vgl. befonders die Vorrede zur Bauernpoftille). Seine eigenen Predigten find einfach, biblifch-erbaulich, über-
60 fichtlich disponiert, ohne gelehrten Prunk und unnütze theologifche Polemik, die Sprache

populär, aber keineswegs plebejisch oder gar skurril, nur ausnahmsweise, wo der Gegenstand es mit sich bringt (z. B. in der Kleiderpredigt 1586), an die Manier der derb humoristischen oder satyrischen Predigtweise anstreifend (vgl. Lenz, Gesch. der Homiletik, II, S. 34 f.; Beste, Kanzelredner, II, S. 250 f.; Schuler, Veränderungen des Geschmacks, I, 113 ff.).

Minder bekannt sind Osianders musikalische Leistungen. Zunächst erschien 1569 das von dem württembergischen Kapellmeister Sigm. Hemmel bearbeitete Choralbuch „der ganz Psalter Davids, wie derselbe in deutsche Gesäng verfaßt, in 4 Stimmen künstlich und lieblich von Neuem gesetzt", mit empfehlender Vorrede der Hofprediger Balth. Bidembach und L. Osiander. Hier war aber die Melodie fast durchgängig dem Tenor zugeteilt, weshalb der größte Teil der Gemeinde nicht zu folgen vermochte. Darum machte Osiander in seiner Sammlung „Fünfzig geistliche Lieder und Psalmen mit 4 Stimmen kontrapunktweis also gesetzt, daß eine ganze christliche Gemein durchaus mitsingen kann" (Nürnberg 1586) den Versuch, „den Choral in den Diskant zu nehmen, damit er ja kenntlich und ein jeder Laie mitsingen könne". Der den Gemeindegesang begleitende Chor sollte sich im Takt nach der Gemeinde richten, „damit der Choral und figurata musica fein bei einander bleiben und beides einen lieblichen concentum gebe zur Ehre Gottes und Erbauung der christlichen Gemeinde" (Winterfeld, Ev. K.-Gesang 1, 346; Palmer, Ev. Hymnologie, S. 290; Koch, K.-Lied II, 357; Kümmerle, Encyklopädie 2, 616). — Um die der Münchner nicht nachstehende Hofkapelle erwarb sich O. große Verdienste und verfertigte für den Herzog eigenhändig Musikinstrumente. Württemb. Vierteljahrsh. 1900, 253 ff.

Von den theologischen Schriften L. O. sind die bedeutendsten
1. sein Bibelwerk, **Biblia latina, ad fontes hebr. textus emendata, cum brevi et perspicua expositione illustrata**, Tübingen 1573—1586, 7 voll. 4°, 1609 fol.; deutsche Übersetzung von David Förter, württemb. Prinzenerzieher, Stuttgart 1600; Lüneburg 1650, — eine fortlaufende Paraphrase der ganzen hl. Schrift, wobei die den Text bildenden Worte der Vulgata durch Zwischenbemerkungen unterbrochen werden, die teils Korrekturen aus dem Grundtexte, teils die nötigen Erklärungen enthalten; zunächst für die Alumnen der württemb. Klosterschulen zu kursorischer Schriftlesung verfaßt, von den Zeitgenossen viel gebraucht und hochgeschätzt, so daß sie meinten, „seit der Apostel Zeiten sei kein nützlicheres Buch herausgekommen".
2. Eine dogmatische Arbeit (mit Einschluß ethischer und kirchenrechtlicher Fragen), zur Unterweisung auswärtiger evangelischer Gemeinden (in gratiam Gallicarum et Belgicarum ecclesiarum) gab Osiander in seiner Institutio chr. religionis, Tübingen 1576 und 1580, — klar und übersichtlich, auch in den polemischen Abschnitten würdig gehalten.
3. Wohl am meisten Ruhm aber brachte ihm sein kirchenhistorisches Werk, Auszug und Fortsetzung der seit 1574 ins Stocken gekommenen unvollendeten magdeburgischen Centurien, u. d. T. **Epitomes historiae eccl. centuriae XVI, in quibus breviter et perspicue commemoratur, quis fuerit status ecclesiae Chr. a nat. Salv. usque ad annum 1600**, Tübingen 1592—1604, 4°, deutsch von D. Förter, Frankfurt 1597—1608; schwedisch von E. Schröder, Stockholm 1635; Auszug daraus von J. V. Andreä in seiner kurzen Kirchenhistorie, Straßburg 1630. Obgleich das Werk nicht auf Selbständigkeit historischer Quellenforschung Anspruch macht, so kam es doch einem Bedürfnis der Zeit entgegen, da es durch Kürze, Übersichtlichkeit, relative Vollständigkeit, auch durch Klarheit und Lebhaftigkeit der Darstellung sich empfahl. Von besonderem Interesse ist die, mit größerer Ausführlichkeit und Aufnahme mancher Aktenstücke gegebene Darstellung des 16. Jahrhunderts (vgl. ep. praeliminaris zum letzten Band). Auch G. Arnold (K. u. KG. III, 1, S. 206; 2, 834 f.) hat dem Werke im Ganzen Gerechtigkeit widerfahren lassen; gegen einzelne Angriffe Arnolds hat A. Carolus in seiner „Württemb. Unschuld" seinen Landsmann Osiander verteidigt.

Eifrig beteiligte sich O. mit Jak. Andreä (I, 505) und Heerbrand (VII, 523) am Kampf gegen Jesuiten und Calvinisten. Zu den antijesuitischen Streitschriften gehören z. B. seine Warnung vor falscher Lehr der Jesuiten 1568; Bericht, wie ein Christ auf die 27 päpstlichen Artikel antworten soll, 1571; Warnung vor Jesuiten Anschlägen 1585; Verantwortung wider Scherer und Rosenbusch S. J. 1586; endliche Abfertigung der beiden Jesuiten, 1589; Bakkromet aus dem Wildbad 1593, zur Widerlegung des Gerüchtes, Osiander sei katholisch geworden ec.; zu den gegen Calvinisten und Kryptocalvinisten gerichteten: Warnung vor dem Zwinglischen Irrtum in der Lehre vom Abendmahl,

ep. eucharistica ad Sturmium, Antisturmius unus et alter, zur Verteidigung der
F.-C. gegen den Straßburger Schulrektor Johann Sturm, 1575; ferner Schriften gegen
S. Huber 1597 ff., gegen C. Schwenkfeld 1591, gegen Franz Puccius 1593. Minder
bedeutend sind eine kurze Bearbeitung der hebräischen Formenlehre (compendium hebr.
5 grammaticae, cui subjungitur dictionarium, Wittenberg 1581; seine admonitio de
studiis privatis recte instituendis, Tübingen 1591; sein enchiridion oder kurzes
Inhaltsverzeichnis der hl. Schrift, Tübingen 1593.

2. Andreas Osiander, der älteste Sohn von Lukas I., ist geb. 26. Mai 1562
zu Blaubeuren, wo sein Vater damals Superintendent war. Er studierte 1576 zu Tü-
10 bingen, wurde 1579 Magister, Vikar zu Vaihingen, Repetent in Tübingen, wo er neben
theologischen Studien auch mit Astronomie sich beschäftigte. 1584 wird er Diakonus in
Urach, heiratet Barbara Heiland, des M. Crusius Patenkind, die ihm 18 Kinder gebar;
1587 wird er Pfarrer in Güglingen, 1590 Hofprediger in Stuttgart und Kollege seines
Vaters, 1592 Dr. theol., 1598 Gen.-Sup. und Prälat von Adelberg, 1605 Prof. der
15 Theologie und Kanzler der Universität Tübingen, wo er den 21. April 1617 starb.
Hafenreffer, sein Nachfolger im Kanzleramt, hielt ihm die Leichenrede. Er nahm an
einigen Religionsgesprächen teil, z. B. 1589 in Baden, 1601 in Regensburg, schrieb
Dissertationen und Disputationen über das Konkordienbuch, auch einige polemische Werke,
bes. Papa non papa h. e. papae et papicolarum de praecipuis chr. fidei par-
20 tibus lutherana confessio, Tübingen 1599, Frankfurt 1610; gab seines Vaters biblia
illustrata neu heraus 1600 fol.; dichtete 3 geistliche Lieder, die er 1594 drucken ließ,
s. Koch, Kirchenlied, II, 292, und machte sich besonders verdient durch sein vielgebrauchtes
und oft gedrucktes „Kommunikantenbüchlein", das er 1587 als Pfarrer in Güglingen
verfaßte, 1590 in Tübingen herausgab (vgl. Ev. Kirchenbl. für Württemb. 1899, 17 ff.

25 3. Lukas II. Osiander, der jüngere Sohn des Hofpredigers Lukas I., ist geboren
den 6. Mai 1571 in Stuttgart, gestorben 10. August 1638 in Tübingen als Professor,
Propst und Kanzler. Nachdem er die württemb. Klosterschulen durchlaufen, 1587 ff. in
Tübingen studiert, 1588 magistriert hatte, wurde er 1591, erst 20 Jahre alt, Diakonus
in Göppingen, 1597 Pfarrer in Schwieberdingen, 1601 Superintendent in Leonberg,
30 1606 in Schorndorf, 1612 Abt in Bebenhausen, 1616 in Maulbronn, 1619 Dr. und
prof. theol. ord. in Tübingen, auch Superattendent des Stifts, 1620 Propst und Kanzler
der Universität. Diese Würde bekleidete er, zuletzt unter schweren Anfechtungen und Bedrohungen in den Jahren des 30jährigen Kriegs, bis zu seinem Lebensende. Schon 1628
sollte er wegen seiner Polemik gegen die römische Kirche seiner Professur entlassen und
35 auf eine Prälatur versetzt werden; doch wurde die Maßregel noch abgewendet. Im Jahre
1636 wurde er von einem Fanatiker Giftheil auf der Kanzel überfallen und lebensgefährlich bedroht, vgl. VI, 664. Bl. württemb. KG. 1900, 82. Wie sein Vater und
Bruder galt er als einer der orthodoxesten Lutheraner, als ein „gelehrter und eifriger
Theologus", als insignis didacticus, der die schwierigsten theologischen Probleme mit
40 seltener Klarheit und Gewandtheit zu lösen wußte, insbesondere als einer der schlagfertigsten, aber auch streitsüchtigsten und leidenschaftlichsten Polemiker des 17. Jahrhunderts.
Er schrieb nicht bloß 4 Enchiridia controversiarum: 1. cum Calvinianis 1603,
7 u. ö.; 2. cum Anabaptistis 1605, 14; 3. cum Schwenkfeldianis 1607; 4. cum
Pontificiis 1602, 11, sondern auch noch weitere einzelne Streitschriften wider die Jesuiten,
45 wobei er den Triumph erlebte, daß ein Jesuit, Jakob Reihing aus Augsburg, 1621 zu
Tübingen zur evangelischen Kirche übertrat und von Osiander examiniert, rezipiert und
in eine theologische Professur eingeführt wurde (gest. 1628); ferner gegen den reformierten
Prediger A. Scultetus (1620: Scultetus atheus) 2c.

Am bekanntesten aber ist L. Osiander II. geworden 1. durch den Streit mit den Gie-
50 ßener Kenotikern, an welchem er nicht bloß durch mehrere Streitschriften sich beteiligt
(bes. disp. de omnipraesentia hominis Christi, de communicatione id., de dua-
rum naturarum in Christo veritate, Tübingen 1619, justa defensio orth. veritatis etc. 1622), sondern dessen Ausbruch er, wenigstens nach der Darstellung der
Gießener, durch eine in Tübingen im Dezember 1619 gehaltene Disputation veranlaßt
55 haben soll (X, 261. XII, 635); und mehr noch 2. durch sein „Theologisches Bedenken,
welcher Gestalt Johann Arnds Bücher des genannten wahren Christentums anzusehen",
Tübingen 1623, 8° (II, 111).

Arnds Bücher fanden bald nach ihrem Erscheinen (1610 ff.) auch in Süddeutschland
große Verbreitung und unter allen Ständen vielen Beifall; Osiander nahm sie auch zur
60 Hand, um daraus seine Privaterbauung zu halten. Bald aber glaubte er zu finden, daß

das Buch in wichtigen Stücken mit der reinen lutherischen Lehre, insbesondere der Grund=
lehre von der Rechtfertigung, nicht übereinstimme. Schon der Titel erschien ihm anstößig:
„gleich als hätten Andere, so hie nicht mitschwärmen wollen, kein wahres, sondern lauter
falsches Christentum". Insbesondere aber erscheint es ihm bedenklich, daß Arnd so vielfach
Tauler und ähnliche Leute „aus dem dicken dunkeln Papsttum" citiere: „sein Christentum 5
sollte billig vielmehr Taulertum heißen". Auch ziehe er das innere Wort dem äußeren
vor; damit werde das Predigtamt hintangesetzt, das Sakrament überflüssig gemacht, der
ganze Gottesdienst degradiert; alle solche „inneren Einsprechungen und Offenbarungen"
aber seien ein betrüglich Ding; geben keine Gewißheit, seien nicht eines Pfifferlings oder
Hosennestels wert. Ja eine ganze Reihe von Ketzereien ist es, die Osiander bei Arnd 10
nachweisen will: papistische, monachische, enthusiastische, flacianische, calvinische, schwenck=
feldsche und weigelsche; es sei kein wahres Christentum, sondern ein „Buch der Hölle",
daher es nicht bloß der Theologen, sondern auch der Obrigkeiten Pflicht wäre, dem Um=
sichgreifen dieser Schwärmerei Einhalt zu thun. — Daß Osiander vom Standpunkt der
lutherischen Dogmatik aus mit seinen Bedenken gegen einzelne Abschnitte des Arndschen 15
Buches Recht hatte, läßt sich nicht leugnen; ebenso gewiß aber ist, daß er in seinem Ge=
samturteil dem Buch und seinem Verfasser Unrecht that, daß es ihm wie dem orthodoxen
Dogmatismus überhaupt an dem Organ fehlte, Arnds Anschauungen und Bestrebungen
zu verstehen und richtig zu würdigen. Ob O. sein Auftreten gegen Arnd selbst noch
bereut habe, wie man aus einzelnen Andeutungen geschlossen hat, mag dahingestellt 20
bleiben. Jedenfalls hat Osianders Kritik der Verbreitung der Arndschen Schriften und
dem segensreichen Einfluß, den dieselben insbesondere auch auf die frommen Kreise Süd=
deutschlands geübt, keinen Eintrag gethan. Insbesondere waren es Osianders Landsleute
und Kollegen Joh. Val. Andreä, Melch. Nikolai u. a., die über Arnd ganz anders ur=
teilten und es aufrichtig beklagten, daß es Mode geworden, die frömmsten Leute mit dem 25
Namen der Schwarmgeister zu beflecken, während offenbare Weltkinder und Christusleugner
mit dem Titel der Rechtgläubigkeit sich schmücken. Auch gut orthodoxe Lutheraner, wie
z. B. Affelmann in Rostock, mißbilligten Osianders Polemik: optimum Arndium ab
Osiandro judico exceptum esse pessime, pacificum schismatice, veracem men-
dacissime, humilem superbe, pium impie, und R. Meldenius ist überzeugt, daß 30
Christus selbst auf Arnds Seite stehe, nicht auf Seite der Osianderschen Schultheologie.

4. Johann Adam Osiander, Neffe von Andreas und Lukas II., Urenkel von
Lukas I., war geboren den 3. Dezember 1622 in Vaihingen, wo sein Vater, Joh. Bal=
thasar Osiander, Pfarrer und Superintendent war, gest. 26. Oktober 1697 als Kanzler
der Universität Tübingen. Er studierte in Tübingen in den schwersten Zeiten des 30jäh= 35
rigen Kriegs, nachdem er seine Eltern und all seine Habe verloren; wurde 1648 Dia=
konus in Göppingen, 1653 in Tübingen, 1656 Dr. theol., außerordentlicher Professor
der Theologie und zugleich Professor der griechischen Sprache, 1660 ordentlicher Professor
der Theologie, 1680 Kanzler der Universität Tübingen und Propst an der Stiftskirche,
von seinen Zeitgenossen als einer der ersten Theologen seines Jahrhunderts, ja als „Auge 40
der lutherischen Kirche" gepriesen, besonders als Exeget des Alten Testaments, aber auch
als Dogmatiker, Polemiker, Ethiker und Kasuistiker geschätzt, mit Spener befreundet, aber
ein Gegner des Cartesianismus wie der synkretistischen und unionistischen Bestrebungen.

5. Johannes Osiander, des vorigen Sohn, geboren 22. April 1657 in Tübingen,
gestorben ebendaselbst 18. Oktober 1724 als herzogl. württ. Geheimerat und Konsistorial= 45
direktor. Schon in früher Jugend ausgezeichnet durch Gaben, Fleiß und „sonderbare
Vivacität", bezog er im 14. Lebensjahre die Universität, machte nach Vollendung seines
theologischen Studiums eine wissenschaftliche Reise, verweilte als Reisebegleiter des Schweden
von Horn 1684 ff. zwei Jahre in Frankreich, wo er in den höchsten Kreisen Zutritt
fand, große Sprachen= und Weltkenntnis sich erwarb, den Versuchungen des Paters 50
La Chaise zum Abfall vom evangelischen Glauben aber standhaft widerstand. Nach seiner
Rückkehr erhielt er 1686 eine Professur für hebräische Sprache und Geographie in Tü=
bingen, 1688 für griechische Sprache und Philosophie ꝛc. Beim Einfall der Franzosen
in Württemberg 1688 wurde er als Unterhändler gebraucht, wußte insbesondere durch
sein kluges und energisches Auftreten Stadt und Schloß Tübingen, sowie später die Stadt 55
Stuttgart vor Zerstörung und Plünderung zu schützen, wurde zum Dank dafür 1690
zum herzogl. Kriegsrat(!) ernannt, 1692 Ephorus des theolog. Stifts, 1697 Prälat von
Königsbronn, 1699 von Hirsau mit dem Sitze in Tübingen. 1703 erhielt er von Kur=
fürst August von Sachsen den Titel eines Konsistorialrats, von König Karl XII. von
Schweden den eines Kirchenrates. Als Prälat nahm er teil an den Geschäften der 60

württemb. Landschaft und des ständischen Ausschusses, wurde 1708 von Herzog Eberhard Ludwig zum Konsistorialdirektor in Stuttgart berufen und erhielt als solcher die Leitung des ganzen württembergischen Kirchen- und Schulwesens, wurde aber auch fortan zu diplomatischen Missionen nach Dänemark, Schweden, Polen, Preußen, Italien, England
5 verwendet. Die letzten Jahre seines Lebens brachte er meist auf seinem bei Tübingen gelegenen Landgut, dem Osiandreum, in stiller Betrachtung und ländlicher Ruhe zu, nur zeitweise noch an den Konsistorialgeschäften in Stuttgart sich beteiligend. Ein besonderes Verdienst um die württemb. Landeskirche erwarb er sich noch durch Einführung der Konfirmation im Jahre 1722—23. Sein Bild in der Tübinger Aula zeigt ein feines,
10 blasses, intelligentes Gesicht in vornehmer Haltung — das Bild eines theologischen Diplomaten und Hofmannes.

6. Johann Rudolf Osiander, Sohn des vorigen, geboren 21. Mai 1689 in Tübingen, gestorben den 25. Oktober 1725. 1715 Prof. der griechischen Sprache, 1720 ordentl. Professor der Theologie und Superattendent des Stifts, Gegner von Chr. Wolf.
15 7. Joh. Ad. Osiander der Jüngere, Neffe des Geh.-Rats Joh. D., geboren den 15. August 1701 in Tübingen, gestorben 20. November 1756 ebendas. als Ephorus des theol. Stifts und Prof. der griechischen Sprache, Verfasser verschiedener philologischer, philosophischer und theologischer Schriften, z. B. über neutestamentliche Textkritik 1739, über die Seelenwanderung 1749, de immortalitate animae etc. 1732, 4°, vgl. Bök,
20 Meusel, Rotermund, bes. aber Döring, Gel. Theologen Deutschlands, III, 173, wo auch ein Verzeichnis seiner Schriften.

8. Johann Ernst Osiander, geboren 23. Juni 1792 in Stuttgart, Diakonus in Metzingen 1820, Prof. am Seminar Maulbronn 1824, Dekan in Göppingen 1840, Dr. theol. 1860, gestorben als Prälat in Göppingen den 3. April 1870, — ein tief-
25 gegründeter schwäbischer Schrifttheolog, ausgezeichnet durch umfassende Bildung und Gelehrsamkeit, persönliche Frömmigkeit, Milde des Urteils und seltene Treue in Verwaltung seines Predigt- und Seelsorgeramts, — Verfasser verschiedener theologischer Schriften, z. B. einer Rede über Melanchthon 1830, einer Abhandlung zum Andenken G. Menkens, Beitrag zur Geschichte der ev. Theol., Bremen 1832; Apologie des Lebens Jesu gegen
30 Strauß 1837, eines Religionslehrbuchs 1839, besonders aber eines gediegenen Kommentars zu den beiden Korintherbriefen 1849 und 1858.   **(Wagenmann†) Bossert.**

Osnabrück, Bistum. — Erhard, Regesta historiae Westfaliae, Münster 1847 ff.; Wilmans und Philippi, Kaiserurkunden der Provinz Westfalen, Münster 1867 und 1881; Philippi, Osnabrücker Urkundenbuch, Osnabrück 1892 ff.; Stüve, Geschichte des Hochstifts
35 Osnabrück, Jena 1853; Philippi in d. Mt des historischen Vereins zu Osnabrück XXVII, S. 245; Jostes, Kaiser- und Königsurkunden des Osnabrücker Landes, Münster 1899; Brandi, Westd. Ztschr. XIX, S. 120 ff.

In dem Teile Sachsens, der später die Diöcese Osnabrück bildete, wurde die Missionsthätigkeit, wie es scheint, längere Zeit von den beiden Klöstern Meppen und Vis-
40 beck aus betrieben, vgl. die Urk. für Visbeck, Böhmer-Mühlbacher Nr. 681. Ihre Stiftung wird in die Zeit Karls d. Gr. fallen. Dagegen wurde das Bistum Osnabrück erst durch Ludwig d. Fr. geschaffen. So sicher diese Thatsache ist, so wenig lassen sich bestimmte Angaben über seine Begründung geben. Denn man hat in Osnabrück den Ursprung des Bistums durch eine Reihe von Fälschungen verdeckt, die seine Entstehung schon in
45 die Zeit Karls d. Gr. hinaufrücken sollten, s. die Urk. Böhmer-Mühlbacher Nr. 398, 401, 841, 1305, 1780. Man wird nur annehmen dürfen, daß die Gründung vor das Jahr 834 fällt. Denn damals wurde Meppen an das Kloster Korvey gegeben, Böhmer-Mühlbacher Nr. 906; seine Bedeutung für die kirchliche Versorgung des Landes bereits verloren gehabt haben. Später kam auch Visbeck an Korvey,
50 s. Böhmer-Mühlbacher Nr. 1371. Ist der Bischof Gedoinus, der im Jahr 829 als Teilnehmer einer Synode in Mainz nachweislich ist, Ep. Fuld. fragm. 29 S. 530, identisch mit dem Bischof Gefwin von Osnabrück, so fällt die Entstehung des Bistums in das 3. Jahrzehnt des 9. Jahrhunderts; die oben erwähnte Urkunde Böhmer-Mühlbacher Nr. 681 schließt aus, daß es im Jahre 819 bereits bestand. Zur Diöcese gehörten
55 die nördlichen Gaue Westfalens.

Bischöfe: Gefwin 829 in Mainz, Gozbert 852 in Mainz, Egibert 868 und 873 nachweislich, Egilmar 895 in Tribur, Dodbo gest. 950, Drogo gest. 967, Liudolf 967—978, Dodbo II. gest. 996, Gunther gest. 998, Othilulf gest. 1003, Thiedmar gest. 1023, Meginher gest. 1027, Gozmar gest. 1036 oder 1037, Alberich gest. 1052, Benno I.

geſt. 1067, Benno II. 1067—1088, Markward 1088—1093, Wibo 1094—1101, Johann
geſt. 1110, Gottſchalk geſt. 1118 oder 1119, Diethard 1119—1137 (Gegenbiſchof Konrad
1119—1122), Udo geſt. 1141, Philipp 1141—1173, Arnold 1173—1190, Gerhard von
Oldenburg verzichtet wahrſcheinlich 1216, Adolf von Tecklenburg geſt. 1224, Engelbert I.
von Iſenburg 1224—1226, Otto 1226—1227, Konrad von Velber 1227—1239, Engel-   5
bert II. von Iſenburg 1239—1250, Bruno von Iſenburg geſt. 1258, Baldewin geſt.
1264, Widekind von Waldeck geſt. 1268, Konrad von Rietberg geſt. 1297, Ludwig von
Ravensberg geſt. 1308, Engelbert III. von Weihe geſt. 1320, Gottfried von Arnsberg
bis 1349, Johann Hoet 1349—1366, Melchior von Braunſchweig 1368—1377, Dietrich
von Horn 1377—1402, Heinrich von Holſtein 1402—1410, Otto, Biſchof von Münſter 10
1410—1424, Johann von Diepholz 1425—1437, durch Adminiſtratoren verwaltet,
von Diepholz 1455—1482, Konrad von Rietberg 1482—1508.   **Hauck.**

Oſſat, Arnold d', geſt. 1604 als Kardinal. — **Litteratur:** Mᵐᵉ d'Arconville,
Vie du Card. d'Ossat, Paris 1771, 2 Bde.

Derſelbe mag hier eine Stelle finden, weniger weil er Kardinal war — denn ſeine 15
Thätigkeit war weder der Kirche als ſolcher, noch der Theologie gewidmet —, als weil
ſeine Briefſammlung höchſt merkwürdige Aufſchlüſſe enthält über die päpſtliche Politik
und über die kirchlichen Verhältniſſe Frankreichs im 16. Jahrhundert. Er war geboren
1536 in der Diöceſe von Auch, von geringer Herkunft. Nach trefflichen Studien, unter
anderem zu Bourges unter Cujacius, wurde er zu Paris Advokat am Parlament; er 20
zeigte ſich hier als Freund und Verteidiger des Philoſophen Ramus. Seit 1574 lebte
er großenteils in Rom, zuerſt in untergeordneten diplomatiſchen Stellungen, dann als
franzöſiſcher Geſandter; ſowohl Heinrich III. als Heinrich IV. ſetzten das größte Vertrauen in ihn; für letzteren erwirkte er, trotz mancher Schwierigkeiten, die päpſtliche Abſolution. Er genoß mehrere reiche Benefizien, ohne deren Amt zu verſehen; 1599 er- 25
nannte ihn Clemens VIII. zum Kardinal. Er ſtarb zu Rom 1604. Sein Hauptwerk
iſt die Sammlung ſeiner Briefe an den franzöſiſchen Hof; ſie wurde mehrfach (ſeit 1624)
gedruckt; die beſte Ausgabe iſt die von Amelot de la Houſſaye, nebſt einer Biographie,
Paris 1697, 2 Bde. d'Oſſat war einer der gewandteſten Diplomaten ſeiner Zeit; ſein
vieljähriger Aufenthalt in Rom hatte ihn mit den Zuſtänden und Grundſätzen des päpſt- 30
lichen Hofes vertraut gemacht; für die franzöſiſchen Könige leitete er, meiſt mit Erfolg,
die ſchwierigſten Unterhandlungen, ſo daß ſeine Briefe in dieſer Beziehung großes Intereſſe und bleibenden hiſtoriſchen Wert haben.   (C. Schmidt †) **Benrath.**

Oſtercyklus, ſiehe den Art.: Zeitrechnung, chriſtliche. — Vgl. (Van der Hagen),
Dissertationes de cyclis paschalibus, Amst. 1736,⁹ Ideler, Handbuch der Chronologie, 2. Bd, 35
Berlin 1826, S. 191—298; deſſelben Lehrbuch der Chronologie, Berlin 1831, S. 345—379.
Außerdem die Bd IX S. 715 genannten chronologiſchen Werke, vor allem: Grotefend, Zeit-
rechnung des deutſchen Mittelalters und der Neuzeit, Hannover 1891, S. 144; und Kruſch,
Studien zur chriſtlich-mittelalterlichen Chronologie, Leipzig 1880. Vgl. außerdem Bd IV
S. 697, 21 ff.; Bd IX S. 722; in dieſem Bande S. 16, 19 ff.   40

Oſtercyklus iſt eine ein für allemal feſtſtehende Reihe von Jahren, nach deren Verlauf der Oſterſonntag immer wieder in derſelben Reihenfolge auf dieſelben Monatstage
fällt. Dieſer Erklärung entſpricht genau nur der Oſtercyklus von 532 Jahren, der, obwohl er ſchon früher bekannt war, nach Victorius von Aquitanien benannt wird, weil
dieſer ihn im J. 457 für den Papſt Hilarius aufſtellte. Außer dieſem kommt haupt- 45
ſächlich noch ein 84jähriger Oſtercyklus in Betracht, der ſeit dem Ende des 3. Jahrhunderts erwähnt wird; über ihn handelt das oben genannte Werk von Kruſch. Weil die
ihm zu Grunde liegende Annahme, daß die Mondphaſen nach 84 Jahren auf dieſelben
Tage zurückkehren, bekannten aſtronomiſchen Wahrheiten zu ſehr widerſprach, mußte dieſer
84jährige Cyklus allmählich überall dem 532jährigen weichen.   50

Nicht ganz ſelten wird auch der 19jährige Mondcyklus (oder Mondzirkel), nach welchem ſchon die Alexandriner den Eintritt des Oſtervollmonds berechneten, der dann auch
im Abendland angenommen ward und noch immer zur Beſtimmung der Epakten gebraucht
wird, Oſtercyklus genannt; vgl. S. 16, 31. Nur in dieſem Sinne kann im gregorianiſchen Kalender von einem Oſtercyklus geredet werden.   **Carl Bertheau.** 55

Oſtern ſ. Paſſah, chriſtl.

33*

Osterwald, Joh. Friedr., gest. 1747. — Litteratur. Biographisches: Hauptquelle: Mus. Helvet. Part. V, Zürich 1747, enthaltend: Particularitez concernant la vie et
la mort de Msr. J. F. Osterwald, mit Verzeichnis seiner Schriften, aus Neuchâtel stammend;
ferner Jeanneret, Biogr. neuchât. I, 326 ff.; Mus. Neuchât. I, 105; Alb. d. l. Suisse Ro-
5 mande 1844; Chaufepié, Dictionnaire histor.; Unparth. Kirchenhistorie von Jena, 1754,
Bd III, S. 1005. Wertvoll zur Beurteilung der Theologie und der kirchl. Stellung O.s:
A. Bauty, J. F. Osterwald et sa théologie, Chrétien évangélique, 1862; Henriod, Galerie
Suisse, biogr. nationales, 1873, I, 503—512; A. Bonhôte, Défense d'Osterwald et de sa
théologie, Neuch. 1863; namentlich Alex. Schweizer, Centraldogm. II S. 759 ff. und die 1887
10 veröffentlichte Korrespondenz zwischen Osterwald und Turretin von M. de Budé (enthaltend
105 Briefe aus der Zeit von 1697—1737) aus der Genfer Bibliothek. Vgl. A. Perrochet:
J. F. Osterwald in „l'Eglise Nationale" 1891, Nr. 42—50; Metzger, Gesch. der Bibelübersetzung, S. 217.

Joh. Friedr. Osterwald wurde am 16. November 1663 geboren, als Sohn eines
15 Pfarrers in Neuenburg. Er gehörte einer alten vornehmen, jetzt ausgestorbenen, Familie
an. Seine Jugend fiel in die erregte Zeit des Kampfes um die Konsensusformel, welche
Zürich und Bern zum Schutz der calvinischen Orthodoxie den reformierten Geistlichen auferlegen wollten. (Die Vénérable Classe von Neuenburg hatte jedoch die Unterzeichnung
verweigert). Seine Vorstudien machte er in seiner Vaterstadt und in Zürich (bei Prof.
20 Hch. Ott). 1678 bezog er zum Studium der Philosophie und Theologie die Akademie
Saumur, wo Cappel einen großen Einfluß auf ihn ausübte. 1679 wurde er daselbst
Magister. Hierauf studierte er in Orléans und Paris bei den universalistischen Gegnern
der strengen Prädestinationslehre Claude Pajou, Pierre Alix und Jean Claude. Nachdem
er nach Saumur zurückgekehrt war, rief ihn 1681 die Krankheit seines Vaters nach Hause.
25 Nach dessen Tod ging er für einige Zeit nach Genf zu Tronchin. 1683 bestand er seine
Examina und 1686 wurde er Diacre in Neuenburg. Als er durch seine auch von Erwachsenen besuchten Kinderlehren die allgemeine Aufmerksamkeit auf sich zog, schuf man
für ihn die neue Stelle des „prédicateur du mardi". Seine Predigten fanden solchen
Zuspruch, daß man für ihn eine neue Kirche baute, den „Temple du Bas", an welcher
30 er 1699 Pfarrer wurde. 1700 wurde er, der sich bereits im Ausland einen Namen erworben hatte (sogar Fénélon sprach mit Achtung von ihm), zum Mitglied der englischen
Gesellschaft zur Ausbreitung des Glaubens ernannt. Mit englischen und holländischen
Geistlichen stand er zeitlebens in Verkehr. 1702 begann er mit Studenten Vereinigungen
zu halten, wodurch er, wie durch seine pfarramtliche Wirksamkeit und seine Schriften,
35 einen solchen nachhaltigen Einfluß auf die neuenburgische Kirche gewann, daß man ihn
den 2. Reformator Neuenburgs nannte. Er starb am 14. April 1747 an den Folgen
eines Schlages, der ihn im August 1746 auf der Kanzel getroffen hatte. Unter dieser
Kanzel wurde er begraben. Die dankbare Stadt errichtete ihm ein marmornes Standbild.
Osterwald galt lange als der Vertreter einer „milden Orthodoxie" (so Henriod und
40 Bonhôte gegen Bauty), welcher lediglich die Auswüchse des starren orthodoxen Systems
beseitigt, und dafür mit religiöser Wärme die Hauptsachen der evangelischen Wahrheit
betont habe. Aber schon Bauty hatte ihn richtiger beurteilt, als er, von dem streng calvinistischen Réveil eines Gaußen inspiriert, Osterwald des Abfalls von der Orthodoxie beschuldigte und als Vorläufer der moralistischen Aufklärung und des liberalen
45 Protestantismus hinstellte. So einseitig und ungerecht diese Beurteilung war, so
haben doch die Untersuchungen Alex. Schweizers und der kürzlich veröffentlichte Briefwechsel zwischen Osterwald und Turretin in Genf Bauty darin Recht gegeben, daß
Osterwald nicht mehr orthodox gewesen ist, und zwar nicht nur nicht orthodox im
Sinne der Ultracalvinisten, sondern auch in einem weiteren Sinne des Wortes. Den
50 Anspruch der Orthodoxie, die religiöse Wahrheit in einer systematischen Formel ausschließlich zu besitzen und für dieselbe die unbedingte Zustimmung der Gläubigen zu
fordern, außerhalb derselben aber alle anderen Formulierungen der Wahrheit als Irrtum und Ketzerei abzuweisen, diesen Anspruch hat Osterwald zeitlebens bekämpft. Allerdings hat sich Osterwald in seiner öffentlichen Wirksamkeit darauf beschränkt, diejenigen
55 Dogmen, mit welchen er nicht einig ging, einfach ohne Polemik zurückzustellen, aber
sein Briefwechsel beweist, daß er z. B. die Prädestination, die Verdammung der Heiden,
die Behauptung der „Unfähigkeit zu allem Guten", die calvin. Abendmahlsauffassung,
u. a. entschieden verwarf. Er lehnte z. B. auch alle die Prädestinationslehre mildern-
den Formeln als eine halbe Maßregel ab, er wünschte in der Liturgie die Beseitigung
60 der Worte: „inclins à mal faire, incapables à aucun bien", und verlangte die
Fortsetzung des Werkes der Reformatoren. Mit seinen Sympathien stand er entschieden

auf seiten der bern. Geistlichen im Waadtland, welche wegen ihres Widerspruchs gegen die Konsensusformel gemaßregelt wurden, so daß das Mißtrauen der bernischen Orthodoxen gegen ihn vollauf begründet war.

Osterwald war, so intensiv er auf seine Zeitgenossen eingewirkt hat, kein schöpferischer Theologe, welcher die Entwickelung der Theologie wesentlich gefördert hätte. Von 5 den Theologen von Saumur beeinflußt, vertrat er, mit Turretin in Genf und Werenfels in Basel das „helvetische Trifolium" bildend, die Opposition gegen die Orthodoxie, allerdings nicht sowohl durch theologische Streitschriften und dogmatische Beweisführungen als vielmehr dadurch, daß er in seiner kirchlich-praktischen Wirksamkeit die nach seiner Meinung überflüssig gewordenen Dogmen mit Stillschweigen überging und seiner Kirche die 10 dogmatische Freiheit, die sie seit der Ablehnung der Konsensusformel besaß, zu wahren versuchte. Aus diesem Grunde konnten ihn seine Gegner (Naudäus und die Censura Bernensis) auch nicht recht fassen. Sie hatten den Eindruck, daß sich hinter seinen Worten socinianische und arminianische Ideen verbergen könnten, sie tadelten es, daß er den Arminianern anstößigen Lehren nicht expressis verbis hervorgehoben würden, aber 15 mehr konnten sie ihm nicht nachweisen. Gut, daß ihnen seine Briefe an Turretin nicht bekannt waren! Ein Rationalist oder gar Moralist war er nicht, eher dürfte man ihn einen Geistesverwandten der Pietisten nennen, insofern er die Dogmatik durch die Bibel und die Lehrstreitigkeiten durch die Pflege persönlicher Frömmigkeit und eine warme Verkündigung des Evangeliums ersetzte. Auf diesem Gebiete der praktischen Wirksamkeit 20 liegen nun seine unbestreitbaren Verdienste. Er eröffnete seine weitere kirchliche Thätigkeit mit einer Kampfesschrift: Traité des sources de la corruption, qui règne aujourd'hui parmi les Chrétiens (1700), einer Parallelerscheinung zu Speners Pia desideria, auch in der Wirkung denselben ähnlich. Er verlangte darin die Fortsetzung des reformatorischen Werkes, die Reformation der Sitten, wobei er mit wuchtigen Hieben das 25 Fürwahrhalten der Dogmen, die Geringschätzung des Heiligungsstrebens und die Verachtung der guten Werke bei so vielen Orthodoxen geißelte. Hierin eben berührte er sich mit den Pietisten, die ebenfalls wegen ihres Widerstandes gegen die verknöcherte Orthodoxie verfolgt wurden. Er setzte es durch, daß diejenigen Pietisten, welche sich nach Neuenburg geflüchtet hatten, nicht belästigt wurden. Nach einer Unterredung mit einem hervorragen 30 den Berner Pietisten, namens Bucher, bemerkte dieser in Bezug auf Osterwald: „wenn man so in Bern reden würde, gäbe es keine Pietisten". Dennoch darf man trotz dieser übereinstimmenden Opposition gegen die Orthodoxie Osterwald nicht mit den Pietisten identifizieren. Osterwald hatte einerseits doch mehr theologisches Interesse, und andererseits leitete ihn der Satz: „Alles, was notwendig ist, ist auch klar, während das Dunkle 35 in der Religion nicht notwendig ist". Das ist ein Gefühlssatz von relativer Berechtigung, welcher zur Aufklärung und zur Philosophie des gesunden Menschenverstandes überleitete. Ebenso energisch wie gegen engherzige Theologen trat er gegen die Feinde des Christentums auf, so z. B. gegen Bayle, dessen Dictionnaire einem Voltaire die schärfsten Waffen gegen den christlichen Glauben geliefert hatte. Mit Schrecken sah er, wie der 40 Indifferentismus unter der Jugend um sich griff und die Ursache dieser Entfremdung der heranwachsenden Generation erkannte er eben in der Engherzigkeit und Unfruchtbarkeit der Orthodoxie. Darum leitete er seine Studenten an, in ihrem Amt auf die Weckung eines lebendigen Glaubens und die Pflege des sittlichen Lebens ihr Augenmerk zu richten, wobei seine eigene hingebende Wirksamkeit als Prediger und Seelsorger ihnen 45 ein leuchtendes Vorbild gab. 1702 erschien sein Katechismus, der alsbald eine große Berühmtheit und Verbreitung, aber auch Widerspruch fand. In Neuenburg wurde er sofort eingeführt und in Genf verdrängte er den Calvinschen. In der Waadt wurde er erst nach der Trennung von Bern in einer modifizierten Fassung angenommen. Auch in England, Holland und Deutschland fand er Aufnahme. Inhaltlich und formell weicht 50 er von den ältern Katechismen ab. Er zerfällt in zwei Teile: vérités und devoirs (Heilsthatsachen und Ethik). Zürich und Basel erhoben schließlich trotz vieler Bedenken um des angesehenen Verfassers willen keinen Einspruch, aber Bern opponierte heftig. Das — wahrscheinlich von Prof. Rudolf verfaßte — Gutachten beklagt die Verdrängung des Heidelbergers durch einen Katechismus, der nur eine Ethik sei, und die Unterdrückung 55 der entscheidenden Lehren, resp. die Dehnbarkeit des Ausdrucks. Daß seine dogmatische Stellung damit richtig beurteilt worden ist, ist oben bemerkt worden.

Daneben suchte Osterwald seine Zuhörer und Konfirmanden sittlich zu heben. Für sie schrieb er einen ernsten Traktat gegen die Unkeuschheit (1707). Unermüdlich war er in der Seelsorge. Er begnügte sich nicht mit den Krankenbesuchen, sondern führte all- 60

gemeine seelsorgerliche Hausbesuche ein, eine Neuerung, die ihm von dem Rate der Stadt übel bemerkt wurde. Er erklärte aber mutig, daß er fortfahren werde zu thun, was ihn sein Gewissen heißen werde. Als er bei diesen Besuchen die geistliche Unwissenheit und Verwahrlosung des Volkes inne ward, entschloß er sich, eine populäre Bibelerklärung
5 herauszugeben, die „Arguments et réflexions sur l'ecriture sainte" (1709—15), aus welchen dann infolge der Verbesserung des mangelhaften französischen Bibeltextes die berühmte „Version Osterwald" hervorging. Auch für die Hebung und Verschönerung des Kultus war er thätig. Er führte zu den bisher allein gebrauchten Psalmen christliche Hymnen ein und revidierte die Liturgie (1703), indem er den kirchlichen Gebeten eine
10 würdige Form gab. So giebt es kein Gebiet, auf dem man nicht seinen Segensspuren begegnen würde. Fehlt auch seinen Werken die wissenschaftliche Stringenz, fehlen die logischen Zusammenhänge, war er auch kein hervorragender Theologe, so war er um so größer als Pfarrer und Kirchenmann (er war lange Zeit Dekan der neuenburg. Kirche). Sein Leben ging nicht in der Negation, sondern in der Position auf. Sein aufopferndes
15 Wirken, seine wahrhaft fromme Gesinnung, seine edle Toleranz und seine Treue gegen die Kirche haben seinen Namen unter den Protestanten französischer Zunge unsterblich gemacht.   W. Hadorn.

Ostiarius. — Bingham-Grischowius II, 35 ff.; Du Cange, Glossarium graecitatis, Lugd. 1688, p. 1062; J. G. Geret, De exorcistis et ostiariis, Onoldiae 1747.
20   Es war im Altertum allgemein üblich, als Thürhüter eines Gebäudes eine Person anzustellen, die sich diesem Amt ausschließlich widmete. In den meisten Fällen war es ein Sklave, vgl. Mc 13, 34; Jo 10, 3; oder eine Sklavin Jo 18, 17; AG 12, 13. Alle besseren Privathäuser und die öffentlichen Bauten hatten ihren Ostiarius (vgl. Mar-quardt-Mommsen S. 142. 237. 239; Friedländer, Sittengeschichte⁴, S. 384). Die christ-
25 lichen Gemeinden waren genötigt, einen Pförtner zu bestellen, sobald sie eigene Kirchen besaßen, was in den größern Städten wohl schon im zweiten Jahrhundert der Fall war. Seit dem zweiten Drittel des dritten Jahrhunderts wurde der Küster zum Klerus gerechnet, und zwar zu den sogenannten ordines minores (s. oben S. 425, 26 ff.). Dieselben sind wahr-scheinlich in Rom zuerst geschaffen worden, vermutlich unter Bischof Fabian (236—250;
30 vgl. Bd V S. 721). Von Rom aus haben sie sich zunächst im Abendland, zum Teil aber auch im Orient verbreitet. Im 4. Jahrhundert hatten wohl die meisten Gemeinden einen Kleriker als Ostiarier. Gewöhnlich hat der Kirchendiener als der unterste Ordo ge-golten; bei Epiphanius De fide 21 fin. und im Chronicon Palatinum (Mai, Spici-legium Romanum IX, 133) steht er sogar hinter dem Kopiaten. Sein Titel ist in
35 der lateinischen Kirche ostiarius, selten aedituus (vgl. Bd I S. 200) oder mansio-narius; im Orient meist πυλωρός, aber auch θυρωρός, ὀστιάριος (vgl. Suicer, The-saurus s. v.; Sophokles, Lexicon s. v.) bezw. ὠστιάριος. Es lag in der Natur der Sache, daß man das Amt nur Personen gesetzten Alters anvertrauen konnte, und daß man einen häufigen Wechsel in der Besetzung vermied. Daher kam es, daß der Ostiarier
40 nicht in höhere Aemter aufrückte; das kirchliche Avancement begann mit dem Lektorat (vgl. z. B. Siricius an Himerius a. 385 c. 9; Zosimus ep. 9 an Hesychius a. 418 c. 5; Sardica a. 343 c. 10 [13]). In den christlichen Inschriften kommt der Titel ostiarius m. W. nicht vor; wohl weil das Amt zu unbedeutend und seine Träger zu bescheidene Persönlichkeiten waren. Ein Ordinationsritus, dessen centraler Akt die Übereichung der
45 Kirchenschlüssel bildet, ist in den Statuta ecclesiae antiqua c. 9 (vgl. Bd X S. 111 f.) angegeben, ausführlicher in dem Sakramentar Gregors MSL 78, 218. Der Ordo scheint im Orient früher eingegangen zu sein als im Occident. Man kann schon an den Aposto-lischen Konstitutionen sein Verschwinden beobachten, vgl. Bd I S. 738, 41 ff. Doch ver-ordnete noch Justinian Novella III 1, daß die große Kirche in Konstantinopel nicht
50 mehr als hundert Ostiarier haben sollte; Heraklius setzte ihre Zahl an derselben Kirche auf 75 fest, MSG 104, 556; und noch das Trullanum 692 c. 4 erwähnt sie. Dagegen führt Denzinger, Ritus Orientalium zu keiner Kirche des Orients einen Ostiariat als bestehend auf (die scheinbare Ausnahme bei Armenien II, 278 ist vermutlich auf littera-rischen Einfluß von Rom zurückzuführen). Auch in der lateinischen Kirche sind die Küster
55 keine Kleriker mehr. Es wird aber dem angehenden Kleriker der Form nach die Ostia-riatsweihe erteilt; vgl. das Pontificale Romanum. Das Tridentinum wollte die Or-dines minores wiederherstellen; vgl. s. 23 c. 17.   H. Achelis.

Ostjordanland s. Peräa.

Otfrid von Weißenburg, deutscher Dichter des 9. Jahrhunderts. — Da Pipers Edition (1, 269 ff. 2, 689 ff.) die bis 1884 erwachsene Litteratur über O. fast lückenlos aufzählt und in der 5. Aufl. von W. Braunes Ahd. Lesebuch (Halle 1902) alle wichtigeren Arbeiten, die sich mit dem Evangelienbuch beschäftigen, sorgfältig verzeichnet stehen, so kann ich mich darauf beschränken, diejenigen Hilfsmittel der Forschung namhaft zu machen, welche für die nachfolgende Darstellung vornehmlich benutzt wurden. Ausgaben: von J. Kelle (3 Bde, Text, Grammatik und Glossar, Regensburg 1856—81), P. Piper (2 Bde, Text Paderborn 1878, Titelaufl. Freiburg 1882, Glossar Freiburg 1884), O. Erdmann (Halle 1882). Die letztgenannte bietet den zuverlässigsten Text und den besten Kommentar, aber für wissenschaftliche Zwecke kann neben ihr Kelles erster Band nicht entbehrt werden, der allein die Lesarten des Frisingensis vollständig enthält; allerdings muß man E. Sievers' Kollation ZdA 19, 133 ff. beiziehen. — Verhältnis der Hss.: O. Erdmann, ZdPh 11, 80 ff.; ders., Ueber die Wiener und Heidelberger Hf. des O., Berlin 1880. Gute Faksimilia der Hauptmss. in der sonst verfehlten Monographie von P. Piper: O. und die übrigen Weißenburger Schreiber des 9. Jahrh., Frankfurt a/M. 1899. — Biographie: K. Lachmann, Kleinere Schriften 1 (1876), 449 ff.; J. Kelle, Gesch. der deutschen Litteratur 1 (Berlin 1892), 150 ff. 363 ff.; R. Kögel, Geschichte der deutschen Litteratur 1, 2 (Straßburg 1897), 1 ff.; ders., Grundriß der germ. Philologie von H. Paul, 2² (1901), 112 ff.; G. Meyer v. Knonau, Forschungen z. deutschen Gesch. 19 (1878), 187 ff. — Würdigung vom theologischen Standpunkt: A. Hauck, Kirchengesch. Deutschlands 2² (1900), 768 ff. — Quellenfrage: A. Schönbach, Otfridstudien ZdA 38, 209 ff. 336 ff. 39, 57 ff. 368 ff. 40, 103 ff.; M. L. Plumhoff, Beiträge zu den Quellen O.s, Kieler Diss. 1898; ders., ZdPh 31, 464 ff. 32, 12 ff.; K. Marold. Germ. 31, 119 f. 32, 385 ff. — Metrik und Poetik: K. Lachmann, Kleinere Schriften 1 (1876), 358 f.; P. Schütze, Beiträge zur Poetik O.s, Kiel 1887; W. Wilmanns, Beiträge zur Gesch. der älteren deutschen Litteratur 3. Der altdeutsche Reimvers, Bonn 1887; E. Sievers in Paul-Braunes Beitr. 13, 121 ff.; F. Saran, Ueber Vortragsweise und Zweck des Evangelienbuches O.s v. W., Hallenser Habilitationsschrift 1896, vgl. A. Schönbach ZdA 42, 120 f.; ders., Zur Metrik O.s v. W. in den Philologischen Studien, Festgabe für Sievers (Halle 1896) S. 179 ff.; K. Zwierzina, ZdA 44, 13 ff. — Abfassungszeit des Evangelienbuches: W. Luft, ZdA 40, 246 ff. — Sprache: Müllenhoff und Scherer, Denkmäler³ (Berlin 1892) 1, XX ff.

Aus übereinstimmenden Listen der Verbrüderungsbücher von St. Gallen und Reichenau (P. Piper, Libri confraternitatum I, 215, 21. 217, 15; II, 184, 22. 32; II, 252, 19. 253, 22) erhellt, daß dem Kloster Weißenburg im Speyergau zur Zeit des Abtes Grimald (urkundlich bezeugt 828—37. 846—61) zwei Mönche mit Namen Otfrid angehörten. Nur der eine kehrt in dem Verzeichnis, das nach des Herausgebers vager Vermutung die Konventualen unter Abt Gerhoh (819—26) aufzählt, II, 182, 30 wieder. Die Behauptung also, daß der Dichter um das Jahr 825 in das Stift eingetreten sei, steht auf recht schwachen Füßen. Es muß sogar zweifelhaft bleiben, welcher der beiden Otfride das Original zweier im Weißenburger Kopialbuch erhaltenen Urkunden o. J. und von 851 (K. Zeuß, Traditiones Wizenburgenses Nr. 165 und 204 = 254) geschrieben hat. Ganz verschieden von ihnen dürfte der Schulleiter Otfridus gewesen sein, dessen ein fragmentarisch überliefertes, in holprigem Latein abgefaßtes Weißenburger Gedicht aus dem Anfang des 10. Jahrhunderts Erwähnung thut (ZdA 19, 117). So basiert unser Wissen über den ersten namentlich bekannten hd. Poeten, den ältesten tihtari, bloß auf den 7416 Langzeilen seines Liber evangeliorum domini gratia theotisce conscriptus (der nach Analogie des Heliand von Graff willkürlich ersonnene Titel „Krist" fiel längst verdienter Vergessenheit anheim) und auf seiner lateinischen Zuschrift an Erzbischof Liutbert. Dies Wissen ist nicht nur dürftig und lückenhaft, sondern auch infolge von O.s breiter und unpräziser Ausdrucksweise vielfach unsicher.

Daß die südfränkische Mundart, in welcher das Evangelienbuch gedichtet ist, auch O.s Muttersprache war, daß er somit aus der Nähe von Weißenburg stammte, haben wir allen Grund anzunehmen. Nur einmal, soweit wir nachzuweisen vermögen, verließ er für längere Zeit die Heimat. Er nennt nämlich den Hrabanus Maurus seinen Erzieher, hat also die Schule zu Fulda besucht. Dort wird er auch Salomos Unterweisung, den er als seinen Lehrer rühmt, genossen haben. Ist das richtig, so muß dieser Lebensabschnitt, dem vielleicht die bewegliche Klage des Dichters über das eilenti I, 18, 25 ff. gilt (in geistlichem Sinne läßt sie schwerlich mit Erdmann sich ausdeuten), vor das Jahr 838 fallen: denn damals bestieg Salomo den Konstanzer Bischofsstuhl. Ob O.s Freundschaft mit den St. Galler Mönchen Hartmuat und Werinbraht gleichfalls aus Fulda datiert, steht nicht fest. Erst der Rückkehr nach Weißenburg folgte vermutlich die Priesterweihe sowie der Impuls zur Abfassung des Evangelienbuchs. O. schreibt an Liutbert, der sonus rerum inutilium und der laicorum cantus obscenus, d. h. deutsche Lieder weltlichen und heidnischen Inhalts, hätten das Mißfallen bewährter Männer, sicherlich von geist-

lichem Stand, erregt. Daher seien einige Brüder (welche zu der Zeit, als jene Zuschrift
erging, bereits tot waren, denn analog dem Prädikat venerandae memoriae, das er
dem 856 verstorbenen Erzbischof Hraban beilegt, nennt O. sie memoriae digni), nament=
lich aber eine veneranda matrona Judith, eine bejahrte geistliche Frau (keinesfalls die
5 Witwe Ludwigs des Frommen) in ihn gedrungen, er möchte sich einer partiellen Über=
setzung der Evangelien unterziehen. Hingewiesen hätten sie zugleich darauf, daß sowohl
die heidnischen Dichter Vergil, Lucan, Ovid als die christlichen Juvencus, Arator, Pru=
bentius sämtlich in ihrer Muttersprache teils die Thaten ihrer Volksgenossen, teils die
Reden und Wunder des Heilands zu feiern bestrebt gewesen wären, während die deutsche
10 Sprache solchen Mustern nichts ähnliches zur Seite stellen könnte. Überall denkt hier
O. nur an schriftliche Konzeption; er kannte niedergeschriebene deutsche Darstellungen aus
der vaterländischen und der für ihn damit zusammenfallenden heiligen Geschichte weder in
Prosaform noch in poetischer Gestalt, von mündlich tradiertem historischem oder geistlichem
Gesang schweigt er durchweg.
15 Der ihm ausgesprochenen Bitte, welche vorauszusetzen erlaubt, daß er seinen Kreisen
für einen künstlerisch veranlagten Mann galt, kam O. nach. Er dachte bei seiner Arbeit
zuvörderst an seine Standesgenossen: das geht hervor aus den unzähligen Stellen, an
denen er die Leser auffordert, um der genaueren Information willen die Quellen selbst
einzusehen. Ihnen sollte die Lektüre den Geschmack an weltlichen Spätzen verleiden.
20 Für Laien war das Gedicht allerdings auch, aber doch nur soweit bestimmt, als sie die
Möglichkeit besaßen, es sich vorlesen zu lassen. Daher begreift sich sein spezifisch gelehrter
Charakter. O. wählte von den erzählenden Abschnitten der Evangelien zumeist diejenigen
aus, welche die Kirche zu Perikopen bestimmt hatte; darum nennt er auch sein Werk
pars evangeliorum, evangeliono deil. Sie waren in dem ihm vorliegenden Bibel=
25 exemplar wahrscheinlich durch irgend welche Zeichen kenntlich gemacht: denn da die Folge
der Perikopen im Kirchenjahr gänzlich von der Ordnung des Gedichts abweicht, so kann
sich O. nicht einfach eines Lektionars bedient haben. Aber in dem Evangelienbuch be=
gegnen nicht nur Gedanken, Anschauungen und Worte der Bibel, einschließlich der Apo=
kryphen, sondern in reichem Maß auch solche der Kirchenväter und der Theologen des
30 frühen Mittelalters, diese namentlich in den reflektierenden, geistliche Deutung der geschil=
derten Begebenheiten anstrebenden Kapiteln, welche mit den Überschriften mystice, spiri=
taliter, moraliter versehen sind. Außer dem Einfluß der Homilien Gregors des Großen
und einiger Schriften Augustins hat man vor allem Benutzung der Kommentare des
Hraban und des Paschasius Radbertus zu Matthäus, des Alcuin zu Johannes und des
35 Beda zu Matthäus, Lukas und Johannes sicher nachgewiesen. Doch darüber, in welcher
Form diese massenhafte theologische Gelehrsamkeit O. zugänglich wurde, gehen die Mei=
nungen auseinander. Es besteht indes größere Wahrscheinlichkeit, daß ihm neben dem
eigenen Gedächtnis irgend ein Kompendium (schwerlich allerdings die Glossa des Walah=
frid Strabus) die Resultate der spekulierenden Forschung vermittelte, daß er z. B. ein mit
40 Rand= und Interlinearerklärungen ausgestattetes Evangelienexemplar oder ein bei Hraban
nachgeschriebenes Kollegienheft benutzt hat, als daß wir ihn uns mühselig zwischen Büchern
und Exzerpten wühlend vorzustellen haben. Diesen aus der Bibel und den Kommen=
tatoren geschöpften Stoff verteilte der Dichter auf 5 Bücher, angeblich damit ihre Fünf=
zahl zur Heiligung und Läuterung der 5 Sinne beitrüge, thatsächlich aber eher dem
45 Muster des Juvencus folgend: denn der echte Titel seines Gedichts Liber evangelio=
rum scheint auch für die Namengebung von O.s Werk bestimmend gewesen zu sein. Das
erste Buch behandelt Christi Geburt und Taufe, das zweite führt nach einem Rückblick
über die Bedeutung der Mission des Herrn und über die Zeichen bei seiner Geburt die
Darstellung seines Lebens von der Versuchung in der Wüste weiter bis zur Heilung des
50 Aussätzigen nach der Bergpredigt, das dritte verbreitet sich über ausgewählte Wunder und
endet mit dem Beschluß der Hohenpriester, Christum zu töten, das vierte berichtet die
Leidensgeschichte, das fünfte schildert endlich Auferstehung, Himmelfahrt und jüngstes Ge=
richt. Alle Bücher zerfallen in eine Reihe nach Zahl und Umfang ungleicher Kapitel,
deren jedes zwar einen ungefähr abgeschlossenen, in einer knappen lateinischen Überschrift
55 ausgedrückten Inhalt besaßt, bei den ständigen Rückverweisen auf früher Gesagtes (thes
ih hiar obana giwuag u. s. tw., s. Schütze S. 48) sich jedoch kaum zur Einzelvorlesung
eignete: man sieht daraus wieder recht, daß O. als schreibender und entwickelnder Ge=
lehrter zu Werke ging. Diese Kapitel sind nicht sämtlich in der Reihenfolge verfaßt, in
welcher sie jetzt vorliegen. O. giebt selbst an, daß er im Anfang und am Schluß seines
60 Gedichts der Ordnung der Evangelien treu sich angeschlossen, in der zuletzt ausgearbeiteten

Mitte hingegen manche Parabeln und Wunder, um einer Ermüdung der Leser zu begegnen, übergangen und nur vorgebracht habe, was ihm in das Gedächtnis gekommen sei. Wirklich machen gewisse Partien des ersten Buches, in denen noch zuweilen Alliteration auftritt oder der Reim fehlt, einen recht altertümlichen Eindruck. Aber jene zuletzt ausgearbeitete Mitte scheint nicht auf O.s ganzes drittes und viertes Buch, sondern nur 5 auf bestimmte Kapitel derselben, nach Erdmann auf III, 14. IV, 6. 7. 15, bezogen werden zu müssen, welche Berichte verschiedener Evangelien in knappen Auszügen vereinigen. Alles weitere harrt noch der Untersuchung. Nur mittels minutiöser Beobachtung der O.schen Technik wird sich feststellen lassen, ob Erdmann mit Recht ein vierfaches Entwickelungsstadium für das Evangelienbuch annahm: früheste Versuche, dann allmähliche 10 Herstellung des Ganzen, weiter Einfügung selbständiger Stücke zur Ausfüllung und Abrundung, endlich Schlußredaktion mit Zusätzen, neuen Kapiteln und einzelnen Dedikationen.

Für uns stellt O.s Evangelienbuch das älteste hd. Denkmal in der neuen Form des Reims dar. Aber es ist völlig unglaublich, daß O. den Reim zuerst in Deutschland eingebürgert hat. Wäre das der Fall, so müßte seine Reimkunst weit unvollkommener sein, so würde trotz 15 aller zur Schau getragenen Bescheidenheit er ebenso wenig unterlassen haben, sich seiner Neuerung zu rühmen, als er in der Zuschrift an Liutbert es verabsäumte, die Schwierigkeiten hervorzuheben, welche der erstmaligen schriftlichen Fixierung eines deutschen Dichtwerks sich in den Weg stellten. Diese Widmung spricht ferner vom Reim als einer landläufigen Sache, sie bemerkt sogar ausdrücklich: quaerit enim linguae hujus ornatus ... 20 a dictantibus omoeoteleuton (id est consimilem verborum terminationem) observare „die poetische Rede verlangt in dieser Sprache, daß ... die Dichter den Reim, d. h. den Zusammenklang der Wortenden, beobachten". Das Evangelienbuch ist in wenigen, nächst verwandten, direkt auf O.s Handexemplar zurückgehenden Hff. uns überkommen, hat demnach nur minimale Verbreitung gefunden: wie soll man sich denken, daß 25 das bloß 10 Jahre jüngere Ludwigslied, daß vollends die Gesamtentwickelung der deutschen Poesie maßgebend und dauernd von ihm beeinflußt sei? Man muß vielmehr voraussetzen, daß O. reichliche Muster gereimter deutscher Dichtung (ob weltlichen oder geistlichen Inhalts, läßt sich schwer entscheiden) kannte. Den Endreim hatten diese nur mündlich überlieferten Lieder aus dem romanischen Teil des Frankenreichs bezogen. Sie 30 standen aber zu der germanischen Alliterationspoesie noch in einem andern bemerkenswerten Gegensatz: ihre Verse waren nicht mehr zweitaktig, sondern vierhebig gebaut. Allerdings erweisen die rhythmischen Accente, mit welchen noch O. dem Vorleser Behelfe für richtigen Vortrag geben zu müssen glaubte, daß zwei Hebungen höher betont waren als die beiden andern; und ältere Partien des Evangelienbuches (insbesondere I, 5) 35 lassen sich fast zwanglos den zweitaktigen Typen des Alliterationsverses gemäß lesen. Man hat darum den neuen Reimvers für ein Kompromiß zwischen lat. Hymnen- und deutschem Alliterationsvers erklärt. Dem steht indes das Bedenken entgegen, daß der tetrapodische Hymnenvers geregelten Wechsel von Arsis und Thesis zeigt, während der Reimvers gleich dem Alliterationsvers Auflösung und Zusammenziehung beider beliebig 40 gestattet. Allerdings hat O. unter dem Einduck lat. Vorbilder im Verlauf seiner Arbeit immer mehr nach gleichmäßigem Wechsel zwischen Hebung und Senkung getrachtet; aber daß hierin nur ein individuelles Bestreben gesehen werden darf, thut der altertümlichere Charakter der etwas jüngeren hd. Reimgedichte, des Ludwigs- und Georgsliedes, der Samariterin u. s. w. dar. So muß man annehmen, daß die Vierhebigkeit des Reim- 45 verses in Deutschland ihren Ursprung hat und daß dorther auch O.s Strophenform stammt: zwei Langzeilen, jede bestehend aus zwei durch den Reim gebundenen Halbzeilen mit 4 Hebungen. Sie dient ihm freilich fast nur als äußerlicher Schmuck, denn sehr häufig geht der Sinn aus einem distichischen Abschnitt in den andern über.

In langjähriger Arbeit war das Evangelienbuch allmählich zum Abschluß gelangt. 50 Nun ließ der Dichter sein Originalkonzept, das vermutlich aus einzelnen stark durchkorrigierten Blättern und Blättchen bestand, von 2 Schreibern (nur I, 11, 27—30 rührt von einer dritten und ungeübten Hand her) mundieren. Er revidierte dann eigenhändig ihre Reinschrift, noch während sie hergestellt wurde (denn einzelne kleinere Stücke, wie IV, 29, 13—30, 5. Hartm. 106 ff. hat er selbst geschrieben), und versah gleichzeitig jeden Halb- 55 vers mit seinen rhythmischen Accenten. Dies Stadium der Überlieferung repräsentiert der Codex V(indobonensis): Dank ihm besitzen wir, was sonst innerhalb unserer älteren Litteratur kaum je der Fall ist, das Werk des Autors in einer Ausgabe letzter Hand, von ihm muß daher alle kritische Beschäftigung mit dem Gedicht ihren Ausgang nehmen. Aus V wurde der Codex P(alatinus), jetzt in Heidelberg, gleichfalls von 2 Schreibern 60

kopiert, und aus ihm floß auch eine mit besonderer Pracht hergestellte, leider nur in Bruchstücken, die zu Berlin, Bonn und Wolfenbüttel aufbewahrt werden, erhaltene Hs., der Codex D(iscissus). Ob ein viertes, zu Beginn des 10. Jahrh. auf Befehl des Bischofs Waldo von Freising, des Großneffen Salomos I. von Konstanz und Freundes
5 Hattos von Mainz, durch den Priester Sigihard geschriebenes Ms., der Codex F(risingensis), jetzt in München, der für den Text nicht mehr in Betracht kommt, direkt aus V oder aus einer zwischen V und P zu statuierenden Mittelstufe stammt, bedarf noch der Untersuchung: wir wissen, daß Waldo sich aus Weißenburg die Vorlage borgte, daß er aber neben V noch P vergleichen ließ, hat geringe Wahrscheinlichkeit. Über sonstige
10 Hss. besteht nur unzuverlässige Kunde. Das fertiggestellte Buch wurde dann von O. versandt. Ein Exemplar ging an K. Ludwig den Deutschen, eins an Erzbischof Liutbert von Mainz, eins an Bischof Salomo I. von Konstanz, eins endlich nach St. Gallen an Hartmuat und Werinbraht. Das entnehmen wir den Zuschriften, welche das Evangelien=buch in den Hss. VP begleiten. Drei sind in deutschen Versen derart abgefaßt, daß aus
15 den Anfangsbuchstaben der geraden und den Endbuchstaben der ungeraden Langzeilen die folgenden Acrosticha resp. Telesticha hervorgehen: Luthouuico orientalium regnorum regi sit salus aeterna; Salomoni episcopo Otfridus; Otfridus Uuizanburgensis monachus Hartmuate et Uuerinberto sancti Galli monasterii monachis; die Liutbert gesandte vierte dagegen, in Prosa gehalten, bedient sich eines durchweg deutsch
20 gedachten Lateins. Bemerkenswert ist, daß O. vor dem König seinen Namen verschweigt, Salomo gegenüber ihn an letzte Stelle rückt, in der Widmung an die St. Galler aber ihm den vordersten Platz anweist. Nicht minder entspricht der Konvenienz die Folge der Zuschriften: König, Erzbischof, Bischof. Diese drei stehen den Evangelienbuch voran und nehmen in V besondere Lagen resp. die leer gelassene Vorderseite von Blatt 1 des ersten
25 Quaternionen ein: die Widmung an Salomo schrieb der erste, die für Ludwig der zweite Schreiber des Kodex; daß mit der Kopie der Zuschrift an Liutbert ein anderer, sonst bei der Herstellung der Hs. nicht beteiligter Arbeiter betraut wurde, hatte seinen Grund wohl nur in der lat. Sprache des Stückes. Alle drei dürften bloß für die je=weiligen Dedikanden bestimmt gewesen sein und sollten nicht sämtlichen Exemplaren vor=
30 gesetzt werden. Hingegen scheint mir die Widmung an die St. Galler, welche den Schluß des ganzen Werkes bildet, einen integrierenden Bestandteil desselben ausgemacht zu haben. Denn trotz dem Akrostichon ist sie keine persönliche Dedikation, sondern gilt dem durch Ge=betsverbrüderung eng mit Weißenburg verbundenen, lange Zeit von dem gleichen Abt Grimald regierten Kloster des hl. Gallus; die vier letzten Zeilen mit der namentlichen
35 Nennung Hartmuats und Werinbrahts stehen außerhalb des akrostichischen Gefüges und sind wohl erst später zugefügt. Und auch Arator verwies die hauptsächlichste seiner Wid=mungen an das Ende. Vielfach freilich hat man behauptet, die Zuschriften an die St. Galler und an Salomo hätten nur Teile des Werkes begleitet und rührten aus erheblich früherer Zeit her: doch dafür liegen stichhaltige Gründe nicht vor. Daß das Schreiben
40 an Liutbert, welches mit Hilfe der Terminologie Donats und Bedas den Erzbischof über die Normen der Metrik und Orthographie des Evangelienbuchs unterrichten soll, ein förm=liches Gesuch um kirchliche Genehmigung enthalte, so daß erst nach erfolgter Approbation die weitere Versendung des Gedichts hätte vor sich gehen dürfen, ist mir wenig wahr=scheinlich: O. bittet bloß um Empfehlung in geistlichen Kreisen, falls der Kirchenfürst das
45 Unternehmen billige. Vielleicht hat ihn zur Abfassung dieser Zuschrift nur die Pietät gegen seinen alten Lehrer Hraban, den mittelbaren Vorgänger Liutberts auf dem Mainzer Stuhl, in gleicher Weise bewogen, wie Dankbarkeit seinen Brief an Salomo diktierte.

Auf Grund der besprochenen Dedikationen läßt sich die Zeit der definitiven Voll=endung des Evangelienbuches ungefähr feststellen: sie fällt in die Jahre 863—871. Denn
50 Liutbert wurde 863 Erzbischof, Salomo starb 871, seit 872 leitete Hartmuat als Abt das Stift St. Gallen. Innerhalb dieses Zeitraums ein spezielles Jahr (man hat 865, 868 und neuerdings 870 vorgeschlagen) zu bezeichnen empfiehlt sich darum nicht, weil der Preis der fridosamo ziti (Ludw. 19) zum Stil derartiger Zuschriften gehört und aus ihm schwerlich Schlüsse gezogen werden dürfen.
55 Irgend ein Einfluß O.s auf die Litteratur der Folgezeit läßt sich mit Sicherheit nicht nachweisen; Anklänge, welche man in Dichtungen des 12. Jahrh. hat wahrnehmen wollen, sind höchst problematischer Natur. Auch der baierische Bittgesang an den hl. Petrus kann seine Zeile 8 daz er uns firtanen gluuerdo ginaden nicht dem Ende von O. I, 7 Johannes druhtines drut willit es bithihan (reimlos), thaz er uns
60 firdanen giwerdo ginadon entlehnt haben, denn im Evangelienbuch treten beide Lang=

zeilen ganz abrupt und ohne Zusammenhang mit dem vorhergehenden auf, so daß hier nur zum Zweck der Abrundung die Formel eines verbreiteten Gebets angeflickt scheint. Der dem Muspilli B. 14 mit O. I, 18, 9 gemeinsame Langvers aber **Thar ist lib ana tod, lioht ana finstri** wiederholt bloß eine durch die Predigt in deutscher Zunge festgeprägte Version der lat. Wendung **ubi lux sine tenebris et vita sine morte.** So blieb O. verschollen, bis seit 1495 an mehreren Orten Trithemius sein Andenken erneuerte, B. Rhenanus 1531 die Hf. F entdeckte, Flacius Illyricus in der 2. Auflage des **Catalogus testium veritatis** (1562) die' Zuschrift an Liutbert (wohl nach V) abdrucken ließ und 1571 zusammen mit dem Augsburger Arzt Pirminius Gassar das Evangelienbuch nach der damals in Ulrich Fuggers Besitz befindlichen Hf. P zum erstenmal herausgab.

Die geringe Wirkung des Gedichts begreift sich unschwer. Für O. standen weniger die Thaten des Herrn als ihr symbolischer Sinn und die sich anknüpfenden dogmatischen Fragen im Vordergrund des Interesses. Ängstlich besorgt um kirchliche Rechtgläubigkeit und angethan mit der schweren Rüstung theologischen Wissens, schreibt er durchweg als Gelehrter. Er schreibt aber auch als asketischer Mönch. Zwar auch er germanisiert unwillkürlich den biblischen Stoff, aber die farbensatten Bilder aus dem irdischen Leben, welche der Verfasser des Heliand malt, und seine naive Fröhlichkeit fehlen ganz. Die Welt gilt vielmehr für ein Jammerthal, für eine Stätte der Verbannung, für einen sturmgepeitschten See; den himmlischen Wohnungen, in denen auch der Dichter seinen Lohn erhofft, wendet sich alle Sehnsucht zu. Wir freuen uns des nationalen Eifers, welcher Ottfrid erfüllt und welcher besonders im Eingangskapitel des ersten Buchs zu schwungvollem Ausdruck gelangt; uns rührt auch die Tiefe seines rein menschlichen Empfindens, das zumal in mehreren ausgeführten Vergleichen herzbewegende Töne zu finden weiß: Gottes nachsichtige Huld setzt er III, 1, 31 ff. in Parallele zu der sorgenden Obhut einer Mutter, die zwar ihr Kind strafen muß, mit der gleichen Hand es aber wider jeden Fremden verteidigt; psychologisch zergliedert er V, 11, 29 ff. 23, 35 ff. die Gefühle, welche den Mann beim Nahen der Geliebten ergreifen, oder welche der fernen Freund vor das Auge seiner Seele zaubern; I, 20, 9 ff. schildert er mit warmem Anteil den Jammer der bethlehemitischen Weiber, I, 22, 41 ff. Marias Angst um den zwölfjährigen Jesusknaben und I, 11, 39 ff. ihr Mutterglück. Der schönen Schilderung des Heimwehs wurde bereits gedacht. Doch auf solche Perlen wahrer Poesie stößt man in der öden Steppe breitester Redseligkeit und ungenießbarer Allegorie nur selten. Denn vom ästhetischen Standpunkt aus angesehen ist das Evangelienbuch ein Zwitter, in unbeholfene Verse gekleidete Theologie, weder ein Epos noch eine Reihe frommer Hymnen. Aber historisch betrachtet legt es glänzendes Zeugnis ab von der Bildung des deutschen Klerus der Karolingerzeit. Und unschätzbaren Wert besitzt es für die Forschung: denn auf ihm fast allein beruhen unsere sicheren Kenntnisse von ahd. Metrik, Syntax und Wortbildung.   E. Steinmeyer.

Othniel. — 1. Der Name kommt zunächst in der Geschichte der Eroberung Kanaans durch Israel vor. In Ri 1, 11 ff. (vgl. Jos 15, 15 ff.) wird berichtet: Nachdem die Judäer zunächst einige kanaanäische Könige, die sich ihnen in den Weg gestellt hatten, besiegt haben, dringen sie, Kaleb an der Spitze, gegen Kirjath-Sepher, das nachmalige Debir, vor. Kaleb erklärt: wer Kirjath-Sepher erobere, dem solle seine Tochter Achsa zum Lohne werden. Da nahm Othniel, der Sohn des Kenas, der jüngere Bruder Kalebs, die Stadt ein und Kaleb giebt ihm Achsa zur Frau. Durch List weiß sie, als sie ihrem neuen Gatten zugeführt wird, bzw. als sie mit ihm den Einzug in die eroberte Stadt hält, ihren Vater zu bestimmen, ihr noch ein besonderes Abschiedsgeschenk in Gestalt wasserreicher Quellen zu geben.

Da auch Kaleb selbst sonst als Kenisit oder Kenassohn (Nu 32, 12; Jos 14, 6. 14 vgl. 15, 17) bezeichnet wird, so findet darin die Nachricht: Othniel, den wir hier als Bruder Kalebs kennen lernen, sei ein Sohn des Kenas gewesen, ihre Bestätigung. Freilich heißt Kaleb sonst der Sohn Jephunnes, des Kenisiters. Ist diese Nachricht richtig, so könnte Kaleb ein direkter Sohn des Kenas gewesen sein, sondern lediglich ein Glied eines Stammes oder Clans Kenas. Einen solchen kennen wir als von Hause aus edomitischen Clan aus Gen 36, 15. 42. In diesem Falle ist natürlich auch Othniel, da er nicht Sohn Jephunnes heißt, sondern nur Sohn des Kenas, nicht der leibliche Bruder des Kaleb, sondern sein Stammesbruder, ebensowenig der leibliche Sohn des Kenas, sondern lediglich ein Kenassohn in demselben Sinne wie Kaleb selbst, ein Kenisit. — Es scheint allerdings, daß der Verfasser von Ri 1 Othniel als leiblichen Bruder Kalebs ansah. Dafür spricht der Zusatz הַקָּטֹן מִמֶּנּוּ „sein jüngerer (Bruder)". Allein es verdient alle

Beachtung, daß der parallele Text in Jos 15, 17 gerade diesen Zusatz nicht hat. Er sieht an sich schon wie eine junge Glosse aus und wird durch diesen Umstand noch mehr als solche gekennzeichnet. Ist diese Annahme richtig, so hätte der Erzähler selbst Othniel lediglich als Kenisiten und somit Stammgenossen Kalebs bezeichnen wollen.

5 Man ist gegenwärtig vielfach geneigt, die oben skizzierte Erzählung im Sinne einer bloßen Stammesgeschichte zu fassen. Da Kenas als ein ehemals edomitisches, später in Juda eingegliedertes Geschlecht bekannt ist, so soll Othniel ebenso wie Kaleb ein Untergeschlecht aus Kenas darstellen, das sich etwa zum Zweck der Einnahme Debirs, oder nach derselben zum Zweck der Besiedelung der Stadt mit Kalebs „Tochter" d. h. dem 10 andern kalebitischen Unterstamm Achsa verbunden habe. Daß eine solche Deutung in manchen Fällen im AT zulässig und geradezu geboten ist, geht aus der Art und Weise hervor, wie je und dann Stammesverhältnisse ganz in der Redeweise einer Familiengeschichte und eines Familienstammbaumes vorgeführt werden. Vgl. meinen Kommentar zum Chronikbuch zu 1 Chr 2—4 (S. 7 ff.).

15 Eine ganz andere Frage ist, ob sie in unserem Falle zulässig oder gar geboten sei. Sie läßt sich aber nicht wohl für sich, sondern nur in größerem Zusammenhang entscheiden. Mindestens müßte die Gestalt Kalebs, und im Zusammenhang mit ihr wohl auch diejenige Josuas einer genaueren Untersuchung unterzogen werden, um über diejenige Othniels ein abschließendes Urteil zu gewinnen. Streng genommen müßte sogar 20 durch genaue und allseitige Erörterung der Patriarchengeschichte erst zuvor der Grundlage gelegt sein. Soviel läßt sich aber hier schon behaupten: wenn die oben gegebene Deutung des Verhältnisses Othniels zu Kaleb im Sinne unseres ersten Erzählers richtig ist, so liegt in diesem Verhältnis jedenfalls keinerlei Nötigung, von der Fassung Othniels im Sinne einer Einzelperson — und dann noch wohl einer geschichtlichen — abzugehen.

25 2. Ein zweitesmal kommt Othniel vor Ri 3, 7 ff. Bald nach Josuas Tode, heißt es hier, thaten die Israeliten was Jahve mißfiel, weshalb er sie in die Hände Kusan Risathaims, des Königs von Aram Naharaim gab. Als sie zu ihm schrieen, erweckte er ihnen einen Retter, den Othniel, Sohn des Kenas, den jüngeren Bruder Kalebs, der jenen Gegner besiegte, so daß das Land 40 Jahre lang Ruhe genoß.

30 Hier ist, wie der ganz gleichlautende Ausdruck zeigt, ohne allen Zweifel derselbe Othniel gemeint, wie unter Nr. 1. Andererseits wird natürlich, wenn dort Othniels Bezeichnung als eines jüngeren Bruders Kalebs später Zusatz ist, dasselbe für unsere Stelle anzunehmen sein. Wir hätten es demnach auch hier einfach mit dem judäischen Kenisiten Othniel zu thun. Er müßte bald nach der Eroberung des Gebirges Juda in 35 neue, fast noch schwerere Kämpfe verwickelt worden sein. Freilich läßt sich über den historischen Charakter des hier von ihm Berichteten wenig sagen. Im günstigsten Falle handelt es sich um eine ganz allgemein gehaltene, weil völlig verblaßte Kunde von einem Eingreifen Othniels in Kämpfe, die in jener Zeit etwa von syrischen Dynasten mit mesopotamischen Herrschern geführt wurden. Eine Befreiung „Israels" als Nation von 40 fremdem Joche kann nach der Lage der Dinge kaum in Frage kommen.

Der Meinung freilich, daß Othniel als Richter seine Entstehung lediglich dem Bestreben des spätern Verfassers verdanke, auch für Juda einen Richter zu schaffen (Wellhausen), wird sich schwerlich erhärten lassen. Auch die Instanz, daß zur Zeit der Eroberungskämpfe das Geschlecht Kenas oder dessen Untergeschlecht Othniel noch gar nicht zu 45 Israel gehört habe (Nowack, Komment. S. 23) wird zur Begründung jener Annahme ins Feld führen können. Denn thatsächlich wissen wir über die Zeit der Eingliederung von Kenas nichts genaueres; und wenn Othniel — sei es die Person oder das Geschlecht — für Israel Debir eroberte, so wird er mindestens von da an zu Israel gezählt haben. Auch für Kaleb und Jerachmeel wird man ähnliches annehmen müssen. 50 Meist wird ihre Eingliederung in Israel der Zeit Davids zugeschrieben (so auch von mir Chronik, S. 16). Aber genau angesehen ergeben die Stellen 1 Sa 27, 10; 30, 29 viel eher, daß Kaleb und Jerachmeel damals schon zu Juda gehörten (wenn auch noch in relativer Eigenart erkennbar) als das Gegenteil. Nur so konnte Davids Ausrede in 1 Sa 27 auf Achis Eindruck machen.

55 Eher mag angenommen werden, daß eine Tradition über weitere Kämpfe Othniels nach der Eroberung Debirs vorhanden war, von denen aber der spätere Verfasser des Richterbuches nicht mehr viel weiteres als die Thatsache selbst wußte. So erklärt sich die ganz allgemein gehaltene, völlig schematische Notiz über ihn in Ri 3, 7—11. So muß man wohl auch den Namen seines Gegners Kusan Risathaim d. h. „Mohr der 60 Doppelbosheit" verstehen. Hier liegt deutlich eine künstliche Bildung vor, die um so

llarer als solche in die Erscheinung tritt, als der Name Kusch(an) in Verbindung gerade mit Aram Naharaim in hohem Maße befremdet. Natürlich braucht aus einer derartigen künstlichen Bildung noch nicht freie Erfindung des Namens erschlossen zu werden. Aber welcher Name eventuell hinter ihr steckt, läßt sich nicht sagen. Vielleicht handelt es sich (KAT³ 219) um Kämpfe mit Edom (אדם für ארם דַּרְיָוֵשׁ). **Kittel.** 5

Otte, Heinrich, Archäologe, gest. 1890. — Jul. Schmidt, Zur Erinnerung an Heinrich Otte, Halle 1891. — Heinrich Otte, Aus meinem Leben. Herausgegeben von seinen Söhnen Rich. Otte und Gust. Otte, Leipzig 1893. — Sein Bild in der 5. Aufl. der „Kunst-archäologie des deutschen Mittelalters."

Christoph Heinrich Otte, der Begründer und hervorragendste Vertreter der kirchlichen 10 Altertumswissenschaft des deutschen Mittelalters, ist am 24. März 1808 in Berlin als Sohn eines Kaufmanns geboren. Vorbereitet durch das Joachimsthalsche Gymnasium, begann er Herbst 1826 seine theologischen Studien in Berlin, wo besonders Schleier-macher auf ihn wirkte, setzte sie in Halle, wenig befriedigt durch den in dieser Fakultät vorwaltenden nüchternen Geist, fort und bestand 1831 das erste und 1832 das zweite 15 theologische Examen. Zwei Jahre nachher erlangte er unter etwas eigenartigen Um-ständen die Pfarrei Fröhden bei Jüterbog in der Provinz Sachsen, die er bis Herbst 1878 inne hatte, nachdem er ein Jahr vorher noch von dem Unglück betroffen war, daß das alte Pfarrhaus völlig niederbrannte, wobei seine Bibliothek zu Grunde ging. Nach seiner Emeritierung verlegte er seinen Wohnsitz nach Merseburg, wo er den 12. August 20 1890 starb. Niederschriften aus seinem Leben, die aber nur einige Einzelbilder enthalten, darunter ein Kapitel: „Wie ich ein Archäologe wurde" (separat schon vorher in den „Mitteilungen des Vereins für die Geschichte Berlins", Berlin 1889), haben seine Söhne nach seinem Tode veröffentlicht u. d. T.: „Aus meinem Leben", Leipzig 1893.

Otte hatte auf der Universität keinerlei archäologische Anregungen erhalten. Die 25 Denkmäler selbst, vor allem der Dom zu Merseburg, weckten in ihm in seinem Pfarramte das erste Interesse für ihre Geschichte und Beschaffenheit. Er trat in Beziehungen zu Puttrich, dem verdienten Herausgeber der „Denkmale der Baukunst des Mittelalters in Sachsen", und zu Prof. K. Ed. Förstemann in Halle und wurde von diesen zu weiteren Forschungen angeregt. Letzterer veranlaßte ihn zur Abfassung des Büchleins: „Kurzer 30 Abriß einer kirchlichen Kunst-Archäologie des Mittelalters mit besonderer Beziehung auf die Kgl. Preuß. Prov. Sachsen", Nordhausen 1842. Die bald notwendig gewordene Neuauflage dieses bescheidenen Erstlingswerkes nahm der rührige und kunstsinnige Leipziger Verlagsbuchhändler T. D. Weigel in seine Hand, der durch reichere Bildausstattung den Wert fortwährend zu steigern mit Erfolg beflissen war. Diese 2. Auflage (1845) 35 faßte das ganze deutsche Gebiet ins Auge, die 3. Aufl. (1854) bildete unter dem neuen Titel: „Handbuch der kirchlichen Kunst-Archäologie des deutschen Mittelalters" einen stattlichen Band mit 13 Stahlstichen und 362 Holzschnitten, die 4. Aufl. (1868) wuchs auf zwei Bände an. Zu einer 5. Auflage hatte Otte bereits alle Vorbereitungen ge-troffen, da zerstörte ein Brand, wie erwähnt, seine Bibliothek und seine Manuskripte. 40 In Oberpfarrer Ernst Wernicke in Loburg fand er jedoch einen bereiten und tüch-tigen Mitarbeiter, so daß 1883 und 1885 die beiden Bände der letzten Ausgabe ausgehen konnten.

Im Verlaufe seiner Geschichte ist das Buch von 39 Seiten auf 1462 gewachsen und hat zugleich sein Abbildungsmaterial von 3 Tafeln auf 17 Tafeln und 533 Abbildungen 45 vermehrt. In dieser Entwickelung kennzeichnet es das rasch wachsende Interesse und die schnellen Fortschritte auf diesem Arbeitsgebiete, zugleich aber auch das zunehmende Hin-einleben des Verfassers nicht nur in den reichen Umfang, sondern auch in das Verständnis des Stoffes. Daß Otte vorwiegend Archäologe war, kommt in der Zurückstellung des kunstgeschichtlichen, entwickelungsgeschichtlichen Momentes zum Ausdruck. Außerdem ist 50 gerade die kunstgeschichtliche Forschung in den letzten Jahren seit dem Erscheinen der 5. Auflage vielfach zu neuen Anschauungen durchgedrungen, so daß zum Teil einschneidende Korrekturen vorzunehmen sind. Ganz anders verhält es sich mit dem archäologischen Teile, der überhaupt den Inhalt des Werkes bestimmt. Hier ist dieses nicht nur ein einzigartiger Thesaurus, ein unentbehrlicher Führer zu den Quellen, sondern auch in Dar- 55 stellung und Beurteilung, wenn man auf das Ganze sieht, unübertroffen. Es erweckt immer wieder Staunen, daß ein Dorfpfarrer sich in alle Einzelheiten dieses weiten, damals zum Teil noch gar nicht entdeckten oder nicht verstandenen Gebietes hinein-gearbeitet hat. Ottes Buch ist heute noch, wie wenig auch seit 1885 die Forschung still

gestanden hat, der brauchbarste und beste Lehrmeister der deutschen kirchlichen Kunst=
archäologie.

Im Verlaufe dieser Jahre zog Otte den Kreis seiner persönlichen Beziehungen zu
Fachgenossen und seiner Interessen und Arbeiten immer weiter. Ein Beweis dafür ist
5 sein durch französische und englische Vorbilder angeregtes „Archäologisches Wörterbuch zur
Erklärung der in Schriften vorkommenden Kunstausdrücke",
Leipzig 1857. Der Stoff ist sprachlich geordnet und zwar in die Abteilungen: deutsch,
französisch, englisch, lateinisch. Die wesentlich vermehrte 2. Auflage von 1877 hat auch
die altchristliche Zeit und die Renaissance miteinbezogen und die Zahl der Illustrationen
10 auf 285 erhöht. Das Buch hat sich als Nachschlagebuch und überhaupt als Einführung
in die Kunstgeschichte bewährt. Letzterem Zwecke bewies sich aber in noch höherem Grade
förderlich der 1859 erschienene „Archäologische Katechismus. Kurzer Unterricht in der
kirchlichen Kunstarchäologie des deutschen Mittelalters." Die nähere Erläuterung dieses Titels:
„mit Rücksicht auf das in den Kgl. Preuß. Staaten der Inventarisation der kirchlichen Kunst=
15 denkmäler amtlich zu Grunde gelegte Fragenformular bearbeitet", erklärt die Entstehung.
Als Ziel wird bezeichnet, „den Geistlichen eine kurze und bequeme Einleitung in die kirchlichen
Altertümer unseres Vaterlandes an die Hand zu geben." Eine 2. Auflage folgte 1872;
eine 3. Auflage mit wesentlicher Vermehrung des Inhaltes und eingehenderer Berücksich=
tigung der Entwickelung besorgte nach dem Tode des Verfassers Heinrich Bergner 1898.
20 Auch hierin zeigt sich der auf Erlernung der Realien in erster Linie gerichtete praktische
Sinn Ottes. Vorher (1858) veröffentlichte er eine ursprünglich für die G. Gruber'sche Ency=
klopädie bestimmte „Glockenkunde", die in ihrer 2. Auflage (1881) als die heute noch
beste Behandlung dieses Gegenstandes bezeichnet werden darf. Zur Ergänzung dient ein
nachgelassenes Bruchstück „Zur Glockenkunde", welches in der oben genannten, auf Ver=
25 anlassung der historischen Kommission der Provinz Sachsen herausgegebenen Schrift von
Julius Schmidt mitgeteilt ist. Das letzte größere Werk, welches Otte in seiner wissen=
schaftlichen Unermüdlichkeit plante, war eine Geschichte der deutschen Baukunst von den
Anfängen bis zur Gegenwart. Im Jahre 1874 war der in Lieferungen erschienene
1. Bd, „Geschichte der romanischen Baukunst", fertig; das Unternehmen geriet dann ins
30 Stocken und fand keine Fortsetzung. Der ganzen Eigenart des Verfassers entsprechend
überwiegt in diesem Buche, das durch neuere Forschungen und Publikationen antiquiert
ist, das Archäologische. Ein Torso blieb auch leider die von Ferd. v. Quast in Gemein=
schaft mit ihm herausgegebene „Zeitschrift für christliche Archäologie und Kunst"; sie
brachte es nur auf 2 Bde (Leipzig 1856 u. 1858). Mehr zurückgetreten sind auch seine
35 „Grundzüge der kirchlichen Archäologie des Mittelalters (1. Aufl. 1855; 2. Aufl. 1862
unter dem entsprechendern Titel: „Geschichte der kirchlichen Kunst des deutschen Mittel=
alters in ausgewählten Beispielen"). Groß ist die Zahl der in verschiedenen Zeitschriften
und sonst gedruckte Aufsätze und Beiträge Ottes zur Geschichte der kirchlichen Kunst (ein
Verzeichnis bei Julius Schmidt a. a. O.).
40 Der unermüdlich thätige Mann, der durch seine freundliche Bescheidenheit und
wissenschaftliche Bereitwilligkeit sich zahlreiche Freunde und Gönner erwarb, war durch
die Ehrenmitgliedschaft angesehener Geschichts= und Altertumsvereine ausgezeichnet. Der
Begründer des Germanischen Museums, Freiherr v. Aufseß, veranlaßte seine Berufung
in den Gelehrtenausschuß des Museums. Die theologische Fakultät in Berlin verlieh
45 ihm die theologische, die philosophische Fakultät in Halle die philosophische Doktor=
würde. Von dem Ertrage seiner Arbeiten zehren heute und werden noch lange zehren
protestantische und katholische Forscher und Freunde kirchlicher Kunst. **Viktor Schultze.**

Otter, Jakob, Reformator in Kenzingen, Neckarsteinach, Solothurn, Aarau und
Eßlingen, geb. c. 1485, gest. 1547. — Litteratur: Susann, Jak. Otter (1893). Keim,
50 Eßlinger Reformationsbl.; ders., Blarer; Pressel, Blaurer; ders., Anecdota Brentiana; Salz=
mann, Ref.=Gesch. von Eßlingen, Mskr. (giebt wertvolle Nachrichten aus dem Eßl. Archiv).
Ueber Otters Vertreibung aus Neckarsteinach BGK 24, 604ff.

Jakob Otter, Enkel des Bauern Herm. Otter in Udenheim (Philippsburg), Sohn
des Hans O., Schneiders und Mitglieds des Rats und Gerichts zu Lauterburg im Elsaß,
55 und der Brigitta Rulin von Lauterbach, verlor mit sechs Monaten die Mutter, mit drei
Jahren auch den Vater. Sein Bruder, wahrscheinlich Joh. O. von Speier 1506 in
Tübingen (Roth, Urk. d. Univ. Tüb. 565), 1512 in Heidelberg (Töpke, Matr. d. Univ.
H. I, 485), war später Prädikant bei Straßburg, eine Schwester in Lauterburg verehe=
licht. Der Waisen nahmen sich des Vaters Brüder, Mich. O., Buchhändler in Speier

(Panzer, 8, 399; ZGORh NF 18, 238), und wahrscheinlich Nazarius O. in Udenheim, der 1525 am Bauernkrieg beteiligt war und 1527 begnadigt wurde (Remling, Gesch. d. Bisch. zu Speyer 2, 261) an. Jakob O. wuchs in Speier auf und lernte schon als Knabe Jak. Wimpfeling, den damaligen Domprediger und die Humanisten Joh. Galtz (Gallus), den späteren Domprediger, und Joh. Wacker (Vigilius) kennen. Die beiden letzteren 5 müssen auf den Bildungsgang Otters Einfluß gehabt haben. Am 4. Oktober 1505 kam er nach Heidelberg, wo er 1507 Baccalaureus wurde (Töpke 1, 456). In diesem Jahr siedelte er nach Straßburg als Sekretär Geilers von Kaisersberg (familiaris) und Priester des Klosters der Reuerinnen über und gab dort Werke seines Meisters (Bd 6, 431, 25 ff.), aber auch 1510 den Sermo de passione von Joh. Gerson (N. Ausg. 1515) heraus. 10 Nach Geilers Tod begab sich O. zu neuem Studium der Theologie unter John Brisgoicus, den er 1513 theologorum decus atque unica salus nennt (Widmung des Peregrinus), der Philosophie unter dem Karthäuser Greg. Reysch und der Jurisprudenz unter Zasius nach Freiburg, wo er in der Karthause wohnte, wie Alb. Kraus, der spätere Propst von Wolfegg und Weihbischof in Brixen, ohne Mönch zu werden. Er gab auch 15 hier noch bis 1513 einige Werke Geilers heraus, zu denen Urb. Rieger (Rhegius) carmina beisteuerte, aber später wehrten es ihm die Erben. 1514 wurde O. Examinator der Bursa, 1515 Magister, 1517 Licentiat zugleich mit Kraus und Nik. Schedlin, dem Freund Eberlins, später Pfarrer zu Rottenburg a. N. (Bl. WKG 1887, 93). Seinem Bildungsgang entsprechend war O. damals ein frommer Humanist. 20

1518 erhielt Otter vom Prior zu St. Ulrich die Pfarrei Wolfenweiler bei Freiburg, wo er schon 1520 als eifriger Anhänger Luthers wirkte, wurde aber 1522 in das österreichische Städtchen Kenzingen, das Wolf von Hürnheim im Pfandbesitz hatte, als Pfarrer berufen. In ruhiger Mäßigung arbeitete er hier mit großem Erfolg im Sinne der Reformation, hielt Messe und Taufe deutsch und teilte das Abendmahl sub utraque 25 aus. Der Ritter mußte anerkennen, daß der Gehorsam gegen die Obrigkeit wuchs, die Sittlichkeit sich hob, Fluchen und Trinken abnahmen. Gegen den Vorwurf der Ketzerei und des Aufruhrs verteidigte O. sich durch Veröffentlichung seiner Predigten über die Epistel S. Pauli an Titum (Straßburg 1524, gewidmet dem Markgrafen Ernst von Baden). Todesmutig erbot sich O. zur öffentlichen Rechenschaft, als ihn der bischöfliche 30 Fiskal zweimal citierte. Der Rat schützte ihn. Aber Erzherzog Ferdinand, welcher selbst in den Breisgau kam, forderte Otters Entfernung. Der Landtag brang unter dem Einfluß der zahlreichen Prälaten und des unnachbarlichen Freiburg auf Gewaltmaßregeln. Am 2. Juni 1524 wollte O. aus Schonung gegen seine Gemeinde das Städtchen verlassen, man hielt ihn aber zurück, doch die Gefahr wuchs. Da zog O. am 24. Juni, 35 begleitet von 150 Bürgern aus der Stadt, welche die Freiburger besetzten, in das Gebiet des Markgrafen Ernst und dann nach Straßburg, wo man O. und die von den Freiburgern ausgesperrten Kenzinger gastlich aufnahm. Ferdinand übte strenges Gericht. Nur unter harten Bedingungen durften die Ausgeschlossenen heimkehren. Dem Stadtschreiber aber wurde am 7. Juli auf dem Aschenhaufen von verbrannten deutschen Evangelien und 40 lutherischen Büchlein das Haupt abgeschlagen.

O. wurde noch 1524 auf Empfehlung Straßburgs nach dem Tod des letzten kath. Pfarrers von dem eifrigen Anhänger Luthers Hans Landschad, der in zwei Flugschriften für die Reformation eingetreten war (Küd, Schriftstellernde Adelige der Reformationszeit I [1899], S. 23) zum Pfarrer in Neckarsteinach bei Heidelberg bestellt. Hier gelang es 45 ihm ohne allen Zwang, die ganze Gemeinde für den neuen Glauben zu gewinnen. Die Messe wurde bald abgeschafft und nach Verkauf der Kirchenornate ein kirchlicher Armenkasten gegründet. Mit dem tapfern Ritter, der mehr als hundertmal sein Leben für den Kaiser und den Kurfürsten von der Pfalz gewagt hatte, und dessen Gattin Margareta von Fleckenstein, wie mit ihren Söhnen und Schwiegertöchtern war O. in gegenseitiger 50 Hochachtung aufs innigste verbunden. Wie groß sein Einfluß auf die Gemeinde war, bewies das kritische Frühjahr 1525, wo die Bauern sich ringsum empörten, während die ganze Gemeinde zu Neckarsteinach im Frieden blieb. Trotzdem drang König Ferdinand und die österreichische Regierung wiederholt auf O.s Entlassung. Er galt ihr noch als der verhaßte Kenzinger Verführer und Aufrührer. Mannhaft verteidigte der Ritter seinen 55 Pfarrer, der seinem Herrn im Frühjahr 1528 die schöne Schrift „Christlich Leben und Sterben" widmete (Straßburg Balth. Beck, 17. März 1528) und sich gegen die Verleumbungen seiner geschäftigen Gegner mit seinen Predigten über „das erste Buch Mosi" rechtfertigte (Hagenau W. Seltz, April 1528).

Schon damals viel verlästert und angefochten, mußte er sehen, wie der Kurfürst 60

Ludwig von der Pfalz, welchen Ferdinand wiederholt zum Einschreiten gegen den einstigen Renzinger Reformator aufforderte, endlich im Februar 1529 (nicht 1527) Hans Landschad vor das Hofgericht in Heidelberg berief, um von ihm die Entlassung Otters mit Berufung auf des Kaisers Ungnade zu erwirken und trotz der mannhaften Verteidigung
5 und Weigerung des Ritters nach vierzehn Tagen mit Gewalt vertrieb. Er wandte sich nach Straßburg, von wo ihn Kapito am 19. April 1529 an Zwingli als Prediger für Solothurn oder als Nachfolger Gügis in Memmingen empfahl (Zw. Ep. 2, 284).

Wirklich kam O. nach Solothurn, wohin ihn der Säckelmeister und einige des Rats beriefen. O. hoffte den ganzen Rat und die Gemeinde zu gewinnen, allein er fand vielen
10 Widerstand. Nur unter großer Unruhe des Volks konnte er auf die Kanzel gehen und predigen. Bald erkannte er, daß seine Stellung unhaltbar war (Eßl. Akten), und ging nach Bern, von wo er Ende August 1529 nach Aarau berufen wurde. Vergeblich suchten ihn die Solothurner im Dezember wieder zurückzurufen. O. trat jetzt in den Ehestand und schrieb 1530 seinen freilich wenig kindlichen Katechismus „Ein kurz Ynleitung" (Blösch,
15 Gesch. d. Schweiz. ref. Kirchen 1, 105). Beim Gespräch mit den Täufern zu Bern April 1531 wirkte O. als Schriftführer mit und war zur Erhaltung des Friedens zwischen Zürich und den Urkantonen auf den Tagen zu Basel 16. September 1531 und 23. September zu Aarau thätig. Man hatte seinen Wert erkannt und faßte ihn für Kempten und im März 1532 für Augsburg ins Auge (Haller an Bullinger 23. März), aber
20 Blarer gewann ihn für das von ihm reformierte Eßlingen, wohin O. als Leiter der bortigen Kirche am 2. April 1532 berufen wurde. Der Rat zu Bern hatte ihn nach Augsburg nur unter der Bedingung der Rückkehr und nach Eßlingen nur auf ein Jahr ziehen lassen wollen (Haller an Bullinger 20. April).

In Eßlingen hatte Luthers Auftreten frühe die Geister erregt. Der Augustiner
25 Mich. Stiefel deutete schon 1520 die apokalyptische Zahl 666 auf Leo X. Der Wittenberger Scheiterhaufen am 10. Dezember 1520 hatte hier ein Nachspiel, man verbrannte die Glossen des Petrus Hispanus zu Gratians Dekretalen. Luthers Erscheinen in Worms und sein Verschwinden machte den tiefsten Eindruck. Man sah in ihm den unüberwundenen Zeugen, der vor dem großen Sturm und Gewalt der Pfaffen von seinen
30 Freunden verwahrt sei, und hoffte auf sein Wiedererscheinen. Begeistert sang Stiefel sein frisches Lied vom Engel der Offenbarung, ein anderer Augustiner, Luthers Freund Lonicer, fand in Eßlingen Zuflucht und schrieb hier seine „Katechesis". Der Kaplan Mart. Fuchs bekämpfte mit Eifer die Altgläubigen. Aber am 30. Mai 1522 mußte Stiefel vor den Umtrieben des Konstanzer Weihbischofs Fabri und der drohenden Hal-
35 tung Ferdinands und seiner Regierung in Stuttgart nach Norden fliehen, und Lonicer 1523, Fuchs Ende 1524 die Stadt verlassen. Das Domkapitel Speier, dem die Pfarrei samt dem Zehnten gehörte, und der Pfarrer Balth. Sattler, früher Professor in Tübingen, stemmten sich dem Drang des Volks nach Reformation entgegen, während Luther am 11. Oktober 1523 (De Wette 2, 416; CA 53, 213; WA 14, 151) und Zwingli am
40 20. Juli und wieder am 16. Oktober 1526 (Zw. Op. 2, 3, 1; 7, 488 durch Briefe die Lehre des „Seeltyrannen" bekämpften und die Gemeinde im evangelischen Glauben stärkten.

Aber der gehemmte Reformationsdrang des Volkes suchte jetzt andere Wege. Die Führer der Täufer, Wilh. Reublin, der gewandte Basler und Züricher Agitator, und der „Schulmeister von Wien", Christoph Freisleben von Linz, fanden in Eßlingen
45 großen Anhang, bis der Rat 1528/29 mit Strenge, in einigen Fällen selbst mit dem Schwert Einhalt gebot.

Man mußte in der Reformation weiter kommen, wenn auch der einst als Humanist für Luther begeisterte, aber jetzt wieder altgläubige Eßlinger Gesandte Holdermann sich weder in Speier 1529 protestierenden noch in Augsburg den Bekennern anschloß.
50 Da das Domkapitel Speier den altgläubigen Sattler nicht entfernte, verbot ihm der Rat am 28. Juni 1529 alle Amtsthätigkeit, forderte energisch Ernennung des Mart. Fuchs zum Pfarrer, lehnte alle von Speier gesandten Kandidaten ab, bestellte am 11. August 1531 Leonh. Werner zum Prediger und berief zugleich mit dem Anschluß an den schmalkaldischen Bund Ambros. Blarer (s. Bd III, 252) als Reformator, der von Ende Sep-
55 tember 1531 bis Sommer 1532 das Werk vollendete und auf Otter aufmerksam machte. Mitte Mai traf Otter in Eßlingen ein, worauf Blarer Anfang Juli abzog. Die Stellung des neuen Pfarrers und Leiters der jungen Kirche war von Anfang keine leichte, wozu das Zusammenwohnen mit Fuchs beitrug. Dieser, ein Eßlinger von Geburt, seit lange dort thätig, begabt, redefertig, schriftkundig, aber hitzig, ertrug es schwer, daß Otter das
60 ihm zuerst zugedachte Amt bekommen hatte, und verdächtigte ihn auf jede Weise, seine

Herkunft, seine Thätigkeit in Kenzingen, seinen Wandel (er sei ein Schlemmer und schlage täglich seine Frau), seine amtliche Wirksamkeit (er halte sich nicht an Blarers Ordnungen), seine Stellung zu den andern Kirchendienern, welche Fuchs gegen O. auch wegen seiner Lehre und besonders gegen den O. ergebenen unvorsichtigen Kaplan Jak. Ringlin wegen Irr-lehre aufhetzte. Bald war klar, daß O. und Fuchs nicht nebeneinander bleiben konnten. 5 O., der in heftiger Erregung und im starken Bewußtsein seiner Amtswürde sich auch wohl fortreißen ließ, wollte seinen Abschied nehmen. Blarer dachte daran, ihn als Sams Nachfolger nach Ulm zu empfehlen, der Rat aber, der Fuchs' Treibereien in ihrem Wert erkannte, entließ ihn. Er wandte sich zunächst nach Konstanz zu Blarer, kam dann als Pfarrer nach Müllen bei Offenburg, 1535 nach Neuffen (Württb.) und starb Dezember 10 1542 in Ulm auf der Rückkehr vom Türkenfeldzug nach Ungarn, den er als Feldprediger mitgemacht hatte.

O. arbeitete nun mit großem Eifer am Ausbau der Reformation, bekämpfte die Altgläu-bigen, die am 25. Juli 1532 ganz aus dem Rat kamen, aber am Sonntag in der Bindergasse beim Barfüsserkloster vor den Häusern saßen und von Holdermann und Rinkenberg sich bear- 15 beiten ließen, drang auf Beseitigung altererbter Mißstände (Unfug bei Trauungen, Hundegebell in der Kirche, Wandel durch die Kirche während des Gottesdienstes mit Traglasten, Holz, Flaschen 2c., Unzucht, Konkubinat der altgläubigen Geistlichen), schuf 1533 eine Gottesdienst-ordnung, 1534 eine Kirchenordnung und bestellte geeignete Laien zu Siechentröstern. Besonders bemühte sich O. um Hebung des Jugendunterrichts und des Schulwesens unter Trennung 20 von Knaben und Mädchen. Seinen Katechismus gab er 1532 in neuer Bearbeitung unter Milderung einzelner Härten, namentlich im Artikel vom Abendmahl heraus (Ein kurtze innlehtung in die bekanntnuß rechtgeschaffener, Christenlicher leer und glaubens, für die kinder und einfältigen. M.D.XXXij Straßburg o. Drucker, aber durch Matth. Apiarius) und hoffte, damit auch älteren Leuten zum Selbstunterricht zu dienen (Anfang: 25 Was bistu? Ich bin ein Mensch. Wobeh wehstus? Daby, das ich ungerecht bin, ein sünder und nüts werdt. Hauptstücke: Gesetz, Glauben, Gebet, Taufe, Abendmahl). Zu letzterem Zweck gab er mit seinen Amtsbrüdern L. Werner, Steph. Schäffer, Wolfg. Röder gen. Böhm von Ellbogen, Jak. Ringlin 1534 eine kurze Summa des Glaubens mit einer nach Wegfall den alten Sterbsakramente wichtigen Anleitung zur geistlichen 30 Behandlung der Kranken und Sterbenden heraus (Ein kurz underrichtung und bekantnus des glaubens in den fürnemen stucken unsser christlichen Religion, Die einfaltigen im glauben zu befestigen und von allem zanck zu warer einikeyt und besserung zu richten. Ein kurtzer bericht bey den kranken und in sterbenten nöten zu gebrauchen. Für die kirch zu Eßlingen Anno M.D.XXXIIII. Gedruckt zu Straßburg durch M. Apiarium Anno 35 1534). O. ließ das Büchlein von Haus zu Haus austeilen, daß die Leute „Ursache hätten, sich der täglichen Predigten zu erinnern und sich hinfort mit höherem Fleiß an die öffentlichen Predigten zu verfügen." Blarers Bannordnung milderte O., um nicht den glühenden(!) Docht zu löschen und mehr Unrat als Besserung in die Kirche zu-führen (Bl. B.). 40

Gegen die Täufer trat O. kräftig auf, wie schon 1528 zu Neckarsteinach. Schwenk-feld, der von Straßburg nach Eßlingen kam, näherte sich O. freundlich, wurde auch von ihm gastlich aufgenommen und in Gegenwart angesehener Bürger über seine Lehre be-fragt, wobei Schwenkfeld die Lehre der Täufer und Luthers Abendmahlslehre verwarf und artig O.s Katechismus lobte. Bald aber erkannte O. die Gefahr, welche Schwenkfeld 45 der Kirche bereitete, und sorgte für Verbot des Besuchs der Schwenkfeldischen Predigten in Köngen und Stetten.

Große Schwierigkeit bereitete Otter 1534 die Reformation des Herzogtums Württem-berg, denn mit ihr kamen neben Zwinglianern strenge Lutheraner in seine unmittelbare Nähe. Otter selbst, der dem Kanzler Knoder befreundet war, wurde nach Stuttgart be- 50 rufen, um neben Alber von Reutlingen im Juli in Stuttgart zu predigen, worauf ihn der frühere Hofprediger des Herzogs Ulrich, Joh. Gayling, in Gegenpredigten bekämpfte, während der bisherige Hofprediger des Landgrafen Philipp von Hessen, der im August Ulrichs Hofprediger wurde, der derbe Kon. Dinger in Eßlingen bei einem Gastmahl vor angesehenen Männern O. verdächtigte und sie mahnte, ihren Prediger O. so wenig 55 zu hören, als die Papisten. Auch die Reutlinger waren mit Otters Abendmahlslehre unzufrieden. Dieser hatte den ganzen Streit von Anfang als Wortkrieg angesehen, wenn er auch auf dem Standpunkt der Oberdeutschen stand, und begrüßte Butzers Wirken für die Konkordie mit Freuden. Dieser vertrug O. auch mit den Reutlingern, als er im August 1535 in Schwaben weilte. Allerdings wirbelte eine vorschnelle und mißverständ- 60

liche Aeußerung Otters (inter pocula!) zu Cannstatt in Gegenwart des herzoglichen Leib=
arztes Franz Scheerer und anderer vielen Staub auf. Die Mißgünstigen behaupteten,
O. habe geäußert, Luther habe sich zu Zwinglis Lehre bekehrt. Aber O. gelang es, die
Wolken zu zerstreuen und mit Brenz und Schnepf in freundliche Beziehung zu kommen,
5 die er am 26. August 1535 zu sich einlud. Ja O. wandte sich gleich dem Rat zu Eß=
lingen (19. August 1535) persönlich an Luther, dem er sein Glaubensbekenntnis sandte,
worauf Luther am 5. Oktober eine herzliche, vertrauensvolle Antwort gab (De Wette
4, 670 CR 55, 110 An. Brent. 152 ff.).
         Im Mai 1536 durfte O. den Mann, für den er schon 1520 begeistert war, persön=
10 lich kennen lernen. Er zog mit Butzer und den Oberdeutschen nach Wittenberg, um sich
dort mit Luther selbst zu verständigen und die Konkordie abzuschließen (21./25. Mai).
O. reiste über Hall zurück, um Brenz einen Brief von J. Menius als Denkmal des
Friedens zu bringen (An. Br. 188), und übernahm die Aufgabe, Blarer für die Konkordie
zu gewinnen, freilich ohne Erfolg.
15   In Eßlingen befestigte sich Otters Stellung. Er erhielt 200 Gulden Gehalt und
wußte seine kirchliche Thätigkeit zum Mittelpunkt des geistigen Lebens zu machen. Die
Teilung der Stadt in vier Pfarreien durch Blarer widerstrebte ihm, er vereinigte die
ganze Gemeinde um seine Kanzel, übernahm aber freiwillig den „Kinderbericht", den er
auch in den Filialen Mettingen und Rüdern monatlich halten ließ, und das allgemeine
20 Gebet, sorgte auch für Hebung des Gemeindegesangs und die Führung des Taufregisters.
Der ganzen evangelischen Kirche erwies Otter einen Dienst durch sein treffliches „Bett=
büchlin, fur allerley gemeyn anligen der Kirchen, fleissig zusammen bracht, durch M. Jacob
Ottern, Pfarrherrn zu Eßlingen." (Getruckt zu Straßburg bei Wendel Rihel im jar
M.D.XXXVII. Neue Ausgabe 1541.) Vgl. die schöne Charakteristik bei Beck, Erbauungs=
25 litteratur der ev. K. Deutschlands, S. 189. Was O. über den Wert des Gebets und
den Gebrauch der gedruckten Andachtsbücher sagt, ist sehr beachtenswert.
         Unter den Schrecken des Schmalkaldischen Krieges und der spanischen Soldateska der
Kaisers litt mit ganz Schwaben auch Eßlingen. Vor dem schwersten Schlag, der Nieder=
lage bei Mühlberg und dem Interim, wurde Otter hinweggenommen. Er starb Anfang
30 März 1547 (jedenfalls vor 15. März). Seine Gattin muß ihm bald gefolgt sein. Der
Bürgermeister Leonh. Pfost übernahm selbst die Vormundschaft über Otters Kinder. Seine
Bibliothek kaufte der Rat. Eine Tochter, die nach Durlach verheiratet war, nahm zwei
schon 1552 gestorbene Schwesterlein zu sich. Ein Sohn war 1552 bei einem Schneider
in der Lehre.
35   Otter, eine kleine schmächtige Gestalt (in den Ref. Briefen virunculus, homuncio,
pusillus), war wirklich, wie ihn Butzer schildert, homo non doctrina tantum, sed
etiam christianis virtutibus ac praesertim modestia, temperantia, caritate insignis,
vitae innocentis, doctrinae purae, ab omni fastu alienus … ad omnia ecclesiae
nostrae tractandae negotia maximae dexteritatis, wenn auch der von Fuchs persön=
40 lich bearbeitete Blarer klagt: scio plus satis ipsum indulgere suis quibusdam affec-
tibus, quos exemptos sibi vellem. Der einst von den Altgläubigen als „Aufrührer"
verlästerte Mann hat in seinen Schriften stets die Pflicht des Gehorsams gegen die Obrigkeit
und des Gebets für sie gelehrt.   Bossert.

Otterbeinianer s. d. A. Baptisten Bd II S. 390, 7 ff.

45   Otto, Anton s. Bd I S. 590, 35 ff.

     Otto, Johann Karl Theodor, gestorben in Dresden am 11. Januar 1897. —
Unsere Zeit, Jahrbuch zum Konversationslexikon, Bd 2, Leipzig 1858, S. 796; Konst. von Wurz=
bach, Biographisches Lexikon des Kaisertums Oesterreich, Bd 21, Wien 1870, S. 138 u. 510;
G. Frank, Die k. k. evangelisch-theologische Fakultät in Wien, Wien 1871, S. 59 und Evan=
50 gelische Kirchenzeitung für Oesterreich, 1887, Nr. 22.

     Otto (seit 1871 Ritter von Otto), geboren in Jena am 4. Oktober 1816, daselbst
ein Schüler des bekannten Pädagogen Heinrich Gräfe, vorgebildet auf dem Gymnasium
in Weimar, wo er des Generalsuperintendenten Röhr, im Hinblick auf die Überzahl der
Kandidaten, vom Studium der Theologie abmahnende Stimme überhörte, bezog 1838
55 die Universität seiner Vaterstadt, schloß sich besonders an den damaligen Princeps theo=
logorum Jenensium Baumgarten-Crusius (s. Bd II, 466) an und hat von diesem ein
reiches Erbteil gelehrten Wissens überkommen. Bereits 1843 stellte der Cicero redi-

vivus Eichstädt ihn der gelehrten Welt vor als Juvenis doctissimus, quem ex scholis nostris satis cognitum nobis ac probatum diligentius commendaremus, nisi editis eruditionis atque industriae praeclaris speciminibus sibimet ipse iam verissimam commendationem parasset. Seine preisgekrönte Schrift „De Justini Martyris scriptis et doctrina" (Jenae 1841. Neu bearbeitet in Ersch-Gru= 5 bers Allg. Encyklopädie, 2. Abth., Bd 30 „Justinus der Apologet", und in einer in der kaif. Akademie der Wissenschaften gehaltenen Vorlesung „Zur Charakteristik des heiligen Justinus, Philosophen und Märtyrers", Wien 1852) bestimmte den Weg seiner ferneren Studien. Sein Lebenswerk wurde das neunbändige „Corpus Apologetarum christia- norum saeculi secundi" (Jenae 1842 ff., 2. Aufl. 1847 ff., 3. Aufl. 1876 ff.), eine 10 auf Grund in vorher nicht gekannter Vollständigkeit zusammengebrachten handschriftlichen Materiales, mit einer alles berücksichtigenden Sorgfalt und Belesenheit ausgeführte kritisch= exegetische Ausgabe der Werke Justins sowie der übrigen Apologeten des zweiten Jahr= hunderts: Tatianus, Athenagoras, Theophilus, Hermias, Quadratus, Aristides, Aristo, Miltiades, Melito und Apollinaris. In seiner Habilitationsschrift „De epistola ad 15 Diognetum s. Justini philosophi et martyris nomen prae se ferente" (Jenae 1845) hat er die Echtheit des Briefes gegen Semisch nicht ohne Gewandtheit zu ver= teidigen gesucht. Seit 1848 außerordentlicher Professor in Jena und Ehrendoktor der theologischen Fakultät zu Königsberg hielt er kirchenhistorische und neutestamentlich-exege= tische Vorlesungen. Im Jahre 1851 wurde er, der erste Ausländer — neben Bonitz, 20 dem Philologen, und Brücke, dem Mediziner, überhaupt der dritte als akademischer Lehrer nach Wien berufene Protestant — an die k. k. evangelisch=theologische Fakultät zur Pro= fessur der Kirchengeschichte berufen, war, so lange er bestand, Mitglied des k. k. Unter= richtsrates (1863—67), erhielt in Ansehung seiner eifrigen und erfolgreichen Thätigkeit im Lehramt Titel und Charakter eines k. k. Regierungsrates, die goldene Medaille Li= 25 teris et Artibus und den mit Verleihung des Ordens der eisernen Krone verbundenen Ritterstand. Von seinen kleineren kirchenhistorischen Schriften sind bemerkenswert die Lynkersche Stipendienrede „De Victorino Strigelio, liberioris mentis in ecclesia Lutheria vindice" (Jenae 1843), die bei der Feier des fünfzigjährigen Jubiläums der k. k. evangelisch=theologischen Fakultät gehaltene Promotionsfestrede „De gradibus in 30 theologia" (Vindobonae 1871), endlich die auf Grund eines in der Wiener Hof= bibliothek aufbewahrten Kodex bearbeitete, die Authentie behauptende, die Integrität ver= neinende Ausgabe der „Konfession des Patriarchen Gennadios von Konstantinopel" (Wien 1864). Speziell um die Geschichte der evangelischen Kirche in Österreich hat er sich ver= dient gemacht durch die Herausgabe des „Jahrbuches der Gesellschaft für die Geschichte 35 des Protestantismus in Österreich", das er als der erste Präsident dieser Gesellschaft für die Jahrgänge 1—13 (Wien und Leipzig 1880—93) besorgte. Darin von ihm die Ab= handlungen: „Die Anfänge der Reformation im Erzherzogtum Österreich" 1522—64 (Bd I) und „Geschichte der Reformation im Erzherzogtum Österreich unter Maximilian II. 1564—76 (Bd X). Auf exegetischem Gebiete ist er bekannt durch die aus Baumgarten- 40 Crusius' litterarischem Nachlaß von ihm herausgegebenen Kommentare zum Evangelium des Matthäus (Jena 1844), des Markus und Lukas (Jena 1845), sowie durch den Versuch, den apostolischen Segensgruß als eine neutestamentliche Metamorphose des Mosaischen oder Aaronitischen Segensspruches nachzuweisen (JdTh 1867, S. 678).   G. Frank.

Otto I., Bischof von Bamberg, 1102—1139. — Quellen: Ekkeh. chron. 45 z. 1125 MG SS VI S. 263. Relatio de piis operibus Ottonis ep. Bab. MG SS XV S. 1151, Vita Ottonis auctore monacho Prufeningensi a. a. O. XII, S. 883, Vita Ottonis auctore Ebone mon. mont. s. Mich. bei Jaffé, Bibliotheca rer. German. V, S. 580, Herbordi dia- logus de Ottone ep. Bamb. a. a. O. S. 693, vgl. zu diesen Schriften Wattenbach, Geschichts= quellen, 6. Aufl. II, S. 182. Urkunden bei Ußermann, Episcopatus Bambergensis, S. 50 Blasien 1802. Darstellungen: L. Giesebrecht, Wendische Geschichten II, S. 219 ff.; W. Gie- sebrecht, Kaiserzeit, Bd III, S. 983 ff.; Bernhardi, Lothar v. Supplinburg, Leipzig 1879, S. 153 ff.; Looshorn, Gesch. des Bistums Bamberg, Bd II, S. 1 ff., München 1888; Juritsch, Geschichte des Bischofs Otto I. v. B., Gotha 1889; Wiesener, Geschichte der christl. Kirche in Pommern, Berlin 1889, S. 45 ff.; Nottrott, Aus der Wendenmission, Halle 1897, S. 389 ff.; 55 Hauck, KG Deutschlands IV, Leipzig 1904, S. 564 ff.

Um 1060 geboren, nicht aus dem gräflichen Geschlecht derer von Andechs in Baiern, wie Spätere vermeint, sondern aus adeliger, wenngleich wenig bemittelter Familie in Schwaben, ward Otto dem geistlichen Stande geweiht und eignete sich in einer Kloster- oder Stiftschule eine tüchtige Bildung an; noch in jungen Jahren kam er an den Hof 60

des polnischen Herzogs Wladizlaw, s. b. Bf. des Herzogs Bolezl. bei Herbord II, 6 S. 750.
Aus dessen Dienst trat er vor 1190 in den des Kaisers Heinrich IV. über (s. KG D.s
IV, S. 571, Anm. 1). In diese Zeit fällt seine Teilnahme an der Vollendung des
Doms zu Speier, Ebo I, 4 S. 593. Wahrscheinlich im Jahre 1101 wurde er Kanzler,
5 Ebo I, 3 S. 592, und schon im nächsten Jahre erhielt er das Bistum Bamberg.
 Otto hat sich die Investitur von Heinrich IV. erteilen lassen; wenn er auch ver=
mied im kirchlichen Streite eine ausgeprägte Parteistellung einzunehmen, so war er doch
zunächst Anhänger des Kaisers und handelte als solcher. Aber im Jahre 1105 änderte
er seine Stellung; er trat auf die Seite Heinrichs V. Wahrscheinlich durch die Un=
10 möglichkeit, die bischöfliche Konsekration zu erlangen, so lange er auf der Seite des Kaisers
stand, ist er zu diesem Parteiwechsel bewogen worden. Anfang 1106 begab er sich dem=
gemäß nach Rom; dort wurde er am 13. Mai 1106 geweiht. Zum Parteimann ist er
auch jetzt nicht geworden und die Dankbarkeit gegen Heinrich IV. hat er in seinem spä=
teren Leben nicht verleugnet, s. die Url. für Aura bei Österreicher, Denkwürdigkeiten II,
15 S. 24. Als der kirchliche Streit von neuem ausbrach, war er nicht zum Abfall von
Heinrich V. zu bewegen; er wurde infolge seiner Haltung auf einer Synode zu Fritzlar
1118 suspendiert (Cod. Udalr. 189 S. 326, Ann. Paderbr. z. 1118 S. 135 f.),
aber er blieb sich treu. Handelnd ist er erst hervorgetreten, als es den Abschluß des
Friedens galt. Auf dem Würzburger Konvent im Herbst 1121 scheint er neben dem
20 Herzog Heinrich von Baiern am entschiedensten die Sache des Friedens vertreten zu haben,
s. Ekkeh. chr. z. 1121 MG SS VI, S. 256 f. Der Abschluß des Wormser Konkordats
konnte ihm demnach nur in jeder Hinsicht erwünscht erscheinen.
 Während der Jahre des kirchlichen Streites widmete sich Otto überwiegend der Ver=
waltung seiner Diöcese, er suchte entfremdete Besitzungen zurückzuerlangen, mehrte das
25 bischöfliche Gut durch Neuerwerbungen, baute Kirchen und Burgen, vor allem aber pflegte
er die Bestrebungen der Mönche. Es giebt keinen zweiten Bischof, der so viel für sie
gethan hätte als Otto. Mehr als zwanzig Klöster sind durch ihn gegründet oder erneuert:
in der Bamberger Diözese St. Fides in Bamberg, Michelfeld, Langheim und Drosendorf,
in der Würzburger Aura, Münchaurach, Roth, Neidhartshausen, Vessra, in der Regens=
30 burger Ensdorf, Prüfening, Biburg, Mallersdorf, Münchsmünster, Windberg, in der
Passauer Aldersbach, Asbach und Gleink, in der Eichstätter Heilsbronn, in der Halber=
städter Reinersdorf, endlich im Sprengel von Aquileja Arnoldstein, Relat. 3 S. 1157.
 Doch zu der folgenreichsten Thätigkeit wurde er in den Tagen seines Alters nach
der Wiederherstellung des kirchlichen Friedens berufen. Zu den slavischen Landschaften,
35 die sich lange gegen das Eindringen des Christentums verschlossen, gehörte Pommern. Hier
brachte nun der Friedensschluß mit Polen im Jahre 1120 eine Änderung hervor. Denn
damals nötigte Bolezlaw III. die Pommern zu der Zusage, das Christentum anzunehmen.
Die nächste Absicht des Herzogs, die christliche Kirche in Pommern durch polnische Kleriker
begründen zu lassen, mißlang, Herb. II, 6 S. 750. Ebensowenig Erfolg hatte der
40 Versuch, mit Hilfe eines italienischen Bischofs etwas zu erreichen, Ebo II, 1 S. 616 ff.
Bolezlaw mußte sich entschließen, die deutsche Kirche zu Hilfe zu rufen. Daß er das
Nächstliegende, die Berufung des Erzbischofs von Magdeburg, unterließ, ist bei der zwischen
Magdeburg und Gnesen von lange her bestehenden Eifersucht ebenso begreiflich, wie daß
er sich an den in Polen bekannten Bamberger Bischof wandte. Es ist aber das Ver=
45 dienst Ottos, daß er dem Unternehmen einen deutschen Charakter verlieh. Im Einver=
nehmen wie mit dem Papst, so mit Heinrich V. und den deutschen Fürsten ist er nach
Pommern gezogen, Ekkeh. chr. z. 1124 S. 262.
 In der zweiten Woche des Mai 1124 brach er auf und gelangte über Prag, Breslau,
Posen und Gnesen, vom Polenherzog ehrfurchtsvoll empfangen und nach Kräften unter=
50 stützt, ins östliche Pommern, genauer in den Westen Hinterpommerns, wo an der Grenze
der Pommernherzog Wratizlav, der in seiner Jugend zu Merseburg bereits getauft war,
den Heilsboten, welchen sein Lehnsherr ihm sandte, ehrerbietig aufnahm. Durch seine
feste, ruhige Haltung, durch den Glanz seines Auftretens, seine milde und warme Predigt
und die mitgebrachten Geschenke wußte Otto, den Abgesandte beider Herzoge begleiteten,
55 die Pommern zu gewinnen; in der Gegend von Pyritz taufte er alsbald einige Tausende
nach verhältnismäßig eingehendem Unterricht. Am 27. Juni gelangte er nach dem ba=
maligen Herzogssitze, der in der neueren pommerschen Kirchengeschichte so bekannten Stadt
Cammin, wo die Herzogin ihm nicht minder als ihr Gemahl lebhaftes Entgegenkommen
bewies. Auf der Insel Wollin folgten in der reichen Handelsstadt Julin gefahrvolle
60 Tage; doch fiel die Stadt schließlich dem Evangelium zu, als Stettin durch Boten des

Polenherzogs bewogen, das Christentum angenommen hatte. Nach Osten hin dehnte Otto seine Thätigkeit bis Kolberg und Belgard aus. Während seines Aufenthalts begründete er an 9 Orten (Pyritz, Cammin, Stettin, Garz, Lubzin, Julin, Klötikow, Kolberg und Belgard) 11 Kirchen; die Zahl der Getauften belief sich auf 22165. Anfang Februar 1125 verließ er Pommern; am Karsamstag war er wieder in Bamberg.

Freilich wucherte ähnlich wie in den apostolischen Gemeinden auch in der pommerschen Christenheit das Unkraut der alten heidnischen Gewohnheiten fort. Namentlich neigten die heidnischen Priester zum Abfall vom Evangelium, und in Stettin glaubte man wenigstens neben dem „deutschen Gott" (Ebo III, 1) auch die altväterlichen verehren zu können. So sah sich denn Otto nach 3 Jahren (wahrscheinlich 1128, obwohl einige Forscher 1127, noch andere 1129 rechnen, vgl. hierüber besonders den betr. lehrreichen Exkurs bei Bernhardi), auch durch dringende Briefe aus dem Norden gemahnt, abermals veranlaßt, nach Pommern zu ziehen. Jetzt ging der Weg über Magdeburg und Havelberg, und von Westen her kam Otto diesmal zuerst nach Demmin an der Mecklenburger Grenze, wo er pommerische Kriegsgefangene milden Herzens loskaufte und frei in die Heimat entließ. Bald hernach erschien er auf dem Landtage zu Usedom auf der Insel gleichen Namens und gewann durch feurige Rede alle Großen des Landes für die Sache Christi, die er dann selbst durch Begründung neuer Gemeinden in Wolgast und Gützkow (nördlich von der Peene) und durch Befestigung des Christentums in Stettin und Julin sicherte. Wieder über Polen kehrte er gegen Weihnachten desselben Jahres nach seiner Diöcese zurück, wo mannigfache Pflichten als Bischof wie als Reichsfürst seiner warteten, die er in alter Weise, hochgeehrt von den Fürsten des Reichs und namentlich vom Kaiser Lothar, mit regem Eifer erfüllte. Auch den Pommern blieb sein Herz in treuer Teilnahme zugewandt, und zwischen dem neuen Kirchenpflanzung und ihrem Apostel bestand eine stete Verbindung. Am 30. Juni 1139 starb Otto fromm wie er gelebt und ward im Michaelskloster bestattet, der minister et hospes ac susceptor omnium Christianorum, wie ihn Bischof Embricho von Würzburg in der Leichenrede nannte.

Allerlei Wunder sollte der Bischof schon auf seinen Missionsreisen vollführt haben; nun knüpften sich Wundererzählungen auch an sein Grab. So erfolgte durch Clemens III. 1189 Ottos Heiligsprechung, der 30. September ward der Tag der Translation seiner Gebeine. Fortan ward in der Bamberger Diöcese eine Feier des 30. September, zum Teil auch des 30. Juni als Ottotag bestimmt. In Pommern hat der Ottokult, der sich hier an den 1. Oktober knüpfte, nicht eben weite Verbreitung gefunden. Seit der Mitte des 14. Jahrhunderts suchte Herzog Barnim III. denselben neu zu beleben, und daher ward z. B. 1376 die Schloßkirche in Stettin als Ottokirche gestiftet. So finden sich denn hie und da noch Reste besonderer für eine Heiligenfeier bearbeiteter Erzählungen von Ottos Leben vor, z. B. in Cammin (vgl. Lüpke, Hymnarium Camminense, Cammin 1871, S. 24), in Stettin (wo eine kurze Vita im Jakobikirchenbuch existiert), in Greifswald (eine legendenartig knappe Erzählung in der Nikolaikirche, vgl. Phl, Katalog der Nikolaikirchenbibl. in Balt. Studd. XXI, 1866, S. 141); und einzelne Örtlichkeiten Pommerns pflanzen noch Ottos Namen fort, man denke an die Ottoschule in Stettin, die Ottobrunnen in Zirkwitz (nicht weit von Treptow a. R.) und Pyritz (vgl. Chelopolus ed. Zinzow, Pyritz Progr. 1869, S. 40), endlich an das Ottostift (ein Schullehrerseminar) in derselben Stadt, deren Gymnasialaula mit Ottos Bilde geschmückt ist, wie denn das bortige evangelische Gymnasium den 15. Juni zur Erinnerung an die Massentaufe Ottos als Gedächtnistag desselben begeht.   (A. Kolbe †) Hauck.

Otto I., Bischof von Freising, gest. 1158. — Seine Schriften: Chronicon, herausgegeben von R. Wilmans in MG SS XX, 83—301. Davon Abdruck in SS rerum German. 1867. Die an denselben beiden Stellen herausgegebenen Gesta Friderici I. imp. sind bedeutend verbessert ebiert von G. Waitz in den SS rerum Germanicarum 1884 (ed. 2). Die früheren Ausgaben sind in diesen beiden Bänden genannt. Deutsche Uebersetzung beider Werke in Geschichtschreiber der deutschen Vorzeit, 2. Ausg., XII. Jahrh. Bb 8. 9. — Aus der reichen Litteratur verzeichnen wir nur das wichtigere und lassen namentlich die ältere beiseite: G. Waitz in Schmidts Z. f. Geschichtswiss. II, 110 f.; R. Wilmans im Archiv f. ältere deutsche Geschichtsk. X, 131—173. XI, 18—76; H. Grotefend, Der Wert der Gesta Frid. imp. des Bischofs Otto v. Fr., Göttinger Diss., Hannover 1870; Sorgenfrey, Zur Charakteristik des O. v. Fr. als Geschichtschreiber, Progr., Greiz 1873; H. Jungfer, Untersuchung der Nachrichten über Friedrichs I. griech. und normänn. Politik, Berlin 1874; W. Lüdecke, Der histor. Wert des ersten Buches der Gesta Frid. O.s v. Fr., Diss., Halle 1884, und Forts. im Progr. Stenbal

1885; W. v. Giesebrecht, Gesch. d. DKZ IV, 394—398. VI, 291 f.; E. Bernheim in Mitteil. d. Inst. für Oesterr. Geschichtsf. VI, 1—57; J. Haßhagen, O. v. Fr. als Geschichtsphilosoph und Kirchenpolitiker, Leipzig 1900; Wattenbach, DGQ II⁶, 271—284. Ueberall die weitere Litteratur angeführt. Nachdem dieser Artikel geschrieben war, gab A. Hauck eine Charakteri-
5 stik Ottos in seiner KG Deutschlands IV, 476 ff. — Die wichtigsten Nachrichten über Ottos Leben bringen die Klosterneuburger Annalen, MG SS IX, 610 f., und Rahewin, Gesta Frid. IV, 14 (11).

Otto stammte aus zwei der erlauchtesten Fürstengeschlechter, sein Vater war der Babenberger Liutpold III., Markgraf von Oesterreich (1096—1136), seine Mutter war
10 Agnes, die Tochter Kaiser Heinrichs IV., welche in erster Ehe mit dem Staufer Friedrich I., Herzog von Schwaben (gest. 1105), vermählt gewesen war und im Jahre 1106 den Mark- grafen Liutpold heiratete. Otto war also der Halbbruder König Konrads III. und Oheim Kaiser Friedrichs I. Da er der fünfte aus jener Ehe entsprossene Sohn war, aus der auch noch fünf Töchter und sieben früh gestorbene Kinder hervorgingen, kann er nicht
15 vor dem Jahre 1111 geboren sein, aber auch schwerlich nach dem Jahre 1115, da er schon 1137 zum Bischof erwählt wurde. Sein Vater bestimmte ihn wie seinen jüngeren Bruder Konrad, den späteren Bischof von Passau und Erzbischof von Salzburg, zum geistlichen Stande und machte ihn, als er noch junger Schüler war, zum Probst über ihn im Jahre 1114 gegründeten Chorherrenstiftes Klosterneuburg bei Wien, nachdem der
20 erste Probst Otto gestorben war. Das geschah, um ihm einen Teil der Einkünfte des Stiftes, das durch einen Stellvertreter verwaltet wurde, zuzuwenden, denn deren bedurfte Otto, da der Vater ihn zum Studium nach Paris schickte. Mehrere Jahre hat er dort studiert und sich die ganze philosophisch-theologische und grammatikalisch-klassische Bildung der Zeit, die man dort erlangen konnte, angeeignet. Inzwischen hat er für kurze
25 Zeit auch einmal die Heimat besucht. Damals brachte er Reliquien für die Kloster- neuburger Kirche aus Frankreich mit, wollte aber nicht angeben, welchen Heiligen die Re- liquien zugehörten. Welche Lehrer er zu Paris gehört hat, ist nicht überliefert. In seinen Werken zeigt er sich am meisten von Gilbert de la Porrée abhängig, dessen theologischen Streit mit Bernhard von Clairvaux über die Trinitätslehre er ausführlich und mit ent-
30 schiedener Parteinahme für Gilbert in den Gesta Friderici I, 48. 52—61 dargestellt hat (vgl. Bd VI, 665 f.), obwohl doch diese Episode wenig in den Rahmen jenes Werkes paßte. Zu Paris kann Otto nicht Gilberts Schüler gewesen sein, er müßte ihn zu Chartres aufgesucht haben, und das halte ich wohl für möglich, wenn auch der Klosterneuburger Chorherr, dem wir die Nachrichten über Ottos Jugendzeit verdanken, ihn nur zu Paris
35 studieren läßt. Ferner zeigt sich Otto mit Schriften Hugos von St. Victor (vgl. Bd VIII, 436 ff.) vertraut. Diesen kann er zu Paris gehört haben. Auf der Heimreise von dort übernachtete er einmal mit 15 bedeutenden Klerikern in dem Cistercienserkloster Morimund in der Diöcese Langres, dort wurde er mit allen diesen Begleitern Cisterciensermönch. (Das war der Grund, daß sein Vater Liutpold im Jahr 1136 in das von ihm neu-
40 gegründete Kloster Heiligenkreuz Cisterciensermönche aus Morimund berief.) Es geschah kurz vor dem Frühjahr 1134. Man darf wohl annehmen, daß diese 16 Männer den Entschluß zur Konversion schon vorher gefaßt hatten, daß sie sich entschieden, eben in Morimund als Mönche einzutreten, nachdem sie die Brüder dort kennen gelernt hatten. Sicher war Otto durch seine Weltanschauung, durch den christlichen Pessimismus, von
45 dem seine Chronik durchtränkt ist, und den er sich doch wohl in Frankreich angeeignet hatte, zu einem solchen Entschluß wohl vorbereitet. In Morimund wurde Otto einige Zeit darauf, aber nicht vor der zweiten Hälfte des Jahres 1136, zum Abte gewählt, doch hat er dieses Amtes nur sehr kurze Zeit gewaltet, denn, nachdem Bischof Heinrich von Freising am 9. Okt. 1137 gestorben war, wählten ihn die Freisinger Domherren wohl vor
50 Ende des Jahres zu dessen Nachfolger. Im folgenden Jahre kam er nach Freising. Das kann jetzt nach dem Zeugnis der gleichzeitigen Annalen von Weihenstephan bei Freising (MG SS XIII, 53) nicht mehr zweifelhaft sein, obwohl in einer Urkunde von 1138 (schlechter Überlieferung) ein Bischof Matheus von Freising erscheint, von dem man sonst nichts weiß. Er hat schwerlich je existiert. Bernhardi, Jahrb. Konrad III. I, 70 f., der
55 jene Annalen noch nicht benutzte, meinte, Otto sei um die Mitte des Jahres 1138 ge- wählt, und berechnet nach Datierungen von Urkunden, daß er zwischen 6. November und 9. Dezember desselben Jahres zum Bischof geweiht sei. Sicher empfing er erst von Konrad III., nicht mehr von Lothar III., die Regalien. Über die Verwaltung seiner Diöcese und seine Teilnahme an den Reichsgeschäften schweigen wir hier und bemerken
60 nur, daß er mit den Wittelsbacher Pfalzgrafen von Baiern, den Vögten des Freisinger

Domstiftes, in schwere Streitigkeiten geriet, ein heftiger Ausfall gegen die Wittelsbacher in der Chronik (VI, 20) zeigt, wie sehr Otto gegen sie erbittert war.

In den trüben Zeiten Konrads III., da der Kampf zwischen Staufern und Welfen das Reich durchtobte, da dem Könige nichts recht gelang, in den Jahren 1143—1146, schrieb Otto seine Chronik in acht Büchern, die er mit einer Widmung an Isingrim (den 5 Abt von Ottobeuern, wie man gemeint hat) sandte. Es ist ein Werk, wie es bisher im Mittelalter nicht existierte und auch später nicht wieder geschrieben worden ist. Es ist eigentlich keine Chronik, und Otto hat das Werk auch nicht so genannt, sondern er gab ihm den Titel „de duabus civitatibus", denn in völligem Anschluß an Augustin will er den Kampf darstellen der civitas dei gegen die civitas diaboli oder terrena. Die 10 civitas dei ist ihm wie bei Augustin bis auf Christus die communio sanctorum, die bis dahin lebten. Von Christi Geburt an wandelt sich der Begriff wie bei Augustin, und die civitas Dei ist nun das rechtgläubige Christentum im Kampfe gegen das Heiden- tum und die Ketzereien. Von Theodosius dem Großen an, da diese beiden Widersacher im wesentlichen besiegt sind, kann er daher eigentlich nicht mehr von den zwei civitates, 15 sondern nur von der civitas dei schreiben, die er der ecclesia gleichsetzt. Aber diese ist wie bei Augustin ein corpus permixtum, in ihr sind die Auserwählten und die Ver- worfenen enthalten, die wahren Gottesbürger unter den ersten sind ihm „die Mönche und die mönchisch disziplinierten Kleriker nebst den Kreuzfahrern, wie er an einer Stelle er- weiternd hinzufügt" (Bernheim). Das zweite Vorbild, dem Otto, wie er ausdrücklich sagt, 20 neben Augustin folgt, ist Orosius. Wie dieser den Zweck verfolgt, zu zeigen, daß zu allen Zeiten Unheil und Verderben in der Welt geherrscht haben, nicht erst zur Zeit des siegreichen Christentums, ist der Grundton, auf den die Chronik gestimmt ist, dieser: die Welt ist ein Jammertal, Unheil und Verderben walten, und stets wird es schlimmer und häßlicher in der Welt, und das ist die Schuld der Bösen, der cives Babyloniae mun- 25 dique amatores, und schon wäre wegen des Bösen, das überall herrscht, die Welt unter- gegangen, wenn Gott sie nicht noch wegen der Verdienste der Gottesbürger, deren An- zahl jetzt groß sei (im Cistercienserorden besonders, nämlich), erhielte. Diese trübe Stim- mung entspricht der trüben Lage der Dinge zur Zeit Konrads III. Unter steter Variierung dieser Gedanken erzählt Otto die Geschichte von Erschaffung der Welt bis auf das Jahr 30 1146 in sieben Büchern. Eindringende Quellenforschung zu diesem Zweck anzustellen, war seine Sache nicht, zumeist folgt er der Chronik Frutolf-Ekkehards bis zum Jahre 1106, wenn er auch für die ältere Zeit andere Werke, wie besonders Orosius' Historiae und des Eusebius Kirchengeschichte in der Übersetzung Rufins' herangezogen hat. Ihm kam es darauf an, den historischen Stoff mit den Ideen Augustins und Orosius' zu durch- 35 dringen. Daß an sich ein Fortschritt gewesen wäre, kann man gewiß nicht sagen, im Gegenteil, das heißt von unserem Standpunkt aus der Geschichte Gewalt anthun, das historisch Geschehene in die ihm unnatürlichste Form zwingen, aber darin bestand der gewaltige Fortschritt, daß Otto unter den ihn beherrschenden Ideen versuchen mußte, den überlieferten historischen Stoff geistig zu durchdringen, nach Ursache und Wirkung des 40 Geschehenen zu forschen, somit eine in sich zusammenhängende Geschichtsdarstellung zu liefern, was bisher nur einige Männer, die Geschichte ihrer Zeit schrieben, gethan hatten, während die Chronisten bis dahin die verschiedensten Ereignisse neben einander einfach referierten. Ganz gelungen ist Otto gewiß nicht was er erstrebte, aber es gilt schon viel, es versucht zu haben. Wie Beda seine Chronik mit einer längeren Ausführung über die 45 eschatologischen Dinge schloß, hat Otto seinem Werk ein achtes Buch angehängt, welches über den Antichrist und das jüngste Gericht handelt. Es ist hier um so weniger über diesen Teil noch etwas zu sagen, da er auf seine Quellen noch lange nicht genügend untersucht ist. Vgl. Büdinger in SB. der Wiener Akad. XCVIII, 325 ff.

In den Jahren 1147 und 1148 nahm Bischof Otto an dem unglücklichen, von 50 Bernhard von Clairvaux erzwungenen, Kreuzzuge Konrads III. teil. Auf dem Zuge in Kleinasien befehligte er eine Heeresabteilung, welche getrennt vom Hauptheer durch die Küstenlandschaften marschierte. Sie wurde völlig aufgerieben. Ganz mittellos und unter den entsetzlichsten Strapazen entkam der Bischof in eine Seestadt und fuhr von dort zu Schiff nach dem heiligen Lande, besuchte Jerusalem und die für heilig gehaltenen Stätten. 55 Er scheint mit dem Könige Ludwig VII. von Frankreich nach dessen Lande von da zurück- gefahren sein, sicher erscheint er 1150 bei dem Abte Bernhard von Clairvaux und über- bringt einen Brief von diesem an den König Konrad III., der zwischen diesem und König Roger von Sicilien, da der Krieg zwischen ihnen auszubrechen drohte, vermitteln sollte. Nach seiner Rückkehr in die Heimat wurden die Zustände im Reich zunächst nicht besser. 60

Der Kampf des Königs gegen die Welfen entbrannte aufs neue. Aber mit dem Tode
Konrads III. (1152) stieg eine neue Sonne auf. Friedrich I. stellte den Frieden im
Reich her, der lange Kampf zwischen Staufern und Welfen wurde beigelegt, wobei der
Bischof von Freising eifrig mitwirkte, Heinrich der Löwe erhielt die beiden welfischen
5 Herzogtümer zurück, die Babenberger wurden in der Südostmark unabhängig von der
Oberhoheit der Herzoge von Baiern, die Reichsgewalt in Italien wurde mit Kraft wieder
hergestellt, der König zum Kaiser zu Rom gekrönt. Die traurigen Zeiten hatten sich gewandelt in friedliche, glückliche. Bischof Otto wurde auch öfter als unter Konrad III.
zu den Reichsgeschäften herangezogen.
10   Er sagt im Prolog zum I. Buch der Gesta, er hätte einen Moment einmal, als
während der Vorbereitungen zum Kreuzzuge Frieden herrschte, daran gedacht pro pacis
iocunditate stilum vertere, das heißt, seine trübe, pessimistische Darstellungsweise aufzugeben. Dazu lag jetzt, da dauernder Friede herrschte, um so mehr Grund vor. Im
Prolog zum V. Buche der Chronik sagt er, jedermann sehe ja, wohin es mit dem Reich
15 gekommen wäre. Dieses stand jetzt wieder machtvoll und glanzvoll da. Im Jahre 1157
übersandte Otto seinem Neffen, dem Kaiser Friedrich I., ein an wenigen Stellen abgeän-
dertes Exemplar seiner Chronik, er entschuldigte sich in dem Widmungsbrief an den Kaiser
gewissermaßen, daß er das Werk wegen der trüben Zeiten damals ex amaritudine
animi und deshalb non tam rerum gestarum seriem quam earundem mise-
20 riam in modum tragoediae geschrieben habe, er erbot sich, nun auch die Thaten des
Kaisers (und diese nun freilich in ganz anderem Ton, als Lobredner und mit Verherrlichung des Kaisers) zu schreiben, wenn dieser ihm den Stoff dazu durch seine Notare
liefere. Das that der Kaiser in einem Briefe, der vorhanden ist. Nun schrieb Otto vom
Sommer 1157 an bis zu seinem Tode die zwei Bücher der Thaten Kaiser Friedrichs I.,
25 indem er in dem ersten Buch die Begebenheiten von Beginn des Streites zwischen Kaisertum und Papsttum unter Heinrich IV. bis zum Tode Konrads III. kurz darstellte, im
zweiten Buch die Geschichte der Jahre 1152 bis zum Herbst 1156 erzählte. Es ist ein
hochbedeutendes und wertvolles Werk, gleich hervorragend nach Inhalt und Form, ausgezeichnet durch die Benutzung und Mitteilung vieler Aktenstücke, welche dem Reichs-
30 fürsten zu Gebot standen. Und es mußte wohl etwas bedeutendes werden, wenn ein
Mann in solcher Stellung und mit solcher Bildung die Geschichte seiner Zeit darzustellen
unternahm. Wohl hat man manche Unrichtigkeiten und manche Auslassungen getadelt,
dabei aber mehr die Anforderungen, welche man an einen Geschichtschreiber von heute
stellen darf, im Auge gehabt, und die Bedingungen, unter denen Otto schrieb, zu sehr
35 hintangesetzt.
      Als der Kaiser im Sommer 1158 mit großem Heere nach Italien zog, entband er
den Bischof von Freising von der Heerfolge. Otto begab sich nach Frankreich, um an
dem Generalkapitel der Cistercienser teilzunehmen. Auf der Reise besuchte er sein Kloster
Morimund, dort erkrankte er und starb dort am 22. September. Auf dem Totenbett
40 bat er die Brüder von Morimund, wenn er in der oben besprochenen Ausführung über
den Streit zwischen Gilbert und Bernhard von Clairvaux etwas zu Gunsten Gilberts gesagt hätte, das verletzen könne, so möchten sie das korrigieren. Für die Brüder von
Morimund war natürlich Abt Bernhard die höchste Autorität, es konnte ihnen gründlich
mißfallen, was Otto über ihn da gesagt hatte. Ottos Werk über die Thaten des Kaisers
45 empfing sein Kapellan, der Freisinger Domherr Rahewin, der bei dem Tode des Bischofs
anwesend war und ihm die Augen zudrückte, zur Fortsetzung, nachdem er schon die ersten
beiden Bücher nach dem Diktat Ottos niedergeschrieben hatte. An den folgenden beiden
Büchern hat Otto keinen Teil mehr, wenigstens nicht an der Darstellung, nur Materialien
dafür, namentlich Aktenstücke, mag Rahewin aus seinem Nachlaß empfangen haben.
50   Otto von Freising war eine milde Natur, mit Neigung zum Maßhalten nach allen
Seiten. In allen Fragen nahm er eine vermittelnde Stellung ein. Als Philosoph folgte
er der mittleren Richtung Gilberts de la Porrée, der auf realistischer Grundlage eine
Stellung zwischen Realisten und Nominalisten einnahm, die schroffe Natur Bernhards von
Clairvaux war ihm unsympathisch. In der Frage nach dem Verhältnis von Staat und
55 Kirche, imperium und sacerdotium, stand er auf seiten keiner Partei, welche die Rechte
des einen oder des andern einseitig verfocht. Bei dieser Veranlagung darf man es als
ein Glück für Otto ansehen, daß er das Schisma von 1159 nicht erlebte und nicht gezwungen war, sich für Kaiser Friedrich I. oder Papst Alexander III. zu erklären. So
hoch Otto den Cistercienserorden hielt — er soll dessen Mönchsgewand auch als Bischof
60 stets getragen haben —, hat er doch in seiner Diözese ein Prämonstratenserstift gegründet

und zwei Benediktinerklöster, Scheftlarn und Schlehdorf, wiederhergestellt. Er wird gerühmt, daß er in Freising die philosophischen Studien eingeführt habe. Daß er dialektische und philosophische Werke selbst verfaßt habe, wie Aeneas Sylvius behauptet, wird doch wohl nur auf Mißverständnis beruhen, da Rahewin nichts davon sagt.

O. Holder-Egger. 5

Otto von Passau, Franziskaner, gest. nicht vor 1386. — W. Wackernagel, Kleinere Schriften II, 189 ff. (= RE² XI, 146 ff.); Phil. Strauch in ADB XXIV, 741 ff.; Kneller im Kath. Kirchenlex.² IX, 1185 ff.

Von den Lebensumständen des Mannes, der nur als Verfasser der sogleich zu nennenden Schrift geschichtlich merkwürdig ist, wissen wir fast nur, was er selbst in der 10 Vorrede angiebt; da bittet er alle die, welche sein Buch lesen und davon Nutzen haben, daß sie Gott für ihn bitten wollen, er sei lebendig oder tod, als für einen demütigen Bruder, Otto von Passau, St. Franziskusordens, weiland Lesemeister zu Basel, der dies Buch von Anfang bis zu Ende mit großem Fleiß und Arbeit von Stück zu Stück und von Sinnen (Sentenzen) zu Sinnen allesamt gemacht und vollbracht hat an der heiligen 15 Himmelfürstin Abend, Marien der Lichtmessen des Jahres MCCCLXXXVI. Demnach war er früher Lehrer am Franziskanerstudium zu Basel und wird sich, als er das Buch vollendete zu Passau aufgehalten haben. Nach einer Angabe in Sbaralea Supplementum scriptorum Franciscani ordinis, Rom 1806, S. 571 (vgl. Kneller a. a. O.) stammte er aus Flandern und war Mitglied der kölnischen Ordensprovinz. 20

Das Buch, das in Handschriften und Drucken (außer dem letzten, s. u.) den Namen „Die vierundzwanzig Alten", führt, gehört zu den in den letzten Jahrhunderten des Mittelalters beliebten erbaulichen Blütenlesen (vgl. W. Wackernagel, Deutsche Litteraturgeschichte S. 334. 353). Man sieht sich bei diesen Sammlungen erinnert an die dogmatischen Sentenzensammlungen des früheren Mittelalters, und gleich diesen sind auch 25 sie ein Zeugnis dafür, wie man das Bedürfnis fühlte, sich an die Vorzeit und ihre anerkannten Autoritäten anzuschließen, doch haben sie für die erbauliche Litteratur nicht die gleiche Bedeutung gewonnen, wie jene für die Theologie; man hatte auf diesem Gebiete schon gelernt, auch eigene Wege zu gehen. Auch waren sie nicht grade für solche bestimmt, die selbst als Lehrer und asketische Schriftsteller auftreten, sondern für die, welche 30 sich ihrer zur Pflege ihres eigenen christlichen Lebens bedienen wollten. Otto bezeichnet die Leser, denen sein Buch dienen soll, als Gottesfreunde, und man wird sich dabei erinnern, daß Basel ein Hauptsitz der Frommen jener Zeit, die sich so zu nennen pflegten, gewesen ist. — Unter jenen Sammlungen nimmt, was Reichhaltigkeit des Inhalts betrifft, das Buch Ottos den ersten Platz ein. Nicht ohne Grund rühmt er sich in der 35 Vorrede seines Fleißes und vergleicht sich mit der Biene, die über viele schöne Blumen hinfliegend aus ihnen den Saft saugt, um ihn zu Honig zu verarbeiten. So habe er aus aller Lehrer Kunst und Lehre mit viel Mühe herausgezogen, was der Seele nützlich sein mag zu dem ewigen göttlichen Wohlgefallen. Obenan stellt er die hl. Schrift, danach haben die heiligen Lehrer, die Gott den Menschen geschenkt und durch die der 40 hl. Geist alle Wahrheit ausgesprochen hat, ihm gar große Hilfe und Steuer geleistet; aber auch heidnische Sprüche, „die die hl. Kirche nicht verwirft", hat er nicht verschmäht aufzunehmen. Er nennt selbst der benutzten Autoren (in, wie es scheint, völlig prinziploser, also auch keine Schlüsse zulassender Reihenfolge) 104, und dabei ist die Liste noch nicht einmal vollständig; es fehlen z. B. die Offenbarungen der Elisabeth von Schönau 45 und Petrus Damiani, die beide im Buche vorkommen. Einzelne Namen sind zweifelhaft; „Bethel" ist wohl ein alter Fehler für „Beleth", d. h. Johannes Beleth (vgl. 12, 8), ein Pariser Theologe des 12. Jahrhunderts; „Agelius" ist wohl der bekannte Aulus Gellius, der früher durch Mißverständnis Agellius genannt zu werden pflegte. Von den griechischen Kirchenlehrern finden sich (Pseudo-)Ignatius (die im Mittelalter verfertigten 50 lateinischen Briefe!), ferne, der ungeachtet der kirchlichen Verdammung im Abendlande hochangesehene Origenes, Eusebius, Basilius, Gregor von Nazianz, Chrysostomus, Epiphanius, (Pseudo-)Dionysius und ein paar andere; der späteste ist Johannes Damascenus. Es unterliegt wohl keinem Zweifel, daß Otto sich auf Schriften beschränkt hat, die in lateinischer Uebersetzung vorlagen. Viel größer ist natürlich die Zahl der abendländischen 55 Lehrer, unter denen Cyprian der älteste ist, der Franziskaner Franz von Maro (Fr. Mayronis, gest. 1325) und Nikolaus von Lyra (gest. 1340) die jüngsten. Die Frage liegt nahe, warum Otto die Schriften der deutschen Mystiker ausgeschlossen hat. Nach Kneller, weil sie nicht kirchlich anerkannt waren, nach Wackernagel, dem Strauch zustimmt, weil

diese Bücher leicht zur Hand und jedermann verständlich waren. Die beiden Antworten
schließen einander nicht schlechthin aus; man kann aber noch einen dritten Grund angeben,
nämlich, daß man nach herkömmlicher Anschauung die deutschen Schriften als solche geringer
wertete. Sie galten wohl als nützlich zur Erbauung für das Volk und wurden insofern,
5 wenn man ihren Inhalt billigte, geschätzt, aber man rechnete sie nicht eigentlich zur
Theologie; diese war in den lateinischen Werken der großen Meister enthalten, den
eigentlichen Quellen, zu denen jene sich nur, wie man glaubte, als Ableitungen verhielten.
Otto wollte also aus den allgemein anerkannten und hochgeachteten Quellen schöpfen, er
hat es auch nicht unterlassen, jedesmal den Autor und besonders wenn er (was häufig
10 der Fall ist) von einem Verfasser mehrere Schriften benützte, den Titel der Schrift, und
auch die Zahl des Buches anzugeben. Hieraus läßt sich auch abnehmen, daß er in der
Regel nicht aus zweiter Hand geschöpft hat. Ein sicheres Urteil über das Maß seiner
Selbständigkeit und über den Wert seiner Übersetzungsarbeit würde sich freilich erst
ergeben, wenn die einzelnen Stellen nach ihrer Herkunft genau festgestellt und mit dem
15 Grundtexte verglichen wären — eine Arbeit, der sich bisher noch niemand unterzogen hat.
— Um die gesammelten Stellen dem Leser in angenehmerer Weise vorzutragen hat der
Verfasser eine eigentümliche Form gewählt: er legt sie den 24 Alten der Apokalypse in
den Mund, und zwar so, daß diese sie mit Namen des Autors u. s. w. anführen. Was
sie in eigner Person reden (oder auch der Verfasser in der seinigen; beides
20 ist nicht scharf geschieden), ist nur der Kitt, der das Mosaik zusammenhält. Uns kommt
es ja freilich seltsam vor, jene den Thron Gottes umgebenden Geister so schulmeisterlich
lehrend auftreten zu sehen, doch den Geschmack der Zeit hat Otto damit getroffen, und
der bekannte Dominikaner Joh. Niber, hat im folgenden Jahrhundert in seinem Buche
von den 24 Harfen ihm nachgeahmt. Die Verteilung des Stoffes, für die die Zahl
25 von 24 Hauptabschnitten gegeben war, ist nicht sehr systematisch; es wird allerdings von
dem Menschen als dem Bilde Gottes ausgegangen (1), dann von Gott und wie man ihn
findet, geredet (2), und wieder sind die 3 letzten Abschnitte eschatologischen Inhalts; in
den mittleren Stücken würde sich aber ein Plan nur auf künstliche Weise darthun lassen;
beispielsweise handelt 3 von Reue, Beichte und Buße, 5 vom Gewissen, 9 von der Gnade,
30 10 vom Glauben, 14 von der hl. Schrift, 15 vom thätigen, 16 vom beschaulichen Leben,
17 vom Gebet. Die ausführlichsten Abschnitte sind vom Altarsakrament und 12 von
der Jungfrau Maria, beide in die neun Unterabteilungen, während kein anderer mehr
als vier hat. Daß sie aber sonst aus dem Rahmen des Ganzen herausträten, scheint
mir nicht richtig. Dogmatisches kommt ja auch in anderen Abschnitten vor, ganz natür=
35 lich, weil für den strengkirchlichen Verfasser das rechte Leben die wahre Lehre zur Grund=
lage hat, nur wird das Dogma nicht an sich, in scholastischer Weise behandelt, sondern
im Hinblick auf seine Bedeutung für die Frömmigkeit angesehen, und das gilt doch
wesentlich auch von diesen Abschnitten. Daß aber in ihnen etwas mehr von dogmatischem
Stoffe vorkommt (namentlich hinsichtlich der Transsubstantiation und dessen, was mit ihr
40 zusammenhängt), das hat eben darin seinen Grund, daß diese beiden Stücke für das
religiöse Leben der Zeit ihre besondere Bedeutung hatten. Der 16. Abschnitt, vom be=
schaulichen Leben, beschäftigt sich mit der Mystik und diese konnte bei der Stellung, die
sie anerkanntermaßen in der Kirche einnahm, ja auch gar nicht umgangen werden, aber
aus der ziemlich trockenen Weise, in der der Verfasser davon redet, und aus der Art, wie
45 er eine ganze Anzahl verschiedener Aufzählungen der Staffeln, auf denen die Seele auf=
steigt, gleichsam zur Auswahl darbietet, läßt sich entnehmen, daß er selbst kein Mystiker
im eigentlichen Sinne ist. Überhaupt ist das ganze Buch zwar als der erbaulichen, nicht
aber als der eigentlich mystischen Litteratur angehörig zu betrachten. Im übrigen ergiebt
sich aus dem schon Gesagten, daß der Standpunkt des Verfassers streng kirchlich ist und
50 über das was in der Kirche galt, in keiner Weise hinausgeht — man vergleiche z. B.
den Abschnitt über Beichte und Buße. Als Franziskaner zeigt er sich 12, 1 in der
nachdrücklichen Behauptung der Freiheit der Jungfrau Maria von der Erbsünde. Irgend
eine Anfechtung seitens der kirchlichen Autoritäten hatte das Buch also gewiß nicht zu
befürchten; daß es aber einem verbreiteten Bedürfnis entsprach, beweist die große Zahl
55 der noch ganz oder teilweise vorhandenen Handschriften (nach d. Anz. f. d. deutsche
Altert. II, 288, 28). Es wurde auch ins Niederländische übertragen und im 15. Jahr=
hundert in mehreren Druckausgaben verbreitet, im 16. Jahrhundert ist es von den
Jesuiten viermal herausgegeben worden, und noch 1836 erschien zu Regensburg bei
Joh. Manz unter dem Titel „Die Krone der Ältesten" eine neuhochdeutsche Ausgabe mit
60 einigen, dem Zeitgeschmack Rechnung tragenden Änderungen. Demnach hat man es in

der katholischen Kirche noch im 19. Jahrhundert als Erbauungsbuch brauchbar gefunden.
Für uns bleibt ihm jedenfalls ein geschichtliches Interesse in mehrfacher Hinsicht. Es
zeigt, wie man die ältere Litteratur auf ihren erbaulichen Gehalt hin las und verwertete;
es zeigt auch, in welcher Weise man weiteren, nicht theologisch gebildeten Kreisen das
christliche Leben darstellte und nahe zu bringen suchte. Zwischen der Theologie, die in 5
ihren gelehrten Arbeiten von dem Verständnis der Laien durch eine weite Kluft getrennt
war und dem christlichen Volksleben bildeten solche und ähnliche Bücher eine Vermitte=
lung; für die Kenntnis des religiösen Lebens im ausgehenden Mittelalter sind sie wich=
tiger als alle dogmatischen Werke der Scholastiker.   S. M. Deutsch.

Oudin, Remi, genannt Casimir, geb. 1638 zu Mézières (Ardennes), gest. 1719 10
zu Leiden (Niederlande). — Litteratur: Bayle, Briefe II, 479; Nicéron, Mémoires des
hommes illustres Bd. 1 u. 10; Gebr. Haag, La France protestante; Abbé Boulliot, Biographie ardennaise, Paris 1830, Bd II.

Der junge Remi O., Sohn eines Webers, wurde von den Jesuiten zu Charleville
in der Rhetorik unterrichtet. Er trat im Jahre 1655 in den Prämonstratenserorden zu 15
Verdun, wobei er den Namen Casimir annahm. In dem dortigen Kloster, dann in der
Abtei Boucilly (Picardie), studierte er Theologie und besonders Kirchengeschichte. Als
einst, auf einer Reise, Louis XIV. dort ein paar Stunden verweilte, setzte ihn O. durch
ein improvisiertes lateinisches Lobgedicht in Staunen. Dies machte seinen Ordensgeneral,
Michel Colbert, auf ihn aufmerksam, so daß er ihm, 1681, den Auftrag gab, in den 20
Archiven der Prämonstratenserklöster alle für die Geschichte wichtigen Urkunden aufzusuchen.
Zu diesem Zwecke besuchte O. achtzig Abteien in den Niederlanden, Lothringen, Burgund
und dem Elsaß. 1683 wurde es ihm erlaubt in Paris zu leben; da kam er nicht nur
mit den Benediktinern von St. Maur, wie Baluze und Mabillon, sondern auch mit
einigen reformierten Gelehrten, wie Jurieu, in Verbindung. Der letztere schon erschütterte 25
seinen katholischen Glauben. Dadurch fiel er aber in den Verdacht der Häresie und wurde
in die Abtei zu Resons (nahe Beauvais) zur Buße geschickt. Entrüstet über diese Strenge,
entfloh er nach Holland (1692), trat zum Protestantismus über und wurde zwei Jahre
später an der Bibliothek von Leiden als Unterbibliothekar angestellt. Dort lebte O. fast
ebenso zurückgezogen, als wenn er in einer Einöde wäre. Da seine Leidenschaft für die 30
alten Handschriften und Bücher durch keine andere aufgewogen war, so dachte er an die
Bedürfnisse des Lebens, nur wenn er eine Lust zum Studium befriedigt hatte. Den=
jenigen, welche ihn zum Heiraten aufforderten, antwortete er, „daß er den reformierten
Glauben aus Liebe zur Wahrheit angenommen und gar nicht, um sich von dem Cölibat=
gesetze zu befreien.“ Er bewahrte strenge Sitte und behielt bis zu seinem Tode die 35
Achtung seiner neuen Glaubensgenossen.
Werke: Supplementum de scriptoribus vel scriptis ecclesiasticis a Bell-
armino omissis, Paris 1686, in 8°. Es sollte zur Vervollständigung von Bellarmins
bekanntem Werke: De scriptoribus ecclesiasticis liber (Rom 1613, 1°) dienen, war
aber in manchen Stücken fehlerhaft und wurde deshalb von dem gelehrten Engländer 40
Dr. Cave, dem Verfasser einer ähnlichen Arbeit, scharf getadelt. O. wandte nun alle
Mühe darauf, sein Werk zu verbessern; er gab ihm eine neue Gestalt, indem es indessen
erst nach seinem Tode erschien unter dem Titel: Commentarius de scriptoribus
Ecclesiae antiquis, illorumque scriptis adhuc exstantibus in celebrioribus
Europae bibliothecis, Leipzig 1722, 3 Folio. — Es gilt stets mit Recht als ein Haupt= 45
werk in kirchlicher Litteratur und geht bis 1160. Le Prémontré défroqué, Leiden
1692, in 12°; Galliae et Belgiae Scriptorum Opuscula, 1692, 8°; Trias disserta-
tionum criticarum, Leiden 1717, 8°.   G. Bonet-Maury.

Oberberg und der Gallitzinsche Kreis. — J. Th. H. Katerkamp, Denkwürdig=
keiten aus dem Leben der Fürstin A. v. Gallitzin, Münster 1828; Levin Schücking, Die 50
Fürstin Gallitzin und ihre Freunde: Rhein. Jahrbuch, Köln 1840; C. F. Krabbe, Geschicht=
liche Nachrichten über die höheren Lehranstalten in Münster, Münst. 1852; L. Giesebrecht, in
d. Ztschr. Damarit, J. III—V (1862—1865); E. Naßmann, Nachrichten aus dem Leben
Münsterländischer Schriftsteller, Münster 1866, S. 248 ff.; Nordhoff, Denkwürdigkeiten aus
dem Münsterschen Humanismus (mit einer Anlage über das frühere Preß= und Bücherwesen 55
Westfalens), Bonn 1874; J. Galland, Die Fürstin Amalie v. Gallitzin und ihre Freunde
(1. und 3. Vereinsschrift der Görresgesellschaft), Köln 1880; derselbe in den Hist.=Polit. Bl.,
Bd 82 und 83; F. Nielsen, Aus dem inneren Leben der katholischen Kirche im 19. Jahrh.,
Bd I, Karlsruhe 1882, S. 221—243; F. Nippold, Der Konfessionswechsel im 19. Jahrh.

(Kleine Schriften z. inneren Geschichte des Katholicismus, I, Jena 1899, S. 209—258). Vgl.
W. Baur, Art. „Stolberg" in PRE², XIV, 758 ff.

Ueber Overberg insbesondere: (Joseph Reinermann), Bernhard Overberg in seinem
Leben und Wirken dargestellt von einem seiner Angehörigen, Münster 1829; C. F. Krabbe,
5 Leben Overbergs, ebb. 1831; 2. A. 1846; 3. A. 1864; Alois Knöppel, Bernh. Overberg, der
Lehrer des Münsterlands (Lebensbilder katholischer Erzieher, Bb V), Mainz 1896; H. Herold
(s. u. bei Fürstenberg); K. Knole, Das Schulwesen in Nordwestdeutschland: NKZ 1899, H. IV
(wo auf S. 345 „Overberg" statt Overbed zu lesen ist). Vgl. die Artikel „Overberg" von
H. Kämmel in Schmids Encykl. des Erziehungswesens V, 607 ff.; von F. H. Reusch in der
10 AdB, Bd 25, S. 14 ff.; von Knecht im KKL² IX.

Ueber die Fürstin Am. v. Gallitzin: (Schlüter), Briefwechsel und Tagebücher der
Fürstin A. v. G., herausgegeben, Münster 1874; (derselbe), Briefwechsel rc., NF, ebb. 1876;
Diel, S.J., Fürstin Amalia v. G.; Stimmen aus Maria-Laach 1874, H. 7—9; Joh. Janssen,
Friedr. Leop. Graf zu Stolberg, Freiburg 1882, S. 67 f. 80 f. 199 ff. (sowie in s. früher [ebb.
15 1877 f.] erschienenen größeren Stolberg-Biographie); Nordhoff, Art. „Gallitzin" in Bd VIII
der AdB. — Wegen ihres Sohnes Dimitri vgl. unten im Text.

Ueber F. F. W. v. Fürstenberg: W. Esser, Franz v. Fürstenberg, dessen Leben und
Wirken; nebst Schriften über Erziehung und Unterricht, Münster 1842; H. Kellner, Er-
ziehungsgeschichte in Skizzen und Bildern, 3. A., Bd II, Essen 1880; ders., in d. Hist.-Pol.
20 Bl. 1879, S. 561 ff. 641 ff.; H. Herold, Franz v. Fürstenberg und Bernh. Overberg in ihrem
gemeinsamen Wirken für die Volksschule, Münster 1893; „Fürstenberg" in
AdB VIII, 232—244; Uedinck, Art. „Fürstenberg" im KKL², IV, 2087—2091.

Ueber J. H. Kistemaker: K. Werner, Geschichte der kath. Theologie seit dem Trienter
Konzil, München 1866, S. 397—400; Fechtrup, Art. „Kistemaker" im KKL², VII, 735 ff.
25 Ueber G. Kellermann: Fechtrup, Art. „Kellermann" im KKL² VII, 366 f.; Joh. Janssen,
F. L. Stolberg rc., S. 284 ff.

Bernhard Heinrich Overberg, der theologische Mittelpunkt des gewöhnlich nach der
Fürstin Amalie v. Gallitzin benannten Kreises frommer und geistig bedeutender Katholiken um den Schluß des 18. und den Anfang des 19. Jahrhunderts, wurde am
30 1. Mai 1754 geboren in der zur Pfarrgemeinde Voltlage im Fürstentum Osnabrück gehörigen Bauerschaft Höckel. Teils wegen Armut seiner Eltern, teils weil er körperlich
so schwächlich war, daß er erst in seinem fünften Lebensjahre das Gehen lernte, entwickelten sich seine Geistesanlagen ungewöhnlich langsam. Er verbrauchte acht ABC-
Bücher, bis er lesen konnte, und war bereits 16 Jahre alt, als er das Franziskaner-
35 gymnasium in Rheine a. d. Enns bezog, um als zweitunterster Schüler der untersten
Lateinklasse seinen Kursus zu beginnen. Allein schon nach Verlauf eines einzigen Schul-
jahres war er von sämtlichen Mitschülern der beste im lateinischen Stil und in der Religion. Nach Absolvierung dieser vier Jahre hindurch besuchten Lehranstalt erhielt er von
seinem Gönner, dem Franziskaner-Guardian in Rheine, eine Aufforderung zum Eintritt
40 in dessen Kloster, zog jedoch, gestützt auf die seitens seiner Mutter dargebotenen spärlichen
Mittel, die Laufbahn eines Weltgeistlichen vor und betrat dieselbe im Herbste 1774 als
Studierender des fürstbischöflichen theologischen Seminars zu Münster. Seit seinem Eintritt in diese Hochschule — die Vorgängerin der 1780 gestifteten Maximilians-Friedrichs-
Universität sowie der 1818 an deren Stelle getretenen theol.-philos. Akademie — verlief
45 Overbergs Lebensgang und Lehrthätigkeit in drei Epochen von nicht ganz gleicher (15 bis
20jähriger) Länge.

I. Die Zeit vor dem Eintritte in die Hausgenossenschaft der Fürstin
Gallitzin: 1774—1789. — Der Münsterer Student, rasch vorwärts bringend auf
allen Wissensgebieten und schon nach Einem Schuljahre sämtlichen Kommilitonen überlegen,
50 war zugleich ununterbrochen pädagogisch thätig. In Münster bekleidete er eine Haus-
lehrerstelle bei dem Hofrat Münstermann; während den Ferien im Elternhause zu Voltlage unterrichtete er Nachbarskinder, die wegen mangelnder Religionskenntnis von der
österlichen Kommunion zurückgewiesen worden waren, im Katechismus und, als diese einseitig theoretische Lehrweise sich als wenig wirksam erwiesen hatte, in biblischer Geschichte,
55 wodurch er seinen kleinen Zöglingen die begehrte Zulassung zur ersten Kommunion bereits nach einem halben Jahre verschaffte und überhaupt ungemein günstige Resultate
erzielte. So auf empirischem Wege zu ähnlichen katechetischen Lehrgrundsätzen wie die
etwas zuvor durch Fleury, Bougeaut u. a. katholische Pädagogen empfohlenen geleitet
(vgl. v. Zezschwitz, Syst. der Katechetik, II, 2, 17. 104 ff.), legte er den Grund zu seiner
60 wenigstens für den deutschen katholischen Religionsunterricht zu reformatorischer Bedeutung
gelangten Thätigkeit als Katechet. Nach nahezu sechsjährigem Studium empfing er 1780
aus den Händen des Weihbischofs b'Alhaus die Priesterweihe. Mit einer damals publi-

zierten Differtation über die Koadjutorwahl des Erzherzogs Maximilian versuchte er sich zum erstenmale als Schriftsteller, übernahm aber dann einen praktisch-geistlichen Beruf als Pfarrgehilfe zu Everswirkel (mit nur 30 Thalern Gehalt außer freier Station). Auch in dieser Stellung leistete er als Religionslehrer so Hervorragendes, daß er schon nach drei Jahren als Lehrer an die neu errichtete Normalschule nach Münster berufen 5 wurde.

Mit dem Gründer dieser Schule, dem Münsterer Domherrn und Generalvikar, früheren Minister Franz Friedr. Wilhelm Freiherrn von Fürstenberg (geb. 7. August 1729, 1763 bis 1780 Minister des Fürstbistums Münster in Diensten des Kurfürsten-Erzbischofs von Köln Max Friedrich Grafen zu Königsech-Rothenfels, und auch nach Niederlegung 10 dieses Staatsamtes im Besitze eines leitenden Einflusses auf die Verwaltung des Münsterlandes, besonders als Generaldirektor von dessen Schulen, verblieben), trat Overberg jetzt in eine ebenso innige als für das Wohl der Münsterschen Lande segenbringende Verbindung. Bei den umfassenden reformatorischen und organisatorischen Maßregeln auf dem Gebiete des höheren wie niederen Schulwesens, durch welche dieser edle Regent das 15 Münsterer Bistum allmählich zu einem Musterland deutscher Volksbildung erhob, wurde Overberg seine rechte Hand (vgl. Herold, a. a. O.). Er trat sein neues Amt mit einer umfassenden Visitationsreise zur Prüfung der Landschulen der Diöcese an (1783—1784), wobei er ebensoviel Eifer als gesunden Takt und echte pädagogische Umsicht bethätigte. Dann nahm er, ausgestattet mit dem bescheidenen Gehalt von 200 Thalern, seine Woh= 20 nung im bischöflichen Seminar zu Münster und eröffnete hier die sog. Normalschule, d. h. einen allemal in die Herbstferienzeit fallenden Lehrkursus von 2—3monatlicher Dauer, durch den er Volksschullehrern und -Lehrerinnen Anleitung zur richtigen Unterrichts= methode, sowohl für Religion als für sonstige Fächer, erteilte. Der diese Lehrthätigkeit begleitende Erfolg erwies sich bald als ein sehr bedeutender. Außer den Kandidaten und 25 Kandidatinnen des Lehramts benutzten auch viele schon angestellte Lehrer aus eigenem Antriebe alljährlich die Ferienzeit dazu, Overbergs Normalunterricht wiederholt zu hören. Manche derselben wohnten dem Kursus zwölfmal oder noch öfter bei. Außer diesem Normalschulunterricht — in welchem er sich übrigens bald auf Religion und Pädagogik zurückzog, unter Überlassung der sonstigen Fächer an besondere Hilfslehrer — hielt Over= 30 berg jahraus jahrein unentgeltliche Katechesen im sog. französischen Kloster, d. h. bei den lotharingischen Chorjungfrauen. Das an den Wochentagen in dieser Schulanstalt Vorgetragene rekapitulierte er allsonntäglich in einem öffentlichen Vortrage, zu dem Leute aller Stände sich einzufinden pflegten. Besonders auch die Theologiestudierenden der Universität nahmen in reichlicher Zahl sowohl an diesen Sonntags-Lektionen als am 35 Normalunterrichte O.s teil. Sie fanden bei ihm, „was kein Katheder giebt, einen uner= schöpflichen Reichtum an passenden Bildern und Gleichnissen, an Beziehungen aufs täg= liche Leben, wodurch die Religionslehre Kindern und gemeinen Leuten auf eine Weise faßlich und anwendbar wird, welche selbst auch für den Gebildeten hohes Interesse behält; und diese Klarheit war von einer himmlischen Salbung begleitet, wodurch sie dem Herzen 40 nahe gelegt wurde". Dabei ließen seine Vorträge auch die dogmatisch-wissenschaftliche Fundamentierung keineswegs vermissen, so daß ihm mit gutem Grunde ein das höhere Schulwesen gleicherweise wie das elementare befruchtender Einfluß zu teil wurde.

Sechs Jahre hatte er in dieser Stellung, vom Generalvikar von Fürstenberg zu allen das Schulwesen betreffenden Reform=Maßregeln als vertrauter Ratgeber und Ge= 45 hilfe hinzugezogen, gewirkt, als durch seinen Eintritt in ein eigentümliches neues Ver= hältnis seinem Ansehen und Wirkungskreise eine beträchtliche Erweiterung erwuchs, wodurch sein Name bald in weiteren Kreisen des katholischen und selbst des evangelischen Deutschlands bekannt wurde.

II. Overberg als Hausgeistlicher der Fürstin von Gallitzin: 1789 bis 50 1806. — Adelheid Amalie, Fürstin von Gallitzin (richtiger: Galizin oder auch Golizyn), eine der geistig bedeutendsten Frauen des vorigen Jahrhunderts, ja der neueren Geschichte überhaupt, ward geboren am 28. August 1748 zu Berlin als Tochter des preußischen Generals Grafen von Schmettau von dessen katholischer Gemahlin Maria Anna geb. von Ruffert. Obgleich durch Empfang ihres ersten Unterrichts in einem Breslauer Nonnen= 55 pensionat im Bekenntnis ihrer Mutter erzogen, wurde sie doch ihrer Überzeugung nach (wenn auch nicht durch förmlichen Übertritt) Protestantin, und zwar aufgeklärte Prote= stantin, wozu ihr Heranwachsen in den Berliner Hof- und Adelskreisen, als Hofdame der Prinzessin Ferdinand, das Seinige beitrug. Zwanzigjährig, wurde sie während eines Badeaufenthaltes in Aachen mit dem russischen Fürsten Dimitry Alexejewitsch von Gal= 60

litin bekannt, bem fie nach wenigen Wochen ihre Hand reichte (1768). Mit biefem ihrem Gemahl (geb. 1735, geft. 1803), einem Freunde Voltaires, Helvetius', Diderots 2c., lernte fie nacheinander das Leben an den Höfen von Wien, Petersburg, Paris kennen, und hatte dann während mehrerer Jahre an der Seite des zum ruffifchen Minifter bei den
5 holländifchen Generalftaaten Ernannten eine glänzende Rolle im Haag zu fpielen. Ziemlich frühzeitig jedoch entzog fie fich, um fich mit ungeteilter Hingabe der Erziehung ihrer beiden Kinder (Demetrius und Marianne, f. u.) widmen zu können, dem Strudel des dortigen Gefellfchaftslebens. Es war merkwürdigerweife Diderot, welcher durch feine Fürfprache bei ihrem Gemahl ihr deffen Genehmigung hierzu erwirkte. In einem kleinen Haufe
10 nahe dem Haag gab die kaum 24jährige Mutter fich fortan ihrem Erziehungsgefchäfte, gleichzeitig aber auch mathematifchem, klaffifch-philologifchem und philofophifchem Studium hin, worin der berühmte Kunftkenner und Philologe Franz Hemfterhuis (des 1766 ver- ftorbenen Tiberius Hemfterhuis Sohn, geb. 1722, geft. 1790) ihr Lehrmeifter und Be- rater wurde. Seiner aus fokratifch-platonifchem Idealismus und Lockefchem Senfualis-
15 mus kombinierten, das pofitive Chriftentum vornehm verachtenden Weltanficht fiel fie zu- nächft nun zu. Auch fetzte fie den fchöngeiftig-wiffenfchaftlichen Verkehr mit ihm noch nach ihrer Rückkehr zum katholifch-kirchlichen Standpunkte fort; fie ift die Diotima, an welche Hemfterhuis unter dem Namen Diokles 1785 feine berühmten Lettres fur l'a- théisme richtete. Sonft ift fie wohl auch als eine „chriftliche Afpafia", oder (mit Anfpielung
20 auf Gregor M. Epp. L. VII, nr. 54sq.) als die Abeodata ihres Kreifes bezeichnet worden. — Während der erften vier Jahre nach ihrer 1799 mit ihren Kindern erfolgten Überfiedlung nach Münfter pflog fie zwar gefelligen Verkehr mit v. Fürftenberg, den fie als geiftig bedeutenden Mann fchätzte, bat fich jedoch ausdrücklich von demfelben aus, fie mit etwaigen Bekehrungsverfuchen zu verfchonen, da fie nur was Gott felbft in ihr ge-
25 fchaffen habe, in fich zu leiden vermöge. Während einer fchweren Erkrankung im Früh- jahre 1783 lehnte fie zwar den Zufpruch des Beichtvaters, den Fürftenberg zu ihr ge- fandt hatte, dankend ab, gab jedoch zugleich die den Generalvikar beruhigende Erklärung ab, im Falle ihrer Wiedergenefung fich ernftlich dem Chriftentume zuzuwenden, d. h. das- felbe zunächft wenigftens theoretifch ftudieren zu wollen. Zur Erfüllung diefes Verfprechens
30 trug während der nächftfolgenden Jahre befonders auch das ihr als Lehrerin ihrer Kinder allmählich entftehende Bedürfnis bei, auch den Religionsunterricht in den Kreis ihrer Lehrthätigkeit hereinzuziehen. In der Abficht, ihren Kindern die Religion rein hiftorifch vorzutragen und ihnen freie Wahl hinfichtlich der zu wählenden religiöfen Überzeugung zu laffen, beginnt fie fich dem Studium der Bibel zu widmen. Sehr bald aber fühlt fie
35 fich mehr noch im Herzen als im Verftande von der Kraft des göttlichen Wortes ergriffen, und Jo 7, 17 beginnt fich auch an ihr zu bewahrheiten. Auch die Lektüre von Ha- manns fokratifchen Denkwürdigkeiten und einigen anderen Schriften des Magus des Nor- dens, welche deffen Freund Prof. von Bucholtz (vgl. unten zu Ende des Art.) ihr geliehen hatte (1784), förderte fie in ihrer allmählichen Zuwendung zum pofitiven Kirchen-
40 glauben. An ihrem 38. Geburtstage, dem 28. Auguft 1786, bekannte fie fich zum erften- male öffentlich zu demfelben mittelft Empfangs der Kommunion. Eine im folgenden Jahre, gelegentlich einer Reife, die fie auch nach Weimar führte und in Berührung mit Goethe und Herder brachte, an fie herangetretene Verfuchung zu erneuter Bevorzugung fchöngeiftig-philofophifcher Beftrebungen vor demütigem Wirken im Dienfte Chrifti, über-
45 wand fie rafch und leicht. Dagegen trat fie bald darauf Hamann, der kurze nach einem Befuche bei Jakobi in Düffeldorf in Münfter bei Bucholtz verweilte, perfönlich nahe und fchöpfte aus dem Verkehre mit dem tieffinnigen Weifen, der dort feine letzten Stunden zubrachte, viel geiftliche Stärkung. Sie pflegte den fchwer Erkrankten mit eigenhändig an fein Lager überbrachten Erquickungen und ehrte das Andenken des am 21. Juni 1788
50 Geftorbenen dadurch, daß fie fich die Erlaubnis, feine fterblichen Refte in ihrem Garten beifetzen zu laffen, erwirkte. Ähnliche Liebesdienfte erwies fie ihrem philofophifchen Lehrer Hemfterhuis, als diefer kurz nach Hamans Tod als Begleiter ihres von Holland aus ein- treffenden Gemahls nach Münfter kam und hier (nach einer zufammen mit dem fürft- lichen Paare gemachten Befuchsreife nach Düffeldorf zu F. H. Jakobi) von einer gefähr-
55 lichen Krankheit, der Vorbotin feines anderthalb Jahre fpäter erfolgten Todes, befallen wurde.

An den Krankenbetten diefer Freunde, die fie zwar warm verehrte, aber doch im Glauben nicht völlig mit fich eins wußte, erwachte in der Fürftin das Bedürfnis nach einer feften männlichen Leitung in Sachen ihrer Unternehmungen im Dienfte des Reiches
60 Chrifti. Oberberg, mit dem fie längft durch v. Fürftenberg bekannt geworden, erfchien

ihr vor allen dazu geeignet, ihr Gewissensrat und geistlicher Vater zu werden (vgl. Nielsen,
S. 238 f.). Sie richtete unter dem 10. Januar 1789 brieflich an ihn die Bitte, ihr
Beichtvater zu werden. Gott habe sie zur Erkenntnis geführt, „daß sie eines Freundes,
eines Vaters bedürfe, dem sie ihr ganzes Herz öffnen, von dem sie für ihren Wandel
Verhaltungsbefehle holen könne, der aus christlichem Eifer auch außer der Beichte und 5
unaufgefordert, wie ein Vater sein Kind, sie beobachten, prüfen, strafen, trösten, ermahnen,
kurz für ihre Seele wie für die seinige sorgen werde"; und in ihm, „der schon lange in
seiner Sanftmut und heiligen Einfalt die rührendsten Seiten des Heilandes ihr darstelle
und überhaupt den Bedürfnissen ihres Herzens zu entsprechen scheine", habe sie den väter=
lichen Freund und Leiter gefunden. O. folgte dieser Aufforderung und siedelte aus dem 10
bischöflichen Seminar in die Wohnung der Fürstin als deren Hausgeistlicher über. Er
wurde seitdem, jedoch ohne daß darum Spuren von Unselbständigkeit oder geistig ge=
drücktem Wesen im Charakter der Fürstin hervorgetreten wären, der spiritus rector und
einflußreiche Berater ihres gesamten Wirkens — ein ähnliches Verhältnis, wie das zwischen
Theresia und Joh. vom Kreuze, zwischen Frau v. Chantal und Franz v. Sales, zwischen 15
Fr. v. Guyon und Lacombe 2c. Am litterarischen und persönlichen Verkehr der Fürstin
mit vielen der bedeutendsten Zeitgenossen nahm fortan auch O. mehr oder minder direkten
Anteil; so mit Jakobi, Lavater, Claudius, Steffens, Goethe (über dessen Besuch bei der
Fürstin im Jahre 1792 — gelegentlich seiner Rückreise aus Frankreich — bes. Nielsen
a. a. O., S. 240 zu vergleichen ist). — Auf des Grafen Fr. Leop. v. Stolbergs Über= 20
tritt zum Katholicismus hat O. nachweislich den größten Einfluß geübt. Schon 1791,
bei seinem ersten Besuche im Gallitzinschen Kreise in Münster, empfing Stolberg tiefe
Eindrücke von diesem bei den Unterhaltungen mit der Fürstin stets mit anwesenden „ka=
tholischen Priester, dessen Gesicht eines raphaelischen Apostels wert wäre". Zur allmäh=
lichen Beseitigung der von ihm geäußerten Bedenken trug, neben der „engelreinen Fürstin", 25
dieser auch bei der Erziehung seiner Kinder ihn mehrfach beratende „herrliche apostolische
Mann" vorzugsweise viel bei. Vor allem war es die liebenswürdige Milde desselben
im Verkehre mit gläubigen Protestanten, welche gewinnend auf Stolberg wirkte: die un=
befangene Herzlichkeit seines Verkehrens mit ihm gleich beim ersten Besuch der Fürstin in
Eutin (1793), seine Teilnahme an Friedr. Perthes' Hochzeit mit Caroline Claudius im 30
Claudiusschen Hause in Wandsbeck (1797), seine Vermeidung jedweder Aufdringlichkeiten
sowohl im mündlichen wie im brieflichen Verkehr — wie denn seine Korrespondenz mit
dem Grafen wiederholte Mahnungen an denselben enthält, sich nicht zu übereilen und
den zu thuenden Schritt wohl zu überlegen. In O.s Hände legte denn auch das gräf=
liche Ehepaar bei der am 1. Juli 1800 in der fürstlich Gallitzinschen Hauskapelle zu 35
Münster vollzogenen Konversion das Bekenntnis zum katholischen Glauben ab. Und das
O.sche Religionshandbuch war es, das Stolberg später besonders zum suchenden Seelen,
welche er der katholischen Kirche näher zu bringen wünschte, zur Lektüre empfahl (vgl.
den Art. „Stolberg" von W. Baur, sowie Janssens Stolberg=Biographie, besonders S. 67.
82. 105. 157. 317 der oben angeführten kleineren Ausg.; — auch Nippold, l. c. S. 230 f.). 40
— Auf O.s praktisch=pädagogisches und schriftstellerisches Wirken übten die engen Be=
ziehungen zur Gallitzin sowie seine durch den Verkehr mit ihr bewirkte Versetzung in den
Mittelpunkt des frommen Münsterschen Kreises begreiflicherweise eine mächtig fördernde
Rückwirkung. Die Zahl der durch seine Lehrvorträge erweckten oder auch bloß auf brief=
lichem Wege mit Rat und tröstendem Zuspruch begehrenden Personen wuchs von Jahr 45
zu Jahr. Von seinen Schriften (s. u.) sind die bedeutendsten und einflußreichsten aus
den Jahren, wo er als Seelsorger im Hause der russischen Fürstin wirkte, hervorgegangen.

III. Overbergs letzte zwei Jahrzehnte: 1806—1826. Nach längerem, zeit=
weilig sehr schmerzensreichem Leiden an der Ischias, zu dessen Steigerung auch die er=
schütternde Kunde vom plötzlich erfolgten Ableben ihres Gemahls zu Braunschweig am 50
(6. März 1803) nicht wenig beitrug, starb die Fürstin Gallitzin am 27. April 1806 in
ihrem Sommeraufenthalte Angelmodde bei Münster, woselbst ihr Grabhügel (mit dem
Spruche Phil 3, 8 als Inschrift am Sockel des ihn zierenden Kreuzes) noch lange Zeit
hindurch mit stets frischen Blumen, den Zeichen dankbarer Liebe der um ihre Wohlthä=
terin trauernden Bewohner des Dorfes, bedeckt blieb. Ihre Kirche hat sie noch nicht ka= 55
nonisiert; aber im Kreise ihrer Freunde galt sie unmittelbar nach ihrem Tode als Heilige.
Stolberg schrieb am Tage nach demselben an ihren Sohn: „Freuen Sie sich, liebster
Mitri, der Sohn einer Heiligen zu sein!" Und auch ein Goethe hatte ja über sie ge=
urteilt: „Diese herrliche Seele hat uns durch ihre Gegenwart zu manchem Guten geweckt
und gestärkt" (vgl. auch seinen Briefwechsel mit der Fürstin im Goethe=Jahrbuch für 60

1882). — O. blieb zunächst noch drei Jahre bei ihrer Tochter Mimi, seinem Beicht-
und Pflegekinde, im Hause wohnen. 1809, ein Jahr vor seines greisen Gönners v. Fürstenberg (gest. 16. September 1810) Tode, wurde er zum Regens des bischöflichen Seminars
ernannt, in dessen Räumen er von da ab wohnte. Über seine Beziehungen zur stigmati-
5 sierten Augustinerin Katharina Emmerich vgl. den Art. „Stigmatisation". — Da er
schon seit geraumer Zeit auch **Examinator synodalis** war, dazu vorzugsweise thätiges
Mitglied der Landschul-Kommission, welche gemäß der (ebenfalls unter seiner hauptsächlichsten Mitwirkung in den Jahren 1799—1801 ausgearbeiteten) v. Fürstenbergschen
Schulordnung die Elementarschulen des Münsterlandes leitete; endlich nach wie vor auch
10 seine Thätigkeit als Dirigent der Normalschule in der Herbstferienzeit fortsetzte, so lastete
fortan eine beträchtliche Fülle von Arbeiten aller Art auf seinen Schultern. Im Jahre
1816, bei der Umgestaltung der Landschulkommission zu einer Abteilung der kgl. preußischen Regierung wurde er Konsistorialrat sowie Mitglied der Regierung für Schulange-
legenheiten. Die bei Reorganisation des Domkapitels 1823 ihm angebotene zweite
15 Dompräbende (mit 1200 Thlr. Einkommen) schlug er, als zur Erfüllung der durch sie
auferlegten Pflichten nicht fähig, dankend aus, trat jedoch auf wiederholtes Ansuchen des
Kapitels als Ehrenmitglied in dasselbe ein. Drei Jahre darauf, kurz vor seinem Tode,
erhielt er den Titel Oberkonsistorialrat. Vom Normalschul-Unterricht erteilte er auch in
diesem Jahre, obschon durch ein schmerzhaftes Fußleiden und sonstige Kränklichkeit sehr
20 geschwächt, wenigstens noch die Religionsstunden. Zwei Tage, nachdem er den betreffenden Kursus geschlossen, am 9. November 1826, nachmittags 4 Uhr, starb er eines sanften
und friedlichen Todes. Sein Grabkreuz schmückt auf der Vorderseite der Spruch: „Es
ist in keinem Andern Heil" 2c. (AG 4, 12), auf der Rückseite die Inschrift: „Glaube,
Hoffnung, Liebe". — Ein größeres Overberg-Denkmal wurde am 31. Juli 1899 zu
25 Warendorf bei Münster im Beisein von etwa 600 katholischen Lehrern und Geistlichen
enthüllt.

Der Schwerpunkt von O.s Wirken fällt allerdings in seine praktisch-katechetische und
asketisch-seelsorgerliche Thätigkeit, wie denn er selbst sich vorzugsweise nur als christlichen
Schulmann fühlte und wußte; auf den Titeln seiner Schriften bezeichnete er sich bis an
30 sein Ende immer nur einfach als „Lehrer der Normalschule". Zu denselben gehören,
abgesehen von einigen kleineren (wie: „Neues ABC-Buch", 1788 u. s. f.), hauptsächlich
eine biblische Geschichte des Alten und Neuen Testaments (1799; 10. Aufl. 1830), ein
„Christkatholisches Religionshandbuch" (1804; 7. Aufl. 1854), ein „Katechismus der
christ-kathol. Lehre" (1804; 28. Aufl. 1834; später seit 1849, stereotypiert); ein „Haus-
35 segen oder gemeinsch. Hausandacht" (1807), sowie „Sechs Bücher vom Priesterstande"
(Betrachtungen aus seinem bischöflichen Seminar; aus seinem Nachlasse 1858). Von den zuerst
genannten Lehrbüchern erschien seit 1861—68 eine Gesamtausgabe in sechs Abteilungen.
— Die oben genannte Schulordnung vom Jahre 1801 s. auszugsweise mitgeteilt bei
H. Heppe, Gesch. des deutschen Volksschulwesens, III (Gotha 1858); vollständig in der
40 „Bibliothek der kath. Pädagogik", Ti. IV, 235 ff. (Freiburg 1891). — Über den Over-
bergschen Katechismus vgl. Bürgel, Geschichte des Religionsunterrichts in der katholischen
Volksschule (Gotha 1890), S. 169 f. und Frz. X. Thalhofer, Entwickelung des katholischen Katechismus in Deutschland von Canisius bis Deharbe (Freiburg 1899), S. 103.
141 f. 224 f. Der jetzt herrschenden ultramontanen Richtung genügt das seitens dieses
45 Katechismus vertretene Maß katholischer Kirchlichkeit nicht mehr; sie charakterisiert ihn
als einen „Katechismus mehr der Religiosität als der Religion" (vgl. Bürgel, a. a. O.;
auch Knecht, Art. „Katechismus" im KKL², VII, 410). Seine entschieden antiinfallibi-
listische Lehrart (wonach der katholische Christ „zum Glauben an die Unfehlbarkeit des
Papstes nicht verpflichtet" ist) hat seiner, bis gegen die Mitte des vorigen Jahrhunderts
50 in steter Zunahme begriffenen Verbreitung seit 1870 ein Ziel gesetzt.

Außer den hier eingehender betrachteten drei Hauptpersönlichkeiten Overberg, v. Fürstenberg und Amalie v. Gallitzin, sowie außer Dr. Leop. Graf Stolberg (s. d. A. in PRE²,
XIV, 752—767) und dem als ersten Biographen der Gallitzin oben genannten Katerkamp
(gest. 1828, s. Bb X S. 159 f.) gehörten dem Münsterer Kreise besonders noch an:
55 Die drei Gebrüder v. Droste-Vischering, Katerkamps Zöglinge (seit 1788),
nämlich: Caspar Maximilian, zuerst Weihbischof, später Bischof von Münster (1825 bis
1846); Franz Otto, Domherr ebendaselbst (gest. 1826), sowie Clemens August, Erzbischof
von Köln seit 1835 und in dieser Stellung wegen seines Streites mit der preußischen
Regierung berühmt geworden, gest. 1845 (s. den Art. von Mirbt in Bb V S. 23—38).
60 Dimitri (Mitri) Prinz v. Gallitzin, der Fürstin Amalie einziger Sohn, O.s

Zögling, geb. im Haag 22. Dezember 1770, militärisch und für den Civildienst aus=
gebildet, aber 1792 nach Nordamerika übergesiedelt, wo er sich dem geistlichen Stande
widmete, in Baltimore 1795 die Priesterweihe empfing und Missionar unter den In=
dianern des Alleghani-Gebirgs und Gründer der christlichen Indianerstadt Loretto in
Pennsylvanien wurde. Hier starb er am 6. Mai 1840, noch fortlebend in dem seinen 5
Namen führenden Dorfe bei jener Stadt, woselbst ihm 1848 ein Monument errichtet
wurde (vgl. die Biographien von P. Lemcke, Münster 1861, und Miß Sarah Brownson,
Life of D. A. Gallizin, Prince and priest, New-York 1873). Seine Schwester Ma=
rianne (Mimi) heiratete noch ziemlich spät, fast 50jährig, einen Grafen Salm-Reifferscheid-
Krautheim und starb bald darauf in Düsseldorf 1823. 10

Joh. Hyacinth Kistemaker, Professor in der Münsterer theol. Fakultät, geb. 1754,
gest. 1834, neben Katerkamp der gelehrteste und schriftstellerisch produktivste Theologe des
Münsterschen Kreises, bekannt durch zahlreiche monographische Beiträge zur Exegese und
Kritik des Alten und Neuen Testaments (u. a. eine Commentatio de nova exegesi
praecipue Vet. Testamenti ex collatis scriptoribus graecis et romanis, 1806; 15
Auslegungen von Pf 67 und 109, von Da. 3, von den eschatologischen Reden Jesu,
1816, von Jesajas Immanuel-Weissagung Jes K. 7—12), durch ein Kommentar zum
Hohenlied mit wunderlichen mystisch-hieroglyphischen Deutungsversuchen (Canticum can-
ticorum illustratum ex hierographia Orientalium, 1818), sowie durch eine voll=
ständige Übersetzung und Erklärung der neutestamentlichen Schriften in 7 Bänden (1818 20
bis 1825). Sein Streit mit Leander von Eß (s. den Art. Bd V S. 523f.), dessen
Bibelübersetzung und Versuche zur Korrektur des Vulgatatextes er eifrig bekämpfte, zog
sich durch eine längere Reihe von Jahren hin, ohne daß es ihm gelungen wäre, der
weiten Verbreitung der Eßschen lateinischen und deutschen Bibel, der er u. a. 1824 eine
Edition der Vulgata, sowie im folgenden Jahre eine deutsche Übersetzung des NTs ent= 25
gegenstellten, mit Erfolg zu steuern (vgl. Werner und Fechtrup a. a. O.).

Anton Maria Sprickmann, Prof. an der Münsterer Universität seit 1780, ein
tüchtiger Jurist und bedeutender Litteraturkenner, sowohl mit Stolberg als mit Fürsten=
berg eng befreundet.

Joh. Heinrich Brockmann, geb. zu Liesborn im Münsterschen 1767, seit Ende der 30
achtziger Jahre als Gymnasiallehrer und Priester in Münster, 1800 Professor der Moral
sowie 1803 der Pastoraltheologie auf der Universität daselbst, später (seit 1812) beliebter
Domprediger, gest. kurz nach seiner Ernennung zum Dompropst 1847 (auch Predigtschrift=
steller, Verfasser eines Handbuchs der alten Weltgeschichte in 3 Bänden, eines Lebens des
hl. Aloysius, 1820, 2c.). 35

Georg Kellermann, geb. zu Freckenhorst unweit Münster 1776, seit 1801 Haus=
geistlicher und Erzieher beim Grafen von Stolberg in Lütjenbeck bei Münster, wo er volle
16 Jahre im Segen wirkte, eine Persönlichkeit von ähnlichem apostolischen Weihe und
Salbung, wie O., nur jünger an Jahren und darum Stolberg gegenüber sich weniger
gebend als empfänglich verhaltend; ein wißbegieriger Mitschüler seiner Lehrlinge, da wo 40
es kirchenhistorisches oder dogmatisch-apologetisches Wissen aus dem Weisheitsschatze des
genialen Dichters und Gelehrten zu schöpfen galt (vgl. Janssens „Stolberg", S. 284f.,
458f.). Seit 1817 Dechant zu St. Ludgeri in Münster, fuhr er fort, teils mit Stol=
berg, Oberberg 2c., teils mit Sailer und anderen ausgezeichneten Katholiken seiner Zeit
zu verkehren. 1826 wurde Kellermann auch Professor der neutestamentlichen Exegese in 45
der Münsterer theologischen Fakultät. Er starb als vom Domkapitel daselbst einmütig
erwählter Bischof um eben diese Zeit, wo seine Präkonisierung in Rom erfolgen sollte,
am 29. März 1847. Seine Schriften sind wesentlich nur praktisch-erbaulicher oder päda=
gogischer Art, z. B. ein Auszug aus O.s Geschichte des Alten und Neuen Testaments
für Schulen (1831); ein Auszug aus desselben Katechismus; eine Predigt-Postille; ein 50
Gebetbuch „Gott meine Zuversicht" (1845) 2c. Vgl. Fechtrup, KKL² VII, 366f.

Zeitweilig standen dem Münsterschen Kreise nahe und erfuhren vorübergehende Ein=
wirkung von ihm: Georg Hermes, der in den neunziger Jahren hier studierte und als
Lehrer am Paulinischen Gymnasium wirkte (s. d. A. Bd VII S. 750); Clemens v. Bren=
tano und Joh. Michael Sailer, diese beiden besonders gegen den Anfang der zwanziger 55
Jahre (s. näheres bei Reinkens, Melchior v. Diepenbrock 2c. 1881, bes. S. 21ff.); auch
verschiedene im Obigen noch nicht mitgenannte fromme Protestanten, wie Thomas Wizen=
mann, Fr. Kleuker (s. d. A. Bd X S. 564f.). Ganz ein Sohn des Münsterschen Kreises,
im leiblichen wie im geistlichen Sinne, war der verdienstvolle Historiker Franz Bernhard
Ritter von Bucholz, als Sohn jenes oben als Gastfreund Hamanns genannten Pro= 60

feſſors Bucholtz geb. 1790, Pate und Günſtling v. Fürſtenbergs, auferzogen unter deſſen ſowie unter O.s und Stolbergs Einfluß, ſpäter in öſterreichiſchen Dienſten geſtorben als Staatskanzleirat zu Wien 1838, kurz nach Vollendung ſeines Hauptwerks, einer Geſchichte der Regierung Kaiſer Ferdinands I. in 9 Bänden (1831—1838). Vgl. Wurzbachs Biogr.
5 Lexikon des Kaiſert. Oſterreich, Bd III. **Zöckler.**

P.

Pacca, Bartolommeo, Kardinal, geb. 1756, geſt. 1844. — Litteratur: Memorie storiche del Ministero e de' due Viaggi in Francia e della prigionia nel Forte di S. Carlo in Fenestrelle, del Card. Bartolommeo Pacca (1828, 5. Aufl. 1831). Deutſch nach der 2. Auflage,
10 Regensburg 1831, 3 Bde. (Franzöſiſch in drei Ausg. 1832, 1833 und 1845.) — Memorio storiche sul soggiorno del Card. B. Pacca in Germania dall' anno 1785 al 1794 in qua-lità di Nunzio Apostolico al Tratto del Reno dimorante in Colonia. Con un' appendice su' Nunzii (Rom 1832). Deutſch, Augsburg 1832. — Notizie sul Portogallo con una breve Relazione della Nunziatura di Lisbona dall' anno 1795 fino all' anno 1802. (Drei Aus-
15 gaben bis 1845.) Den deutſchen Ueberſetzungen (Augsburg 1836) iſt Theiners Rezenſion aus den „Annali delle scienze religiose" beigegeben. (Franz. in zwei Ausg.) — Relazione del Viaggio di Pio PP. VII. a Genova nella primavera dell' anno 1815 e del suo Ritorno a Roma (Orvieto 1833). Deutſch, Augsburg 1834, franz. 1844. — Notizie istoriche intorno alla vita ed agli scritti di Monsign. Francesco Pacca Arcivescovo di Benevento, pubbli-
20 cate dal Card. Bartolommeo Pacca suo pronipote (Modena 1838). — Broſch, Geſchichte des Kirchenſtaates II. Bd, Gotha 1882.

In der römiſchen Prälatur ausgebildet, leiſtete P. der Kurie die erſten Dienſte in Deutſchland zur Zeit des Emſer Kongreſſes (ſ. d. A. Bd V, S. 342). Die Antwort der Kurie auf die bortige Punktation zum Schutze der erzbiſchöflichen Rechte beſtand in der Errich-
25 tung der vierten Nuntiatur in München und in der Sendung des jungen P. als Nuntius nach Köln im Mai 1786. Obwohl die drei rheiniſchen Kurfürſten ſich weigerten, ihn, ehe er ihre Diöceſanrechte anerkannt, auch nur zu empfangen, übte er in Köln, den Zwieſpalt zwi-ſchen der Bürgerſchaft und dem Erzbiſchof geſchickt benutzend, ein unbeſchränktes Recht der geiſt-lichen Jurisdiktion aus und erlangte in Hildesheim, Würzburg, Paderborn, Speier, Lüttich,
30 Fulda u. a. Diöceſen, ſowie in den preußiſchen Landesteilen auf dem linken Rheinufer und in Baiern bereitwillige Anerkennung. Auf den Wunſch des Königs Friedrich Wil-helms II. bewirkte er denn auch, was deſſen Vorgänger nicht für erheblich gehalten zu haben ſcheint, daß die Kurie als Entgelt nunmehr den bis dahin vorenthaltenen Königs-titel gewährte. Die in der Punktation ausgedrückten Beſtrebungen, aber auch die erfolg-
35 reiche Wirkſamkeit P.s wurden 1794 durch das Heranrücken der franzöſiſchen Revolutions-armee unterbrochen. Die Erfahrungen, welche P. bei dieſer Miſſion gemacht hatte, beſtimmten bauernd die Art ſeines Vorgehens: er vertraute barauf, daß die Kurie nicht durch Nachgeben, ſondern durch unbeugſame Feſtigkeit ihre auf das Höchſte geſpannten Forderungen durchzuſetzen im ſtande ſein werde. Daher hat er auch nur in den Fällen,
40 wo ſolches Vorgehen am Orte war, Erfolge erreicht. Einen zweiten Wirkungskreis erhielt P. in Liſſabon als Nuntius von 1795 bis 1800. Wie über den Aufenthalt in Deutſch-land, ſo hat er auch über dieſen beachtenswerte Denkwürdigkeiten geſchrieben. 1801 kehrte er nach Rom zurück, um bald eins der Häupter der „Zelanti" zu werden und nach dem Sturze des den Verhältniſſen Rechnung tragenden Conſalvi (ſ. d. A. Bd IV, S. 269)
45 1808 in eine maßgebende Stellung einzurücken. Er war es, der noch kurz vor ſeiner und Pius' VII. Gefangennahme den Bann gegen Napoleon I. konzipierte und bekannt machte, und bann auch am 6. Juli 1809 mit dem Papſte in dem nämlichen Wagen fortgeführt wurde. In Grenoble von dieſem getrennt, ward er auf die piemonteſiſche Feſtung Feneſtrelle geſchafft, wo er bis 1813 in Haft blieb und ſeine Denkwürdigkeiten
50 aufzeichnete. Durch das Konkordat von Fontainebleau befreit, eilte er zum Papſte und beſtürmte dieſen, das Konkordat nicht zu halten: in der That ſandte Pius VII. unter dem 24. März ein Schreiben an Napoleon, worin er die am 25. Januar unterzeichnete Übereinkunft widerrief. Abermalige Verbannung, welche daraufhin P. traf, verwandelte ſich infolge des nun eintretenden Sturzes des Kaiſers in einen Triumph: er holte den
55 ſchon auf dem Wege befindlichen Papſt ein und zog an ſeiner Seite am 24. Mai 1814 wieder in Rom ein. Hier war es denn auch P. wieder, welcher, während Conſalvi noch

in Paris, London und Wien allen Machthabern die günstigsten Bedingungen für das Papsttum abzugewinnen beschäftigt war, bei der Restauration, der Herstellung des Je= suitenordens, der Inquisition u. f. w. den thätigsten Anteil nahm. Bei der vorüber= gehenden Flucht des Papstes nach Genua im März 1815, als nach Napoleons Rückkehr von Elba Murat den Kirchenstaat bedrohte, war P. wiederum an der Seite des Papstes 5 und hat eine Beschreibung der Reise geliefert. Nach der Rückkehr ist dann P.s Wirk= samkeit weniger nach außen hervorgetreten, da zunächst bis zum Tode Pius' VII. Con= salvi die Leitung behielt und auch in den drei nächsten Konklaven 1823, 1829 und 1831 ihm die Majorität nicht zufiel. Allein bei den reaktionären Maßnahmen, welche bestimmt waren, zunächst jede Spur der französischen Herrschaft samt ihren wenn auch guten Ein= 10 richtungen in Rechtspflege und Verwaltung zu beseitigen, blieb P. mit thätig, ja in ihm verkörperte sich der Geist der „Zelanti", welcher die Kurie seit der Restauration be= herrscht.   (Heute †) Benrath.

Paccanari, Nikolaus, und die Paccanaristen. — Ferdinand Spell, P. Leonor Franz v. Tournely und die Gesellschaft des hl. Herzens Jesu, Breslau 1874, S. 269 ff. 313 ff.; 15 Achille Guidée, S. J., Vie du R. Père Joseph Varin, 2e éd., Paris 1860, S. 72 f. 169 ff.; Brischar, S. J., Art. „Paccanari" im KKL² IX, 1225—1228; Heimbucher, Orden und Kongreg. II, 117—120.

Der in der Entwickelungsgeschichte des katholischen Herz=Jesu=Kultus sowie in den Schicksalen der Gesellschaft Jesu seit 1773 eine wichtige Rolle spielende Tyroler Nikolaus 20 Paccanari (vgl. VII, 779, 1, wo statt Paccani Paccanari zu lesen ist) wurde im Val Sugana bei Trient von wenig bemittelten Eltern um die Mitte des 18. Jahrhunderts geboren und suchte zunächst im Kaufmannsstande ein Unterkommen, bis er bei einem Auf= enthalte in Rom unter den Einfluß des Jesuitenpaters Gravita kam. Dieser weckte, als die Aufhebung seines Ordens durch Clemens XIV. erfolgt war, im Herzen des glaubens= 25 eifrigen Tyroler Laien den Entschluß, die Wiederherstellung der Gesellschaft Jesu ins Werk zu setzen. Während eines 15monatlichen Verweilens teils in Loreto, teils in Assisi trat er in Beziehungen zu dem Exgeneral des Franziskanerordens P. Tempio, der ihn in seinem Vorhaben bestärkte. Er sammelte eine kleine Anzahl von Gleichgesinnten um sich, mit welchen er 1797 das angestrebte Substitut für den aufgehobenen Jesuitenorden 30 unter dem Namen „Gesellschaft des Glaubens Jesu" gründete. Obschon selbst Laie, ließ er sich von seinen Gefährten zum Superior wählen, und legte samt denselben am 15. August (Mariä Himmelfahrt) des genannten Jahres die feierlichen Gelübde ab, während einer Messe, welche der in Rom als Doktor der Sapienza wirkende Priester Joseph della Be= dova las. Alles in dem kühnen Unternehmen zielte auf Wiederherstellung der Gesellschaft 35 Jesu ab: der ganz ähnliche Name, der für das Aufthun des Vereins gewählte Stiftungstag (vgl. VIII, 745, 44), sowie die Vierzahl der abgelegten Gelübde, wovon das vierte zum besonderen Gehorsam gegen den Papst verpflichtete. Selbst die Tracht der loyolitischen Patres sollte nach des Stifters Wunsch der neue Verein annehmen; doch gestattete Papst Pius VI., als während seiner Gefangenschaft zu Siena (1798) Paccanari ihn besuchte 40 und die Bestätigung des neuen Ordens von ihm erwirkte, diesen letztgenannten Punkt nur mit der Einschränkung, daß zum üblichen jesuitischen Ordenshabit ein Collarium hinzuzufügen sei. Ein Landhaus bei Spoleto, das der Edelmann Pianciani ihnen ein= geräumt hatte, diente den Vätern vom Glauben Jesu (zunächst 12 an der Zahl) als erster Wohnsitz. Durch Empfehlungsbriefe an verschiedene italienische Kirchenfürsten, na= 45 mentlich den benetianischen Erzbischof, sowie dadurch, daß er ihnen die Fürsorge für die von der französisch=republikanischen Regierung aus Rom ausgewiesenen Zöglinge der Pro= paganda anvertraute, sorgte Pius VI. für ein rasches Wachstum der Gesellschaft. Auch genehmigte er die von Paccanari vorgeschlagene Vereinigung des neuen Vereins mit der Gesellschaft vom hl. Herzen Jesu, deren zweiter Oberer, P. Varin (Nachfolger Tournelys 50 seit 1697) zu Hagenbrunn bei Wien residierte. Der nach Österreich geeilte Paccanari brachte, da auch Erzbischof Migazzi von Wien und der dortige päpstliche Nuntius seinen Plan guthießen, die Verschmelzung der beiden Vereine durch einen feierlichen Akt am 18. April 1799 zu stande. Die Herz=Jesu=Väter legten ihren bisherigen Namen ab und erkannten Paccanari als Generalsuperior der beiden nun vereinigten Gesellschaften 55 an. Jetzt erst empfing das neue Ordenshaupt auch die geistlichen Weihen, und zwar zu= nächst zu Wien 1799 die niederen bis zum Diakonat, dann im folgenden Jahre auch die Priesterweihe zu Padua.

Aber nur zu bald nach der Bildung des Ordens, der sich rasch von Österreich und

Italien aus auch nach Frankreich, Belgien, Holland, ja selbst England ausbreitete, begann sein innerer Verfall, dem der jeglicher Regentengabe ermangelnde General nicht zu steuern vermochte. Zwar in Rom, das zum Hauptsitz der Gesellschaft werden sollte, schien die Errichtung eines Collegs für höhere Studien und einer Erziehungsanstalt (Collegium
. 5 Marianum) für adelige Jünglinge im Palazzo Salviati glücklich von statten zu gehen. Aber dem durch die Verhältnisse gebotenen und seitens vieler Glieder und Freunde des Ordens gewünschten Anschlusse an den russischen Zweig der Gesellschaft Jesu (unter P. Lienkiewicz) widerstrebte der herrische Sinn Paccanaris; weshalb seit 1804 ein Teil seiner italienischen Ordensglieder sich von ihm lossagte und zu dem eben damals für das Kö-
10 nigreich beider Sizilien wiederhergestellten Jesuitenorden übertrat. Gleichzeitig begannen die Paccanaristen Hollands und Englands nach Rußland überzusiedeln, um in der dortigen Jesuitenprovinz Novizen zu werden; diejenigen Frankreichs aber fielen von dem regierungsuntüchtigen Stifter geradezu ab und wählten jenen P. Varin zu ihrem Obersten. Im Sommer 1808 wurde Paccanari durch einen Spruch des heiligen Offiziums seines
15 Amts als Generalsuperior entsetzt und zu zehnjähriger Haft verurteilt. Er erhielt zwar schon im folgenden Jahre, beim zweiten Einfall der Franzosen in Rom, seine Freiheit zurück, hatte aber seine angesehene Stellung für immer eingebüßt und verbrachte den Rest seines Lebens in völliger Unbekanntschaft. — Zu den zeitweilig seinem Orden angehörigen Mitgliedern, welche in der seit 1814 wiederhergestellten Gesellschaft Jesu eine mehr oder
20 weniger hervortretende Rolle spielten, gehörten u. a. die Patres Kohlmann, Godinot, Rozaven, Gloriot und Sineo della Torre (Heimbucher II, 120).   Zöckler.

Pachomius, gest. 346. — Quellen: Die Vita des Pachomius ist uns in einer Reihe Recensionen erhalten: 1. Vita S. P. auctore graeco incerto, interprete Dionysio Exiguo, abbate Romano bei Migne P. L. 23, 227 ff.; 2. Vita S. P. ex Simeone Metaphraste bei Serius, Vitae
25 Sanctorum, neueste Ausgabe, Turin 1876, V, 408, der griechische Text in der Nationalbibliothek zu Paris (Cat. Cod. Hag. graec. n. 881, 5 u. 1453, 2). 3. Eine griechische bisher nicht veröffentlichte Recension in der Pariser Nationalbibliothek n. 881, 4. 4. βίος τοῦ ἁγίου Παχομίου A. SS. Maii III, 25* ff. griechisch und III, 295 ff. in lateinischer Uebersetzung. 5. Paralipomena de S. Pachomio et Theodoro A. SS. Maii III, 51* griechisch und III, 334 ff.
30 in lateinischer Uebersetzung. 6. Verschiedene Fragmente einer Vita im koptisch-thebanischen Dialekt, Amélineau Annales du Musée Guimet XVII, Paris 1889, S. 295 ff. und Mémoires de la mission archéologique française au Caire IV, 2 f. S. 521 ff. 7. Eine im koptisch-memphitischen Dialekt verfaßte Vita, Amélineau, A. d. M. G. XVII, 1 ff. 8. Eine arabische Vita, Amélineau A. d. M. G. XVII, 337 ff. 9. Eine syrische Vita, Bedjan, Acta martyrum et
35 sanctorum, Paris 1895, V, 121 ff. — Außer der Vita besitzen wir als Quelle für Pachomius und seine Stiftung: ἐπιστολὴ Ἀμμῶνος ἐπισκόπου περὶ πολιτείας καὶ βίου μερικοῦ Παχουμίου καὶ Θεοδώρου A. SS. Mai III, 63* ff. und in lateinischer Uebersetzung III, 347 ff.; Rufin, Historia monachorum c. 3; Palladius, Hist. Lausiaca c. 7, 20, 38—42, 48; Sozomenos, Hist. eccl. III, 14, VI, 28; Vitae patrum lib. III, 34—35; Gennadius, De vir.
40 illustr. eccl. script. c. 8—9.

Litteratur: Amélineau, Étude historique sur S. Pachôme, extr. du bulletin de l'institut égyptien; Le Caire 1887; Revillout, Les origines du schisme égyptien. Sémuti le prophète, Revue de l'histoire des religions tom. VIII, 1883; Grützmacher, Pachomius und das älteste Klosterleben, Freiburg 1896; P. Ladeuze, Étude sur le cénobitisme pakhomien
45 pendant le IV. siècle et la première moitié du V., Louvain 1898; S. Schiwietz, Geschichte und Organisation der Pachomianischen Klöster im 4. Jahrh., Archiv f. kath. Kirchenrecht 1901, 3, 4, 1902, 3, 4, 1903, 1.

Was die Quellen zum Leben des Pachomius und seiner Stiftung betrifft, so steht zunächst fest, daß die lateinische, arabische und syrische Redaktion der Vita sekundär ist.
50 Kontrovers ist nur, ob die an 4. Stelle genannte griechische Vita die älteste Niederschrift über den heiligen war und die koptisch-thebanische Redaktion unter Benutzung der griechischen Vita mit Zurückgreifen auf die mündliche Tradition der Klöster geschrieben wurde (Ladeuze), oder ob die älteste Kodifikation des Heiligenleben in koptisch-thebanischem Dialekt der Muttersprache des Pachomius statthatte und die griechische Vita eine kürzende
55 Übersetzung ist (Amélineau und Grützmacher). Für die sachlichen Fragen ist die Entscheidung dieses Quellenproblems von untergeordneter Bedeutung, da auch von Ladeuze anerkannt wird, daß auch die koptische Recension in den ihr eigentümlichen Nachrichten auf der alten Klostertradition der Pachomianischen Klöster ruht.

Das Geburtsjahr des Pachomius steht nicht fest, doch können wir es um 292 ansetzen
60 (Ladeuze S. 240). Er war der Sohn heidnischer Eltern, aus der oberen Thebais in der Nähe von Esneh gebürtig. Als Rekrut in einem Kriege Konstantins mit einem Tyrannen

ausgehoben, wurde er in Esneh von mitleidigen Christen mit Speise und Trank versehen und lernte auf diese Weise das Christentum kennen. Nach dem Siege Konstantins wieder in seine Heimat entlassen, ließ er sich in Χηνοβοσχίον (Schénésit) taufen. Ist der Krieg Konstantins mit Licinius im Jahre 314 gemeint (O. Seeck, Geschichte des Unter= 5 gangs der antiken Welt I, S. 159 f.), so würde die Bekehrung des Pachomius zum Christentum in den Anfang des Jahres 315 fallen. Die koptische Vita (S. 7) berichtet, daß Pachomius in einem kleinen Tempel, der dem Alten Tempel des Serapis ge= nannt wurde, in Schénésit gelebt habe. Man hat daraus gefolgert, daß Pachomius vor seiner Bekehrung als Inkluse des Serapis gelebt habe (Revillout, Grützmacher, Zöckler, 10 Askese und Mönchtum S. 195). Ladeuze (S. 158 ff.) hat diese Hypothese mit beachtens= werten Gründen zurückgewiesen, da der Tempel, in dem Pachomius sich aufhielt, wahr= scheinlich ein verfallenes Heiligtum war, und Pachomius seit seinem Bekanntwerden mit dem Christentum in Esneh den Entschluß gefaßt hatte, sich christlicher Liebesthätigkeit zu widmen. Bald nach seiner Taufe aber erwählte Pachomius das Anachoretenleben und lebte längere Zeit in der Eremitenkolonie des Palämon. Dann trennte sich Pachomius 15 von Palämon und erbaute zu Tabennisi, einem Ort am Ostufer des Nils, nördlich von Theben, das erste Kloster, d. h. er ersetzte die zerstreuten Eremitenzellen durch ein ge= schlossenes Haus mit vielen Zellen, das er mit einer Mauer umgab. Bald war das erste Kloster zu klein und nördlich von Tabennisi in Peboou (griechisch Βαΰ) entstand ein zweites Kloster nach dem Muster des ersten, das später das Centralkloster des Kloster= 20 verbandes wurde. Asketengenossenschaften bildeten sich zu Klöstern um und unterstellten sich Pachomius. Auf 9 Männerklöster und 2 Nonnenklöster, deren erstes er für seine Schwester Maria gründete, wuchs der Klosterverband des Pachomius noch zu seinen Leb= zeiten an. Gegen Ende seines Lebens erlebte er einen scharfen Zusammenstoß mit dem auf seine Erfolge eifersüchtigen Episkopat. Auf einer Synode zu Esneh verklagten ihn 25 die Bischöfe wegen seiner Visionen, und nur mit Mühe konnte Pachomius aus dem blutigen Handgemenge, das zwischen seinen Mönchen und den Priestern entstand, gerettet werden. Seit früher Zeit erfreute er sich aber der Gunst des alexandrinischen Bischofs Athanasius, der bereits 330 die Klöster des Pachomius besucht hatte. Trat doch auch Pachomius für die orthodoxe Lehre und den rechtmäßigen Hirten Athanasius mit aller Energie in 30 seinem Klosterverband ein. Einer Pestepidemie, der in sämtlichen Klöstern der Kongre= gation zahlreiche Brüder zum Opfer fielen, erlag am 9. Mai 346 (Ladeuze S. 233) der bis zu seinem Tode rastlos thätige Mann, der nicht den Ruhm eines heroischen Asketen oder Wunderthäters begehrte, sondern als geschickter Organisator im Klosterleben eine neue höhere Form für das Mönchsideal geschaffen hatte. 35

Sein Nachfolger Petronius, den Pachomius selbst 2 Tage vor seinem Tode als solchen bezeichnet hatte, starb schon nach 2 Monaten ebenfalls an der Pest, und an seine Stelle trat als Leiter der Kongregation Horsisi. Mit genialem Blick hatte Pachomius es verstanden, den ganzen Klosterverband zu einer großen Produktivgenossenschaft zusammen= zufassen. Sämtliche Arbeitserzeugnisse wurden in dem Hauptkloster Peboou abgeliefert, 40 einem οἰκονόμος μέγας unterstand die ganze wirtschaftliche Leitung des Verbandes. Er kaufte die Rohmaterialien zur Verarbeitung ein und verkaufte die fertigen Erzeugnisse. Zweimal im Jahre wurde eine Generalabrechnung gehalten, zu Ostern und im Herbst am 13. August. Fünf Jahre nach dem Tode des Pachomius versuchte der Abt Apollonius von Temouschons diese straffe Organisation zu sprengen, erst als Theodor, der einstige Lieblings= 45 schüler, als Koadjutor des Horsisi an die Spitze des Klosterverbandes trat, wurde das drohende Schisma im Verbande beigelegt. Theodor, einem ehrgeizigen Mann, der aus vornehmer Familie stammte und schon zu Lebzeiten des Pachomius sich Hoffnung auf die Erbschaft in der Leitung der Klöster gemacht hatte, gelang es, den Klosterverband zusammenzuhalten und zu erweitern. Er erbaute 3 neue Mönchsklöster und ein neues Nonnenkloster. Schon 50 zu Lebzeiten des Pachomius waren auch Fremde in seine Klöster eingetreten, in Peboou hatte er für die griechischen Mönche ein besonderes Haus errichtet. Unter Theodor wuchs die Zahl der Griechen. Als Theodor am 27. April 368 starb, richtete Athanasius ein warmes Kondolationsschreiben an Horsisi.

Über die spätere Entwickelung der Stiftung des Pachomius erfahren wir aus dem 55 Prolog des Hieronymus zu der 404 übersetzten Regel des Pachomius von einem Pacho= mianischen Kloster zu Canopus vor den Thoren Alexandriens (Migne P. L. 23, 65 ff.). Hieronymus beziffert die Zahl der Mönche, die zu der Generalrechenschaftsablage des Ordens zusammenzukommen pflegten, auf 50 000, doch ist dies sicher übertrieben, Cassian (de coenob. inst. IV, 1) rechnet nur 5000, und Palladius (Hist. Laus. c. 38) und 60

Sozomenos (Hist. eccl. III, 14) wissen von 7000 Tabennesioten. Aus der Vita des Abtes Schenoubi (gest. 452) von Atripe (Amélineau, Mém. publ. par les membres de la miss. archéol. franç. au Caire IV, Paris 1888) hören wir, daß der Abt Victor von Tabennisi den Abt Schenoubi 431 auf das Konzil zu Ephesus begleitete. Später
5 werden die Nachrichten immer spärlicher, um 460 wurde von dem Abt Martyrius von Peboou eine Kirche zu Ehren des Pachomius errichtet (Ladeuze S. 203). Unter Kaiser Justinian 527—565 leistete der Abt von Peboou, Abraham, dem Kaiser Widerstand, der ihn zur Unterschrift des Bekenntnisses des Leo zwingen wollte.

Es ist das Verdienst des Pachomius, daß er bei der Begründung des Klosterlebens,
10 wie seine Vita bezeugt, eine Regel gab, die unbedingten Gehorsam forderte, die individuelle Willkür beschränkte und bestimmte notwendig zu leistende Übungen und Entsagungen allen Gliedern der Gemeinschaft vorschrieb. Die kürzeste Form der Regel, die angeblich dem Pachomius von einem Engel gegeben ist und die uns Palladius, Hist. Laus. c. 38 überliefert hat (in Paralleltexten bei Soc. h. e. III, 14; Pitra, Analecta
15 sacra et classica 1888, I, 112 u. 113; Dionysius Exiguus, Vita Pachomii c. 22. Arabische Vita des Pachomius S. 366—369; äthiopische Recension, bei Dillmann, Chrestomathia aethiopica, S. 51 ff. und Basset, Les apocryphes éthiopiens VIII, 20 ff.; und in der nicht veröffentlichten griechischen Vita des Pachomius in Paris) geht wahrscheinlich auf Pachomius selbst zurück und stellt die älteste Form dar (Grützmacher S. 117;
20 Zöckler, Askese und Mönchtum, S. 201 ff.). Ladeuze (S. 263) sucht dies zu bestreiten, da sich in dieser Regel Bestimmungen fänden, von denen wir aus der kurz nach dem Tode des Pachomius geschriebenen Vita nichts erfahren, aber dies erklärt sich auch so, daß die ursprünglichen Festsetzungen des Pachomius zum Teil früh eine Abänderung erfuhren. Auch vermag Ladeuze keine irgendwie einleuchtende Erklärung für die Entstehung der von
25 Palladius überlieferten Regel zu geben, die nach Sozomenos noch auf einer Tafel zu seiner Zeit existierte. Nach dieser ältesten Regel, die ursprünglich koptisch niedergeschrieben war, soll die gemeinschaftliche Wohnung in einem Hause mit zahlreichen Zellen bestehen, jede Zelle ist zur Wohnung für 3 Mönche bestimmt; alle Mönche tragen die gleiche Kleidung, ein linnenes Unterkleid, einen Ledergürtel und ein weißes bearbeitetes Schaf-
30 oder Ziegenfell. Als Kopfbedeckung dient die Cuculla. Nur wenn die Mönche am Samstag und Sonntag zur Eucharistie gehen, legen sie die Schaffelle und Gürtel ab. Die Mönche nehmen die Mahlzeit in einem Hause gemeinsam ein. Dem Einzelnen bleibt das Fasten nicht verwehrt. Beim Essen müssen sie ihren Kopf mit der Cuculla bedecken, damit keiner den anderen sieht, strenges Schweigen herrscht während der Mahlzeit. Bei Nacht behalten
35 die Mönche Unterkleid und Gürtel an, die Felle dienen zur Bedeckung, sie schlafen auf niedrigen Sitzen aus Mauerwerk, die eine Lehne haben. Wer in das Kloster aufgenommen werden will, soll ein dreijähriges Noviziat durchmachen. — Die ersten Anfänge der Horenandachten begegnen uns bereits in dieser ältesten Klosterregel: 12 Gebete sollen die Mönche bei Tage beten, zur Non 3, zur Zeit der Abenddämmerung 12 Gebete. Um Mitter
40 nacht werden die Vigilien gehalten, bei denen ebenfalls 12 Gebete gesprochen werden sollen. Jedem Gebet soll der Gesang eines Psalmes vorangehen. Die Handarbeit der Mönche wird in der Regel vorausgesetzt, aber es fehlen genauere Bestimmungen darüber. Endlich sollen die Mönche in 24 Abteilungen nach den 24 Buchstaben des Alphabets geteilt werden. Jeder Buchstabe hat eine mystische Bedeutung und die dieser Bedeutung
45 in ihrem Charakter und Verhalten entsprechenden Mönche kommen in die nach dem Buchstaben bezeichnete Klasse. Wahrscheinlich ist es, daß manche dieser Bestimmungen sehr bald sich als undurchführbar oder unpraktisch erwiesen hat, so erscheint die Forderung eines dreijährigen Noviziats nicht mehr in den explizierten Regeln und auch die Einteilung der Mönche in 24 Klassen nach den Buchstaben des Alphabets wurde durch eine Gruppierung
50 der Mönche nach ihren verschiedenen Handwerken ersetzt. Die spätere Entwickelung, die die Klosterregel unter Pachomius und seinen Nachfolgern Theodor und Horsisi durchgemacht hat, liegt uns in verschiedenen Recensionen vor. Die koptische Form der Regel (Amélineau, A. d. M. G. XVII, S. CXI) ist noch nicht publiziert, zwei erweiterte äthiopische Recensionen sind von Dillmann (Chrestomathia aethiopica, Leipzig 1866, S. 57—69)
55 herausgegeben, zwei griechische Recensionen sind bei den Bollandisten (A. SS. Mai III, S. 62*) und bei Pitra, Analecta sacra et classica I, 113 ff.) gedruckt. Endlich besitzen wir noch die lateinische Übersetzung des Hieronymus, die uns in 2 Recensionen von 128 Artikeln bei Gazäus, Cassiani opera omnia, Frankfurt 1722, S. 809 ff. und von 194 Artikeln bei Holstenius=Brockie, Codex Regularum I, 25 ff., Augsburg 1759)
60 vorliegt. Nach Ladeuze (S. 272) ist die Recension des Hieronymus die ausführlichste

und zuverlässigste der pachomianischen Regeln, wie sie zu seiner Zeit existierten. Diese erweiterte Regel giebt genauere Bestimmungen über die Kleidung der Mönche (Hier. 67—72, 102, 148), setzt die Tonsur voraus (Hier. 96). Ein Noviziat wird nicht gefordert, der Abt prüft nur den Eintretenden, ob es ihm ernst ist mit seinem Entschluß. Feierliche Gelübde werden nicht gefordert, der Mönch kann noch jederzeit das Kloster verlassen, und der Abt ihn 5 fortschicken. Ausführliche Bestimmungen über die Arbeit begegnen uns in der Regel des Hieronymus, alle Handwerke wurden in den Klöstern getrieben, vor allem aber Ackerbau (Hier. 58—66) und das Flechten von Körben und Matten aus dem Schilfrohr des Nil (Hier. 12 u. 26). Zur Zeit des Hieronymus (Präf.) wurden auch die beiden altchristlichen Fasttage, Mittwoch und Freitag, in den Klöstern des Pachomius gehalten. Als Strafe für 10 Uebertretungen der Regel war Fasten bei Wasser und Brot, zeitweilige Entfernung aus der Gemeinschaft (Hier. 160 u. 163), Degradation (Hier. 161, 168, 170), Dienst im Krankenhause (Hier. 164, 171), Schläge (Hier. 163, 173), Ausschluß aus dem Kloster festgesetzt. Die Pachomianischen Institutionen bekamen in der Folgezeit auch eine große Bedeutung bei der Verbreitung des Mönchtums. Die äthiopischen Klöster wurden nach ihrem Muster 15 organisiert, Athanasius machte das Abendland während seines Exils von 340 bis 346 mit ihnen bekannt (Hier., ep. 127 ad Principiam). Hieronymus übersetzte sie 404 für sein Mönchskloster und für das Kloster der Eustochium in Bethlehem. Benedikt von Aniane (gest. 821) fand die Regel des Pachomius bei seiner Reform des fränkischen Mönchtums vor, und Anselm von Havelberg bezeugt im 12. Jahrhundert, daß in Kon- 20 stantinopel in einem Kloster mehr als 500 Mönche nach der Regel des Pachomius lebten.

Von Pachomius und seinem Nachfolger Theodor besitzen wir noch einige Briefe und mystische Worte, die Hieronymus ins Lateinische übersetzt hat (Migne P. L. 23, 91 ff.). Ihre Aechtheit ist nicht zu bezweifeln, da sich in ihnen wie in der ursprünglichen Regel derselbe mystische Gebrauch des Alphabets findet. Sie sind inhaltlich ohne Bedeutung. 25 Auch koptische Fragmente von Predigten des Pachomius und Theodor und von 4 Briefen des Horsiesi sind auf uns gekommen (Zoega, Cat. Cod. Copt. n. 168, 169, 174, 176; Amélineau, Mémoires publiés par les membres de la mission archéologique IV, 2 f., S. 489 ff.). Endlich haben wir noch ein Werk des Horsiesi (Genn. de illust. eccl. script. c. 9) lateinisch erhalten, betitelt Doctrina de institutione monachorum, 30 das vielleicht auch von Hieronymus ins Lateinische übersetzt worden ist.   **Grützmacher.**

Pachomius Rhusanus, Griechischer Theolog des 16. Jahrhunderts, gest. um 1553. — Litteratur: (A. Μουστοξύδης) Ἑλληνομνήμων, ἢ σύμμιχτα ἑλληνιχά χτλ., Athen 1843—1853, S. 624 ff. u. 442 ff. Σάϑας, Νεοελληνιχή Φιλολογία 1868, S. 150 f. Κατράμης, Φιλολογιχὰ Ἀνάλεχτα, Zakynth 1880, S. 231 ff.; Legrand, Bibliographie Hellé- 35 nique etc., Paris 1885, Bd I, S. 231 ff.; Krumbacher, Gesch. der Byz. Litteratur 1897, S. 593; Ph. Meyer, Die theol. Litteratur d. griech. Kirche im 16. Jahrhundert, 1899, S. 38 ff. und sonst. Artikel Kartanos in Bd X dieses Werkes S. 99 f.

Pachomios Rhusanos, geboren 1510 auf Zante, später Mönch daselbst und auf dem Athos, erwarb sich den Lebensunterhalt durch Privatunterricht, starb um 1553. Er 40 besaß gute sprachliche und klassische Bildung und war bewandert in der Bibel und den Vätern seiner Kirche. Ein unruhiger und aggressiver Geist, der sich aber durch seine mannigfache Polemik um die Erhaltung seiner Kirche und seines Volkstums verdient gemacht hat. In seinen zahlreichen Schriften, die meistens eine praktische Spitze tragen, hat er manche theologische Fragen angeregt. Mit Leidenschaft bekämpfte er den Joannikios 45 Kartanos und dessen Anhänger (s. d. A. Bd X, S. 99). Die geistlose Handhabung des Kultus und den Aberglauben in seiner Kirche griff er an in seiner Schrift Πρὸς τοὺς ἑλληνίζοντας χτλ. In einer Reihe von Aufsätzen, unter denen der bedeutendste der Περὶ τῆς ἐκ τῶν ϑείων γραφῶν ὠφελείας ist, suchte er das verkommene Mönchtum seiner Zeit zu reformieren. Er schrieb auch die erste griech. Streitschrift gegen Luther: Κατὰ Ἀντιοκατη- 50 γόρων — καὶ κατὰ τοῦ Φρὰ Μαρτὶ Λούτερι, in der er das Recht der Wallfahrten verteidigte. Daneben gab er eine Reihe von dogmatischen Abhandlungen heraus. Auch auf dem praktischen Gebiete hat er sich bewegt. Die Mehrzahl seiner gedruckten Werke bei Mingarelli, Graeci codices manuscripti apud Nanios patr. Ven. asservati, Bononiae 1784, dieselben bei Migne MSG B. 98 S. 1333—1360. Wegen seiner Briefe siehe 55 Ph. Meyer a. a. O.   **Ph. Meyer.**

Pacianus, gest. um 390. — Opp. S. Paciani ed. Tilius, Paris. 1537, 4°; dann Galland. in t. VII der Bibliotheca Patrum, p. 257—267; sowie MSL XIII, 1051—1049. Aus neuester Zeit rühren her die Ausgaben von H. Hurter (in dessen Sammlung Opuscula ss.

Patrum, t. 37, Oenip. 1878) und von Ph. H. Peyrot, Zwolle 1896 (über welche letztere die
Kritik von C. Weymann in d. Berl. Philol. Wochenschr. 1896, S. 1057 ff. 1104 ff. zu ver=
gleichen ist). — Biographisch=Litterarischthistorisches über P. bieten ASB z. 9. März (t. II
Mart. p. 44); Tillemont, Mém. VIII, 539; P. B. Gams, Kirchengesch. Spaniens II, 1 (Regens=
5 burg 1864), S. 318—324. 334—336; Gruber, Studien zu Pacianus, München 1901; Barden=
hewer, Patro= logie², 374; H. Hurter, Nomenclator literar. theol. cath., ed. 3, t. I, Oenip.
1903, p. 193.

Über diesen spanischen Theologen des 4. Jahrhunderts, der unter den kirchlichen
Schriftstellern des Abendlandes vor Augustin eine keineswegs ganz untergeordnete Stellung
10 einnimmt, hat uns hauptsächlich nur Hieronymus (in cap. 106 und 132 seines Lib. de
viris illustr., sowie contr. Ruffin. l. I, c. 24) einige sein Leben und schriftstellerisches
Wirken betreffende Nachrichten mitgeteilt. Danach entstammte Pacianus einer vornehmen
spanischen Familie und wurde auch selbst Familienvater. Er muß vermählt gewesen sein,
da Hieronymus seinen Freund Flav. Luc. Dexter als Sohn des Pacianus bezeichnet, den=
15 selben Dexter, dem er im Jahre 392 seinen Catalogus virorum illustrium widmete
und der später unter Kaiser Honorius die Würde eines Präfektus Prätorio bekleidete.
Entweder unter Darangabe eines vorher gepflogenen weltlichen Berufs (wie um dieselbe
Zeit Ambrosius von Mailand that), oder durch Vorrücken in der schon früher beschrittenen
geistlichen Laufbahn — die zu jener Zeit auch in Spanien das Leben in der Ehe noch
20 nicht unbedingt ausschloß — erlangte er die Würde eines Bischofs von Barcelona. Als
solcher schrieb er die unten zu nennenden Schriften, erfreute sich eines weithin reichenden
Ruhmes und Einflusses und starb hochbetagt gegen das Ende der Regierung Theodosius
des Großen, also ums Jahr 390.

Über seine schriftstellerische Thätigkeit bemerkt Hieronymus (Catal. cap. 106):
25 „Scripsit varia opuscula, de quibus est Cervus, et contra Novatianos". Von
diesen Schriften ist die zuerst genannte nicht auf uns gekommen. Sie war wahrscheinlich
eine Bußpredigt oder ein warnendes Mahnschreiben gegen eine damaligen Gallien
und vielleicht auch in Spanien sehr beliebte ausschweifende Volkslustbarkeit, genannt
Cervus oder Cervulus, gerichtet (vgl. Du Cange, Glossar. s. v. „Cervula"). Die
30 Schriften gegen die Novatianer sind uns noch, wenn nicht vollständig, doch wenigstens
teilweise erhalten. Es sind drei Briefe an einen gewissen Sympronianus (oder nach anderer
Lesart Sempronianus), der sich in Gefahr des Abfalls zum Novatianismus befand und für
den es daher galt, das Schriftwidrige und sittlich Bedenkliche der novatianischen Lehre und
kirchendisziplinarischen Praxis darzuthun. Der erste Brief (Ep. 1 de catholico nomine)
35 verteidigt den katholischen Standpunkt mittelst einer ausführlichen Erklärung des Namens
„catholicus"; er enthält (in c. 4) den als Devise einer vernünftig milden und weitherzigen
(anti=novatianischen) Denkweise berühmt gewordenen Satz: Christianus mihi nomen
est, Catholicus cognomen. Der zweite Brief (Ep. 2 de Symproniani litteris) be=
antwortet einige Fragen und Einwürfe des Gegners. Der dritte, besonders ausführliche
40 Brief (Ep. 3 contra tractatus Novatianorum) widerlegt die sämtlichen Hauptirrtümer
und Hauptmißbräuche der novatianischen Sekte in extenso (s. überhaupt MSL XIII,
1051—1082). — Außerdem besitzen wir noch zwei andere kleine Schriften von Pacianus:
eine Paraenesis ad poenitentiam (s. libellus exhortatorius; M. l. c. 1081) und
eine vor Taufkandidaten und älteren Christen gehaltene Predigt über das Taufsakrament
45 (Sermo de baptismo; ib. 1089). In stilistischer Hinsicht zeichnen sich alle diese
Schriften, über deren Herrühren von einem und demselben Verfasser kein Zweifel ob=
walten kann, ebenso sehr durch korrekte Latinität wie durch klare und gefällige Dar=
stellung aus, so daß das Urteil des Hieronymus, welcher Pacian als einen scriptor
castigatae eloquentiae preist, gerechtfertigt erscheint. Hinsichtlich ihres Lehrgehaltes
50 freilich bieten sie wenig Auszeichnendes und Orginelles dar. Sie vertreten den wesentlich
praktischen Standpunkt der traditionellen Orthodrie des Abendlandes in mehr nüchtern
reprobuzierender als genial spekulierender Weise.

Über jenen Sohn Pacians Dexter berichtet Hieronymus De vir. ill. 132: Fertur
ad me omnimodam historiam texuisse, quam necdum legi. Dieses Geschichts=
55 werk hat nie das Licht der Öffentlichkeit erblickt. Jedenfalls hat das Chronicon Dextri,
welches der Jesuit Hieronymus Romanus de la Higuera (gest. 1611) entdeckt haben wollte
und das einige Zeit nach dessen Tod im Druck erschien (Saragossa 1619; auch bei MSL
XXXI, p, 55—572) als Fälschung zu gelten (vgl. Gams II, 1, 334 f.).   **Zöckler.**

Paciferi s. **Caputiati** Bd III S. 722, 35 ff.

Paderborn, Bistum. — Regesta hist. Westfaliae, bearb. von H. A. Erhard, 2 Bde,
1847—51. Westfälisches UB 4. Bd, die Urk. des Bist. P. bearb. von R. Wilmans, Münster
1847 ff. Kaiserurkunden der Prov. Westfalen von R. Wilmans und F. Philippi, 2 Bde, 1867
u. 81. Rettberg, KG D.s II, S. 438 ff. Hauck. KG D.s II, S. 375 ff. 408 f.

Bei der Verteilung des sächs. Missionsgebiets an fränkische Stifter wurde die Gegend 5
um Paderborn dem Bistum Würzburg zugewiesen, Transl. Libor. 5 MG SS IV
S. 150. Es geschah wahrscheinlich auf der Reichsversammlung zu Paderborn im Jahre
777, s. KG Deutschlands II, 2. Aufl., S. 375 ff. Nach der Beendigung der Sachsen-
kriege erhob Karl den Missionssprengel zu einem selbständigen Bistum, und übertrug
es dem Würzburger Priester Hathumar, einem geborenen Sachsen. Das Jahr ist nicht 10
überliefert; man wird an das erste Jahrzehnt des 9. Jahrhunderts zu denken haben. Die
Diöcese wurde aus dem südlichen Teil des energischen Landes gebildet. Sie gehörte zum
Erzbistum Mainz und zerfiel in zehn Archidiakonate.

Bischöfe: Hathumar gest. nach Juli 815, Badurad gest. 859 oder 860, Liuthard
gest. 886 oder 887, Biso gest. 908, Dietrich gest. 917, Unwan 917—935, Dudo 935—960, 15
Folkmar 961—983, Rethar 983—1009, Meginwerk 1009—1036, Rudolf 1036—1051,
Imad 1051—1076, Poppo 1076—1083, Heinrich von Asloe 1083—1102, Gegenbischof Heinrich von Werle 1084—1127, Bernhard I. 1127—1160, Evergis 1160—1178,
Siegfried 1178—1188, Bernhard II. von Ibbenburen 1188—1203, Bernhard III. von
Oesede 1203—1223, Oliver 1223—1225, Wilbrand von Oldenburg 1225—1227, Bern- 20
hard IV. v. Lippe 1228—1247, Simon v. Lippe 1247—1276, Otto v. Rietberg 1277—1307,
Günther von Schwalenberg 1307—1310, Dietrich von Ittern 1310—1321, Bernhard V.
von Lippe 1321—1341, Balduin von Steinfurt 1341—1361, Heinrich von Spiegel
1361—1380, Simon von Sternberg 1380—1389, Rupert von Berg 1389—1394,
Johann von Hoya 1394—1399, Bertrand von Arvazano 1399, Wilhelm von Berg 25
1400—1414, Dietrich von Mörs 1415—1463, Simon von Lippe 1463—1498, Hermann von Hessen 1498—1508, Erich von Braunschweig 1508—1532.   **Hauck.**

Pagi s. b. A. Baronius Bd II S. 417, 7 ff.

Pajon, Claude, gest. 1685. — Chauffepié, Nouveau dictionnaire historique s. v.
Al. Schweizer in Baur und Zellers theol. Jahrb. 1853 und in seinen Protest. Centraldogmen 30
Bd 2; Haag, La France protestante s. v.; Frank Buaux bei Lichtenberger, Encyclopédie s. v.;
Lacheret, Claude Pajon, Genève 1882; Mailhet, Cl. P., Paris 1883; Bulletin historique et
littéraire de la Société de l'histoire du Protestantisme français. Tome I, Paris 1901,
p. 58 ff. — Reformirte Gegenschriften gegen den Pajonismus: P. Jurieu, Traité de la
nature et de la grâce ou du concours général de la providence et du concours particulier 35
de la grâce efficace contre les nouvelles hypothèses de Mss. P. et de ses disciples,
Utrecht 1687 (dagegen Papin, Essais de théol. sur la providence et la grâce, où l'on tâche
de délivrer Mss. Jurieu de toutes difficultés, Francf. 1687). Vgl. auch R. Leydecker, Veritas
evangelica triumphans., Traj. 1688; Fr. Spanhemii Controversiarum elenchus 1694 und
Amsterd. 1701. — Lutherische Gegenschriften: Val. Löscher, Exercitatio theologica de Claudii 40
Pajonii eiusque sectatorum doctrina et fatis, Lips. 1692; Grapius, Controversii Pajonismi,
Quedlinb. 1698; Joh. Ernst Schubert, Bedenken von dem Pajonismus, Jena u. Leipzig 1755.

Cl. Pajon wurde 1626 zu Romorantin in Nieder-Blésois geboren. Auf der
Akademie Saumur studierte er unter Amyraut. Die Theses Salmurienses enthalten
von ihm die unter dem Vorsitz von Amyraut bezw. L. Cappellus verteidigten Thesen 45
de necessitate baptismi und de ministerii Verbi divini necessitate. Im 24. Alters-
jahre wurde er zum Prediger in Machenoir ernannt. Ohne litterarisch aufzutreten, galt
Pajon doch bald als hervorragender Kopf und wurde 1666 als Professor der Theologie
nach Saumur berufen, two zwei Jahre vorher Amyraut gestorben war. Hatte er schon
am 3. Mai 1665 in einer vor der Provinzialsynode Anjou gehaltenen Predigt über 50
2 Ko 3, 17 (gedruckt Saumur 1666) die Gegenwart Christi und seines Geistes in den
Gläubigen als die bloße Gegenwart seines Bildes und entsprechenden Gesinnungen erklärt, auch die Quelle der Sünde in der Unwissenheit finden wollen, so erschienen solche
Ansichten auf dem Lehrstuhl noch bedenklicher und erregten mannigfachen Anstoß. Doch
konnte die Provinzialsynode auf Grund eingehender Untersuchung 1667 deren Urheber 55
noch schützen. Indessen hoffte Pajon aber unangefochten zu bleiben, wenn er den Lehrstuhl verließ, und nahm 1668 eine Predigerstelle in Orléans an.

Seine besonderen Ansichten verbreitete er nur mündlich und durch eine sehr lebhafte
Korrespondenz (zahlreiche Stücke derselben, die Mailhet verwertet hat, in der Bibliothek

Tronchin zu Beſſinge bei Genf). So gewann er zahlreiche begeiſterte Schüler, welche ſich nicht die beſcheidene Zurückhaltung ihres Meiſters auferlegten. Das Gerücht von pelagianiſch-arminianiſcher Heterodoxie machte bei damaliger dogmatiſcher Reizbarkeit großes Aufſehen, ſo daß Pajon ſelbſt 1676 in Paris bei Jean Claude, dem ausgezeichneten
5 Prediger der bortigen reformierten Gemeinde, eine Prüfung ſeiner Lehre veranlaßte. Die Verhandlungen verliefen würdig und chriſtlich, führten aber zu keiner Verſtändigung. Und da Pajons Schüler Papin, Lenfant, Allir., du Vidal in Paſtoralkonferenzen die neuen Lehren zu verbreiten fortfuhren, ſo trat 1677 bei du Boſc in Paris eine Konferenz von ſieben Geiſtlichen zuſammen, unter denen Claude, Daillé und der damals in Sedan
10 lehrende Jurieu, um Maßregeln wider dieſe Lehren zu verabreden für die Provinzialſynoden, vor welchen ſich Kandidaten mit pajoniſtiſchen Anſichten präſentieren würden. Nationalſynoden, welche allein über dogmatiſche Streitfragen entſcheiden ſollten, wurden ſeit dem Jahre 1660 vom Könige nicht mehr geſtattet; daher ſchien nichts anderes möglich, als daß die Pariſer Gemeinde die Sache in die Hand nahm und vor die Provinzialſynoden
15 leitete. In der That wurden ſeit 1677 von den Akademien Sedan und Saumur und von den Provinzialſynoden ſchützende Maßregeln gegen pajoniſtiſche Kandidaten ergriffen, obgleich Pajon und ſeine Freunde wiederholte Vorſtellungen machten, daß ſie vom Pelagianismus weit entfernt ſeien.

Veröffentlicht hat Pajon während aller dieſer Kämpfe ſeine eigentümlichen Theorien
20 niemals. Die beiden einzigen Bücher, die er herausgab, dienen vielmehr der Verteidigung der damals immer ſchwerer Bedrängnis entgegengehenden franzöſiſch-reformierten Kirche. Als P. Nicole (ſ. d. A. o. S. 34) in ſeinen Préjugés légitimes 1671 u. a. behauptet hatte, daß man die Reformierten verdammen dürfe, ohne ſie auch nur gehört zu haben, und ihnen die Zumutung ſtellte, ſich blind der kirchlichen Autorität zu unterwerfen, antwortete Pajon
25 mit ſcharfer Logik in ſeinem Examen du livre, qui porte pour titre Prejugez légitimes contre les Calvinistes. Bionne 1673 u. ö. Später hat er das unter königlicher Autorität vom katholiſchen Klerus erlaſſene Avertissement pastoral 1682 ſehr tüchtig beantwortet: Remarques sur l'Avertissement pastoral, gedruckt Amſterdam 1685. In den letzten Monaten ſeines Lebens ſah er noch die Zerſtörung ſeiner Kirche
30 zu Orléans, den Abfall ſeiner Kollegen und den Raub ſeiner Güter. Am 27. September 1685, kurz vor der Aufhebung des Edikts von Nantes, iſt er geſtorben mit der Anklage auf den Lippen, daß die reformierte Kirche ſich ihre Züchtigung ſelbſt zuziehe durch die Weigerung, die reine Wahrheit anzunehmen.

Pajons beſondere Lehre bedeutet in ihren großen Zügen ebenſowenig eine Ab
35 weichung vom orthodox-reformierten Syſtem wie der Amyraldismus. Pajon hat ſtets die Anklage auf Pelagianismus und Arminianismus abgelehnt und ſich zu den Dordrechter Sätzen bekannt. In den Verhandlungen mit Claude wurde ſofort über die vollkommene Unfähigkeit des natürlichen Menſchen zum Guten und über die Alleinwirkſamkeit der irreſiſtibeln Gnade für Wollen und Vollbringen Einigung erzielt. Bereits wollte Claude
40 ſeine rückhaltloſe Anerkennung ausſprechen, als Pajons Schüler Lenfant darauf aufmerkſam machte, daß der eigentliche Streitpunkt noch gar nicht berührt ſei, nämlich die Frage nach der Wirkungsweiſe der Gnade und des göttlichen Geiſtes. Hier lag in der That die Eigentümlichkeit des Pajonismus, mit welcher die durch den Amyraldismus begonnene Ermäßigung der calviniſchen Gnadenlehre planmäßig fortgeſetzt wurde. Amyraut hatte
45 an die Stelle des Partikularismus der Gnadenwahl einen Univerſalismus der objektiven d. h. geſchichtlich waltenden Gnade geſetzt, welcher noch das ſonderliche Wirken der Gnade in den Erwählten nicht überflüſſig, ſondern nur unanſtößiger erſcheinen laſſen ſollte (vgl. Bd I, S. 478, 29 ff.). Unter Vorausſetzung dieſer Theorie legte Pajon nun die Lehre von der ſubjektiven d. h. auf das erwählte Individuum wirkenden Gnade für das mora
50 liſche Empfinden der Zeit bequemer zurecht, ohne freilich dies Gnadenwirken ſelbſt irgend zu beſtreiten. Er behauptete lediglich, daß die Gnade reſp. der göttliche Geiſt nie unmittelbar, ſondern ſtets durch das Mittel des Wortes und des menſchlichen Verſtandes wirke (Mailh. p. 30): „La même action de Dieu peut être appelée immédiate et non immédiate, sauf contradiction, selon les divers moyens qu'on aura dessin d'exclure
55 ou de ne pas exclure par ces mots-là. Car, lorsqu'il sera question des moyens que les semipélagiens, jésuites et Remonstrants prétendent être nécessaires de la part de l'homme pour rendre la grâce efficace, comme est le consentement de la volonté à se laisser fléchir par la grâce venant de l'homme même, par l'entremise desquels, ils croient que la grâce opère en nous; je dis sans
60 hésiter que la grâce ou l'opération de Dieu est immédiate à cet égard ...

Mais quand il' s'agira des moyens qui peuvent être employés de la part de Dieu comme le sont sa parole, ses miracles dans le temps qu'il en faisoit, ses châtiments, les exemples qu'il nous met devant les yeux et autres moyens semblables, je dis … que la grâce n'est pas immédiate à cet égard et que Dieu n'agit pas en nous pour nous convertir sans l'entremise de tels moyens." 5 Mit dieſen leßteren Ausführungen wird jede neben dem Wort herlaufende, beſondere applizierende Wirkung des Geiſtes geleugnet: nur wenn man die Geiſteswirkung ſich ganz in der Predigt des Wortes und den begleitenden Umſtänden erſchöpfen laſſe, könne man dem Enthuſiasmus entgehen. Die Orthodoxen gebrauchten das Bild: will man ein Siegel auf einen Stein drücken, ſo muß man zuvor den Stein erweichen, — eben 10 dies leßtere wirkt der Geiſt an unſerem Herzen, damit das Wort hafte. Pajon ver= ſicherte mit einem anderen Bilde (Mailh. p. 114) „que Dieu se servant de la parole pour la conversion des élus, accompagne cette parole de l'action de son Esprit, de même que celuy qui abat un arbre à coups de cognée, accom- pagne la cognée de sa vertu.". Die wirkende Geiſteskraft erſcheint alſo durchaus 15 im Worte und in den von Gott geordneten Umſtänden, unter welchen das Wort uns trifft: ſie wirkt keinesfalls abgeſehen von oder auch nur neben dem allen von innen heraus.

Dieſe Theorie zeigt ſich ganz von dem Intereſſe geleitet, das göttliche Werk der Bekehrung auf eine nicht myſtiſche, ſondern moraliſche Weiſe zu erklären. In einem ge= 20 wiſſen Sinne hatte ſich die reformierte Theologie wegen des nötigen Gegengewichts gegen den Prädeſtinatianismus immer für dieſe formale „Freiheit" der menſchlichen Bethätigung intereſſiert: man wollte den Menſchen nicht zum lapis et truncus machen. In Saumur hatten Camero und Amyraut (vgl. Bd I, S. 480, 9ff.) ſolche Gedanken weiter verfolgt. Pajon vermochte ſie nur um den Preis konſequent durchzuführen, daß er die Sünde faſt 25 als einen rein intellektuellen Defekt wertete. Die menſchlichen Kräfte ſcheinen weniger verloren, als durch die Laſt der Unwiſſenheit erdrückt. Trifft nun das göttliche Wort den Menſchen unter den entſprechenden günſtigen Umſtänden, ſo nimmt der Verſtand dasſelbe auf und der Wille folgt. Dabei gilt jedoch (Mailh. p. 81f.), „que l'enten- dement par lequel nous jugeons les choses humaines est la même faculté 30 par laquelle nous jugeons les choses divines."

Der Alleinwirkſamkeit der Gnade tritt dieſer Entwurf inſofern nicht zu nahe, als es Gott iſt, der alle Umſtände ſo geordnet hat, daß in den Erwählten die Erleuchtung durch das Wort zu ſtande kommen muß. Freilich iſt nicht von dem lebendig gegenwärtigen Gott die Rede, ſondern nur von dem Schöpfer, deſſen Welt auch ohne den fortwährenden 35 concursus divinus, welchen Pajon leugnet, in ihren feſtgelegten Bahnen bleibt. Iſt nach alledem der Pajonismus nach ſeiner ausgeſprochenen Theorie keineswegs pelagianiſch, ſondern ſtreng determiniſtiſch, ſo fehlt dieſem Gebäude einer ſcharfen aber kalten Logik doch der Zug perſönlicher Berührung mit Gott, welchen die calviniſche Orthodoxie verteidigte: in dem Ganzen weht ein deiſtiſcher Geiſt. Pajons Schüler ſind auch alsbald weit über 40 ihren Lehrer hinausgegangen und haben ſich teils zum Arminianismus, teils auch zum Katholicismus gewendet. (Alex. Schweizer †) E. F. Karl Müller.

Paläſtina. — Litteratur: Die Schriften zur Paläſtinakunde vom 4. Jahrhundert an bis 1877 ſind aufgeführt von R. Röhricht, Bibliotheca Geographica Palaestinae, 1890; ferner in den jährlichen Litteraturberichten der ZbPV 1878—1896; in den Archives de l'Orient 45 latin, herausgegeb. vom Grafen P. Riant 1881 und 1884, für die Jahre 1878—1883; in der Revue de l'Orient latin 1893 ff. und in der Revue Biblique 1892 ff. — Für den Inhalt des folgenden Artikels, der nur die natürliche Beſchaffenheit und Ausſtattung des Landes behandelt, kommen folgende Schriften in Betracht: Ed. Robinſon, Paläſtina, 3 Bde, 1841; derſelbe, Neuere bibliſche Forſchungen in Paläſtina 1852 (1857); derſelbe, Phyſiſche Geographie des heiligen 50 Landes, 1865; C. Ritter, Allgemeine Erdkunde', 1821 ff. Bd XIV—XVII; Vergleichende Erd= kunde der Sinaihalbinſel, von Paläſtina und Syrien 1848—1855; V. Guérin, Description de la Palestine. I. Iudée, 3 Bde, Paris 1868—69, II. Samarie, 2 Bde, 1874—75, III. Ga- lilée, 2 Bde, 1880. — Von der Survey of Western Palestine kommen hier folgende Bände in Betracht: Arabic and english Name Lists, collected during the Survey by Conder and 55 Kitchener. Transliterated and explained by E. H. Palmer, London 1881; Memoirs of the Topography, Orography, Hydrography and Archaeology. By Lieut. C. R. Conder R. E., and Lieut. H. H. Kitchener, R. E., I. Galilee 1881, II. Samaria 1882, III. Iudaea 1883; Edw. Hull, Memoir on the physical geology and geography of Arabia Petraea, Palestine and adjoining districts, 1886. — Trelawney Saunders, An introduction to the survey of 60 Western Palestine: its waterways, plains and highlands, 1881; William M. Thomson, The

Land and the Book; or biblical illustrations drawn from the manners and customs, the scenes and the scenery, of the Holy Land I—III, 1881—1886; G. Eberg und H. Guthe, Paläſtina in Bild und Wort I und II, 1883 und 1884; O. Ankel, Grundzüge der Landes=
5 natur des Weſtjordanlandes. Entwurf einer Monographie des weſtjordaniſchen Paläſtina 1887; M. Lortet, La Syrie d'aujourdhui, Paris 1884; R. Furrer, Wanderungen durch das heilige Land², 1891; George Adam Smith, The historical Geography of the Holy Land, London 1894; F. Buhl, Geographie des alten Paläſtina 1896. — Zeitſchriften: Quarterly Statement, Palestine Exploration Fund, London 1865 ff.; Zeitſchrift des Deutſchen Paläſtinavereins 1877 ff.; Revue Biblique, Paris 1892 ff.; Revue de l'Orient latin, Paris 1893 ff.; Sbornik der
10 ruſſiſchen orthodoxen Paläſtinageſellſchaft 1883 ff. — Im beſonderen zu Abſchnitt I: H. Re-
landi Palaestina ex monumentis veteribus illustrata, Trajecti Batav. 1714; Ad. Neubauer, La géographie du Talmud 1868; J. G. Wetzſtein, Ueber צער Gen XIV, 7 und Paläſtinas Südgrenze Joſ XV, 1—4 in Frz. Delitzſch' Kommentar zur Geneſis⁴ (1872), 574—590; H. Guthe, H. Clay Trumbulls Kadeſch Barnea in ZdPV VIII, 181—232; K. Furrer, Die
15 antiken Städte und Ortſchaften im Libanongebiete in ZdPV VIII (1885), 16—41; J. B. van Ka-
ſteren in Revue Biblique 1895, 23 ff.; H. Zimmern und H. Winckler, Die Keilinſchriften und das Alte Teſtament², 1903. — Zu Abſchnitt II: E. H. Palmer, Der Schauplatz der vierzigjährigen Wüſtenwanderung Israels. Aus dem Engliſchen überſetzt, 1876; Edw. Hull, Mount Seir, Sinai and Western Palestine, London 1889; M. Blanckenhorn, Die Strukturlinien Sy-
20 riens und des Roten Meeres, 1893 (Feſtſchrift für von Richthofen); derſelbe, Syrien in ſeiner geologiſchen Vergangenheit, ZdPV XV (1892), 40 ff.; B. Schwöbel, Die Verkehrswege und Anſiedelungen Galiläas in ihrer Abhängigkeit von den natürlichen Bedingungen in ZdPV XXVII (1904), 1 ff.; W. F. Lynch, Narrative of the United States Expedition to the River Jordan and the Dead Sea, deutſch von M. W. Meißner, 1850; F. de Saulcy, Voyage autour
25 de la Mer Morte et dans les Terres Bibliques I et II, 1853; A. Duc de Luynes, Voyage d'exploration à la Mer Morte, à Pétra et sur la rive gauche du Jourdain, 3 Bde, 1871 bis 1876 (in Bd 3 die geologiſchen Arbeiten von L. Lartet); zu Bethabara vgl. Reland, Paläſtina 508 f. 626 f. 631 und Revue Biblique 1895, 502 ff.; zu der natürlichen Sperrung des Jordan Quarterly Statement 1895, 253 ff. und Mt und Nachr. des DPV 1899, 35; O. Fraas, Das
30 Todte Meer 1867; O. Kerſten, Umwanderung des Todten Meeres in ZdPV II (1879) 201 ff.; M. Blanckenhorn, Entſtehung und Geſchichte des Todten Meeres 1896 (= ZdPV XIX 1896, 1—59); R. Sachſſe, Beiträge zur chemiſchen Kenntnis der Mineralien, Geſteine und Gewächſe Paläſtinas in ZdPV XX (1897), 1—33; J. G. Wetzſtein, Ueber צור (Zoar) Gen XIX, 22 in Frz. Delitzſch' Kommentar zur Geneſis⁴, 564—574; L. Gautier, Autour de la Mer Morte,
35 1901. — Zum Oſtjordanlande: J. L. Porter, Five Years in Damaskus, 2 Bde, 1855; E. G. Rey, Voyage dans le Haouran etc., Paris 1860; J. G. Wetzſtein, Reiſebericht über den Hauran und die Trachonen, 1860; derſelbe, Das batanäiſche Giebelgebirge, 1884; Selah Merrill, East of the Jordan, 1881; G. Schumacher, Der Dſcholan in ZdPV IX (1886), 165 ff. (auch ſeparat); derſelbe, Across the Jordan (Aufnahme des weſtlichen Hauran mit Beiträgen von L. Oliphant
40 und Guy le Strange) 1886; derſelbe, Northern 'Ajlûn 1890; derſelbe, Das ſüdliche Baſan, 1897 (= ZdPV XX 1897, 65 ff.); deſſen vorläufige Berichte über die Aufnahme des 'adſchlûn finden ſich Mt und Nachr. des DPV 1896 ff.; L. Oliphant, The land of Gilead, 1880; H. B. Triſtram, The land of Moab², 1874; C. R. Conder, The Survey of Eastern Palestine I, 1889; derſ., Heth and Moab, 1889; R. Brünnows Reiſeberichte in Mt und Nachr. des DPV,
45 1895 f. 1898 f.; L. Gautier, Au delà du Jourdain², 1896. — Zu Abſchnitt III: O. Fraas, Aus dem Orient I u. II, 1867 u. 1878; G. vom Rath, Paläſtina und Libanon, 1881; A. Stübels Reiſe nach dem Dirct et-Tulûl und Hauran, 1882, herausgeg. von H. Guthe in ZdPV XII (1889), 225 ff.; C. Diener, Libanon, 1886; F. Noetling, Geologiſch-Paläontologiſches aus Paläſtina, 1886 (Zeitſchr. der deutſchen Geol. Geſellſchaft, Bd 38); derſ., Geologiſche Skizze der
50 Umgegend von el-hammi in ZdPV X (1887), 59 ff.; M. Blanckenhorn, Entwickelung des Kreideſyſtems in Syrien, 1890; derſ., Die Mineralſchätze Paläſtinas in Mt und Nachr. des DPV 1902, 65 ff.; O. Fraas, Der Schwefel im Jordanthal, in ZdPV II (1879), 113 ff. — Zu Abſchnitt IV und V: Leo Anderlind, Der Einfluß der Gebirgswaldungen im nördl. P. auf die Vermehrung der wäſſerigen Niederſchläge daſelbſt, ZdPV VIII (1885), 101—116;
55 O. Ankel, Grundzüge der Landesnatur des Weſtjordanlandes (1887), S. 76 ff.; Chaplin-Kerſten, Das Klima von Jeruſalem, in ZdPV XIV (1891), 98 ff.; Kaſſner, Die Meteorologie der Bibel in der Zeitſchrift Das Wetter 1892, Nr. 2; H. Hilderſcheid, Die Niederſchlagsverhält-
niſſe Paläſtinas in alter und neuer Zeit, in ZdPV XXV (1902), 1 ff.; James Glaiſher, Me-
teorological Observations at Jerusalem, London 1903. — Zu Abſchnitt VI und VII:
60 Ol Celsii Hierobotanicon, 2 Bde, Upsala 1745—1747; P. Forſkål, Flora aegyptiaco-
arabica, ed. C. Niebuhr, 1775; S. Oedmann, Vermiſchte Sammlungen aus der Naturkunde zur Erklärung der heiligen Schrift. Aus dem Schwediſchen (Upsala 1785 ff.) von Dr. Grö-
ning, 1786—1795; P. Cultrera, Flora biblica, Palermo 1861; derſ., Fauna biblica, 1880; Edm. Boiſſier, Flora orientalis, 5 Bde und 1 Supplem.-Bd, 1867—1888; J. Löw, Aramäiſche
65 Pflanzennamen 1881; B. Hehn, Kulturpflanzen und Haustiere⁶, 1894; C. J. von Kling-
gräff, Paläſtina und ſeine Vegetation in der Oeſterr. Botaniſchen Zeitſchr. 1880, 23 ff.; zu C. und W. Barbey, Herborisations an Levant., Égypte, Syrie et Méditerrance (1882), vgl.

P. Ascherson in ZdPV VI (1883), 219—229, wo noch andere einschlagende Schriften angegeben sind; Leo Anderlind, Die Fruchtbäume in Syrien, insbesondere Palästina, ZdPV XI (1888), 69—104; derf., Mitteilungen über starke Bäume in Syrien, ebend. XIII (1890), 220 bis 227; H. B. Tristram, The natural history of the Bible², 1889; derf., The Fauna and Flora of Palestine 1884 (gehört zu Survey of Western Palestine); H. Chichester Hart, Some account of the Fauna and Flora of Sinai, Petra and Wâdy 'Arabah 1891 (ebenfalls zu Survey of Western Palestine); G. E. Post, Flora of Syria, Palestine and Sinai, Beirut (1896); L. Fonck, Streifzüge durch die biblische Flora in Biblische Studien, herausgegeben von O. Bardenhewer V, 1 (1900); vgl. dazu H. Christ in ZdPV XXII (1899), 65 ff.; S. Bocharti Hierozoicon (rec. E. F. K. Rosenmüller), 3 Bde, 1792—1796; L. Lewysohn, Zoologie des Thalmud, 1858; O. Böttger, Die Reptilien und Amphibien von Syrien, Palästina und Cypern, 1880 (Jahresbericht der Senckenbergischen naturforschenden Gesellschaft, 1879/80); J. G. Wood, Bible Animals, 1883; M. L. Cl. Fillion, Atlas d'histoire naturelle de la Bible, 1884; A. Nehring, Die geographische Verbreitung der Säugethiere in Palästina und Syrien in Mt und Nachr. des DPV 1902, 49—64 (= Globus Bd 81, Nr. 20). — Zu Abschnitt VIII: Weltkarte des Castorius, genannt die Peutingersche Tafel. In den Farben des Originals herausgeg. und eingeleitet von K. Miller, Text 1887, Karte 1888; ferner die unten angeführten Karten. — Zu Abschnitt IX: Kuhn, Die städtische und bürgerliche Verfassung des römischen Reichs, Bd II (1865), 161—201. 314—388; J. Marquardt, Römische Staatsverwaltung, I² (1881), 419 ff.; Mommsen, Römische Geschichte, V (1885), 446—552; 20 P. de Rohden, De Palaestina et Arabia provinciis romanis 1885; derf. in Pauly-Wissowa, Realencyklopädie der Il. Alterthumswissenschaft III (1895), 359—362; Guy le Strange, Palestine under the Moslems (1890), 14—43; B. Cuinet, Syrie, Liban et Palestine, Géographie administrative, statistique etc. 1896.

Karten: Map of Western Palestine in 26 sheets (nach den Aufnahmen von C. R. Conder und H. H. Kitchener 1872—1877). Scale: one inch to a Mile = 1:63,360 (1880); Map of Western Palestine, reduced from the one inch map, scale ³/₈ inch to a mile = 1:168,960 (1881), 6 Blätter; dieselbe Karte, showing water basins in color and sections, ed. Trel. Saunders 1882; Old and New Testament Map of Palestine in 20 sheets 1890, in 12 sheets 1890; H. Fischer und H. Guthe, Handkarte von Palästina 1890 (vgl. ZdPV XIII, 44 ff.); dieselben, Wandkarte von Palästina 1896; Leuzinger und K. Furrer, Biblisch-topographische Karte von Palästina, 1893; Teilkarten des Ostjordanlandes teils in den oben angeführten Schriften, teils in ZdPV XII (1889), XX (1897), XXII (1899); J. G. Bartholomew und George Adam Smith, A new topographical, physical and biblical Map of Palestine 1901. Eine arabische Karte von Syrien hat die Druckerei der Amerikaner (American Press) in Beirut 1889 herausgegeben.

Der folgende Artikel behandelt I. Name und Grenzen S. 557—562, II. Oberflächengestaltung S. 562—586, III. Gestein und Bodenbeschaffenheit S. 586—588, IV. Klima S. 588—591, V. Bewässerung und Fruchtbarkeit S. 591—592, VI. Pflanzen S. 592—594, VII. Tiere S. 594—595, VIII. Wege S. 595—597, IX. Politische Einteilungen und Statistisches 597—599. Geschichtliches und Topographisches suche man in den Einzelartikeln Basan, Galiläa, Gaulanitis, Judäa, Negeb, Peräa, Philister, Samaria, Trachonitis.

Palästina. I. Name und Grenzen. Der Name P. ist bei uns gegenwärtig in dem Sinne üblich, daß er das Gebiet bezeichnet, das der Schauplatz der biblischen Geschichte, genauer der Geschichte Israels gewesen ist. Dieser Sinn gilt aber nur im im allgemeinen, besondere Grenzbestimmungen lassen sich daraus für das Land nicht ableiten. Man schließt z. B. in den Namen das Küstenland am Mittelmeere ein, obwohl dieses für die Geschichte Israels nur wenig in Betracht kommt; ferner wird das Ostjordanland dazu gerechnet, das niemals völlig israelitisch war. Am meisten deckt sich der Name mit dem, was man als den südlichen Teil Syriens bezeichnen kann, nämlich von der Wüste im Süden zu beiden Seiten des Jordans nordwärts bis zum Hermon und Libanon (s. die Art. Bd VII S. 758 ff. und Bd XI S. 433 ff.). Für diesen Umfang lassen sich auch gewisse natürliche Grenzen angeben, die das Land von den umgebenden Gebieten in deutlicher Weise trennen. Wie im Westen das Meer, so bildet im Osten und Süden die Wüste eine unverkennbare Grenze. Freilich ist dort eine scharfe Linie zwischen Kulturland und Wüste niemals vorhanden gewesen, der Übergang war vielmehr stets ein allmählicher; außerdem ist diese Grenze von den wechselnden Machtverhältnissen in jenen Gegenden abhängig, also beweglich. Sie wird entweder von dem herrschenden Kulturvolk in die Wüste hinaus vorgeschoben oder von den Beduinen, sobald die Macht eines geordneten Staatswesens nachläßt, wieder in das Kulturland zurückverlegt. Nach Norden zu könnte man in dem vorspringenden Karmelgebirge (s. Karmel Bd X S. 80 ff.) eine natürliche Grenze erkennen. Doch würde dies nur für das Gebiet der Küste zutreffen, für das Binnenland nicht; auch hat von jeher eine Straße um den Westfuß des Karmel geführt, so daß von einer völligen Sperrung der Küste nicht die Rede sein kann. Anders

iſt es etwa 20 km nördlich von ʿakkä. Hier wird die Küſtenebene durch den bis ins
Meer ſelbſt vorſpringenden dſchebel el-muschakkah mit dem Vorgebirge räs en-näküra völlig abgeſchloſſen; es giebt keinen anderen Weg nach Norden als über den ſteil
abfallenden Rand des Berges hinüberzuklettern. Hier begann die ſogenannte Treppe der
5 Thrier, bei Josephus Bell. jud. II, 10, 2 § 188 κλίμαξ Τυρίων, im Talmud אכלמ
צור של oder auch im Plural צור של כלמית (vgl. Neubauer a. a. D. 39. 197). Der
Plural wird ſich daraus erklären, daß außer dem genannten Vorgebirge räs en-näküra
noch ein zweites, 10 km nördlich gelegenes, räs el-abjad oder das „weiße Vorgebirge",
in ganz ähnlicher Weiſe von der Straße überſchritten wird, nämlich durch in das Geſtein
10 eingehauene Stufen (vgl. die Abbildungen bei Ebers-Guthe a. a. D. II, 79. 83). Der
oben genannte dſchebel el-muschakkah (363 m) erſtreckt ſich etwa 20 km weit nach
Oſten in das Land hinein und geht dann in das weſtliche Randgebirge von Obergaliläa
über, das zunächſt nördlich, dann nordöſtlich zieht bis chîrbet selem (674 m) am wädi
el-hadschêr nördlich von tibnîn. Von hier laufen einige Höhenzüge bis zum öſtlichen
15 Randgebirge von Obergaliläa, dem dſchebel hûnin (900 m), das nach Norden zu in
den dſchebel ed-dahr (600—800 m) übergeht (vgl. unten S. 570). Dieſer trennt im
Norden wie eine erhöhte Bodenſchwelle die Waſſergebiete des nahr el-lîtäni und des
Jordans. Damit befinden wir uns am Fuße des Hermon, der oberhalb der Jordanquellen dieſe natürliche Grenze gegen Norden abſchließt. An ſeinem ſüdöſtlichen Fuße
20 beginnt die ebene Landſchaft des alten Baſan (ſ. Bd II S. 422 ff.). Damit wären die natürlichen Grenzen des Gebiets, das man Paläſtina nennt, ungefähr umſchrieben.

Der Name P. iſt eine Gräciſierung von פְּלֶשֶׁת Jeſ 14, 29. 31, Philiſtäa, Philiſterland; vgl. פְּלִשְׁתִּים Philiſter Gen 10, 14; Am 9, 7. Joſephus, Ant. I, 6, 2 § 136 ſetzt
dafür Φυλιστιῖος und fügt Παλαιστίνη als griechiſchen Namen des Philiſterlandes hinzu.
25 Dieſer Name läßt ſich bis auf Herodot zurückverfolgen; doch finden wir bei ihm ſchon
einen doppelten Sprachgebrauch. Unter den Σύροι οἱ Παλαιστινοί verſteht er entweder
nur die Küſtenbewohner ſüdlich von den Phöniziern III, 5 oder auch zugleich die Bewohner des Binnenlandes II, 104 (alſo Juden und Samaritaner), und unter Συρίη ἡ
Παλαιστίνη meint er teils den Küſtenſtrich zwiſchen Phönizien und der damals ſchon
30 arabiſchen Wüſte (III, 5) am Mittelmeer I, 105; IV, 39; VII, 89, teils auch das Hinterland II, 106, bis nach Arabien III, 91; ja die letzte Bemerkung in VII, 89 ſcheint
ſelbſt Phönizien und das Hinterland in dieſen Namen einzuſchließen. Die Erweiterung
des Sinnes begreift ſich leicht daraus, daß man den Namen des Küſtenvolkes der Philiſter auf das Binnenland übertrug (wie z. B. der Name Allemagne, eigentlich Land der
35 Allemanen, von den Franzoſen auf Deutſchland überhaupt angewandt worden iſt). Dieſer
volle Name, der Joſephus nur bei Gelegenheit eines Citats aus Herodot (II, 104) berührt Ant. VIII, 10, 3 §§ 260. 262 und contra Ap. I, 22 §§ 169. 171, wird noch
von Plinius und Ptolemäus gebraucht. Die kurze Form, Παλαιστίνη, ſetzt Philo für
Kanaan. Joſephus verſteht unter Παλαιστινοί nur die Philiſter (vgl. Antiq. V—VII)
40 und unter Παλαιστίνη meiſtens das Philiſterland Ant. I, 6, 2 § 136; 12, 1 § 207;
II, 15, 3 § 323 etc., ſelten das Land der Jsraeliten oder das der Juden Ant. I, 6, 4
§ 145; XX, 12, 1 § 259. Bekannt iſt die Jnſchrift der Münze, die Veſpaſian nach
der ſiegreichen Beendigung des jüdiſchen Aufſtandes 70 nach Chr. prägen ließ: Palestina
(Palaestina) in potestatem p. r. redacta. Dio Caſſius gebraucht Παλαιστίνη, römiſche
45 Schriftſteller Paläſtina. Für den chriſtlichen Sprachgebrauch iſt namentlich Hieronymus
maßgebend geworden, der zu Jeſel 27 bemerkt: quibus terra Judaea, quae nunc
appellatur Palaestina, abundat copiis. Man verſtand darunter das von den Jsraeliten oder von den Juden bewohnte Land, ohne ſeinen Umfang näher zu bezeichnen. Daß
man dabei in erſter Linie an das Weſtjordanland gedacht hat, unterliegt keinem Zweifel.
50 Die jüdiſche Schreibung iſt פלסטיני, die arabiſche filastîn. Vgl. Abſchnitt IX.

Im AT hat das Land den Namen Kanaan. Über die mit dieſem Namen in Verbindung ſtehenden Fragen iſt z. T. in dem Art. Kanaaniter Bd IX S. 732 ff. gehandelt
worden. Zunächſt ſei hier daran erinnert, daß ſich im AT verſchiedene Verſuche finden,
für Kanaan feſte Grenzen zu ziehen, daß namentlich nach Norden hin die Grenze faſt
55 offen bleibt Gen 10, 15—19 oder gar bis zum Euphrat ausgedehnt wird Dt 11, 24;
Gen 15, 18; Ex 23, 31, und daß im Buche Joſua unterſchieden wird zwiſchen dem,
was die Jsraeliten von Kanaan erobert haben Joſ 11, 17; 12, 7, und dem, was ſie
von Kanaan nicht erobert haben, Joſ 13, 2—6. Den Jsraeliten war, wie ſich hieraus
mit voller Deutlichkeit ergiebt, ſehr wohl bewußt, daß ſie das ganze Land Kanaan nicht
60 beſetzt hatten. Es iſt daher auch nicht richtig, die Formel „ganz Jsrael von Dan bis

Beerſeba" 2 Sa 24, 2. 15; 1 Kg 4, 25 (5, 5) von dem Umfang des Landes Kanaan
zu verſtehen; ſie bezeichnet vielmehr Nord= und Südgrenze des von Israel wirklich be=
ſetzten Gebietes. Sodann ſind hier die im AT ſelbſt vorliegenden Verſuche, die Grenzen
des Landes Kanaan genau zu beſtimmen, zu beſprechen. Sie finden ſich bei Ez 47, 15—20;
48, 1 ff. und in dem zum Prieſterkodex gehörenden Stück Nu 34, 1—12 (vgl. 13, 21). 5
Für die Südgrenze kommt ferner in Betracht die Linie, die Joſ 15, 2—4 — ebenfalls
im Prieſterkodex — für den ſüdlichen Umfang des Stammgebietes Juda gezogen wird.
Ez 47, 19 und 48, 28 ſind für die Südgrenze drei Punkte angegeben: Thamar, das
Haderwaſſer bei Kades und der Bach Ägyptens. Über die beiden erſten Orte vgl. den
Art. Negeb Bd XIII S. 697 ff. Der Bach Ägyptens, auch ſonſt als Südgrenze Israels 10
am Mittelmeer genannt 1 Kg 8, 65 (2 Chr 7, 8) oder als Südgrenze des von Nebu=
kadnezar dem Pharao Necho II. abgewonnenen Gebiets 2 Kg 24, 7, wird von der LXX
Jeſ 27, 12 dem Orte Rhinokorura (-kolura) gleichgeſetzt, dem alten Grenzorte zwiſchen
Ägypten und Syrien, der dem heutigen el-'ariſch entſpricht. Es wird daher allgemein
angenommen, daß der heutige wâdi el-'ariſch mit dem Bach Ägyptens des ATs zu= 15
ſammenfällt. H. Winckler dagegen vergleicht KAT² 147 f. den von Aſarhaddon erwähnten
naḥal muṣri, d. h. den „Bach von Muṣri", und ſetzt ihn in die Nähe von Raphia,
heute tell refaḥ. Allein bei tell refaḥ iſt, wie die Unterſuchung dieſer Gegend durch
Dr. Schumacher ergeben hat (vgl. Quarterly Statements 1886, 171 ff.), weder ein Fluß
noch ein Wâdi vorhanden, und das von Winckler auf den Inſchriften entdeckte, aber auf 20
der Landkarte noch nicht nachgewieſene arabiſche Land Muṣri hat ſich ſchwerlich bis an
das Geſtade des Mittelmeeres ausgedehnt. Man wird daher an der bisherigen Annahme
feſthalten können. Die beiden anderen Stellen, Nu 34, 3—5 und Joſ 15, 2—4, meinen
ohne Zweifel dieſelbe Grenze, zum Teil jedoch mit anderen Namen. Nachdem in all=
gemeinen geſagt iſt, daß die Südgrenze mit der Wüſte von Zin am Gebiet Edoms 25
entlang geht, wird als ihr Anfang die Südſpitze des Toten Meeres bezeichnet (vgl. Ez
47, 18) und darauf die Steige Akrabbim genannt. Dieſe muß nach dem Zuſammen=
hange nahe am Lande der Edomiter ſein (vgl. Ri 1, 36, wo wahrſcheinlich Edomiter ſtatt
Amoriter zu leſen iſt). Beachtet man ferner, daß die Grenzlinie über Zin nach Kades
Barnea läuft, ſo wird die Vermutung von Wetzſtein in Delitzſchs Kommentar zur Ge= 30
neſis⁴ 574 ff. ſehr wahrſcheinlich, daß dieſe Grenze dem natürlichen Einſchnitt des heutigen
wâdi el-fikra, der in die 'araba ſüdlich vom Toten Meere mündet, aufwärts folgte.
Aus dieſem Thale führen nun mehrere Wege in nordweſtlicher Richtung nach Paläſtina
hinauf; ſie heißen jetzt naḳb (Engpaß) eṣ-ṣafâ und naḳb el-jemen. Von dieſer Höhe
iſt wahrſcheinlich die Akrabbim-Steige des ATs zu verſtehen, und Thamar wird die kleine 35
Feſtung ſein, die Salomo zur Sicherung der wichtigen Handelsſtraße nach Elath erbauen
ließ (vgl. Bd XIII S. 698). Damit wäre die ſachliche Übereinſtimmung mit Ez 47, 18 f.
hergeſtellt. Zin iſt vermutlich ein Ort, ſeine Kenntnis iſt uns verloren gegangen. Die
Wüſte von Zin, nach Joſ 15, 1; Nu 34, 3 an der Grenze Edoms, nach Nu 13, 21
wohl zum Gebiete Judas gerechnet, entſpricht wahrſcheinlich einem Teile des Hochlandes, 40
das heute die 'azâzime-Araber inne haben (vgl. unten S. 564). Über Kades Barnea
f. Bd XIII S. 698 f. Die Grenze wird ſüdlich von dieſem Orte gezogen. Für Hazar Adar
Nu 34, 4 hat Joſ 15, 3 Hezron und Adar, dem Zuſammenhang nach weſtlich von Kades;
beide Orte ſind unbekannt. In Karkaa Joſ 15, 3 vermutet Trumbull das weite Waſſer=
becken von 'ain el-ḳaṣême (Bd XIII S. 698 f.); es fragt ſich ſehr, ob mit Recht. Aẓmon 45
Nu 34, 4 f. und Joſ 15, 4 wird im Targum durch k°ṣâm oder kêṣâm wiedergegeben;
damit hat Trumbull 'ain el-ḳaṣême verglichen. Der letzte Punkt der Südgrenze iſt auch
hier der Bach Ägyptens (ſ. o.). Welche Gründe für dieſen Lauf der Südgrenze in Be=
tracht gezogen worden ſind, wiſſen wir nur zum Teil. Ohne Zweifel war die alte Grenze
zwiſchen Israel und Edom bekannt; ſie war wohl durch die Geſtaltung der Oberfläche 50
des Bodens gegeben. Der weitere Lauf der Südgrenze war durch den Waſſerreichtum der
Gegend von Kades beſtimmt, die Könige von Jeruſalem haben ſie ſicherlich in ihren
Machtbereich gezogen. Der untere wâdi el-'ariſch iſt eine natürliche Scheidelinie, jen=
ſeits Sand und Kieſelboden, diesſeits feſter Lehmgrund unter einem Schleier von Sand
(ZdPV VI, 221). — Die Weſtgrenze iſt das Mittelmeer Nu 34, 6, wie Ez 47, 20 hinzufügt, 55
„bis gegenüber dem Zugang zu Hamath". Dieſer Punkt kehrt ſowohl Ez 47, 15 f. (nach
verbeſſertem Text) als auch Nu 34, 8 in der Nordgrenze wieder. Es iſt daher von
Wichtigkeit, ihn zu beſtimmen. Abgeſehen von der älteſten Stelle Am 6, 14 findet er
ſich, wie es ſcheint, in deuteronomiſtiſchen Zuſammenhängen Joſ 13, 5; Ri 3, 3; 1 Kg
8, 65; 2 Kg 14, 25, dann Ez 47, 15. 20 und im Prieſterkodex Nu 34, 8; 13, 21. 60

Nach Jof 13, 5 hat man ihn nicht als Nordgrenze des von Israel wirklich besetzten Gebietes, sondern des Israel kraft göttlicher Zusage gebührenden, aber nicht eroberten Landes,
d. h. des Landes Kanaan, zu verstehen. Der Ausdruck „der ganze Libanon an der Ostseite von Baal Gad am Fuße des Hermongebirges bis zum Zugang zu Hamath" weist
darauf hin, diesen Punkt am Nordende des Libanon (f. den Art. Bd XI S. 433 ff.) zu suchen;
auch die Worte Mi 3, 3 weisen vom Hermon bis an das nördliche Ende des Libanon.
Zur Bestätigung dient die Stelle Ez 6, 14, die neuerdings allgemein so verstanden wird:
„ich will das Land zu einer Einöde und Wildnis machen von der Wüste [im Süden]
an bis nach Ribla" [so statt Dibla!], eine Grenzbestimmung, die mit Am 6, 14 identisch,
wohl davon abhängig ist. Denn Ribla lag nach Jer 52, 9. 27 im Lande Hamath, heute
rible oder rabli am rechten Ufer des Orontes, am Nordende des Libanon. Josephus
hat Ant. IX, 10, 1 §§ 206 f. die Angabe 2 Kg 14, 25 mit Bezug auf Jof 13, 5 ganz
richtig als Nordgrenze „Kanaans" in der Nähe der Stadt Hamath verstanden. Wenn
zahlreiche Gelehrte der Gegenwart (vgl. Buhl a. a. O. 66) den Ausdruck auf die „Senkung
zwischen dem Libanon und dem Hermon, durch welche man nach Cölesyrien kam", beziehen,
so steht das im Widerspruch zu den oben angeführten Stellen des ATs. Die Gegend
am Nordende des Libanon erlaubt uns auch, den „Zugang zu Hamath" dort nachzuweisen.
Ist der Ausdruck ursprünglich von Westen her, von der Küste aus gemeint gewesen, so
kommt das Flußthal des nahr el-kebir in Betracht, das zwischen dem Libanon im Süden
und dem Nusairiergebirge im Norden scheidet (vgl. Bd XI S. 433), einen bequemen Weg
von der Küste ins Innere darbietet und durch eine nur niedrige Wasserscheide vom Gebiet des Orontes getrennt ist. Die Angaben Ez 47, 15 f. und Nu 34, 8 lassen sich für
diese Auffassung geltend machen (vgl. Robinson, Neuere bibl. Forschungen 741 f.). Meistens
aber ist im AT der Ausdruck von Süden her gemeint. Verfolgen wir den Lauf des
Orontes von dem alten Ribla nach Norden, so finden wir 4 Stunden nördlich von hōms
(= Emesa) oder 10 Stunden nördlich von Ribla eine alte Grenze, die sich durch Höhen,
die das Thal des Orontes einengen, kenntlich macht. Es ist die Gegend von er-restun,
dem alten Arethusa, wo im 6. Jahrhundert Syria secunda und Phoenice Libanesia
zusammenstießen. Von da bis Hamath sind 4 Stunden. Mag man nun die erste oder
die zweite Erklärung bevorzugen, es wird damit an dem Ergebnis nichts geändert, daß
in der Nähe der Ebene von hōms diese im AT oft genannte Nordgrenze Kanaans zu
suchen ist, nicht aber in der Gegend zwischen Libanon und Hermon, die mehr als 200 km
in der Luftlinie von Hamath entfernt ist! Damit ist ein wichtiger Punkt für die Bestimmung der Angaben in Ez 47, 15—17 und Nu 34, 7—9 festgelegt und die Erkenntnis gewonnen worden, daß alle Versuche, diese Nordgrenze südlicher zu ziehen, etwa
in der Nähe des nahr el-kāsimije und der Jordanquellen am südlichen Fuß des Hermon, wie es neuerdings van Kasteren gethan hat, fehl gehen. Die einzelnen Orte zu
bestimmen, ist freilich nicht möglich, zumal da die Texte von einander abweichen. Den
Endpunkt der Nordgrenze im Osten, Hazar Enan (so ist nach Nu 34, 9 f. auch Ez 47, 16
zu lesen), darf man gewiß nicht in größerer Entfernung vom Orontes, etwa in karjaten
(so Furrer) ansetzen, sondern ungefähr danach bemessen, daß die Ostgrenze Ez 47, 18; Nu
34, 10—12 das Ostjordanland ausschließt. Das Nu 34, 11 genannte Ribla beruht
wahrscheinlich auf einem Mißverständnisse. Der hebräische Text hat freilich הָרִבְלָה, d. h.
anscheinend den Eigennamen der Stadt Ribla — mit dem Artikel! Um dieser Unform
zu entgehen, hat Wetzstein in ZatW III (1883), 274 die Vermutung ausgesprochen, daß
der Name harbela auszusprechen und von dem Orte harmel zu verstehen sei, nach dem
das eigentümliche Denkmal kamū' harmel am Nordende der bikā', des Tieflandes
zwischen Libanon und Antilibanos, seinen Namen trägt (Robinson, Neuere bibl. Forschungen 704 ff.). Der Ort liegt etwa auf der Linie, die man im allgemeinen für die
Ostgrenze vermuten muß; denn Nu 34, 11 f. (vgl. Ez 47, 18) wird für ihren südlicheren
Teil das Ostufer des Sees von Kinnereth, der Jordan und das Salzmeer genannt (Ez
47, 18 l. bis nach Thamar). Damit wären diese merkwürdigen Grenzbestimmungen in
der Hauptsache wenigstens erledigt. Namentlich in Betreff der Nordgrenze liegt die Frage
nahe, ob sie nur in der natürlichen Bodenbeschaffenheit oder etwa auch in einem Unterschiede der Bevölkerung ihren Grund hat. Wir sind nicht in der Lage, auf den zweiten
Teil der Frage eine Antwort zu geben, da wir über die Bewohner des nördlichen Syriens in der alten Zeit ungenügend unterrichtet sind. Zu beachten ist, daß das Ostjordanland deutlich nicht zu Kanaan gerechnet wird, obwohl doch große Teile vor dem
Exil gut israelitisch waren. In den Angaben aus der früheren Zeit tritt diese Einschränkung nicht so scharf hervor. — Der Inhalt dieses Artikels hat jedoch mit diesen

Grenzen Kanaans nichts zu thun; er beſtimmt ſich vielmehr nach den natürlichen Grenzen, die im Anfang des Artikels namhaft gemacht wurden.

Über den Namen Judäa für P. iſt bereits Bd IX S. 559 f. gehandelt worden. Bei römiſchen Schriftſtellern, z. B. Älianus, De historia animalium VI, 17, beſonders bei Dichtern findet ſich wohl auch der Name Idumäa, der eigentlich nur der Umgebung von 5 Hebron ſeit der nachexiliſchen Zeit zukommt, in weiterem Sinne für P., indem Juden und Idumäer — man denke an Herodes — einander gleichgeſetzt werden. Griechiſche Schriftſteller dehnen andererſeits den Namen Phoenice über das ſüdlichere Land aus. So ſetzt Euſebius, Praepar. evang. X, 5 einander gleich in geſchichtlicher Reihenfolge: **Phoenice, Judaea, Palaestina.** 10

Die Namen, die P. von den Babyloniern und Aſſyrern erhalten hat, ſind folgende. In der älteſten Zeit begegnet uns die Bezeichnung, die mit den Schriftzeichen MAR. TU und phonetiſch A-mur-ru geſchrieben wird. Sie umfaßt etwa P. und Phönizien, auch Teile von Cöleſyrien und gilt nach Winckler KAT² 178 nicht nur als geographiſcher, ſondern auch als politiſcher Begriff, da ſich babyloniſche Könige den Titel König von 15 Amurru beilegen; doch mag da ein nicht geringes Stück Theorie mitſpielen. In der Zeit der ʿAmärna-Briefe wird Amurru auf das Libanongebiet und auf das nördliche Phö= nizien eingeſchränkt, beſonders der ſüdlichere Teil des Landes hat ebenſo wie auf den ägyptiſchen Inſchriften den Namen Kanaan (vgl. Bd IX S. 732 f.). Durch das erobernde Vordringen der Hethiter von Norden nach Süden (ſ. Bd IX S. 737 f.) iſt es veranlaßt, 20 daß die Aſſyrer ſeit Thiglathpileſer III. Syrien und Paläſtina als das „Land Hatti" bezeichnen. Bald tritt jedoch dafür auch der Ausdruck ebir näri auf, hebr. עֵבֶר הַנָּהָר, aram. עֲבַר נַהֲרָא‎, d. i. das Land im Weſten (jenſeits) des Euphrats. In der perſiſchen Zeit wird er ſeit Darius I. geradezu der Name der ſyriſchen Satrapie Esr 8, 36; Neh 2, 7. 9; 3, 7; 1 Kg 5, 4 (4, 24); vielleicht auch 2 Sa 10, 16; aram. Esr 4, 10 ff.; 25 5, 3. 6; 6 ff.; 7, 21. 25. Griechiſch ſteht 1 Mak 7, 8 dafür τὸ πέραν τοῦ πο= ταμοῦ, bei Esr und Neh einfach πέραν τοῦ ποταμοῦ, 3 Esr 2, 17. 24 f. 27 ꝛc. ἡ κοίλη Συρία καὶ Φοινίκη. Mit dem Sprachgebrauch dieſer ſpäteren Zeit hängt es zuſammen, wenn Strabo XVI das geſamte Land vom Orontes bis nach Ägypten und Arabien Cöle= ſyrien nennt, darin aber das eigentliche Cöleſyrien zwiſchen Libanon und Antilibanos, 30 Phönizien und Judäa unterſcheidet.

Andere Namen appellativiſcher Art haben einen engeren Sinn. So Land Israels 1 Sa 13, 19; 2 Kg 6, 23; Mt 2, 20 f., Land der Hebräer Gen 40, 15; Jos. Ant. VII, 8, 6 § 219; 12, 1 § 297 ꝛc., auch bei Pauſanias VI, 24; X, 12, Land Jahwes Ho 9, 3; Le 25, 23; Pſ 85, 2, Haus Jahwes Ho 9, 15; Jer 12, 7, das heilige Berg= 35 land Jahwes Jeſ 11, 9; 65, 25, das heilige Land Sach 2, 16; 2 Mak 1, 7 — ſie alle meinen im eigentlichen Sinne nur den Teil P.s, der im Beſitz Israels war. Der letztere Ausdruck kommt für die Israeliten dem Lande deshalb zu, weil es Jahwe gehört und er (oder ſein Name) darin wohnt. Die Chriſten haben ihn beibehalten, jedoch in einem anderen Sinne. Sie nennen es deshalb heilig, weil es der Schauplatz der Wirkſamkeit 40 Jeſu geweſen iſt. Dagegen deckt ſich mit Kanaan wieder der Name „Land der Ver= heißung" Hbr 11, 9; AG 7, 5 oder gelobtes Land mit Bezug auf Gen 15; 17; Dt 6, 10. 18. 23; Ez 20, 42.

Ehe wir zur Beſchreibung des Landes P. im einzelnen übergehen, ſei noch die Vor= ſtellung des ATs beſprochen, daß das Land Israels die Mitte der übrigen Länder bilde 45 Ez 5, 5, oder daß die Israeliten auf dem Nabel (= Mittelpunkt) der Erde wohnen Ez 38, 12. Der Gedanke will ohne Zweifel zunächſt wörtlich genommen ſein; er will aber nicht nach unſerer Kenntnis der Erdkugel mehr oder weniger genau mathematiſch berechnet werden, wie man im Mittelalter ſelbſt auf Karten Jeruſalem als den Mittel= punkt aller übrigen Länder dargeſtellt hat, er will vielmehr nach der Weltvorſtellung 50 Israels (vgl. den Art. Völkertafel) verſtanden ſein. Für die Bewohner Syriens und P.s gab es in der älteſten Zeit hauptſächlich zwei Seiten, nach denen die Welt eine größere Ausdehnung hatte, nämlich den Norden (oder Nordoſten) mit der Kultur des Euphrat= und Tigrislandes und den Süden mit der Kultur Ägyptens. Im Oſten war die ſchreckliche Wüſte, im Weſten das unheimliche Meer, von deſſen Küſten und Inſeln 55 man erſt nach und nach nähere Kunde erlangte. Zwiſchen Babylonien und Ägypten lag P. wirklich in der Mitte, wovon ſich jeder zwiſchen beiden Ländern Reiſende überzeugen konnte. Wenn Ez 38, 12 das Bild des Nabels gebraucht wird, ſo iſt darin zugleich eine Anſpielung auf das hoch gelegene Bergland enthalten, das Israels Beſitz war. Die Vorſtellung iſt vielleicht ſchon bei den Kanaanitern vorhanden geweſen; ſie hat aber in 60

Israel eine erhöhte Bedeutung damit gewonnen, daß sich das Volk wegen seiner höheren Gotteserkenntnis zum Lehrer aller anderen Völker berufen fühlte (Jes 45, 14. 21 ff.; 51, 4 f.). Wie Jes 2, 1—4 zeigt, sah man geradezu in Jerusalem den Ort, von dem aus die rechte Religion den Völkern der Erde zu teil werden sollte. In Anlehnung
5 an diesen Gedanken entstand in der alten christlichen Kirche eine Legende, die noch heute in der Grabeskirche in Jerusalem ihr Denkmal hat. In dem Hauptschiffe sieht man dort auf einem etwa 2 Fuß hohen Ständer aus Marmor eine Halbkugel, die als der Mittelpunkt oder Nabel (ὀμφαλός) der Erde gilt. Die griechische Übersetzung von Ps 74 (73), 12 (ὁ θεὸς) εἰργάσατο σωτηρίαν ἐν μέσῳ τῆς γῆς gilt als die Stütze dieser Annahme:
10 die σωτηρία ist die Erlösung der Welt durch Christus; sie ist in Jerusalem durch den Tod Christi geschehen, folglich ist die Stätte seines Todes die Mitte der Erde. Bekannt ist, daß die Griechen von dem Heiligtum in Delphi in ähnlicher Weise sagten, dort sei der Nabel der Erde (Pindar, Pyth. 4, 131 und andere Belege bei Reland a. a. O. S. 53 ff.).
15 **II. Oberflächengestaltung.** Diese ist von einem großen Bruchsystem abhängig, das sich in der Richtung von Süden nach Norden durch das ganze Palästina und darüber hinaus verfolgen läßt. Es beginnt im Süden bei dem Meerbusen von Aila (s. Elath Bd V S. 285 ff.), erreicht seine größte Breite und Tiefe im Toten Meer und scheint an dem gewaltigen Massiv des Hermon (s. Bd VII S. 758 f.) sein Ende zu finden. In
20 Wahrheit aber setzt es sich an dessen nordwestlicher Seite in der Senkung zwischen Libanon und Antilibanos, el-biḳāʿ genannt, sowie im Orontesthale fort und verschwindet erst nördlich von dem alten Antiochia. Dieser mächtige Einsturz der Oberfläche, gleichsam ein breiter, meist von ausgedehnten Steilwänden eingefaßter Graben, hat die der syrischen Wüste vorgelagerte, ursprünglich zusammenhängende Kreideplatte in zwei Teile gespalten,
25 die innerhalb P.s als West- und Ostjordanland unterschieden werden. Zu den Linien dieses Bruchsystems gehört auch die Westgrenze des Berglandes und die Küstenlinie. Das Meer hat einst die niedrigste Gebirgscholle eine Zeit lang überflutet, ist dann zurückgewichen und hat ein neues Ufer, die jetzige Küste, gebildet. Dadurch wurde eine neue Landstrecke trocken gelegt, nämlich die jetzige Küstenebene, die von jungen, kalkig-sandigen
30 Ablagerungen des Diluvialmeeres bedeckt ist. Das gilt jedoch nur für die Länge P.s in der oben S. 557 f. angegebenen Ausdehnung von Süden nach Norden. Von dem Vorgebirge räs en-nāḳūra im Norden bis zur Wüste im Süden dehnt sich zwischen dem Berglande und dem Meere eine Ebene von wechselnder Breite aus, die nur durch das Karmelgebirge unterbrochen wird und im allgemeinen an Ausdehnung nach Süden hin
35 zunimmt. Hier schiebt sich zugleich zwischen das eigentliche Gebirge und die Ebene als Mittelglied ein niedriges Hügelland ein, das auch die Ebene selbst durch verschiedene Bodenschwellen unterbricht. — Das Gebirge des Westjordanlandes läßt sich im großen und ganzen mit einem schief liegenden Dach vergleichen, das von seinem First, der Wasserscheide, aus kurz und steil nach dem Jordangraben hin abfällt, nach Westen hin jedoch
40 eine längere, allmählichere Senkungsfläche hat. Die Wasserscheide, der Rücken des Berglandes, hat daher namentlich für den südlichen Teil des Landes eine große Bedeutung: sie bildet die natürliche Verkehrsstraße für die Bewohner des Gebirges und erweitert sich nicht selten zu kleineren Hochebenen, die für den Anbau des Landes von jeher wichtig gewesen sind. Das Eindringen in das Bergland hat von Osten wie von Westen seine
45 große Schwierigkeiten, namentlich in dem südlichen, der Landschaft Judäa angehörenden Teile. Nur enge, vielfach gewundene und von steilen Abhängen eingeschlossene Thäler bieten einen rauhen Weg zu den Höhen des Landes. Im Süden dagegen ist der Zutritt leichter, da sich die Berge weniger steil aus der Ebene von Beerseba erheben. Nach
Norden verläuft das Bergland gabelförmig in die Ausläufer des Karmel und des Gil-
50 boagebirges, senkt sich in der Mitte allmählich zu der dreieckig gestalteten Jesreel-Ebene und erhebt sich dann wieder zu dem Hochlande von Galiläa, das sich als eine Vorstufe zu den hoch aufstrebenden Bergrücken des Libanon und Antilibanos betrachten läßt. Hier sind die Berge an zwei Stellen ziemlich leicht zugänglich. Der dschebel eḍ-ḍahr zwischen Libanon und Hermon bildet gleichsam eine natürliche Rampe, auf der man aus
55 dem nördlichen Tieflande um Baʿalbek zu den Höhen von Galiläa emporsteigt; und die Anfänge des Jordangrabens am südlichen Fuße des Hermon liegen noch nicht so tief, daß eine Überschreitung von Osten nach Westen oder umgekehrt größere Schwierigkeiten ergäbe. In südnördlicher Richtung ist das Westjordanland also im allgemeinen leichter zugänglich als in westöstlicher Richtung. Das ist durch den Verlauf der Wasserscheide
60 gegeben. Freilich sind es nicht offene Wege, die die Natur hier darbietet, sondern in der

Hauptsache rauhe Bergpfade; aber sie sind doch gangbar. — Das Oftjordanland steigt
in mehreren Stufen, die von fern gesehen oft nur eine steile Mauer zu bilden scheinen,
aus dem Jordangraben empor. Seine Höhe erhebt sich im ganzen über die der Berge
im Westen des Jordans. Der Einbruch der Erdkrufte zu beiden Seiten des weftlichen
Berglandes, nach dem Meere und nach dem Jordan zu, scheint zugleich eine allgemeine 5
Senkung für dieses herbeigeführt zu haben. In der Nähe des Hermon, an deffen Fuß
sich das öftliche Hochland unmittelbar anlehnt, finden sich die höchsten Erhebungen (bis
zu 1294 m), südlich vom Jarmuk finkt die mittlere Höhe auf 600—800 m, während
südlich vom nahr ez-zerkā der dschebel ʿoschā wieder zu 1100 m anfteigt und die
Hochebene von Moab Gipfel bis zu 900 m aufweift. Das Höhenverhältnis im Weften 10
zeigt im allgemeinen eine parallel laufende Linie. Die Höhen Samariens in der Mitte
sind die niedrigeren, während die Gipfel Galiläas im Norden und die Judäas im Süden
bedeutend höher anfteigen (f. u.). Nach Often hin geht das öftliche Bergland ohne be=
deutende Veränderungen der Oberfläche in die syrisch=arabische Wüfte über. — Die oben
dargeftellte natürliche Teilung der Oberfläche des Weftjordanlandes läßt sich aus mehreren 15
Stellen des ATs belegen. Das Bergland ist הָהָר; das Hügelland zwischen dem eigent=
lichen Gebirge und der Ebene im Südweften ist הַשְּׁפֵלָה (1 Mak 12, 38 Σεφηλα), das
Niederland, Unterland, oft mit Einschluß der Ebene selbft; חוֹף הַיָּם ist die Meeresküfte;
הָעֲרָבָה ist der Jordangraben; הַנֶּגֶב ist das südliche Vorland. Vgl. die Aufzählungen
Dt 1, 7; Jof 9, 1; 10, 40; 11, 2. 16; 12, 8; für den Süden P.s Ri 1, 9; Jer 20
17, 26; 32, 44; 33, 13; Sach 7, 7.
  Die natürliche Beschaffenheit der einzelnen Landesteile soll hier in der Reihenfolge
geschildert werden, daß zunächst das eigentliche Bergland in der Richtung von Süden
nach Norden, einschließlich der Ebene Jesreel beschrieben wird, dann die Ebenen zwischen
Bergland und Küfte, darauf das Jordanthal mit dem Toten Meere, endlich das Oft= 25
jordanland.
  1. Der Negeb (vgl. Bd XIII S. 692 ff.). Der Kamm des weftlichen Berglandes
geht im Süden von einem Hochlande aus, das sich weftlich über den wādi el-ʿaraba, der
Fortsetzung der Jordanspalte bis zum Roten Meere, erhebt. Seine Ausdehnung mißt
von Süden nach Norden, d. h. bis zu einer von Beerseba über chirbet el-milḥ nach 30
dem Toten Meere gezogenen Linie, etwa 110 km, von Often nach Weften 60—80 km.
Es fteht feft, daß dieses Bergland wie der ganze Negeb im allgemeinen wafferarm, kahl
und öde ift. Doch ift es im einzelnen durchaus noch nicht zur Genüge bekannt. Das
hängt zusammen mit seiner abgesonderten Lage, mit seiner Verlaffenheit und Unwegsam=
keit. Der südlichfte Teil führt den Namen dschebel el-makrāh und bildet die höchfte 35
Erhebung der ganzen Gegend (etwa bis zu 1050 m). Wetzftein erklärt diesen Namen
daraus, daß dieses Hochland die Gegend ift, in der sich die zahllosen Wadi, die Betten
der winterlichen Regenwäffer, bilden und miteinander vereinigen (von ḳarā „zusammen=
kommen"). Die größeren Wafferbetten, die zur ʿaraba hinabführen, sind von Süden
nach Norden gezählt folgende: wādi ghamr und wadi ed-dschirāfa, die beide von der 40
Südseite des Hochlandes kommen und sich vereinigen; wādi rāmān, wādi abu ta=
rāime und wādi el-fikra, im oberen Teile wādi marra genannt, aus seiner Mitte;
zuletzt der wādi el-muhauwāt, der von dem nördlichen Teil des Hochlandes bereits in
das Tote Meer läuft. Der wādi marra schneidet, wie es scheint, tief in das Gebirge
ein, so daß die Wafferscheide an seinen oberen Anfängen etwas nach Weften vorgeschoben 45
wird. Nördlich diesem ift eine sommerliche Schlucht nimmt sie jedoch eine nordöftliche Richtung
an (etwa auf die Höhe es-sebbe, das alte maṣāda, am Toten Meere zu). In der
Nähe der oben S. 559 genannten Päffe naḳb eṣ-ṣafā und naḳb el-jemen trägt ein
hervortretender Rücken den Namen ḳubbet el-baul, weiter nach Nordoften ·heißen die
Höhen dschebel umm rudschūm. Bei dem rās ez-zuwēra 15—20 km südweftlich 50
von es-sebbe biegt die Wafferscheide scharf nach Nordweften um und behält diese Rich=
tung bei bis zum tell ʿarād, der südlich von Hebron liegt. Die Thäler, die nach
Weften und Nordweften ihr Gefälle haben, sind hauptsächlich folgende. In den wādi
esch-scherāʿif — vermutlich ift darunter der mittlere Teil des wādi el-ʿarīsch zu ver=
ftehen — mündet der wādi el-kuraije, der mit seinen vermutlichen Nebenthälern wādi 55
el-muzeirīʿa und wādi mājin die Südseite des Hochlandes entwäffert. Von Often
nach Weften, ebenfalls in den wādi esch-scherāïf, ziehen der wādi dscherūr, der dem
Grund (d. i. Thal von) Gerar Gen 26, 17 entspricht (Bd XIII S. 693), und die
Thäler von dem Bd XIII S. 698 f. beschriebenen Quellengebiete, von ʿain ḳadīs,
ʿain el-ḳadērāt, ʿain el-ḳasēme und ʿain el-muwēliḥ. Doch scheint es nicht völlig 60
36*

ſicher zu ſein, ob ſich dieſe Thäler ſämtlich mit dem wādi esch-scherāïk vereinigen, ob
nicht wenigſtens die nördlicheren in den wādi es-serām und durch dieſen in den wādi
el-abjaḍ gehen. Die Anfänge des wādi el-abjaḍ befinden ſich dem wādi marra
(ſ. oben) gegenüber; ſein Lauf geht ebenfalls in den wādi el-ʽarīsch. Von der Nord=
5 ſeite des eigentlichen Hochlandes kommt der wādi rachame, der abwärts die Namen
wādi ʽaṣlūdsch und wādi chalaṣa trägt und ſich als wādi senī mit dem wādi
ghazze (oder zuerſt mit wādi fāra?) vereinigt. Etwa in der Breite des rās ez-
zuwēra (ſ. oben) liegen die Anfänge des wādi el-milḥ (vgl. Salzſtadt und Salzthal
Bd XIII S. 696, 19 und IX S. 571, 34—37), der unter anderen von Süden her den
10 wādi ʽarʽāra und von Norden her den wādi ḳarjatēn, dann in der Nähe von tell
es-sebaʽ (5 km öſtlich von Beerſeba Bd XIII S. 695 f.) den wādi el-chalīl von Hebron
her in ſich aufnimmt. Unter dem Namen wādi es-sebaʽ, ſpäter vielleicht auch wādi
fāra, ſetzt er ſeinen Lauf nach Weſten fort und erreicht in einer Kurve den wādi ghazze
ſüdlich von Gaza. Hieraus ergiebt ſich, daß vom rās ez-zuwēra an eine lange und
15 nach Weſten zu ſich verbreiternde Mulde eingeſenkt iſt, zu der die Regenwaſſer ſowohl
des Hochlandes vom Negeb von Süden her als auch des Berglandes um Hebron von
Norden her abflißen. Zu ihr gehört das ebene Land um Beerſeba (240 m) und um
chirbet el-milḥ (369 m). Das Hochland ſelbſt zerfällt nach Palmer a. a. D. in zwei
Teile, ſüdlich und nördlich vom wādi marra. Während der ſüdliche den Namen
20 dschebel el-makrāh führt (z. T. bieſ. das Gebirge Paran, ſ. unter Paran), heißt der nörd=
liche dschebel Hadhirā. Wetzſtein hat darin a. a. D. die arabiſche Form ḥaḍrā erkannt
und es mit dem bibliſchen Hezron Joſ 15, 25 verglichen. Der wādi rachame iſt ſchon
von Palmer a. a. D. auf den Stamm Jerahmeel gedeutet worden; vermutlich iſt daher
dieſe Gegend die alte Heimat dieſer Geſchlechter (vgl. Bd XIII S. 697, 38—44). Die
25 öſtlichen Abhänge ſind ſehr öde, nur ſelten etwas Gebüſch, meiſt weißer Kalkſtein, viele
Geröllhaufen (dschorf, plur. dschirāfa), in den Wadis ſeiner weißer Sand. Erſt
weiter abwärts zur ʽaraba hin tritt Sandſtein mit rötlicher Färbung zu tage. Der Boden
enthält mehr Waſſer und trägt daher bisweilen einigen grünen Schmuck von ṭarfa-
Bäumen, d. i. Tamarisken. Auf dem Hochlande ſelbſt, zwiſchen der Akrabbimſteige und
30 Kades, iſt nach Nu 34, 4 und Joſ 15, 3 die Örtlichkeit Zin (hebr. צִן) zu ſuchen, deren
Umgebung die Wüſte (von) Zin genannt wurde. In ihr hat nach Dt 32, 51; Nu 27,
14; 20, 1 Kades gelegen; ſie erſcheint Nu 33, 36 als mit (der Wüſte von) Kades iden=
tiſch. Die Grenze zwiſchen Israel und Edom hat alſo den ſüdlichen Teil des Hochlandes
durchſchnitten (vgl. Joſ 15, 1; Nu 34, 3; 13, 21). An der Südſeite des wādi marra
35 erhebt ſich ein runder, einzeln ſtehender Berg, der dschebel madara, mit zahlreichen
Steinblöcken überſäet; man hat in ihm wiederholt den Berg Hor an der Grenze Edoms,
auf dem Aaron nach Nu 20, 1. 22 f. geſtorben ſein ſoll, geſucht. Das kahle Gebirge,
das aufſteigt nach Seir Joſ 11, 17; 12, 7, iſt vermutlich der ſüdliche Abhang, oberhalb
des wādi el-fikra. Das Hochland wird gegenwärtig von den beni ʽazzam oder ʽazā=
40 zime-Beduinen als ihr Eigentum betrachtet; ſie gelten als unfreundlich und mißtrauiſch.
Man pflegt nach ihnen wohl in neuerer Zeit das Hochland zu benennen. — Die Gegend
ſüdlich von dem Hochlande iſt der öſtliche obere Teil der Waſſerbetten und =ſchluchten,
die ſich zum wādi el-ʽarīsch hin ſenken. Ein Teil von ihr gehörte im Altertum zu der
Wüſte Paran (ſ. b. Art.). In den höher gelegenen Strecken ſind die Waſſerbetten oft
45 ſehr flach; ihr Lauf iſt faſt nur an einer leichten grünlichen Färbung zu erkennen, die
von dem ſpärlichen dort befindlichen Pflanzenwuchs herrührt. Weiterhin nach Weſten
faſſen jedoch oft hohe Klippen von mehr als 100 m Höhe die Sohle des Thales ein,
die nicht ſelten durch den Einfluß von Wind und Wetter in groteske Formen geſtaltet
worden ſind. Der ſüdliche obere Teil des wādi el-ʽarīsch ſchneidet tief nach Süden in
50 die eigentliche Sinaihalbinſel ein, ſo daß die Grenzen des hier in Frage ſtehenden Ge=
biets zwiſchen Aila und Suez wie ein nach Süden gerichteter ſtumpfer Keil verlaufen.
Sie werden durch eine Waſſerſcheide gebildet, die namentlich gegen Süden und Südweſten
ſteil abfällt. Auch hier iſt die Gegend ſchrecklich unfruchtbar und öde, faſt nichts als
öde weiße Kiesflächen. Sie trägt den Namen bādijet et-tīh, d. h. Wüſte der Wande=
55 rung (der Israeliten). Wechſelvoller wird die Gegend, ſobald man von Süden her dem
oben beſprochenen Berglande ſich nähert. An ſeiner Südweſtecke, etwas iſoliert zwiſchen
dem wādi el-kuraije und den wādi mājin gelegen, erhebt ſich der dschebel ʽarāïf;
in ſeiner Nähe beginnen die Spuren eines ehemaligen feſten Wohnens im Lande und
einer alten Kultur, von denen ſchon Bd XIII S. 693. 695 die Rede war, ferner die
60 Thäler, die ſich durch einigen Waſſerreichtum auszeichnen (ebend. 698 f.). Dieſe waren

einst sorgfältig bebaut und mit Dämmen zur Verteilung des Wassers versehen; man hatte die Abhänge zu Terrassen bearbeitet, wie es für den Weinbau noch heute z. B. bei Hebron und Bethlehem üblich ist. Daher erklärt sich wahrscheinlich auch der Name, den die Araber solchen Stellen geben, telēlāt el-ʿanab, d. i. Nebenhügel. Bäume sind auch hier selten. Noch heute treiben die Araber an den nordwestlichen Abhängen etwas Feld- 5 bau, meist freilich Viehzucht (Kamele, Schafe, Ziegen). Westlich vom dschebel ʿarāit ragen der dschebel ichrimm, weiterhin der dschebel jelek und der dschebel ma- ghāra als isolierte Rücken aus der Wüste hervor, ebenso nordwestlich der dschebel hilāl. Im übrigen aber tritt nach Westen und Nordwesten die Ebene an die Stelle des Berg- landes; sie setzt sich ohne Unterbrechung als dürre Wüste fort bis an die Grenzen des 10 Nildeltas und bis an die Küste des Mittelmeeres. In der eigentlichen bādijet et-tīh zelten die tijāha, nördlicher bis über Gaza hinaus die terābīn.

2. Das südliche Bergland. Die Wasserscheide zieht von tell ʿarād (f. oben S. 563) parallel mit der Küste des Toten Meeres nach Norden, sie stellt den Zusammen- hang zwischen dem Bergland des Negeb und dem Bergland P.s her. Aus den Ebenen von 15 tell el-milh und von Beerseba (f. oben S. 564) erheben sich in nordnordöstlicher Rich- tung drei Höhenzüge parallel zueinander, die die Wasserscheide in spitzem Winkel treffen oder durchschneiden. Der erste beginnt in der Umgebung von tell el-milh, trifft auf die Wasserscheide südlich von chirbet maʿīn (f. Bd IX S. 569, 35—37) bei chirbet bīr el-ʿedd und setzt sich in nordöstlicher Richtung am wādi el-waʿar oder wādi el- 20 malākī, der als wādi chabrā ins Tote Meer fällt, eine Zeit lang fort. Der zweite beginnt bei chirbet salanṭah und zieht östlich vom wādi el-chalīl, der von Hebron herabkommt, über juṭṭa (Bd IX S. 569, 51—54) nach tell zīf 878 m, wo er sich mit der Wasserscheide vereinigt. Der dritte erhebt sich nördlich von Beerseba, bildet in seinem nördlichen Lauf zunächst die Wasserscheide zwischen dem nach Westen, nach Gaza zu sich 25 senkenden wādi esch-scherīʿa und dem wādi el-chalīl im Osten, nähert sich dann mehr dem wādi el-chalīl, zieht westlich an Hebron vorbei und trifft auf die Wasser- scheide nördlich von Hebron in der sīrat el-bellāʿ 1027 m. Diese hat in einem Bogen Hebron östlich umzogen (über beni naʿīm 951 m), macht westlich von der sīrat el- bellāʿ eine scharfe Biegung nach Norden und behält diese Richtung bis el-chadr (863 m) 30 östlich von Bethlehem bei. Von chirbet bēt ʿainūn (Bd IX S. 570, 19 ff.), das zwischen beni naʿīm und der sīrat el-bellāʿ gelegen ist, entsendet die Wasserscheide den hohen Bergrücken (940—1000 m) kanān ez-zaʿferān, der sich bis tekūʿa (Bd IX S. 570, 35) erstreckt. Diese mit der Wasserscheide parallel laufenden und sich verbindenden Berg- kämme bewirken die Eigentümlichkeit der ersten Gruppe des südlichen Berglandes, des 35 Berglandes von Hebron, nämlich daß sich unmittelbar neben der Wasserscheide zwei große Hochebenen ausdehnen, die durch ihre Fruchtbarkeit sich auszeichnen. · Die südliche ist die Hochebene von Hebron Gen 37, 14 (bei Luther: Thal von H.), die hauptsächlich nach Osten und nach Norden hin (er-rāme 1020 m) ansteigt, nach Süden sich senkt und von jeher ein natürlicher Kreuzungspunkt der alten Straßen des Landes gewesen ist (vgl. 40 Bd IX S. 564 ff.). Die nördlichere ist die durch ihren Wasserreichtum wichtige Hoch- ebene des wādi el-ʿarrūb mit seinen zahlosen Zweigthälern, der unter dem Namen wādi el-ʿarēdsche südlich von ʿain dschidi (Engedi Bd IX S. 571, 37—48) ins Tote Meer ausläuft. Sie dehnt sich zwischen halhūl (Bd IX S. 570, 5—7) und Thekoa aus; ihr Wasser wird durch einen wahrscheinlich von Herodes herrührenden Zuführungs- 45 kanal nach den salomonischen Teichen und nach Jerusalem geleitet (f. Bd VIII S. 682, 35 ff.). Die zweite Gruppe des südlichen Berglandes, das Bergland von Jerusalem, beginnt bei dem oben genannten el-chadr. Hier trifft ein von Westen herkommender Bergrücken (640—810 m) her, der zwischen dem wādi eṣ-ṣarār im Norden und dem wādi es-sanṭ im Süden scheidet, auf die Wasserscheide und giebt ihr für kurze Zeit eine geradezu öst- 50 liche Richtung. Dann zieht sie wieder ziemlich gerade gegen Norden, westlich an Beth- lehem und an Jerusalem vorbei. Nachdem sie in der Nähe von Jerusalem etwas ge- sunken ist (817 m), steigt sie bei bētīn (= Bethel Bd IX S. 576, 7—49) wieder auf 881 m. Für diese Gegend sind charakteristisch teils die geringeren Höhen — die höchste ist der nebi samwīl nordwestlich von Jerusalem 895 m — teils kleinere Hochebenen be- 55 sonders im Westen der Wasserscheide, die nur unbedeutend auf ihre Ostseite hinübergreifen. Sie erstrecken sich von el-bīre (Bd IX S. 578, 7—10) und dem westlicher gelegenen rāmallāh südwärts bis an die Nord- und Westseite Jerusalems und bis nach Bethlehem hin. Südwestlich von dieser Stadt hat sie den Namen el-bakʿa oder el-bukeʿa und wird der Rephaimebene Jes 17, 5; Jos 15, 8; 18, 16; 2 Sa 5, 20. 24; 23, 13 seit 60

dem 16. Jahrhundert gleichgeſetzt, wahrſcheinlich mit Recht. Auch weſtlich von Bethlehem über bēt dschālā nach bittīr hin (Bd IX S. 570, 57—571, 3) iſt die Bodenoberfläche ziemlich eben. Alle dieſe Ebenen haben ihre Gefälle durch den wādī bēt hanīnā (nörd-lich) und den wādi el-werd (ſüdlich) in den wādi eṣ-ṣarār. Von der Hochebene des 5 wādi bēt hanīnā laufen mehrere Höhenzüge nach Weſten; ſie ſind deshalb von Wich-tigkeit, weil ſie im Altertum und im Mittelalter für die Verkehrswege nach der Küſte benützt wurden. So von ed-dschīb (= Gibeon Bd IX S. 577, 16—46) nach dem unteren und oberen Bēt Horon, bēt ʿūr et-tahtā und bēt ʿūr el-fōkā (vgl. Bd IX S. 583, 82—46). Ferner vom nebi samwīl über biddū nach Südweſten mit den Dör-10 fern ḳarjet el-ʿineb, sāris (ſ. Bd IX S. 570, 49—61; 571, 22—26) und bēt mahsīr. Dieſer letztere Rücken iſt wahrſcheinlich der Berg Ephron, der in der Grenze des Stam-mes Juda Joſ 15, 9 erwähnt wird. Etwa 20 km weſtlich von der Waſſerſcheide dehnt ſich am wādi selmān ſüdweſtlich von Bēt Horon die Ebene von jālō (= Ajalon Bd IX S. 581, 16—28) aus, heute merdsch ibn ʿomēr genannt, 200—250 m hoch. Die 15 dritte Gruppe des ſüdlichen Berglandes, das Bergland von Bethel, umfaßt eine zer-riſſene und namentlich im Weſten der Waſſerſcheide wenig überſichtliche Landſchaft. Ihre Breite iſt gering, am Kamm des Gebirges ſelbſt von bētīn bis zum tell ʿaṣūr (1011 m) etwa 10 km. Der Berg von Bethel 1 Sa 13, 2 (Joſ 16, 1?) iſt wahrſcheinlich der Rücken, der ſich von dem Orte bētīn nordwärts zum tell ʿaṣūr erſtreckt. Als ihre 20 Grenzen gelten Norden gelten einerſeits der zum Meere ſich ſenkende wādi dēr ballūṭ, andererſeits der zum Jordan fallende wādi el-ʿaudsche. Im Weſten der Waſſerſcheide ziehen einige Thäler in der Richtung von Norden nach Süden, ſie dienen ſeit alter Zeit der Straße von Sichem nach Jeruſalem. Zu ihnen gehört der wādi ed-dschīb, deſſen Name vielleicht mit dem Orte Γηβα zuſammenhängt, der nach dem Onomaſticon des 25 Euſebius 248; 138 (ed. de Lagarde) 5 römiſche Meilen oder 7 km am Wege von Gophna (heute dschifnā) nach Neapolis gelegen hat. Dieſer Wadi gehört zu dem oberen Lauf des wādi dēr ballūṭ und wird in der Nähe des tell ʿaṣūr von ſteilen Höhen flankiert, die den tiefen Thale etwa 10 km nördlich von bētīn bei der Quelle ʿain el-haramīje ein maleriſches Anſehen verleihen. Im Süden erhebt ſich vor der 30 Biegung des Thals nach Weſten der burdsch bardawīl (d. i. Balduin) zu 792 m, im Oſten der burdsch el-liſāne zu 963 m. Weiterhin nach Weſten ragen eine große An-zahl einzelner Gipfel zwiſchen den zur Küſte laufenden Waſſerbetten empor. Von ʿain sinjā und dschifnā aus (Bd IX S. 583, 7—12) läßt ſich ein zuſammenhängender Höhenzug verfolgen, über deſſen Rücken die römiſche Straße von Jeruſalem nach Cäſarea 35 lief, an tibne vorbei, das wahrſcheinlich Thimnath Serah des AT iſt (Bd IX S. 583, 12—22). — Das geſamte ſüdliche Bergland ſenkt ſich nach Oſten hin zum Toten Meere und zum Jordanthale, die erſte und zweite Gruppe in drei Terraſſen, die dritte Gruppe bei Bethel in zwei Terraſſen, weil die dritte Stufe des Geſenkes nördlich von Jericho nach Weſten zurücktritt und ſich mit der zweiten Stufe verbindet. Die Terraſſen laufen mit der Waſſer-40 ſcheide zwiſchen dem Jordan und dem Mittelmeere ziemlich parallel. Wenn unmittelbar öſtlich an den Kamm eine Hochebene grenzt, wie zwiſchen halhūl und tekūʿa, ſo iſt der Abfall der erſten Stufe nicht ſteil, um ſo ſteiler jedoch die folgenden Stufen. Der Höhen-unterſchied zwiſchen dem Kamm des Gebirges 900—1000 m über dem Mittelmeer und dem Spiegel des Toten Meeres 393 m unter dem Mittelmeere iſt an ſich ſchon ſehr 45 groß. Welch einen Abſturz das Gefälle von der Höhe bis zur Tiefe bildet, läßt ſich einigermaßen daraus ermeſſen, daß die beiden entgegengeſetzten Punkte nur 25 km in der Luftlinie voneinander entfernt ſind. Auf ein Kilometer kommt demnach durchſchnittlich ein Gefälle von 54 m! Daraus wird es begreiflich, daß hier die Regenwaſſer über die Ober-fläche nur hinſchießen, daß von einer eigentlichen Befruchtung des Bodens in der Regel 50 nicht die Rede ſein kann, daß die Abhänge mit der zunehmenden Tiefe immer kahler und öder werden. — Das weſtliche Geſenke hat in der erſten und zweiten Gruppe eine be-achtenswerte Eigentümlichkeit. Dieſe haben nämlich nach Weſten hin eine ſehr deutliche Grenze in einer Anzahl Seitenthäler, die von Süden oder von Norden her in faſt ver-tikaler Richtung in die nach Weſten ſtreichenden Hauptthäler einfallen. Insgeſamt ſtellen 55 ſie einen von Norden nach Süden verlaufenden Einſchnitt in dem Gebirge dar, zu dem das Bergland von Oſten her allmählich abfällt, der aber im Weſten meiſt wieder von ſteilen Höhen eingefaßt iſt. In der Richtung dieſes Einſchnitts tritt wieder die Richtung des Bruchſyſtems hervor, das die Geſtalt der jetzigen Oberfläche Paläſtinas hervorgerufen hat (ſ. S. 562). Der Einſchnitt beginnt am ſüdlichen Rande des wādi malāke, etwa 60 8 km nordweſtlich von bēt ʿūr et-tahtā, wo der wādi el-muṣlib von Süden her einmündet; er ſetzt ſich nach Süden fort in bem wādi el-miḳtell unb erweitert ſich am wādi selmān zu ber Ebene von jalō (ſ. oben S. 566). Die Orte aschuwaʻ (ſ. Bd IX S. 562, 39—41) unb artūf bezeichnen bie Linie bes Einſchnitts bis zum wādi eṣ-ṣarār. Im Süden bieſes Thales bilbet ber wādi en-nadschīl, im Süben bes wādi es-sant ber wādi eṣ-ṣūr bie Grenze zwiſchen bem eigentlichen Hochlanb unb ben weſtlichen Vor= 5 bergen. Sie ſteht baher bis zum wādi el-afrandsch (von Hebron nach bēt dschibrīn) völlig feſt. Aber auch ſüblich noch treten einige Spuren eines erhöhten Ranbes ber nach ber Küſte ſtreifenben Vorberge hervor; ſo bie Höhen von idnā, bēt ʻauwa 456 m, chirbet dschēmar 466 m unb tell chuwēlife. Mit bieſem letzteren Punkte befinben wir uns bereits an ber Grenze zwiſchen bem wādi esch-scherīʻa unb bem wādi 10 el-chalīl am Südranbe bes Berglanbes (ſ. oben S. 565). Das niebrigere Hügellanb, bas burch bieſen Einſchnitt von bem eigentlichen Gebirge getrennt wirb, iſt bie Sephela bes AT; vgl. unten II, 6.

3. Das mittlere Berglanb hat im Norben ſeine natürliche Grenze an ber Ebene Jeſreel unb zerfällt in zwei Gruppen. Die ſübliche Gruppe reicht vom wādi bēr ballūt im 15 Weſten unb wādi el-ʻaudsche im Oſten bis zum wādi esch-schaʻīr im Weſten unb wādi el-humr im Oſten. Die große Waſſerſcheibe wenbet ſich etwa 5 km nörblich von bem hohen tell ʻaṣūr (ſ. o.) nach Oſten unb nach anberen 5 km wieber nach Norben bis zu bem hoch= ragenben Gipfel et-tuwānīk 868 m. Sie nähert ſich alſo auf bieſer letzteren Strecke bem Jorbanthal, unb zwar auf 15—20 km. Die erſte Folge bavon iſt, baß bie von Süben 20 nach Norben ziehenbe alte Verkehrsſtraße ben Rücken bes Gebirges verläßt unb unter Benutzung einiger Längsthäler, jeboch mit Überſchreitung bes wādi ischʻār (ober wādi el-be= schārāt, bes oberen Laufs bes wādi bēr ballūt), ferner burch ben ſüblichen Zipfel ber Ebene el-machna ohne bebeutenben Höhenwechſel bie Gegenb bes alten Sichem (heute nābulus) erreicht. Die zweite Folge iſt, baß ſich ber Abſturz zum Graben bes 25 Jorban in einem ſchmalen Raume vollzieht unb baher ſehr ſchroff wirb. Es finben ſich Abhänge von 600—700 m Tiefe. Zugleich haben bie Thäler bis zum Jorban einen kürzeren Lauf als im ſüblichen Berglanbe. Ihre Bilbung zeigt eine bemerkenswerte Eigentümlichkeit. Sie weiſen nahe an ber Waſſerſcheibe eine große Anzahl von reich verzweigten Seitenthälern auf, bie ſich von Norben unb von Süben her mit bem Haupt= 30 thal vereinigen, ehe bieſes von ber erſten Terraſſe bes öſtlichen Geſenkes, ben äußeren Ranb burchbrechenb, in bie Tiefe bes Jorbanthales hinabſteigt. Das hängt bamit zu= ſammen, baß bieſer Ranb ber erſten Terraſſe, bie Höhenzug öſtlich von ber Waſſerſcheibe, näher an bieſe herangerückt iſt unb im tuwānīk ganz in ſie übergeht. Daburch wirb bie Terraſſe ziemlich ſchmal, aber ihr Boben iſt noch nicht unfruchtbar, weil bie Gewäſſer 35 nicht ſo ſchnell von ihr abfließen. Vom tuwānīk an nimmt bie Waſſerſcheibe eine weſt= liche Richtung bis zum Garizim bes AT, Ri 9, 7; Dt 11, 29 f., heute dschebel eṭ-ṭōr 870 m, von hier an wieber eine nörbliche. Sie burchzieht als ein kaum bemerkbarer Rücken bie ſchmale Ebene öſtlich von bem heutigen nābulus bei bem Dorfe balāṭa unb trug bort einſt bas alte Sichem, hebr. schᵉkem, b. i. „Rücken" (bes Lanbes), vgl. b. A. 40 Samaria. Über ben Ebal bes AT Dt 11, 29 f.; 27, 12 f.; Joſ 8, 33, heute dschebel eslāmīje 938 m, ſetzt ſie ſich zunächſt in nörblicher Richtung fort. Die Lage ber norb= wärts ſtreichenben Geſteinsſchichten bringt es mit ſich, baß bas unterirbiſche Waſſer am ſüblichen Fuß bes Ebal unb ebenſo bes Garizim nicht hervortritt, wohl aber am nörblichen Abhange bes Garizim, wo es burch ben anſteigenben breiten Fuß bes Berges in ſeinem 45 ſüblichen Gefälle gleichſam geſtaut wirb unb in zahlreichen Quellen an bie Oberfläche bringt. Daher iſt ber nörbliche Fuß bes Garizim gut bewachſen, während im übrigen beibe Berge ziemlich kahl, wenn auch nicht gerabe unfruchtbar ſinb. Die Waſſerarmut unb bie nörbliche Lage bes Ebal entſprechen ber Angabe, baß ber Fluch bes Geſetzes auf bieſen Berg gelegt werben ſoll, während ber Segen auf bem Berge Garizim zukommt 50 Dt 11, 29, ober wie es Dt 27, 12 f. heißt, baß bie ben Segen Sprechenben auf bem Garizim, bie ben Fluch Sprechenben auf bem Ebal ſtehen ſollen Dt 27, 12 f. (anbers Joſ 8, 33 ff.). Die geſamte weſtliche Abbachung, bie zu ber ſüblichen Gruppe bes mittleren Berglanbes gehört, zeigt ſchon milbere Formen als im Süben. Sie bilbet eine ſtark gewellte Oberfläche, in ber einige lang geſtreckte Rücken beutlich hervortreten; ſo beſonbers 55 bie Höhen bei bem Dorfe sindschil (792 m), ferner bie von bem Dorfe ʻakrabe (632 m) unb vom Garizim nach Weſten ſtreichenben Bergzüge. Die nörbliche Gruppe bes mittleren Berglanbes umfaßt bas Gebiet vom wādi esch-schaʻīr unb bem tuwānīk an bis zur Ebene Jeſreel. Die Waſſerſcheibe wechſelt auch hier wieber ihre Linie. Während ſie bei bem alten Sichem etwa 30 km vom Jorban entfernt iſt, tritt ſie ihm im rās 60

ibzīḳ und im dschebel ḳuḳū'a auf 15 km naḥe. Dieſer letztere iſt der Berg, richtiger
das Gebirge (von) Gilboa im AT 1 Sa 31, 1: 2 Sa 1, 21. Er ſtreicht zuerſt nordwärts, biegt dann nach Nordweſten um und fällt ſteil zur Ebene Jeſreel ab. Sein ſüdlicher Teil iſt fruchtbarer als der nördliche. Der Abfall zum Jordan zeigt hier eine
5 gewiſſe Mannigfaltigkeit. Wir finden vom tuwānīk an nicht mehr Terraſſen, deren
Ränder parallel mit der Waſſerſcheide und dem Jordan verlaufen, ſondern hier in
gleicher Richtung, von Nordweſten nach Südoſten ziehende 20 km lange Rücken, von denen
die drei ſüdlichen im ḳarn sarṭabe (379 m), im rās umm el-charrūbe (210 m)
und rās umm zōka (256 m) nahe an den Jordan herantreten. Zwiſchen dieſen Rücken
10 breiten ſich ſchöne, offene Thäler aus. Das ausgedehnteſte iſt der wādi fār'a, deſſen
obere breite Seitenthäler von nābulus im Süden bis ṭūbās im Norden reichen. Zu
ſeinem Gebiet gehört die fruchtbare, durch ihren Weizen berühmte Ebene el-machna
öſtlich von nābulus. Ihr ſüdlicher Arm dehnt ſich 9—10 km lang am öſtlichen Fuße
des Garizim aus, der ſüdöſtliche Arm, 8 km lang, berührt die Dörfer sālim und bēt
15 dedschan. Sie liegt etwa 550—600 m über dem Meer. Vielleicht iſt ſie im AT unter
dem Namen רֻמַּת־תֹּבֶל als Grenze zwiſchen den Stämmen Ephraim und Manaſſe öſtlich von Sichem Joſ 17, 7 erwähnt; der Artikel des Wortes ſcheint nicht auf einen Ort,
ſondern eher auf eine Gegend hinzudeuten. Am dschebel ḳuḳū'a findet ſich dieſe Art
der Thälerbildung nicht mehr. Der ſchmale Abhang (etwa 15 km) zwiſchen Waſſer-
20 ſcheide und Jordan iſt von zahlreichen kurzen Thälern durchfurcht, die aus der Höhe von
400—500 m mit ſtarkem Gefälle durch die Ebene von bēsān, dem alten Bethſean Joſ 17,
11—13; Ri 1, 27, zum Jordan eilen. In dem weſtlichen Abhang des Gebirges zweigt
ſich von der Waſſerſcheide bei dem Dorfe jāsīd (683 m) ein höherer Rücken nach Weſten
hin ab, der ſich in dem schēch bejazīd bis zu 724 m erhebt. Weiter nach Norden
25 ſind die Maſchen der Berg- oder Hügelketten breit und loſe gelegt, ſo daß ſich wiederholt fruchtbare Ebenen zwiſchen ihnen ausbreiten können, namentlich am oberen und
mittleren wādi salḥab ſüdlich von dschenīn. Die letztere hat den Namen sāhil
'arrābe dem wohlhabenden Dorfe 'arrābe und trägt den tell dōtān, der dem
bibliſchen Orte Dothan oder Dothaim Gen 37, 14—17 entſpricht. Die Höhen bei
30 kefr kūd (bis zu 463 m), die waldige Umgebung des schēch iskander (518 m) bei
umm el-fahm und das Hügelland bilād er-rūḥa (rōḥa), das mit dem Ausläufer el-
chaschm (169 m) an der Küſte endigt, ſtellen eine loſe Verbindung des mittleren Berglandes mit dem Karmel dar (ſ. d. A. Bd X S. 80 ff.).
Ein Teil dieſes mittleren Berglandes hat in der Bibel den Namen Gebirge Ephraim;
35 es frägt ſich, welcher? Man wird geneigt ſein zu antworten: der von dem Stamm
Ephraim bewohnte Teil. Dieſe Antwort verliert jedoch ſehr an ihrer anfangs einleuch-
ten den Zuverläſſigkeit, wenn man ſich überlegt, daß Ephraim urſprünglich nicht Name des
Stammes iſt, ſondern Name der Landſchaft, die der Stamm bewohnte. Ephraim bedeutet fruchtbares Land, Fruchtland (vgl. פְּרִי, פָּרָה und Gen 49, 22) und iſt ver-
40 wandt mit dem Landſchaftsnamen Ephrath (Bd IX S. 724, 46—48). Man wird
nun unter einem ſolchen Namen urſprünglich nicht die rauhe, ziemlich ſteinige Gegend
bei bētīn und dem tell 'aṣūr verſtanden haben. Weiter muß man doch daraus, daß
ſpäter nicht der nördliche, ſondern der ſüdliche Teil des Geſamtgebietes von Joſeph
Ephraim hieß, den Schluß ziehen, daß an dem nördlichen Teil, d. h. an den ſüdlichen
45 Grenzen der Ebene Jeſreel, der Name urſprünglich nicht gehaftet hat. Die Gegend
an der Ebene Jeſreel hätte man wohl Ephraim, aber nicht Gebirge Ephraim nennen
können. Es iſt daher wahrſcheinlich, daß dieſe Bezeichnung eigentlich etwa dem Teile des
Berglandes zukam, der ſich von el-lubbān bis nach jāsīd ausdehnt, mit Ausnahme der
niedrigeren Abhänge am Jordanthale. Mit der Zeit wurden auch Ortſchaften zum Ge-
50 birge Ephraim gerechnet, die im Gebiete Benjamins lagen Ri 4, 5; 1 Sa 14, 22; 2 Sa
20, 21; das erklärt ſich daraus, daß mit der Teilung Joſephs in Manaſſe und Ephraim
dieſer letztere Name eine weitere Ausdehnung nach Süden hin erhielt, und daß damit
auch der Ausdruck Gebirge Ephraim in dieſer Richtung vordrang. Das iſt ein Sprachgebrauch der ſpäteren Zeit, von dem man nicht ausgehen darf, wenn man die Meinung
55 der früheren Zeit feſtſtellen will. Dieſe liegt der alten Erzählung Joſ 17, 14—18 zu
Grunde: Joſeph beſitzt ſchon das Gebirge Ephraim; die Erweiterung ſeines Beſitzes geht
ſo vor ſich, daß er den höher gelegenen Wald (B. 17) ausrodet und ſich dann dort an-
ſiedelt; dieſer höher gelegene Wald läßt ſich nach den natürlichen Verhältniſſen nur im
Süden des bisherigen Beſitzes denken. Mit den Grenzen des Stammes Ephraim Joſ
60 15 f. fällt der Umfang des Gebirges E. nicht von vornherein zuſammen.

4. Die Ebene Jeſreel (vgl. Bd VIII S. 731 ff.) hat die Geſtalt eines recht=
winkligen Dreiecks, deſſen Langſeite durch dschenīn, durch den Abfall der Höhen von
kefr kūd und umm el-fahm ſowie der bilād er-rūha, endlich durch den ſüdöſtlichen
Fuß des Karmel gebildet wird. Die öſtliche Seite grenzt an den dschebel fuḳū'a (ſ.
oben S. 568), an den dschebel ed-dahī und an den Thabor (vgl. unter 5). Von hier 5
aus, wo die rechte Ecke des Dreiecks liegt, läuft die Nordgrenze über iksāl und dsche=
bātā an den Fuß des Karmel. Die Ebene liegt 60—75 m über dem Mittelmeere und
hat ihr Gefälle nach dem Mittelmeer; alle ihre Waſſer werden durch den nahr el-
muḳaṭṭa', durch den Kiſon des AT Ri 5, 19—21; 1 Kg 18, 40, dorthin abgeführt.
Für die Beſchaffenheit und den Anbau der Ebene iſt der Umſtand von Wichtigkeit, daß 10
ihre Oberfläche an den Rändern höher iſt als in der Mitte, daß das Waſſer nach der
Mitte zuſammenläuft und dort oft Sümpfe bildet, ſo daß die Ebene nur an den Rändern
bewohnbar iſt. Vermutlich iſt das im Altertum ebenſo geweſen wie jetzt. Die Waſſerſcheide
befindet ſich im Oſten, an den tiefen Mulden, die zu beiden Seiten des dschebel ed-dahī
den Zugang zu dem Jordanthal öffnen. Dieſer einzeln ſtehende Berg bildet ein un= 15
regelmäßiges Viereck, das ſich mit der ganzen Umgebung nach Oſten ſenkt. Seine be=
kannteſten Gipfel ſind der nebi ed-dahī 515 m, tell el-'addschūl 334 m und kōkab
el-hawā 297 m. Das Thal im Süden durchfließt der nahr dschālūd (d. i. Goliath),
deſſen kurzer Lauf von zer'īn über bēsān zum Jordan von einer wichtigen alten
Straße begleitet wird; bei uns engere Thal im Norden entwäſſert der wādi esch- 20
scharrār oder wādi el-bīre. Am dschebel ed-dahī zeigt ſich mehrfach Baſalt; das
vulkaniſche Geröll fällt ſeit Jahrtauſenden in die Ebene Jeſreel herab, verwittert dort
und giebt dem Boden ſeine außerordentliche Fruchtbarkeit.

5. Das nördliche Bergland zerfällt in zwei Teile, in das Bergland von
Untergaliläa und Obergaliläa. Das erſtere füllt den Raum vom Jordan und vom See 25
Genezareth im Oſten bis zur Ebene von Akko im Weſten, von der Ebene Jeſreel im
Süden bis zu den Höhen von er-rāme und bis zum wādi el-'amūd am See Gene=
zareth im Norden. Es zerfällt in mehrere, parallel von Weſten nach Oſten ſtreichende
Höhenzüge; zwiſchen ihnen liegen kleine Ebenen. Die ſüdlichſte Gruppe pflegt man nach
Nazareth zu benennen; ſie beginnt mit den etwas bewaldeten Hügeln, die an den nahr 30
el-muḳaṭṭa' oder Kiſon gegenüber dem Karmel herantreten (180 m) und nach Oſten
zu höheren Gipfeln anſteigen. Nördlich oberhalb Nazareths erhebt ſich der dschebel es-
sīh zu 560 m, der Thabor hat eine Höhe von 562 m, das Dorf sārōna oberhalb
des Sees von Genezareth liegt 272 m hoch. Der Thabor ſteht wie ein vorſpringender
Pfeiler des Gebirges unmittelbar an der Ebene Jeſreel, ein kegelförmiger, ſchön gerundeter 35
Berg, der noch etwas Wald auf ſeiner Kuppe trägt. Der Gipfel ſteht nach allen Seiten
hin frei, nur nach Nordoſten hängt der Körper des Berges mit dem Berglande von Unter=
galiläa zuſammen. Er beſteht aus Kalkſtein, doch iſt der nordöſtliche Fuß mit Baſalt
bedeckt. Schon das ſogenannte Hebräer=Evangelium hat den Thabor als die Stätte der
Verklärung Jeſu bezeichnet. Daß dieſe Annahme ſehr bald Beifall gefunden hat, geht 40
daraus hervor, daß vielleicht ſchon in 4., jedenfalls aber im 6. Jahrhundert der Gipfel
zuerſt durch Kirchen, dann auch durch Klöſter ausgezeichnet wurde, die das Andenken an
dieſes Stück der bibliſchen Geſchichte feſthalten ſollten. Die letzte der Kirchen wurde durch den
Sultan Bibars 1263 zerſtört. Zuerſt haben ſich die Griechen wieder auf dem Gipfel angeſiedelt
(ſeit 1862), dann die Franziskaner. Die letzteren haben neuerdings die Reſte der alten 45
Gebäude vom Schutte befreit (vgl. Barnabé, Le Mont Thabor 1900). Gegenwärtig
trägt der Gipfel demnach ein griechiſch=orthodoxes und ein römiſches Kloſter mit Kirche.
Außerdem hat man aber auch zahlreiche Spuren der einſtigen Ortſchaft, die der Gipfel
trug, ſowie der Befeſtigungen, die zum Teil von Joſephus angelegt wurden (ſ. Bd VI
S. 342, 43—45), gefunden. Die Annahme, daß der Thabor der Berg der Verklärung 50
Jeſu ſei, iſt eine grundloſe Legende. Durch Polybius V, 70, 6 und Joſephus Vita 37
iſt ſicher bezeugt, daß der Berg zur Zeit Jeſu bewohnt war. Dieſer Umſtand paßt nicht
zu der Angabe der Evangelien Mt 17, 1; Mc 9, 2, daß Jeſus die Jünger auf einen
hohen Berg „beſonders alleine“ geführt habe. Der jetzige Zuſammenhang der Erzählungen
bei Mt und Mc läßt ſich in den Norden des Sees Genezareth, und endlich will doch auch 55
erwogen werden, ob der Berg der Verklärung überhaupt mit der Geographie etwas zu
thun hat. — Der zweite Höhenzug läßt ſich als die Berge von ṭur'ān bezeichnen; zu
ihm gehört der dschebel ṭur'ān 541 m, der karn haṭṭīn 316 m und die ſogenannte
menāra („Warte“) am See Genezareth. Die ſüdlich gelegene Ebene iſt nur klein und
heißt wādi er-rummāne, die nördlich gelegene iſt umfangreicher; ſie wird sāhel el- 60

battōf genannt und entſpricht der Ebene Asochis bei Joſephus Vita 45. Vielleicht ent=
ſpricht das Thal Jephthah-El auf der Grenze zwiſchen Sebulon und Aſſer Joſ 19, 14. 27.
Der dritte Höhenzug iſt das Hochland esch-schaghūr. Es beginnt im Weſten bei dem
anſehnlichen Dorfe schef ā ʿamr (ſ. Bd VI S. 343, 50 f.), das nur 41 m über dem Mittel=
5 meere liegt, ſetzt ſich anſteigend und in zunehmender Breite nach Nordoſten und Oſten
fort, bis es in den ſteilen Höhen zwiſchen dem wādi el-hammām und dem wādi er-
rabadīje am See Genezareth endigt. In den ſchwer zugänglichen Höhlen dieſer Klippen
hatten die „Räuber" ihre Verſtecke, gegen die Herodes der Große einen mühſamen Kampf
führte (Bd VI S. 343, 25—82). Die höchſten Gipfel ſind der dschebel ed-dēdebe
10 543 m, der dschebel chanzīre 402 m und der rās krūmān 554 m; an ihrer Nord=
ſeite breitet ſich die Ebene von ʿarābe aus. Die Waſſerſcheide wechſelt in dem Berg=
lande von Untergaliläa ähnlich wie in dem Berglande von Samaria ſüdlich von der
Ebene Jeſreel. Von dem weſtlichen Fuße des Thabor ſchiebt ſie ſich bis in die Nähe
von Nazareth nach Weſten vor, tritt dann in nordöſtlicher Richtung bis zu dem ſchwarzen
15 (vulkaniſchen) Gipfel des karn hattīn zurück, ſpringt wieder nach Weſten vor bis in
die Mitte des Landes, geht dann in einigen Biegungen wieder nach Oſten zurück und
vereinigt ſich öſtlich von er-rāme für kurze Zeit mit dem Bergrücken, der die Süd=
grenze des Berglandes von Obergaliläa bildet, mit dem dschebelet el-ʿarūs 1073 m.
Von hier ab ſtreicht ſie im allgemeinen in nördlicher Richtung 15—20 km bis in die Gegend
20 von mārūn er-rās, einige Biegungen abgerechnet, die nach Weſten ausſchweifen, z. B. über
den dschebel dschermak 1199 m und über das Dorf saʿsaʿ. Sie wendet ſich dann
nach Oſten, vereinigt ſich bald mit dem öſtlichen Randgebirge von Obergaliläa, deſſen
nördliche Richtung ſie teilt, und geht zuletzt, bei chirbet el-menāra und hūnīn (900 m),
geradezu in den öſtlichſten Rücken nahe oberhalb des Jordans über. Sie findet ihr
25 Ende in dem dschebel ed-dahr, der zwiſchem dem nahr el-kāsimīje und dem nahr
el-hāsbānī trennt (vgl. oben S. 558). Das Zurücktreten der Waſſerſcheide nach Oſten,
ihr Zuſammenfallen mit dem äußerſten Rücken des Gebirges längs der Jordanſpalte ver=
leiht dem nördlichen Galiläa eine Oberflächenbildung, die ſich von der Eigentümlichkeit
der ſüdlicheren Gegenden P.s deutlich unterſcheidet: im Süden die Waſſerſcheide meiſt in
30 der Mitte des Berglandes zwiſchen der Küſte und dem Jordan, hier am Oſtrande. Dieſe
Bildung erinnert einerſeits an den Aufbau der Libanonlandſchaft, indem ſich dort eben=
falls der Kamm des Gebirges ohne Mittelglieder zu dem Tieflande der bikāʿ hinab=
ſenkt, wie hier zum Jordan, andererſeits hat ſie nach Weſten hin die Ausdehnung eines
ziemlich abgeſchloſſenen Hochlandes ermöglicht, wie wir es nirgends im Süden weſtlich
35 von der Waſſerſcheide finden. Die Ränder dieſes Hochlandes von Obergaliläa
ſind folgende. Der ſüdliche Gebirgszug beginnt in der Nähe von ʿakkā (karn hennawī
570 m) und läuft oſtwärts über den nebi heider 1049 m, über die dschebelet el-
ʿarūs 1073 m, über safed 838 m und über den dschebel kanʿān 840 m, bis an den
Jordan unterhalb der Brücke (dschisr) benāt jaʿkūb. Der öſtliche Gebirgszug hat im
40 Süden eine ziemliche Breite; es gehören zu ihm die Höhen, die den wādi el-wakkās
und den wādi el-hindādsch, die bedeutendſten Thäler des öſtlichen Abhangs, umgeben; ſo
der dschebel safed nordweſtlich von dem gleichnamigen Orte (ſ. Bd VI S. 344, 7—11)
mit dem dschebel dschermak auf der Waſſerſcheide, dem höchſten Berge Galiläas
(1199 m). Der dschebel safed zeichnet ſich durch ſeinen Waſſerreichtum aus, z. B.
45 bei dem Orte mērōn (vgl. Joſ 11, 5. 7 „die Waſſer von Merom"), und durch ſeine
fruchtbaren Hochebenen, wie merdsch ed-dschisch (Bd VI S. 344, 14—16). Von hier
öffnen ſich mehrere Wege nach wichtigen Punkten des Landes, ſo durch den wādi el-
karn nach der Küſte des Mittelmeeres, durch den wādi el-ʿamūd bei safed ein Abſtieg
zum See Genezareth, durch den wādi ed-dubbe oder wādi selūkīje nordwärts zum
50 nahr el-kāsimīje und dem Gebiete Sidons. In der Nähe der alten Stadt kades
(Bd VI S. 339, 16—21) verläuft der öſtliche Gebirgszug in mehreren Parallelketten,
zwiſchen denen ſich kleine Hochebenen ausdehnen, wie merdsch el-hadīre (Bd VI
S. 339, 14) und merdsch kades (bis zu 484 m anſteigend). In der Gegend von mēs
fällt er mit der Waſſerſcheide (ſ. oben) zuſammen und erreicht über den dschebel hunīn
55 (900 m) ſowie dschebel ʿaweda die Hochebene merdsch ʿajūn (Bd VI, S. 339, 26—28)
und den dschebel ed-dahr 673 m. Im Weſten iſt er von niedrigeren Parallelketten
begleitet, zwiſchen denen der wādi el-ʿīz akāne zu dem nahr el-kāsimīje hinabführt.
Der weſtliche Rand Obergaliläas beginnt im Süden bei dem Dorfe kisrā (768 m) weſt=
lich vom nebi heider und zieht nordwärts (oder etwas nordweſtlich) etwa der Küſte
60 parallel über die Höhen tell belāt 616 m, chirbet belāt 752 m, rās umm kabr

715 m, dschebel dschamle 800 m nach chirbet selem 674 m am wādi el-ḥadschēr nördlich von der mittelalterlichen Festung tibnīn 766 m (vgl. oben S. 558). Einige Thäler durchbrechen diesen Höhenzug und stellen Verbindungen zwischen dem inneren Hochlande und der Küste her; der wādi el-hubēschlje aus der Gegend von tibnīn nach Thrus, der wādi el-ʿezzīje vom dschebel ʿadātir 1006 m an die Küste südlich 5 von Tyrus, der wādi el-karn vom dschebel dschermak und von der dschebelet el-ʿarūs an die Küste bei ez-zīb (= Achsib Ri 1, 31; Jos 19, 29). Den Nordrand des Hochlandes von Obergaliläa bilden die Höhen zwischen chirbet selem und hūnīn, die ihr Gefälle bereits nach dem nahr el-kāsimīje zu senken. Das gesamte Hochland stellt somit ein unregelmäßiges Viereck dar, das im Süden breiter ist als im Norden. 10 Im Innern des Vierecks lassen sich in der Richtung von Südosten nach Nordwesten zwei Bergketten verfolgen; die eine zieht vom dschebel dschermak nach chirbet belāṭ, die andere vom dschebel el-ghābīje südwestlich von kades über den dschebel mārūn nach chirbet el-jādūn bei tibnīn. Im Südwesten der ersten Kette, am oberen wādi el-karn, ist das Land kahl und öde, mit Ausnahme der Senkung el-bukeʿa in der 15 Nähe des Dorfes el-bukeʿa (Bd IV S. 344, 27—30); zwischen beiden Ketten dehnen sich fruchtbare, gut angebaute, auch bewaldete Hochebenen aus. Waldungen finden sich auch am dschebel mārūn, namentlich westlich davon.

6. Die Ebenen zwischen Bergland und Küste. Sie sind eine Eigentüm= lichkeit des südlichen Syriens und beginnen unmittelbar südlich vom rās en-nākūra oben 20 dem dschebel el-muschakkah (s. o. S. 562). Die erste ist die Ebene von Acco (oder ʿakkā); sie erstreckt sich bis an den nördlichen Fuß des Karmel, hat eine größte Länge von 19 km und eine größte Breite von 6 km. Der nördliche, spitz zulaufende Teil ist fruchtbar und gut angebaut; die Dörfer machen einen freundlichen Eindruck. Der mittlere Teil ist ein sumpfiges, von dem nahr naʿamān, dem Belus der Alten, durchflossenes Gebiet zwischen 25 dem Dorfe schefā ʿamr und der Stadt Acco, daher nur an den höher gelegenen Rändern im Osten ergiebig. Der dritte Teil ist die Umgebung des unteren Kison, eben= falls sumpfig und ungesund, doch mit reichlichem Graswuchs. — Die Ebene im Westen des Karmel (s. Bd X S. 80 ff.) ist anfangs sehr schmal und erreicht am nahr ez-zerkā, etwa 30 km südlich vom Vorgebirge des Karmel, nur eine Breite von 3—4 km. Sie 30 wird von den Quellbächen des Karmel bewässert und eignet sich zum Anbau. In der Nähe der Ruinen von ṭanṭūra am Meer, der alten Stadt Dor, wird die Örtlichkeit zu suchen sein, die Jos 12, 23 nāfat oder nāfōt dōr, vielleicht „die Abhänge von Dor", genannt (vgl. 1 Kg 4, 11) Jos 11, 2 von der Sephela und den übrigen Teilen Kanaans unterschieden werden. Ob der westliche Ausläufer der bilād er-rūha, heute 35 el-chaschm genannt (s. oben S. 568), im Altertum dazu gerechnet wurde, läßt sich nicht entscheiden. Der nahr ez-zerkā ist der von Plinius V, 17 erwähnte Krokodil= fluß; denn in seinen Sümpfen finden sich noch heute Krokodile. — Südlich von diesem Küstenflusse beginnt die im AT mehrfach genannte Ebene Saron, hebr. הַשָּׁרוֹן, also mit dem Artikel (vielleicht = „die Ebene"), ausgezeichnet durch Wasserreichtum und Pflanzen= 40 wuchs Jes 33, 9; 35, 2, sowie durch Viehweiden 1 Chr 27 (26), 29. HL 2, 1 wird be= sonders die Blume חֲבַצֶּלֶת dieser Ebene erwähnt; es ist wahrscheinlich darunter unsere Zeitlose, Colchicum antumnale (vgl. Löw a. a. O. 174), zu verstehen, die auch heute noch in großen Mengen dort blüht, während Luther nach dem Vorgange der alten Ueber= setzungen allgemein „Blume" dafür gesetzt hat. Dagegen scheint Jes 65, 10 Saron als 45 ein in der Gegenwart öder, erst in der Zukunft nutzbarer Landstrich gedacht zu sein; doch ist der Name dort wohl nur durch Verletzung des Textes eingedrungen. Die Ebene dehnt sich nach Süden hin aus bis zur Mündung des nahr rūbīn und landeinwärts bis zu einer Hügelkette, die sich von er-ramle über tell ed-dschezer (Bd IX S. 581, 49 bis 582, 5) landein zieht, d. h. bis an den Fuß des Berglandes. Ihre Länge be= 50 trägt etwa 70 km; ihre Breite ist verschieden, bei Cäsarea 12 km, bei Jafa 20 km. Sie steigt ostwärts zum Fuß des Berglandes an, etwa bis auf 70 m. Von ihrer Oberfläche kann eigentlich nur im Gegensatz gegen das Bergland gesagt werden, daß sie eben ist; an einzelnen Erhöhungen des Bodens fehlt es nicht. So liegt eine Hügelgruppe östlich von Cäsarea bei kerkūr, die gut mit Eichen bewachsen ist. Eine andere erhebt sich 55 zwischen dem nahr iskanderūne und dem nahr el-ʿaudsche, eine dritte östlich von Jafa, die in ihrer östlichen Hälfte noch Reste einer früheren Bewaldung trägt. Während im nördlichen Teile der Ebene viele Strecken nur als Weideland benutzt werden, ist die Gegend zwischen Jafa und er-ramle gut angebaut. Vor dem Thore von Jafa beginnen die ausgedehnten prächtigen Gärten, die, durch zahlreiche Schöpfwerke bewässert, reiche 60

Ernten namentlich an Orangen bringen. Nördlich von Jafa liegt die Kolonie der deutſchen
Templer Sarona, zwiſchen Jafa und er-ramle mehrere jüdiſche Ackerbaukolonien. In
der Nähe der Küſte zieht ſich eine Kette von ſandigen, bisweilen auch felſigen Hügeln hin,
die den Abfluß der in der Ebene ſich ſammelnden Waſſer aufhalten und die Bildung
von Marſchen oder Sümpfen neben den Flußläufen veranlaſſen. An einigen Stellen
hat man dieſen felſigen Rand durchbrochen, um das überſchüſſige Waſſer aus der Ebene
zu ſchaffen; ſo iſt der nahr el-fâlik ein künſtlicher Durchſtich, kein natürlicher Abfluß.
Das Grundwaſſer iſt daher überall leicht zu erreichen. Man hat aber ſchon im Altertum offenbar das Waſſer aus den Bergen vorgezogen, indem man für Cäſarea Leitungen
von mâmâs und es-sindjâne aus dem wâdi kudrân her erbaute. — Südlich von der
Ebene Saron dehnt ſich die Ebene der Philiſter oder die Sephela aus. Dieſer letztere
Ausdruck begegnet in der deutſchen Bibel nur 1 Mak 12, 38, Luther hat in der Regel
dafür gebraucht „die Gründe“, jedoch 1 Chr 27 (28), 28; 2 Chr 26, 10; 28, 18 „Aue,
Auen“. Das hebräiſche Wort הַשְּׁפֵלָה bedeutet „Niederland, Unterland“ und iſt von der
LXX meiſtens durch ἡ (γῆ) πεδινή wiedergegeben, ſeltener durch τὸ πεδίον oder durch
ἡ σεφηλά (vgl. oben S. 563). Man hat früher in Betreff der Grenzen dieſes Teils
von P. ſehr geſchwankt, indem man meinte, daß die Sephela ein Mittelglied zwiſchen
dem Berglande und der Ebene der Philiſter bilde, daß daher dieſe letztere die eigentliche
Küſtenebene ſei, die Sephela aber mehr landeinwärts liege und unmittelbar an das Berg=
land grenze. Allein dieſe Meinung iſt irrig. Die Aufnahme des Weſtjordanlandes durch
den engliſchen Palestine Exploration Fund hat völlige Klarheit über die natürliche
Beſchaffenheit dieſes Landſtrichs gebracht, und die Angaben des AT ſtehen mit ihren Er-
gebniſſen vollkommen in Einklang. Eine natürliche Grenze zwiſchen der Sephela und
einer „Ebene der Philiſter“ giebt es nicht. Dieſe letztere iſt überhaupt keine Benennung,
die ſich auf die natürliche Beſchaffenheit der Gegend ſtützen könnte. Der von den Philiſtern bewohnte Landſtrich zerfällt in mehrere Ebenen, die in deutlicher Weiſe durch
Hügelreihen voneinander getrennt ſind (ſ. unten). Die ſchriftlichen Zeugniſſe, die wir
beſitzen, weiſen darauf hin, daß man dem Namen Sephela eine weite Ausdehnung nach
Weſten hin gegeben hat. In den Stellen aus dem AT, die die natürlichen Teile Kanaans
aufzählen (ſ. oben S. 563), findet ſich neben den Ausdrücken für Bergland und Küſte
nur die Sephela, ein beſonderes Wort für eine Ebene, die außerdem angenommen werden
müſſe, jedoch nicht. Das Verzeichnis der Städte Judas in der Sephela Joſ 15, 33 ff.
greift jedenfalls weit in das weſtliche Gebiet hinein, ohne daß der Name eines neuen
Landesteils angegeben würde (vgl. Bd IX, S. 562 f.). Die „Abhänge“, hebr. אֲשֵׁדוֹת
Joſ 10, 40; 12, 8, ſind nicht die „Hügel“ der Sephela, ſondern die Fußlandſchaften des
Gebirges. Der Ausdruck „Abhang der Philiſter“, כֶּתֶף פְּלִשְׁתִּים, Jeſ 11, 14 bedeutet nichts
anderes als die von den Philiſtern bewohnte Sephela. Endlich geht aus dem Onomaſticon des Euſebius und Hieronymus 296; 154 (ed. de Lagarde) hervor, daß noch
im 4. Jahrhundert nach Chr. die geſamte ebene Gegend im Norden und Weſten von
Eleutheropolis (ſ. Bd IX S. 573, 4—23) den Namen Sephela trug. Von irgend einer
Abgrenzung dieſes Gebiets nach Weſten hin kann demnach nicht geredet werden; die
Sephela dehnt ſich nach dem Meere hin ſoweit aus, bis deutliche Merkmale der Küſte
auftreten, etwa Sanddünen oder felſige Höhen. Von dem öſtlichen Rande der Sephela,
der ſchon oben S. 566 f. beſprochen wurde, laufen verſchiedene Höhenzüge in weſtlicher und
nordweſtlicher Richtung; ſie bilden die Waſſerſcheide zwiſchen den zahlreichen Thälern
der ziemlich unregelmäßig geſtalteten Landſchaft. Größere Ebenen breiten ſich bei den
Orten ʻâkir (= Ekron, ſ. Philiſter), jebnâ (= Jabne), esdûd (= Asdod) und
ʻarâk el-menschîje aus. In der Nähe von esdûd, bei chirbet jasîn 35 m, beginnt
ein Hügelrücken, der in ſüdöſtlicher und öſtlicher Richtung allmählich zu höheren Gipfeln
anſteigt, wie in tell ibdis 138 m und im schêch ʻalî 417 m. Er trennt das Gebiet
des nahr sukrêr von dem wâdi el-heſî. Weiter ſüdlich bringen die Hügel um
20 km nach Weſten vor; die bekannteſten Höhen ſind der tell en-nedschîle 165 m und
der tell el-heſî 104 m. Eine andere Hügelreihe ſtreicht aus der Gegend von esdûd
parallel mit der Küſte ſüdwärts bis ſumſum und dêr eſnêd; er erhebt ſich bis zu
101 und 131 m. Die flachen Rücken am wâdi eſch scherîʻa ſind die letzten Aus=
läufer dieſes Hügellandes; weiter ſüdlich beginnt das niedrige Vorland des Negeb (ſ.
oben unter 1 und Bd XIII S. 692 ff.). Joſ 11, 16 zählt neben der bekannten Sephela
noch eine Sephela des (nördlichen) Berglandes von Israel auf. Eine ſolche Unterſchei=
dung zwiſchen einer Sephela des judäiſchen und israelitiſchen Berglandes — das ſcheint
nach dem gegenwärtigen Texte gemeint zu ſein -- findet ſich ſonſt im AT nicht. Welche

Grenze zwiſchen Israel und Juda hier ins Auge gefaßt iſt, ergiebt ſich aus dem Zuſammenhange nicht. Jedenfalls iſt daran feſtzuhalten, daß es nördlich vom wādi malāke (vgl. oben S. 566) ein Mittelglied zwiſchen dem eigentlichen Berglande und der Ebene Saron nicht giebt, daß vielmehr dort das Gebirge ſelbſt zur Ebene abfällt. Joſ 11, 2 gehört die Sephela nicht zum urſprünglichen Texte. — Über die Küſte iſt wenig zu 5 bemerken. Ihre Linie verläuft von tell reſah bis zum Karmel ziemlich gerade, ohne nennenswerte Gliederung. Der einzige natürliche Hafen P.s iſt die Bucht zwiſchen Acco und Haifā, deren Breite von Karmel bis nach Acco 12 km, deren Tiefe 4 km mißt. Der Hafen von Acco iſt aber durch zunehmende Verſandung, die die von Süden nach Norden flutende Meeresſtrömung herbeiführt, dann auch durch abſichtliche Verſchüttung, 10 die der Druſenfürſt Fachr ed-dīn in der erſten Hälfte des 17. Jahrhunderts anordnete, um feindlichen Angriffen zu begegnen, faſt unbrauchbar geworden. Daher zieht ſich der Verkehr mehr und mehr nach der geſchützten Rhede von Haifā, an der 1897 aus Anlaß des Beſuchs des deutſchen Kaiſers eine Landungsbrücke, Kaiſerſtaden von den dortigen Deutſchen genannt, gebaut worden iſt (vgl. Bd X S. 83). An einigen Stellen erhebt 15 ſich die Küſte ſteil aus dem Meer, bei ʿaskalān 52 m, bei Jafa 46 m, bei ṭanṭūra und ʿatlīt 4—6 m, bei Acco 30 m.

7. Das Jordanthal. In dieſem Abſchnitt ſoll von dem Fluſſe ſelbſt, ſowie von ſeiner näheren Umgebung die Rede ſein. Der Name des Fluſſes, hebr. הַיַּרְדֵּן (meiſt mit dem Artikel), iſt oft mit dem Verbum יָרַד herabſteigen in Verbindung gebracht und mit 20 Bezug auf ſeinen ſchnellen Lauf als der „herabfließende" oder „herabſteigende" gedeutet worden. Aber abgeſehen davon, daß dieſe Bezeichnung für einen Fluß des Berglandes P. nichtsſagend wäre (vgl. Dt 9, 21), will beachtet ſein, daß ſich der Name Ἰόρδανος nach Homer auch auf Kreta findet, was zunächſt nicht für ſemitiſchen Urſprung geltend gemacht werden kann. Herkunft und Bedeutung des Namens bleibt daher wohl richtiger 25 unentſchieden; möglich iſt jedoch, daß ihm die Bewohner Kanaans eine appellative Deutung gegeben haben, wie der Gebrauch des Artikels zu beweiſen ſcheint (Hi 40, 23 iſt der Text verderbt). Unſere Ausſprache „Jordan" wird durch die LXX, durch Joſephus, Plinius und Tacitus bezeugt, und iſt deshalb wahrſcheinlich älter als die der Maſoreten (vgl. Mt und Nachr. des DPV 1896, 10 f. 26 f.; Winckler, Altorientaliſche Forſchungen 30 I, 422 f.). Die Araber kennen wohl noch den Namen urdun(n), nennen den Fluß aber gewöhnlich scherīʿat el-kebīre, d. i. die große Tränke. Der Fluß hat am Fuße des Hermon drei Hauptquellbäche. Der erſte iſt der nahr el-ḥasbāni, deſſen ſtärkſte Quelle aus einer Baſaltklippe eine halbe Stunde nördlich von ḥasbēja am Hermon 520 m über dem Meere hervorbricht. Er durchfließt den wādi et-teim am weſtlichen Fuße des 35 Hermon (Bd VII, S. 758 ff.), durch den dschebel eḍ-ḍahr von dem nahr el-līṭānī getrennt, führt jedoch nur in ſeinem unteren Laufe beſtändig Waſſer. Der zweite Quellbach iſt der nahr el-leddān (oder der kleine Jordan Joſephus Bell. jud. IV, 1, 1 § 3; das dort erwähnte Daphne entſpricht der etwas tiefer gelegenen chirbet dafne). Er beginnt an dem tell el-kādi, dem alten Dan (Bd VI S. 339, 28—34), einem verloſchenen 40 Krater mit zwei Quellen. Die weſtlichere (155 m) iſt von ungewöhnlicher Stärke (ʿain el-leddān) und vereinigt ſich bald mit der anderen zum nahr el-leddān. Der dritte Quellbach iſt der nahr bānijās, deſſen Quellen ſich oberhalb des Ortes bānijās befinden (ſ. Bd VI S. 381, 28—49). Joſephus beſchreibt wiederholt Ant. XV, 19, 3 § 364; Bell. jud. I, 21, 3 die tiefe, dem Pan geweihte Grotte, neben der jetzt noch Niſchen 45 in der Felswand vorhanden ſind, in denen die Bilder des Pan und der Echo aufgeſtellt waren, wie die Reſte einiger Inſchriften beſagen. Von dieſer Grotte aus begann nach Joſephus Bell. jud. III, 10, 7 § 509—515 der ſichtbare Lauf des Jordan. Er erzählt nämlich zugleich, daß der Tetrarch Herodes Philippus, von dem Wunſche geleitet, die unbekannte Quelle des Jordan nachzuweiſen, in die Phiala, heute birket rām 7 km 50 weiter öſtlich, habe Spreu werfen laſſen, die im Paneion wieder zum Vorſchein gekommen ſei. Neuere Forſcher, wie Ritter a. a. O. XV, 153. 173—177, Robinſon in Neuere bibl. Forſchungen 523 f. und Schumacher ZdPV IX (1886), 257, haben gewichtige Bedenken gegen dieſe Angabe des Joſephus geltend gemacht; vermutlich liegt bei ihm ein Irrtum hinſichtlich des Ortes vor. Auch die Beſchreibung der Grotte, die wir von ihm 55 haben, paßt heute nicht mehr; wahrſcheinlich hat ein Erdbeben die Felſendecke zerriſſen, und die herabſtürzenden Blöcke haben den Raum der Höhle zum größten Teil ausgefüllt. Zahlreiche Waſſeradern, die zwiſchen den Steinen hervorblinken, treten gegenwärtig etwas unterhalb der Grotte als ein ſtarker Bach zu Tage (329 m); rauſchend und ſchäumend ſtürzt er über Felſen und Trümmer abwärts, wird aber bald durch das Dickicht von 60

Pflanzen und Sträuchern, die ihn umgeben, unſern Blicken entzogen. An dieſen Ort
der rauſchenden Waſſerfülle verſetzt uns der Dichter Pſ 42, 7 f. Die drei Hauptquell=
bäche des Jordan vereinigen ſich 8 km ſüdlich von tell el-kädī in einer Höhe von 43 m
über dem Meere. Das Gefälle des nahr el-leddān beträgt bis dahin durchſchnittlich
14 m auf 1 km, das des nahr bänijäs durchſchnittlich 45 m. Dann durcheilt der
Jordan eine kleine Ebene, die ard el-hūle, deren Name ſich als Οὐλαϑα bei Joſephus
Ant. XV 10, 3 und XVII 2, 1 findet, als אולתא im Talmud (Neubauer a. a. O. 27).
Sie iſt 25 km lang, 10 km breit, nicht allein durch den Jordan, ſondern durch viele
kleine von Weſten und Oſten herabkommende Bäche reichlich bewäſſert und ſehr fruchtbar,
aber auch ſehr ungeſund und deshalb unbewohnlich. Zum Teil iſt ſie freilich von einem
undurchbringlichen Dickicht von Rohr und Papyrusſtauden bedeckt, in dem ſich zahlreiche
Waſſervögel tummeln. Das äußerſte Ende dieſes ſumpfigen Gebiets bildet der birnen=
förmige See bahrat el-hūle, deſſen ſüdliche Spitze von den nahe herantretenden Höhen
eingeengt wird. Sein Spiegel liegt ungefähr 2 m über dem Mittelmeer (vgl. Memoirs I,
195). Sein Waſſerſtand hat gegenwärtig noch 3–5 m Tiefe, wechſelt ſehr ſtark mit
der Jahreszeit, geht aber im ganzen immer mehr zurück. Es iſt lehrreich, die von Jo=
ſephus Bell. jud. IV, 1, 1 § 3 angegebenen Maße, die freilich nur als runde angeſehen
werden dürfen, mit den heutigen zu vergleichen. Er bemißt die Länge des Sees auf
60 Stadien, d. i. 2 Stunden, ſeine Breite auf 30 Stadien. Heute beträgt ſeine größte
Länge 5,8 km, ſeine größte Breite 5,2 km; der See iſt alſo im Altertum bedeutend
länger geweſen als heute. Joſephus kennt ihn als den See der Semechoniten, d. h. der
Bewohner eines Ortes (oder einer Landſchaft) Semechon; damit ſtimmt die ſpätere jüdiſche
Überlieferung inſofern überein, als ſie unter den verſchiedenen Formen des Namens auch
die Form סמכו bietet; vgl. Joſephus Bell. jud. III, 10, 7 § 515; Ant. V, 5, 1 § 199
und Beer in der Monatsſchr. für Geſch. und Wiſſenſch. des Judenth. 1860, 111. Da=
gegen iſt es ein Irrtum, das kleine Becken als den See (von) Merom zu bezeichnen;
Joſ 11, 5. 7 iſt nur von den Waſſern von Merom die Rede, und darunter ſind, ähnlich
wie unter den Waſſern von Jericho Joſ 16, 1, die Quellen und deren Bäche zu ver=
ſtehen, die bei dem Orte Merom in Obergaliläa fließen (vgl. oben S. 570, 45). Der Jordan
tritt aus der Südſpitze des Sees wieder heraus und ſetzt ſeinen Lauf in einem ſteinigen
Bette fort, von hohen Baſaltabhängen umgeben, zwiſchen denen die Waſſer 16 km weit
wie in einer großen Stromſchnelle hinabgleiten. Etwa 2 km ſüdlich vom See über=
ſchreitet die alte „Straße nach dem Meer" (Jeſ 8, 23), von Damaskus kommend, auf
der Brücke (dschisr) benāt ja'kūb den Flußlauf; hier befinden wir uns bereits 13 m
unter dem Spiegel des Mittelmeers. Von der bahrat el-hūle bis zum See Genezareth
(–208 m), auf einer Strecke von 16 km, fällt der Jordan durchſchnittlich 13 m auf
1 km. Bei der Mündung in den See fließt er langſam, weil eine von ihm ſelbſt an=
geſchwemmte Barre ihn aufhält; daher iſt er hier meiſt flach, jedoch breit, bis zu 45 m;
freilich wechſelt der Waſſerſtand ſehr mit den Jahreszeiten.

Der See Genezareth iſt, abgeſehen von den Jordanquellen am Fuße des Hermon,
der freundlichſte Teil des Jordanthales. Wenn auch die einſchließenden Berge na=
mentlich im Weſten nahe und ſteil an das Ufer herantreten, ſo zeigt die Randlinie des
Sees doch durchweg runde, ſanfte Formen. Kleine Ebenen im Weſten und Oſten zeugen
von der Fruchtbarkeit des Bodens und der Milde des Klimas. Die Mannigfaltigkeit der
Eindrücke auf das Auge wird dadurch vervollſtändigt, daß von Norden her das ſchnee=
bedeckte Haupt des Hermon herüberſchaut, während am Weſtufer in der Nähe von Tibe=
rias ſchlanke Palmen ihre Kronen im Winde ſchaukeln. Der See iſt 20 km lang und
in der Nähe von Tiberias 8–9 km breit; ungefähr ſtimmen dazu die Maße des Jo=
ſephus Bell. jud. III 10, 7 § 506: 140 Stadien = 26 km lang und 40 Stadien =
7–8 km breit. Sein Waſſer iſt ſüß, ziemlich klar und ſehr fiſchreich (ſ. unten Ab=
ſchnitt VII). Trotz der tiefen Lage und der Abgeſchloſſenheit des Sees kommen nicht
ſelten Stürme durch die Schluchten im Norden, Nordweſten und Südoſten in den Keſſel
und ſetzen das Waſſer in heftige Bewegung; vgl. Mc 4, 35–41 und die Beſchreibung
eines ſolchen Sturmes bei W. A. Neumann, Qurn Dscheradi (1894).
22–28. Nach den Andeutungen der Evangelien wurde zu Jeſu Zeit die Fiſcherei dort
lebhaft betrieben; während der letzten Generationen war es oft ſchwer, auch nur ein Boot
am Geſtade aufzutreiben; erſt neuerdings ſteigt die Zahl der Fiſcherboote wieder langſam.
Der See hat ſeinen Namen ſtets, wie es ſcheint, von einem benachbarten Orte oder einer
Landſchaft getragen. Im AT heißt er See von Kinnereth oder Kinneroth Joſ 12, 3;
13, 27; Nu 34, 11. Das war der Name einer Stadt nördlich von Rakkath Joſ 19, 35

(f. Bd VI S. 343, 6), nach 1 Kg 15, 20 auch der Name einer Gegend. Im NT heißt er See (von) Genezareth, griech. Γεννησαρέτ Mc 6, 53; Mt 14, 34; Lc 5, 1. Doch ist die ursprüngliche Form des Namens Γεννησάρ 1 Mak 11, 67; Josephus Bell. jud. III 10, 7. 8, hebr. כנרת im Thargum und in der Mischna; die erste Silbe wird das hebräische gan = Garten sein, die zweite Silbe enthält vielleicht einen Eigennamen. 5 Dieses Wort bezeichnet eine kleine Landschaft an der westlichen Seite des Sees nahe an seinem Nordende Mt 14, 34; Mc 6, 53, deren Fruchtbarkeit von Josephus a. a. O. in überschwenglichen Worten gerühmt und auch im Thalmud (Neubauer a. a. D. 45) erwähnt wird. Man nennt sie heute el-ghuwēr, d. i. das kleine Ghōr (f. unten). Sie dehnt sich vom wādi el-hammām nördlich von Tiberias aus bis ʿain et-tīne oder bis 10 zum chān minje in einer Länge von 5 km und einer Breite von 1,5 km. Sie wird teils von dem Bach der Quelle el-mudauwara, teils durch die Mündungen der Thäler wādi er-rabaḍīje und wādi el-ʿamūd bewässert. Zur Zeit des Josephus brachte eine Leitung auch das Wasser der sehr starken Quelle von Kapernaum nach dieser Ebene, worüber schon Bd X S. 28 f. Genaueres mitgeteilt worden ist. Seit der Zerstörung 15 dieses Kanals wird der Anbau der Ebene nach und nach zurückgegangen sein, heute ist er ganz vernachlässigt. Vermutlich ist Kinnereth (Kinneroth) im AT der Name derselben Ebene, die später Gennesar hieß und heute el-ghuwēr genannt wird. Außerdem wird der See im NT auch galiläisches Meer genannt Mt 4, 18; 15, 29; Mc 1, 16; 7, 31, mit dem Zusatze von Tiberias Jo 6, 1, oder Meer bei Tiberias Jo 21, 1. Letzteres 20 ist sein Name bis heute geblieben, arabisch baḥr ṭabarīja. Die kleine Ebene an der Nordostseite des Sees heißt el-baṭēḥa oder el-ebṭēḥa. Ihre Länge von Westen nach Osten beträgt 7 km, ihre Breite schwankt zwischen 2 und 5 km. Der Boden ist schlammig, nahe am See sehr sumpfig; durch die jährlichen Ablagerungen mehrerer dort mündenden Thäler hebt er sich allmählich. Der Anbau der Ebene liegt in den Händen der dort 25 streifenden Beduinen; sie ernten im Mai schon Getreide, dann Welschkorn und pflanzen schließlich in dem aus nahen Quellen stets neu bewässerten Boden Gemüse und Melonen. Am Ufer lag wahrscheinlich Bethsaida, auf einer Terrasse der sanft ansteigenden Höhen Julias, die von Herodes Philippus gebaute Stadt (vgl. Bd VI S. 380 f.). Die ganze Ostküste umsäumt eine schmale, fruchtbare Ebene, an deren Ostrande die Berge des 30 Dschōlān steil aufsteigen. In der Regenzeit erhält der See von Westen und Osten her wasserreiche Zuflüsse, im Sommer jedoch ist es in der Hauptsache nur der Jordan, der das Becken speist.

Der Jordan beginnt seinen Lauf aufs neue an der Südwestecke des Sees. Er fließt zuerst nach Westen, biegt jedoch sehr bald nach Süden um und behält diese Richtung, 35 von unzähligen Windungen abgesehen, im allgemeinen bis zum Toten Meere bei. Die Nebenflüsse von Westen her sind nicht bedeutend; ihre Namen sind wādi feddschās, wādi el-bīre, nahr dschālūd, wādi ed-dschōzele (= wādi fārʿa), wādi el-kelt. Von Osten her kommen der nahr jarmūk oder scherīʿat el-menādire, wādi jābis, wādi ʿadschlūn, nahr ez-zerkā, wādi nimrīn, wādi el-kefrēn. Der Jarmuk (so 40 schon in der Mischna Para VIII, 9) mündet etwa 8 km südlich vom See Genezareth und enthält mindestens ebensoviel Wasser als der Jordan selbst. Er entwässert ein sehr großes Gebiet, das von der Landschaft dschēdūr im Nordosten bis zur ledschāh und dem dschebel haurān im Osten, ferner bis zur Steppe el-hamād und dem Lande es-ṣuwēt im Südosten reicht. Plinius V, 18, 74 nennt ihn Hieromices. Im jetzigen 45 Text des ATs wird der Fluß nicht genannt; doch ist die Frage, ob er nicht (Gen 31, 21 und 2 Sa 8, 3 ursprünglich gemeint war. Der nahr ez-zerkā entspricht dem Jabbok des ATs; denn dieser soll nach Dt 2, 37; 3, 16 das Gebiet der Ammoniter (f. Bd I S. 455 f.) berühren, was auf den nahr ez-zerkā zutrifft. Sein Quellgebiet liegt nämlich in der Nähe von Rabbath Ammon, heute ʿammān, etwa 900 m über dem Meere. 50 Er wendet sich von dort nach Nordosten, dann nach Nordwesten, nimmt südlich von dem alten Gerasa (f. Peräa) eine westliche Richtung an und windet sich in einem immer tiefer werdenden Bette zwischen steilen Ufern dem Jordanthal zu. Er erreicht den Hauptfluß bei der Furth ed-dāmīje (— 349 m). Der Lauf des Jordan selbst beträgt vom See Genezareth bis zum Toten Meer in der Luftlinie etwa 110 km; er fällt von — 208 m 55 bis —394 m. Sein Bett und seine Umgebung ist völlig anders als bisher. An die Stelle der felsigen, festen Ufer ist ein loser Mergel- und Lehmboden getreten. Die Fluß-rinne, die die Wasser sich darin wühlen, ist veränderlich. Das Wasser ist nicht mehr klar, sondern hat von dem Lehm eine schmutzig gelbe Farbe, die das Urteil des Haupt-manns Naeman aus Damaskus 2 Kg 5, 10. 12 als durchaus begreiflich erscheinen läßt, 60

Hier breitet ſich eine meiſt ausgedehnte Uferlandſchaft aus, die zwiſchen der bahrat el-hûle und dem See von Tiberias völlig fehlt. Sie zerfällt in zwei Teile, die der arabiſche Sprachgebrauch wohl unterſcheidet. Die geſamte weitere Uferlandſchaft heißt el-ghôr, d. i. Einſenkung; man verſteht darunter den gewaltigen Graben überhaupt, der
5 durch den Einſturz der Erdoberfläche hier entſtanden iſt, die geſamte tief unter dem Meeresſpiegel liegende Fläche, einſchließlich des Sees Genezareth und ſeiner nächſten Umgebung (vgl. oben S. 575, 9). Die vom Jordan durchfloſſene Sohle des Grabens heißt dagegen ez-zôr. Darunter verſteht man nicht nur das eigentliche Flußbett, ſondern auch den üppig wachſenden Beſtand von Bäumen, Geſträuchern und Schilf, der von mancherlei
10 Tieren, namentlich von Wildſchweinen und Vögeln, belebt wird. Das prächtige Grün thut dem menſchlichen Auge in der meiſt öden Umgebung merklich wohl. Im AT findet ſich dafür einige Male der Ausdruck „die Pracht des Jordan“ Sach 11, 3, wo nach Jer 49, 19; 50, 44 (12, 5) auch Löwen vorkamen und ſich noch bis ins 12. Jahrhundert auch andere Raubtiere gehalten haben ſollen. Für gewöhnlich iſt das Waſſer des
15 Jordan durch dieſes dichte Grün ſtark verdeckt. Nach der Regenzeit ſteigt es jedoch bisweilen ſo hoch, daß die Bäume am üblichen Ufer bis an die Gipfel unter Waſſer geſetzt werden; vgl. Mt und Nachr. des DPV 1897, 30 und 1 Chr 12 (13), 15; Sir 24, 36 (26). Die weitere Uferlandſchaft iſt bis jetzt nur an der Weſtſeite genauer bekannt. Die Aufnahme der Oſtſeite durch den deutſchen Verein zur Erforſchung P.s iſt zwar bis
20 zum nahr ez-zerkâ von Norden her vollendet, jedoch noch nicht veröffentlicht worden. Die Breite und Beſchaffenheit der Uferlandſchaft im Weſten iſt ſehr wechſelnd, hauptſächlich weil der Fuß der Berge oft vor- oder zurücktritt. Südlich vom See Genezareth umgiebt den Jordan eine Ebene, die anfangs nur 2—4 km breit iſt. Sie erweitert ſich zuerſt in der Nähe des alten Bethſean, heute bêsân (ſ. Samaria), wo der nahr dschâlûd
25 mündet, öſtlich von dem dschebel fuḳûʿa, dem Gebirge von Gilboa im AT. Die Ebene hat die Geſtalt eines großen Dreiecks, deſſen nördliche Seite 20—24 km, deſſen öſtliche Seite bis zur Mündung des wâdi mâleḥ 18 km mißt. Eine hohe Terraſſe durchzieht ſie, auf der die alte Weg von nâbulus (Sichem) her zu dem Dorfe bêsân an der Nordoſtecke führt. Das ganze Gebiet iſt überreich an Waſſer und zeigt zahlreiche Spuren
30 alter Kanäle. Im Oſten des Jordan iſt hier die Ebene etwa 3 km breit. Von der Mündung des nahr dschâlûd an iſt das Bett des Jordan von 40—50 m hohen ſteilen Rändern eingefaßt, deren loſe Mergelſchichten leicht vom Waſſer unterwaſchen werden, dann in das Flußbett ſtürzen und den bisherigen Lauf des Jordan verſchieben. Zwiſchen wâdi el-mâleḥ und wâdi abu sidre treten auf eine Strecke von 18 km die letzten
35 Ausläufer des weſtlichen Berglandes ſo nahe an den Jordan heran, daß für eine Ebene kein Raum bleibt. Südlich vom wâdi abu sidre erweitert ſich wieder der Raum zwiſchen dem Jordan und dem Fuß des Berglandes bis zu einer Breite von 8—10 km. Der Boden erhebt ſich wiederholt zu kahlen Höhen von Mergel. Zu beiden Seiten des ḳarn sarṭabe bringt das ghôr, die Senkung der Oberfläche, tief in die offenen Thäler
40 des Berglandes ein (vgl. oben S. 568, 10); dort hat es einſt gut bewäſſerte Niederlaſſungen gegeben, wie die Reſte der Waſſerleitungen bei ḳarâwa und chirbet fasâʾil (= Phaſaëlis Joſephus Bell. jud. I, 21, 9) beweiſen. Die Höhen, die das Flußbett überragen, ſind an der Weſtſeite bisweilen ſo feſt und maſſig, daß die Nebenflüſſe ſie nicht durchbrechen können, ſondern eine Strecke lang dem Jordan parallel laufen, ehe ſie ſich eine
45 Bahn zu ihm brechen. Beſonders deutlich macht das der untere Lauf des wâdi fârʿa, wâdi ed-dschôzele genannt. Etwa gegenüber befindet ſich die von Zeit zu Zeit wechſelnde Mündung des nahr ez-zerkâ, deſſen Breite im Sommer 8—10 m beträgt, während der Jordan hier bis zu 40 m breit iſt. Im Winter bildet die ganze Umgebung im Oſten einen großen See, der waṭaṭ el-chatâlîn genannt wird (vgl. Mt und Nachr.
50 des DPV 1899, 33 ff.). Nördlich von Jericho iſt dem eigentlichen Fuße des Gebirges ein kleines Hügelland vorgelagert, das von dem wâdi elʿaudsche durchſchnitten wird. Die nächſte Umgebung Jerichos, vom wâdi en-nuwêʿime an, iſt eine nach dem Jordan zu geneigte ebene Fläche, die der untere Lauf des wâdi el-ḳelt durchzieht. Zur Zeit des Herodes und noch ſpäter war dieſe Gegend ſorgfältig bewäſſert und wegen ihres reichen
55 Ertrages berühmt und begehrt (vgl. Bd IX S. 574 f.). Weiterhin zum Ufer des Toten Meeres wird jedoch der Boden unfruchtbar und tot, weil die Lauge des Toten Meeres ſchon hier allem Leben und Wachſen ein Ende bereitet. Dieſe Strecke heißt im AT die Ebene Achor, die Ho 2, 17; Jeſ 65, 10 als Beiſpiel für eine troſtloſe Einöde gebraucht wird. Ein großer Steinhaufen, wie es noch jetzt dort ſolche giebt, galt als das Grab
60 Achans Joſ 7, 24 ff. Sie lag auf der Grenze zwiſchen Juda und Benjamin Joſ 15, 7,

mithin ſüdlich von Jericho. Die Mergelhöhen, die den Lauf des Jordan lange Zeit be=
gleitet haben, treten bei ḳaṣr el-jehûd von ihm zurück und ſtreichen auf den Fuß des
Berglandes zu, mit dem ſie ſich vereinigen. An mehreren Stellen, z. B. in der Breite
von Jericho, erhebt ſich in einiger Entfernung ein zweiter Uferrand, der etwa 17 m höher
als das jetzige Geſtade des Fluſſes ˙iſt und jetzt nur ſelten vom Waſſerſtande erreicht 5
wird. In ihrer Höhe breitet ſich die trockene, meiſt wüſte Gegend aus, die im AT den
Namen הָעֲרָבָה, die Steppe, die Wüſte, hat. Hauptſächlich iſt damit wohl die Um=
gebung des Toten Meeres im Norden und Süden gemeint; noch heute hat die Fortſetzung
der Jordanſpalte im Süden des Toten Meeres dieſen Namen, (wādi) el-ʿaraba. Doch
ward der Ausdruck auch auf nördlichere Strecken zu beiden Seiten des Fluſſes angewandt 10
Dt 2, 8; 3, 17; 2 Sa 2, 29; 4, 7. Man ſieht daraus, daß ſchon zur Zeit Israels
die Beſchaffenheit des Tieflandes am Jordan in weſentlichen die gleiche war wie jetzt.
Daß es in der Araba auch waſſerreiche und fruchtbare Gegenden gab, iſt dadurch nicht
ausgeſchloſſen. Euſebius gebraucht in ſeinem Onomaſticon (ed. de Lagarde 214 f.) für
das Tiefland des Jordan den Ausdruck αὐλών, d. i. Schlucht, Thal, Senkung; wir finden 15
ihn ſchon bei Diodor (II, 48, 9; XIX, 98, 4) und Joſephus (Ant. XVI, 5, 2 § 145;
Bell. jud. I, 21, 9 § 418), ſpäter auch bei Theophraſt (hiſt. plant. II, 6, 8; IX 6, 1).
Er iſt deshalb von einiger Wichtigkeit, weil er ſachlich auf dasſelbe hinauskommt, wie
die Bezeichnung der Araber el-ghôr. Als parallele Auffaſſungen laſſen ſich aus dem
AT anführen, daß Dt 34, 3 der Ausdruck bikʿat jᵉrēḥô für die Umgebung Jerichos 20
ſteht und Joſ 13, 7 das Tiefland am Jordan הַיַּרְדֵּן genannt wird. Der gewöhnliche
Name hā-ʿᵃrāba zeigt keine Spur von dieſer Auffaſſung der Landſchaft. — Die Be=
ſchaffenheit des Bodens im Weſten und Oſten des Jordan iſt oberhalb des Toten Meeres
ziemlich gleich. Der Oaſe von Jericho mit den Quellen ʿain es-ſultân und ʿain dûk
entſpricht im Oſten die „Breite Sittim" Nu 33, 49, hebr. אָבֵל הַשִּׁטִּים, d. i. die Aue der 25
Akazien, oder nur הַשִּׁטִּים Nu 25, 1; Mi 6, 5, nach Joſephus Ant. VI, 1 § 4 60 Sta=
dien = zwei Stunden öſtlich vom Jordan. Das iſt das Abila Peräas Bell. jud. II,
13, 2 § 252, heute die Oaſen tell kefrēn und tell râme am Fuße der öſtlichen Höhen.
Die Gegend weſtlich heißt עַרְבוֹת יְרֵחוֹ, die Steppen von Jericho Joſ 5, 10; 2 Kg 25, 5,
öſtlich עַרְבוֹת מוֹאָב, die Steppen Moabs Nu 22, 1; 26, 3. 63; 31, 12; Luthers Über= 30
ſetzung des Worts durch „Blachfeld" oder „Gefilde" trifft nicht das Richtige. — Neben
dem Ausdruck „die Steppe" findet ſich im AT auch der Name כִּכָּר, vollſtändig
כִּכַּר הַיַּרְדֵּן. Das Wort כִּכָּר bedeutet urſprünglich eine runde Scheibe, von einer Gegend
Kreis, Umkreis; hier alſo Umkreis des Jordan, griechiſch ἡ περίχωρος τοῦ Ἰορδάνου
Mt 3, 5. Man ſcheint darunter nicht die ganze Araba verſtanden zu haben, vielleicht 35
mehr den ſüdlicheren, breiteren Teil des den Jordan umgebenden Tieflandes, nördlich
etwa bis zum Jabbok 1 Kg 7, 46; 2 Sa 18, 23, ſüdlich bis zur Gegend der unter=
gegangenen Städte Sodom und Gomorrha Gen 19, 24. 28 f.; 13, 12. Dt 34, 1 wird
erläuternd hinzugefügt „das Tiefland von Jericho bis nach Zoar". In anderen Stellen
iſt nur die Umgebung von Jericho damit gemeint Neh 3, 22; 12, 28. — 1 Mak 5, 52 40
= Joſ. Ant. XII, 8, 5 § 348 hat die Umgebung von Bethſean den Namen „die große
Ebene", der ſonſt der Ebene Jezreel beigelegt wird. Ant. IV, 6, 1 § 100 wird ſo die
Gegend zwiſchen dem öſtlichen Berglande und dem Jordan Jericho gegenüber genannt,
Bell. jud. IV, 8, 2 § 455 f. hingegen das Tiefland zwiſchen den Höhen im Oſten und
Weſten von dem Dorfe Ginnabris (am See Genezareth) bis zum Asphaltſee, deſſen Breite 45
auf 120 Stadien (= vier Stunden), deſſen Länge auf 1200 Stadien (= 40 Stunden)
angegeben wird. Die Breite iſt das Doppelte der Entfernung zwiſchen Jericho und dem
Jordan, die Länge erſcheint als etwas zu hoch gegriffen (doch ſchwankt die Lesart).
  Der Jordan kann im Sommer an zahlreichen Stellen überſchritten werden. Dieſe
Furten werden freilich ungangbar, ſobald die Regenzeit eine ſtärkere Steigung des Waſſers 50
herbeigeführt hat. So berichtet Dr. Schumacher Mt und Nachr. des DPV 1899, 35 f.,
daß noch im Juni das Fährboot bei der Furt ed-dâmîje von den Karawanen benutzt
werden muß, daß die Furt alſo erſt ſpäter gangbar wird. Die Zahl der Furten über
den Jordan iſt im ganzen ziemlich groß. Zwiſchen dem baḥrat el-ḥûle und dem See
Genezareth giebt es fünf, zwiſchen dieſem und dem Toten Meere 54. Auf der letzteren 55
Strecke ſind ſie ſehr ungleich verteilt: Bethſean gegenüber ſind ſie ſehr häufig, dagegen
fehlen ſie ganz für eine längere Strecke ſüdlich vom nahr ez-zerḳa; Jericho gegenüber
giebt es wieder fünf. Die heutige Übergangsſtelle nahe ſüdlich von der Mündung des
nahr ez-zerḳa, die Furt von ed-dâmîje, entſpricht der maʿbarat hā-ʾdâmā 1 Kg
7, 46; 2 Chr 4, 17 (nach verbeſſertem Text), der Furt von Adama, neben der Salomo 60

die in Erzguß auszuführenden Werke für seinen Tempel herstellen ließ. Der heutige
Name einer anderen Furt nördlich von der Mündung des nahr dschālūd, nämlich
machādat (d. i. Furth) ʿabāra hat Anlaß gegeben, das Bethabara Jo 1, 28 zu ver=
gleichen, nämlich den Ort jenseits des Jordan, da Johannes taufte. Freilich versteht ihn
5 das Onomasticon des Eusebius ed. de Lagarde 240 (108) von der Stelle des Jordan=
ufers bei Jericho etwa anderthalb Stunden oberhalb des Toten Meeres, die noch heute
von den Pilgern zur Jordantaufe benutzt wird. Aber diese Stelle kann Jo 1, 28 nicht
gemeint sein, da die Taufstätte des Johannes nach Jo 10, 40; 11, 6 ff. 17 drei Tage=
reisen von Bethanien am Ölberg entfernt war, und die Erzählungen Jo 1, 35—2, 12 in
10 die Nähe von Galiläa weisen. Wie Origenes zu Jo 1, 28 angiebt, lasen fast alle Hand=
schriften ἐν Βηθανίᾳ πέραν τοῦ Ἰορδάνου, nur wenige ἐν Βηθαβαρᾷ. Die Kirchen=
väter aber bevorzugten die letztere Lesart, weil es nach dem Zeugnis des Origenes ein
Bethanien am Jordan nicht gab, wohl aber andere ihm von einem Bethabara dort er=
zählt hatten. Die Lage der machādat ʿabāra läßt sich mit den Jo 1, 10 f. angegebenen
15 Entfernungen bis Bethanien wohl vereinigen. Man muß freilich, wenn man Jo 1, 28 von
ihr verstehen will, gegen den besser bezeugten Text entscheiden; doch muß man anderer=
seits zugeben, daß er für uns ebensowenig verständlich ist wie für Origenes. Beth Bara
Ri 7, 24 ist vermutlich Textfehler für Bethabara und wäre ebenfalls von dieser Furt
zu verstehen. Ri 12, 5 f. meint wohl Furten in der Gegend der Mündung des nahr
20 ez-zerkā, während Jos 2, 7; Ri 3, 28; 2 Sa 19, 19. 32 ff. von Übergängen in der
Nähe von Jericho reden. Verbreitet ist die Meinung, daß solche auch nach Jos 3 f. für
die Überschreitung des Jordan durch die Israeliten in Betracht kommen. Aber der Text
redet nicht von Furten, sondern davon, daß Israel auf dem vom Wasser entblößten
Boden des Flußbettes hinüberging. Danach ist es wahrscheinlich, daß sich die Erzählung
25 an eine natürliche Erscheinung anlehnt, die mit der Beschaffenheit des Jordanbettes aufs
engste zusammenhängt und neuerdings wieder bekannt geworden ist.ʰ Der arabische Ge=
schichtschreiber Nowairi aus dem 14. Jahrhundert berichtet für das Jahr 1267, also für
die Zeit des Mamlukensultans Bibars, daß dieser bei dem heutigen tell ed-dāmije eine
fünfbogige — noch jetzt vorhandene — Brücke über den Jordan hatte bauen lassen, deren
30 Pfeiler jedoch nachgaben und deshalb verstärkt werden mußten. Als man mit dieser
schwierigen Arbeit beschäftigt war, hörte das Wasser des Jordan in der Nacht des 8. De=
zember auf zu fließen, so daß das Bett trocken wurde. Man nutzte diesen unerwarteten
Vorteil nach Kräften aus, um die Brücke zu sichern. Einige flußaufwärts ausgesandte
Reiter stellten fest, daß ein hoher Hügel an dem westlichen Ufer in das Bett des Flusses
35 gestürzt war und sein Wasser wie durch einen natürlichen Damm gestaut hatte. Zehn
Stunden lang blieb das Bett trocken; dann kam das Wasser wieder mit gewaltiger Wucht
heran, doch ohne der Brücke Schaden zu thun. Nach Schumachers Untersuchungen in
dieser Gegend finden noch heute größere und kleinere Erdrutsche dort beständig statt. Die
lockeren Mergelmassen, die in einer Höhe von 15—20 m die Ufer umgeben, stürzen, so=
40 bald sie genügend unterwaschen sind, teils in den Jordan, teils in den nahr ez-zerkā
hinab, versperren das alte Flußbett und nötigen die Wasser, sich ein neues Bett zu
bahnen. Solche Erscheinungen waren im Altertum den Anwohnern des Flusses ohne
Zweifel bekannt, und der Wortlaut von Jos 3, 16 paßt zu einem solchen Vorkommnis
aufs beste, während von der Benutzung einer Furt nichts gesagt wird. — Diese Brücke
45 kann jetzt ihrem Zweck nicht mehr dienen, da sich der Jordan inzwischen ein anderes Bett
gesucht hat, das 38 m von ihr entfernt ist, und der nahr ez-zerkā, den sie ursprünglich
auch überspannt zu haben scheint, jetzt 2½ km oberhalb der Brücke mündet. Zwei andere
Brücken werden noch jetzt von dem Verkehr benutzt; die erste hat den Namen dschisr
benāt jaʿkūb, d. i. Brücke der Töchter Jakobs, etwa 4 km südlich von der bahrat
50 el-hūle (s. ZdPV XIII, 74); die zweite heißt dschisr el-medschāmiʿ, d. i. Brücke
der Vereinigungen, etwa 10 km südlich vom See Genezareth und 251,45 m unter dem
Spiegel des Mittelmeeres gelegen (Mt und Nachr. des DPV 1902, 21). Vor 7—10 Jahren
hat die türkische Regierung eine kleine Brücke in der Nähe von Jericho über den Jordan
gelegt, die für Reiter und Fußgänger den Verkehr zwischen den beiden Ufern erleichtert
55 (s. ZdPV XX, 31).

    8. Das Tote Meer. Dieser uns geläufige Name findet sich in der Bibel nicht.
Am häufigsten findet sich dafür die Benennung Salzmeer, יָם הַמֶּלַח, die in der LXX
durch ἡ θάλασσα ἡ ἁλυκή (oder τῶν ἁλῶν) wiedergegeben wird; vgl. Nu 34, 3, 12;
Jos 15, 2. 5; 18, 19. Sie dient Dt 3, 17; Jos 3, 16; 12, 3 zur Erklärung eines
60 anderen, also wohl älteren Namens, nämlich יָם הָעֲרָבָה, d. i. Meer der (Jordan=)Steppe

(f. oben), ben Luther burch Meer am (im) Gefilde überſetzt, während die LXX *Αραβα*
als Eigennamen behandelt hat. Außerdem findet ſich Ez 47, 18; Joel 2, 20; Sach 14, 18
die Bezeichnung הַיָּם הַקַּדְמֹנִי, „das öſtliche Meer", im Gegenſatz zum weſtlichen oder
Mittelmeere. Die Benennung „Aſphaltſee" geht auf Joſephus Bell. jud. IV, 8, 3 f.
§ 474 ff. vgl. **Ant.** I, 9, 1 § 174 zurück; ſie wird auch von Plinius V, 16 u. a. ge= 5
braucht. Im Thalmud iſt teils Salzmeer, teils See von Sodom üblich (vgl. Neubauer
a. a. O. 26 f.). Der Name „Totes Meer" findet ſich bei Juſtinus und Pauſanias, er iſt
wohl namentlich durch Hieronymus zu Ez 47, 18 in die chriſtliche Litteratur eingeführt
worden (vgl. die näheren Nachweiſe bei Reland a. a. O. 238 ff.). Die Araber nennen das
Tote Meer baḥr lūṭ, See Lots (vgl. Gen. 19). 10

Das Becken des Toten Meeres iſt die Fortſetzung des breiten Grabens, den der
Jordan burchfließt. Seine größte Länge beträgt 78 km, ſeine größte Breite, etwa von
ʿain dſchidi (= Engedi Bd IX S. 571, 37—48) bis zur Mündung des Arnon am Oſt=
ufer, 17 km. Sein bunkelblauer Waſſerſpiegel liegt 393,8 unter dem Mittelmeere. Die
Tiefe ſeines Beckens iſt ſehr verſchieden, die von Oſten her in den See vordringende brei= 15
eckige flache Halbinſel el-liſān (d. i. die Zunge) bezeichnet die Grenze zwiſchen dem tie=
feren Teile des Beckens im Norden und dem flacheren Teil im Süden. Während der
Boden im nördlichen Teile bis zu — 793 m ſinkt, hat das Waſſer im ſüdlichen Teile nur
eine Tiefe von 1—6 m. Das nördliche und ſüdliche Ufer iſt flach; das letztere kann
man geradezu als einen ſalzigen Moraſt bezeichnen, arabiſch es-ſebcha, der in der Regen= 20
zeit völlig unter Waſſer geſetzt wird und nur im Hochſommer zugänglich iſt. Er iſt das
Mündungsgebiet mehrerer Thäler, die aus dem Hochland des Negeb (ſ. oben S. 563),
aus dem wādi el-ʿaraba und vom Hochlande des alten Edom die Waſſer in den See
führen. Ihre Namen ſind von Weſten nach Oſten wādi el-fikra, wādi ed-dſchēb,
wādi el-chanzīre und wādi el-kurāhi. Der letztere heißt in ſeinem oberen Laufe 25
wādi el-aḥsā (oder el-ḥasā) und entſpricht wahrſcheinlich dem Bache Sared, der nach
Dt 2, 13 f. vgl. B. 9. 18 die Südgrenze Moabs gegen Edom bildete und als Lagerſtätte
Israels genannt wird Nu 21, 12. Wenigſtens iſt dieſes Thal noch heute die Grenze
zwiſchen dem Gebiete von el-kerak und ed-dſchibāl (vgl. Gebal 2 Bd VI S. 386).
Der Weidenbach, der Jeſ 15, 7 als Grenze zwiſchen Moab und Edom genannt wird, 30
hebr. נַחַל הָעֲרָבִים, entſpricht vielleicht dem unteren Teile dieſes Flußthales, der bereits
zum Gebiete des Ghōr gehört und vermöge ſeines heißen Klimas mit einer Art Weiß=
pappel, arabiſch gharab (Populus euphratica), an ſeinen Ufern bewachſen iſt. Der
große Graben ſetzt ſich im Süden des Toten Meeres fort und heißt heute noch wādi
el-ʿaraba (vgl. oben S. 577). Damit deckt ſich im Wortlaute genau der Ausdruck 35
נַחַל הָעֲרָבָה Am 6, 14, den man bisher meiſtens mit dem ſoeben genannten Weidenbach
Jeſ 15, 7 zuſammengeſtellt hat. Unter Vergleichung der jüngeren Parallelſtelle Ez 6, 14
(ſ. oben S. 560, 7) iſt es jedoch nicht unwahrſcheinlich, daß der Prophet Amos das Süd=
ende des Toten Meeres meint in demſelben allgemeinen Sinne, in dem Ezechiel dafür
„Wüſte" als Südgrenze Kanaans ſetzt. Der Boden des wādi el-ʿaraba ſteigt gegen 40
Süden an bis zu einem das breite, ſteinige Thal burchziehenden Rücken, der er-rīſche genannt
wird und die Waſſerſcheide zwiſchen dem Toten Meere und dem Roten Meere bildet, 250 m
über dem Meeresſpiegel. Er iſt 120 m von jenem, 60 m von dieſem entfernt. Es
würde uns jedoch über den Rahmen dieſes Artikels hinausführen, wenn wir auf eine
nähere Beſchreibung auch dieſes Thals eingehen wollten. Kehren wir daher zum Salz= 45
meer zurück! Das weſtliche und öſtliche Ufer des Sees wird von hohen und ſteilen
Bergen begrenzt. Sie müſſen als die am Rande dieſes Einſturzes ſtehen gebliebenen
Schollen der Oberfläche angeſehen werden; was einſt zwiſchen ihnen lag, ſank in die Tiefe
und lagert jetzt unter dem Waſſerſpiegel. Einige Höhenangaben mögen die Lage der
Gipfel, die im Weſten an den See herantreten, zu dieſem ſelbſt veranſchaulichen. Der 50
Paß von ez-zuwēra et-tahtā (+ 50 m) liegt 444 m über dem Spiegel des Sees,
es-ſebbe (vgl. Bd IX, S. 572, 11—24; +125 m) 519 m, der Gipfel nördlich von dem
wādi es-ſejāl (+ 350 m) 744 m, ʿain dſchidi (—207 m) 187 m, rās el-feſchcha
(+162 m) 556 m über dem Waſſer des toten Meeres. Zur Vergleichung biene der
dſchebel karanṭal (+98 m) oder Quarantania, angeblich die Stätte des 40tägigen 55
Faſtens Jeſu vor ſeiner Verſuchung Mt 4, 1 ff., der ſich um 348 m über das Tiefland
von Jericho (— 250 m) erhebt. Ein plötzlicher Abſturz dieſer Höhen in den See findet
in der Regel nicht ſtatt, vom rās el-feſchcha an treten ſie ſogar weiter vom Ufer
zurück. Die öſtliche Randſpalte ſtellt ſich als ein ganz einförmiger Abbruch dar, der in
ſeinem nördlichen Teile, bis zur Halbinſel el-liſān, ſo ſteil zum Toten Meere abfällt, daß 60

37*

auch nicht für den ſchmalſten Weg Raum bleibt. Von jener Halbinſel jedoch führt ein
Weg zwiſchen dem See und dem Abhange der Berge nach dem wādi el-ʿaraba. Die
Höhenunterſchiede ſind im Oſten bedeutender; die Gipfel der Berge liegen 800—1000 m
über dem Mittelmeer, alſo 12—1400 m über dem Salzſee. An der Bruchlinie unten
⁵ zeigt ſich hier das alte Grundgebirge, nämlich nubiſcher Sandſtein, im Süden auch alt-
vulkaniſche Breccien mit Porphyritgängen, während im Weſten nur Cenoman= und See-
nonſchichten ſichtbar ſind.
     Das Waſſer des Toten Meeres iſt eine äußerſt konzentrierte Mutterlauge. Chemiſche
Analyſen ſeines Waſſers ſind ſeit langer Zeit bekannt; man vgl. z. B. O. Fraas, Das
¹⁰ Tote Meer, (1867), 13. Außer den eigentlichen Salzen ſind hauptſächlich Chlor und
Brom, Natrium, Magneſium, Kalium und Calcium nachgewieſen. Der Salzgehalt des
Waſſers wechſelt nicht nur an verſchiedenen Stellen der Oberfläche, er wächſt auch mit
der zunehmenden Tiefe. Über die Entſtehung dieſer Mutterlauge herrſcht nicht der geringſte Zweifel. Zwei Urſachen wirken zuſammen: einerſeits der eigentümliche Mineral=
¹⁵ reichtum der zufließenden Gewäſſer, in denen man ſämtliche in dem Seewaſſer enthaltenen
Elemente nachzuweiſen vermocht hat, andererſeits die ſtetige Verdunſtung der zugeführten
Waſſermengen in der trockenen, heißen Luft, die in dem tiefen Keſſel des Toten Meeres
lagert. Dieſer wird dadurch gleichſam zu einer natürlichen Salzpfanne, in der durch Er-
hitzung das Waſſer verdampft, während die mineraliſchen Beſtandteile zurückbleiben. Das
²⁰ ſo ſpezifiſche Gewicht des Waſſers läßt ein Verſinken organiſcher Körper überhaupt nicht
zu. Die notwendige Folge dieſer Thatſache, die ſchon im Altertum Aufſehen erregte (vgl.
z. B. Joſephus Bell. jud. IV, 8, 4), iſt die, daß größere Tiere überhaupt nicht im
Waſſer des Sees leben können. Der Salzgehalt des Waſſers iſt ſechsmal ſtärker als im
Ocean; er verwandelt die unmittelbare Umgebung in eine unfruchtbare Wüſte. Jedoch
²⁵ hat man neuerdings in dem Oberflächenwaſſer und in dem Schlamm des nördlichen Ufers
Mikroben von Tetanus ꝛc. (pathogene Bakterien) nachgewieſen. Überall jedoch, wo weniger ſalzreiche Waſſer höher liegende Orte des Ufers befruchten, gedeihen tropiſche Gewächſe, tummeln ſich Vögel und Inſekten der tropiſchen Zone, auch Fiſche, die aber
im Waſſer des Toten Meeres ſelbſt augenblicklich ſterben. Solche Orte ſind namentlich
³⁰ Engedi und die Mündungen der waſſerführenden Thäler des Oſtufers.
     Die Entſtehung des Toten Meeres wird im AT Gen 13, 10; 19, 25 mit dem Unter-
gang der Städte Sodom und Gomorrha in Verbindung gebracht. Ja Gen 14, 3 nennt
uns ſogar den Namen der Ebene, die jetzt von den Fluten des Salzmeeres bedeckt wird,
nämlich Siddim. Das ſind urſprünglich kanaanitiſche, von Iſrael übernommene Sagen.
³⁵ Dazu mag hier die Vermutung Renans in ſeiner Histoire du peuple d'Israel I, 116
erwähnt werden, daß die eigentliche Ausſprache des Gen 14, 3 angeführten Namens
hasch-schēdīm geweſen ſei, ſo daß man es mit einer Ebene „der Dämonen“ zu thun
hätte. Die Antwort, die die wiſſenſchaftliche Unterſuchung des Salzmeeres und ſeiner
Umgebung über die Frage ſeiner Entſtehung gegeben hat, iſt eine ganz andere. Danach
⁴⁰ iſt das Tote Meer im engſten Zuſammenhang mit dem Einſturz des Jordangrabens ent=
ſtanden, als deſſen tiefſter Teil es anzuſehen iſt. Man hat deshalb auch den Gedanken
zurückzuweiſen, daß das Salzmeer als ein Relikteſee, d. h. als ein Reſt des Weltmeeres
aufgefaßt werden müſſe; der Ocean habe einſt von Süden her ſeine Wellen bis in die
Jordanſenkung hineingewälzt, ſei ſpäter zurückgegangen und habe dann den ſalzigen See
⁴⁵ mitten im Feſtlande zurückgelaſſen. Dieſe Annahme läßt ſich mit der aus Kreideſtein
gebildeten Waſſerſcheide im wādi el-ʿaraba (vgl. S. 579,42) nicht in Einklang bringen,
da dieſe niemals von den Meereswogen überſchritten worden iſt. Der Geologe, der ſich
zuletzt mit der Frage der Entſtehung des Toten Meeres beſchäftigt hat, M. Blanckenhorn,
ſetzt den Einſturz des Jordangrabens an den Schluß der Tertiärperiode; die tiefſte Stelle
⁵⁰ des Thales bildete ſich an der Stelle des heutigen Salzmeeres, in ihr fanden die meteo-
riſchen Gewäſſer der Umgegend ihr natürliches Sammelbecken. Dieſer Binnenſee war
ſeichter als das jetzige Tote Meer, die Waſſermenge jedoch ſehr groß und beſonders durch
die Thermen, die mit dem Aufreißen der Spalten aus dem Innern der Erde hervor-
brachen, ſtark mit mineraliſchen Salzen verſetzt. Der Waſſerſpiegel wird ſich in jener
⁵⁵ Periode von der heutigen Höhe er-riſche im wādi el-ʿaraba bis in die Nähe des Sees
Genezareth ausgedehnt haben. Zu dieſer Annahme ſieht man ſich veranlaßt durch Ablagerungen des damals noch nicht ſo ſalzigen Seewaſſers, die an den Abhängen des wādi
el-ʿaraba etwa 426 m über dem heutigen Spiegel des toten Meeres gefunden worden
ſind. In einer darauf folgenden Trockenzeit, während der die Waſſer zurückgingen, bildete
⁶⁰ ſich das große Steinſalzlager am ſüdlichen Ende des Sees, von dem die eine Hälfte heute

als dschebel usdum, d. i. Sodomsberg, den See um 180 m überragt, die andere Hälfte
in unbekannter Ausdehnung, vielleicht bis zur Halbinsel el-lisān, in die Tiefe gesunken
ist. Eine zweite feuchte Periode, die der zweiten Eiszeit Europas entsprechen würde,
führte wieder ein Steigen des Seewassers herbei, und dieses setzte an seinem Rande Gips,
weißen Kalkmergel und Geröllmassen ab, die sich jetzt an allen Seiten des Salzmeeres 5
in der Höhe von 180—270 m über dem heutigen Wasserspiegel nachweisen lassen. Diese
Ablagerungen pflegt man als die Hochterrasse der lisān-Schichten zu bezeichnen. Sie
sind mit dem Beginn einer zweiten Trockenzeit auf den Flächen und Abhängen der umgebenden Höhen zu Tage getreten. Während dieser Periode haben sich vielleicht noch
weitere Einstürze in dem Boden des Beckens vollzogen, so daß dieses eine größere Tiefe 10
erhielt. Während einer dritten Regenzeit bildete sich die sogenannte Niederterrasse der
lisān-Schichten, die sich gegenwärtig in verschiedenen Stufen, 50 m und 150 m über
dem Wasserspiegel, vorfinden. Sie zeichnen sich, abgesehen von ihrem regelmäßigen, fein
verteilten Gips- und Salzgehalt, besonders durch das unregelmäßige Vorkommen von
Schwefel und Asphalt aus (s. Abschnitt III). Das sechste und letzte Stück der Geschichte 15
des Toten Meeres gehört wieder einer Trockenperiode an, in der die Gewässer sich zurückgezogen haben und zu der schweren Lauge konzentriert sind, die wir jetzt dort antreffen.
Sie fällt mit der sogenannten historischen Zeit im allgemeinen Sinne zusammen und ist
durch die Zerstörung der einstigen Diluvialmassen im Süden des Sees gekennzeichnet.
Dies geschah durch ein mit Erdbeben verbundenes Einsinken, ein Ereignis aus dem An- 20
fang der Alluvialepoche. Ob man nur an einen Einbruch der Hochterrasse oder an ein
abermaliges Versinken der im Süden des Sees etwa neugebildeten Niederterrasse zu denken
hat, muß dabei unentschieden bleiben. In die Zeit des Alluviums, dem am Jordan die
Bildung des heutigen eigentlichen Flußthals, ez-zōr genannt, zufällt, gehören am Toten
Meer die niedrig gelegenen Uferpartien, die an der durch das ausgeworfene Treibholz 25
gebildeten Flutmarke kenntlich sind. Denn der Wasserstand wechselt einerseits jährlich
bis zu 2 m etwa, je nach der regnerischen oder trockenen Jahreszeit, andererseits aber
auch, wie es scheint, in längeren Perioden; so konnte der südliche Teil um 1820 noch
durchschritten werden, was jetzt nicht mehr möglich ist. Im Süden des Sees finden sich
die alluvialen Schlammabsätze auf dem Boden der sebcha (s. oben S. 579), die noch 30
ganz in die Hochflutgrenze des Sees hineinfällt. Sie stößt, wie es scheint, z. T. unmittelbar an den plötzlichen Abfall der Hochterrasse; das spricht für die Annahme, daß
ein Teil der Hochterrasse jetzt in der Tiefe unter der sebcha begraben ist.

Zu dieser jüngsten Geschichte des Toten Meeres, also in den Anfang der Alluvialzeit
gehört nun nach Blanckenhorn der Untergang der Städte Sodom und Gomorrha. Das 35
AT sagt von ihnen, Gott habe sie „umgestürzt" Am 4, 11; Jes 13, 19; Dt 29, 22;
Jer 49, 18; 50, 40. Nach Dt 29, 22; Hos 11, 8; Gen 10, 49; 14, 2. 8 kommen
hinzu Adama und Zeboim, so daß man nebst Zoar fünf Städte erhält, die Pentapolis
Weish. Sal. 10, 6. Die Lage von Zoar kennen wir mit Sicherheit. Josephus setzt es
Bell. jud. IV, 8, 4 § 482 an das Südende des Asphaltsees, ebenso das Onomasticon 40
des Eusebius ed. de Lagarde 261; 139; nach dem arabischen Geographen Mukaddasi
lag es an der Handelsstraße von aila = Elath über el-ghamr bei Petra und Hebron
nach Jerusalem, vier Tagereisen von aila, zwei Tagereisen von Jerusalem, in einer sehr
heißen und ungesunden, aber Gewinn bringenden Gegend am Toten Meere; der König
Balduin I. berührte Zoar auf seinem Zuge gegen Petra, nachdem er Hebron und den 45
dschebel usdum am Toten Meere passiert hatte, und bevor er das arabische Gebirge bestieg. Es muß demnach an der Südostseite des Salzmeeres oberhalb der sebcha in der
Gegend der chirbet es-sāfije angesetzt werden. Da es nach Gen 19, 20 nahe bei
Sodom lag, so müssen auch Sodom und Gomorrha nach der israelitischen Sage dort
gesucht werden. Ob an der Stelle der heutigen sebcha oder nördlicher, an der Stelle 50
des südlichen Seeendes, der sich mit der wechselnden Tiefe von 1—6 m zwischen der Halbinsel el-lisān und der sebcha ausdehnt, vermag freilich niemand zu sagen. Jedenfalls
ist es ein beachtenswerter Zug der Sage, daß sie nicht auf den nördlichen Teil des Sees
hinweist, sondern auf den südlichen, der auch nach dem geologischen Befunde solche Veränderungen aufweist, die in die menschlichen Erinnerungen hineinragen können. Über 55
den hier in Betracht kommenden Vorgang äußert sich Blanckenhorn in folgender Weise:
„Es war eine plötzliche Bewegung der den Thalboden bildenden Scholle der Erdkruste
im Süden des Toten Meeres nach unten, ein selbstverständlich mit einer Katastrophe oder
Erdbeben verbundenes Einsinken längs einer oder mehrerer Spalten, wodurch die Städte
zerstört und „umgekehrt" wurden, so daß nun das Salzmeer davon Besitz ergreifen 60

konnte" . . . „Von einer vulkanischen Eruption, dem Ausbruch eines Vulkans unter
den Füßen der Sodomiter oder dem Erguß eines glühenden Lavastromes, kann im Ernste
nicht die Rede sein". Gen 19, 24 redet von Schwefel und Feuer, die Gott vom Himmel
habe herabkommen lassen, V. 28 von Rauch, der von dem Lande aufgestiegen sei; auch
5 diese Züge der Sage, die sich z. T. Weish. Sal. 10, 6 f. und bei Josephus Bell. jud.
IV, 8, 4 wiederfinden, glaubt Blankenhorn durch die Begleiterscheinungen solcher tekto-
nischer Erdbeben beleuchten zu können. Er weist darauf hin, daß die in der Tiefe ein-
geschlossenen Gase, Thermen, petroleum= und asphalthaltigen Massen bei einem Einsturz der Erdkruste dem Druck der einsinkenden Schollen auszuweichen und durch die
10 neu geöffneten Spalten an das Tageslicht emporzusteigen pflegen. Kohlenwasserstoff
und Schwefelwasserstoff sind brennbar, sie können sich sogar unter gewissen Umständen
von selbst entzünden. So konnte die ganze Luft über der geöffneten Spalte plötzlich in
Flammen stehen, die emporgestiegenen Asphalt= und Petroleummassen in Brand geraten,
so daß sich Rauch bildete. Solche Erscheinungen in der Luft sind mit einem starken
15 Schwefelgeruch verbunden; die Sage nimmt an, daß sie vom Himmel herabgesandt worden
wären, weil ja die anderen atmosphärischen Erscheinungen, wie z. B. der Regen, Hagel
und Schnee, von oben herab zu kommen pflegen.

Das Tote Meer mit seiner Umgebung ist ohne Zweifel die großartigste Landschaft
P.s. Sie erregt weithin die Aufmerksamkeit des Wanderers und zieht ihn in ihre ge-
20 heimnisvolle Tiefe hinab. Wer von einem Aussichtspunkt des westlichen Berglandes zu
ihr hinabgeschaut hat, fühlt sich hauptsächlich durch zwei Eindrücke gefesselt, durch das
tiefe Blau des Wasserspiegels, das dem Auge so freundlich zwischen den grauen Bergen
hindurch entgegenscheint, und durch die hoch emporragenden Spitzen und Klippen des östlichen Ufers, die fast täglich von der Nachmittags= und Abendsonne mit den farben-
25 reichsten Gluten umspielt werden. Das Bild, das sich dem Beschauer unten am Nordufer des Sees darbietet, entbehrt freilich der lieblichen Züge; er sieht sich in einer einsamen
Umgebung, er nimmt nichts wahr von Spuren menschlichen Schaffens. Die Stille, die
ihn umgiebt, der nackte Boden unter ihm, neben und über ihm, die Salzkruste, auf der
seine Füße stehen, geben es ihm zu verstehen, daß das Leben hier keine Heimat hat
30 (vgl. Ez 47, 8—12). Der Eindruck ist ernst, aber er hält den Beschauer fest durch seine
Größe. Der mächtige, stolze Aufbau der Höhen neben dem ruhig liegenden See zieht die
Augen staunend nach oben und überzeugt uns, daß wir vor einem Wunderwerk der
Natur stehen. Wenn schon die Fittige der Nacht ihre dunklen Schatten über den See
und seine Ufer ausbreiten, so leuchten die Klippen über uns noch lange aufs Prächtigste
35 in den Strahlen der Abendsonne. Es kann nicht überraschen, daß seit alter Zeit Sagen
und Fabeln diesen merkwürdigen Ort umgeben und sich lange in Gedächtnis der Menschen
erhalten haben. Wie sie im Munde der Juden fortlebten, zeigt Weish. Sal 10, 6 f. und
Josephus Bell. jud. IV 8, 4. Die „Pflanzen, die zur Unzeit Früchte tragen", sind
von dem echten Sodomsapfelstrauch, **Asclepias gigantea**, arabisch ʿoschr, zu verstehen
40 (vgl. Bd IX S. 575, 54—57). Die „hochragende Salzsäule" ist das versteinerte Weib
Lots Gen 19, 26. Solche „Salzsäulen" bilden sich an beiden Abhange des Salz-
berges, des dschebel usdum am Südwestende des Toten Meeres, stets aufs neue. Die
Salzfelsen sind senkrecht zerklüftet und reich an Höhlungen; von der Bergmasse lösen sich
leicht prismenförmige Stücke los, die infolge der fortschreitenden Verwitterung zu isolierten
45 Salzsäulen werden und allerhand auffallende Formen annehmen, so daß sie an menschliche, besonders an Frauengestalten erinnern. Derartige Bildungen wechseln von Jahr zu
Jahr, sie entstehen und verschwinden wieder, da sie ihrer salzigen Natur nach sehr vergänglich sind. Übrigens kommen solche isolierte Felsbildungen auch bei Dolomit= und
Sandsteinschichten am Toten Meere vor; diese Nadeln haben längeren Bestand. So
50 wird jetzt ein Sandsteinfelsen am Ostufer südlich von der Mündung bei den Arabern
bint schêch lût, „Tochter Lots", genannt. Am Westufer finden sich ebenfalls solche
Dolomitnadeln (s. Blankenhorn a. a. O. 34). Auch bei griechischen und römischen Schriftstellern waren teils wahre, teils fabelhafte Angaben über die Eigentümlichkeiten des Toten
Meeres bekannt; vgl. Reland a. a. O. 241 ff. In der Gegenwart beginnt man sich um
55 den Mineralreichtum des Toten Meeres und seiner Umgebung zu bekümmern; vermutlich
ist die Zeit nicht fern, in der diese Schätze für die Industrie ausgebeutet werden. Das
Salz vom Toten Meere wird schon seit langer Zeit in Palästina verwertet. Bei
günstigem Wetter fährt auch ein türkischer Regierungsdampfer auf dem See, um den
Verkehr mit der Garnison in el-kerak oberhalb des südöstlichen Ufers zu vermitteln.
60   9. Das Ostjordanland. Dieser Teil P.s ist bedeutend gleichförmiger gestaltet.

Es ist im wesentlichen **ein** zusammenhängendes Hochland, das nach Osten zu mit wechselnder Ausdehnung in die Wüste übergeht, nach Westen zu durch Flußthäler, die zum Teil
weit und reich verzweigt sind und sich ein tiefes Bett zum Jordan gegraben haben, in
mehrere Landschaften geschieden ist und sich im Innern wiederholt zu längeren Bergrücken
erhebt, die die Wasserscheiden zwischen den zahllosen, nach allen Seiten ziehenden Wasser- 5
rinnen bilden. Die Aufnahme und Kartierung des Gebiets hat der Deutsche Verein zur
Erforschung P.s seit 1885 in Angriff genommen. In seinem Auftrage hat Dr. G. Schumacher in Haifa die Strecken vom Fuße des Hermon bis zum nahr ez-zerkā während
der Jahre 1885—1902 vermessen. Doch sind die Karten und genaueren Berichte darüber nur z. T. veröffentlicht. Zwischen dem **nahr ez-zerkā** und dem **wādi el-mōdschib** hat 10
hat Cl. R. Conder auf Kosten des Palestine Exploration Fund in London 1881
ein Stück Landes aufgenommen und seinen Bericht darüber 1889 herausgegeben. In
dem Lande südlich vom wādi el-mōdschib haben R. Brünnow 1895 und gemeinsam
mit A. v. Domaszewski 1897f., ferner Al. Musil 1898 sowie 1900ff. Reisen unternommen; die Berichte darüber sind noch nicht erschienen. Die Beschreibung des Ost- 15
jordanlandes beschränkt sich daher im folgenden nur auf die Hauptsachen, soweit sie bekannt sind. — Nach den oben angegebenen Merkmalen läßt sich das Ostjordanland in vier
Hauptteile zerlegen. Der erste ist das Gebiet nördlich vom Jarmuk, zu dem der Dscholan,
die Nukra, die Ledschāh und der dschebel haurān gehören, der zweite ist der **ʿadschlūn**
zwischen dem Jarmuk und dem nahr ez-zerkā, der dritte ist der belkā zwischen dem 20
nahr ez-zerkā und dem wādi el-mōdschib, der vierte ist der Bezirk el-kerak zwischen
dem wādi el-mōdschib und dem wādi el-hasā (s. oben S. 579). Der erste Teil hat
eine bedeutend weitere Ausdehnung nach Osten hin als die übrigen, der Raum zwischen
der Wüste und dem Jordanthal ist also im Süden bedeutend schmäler. Der nördlichste
Teil hat niemals einen gemeinsamen Namen gehabt, was sich aus der verschiedenen Be- 25
schaffenheit der dazu gehörenden Landschaften leicht erklärt. Diese sind von Westen nach
Osten gerechnet folgende. Über dem oberen Lauf des Jordan und dem See Genezareth erhebt
sich das Hochland des Dscholan, das seinen Namen von der im AT erwähnten Asyl-
und Levitenstadt Golan Jos 20, 8; 21, 7; Dt 4, 43: 1 Chr 7, 71 erhalten hat (vgl. Bd II
S. 425, 14—19 und unter Gaulanitis Bd VI S. 378ff.). Es beginnt am südöstlichsten 30
Fuße des Hermon, durch eine niedrige Wasserscheide von dem nördlicheren Gebiet wād
el-ʿadscham getrennt, und senkt sich von Norden nach Norden und Nordosten nach Süden und
Südwesten. Seine durchschnittliche Höhe beläuft sich auf 700 m, im Nordosten erheben
sich jedoch eine Reihe von erloschenen Vulkanen, die in mehreren Gruppen die Westseite
des wādi er-rukkād begleiten. Die bedeutendsten sind tell esch-schēcha 1294 m, 35
tell abu en-nedā 1257 m, hāmi kursu 1198 m, tell el-faras 948 m. Die Lavamassen dieser Vulkane bedecken das ganze Hochland, den nördlichen und mittleren Teil
in gewaltigen Blöcken und Brocken, die den Anbau, ja selbst das Fortkommen erschweren,
den südlichen in einer sandig sich anfühlenden, dunkelbraunen Erde, die außerordentlich
ertragsfähig ist. Diese beiden Teile pflegt man deshalb als den steinigen und den ebenen 40
Dscholan voneinander zu unterscheiden. Jener ist reich an beständigen Quellen und deshalb ein begehrtes Weideland der dort zeltenden Beduinen. Ackerbau findet nur an den
steinfreien Stellen statt, selbst z. B. in dem geräumigen Krater des tell abu en-nedā,
stets mit bestem Erfolg. Dieser sowie der südlichere **tell abu'l-chanzir** sind noch von
ansehnlichen Eichenwaldungen umgeben, und auf den Abhängen des tell el-ahmar, des 45
hāmi kursu und der schaʿfet es-sindjāni wächst dichtes Eichengestrüpp. Das sind
nur die geringen Reste von dem mächtigen Baumwuchs, der früher das Hochland bedeckt
hat. Es führte vor hundert Jahren davon noch den Namen tulūl el-hisch, d. i. „die
Waldhöhen", der jetzt nicht mehr gebräuchlich ist. Der ebene Dscholan ist nicht sehr
wasserreich, die Quellen treten meist am Abhang des Plateaus zu Tage; deshalb liegen 50
hier die Dörfer, in denen seßhafte Bauern wohnen, die freilich dem schönen Boden verhältnismäßig nur wenig abgewinnen. Die Abhänge am Jordan bis zur bahrat el-hūle
hinab sind ziemlich steil. Die Thäler, die sich zum See von Tiberias öffnen, sind nicht
sehr lang, höchstens 22 km, einige recht steil und tief, z. B. der wād el-jehūdie, dessen
Wände im obersten Drittel aus Basalt bestehen, während die unteren Teile von Kalk- 55
stein gebildet werden. Die Senkung des Hochlandes zum See von Tiberias und zum
jarmūk ist anfangs steil, weiter abwärts sanfter. Auch im südlichen Dscholan finden sich
noch einige Waldungen. — Östlich vom oberen wādi er-rukkād dehnt sich eine Hochebene aus, ed-dschēdur genannt, die die Wasserscheide zwischen dem Gebiet um Damaskus und dem Jordan bildet. Sie scheint im AT nicht erwähnt zu werden; es ist 60

aber wohl möglich, daß sie dort in den Namen Basan mit eingeschlossen ist. Es handelt
sich hier nur um ihre südliche Abdachung, die als die Grenze der nukra in Frage
kommt. Denn das was die arabischen Beduinen en-nukra nennen, ist ohne Zweifel
der Basan des AT im eigentlichen Sinne. Über die Grenzen und die Beschaffenheit
5 dieser Landschaft ist schon Bd II S. 422 ff. das Nötige gesagt worden. An die nukra stößt
im Osten die ledschäh, eine merkwürdig zerrissene und daher fast unzugängliche Gegend,
über die man den Artikel Trachonitis vergleiche. Die Lavamassen der ledschäh stammen
von dem dschebel haurān oder dschebel ed-drūz, der weiter südwärts die Ostgrenze der nukra bildet. Während diese eine durchschnittliche Höhe von ungefähr 700 m
10 hat, steigen die vulkanischen Gipfel dieses Gebirges bis zu reichlich 1800 m empor. Der
Rücken ist breit und flach. Während die Steigung von Westen her allmählich verläuft,
ist der Abfall nach Osten ein ziemlich rascher, allerdings in verschiedenen Terrassen. Die
höchsten Gipfel liegen in der Mitte und im Norden, tell ed-dschēnā 1802 m, dschebel
el-kulēb 1724 m, tell dschuwēlī 1749 m, abu tāse 1735 m, tulūl el-ʿadschēlāt
15 1545 m, abu ṭumēs 1541 m. Der südliche Teil ist im ganzen niedriger, doch ist er
weniger bekannt. J. G. Wetzstein hat in seiner kleinen Schrift „Das batanäische Giebelgebirge" zu Ps 68, 15—17 darauf aufmerksam gemacht, daß das dort erwähnte Gebirge
Basans nur der dschebel haurān sein könne. Mit dem Namen Zalmon vergleicht er
den Mons Asalmanos des Ptolemäus V, 15 (Varianten: Alsalamos und Alsada-
20 mos), und den Ausdruck Giebelgebirge, hebr. דָרִים בְּנֻנִּים, versteht er von den zugespitzten Kraterwänden des Haurān-Gebirges. Der Name haurān (= schwarzer Berg)
würde dann der ältere, der Name haurān der jüngere sein. Übrigens wird haurān
— freilich ohne den Zusatz dschebel — auch auf die im Westen vorgelagerte fruchtbare
Ebene angewandt, so daß en-nukra und haurān zusammenfallen. Dagegen hat das
25 Ez 47, 16 und 18 vorkommende Wort Hauran, richtiger Haveran, mit dieser Gegend
gar nichts zu thun; es gehört zur Nordostecke der von diesem Propheten gezogenen Grenzen
Kanaans, die nach dem oben S. 559 f. Gesagten bedeutend weiter im Norden und Westen
zu suchen sind. — Im Süden des dschebel haurān und der nukra dehnt sich die
Steppe el-hamād aus, die sich durch ihre hellgelbe Erde deutlich von dem vulkanischen
30 Boden der nukra unterscheidet. Ihre Nordgrenze wird bebaut und soll in feuchten
Jahren recht ergiebig sein; doch fehlt es völlig an fließendem Wasser und an Quellen.
Der Boden besteht nur zum Teil aus Thon, einen wesentlichen Bestandteil liefert die
Verwitterung der Silikatgesteine. Auch die Vegetation, Gräser und salzhaltige Pflanzen,
spricht dafür, daß hier die Wüste beginnt. Weiter westlich erhebt sich eine Hügelgruppe,
35 ez-zumal genannt, etwa 100 m über die Ebene von der ā oder der āt (= Ebrei Bd II
S. 425, 6—14), 700 m über das Mittelmeer. Ihr nördlicher Teil liegt zwischen ṭurra,
der ā und er-ramta, ihr südlicher dehnt sich bis über el-eḳdēn hin aus und endet an
der heutigen Pilgerstraße. Die größte Breite beträgt etwa 12 km, ihre Länge 60 km.
Nur die nördlichen Abhänge, die an die genannten drei Städte grenzen, sind bebaut,
40 sonst ist alles öde und menschenleer und vermutlich auch stets so gewesen; denn der Boden
ist völlig wasserarm und besteht aus unfruchtbarem Kreidemergel und Feuersteinen. Die
Hügel bilden den Übergang zu der Kalksteinformation des Abschlunggebirges. — Abgesehen
von den kürzeren Thälern des Dscholan, die ihre Wasser in den Jordan oder in den
See von Tiberias führen, vereinigen sich sämtliche Wasserbetten dieses nördlichsten Teiles
45 des Ostjordanlandes zu dem jarmūk oder der scherīʿat (Tränke) el-menādire, wie er
nach einem anwohnenden Beduinenstamm benannt zu werden pflegt (vgl. v. S. 575). Seine
Hauptzuflüsse sind folgende: der nahr er-rukkād aus dem oberen Dscholan; der nahr
el-ʿallān aus der Quelle eṣ-ṣachr am Flusse des tell el-härra an der Grenze des
dschēdūr, er gilt jetzt als die Ostgrenze des Dscholan; der wäd el-ehrēr, der obere
50 Lauf des jarmūk, dessen Anfänge ebenfalls im dschēdūr liegen; der wädi el-baddsche
aus der bahrat el-baddsche bei el-muzērib; der wädi ed-dahab, dessen Quelle am
Fuße des tell el-kulēb liegen soll; endlich der wädi ez-zēdi, der nördlich von salchad
im dschebel haurān beginnt und sich bei tell esch-schihāb mit dem wädi ed-dahab
vereinigt. Andere Zuflüsse erhält der jarmūk von Süden her aus dem dschebel
55 ʿadschlūn (s. unten).
    Der ʿadschlūn, das zweite Gebiet des Ostjordanlandes, beginnt im Norden an dem
tiefen Bett des jarmūk und dehnt sich südwärts bis zum nahr ez-zerḳā, dem Jabbok des
ATs, aus. Im unteren Lauf des jarmūk, bereits 176 m unter dem Mittelmeere, breitet
sich eine kleine kesselförmige Ebene aus, fast ganz an dem rechten Ufer des Flusses, auf
60 der die berühmten Thermen, arabisch el-hammi, hervorbrechen. Es sind im ganzen

sechs heiße Quellen, fünf auf der rechten, eine auf der linken Seite des Flusses. Das Wasser der Quellen zeigt eine verschiedene Zusammensetzung und große Unterschiede in der Temperatur, von 48,75° C. bis zu 25° C. herab. Näheres f. ZbPV X (1887), 59 ff. Während die Abhänge des Dscholan recht steil sind, steigt das südlichere Ufer etwas sanfter an. Die Höhe der Landschaft liegt ziemlich weit nach Osten zurück, sie 5 bildet die Wasserscheide zwischen dem Jordan im Westen, dem Jarmūk im Norden und Nordosten und dem nahr ez-zerkā im Süden und hat im nördlichen Teile den Namen dschebel ʿadschlūn, im südlichen, etwas nach dem Jordan vortretenden Teile den Namen dschebel moeʿrād. Von el-husn 672 m steigt der Rücken in südlicher Richtung an. Die Gipfel rās barakla, rās imnīf, umm ed-deredsch, rās el-fanadīk 10 und el-menāra bezeichnen den Lauf der Wasserscheide zwischen den zum Jordan eilenden Thälern und den Zuflüssen des wādi warrān, der in nördlicher Richtung unter dem Namen wādi esch-schellāle zum Jarmūk führt. Das Gebirge ist gut bewaldet, der dichte Bestand von Eichen und Tannen ist oft undurchdringlich, der Boden mit Moos bedeckt. Etwa von sākib an zieht der dschebel moeʿrād, die Fortsetzung des Rückens, 15 nach Südwesten und endet in dem tell ed-dahab, den zwei Höhen umfaßt, die steil in das Bett des nahr ez-zerkā abstürzen. An der nördlichen Seite des Höhenzuges, 3 km südöstlich von rādschib, finden sich die Spuren eines alten Eisenbergwerkes, heute mughāret el-warda genannt. Es erinnert an den Eisenberg des Josephus Bell. jud. IV 8, 2 § 454 (τὸ Σιδηροῦν καλούμενον ὄρος), der sich freilich bis in die Moabitis 20 hinein ausdehnen soll. Nach Osten hin geht der dschebel ʿadschlūn in ein wellenförmiges Hügelland über, das bei en-nuʿēme und brēka im Norden beginnt, bei bellla und kafkafa in einzelnen Höhen bis zu 750 m und 850 m steigt und dann gegen den nahr ez-zerkā hin abfällt. Seine Breite von Westen nach Osten beträgt 12—15 km: bei dem Berge tell el-chanāzire und dem südlicher gelegenen rihāb sinkt die mäßige Ge- 25 birgslandschaft zu der Steppe el-hamād hinab. Der südliche Teil hat eine Anzahl Quellen, der nördliche Teil ist wasserlos. Diese ganze Gegend, heute das Gebiet der beni hasan oder auch bilād eṣ-ṣuwēt genannt, gehörte in den späteren Zeiten der Römerherrschaft und in den ersten Jahrhunderten der arabischen Zeit zum wohl gesicherten Kulturlande, wie die Reste der alten Straßen und Kastelle beweisen, befindet 30 sich aber jetzt in der Gewalt der Beduinen, die nur hier und da einige Dörfer besiedelt haben. Die Abhänge zum nahr ez-zerkā sind zum Teil wasserreich und gut bewaldet, oft aber auch völlig kahl, namentlich wenn die eisenerzhaltigen Sandsteinschichten hervortreten. Die obersten und untersten Teile des Gehänges sind sehr steil, die mittleren weniger. Im Westen des dschebel ʿadschlūn und dschebel moeʿrād dehnt sich zu- 35 nächst ein von vielen Wasserbetten durchschnittenes, bisweilen quellenreiches Hochland (6—700 m) aus, das noch stattliche Reste alter Wälder trägt. Je mehr man sich dem Jordan nähert, desto kahler werden die Abhänge, desto steiler, felsiger und tiefer werden die Schluchten. Die wasserreichsten Zuflüsse des Jordan sind von Norden nach Süden der wād el-ʿarab, der wādi jābis, der wād kefrindschi oder wād ʿadschlūn und 40 der wādi rādschib.

Zwischen dem nähr ez-zerkā und dem wādi el-mödschib liegt die Landschaft el-belkā. Südlich von dem ersteren Flusse erhebt sich der Boden mäßig steil und ziemlich angebaut zu dem dschebel dschilʿād. Der Name ist offenbar das Gilead des AT, worüber man den Artikel Peräa vergleiche. Das Gebirge dehnt sich merkwürdigerweise 45 in der Richtung von Westen nach Osten aus, so daß sein nördlicher Fuß den Abhängen zum nahr ez-zerkā entspricht. Es hat seine höchste Erhebung im Westen, nämlich den dschebel ōschaʿ (= Hosea), von dessen Gipfel (1096 m) sich ein großer Teil P.s übersehen läßt, vom Toten Meer bis zum Hermon. Im Osten senkt sich das Gebirge zu einer ziemlich ausgedehnten Hochebene Namens el-bukēʿa, die etwa 610 m hoch liegt, nach 50 Norden und Osten abfällt und nach Süden zu der Wasserscheide ansteigt, die das Quellgebiet des nahr ez-zerkā von den Wasserrinnen trennt, die in südwestlicher Richtung direkt zum Jordan führen. Sie liegt westlich von den Ruinen adschbēhāt (= Jogbeha Ri 8, 11) und hat Höhen, die sich bis zu 1052 m und 1086 m erheben. An ihrer östlichen und südöstlichen Seite liegt das Quellgebiet des nahr ez-zerkā, der anfangs ostwärts, 55 nach der Wüste zu, fließt, sich dann nach Norden und Nordwesten wendet, von dem südlichen Fuß des dschebel haurān den wādi ed-dulēl aufnimmt und dann in vielen Windungen westwärts dem Jordan zueilt. An ihrer westlichen Seite dehnt sich das Quellgebiet des wādi schuʿēb aus, der von dem dschebel ōschaʿ herabkommt und bei tell nimrīn, in die Jordanebene eintritt, etwas südlicher das des wādi ṣīr, der den 60

wādi hesbän aufnimmt und über tell kefrēn dem Jordan zufließt. Von der genannten Waſſerſcheide zieht ein hoher Rücken ſüdwärts bis nach ma῾īn oberhalb ſdes wādi zerḳā ma῾īn der von 970 m bis auf 870 m ſinkt und das Gebiet der kürzeren und längeren zum Jordan führenden Thäler voneinander trennt. Der ſüdlichere Teil der Hochebene
5 wird durch den w. heldän oder w. el-wäle durchſchnitten und ſenkt ſich zum tiefen Bett des w. el-mödſchib, das bei ῾ar῾āir ſchon 100 m unter dem Mittelmeere liegt. Vgl. weitere Angaben in dem A. Moab Bd XIII S. 192 ff.

III. Geſtein und Boden. Die Hauptmaſſe des Landes beſteht aus Kalkgebirgen, deren Stoff zur Zeit der Kreideperiode gebildet wurde. An den Bruchſtellen neben der
10 Jordanſpalte tritt öſtlich vom Toten Meere als Grundlage ein dunkler, eiſenſchüſſiger Sandſtein zu Tage, der ſogenannte nubiſche Sandſtein. Unter ihm lagern permokar=
boniſche Kalk= und Sandſteine und unter dieſen das kryſtalliniſch=altvulkaniſche Grund=
gebirge mit Gängen von Porphyrit und Diorit. Eiſenſchüſſiger Sandſtein iſt auch am nördlichen Gehänge des nahr ez-zerḳā feſtgeſtellt, doch noch nicht genauer unterſucht
15 worden. Das zu Tage liegende Geſtein gehört überwiegend der oberen Kreide an, die mit den Namen Senon, Turon und Cenoman belegt zu werden pflegt. Einige Mar=
morarten finden ſich, der weichere Rudiſtenmarmor, arabiſch malake, und der härtere Nerineenmarmor oder Santa Croce-Marmor, arabiſch mizzi helu. In die Tertiärzeit werden ferner ſolche Baſaltergüſſe geſetzt, die ſich beckenförmig auf den höheren Teilen
20 des Kreideplateaus und einzelnen heute iſolierten Tafelbergen ausbreiten. Von ihnen ſind zu unterſcheiden ſpätere Lavaergüſſe, die in die zum Jordan oder zum Toten Meer gerichteten Thalfurchen hinabfloſſen und heute zum Teil wieder vom Waſſer erodiert ſind, ſo im wādi zerḳā mā῾īn in Moab und im Bett des jarmūk. Denn ihre Lagerung ſetzt jene Thalfurchen voraus, die doch vor der Entſtehung des Toten Meeres (ſ. oben
25 S. 580 f.) nicht vorhanden waren. Wenn nun auch dieſe Lavaergüſſe in die ſpätere Zeit des Diluviums geſetzt werden, ſo gilt es doch als unwahrſcheinlich, daß die vulkaniſchen Eruptionen, denen ſie ihr Daſein verdanken, ſchon in die Zeit des Menſchen fallen. Auf der Weſtſeite des Toten Meeres ſowie auf dem ganzen öſtlichen Abfall des Gebirges zum Jordan giebt es nordwärts bis zum nahr dſchalūd bei bēsän nirgends Spuren
30 von ehemaligen vulkaniſchen Eruptionen in Geſtalt von Lava, Schlacke oder Aſche. Die entgegenſtehenden Angaben von Reiſenden aus früherer Zeit beruhen auf Irrtum. Dagegen iſt der tell el-῾addſchūl auf dem dſchebel ed-dahī ein alter Krater, und die Lavaerde erſtreckt ſich bis in die Ebene Jesreel. Nordöſtlich vom Thabor, ſowie zwiſchen Nazareth und dem See von Tiberias befinden ſich weite Strecken dunkler, vulkaniſcher Erde,
35 der karn haṭṭīn 318 m iſt ein Baſaltgipfel, in der Umgebung von safed und nördlicher, z. B. bei tell el-ḳādī (S. 573, 40), iſt das Kalkgebirge von vulkaniſchen Ergüſſen durch=
brochen. Über die Krater des Dſcholan und die Haurangebirge mit ihren weiten Lava=
feldern, namentlich der ledſchäh, war ſchon oben S. 583 f. die Rede. Auch in Moab befinden ſich nicht nur in den Gehängen der Thäler zum Toten Meer, ſondern auch
40 oben auf dem Kreideplateau Baſaltdecken, ſo bei dībān und am dſchebel ſchīhān. Die Feuerſteinlagen der Kreide wurden ſchon in der Tertiärperiode durch die Kraft des Waſſers zertrümmert und mit Kreidemergeln mörtelartig verkittet. So entſtand die Feuerſteinbreccie, die ſich als eine Oberflächenkruſte bei Jeruſalem, in der Wüſte Juda, aber auch im ῾adſchlūn häufig findet und von den Arabern wegen ihrer Feuerfeſtigkeit
45 nārī genannt wird. Das Bergland ſowohl im Weſten als auch im Oſten des Jordan iſt ſehr reich an Höhlen. Eine der größten iſt die mugharet charētūn, die Höhle des hl. Chariton, deren Name auf das Anachoretenweſen in der Wüſte Juda zurückgeht (vgl. Bd IX S. 572, 29—50). Sie iſt zum Teil von Tobler unterſucht worden (Topo=
graphie von Jeruſalem II, 510 ff.). Die Geburtsſtätte Jeſu in Bethlehem iſt eine
50 alte Höhle (ſ. Bd II S. 669, 49 ff.). In der Umgebung von bēt dſchibrīn (Bd IX S. 573, 8—23) befinden ſich zahlreiche Höhlen, von denen viele künſtlich erweitert und geſchmückt ſind. Der Karmel war bekannt durch ſeine Höhlen und deshalb als Verſteck beliebt Am 9, 3, wie denn dieſe Eigentümlichkeit des Landes in ſeiner Geſchichte eine große Rolle geſpielt hat. Flüchtlinge und Kriegsſcharen fanden dort Sicherheit, Familien
55 ihre einfachſten Wohnungen, Tote ihr ſtilles Grab. Sage und Legende haben häufig die Höhle zum Schauplatz ihrer Erzählungen gewählt. Auch der Umſtand, daß die Bäche des Gebirges oft eine Zeit lang von der Oberfläche verſchwinden und weiter unterhalb als eine ſtarke Quelle wieder hervorbrechen oder überhaupt im Tieflande erſt wieder ſichtbar werden, iſt durch das zerklüftete und höhlenreiche Geſtein bedingt.
60 Erdbeben ſind in P. wie überhaupt in Syrien nichts ſeltenes geweſen. Soweit ſie

in die Grenzen menſchlicher Geſchichte fallen, hat man nicht an vulkaniſche Eruptionen
zu denken; die Krater ſind längſt ausgebrannt, die vulkaniſche Kraft ſcheint erloſchen zu
ſein. Es handelt ſich vielmehr um Erdbeben tektoniſcher Art, d. h. um Erſchütterungen,
die durch Bewegungen von Schollen der Erdkruſte an Erdſpalten hervorgerufen werden,
oder es iſt der Oberflächenboden infolge unterirdiſcher Aushöhlungen oder Auslaugung 5
von Gips-, Kochſalz- und Kalklagern eingeſtürzt. Fälle der letzteren Art ſind nur von lokaler,
mehr untergeordneter Bedeutung. Fälle der erſteren Art hingegen kommen für das ganze
ſyriſche Land in Betracht, das durch die gewaltigen, in ſüdnördlicher oder in ſüdſüdweſt-
nordöſtlicher Richtung ſtreichenden Spalten ſeine gegenwärtige Oberflächengeſtalt erhalten
hat. Ein ſolches Erdbeben hat vermutlich den Untergang von Sodom herbeigeführt (ſ. o. 10
S. 581 f.). Das AT erwähnt ſolche Ereigniſſe 1 Sa 14, 15 und Am 1, 1 (Sach 14, 5),
das NT Mt 27, 51. Propheten und Dichter haben die Schrecken eines Erdbebens oft
verwendet, um den gewaltigen Eindruck der Erſcheinung Gottes zum Gericht zu erhöhen
(Mi 1, 3 f.; Jeſ 13, 13; 24, 19 f.; Ez 38, 19 ff.; Pſ 19, 8. 16; 114, 4. 6 f.). Diener
a. a. O. 258 ff. unterſcheidet zwei Schütterzonen, die anfänglich einander parallel laufen, 15
ſich zuletzt jedoch unter ſchiefem Winkel ſchneiden. Die eine zieht ſich von Diärbekr am
oberen Tigris über Urfa (Edeſſa), Membidſch am Euphrat und Aleppo nach Antiochia,
wendet ſich dann nach Süden und begleitet die ſyriſche Küſte bis Askalon und Gaza.
Sie wird bei Aleppo von einer zweiten Erdbebenlinie gekreuzt, die etwa in der Gegend
von ʿain ṭāb im nördlichen Syrien beginnt, ſich in ſüdlicher Richtung fortſetzt, bis ſie 20
mit der bikaʿ zwiſchen Libânon und Antilibanos und der Jordanſpalte zuſammenfällt.
Seit dem Anfang unſerer Zeitrechnung ſind für die erſte Zone 33, für die zweite Zone 11
größere Erdbeben bekannt. Manche blühende Ortſchaften ſind ihnen zum Opfer gefallen. Die letzten größeren Erdbeben ſind die der Jahre 1834 (Jeruſalem) und 1837
(Galiläa). 25

Bisher galt P. als ein an Mineralien armes Land. Das alte Eiſenbergwerk des
Oſtjordanlandes iſt neuerdings von Schumacher wieder aufgefunden worden. Doch iſt
nicht bekannt, ob der dortige Eiſenſtein als abbauwürdig in der Gegenwart gelten kann.
Dagegen iſt man neuerdings auf die Mineralſchätze des Toten Meeres und ſeiner Umgebung in höherem Grade aufmerkſam geworden und erwägt bereits den Gedanken, ſie 30
für die Induſtrie auszubeuten. An den Ufern des Salzmeeres finden ſich Petroleum,
reiner Asphalt und Asphaltkalke. Das Waſſer des Toten Meeres wirft gelegentlich
Asphalt in großen Maſſen aus. Er ſteigt aus dem Seegrunde empor, wahrſcheinlich an
einer Spalte, die den Boden des Sees ſeiner ganzen Länge nach durchzieht. Anſtehender
Asphalt iſt ferner an mehreren Stellen des Ufers vorhanden. Asphaltkalke lagern in der 35
Wüſte Juda in großen Mengen, namentlich bei dem muslimiſchen Wallfahrtsorte nebi
mūsâ; der Gehalt an Bitumen iſt verſchieden. Hochprozentige Phosphate lagern im
Oſtjordanlande. Kreidephosphate lagern neben den Asphaltkalken in der Wüſte Juda;
ſie zeichnen ſich äußerlich durch zahlreiche Fiſchreſte, beſonders Wirbel und Koprolithen aus.
Außer Steinſalz und Chromoxyd findet ſich in den Schichten der ſogenannten Nieder- 40
terraſſe (ſ. oben S. 581 f.) gediegener Schwefel in wallnuß- bis eigroßen Knollen von
weißlichgelber Farbe, die loſe im kreidigig Mergel liegen und gewöhnlich noch von einer
härteren Schale aus Mergel oder einer Gipskruſte umgeben ſind. Die Entſtehung dieſes
Schwefels hängt direkt mit dem ehemaligen oder jetzigen Emporſteigen des Schwefel-
waſſerſtoffs in den zahlreichen Thermen an den Ufern des Toten Meeres zuſammen, in- 45
direkt mit dem Bitumen und Gips in den Senonſchichten der Grundſchollen. Die Gen
14, 10 erwähnten „Pechbrunnen", richtiger Asphaltbrunnen, ſind vielleicht davon zu verſtehen, daß ſich früher durch die Diluvialbildungen der Hoch- und Niederterraſſe hindurch Petroleum- und Asphaltmaſſen ergoſſen haben. Die Mineralſchätze des Waſſers
im Toten Meere ſelbſt ſind Chlorkalium mit Chlormagneſium, Brommagneſium und 50
Jodkalium.

Der Boden, den das Land zum Anbau darbietet, iſt von ſehr verſchiedener Art.
Die gegenwärtigen Verhätniſſe des Weſtjordanlandes ſind einer Humusbildung auf dem
kahlen Gebirge nicht günſtig. Eine ſtarke Ablagerung von vegetabiliſchen und anima-
liſchen Beſtandteilen, die durch Vermoderung in Humus übergehen könnten, findet dort 55
überhaupt nicht ſtatt, und wenn im Sommer etwas, das der Vermoderung entgegengeht,
auf dem glatten Felsboden liegen bleibt, ſo wird es ſicherlich im Winter durch die ſtarken
Regengüſſe abwärts getragen, ſei es in die keſſelartigen Einſenkungen der Berge, ſei es
in die tiefen Thäler und die Ebenen. Im Oſtjordanlande ſcheint es damit noch etwas
beſſer zu ſtehen. Der Wald iſt dort noch reichlicher vorhanden, und der Felsboden in- 60

folgedeſſen ſtärker bewachſen. Wenn z. B. unter den Bäumen des dschebel ʿadschlūn
Moos wächſt (Mt und Nachr. des DPV 1897, 2), ſo geht daraus hervor, daß ſich dort
eine wenn auch nur feine Humusſchicht auf dem Felſen gebildet hat. Anders ſteht es
mit dem Humus, der durch Verwitterung des anſtehenden Geſteins erzeugt wird. Wenn
5 ſich die Oberfläche des Felſens unter dem Einfluſſe der Feuchtigkeit und der Luft auf=
löſt, ſo bleibt eine rote lehmartige Erde zurück, die außerordentlich fett iſt und zäh an
ihrem felſigen Mutterboden klebt. Man findet ſie in einer Dicke von 2—20 cm auf dem
Felſen überall da, wo eine Spalte oder Senke es ihr möglich macht, ſich zu halten. Wenn
ein ſolcher Boden gehörig befeuchtet wird, ſo lohnt er den Anbau in gutem Maße. Daß
10 es den Feldern, die ſolchen Boden haben, an Steinen nicht fehlt, braucht kaum geſagt
zu werden. Der Bauer wirft ſie häufig beim Pflügen an den Rand und ſchichtet ſie
dort zu trockenen Mauern auf, die für ſein Feld den Zaun erſetzen und oft die Wege
auf beiden Seiten einfaſſen (vgl. Nu 22, 24). Viel fruchtbarer iſt der durch Verwitte=
15 rung der Lava entſtandene Boden. Doch gilt für ihn noch mehr, daß er nur nach reich=
licher Durchfeuchtung bearbeitet werden kann und ergiebig iſt, denn im Hochſommer pflegt
er infolge der ausdörrenden Hitze in ſo breite Spalten auseinander zu reißen, daß der
Huf eines Pferdes darin ſtecken bleiben kann. An vielen Stellen des Landes, z. B. in
der Küſtenebene und im Jordanthal, iſt der Boden überhaupt ſchlecht, Mergel oder Sand;
daran vermag auch die beſte Bewäſſerung nichts zu ändern.

20   IV. Klima. Über die klimatiſchen Verhältniſſe P.s ſind wir noch nicht genügend
unterrichtet. Der Deutſche Verein zur Erforſchung Paläſtinas hat ſeit 1895 einige
ſtändige Stationen für meteorologiſche Beobachtungen im Weſtjordanlande eingerichtet;
die Beobachtungen ſind aber noch nicht abgeſchloſſen und auch noch nicht bearbeitet.
Über das Jordanthal und das Oſtjordanland liegen zuverläſſige Beobachtungen über=
25 haupt nicht vor. Für das Klima von Jeruſalem ſind jedoch ziemlich ausreichende
Nachrichten vorhanden, da hier durch den engliſchen **Palestine Exploration Fund**
ſchon längere Zeit meteorologiſche Beobachtungen angeſtellt worden ſind. Auch über einige
andere Orte verdanken wir der genannten engliſchen Geſellſchaft klimatiſche Nachrichten.
Die Ergebniſſe dieſer unvollſtändigen Beobachtungen müſſen daher vorläufig für das ganze
30 Land dienen.

     Das Weſtjordanland liegt größtenteils in dem 31° und 32° nördlicher Breite. Es
gehört zum nördlichen Subtropengebiet und teilt im allgemeinen das Klima der Mittel=
meerländer. Die nach dem Äquator zunehmende ſtrenge Teilung des Jahres in eine
regenloſe, heiße und in eine regneriſche, kühlere Hälfte trifft alſo auch P. Jedoch
35 treten gewiſſe Unterſchiede im Klima je nach den einzelnen Teilen des Landes hervor.
An der Küſte iſt es milder und gleichmäßiger, im Berglande rauher und wechſelnder, das
Jordanthal nähert ſich tropiſchen Verhältniſſen, während für das Klima des Oſt=
jordanlandes die größere Entfernung vom Meer und die größere Nähe der Wüſte von
Bedeutung ſind.

40   Während die mittlere Jahrestemperatur an der Küſte 20,5° C beträgt, bemißt ſie
ſich in Jeruſalem (vgl. b. A. Bd VIII S. 672 f.) nur auf 17,1°. Die Wärme ſteigt
auf dem Berglande vom April bis zum Mai ſehr raſch, von 14,7° auf 20,7°, ſinkt bis
zum Oktober niemals unter 20°, erreicht ihre größte Höhe im Auguſt mit 24,5°, fällt
im November auf 15,5° und iſt am niedrigſten im Februar mit 8,8°. Die heißeſten
45 Tage, gewöhnlich im Mai, Juni und September, haben eine Schattentemperatur von
37°—44°, die kälteſten im Januar eine ſolche von —4°. Es giebt jedes Jahr Reif
und Eis in Jeruſalem, doch hält ſich letzteres länger als einen Tag nur an kalten, vor
der Sonne geſchützten Stellen. Die Schwankung der Luftwärme innerhalb eines Tages
iſt oft ſehr groß; ſie iſt am geringſten im Dezember, Januar und Februar (7,7° — 7,4°),
50 am ſtärkſten vom Mai bis Oktober (12,8°—13,1°); das Monatsmittel beträgt 22,2°. Dieſer
Wechſel iſt deshalb ſo ſtark, weil die Luft durch die ſtarke Wärmeſtrahlung der Erdober=
fläche eine raſche Abkühlung erfährt. Das Klima hat alſo bedeutende Gegenſätze und
iſt darin der Geſundheit nicht zuträglich. Die möglichen Gefahren werden aber dadurch
gemindert, daß gerade in den heißen Monaten der Feuchtigkeitsgehalt der Luft gering iſt.
55 Einige Zahlen aus Schumachers Berichten über ſeine Arbeiten im Oſtjordanlande will
ich neben die obigen ſtellen; ſie eignen ſich freilich zur Vergleichung nur wenig, da ſie
nicht wie jene ein Mittel darſtellen. In irbid maß Schumacher am 5. Mai 1898
morgens früh 4° C, im mittleren Thal des nahr ez-zerka am 10. Mai 1898 nach=
mittags 5 Uhr 37° C; in der Landſchaft es-ſuwēt am 29. Auguſt 1900 morgens 14°,
60 mittags 42°; bei el-chanzīre im weſtlichen ʿadschlūn am 11. Oktober 1896 nachts 10°,

bei Tage 30—33° im Schatten. Die Gegenſätze zwiſchen Tag- und Nachttemperatur
ſcheinen im Oſtjordanlande demnach faſt noch ſtärker zu ſein. Der mittlere Luftdruck
beträgt in Jeruſalem 696,0 mm, während der Regenzeit 696,7 mm, während der regenloſen Zeit 694,2 mm.

Die Winde P.s hängen mit den Windverhältniſſen der Mittelmeerländer überhaupt 5
aufs engſte zuſammen. Dort weht in den Sommermonaten, beſonders im Juli und Auguſt,
der Paſſat, deſſen Richtung infolge von verſchiedenen zuſammenwirkenden Urſachen teils
eine nördliche, teils eine nordweſtliche oder ſelbſt nordöſtliche iſt. Er bringt Niederſchläge
nicht mit ſich, weil er aus kühleren Breiten in wärmere Breiten kommt, daher als relativ
trocken erſcheint. Aus dieſem Grunde hat Jeruſalem und das weſtliche Bergland von 10
Mai bis Oktober vorwiegend trockene Winde aus Nordweſt, Weſt und Nord; ſie verlang-
ſamen die Temperaturzunahme und vermindern die Wärme. Jedoch ſtellen ſich im September und Oktober nicht ſelten öſtliche und ſüdöſtliche Winde ein, die zur Steigerung
der Hitze beitragen. Im Winter dagegen bringt das Gebiet des Antipaſſats weiter nach
Süden vor und behnt ſeine Herrſchaft über das ſübliche Europa und nördliche Afrika aus. 15
Da er aus wärmeren Gegenden in kühlere vordringt, ſo bringt er über die Mittelmeerländer reichlichen Regen. In P. herrſchen daher in dieſer Zeit die Weſt- und Südweſt-
winde vor, die dem Lande den Regen bringen (vgl. Lc 12, 54). Abgeſehen von dieſen
Verhältniſſen kommt für das Weſtjordanland noch ein beſonderer, ziemlich regelmäßiger
Wechſel zwiſchen Land- und Seewinden in Betracht, der ſich teils in einer jährlichen, teils 20
in einer täglichen Periode bemerklich macht. Durch ihn erhalten die oben geſchilderten
großen Luftbewegungen eine Ablenkung, eine Kräftigung oder auch Schwächung. In der
heißen Jahreszeit erwärmt ſich das ſyriſche Kreidegebirge viel raſcher, als das Mittelmeer.
Dann ſteigt die heißere Luft von dem Feſtlande in die Höhe und ſtrömt in den oberen
Schichten nach dem Meere ab, während die unteren Luftſchichten von dem kühler geblie- 25
benen Meere dem Feſtlande zuſtrömen. Im Winter iſt es umgekehrt: das ziemlich warme
Mittelmeer ſendet dem Lande wärmere, das Land dem Meere kühlere Winde. Der tägliche Wechſel zeigt dieſes Spiel der Luftſtrömungen im kleinen: bei Tage ſenken ſich die
wärmeren oberen Luftſchichten vom Lande aus nach dem Meere zu, während die kälteren
vom Meere aus in das Gebiet des verminderten Luftdrucks auf dem Lande eindringen; 30
in der Nacht umgekehrt. Um 9 oder 10 Uhr vormittags wird an der Küſte eine leichte
Briſe gefühlt, ſie bringt langſam gegen das Bergland vor, erreicht deſſen Höhe um Mittag
oder noch ſpäter und weht bis nach Sonnenuntergang (vgl. HL 2, 17). Dann beginnt
der kühlere Landwind gegen das Meer zu ſtreichen. Dieſer tägliche Wechſel der Luft-
ſtrömung hat für das Land große Wichtigkeit; er mildert die Hitze, bringt Feuchtigkeit 35
und nächtlichen Thau und damit Erfriſchung für alles Lebendige. Zuweilen erzeugt die
Begegnung der beiden Luftſchichten heftige Wirbelwinde, die eine Stunde oder noch länger
andauern. — Über die Verteilung der Winde auf die Monate ſ. die oben angegebene
Litteratur. Der Nordwind iſt kalt (Hi 37, 9), der Weſtwind feucht, der ziemlich ſeltene
Südwind warm, der Oſtwind trocken. Dieſer iſt im Winter anregend und ſehr will- 40
kommen, wenn er nicht zu ſtark iſt. Im Sommer aber iſt er ſehr beſchwerlich wegen
ſeiner großen Hitze und Trockenheit, auch wegen des Staubes, den er oft mit ſich führt.
Noch mehr iſt dies der Fall bei dem Südoſtwind; er trocknet die Schleimhaut der Luft-
wege aus und verurſacht Entzündungen, erzeugt die größte Müdigkeit, Kopfweh, Beklem-
mung der Bruſt, beſchleunigten Puls, Durſt, ſelbſt wirkliches Fieber. „Er trocknet die 45
Möbel aus, daß ſie krachen, krümmt die Bücherdecken und bie in Rahmen hängenden
Bilder und verſengt förmlich ganze Felder von jungem Getreide" (ZdPV XIV, 107).
Vgl. Ez 17, 10; 19, 12; Jon 4, 8. Das iſt der Schirokko oder Sirokko, ein aus dem
arabiſchen scharkī (= öſtlich) entſtandenes Wort. Da er auch ſehr heftig auftreten
kann und Wirbelwinde verurſacht, die Menſchen und Tiere umwerfen, dabei feinen Staub 50
und Sand durch die Luft treibt, ſo iſt es begreiflich, daß er von jeher als der verderbliche Wind gegolten hat (vgl. Jer 18, 17; Ez 27, 26; Hi 1, 19; 15, 2).

Die regneriſche, kühlere Zeit umfaßt die Monate Oktober bis Mai und zerfällt in
drei Abſchnitte. Der erſte fällt zuſammen mit dem ſogenannten Frühregen, hebr. יוֹרֶה
und מוֹרֶה, griech. πρόϊμος Ja 5, 7; darunter ſind die erſten Regengüſſe im Herbſt vom 55
Oktober oder November bis Mitte Dezember zu verſtehen, die das ausgetrocknete Land
anfeuchten und den Beginn des Pflügens ermöglichen. Der zweite Abſchnitt umfaßt die
ſtarken Winterregen (hebr. גֶּשֶׁם), die den Boden ſättigen und die Brunnen, Teiche und
Ciſternen wieder füllen; ſie pflegen in der Zeit von Mitte Dezember bis Mitte oder Ende
März zu fallen. Der dritte Abſchnitt iſt die Zeit des Spätregens, hebr. מַלְקוֹשׁ, griech. 60

ὄψιμος Ja 5, 7, im April und Mai; er läßt die Halme des Weizens in die Aehren
schießen und setzt die Pflanzen überhaupt in den Stand, die heißen Tage des Früh=
sommers zu ertragen. Während die mittlere jährliche Niederschlagsmenge in Jerusalem
581,9 mm beträgt, beläuft sie sich in Nazareth auf 611,7 mm. Man hat diesen Unter=
5 schied daraus erklären wollen, daß die Umgebung von Nazareth stärker bewaldet ist
(ZdPV VIII, 101 ff.). Mit größerem Recht darf jedoch zur Erklärung dieses Unter=
schiedes darauf verwiesen werden, daß Nazareth reichlich 100 km nördlicher liegt als Je=
rusalem, daß seine Entfernung vom Meere bedeutend geringer ist, und daß die Wasser=
scheide erst 12 km östlich von Nazareth läuft, während Jerusalem sogar schon etwas östlich
10 von ihr gelegen ist. Vermutlich wird die Niederschlagsmenge an Orten, die eine noch
südlichere Lage als Jerusalem haben, z. B. in Beerseba, geringer sein als dort. Die ein=
zelnen Abschnitte der Regenzeit sind durch eine oft lange Reihe von trockenen Tagen ge=
trennt. Die anmutige Beschreibung des Frühlings HL 2, 11 f. meint die Zeit nach dem
Schluß des Winterregens. Die Verteilung der Niederschläge auf die einzelnen Monate
15 des Jahres ist für das Land nicht günstig. Die gesamte Regenmenge Jerusalems fällt
in 52,4 Tagen und verteilt sich auf die einzelnen Monate so, daß 67,5% aller Nieder=
schläge in den Monaten Dezember bis Januar fallen. Vom Mai bis September regnet
es fast gar nicht; die regenarme und die heiße Zeit fällt demnach zusammen, ein Umstand,
der dem Gedeihen der Pflanzen schließlich ein Ende bereitet. Um so wichtiger ist für
20 das Land der Thau des Sommers, der das Leben der Pflanzen nicht unwesentlich ver=
längert. Wasser, das verdampfen könnte, ist freilich zu der Zeit in dem dürren Lande
nicht vorhanden; aber die westlichen Seewinde bringen eine so beträchtliche Feuchtigkeit
mit sich, daß es in der Nacht namentlich im Frühjahr, aber auch im September und
Oktober zu reichlichem Thaufall kommt (vgl. HL 5, 2; Hi 29, 19). Bisweilen herrscht
25 sogar bei Tagesanbruch ein dichter Nebel, den erst die Sonne allmählich zerstreut. Wenn
die trockenen Südostwinde wehen, so zehren diese alle Feuchtigkeit der Luft auf, dann
giebt es auch keinen Thau (vgl. 1 Kg 17, 1; Hag 1, 10). Die Regenzeit ist zugleich
die Zeit der stärksten Bewölkung, sie fällt in die Monate November bis März, während
sie im Juli am geringsten ist. Im Sommer, unter der Herrschaft des Passats, kommen
30 Gewitter nicht vor; daher gelten 1 Sa 12, 17 f. Donner und Regen in der Weizenernte
als erschreckende Zeichen. In den übrigen Monaten sind Gewitter nicht selten, am häu=
figsten im April und Mai. Der Schnee ist in P. ein fast regelmäßiger Wintergast, doch bleibt
er selten einige Tage lang liegen. Wie der Hagel in alten Zeiten bekannt war Hi 38, 22;
Hag 2, 17; Jes 30, 30, so stellt er sich auch noch heute im Winter ein.
35 Für die klimatischen Verhältnisse des Jordanthals stehen nur wenige Angaben zur
Verfügung, und diese betreffen hauptsächlich den südlichen Teil bei Jericho. Die Tem=
peraturen sind sehr hoch; auf Grund einer Berechnung (nicht Beobachtung!) glaubt man
für das Nordufer des Toten Meeres eine mittlere Jahrestemperatur von 24,1° C an=
nehmen zu müssen. Das wäre eine Wärme, die etwa der des nördlichen Wendekreises
40 (Nubien) entspricht. Schnee gilt in Jericho als unbekannt; dagegen soll er in Tiberias
bisweilen vorkommen. Schumacher maß in schûni an der östlichen Seite des Jordans
etwa bêsân gegenüber am 17. Februar morgens 7 Uhr 13° C, vormittags 10 Uhr 41°.
Die Niederschläge werden vermutlich gering sein. Die Weizenernte fällt bei Jericho in
die erste Hälfte des Mai. Die Winde des Berglandes streichen in flachem Bogen über
45 das Jordanthal hinweg. Im Jordanthal selbst wehen im Sommer Südwinde, im Winter
Nordwinde; wahrscheinlich hängt diese Erscheinung mit den Luftdruckverhältnissen über
dem Toten Meere zusammen.
In neuerer Zeit ist wiederholt die Frage verhandelt worden, ob sich das Klima P.s
in geschichtlicher Zeit verändert habe. Nach den Vorstellungen, die man sich im Anschluß
50 an die herkömmliche Meinung von der Fruchtbarkeit des Landes (s. unten) gebildet hatte,
glaubte man, die natürlichen Bedingungen des Landes müßten günstiger sein, als man
sie jetzt vorfindet. Wenn man aber die hier einschlagenden Aussagen der Bibel genau
prüft, so deuten gerade sie auf die klimatischen Verhältnisse hin, die sich noch jetzt im
Lande finden. Die jetzige Erforschung des Landes würde gar nicht in der Lage sein,
55 mit Hilfe der heutigen Zustände die des Altertums zu deuten und zu verstehen, wenn
sich nicht die Zustände im wesentlichen gleich geblieben wären. In einem Punkt ist
allerdings eine Veränderung eingetreten: der Wald im Westjordanlande ist geringer ge=
worden. Das AT kennt noch größere Bestände an Baumwuchs, als jetzt im Lande vor=
handen sind (vgl. Jos 17, 15; Jer 4, 7. 29; Jes 9, 18; 10, 34). Ferner legt die ge=
60 nauere Kenntnis des Ostjordanlandes den Schluß nahe, daß das Gebirge im Westen des

Jordan einst, d. h. in sehr alter Zeit, ebenso bewaldet gewesen ist. Es ist möglich, daß mit dem Abnehmen der Bewaldung eine Verringerung des Niederschlags verbunden gewesen ist; von größerem und deshalb wirksamen Umfang wird jedoch der Unterschied im Klima schwerlich sein. Eher läßt sich vermuten, daß sich der Gegensatz der Jahreszeiten gegen früher etwas verschoben hat, daß er schärfer geworden ist. Eine Änderung der 5 mittleren Jahrestemperatur ist deshalb noch nicht anzunehmen.

V. Bewässerung und Fruchtbarkeit. An beständig wasserführenden Flüssen ist P. arm, und die wenigen, die es hat, lassen sich für die Bewässerung des Landes nicht verwerten. Der Hauptfluß P.s, der Jordan, hat nach dem oben S. 575 ff. Gesagten ein zu tiefes Bett, als daß von dort her etwa Kanäle über das Land geführt werden 10 könnten. Selbst eine Berieselung seiner Umgebung könnte mit Benutzung des Jordanwassers nur unter großen Schwierigkeiten durchgeführt werden. In der Geschichte des Landes ist auch kein derartiger Versuch bekannt. Die anderen „Flüsse", wie der Kison und der nahr el-ʿaudsche, laufen in tief liegenden Ebenen neben der Küste. Für die anstoßenden Fluren wäre ihr Wasser verwendbar, für das Bergland nicht. In der Küsten- 15 ebene ist jedoch an Grundwasser durchaus kein Mangel, so daß sich in der Ebene Saron z. B. nicht selten Sümpfe bilden. Hier handelt es sich daher schon mehr um Entwässerung des Bodens. Im Berglande selbst sieht man sich lediglich auf zwei Bewässerungsmittel angewiesen, auf die Quellen und auf den Regen. Einige Teile P.s sind nun an Quellen durchaus nicht arm. Sie brechen nicht auf den Höhen, sondern meist in den 20 Falten des Gebirges oder am Fuße der Berge hervor. Am häufigsten finden sie sich in den östlichen Teilen von Galiläa, ziemlich häufig am südlichen und südöstlichen Rande der Ebene Jesreel, zahlreich auch noch in der Umgebung von nābulus (= Sichem, s. Samaria). Von hier ab nach Süden werden die Quellen seltener und zugleich ärmer an Wasser. Jedoch zeichnet sich die Umgebung von Hebron wieder durch größeren Quellen- 25 reichtum aus. Im Norden dieser Stadt findet sich viel Wasser in den Anfängen des wādi el-ʿarrūb und südwestlich von ihr im wādi ed-dilbe; dieser hatte noch im Oktober 1874 auf eine Strecke von 5 km fließendes Wasser. Die Quellen spielen daher in der kleinen und großen Geschichte des Landes eine hervorragende Rolle. Sie sind die von der Natur gewiesenen Orte zur Besiedelung, ihre Benutzung hat oft Anlaß zum 30 Streit unter den nächsten Anwohnern gegeben und ist nicht selten durch genaue Vorschriften für die Bewohner des Orts geregelt, ihr Besitz bedeutet geradezu die Herrschaft über die nächste Umgebung, so daß sie selbst für die Kriegführung im Lande von ausschlaggebender Bedeutung sind (vgl. Bd VIII S. 676,2—5). Die gegenwärtige Ausstattung der Quellen ist eine ärmliche. Neben ihnen steht etwa ein steinerner Trog, viel- 35 leicht ein alter Sarkophag, zur Tränke für das Vieh. Nur selten ist die Quelle gut gefaßt und ordentlich verbaut, wie z. B. in Nazareth. Aber gar nicht selten sind die Reste von älteren Bauten, die man zu besserer Verwertung des Wassers oder zur Verschönerung des Orts ehemals, besonders zur Zeit der Römerherrschaft, ausgeführt hat. Für eine Sammlung des Regenwassers etwa durch Thalsperren oder in Teichen geschieht 40 gegenwärtig so gut wie nichts. Man behilft sich mit den alten, oft recht verfallenen Teichen, die aus früheren Zeiten sich erhalten haben. Doch wendet man in der Gegenwart den Cisternen, die in großer Anzahl aus dem Altertum vorhanden sind, auf dem Berglande mehr Aufmerksamkeit zu, setzt sie wieder in den Stand oder legt auch neue an. Ebenso werden die alten Brunnen bisweilen wieder hergestellt. Vgl. über solche An- 45 lagen den Art. „Wasserbau". Der größte Teil des Regenwassers fließt daher unbenutzt durch die Thäler zum Jordan oder in das Tote Meer, um dort zur salzigen Lauge zu werden, nach Westen dagegen in die Küstenebene, wo es sich als Grundwasser in den Boden verteilt und in der Regel leicht durch Gruben (vgl. 2 Kg 3, 16) oder Brunnen erreicht werden kann. Hieraus ergiebt sich, daß die Bewässerung des Berglandes durch 50 Quellen bei weitem nicht ausreicht, und daß gegenwärtig nur wenig geschieht, um die jährliche Regenmenge für das Land zu verwerten. Da nun die Quellen nichts anderes sind als in unterirdischen Kammern aufgespeichertes Regenwasser, das an die Oberfläche tritt, so liegt es auf der Hand, daß der Wohlstand des Landes in der Hauptsache doch von den jährlichen Niederschlägen abhängig ist. Bleibt der Regen überlange aus, so ver- 55 siegen die Quellen. Dann leiden Menschen und Vieh (vgl. Ps. 42, 2) unter dem Durst, der Boden ist so trocken und hart, daß er nicht gepflügt werden kann. An Säen ist nicht zu denken, die Ernte schlägt fehl, und ein allgemeiner Nahrungsmangel ist die Folge. Dem entspricht es, wenn im AT so häufig von Dürre und Hungersnot im Lande Israels die Rede ist; vgl. 2 Sa 21, 1; 1 Kg 17 f.; Am 4, 7 f.; Jer 14, 2—6. Das Lob des 60

Landes Dt 8, 7 hat gegenüber der Wüste sein Recht. Im allgemeinen trifft jedoch die Dt 11, 10—12 gegebene Charakteristik des Landes mehr zu, es ist von dem Regen des Himmels durchaus abhängig. Vgl. VI, Pflanzen.

Unter den Quellen P.s befinden sich eine Anzahl Thermen, arab. el-hammi. Die
5 bekanntesten sind die südlich von der Stadt Tiberias gelegenen. Zwei von diesen Quellen sind gefaßt und geben ihr Wasser an Badehäuser ab, die man als das alte Bad und das neue Bad zu bezeichnen pflegt. Das Wasser des neuen Bades mißt 59¹/₂—60¹/₂° C, das des alten 58° C. Eine in der Nähe hervorkommende Quelle hat sogar eine Wärme von 63°. Von den heißen Quellen im Jarmukthale war oben S. 584 f. die Rede. Sie
10 werden von den Eingeborenen gebraucht, entbehren jedoch jeder baulichen Ausstattung. Im Thal des wâdi zerkâ ma'in in Moab brechen auf der Strecke einer Stunde eine Anzahl heißer Quellen hervor, die unter dem Namen hammâm ez-zerkâ zusammengefaßt werden. Die heißeste hat eine Temperatur von 62,8° C. Sie entsprechen der Kallirhoë des Altertums, bei der Herodes der Große einst Heilung suchte Josephus
15 Bell. Jud. I, 33, 5 § 657; Ant. XVII, 6, 5 § 171. Auch an der Mündung des wâdi zerkâ ma'in ins Tote Meer sind mehrere heiße Quellen neben kalten. Man hat längst darauf aufmerksam gemacht, daß sich diese Thermen in der Nähe der Jordanspalte und des Toten Meeres befinden, und glaubt daher, ihr Aufsteigen mit der Geschichte dieses Einbruchs in Verbindung bringen zu sollen. Die Bruchspalten gingen weit in die Tiefe
20 und veranlaßten das Aufsteigen der im Erdinnern gebundenen Kohlen- und Schwefelwasserstoffe. Noetling und Blankenhorn setzen das Hervorbrechen der Thermen an das Ende des Diluviums. Viele Thermen mögen seitdem schon erkaltet sein, und wahrscheinlich setzt sich dieser Vorgang, das Sinken der Temperatur, noch jetzt fort. Zahlreiche Quellen in der Nähe des Jordanthals fallen in der Gegenwart durch ihr warmes Wasser auf,
25 sie sind vermutlich anfangs richtige Thermen gewesen.

Die Frage der Ertragsfähigkeit des Landes ist bereits in dem Art. Ackerbau Bd I S. 135 besprochen worden. Die Meinung ist weit verbreitet, daß P. ein sehr fruchtbares Land sei; sie stützt sich wohl in erster Linie auf die bekannte Aussage des ATs, daß P. ein Land sei, das von Milch und Honig fließt Ex 3, 8. 17; 13, 5; Nu 13, 27; 14, 8 2c.
30 Freilich läßt sich aus Nu 16, 13, wo die Redensart auch auf Ägypten angewandt ist, schließen, daß man sie bereits in Israel in einem allgemeineren Sinne von jedem Lande gebrauchte, das seinen Bewohnern reichlich zu leben gab. Damit ist aber ihr ursprünglicher Sinn durchaus noch nicht festgestellt. Milch und Honig sind nicht Erzeugnisse des Ackerbaus. Die Milch gehört zur Viehzucht, für P. mehr zur Zucht des Kleinviehs, als
35 des Rindviehs. Der Reichtum eines Landes an Milch besagt nur, daß es vortreffliche Weiden für das Vieh besitzt. Der Honig kommt hier nicht in Betracht als Erzeugnis der Bienenzucht — diese war im Altertum in P. nicht üblich —, sondern ist „wilder Honig" Mc 1, 6; Mt 3, 4, Honig, der von wilden Bienen in Felsspalten Dt 32, 13; Ps 81, 17 oder in Erdspalten, vielleicht auch in hohlen Bäumen 1 Sa 14, 25 f. bereitet
40 wurde. Sind die Waben eines solchen Baues voll, so fangen sie an zu fließen. Diese Erscheinung, die sich noch heute in P. (aber auch in anderen Ländern) beobachten läßt, erklärt den Ausdruck „das Land fließt von Honig" aufs Wort. Der „Honig" hat demnach mit der menschlichen Bearbeitung des Landes gar nichts zu thun. Milch und Honig kann es auch dann noch in einer Gegend geben, wenn ihre regelrechte Bebauung durch
45 Menschen aufgehört hat (vgl. Jes 7, 15. 21—25). Es ist daher schwerlich richtig, wenn man diese Redensart so verstehen will, als ob sie ursprünglich eine Aussage über reiche Erträge eines Landes infolge menschlicher Bebauung habe machen wollen. Wahrscheinlich hat der Ausdruck seine Wurzel in den mythischen Vorstellungen von einem himmlischen Lande der Götter, dessen Schätze auch auf der Erde überall da hervortreten, wo eine Gottheit gegen-
50 wärtig ist oder wohnt, die Beispiele, die H. Usener im Rheinischen Museum für Philologie Bd 57 (1902), S. 177—195 besonders aus der Sage und dem Kultus des Dionysos angeführt hat, weisen deutlich darauf hin. Danach würde die Redensart vermutlich an gewisse natürliche Erscheinungen eines Landes anknüpfen, nicht an die Erzeugnisse, die menschlicher Fleiß dem Boden entlockt. Weiter würde daraus folgen, daß die Beziehung
55 dieses Ausdrucks auf P. viel älter ist als die Geschichte Israels. Er scheint im Altertum nicht nur von P., sondern auch von anderen Ländern gebraucht worden zu sein.

VI. Pflanzen. Des Raumes wegen können Pflanzen und Tiere (s. unter VII) hier nur kurz behandelt werden. Die Pflanzenwelt schließt am engsten und deutlichsten an die Bodenbeschaffenheit und die klimatischen Verhältnisse eines Landes an.
60 Sobald der „Frühregen" (s. S. 589,54) den ausgedörrten Boden benetzt hat, beginnen die

Pflanzen ihm ſein grünes Kleid zu weben, und wenn im März die Sonne wärmer ſcheint,
ſo durchflechten es Tauſende von Blumen mit ihrer bunten Stickerei. Selbſt die Fels-
platten und Felsritzen erleben ihren Frühling. Aber er iſt nicht von langer Dauer. Die
brennenden Sonnenſtrahlen und der heiße Wüſtenwind verſengen zuerſt die zarteren Teile
des bunten Gewandes bald; bleiben nur einzelne grüne Fetzen übrig, die neben dem immer 5
ſtärker hervortretenden Grau des Kalkſteines faſt verſchwinden. Namentlich in den südlicheren Teilen des Berglandes bleibt dies eintönige Grau Monate lang die vorherrſchende
Farbe der Landſchaft, hier und da von einzelnen grünen Bäumen unterbrochen. Nur
wo Waſſer fließt, da wachſen und blühen ſelbſt im Spätſommer Pflanzen und Sträucher
in üppigem Wuchs. Sonſt aber herrſcht unter den Pflanzen in der regenloſen und heißen 10
Jahreszeit ein allgemeines Abſterben, bis ein neuer Frühregen ſie wieder zum Leben ruft.
Die Flora des Landes iſt reich an Formen und Arten. Die Gegenſätze P.s in
Lage, Oberflächenbildung, Bodenbeſchaffenheit und Klima bringen es mit ſich, daß neben
den ſübeuropäiſchen Gattungen tropiſche Arten im Jordanthal, aber auch Steppen- und
Wüſtenpflanzen ſich finden. Eine große Anzahl von Pflanzen, die jetzt im Lande wachſen, 15
ſind erſt im Lauf der Geſchichte eingeführt worden. Welche Waldbäume auf der Kreideplatte P.s urſprünglich heimiſch geweſen ſind, wird erſt die genauere Kenntnis der Waldungen des Oſtjordanlandes lehren. Im Weſten des Jordan trifft man einige Wald-
gruppen am Karmel und in ſeiner ſüdöſtlichen Umgebung, ferner am Thabor und in
Obergaliläa. Die Bäume, die ſich hier finden, ſind zunächſt mehrere Eichenarten: die 20
immergrüne Kermeseiche, Quercus coccifera, arab. ſindjân; die Knoppereiche, Quercus
aegilops, arab. mellûl, auch ballût, in Nordſyrien ʼafs. Dazu kommt die Terebinthe,
Pistacia terebinthus, arab. butm; wie ſich die altteſtamentlichen Namen für Eiche
und Terebinthe zu den genannten Baumarten verhalten, iſt ſehr unſicher. Von Nadel-
holzarten kommen vor die Cypreſſe (ſelten), Cupressus sempervirens, im Oſtjordan- 25
lande die Tanne (wahrſcheinlich Edeltanne), ferner die Seeſtrands- oder Aleppokiefer,
Pinus halepensis, arab. snobar. Außerdem ſind zu nennen Pappeln, Populus alba,
die Pistacia Lentiscus (der Maſtixbaum), der Erdbeerbaum, Arbutus unedo und Arbutus Andrachne, arab. kēkab, der wilde Johannisbrotbaum, Ceratoria siliqua,
arab. charrūb, die Tamariske, arab. ṭarfa, in der Nähe des Toten Meeres Populus 30
euphratica, eine Art Weißpappel, arab. gharab. Die meiſten dieſer Arten wachſen
auch in Buſchform und bedecken als Geſtrüpp oft bedeutende Strecken, z. B. im eben
wâdi el-ʽarrûb nördlich von Hebron, auf dem ſüdlichen und weſtlichen Abhange des
Thabor und am Karmel ſowie in ſeiner weiteren Umgebung. Dieſe ſog. Macchien ſind
zum Teil die Reſte früherer Hochwaldungen; gegenwärtig ſorgen namentlich die Ziegen, 35
die dort ihre Weide ſuchen, dafür, daß das Buſchwerk niedrig bleibt, ſo daß nur ſelten
ein Baum daraus in die Höhe wächſt. Hier finden ſich häufig die Phillyrea media,
arab. assemblās, der Storax (Styrax officinalis), Schwarzdorne und Weißdorne, der
Judasbaum (Cercis siliquastrum), die Ciſtroſe (Cistus) mit ihrem einſt ſo berühmten
Harz, dem Ladanum (לֹט Gen 43, 11), der Stechginſter (Genista), Lorbeer, wilde 40
Olivenbäume, Myrthen, Kaperſtrauch (Capparis spinosa) und viele Weidenarten. Die
Sümpfe an der Küſte, ferner die Quellgegenden des Jordan und die bahrat el-ḥûle
ſind beſtanden mit vielen Arten von Binſen (Juncus) und Rohr (Arundo), auch mit
der Papyrusſtaude. An den Bächen wächſt häufig der Oleander mit roten und weißen
Blüten, auch Vitex agnus castus (Abrahamsbaum). Wieſen im eigentlichen Sinne 45
giebt es in P. nicht. Eine ziemlich feſt geſchloſſene Raſennarbe findet man in einem
kleinen Eichenwalde zwiſchen Haifa und Nazareth, ſicherlich auch noch an anderen Stellen;
aber es ſind Ausnahmen. Daß das Gras zu Heu geſchnitten wird, iſt nicht üblich. Es
geſchieht wohl am unteren Kiſon in der Nähe von Haifa, aber wegen des ſumpfigen
Bodens wird das Heu nicht ſehr geſchätzt. Dagegen werden große Strecken des Landes 50
im Frühjahr zu Matten, die in ziemlich loſem Wuchs teils durch perennierende Gräſer,
beſonders durch eine große Zahl von Kräutern und Blumen in oft prächtigen Farben
gebildet werden. Liliaceen, Leguminoſen, Umbelliferen, Labiaten ſind zahlreich vertreten.
Wir finden viele Bekannte aus unſerer Heimat wieder und wenn nicht gerade dieſe ſelbſt,
ſo doch ihre nahen Verwandten. Die Herbſtzeitloſe (Colchicum antumnale) wird mit 55
der ḥªbaṣṣaelet des ATs verglichen (ſ. o. S. 571); doch denken andere an die Narziſſe
(Narcissus Tazetta). Hyacinthen, Ranunkeln, Tulpen, Windroſen (Anemone coro-
naria) und Adonisroſen (Adonis palaestina), Schwertlilien (Irideae), Goldblumen
(Chrysanthemum), Geranien und Kuckucksblumen (Orchis) miſchen ihre buntfarbigen
Blüten unter einander. 60

Faſt neben allen Ortſchaften finden ſich größere oder kleinere Fruchthaine. In ihnen überwiegt der Ölbaum oder Olivenbaum, arab. zêtün, mit zahlreichen Arten; er hat wahrſcheinlich in Syrien ſeine Heimat, jedenfalls kommen dort beſonders ſtarke und ſchöne Exemplare vor. Außer dem wilden Oleaſter giebt es noch einen mit dem Olivenbaum entfernt verwandten Baum oder Strauch, die Ölweide, Elaeagnus angustifolia; er wächſt gern an Gräben und Hecken (vgl. Eſr 8, 15). Der Feigenbaum (Ficus carica, arab. schedscherat et-tîn) kommt häufiger einzeln vor als in Gruppen. Der Aprikoſen= baum (Armeniaca vulgaris, arab. mischmisch) iſt in P. nicht ſehr verbreitet, dagegen werden viele Agrumen-Arten gezogen: Apfelſinenbaum, Citronen= oder Limonenbaum, Pomeranzenbaum, Süßcitronenbaum, Citronatbaum (neuhebr. etrôg) und Mandarinenbaum. Die Granatbäume, arab. rummân, tragen beſonders große Früchte. Neben Wallnuß=, Pfirſich=, Mandel=, Piſtazien= und Quittenbäumen ſind die eigentlichen Obſtbäume zu erwähnen (Pflaumen, Birnen, Äpfel, Kirſchen). Bananen finden ſich in den Gärten von Jaſa und Akko. Der weiß= und ſchwarzbeerige Maulbeerbaum (Morus alba und nigra, arab. schedscherat et-tût) und die Sykomore oder der Maulbeerfeigenbaum (Ficus sycomorus, arab. dschummêz) ſind jetzt nicht häufig. Der edle Johannisbrotbaum iſt wegen ſeines immergrünen dichten Laubes und wegen ſeiner vollen Krone einer der ſchönſten Bäume des Landes; ſeine Schoten werden unter den Trebern Lc 15, 16 zu verſtehen ſein. Die Dattelpalme, Phoenix dactylifera, arab. nachl, iſt jetzt mehr Zierbaum, als Fruchtbaum (ſ. den Artikel „Palme“). Zu den Fruchtbäumen gehören auch einige Dornbäume: der ſogenannte Dornkronenbaum (weil von ihm die Dornenkrone Chriſti angefertigt worden ſein ſoll), Zizyphus spina Christi, arab. nabk, hat kleine apfelartige Früchte; der Zizyphus lotus, arab. sidr, mit pflaumenartigen Früchten und Crataegus monogyna, arab. za'rür, mit fleiſchigen hochroten Früchten und ſtarken Doppelſteinkernen. Über Getreide und Gartenfrüchte ſ. Ackerbau (Bd I S. 130); über die Rebe ſ. Weinbau.

Die Gegend der Steppen= und Wüſtenvegetation iſt das Jordanthal mit der Um= gebung des Toten Meeres, der Negeb und die Grenzgebiete des Oſtjordanlandes an der Wüſte. Sie beginnt jedoch bereits öſtlich von der Waſſerſcheide des weſtlichen Berg= landes. Der Baumwuchs fehlt faſt gänzlich. Um ſo zahlreicher ſind die kleinen ſtach= ligen Buſchgewächſe, „Dornen und Diſteln“ nach Luthers Überſetzung. Zu den erſteren zählen das auf den ganzen Gebirge weitverbreitete Poterium spinosum, arab. billân, ferner zahlreiche Astragalus-Arten (Traganth Gen 43, 11), Rhamnus, Paliurus, Rubus, Zizyphus. Nicht ſelten iſt der Ginſterſtrauch, hebr. רֹתֶם 1 Kg 19, 4, arab. retem, beſſen botaniſcher Name Retam raetam iſt. Von Wachholder kommen Iuni= perus phoenicea und I. oxycedrus vor. Die Beifuß=Arten (Artemisia) ſind zahl= reich. Von Akazien ſind zu nennen Acacia tortilis, arab. sant, und Acacia Seyal, die Schirmakazie, arab. sejâl. Über die Roſen von Jericho, über den Balſam und die Sodomsäpfel ſ. Bd IX S. 575.

VII. **Tiere.** Über Eſel, Hund, Kamel, Maultier, Pferd, Taube ſ. die betreff. Art.; für die Hauſtiere vgl. Viehzucht. — Wie die Flora P.s verſchiedenen Himmelsſtrichen angehört, ſo iſt es ähnlich mit der Fauna. Die Säugetiere des nördlichen P. ſind von denen des ſüdlichen ſo verſchieden, wie man es kaum anderswo auf einem ſo kleinen Gebiet beobachten kann. Jene gehören zur paläarktiſchen Region, dieſe zur äthiopiſchen Region (d. h. Sinaihalbinſel, Ägypten und Nubien). Einige Arten deuten Beziehungen zu Arabien, Meſopotamien oder Indien an. Die Grenze zwiſchen den Vertretern der paläarktiſchen und denen der äthiopiſchen Region läuft ungefähr vom Südrande des Karmel nach dem Südende des Sees Genezareth. Das Übergangsgebiet dehnt ſich nach beiden Seiten hin aus. Von den Säugetieren P.s gehören zur paläarktiſchen Region das Reh, Damwild, Wühlmaus (Arvicola), Zwerghamſter, Siebenſchläfer, Baumſchläfer, Eichhörnchen (arab. sindschäb), Zieſel (Spermophilus), Blindmaus (Spalax Ehren= bergi), Hermelin, Steinmarder, Sumpfluchs, Dachs und Bär. Zur äthiopiſchen Fauna ſind zu rechnen die Stachelmäuſe (Acomys), Springmäuſe und Rennmäuſe, die feiſte Sandmaus (Psammomys obesus), der ſchwarzſchwänzige Gartenſchläfer (Eliomys me= lanurus), Stachelſchwein, Klippſchliefer (Hyrax syriacus, arab. wabr), Steinbock (Capra beden), Gazelle (Gazella dorcas), Wildkatze (Felis bubastis), Steppenkatze (Felis maniculata), Wüſtenluchs (Felis caracal), Panther (Felis pardus), Nilfuchs (Vulpes nilotica), Spitzmaus (Sorex crassicaudus), Igel (Erinaceus brachydac= tylus), Ichneumon, Ginſterkatze (Genetta vulgaris), Wildſchwein. A. Nehring glaubt in einigen Säugetieren Vorpoſten der ſogenannten indiſchen Region zu erkennen, nament=

lich in einer Art von Feldratten (Nesokia); auch scheint ihm der Wolf von P. mit dem
zierlichen vorderindischen Wolfe übereinzustimmen, wie auch die Hyäne zur asiatischen Sippe
gehören mag, während vom Schakal eine Art nach Ägypten, die andere wieder nach
Indien weist. Fledermäuse sind sehr zahlreich sowohl im Süden als auch im Norden.
Das zahme Schwein wird nur von Christen gehalten, es gilt Muslimen und Juden als 5
unrein.

Ähnlich wie bei den Säugetieren läßt sich auch in der übrigen Tierwelt P.s die
Zugehörigkeit zu verschiedenen Regionen beobachten. Von den Vögeln sind eine große
Anzahl Zugvögel, die P. nur auf der Wanderung berühren; einige von ihnen brüten
jedoch auch in den wärmeren Gegenden des Landes. Drosseln sind in vielen Arten ver- 10
treten, auch unsere Nachtigal, die im April P. besucht und am Jordan brütet. Man
zählt Grasmücken in großer Anzahl von der Sylvia cinerea bis zur S. Hypolais
olivetorum. Die Kohlmeise, der Blauspecht und Zaunkönig, die Bachstelze, der Pieper
(Anthus), der Pirol (Oriolus galbula), der Würger, die palästinensische Nachtigall oder
bulbul, Schwalben, der Fink in zahlreichen Arten, unser Haussperling, zugleich aber der 15
viel schöner aussehende Passer moabiticus, der Ammer (Emberiza hortulana) und
der reizende Tropenvogel Cinnyris Oseae am Toten Meer (sonst in Indien und Nubien)
müssen genannt werden. Die Staare fehlen nicht, darunter Pastor roseus und Amy-
drus Tristrami Sclater. Das Geschlecht der Raben ist gut vertreten; neben den uns
bekannten Lerchenarten findet sich Alauda isabellina am Toten Meer und die Wüstenlerche 20
Ammomanes deserti und Amm. fraterculus. Von der gewöhnlichen Schwalbe ist
wohl zu scheiden die Thurm- oder Steinschwalbe in mehreren Arten, arab. sis, ein
Wandervogel Jer 8, 7, Cypselus apus, melba und affinis. Ziegenmelker, Specht
(Picus syriacus), Eisvogel, Wiedehopf und Kuckuck kommen ebenfalls vor. Raubvögel
giebt es recht viele: Eulen, Geier, Adler, Falken, Sperber, Weihe. An Sumpf- und 25
Schwimmvögeln sind zu nennen Reiher, der weiße und schwarze Storch, Pelekan, Fla-
mingo, Wildgans, Schwan, Wasserhuhn, Schnepfe, Kiebitz, Kranich, Trappe (darunter
Houbara undulata am Jordan und Toten Meere), Möve, Sturmvogel und Steißfuß.
An der Ostgrenze P.s taucht bisweilen der Strauß aus der arabischen Wüste auf. Aus
dem Geschlecht der Hühner kommen vor, abgesehen von dem Haushuhn, das Rebhuhn 30
in den Arten Caccabis chukar (von Kleinasien bis Indien), Ammoperdix heyi und
Francolinus vulgaris, die Wachtel und das Birkhuhn, letzteres ebenfalls in mehreren
Arten.

An Schlangen zählt Tristram 33 Arten, darunter auch die ägyptische Naja haje
(Cobra) und andere giftige, z. B. Daboia xanthina (Indien), Cerastes Hasselquistii 35
(Ägypten); an Eidechsen 44, darunter den warran der Araber, der die Arten Psammo-
saurus scincus und Monitor niloticus am Toten Meer umfaßt, das Landkrokodil
Herodots. Das afrikanische Krokodil findet sich in dem Sumpfe des nahr ez-zerkā kurz vor
seiner Mündung südlich vom Karmel (Krokodilfluß bei Plinius V, 17). Im Jahre 1902
erlegten die Beduinen dort ein solches Tier, das von der Schnauze bis zur Schwanzspitze 40
3,20 m maß. Schildkröten giebt es auf dem Lande und im Wasser; auch Frösche und Kröten.
Die Gewässer P.s sind sehr fischreich; Tristram zählt 43 Arten, darunter namentlich Karpfen,
Schleihe, Barbe, Wels, Schleimfisch. Die Angabe des Josephus, daß sich in der Quelle
von Kapernaum der Nilfisch Coracinus finde Bell. jud. III, 10, 8, bestätigt sich insofern, als
in der bahrat el-hūle und in dem See Genezareth, sowie in den benachbarten warmen 45
Quellen Fische vorkommen, die im Nil, z. T. im oberen Nil häufig sind (Clarias ma-
cracanthus von der Gattung Silurus, Chromis niloticus etc.). Insekten sind, wie
in allen wärmeren Breiten, außerordentlich zahlreich, Spinnen, Skorpione, Wespen, wilde
Bienen, Fliegen, Mücken, Flöhe. Unter den Heuschrecken — mehr als 40 Arten — sind
viele unschädlich. Gefürchtet ist noch immer die Wanderheuschrecke (Oedipoda migra- 50
toria), die hauptsächlich aus Arabien kommt und durch ihre Massen furchtbare Verhee-
rungen auf den Feldern und in den Gärten anrichtet (vgl. Joel 1 f.). Die einzelnen Le
11, 22 aufgezählten Arten lassen sich nicht bestimmen. Heuschrecken zu essen (Mt 3, 4),
ist ein Akt freiwilliger oder erzwungener Askese (vgl. Wetzstein in Delitzsch' Kommentar zu
Hi und Koh 452). 55

VIII. Wege. Die heutigen Verkehrswege des Landes folgen in der Regel noch
der Spur der alten Straßen. Sie lassen sich z. T. mit großer Sicherheit bis auf die
Zeiten der Römer zurück verfolgen, die besonders seit dem 3. Jahrhundert unter Septimius Severus ihre vorzüglichen Straßen mit Meilensteinen auch dort herstellten. Für die
älteren Zeiten sind wir auf sehr allgemeine Angaben angewiesen. Josephus behauptet 60
38*

Antiq. VIII, 7, 3 f., daß schon Salomo den Wegen in P. seine Aufmerksamkeit geschenkt und die nach der Hauptstadt führenden mit schwarzen Steinen habe pflastern lassen. Ob= gleich das AT nichts darüber sagt, so mag doch einige Wahrheit in der Behauptung stecken. Denn für seine Kriegswagen mußte Salomo auch einigermaßen fahrbare Wege 5 haben. Gepflasterte Straßen für jene Zeiten anzunehmen, ist gewagt. Wohl ist Ez 40, 17 von der Herstellung eines Pflasters um das Tempelgebäude die Rede, vielleicht Neh 3, 8 von einem Pflastern in Jerusalem; aber das hebräische Wort für Straße führt nicht auf gepflasterte Wege. Nämlich מְסִלָּה, d. i. eine Kunststraße, kommt von סָלַל = aufschütten, erhöhen; das besagt doch, daß man einen künstlichen Weg durch Auf= 10 schüttung herzustellen pflegte. Wenn man der Ankunft eines vornehmen Herrn entgegen= sah, dann bereitete man ihm den Weg, indem man die Bahn ebnete, so daß sie keine Anstöße darbot Jer 31, 9 (8), indem man Löcher und Senkungen ausfüllte, Erhöhungen beseitigte Jes 40, 3 f.; 57, 14; 62, 10. Solche Wegebauten hielten nur für eine kurze Zeit vor; denn die mächtig fließenden Wasser der Regenzeit zerstören im Berglande leicht 15 jede Böschung oder künstliche Ebene, die auf ihrem Wege liegt. Es ist kaum zu er= warten, daß wir von solchen Wegen noch sichtbare Spuren in P. finden. Auch Brücken gab es im Altertum nicht; selbst 2 Mak 12, 13 ist ein sehr unsicherer Zeuge dafür. Dennoch ist nicht daran zu zweifeln, daß es feste Verkehrswege in P. gab; das Kultur= land unterscheidet sich dadurch von der Wüste Ps 107, 4. 7; Jer 2, 6. Und wenn man 20 Zufluchtsstätten für Totschläger im Lande hatte, so mußten die Wege dorthin doch irgend= wie kenntlich sein. Die darauf bezügliche Vorschrift Dt 19, 13 denkt vermutlich nicht an einen Wegebau im technischen Sinn, sondern fordert nur eine Bezeichnung des Weges, so daß niemand ihn verfehlen kann. Man pflegte das zu thun durch aufgerichtete Steine oder durch sorgfältig gelegte Steine Jer 31, 20 (21); so bezeichnet z. B. heute ein Stein= 25 bau, der von weitem wie der Rest eines Wartturms aussieht, die Furt im mittleren nahr ez-zerkā (= Jabbok). Die Wege selbst waren uralt und folgten den Bahnen, die durch die natürliche Beschaffenheit des Landes selbst gewiesen wurden, durch den Rücken der Wasserscheide, durch gute Quellen, durch bequeme Pässe, durch offene Thäler, durch festen Untergrund. Felsige Abhänge suchte man dadurch wegbar zu machen, daß 30 man Treppen auf ihnen aushieb, so die tyrische Treppe (s. oben S. 558, 4), die Stufen der Davidsburg Neh 3, 15, die Stufen des Küstenweges am Karmel und des Abstieges nach Engedi (s. Bd IX S. 571, 87—44). An den Abhängen der Berge finden wir noch andere Spuren alter Wege, z. B. eine in das Gestein eingehauene Fahrbahn für Wagen, die aus dem Kidronthal bei Jerusalem ziemlich gerade aufwärts zum Gipfel des Ölbergs 35 führt. Leider läßt sich ihr Alter nicht bestimmen. In persischer Zeit hören wir von einem Wegezoll Esr 4, 13. 20; 7, 24; vermutlich wurde er nur auf den großen Handels= wegen erhoben und betraf die Waren, nicht die Tiere. Bettler setzten sich gern an den Weg Lc 18, 35, auch Huren mit verschleiertem Gesicht Gen 38, 14. 16. Kreuz= oder Scheidewege galten und gelten noch heute als Sitz der Geister und gaben daher Anlaß 40 zu abergläubischen Gebräuchen.

Über die einzelnen Wege wird bei den einzelnen Landschaften P.s gehandelt (vgl. Galiläa u. s. w.). Hier sollen nur die großen Verkehrswege, die P. durchzogen, erwähnt werden. Beginnen wir damit an der Nordgrenze des Landes. Über die tyrische Treppe stieg die Küstenstraße aus dem Gebiet der Phönizier in die Ebene von Akko hinab. Ihr 45 hohes Alter steht fest durch die Tafeln, die ägyptische und assyrische Könige in die Fels= wände oberhalb der nahr el-kelb nördlich von Beirut haben einhauen lassen (vgl. Lepsius, Denkmäler aus Ägypten III, 197; Herodot II, 106). Sie setzte sich an der Küste fort, indem sie den Karmel umging, bis nach Jafa, lief von dort wahr= scheinlich etwas mehr landeinwärts, um die Sanddünen des Meerufers zu vermeiden, 50 über Askalon nach Gaza und erreichte über Raphia, Rhinokorura und die schmale Land= zunge zwischen dem Mittelmeer und dem Sirbonissee Ägypten. Eine zweite Straße von Norden her lief wahrscheinlich durch das Orontesthal über Hamath und Ribla (s. oben S. 560, 10) und in der Senkung zwischen Libanon und Antilibanos nach Süden und er= reichte über den dschebel ed-dahr die „Thore des Landes" (vgl. Jer 15, 7). Diese 55 Straße läßt sich im einzelnen nicht so bestimmt nachweisen wie die erste. Daß sie diesen Lauf hatte, ist wegen der Lage von Ribla anzunehmen, das weder von Necho II. noch von Nebukadnezar (2 Kg 23, 33; 25, 6 ff.) zum Hauptquartier auf ihren Kriegszügen gemacht worden wäre, wenn es nicht eine direkte Verbindung mit dem Süden gehabt hätte. Ob sich die Straße mit der sogleich zu erwähnenden, der via maris der Kreuzfahrer, ver= 60 einigt oder sich in südwestlicher Richtung durch Galiläa fortgesetzt hat, ist ungewiß;

vielleicht trifft beides zu. Von Nordosten her, von Damaskus zogen mehrere Straßen gegen das Gebiet Israels. Abgesehen von dem Wege nach Tyrus, der das Quellgebiet des Jordan am südlichen Fuße des Hermon durchschnitt, war von großer Wichtigkeit die Straße, die von dort durch die aramäische Landschaft Beth Maacha führte, den Jordan südlich vom See Semechonitis überschritt (heute dschisr benät ja'kūb) und dann in ₅ die Ebene von Genesar hinabstieg. Sie verließ das Ufer des Sees wieder bei dem wādi el-ḥammām, gelangte durch diesen bei dem karn haṭṭīn auf die Wasser- scheide und durch die Ebene el-baṭṭōf oder über turʿān nach Acco am Meere. Das scheint ihr eigentliches Ziel gewesen zu sein, sie hieß deshalb דֶּרֶךְ הַיָּם Jer 8, 23, „die Straße nach dem Meere" (via maris). Außerdem verzweigte sie sich vom karn haṭṭīn ₁₀ aus in mehreren Wegen durch das innere Land. Der eine ging vom karn haṭṭīn süd- lich an den östlichen Fuß des Thabor, bog dann nach Westen um und lief über die Ebene Jesreel (oder an ihrem Rande), über das heutige el-leddschūn (wahrscheinlich = Megiddo, s. Samaria) und durch das angrenzende Hügelland in die Ebene Saron, die sie von den heutigen chirbet es-samrā aus der Länge nach durchzog, um über Lod ₁₅ (= Lydda) in die vorhin genannte Straße nach Ägypten zu münden. Ein zweiter Arm ging vom Thabor in südlicher Richtung weiter, überstieg den dschebel ed-daḥi, berührte dschenīn und erreichte über Kaparkotia (heute kefr kūd) die Ebene Saron, wo er sich mit dem ersten Arm vereinigte. Diese beiden Arme stellten demnach die Verbindung zwischen Damaskus und Ägypten her. Von Damaskus lief eine andere Straße südwärts ₂₀ durch das alte Basan, über Astharoth Karnaim und Astharoth (vgl. Bd II S. 424 f.), setzte sich über das heutige eṭ-turra und er-remte, dann auf dem Rücken des ʿad- schlūn-Gebirges in gleicher Richtung fort, überschritt südlich von burma den nāhr ez- zerkā (= Jabbok) und erreichte über es-salt, ein altes Gedor (s. Peräa), nach Westen das Jordanthal, nach Osten Rabbath Ammon, das spätere Philadelphia. Wahrscheinlich ₂₅ zweigte sich von er-remte noch eine östlichere Straße ab, die das spätere Gerasa der Römer berührte, nach Überschreitung des Jabbok zu der Wasserscheide bei adschbēhāt (s. oben S. 585,₅₁—₅₄) emporstieg (vgl. Ri 8, 11) und dort vermutlich sich teilte; der eine Zweig ging am Rande des Kulturlandes weiter und führte über maʿān (s. Bd XII S. 243,₅₈) nach Südarabien, der andere lief über Hesbon, Baal Meon, Rabbath Moab ₃₀ und Kir Moab (vgl. den Art. Moab Bd XIII S. 195 ff.) nach dem späteren Petra und nach Elath (Bd V S. 285 ff.). Der erste Zweig fällt in seinem südlicheren Teil wahr- scheinlich zusammen mit dem späteren Limes der Römer, der in neuerer Zeit namentlich durch Brünnow und von Domaszewski nachgewiesen worden ist (Mt und Nachr. des DPV 1898, 34 ff.; 1899, 29), auch mit der jetzigen Straße der Mekkapilger. — Die ₃₅ Zugänge von Süden her erfolgten durch das Gebiet des Negeb. Die Straße von Elath (vgl. Bd XIII S. 694 ff.) ging über die Salzstadt, heute chirbet el-milḥ, nach Hebron. Von der ägyptischen Grenzfestung im Osten des Delta (s. Bd XII S. 500,₂₂—₂₉) führte ein Weg in östlicher Richtung nach Gerar und in die Gegend von Kades, bog dort nach Norden um und erreichte über Beerseba die Wasserscheide bei Hebron. Das ist vermutlich ₄₀ der Weg nach Sur Gn 16, 7 (vgl. den Art. Wüstenwanderung). Von Hebron ab folgte er der Wasserscheide über Bethlehem, Jerusalem und Bethel nach Sichem. — Von Osten her, aus der Wüste, kommen zwei Zugänge in Betracht. Der erste von dem alten Duma, der heutigen Oase ed-dschōf, durchschnitt über Salcha und Bozra (s. Bd II S. 425) das südliche Basan, kreuzte in der Nähe von Edrei (ebend.) die von Damaskus ₄₅ kommende Straße und führte in mehreren Zweigen durch den nördlichen ʿadschlūn an den Jordan hinab, überschritt diesen in der Nähe der heutigen Brücke dschisr el-med- schāmiʿ und wandte sich dann südlich nach Beth Sean, von wo sie teils westwärts über das heutige dschenīn in die Ebene Saron, teils südwestlich nach Sichem, teils südlich nach Jericho führte. Der andere Zugang von Osten zweigte sich bei el-kahf von dem ₅₀ ersteren ab und erreichte an den Quellen des Arnon in Moab das israelitische Gebiet.

IX. **Politische Einteilungen und Statistisches.** Über die Teile P.s und ihre Geschichte bis zum ersten christlichen Jahrhundert vgl. die Artikel Galiläa, Gaula- nitis, Judäa, Negeb, Peräa, Philister, Samaria, Trachonitis. Nach der Bewältigung des jüdischen Aufstandes 66—70 wurde das Gebiet des Aufstandes durch eine Verfügung ₅₅ des Kaisers Vespasian die römische Provinz Judäa unter einem prätorischen Legaten. Als unter Hadrian der letzte Aufstand der Juden 132—135 niedergeworfen war, gab wahrscheinlich dieser Kaiser der Provinz den Namen Syria Palaestina und stellte einen konsularischen Legaten an ihre Spitze. Seit Septimius Severus (193—211) wird der einfache Name Palästina üblich. Nachdem auch das Nabatäerreich durch Trajan zur ₆₀

römiſchen Provinz **Arabia** gemacht worden war, ſind die Grenzen zwiſchen den beiden
Provinzen wiederholt geändert worden. Diokletian (285—305) oder ſchon Septimius
Severus (193—211) erweiterten das Gebiet von **Arabia,** indem die Städte **Philadelphia,**
Geraſa, Dium, Canatha, Philippopolis und **Phaina** mit ihrem Gebiet dazu geſchlagen
5 wurden. Dagegen wurde das Gebiet von **Petra** entweder ſchon von Diokletian ſelbſt
oder bald nach ſeiner Abdankung mit der Provinz P. vereinigt. Es wurde aber 358
wieder davon getrennt und zu einer eigenen Provinz gemacht, **Palaestina salutaris,**
die den ſüdlichſten Teil von Judäa (den Negeb), das Gebiet von Petra und die ſüdliche
Umgebung des Toten Meeres umfaßte. Das übrige P. wurde in der Zeit 395—399
10 in **Palaestina prima** und **secunda** geteilt; jenes entſprach etwa den Landſchaften
Judäa und Samaria bis zum Karmel, ſein Hauptort war Cäſarea; dieſes umfaßte die
Ebene Jeſreel ſowie Galiläa, jedoch ohne die Küſte, die zu Phoenice gehörte, ferner im
Oſten des Jordan die Gaulanitis und das Land ſüdlich vom Jarmuk, ſoweit es nicht zur
Provinz **Arabia** gehörte; ihr Mittelpunkt war Scythopolis. Im Anfange des 5. Jahr=
15 hunderts erſcheint **Palaestina salutaris** auch unter dem Namen **P. tertia.** Da dieſe
drei Teile unter einem dux ſtanden, ſo wurde der Name P. (ohne Zuſatz) auch für
das Ganze gebraucht.

Als der Kalif Omar Syrien erobert hatte (636 nach Chr.), teilte er es in fünf
Militärbezirke (dſchund) ein, von denen zwei auf P. fielen, nämlich der **dſchund fi=**
20 **lasṭīn** und der **dſchund al-urdunn** (= Jordan). Der erſtere umfaßte den Negeb,
Judäa und Samaria im Weſten des Jordan bis zur großen Ebene, der zweite Galiläa
und das Jordanthal bis zum Toten Meer. Man erkennt in dieſer Einteilung leicht die
römiſchen Provinzen **Palaestina prima** und **P. secunda** wieder; P. **tertia** war teils
dem dſchund **filasṭīn,** teils dem dſchund von Damaskus zugefallen. Die Hauptſtadt
25 des dſchund **al-urdunn** war Tiberias, des dſchund **filasṭīn** zuerſt Lydda, dann er=
ramle, das durch den Kalifen Soliman 716 gegründet wurde. Im 10. Jahrhundert zählt
Mukaddasī in Syrien ſechs Bezirke (iklīm); neu iſt der Bezirk esch-scharāh mit der
Hauptſtadt Zoar, er ſcheint von dem früheren Militärbezirk von Damaskus der Haupt=
ſache nach abgetrennt zu ſein. Dieſer Einteilung des Landes machten die Kreuzfahrer
30 durch die Gründung des Königreichs Jeruſalem ein Ende (1099—1187). Nachdem Sa=
ladin und ſeine Nachfolger die Herrſchaft der Muslimen wiederhergeſtellt hatten, gehörte
Syrien dem Namen nach zu Ägypten, thatſächlich aber beſaßen es die Nachkommen Sa=
ladins und ſeiner Brüder zu Teilen von wechſelndem Umfang. Nach der Darſtellung
des **Dimaschkī** um 1300 gehörte P. damals den Königen von Damaskus, von Gaza,
35 von Kerak und von Safed. Um 1351 begegnen wir den Bezirken von **filasṭīn** mit der
Hauptſtadt Jeruſalem und der Hauptſtadt Tiberias. 1517 machte der
türkiſche Sultan Selim I. der Herrſchaft der ägyptiſchen Mameluken ein Ende, Syrien
und P. wurden nun von Konſtantinopel aus regiert. Im Lande ſelbſt walteten die be=
rüchtigten türkiſchen Paſchas, nach denen die Provinzen den Namen Paſchalik erhielten;
40 ihre Sitze waren Damaskus und Aleppo, ſpäter auch Akko. Der türkiſche Grundſatz,
dem Landadel große Freiheiten zu gewähren, führte viele Unregelmäßigkeiten, ſogar die
Bildung kleiner unabhängiger Fürſtentümer herbei, wie die Herrſchaft des Druſen Fachr
ed-dīn 1595—1634 und des Beduinen Ẓāhir el-ʿamr etwa 1750—1775. Von 1832
bis 1840 ſtand P. (und Syrien) unter der Herrſchaft Muḥammad ʿAli's von Ägypten,
45 deſſen Sohn Ibrāhīm Pascha die Türken mit glänzendem Erfolge zurückgeſchlagen hatte.
England und Öſterreich verhalfen jedoch dem türkiſchen Sultan wieder zu ſeinem früheren
Beſitz. Die politiſche Einteilung P.s iſt gegenwärtig folgende. Der ſüdliche Teil des
Weſtjordanlandes um Jeruſalem bildet das Mutesarriflik Jeruſalem; der mutesarrif,
etwa unſerem Kreishauptmann oder Regierungspräſidenten entſprechend, verkehrt ſeit 1873
50 direkt mit der Pforte in Konſtantinopel. Die Nordgrenze läuft bei sindschil in der
Nähe des wādi der ballūṭ. Der übrige Teil des Weſtjordanlandes gehört zu dem
1888 neu begründeten Wilājet von Beirut, nämlich die Sandſchaks von Nabulus und
von Akko, an deren Spitze je ein mutesarrif ſteht. Das Oſtjordanland gehört zu dem
Wilājet von Damaskus. Der nördliche Teil, das Sandſchak Haurān, dehnt ſich aus
55 bis zum nahr ez-zerkā und hat ſeinen Mittelpunkt in schēch saʿd an der Oſtgrenze
der alten Gaulanitis. Der ſüdliche Teil iſt das Sandſchak maʿān; es iſt 1894 aus dem
Bezirk es-salt und den nördlichen Teilen des Wilājet Ḥedschāz neugebildet worden.
Der mutesarrif hat ſeinen Sitz in el-kerak.

Der Umfang der genannten türkiſchen Verwaltungsbezirke deckt ſich ungefähr mit
60 den Grenzen P.s, wie ſie in dieſem Artikel angenommen wurden; nur geht das San=

dſchak ma'ān im Süden bis nach Aila (= Elath) nicht unweſentlich darüber hinaus. Nach Cuinet a. a. O. umfaſſen die genannten Bezirke insgeſamt 85 191 ☐km mit mit 607 087 Einwohner. Bringt man nun die Bezirke ſüdlich von el-kerak, nämlich ṭafīle und ma'ān, mit 10 000 ☐km und 67 960 Einwohnern in Abzug, ſo bleiben 75 191 ☐km mit 559 127 Einwohnern. Das wäre die Größe und die Bevölkerung 5 des gegenwärtigen P. in dem Umfange, der für dieſen Artikel in Betracht gekommen iſt. Die Zahlen beruhen auf Schätzung, dürfen alſo nicht als ſicher angeſehen werden. Die Einwohnerzahl P.s iſt ohne Zweifel in den Jahrhunderten der römiſchen Herrſchaft und des Anfangs der arabiſchen Herrſchaft größer geweſen; jene Zeiten waren wohl die beſten für P., die es überhaupt gegeben hat. Wie hoch ſich die Bevölkerung P.s in den früheren 10 Jahrhunderten belaufen hat, läßt ſich durchaus nicht berechnen. Es fehlen uns dazu die Mittel. Es iſt nicht wahrſcheinlich, daß ſie bedeutend höher als jetzt geweſen iſt.

Guthe.

Palamas, Gregorios, berühmter griechiſcher Myſtiker im 14. Jahr- hundert, geſt. 1359. — Litteratur. a) Quellen: Ἰωάννου τοῦ Καντακουζηνοῦ 15 ἱστοριῶν βιβλία δ'. Νικηφόρου τοῦ Γρηγορᾶ ῥωμαϊκὴ ἱστορία. Von beiden Werken iſt die Bonner Ausgabe benutzt. Φιλοθέου λόγος ἐγκωμιαστικὸς εἰς τὸν ἐν ἁγίοις πατέρα ἡμῶν Γρηγόριον ἀρχ. Θεσσαλονίκης τὸν Παλαμᾶ. MSG 151, S. 551—656. Νείλου ἐγκώμιον εἰς τὸν — Γρηγόριον — τὸν Παλαμᾶ. MSG 151, S. 655—674. Von dem Enkomion des Phi- lotheos hat Athanaſios Parios (f. Bd II dieſes Werkes S. 205 f.) einen ſehr brauchbaren 20 volksgriechiſchen Auszug in ſeiner Schrift Ὁ Παλαμᾶς ἐκεῖνος, Wien 1785 gegeben, der von Nikodemos Hagiorites (f. Bd XIV dieſes Werkes S. 62) in ſein Νέον ἐκλόγιον, Venedig 1803 aufgenommen iſt. b) Bearbeitungen: Doſitheos von Jeruſalem, Τόμος ἀγάπης, Jaſſy 1698, Prolegomena S. 1—114. Mich. Le Quien, Oriens Chriſtianus II, Paris 1740. Fabricius, Bibl. Graeca. ed. Harl. XI, S. 494—506. Νικόδημος ὁ Ἁγιορείτης, Ἀκολουθία 25 ἀσματικὴ καὶ ἐγκώμιον τῶν Ὁσίων καὶ Θεοφόρων Πατέρων ἡμῶν, τῶν ἐν τῷ Ἁγίῳ Ὄρει τοῦ Ἄθω διαλαμψάντων, Hermupolis 1847. Κωνσταντίνου τοῦ ἐξ Οἰκονόμων ἐκκλης. συγγράμ- ματα, ἐκδ. Σοφ. Κ. τοῦ ἐξ Οἰκονόμων, I, Athen 1862, S. 569—573. Andr. C. Demetra- copulus, Graecia orthodoxa, Leipzig 1872. F. J. Stein, Studien über die Heſychaſten des 14. Jahrhunderts in der Oeſterreichiſchen Vierteljahrsſchrift für kath. Theologie, Wien 1873 30 (19. Jahrgang). M. J. Gedeon, Πατριαρχικοὶ πίνακες 36—1884 bei Lorenz und Keil in Konstantinopel s. a. Ehrhard bei Krumbacher, Geſch. der byz. Litteratur, 2. Aufl. 1897.

Gregorios Palamas hat ſchon in dem A. „Heſychaſten" (Bd VIII, S. 14 ff.) als Vorkämpfer der Myſtiker in der heſychaſtiſchen Bewegung ſeine Stelle gefunden. Hier iſt von ſeiner Perſon und ſeinem ſonſtigen Wirken zu handeln. Es iſt ſeltſam und 35 wohl von der allgemeinen Antipathie gegen die Heſychaſten nicht unabhängig, daß das Leben dieſes Mannes, der zweifellos zu den großen religiöſen Naturen gehört, von den Abendländern, ſelbſt von den Neueren, nur unzureichend dargeſtellt iſt, obwohl Migne die Quellen längſt zugänglich gemacht hat. Wir ſehen es daher als unſere Hauptaufgabe an, das Verſäumte nachzuholen. Es iſt dabei auszugehen von dem Enkomion des Philotheos, 40 der nicht allein Zeitgenoſſe des P. geweſen, ſondern mit ihm auch noch auf dem Athos zuſammen der Askeſe obgelegen hat (Gedeon a. a. O. 428). Dabei iſt er ein Schriftſteller von Ruf. Und wenn er auch ſein theologiſcher Parteigänger des P. war, ſo hat das nicht den Wert ſeiner genauen chronologiſchen Angaben aus dem Leben ſeines Helden beein- trächtigen, von dem auch viele perſönliche Züge erzählt werden. Kantakuzenos und 45 Gregoras bringen ben P. und ſein Wirken zwar in einem größeren Zuſammenhange, und ſind daher für das Verſtändnis ſeiner Zeit unentbehrlich. Dementſprechend aber tritt das Perſönliche mehr zurück. Was ſie indeſſen davon bringen, läßt ſich in den Haupt- punkten mit den Angaben des Philotheos vereinigen.

Für die Chronologie des Lebens des P. bietet ſich als ſicherer Ausgangspunkt der 50 Termin, an dem P. zum Erzbiſchof von Theſſalonich ernannt wurde. Das geſchah unter dem Patriarchen Iſidor (Kantal. IV, 15; Gregoras XV, 12), der vom 17. Mai 1347 bis zum 2. Dezember 1349 regierte (Krumbacher a. a. O. S. 1149). Und zwar ernannte ihn Iſidor εὐθύς nach ſeiner eigenen Thronbeſteigung (Philotheos MSG 151, S. 613), alſo jedenfalls 1347, wie auch Demetrakopulos annimmt. P. hatte dieſe Stelle 12¹/₂ Jahre 55 und zwar bis zu ſeinem Tode inne (Phil. a. a. O. 635). Der letztere erfolgte demnach 1359. Auf dieſes Jahr läßt auch Gregoras ſchließen, wenn er am Ende ſeines Werkes das Ableben des P. berichtet (XXXVII, 39). Sein Werk endet nämlich mit dem Jahre 1359. Nach dem Berichte des Philotheos 63 Jahre alt geworden, muß P. dann 1296 geboren ſein (Phil. ebenda), und ſein Vater ſtarb 1304, als der Sohn ſieben Jahre 60 zählte (Phil. 558). Die Zeitfolge ſeines Lebens von da an ordnet ſich, wenn wir

weiter davon ausgehen, daß er ein Mann von 30 Jahren war, als er in die Skete,
b. h. ein Mönchsdorf bei Berrhöa eintrat (Phil. 571). Das war demnach im Jahre 1326.
Er kam damals vom Athos und zwar aus der Skete Glossia, die auch bei Miklosich,
Slavische Bibliothek (Wien 1851 S. 162), erwähnt wird, wo P. bereits zwei Jahre ge
5 wesen, wo er also 1324 eingetreten war (Phil. 569—570). Er war damals Schüler
des „berühmten" Asketen Gregor von Byzanz. Vordem hatte er drei Jahre im Kloster
Laura als Koinobiat zugebracht, von 1321—1324, nachdem sein geistlicher Lehrer Nikodemos, der vom Auxentiosberge gekommen und auf dem Athos zu den Mönchen von
Watopädi gehört hatte, gestorben war. Ihm hatte P. drei Jahre gedient und das war
10 sein Anfang auf dem hl. Berge. Er hatte diesen also 1318 betreten. Auf der Reise
von Konstantinopel bis dorthin hatte er sich den Winter zuvor angeblich mit der Bekehrung der Massilianer beschäftigt. Im Jahre 1317 hatte er demnach die Welt verlassen (Phil. 562—566). Er zählte damals 21 Jahre. Dies stimmt auch mit der anderweitigen Angabe des Philotheos, daß P. das Ephebenalter überschritten hatte, als er
15 dem Mönchtum sich zuwandte. Kehren wir nun zum Jahre 1326 zurück, in dem P.
die Skete von Berrhöa aufsuchte, so blieb er hier mit zehn Gefährten fünf Jahre lang
in einem eignen Kellion. Dann kehrte er wieder nach dem Athos zurück (Phil. 574).
Nach zwei Jahren, 1333, begann er dort zu schriftstellern. Seine Erstlingsschrift war
das Leben des Hagioriten Petros. Bald wurde er zum Protos des hl. Berges gewählt,
20 eine Würde, die er aber bald wieder niederlegte (Phil. 581). Doch lange sollte er der
Ruhe nicht genießen, denn es begannen nun bald die Streitigkeiten mit Barlaam. Gegen
diesen wählten ihn seine Mitmönche geradezu zum Vorkämpfer. Drei Jahre weilte er
darum in Thessalonich. Der Streit verschärfte sich bekanntlich bald so, daß 1341 bereits
die erste oder die zweite Synode in der Sache stattfand (Phil. 599. 602). Zugleich ent
25 brannte der Bürgerkrieg zwischen Kantakuzenos und den Paläologen. Der Verdacht, es
mit jenem zu halten und vielleicht auch das zeitweilige Unterliegen der Hesychasten (Synode
von 1345), brachte den P. ins Gefängnis, wo er nach Boivins Exzerpten (Gregoras
Werke, 3. Bd S. 1281) zwei und nach Philotheos, der sich allerdings unbestimmt ausdrückt, vier Jahre festgehalten wurde (Phil. S. 610). Sicher war die Haft 1347 zu
30 Ende, als P. für Thessalonich ernannt wurde, vielleicht schon 1346 (Kant. III, 100).
Es wird nun von den meisten Darstellern bestritten, daß P. sein Erzbistum angetreten
hat. Auch Ehrhard (a. a. O.) läßt es noch unbestimmt. Richtig ist, daß er zunächst von
den damaligen Gewalthabern der Stadt, Alexios Metochites und Andreas Paläologos,
den Feinden des Kantakuzenos zurückgewiesen wurde (Kant. IV, 15; Greg. XV, 12). Auch
35 Philotheos will dieses so wenig verschweigen, daß er vielmehr noch von dem Mißlingen
eines zweiten bald folgenden Versuchs seitens des P., seine Bischofsstadt zu erreichen,
berichtet. Der Patriarch hieß ihn dann in kirchlicher Funktion nach Lemnos gehen (Phil.
616). Bald aber gelang es ihm, sein Bistum anzutreten. Seine Gemeinde holte ihn
sogar feierlich ein (Phil. 617). Es ist nicht abzusehen, wie Philotheos eine solche Angabe
40 etwa erfunden haben sollte. Auch Gregoras setzt, wo er später von P. spricht, voraus,
daß dieser in Thessalonich sich aufhielt. Und die erste der bei MSG 151 S. 1 abgedruckte Homilien des P. führt die Überschrift: *„Περὶ τῆς πρὸς ἀλλήλους εἰρήνης.*
Ῥηθεῖσα μετὰ τρίτην ἡμέραν τῆς πρὸς Θεσσαλονίκην ἐπιδημίαν." Ihr Inhalt
läßt den eben beendigten Bürgerkrieg noch deutlich empfinden. Von Thessalonich aus be
45 suchte P. die letzte entscheidende Synode in Konstantinopel von 1351 (Phil. 621, Kant.
IV, 23). Widrige Umstände ließen ihn aber erst drei Monate nach Beendigung der
Synode nach seiner Metropole zurückkehren. Ein Jahr später erkrankte er schwer, wovon auch Gregoras und zwar von Thessalonich aus Nachricht erhielt (Greg. XXVIII,
12). Kaum genesen, wurde er vom Kaiser zu diplomatischer Verhandlung nach der
50 Hauptstadt gerufen, an der Küste Kleinasiens aber von Seeräubern abgefangen und ein
Jahr festgehalten, wohl von 1353—1354 (Phil. 627, Greg. XXIX, 6f.). Endlich losgekauft, blieb er eine Zeit in Konstantinopel, wo er gegen die Lateiner schrieb (Phil.
627). Drei Jahre nach seiner Heimkehr trat er mit neuen Schriften gegen Gregoras
auf. Im vierten machte sich sein altes Leiden (Darmkrebs?) wieder bemerkbar und
55 führte dann schnell zum Ende (Phil. 635), was Gregoras als ein Gottesgericht ansah
(XXXVIII, 39). Auch diese chronologischen Angaben widersprechen dem nicht, daß P.
1359 starb.

Tragen wir nun in dieses chronologische Schema einige Nachrichten aus dem Leben
ein. P. entstammte einer vornehmen anatolischen Familie. Sein Vater war kaiserlicher
60 Rat in Konstantinopel. Im Elternhause herrschte tiefe Religiosität. Der Vater nahm

vor seinem Ende sogar das Mönchsgewand (Phil. 588). Nach dessen Tode erhielt der kleine P., dem Unterstützungen vom Hofe zu teil wurden, eine sorgfältige Ausbildung, wenn er auch nicht am Hofe erzogen wurde (Kant. II, 39). Schon damals imponierten ihm die Mönche, namentlich die Hagioriten, wie denn einer von ihnen, der nachmalige Bischof von Philadelphia, Makarios Chrysokephalos den Knaben schon in die Mystik 5 einführte (Phil. 561). Seine beiden Brüder folgten ihm ins Mönchtum. Der jüngste, Theodosios, starb dann, als sie in Berrhöa waren. Auch seine beiden Schwestern, Epicharis und Theodote scheinen der Askese sich gewidmet zu haben. Mit ihnen blieb P. bis zu deren Ende in einem innigen Verhältnis (Phil. 571 f. 593). Eine von ihnen war wie der Bruder Gregorios eine ekstatische Natur. Diesem ist der Athos dann zur 10 zweiten Heimat geworden. Immer hat es ihn im Leben wieder noch dort gezogen. Hier hat er auch schon bei seinen Lebzeiten angeblich Wunder gethan. Namentlich sah er häufig Visionen. So schaute er die Erhebung des Hagioriten Makarios auf den Stuhl von Thessalonich 11 Jahre voraus (Phil. 579). Visionen leiteten ihn auch bei allen größeren Entschlüssen seines Lebens. Auch bei und nach seinem Tode geschahen angeblich seltsame 15 Zeichen und Wunder, so daß er schon unter dem Patriarchen Philotheos als Heiliger verehrt wurde. Ihm wurde der 14. November, sein Todestag, gefeiert, der übrigens in die Menäen nicht aufgenommen ist. Sein Bild wurde an heiliger Stätte aufgestellt (Phil. 648).

Die Bedeutung des P. kann man nicht leicht zu hoch anschlagen. Er hat die 20 quietistische Mystik in die griechische Kirchenlehre eingefügt und die lateinische Scholastik vom Oriente abgewehrt. Neben Markos Eugenikos ist P. die wirkungsvollste Gestalt der späteren griechischen Kirchengeschichte. Wie er von seinen Zeitgenossen eingeschätzt wurde, kann man schon daran erkennen, daß Gregoras sein großes Geschichtswerk im Grunde gegen P. geschrieben hat. Die römische Kirche denkt seiner noch jetzt mit solchem 25 Unwillen, daß der Herausgeber der Patrologia sich wegen des Abdruckes der Werke Palamas' entschuldigen zu müssen glaubt (MSG 151 S. 551).

Die meisten seiner äußerst zahlreichen Schriften sind nicht herausgegeben. Außer bei Fabricius und Montfaucon findet man sie bequem MSG 150, S. 771 ff. angegeben. Die gedruckten scheiden sich in verschiedene Gruppen. Gegen die Lateiner und zwar gegen 30 deren Lehre vom hl. Geist sind gerichtet die λόγοι ἀποδεικτικοὶ δύο, die Nikodemos Metaxas 1627 herausgegeben hat (Göttinger Universitätsbibliothek mit dem Zeichen: Patr. Graec. 597). Ebenso die Ἀντεπιγραφαί zuletzt bei MSG 161, S. 244 ff. Mehr ist von seinen hesychastischen Schriften bekannt und zwar der Dialog Theophanes, zuletzt bei MSG 150, S. 909 ff., die Abhandlung Περὶ παθῶν καὶ ἀρετῶν (ebenda S. 1043 ff.); 35 Περὶ τῶν ἱερῶς ἡσυχαζόντων (ebenda S. 1101 ff.); Περὶ προσευχῆς καὶ καθαρότητος καρδίας κεφάλαια γ' (ebenda S. 1117); die Κεφάλαια φυσικὰ θεολογικὰ ἠθικά τε πρακτικὰ ϱν', eine sehr instruktive Schrift, aus der ich nur, um seine richtige Beurteilung der Philosophie zu zeigen, das Wort anführe, daß τὸ εἰδέναι τινα τόπον ἔχει ὁ ἄνθρωπος παρὰ τῷ θεῷ, πᾶσαν ὑπερβαίνει τὴν κατ' ἐκείνους (die alten 40 Philosophen) σοφίαν (a. a. O. S. 1137). Besonders aber sind die praktischen Arbeiten des P. hervorzuheben, unter denen die 43 Homilien (MSG 151, S. 1 ff.) den ersten Platz einnehmen. Sie zeugen in einfacher allgemeinverständlicher Sprache unter reicher Benützung der Schrift von dem evangelischen Ernste des Mannes. Ohne viel Theologie zu bringen, drängt er auf Glauben, den er keineswegs nur intellektuell faßt (S. 93), Nächstenliebe, 45 Bekämpfung der Leidenschaften, indem er zugleich das Fasten, Almosengeben und das Gebet als Mittel des sittlichen Lebens darstellt. Eine starke Sehnsucht nach dem ewigen Leben geht durch alle hindurch. Auch die Erklärung des Dekalogs (MSG 151, S. 1089) ist einfach und nüchtern. Ein hagiographischer Versuch, das Leben des Hagioriten Petrus, wurde schon oben erwähnt. Eine gute Würdigung der allgemeinen Schrift: Prosopo- 50 poeia animae accusantis corpus etc. (MSG S. 959 ff.) ThLZ 1885, S. 93 ff. Im übrigen verweise ich auf die bibliographischen Angaben bei Ehrhard S. 104, wobei ich bemerke, daß die von Simonides veröffentlichte Homilie die achte der von Migne gedruckten ist. **Ph. Meyer.**

Paleario, Aonio (Palearius; eigentl. della Paglia, dei Pagliaricci, Antonio, 55 ital. Humanist, gest. 1570). — Litteratur: A. Seine Schriften: De animarum immortalitate o. O. u. J. 8°; dasf. Lugduni apud Gryphium 1536, 8°; Orationes ad Senatum Populumque Lucenses, Lucae apud Busdragum, 1551, 4°; Actio in Pontifices Rom. et eorum asseclas, typis Voegelianis, 1606, 8°; Briefe von Paleario in den Lettere volgari

di div. nobil. huomini, Venezia 1545; Epistolae etc. ed. Grauff, Bern 1837; Brief von 1545 an die deutschen und Schweizer Reformatoren, bei Schelhorn, Amoenit. hist. eccl. et lit. I, 448; auch von Jllgen herausg., Leipzig 1832, 4°. Una lettera e sette poesie ined. di A. P., mitgeteilt von A. della Torre, Riv. Crist. 1899 (Florenz), S. 117—132. Sein
5 Testament bei Dini, Arch. stor. it. 1897, S. 26 ff. (f. u.). Auszug aus f. Prozeß bei Fontana (Arch. stor. della Soc. Rom. 1896, S. 163 ff. f. u.). — Gesamtausgaben: Aonii Palearii Verulani Opera. Epistolarum l. IV. Orationes. De animarum immortalitate. Lugduni, Seb. Gryphius 1552, 8°; basf. Basel, bei Oporin, 8°; basf. ebb. bei Th. Guarini, 8°; Aonii Palearii Verulani viri eloquentissimi opuscula doctissima etc., Bremae, Typis
10 Th. Villeriani, a. 1619 (diese Ausgaben enthalten die „Actio" nicht). Aonii Palearii Verulani Opera. Ad illam editionem quam ipse auctor recensuerat et auxerat excusa. Nunc novis accessionibus locupletata. Amstelodami, apud H. Wetstenium, 1696, 8°. Aonii Palearii Verulani Opera. Recensuit et diss. de Vita fatis et meritis A. P. praemisit Fr. A. Hallbauer, Jenae, Buch, 1728.
15   B. Bearbeitungen: De vita, fatis et meritis Aonii Palearii von Hallbauer in der Ausgabe der Opera, Jena 1728; Gurlitt, Leben des A. P., eines Märtyrers der Wahrheit, Hamburg 1805, 4°. Notizen über P.s Leben und litter. Thätigkeit enthält auch die Wetsteinsche Ausgabe f. o. — Vgl. ferner M'Crie, History of the Reformation in Italy, sowie die Einleitung zu Babingtons Ausgabe des „Benefizio"; Mrs. Young, The life and times of Aonio
20 Paleario, or a history of the Italian Reformers in the XVI. century, 2 Bde, Lond. 1860; Bonnet, Jules, Aonio Paleario, Etude sur la réforme en Italie, Paris 1862 (deutsch von Merschmann, Hamburg). Blackburn, A. P. and his friends (Philadelphia 1866); Des Marais, A. P. (Roma 1885); Dini, A. P. e la sua famiglia in Colle di Val d'Elsa (Arch. stor. ital. ser. V, t. XX, 1897, S. 1—32); Fontana, Sommario del processo di A. P. in causa
25 di eresia (Arch. stor. della Soc. Rom. 1896, S. 151—175); della Torre, Una lettera di A. P. (f. o.).

Dieser ausgezeichnete Humanist wurde um 1500 in Veroli in der römischen Campagna geboren. Sein neuester Biograph, der unter dem Namen Des Marais verborgene Marchese Bisleti in Veroli, giebt 1503 an, und Dini a. a. O. S. 5 A. 1 erklärt sich damit ein-
30 verstanden, obwohl die Aussagen im Prozeß schwanken. Früh verwaist, verdankte er seine Erziehung dem Giovanni Martelli, sowie dem Bischof Ennio Filonardi, denen er stets ein dankbares Andenken bewahrt hat. 1520 verließ er die Heimat, um in Rom zu studieren, wo Leo X. hervorragende Humanisten um sich und als Lehrer an der Universität versammelte. Als die Schar derselben sich bei der Plünderung der Stadt durch das
35 kaiserliche Heer 1527 zerstreute, verließ auch P. Rom, nicht ohne eine Reihe von dauernden Beziehungen gewonnen zu haben. Sadoleto, Calcagnini, Mauro Arcano, Frangipani, Bernardo Maffei u. a. begegnen von nun ab als seine Freunde bezw. als die Adressaten seiner Briefe. 1529 finden wir ihn in Perugia bei dem dort anwesenden Filonardi, dann Ende Oktober 1530 in Siena. Freunden in der Heimat meldet er seine Ankunft;
40 wie die reizend gelegene Stadt von Parteiungen zerrissen werde und die Beschäftigung mit den Wissenschaften darunter leide, hebt er hervor. Und doch sollte er hier später, nachdem er noch Florenz, Ferrara und Paduas Humanisten kennen gelernt, eine erfolgreiche Thätigkeit als Lehrer entfalten. Es schlossen sich ihm einige alte Jünglinge an, und eine glänzende Rede, welche er zur Verteidigung des mehrerer Vergehen während
45 seiner Verwaltung beschuldigten Antonio Bellanti hielt, war von Erfolg und verschaffte ihm Ruf (es ist die zweite in der Basler Ausgabe). Schon damals war ein Teil seines großen religiösen Lehrgedichtes „De immortalitate animarum" vollendet; 1536 ist dasselbe, dem Bischof P. P. Vergerio gewidmet, auf Veranstaltung des Kardinals Sadoleto in Lyon gedruckt worden. Das Gedicht besteht aus drei Büchern: das erste giebt Be-
50 weise für das Dasein Gottes, da dieses das Fundament für den Unsterblichkeitsglauben bilde; das zweite und dritte bringen spezielle Argumente aus dem Bereich der Philosophie und der Theologie bei; den Schluß bildet eine farbenreiche Beschreibung der Wiederkunft Christi zum Gericht und der Scheidung der Bösen und Guten. Das in Hexametern verfaßte Poem zeigt zwar eine unbedingte Herrschaft über die Sprache, schließt sich aber
55 ganz dem Geschmacke der Zeit an und verrät wenig Originalität in der Gedankenentwickelung. Daß ein Sadoleto, Bembo u. a. den Dichter mit Lob überhäuften, kann für unser Urteil nicht bestimmend sein. Jedoch sei bemerkt, daß P.s Gedicht noch 1776 einen italienischen Übersetzer in dem Abte Pastori in Venedig gefunden hat.
     Mittlerweile hatte P. nach kurzer Unterbrechung sein Amt als Erzieher der Söhne
60 jenes Bellanti in Siena weitergeführt; er glaubte mit Sicherheit auf die Übertragung einer Lehrstelle an der Universität hoffen zu dürfen. Schon hatte die benachbarte Stadt Colle im Elsathale ihm das Bürgerrecht verliehen. Dort in der Nähe in Cercignano er-

warb er ein kleines Landhaus, auf welchem er, seit 1537 mit einem trefflichen Mädchen aus Colle, aus der Familie Guidotti, verheiratet, die glücklichsten Jahre seines Lebens verbrachte. In diese Zeit fällt auch ein Umschwung in seinen religiösen Anschauungen, der sich zwar seiner Entstehung und allmählichen Entwickelung nach unserer Kenntnis entzieht, dessen erstes Symptom aber 1542 zu Tage trat in Form einer Anlage auf 5 Ketzerei, welche bei der Signorie in Siena gegen P. erhoben wurde. Seine Feinde, an ihrer Spitze ein Otto Melius Cotta (Orlando Marescotti?), zogen vor dem Palast des Bischofs Bandini und verlangten seine Verurteilung. Vergebens versuchte der Kardinal Sadoleto, welcher im September 1542 nach Siena kam, die Sache niederzuschlagen; es war die Zeit kurz nach der Gründung des S. Uffizio in Rom, die Gemüter waren 10 allenthalben in Aufregung — auch Siena sollte seinen „Glaubensakt" haben. P. erschien vor dem unter Vorsitz des Governators Francesco Sfondrato versammelten Glaubens= gerichte. Als Anklagematerial hat man vornehmlich eine italienische Schrift von ihm ver= wendet, die er selbst als „Libellus de morte Christi", 1542 verfaßt, bezeichnet und deren Titel nach dem Auszug aus seinem Prozeß bei Fontana S. 164 (doch vgl. S. 165 15 oben) genauer lautete: „Della pienezza, sufficienza et satisfatione della passione di Christo". Die Schrift wurde mit dem Trattato utilissimo del Benefizio di Cristo verwechselt — vgl. m. Abhandlung ZKG I (1877), S. 575—576.

In einer meisterhaften Rede (Pro se ipso) wies P. die Beschuldigungen zurück: nicht Ketzerei, sondern dankbare Verehrung Christi, von dem allein das Heil komme, 20 habe er gelehrt; solle er dafür den Tod erleiden, so könne ihm nichts Erwünschteres widerfahren — neque enim puto christianum esse hoc tempore in lectulo mori. Auch auf die Vorwürfe der Gegner, daß er es mit den Lehren der Deutschen halte, geht er ein: in den Schriften der deutschen Theologen, eines Oekolampadius, Luther, Pomeranus, Butzer, Erasmus, Melanchthon sei vieles, dem niemand seine Beistimmung 25 versagen werde, es seien von ihnen Gedanken und Erklärungen der ältesten Kirchen= väter, der Griechen und Lateiner, wiederholt — in his quae sunt ex commenta= tionibus sumpta, qui Germanos accusant, Origenem, Chrysostomum, Cyrillum, Irenaeum, Hilarium, Augustinum, Hieronymum accusant. Nachdem er so sich verteidigt, greift er die Gegner selbst an: die Bücherzensur bezeichnet er als einen „gegen 30 alle Schriftsteller gezückten Dolch"; das Vorgehen der Inquisition gegen den berühmtesten Sohn Sienas, Bernardino Ochino, welches eben die Herzen aller bewegte, verurteilt er auf das entschiedenste. Endlich zum Schluß ruft er das Zeugnis zahlreicher edlen Männer aus Colle und aus Siena für seine Unschuld an. Der Eindruck der Rede war gewaltig — der Governatore und die Richter sprachen P. frei. Aber seine Anstellung in Siena 35 wußten die Gegner nach wie vor zu verhindern — 1546 endlich erhielt er einen Ruf als Professor nach Lucca, dem er gern Folge leistete.

Wenn ihm nun die Schrift „Von der Wohlthat Christi" abgesprochen werden muß (vgl. auch Bd IX, S. 542, 7 ff.), so gehört dagegen dem Aufenthalte in Siena eine andere an, deren Charakter genugsam durch ihren Titel bezeichnet wird: „Actio in Pontifices 40 Romanos et eorum asseclas". In 20 Thesen (testimonia) entwickelt P. diese „An= klage". Das reine Evangelium — so führt er aus — sei nicht zu finden in der Tra= dition, auch nicht in den römischen Lehren und Einrichtungen, sondern in der pauli= nischen Rechtfertigungslehre, überhaupt in der heiligen Schrift, deren Ansehen die Päpste schmälern, in den Worten Christi, welche jene gering schätzen, sowie den Lehren und Ein= 45 richtungen der Apostel, welchen jene die eigenen Bestimmungen entgegensetzen. Gestützt auf das heilsame Selbstzeugnis der hl. Schrift und den Beweis des Geistes und der Kraft will er diese allein als Norm gelten lassen (These 1—12). Von den römischen Irrtümern werden sodann (These 13—15) drei einzeln behandelt, und es tritt hier ein bemerkenswerter Fortschritt gegenüber dem Standpunkte zu Tage, den noch „De im- 50 mortalitate animarum" einnimmt, wenn als erster dieser Irrtümer die Lehre vom Fegfeuer beseitigt wird, der er dort noch gefolgt ist. Der dritte Abschnitt der Schrift endlich (These 16—20) legt Hand an die Wurzel alles Übels, als welche er die Herrsch= sucht und Anmaßung der Hierarchie kennzeichnet; aus der Arrogierung einer höheren Würde sei es auch hervorgegangen, daß die Päpste nicht Nachfolger, sondern Verfolger des Apostels 55 Petrus geworden seien, und das unsittliche Treiben der Geistlichkeit schreie zum Himmel um Abhilfe.

Diese Schrift ist erst 1606 typis Voegelianis (Leipzig) gedruckt worden, 36 Jahre nach dem Tode ihres Verfassers. Im Jahre 1566 sandte P. sie in zwei Abschriften über die Alpen — ein Exemplar an die Prediger in Augsburg, ein anderes an den 60

Baseler Arzt Theodor Zwinger mit einem Briefe, der die Bitte enthielt, die Schrift im Falle des Zusammentretens eines freien Konzils demselben vorzulegen. C. Schmidt (vgl. 1. Aufl. der „Encykl." Bd XI, S. 51) setzt die Abfassung der „Actio" in das Jahr 1566; ich glaube (Gelzers Monatsbl. 1867, Oktoberheft, S. 256 ff.) nachgewiesen zu haben, daß die Schrift vor der Berufung des Trienter Konzils verfaßt worden ist.

Die Wirksamkeit in Lucca scheint P., wenn wir einen seiner Briefe an Bartolommeo Ricci in Betracht ziehen, doch nicht befriedigt zu haben. Inwieweit er sich der von Vermigli in Fluß gebrachten evangelischen Bewegung, die im Geheimen ihren Fortgang nahm, angeschlossen hat, würde sich vielleicht ergeben, wenn uns mehr als der eine Brief an Celio Secondo Curione übrig wäre, den die Briefsammlung in der Oporinschen Ausgabe (s. o.) an letzter Stelle enthält und der die Übersendung des Porträts von Curiones in Lucca zurückgebliebener Tochter Dorothea begleitete. Gewiß ist die Gefügigkeit des Senates von Lucca gegenüber den Wünschen der römischen Kurie in allem, was die Verfolgung von Ketzern oder Verdächtigen betraf, nicht ohne Einfluß darauf gewesen, daß P. 1555 einen Ruf nach Mailand als Professor der griechischen und lateinischen Litteratur annahm. Seine Gattin mit den Kindern blieb noch eine Zeit lang in Lucca. „Wegen des großen Nutzens, den er der Stadt brachte", erhielt er in Mailand Befreiung von außerordentlichen Steuern. Als das Gerücht ging, Kaiser Ferdinand, König Philipp II. und Heinrich II. von Frankreich sollten mit dem Papste in Mailand zusammenkommen, um wegen eines allgemeinen Konzils zu beraten, schrieb P. (1558) eine Rede vom Frieden; ein Gegenstück dazu bildet die Apostrophe an die Fürsten der Christenheit, welche der „Actio" angehängt ist. Im folgenden Jahre citierte ihn die Inquisition, diesmal in Mailand, zum zweitenmale vor ihr Tribunal. Er war benunziert worden, daß er, obgleich Schriften von ihm auf dem römischen Index der verbotenen Bücher ständen, doch weiter lehre. P. verantwortete sich wegen der obigen Schrift Pro se ipso und wurde unter dem 23. Februar 1560 freigelassen. In dem oben angeführten, in Basel handschriftlich aufbewahrten, Briefe an Zwinger vom 1566 schreibt P.: „Ich bin alt, ich denke an mein Hinübergehen zu Christus; ich mache alles bereit" . . . Ob er ahnte, wie er hinübergehen sollte? Ein halbes Jahr ehe er dies schrieb, war der unerbittliche Ketzerverfolger Michele Ghisleri unter dem Namen Pius V. auf den päpstlichen Stuhl gestiegen. Die Inquisition hatte einst in Siena ihre Beute fahren lassen müssen — jetzt griff sie von neuem zu. Als Anlaß diente die eben erschienene neue, „vom Verfasser vermehrte", bei Guarino in Basel erschienene Ausgabe seiner Schriften. Der Mailänder Inquisitor Fra Angelo von Cremona setzte ihn 1567 unter Anklage der Ketzerei: er habe die Rechtfertigung aus dem Glauben gelehrt, das Fegfeuer geleugnet, das Mönchswesen gering geschätzt und die Bestattung der Toten innerhalb der Kirchen getadelt. 1568 führte man ihn, obwohl er ärztliche Zeugnisse von Transportunfähigkeit beibrachte, auf Befehl des Papstes (vgl. Sommario del Proc. im Arch. della Soc., Rom 1896, S. 167) nach Rom in das Gefängnis an Tor di Nona. Drei Jahre lang ließ man ihn dort schmachten.

Die Veröffentlichung des Auszugs aus dem in Rom gegen ihn geführten Prozeß (s. o.) giebt uns eine Anzahl gesicherter Daten an die Hand. Auf eine Requisition des Kardinals von Pisa hin vom 27. März 1568 an den Kaiser war schließlich P.s Überführung erfolgt, und am 16. September d. J. wurde das erste Verhör gehalten; er gab Auskunft u. a. über alle, mit denen er in Verkehr gestanden. Fortsetzung der Verhöre erfolgte vom 20. Dezember bis in den April 1570. Da ist der alte Mann endlich so weit gebracht, daß er eine Erklärung abgiebt des Inhalts: er glaube alles, was die römische Kirche glaubt — insbesondere „daß die weltliche Gewalt, wenn von der Kirche angewiesen, mit Recht den Ketzer straft und tötet; daß der Papst, auch wenn er in Todsünde verfällt, dadurch seine absolute Gewalt nicht verliert". Man hatte ihm einen spanischen Jesuiten ins Gefängnis geschickt, welcher dieses Geständnis erpreßt zu haben scheint. Unter dem 14. Juni wird ihm „formale Abschwörung" auferlegt. Den Wortlaut dieser Abschwörung hat Daunou veröffentlicht (Essai historique sur la puissance temporelle des Papes, Bd II, S. 278 [1818]) und zwar aus den Originalakten, welche Fontana nur im Auszug bietet. Sie sei, sagt Daunou, von P.s Hand geschrieben, aber nicht mit Datum versehen. Wenn auch kein Beweis gegen die Echtheit dieses Schriftstückes geliefert werden kann, so bezeichnet dasselbe doch offenbar nur eine vorübergehende Schwäche des edlen Märtyrers. Als das dritte Jahr der Gefangenschaft zu Ende ging, sprach er in dem letzten Verhöre zu den Richtern: „Da ich sehe, daß ihr so viele glaubwürdige Zeugnisse gegen mich habt, so ist es nicht nötig, daß ihr euch noch länger um mich bemühet. Ich bin entschlossen, dem Rate des Apostels Petrus zu folgen: Christus hat für uns gelitten, damit wir seinen Fußstapfen nachfolgen sollen u. s. w. So schreitet denn zum Urteil, fället den Spruch über Aonio — befriedigt seine Gegner und erfüllet eure Pflicht!" (Laderchi, Ann. t. XXIII, p. 25). Als die letzte Stunde nahe war, schrieb P. an sein geliebtes Weib und an seine Söhne Lampridio und Fedro, die in Colle der schrecklichen Entscheidung entgegen sahen. „Die Stunde ist da," wendet er sich an jene, „daß ich aus diesem Leben hinübergehe zu Gott meinem Herrn. Voll Heiterkeit gehe ich zu der Hochzeit, die der Sohn des großen Königs bereitet und an der mich teilnehmen zu lassen ich stets den Herrn um seiner grenzenlosen Güte und Freundlichkeit willen gebeten habe. So tröste dich denn, meine geliebte Gefährtin, damit, daß es der Wille Gottes ist und mir zur Freude gereicht; verwende all deine Sorgen auf die betrübten Unsrigen, erziehe und behüte sie in der Furcht Gottes, sei ihnen Mutter und Vater zugleich ..." Und an die beiden Söhne: ...„Es gefällt Gott, mich auf einem Wege zu sich zu rufen, der euch rauh und bitter scheinen wird. Wenn ihr es aber recht betrachtet und sehet, daß ich mit größter Zufriedenheit und Freude mich in den Willen Gottes schicke, so müsset auch ihr zufrieden sein. Tugend und Fleiß — das ist die Erbschaft, die ich euch hinterlasse neben den geringen Besitztümern ... Grüßet Aspasia und Schwester Aonilla, meine im Herrn geliebten Töchter. Die Stunde nahet. Der Geist des Herrn tröste euch und bewahre euch in seiner Gnade." Diese rührenden Briefe sind vom 3. Juli 1570 datiert, dem Tage der Hinrichtung. Sie befinden sich im Original auf der Bibliothek in Siena. Durch die Bruderschaft von S. Giovanni Decollato wurden sie an ihre Adresse befördert. Diese Bruderschaft, welcher die von dem S. Uffizio zum Tode Verurteilten resp. dem weltlichen Arme zur Vollstreckung des Urteils Übergebenen in ihren letzten Stunden anvertraut wurden, hat (vgl. Lagomarsinis Anmerkung zu Pagiani Epist. et Oratt., Bd II [Rom 1762, S. 188]) in ihrem Tagebuche unter dem 3. Juli 1570 notiert, daß ...„messer Aonio Paleari ... domandò perdono a Dio ... e disse voler morire da buon christiano e credere tutto quello che crede la santa Romana Chiessa." Offiziell war diese Retraktation jedenfalls nicht erfolgt, denn das definitive Urteil vom 30. Juni erklärte ihn „impenitentem". Die beiden obigen Briefe sind die letzten authentischen Zeugnisse über P.s religiöse Stellung; sie enthalten nicht ein Wort, welches zu der Annahme berechtigte, daß er seine Überzeugung im Angesicht des Todes verleugnet habe. Im Gegenteil, sie machen den Eindruck, daß er freudig und gottergeben in den eben wegen seiner Abweichung von der römischen Lehre über ihn verhängten Tod gegangen ist.

In den siebziger Jahren des vorigen Jahrhunderts tauchte ein angebliches Porträt P.s in Italien auf und wurde von einem römischen Photographen vervielfältigt und vertrieben. Der Unterzeichnete hat damals das in der öffentlichen Bibliothek zu Veroli befindliche Original untersucht und konstatiert, daß zwar die Echtheit des Bildes nicht ohne weiteres zu bestreiten ist, daß dasselbe jedoch eine Übermalung erlitten hat, die es zweifelhaft macht, ob wir in ihm unter den jetzigen Verhältnissen auch nur entfernt noch das eigentliche Porträt P.s vor uns haben.   **Benrath.**

Paley, William, theologischer Schriftsteller, 1743—1805. — Litteratur über ihn: Life of Paley in Public Characters 1802, S. 97 ff., und in Aikins General Biography 1808, VIII, 588 ff.; G. W. Meadley, Memoirs of W. P., Edinb. 1808 u. öfters; Life of W. P. von seinem Sohne Edmund in der Ausgabe seiner Werke v. J. 1825; dasselbe von Lynam u. Wayland (in den Ausgaben der Werke P.s vom J. 1823 u. 1837; beide in Abhängigkeit von Meadley); H. Digby, P.s Conversations at Lincoln in d. New Monthly Review 1827.

P., einer alten, in Yorkshire begüterten Familie angehörend, wurde im Juli 1743 in Peterborough geboren, empfing seinen ersten Unterricht in der von seinem Vater geleiteten Schule, in der er, ohne sonderliche Vorliebe für die klassischen Studien, mit technischen Handfertigkeitsspielereien sich die Zeit vertrieb; Tage lang angelte er, und diesem Sport ist er, ohne es zu sonderlichen Erfolgen zu bringen, bis in sein Alter treu geblieben (das bekannteste Bild von ihm stellt ihn mit der Angelrute in der Hand dar). Im November 1758 ging er nach Cambridge, nach dem Urteil seines Vaters ein Knabe mit einer großen Zukunft, „so gescheit, wie ich in meinem Leben noch keinem begegnet bin". Nach der Sitte der Zeit studierte er wenig, war aber durch sein aufgeschlossenes, fröhliches Wesen in der Gesellschaft beliebt, angelte, ruderte und wettete in den Hahnenkämpfen, bis ein Freund ihn mit Erfolg auf drastische Weise diesem würdelosen Nichts-

thun entriß. Schon nach Jahresfrist wurde sein Name an der Universität mit Ehren genannt. Im Herbste 1762 wurde er Baccalaureus; bei dieser Gelegenheit gewann er, in dialektischen Kunststücken geübt bis zur Überzeugungslosigkeit, die heute das Ge= stern preisgiebt, es über sich, seine lateinische These noch angesichts der Korona durch
5 die berüchtigt gewordene Einschiebung eines non in ihr Gegenteil zu verkehren und — durchzusetzen. Es war damals sein Ehrgeiz, als homo ad omnia paratus ein paar Jahre der Gegenstand der akademischen Unterhaltung genannt zu werden. 1765 gewann er einen Universitätspreis für eine Vergleichung der stoischen und epikuräischen Philosophie; er reichte der letzteren die Palme und ließ im Behagen des gewonnenen Sieges einen
10 eleganten Mietwagen langsam am College seines Mitbewerbers vorüber und durch die Straßen der Stadt fahren, um von den Leuten gesehen zu werden; noch in späten Jahren kam er gern auf diese Jugendtriumphe zurück. Er lechzte nach Anerkennung, weil er an seine Zukunft glaubte, und brach Einwand oder Widerspruch mit der siegreichen Gewalt seines Sarkasmus nieder. Seine Begabung für mathematische Probleme und seine rednerische
15 Gewandtheit zogen die Blicke vieler auf ihn; aber sein „mißwollender Widerspruchsgeist", den Goethe fast um dieselbe Zeit an Herder tadelt, und seine Vorliebe für pointierte, spitze Rede, die Gegner und Freunde nicht schonte, wenn sie nur geistreich war, seine nörgelnde Unzufriedenheit über den langsamen Aufstieg zu den Höhen des Lebens, ver= gällten ihm die Anfänge der beruflichen Laufbahn. Er klomm die Staffel der akademi=
20 schen Würden empor, wurde fellow, in den Jahren 1767—76 vielgehörter und wegen der Eigenart seiner Gedanken bewunderter Lehrer von Christ College, und 1795 verlieh ihm die Universität den Doktor der Theologie. Was er auf der Universität an Erkennt= nissen und Erfahrungen gesammelt, verwertete er in der Muße, die die zahlreichen, von ihm erstrebten und erlangten kirchlichen Ämter — von seiner Hilfspredigerstelle in Greenwich
25 an bis zu seiner reichdotierten Pfarre von Bishop=Wearmouth und dem Archidiakonat von Carlisle, — ihm gewährten, zu den theologischen und philosophischen Untersuchungen, die seinem Namen in der englischen Wissenschaft Glanz verliehen haben. Seine Pfründen aufzuzählen versage ich mir. Er hatte nach der Zeitunssitte deren oft 4 bis 5 gleichzeitig inne. „Ich bin allerdings", sagte er, als ihm sein Stellenhunger vorgeworfen wurde,
30 „ein Pfründenpluralist, aber ein noch viel größerer Pluralist in meiner zahlreichen Fa= milie" (von seiner ersten Frau, geb. Miß Hewitt, hatte er 4 Söhne und 4 Töchter).
Von den politischen und kirchlichen Parteikämpfen, die in der 2. Hälfte des 18. Jahr= hunderts in England die alte religiöse Kraft in geistlosem Formeltum entleerten und den schöpferischen Hauch des religiösen Gedankens in einer ernüchterten Nützlichkeitslehre er=
35 stickten, hielt er sich, wohl nicht ohne Erwägungen in Hinsicht auf sein pfarramtliches Fortkommen, fern. Einmal, während seiner Cambridger Jahre, als die Verpflichtung der staatskirchlichen Theologen auf die 39 Artikel zu leidenschaftlicher Verhandlung kam, trat P. mit der Behauptung auf, die Artikel seien lediglich Friedensartikel, die Gegensätzen ihre Schärfe nehmen sollten; denn sie enthielten etwa 250 Sätze, von denen viele ein=
40 ander widersprächen; die Kirchenbehörde dürfe nicht erwarten, daß irgend jemand sie alle glaube. Aber als die von P.s Freunden veranlaßte Feathers Petition um Milderung der Praxis dem Parlament vorgelegt werden sollte, verweigerte derselbe P. seine Unter= schrift und wies die ihm gemachten Vorstellungen mit der frivolen Bemerkung zurück, „ein Gewissen könne er sich nicht leisten". Ich wenigstens vermag darin nicht eine bloße
45 „Naivität des Empfindens" zu erblicken; ernste Dinge, hinter denen Überzeugungen stehen, darf selbst ein latitudinarischer College-fellow nicht mit Naivitäten oder smart answers abthun. Jedenfalls waren bis in die siebziger Jahre hinein seine theologischen An= schauungen schwankend; verstandesmäßige Nüchternheit und ein den Wirklichkeiten des Lebens zugewandter Sinn mit der Neigung zu geistreichelnder Rede beherrschen seine aus
50 dieser Periode erhaltenen Predigten.
Erst durch seine wissenschaftlichen Arbeiten, deren Nachwirkungen auf die eng= lische religiöse und theologische Bildung zum Teil bis in die Gegenwart reichen, hat sein Name bleibenden Glanz erlangt. Durch seinen Freund John Law angeregt, verarbeitete er seine Cambridger Vorlesungen in die Principles of Moral and Political Philo=
55 sophy — für das Manuskript erhielt er die damals Aufsehen erregende Summe von 1000 £ —, die 1785 erschienen und noch bei Lebzeiten P.s durch 15 Auflagen liefen. Daß dies Buch bald darauf von der Universität Cambridge als Leitfaden (Text-book) für die Studenten eingeführt wurde, verdankt es keineswegs der Tiefe und Neuheit seiner Gedanken — er selbst bekennt offen seine Abhängigkeit von Hobbes, Locke, A. Tucker,
60 Bentham, Boyle, Ray, Derham u. a. —, sondern der behaglichen Schlagfertigkeit und

biedermännischen Sicherheit, mit der der in P. inkarnierte gesunde Menschenverstand der
Zeit sich vorträgt. In der geschlossenen und klaren, nicht tiefen, aber oft packenden Ge-
dankenführung, der wirksamen Formulierung der strittigen Frage und ihrer allseitigen
Beleuchtung hat keiner seiner Zeitgenossen ihn erreicht; und diese ihm eigentümlichen Vorzüge, die typisch englischen, sind ihm in allen seinen Werken treu geblieben.   5

Die **Principles** gelten in England als die beste Darstellung des Utilitarianismus
des 18. Jahrhunderts. Es ist der seichte empiristische Standpunkt, der unter Ablehnung
angeborener sittlicher Ideen und des Gewissens, mit der Gleichung: Moral = Nützlichkeit anfängt und aufhört. Den Willen Gottes erkennen wir auf zweierlei Weise: entweder aus den Geboten oder aus dem Lichte der Natur. Die Richtung   10
einer Handlung zur Förderung der allgemeinen Glückseligkeit ist das sicherste Mittel zur
Erkenntnis des göttlichen Willens. Recht oder unrecht sind also Handlungen nach ihrer
Tendenz. Was nützlich ist, ist gut. Die Nützlichkeit der Vorschrift bedingt deren Verbindlichkeit. In Verfolg dieser Gedankengänge stellt P., um den in der Überspannung
seines Prinzips liegenden Gefahren zu begegnen, — Hobbes hatte vor ihm durch die Not-   15
wendigkeit der despotischen Staatsform, Locke durch das sittliche Gemeinurteil sich den
Rücken zu decken versucht — einen Unterschied zwischen den nächsten **direkten** und den
entfernteren **indirekten** Folgen einer Handlung fest und läßt die Nützlichkeit besonders
durch diese letzteren bedingt sein. Aber wer vermag alle möglichen nahen oder entfernteren Folgen einer Handlung abzusehen, und wie kann ein also verflackernder Schemen   20
Grundlage oder Antrieb für die Sittlichkeit sein? Weiter: wenn die christliche Tugend
nur unter den Gesichtspunkt der Belohnung im Jenseits, die Verwerflichkeit ruchloser
Verbrechen unter den ihrer Schädlichkeit für das Gemeinwohl gestellt wird, wie kann
von einem Sittlichkeitsideal die Rede sein? — Schon im Jahre 1786 zum Textbuch der
Universitätsvorlesungen erhoben, sind die Principles in zahlreichen Werken kommentiert   25
und bekämpft worden (v. Gisborne, Pearson u. a.); eine französische Übersetzung von Vincent erschien Paris 1817, eine deutsche von Garve, Leipzig 1835.

Die **Horae Paulinae** (1797 deutsch übersetzt von H. P. C. Henke, Helmstädt u. d. T.:
P.s Beweis der Glaubwürdigkeit der Apostelgeschichte und der Echtheit der Briefe des
Apostels Paulus, aus ihren wechselseitigen Beziehungen auf einander) treten, wie aus   30
dem Titel erhellt, für die Geschichtlichkeit und Echtheit des Paulinischen Schrifttums und
der Apostelgeschichte ein. Sie gelten als diejenige Arbeit, in der P. eigene Wege geht:
die Briefe werden in Beziehung zur Apostelgeschichte gesetzt, mit ihr und unter einander
verglichen und eine große Menge coincidences (unbeabsichtigte Übereinstimmungen) gewonnen, die als Spiel freier Dichtung als unmöglich nachgewiesen werden. Die H. P.   35
sind oft kommentiert und analysiert, auch ins Holländische und Französische übersetzt
worden von Levade, Paris 1821, Nîmes 1809.

Die **Evidences** (1794) stehen sachlich in starker Abhängigkeit von Bischof Douglas
(Criterion) und Lardner (Credibility of the Gospel History), sind aber den Vorarbeiten durch Kraft der Sprache und geschickte Gruppierung der Thatsachen weit über-   40
legen; zweifellos das opus palmare in jener Zeit. Jedenfalls hat die
staatskirchliche Theologie dem Buche wegen seiner positiven Ergebnisse bald nach seinem
Erscheinen den ersten Platz angewiesen und es ausgezeichnet wie wenig andere. Die
Universität Cambridge führte es (seit 1822) für die akademischen Vorprüfungen als Leitfaden neben einem der 4 Evangelien in der Grundsprache, einem lateinischen und   45
einem griechischen Schriftsteller als Prüfungsfach ein und hat seit 1849 die Prüfung in
den **Evidences** auf 3 Stunden ausgedehnt; noch heute werden sie benutzt, so daß allerdings gesagt werden darf, daß ein sehr großer Teil der staatskirchlichen Geistlichen P.
seine theologische Bildung im wesentlichen verdankt.

Wie die zeitgenössischen Verteidiger der Offenbarung schlug auch P. den Weg histo-   50
rischer Untersuchung ein. Er bietet zuerst die direkten Zeugnisse für die Wahrheit des
Christentums, sodann die Nebenbeweise, zudritt eine Widerlegung einiger allgemein verbreiteten Einwendungen. — Wir besitzen, heißt es im I. Teile, durchschlagende Zeugnisse,
daß die Männer, die sich Augenzeugen der Wunderthaten Christi nennen, sich freiwillig
den Arbeiten, Leiden und Gefahren des Lebens unterzogen, lediglich auf Grund ihres   55
selbstgewissen, festen Glaubens an die von ihnen berichteten Ereignisse, und daß sie infolge dieser Geschehnisse neue Menschen wurden; im Gegensatz dazu lassen sich die gleichen
Wirkungen aus dem Glauben an andere ähnliche Wunderthaten in der nachapostolischen
Zeit nicht unter sichern Beweis stellen. Aus der Natur der Sache also und ihrer geschichtlichen Bezeugung, die P. neben der Bibel aus Profanschriftstellern (Tacitus, Plinius,   60

Martial, Josephus u. a.) gewinnt, endlich aus dem von Nebenabsichten freien Zeugnis
der altkirchlichen Väter für das neutestamentliche Schrifttum wird der Beweis für die
Wahrheit des Christentums und die Echtheit des NT.s erbracht. — Ein weiterer ergiebt
sich (im II. Teile) aus den alttestamentlichen Weissagungen und ihrer Erfüllung, aus
5 dem unerreichten Sittlichkeitsideal des NT.s, aus der rückhaltlosen, alle Nebenabsichten
verleugnenden Offenherzigkeit der Berichterstattung, aus dem einheitlichen Charakterbild
Jesu in den 4 Evangelien, endlich aus der Übereinstimmung der im NT. gelegentlich zu
Tage tretenden kulturgeschichtlichen und politisch-geschichtlichen Züge mit denen des damaligen Weltbildes; die Schriftsteller des NT.s haben, wird geschlossen, mit breitem Fuße
10 auf dem Boden ihres Landes gestanden, waren gesunde Söhne ihres Volkes und ihrer
Zeit und sind darum als Schilderer der in solcher Umwelt sich abspielenden Ereignisse
nicht zu beanstanden. — Im III. Teile werden die damals vielfach erhobenen Einwendungen gegen das NT., die Widersprüche, Irrtümer, Lücken, besonders die Auslegung des
AT.s, in den Evangelien und Briefen zu entkräften versucht. — Wir sehen, auf den
15 philosophischen Beweis für die Wahrheit der christlichen Idee, auf die Bekämpfung der
pantheistischen Vorstöße gegen die Offenbarung läßt P. sich nicht ein. Die Geschichte ist
die Quelle der Erkenntnis, der Wahrheit: unter diesem Gesichtspunkte haben die Evid.
der kirchlichen Wissenschaft hervorragende Dienste geleistet; und vielleicht kehrt die Gegenwart, die Art und Wesen Christi und seiner Lehre an geschichtlichen Maßen zu messen
20 sucht, zu einzelnen Seiten dieser Untersuchungen zurück. Als Apologie des Christentums
aber haben die Evid. dem Fortschritt des Allgemeinwissens gegenüber ihre Bedeutung
verloren. Die grundlegenden Gedanken, daß die Predigt des Christentums lediglich auf
den Glauben an gewisse erschaute Wunderthaten zurückgehe, anderseits, daß die Hauptaufgabe der geoffenbarten Religion die Befestigung des Glaubens an zukünftigen Lohn
25 und Strafe sei, sind unhaltbar und verraten mangelhaftes Verständnis für das Wesen
des religiösen Bewußtseins. Die Idee der Offenbarung ist in den Evid. mechanisiert,
geradeso wie in der Natural Theology das Verhältnis Gottes zur Welt und Kreatur.
Für die Gesetze der natürlichen Entwickelung, die geistigen und religiösen Zusammenhänge
der Menschheit aus der geschichtlichen Kontinuität sich ergebenden Offenbarungs-
30 gedanken fehlte P. der Blick.

Auch die ebengenannte Natural Theology (1802), ein populärer, aus teleologischen
Gesichtspunkten unternommener Nachweis für Gottes Dasein, hat für die Wissenschaft der
Gegenwart seine Bedeutung verloren. P. legt hier in scharfer Pointierung a priori die
verschieden gearteten Probleme dar, die die Natur in einem gegebenen Falle zu lösen
35 hatte, spannt so das Interesse des Lesers und ruft, indem er die thatsächliche und vollkommene Lösung des Problems durch Gottes weise Schöpferhand feststellt, die Überzeugung
von der Weisheit und Güte Gottes in der Seele wach. In seiner Beweisführung greift
er auf Ray (1691), Derham (1711) und namentlich Nieuwentyt (Regt gebruyk der
weereld beschovinge, 1716, ins Englische übersetzt u. d. T. The Religious Philoso-
40 pher, 1730) zurück. Neu war in P.s Untersuchungen die energische Betonung der teleologischen Methode. Ich lege, sagt er, meinen Finger auf die Anatomie und finde überall und
in jedem einzelnen Falle die Notwendigkeit einer Idee, eines denkenden, abzielenden Geistes
in den Formen des geschaffenen Seins. Auf diesen Satz führt die Untersuchung immer
wieder zurück, und ihm dient die Masse vorsichtig und glücklich für den Beweis ausge-
45 wählter Einzelerscheinungen. Aber gegenüber dem Fortschritte, die die Naturbetrachtung
nach seiner Zeit gemacht, ist das Buch ohne Bedeutung. (Eine deutsche Übersetzung erschien
von Hauff, Stuttgart 1837, eine spanische von Villa Nuova, London 1825, eine französische von Pictet, Genf 1804.)

In der Nat. Theol. erblickt P. die Krönung seines theologischen Systems. Er
50 fordert, daß alle seine Bücher unter diesem einheitlichen Gesichtspunkt gestellt werden; nur
muß man sie in der umgekehrten Reihe lesen als sie geschrieben sind. Die Mor. and Pol.
Principles legen die beiden Sätze fest: „Gott will das Glück seiner Kreatur" und „die
Tugend muß ihren Lohn finden"; die Wahrheit dieses zweiten Satzes beruht aber auf der
Glaubwürdigkeit der christlichen Religion; den Nachweis dieser Glaubwürdigkeit führen die
55 Evid. und die Horae Paulinae, die ihrerseits wiederum auf die Annahme einer gütigen,
auf das Wohlbefinden ihrer Geschöpfe bedachten Gottheit zurückgehen; und für diese These
wird in der Nat. Theol. aus der Idee des Zweckbegriffs der Wahrheitsbeweis angetreten.
Diese deistische Idee von der Welt und ihrer zweckvollen Anordnung, die gemeinsamer
Grund für die Feinde und Verteidiger der kirchlichen Orthodoxie war, hat P. für das
60 neue Jahrhundert in seinem „System" popularisiert. —

Der theologische Standpunkt, den P. in diesen Werken vertritt, ist, wie wir gesehen, der des mattherzigen Supranaturalismus, dem die Überzeugung von der Macht der Sünde, von der Notwendigkeit und centralen Bedeutung der Erlösung durch Christus fehlt. Rechtfertigung und Versöhnung bleiben außer Ansatz. „Gott bete ich an in jener Allgemein- heit des Wortes, in der er selbst zu den Menschen von religiösen Dingen geredet"; nach 5 diesem Satze blieb P.s Rede, so weit das persönliche Bekenntnis in Frage kam, schwebend unklar und von Doppelzüngigkeit nicht frei. Gleiches gilt von seinem kirchlichen Standpunkt. Haltloses Schwanken, Rückgratlosigkeit fast sein ganzes Leben hindurch, bis er sich durch die positiveren Evidences eine reiche Pfründe und die Prälatur erschrieben hatte. Denn dieser Verteidiger des Christentums ging in der amtlichen und nebenamt- 10 lichen Bethätigung seiner Kirchlichkeit nicht von Überzeugung, Grundsatz, Gewissen, sondern von jenem flachen Nützlichkeitsprinzip aus, für dessen Vertreter die Engländer den bezeichnenden Spottnamen High-and-dry erfunden haben.

An dem Maße der gegenwärtigen Wissenschaft gemessen ist P. weder eigenartig noch tief; er selbst wollte „nur etwas Besseres als ein bloßer Sammler sein"; als Anwalt 15 und Darsteller einer bedrohten Position aber nimmt er mit seinem durchsichtigen Stile, seiner biderben, gemütvollen Überzeugung, der klaren Gruppierung seiner Argumente, die er „wie ein General seine Regimenter zu entwickeln" versteht, einen der ersten Plätze ein, unter einem Geschlecht, das Lebenskunst und Lebenspflicht unter den Gesichtspunkt der praktischen Vernunft, des common sense stellte. 20

P.s wichtigere Schriften: 1. Observations on the Character and the Example of Christ, 1776. 2. Caution in the use of Scripture language, 1777 und 1782. 3. Principles of Moral and Political Philosophy, 1785, 17. Aufl. 1819; Ausgabe mit Anm. von A. Bain, 1802; von R. Whately, 1859; die Analysis (Gedankengang) bei C. B. Le Grice, 1822, 4. Aufl. 4. Horae Paulinae, or The Truth 25 of the Scr. History of St. Paul, evinced by a comparison of the Epistles which bear his name with the Acts of the Apostles and with one another, 1790; 1809 (6. Aufl.); Ausgaben mit Anm. von J. Tate, 1840; T. R. Birks, 1850; J. L. Howson, 1877. 5. A View of the Evidences of Christianity, 1794; 1811 (15. Aufl.); Ausgaben mit Anm. von T. R. Birks, 1848; R. Potts, 1850; R. Whately, 1859; Thomas 30 1881; Fist, 1890; Wilkinson, 1892; die Analysis erschien zuerst 1795, dann in vielen Neuauflagen; Rhymes for all the authors etc., 1872 und an Analysis with each chapter summarised in verse, 1892, beide von A. J. Wilkinson. 6. Natural Theology, or Evidence of the Existence and Attributes of the Deity collected from the Appearance of Nature, 1802; 1820 (20. Aufl.); Ausgabe mit Anm. von 35 Lord Brougham in 2 Bdn, 1835—39. 7. Sermons on Several Subjects. 8. Sermons and Tracts, 1808; 9. Serm. on Various Subj., 1825. — Die erste Gesamtausgabe von P.s Werken in 8 Bdn, 1805—1808; von A. Chalmers in 5 Bdn, 1819; von R. Lyman in 4 Bdn, 1825; von Edm. Paley in 7 Bdn, 1825; 2. Aufl. 1838 von D. L. Wayland in 5 Bdn, 1835; in einem Bande, 1851.   **Rudolf Buddensieg.** 40

Palladius, Keltenbischof s. b. A. Keltische Kirche Bd X S. 207, 45.

Palladius, gest. um 430. — Tillemont, Mémoires pour servir à l'hist. eccl etc., XI, 500—530; Joh. Chph. Martini, Disputatio de vita et fatis Palladii Helenopolitani etc., Altorf 1754; F. Lucius, Die Quellen der älteren Geschichte des ägyptischen Mönchtums, ZKG VII, 1885, S. 163 ff.; E. Amélineau, De historia Lausiaca, Paris 1887; Venables in DchrB IV, 45 173—176; Bökler, Evagrius Pontikus (in „Bibl. u kirchenhistor. Studien IV, München 1893), S. 99 f.; ders., Askese und Mönchtum, Frankf. 1897, S. 217—220; Fehler-Jungmann, Institutiones Patrol. II, 1, p. 54 u. 209 f. — Diese älteren Arbeiten sind sämtlich überholt durch die gründlichen Untersuchungen von Erwin Preuschen: Palladius und Rufinus, ein Beitrag zur Quellenkunde des ältesten Mönchtums, Gießen 1897, und von Dom Cuthbert Butler: 50 The Lausiac History of Palladius; a critical discussion, together with notes on early egyptian monachism, Cambridge 1898 (vol. VI der Robinsonschen Texts and Studies). — Vgl. noch aus neuester Zeit: Bardenhewer, Patrologie[2] (1901), S. 306 u. 335; H. Hurter, Nomenclator lit. theologia catholicae[3], t. I (1903), p. 322 sq.; James O. Hannay, The spirit and origin of christian monasticism, London 1903, p. 277 ff. 55

Unter dem Namen Παλλάδιος sind uns zwei größere Schriften aus dem griechisch-christlichen Altertum überliefert: eine Sammlung erbaulicher Mönchsgeschichten, gewidmet einem gewissen Lausos und daher τὸ Λαυσαϊκόν (lat. Historia Lausiaca) betitelt, und eine dialogisch eingekleidete Biographie des Joh. Chrysostomus (Dialogus de vita S. Jo.

Chrysostomi — vgl. den Art. „Chrysost.", Bd IV, S. 102,19 f.). Die von mehreren patristischen Forschern (so von Ceillier, Hist. gén. des auteurs sacrés etc. t. VII; von Nirschl, Lehrb. der Patrol. II, 1883 und noch von Feßler-Jungmann, l. c.) bestrittene Identität der Verfasser dieser beiden Werke darf als durch die neueste Forschung
5 mit ziemlicher Sicherheit dargethan und jetzt fast allgemein angenommen gelten (vgl. Preuschen, Butler, auch Bardenh. S. 335). Gehen wir, wie schon in den früheren Bearbeitungen dieses Artikels von dieser Annahme aus, so ergiebt sich aus den Notizen, welche teils die H. Lausiaca, teils der Dialogus in Betreff der Lebensumstände ihres Autors darbieten (sowie aus verschiedenen Angaben zeitgenössischer Schriftsteller) ungefähr folgendes
10 Lebensbild.

Palladius, ein jüngerer Zeitgenosse des Epiphanius und Hieronymus, bekannt als Gegner beider in den origenistischen Streitigkeiten, wurde gegen das Jahr 368 in Galatien geboren (Epiphanii Ep. ad Joann. Jerosol., s. Ep. 51 inter Epp. Hieronymi c. 9). Er war etwa 20 Jahre alt, als er nach Ägypten reiste, um die berühmten
15 Altväter des dortigen Mönchtums kennen zu lernen und sich ihre asketische Lebensweise anzueignen. Ein in einer Höhle unweit Alexandrien lebender Einsiedler, den er zuerst besuchte, war ihm allzu streng, weshalb er ihn bald wieder verließ und nach kürzeren Aufenthalten bei mehreren anderen Anachoreten in Alexandrias Umgebung zu den berühmten Mönchsgemeinschaften des nitrischen Gebirges wanderte. Hier verweilte er am
20 längsten (wie es scheint gegen 9 Jahre lang) und knüpfte die dauerndsten Verbindungen an, besonders mit Evagrius Ponticus (s. d. Art. Bd V, S. 605 f.), der sein Hauptlehrer wurde und ihm seine begeisterte Vorliebe für die origenistische Lehre und Weltanschauung einflößte. Auch die sketische Wüste und die Thebaide scheint er besucht zu haben, so daß er so ziemlich alle Hauptsitze des damaligen ägyptischen Anachoretentums kennen lernte.
25 Körperliche Leiden nötigten ihn endlich, das anstrengungs= und entbehrungsvolle Wüstenleben aufzugeben. Er begab sich (wahrscheinlich im Jahre 400, dem Todesjahre seines väterlichen Freundes Evagrius) nach Alexandria und von da noch in demselben Jahre über Palästina nach seiner kleinasiatischen Heimat. Wohl noch im Jahre 400 oder in der nächsten Folgezeit treffen wir ihn zu Helenopolis in Bithynien, für welche Stadt ihn
30 Johannes Chrysostomus, damals Patriarch von Konstantinopel, zum Bischof geweiht hatte. Als eifriger Anhänger des Chrysostomus wurde er in die seit 403 von der antiorigenistischen Partei gegen diesen gerichteten Verfolgungen verwickelt. Wie dunkel, verworren und widerspruchsvoll auch die hierauf bezüglichen Nachrichten (im Dial. de vit. Chrys.) lauten mögen, so viel scheint gewiß, daß er in Sachen des verbannten Chrysostomus
35 sich eine Zeit lang (wahrscheinlich im Jahre 405) in Rom aufgehalten hat, um sowohl für sich selbst als für seinen im Exil befindlichen Freund und geistlichen Vorgesetzten Hilfe bei Kaiser Honorius zu suchen (also nicht etwa um Verbindungen mit Pelagius und Cölestius anzuknüpfen, wie z. B. Baronius, Oudinus u. a. ohne allen Grund gemutmaßt haben); ferner daß er nach seiner Rückkehr ins Morgenland (c. 408) auf Befehl des Ar
40 kadius gefangen genommen und ins Exil nach dem fernen Syene in Oberägypten geschleppt wurde, wo er arge Mißhandlungen und Entbehrungen zu erdulden hatte, und daß er endlich (ungewiß wann?) sein helenopolitanisches Bistum mit dem von Aspona in Galatien vertauschte (s. Sokrat. h. e. VII, 36) und gegen das Jahr 430 — vor dem 3. ökumenischen Konzil von Ephesus — starb. Sein Hauptwerk, die Hist. Lausiaca,
45 schrieb Palladius (laut seinem an Lausos gerichteten Vorwort) im 33. Jahre seit seinem Eintritt in den Mönchsstand, im 20. seines Episkopats und im 53. seines Alters, mithin — falls die obigen Zeitangaben als im wesentlichen richtig gelten dürfen — im Jahre 420. Vgl. Butler, p. 179 ff. und 293 ff., wo der Versuch Preuschens, die Hauptdata um etliche Data hinaufzurücken und so das Jahr 416 als Entstehungsjahr der H. Laus.
50 zu gewinnen (Pall. u. Ruf. 233 ff.), als nicht ausreichend begründet dargethan ist.

Von der H. Lausiaca, als der schon am längsten bekannten Hauptschrift des Palladius, existierte zunächst nur eine lateinische Ausgabe, herrührend von Gentianus Hervetus und gedruckt zu Paris 1555 (1570), auch aufgenommen von Herib. Roswepde in Bd VIII seiner Vitae Patrum (1628). Zwei griechische Texte des Werks erschienen kurz nach
55 einander zu Anfang des 17. Jahrhunderts: ein etwas kürzerer, herausgegeben von Joh. Meursius 1616 (unter dem Titel: Palladii Helenopolitani Hist. L., graeca, cum notis, Lugd. Batavorum) und ein umfänglicherer, welchen Fronto Ducäus (Du Duc) zunächst noch lückenhaft edierte (in seinem Auctarium Bibliothecae Patrum, t. IV, Paris. 1624) und welchen etwas später Jo. Cotelerius zu größerer Vollständigkeit ergänzte
60 (Monum. Ecel. Graecae, t. III, 117 sqq., Paris. 1686) und Migne in dieser vervoll

ständigten Gestalt in Band 34 seiner Patrol. graeca (col. 995—1260) aufnahm. Der kürzere (Meursius-) Text gilt der neuesten patristischen Forschung (Preuschen, Butler ꝛc.) wohl mit Recht als der ursprünglichere, der längere (Ducäus-Mignesche) als interpoliert, insbesondere als durch Einfügung einer griechischen Historia monachorum in Aegypto hinter cap. 43 ungehörig erweitert (vgl. wegen dieser H. monach., die mit dem gleich- 5 namigen Rufinschen Werke in wesentlichen sich deckt, den Art. „Rufinus"; auch Grütz- macher, Art. „Mönchtum" Bd XIII S. 219,3 ff.). Freilich liegt auch der Meursiussche Text, welcher anderwärts unter dem Namen Paradisus Heraclides überliefert ist, in verschiedenen Recensionen vor, nämlich einerseits (nach Preuschen, S. 211 ff.) einer „meta- phrastischen" oder stark überarbeiteten, welche durch die Mehrzahl der Handschriften ver- 10 treten erscheint, und andererseits einer der einfachen Urform näher stehenden, vertreten durch die codd. P.ᵃ (Paris. 1628, saec. XIV) und Cᵃ (Coislin. 282, saec. X). Eine noch weiter fortgeschrittene interpolierende Entstellung des Textes der H. Laus. bietet der syrische Paradisus Patrum, welchen P. Bedjan 1897 in Bd VII seiner syr. Acta martyrum et sanctorum (einer Pariser, einer Londoner und 15 einer Berliner) veröffentlicht hat. Die Hist. monachorum erscheint auch in diesen Text eingefügt (freilich nicht als von Rufin, sondern von „Hieronymus" herrührend); manche kleinere Zusätze sind an anderen Stellen, u. a. der auf Ephräm bezüglichen, angebracht, dabei vielfache Umstellungen vorgenommen ꝛc. (vgl. Preuschens Recension in der ThLZ 1898, Nr. 19). Stark verwildert erscheinen auch die Parallelterte zur H. Laus., welchen 20 die in Bruchstücken erhaltene armenische Version, sowie die von Amélineau bekannt ge- machten und in ihrem Werte stark überschätzten Fragmente einer koptischen Übersetzung darbieten (Butler p. 97 ff. 107 ff.). Eine diesen Verwicklungen des kritischen Problems allseitig Rechnung tragende Textausgabe fehlt zur Zeit noch. In Preuschens Monographie sind nur einige Teilstücke des Texts (insbesondere die über Johannes von Lykus, Eva- 25 grius und Makarius d. Ägypter handelnden Kapitel) aufgenommen. Die Butlersche Arbeit bietet umfassende Vorarbeiten zu einer künftigen kritischen Ausgabe; diese selbst, von der eine vor allem wichtige Förderung der Palladiusforschung und der ältesten mönchsgeschicht- lichen Quellenkunde überhaupt zu erwarten steht, ist noch nicht erschienen.

Übrigens darf der hohe Geschichtswert der H. Laus. gegenwärtig als allgemein an- 30 erkannt gelten. Die von Weingarten (Der Ursprung des Mönchtums im nachkonstantin. Zeitalter, Gotha 1877, S. 24), von Baring-Gould (Early Christian Greek Romances, im Cont. Rev. 1877, p. 858 ff.), von Lucius (a. a. O.) und anderen geäußerte Annahme einer gänzlichen Unglaubwürdigkeit des von Palladius (und Rufin) Erzählten hat — zumal in der extremen Fassung Weingartens: die Erzähler verdienten „selbst für das, 35 was sie selbst gesehen haben wollten, fast genau so viel Glauben wie Gullivers Reisen in Liliput" — als starke Übertreibung zu gelten. Ausschmückungen mancherlei Art werden beide Berichterstatter sowie schon ihre Gewährsmänner hie und da sich gestattet haben; ihre erbauliche Tendenz sowie die Überschwänglichkeit ihrer Bewunderung des Asketismus der Väter der Wüste mag das Berichtete stark gefärbt und mit verschiedenen wunderhaften 40 Zuthaten bereichert haben. Aber an ein willkürliches Erdichten nach moderner Roman- schriftstellerart oder auch nur in der Weise mittelalterlicher Legendenschmiede ist bei ihnen nicht zu denken. Die Angaben betreffs der Lebensumstände, Aussprüche und Thaten der größten Mehrzahl der geschilderten Heiligen lauten viel zu konkret und genau, als daß jene extreme Fiktionshypothese sich durchführen ließe. Selbst des Hieronymus scharfes 45 Urteil über die Rufinsche Mönchsgeschichte (Ep. 133 ad Ctesiphontem, c. 3): „librum quoque scripsit quasi de monachis, multosque in eo enumerat, qui numqam fuerunt", nötigt keineswegs zur Annahme frecher Lügen und Erdichtungen, sondern zu- nächst nur zu der einer gelegentlichen übereilten Verdoppelung von Personen oder That- sachen auf Grund ungenauer Referate; wie denn dieses alte Erdübel einer kritiklosen 50 Harmonistik auf nicht wenigen Punkten sowohl des aus Rufin eingefügten Stückes (cap. 43 ff.) wie der eigenen Erzählungen des Palladius sich bemerklich macht. Vgl. überhaupt Zöckler, Ask. und Möncht., S. 212 ff.; Butler, p. 178 ff.; auch Preuschen, S. 210: „Wir müssen — — die Erzählungen des Rufin und Palladius als unschätzbare Dokumente für die Geschichte der Entstehung, Verbreitung und Organisation des Mönchtums, wie für 55 das geistige Niveau, auf dem dieses Mönchtum stand, ansehen und dem entsprechend ver- werten".

Die von Rosweyd (Vitae Patrum l. V u. VI) u. a. als Anhang zur Lausischen Geschichte dargebotenen Ἀποφθέγματα τῶν πατέρων in Form eines alphabetisch geord- neten Mönchs-Lexikons sind späteren Ursprungs und enthalten viele apokryphe Zuthaten, 60

39*

daneben aber auch manches Echte, was aus uralter, hauptsächlich wohl ägyptischer Mönchs=
überlieferung herrührt (Butler, p. 208—215).

Ob der „Dialogus cum Theodoro, Eccles. Rom. Diacono, de vita et con-
versatione Joannis Chrysostomi" (griechisch mit lat. Version zuerst herausgeg. von
5 C. Bigot, Paris 1680; dann bei Montfaucon in t. XIII seiner Chrysostomusausgabe,
p. 155 sqq. und in MSG t. 47, p. 5—82) von unserem oder von einem anderen Palladius herrührt, oder mit anderen Worten: ob der helenopolitanische Bischof Palladius,
der diese Biographie des Chrysostomus jedenfalls verfaßt hat, mit dem Galater Palladius,
dem Verfasser der Lausiaca, eine und dieselbe Person ist oder nicht — darüber mag
10 bei dem Fehlen bestimmter äußerer Zeugnisse für die Identität der beiden sich streiten
lassen (vgl. oben); doch spricht für die Identität nicht nur die wesentliche Gleichartigkeit
der beiden Schriften hinsichtlich ihrer Schreibart, sondern namentlich auch der Umstand,
daß der Verfasser der Lausiaca des Chrysostomus und seiner Freundin Olympias mit
warmer Verehrung als seiner Freunde und Vertrauten gedenkt (s. cap. 144 des text.
15 rec. bei MSG t. 34). Die chronologische Schwierigkeit, daß der Verfasser des Dialogs
sich von dem helenopolitanischen Palladius unterscheidet und diesen um mehrere Jahre
früher in Rom anwesend sein läßt als die Zeit, wo er angeblich daselbst verweilte und
sich mit dem Diakon Theodorus über das Leben und die Schicksale des Chrisostomus
unterredete (nämlich als die Jahre 417 oder 418, unter der Regierung des Papstes Zo-
20 simus) — diese Schwierigkeit läßt sich beseitigen durch die naheliegende Annahme, daß
Palladius die seine Person betreffenden Umstände in dem Dialog absichtlich (auf dem
Wege einer schriftstellerischen Fiktion) verändert habe, um sich als verschieden von jenem
darzustellen (vgl. Preuschen, Pall. u. Ruf., S. 246). Bis zu völliger Gewißheit läßt
sich der Beweis für die Identität der Verfasser der beiden Schriften allerdings nicht
25 führen, da ein unanfechtbares direktes Zeugnis für sie aus alter Zeit nicht vorliegt. Un-
begründbar ist jedenfalls die Hypothese von Labbeus, Vossius und einigen Anderen, welche
den Verfasser des Dialogs mit dem um 430 von Papst Cölestin I. als Missionar nach
Irland gesandten römischen Diakon Palladius identifizieren (s. über diesen Palladius, der
vielmehr als ein geborener Brite zu betrachten sein dürfte: Prosper, Chronic. pars. III,
30 p. 309 in Canisii Lectt. antiquae, T. I; Usher, Britannicar. Ecclesiar. Antiquitt.
p. 418 sqq.; Ebrard, Die iroschott. Missionskirche rc., S. 179; Venables im DchrB
IV, 178 u. vgl. Bd X S. 207, 45]).

Noch existiert unter dem Namen des Palladius eine kleine Schrift: „De gentibus
Indiae et de Brachmanis", die aber eher einen späteren Schriftsteller zum Verfasser
35 zu haben scheint, wiewohl sich ihr Herrühren von unserem Palladius nicht mit entscheidenden Gründen bestreiten läßt (vgl. Cave, Hist. eccl. lit. I, 377, sowie Venables,
p. 176).   Zöckler.

Pallavicino oder **Pallavicini**, Sforza, geboren im Jahre 1607 in Rom im Schoße
einer adeligen Familie, 1630 Geistlicher, 1637 Jesuit, 1639 Professor der Philosophie
40 am römischen Kollegium, der römischen Studienanstalt der Jesuiten, worin er früher das
Recht und die Theologie studiert hatte, 1643 Nachfolger seines Lehrers ·Lugo als Professor der Theologie, nahm teil an der Kongregation von Kardinälen und Theologen,
welche Innocenz X. zur Prüfung der Lehre des Jansenius niedersetzte. Im Jahre 1659
beförderte ihn Alexander VII. zum Kardinal, welche Würde er keineswegs gesucht hatte.
45 Er starb im Jahre 1667. — Unter seinen verschiedenen Werken nimmt die erste Stelle
ein seine Geschichte des Konzils von Trident, zu deren Ausarbeitung ihn der Kardinal
Bernardino Spada zwischen den Jahren 1651 und 1653 ermuntert hatte. Es war nämlich
bereits 1619 die Geschichte desselben Konzils von dem venetianischen Servitenmönche Paolo
Sarpi erschienen, ein gewaltiger Angriff auf das Konzil und die durch dasselbe vertretene
50 Tendenz. Schon hatte der Jesuit Terenzio Alciati im Auftrage des Papstes Urban VIII.
die Materialien zu einem Werke gesammelt, welches eine thatsächliche Widerlegung der
Arbeit des kühnen Serviten sein sollte (es sollte den Titel führen: historiae concilii
Tridentini a veritatis hostibus enucleatae elenchus), als ihn im Jahre 1651 der
Tod dahinraffte, worauf, wie bevorwortet, Pallavicino die Hand ans Werk legte. Der
55 Jesuitengeneral Goswin Nickel beauftragte ihn damit und machte ihn zu diesem Behufe
frei von anderen Geschäften. „Wie ein Condottiere einen Soldaten", sagt Pallavicino,
„habe ihn der General zu dieser Arbeit angestellt." Er war der dazu geeignete Mann, —
in der Theologie zu Hause, der Kurie ergeben, besonders aber standen ihm Quellen zu
Gebote, die Sarpi umsonst sich zu verschaffen gesucht haben würde. Indessen hatte Sarpi

Vieles, was Pallavicino nicht auftreiben konnte. Das Werk des Pallavicino erschien in italienischer Sprache, zuerst in zwei Folianten in Rom 1656 und 1657 unter dem Titel „Istoria del concilio di Trento". Eine zweite Ausgabe erschien in Rom in drei Folianten 1664. Die beste neuere Ausgabe ist die vom Jesuiten Zaccaria in sechs Quartbänden, Faenza 1792—99. Vorgesetzt ist eine Biographie des Verfassers vom Jesuiten 5 Affo. Die lateinische Übersetzung des Werkes besorgte der Jesuit Giattinos in zwei Foliobänden „Vera concilii Tridentini historia", Antverp. 1670. Im 19. Jahrhundert hat Klitsche das Werk in das Deutsche übersetzt. Wie zu erwarten, sind die katholischen Kritiker sehr zufrieden mit dieser Verteidigung des Tridentinums und glauben, Sarpi sei dadurch gänzlich aus dem Felde geschlagen. Daß das keineswegs der Fall ist, hat Ranke 10 gezeigt, Fürsten und Völker von Südeuropa, 1. Ausgabe; 4. Bd, S. 270—289. Man darf behaupten, daß beide Historiker des Tridentinums parteiisch verfahren, Sarpi im liberalen, Pallavicino im päpstlichen Interesse. Vgl. Brischar, Beurteilung der Kontroversen Sarpis und Pallavicinos, Tübingen 1844, 2 Teile. Aber beide sind bis zum heutigen Tage nicht zu entbehren, weil wir eine umfassende und wirklich quellenmäßige Geschichte 15 des Tridentinums noch immer nicht besitzen. — Über P.s zahlreiche andere Schriften, historische, philosophische, theologische, poetische u. s. w., sowie über die, P. betreffende, biographische Litteratur vgl. den A. Pall. von O. Pfülf, S. J., in Wetzer und Weltes Kirchenlexikon² 9, 1308.

(**Herzog †**) **Tschackert.**

Pallium. — Litteratur: Hinschius, Kirchenr. § 78; Scherer, Handbuch des KR 1 (1886), 20 S. 547 ff.; Grisar, Das röm. Pallium und die ältesten liturgischen Schärpen in Festschrift zum elfhundertj. Jubiläum des campo santo in Rom, Freiburg 1897; Gatterer in ZfTh 21 (1897), S. 586; v. Hacke, Die Palliumverleihungen bis 1183, Göttingen 1898; Braun, Die pontifikalen Gewänder des Abendlandes, Freiburg 1898, S. 132 ff. (19. Ergänzungsheft zu den „Stimmen aus Maria Laach); Wilpert, Der Parallelismus in der Entwickelung der toga und des pal- 25 lium, in Byzantinische Ztschr. 8 (1899), S. 490 ff.; Kleinschmidt in Katholik, 3. Folge, 20 (1899), 52 ff. 155 ff.

Pallium ist ein weißer, wollener, handbreiter Kragen, auf welchen sechs schwarze Kreuze eingewirkt oder von Seidenstoff aufgesetzt sind, und welcher an beiden Enden um einige Zoll verlängert ist, um beim Gebrauch auf Brust und Rücken herabzuhängen. Es 30 ist ein geistlicher Schmuck, dessen sich der Inhaber beim Pontifizieren bedienen und welcher an die Nachfolge Christi in der Verbindung mit dem Oberhaupte der Kirche erinnern soll. Ursprung und Bedeutung des Palliums sind bestritten. Einige weisen auf das hohepriesterliche Stirnband oder den Mantel (Mahil) des Hohenpriesters hin, andere auf die Amtsschärpe weltlicher Würdenträger, wieder andere auf den griechischen Mantel. Hierüber 35 ist gerade in jüngster Zeit eine reiche Litteratur entstanden, ohne daß jedoch die Frage als definitiv gelöst zu betrachten wäre. Man vergl. die Litteraturzusammenstellung. Sehr beliebt ist die mystische Deutung, daß es die Nachfolge des Herrn bezeichne, welcher das verlorene Lamm sucht und, wenn er es wiedergefunden, auf seinen Schultern trägt. Aus dem Orient ging das Pallium in den Occident über, wo es der römische Bischof den mit ihm 40 verbundenen Metropoliten verlieh. Man beruft sich gewöhnlich schon auf Zeugnisse aus dem Anfange des 6. Jahrhunderts, deren Echtheit jedoch mit Recht bestritten wird. Unter Gregor I. ist die Erteilung sicher (c. 2. dist. 100 a. 599. c. 3, C. XXV. qu. II. a. 601; vgl. auch die Anm. 1 von Garnerius zum liber diurnus c. III, tit. I, p. 82). Für das fränkische Reich und dann allgemeiner wurde der Vorgang des Bonifatius von 45 bleibendem Einflusse. Er berichtet darüber an den EB. Cudberthus epist. 78 (MG Epistolae III, S. 351): „Decrevimus in nostro synodali conventu — — metropolitanos pallia ab illa sede quaerere, et per omnia praecepta sancti Petri canonice sequi desiderare, ut universi oves sibi commendatas numeremur. Et isti confessioni universi consensimus et subscripsimus". — Seitdem steht fest, daß 50 jeder mit Rom verbundene Erzbischof des Palliums bedürfe, wie dies auch Johann VII. im Jahre 877 zu Ravenna aussprach (c. 1 dist. 100) und die späteren Päpste wiederholentlich bestätigten. Der zu einer Stelle Exforene soll nach seiner Bestätigung und Konsekration binnen drei Monaten sich das Pallium von Rom erbitten (c. 1 dist. 100); denn von dem Besitze desselben hängt die plenitudo pontificalis officii und der Name Ar- 55 chiepiscopus ab, weshalb es auch complementum potestatis archiepiscopalis genannt wird (s. c. 3. 4. 6. X. de usu et auctoritate pallii I, 8). Nach Entscheidung Alexanders III. (gest. 1181) in c. 11. X de electione I, 6 kann der bestätigte Erzbischof, auch ehe er das Pallium erlangt hat, seine Suffraganen vermöge seiner Juris-

diktion konfirmieren und konsekrieren. Innocenz III. deklariert dann genauer c. 28, § 1.
X. de electione I, 6 im Jahre 1202: „Praeterea, quum non liceat archiepiscopo
sine pallio convocare concilium, conficere chrisma, dedicare basilicas, ordinare
clericos, et episcopos consecrare, multum profecto praesumit, qui ante, quam
5 impetret pallium, clericos ordinare festinat, quum id non tanquam simplex
episcopus, sed tanquam archiepiscopus facere videatur". Hieraus ergibt sich,
daß die selbstständige Ausübung der jura ordinis, der Pontifikalien in seiner erzbischöf=
lichen Diöcese, dem Metropoliten vor Erlangung des Palliums nicht gestattet, von Juris=
diktionsrechten aber nur die Berufung einer Synode verboten ist. Bei der Erteilung des
10 Palliums hat der Erzbischof dem Papste den üblichen Obedienzeid zu leisten (f. c. 4 X.
de electione I, 6 Pontificale Rom. tit. de pallio). Das Pallium bezieht sich auf
das höchstpersönliche Verhältnis des Erzbischofs als des Hauptes einer bestimmten Kirchen=
provinz, daher beim Erwerbe einer neuen Provinz ein neues Pallium erbeten werden
muß (c. 4 X. de postulando I, 5). Es darf keiner anderen Person geliehen werden
15 und wird mit dem Besitzer begraben (c. 2 X. de usu pallii I, 8). In der päpstlichen
Verleihungsurkunde werden die Tage bezeichnet, an welchen das Pallium getragen werden
darf (c. 1. 4. 5. 6. 7. X. h. t. I, 8), während der Papst sich desselben bei jeder Ge=
legenheit bedient; auch darf der Erzbischof nur innerhalb der Kirchenprovinz das Pallium
und zwar nur in den Kirchen tragen (c. 1. X. h. t.; c. 2 in Clem. de privilegiis [V, 7]).
20 Ursprünglich wurde es unentgeltlich verliehen (c. 3, dist. 100), später ein hoher Preis
dafür bezahlt (m. f. den Art. „Kirchliche Abgaben" Bd I S. 93, 41 ff. u. 97, 23).
     Über die Bereitung der Pallien gilt folgendes: Es muß Wolle dazu genommen
werden, welche von besonders dazu bestimmten Schafen gewonnen ist. Am Tage der
heiligen Agnes, am 21. Januar, werden einige weiße Lämmer dem Vatikan vorüber=
25 geführt, wo der Papst den Segen über sie spricht, in die Kirche der heiligen Agnes ge=
bracht und unter der Messe beim Agnus Dei auf den Altar gelegt. Nachher übernehmen
die Nonnen von St. Agnes die Pflege der Lämmer, scheren dieselben und spinnen die
Wolle, aus welcher dann die Pallien gearbeitet werden. An der Vesper des Festes Petri
und Pauli, am 28. Juni, werden dieselben vom Papste benediziert, auf den über dem
30 Grabhügel des Apostels Petrus befindlichen Altar der Kirche des Vatikans gelegt und
die Nacht dort gelassen. Daher heißt das Pallium ornamentum de corpore sancti
Petri sumtum (c. 4. X. de electione I, 6). Hierauf werden die Pallien in einem
über der cathedra Petri befindlichen Behältnisse so lange aufbewahrt, bis der Papst sie
den darum Bittenden verleiht.
35   Das Pallium wird nach dem Vorgange des Orients, wo alle Bischöfe es besitzen,
auch einfachen Bischöfen gegeben, sowohl exemten (wie dem Bischof von Breslau, Erm=
land, f. die Bulle Benedikts XIV. von 1742 in dem Bullarium desselben, Tom. III,
Fol. 255 u. a.), wie Suffraganen, vorausgesetzt, daß sie sich im Besitze einer Diöcese
befinden und nicht bloß in partibus infidelium bestellt sind. Als im Jahre 1753 der
40 unter der Metropolitangewalt von Mainz stehende Bischof von Würzburg das Pallium
erhielt, wurde über die Zulässigkeit der Verleihung an nicht exemte Bischöfe Streit er=
hoben. Dieselbe verteidigte Kasp. Barthel, De pallio, Herbipol. 1753, 4° (auch in
den Opuscula juridica varii argumenti, Tom. II, Bamberg 1756, 4°, nr. I), da=
gegen bestritt sie J. G. Pertsch, De origine, usu et authoritate pallii archiepisco=
45 palis, Helmstädt 1754, 4°. Näheres über das Pallium, sowie eine reiche bis auf die
neueste Zeit herunterreichende Litteratur über dasselbe f. bei Hinschius, Kathol. Kirchen=
recht § 78, vgl. § 23. 2. d.   (Mejer †) Sehling.

     Palm, Johannes Henricus van der, gest. 8. Sept. 1840. — J. Clarisse,
Prologus, quo J. H. v. d. Palm exemplum futuris theologis ad imitandum proposuit.
50 Lugd. Bat. 1841; H. F. T. Fodens, J. H. v. d. Palm als Bijbeluitlegger, redenaar en schrijver
gekenschetst, Leyden 1841; Nicolaas Beets, Leven en karakter van J. H. van der Palm,
Leyden 1842; C. J. van Assen, Voorlezing over J. H. v. d. Palm, Dordrecht 1844; B. Glasius,
Godgeleerd Nederland. 3 Dln. 's Hertogenbosch. 1851—56, III, 58—70.

     Hinter uns liegt eine Zeit, in der der Name van der Palms hoch in Ehren stand.
55 Heute ist er fast vergessen, und seine Werke werden nicht mehr gelesen. Nur sein Ruhm
als großer Kanzelredner lebt noch in der Erinnerung, obwohl vermutlich von den Jüngeren
nicht viele seine gedruckten Predigten kennen.
     Van der Palm wurde am 17. Juli 1763 in Rotterdam geboren, wo sein Vater, ein
tüchtiger Lehrer, eine blühende Erziehungsanstalt hatte. Nachdem er zuerst den Unter=

richt seines Vaters genossen und dann das **Gymnasium Erasmianum** seiner Vaterstadt besucht hatte, wurde er 1778 mit 15 Jahren Student der Theologie in Leyden und erhielt durch die Regierung von Rotterdam eine Freistelle im **Staten-college**. Die Hochschule zu Leyden erlebte damals eine Blütezeit, v. d. P. durfte berühmte Männer wie Valckenaar, Rhunkenius, Hollebeek, H. A. Schultens u. a. unter seine Lehrer zählen. Besonders fühlte er sich angezogen von dem zuletzt Genannten, dem er auch seine Kenntnis der morgenländischen Litteratur und seine Vorliebe für diesen Zweig der Wissenschaft verdankte. Schon als Student zeichnete er sich aus durch großen Fleiß, Begabung und streng sittlichen Lebenswandel. Von seinem Wissen und seinem selbstständigen Urteil lieferte er bereits in jener Zeit den Beweis durch die Herausgabe seines „Ecclesiastes philologice et critice illustratus" (Lugd. Bat. 1784), einer Schrift, die sogar im Ausland die Aufmerksamkeit auf ihn lenkte, und von der Rhunkenius erklärt, sie sei ein „praeclarum libellum, in quo omnes qui in his rebus iudicare possunt, et ingenium autoris et eruditionem admirantur." Als v. d. Palm 1784 die Universität verließ, gab ihm die theologische Fakultät das Zeugnis: „Non saepe contingit, ut ex disciplina nostra dimittamus Juvenes omni liberali doctrina adeo politos, ut est Joannes Henricus van der Palm Roterodamensis, quique tantos etiam in diviniore scientia progressus fecerint ... Nostros inter auditores ita excelluit, sive responderet ad interrogata, sive disputaret, sive concionaretur, neminem ex sociis superiorem haberet". Da er noch zu jung war, um in der Provinz Holland Prediger zu werden, nahm er einen Ruf nach Maartensdijk an, in der Provinz Utrecht, wo er am 25. März 1785 in sein Amt eingeführt wurde. Die politischen Zustände jedoch und seine eigene Unvorsichtigkeit ließen ihn nicht lange hier bleiben.

Wie die Mehrzahl seiner Freunde gehörte v. d. Palm zur Partei der „Patrioten", im Gegensatz zur Partei der oranisch Gesinnten. Auch als Prediger vertrat er entschlossen seine politische Überzeugung, und als der Kampf der Parteien immer schärfer wurde, beteiligte er sich sogar an den von den Patrioten veranstalteten Übungen der Bürgerwehr. Als dann die Preußen 1785 dem Prinzen von Oranien zur Hilfe kamen und dessen Anhänger dadurch zunächst die Oberhand gewannen, wurde v. d. Palm um die Folgen seiner politischen Haltung besorgt, und nachdem er Sonntags den 16. September 1787 noch die Nachmittagspredigt gehalten, begab er sich mit seiner jungen Gattin unerwartet auf die Flucht. Trotz aller Versuche, ihn zur Rückkehr zu bewegen, kehrte er nicht zurück, und im März 1788 wurde er auf seine wiederholten Bitten hin, seines Dienstes entlassen. Einen Augenblick dachte er jetzt daran, in Leyden Medizin zu studieren, aber alsbald eröffnete sich ihm eine neue Aussicht: er wurde 1788 Bibliothekar und Hauskaplan bei dem Herrn van de Perre zu Middelburg. Nach der Besetzung dieser Stadt durch die Franzosen stellte er sich mit an die Spitze der revolutionären Bewegung, um so mancherlei Zügellosigkeiten zuvorzukommen. Er wurde damals zum Mitglied der neuen Regierung ernannt. Im Anfang des Jahres 1796 lehnte er eine ihm angebotene Professur zu Lingen ab, am 11. Juni desselben Jahres jedoch übernahm er die Professur für orientalische Sprachen und Wissenschaften zu Leyden mit einer nicht im Druck erschienenen Rede „de Litteris hebraicis exornandis".

Infolge seiner Ernennung zum Unterrichtsminister aber (Agent van nationale opvoeding) legte er 1799 sein Lehramt vorläufig nieder. In diesem neuen Amt hat er durch seine Mäßigung viel Unheil gehindert und durch Eifer und Geschick viel Gutes gestiftet. Besonders für die Hebung des niederen Schulwesens hat er viel gethan, und das Schulgesetz von 1806 ist von ihm vorbereitet und nach seinen Grundgedanken entworfen. In diesem Jahre (1806) verließ v. d. Palm den politischen Schauplatz und übernahm aufs neue seine Professur in Leyden, wo er 1807, obwohl kein Glied der theologischen Fakultät, zugleich zum Universitätsprediger ernannt wurde. Bis 1838 dauerte hier seine Wirksamkeit. Zwar war er schon 1833 nach Vollendung des siebzigsten Lebensjahrs dem Staatsgesetz gemäß in Ruhestand versetzt worden, trotzdem aber hat er seine Vorlesungen weiter gehalten. Nur zwei Jahre erfreute er sich seiner Ruhe, er starb zu Leyden am 8. September 1840.

Van der Palm hat viel gearbeitet und geschrieben. Vor allem als Schriftausleger und Kanzelredner hat er sich einen großen Namen gemacht. In seinen exegetischen Werken verschmäht er es durchaus, seine Gelehrsamkeit zu zeigen, und doch verraten sie ein großes Wissen; sie sind ausgezeichnet durch guten Geschmack und in erster Linie für die gebildeten Gemeindeglieder bestimmt. In seinem „Salomo" (3. Uitg. 9 deelen, Leeuwarden 1834—41)

gab er eine populäre Erklärung der Sprüche. Seine „Bijbel voor de jeugd" (24 deelen, Leiden 1811—34) hat in hohem Grade die Kenntnis der biblischen Geschichte befördert. In seinen „Liederen van David en Azaf" (Leiden 1815) lieferte er eine Erklärung der Psalmen, nachdem er schon früher seinen „Jesaias vertaald en opgehelderd"
5 (3 dln., Amst. 1805) hatte erscheinen lassen. Ein Riesenwerk vollbrachte er mit seiner neuen Bibelübersetzung: „Bybel; alle de boeken des Ouden en Nieuwen Verbonds, benevens de apocryfe boeken des O. Verbonds" (in 4° Leyden 1818—30). Diese Übersetzung mit Anmerkungen erntete großen Erfolg und hat noch immer ihre Verdienste. Obwohl das Werk sehr teuer war und nach Lage der Sache außerhalb Hollands
10 wenig gekauft wurde, war die ganze Auflage von 3387 Exemplaren schnell vergriffen. Auch von einer zweiten Auflage (in 8° Leyden 1827—35) waren 1842 schon 3000 Exemplare verkauft. v. d. Palm hatte schon seit Jahren den Plan dieser Ausgabe erwogen und bezeugte selbst: „Ich habe vierzig Jahre daran gearbeitet, acht davon wie ein Pferd."

Als Kanzelredner war v. d. Palm sehr beliebt, er beherrschte die Sprache meisterhaft
15 und besaß Geschmack, Gefühl und Phantasie. Sein Stil war einfach, kräftig, oft poetisch. Seine Predigten fesselten den Verstand und redeten den Hörern zu Herzen, ihr Inhalt war durchaus evangelisch. Seine Stimme war nicht laut, aber deutlich und biegsam, verständlich auch in den größten Kirchen; seine Sprache war edel, seine Haltung natürlich, seine Züge männlich. Er redete nie ohne Vorbereitung, doch lernte er seine Predigten
20 nicht auswendig, sondern las sie vor in einer Weise, die niemanden störte. Schon zu seinen Lebzeiten sind viele seiner Predigten veröffentlicht worden, nach seinem Tod erschienen sie gesammelt unter dem Titel: „Al de leerredenen van J. H. v. d. Palm" (16 deelen, Leeuw. 1841—45).

Mehrfach wurde er aufgefordert, bei festlichen oder sonstigen besonderen Anlässen als
25 Redner aufzutreten, und überall fand seine außerordentliche Beredsamkeit hohes Lob („Verhandelingen, redevoeringen en losse geschriften", 5 deelen, Amsterdam, Leeuw. 1810—1846). Als Prosaschriftsteller hat er sein Meisterstück geliefert in seiner „Geschied- en Redekunstig Gedenkschrift van Nederlands herstelling." (Amsterd. 1816, 2. Uitg. 1828. Französische Übersetzung, Brugge 1828.)
30 Van der Palm war der gelobteste Mann seiner Zeit, allein die Zeit, in der er lebte, zeichnete sich nicht aus durch Kernhaftigkeit und mannhaftes Festhalten an klaren Grundsätzen. v. d. Palm war auch darin ein Kind seiner Zeit; er war ein gutmütiger, liebenswürdiger und wohlthätiger Mann, aber kein großer Charakter, kein Mann aus einem Guß. Für viele war er ein Rätsel. Er stimmte im ganzen den Wahrheiten zu, wie
35 die reformierte Kirche sie lehrte, ihr warmer Verteidiger war er nicht. An seinem persönlichen Glauben braucht nicht gezweifelt zu werden, allein er schien nicht den Mut zu haben oder nicht das Bedürfnis zu empfinden, gegen den auf den verschiedensten Gebieten herrschenden Unglauben kräftig Zeugnis abzulegen. Seine Bedeutung liegt mehr auf dem Feld der Politik, des Unterrichtswesens und der Wissenschaft als auf dem
40 der Theologie und Kirche. Auf das kirchliche Leben hat er wenig Einfluß ausgeübt und der Erweckungsbewegung am Anfang des 19. Jahrhunderts blieb er fremd. Er hat in reichem Maß die Ehre und das Glück dieser Welt genossen, doch auch das Kreuz wurde ihm nicht erspart. Seine Gattin und viele seiner Kinder, darunter alle seine Söhne, gingen ihm im Tod voran. Er selbst verlangte endlich nach dem Sterben. Auf nichts sich
45 stützend als auf die freie Gnade Gottes in Christo Jesu, der seine Gerechtigkeit war, schickte er sich zum Sterben an mit den Worten: „Meine Hoffnung ist: Herr Jesus, ich gehe hin in Frieden." **S. D. van Veen.**

Palme, s. d. A. Fruchtbäume Bd VI S. 305,45.

Palmer, Christian David Friedrich, gest. 1875. — Worte der Erinnerung an
50 Dr. Palmer (Tüb., Heckenhauer, 1875). Die Nekrologe: von Julius Hartmann jr. im Schwäb. Merkur, 1875, 162; von Hermann Weiß, P.s Amtsnachfolger, in der Besonderen Beilage des Staatsanzeigers für Württemberg, 1875, 18; von N. N. in der Augsb. Allg. Zeitung, 1875, 165; von N. N. in der Protestantischen Kirchenzeitung, 1875, 24. Ferner ist zu vergleichen der Aufsatz von Rob. Kübel im Südd. Schulboten, 1875, 15—17. Eine ausführliche Skizze
55 des Lebens und Wirkens von P. hat der Unterzeichnete im Württemb. Kirchenblatt veröffentlicht, 1876, 29 ff. Seine wissenschaftliche Bedeutung ist von Karl Weizsäcker in den Jahrbüchern für deutsche Theologie dargelegt worden (1875, III, S. 363—370).

Chr. D. F. Palmer wurde am 27. Januar 1811 in Winnenden, dem Geburtsorte Bengels, geboren, erhielt seine Vorbildung auf dem niederen evangelisch-theologischen Se-

minar in Schönthal und studierte seit Oktober 1828 als Zögling des theologischen Stifts
fünf Jahre lang in Tübingen. Die meisten und tiefsten Anregungen erhielt er hier von
Professor Schmid. Dieser wußte ihm besonders durch seine Vorträge über die christliche
Sittenlehre eine große Vorliebe für dieses Gebiet theologischen Wissens einzuflößen (vgl.
das Vorwort zu seiner „Moral des Christentums"). Seinem Einflusse ist es auch zuzu- 5
schreiben, daß P. weder im kirchlichen Leben, noch auf dem Boden der Wissenschaft bei
Schleiermacher stehen blieb, sondern ungleich tiefer als er in den Reichtum des göttlichen
Worts wie in das Geheimnis des christlichen Lebens sich versenkte. Daß er aber von
der Schleiermacherischen Theologie stärker angezogen und mächtiger ergriffen wurde, als
von der damals herrschenden Hegelischen Philosophie, erklärt sich leicht aus seiner geistigen 10
Eigenart und persönlichen Entwickelung. Neben den Studien betrieb er eifrig die Musik.
Sie bahnte ihm den Weg in die Familie von Friedrich Silcher, mit welchem er den
ersten Anstoß zur Gründung der akademischen Liedertafel gab.

Der Vollendung der akademischen Studien im Spätsommer 1833 folgten drei Vika-
riatsjahre auf dem Lande, in Bissingen u. T. und in Plieningen bei Stuttgart. Im 15
Spätherbst 1836 kehrte P. als Repetent an das Tübinger Stift zurück, im Januar 1838
wurde er zum Assistenten des Predigerinstituts und im Herbst des gleichen Jahres zum
Verweser des zweiten Tübinger Diakonats ernannt; am 30. Januar 1839 erhielt er das
Diakonat Marbach. Hier blieb er bis zum Frühjahr 1843, in welchem Jahre ihm das
zweite Diakonat in Tübingen übertragen wurde, 1848 rückte er in das erste Diakonat 20
ein, 1851 erhielt er das Stadtpfarramt und Dekanat.

Schon in seiner Vikariatszeit begann seine litterarische Thätigkeit durch Recensionen
in Tholucks Litterarischem Anzeiger, durch Beiträge zu den von Stirm edierten Studien
der evangelischen Geistlichkeit und zu dem von L. Völter redigierten Südbeutschen Schulboten. Auch seine Broschüre: „An Freunde und Feinde des Pietismus. Eine Zugabe zu 25
der Schrift des Herrn Diakonus Dr. Märklin: Darstellung und Kritik des modernen Pietismus" (1839), welche durch den am Ende der dreißiger Jahre angefachten pietistischen
Streit hervorgerufen wurde, verdient Erwähnung. Hauptsächlich aber war es der in seiner
engeren Heimat über ein neues Gesang- und Choralbuch, sowie über eine neue kirchliche
Liturgie entbrannte Streit, der dem treugesinnten Patrioten die Feder in die Hand drückte. 30
Zu den einflußreichsten Stimmen über die Gesangbuchsfrage zählt sein Votum in den
Studien der evangelischen Geistlichkeit Württembergs: „Revision des neuen Gesangbuchs-
entwurfs für die evangel. Kirche Württembergs" (XII, 1). Mit andern wollte auch er
das Gesangbuch vor allem vom biblisch-evangelischen Geiste durchdrungen sehen. Weiter
aber soll es der kirchlichen Erbaulichkeit Rechnung tragen und echte Poesie darbieten. Be- 35
züglich der Änderung des Urtextes steht P. in der Mitte zwischen den eifernden Paläologen, welche gewissermaßen einen Heiligenkultus mit den alten Liedern treiben, und denen,
welche bei ihren Emendationen der Subjektivität einen allzufreien Spielraum gestatten.
Er war im rechten Sinne konservativ und trat mit verständigem und zugleich pietäts-
vollem Sinne für alles wahrhaft Gute in den Originalien ein, ohne sich dabei von einem 40
unpraktischen, einseitig antiquarischen Interesse leiten zu lassen. Eine Ergänzung zu diesem
Aufsatz bildet die in den ThStK niedergelegte Abhandlung: „Die neueren Reformen
der Gesangbücher und Liturgien, vom theologisch-kirchlichen Standpunkte aus betrachtet"
(1843, 1). Dieser Bewegung folgte der Kampf für und wider das neue Choralbuch, in
welchem P. zunächst die Mängel der 1828 von Frech, Kocher und Silcher herausgegebenen 45
nicht nach einem historischen oder kirchlichen Prinzip, sondern einzig vom Gesichtspunkte der
Schule redigierten Sammlung schonungslos aufdeckte, um dann im Einverständnis mit
Grüneisen und Hauber, bald aber auch im vollen Frieden mit Silcher und Kocher in der
zur Vorberatung einberufenen Kommission von Kirchen- und Schulmännern kräftig und
siegreich für eine dem gottesdienstlichen Gebrauch dienende Auswahl, Fassung und Har- 50
monisierung der Choräle zu wirken. Auch das von Christian Barth und Albert Knapp
besorgte Calwer Schulgesangbuch verdankt ihm nennenswerte Beiträge. Er hat für dasselbe die Melodien gesammelt und gesetzt, auch neue komponiert, wie er auch später eine
Reihe von Gesängen dem Südbeutschen Schulboten, den Dölkerischen Liedersammlungen
und der Basler Missionsanstalt für ihre Männerchöre überließ. Die positiv-kirchliche Be- 55
wegung, welche in den 30er und 40er Jahren P.s Vaterland ergriffen hatte, zeigte sich
endlich in der Herausgabe einer verbesserten Liturgie. Obgleich er bei ihrer Abfassung
keine offiziellen Dienste leisten durfte, so hat er doch durch seine im Württembergischen
Kirchenblatt (1840/41) und in Tholucks Litter. Anzeiger (1840, 74 und 75) erschienene
Beurteilung des Entwurfs zum Zustandekommen der neuen Agende thatkräftig mitgewirkt. 60

Am liebſten bewegte ſich P. ſchon damals auf dem homiletiſchen Gebiete, welches er in mannigfacher Weiſe anbauen half. Hierher gehören zwei Aufſätze über Friedrich Wilhelm Krummacher und Franz Theremin, ſodann ſeine Mitarbeit bei der Herausgabe der Predigten über den zweiten Jahrgang der Evangelien zum Beſten des württembergiſchen 5 Pfarrwaiſenvereins, weiter bei den von Schmid und Wilh. Hofacker edierten Zeugniſſen für evangeliſche Wahrheit, ſodann die von ihm ſelbſt herausgegebenen „Evangeliſchen Kaſualreden", welche mit ihren Anfängen in jene Zeit zurückreichen, und endlich ſeine Bearbeitung der „Evangeliſchen Homiletik" 1842. Im Anſchluß an Schleiermacher faßt er die Predigt als Darſtellung des chriſtlichen Glaubens und Denkens der Gemeinde, ſowie 10 als einen Akt der Segnung und des Genuſſes im höchſten Sinne, ſofern durch ſie das Zuſtrömen des Lebens aus Gott vermittelt wird, das ſeine ſubjektive Wirkung in freudig erhöhter Stimmung äußert. P.s zweites Hauptwerk, ſeine „Evangeliſche Katechetik", erſchien 1844 und erlebte ſchon nach Verfluß von zwei Jahren die zweite Auflage. Dieſes Werk hat nicht bloß durch ſeine bahnbrechende Beleuchtung des Religionsunterrichtes, ſon- 15 dern vornehmlich durch die Unterſuchung der katechetiſchen Lehrform auch für die Pädagogik eine außerordentliche Bedeutung.

Als Pfarrer und Dekan in Tübingen ſtand P. in der vielſeitigſten Thätigkeit. Der Tag war in der Regel mit Gottesdienſten, ſeelſorgerlichen Beſuchen und Religionsſtunden ausgefüllt. Dazu geſellte ſich das Rathaus und Ehegericht mit den mancherlei Anſprüchen 20 an Zeit und Kraft, das Amt der Konferenzdirektion, die zeitweilige Vorſtandſchaft der Kinderrettungsanſtalt in Luſtnau, die Teilnahme an mehreren Vereinen, unter welchen der Oratorienverein als P.s Liebling die erſte Stelle einnahm. Seit 1846 trat noch eine akademiſche Vorleſung über Pädagogik und Volksſchulweſen hinzu, zu welcher er von der Behörde einen beſonderen Lehrauftrag erhalten hatte. War P. als Prediger nicht allen 25 alles, ſo war er doch vielen vieles und vermochte er namentlich den gebildeteren Teil der Gemeinde an ſeine Kanzel zu feſſeln. Alle kompetenten Stimmen trafen dagegen in dem Zeugniſſe zuſammen, daß er die kirchlichen Angelegenheiten der aufblühenden Stadt unter teilweiſe ſchwierigen Umſtänden weiſe und taktvoll, suaviter in modo, fortiter in re geleitet habe. Er wußte mühelos in Stadt und Land, in hohen und niederen Kreiſen 30 Innigkeit und Mannheit, eine ſittlich-religiöſe Haltung und verſtändnisvolle Liberalität in ſchönſten Einklang zu bringen und bei ſeinen Viſitationen wie im ſonſtigen Verkehre mit der ungeſuchten Autorität des Vaters die trauliche Aufgeſchloſſenheit des Bruders in typiſcher Weiſe zu vermählen.

Nach dem im März 1852 erfolgten Tode Schmids wurde P. in die Profeſſur für 35 Moral und praktiſche Theologie berufen.

In der zweiten Hälfte des Oktober betrat er als 40jähriger Ordinarius der theologiſchen Fakultät die akademiſche Laufbahn. Seine vier Amtsgenoſſen waren zunächſt Baur, Beck, Landerer und Oehler. Ein Jahr nach ſeiner Berufung auf den Katheder erwarb er rite, durch Vorlegung einer lateiniſchen Abhandlung, den Grad eines theo- 40 logiſchen Doktors. Faſt 22 Jahre bekleidete er ſeinen neuen, einflußreichen Poſten. Vor allem lehrte er im Laufe desſelben ſämtliche Fächer der praktiſchen Theologie, einſchließlich des proteſtantiſchen Kirchenrechts. Abwechſelnd mit Beck trug er daneben die Moral des Chriſtentums vor. Beſonders gern erklärte er ferner mehrere Bücher des N.T.s, zum Teil mit angehängter praktiſcher Auslegung. Vorleſungen, die nur er in dieſer Weiſe zu halten 45 vermochte, waren die Geſchichte der kirchlichen Tonkunſt, ſowie eine Darſtellung der in Württemberg heimiſchen Sekten und religiöſen Richtungen. Nur einmal behandelte er die Encyklopädie der theologiſchen Wiſſenſchaften, und gleichfalls bloß einmal hielt er öffentliche Vorträge über Religion, Chriſtentum und Kirche für Studierende aus allen Fakultäen. Mochte er nun aber auf dem Katheder über praktiſch-kirchliche Dinge ſich 50 verbreiten oder auf dem Boden der Ethik und Exegeſe ſich bewegen, — immer und überall war ſeine Liebe zur Sache und zur nachwachſenden theologiſchen Generation deutlich wahrzunehmen. Hervorſtechend war das wiſſenſchaftliche Intereſſe, welches den ganzen Vortrag wohlthuend belebte, und bei welchem Verſtand und Gemüt gleich ſehr mitſprachen. Daneben zeigte ſich jene immenſe Beleſenheit und ſeltene Fülle von Kenntniſſen, von welchen 55 auch ſeine Schriften ein beredtes Denkmal bleiben. Doch wußte ſich P. im Beibringen des gelehrten Materials weiſe zu beſchränken, den oft überreichen Stoff gut zu beherrſchen, Eigenes und Fremdes geſchmackvoll zu verweben, nicht bloß verwandte Stimmen zu ſeinen Gunſten anzuführen, ſondern auch dem gegneriſchen Votum gebührenden Raum zu laſſen, die perſönliche Überzeugung ohne Leidenſchaft und doch mit Nachdruck geltend zu machen 60 und überall mit großer Klarheit zu begründen. Was ſeine Diktion betrifft, ſo machte ſie

auf durchgängige Feile, Schönheit und Eleganz keinen Anspruch, empfahl sich indes um
so mehr bald durch ihre natürliche Anmut und Leichtigkeit, bald durch eine sinnreiche
Prägnanz, mit welcher ihm das rem acu tangere in oft frappanter Weise gelungen ist.
Dem meist mit Bedacht gewählten Ausdrucke entsprach häufig der markige Vortrag, we=
nigstens die kräftige Betonung einzelner Worte, in welche er den Schwerpunkt der Auf= 5
merksamkeit verlegt wissen wollte. — Hervorragend geeignet war P. für die Thätigkeit
am Predigerinstitut, zur liebevollen und feinsinnigen Anleitung der jungen Theologen bei
ihren Probepredigten und Katechesen und zu ihrer in gleichem Geiste gehaltenen Beur=
teilung. Auf dem Boden der fraglichen Anstalt bekundete er sich als wahren Meister
auch in den Augen derer, welche in seinen Entwicklungen auf dem Katheder die wissen= 10
schaftliche Tiefe und Schärfe vermißten. Hier fühlte er sich so recht zu Hause als Vater
inmitten seiner Söhne. Hier hat er auch denen, welche durch philosophische Studien und
kritische Zweifel ihrem theologischen Studium halb oder ganz entfremdet waren, neue Lust
und Begeisterung eingeflößt, weil es ihm weniger um ein fertiges, streng formuliertes
Dogma, als um durchgreifende Bewährung einer echt sittlichen Gesinnung und des genuin 15
christlichen Geistes zu thun war. Dieser Seite seines Wirkens war es zuzuschreiben, daß
intellektuell reich begabte und gründlich durchgebildete Geister einen erfreulichen Zug zum
praktischen Amt von der Hochschule mitbrachten und schwankende Naturen schließlich doch
beim Kirchendienste festgehalten wurden.

P. genoß in weiten Kreisen ein reiches Maß von Sympathie und Verehrung. Ohne 20
je um Gunst und Beifall zu buhlen, war er doch im Schoße seiner Fakultät und des
akademischen Senats, bei der obersten kirchlichen Behörde und bei Hof geachtet und be=
liebt, darum auch mit manchem ehrenvollen Auftrage und Geschäfte betraut. 1853 wurde
er zum Mitgliede der Lesebuchkommission ernannt, in deren Mitte er noch als Hochlehrer
die Bedürfnisse und Aufgaben der Volksschule mit rühmlicher Sachkunde hervorhob. 25
1857—1858 erhielt er das Rektorat der Universität. Als die erste Landessynode 1869
zusammenberufen wurde, wählte ihn seine Fakultät zu ihrem Vertreter und die Synode
sofort zum ersten Vizepräsidenten. Auch für ihren zweiten Zusammentritt, den er jedoch
nicht mehr erlebte, war er 1874 zum Deputierten kreiert worden. Und als es galt, in
der kritischen Zeit des Jahres 1870 einen Abgeordneten in den Landtag zu senden, der 30
mit einer ausgesprochenen Liebe zum engeren Vaterlande ein weites, warmes Herz für
das Deutsche Reich verbände, da fiel in Tübingen mit bedeutender Stimmenmehrheit die
Wahl auf P.

Daß P. aber auch in seiner akademischen Stellung und trotz der vielen Anforde=
rungen, die noch nebenbei an ihn gestellt wurden, seine Neigung zur litterarischen Thätig= 35
keit fortwährend befriedigen konnte, ist staunenswert. In den vorliegenden Zeitraum fällt
in erster Linie die Herausgabe der 4. und 5. Auflage seiner Homiletik, der 3. seiner
Katechetik. 1852/53 veröffentlichte er erstmals seine „Evangelische Pädagogik", in welcher
er einer religionslosen, falsch humanistischen, wie einer einseitig pietistischen Erziehungsweise
ohne Rückhalt gegenübertrat (4. Auflage 1869). An diese Leistung reiht sich 1860 seine 40
„Evangelische Pastoraltheologie", welche 1863 zum zweitenmale aufgelegt wurde. Im
letztgenannten Jahre folgte „die Moral des Christentums", ein Werk, welches echt wissen=
schaftlichen Gehalt in einer Sprache darbietet, die, frei von dem Zwange der theologischen
Formel, an das allgemeine Verständnis ernster und gebildeter Leser mit siegender Klarheit
appelliert. 1864/65 erschien endlich seine „Evangelische Hymnologie", in welcher die reife 45
Frucht seiner Studien auf dem Gebiete der kirchlichen Liederdichtung und Musik zu Tage
tritt. Hierher gehören ferner außer der dritten und vierten Auflage der evang. Kasual=
reden (1853 und 1864) die beiden Sammlungen eigener Predigten: Ein Jahrgang evan=
gelischer Predigten (1857) und: Predigten aus neuerer Zeit (1874). 1868 wurde P.
durch unmittelbaren königlichen Auftrag veranlaßt, zur Feier des 300jährigen Todestages 50
von Herzog Christoph eine populäre Gedächtnisschrift über diesen unvergeßlichen Regenten
Württembergs abzufassen. Sie erschien ohne seinen Namen unter dem Titel: „Herzog
Christoph, Erinnerungsgabe, bestimmt für den 28. Dezember 1868 von König Karl von
Württemberg", und kam in allen Schulen zur Verteilung. 1873 erschien endlich eine
·Sammlung seiner teils im Tübinger Museum, teils im Stuttgarter Königsbau gehaltenen 55
populär=wissenschaftlichen Vorträge, welche überschrieben ist: „Geistliches und Weltliches
für gebildete christliche Leser" und die Eigenart seines Wesens am vollständigsten abbildet.
An diese selbständigen Schriften reiht sich ein doppeltes Mitredaktionsgeschäft, einmal
seine Beteiligung an der Herausgabe der „Jahrbücher für deutsche Theologie" von 1856
an und weiter seine Mitwirkung an der von 1859 an datierenden „Schmidschen Ency= 60

klopädie des gesamten Erziehungs- und Unterrichtswesens". Zu den Jahrbüchern hat er unter den Herausgebern neben Wagenmann weitaus die meisten Beiträge geliefert, 9 Ab-handlungen und eine sehr beträchtliche Anzahl lehrreicher Recensionen. In der pädagogi-schen Encyklopädie ist er mit 80 zum Teil vorzüglichen, prinzipiell bedeutsamen Artikeln
5 vertreten. Auch an der ersten Auflage dieser Real-Encyklopädie hat er von ihrem ersten Erscheinen an bis zur Vollendung des Ganzen treulich mitgearbeitet (1854—1866). Nur selten schrieb er einen Aufsatz oder Nekrolog für ein politisches Blatt (Schwäb. Merkur und Augsb. Allg. Zeitung). Um so häufiger bediente er Schulblätter und pädagogische Zeitschriften, besonders den Südd. Schulboten, einmal auch die von Burk und Pfisterer
10 edierten Blätter aus Süddeutschland (1873, I), sodann die Darmstädter Allg. Schulzeitung und das Brandenburger Provinzial-Schulblatt. Nicht minder gern schrieb er Aufsätze, Betrachtungen und Kritiken für Kirchenzeitungen und gelehrte Quartalschriften (Darm-städter K.-Z.; „ThStK") für Pastoralblätter (Emil Ohly), homiletische und musikalische Zeitschriften (E. Ohly: Mancherlei Gaben und ein Geist; Leipziger Allg. Musikzeitung),
15 für theologische Litteraturzeitungen (ca. 23 Recensionen in Haucks theolog. Jahresbericht) und erbauliche Blätter (16 Aufsätze in dem Blatte: Altes und Neues). Außerdem finden sich Gaben von ihm in manchen neueren Predigtsammlungen. Für die Allgemeine deutsche Biographie verfaßte er 12 Artikel, für Pipers evang. Kalender das Lebensbild von Steudel. Auch für die Kreise des Volks setzte er wiederholt seine Feder in Bewegung. So bear-
20 beitete er für den 4. Band der Klaiberschen Volksbibliothek das Leben Bengels, dem er einen Auszug aus dessen Schriften beifügte (1864). Fünf Betrachtungen lieferte er für das ursprünglich von Dr. Wolff redigierte Wochenblatt für Volksbildung. Und schon war er dem Tode nicht mehr fern, als seine Abhandlung über „die Civilehe innerhalb der evangelischen Christenheit", welche das 4. Heft des 1. Jahrganges der neuen Jugend-
25 und Volksbibliothek bildet, die Presse verließ (1874/75).

Der schriftstellerischen Thätigkeit ging auch auf der letzten Lebensstation sein musi-kalisches Wirken zur Seite. Vom Ende der vierziger Jahre an bekleidete er die Vor-standschaft des Oratorienvereins. Nachdem Silcher im August 1860 mit Tod abgegangen war, hielt er es für angezeigt, dieser Stellung Valet zu sagen, wenn er auch nach wie
30 vor den Zwecken des Vereins freundlich zugethan blieb. Schließlich beschränkte er sich mehr auf die Pflege der Hausmusik, zu deren Hebung neben der Gattin und den Kindern auch studentische Kräfte beitrugen.

Seit P. das sechzigste Lebensjahr überschritten hatte, klagte er manchmal über das Gefühl einer Abnahme seiner Kräfte, über das Schwinden des heiteren Lebensmutes der
35 früheren Zeiten. Im Winter 1874/75 verstärkte sich dieses Gefühl mehr und mehr. Am 10. April warf ihn eine Lungenentzündung mit heftigem Fieber auf das Lager. Bald nahm die Krankheit einen typhösen Charakter an. Der Tod trat kampflos am Vormittag des 29. Mai ein. Alles zusammengenommen, war P. ein Mann von hervorragender, vielseitiger Begabung, von ungewöhnlicher Auffassungs- und Produktionskraft, von eisernem
40 Fleiße und unermüdlichem Eifer, ein evangelisch treuer und evangelisch freier Lehrer der von ihm angebauten und beherrschten Wissenschaft, ein ebenso pietätsvoller als wahrheits-liebender Sohn und Diener seiner Kirche, ein Schriftsteller von seltener Anmut und Ge-wandtheit, ein edler Vermittler von Wissenschaft und Leben, von Religion und Kultur, von biblischem Christentum und deutscher Bildung, ein Mann, in welchem die aus wahrer
45 Frömmigkeit entsprungene Humanität wie verkörpert schien, ein Patriot, der in seiner Person deutsche und schwäbische Eigenart in harmonischer Ausprägung darstellte. Er war ein Mann des Friedens und der Treue, dessen Leben den Charakter des selbstverleugnenden Christentums an sich trug, das keine Rolle spielen, nicht glänzen und prunken, sondern geräuschlos sich auswirken und seine Pflicht thun will. Alles Maßlose und Gespreizte,
50 alles Gemachte und Erkünstelte in Theologie und Kirche, im Wandel und Benehmen blieb ihm durchaus antipathisch; bis an sein Ende war er einfach und gerade, bescheiden und genügsam. Dabei schmückte ihn eine kindliche Lauterkeit und zarte Noblesse, so daß trotz seiner unscheinbaren Gestalt und seines nichts weniger als imponierenden Auftretens ein feiner ästhetischer Einfluß von ihm ausging. Diese leicht erkennbaren Züge seines Wesens
55 reflektieren sich in seiner ganzen Theologie wie in einem hellen Spiegelbilde. Seinen theologischen und kirchlichen Standpunkt hatte er auf dem Boden der sog. Vermittelungs-theologie, deren Blütezeit unter der Führung von Nitzsch in P.s Mannesalter fiel. Seine Grundrichtung war die eines gesunden Bibelglaubens, die evangelisch-kirchliche ohne eng-herzige Beschränktheit. Nach beiden Seiten hielt er sich von den Extremen fern. Wie
60 er in seiner Gedankenwelt eine harmonische Natur war, so blieb er als Theolog allem

Stoßenden und Harten entschieden abhold. Dem Rationalismus und der kirchlichen Scho=
lastik war er feind. Geist und Gemüt verlangte bei ihm eine lebendigere, tiefere und
geistvollere Auffassung der geoffenbarten Wahrheit. Er zählte zu denen, die bei aller
Anlehnung an Schleiermacher eine Vertiefung der evangelischen Theologie in den substan=
tiellen Inhalt der hl. Schrift, eine vollere, intensivere Aneignung desselben zu ihrer Auf= 5
gabe machten. Wenn er somit auch nicht der streng biblischen, von Bengel und Beck ver=
tretenen Richtung angehört, so ist andererseits seine biblische Positivität, namentlich sein
hoher Respekt vor dem AT und seine genaue Kenntnis desselben der Punkt, welcher neben
seiner gut württembergischen, dem eigentlich christlichen Leben zugekehrten Art am meisten
hindert, ihm sogar in der von Schleiermacher ausgehenden „rechten" Schule unbedingt 10
einen Platz anzuweisen. Obgleich mit dem Gange und den Ergebnissen der philosophischen
Entwickelung wohlvertraut, wollte er sich doch niemals auf das spekulative Gebiet ein=
lassen. P. war eine theologische Natur und wollte ein kirchlicher Theologe sein im besten
Sinne des Wortes. Unter den bedeutenderen Repräsentanten der Vermittelungstheologie
war er nicht sowohl dogmatisch angelegt, wenn schon mit den intellektuellen und ethischen 15
Bedingungen eines tüchtigen aufbauenden Wirkens in Schrift und Rede ausgestattet, auch
weniger ein exakter Historiker, als vielmehr der geborene Praktiker und feinfühlige Ästhe=
tiker. Ja der Ausdruck ist nicht zu hoch gegriffen, wenn Prälat Müller in Stuttgart
ihn „den Künstler in der Theologie" genannt hat. P. stand auf der Brücke zwischen
der Wissenschaft und Praxis. Vom Geist der ersteren angehaucht, war er doch keine 20
streng wissenschaftliche Natur, welche die Fragen der Theologie kritisch oder dialektisch in
ihre letzten Gründe und Spitzen verfolgt. Dagegen war er auch kein bloßer Praktiker;
seine Praxis erschien von der Wissenschaft gehoben. Auf beiden Gebieten wußte er alles
plastisch zu gestalten. Die von ihm unablässig gepflegte Musik war hiervon nur ein Aus=
läufer, zugleich jedoch ein Merkzeichen seines ganzen Wesens. Mit allem aber, was P. 25
in seinem Leben unternahm und ausführte, was er lehrte und schrieb, ging er, wie sein
Leichenredner Dekan Frank überzeugend nachwies, darauf aus, Christum auf Erden zu
verklären. Darum kann auch sein Name so wenig als seine Gesamtleistung jemals in
Vergessenheit geraten, vielmehr wird das erkleckliche Kapital, welches er der Zukunft an=
vertraut hat, jahraus jahrein für die Theologie und Kirche neue Zinsen abwerfen und 30
seiner Persönlichkeit ein ehrendes Gedächtnis sichern helfen. **J. Knapp†.**

Palmsonntag s. b. A. Woche, große.

Paltz, Johann, Augustiner, gest. 1511. — Litteratur: J. E. Kapp, Kleine
Nachlese 4, 424 ff. (Leipzig 1733); Weller, Altes aus allen Teilen d. Gesch. I, 277 ff. (Chemnitz
1762); Th. Kolde, Die deutsche Augustiner-Kongregation, Gotha 1879, bes. S. 174 ff.; des=. 35
Das religiöse Leben in Erfurt beim Ausgange des MA.s, Halle 1893, S. 34 ff. 54 ff.;
Ed. Bratke, Luthers 95 Thesen, Göttingen 1844, S. 53 ff. 111 ff.; N. Paulus, Joh. v. P. über
Ablaß und Reue in ThZ 23 (1899), 48 ff.; Th. Brieger in RE³ IX, 88 ff.; W. Köhler,
Dokumente zum Ablaßstreit, Tübingen 1902, S. 50 ff.; Reusch in AdB 25, 112 ff.

Johann Jenser (Genser) von Paltz ist früher oft verwechselt worden mit dem gleich= 40
namigen Propst des Neuen Werks von Halle und Archidiakon des hallischen Bannes,
dem Augustinerchorherrn Johann P., der jenen um mehrere Jahre überlebte (vgl. Drey=
haupt, Beschreibung des Saal-Creyses I, 704. 732; Seidemann, Erläuterungen S. 3).
Da er später einmal von seiner Ablaßpredigt auch in Stagnalis patria redet, ist man versucht,
seine Heimat an der Ostsee, etwa in Mecklenburg zu suchen; aber patria hat im späteren 45
Sprachgebrauch doch oft nur die allgemeine Bedeutung „Land, Gegend"; man könnte
daher auch an Palzem im Kr. Saarburg denken, oder lieber noch — in Erinnerung an
seine spätere Thätigkeit in Böhmen — an Paltz im Kr. Elbogen, südöstlich von Eger.
Er wurde — und das ist die erste sichere Nachricht über ihn — im WS. 1462 in Er=
furt immatrikuliert als Johannes Genser [nicht Geisser] de Paltz. 1464 wird er 50
Baccalaureus, Epiph. 1467 Magister, tritt dann erst in den Erfurter Konvent der Augustiner
ein, wo Joh. v. Dorsten vorzüglich sein Lehrer wurde. Der Vikar der deutschen Kon=
gregation Andreas Proles fand in dem eifrigen Ordensmann ein brauchbares Werkzeug
für die Durchführung der Observanz; er setzte ihn 1475 als Prior nach Neustadt a. d.
Orla; ebenso ließ er 1491 durch ihn den Konvent in Herzberg an der Elster reformieren; 55
er verwendete ihn später als Visitator, wobei er 1499 Ordnung im Kloster Mühlheim
(Ehrenbreitstein) schuf, und noch 1505 treffen wir ihn im Interesse des Ordens in
Mecklenburg an, wo er das Gedeihen des neugegründeten Konvents in Sternberg betreibt.
Dazwischen ist er zwei Jahrzehnte hindurch Lehrer am Studium generale des Erfurter

Klosters, nachdem er 1483 an der Universität zum Dr. theol. promoviert ist; so ist er auch Luthers Lehrer geworden. 1482 hatte er das neue Studienjahr der Universität mit einer Predigt über 1 Mos 2, 8 eröffnet, einem charakteristischen Muster scholastischer Distinktionskunst und kühnen Allegorisierens (abgedruckt bei Kolbe, Relig. Leben in
5 Erfurt S. 54 ff.). 1507 von Erfurt als Prior nach Mühlheim versetzt, starb er dort am 13. März 1511.

Sein Ruf als gelehrter, streng kirchlicher Prediger verschaffte ihm aber auch bedeutsame Verwendung über seinen Orden hinaus, und die Thätigkeit, die er dabei auch litterarisch entfaltete, sichert ihm ein bleibendes Interesse. Als Erzbischof Berthold von Mainz
10 1488 in Erfurt ein Ketzerrichter-Kollegium einzusetzen für nötig hielt, berief er dafür auch unfern Palz (Gudenus, Cod. diplom. 4, 480). Als Raimund Peraudi 1489 nach Deutschland kam, den Jubelablaß zum Kreuzzug gegen die Türken zu verkünden, nahm er P. als Ablaßprediger in seinen Dienst, und dieser durchzog als „Kommissar der römischen Gnaden" Sachsen, Meißen, Thüringen, Brandenburg. Dabei wurde sein Auftreten in
15 Torgau 1490 Anlaß, daß er auf den Wunsch der Brüder, Friedrichs des Weisen und Johann, etliche seiner Predigten als „Himmlische Fundgrube" veröffentlichte. Auf Einladung böhmischer Herren und Bürger zog er auch von Meißen als Ketzerbelehrer nach Böhmen und predigte erfolgreich in Brux, Caban und anderen Orten. Bei seinem Aufenthalt als Visitator am Rhein veranlaßte ihn 1500 der Kölner Erzbischof Hermann
20 von Hessen eine umfangreichere Sammlung seiner Predigten lateinisch zu edieren, — so entstand seine Coelifodina, die er, mit einem Nachtrag über das Jubiläum vermehrt, 1502 in Erfurt drucken ließ (Panzer 6, 494. 7, 149. 168. 11, 434). In diesem Jahre sendete ihn Peraudi zum zweitenmal als Ablaßprediger aus. Er ergänzte dann 1504 seine Coelifodina durch ein Supplementum, eine Sammlung seiner Predigten als Muster
25 für andere Ablaßprediger (Panzer 6, 494. 7, 193). Außerdem veröffentlichte er noch zwei Schriften zur Verherrlichung Marias und ihrer unbefleckten Empfängnis: De septem foribus seu festis beatae Virginis (1491 vgl. Copinger 2, 2, 458) und Hortulus aromaticus gloriosae Virginis (citiert in seiner Coelifodina). Ein kleiner Traktat De conceptione sive praeservatione a peccato originali ... Virg. Mariae be-
30 findet sich handschriftlich auf der Leipz. Univ.-Bibl. (Kapp, IV, 431). Diese Schriften machen ihn nicht nur zum gewichtigen Zeugen der im Erfurter Augustiner-Studium gepflegten Theologie, unter deren Einflüssen also auch Luther gestanden hat, sondern er ist auch einer der wichtigsten Repräsentanten der zur vollen Ausgestaltung gelangten Ablaßdoktrin, interessant daneben auch durch seine Beschreibung des Ablaßceremoniells sowie
35 durch seine Polemik gegen allerlei sich regende Gegner des Ablaßbetriebes. Die vollständigste Darstellung seiner Theologie s. bei Kolbe, Augustiner-Kongregation S. 177 ff.; seine Ablaßlehre auszüglich bei W. Köhler, Dokumente S. 50 ff. Einige Auszüge aus seinen Predigten bei Cruel, Gesch. der deutschen Predigt im Mittelalter 1879 S. 536 ff. 590 ff. (die biographischen Angaben auf S. 536 sind voller Fehler). — Von besonderer
40 Bedeutung sind dabei seine Aussagen über den Jubelablaß als einer absolutio a poena et a culpa. Er erläutert sachgemäß diesen Ausdruck dahin, daß eben im Jubelablaß die Vollmacht der Verwaltung des Bußsakraments mit der Ablaßerteilung verknüpft sei (Köhler S. 54 f. RE³ Bd IX 98); es hatten eben hier die Päpste die Verwaltung dieses Sakraments den Ablaßkommissaren mitübertragen (einschließlich weitgehender Vollmachten
45 in Reservatfällen), so daß beides, Absolution und Ablaß, in engste Verbindung trat, ja zu einem Geschäft verschmolz. Nicht nur, daß die damals außer gewissen Bettelmönchen allein berechtigte Pfarrgeistlichkeit in ihrer Verwaltung des Bußsakraments dadurch bei seite geschoben wurde, sondern es leuchtet auch ein, wie dies Sakrament Schaden leiden mußte in der Verwaltung derer, die vor allem Ablaßgelder beitreiben
50 sollten, die also naturgemäß versucht waren, im Blick auf das Ablaßgeschäft die Absolution möglichst zu erleichtern. Im Interesse einer Erleichterung der Absolution steht dann auch die von Palz gleich andern vertretene Lehre von der attritio als genügend, um „mit Nachhilfe des Sakraments" doch Absolution zu erlangen: in nova lege facilior est modus poenitendi et salvationis, denn der perfecte con-
55 triti sind nur gar wenige. Freilich erzeugt auch diese attritio eine detestatio peccati, aber nur ex timore servili, aus Furcht vor der Hölle („Galgenreue"). Wenn N Paulus (a. a. O. S. 69) darin die Beschreibung einer „wirklichen Sinnesänderung" erblickt und daher bei dieser Attritionslehre alles in bester Ordnung findet, so beweist er damit, was für verschiedene religiöse Maßstäbe die korrekt römische und die evangelische Theologie hand-
60 haben: widerlegt hat er m. E. Dieckhoffs Anklagen gegen das Verderbliche der Attri-

tionslehre (Der Ablaßstreit, Gotha 1886, S. 14) damit nicht; vgl. auch den Aufsatz von
N. Paulus über die Reue in ZKTh 28 (1904), 1 ff.

P. dient mit seinen Schriften als bündiger Gegenbeweis gegen die Vorstellung, als
sei der Augustinerorden bei Luthers Eintritt schon Heimstätte einer freieren, evangelisch
gearteten Theologie gewesen. Wer aber Luthers Auftreten im Ablaßstreit verstehen und 5
würdigen will, der darf an der Lektüre der Coelifodina nicht · vorübergehen. Ihre
Verbreitung und ihren ·Einfluß beweisen die verschiedenen Auflagen, die sie gefunden
hat.   **G. Kawerau.**

Pamphilus, Presbyter in Cäsarea, gest. 309. — Die dreibändige Biographie
des Eusebius ist leider verloren. Die Nachricht des Philippus Sidetes (De Boor TU V, 2, 10
171), auch Pierius habe eine Biographie von ihm verfaßt, beruht vielleicht auf einer Verwechslung. Zerstreute Notizen bei Euseb, h. e. VI, 32, 3. VII, 32, 35. VIII, 13, 6. de
mart. Pat. 7, 4 ff. 11, 1 ff. Nach der syr. Rec. bei Violet, TU XIV, 4, 74 ff. Hieronymus
de viris inl. 3. 75. ep. 84, 11. contra Ruf. I, 8 f. 11. II, 15. 23. III, 12. Sokrates h. e.
III, 7. IV, 26. Photius, Bibl. Cod. 118. Aus Euseb geschöpfte Akten AS Jan I, 64 sqq. 15
Was Prädestinatus I, 43 erzählt, ist purer Schwindel. Litteratur: K. Thilo, Art. Pamphilus bei Ersch u. Gruber, Allg. Encyklopädie III Sekt., 10, 244 ff.; E. Venable, DchrB
IV, 178 ff.; E. Preuschen bei Harnack, Altchrist. Litteraturgesch. I, 543 ff.; O. Bardenhewer,
Gesch. d. altkirchl. Litt. II, 242 ff. Patrologie § 33, 4; G. Krüger, Gesch. d. altchristl. Litt.
§ 83. Ueber seine Bibliothek A. Ehrhardt, D. früheren Bibliotheken in Palästina ROS V 20
(1891), 221 ff. Ueber seine Bibelhandschriften W. Bousset, Textkrit. Studien zum NT (TU
XI, 4), 45 ff. Vgl. v. d. Goltz, Eine textkritische Arbeit u. s. w. (TU XVII (NF II), 4, 13 ff.).
Aus der dürftigen älteren Litteratur ist etwa Tillemont, Memoires pour servir à l'hist. ecclés.
V, 418 ss. 750 ss. zu nennen. Anderes bei Chevalier, Bio-Bibliogr. 1711; Richardson,
Bibliogr. Synopsis 71 f. Die Rufinische Uebersetzung des 1. Buches der Apologie für Origenes 25
in der Ausgabe des Origenes von Lommatzsch XXIV, 263 ff. Vgl. auch Routh, Reliquiae
Sacrae IV², 339 sqq. Syrische Fragmente bei De Lagarde, Analecta Syr. 64 sq.; Pitra,
Anal. sacra IV, 120 sqq. (376 sq.); deutsch bei Ryssel, Gregor. Thaumat. 47 ff.

Über die Lebensschicksale dieses frommen und bedeutenden Mannes sind wir nur
sehr mangelhaft unterrichtet, da die umfangreiche Biographie des Eusebius, die für die 30
Kenntnis der wissenschaftlichen Bestrebungen in der christlichen Kirche des 3. Jahrhunderts von unschätzbarem Werte sein müßte, leider verloren gegangen ist. Er stammte
aus Berytus, wo er seine Jugend verlebt und seine erste Erziehung genossen hatte
(Euseb., de mart. Pal. syr. Rec. p. ‎ﻤﻟ‎, S. 84 Violet). Er war aus vornehmer

Familie (Euseb. l. c. p. ‎ﻳﻟ‎, S. 77 Violet) und war von Hause aus wohlhabend 35

(Euseb. l. c. p. ‎ﻤﻟ‎, S. 84 Violet). Zunächst hatte er sich dem Studium der
Philosophie gewidmet, war dann aber zu dem der Theologie übergegangen (Euseb., l. c.).
Er begab sich nach Alexandria, dessen Katechetenschule damals unter der Leitung des
Pierius (s. d. A.) stand (Photius, Bibl. c. 118 p. 93 ᵃ 22 ed. Bekker) und warf sich hier
unter dem Einfluß des in Origenes Fußstapfen tretenden Katecheten mit solchem Eifer 40
auf das Studium der hl. Schrift, daß Eusebius von ihm sagen konnte, daß es ihm in
der Kenntnis der hl. Schrift und dem ganzen Umfang der göttlichen Wissenschaft nie-

mand gleichthat (de mart. Pal. Syr. p. ‎ﻞﺑ‎ sq., S. 77 Violet). Später kam er nach
Cäsarea und wurde hier Presbyter, hochangesehen in der Gemeinde wegen seiner Gelehrsamkeit und Wohlthätigkeit. Sein ganzes Vermögen hatte er den Armen geopfert; 45
besitzlos lebte er nur seinen Studien und der Wissenschaft (Euseb., l. c. p. ‎ﻤﻟ‎,
S. 84 f. Violet): ein getreuer Nachfolger seines großen Vorbildes Origenes. Dessen
Thätigkeit war auch die seine. Er leitete eine theologische Schule (ἧς συνεστήσατο
διατριβῆς Euseb. h. e. VII, 32, 25: vgl. de mart. Pal. gr. 7, 5) und wurde dadurch eine öffentliche Person. Vor allem richtete er seinen Eifer auf die Vermehrung 50
der Bibliothek, jenes unsterblichen Vermächtnisses des Origenes. Besonders war er auf
die Erhaltung der exegetischen Werke des Origenes bedacht. Hieronymus, der die Bibliothek noch gekannt und benutzt hat (ihr verdankte er seinen hebräischen Matthäus: de
viris inl. 3), versichert, daß Pamphilus viele Werke des Origenes mit eigner Hand
abgeschrieben habe. So hat er selbst ein von Pamphilus geschriebenes Exemplar von 55
Origenes' Kommentar zu den kleinen Propheten besessen (de viris inl. 75). Als die
Verfolgung unter Maximin ausbrach, wurde er verhaftet und nach grausamen Martern

ins Gefängnis geworfen (de mart. Pal. gr. 7, 5 f.). Hier blieb er zwei Jahre. Am
16. Februar 309 ist er enthauptet worden, zusammen mit elf andern Märtyrern.
Von Schriften hat er nur eine Verteidigung des Origenes in fünf Büchern verfaßt,
denen Euseb ein sechstes hinzufügte (s. o. Bd V S. 614, 36 ff.). Da dies Werk zahlreiche
5 Exzerpte aus den Schriften des Origenes enthielt, Pamphilus im Gefängnis aber schwerlich die Möglichkeit hatte, solche herzustellen, so ist wahrscheinlich, daß die Mithilfe des
Euseb sich gerade auf die Beschaffung des gelehrten Materiales bezog, während Pamphilus die Redaktion dieses Materiales besorgte und die Darstellung lieferte, in die es
eingegliedert wurde. So konnte die Arbeit in der That als Werk des Pamphilus und
10 Euseb zugleich gelten. Wenn Hieronymus (Contra Ruf. 1, 9. II, 23. III, 12) behauptete, das Werk rühre von Euseb her, so ist die Behauptung wider besseres Wissen
gethan (vgl. de viris inl. 75). Hieronymus wollte nach seinem Abfall vom Origenismus nicht zugeben, daß ein Märtyrer den Ketzer verteidigt habe, und so suchte er mit
Sophismen die Autorschaft des Pamphilus zu bestreiten. Das Werk war den zur Berg-
15 werksarbeit verurteilten Bekennern zugeeignet (Phot., cod. 118) und hatte den Zweck,
die gegen Origenes erhobenen Vorwürfe auf Grund seiner eignen Aussagen zurückzuweisen. Leider ist nur vom ersten Buch eine mangelhafte, von Rufin veranstaltete
Uebersetzung erhalten, der Hieronymus willkürliche Verstümmelung der Vorlage vorgeworfen hat (Contra Ruf. I, 8. II, 23, III, 12). Der Rest ist verloren. In späteren
20 Abschriften war die Abschiedsrede des Gregorius Thaumaturgus angehängt (Socrat.,
h. e. IV, 27). Außer dieser Apologie hat Pamphilus nur Briefe geschrieben. Wenn
Gennadius von einem Werk gegen die Mathematiker redet, das Rufin ins Lateinische übersetzt haben soll (de viris inl. 17), so ist das eine Verwechslung, die auf einem Mißverständnis von Rufin, Apol. I, 11 geflossen ist (s. Bardenhewer, Gesch. der altkirchl.
25 Litteratur II, 246).
Besondere Aufmerksamkeit hat Pamphilus dem Bibeltext zugewandt. Der Text, der
der kritischen Arbeit des Origenes seine Gestalt verdankte, ist erst durch Pamphilus und
Eusebius wirklich verbreitet worden. Die von diesen hergestellten Handschriften galten
als besonders korrekt und haben auf die spätere Textüberlieferung ohne Zweifel bedeutend
30 eingewirkt, wie mehrere Unterschriften noch beweisen (s. Lindl, D. Oktateuchkatene des
Prokop v. Gaza u. d. LXX-Forschung, München 1902, 94 ff.). Wie weit die Bemühungen um den von Origenes kritisch bearbeitenden Text des NT reichten, ist
nicht mehr sicher festzustellen. Vielleicht hat Pamphilus die Handschriften mit den von
Origenes seiner Erklärung vorangestellten Lemmata verglichen, so daß man seine Arbeit
35 mit der von v. d. Goltz besprochenen Athoshandschrift vergleichen könnte; vielleicht auch nur
die aus der Bibliothek des Origenes stammenden und mit diesen Lemmata übereinstimmenden
Handschriften abschreiben lassen. Bousset hat geglaubt, einen Kodex des Pamphilus
aus der auch von Bℵ repräsentierten Gruppe von Handschriften nachweisen und rekonstruieren zu können, doch sind nicht alle Bedenken gegen diese Hypothese beseitigt. Ein
40 dem Pamphilus in einer Handschrift beigelegtes Argument zur Apostelgeschichte kann nur
im Zusammenhang mit der Euthaliusfrage behandelt werden und hat in der überlieferten Form mit Pamphilus gleichfalls nichts zu thun (s. den Art. Euthalius Bd V
S. 632 f.).
Über die Persönlichkeit des Pamphilus wissen wir bei dem spärlichen biographischen
45 Materiale so gut wie nichts. Die begeisterten Worte, die Eusebius dem frühverstorbenen
Lehrer und Freund gewidmet hat und der Name, den er sich ihm zu Ehren beilegte
Εὐσέβιος ὁ τοῦ Παμφίλου „der geistige Sohn des Pamphilus" beweisen zur Genüge,
daß es kein gewöhnlicher Mann war. Nicht erst die Märtyrerkrone hat ihm diesen
Ruhm verschafft, sondern Frömmigkeit, Entsagungsfähigkeit und unermüdlicher Eifer um
50 die kirchliche Wissenschaft, Tugenden, wie sie bei einem Schüler des Origenes nicht auffallend sind, die aber auch zu jener Zeit nicht alltäglich waren. Sein Martyrium hat
sein Gedächtnis in der griechischen Kirche erhalten, wenn auch seine Arbeiten verloren
gegangen sind: der 16. Februar ist ihm geweiht. **Erwin Preuschen.**

Panagia, das gewöhnliche, doch nicht gerade offizielle, Beiwort der Jungfrau Maria,
55 diente bei den späteren Griechen zugleich zur Bezeichnung des gesegneten Brotes. In
griechischen Klöstern bestand der Gebrauch, daß bei gewissen Gelegenheiten ein dreieckiges
Stück des geweihten Brotes nebst einem Becher Weins vor das Marienbild gestellt, dann
unter gewissen Anrufungen mit dem Rauchfaß beräuchert, in die Höhe gehoben, endlich
zerteilt und von den Brüdern genossen wurde. Diese Ceremonie hieß παναγίας ὕψωσις,

sie erfolgte nach genau vorgeschriebenen Formeln und Bewegungen entweder vor Tische, oder wenn Reisen oder sonstige Unternehmungen, die eines besonderen Schutzes bedurften, bevorstanden. Das Gefäß, in welchem die Panagia aufbewahrt wurde, war das παναγιάριον. Beschreibungen des Ritus finden sich in dem Εὐχολόγιον τὸ μέγα Benediger Ausgabe von 1851 S. 584 ff., auch in Goari Euchlog. pag. 867; bei Codinus, De of- 5 ficiis cap. 7, num. 32, und bei Symeon Thessalon. περὶ τοῦ ὑψουμένου ἄρτου τῆς παναγίας opp. 1683, Jassy S. 257 f. (Gaß †) **Ph. Meyer.**

Pananglikanische Konferenzen s. b. A. Anglikanische Kirche Bd I S. 547,45.

Panegyrikon. — Litteratur: R. Volkmann, Die Rhetorik der Griechen und Römer, Leipzig 1885, S. 344 f.; Leo Allatius, De libris et rebus ecclesiasticis Graecorum, Paris 10 1646, S. 93 f.; Ehrhard bei Krumbacher, Gesch. der byz. Litteratur 1897 an verschiedenen Stellen.

Den λόγος πανηγυρικός, „die an einer Panegyre, also an einem großen nationalen Festspiele, vor einer großen, freudig gestimmten Festversammlung gehaltene Rede, welche die Bedeutung des Festes zu ihrem Gegenstande nimmt" (Volkmann) hat die Kirche in 15 ihren Gebrauch aus der Antike herübergenommen. Die Feste der Heiligen, die Kirchweihfeste boten genug Anlaß dazu. Bereits aus dem 9. Jahrhundert stammen Sammeltobizes von solchen geistlichen Reden, die nach den Tagen und Monaten des Jahres, oder nach einem Prinzip geordnet sind. Eine Sammlung solcher λόγοι πανηγυρικοί nennt Allatius ein πανηγυρικόν und rechnet es zu den griechischen Ritualbüchern. Sui- 20 cerus folgt ihm darin in seinem Thesaurus, ebenso Gaß in der II. Auflage dieses Werks, während Ehrhard (S. 163 a. a. O.) sich darüber nicht ausspricht, sondern darauf verweist, daß das Handschriftenmaterial noch der Ordnung warte. Drucke, die den Titel „πανηγυρικόν" führten, sind mir aus der Zeit nach 1453 ebenfalls nicht bekannt, während sonst doch alle Ritualbücher der Griechen unter dem alten Titel seit dem 25 16. Jahrhundert häufig gedruckt sind. Ich trage daher Bedenken für die heutige Zeit wenigstens das Π. zu den Ritualbüchern der Griechen zu rechnen. Übrigens sind Sammlungen von λόγοι πανηγυρικοί später mehrfach herausgegeben, z. B. die λόγοι πανηγυρικοί ιδ´ des Makarios Chrysokephalos in Wien s. a., die λ. π. des Konstantinos Daponte Benedig 1778 und diejenigen des Joasaph Kornelios, denen λόγοι ἑπτάριοι 30 beigemischt sind, 1788 gleichfalls in Benedig. In offiziellen Gebrauch sind diese Reden nicht übergegangen. Neuerdings hat Papadopulos Kerameus den Namen Π. für Sammlungen älterer geistlicher Reden gebraucht, die nicht alle panegyrischen Charakter tragen. (Ἱεροσολυμ. Βιβλιοθήκη, B. IV, 1899, S. 212 und 208.) **Ph. Meyer.**

Panisbrief (Brot-, Freßbrief, Laienherrenpfründe, literae panis, vitalii) ist die 35 Anweisung an ein geistliches Institut, einer bestimmten Person (Panist, Laienpfründner, Brötling, Brotgesunner u. a.) den Lebensunterhalt zu gewähren, „eine Laienpfründe von Küchen und Keller samt allen anderen leiblichen Notturften und Notdürften". Die Entstehung solcher Pfründen hängt mit dem obervanzmäßigen alten Rechte weltlicher Herrschaften auf Unterhalt in Klöstern und Stiften während ihrer Reisen zusammen (Sugen- 40 heim, Staatsleben des Klerus im Mittelalter, Bd I, Berlin 1839, S. 361 f.), und die Erteilung der Briefe erfolgte in allen Ländern Europas. Was insbesondere Deutschland betrifft, so besaß der Kaiser das Recht, dergleichen Anweisungen allen reichsunmittelbaren Stiftern, Klöstern, Spitälern, Bruder- und Frauenhäusern zu erteilen, reichsmittelbaren Anstalten dagegen nur nach besonderem Herkommen. In ihren eigenen Territorien hatten 45 die Landesherren dieses Regale. Über die Ausübung des Rechts entstanden Streitigkeiten, insbesondere seit der Reformation, indem die Zulässigkeit der kaiserlichen Erteilung solcher Briefe an evangelische Stifter beanstandet wurde. Gegen den Schluß des 18. Jahrhunderts weigerten sich die Landesherren überhaupt, in ihren Gebieten die kaiserliche Verleihung zuzulassen, und Friedrich der Große erklärte in einem Reskript an die halber- 50 städtische Regierung vom 3. Mai 1783 (unter anderen gedruckt bei Bonelli, Abhandlung von dem kaiserlichen Rechte, Panisbriefe zu erteilen, Wien 1784, 4°, Beilage Nr. 24), in Bezug auf einen dem Nonnenkloster Adersleben gesendeten kaiserlichen Panisbrief: „Wir wollen, daß ihr der Abtissin den kaiserlichen Panisbrief . . . mit dem Befehl sogleich wieder zustellet, solchen . . . zurückzusenden und . . . zu eröffnen, daß dem Kloster 55 dergleichen Laienpfründen niemals wären angemutet, am wenigsten aber nach dem westfälischen Frieden aufgebürdet worden, es ermangele also nicht der einzige Grund

solcher Panisbriefe, nämlich Besitz und Herkommen, sondern es finden auch überhaupt
kaiserliche Anweisungen solcher Herrenlaienpfründen auf Klöster und Gotteshäuser, die
reichsständischer, besonders kgl. preuß. Hoheit unterworfen wären, gar keine statt, und
möchte man sie mit dergleichen Anmutungen künftig verschonen." Infolge dieser ent-
5 schiedenen Ablehnung wurde der Gegenstand einer sorgfältigen wissenschaftlichen Prüfung
unterzogen (die Litteratur ist vollständig nachgewiesen bei Klüber, Litteratur des deutschen
Staatsrechts, Erlangen 1791, S. 540—543, 548), auch bei Abfassung der letzten Wahlkapitulation 1790 zur Sprache gebracht. Dieselbe erhielt im Artikel I, § 9 den Zusatz:
„Wir sollen und wollen auch keine Panisbriefe auf Klöster und Stifter im Reiche ver-
10 leihen, als wo und wie wir dieses kaiserliche Reservatrecht hergebracht haben" (Häberlin,
Pragmatische Geschichte der neuesten kaiserlichen Wahlkapitulation, Leipzig 1792, S. 47).
Mit der Auflösung des deutschen Reichs nahm dieses Recht ein Ende.
(H. F. Jacobson †) Sehling.

Panormitanus, gest. 1445. — Pancirolus de claris legum interpretibus (Lipsiae
15 1721, 4º), lib. III, c. 32; Hamberger, Zuverlässige Nachrichten von den vornehmsten Schriftstellern, Tl. IV, S. 726 f.; Glück, Praecognita uberiora universae jurisprud. eccl. § 104,
nr. 4; v. Schulte, Geschichte der Quellen und Litteratur des kanonischen Rechtes, Bd 2
(1877) S. 312 f.; Seckel, Beiträge zur Geschichte beider Rechte im Mittelalter I (Tübingen
1898); Sabbadini, Storia documentata della r. università di Catania, Catania 1898,
20 S. 10 ff.
Mit diesem Namen wird gewöhnlich der als Erzbischof von Palermo 1445 gestorbene Nikolaus de Tudeschis bezeichnet. Derselbe war 1386 zu Catania in Sizilien
unter ärmlichen Verhältnissen geboren, im Jahre 1400 in den Benediktinerorden getreten.
Im Jahre 1405 oder 1406 begab er sich Studien halber nach Bologna und wid-
25 mete sich hier unter der Leitung des gefeierten Franziskus Zabarella mit günstigem Erfolge dem kanonischen Recht (nach seiner eigenen Mitteilung im Kommentar zu c. 1 X
de causa possess. et propr. 2, 12), promovierte dortselbst und zwar nach dem 6. Juni
1411 zum Doctor iuris canonici und lehrte letzteres dann selbst in Parma (1412 bis
1418), Siena (1418—1430) und Bologna (1431—1432) unter großem Beifall. Das
30 Bistum Syrakus, für welches er 1416 von seinen Landsleuten empfohlen wurde, erhielt
er nicht; dagegen verlieh ihm Papst Martin V. im Jahre 1425 die Abtei Maniacum,
im Sprengel von Messina, woher Nikolaus später gewöhnlich Abbas, und zwar, zur
Unterscheidung von dem Abbas antiquus († nach 1288), recentior genannt wurde.
Im Jahre 1433 zog ihn der Papst nach Rom und erhob ihn zum auditor der Rota
35 Romana und referendarius Apostolicus. Nicht lange nachher (1434) trat er aber
als Consiliarius in die Dienste des Königs Alphons von Sizilien und wurde 1435
Erzbischof von Palermo. Der König schickte ihn als seinen Legaten zum Konzil von
Basel, wo Nikolaus auf der Seite des Papstes Eugenius IV. stand (man s. den Komm.
zu den Dekretalen Gregors IX. de electione I, 6, c. 4). Nachdem aber Eugenius 1437
40 das Konzil nach Ferrara verlegt und König Alphons sich mit ihm überworfen hatte,
verteidigte Nikolaus das Baseler Konzil durch verschiedene Gutachten (Mansi, Coll. Concil.,
Tom. XXXI, fol. 205 sq.; Würdtwein, Subsidia diplomatica, Tom. VII, p. 98 sq.
u. a. Die Defensionsschrift ist in französischer Übersetzung von Gerbais, Paris 1677,
herausgegeben). Obgleich auch bei den weiteren Verhandlungen nach dem Willen des
45 Königs auf Seiten des Konzils, verließ er es doch, als die Absetzung Eugens ausgesprochen werden sollte; begab sich aber auf Befehl seines Herrn wieder dahin und
wurde von Felix V. 1440 zum Kardinal erhoben, worauf er bis zu seinem am 2. Februar 1445 zu Palermo an der Pest erfolgten Tode die Sache desselben gegen Eugenius
verteidigte.
50 Panormitanus hat als Kanonist mit Recht Ruf erlangt und den ehrenden Beinamen
lucerna juris erhalten. Die späteren Kommentatoren legen auf seine Erklärungen großes
Gewicht, und auch bei den Reformatoren stand er in Ansehen, weshalb z. B. Melanchthon im Art. 4 der Apologie sich auf ihn beruft. Sein Kommentar zu den Dekretalen
Georgs IX. und den Clementinen, seine Quaestiones, Consilia, und mehrere Traktate
55 füllen neun Folianten in der letzten Ausgabe Venetiis apud Jantas 1617.
(H. F. Jacobson †) Sehling.

Pantänus, Presbyter und Lehrer an der alexandrinischen Katechetenschule, gest. vor 200. — Vgl. J. Routh, Reliquiae sacrae² 1, Oxf. 1846, 373—383 (danach MSG 5, 1327—32); Th. Zahn, Forschungen z. Gesch. d. neutest. Kanons 3, Erl. 1884,

156—176 (passim); A. Harnack, Gesch. d. altchristl. Litteratur bis auf Eusebius, 1, Leipzig 1893, 291—296; O. Bardenhewer, Gesch. der altkirchl. Litteratur 2, Freib. 1903, 13—15.

Pantänus ist der erste der uns bekannten Vorsteher der alexandrinischen Katechetenschule (s. d. A. Bd I, 356). Eusebius (KG 5, 10) gedenkt seiner als eines trefflichen Mannes und eifrigen Missionars, der auf Reisen im Orient bis nach Indien vordrang (gemeint 5 ist das südliche Arabien), wo er bei den Christen das vom Apostel Bartholomäus dorthin verbrachte hebräische Matthäus=Evangelium vorgefunden habe. Seine Bildung habe er von den Stoikern erhalten. Unter Commodus, und zwar anscheinend schon von 180 ab (s. 5, 9; in der Chron. notiert Euf. den P. zu 193), sei er an die Spitze der alexandrinischen Schule getreten, an der er mündlich und schriftlich (5, 10, 4: ζώσῃ φωνῇ 10 καὶ διὰ συγγραμμάτων) die Schätze der göttlichen Wahrheit erklärt habe. Nach Euseb (5, 11, 2. 6, 13, 2) hat Clemens von Alexandrien in seinen Hypotyposen (Rufin schreibt in seiner Übersetzung der KG.: in septimo Dispositionum libro) des P. als seines Lehrers gedacht, wie er ihn denn Ecl. 56 namentlich erwähnt. Unter diesen Umständen wird auch Eusebs Vermutung zu Recht bestehen, daß Clemens, wo er in den Stromata 15 seine Lehrer aufzählt, ohne Namen zu nennen (1, 1, 11), an letzter Stelle den P. im Auge hat, der, „in Wahrheit eine sizilische Biene (Σικελικὴ τῷ ὄντι ἡ μέλιττα), die Blumen der prophetischen und der apostolischen Wiese aussog und in den Seelen der Hörer reinen Honig der Erkenntnis erzeugte." Ist hier auf P. angespielt, so darf seine Herkunft aus Sizilien trotz der Angabe bei Eus. nicht gut unterrichteten Philippus Sidetes 20 (5. Jahrh.; vgl. Dodwell, Dissert. in Iren. p. 488), daß er aus Athen stammte und zu den Pythagoräern gehörte, als wahrscheinlich gelten. Da Clemens (l. c. 1, 1, 14) von seinem Lehrer als τὸ πνεῦμα ἐκεῖνο τὸ κεχαριτωμένον spricht, ihn also nicht mehr unter den Lebenden weiß, so würde P. vor 200 (Abfassung der Stromata) gestorben sein. Auf seine Bedeutung als Lehrer werfen, die Richtigkeit des Vorstehenden vorausgesetzt, 25 manche Ausführungen des Clemens, die auf den Worten des πρεσβύτερος beruhen (s. Harnack 292), deutliches Licht. Erwähnt wird P. noch von Alexander von Jerusalem (Brief an Origenes bei Eus. 6, 14, 8), Origenes (bei Eus. 6, 19, 3) und Pamphilus (Apol. Orig. bei Phot. Cod. 118). Was Hieronymus (Vir. ill. 36 und Ep. 70 ad Magnum) über Euseb hinaus von ihm zu berichten weiß, ist Faselei. Insbesondere die Be- 30 hauptung, daß viele Kommentare des P. zur hl. Schrift vorhanden seien, ist nur eine Vergröberung der oben nach Euseb mitgeteilten Thatsache. Auch Anastasius Sinaita (Contempl. anagog. in Hexaëmeron l. I. MSG 89, 860) und Maximus Confessor (Prolog. ad Opp. S. Dionysii Areop. p. 36 Corder.) bezeichnen den P. als Schriftsteller, dieser, indem er an Euseb billige Kritik übt, der, wie er viele Schriften der Alten 35 nicht verzeichnet habe, weil sie ihm nicht vorgelegen hatten, so auch nicht Πανταίνου τοὺς πόνους ἀνέγραψεν.   **G. Krüger.**

Pantheismus. — Zur Litteratur: Gottlob Benjam. Jäsche, Der Pantheismus nach seinen verschiedenen Hauptformen, seinem Ursprung und Fortgange, seinem spekulativen und praktischen Wert und Gehalt, 3 Bde, Berl. 1826—32 (der dritte Bd. u. d. Titel: Allheit und Ab- 40 solutheit oder die alte kosmotheistische Lehre des Ἓν καὶ Πᾶν in ihren modernen idealistischen Hauptformen und Ausbildungsweisen); F. W. Richter, Ueber Pantheismus und Pantheismusfurcht; eine historisch=philosophische Abhandlung, Leipzig 1841; J. B. Mayer, Theismus und Pantheismus mit besonderer Rücksicht auf praktische Fragen, Freiburg 1849; E. Boehmer, De Pantheismi nominis origine et usu et notione, Halle 1851 (hierin finden sich die ver- 45 schiedensten Definitionen vom Pantheismus); Georg Weißenborn, Vorlesungen über Pantheismus und Theismus, Marb. 1859; J. B. Fellens, Le Panthéisme, principe de la morale universelle, Par. 1873; G. Spaeth, Theismus u. Pantheismus, Oldenburg 1878; W. Driesenberg, Theismus und Pantheismus. Eine philosophische Untersuchung, Wien 1880; G. E. Plumptree, General sketch of the History of Pantheism, London 1881; W. Dilthey, Der 50 entwickelungsgeschichtliche Pantheismus nach seinem geschichtlichen Zusammenhang mit dem älteren pantheistischen Systemen, Archiv f. Gesch. d. Philos. 13, 1900, S. 307—360, 445 bis 482; Ueberweg=Heinze, Grundriß der Gesch. der Philosophie 1.—4. Bd.

Unter Pantheismus hat man, wie der Name das schon sagt, zu verstehen: die Lehre von der Identität des Alls mit der Gottheit, und wenn das All gleich der Welt gesetzt 55 wird, der Welt mit der Gottheit, so daß für Pantheismus auch Kosmotheismus gebraucht werden könnte — ein Wort, das aber nicht üblich ist. Die pantheistische Anschauung ist alt, ist mit sehr frühen Spekulationen des Orients und Occidents schon da, wenn auch in wenig ausgebildeter Form. Der Name ist verhältnismäßig neu. Weder bei den Griechen noch bei den Römern kommt die Bezeichnung vor. Zwar finden wir Πάν- 60

ϑεῖον bei griechischen Schriftstellern; da bedeutet es aber einen allen Göttern geweihten Raum, ähnlich Pantheon bei den Römern. Der Ausdruck „Pantheist" ist, so viel man weiß, zuerst von Toland, dem englischen, gewöhnlich als Freidenker bezeichneten Philosophen, gebraucht, der 1705 eine Schrift herausgab unter dem Titel: Socinianisme truly
5 stated being an Example of fair Dealing in theological Controversys, to which is profited Indifference in disputes, recommended by a Pantheist to an orthodox friend. Und ehe Toland dann in seiner Schrift Pantheisticon aus dem Jahre 1720 die Bezeichnung „Pantheismus" brauchte, kam sie schon bei seinem Gegner J. Fay 1709, in dessen Schrift Defensio religionis nec non Mosis et gentis Ju-
10 daicae vor. Eine die vielen verschiedenen Richtungen und Schattierungen des Pantheismus zusammenfassende Bezeichnung hat es vor Anfang des 18. Jahrhunderts nicht gegeben; höchstens wurden sie mit andern nicht gerade der dogmatischen Religion günstigen Anschauungen zusammen zu den atheistischen gerechnet, womit zugleich eine Anklage gegen sie erhoben wurde. Mußten sich bekanntlich sogar unter der Römerherrschaft die Christen
15 gefallen lassen, Atheisten gescholten zu werden.

Seit Toland wird der Pantheismus in der Regel in Gegensatz gestellt zu dem Deismus, der allerdings meist auch, wie der Pantheismus es thun muß, Gott als unpersönlich faßt, und wie dieser die Offenbarung im engeren Sinne verwirft, aber Gott nicht auf die Welt einwirken läßt, und zu dem Theismus, der die Persönlichkeit Gottes an-
20 nimmt und einen Zusammenhang der Welt mit Gott statuieren zu müssen glaubt. Aber keineswegs sind alle Weltanschauungen, die weder dem Deismus noch dem Theismus huldigen, als pantheistische zu bezeichnen. So hat der konsequente Naturalismus mechanischer Art, wie ihn Demokrit lehrte, in etwas modifizierter Art auch Epikur, mit dem Pantheismus nichts zu thun. Auch kann es sehr zweifelhaft sein, ob jedes monistische
25 System, wie bisweilen angenommen wird, pantheistisch sei. Rechnet man den obengenannten Materialismus, weil er alles auf Atome, die der Qualität nach von einander nicht verschieden sind, zurückführt, zu dem Monismus, sieht man auch etwa die Monadenlehre Leibnizens als monistisch an, da sie ein dem Seelischen vollständig entgegengesetztes Prinzip nicht kennt, so sind diese Systeme doch nicht pantheistisch, letzteres wenigstens nicht in aus-
30 gesprochener Weise. Ferner muß feststehen, daß der Dualismus pantheistische Gedanken nicht in sich aufnehmen kann, da es ja sonst zwei höchste Prinzipien geben müßte, von denen beiden jedes die ganze Welt wäre, also volle Absurdität dabei herauskäme. So wird wohl das Merkmal des Monismus dem Pantheismus zugesprochen werden müssen, aber der Monismus greift weiter als der Pantheismus. Eine genauer bestimmte Er-
35 klärung als die oben gegebene, eine solche, die allerseits befriedigte, wird nicht leicht möglich sein, so oft auch versucht worden ist, eine aufzustellen. Namentlich ist es nicht zutreffend, wenn als Merkmal des Pantheismus die Immanenz der Dinge in Gott dienen soll, z. B. bei Schelling, Jäsche u. a., da dieses Prädikat die Möglichkeit zuläßt, daß der Begriff Gottes ein weiterer als der der Welt ist. Kant, um dessen Bestimmung des
40 Pantheismus hier anzuführen, wollte unter ihm verstanden wissen (Krit. der Urtheilskr., S. 373, 1. Ausg.): Die Vorstellung von einer einigen allumfassenden Substanz, oder genauer: von einem Inbegriff vieler, einer einigen einfachen Substanz inhärierenden Bestimmungen, die nötig sei, um für die objektiv-zweckmäßigen Formen der Natur einen obersten Grund der Möglichkeit zu haben. Zweifellos betrifft dies das Wesen des Pan-
45 theismus, faßt es aber nicht ganz, da von der Gottheit dabei gar nicht die Rede ist, abgesehen von der Schwierigkeit, die darin liegt, daß viele Bestimmungen an einer einfachen Substanz sich finden sollen.

Bei der großen Verschiedenheit der Definitionen des Pantheismus ist es sehr erklärlich, daß man von verschiedenen Seiten verschiedene Arten oder Formen dieser Welt-
50 anschauung annimmt. Man redet von einem materialistischen Pantheismus, den namentlich die Franzosen wie Holbach gelehrt haben sollen, zu dem aber auch die hylozoistischen Anschauungen der Alten, namentlich die Stoa, zu rechnen wären; ferner von einem kosmologischen, der sich bei den Eleaten finden soll, aber auch die Emanationssysteme, freilich in ganz anderer Form, unter sich fassen müßte. Man glaubt weiter, einen psychologischen
55 statuieren zu müssen, nach dem Gott die Seele der Welt sei, wobei freilich das All durch die Gottheit keineswegs erschöpft wäre. Man will weiterhin die Lehre Spinozas als ontologischen, die Fichtes als ethischen, die Schellings und Hegels als logischen Pantheismus von den anderen Formen trennen, und schließlich müßte man auch einen mystischen des Meister Eckhart und seiner Geistesgenossen annehmen. Eine besondere Form
60 des Entwickelungspantheismus oder des evolutionistischen Pantheismus könnte man an-

nehmen, wenn man diesem gegenüberstellen wollte einen starren, namentlich den eleatischen. Man würde freilich die Entwickelung statuieren müssen bei den meisten der eben ange= gebenen Arten und diese also als evolutionistische zu bezeichnen haben. Es läßt sich nicht leugnen, daß bei diesen mannigfaltigen Formen, deren Zahl hier noch keineswegs er= schöpft ist, Verschiedenheiten hervortreten, die namentlich mit sonstigen philosophischen oder 5 religiösen Anschauungen zusammenhängen, wie sich auch eine nicht unbedeutende Differenz herausstellen wird, je nachdem der Vielheit der Einzeldinge in der Wahrnehmungswelt entweder nur Schein oder wirkliches Sein, vielleicht dieses in modifizierter Weise, zu= kommen soll. Aber trotz der Verschiedenheiten gehen diese Arten wieder nicht selten in= einander über, so daß eine reinliche Scheidung sich kaum durchführen lassen, auch die 10 Bezeichnung nicht immer sicher sein wird; z. B. kann man den eleatischen ebenso gut als ontologischen wie als kosmologischen fassen, vielleicht sogar besser. Abhängig werden die verschiedenen Arten auch sein von der Mannigfaltigkeit der Geistesrichtungen derer, die ihnen huldigen. Der Pantheismus im allgemeinen mag entstanden sein aus dem= selben Bedürfnis wie der Monismus, nämlich aus dem nach Einheit, indem sich das 15 Denken nicht zufrieden geben konnte mit dem Zwiespalt des Dualismus, namentlich nicht mit dem von Transcendenz und Immanenz, von Gott und Welt. Bei dem Pantheismus muß freilich die Vorstellung von Gott in klarer oder unklarer Weise mit zur Geltung kommen, was bei den verschiedenartigen Formen des Monismus nicht der Fall zu sein braucht. Bei der Ausgestaltung des Pantheismus in mannigfaltigen Formen wird es 20 aber darauf angekommen sein, ob bei ihren Urhebern und späteren Anhängern mehr das begriffliche Denken, oder die Phantasie oder das Gefühl vorgewaltet hat, wiewohl eine ge= naue Scheidung hier nicht möglich ist. Es zeigen sich hiernach Unterschiede deutlich bei den Eleaten, bei der Lehre von der Emanation, bei den Mystikern, um nur diese drei hier herauszugreifen. 25

Von den reineren Formen des Pantheismus sind zu trennen die Formen, bei denen Vermischung mit andern Anschauungen zu tage tritt, namentlich auf religiösem Gebiete mit dem Theismus, der sehr leicht in die pantheistische Auffassung hinübergreift. Wir finden solche Übergänge schon in der alten Philosophie, aber vielfach bis in das neueste Denken hinein, wo sogar die Paradoxie eines „transcendenten Pantheismus" (Fort= 30 lage) vorgekommen ist. Um die Bedeutung des Pantheismus annähernd zu zeigen, wird es nötig sein, hier auch solche Mischformen wenigstens zu erwähnen.

Gehen wir jetzt auf die einzelnen Gestaltungen des Pantheismus, wie sie die Geschichte aufweist, ein, so wird uns die materialistische Weltanschauung, soweit sie pantheistisch ist, als die naivste, reflexionsloseste, zuerst entgegentreten, nicht bei den Orien= 35 talen, sondern bei den Griechen. Schon bei den sogenannten Hylikern oder Hylozoisten zeigt sich Neigung zum Pantheismus: Sie nehmen ein Prinzip an, dessen Umwandlungen die einzelnen Dinge der Welt bilden. Wenn dieses auch nicht gerade Gott von ihnen ge= nannt worden sein mag, so hat doch Thales nach der Angabe des Aristoteles geglaubt (De anima I, 5), Alles sei voll von Göttern (πάντα πλήρη θεῶν εἶναι), und nach dem= 40 selben Aristoteles (Phys. III, 4) umspannt und beherrscht das ἄπειρον des Anaximander Alles, und dieses Unendliche ist das Göttliche, wobei es freilich sehr unsicher ist, ob dies Ausdrücke Anaximanders selbst sind. Bestimmter kommt der Pantheismus bei Heraklit zu tage, der das ewig lebende Feuer als Urstoff ansah, aus dem sich Alles entwickele, und in das Alles zurückgehe, indem das Feuer den Logos in sich habe und so nach ver= 45 nünftiger Ordnung sich entzünde und verlösche, so daß der große Weltprozeß bis zur ἐκ= πύρωσις hin ein objektiv logischer sei. Dieses Prinzip der warmen, vernünftigen Luft — denn die wird man hier unter Feuer verstehen müssen, zumal das Prinzip sich nicht in Luft umwandelt, wohl aber in Wasser und Erde — ist nach Heraklit offenbar gleich der Gottheit, obwohl er selten von dieser spricht. Am deutlichsten zeigt sich der Pantheismus 50 in den Worten (Fragm. 67, Diels): ὁ θεὸς ἡμέρη εὐφρόνη, χειμὼν θέρος, πόλεμος, εἰρήνη, κόρος λιμός, ἀλλοιοῦται δὲ ὅκωσπερ ⟨πῦρ⟩ ὁπόταν συμμιγῇ θυώμασιν, ὀνομάζεται καθ' ἡδονὴν ἑκάστου. Gott ist hiernach überall, wo Tag und Nacht ist, Winter und Sommer u. f. w., und verwandelt sich, woraus deutlich erhellt, daß er dem Urstoff identisch gesetzt wird. Auch Logos heißt das Urprinzip im Wechsel der Namen, 55 wie alle Dinge im Fluß sind, und als solcher ist er Allen gemein, und Pflicht ist es dem Gemeinsamen zu folgen; aber sie meisten leben so, als wenn sie eine eigene Einsicht hätten (Fragm. 2). Es tritt hier die Schwierigkeit schon hervor, mit der jeder Pan= theismus zu kämpfen hat: die Einzelnen sind alle Umwandlungen des Feuer=Logos, sie stehen unter dem allgemeinen Weltgesetz, das sogar in ihnen ist, und doch ist die Mehr= 60

zahl unvernünftig in ihrem Urteil und ihrem Thun. Die Wahrheit kommt den Menschen
zu Ohren, aber sie sind gleich Tauben; das Sprichwort sagt von ihnen, daß sie, obwohl
anwesend, doch abwesend sind. Woher kommt diese Abkehr von dem Allgemeinen in den
höchsten Produkten der Natur, während sonst Alles nach dem Logos dahinzufließen scheint?
5 Heraklit giebt darauf keine genügende Antwort. Denn wenn er sagt: Bei Gott sei
Alles schön und gut und gerecht, die Menschen aber sähen einiges für gerecht, anderes für
ungerecht an, woraus hervorzugehen scheint, daß die angeführten Begriffe keine absolute
Geltung bei den Menschen zu haben brauchten, so ist nicht einzusehen, warum er die,
welche vom Allgemeinen, d. h. auch vom Rechten oder Gerechten abfallen, bitter tadelt.
10 Und wenn er ferner mit dem Satz: ἦϑος ἀνϑρώπῳ δαίμων, das Schicksal des Menschen,
also auch seine Abkehr vom Logischen, dem Charakter des Menschen zuschreibt, so ist doch
der Charakter eine Folge des allgemeinen Gesetzes oder der allgemeinen Vernunft, und
diese wendet sich in ihm gegen sich selbst. Die Lösung, wie sie bei den Stoikern und
Neuplatonikern später darin gesucht wird, daß zur Harmonie der ganzen Welt auch das
15 Schlechte, wie Schatten zum Lichte gehöre, klingt allerdings in seiner Lehre von der
Harmonie, die aus Entgegengesetztem bestehen müsse, an, wird aber von ihm auf den
ethischen und intellektuellen Abfall des Menschen nicht bezogen. — Welchen Ernst Heraklit
mit seiner Allgegenwart der Götter machte, dafür mag noch die Erzählung dienen, wo=
nach er Fremden, die ihn besuchen wollten und ihn in der Küche sich wärmend fanden
20 und deshalb zögerten, näher zu treten, zurief, sie möchten nur dreist hereinkommen, auch
hier seien Götter (εἶναι γὰρ καὶ ἐνταῦϑα ϑεούς, Arist., De part. an. I, 5).
An die Hylozoisten schloß sich in seinen Grundanschauungen der erheblich nach Ana=
xagoras lebende Diogenes von Apollonia an, der seine Einheitslehre vielleicht gerade im
Gegensatz zu dem Dualismus des Klazomeniers aufstellte. Ihm scheint der mit Denken
25 begabte Urstoff der von den Leuten Luft genannte Stoff zu sein, und dieser lenke Alles
und beherrsche Alles. Diesen hält er für Gott (statt ἔϑος zu lesen ϑεός, s. Diels, Die
Fragm. der Vorsokratiker S. 349), der überall sei, Alles verwalte und sich in Allem vor=
finde. Nicht ein Einziges gebe es, das nicht an ihm teil hätte. Freilich nähmen nicht alle
Dinge in gleicher Weise an ihm teil, es gebe vielmehr viele Stufen der Luft wie des Denkens.
30 So gehen nach Diogenes alle Einzelerscheinungen aus dem Urstoff hervor und kehren
auch wieder, wie das schon vor Diogenes gelehrt worden war, in ihn zurück. In ihm
muß aber eine Geisteskraft wohnen, ohne die eine Ordnung, wie sie sich in der Welt
findet, gar nicht möglich wäre. So ist bei Diogenes der Pantheismus in reiner, wenn
auch noch nicht durchgeführter Form ausgesprochen.
35 Klar kommt der Pantheismus zur Geltung bei den Stoikern, die ja im wesent=
lichen auf physischem Gebiet dem Heraklit folgten, indem sie sich zu einem organischen
oder dynamischen Materialismus bekannten, nicht zu einem mechanischen, wie Demokrit
und Epikur. Der Urstoff, d. h. die Gottheit oder das göttliche Feuer, verwandelt sich,
damit eine Welt zustande komme, in Luft und Wasser, von dem letzteren ein Teil in
40 Erde. Feuer und Luft sind bei der Bildung und Weiterentwickelung der Welt die mehr
thätigen, die beiden andern die leidenden Elemente, so daß es bisweilen den Anschein
hat, als verfielen die Stoiker in den platonisch=aristotelischen Gegensatz von Form und
Stoff, also in den Dualismus. Es ist dies aber in Wirklichkeit nicht der Fall, soviel
Ähnlichkeit auch da ist: die bildende Kraft ist bei ihnen auch Stoff, elastische, warme Luft,
45 die durch die gröberen Stoffe geht, die Gestalt der Dinge hervorbringt und ihnen
Halt (τόνος) verleiht. Allerdings scheint der Pantheismus bei der Stoa nicht folgerichtig
durchgeführt zu sein, insofern dieser feinste Stoff nach seiner Differenzierung aus dem Ur=
feuer als das künstlerische Feuer im Unterschied zu dem verzehrenden oder als die höchste
Vernunftkraft oder als Gott bezeichnet wird, auch als Weltseele, so daß nur das feinere,
50 gewissermaßen geistigere Teil der Welt göttlich wäre. Allein diese scheinbare Inkonsequenz
findet ihre Berichtigung darin, daß sich die ganze Welt wieder in Feuer auflöst und
dieses Feuer mit der Weltseele oder mit Zeus als identisch gesetzt wird, so daß Chry=
sippos sagen konnte (Plut. De Stoic. rep. 38): „Sonne und Mond und die andern
Götter sind geworden, Zeus aber ist ewig“. Die Weltentwickelung beginnt nach der
55 ἐκπύρωσις wieder von neuem, es wiederholt sich ganz derselbe Prozeß der Verwandlung
und Rückverwandlung in ganz gleicher Weise unzählige Male, wie diese Wiederkehr aller
Dinge ja mehrfach im Altertum gelehrt wurde im Gegensatz zu der von Aristoteles ver=
tretenen Lehre von der Ewigkeit der Welt. Das Logische und Teleologische herrscht in
der Welt, wie auch die Lehre von dem λόγος σπερματικός zeigt, der für die Entwicke=
60 lung aller Dinge die vernünftigen, aber doch materiellen Samenkeime in sich enthält.

Jedoch reicht diese Zwecklehre nur bis zur ἐκπύρωσις; mit dem Weltbrande ist alles Vor=
hergehende noch so zweckvolle vernichtet und zwecklos gemacht. — Die Entwickelung der
Welt geschieht nach bestimmter Ordnung, nach der εἱμαρμένη, die, da sie vernünftig ist,
auch als Vorsehung bezeichnet wird, so daß sich der Mensch ihrer Führung vertrauens=
vollst hingeben kann. Es ist ja Gott, der für Alles sorgt als gütiger, wohlthätiger 5
Vater, ohne den nichts geschieht mit Ausnahme dessen, was die Bösen thun in ihrem
Unverstand. Soweit die Welt physisch betrachtet wird, ist Alles aufs beste geordnet, so=
bald die Stoiker aber das Ethische berühren, da herrscht der schlimmste Pessimismus: da
sollen die Menschen frei sein und infolgedessen herrscht der Irrtum und die Sünde, ja
Raserei, so daß von dem menschlichen Leben als dem unerfreulichsten und schmählichsten 10
aller Dramen gesprochen wird, Klagen, die z. B. bei Seneca sehr stark zur Geltung
kommen, aber auch schon bei Chrysippos und Kleanthes laut werden. Wie die mensch=
liche Seele, die ein Teil oder Ausfluß der Gottheit ist und mit ihr immer in Wechsel=
wirkung steht, einmal frei sein soll in dem Wählen von Tugend und Laster, sodann aber
auch diese Freiheit aufs schlimmste gebrauchen soll, nicht in Übereinstimmung mit der 15
Natur lebend, sondern im Gegensatz zu ihr und der Vernunft, ist bei dem Pantheismus
der Stoa nicht zu erklären. Die Theodizee, die sie auf physischem Gebiete gaben, konnte
auf dem ethischen in keiner Weise genügen. Die stoische Schule liebte freilich die Anti=
nomien, von denen die hauptsächlichste der real bestehende Gegensatz von Freiheit und
Notwendigkeit war. 20

Nach dem Philosophen auf dem Throne, der es noch besonders liebte, mit seinem
Dämon, seiner Seele, d. h. dem Göttlichen in einsamer Betrachtung zusammen zu sein
und so an die pantheistische Weltanschauung erinnert, erlosch die Stoa als Schule, wäh=
rend ihre Lehren zum Teil im Christentum modifiziert fortlebten, z. B. die von den
rationes seminales, mit der die vom lumen naturale zusammenhängt, und auch 25
auf die Entwickelung der Philosophie von Einfluß waren. Auf den Materialismus des
18. Jahrhunderts in Frankreich werden sie freilich nicht eingewirkt haben, da dieser im
eigentlichen Sinne gar nicht pantheistisch genannt werden kann: Bei den Stoikern ist Gott
Weltprinzip, bei Holbach ist er eigentlich nur ein leeres Wort, mit dem man zur Not
die thätige Natur bezeichnen kann. Eher könnte ein Zusammenhang Tolands mit der 30
Stoa angenommen werden, der in seinem **Pantheisticon** (1720) eine pantheistische
Religion der Zukunft entwarf und deren Kultus sich auf Wahrheit, Freiheit und Ge=
sundheit beziehen ließ und in den Briefen an Serena (nur die drei ersten an diese, d. h.
an Sophie Charlotte, Königin von Preußen, die zwei weiteren an einen Holländer ge=
richtet) 1704 einen hylozoistischen Pantheismus lehrt, der in manchem an die Stoa er= 35
innert. Die Materie ist nicht inaktiv, sondern mit Bewegung begabt; daher bedarf es
nicht einer außenstehenden Kraft, um die Einzelerscheinungen hervorzubringen, noch einer
vom Körper verschiedenen Seele. Das Einzelne ist aus dem Ganzen entstanden, das All
ist eines, unendlich und mit Vernunft begabt. Das Gesetz der Natur, die Seele der Welt
ist Gott, aber nicht von der Welt zu trennen, ebensowenig wie die menschliche Seele vom 40
menschlichen Leibe.

Haben wir bis jetzt eine Form des Pantheismus kennen gelernt, in der die Materie
das Wirkliche, aber zugleich in Entwickelung begriffen, lebendig ist, sogar meist als ver=
nünftiges Leben gedacht wird, so steht dieser eine Form der Starrheit, Leblosigkeit gegen=
über, die sich zuerst deutlich zeigt bei dem Eleaten. Xenophanes war der erste 45
griechische Philosoph, der den Monotheismus entschieden und ausdrücklich lehrte mit kräf=
tiger Bekämpfung aller anthropomorphischen Anschauungen der Gottheit, zugleich aber
diese gleich der Welt setzte, wie Aristoteles berichtet: Xenophanes auf die ganze Welt
blickend, sagte: das Eine sei Gott (**Metaph. I, 5**: εἰς τὸν ὅλον οὐρανὸν ἀποβλέψας
τὸ ἓν εἶναί φησι τὸν θεόν). Dieser einige Gott, oder die Welt, ist nicht geworden, 50
da das Seiende nicht erst werden kann, er füllt den ganzen Raum aus, ist ohne Be=
wegung und Veränderung. Es giebt keine einzelnen Glieder, getrennt voneinander an
ihm, sondern Alles an ihm ist Auge, ist Ohr, ist Denkkraft und mühelos lenkt er alles
nur mit seinem denkenden Geiste. Alles das, was die Sterblichen ihm andichten, ist
Irrtum. Eine weitere Ausführung der Lehre, in der vielleicht auch die hervortretenden 55
Widersprüche gehoben wurden, finden wir in den dürftigen Fragmenten des Dichterphilo=
sophen nicht, aber das Losungswort für die Alleinslehre: ἓν καὶ πᾶν, wie es sich in
dieser Form allmählich eingebürgert hat, ist bei ihm gegeben, wenn es auch richtiger
lauten sollte: τὸ πᾶν ἕν. Als bezeichnender Spruch für den Pantheismus, wofür es
oft angeführt wird (s. z. B. Jäsche in der Litteratur zu diesem Artikel), kann es, genau 60

genommen, nicht dienen, da die Gottheit in der Formel fehlt, und es auf diese doch besonders ankommen muß. Bei Xenophanes selbst wird allerdings dies All-Eine mit der Gottheit identifiziert, wie auch Theophrast bei Simplikios (**Phys.** 22, 30) bezeugt: τὸ γὰρ ἓν τοῦτο καὶ πᾶν τὸν θεὸν ἔλεγεν ὁ Ξενοφάνης.

5 Anders Parmenides, der die Einheit des Seienden namentlich hervorhob und dies allein als existierend ansah, während das Nichtsein, das Werden keine Existenz habe. Die ganze mit den Sinnen wahrnehmbare Welt ist nichts als Trug oder Schein, das wahre Sein, das Eine ist nur mit dem Denken zu erfassen. Diesem seinem All erteilt Parmenides die Prädikate, die ihm zukommen im Gegensatz zu dem Nicht-Wirklichen: 10 Es ist ungeworden — denn woraus sollte es geworden sein? —, es kann auch nicht zerstört werden. Es ist ein Ganzes, als Einziges geboren, unbeweglich und ohne Ende. Es war nicht und wird nicht sein, weil es alles zusammen nur jetzt ist, Eins und unteilbar, ein kontinuierliches Ganze, überall sich selbst gleich und auch ewig mit sich identisch, denkend und alles Denken in sich befassend, aber nicht etwa das abstrakte Sein, sondern 15 ähnlich der Masse einer wohlgerundeten Kugel, in der an einer Stelle nicht etwa mehr Seiendes als an der andern ist. Es geht hieraus hervor, daß Parmenides sich das Sein materiell und begrenzt, also körperlich gedacht hat. Wie aus dieser ewigen, unveränderlichen Masse die Erscheinungswelt hervorgegangen oder zu erklären ist, darauf läßt sich Parmenides nicht ein, wenn er es auch nicht verschmäht, die Sinnenwelt auf physikalische 20 Art entstehen zu lassen. — Monist, auch wohl Materialist, freilich dieses nicht im gewöhnlichen Sinne, war Parmenides — ob man ihn auch als Pantheisten zu bezeichnen das Recht hat? Die theologischen Gedanken seines Vorgängers waren offenbar zum Teil aus religiösem Sinne geflossen, den er sich bei seinem unsteten Sängerleben bewahrt hatte, darum der entschiedene Kampf gegen den Polytheismus, gegen die anthropopathische Ge-25 staltung der Götter oder Gottes, die gegen das religiöse Gefühl verstieß. Er spricht von Göttern und Gott häufig, während in den uns erhaltenen Fragmenten des Parmenides Gott nirgends erwähnt wird, um so wunderbarer, als er doch entschieden die Dichtungen des Urhebers der Alleinslehre gekannt hat. Wenn Spätere, z. B. Stobaios (Ekl. I, 60) von Gott bei Parmenides sprechen (Παρμενίδης τὸ ἀκίνητον καὶ πεπερασμένον σφαι-30 ροειδές, scil. τὸν θεόν), so ist dies nicht zu beachten. Man braucht nur die Umgebung zu berücksichtigen, in der sich diese Notiz des Stobaios findet, um zu sehen, wie unglaubwürdig sie ist. Wahrscheinlich glaubte Parmenides, neben dem Seienden nicht noch etwas setzen und nennen zu dürfen, das mit diesem doch ganz identisch, und dem deshalb die Prädikate des Seienden in vollem Maße zukämen. Vielleicht glaubte er auch Mißverständ-35 nisse durch das Schweigen von der Gottheit eher ausschließen zu können, zu deren Entstehen durch das Hereinziehen der Gottheit neben der so starken Betonung des einen Seienden vielleicht Veranlassung gegeben wäre. Auch bei dem letzten der Eleaten, bei Melissos, der dem Parmenides in der Lehre vom lauteren Sein zu Hilfe kam, ist von Gott nicht die Rede. Er soll sogar (Diog. L. IX, 24) gemeint haben, über die Götter 40 dürfe man nichts äußern, da es keine Kenntnis von ihnen gebe. Hat er dies wirklich gesagt, so ist es wohl so zu erklären, daß er sich scheute, über die Volksgötter etwas zu äußern, die er nicht annehme und von denen er demnach auch nichts wisse. — Offenbar ist dem Parmenides, wie seinem letzten Nachfolger, die Gottheit mit dem Seienden ganz zusammengefallen, so daß man ein Recht hat, sie Pantheisten zu nennen; nur wird ihre 45 Lehre keine religiöse Färbung wie die des Xenophanes gehabt haben.

Die Eleaten wurden von Platon im Theaetet als στασιῶται τοῦ ὅλου bezeichnet, sie hielten das All gleichsam im Stillstand, konnten keine Entwickelung des Seins annehmen; so war es auch nicht möglich, daß ihre Lehre, nachdem sie die feste Prägung durch Parmenides erhalten hatte, sich weiter ausbildete. Verteidiger in der Polemik gegen 50 die gewöhnlichen Erfahrungsbegriffe, und in der Verstärkung der positiven Argumente konnten auftreten und traten auf, aber die Hauptsache des All, aber die Hauptsache der Einheit und der Unbeweglichkeit mußte starr stehen bleiben und konnte höchstens in einer Entgegensetzung gegen die Kenntnis der Erscheinungswelt, wie bei Platon, eine Rolle spielen, in der freilich die Einheit sich sogleich in die Vielheit auflösen mußte. Eine ethische Wendung konnte der 55 folgerichtigen Alleinslehre auch nicht gegeben werden; da ja das Individuum weder für sich noch in einem sozialen Körper mit Vielen zusammen zu einer gesonderten Stellung dem All gegenüber gelangen konnte, und eine solche wäre für die Aufstellung einer Moral doch nötig gewesen. — Auch die Lehre der Megariker, die auf der eleatischen zweifellos fußte, läßt sich nicht als eine Weiterentwickelung ansehen, da in ihr unter dem Einfluß 60 der sokratischen Ethik bloß eine Änderung der Bezeichnung des Einen stattfand, das Eukleibes das Gute nannte, von dem er sagte, es könne auch gefaßt werden als Einsicht oder als Gott oder als Vernunft (Diog. L. II, 106). Ist auch hiermit der Pantheismus deutlich ausgesprochen, so war das Prinzip doch einer weiteren Entfaltung nicht fähig, war auch nicht zur Aufstellung einer Ethik zu brauchen. Im übrigen sind wir über die Eukleidische Lehre zu wenig unterrichtet, um eine erwünschte Einsicht in sie erlangen und 5 ein sicheres Urteil über sie fällen zu können.

Eine gewisse Ähnlichkeit mit der eleatischen Philosophie, ohne daß sich ein bestimmter geschichtlicher Zusammenhang nachweisen ließe, hat der Monismus Spinozas, der in ganz unzweideutiger Weise als Pantheismus auftritt. Bei ihm ist die Substanz das allein wahrhaft Seiende, die als Seiendes nicht durch ein Anderes hervorgebracht sein 10 kann, sondern ihre Existenz mit ihrem Begriffe des Seienden zugleich hat. Diese Substanz, die vermöge ihrer Fassung als Seiendes nur eine ist, wird gleich Gott gesetzt und dieser ist wieder gleich der Natur: Deus sive natura. Hiermit ist der Ontologismus, der Pantheismus, der Naturalismus gegeben. Da nun alles, was erscheint, entweder etwas Äußeres, d. h. Ausgedehntes, oder etwas Inneres, d. h. Seelisches ist, so sind dies die 15 beiden Formen, in denen uns das Seiende zum Bewußtsein kommt, die beiden Attribute des Seins oder der Substanz oder Gottes: Ausdehnung und Denken, die einzigen, die von uns erkannt werden. In Wahrheit giebt es unendliche, da die Substanz oder Gott nach allen Seiten unendlich ist, also auch nach der Seite der Attribute keine Beschränkung erleiden darf; nur sind uns mit unserem beschränkten Vermögen andere unfaßlich. Mit der 20 Annahme dieser beiden für uns erkennbaren Grundeigenschaften an der Substanz war der Dualismus Descartes' überwunden, der für die Erscheinungswelt zwei voneinander ganz verschiedene Substanzen angenommen hatte, die ausgedehnte und die denkende, über denen als geschaffenen freilich Gott noch stehen sollte, als der schaffende, der zu seiner Existenz keines anderen Dinges bedarf. Die Einzeldinge, die in der Erscheinungswelt vorhanden sind, 25 sollen nach Spinoza wechselnde Gestaltungen, Modi der Attribute sein, zu vergleichen vielleicht am besten mit den Wellen des Meeres, die auftauchen und verschwinden, ohne zum Wesen des Meeres zu gehören, aber freilich hinkt dieses Bild auch. Jeder Modus ist ein solcher in beiden Attributen zugleich, indem, was auf der einen Seite der Substanz geschieht, auch auf der andern geschehen oder sich darstellen muß, wie der Mensch als 30 Ganzes nach seiner körperlichen Qualität ein Modus der Ausdehnung, nach seiner geistigen ein solcher des Denkens ist. Eine Wechselwirkung zwischen diesen beiden Seiten findet weder in der ganzen großen Natur noch im Menschen statt, sondern voller Parallelismus: ordo et conexio idearum idem est ac ordo et conexio rerum. Wie die Einzeldinge in der Doppelheit ihrer Prädikate nach Spinoza aus der Substanz hervorgehen, 35 das ist schwer zu sagen. Sein Hauptwerk, die Ethik, ist streng nach mathematischer Methode verfaßt, so daß alle seine Sätze, die auch die Erscheinungswelt betreffen, in strengster Folge sich aus den Definitionen, von denen die der Substanz, des Attributs, des Modus und Gottes die bedeutsamsten sind, und den Axiomen ergeben. Auch die ganzen Bestimmungen des Menschen, sogar dessen Affekte werden auf diese Art abgeleitet. So ruhen 40 alle Dinge in Gott, und wie sich aus der Definition des Dreiecks in jedem Augenblicke alle das Dreieck betreffenden Sätze herausziehen lassen, so müssen sich zu jeder Zeit alle einzelnen Gegenstände aus der Substanz entwickeln lassen. Sie dann aus Gott erklären oder in Gott schauen, heißt sie sub quadam aeternitatis specie oder sub aeternitatis specie intelligere. Aber durch diese mathematische, gleichsam ewige Ableitung 45 wird die Wirklichkeit weder erklärt noch hervorgebracht. Es ist das dieselbe große Schwierigkeit in den meisten metaphysischen Systemen, die nicht darzuthun vermögen, wie aus dem Sein das Werden entsteht, eine Schwierigkeit, die von den Spinoza geistesverwandten Eleaten gar nicht berührt wurde, indem sie einfach dem Sein den trügerischen Schein entgegenstellten. Nach Spinoza kann es im Grunde keinerlei Werden, keine wirkliche Be- 50 wegung, keine eigentlich wirkende Ursache geben, nur Grund und Folge, und noch viel weniger einen Zweck, der ja in der Mathematik absolut keine Stelle haben kann. Trotzdem soll Gott bei Spinoza die Ursache der ganzen Welt sein, die natura naturans gegenüber der natura naturata, er ist die Ursache des Wesens aller Dinge, ihres Eintritts in die Existenz und ihres Beharrens, aber er ist nicht eine transcendente, über den 55 Dingen stehende Ursache, sondern die immanente. Jedoch soll er nicht unmittelbar das Einzelne bewirken, sondern mittelbar durch Einzelnes wieder, so daß strengster Kausalzusammenhang zwischen den einzelnen Dingen stattfindet, aber ein solcher stets nur je auf einer Seite, in einem Attribute des Seins, nicht von einem auf das andere übergehend. Die Dinge der Welt sind demnach streng determinirt, auch der Mensch macht 60

keine Ausnahme davon, selbst Gott ist durch die Notwendigkeit seines Wesens bestimmt und kann nicht willkürlich etwas thun oder unterlassen. Darin, daß er nur durch sich bestimmt ist, liegt die Freiheit Gottes. Verstand und Wille kommen Gott nicht zu, ebensowenig wie die individuelle Existenz, da mit dieser eine Beschränkung verbunden wäre,
5 aber jede determinatio ist eine negatio, welche letztere nicht auf Gott fallen kann, da er das allerrealste Wesen ist nach der Definition: Per Deum intelligo ens absolute infinitum, hoc est substantiam constantem infinitis attributis, quorum unumquodque aeternam et infinitam essentiam exprimit. Aus der Unendlichkeit Gottes ergiebt sich von selbst, daß alle Dinge, nicht nur die Attribute, sondern auch die Modi
10 in Gott sind: Quioquid est in Deo est et nihil sine Deo esse nec concipi potest. Hiernach fällt auch auf Gott die Ausdehnung oder die Materie, aber ganz verfehlt würde es sein, Spinoza einen Materialisten zu nennen, ebenso falsch wie ihn als Spiritualisten aufzufassen, höchstens kann man sagen, daß er beides zugleich sei. Er ist auch weder Atheist noch Akosmist, welch letztere Bezeichnung auch auf ihn angewandt worden ist,
15 sondern im eigentlichen Sinne Pantheist. Daß er unter seinem Gott etwas ganz anderes verstand als der jüdische oder christliche Theismus, zog ihm und seinen Anhängern den Vorwurf des krassesten Atheismus zu.

Während es der eleatischen Philosophie nicht möglich gewesen wäre, eine Ethik aufzustellen, ging schließlich bei Spinoza die ganze Absicht des Philosophierens auf das prak-
20 tische Ziel der Erwerbung der Glückseligkeit los, wie schon aus dem Titel seiner ersten Schrift: De Deo et homine eiusque felicitate, hervorgeht, wie aber namentlich aus seinem Hauptwerk, seiner Ethik, erhellt. Er hebt zwar in diesem mit der Gottheit an, aber er giebt diese Bestimmungen der Gottheit doch nur, weil Gott erkannt sein muß, um den Menschen frei von den Leidenschaften zu machen und ihn so die Glückseligkeit
25 erreichen zu lassen. Sieht der Mensch erst ein, daß alles in unabänderlicher Ordnung von Gott abhängt, daß kein Ding für sich besteht, sondern jedes gleichsam in Gott ruht, dann kann er auch nicht mehr durch äußere Ereignisse betrübt oder zu Leidenschaften erregt werden. Schaut der Mensch sich selbst und alle anderen Dinge in Gott, so hat er seine Vollendung erreicht, die in der Erkenntnis liegt, damit ist Freude verbunden, Freude
30 von der Vorstellung Gottes begleitet, d. h. Liebe, in diesem Falle intellektuelle Liebe zu Gott, der mystische Schlußstein des spinozistischen Systems und der seines Pantheismus, da die Modi sich hierbei wieder in Gott fühlen. Die Ethik ist ihm aber erst möglich durch seine Lehre von dem Modis, von den Einzeldingen, die zwar kein selbstständiges Wesen haben, aber doch als individualistische Elemente in dem Monismus Spinozas ihre
35 Eigenart gleichsam losgelöst vom Allgemeinen besitzen, vermöge deren die Menschen z. B. Imagination haben, leidenschaftlichen Zuständen unterworfen sind, von denen sie ablassen müssen, um in der Gottheit ihre Vollendung zu finden.

Es ist bekannt, wie der Pantheismus Spinozas bis weit in das 18. Jahrhundert hinein trotz vieler heimlicher Anhänger namentlich von den Theologen angegriffen, auf das
40 heftigste geschmäht und verachtet wurde, wie selbst Leibniz sich mehr und mehr von der spinozistischen Philosophie zurückzog. Christian Wolff, der von seinen Widersachern des spinozistischen Fatalismus geziehen wurde, hält es für das beste, in seiner Theologia naturalis eine energische Widerlegung der Lehre Spinozas zu geben, worin er zum Schluß sagt: die Spinozisten seien nach jedermanns Meinung für Gottesleugner gehalten
45 worden und ihre ganze Lehre für gottlose Ansicht. Daher sei es auch gekommen, daß bisher noch niemand aufgetreten sei, der sich unterfangen hätte, Spinoza von dieser Anklage frei zu sprechen, obwohl sonstige Schriftsteller, die man der Gottesleugnung beschuldigt, ihre Verteidiger gefunden hätten. Lessing konnte noch bemerken, man habe Spinoza behandelt wie einen toten Hund. Doch erfolgte Ende des 18. Jahrhunderts eine gewaltige
50 Aenderung, großenteils infolge des Streits zwischen Jacobi und Mendelssohn über den Spinozismus Lessings, und an Stelle der Verachtung trat die größte Verehrung. Auch unternahm man es, Spinoza von der Bezeichnung Pantheist zu befreien und ihm Theismus zuzuschreiben, wie dies Herder in „Gott, einige Gespräche über Spinozas System", 1787 that und später Voigtländer, Spinoza nicht Pantheist, sondern Theist
55 (ThStK, 1840, Heft 3), Versuche, die freilich als durchaus verfehlt angesehen werden müssen. Spinoza ist entschiedener Pantheist, wenn auch Inkonsequenzen in seiner Lehre vorkommen.

Der Kriticismus Kants wollte sich vom Pantheismus bestimmt abwenden, mit Spinoza keine Berührung haben; die Vernunft muß an einen Gott glauben, an eine
60 von der Natur verschiedene Ursache der ganzen Natur, an eine der moralischen Gesinnung

gemäße Kausalität, der Verstand und Wille zukommt. Theoretisch bewiesen kann das Dasein der Gottheit nicht werden, es ist aber ein praktisches Postulat. Und zwar wird man nicht anstehen, Kant wegen der Prädikate, die er Gott zuschreibt, einen Christen zu nennen. Trotzdem findet sich manches bei ihm, das seiner Lehre eine pantheistische Färbung verleiht. Es ist namentlich solches in seiner Ethik zu bemerken, nach welcher die 5 praktische Vernunft die sittlichen Gesetze giebt, die Pflichten dem Menschen auferlegt. Die Vernunft ist aber die des Menschen selbst, bei allen Menschen dieselbe, sonst könnte das Sittengesetz ja nicht allgemeingiltig sein. Hiernach ist der Mensch autonom; wie er der Natur die Gesetze giebt, so daß Natur durch ihn erst fertig wird, ebenso ist er der Gesetzgeber auf praktischem Gebiet. Religiöse Gesinnung oder Religion entsteht nur, 10 wo unsere Pflichten, die Gebote unserer eigenen Vernunft sind, als Gebote Gottes erkannt werden. Dieselben Gebote rühren also von unserer Vernunft und zugleich von Gott her. Einen doppelten Gesetzgeber giebt es aber nicht; so muß also die Vernunft auch die Gottheit sein. Man sieht nicht ein, wie sich Kant dieser Folgerung hätte entziehen können, wiewohl sie ihm widerstrebt haben würde (vgl. dazu Just. Schulteß, D. Pan= 15 theismus bei Kant, Leipzig 1900, u. Paul Fleischer, Pantheist. Unterströmungen in Kants Philosophie, Leipzig 1902). Die idealistischen Systeme, die auf Kant folgten und auf ihm fußten, werden mit mehr oder weniger Recht als pantheistisch bezeichnet. Aber man ginge zu weit, wenn man behaupten wollte, sie wären als solche von Kant besonders abhängig. Vielmehr als Kant hat auf ihren Pantheismus Spinoza eingewirkt, da sie wie dieser den 20 ganzen Inhalt des Seins als Wesen des Absoluten oder Göttlichen ansehen. Vielleicht hat Spinoza am wenigsten auf Fichte Einfluß gehabt, der allerdings zuerst mit ihm sich befreundet hatte, ehe er in die Richtung Kants kam.

Eine Art Pantheismus, der immerhin mehr an Kants Ethik als an Spinozas Lehre erinnert, läßt Fichte in seiner Abhandlung: „Über den Grund unseres Glaubens an 25 eine göttliche Weltregierung", 1798, erkennen, wenn er sagt, die lebendige und moralische Ordnung sei selbst Gott; wir bedürften keines anderen Gottes und könnten keinen anderen fassen. Es gebe keine Veranlassung in der Vernunft, aus dieser moralischen Ordnung herauszugehen und noch ein besonderes Wesen als Grund derselben anzunehmen. Und für keinen, der nur einen Augenblick nachdenke und das Ergebnis dieses Nachdenkens sich ein= 30 gestehe, könne es zweifelhaft sein, daß der Begriff von Gott als einer besonderen Substanz unmöglich und widersprechend sei. Jedem Individuum sei in dieser Weltordnung, d. h. also in Gott, seine bestimmte Stelle angewiesen. In seiner Jchlehre, die an die transcendentale Apperzeption Kants anknüpft, ist das absolute Jch, aus dem das indi= viduelle deduziert werden muß, im Grunde gleich der Gottheit, und später, z. B. in der 35 „Anweisung zum seligen Leben" 1806, nahm er den Ausgangspunkt seines Spekulierens überhaupt vom Absoluten. Gott ist ihm das da allein wahrhaft Seiende, das sich durch sein absolutes Denken die äußere Natur gegenüberstelle. Gott ist Alles in Allem, so daß der Pantheismus mit seinem Ἕν καὶ πᾶν zum Ausdruck kommt.

Von der fichteschen Jchlehre ging Schelling aus und urteilte, auf diesem Stand= 40 punkt stehend, über den Spinozismus als das konsequenteste und vollendeteste System des Dogmatismus ungünstig. Alsbald kam er hiervon ab, wandte sich Spinoza zu und bildete sein Identitätssystem aus, das sehr an Spinoza erinnert, nur nicht dessen Starrheit des Seienden oder der Substanz beibehält, diese vielmehr vollständig überwinden will durch den Begriff der Entwickelung, der bei Schelling in den Vordergrund tritt. Objekt und 45 Subjekt, Reales und Ideales, Natur und Geist sind jetzt identisch in etwas höherem, das weder Subjekt noch Objekt, auch nicht beides zugleich, sondern nur die absolute Identität ist, als das echte Prinzip des wahren Idealismus, des weder bloß subjektiven noch des bloß objektiven, sondern beide unter sich fassend. Die ursprüngliche Einheit tritt über in die Gegensätze des positiven oder idealen und des negativen oder realen Seins, d. h. 50 in Natur und in Geist. Die Natur ist durchaus Leben: alle Naturursachen sind unter= einander verknüpft und bringen einen Gesamtorganismus hervor, dessen Prinzip die Weltseele ist, das Göttliche in ihr. Dieses zeigt sich auch in der Geschichte, die ebenso wie die Natur ein Ganzes bildet. Wir erkennen in ihr wie in der Natur die allmähliche Offenbarung des Absoluten, das an keiner Stelle selbst sichtbar ist, vielmehr beweist die 55 ganze Geschichte das Dasein Gottes. Pantheistisch ist auch die spätere Anschauung Schellings, wie sie in seinen „Philosophischen Untersuchungen über die menschliche Frei= heit" zu Tage tritt und Ähnlichkeit mit der Mystik Jak. Böhmes zeigt (1809); da werden in Gott drei Momente unterschieden: einmal die Indifferenz, der Urgrund oder Ungrund, worin noch keine Persönlichkeit zu finden ist, der Anfangspunkt des göttlichen Wesens, 60

die unbegreifliche Basis alles Realen, zu zweit die Spaltung in Grund und Existenz, und zu dritt die Identität oder die Versöhnung des Entzweiten. Das Ursein besteht in Wollen; wird der partikulare Wille mit dem universalen eins, so entsteht das Gute, trennen sie sich, so entsteht das Böse. Der Mensch erlöst die Natur, er steht im Mittel-
5 punkt, und durch ihn als Mittler nimmt Gott die Natur an und macht sie göttlich.

Weniger der Zusammenhang mit Spinoza, aber entschiedener Pantheismus tritt bei Hegel hervor, obwohl dieser dem Namen „Pantheismus" äußerst abgeneigt ist. Er meint (Encyklop. § 573), es habe der Frömmigkeit und selbst der Theologie mehr Ehre gemacht, ein philosophisches System, z. B. den Spinozismus des Atheismus als des
10 Pantheismus zu beschuldigen, obgleich jene Beschuldigung auf den ersten Blick härter erscheine. Die Beschuldigung des Pantheismus gegen die Philosophie falle vornehmlich in die neuere Bildung und die neuere Theologie, welcher die Philosophie zu viel Gott habe, so sehr, daß er der Versicherung nach Alles, und Alles Gott sein solle. Die Philosophien, denen man in der Regel diesen Namen gebe, wie die eleatische und
15 spinozistische, identifizierten Gott mit der Welt so wenig und machten ihn so wenig endlich, daß dies Alles vielmehr in ihnen keine Wahrheit habe, und daß man sie rich-tiger als Monotheismen und in Beziehung auf die Vorstellung von der Welt als Akos-mismen zu bezeichnen hätte, s. auch § 50, Anm., wo es heißt, das System Spinozas sei als Akosmismus anzusehen, da die Welt in ihm nur als ein Phänomen, dem keine
20 wirkliche Realität zukomme, bestimmt werde. Am genauesten seien diese Systeme als solche bestimmt, die das Absolute nur als die Substanz faßten. Wenn man behauptet, die Allgemeinheit, d. h. Alles, nämlich die empirischen Dinge ohne Unterschied, die höher geachteten, wie die gemeinen, sei, besitze Substanzialität, und das Sein der endlichen Dinge sei Gott, so sei dies nur Gedankenlosigkeit und Verfälschung der Begriffe, durch welche
25 die Vorstellung und die Versicherung von dem Pantheismus erzeugt werde. Trotz dieser scharfen Polemik gegen die Bezeichnung „Pantheismus" überhaupt, die sich namentlich darauf stützt, daß nach dieser Anschauung der Erscheinungswelt Realität zugeschrieben werde, wird es sich der Philosoph des absoluten Idealismus doch gefallen lassen müssen, zu den Pantheisten gezählt zu werden. Die Selbstentwickelung des Absoluten der absoluten Vernunft oder der
30 Ide eist die Selbstentwickelung Gottes. Das Absolute wird so gleich Gott gesetzt, außer ihm kann es nichts geben, und wenn die absolute Vernunft sich in der Natur entäußert, so ist dies zwar ein Anderssein, gewissermaßen ein Abfall, ein Abfall von sich selbst, aber doch eine Offenbarung Gottes oder des Absoluten, insofern das Umschlagen in das Anderssein der notwendige Durchgangspunkt ist, um aus ihm im Geiste zu sich
35 selbst zurückzukehren. Die Natur strebt danach, die verlorene Einheit wieder zu ge-winnen und ihr Ende im Geiste zu erreichen. Die Religion, die vorletzte Stufe der Entwickelung, ist die Offenbarung Gottes als absoluten Geistes. Die göttliche Idee scheidet sich in drei Formen, welche sind: 1. das ewige in und bei sich Sein, die Form der Allgemeinheit, Gott in seiner ewigen Idee oder das Reich des Vaters, 2. die Form
40 der Erscheinung, der Partikularisation, das Sein für Anderes in der physischen Natur und dem endlichen Geiste, die ewige Idee Gottes im Bewußtsein und Vorstellen, das Reich des Sohnes, 3. die Form der Rückkehr aus der Erscheinung in sich selbst, der Prozeß der Versöhnung, die Idee im Element der Gemeinde, das Reich des Geistes. Man sieht, Hegel nähert sich hier der christlichen Lehre und spricht sich auch dahin aus,
45 dem Inhalte nach seien seine Philosophie und die christliche Lehre identisch, nur der Form nach verschieden. So ist es erklärlich, wie unter den Anhängern Hegels die Spal-tung zwischen der rechten und linken Seite eintrat, indem die einen den Theismus als in der Lehre ihres Meisters begründet ansahen, und so der Kirchenlehre mehr oder weniger huldigten, die andern den Gottesbegriff Hegels betonten, wonach Gott als die ewige
50 und allgemeine Substanz sich erst in der Menschheit zum Selbstbewußtsein bringe, so Hegel durchaus als Pantheisten auffaßten und in diesem Sinne seine Lehre weiter aus-zubilden suchten. Es zeigt sich dieser Einfluß Hegels bis auf das Pantheistische hinab in der Schrift: „Der alte und der neue Glauben" von Strauß, der in der Welt wenigstens noch Vernunft und Ordnung findet und so den Panlogismus Hegels, wie man dessen
55 Lehre auch bezeichnen könnte, durchblicken läßt.

In Verbindung mit Schelling und Hegel muß Krause (1781—1832) hier erwähnt werden, der über den Pantheismus des Identitätssystems mit seinem Panentheismus oder seiner All — in Gott — Lehre hinausgehen und so Gott nicht als ganz eins mit der Welt annehmen wollte. Gott ist als empfindendes, erkennendes oder wollendes
60 Wesen, d. h. als Gemüt, Geist und Wille, das unendlich unbedingte Vernunftwesen, das

aber über der Vernunft, über der Natur und über dem Verein von beiden steht. Gott erkennt und empfindet und will sich selbst zuerst (erstwesentlich) nach seiner ganzen und einen Wesenheit, und dann untergeordnet empfindet, erkennt und will er auch die Welt. So ist er in der Welt nicht befangen, ragt weit über sie hinaus, weshalb der Name Pantheist auf Krause nicht zutreffend ist, wenn er auch zum Teil auf ihn paßt. Es zeigt sich dies letztere auch in der Ethik Krauses, wenn er da als erste Forderung an den Menschen stellt, daß er Gottes inne werde, daß mit seiner ganzen Persönlichkeit zu Gott hingerichtet sei, im Vereinleben mit Gott als Urwesen bleibe.

Unter den spekulativen Philosophen, welche pantheistische Färbung haben, ist Schleiermacher zu nennen, der, mehrfach von Schelling angeregt, besonders in seinen „Reden über Religion" Spinoza hoch verehrt. Wie dieser findet er das Unendliche, d. h. Gott, mitten im Endlichen, dem er objektive Realität zuerkennt. Nur muß man alles einzelne in seiner Einheit mit dem Unendlichen betrachten und selbst inmitten der endlichen Welt eins werden mit dem Unendlichen, wodurch man in jedem Augenblicke ewig ist. Etwas anders, aber auch noch geneigt dem Pantheismus, äußert sich Schleiermacher in seiner Dialektik. Das Mannigfaltige bildet hier, weil alles miteinander in Verbindung steht, ein gegliedertes Ganzes. Die Gesamtheit des Existierenden ist die Welt, aber die Einheit des Weltganzen ist Gott. Er ist nicht identisch mit der Welt, aber auch nicht getrennt von ihr. Er hat nie ohne die Welt sein können, so daß er auch nicht als vor der Welt existierend gedacht werden kann. Wenn die Dinge abhängig von Gott sein sollen, so heißt das so viel als: sie stehen in dem kausalen Naturzusammenhang. Spinoza gegenüber betont Schleiermacher die Bedeutung und den Wert der Individualität, wodurch der Pantheismus abgeschwächt wird, und den lebendigen Gott, anstatt des starren Gottes; den persönlichen Gott verlangt er nicht.

Die Formen des Pantheismus, die bisher behandelt worden sind, gehen einesteils aus von dem Hylozoismus, also dem materialistischen Pantheismus, indem sich da überall das Prinzip der Entwickelung zeigt, andererseits von der eleatischen Alleinslehre, und hier sehen wir zuerst, auch noch bei Spinoza, Starrheit, Leblosigkeit, später aber trotz der entschiedenen Hinneigung zu Spinoza, ebenfalls den Evolutionismus mit aller Kraft sich geltend machen. Identität, wenigstens zum Teil, Monismus, aber dem Menschen näher gebracht durch Bewegung, Fortschritt (s. übrigens d. A. über Evolutionismus Bd V, S. 672).

Es könnte gefragt werden, ob auch Schopenhauer, der ja gewissermaßen zu den idealistischen Philosophen gehört, sicher wenigstens zu den von Kant ausgehenden Denkern, als Pantheist zu bezeichnen ist. Er giebt darauf selbst die Antwort (Welt als W. u. V., II, S. 736 f.), die dahin geht, daß er zwar das Ἕν καὶ πᾶν mit den Pantheisten gemein habe, aber nicht das πᾶν θεός, weil er über die Erfahrung nicht hinausgehe und noch weniger sich mit den vorliegenden Datis in Widerspruch setze. Ferner sei der Gott der Pantheisten eine unbekannte Größe, der Wille hingegen unter allem Möglichen das uns am Genauesten bekannte, das allein unmittelbar gegebene, daher zur Erklärung des Übrigen ausschließlich Geeignete; sodann sei den Pantheisten die anschauliche Welt, d. h. die Welt als Vorstellung eine absichtliche Manifestation der ihr innewohnend Gottes, welches keine Erklärung ihres Hervortretens enthalte, vielmehr selbst einer solchen bedürfe; bei ihm hingegen finde die Welt sich nur als Accidens ein. — Man muß Schopenhauer im ganzen zugeben, daß man mit Recht von einem Pantheismus nur da reden kann, wo Gott eine Rolle spielt, und daß er, der sich zum entschiedensten Atheismus bekennen will, nicht zu den Pantheisten gehört. Anders bei Parmenides, der wenigstens nicht gegen das Dasein Gottes polemisiert. Dagegen hat Schopenhauer mit dem zweiten Argument nicht Recht, da von einer absichtlichen Manifestation Gottes für die Welt als Vorstellung keineswegs bei allen Pantheisten die Rede sein kann.

Von der Evolution ist sehr verschieden die Emanation: Während bei ersterer das ganze Prinzip in Entwickelung begriffen ist und in der Regel ein Fortschritt zum Vollkommeneren angenommen wird, bleibt bei letzterer das Prinzip in seiner Einheit sich gleich und läßt die Welt, um so im allgemeinen zu sagen, aus sich ausströmen, und die verschiedenen Stufen der Emanation verlieren nacheinander an Vollkommenheit: es tritt sogar in der Natur eine Verkehrung, eine Art Abfall vom höchsten Prinzip ein (s. den Art. Emanatismus Bd V S. 329). Man wird hiernach zweifeln, ob die emanatistischen Lehren überhaupt zum Pantheismus gehören, da man unmöglich sagen kann, daß die durch die Materie mitgebildeten Einzeldinge noch Gott seien. Insofern sind aber doch die Emanationssysteme unter die pantheistischen zu rechnen, als ja alle Dinge ursprünglich in Gott enthalten gewesen sind, ja, wenn man keinen zeitlichen

Verlauf annimmt, in Gott ewig sind. So wird hier der Pantheismus wenigstens vorausgesetzt (s. Schelling, Philos. Untersuch. über d. menschl. Freiheit, S. 425, 3. Ausg.).
Es wird deshalb angemessen sein, die emanatistischen Systeme wenigstens kurz zu berühren.

5 Wenn von einem Pantheismus der Inder gesprochen wird, so wird es sich meist
um Emanationslehre handeln, wenngleich diese auch nicht rein ausgesprochen ist; denn
wenn z. B. der Äther aus dem Ātman entstanden ist, aus dem Äther der Wind und
so weiter fort, so sind zwar die Stufen für die Weltentstehung angegeben; es könnte dies
Werden aber auch eine Form der Entwickelung sein. Rein pantheistisch klingen in den
10 Upanishads die Sätze von dem Brahma, als dem einzig Seienden, und dem Ātman als
dem Kern alles Seins, bringen diese Gedanken aber nicht in ein System, so daß eine
genaue Darstellung gar nicht möglich ist. — Ausgeprägte Emanation lehrten bei den
Griechen die Neuplatoniker, die als oberstes Prinzip des Ἕν setzten und dies als
übervoll ansahen, so daß es überfließen mußte, ohne daß es dadurch etwa Abbruch er-
15 litten hätte. So entstand der νοῦς mit den Ideen als seinem Inhalt, aus diesem die
ψυχή, die aus sich die ὕλη, Materie, hervorgehen läßt, aus der die sinnlichen Dinge
geformt werden. Ist die Materie auch das Widerspiel der idealen Welt, so zeigt sich in
den sinnlichen Erscheinungen doch ein Abbild der höheren Welt, und die Weltverachtung
der Gnostiker ist nicht am Platze; findet auch nicht eine Rückkehr der ganzen Welt über-
20 haupt zum Ἕν oder zu der Gottheit statt, so ist es doch die Aufgabe des Menschen, der
als sinnliches Wesen sich von Gott abgewandt hat, sich zu ihm zurückzuwenden durch die
verschiedenen Tugenden, durch Denken und durch ekstatische Erhebung zum Einswerden
mit dem Urwesen. In dieser Vereinigung mit dem Einen zeigt sich ein pantheistischer Zug,
wenngleich ein Bleiben in der Gottheit vermittelst dieser Ekstase nicht angenommen wird
25 (vgl. d. A. über Neuplatonismus Bd XIII S. 772, 53). Ist dies die Lehre Plotins,
so zeigt sich das System des letzten großen spekulativ denkenden Neuplatonikers, Proklos,
auch als emanatistisches, aber mehr als dialektisches, indem drei Momente des sich fort-
entwickelnden Prozesses angenommen werden, freilich nicht nach der Art Hegels, der sonst
Ähnlichkeit mit Proklos hat, in aufsteigender, sondern in absteigender Linie, so daß das
30 Letzte zugleich das Niedrigste ist.

An die Neuplatoniker schloß sich meist, soweit er Spekulation brachte, Pseudodionysios (wahrscheinlich aus der zweiten Hälfte des 5. Jahrhunderts) an, der nicht
ausgesprochene Emanation lehrt, aber in seiner Theologie und seiner Bestimmung des
Menschen als Pantheist erscheint. Die Gottheit ist eigentlich namenlos, weil sie über
35 alle Namen, die man ihr zulegen könnte, erhaben ist; nicht einmal der Name der Güte
paßt auf sie, wenn wir auch in der Sehnsucht, von ihr etwas zu erkennen, ihr diesen
Namen weihen, die höchste Erkenntnis ist zugleich die mystische Unwissenheit. Gott ist
das Ursächliche von allem Seienden, das aus ihm geflossen ist, und hat die Vorbilder
von allem Existierenden in sich. Sehen wir von allen bejahenden und verneinenden Be-
40 stimmungen ab, dann fassen wir ihn, wie er an sich ist. Es ist dies die mystische Erhebung oder Vergottung ϑέωσις — eine Bezeichnung, die bei Philosophen und christlichen Lehrern nicht selten schon vor Pseudodionysios vorgekommen war — und wird
von Dionysios durch die stark an Platon erinnernden Worte näher beschrieben: ἡ πρὸς
ϑεὸν ὡς ἐφικτὸν ἀφομοίωσίς τε καὶ ἕνωσις.

45 Auf Pseudodionysios und die Neuplatoniker geht vielfach Johannes Eriugena
(etwa 810—877) zurück, der insofern sich zu einem vollendeten Pantheismus bekennt,
als er durch den Prozeß der analysis oder resolutio durch das Herabsteigen vom Allgemeinen zum Besondern, die Dinge aus dem höchsten Prinzip, aus Gott, hervorgehen
und sie dann durch den Prozeß der reversio oder deificatio wieder zu Gott zurückkehren
50 läßt, letzteres, indem die einzelnen Dinge durch Kongregationen zu Gattungen und diese
zur einfachsten Einheit, d. h. zu Gott, werden. So ist dann wieder wie im Anfang Gott
Alles und umgekehrt Alles Gott. In dieser letzten Lehre haben wir eine bedeutende
Abweichung von den Neuplatonikern, namentlich von Proklos: bei diesem das Ende die
größte Entfernung von Gott, bei Eriugena in der allgemeinen Vergottung der Kreis
55 vollendet. (Deus) est igitur principium, medium et finis. Trotzdem soll Gott
unvermischt in sich bleiben, in der Welt immanent und transcendent zugleich: dum in
omnibus fit, super omnibus esse non desinit. Es ist dies eine Abschwächung des
Pantheismus, freilich zugleich eine Antinomie, wie sie nicht bloß bei christlichen Theologen
vorkommt.

60 Von Eriugena ausgehend zeigen sich Spuren des Pantheismus verschiedener Art im

Mittelalter, indem auf diese Ansichten auch jüdische und arabische Philosophen, namentlich Ibn Gebirol mit seinem Buch „Fons vitae", eingewirkt haben, wie ja auch in der Kabbala pantheistische Elemente, namentlich aber Emanatismus, sich zeigten. Von Eriugena ist besonders beeinflußt Amalrich von Bennes (gest. 1206 oder 1207), der die Identität des Schöpfers und des Geschaffenen gelehrt haben soll: dixit deum esse essentiam 5 omnium creaturarum et esse entium Item dixit, quod sicut lux non videtur in se, sed in aëre, sic deus nec ab angelo neque ab homine videbitur in se, sed tantum in creaturis. Die Schüler Amalrichs gingen zu bedenklichen Konsequenzen des Pantheismus fort, indem sie lehrten, Gott bewirke Alles in uns, sowohl das Wollen wie das Handeln, so daß es einen Unterschied zwischen Gut oder Schlecht nicht gebe, 10 auch von Verdienst oder Schuld nicht die Rede sein könne. Ähnliches lehrte David von Dinant, der aber mehr als von Eriugena von Ibn Gebirol beeinflußt zu sein scheint. Nach ihm giebt es nur eine Substanz aller Körper und aller Seelen, und diese sei nichts anderes als Gott selbst, da die Substanz, aus der die Körper beständen, Stoff genannt werde, die, aus der alle Seelen beständen, Vernunft oder Geist. Daher sei es klar, 15 daß Gott die Substanz aller Körper und aller Seelen sei. Daß die Kirche gegen diese ketzerischen Lehren mit Nachdruck vorging, ist verständlich, wie ja von ihr auch eine große Reihe von Sätzen des Meister Eckhart (etwa 1260—1327) verdammt wurde. Dieser als Mystiker hinlänglich bekannt (s. den betr. von Lasson verfaßten Abschnitt in Über= weg=Heinze, Grundr. der Gesch. der Philos., II, 8. Aufl.), war zwar von Thomas aus= 20 gegangen, konnte sich aber in vielen Punkten auf Dionysios berufen, ebenso auf Johannes Eriugena. Das Höchste, das Absolute, die Gottheit, unterschieden von Gott, ist nach ihm ohne Persönlichkeit und ohne Schöpfung und nicht aus sich heraustretend, verborgen. Von ihr umschlossen ist Gott, der sich offenbart und zu einer Dreiheit von Personen ent= faltet. Von Ewigkeit her ist die Welt als eine solche der Ideen in Gott, aber einfach; 25 die Vielheit und Bestimmtheit der endlichen Dinge entsteht erst durch die Schöpfung aus nichts. Freilich ist die Vielheit, ebenso wie Zeit und Raum, für sich nichts, da das Ge= schaffene ohne und außer Gott nichts ist. Gott ist als Wesen in allen Dingen und überall, und an jedem Ort ist er ganz, da er ungeteilt ist. Freilich wird der aus= gesprochene Pantheismus, von dem Eckhart sich doch fern halten zu müssen glaubt, so= 30 gleich dadurch moderiert, daß Gott wieder über den Dingen stehen, und er keine Kreatur zu berühren vermögen soll. Der Gedanke von der Rückkehr aller Dinge zu Gott durch Vermittelung der Seele ist wiederum pantheistisch, und zugleich tritt das Mystische hier stark hervor, wenn es heißt, der Mensch müsse sein eigenes Selbst aufgeben, müsse leiden, damit Gott wirke, der Mensch, der Gott schauen wolle, müsse sich selbst tot sein und in 35 der Gottheit begraben werden, daß er das wieder sei, was er war, als er noch nicht war. Da sei dann volle Abgeschiedenheit, Freiheit von allen Affekten, von sich selbst, ja von Gott. Der eigene Wille müsse auch aufhören, da er ganz in Gottes Willen getreten. Da Gott sich aus der Veräußerung wieder selbst gewinnt durch die Seele, so bedarf Gott geradezu der Seele und bedarf unsrer so sehr, wie wir seiner bedürfen, eine Ge= 40 danke, den auch Angelus Silesius, ein Nachfolger Eckarts, in seinem „Cherubinischen Wandersmann" (I, 8) deutlich ausspricht in den Versen:

> „Ich weiß, daß ohne mich Gott nicht ein Nun kann leben;
> Werd ich zu nicht, er muß vor Not den Geist aufgeben."

Mit Eckhart hat manches gemein Nikolaus Cusanus, der die verschiedensten 45 Richtungen, auch die exakt mathematisch=astronomische, in sich vereinigte und das Dogma von der Schöpfung der Welt neben seinen pantheistischen Sätzen aufrecht hielt. Zu diesen letzteren gehören die Lehren: daß Gott Alles in sich faßt, auch die Gegensätze, oppositorum coincidentia; daß die Welt die veränderte, in Vielheit geteilte Einheit ist, die explicatio dessen, was die Gottheit kompliziert enthält; daß Gott mit seinem 50 Wesen und seiner Kraft in dem beseelten, wohlgeordneten Ganzen der Welt überall gegenwärtig ist, so daß auch jedes Ding in seiner Art Vollkommenheit hat; auch die Lehre, daß jedes Ding das Unendliche, die Einheit des göttlichen Geistes in sich darstellt, und namentlich der Mensch ein Mikrokosmos, parvus mundus ist. Nikolaus hat nicht unbedeutenden Einfluß auf die Entwickelung der Philosophie gehabt, vielleicht noch 55 größeren aber Giordano Bruno (1548—1600), der sich vielfach an den Cusaner an= lehnte. Spuren von ihm sind namentlich deutlich bei Leibniz, auch bei Spinoza. Ein in sich abgeschlossenes System hat er nicht geschaffen, da er empfänglich war für die ver= schiedensten Einflüsse, sowohl aus neuerer Zeit, wie von seiten des Kopernikus, als auch aus alter, wie von seiten Platons, der Stoiker, Epikurs, der Neuplatoniker. 60

Der Grundzug in seiner Gedankenwelt ist pantheistisch und gleicht am ersten der stoischen Weltanschauung, doch hat er auch dem Individualismus sein Recht gegönnt. Gott ist die dem Universum innewohnende erste Ursache, so daß Alles durch das immanente Leben oder die Seele bewegt wird. Stoff und Form sind nicht voneinander ge-
5 schieden; nicht nur Form, bewegende Ursache und Zweck fallen zusammen, sondern sie sind auch mit der Natur eins. Der unendliche Äther trägt in sich die Keime aller Entwickelung und läßt diese aus sich nach bestimmten Gesetzen, aber auch auf bestimmte Ziele gerichtet, hervorgehen. In Gott sind alle Gegensätze zu finden, er ist das Maximum und das Minimum, das Einfachste und das Mannigfaltigste. Gott ist in allen Dingen so gegen-
10 wärtig, wie das Sein im Seienden, wie das Schöne in den schönen Dingen; er ist die wirkende Natur gegenüber der gewirkten — natura naturans und natura naturata. Für die Natur, das All, lebte in Bruno eine edle und gewaltige Begeisterung. Mit einer solchen war ihm das höchste Entzücken verbunden. — Die spezifischen Gedanken Brunos haben auf die neuere Zeit direkt kaum Einfluß gehabt, nur wurden sie teilweise
15 wieder aufgefrischt von Schelling in seinem Dialog: „Bruno oder über das göttliche und natürliche Prinzip der Dinge".

Die bisher dargestellten Formen tragen entweder das reine Gepräge des Pantheismus oder sind nur etwas, einige mehr, andere weniger, nach anderer Seite umgeformt. Häufig werden aber auch zum Pantheismus gerechnet theistische Anschauungen in pantheistischer
20 Färbung. Man könnte hierzu sogar Platon und Aristoteles zählen. Der erstere lehrte ja wenigstens die Parusie der Ideen, d. h. des Göttlichen in der Erscheinungswelt, wenn die Musterbilder selbst auch ihrem Wesen nach der transcendenten oder intelligibeln Welt angehören sollten; aber ohne Teilnahme an ihnen könnte sich Platon die Dinge der Erscheinungswelt nicht denken, so daß eine Art dynamischer Pantheismus bei ihm festzu-
25 stellen wäre, freilich im Grunde ein Mißbrauch des Wortes Pantheismus. Dasselbe wäre vielleicht noch im höheren Grade für Aristoteles festzustellen, bei dem die Formen oder Begriffe sogar in den einzelnen Dingen gedacht werden, freilich auch den Inhalt Gottes zu bilden scheinen, so daß Immanenz und Transscendenz des Göttlichen zugleich, augenscheinlich in unvereinbarer Weise angenommen werden müßte. Ein pantheistischer
30 Zug zeigt sich ferner bei Platon in der Ähnlichkeit der Seelen mit den Ideen, bei Aristoteles in der Göttlichkeit des νοῦς ποιητικός, der von außen in den Menschen kommt und wieder nach außen geht, sowie den Meister und bei dem Schüler der religiöse Zug der Sehnsucht nach oben, die bei Aristoteles sich ausspricht darin, daß Gott als höchster Zweck bewegt, ohne einzugreifen, ebenso wie das Geliebte das Liebende be-
35 wegt. In der weiteren Entwickelung der griechischen Philosophie zeigt es sich vielfach, daß zwar Gott als jenseit der Welt gedacht wird, zu hoch, als daß man ihn unmittelbar erreichen könnte, daß aber seine Kraft oder seine Kräfte doch in der Welt wirken, so daß diese nicht gottlos, nicht von Gott verlassen ist. Wir finden das schon in dem pseudoaristotelischen Buch Περὶ κόσμου, noch deutlicher in den Schriften des Juden
40 Philon, bei dem die δυνάμεις eine große Rolle spielen als Mittelwesen zwischen Gott und der Welt, aber in der Welt wirkend, wie auch die λόγοι und die ἄγγελοι die Vermittelung übernehmen. Man will in der Welt so wenigstens etwas von Gott haben; in seiner Ganzheit ist er zu groß, zu gewaltig, um in ihr aufzugehen. Also Neigung zum Pantheismus, aber doch weit entfernt von ihm.

45 Etwas ähnliches finden wir in viel späterer Zeit bei den sogenannten Occasionalisten, die sich allerdings dem Pantheismus mehr zuneigen, schon insofern, als sie freie Willensakte nicht anerkennen, sondern Abhängigkeit von Gott in dieser Beziehung annehmen. Aber sie unterscheiden sich doch wesentlich wieder von der Alleinslehre insofern, als z. B. Geulincx den Dualismus Descartes' nicht überwindet, und Malebranche, der
50 allerdings die berühmte vision en Dieu annimmt, doch Gott nicht in der Welt oder dem Universum aufgehen läßt. Er giebt selbst als Hauptunterschied seiner Lehre von der Spinozas an, daß nach der ersteren das Universum in Gott, nach der letzteren Gott im Universum sei. Es ist das eine ähnliche Anschauung wie die Krauses. Übrigens war Malebranche zu sehr treuer Sohn der Kirche, als daß er ernstlich einem Pantheismus
55 wie Spinoza hätte huldigen können, wie in Berkeley, der den Anschauungen Malebranches nahe kam, auch die Sätze der Religion sich zu stark geltend machten, als daß er eigentlicher Pantheist sein konnte. — Auch bei Leibniz, dem ausgesprochenen Individualisten, finden wir pantheistische Züge, z. B. wenn er Gott das centre partout nennt, wenn er die einzelnen Monaden als Effulguration der Gottheit faßt. Es ist dies ein Zeichen, wie
60 schwer es überhaupt wird, ohne entschiedenen Dualismus den Pantheismus ganz auszuschließen.

Aus der neuesten Zeit seien drei Denker unter vielen hervorgehoben, die dem Pantheis=
mus Konzessionen machen, aber doch sich nicht zu ihm bekennen: Fechner, Lotze und
v. Hartmann. Der erste, der freilich selbst meinte, was er über Gott und jenseits aussage,
sei nicht bewiesen, da sich in diesen Dingen überhaupt nichts beweisen lasse, nahm an,
daß die Welt als der Leib Gottes diesen zur Seele habe, und zwar komme Gott Be= 5
wußtsein zu. Der göttliche Geist ist nach Fechner die höchste Bewußtseinseinheit, der viele
Bewußtseinseinheiten, zum Teil einander nebengeordnet, zu welchen die
menschlichen gehören, teils andere übergeordnet seien, z. B. die der Erde und der Himmels=
körper. Das würde auf den Pantheismus hinauskommen; aber Fechner ist zu religiös
gesinnt, er will, daß seine eigenen Ansichten der kirchlichen Lehre vielmehr dienen als sich 10
von ihr trennen. Und so schreibt er Gott auch Selbstbewußtsein zu, indem sich Gott
scheidet von der Welt der Dinge, ja sogar Persönlichkeit, so daß ein Theismus zu Tage
tritt. — Bemerkt sei hier sogleich, daß in Anlehnung an Fechner einen idealistischen
Pantheismus gebildet hat Friedrich Paulsen.

Lotzes Absicht war es, einen Frieden zu stiften zwischen den Ergebnissen der Wissenschaft 15
und den Bedürfnissen des Gemüts, wobei er freilich nicht glaubt, volle Wahrheit in der
Philosophie zu erreichen. Er nimmt vieles von Spinoza, noch mehr von Leibniz in seinen
teleologischen Idealismus herüber. Grund der realen Welt, sowie der idealen, nämlich der
Welt der Ideen des Guten, Wahren und Schönen, ist das Absolute, die allgemeine
Substanz, deren Modifikationen die Einzeldinge, seelische Monaden sind. Die Einwirkung 20
dieser aufeinander, das Stehen in Beziehungen ist nur möglich, wenn eine Wesensgemein=
schaft aller Dinge in der Substanz besteht. Inhaltlich wird diese Substanz bestimmt durch
den Begriff Gottes, der als Persönlichkeit gedacht werden muß. Andererseits müssen die
Monaden ein Fürsichsein haben, so daß ihnen auch Selbständigkeit dem Absoluten
gegenüber einzuräumen ist, und der Pantheismus ist durch diese Annahme überwunden. 25
In der Richtung Lotzes haben manche Denker weitergearbeitet; namentlich unter Theo=
logen haben diese Ansichten viel Beifall gefunden. — v. Hartmanns Absolutes ist das
Unbewußte, ein einziges Individuum, ohne daß andere Individuen ihm koordiniert
wären, das alle Individuen der Erscheinung unter sich faßt. Es ist dies eins, und so
ist auch die Gottheit eine, aber doch schließt sie die reale Vielheit nicht aus, sondern viel= 30
mehr ihre eigene innere Mannigfaltigkeit in sich ein. Mit der Immanenz Gottes,
womit aber seine Transcendenz verbunden sein soll, hängt es zusammen, daß er un=
persönlich ist.

Fragen wir zum Schluß, ob der Pantheismus sein Recht hat, so werden wir ant=
worten müssen, da Dualismus und auch Deismus für das strenge Denken kaum in Frage 35
kommen werden, daß unsere Weltanschauung ohne pantheistische Elemente nicht wird ge=
bildet werden können, wenn auch der reine Pantheismus schwer aufrecht zu halten sein
wird. Sogar das religiöse, auch das christliche, Bewußtsein, wenn es irgendwie tiefer
ist, wird sich ihnen nicht ganz entziehen dürfen. Es wird sich nicht befriedigen, ohne
die Anerkennung der beiden Sätze: Wir leben, weben und sind in Gott, und: Gott ist 40
in uns.   M. Heinze.

Papebroche s. d. A. Acta martyrum Bd I S. 148, 23 ff.

Paphnutius. — Der bekannteste Mann dieses Namens war Bischof einer Stadt in
der oberen Thebais (Soor., hist. eccl. I, 8 und 11) und gehörte zu den angesehensten
Mitgliedern des ersten ökumenischen Konzils zu Nicäa 325. Von seiner Jugend wissen 45
wir nur, daß er in einem Asketerion aufgezogen war und später auch ehelos lebte
(Socrat. I, 11). In der Verfolgung des Maximinus (Sozom. hist. eccl. I, 10) war
ihm ein Auge ausgestoßen, die linke Kniekehle durchschnitten worden, und er zur Arbeit
in den Bergwerken verurteilt worden (Soc. I, 11; Soz. I, 10; Soz. I, 25). In Nicäa
zeichnete Konstantin den ehrwürdigen Konfessorbischof besonders aus (Soc. I, 11). Als 50
die Mehrheit der Bischöfe den Antrag beim Konzil gestellt hatte, den Bischöfen, Pres=
bytern und Diakonen fortan die eheliche Gemeinschaft mit ihren im Laienstande geheira=
teten Ehefrauen zu verbieten, protestierte Paphnutius πρὸς λυσιτελείαν τῆς ἐκκλησίας
καὶ κόσμον τῶν ἱερωμένων gegen die Aufbürdung eines so schweren Joches. Er wollte
bei der alten Überlieferung stehen bleiben, daß nur das Eingehen einer Ehe nach der 55
Aufnahme in den Klerus nicht statthaben solle. Der ehelose Konfessorbischof drang mit
seiner Meinung durch, so daß das erste ökumenische Konzil keine Bestimmung über das
Cölibat des Klerus aufstellte. Auf der Synode zu Tyrus im Jahre 335, die Athanasius

absetzte, begegnen wir ihm noch einmal (Soz. II, 25). Auch hier hatte er den Mut
gegen die Majorität für die Unschuld des Athanasius einzutreten und seinen Mitkonfessor,
den Bischof Maximus von Jerusalem, aufzufordern diese Versammlung schlechter Menschen
zu verlassen. Sozomenos schreibt dem Paphnutius noch die Wundergabe der Krankenheilung
5 und Dämonenaustreibung zu (Soz. I, 10). Sein Todesjahr ist unbekannt.

Verschieden von dem Genannten ist ein Abt Paphnutius, der in der sketischen Wüste
lebte, und 90 Jahre alt war, als ihn Cassian dort besuchte (Cass. Coll. 3, 1). Er lebte
ganz der Beschaulichkeit, verließ seine Zelle nur Samstags und Sonntags, um den Gottesdienst in der 5 römische Meilen entfernten Kirche zu besuchen und bei dieser Gelegenheit
10 den nötigen Wasservorrat mit nach Hause zu schleppen. Wegen seiner Demut und Selbstverleugnung hat ihm Cassian die 3. Kollation de tribus abrenuntiationibus in den
Mund gelegt (Cass. Coll. 3, 1; vgl. auch Cass. Coll. 18, 5). Als der Bischof Theophilos von Alexandria im Osterbrief vom Jahre 399 sich gegen die anthropomorphistischen
Gottesvorstellungen wandte, wagte von den Priestern nur Paphnutius das Schreiben
15 öffentlich vorzulesen, reizte aber dadurch die rohe Mönchspartei und deren Haupt Serapion
zu heftigem Widerspruche.

Andere Männer mit dem Namen Paphnutius zählt Rosweyd bei MSL XXI,
435 ff. auf, ein Paphnutius hat die Vita Onuphrii verfaßt (MSL LXXIII, 211).

Grützmacher.

20 **Papias**, der Heilige, Bischof von Hierapolis in Kleinphrygien. — Äußerungen über ihn bei Irenäus (V, 33, § 4), Eusebius (Chronik, Olymp. 219, 3. Hist.
eccl. III, 39. cf. 36, 2), Hieronymus (Catal. de vir. illustr. c. 18 und ep. 75, ad Theo-
doram, c. 3. — Chronicon paschale. Photius (Bibl. cod. 232. Migne l. c. CIII, 1104).
— Monographien u. Abhandlungen: J. Stilting, AS, Sept. VII, p. 387 ff.; Halloir,
25 Vita S. Papiae (illustr. eccles. orientalis scriptorum Saec. I. vita et documenta, Duaci
1633, fol. 637—645); Möhler, Patrologie S. 175—179; Schleiermacher, Über die Zeugnisse
des Papias von unseren beiden ersten Evang. (ThStK 1832, S. 735—768); Guerike, Hypothese von dem Presbyter Johannes als Verf. der Apk 1831; Lützelberger, Die kirchliche Tradition über den Apostel Jo und seine Schriften in ihrer Grundlosigkeit nachgewiesen, 1840;
30 Th. Zahn, Papias von Hierapolis, seine geschichtliche Stellung, sein Werk und sein Zeugnis
über die Evangelien (ThStK 1866, IV, S. 949 ff.); Keim, Gesch. Jesu von Nazara, 1867, I,
S. 160—170; G. E. Steitz, Des Papias von Hierapolis „Auslegungen der Reden des Herrn"
nach ihren Quellen und ihrem mutmaßlichen Charakter (ThStK 1868, I, S. 63 ff.; Scholten,
Der Apostel Johannes in Kleinasien; aus dem Holländischen übersetzt, 1872; W. Weiffen-
35 bach, Das Papiasfragment bei Eusebius KG III, 39, 3—4 eingehend exegetisch untersucht,
Gießen 1874; A. Hilgenfeld, Papias von Hierapolis (ZwTh 1875); James Donaldson, The
apostolical Fathers: a critical account of their genuine writings and of their doctrines,
London 1874 (p. 393—402); Lightfoot, Essays on supernatur. rel. p. 142—216 (1875); Con-
temporary Review, Bd 26 p. 377 ff. und 826 ff. (Papias of Hierapolis); C. L. Leimbach,
40 Das Papiasfragment. Exegetische Untersuchung des Fragmentes (Eus. Hist. eccl. III, 39,
3—4) und Kritik der gleichnamigen Schrift von Lic. Dr. Weissenbach, Gotha 1875; A. Loman,
Het getuigenis van Papias over schrift en overlevering (Theolog. tijdschrift, 9. Jaarg.,
Leiden 1875, II. Stuk, p. 125—154); J. G. D. Martens, Papias als Exegeet van Logia
des Heeren, Amsterdam 1875; J. W. Straatmann, Nog eens het Papias-Fragment (Theol.
45 tijdschrift 1876, 2 Abhandlungen); Weissenbach, Rückblick auf die neuesten Papiasverhand-
lungen mit besonderer Beziehung auf Leimbach (JprTh 1877; S. 323—379. 406—468);
Weissenbach, Die Papiasfragmente über Markus und Matthäus, Berlin (1878?); Lüdemann,
Zur Erklärung des Papiasfragments (JprTh 1879, S. 365 ff. 537—576; Holtzmanns Artikel
im Bibellexikon; Zahn (im Art. „Johannes der Apostel" Bd IX S. 281 ff., vorher in seinen
50 Forschungen VI, S. 112—147); Renan, l'Antichrist, p. 345, Abbot Expositus 1895, p.333 ff.;
Mommsen (Papianisches in Preußens Zeitschrift für neutestamentliche Wissenschaft und Ur-
christentum S. 156), Corssen ebd., (Warum ist das 4. Evang. für ein Werk des Apostels Johannes erklärt worden? I. Die Presbyter bei Irenäus; Ebb. 1901, S. 202 zu Eusebius h. e. III,
39 u. II, 15) (Ebb. 1902 S. 242); Harnack, Chronologie I, 335 ff. 356 ff. 658 ff. und Pseudopapia-
55 nisches (Ztschr. f. n. W. u. Urchr. 1902, S. 159); Salmon, Dict. of christ. biogr. III, 398
bis 401; A. Jacobson, Die Evangelienkritik und die Papiasfragmente über Markus und Matthäus; R. A. Lipsius, Auch ein Votum zu den Papias-Fragmenten über Mt und Mc (JprTh
Bd XI, 1885, S. 167—173; A. Hilgenfeld, Papias von Hierapolis und die neueste Evan-
gelienforschung (ZwTh Bd XXIX 1886, S. 257—291). Andere Notizen finden sich noch bei
60 Richardson, Bibliograph. Synops. 19—21. — Sammlungen der Fragmente finden sich
bei M. J. Routh, Reliquiae Sacrae. Ed. alt. Vol. I, Oxon. 1846, p. 3—44; Credner, Einl.
I, 214 ff. II, 694 ff.; MSG V, 1255—62; A. Hilgenfeld, Papias von Hierapolis (s. oben);
de Gebhard et Harnack, Barnabae epist. (Patr. apostol. opp. Rec. de Gebhardt, Harnack,
Zahn. Fasc. I, part. 2, ed. II, Lips. 1878, p. 87—104; Funk, Opp. Patr. apostol. Vol. II,

Tub. 1881, p. 276—300. — Die 5 Fragmente unter des Papias Namen bei Pitra, Analecta sacra, Tom. II, 1884, p. 155—162 (nichts Neues!); C. de Boor, Neue Fragmente des
Papias, Hegesippus und Pierius in bisher unbekannten Excerpten aus der Kirchengeschichte
des Philippus Sidetes: Texte und Unterf. zur Geschichte der altchristl. Litteratur, hrsg. von
v. Gebhardt und Harnack, Bd V Heft 2, 1888, S. 165—184; G. Bickell, Eine Papiashand= 5
schrift in Tirol (ZtTh Bd III, 1879, S. 799—803).

Nur sehr wenige Nachrichten besitzen wir über die äußeren Lebensumstände dieses
Mannes. Unbestritten ist, daß Papias (phryg. Pappas) Bischof in Hierapolis in Phrygien, unweit von Laodicea, war und der ersten Hälfte des 2. Jahrhunderts angehörte.
Irenäus weist ihn zugleich dem hohen Altertume, der christlichen Urzeit zu (durch die 10
Bezeichnung ἀρχαῖος ἀνήρ) und nennt ihn Hörer des Johannes und Freund des Polykarp (Ἰωάννου μὲν ἀκουστής, Πολυκάρπου δὲ ἑταῖρος). Das Chronicon paschale
p. 258 (481) läßt den P. gleichzeitig mit Polykarp den Märtyrertod erleiden, und zwar
diesen zu Smyrna, jenen zu Pergamon. Nach dieser Quelle wären beide im Jahre 163,
nach anderer Berechnung ist Polykarp schon am 23. Februar 155 n. Chr. Märtyrer ge= 15
worden.

Als Polykarp starb, waren seit seiner Taufe 86 Jahre verflossen. Das würde uns
in das Jahr 69 führen, und es liegt nicht fern, mit Zahn (siehe Johannes der Apostel
Bd IX S. 285,26) an dieses Jahr die Ankunft Johannis des Apostels in Kleinasien zu
knüpfen, d. h. anzunehmen, daß das kommende Gericht über Israel wie die anderen 20
Jünger des Herrn den Apostel Johannes veranlaßt habe, Jerusalem und Palästina zu
verlassen, und ihn selbst, nach Kleinasien zu ziehen. In welchem Lebensjahre Polykarp
die Taufe empfangen habe, bleibt in Dunkel gehüllt. Die Geburt des Papias, der von
Irenäus als Hörer des Johannes bezeugt und als ein der Vorzeit angehöriger Mann
und Altersgenosse des Polykarp (contubernalis bei Hieron.) bezeichnet wird, dürfen 25
wir also auch in das Jahr 50—60 n. Chr. setzen. Das Todesjahr aber ist ganz dunkel.
Denn die Stelle in Chron. pasch. verwechselt Papias (bei Rufin Papirius) mit Paphlus,
dem Märtyrer in Pergamon. (Vgl. Zahn, Forsch. z. Gesch. des Neutest. K. VI, 1900,
S. 94 ff. 109 ff.)

Das besondere Interesse, welches die Kirchengeschichte an dem Papias nimmt, beruht 30
auf dem Werke λογίων κυριακῶν ἐξήγησις (explanatio sermonum Domini), das
von ihm in fünf Büchern abgefaßt worden, auch, wenn wir Gallands Zeugnis vertrauen
dürfen, noch im Jahre 1218 in der Handschriftensammlung der Kirche zu Nismes vorhanden war, jetzt aber spurlos verschwunden ist. Die wenigen Fragmente bei Irenäus,
Eusebius und späteren Kirchenschriftstellern (letztere Bruchstücke sind zum Teil bezüglich 35
der Echtheit durchaus verdächtig) sind zwar außerordentlich interessant, auch sehr oft untersucht worden, bieten aber des Rätselhaften und Dunklen so viel, daß sichere Schlüsse auf
diese Fragmente zu bauen, unmöglich und zu viel aus denselben herauslesen zu wollen,
verkehrt ist. Die neueste Zeit hat seit Zahn und Steitz eine große Anzahl von Spezialarbeiten hervorgebracht, von denen aber keine mit einer anderen sich in der Mehrzahl der 40
Streitpunkte deckt. Namentlich gilt das hinsichtlich zweier, durch Eusebius aufbewahrter
Fragmente, von denen das eine der Vorrede des papianischen Werkes, das andere einer
unbekannten Stelle desselben entnommen ist.

Das erstgedachte Fragment hat folgenden Wortlaut: Οὐκ ὀκνήσω δέ σοι καὶ
ὅσα ποτὲ παρὰ τῶν πρεσβυτέρων καλῶς ἔμαθον καὶ καλῶς ἐμνημόνευσα συγκα- 45
τατάξαι (Vat. συντάξαι) ταῖς ἑρμηνείαις, διαβεβαιούμενος ὑπὲρ αὐτῶν ἀλήθειαν·
οὐ γὰρ τοῖς τὰ πολλὰ λέγουσιν ἔχαιρον, ὥσπερ οἱ πολλοί, ἀλλὰ τοῖς τἀληθῆ δι-
δάσκουσιν, οὐδὲ τοῖς τὰς ἀλλοτρίας ἐντολὰς μνημονεύουσιν, ἀλλὰ τοῖς τὰς παρὰ
τοῦ κυρίου τῇ πίστει δεδομένας καὶ ἀπ᾽ αὐτῆς παραγινομένοις (andere Handschr.
παραγινομένας) τῆς ἀληθείας· εἰ δέ που καὶ παρηκολουθηκώς τις τοῖς πρεσβυ- 50
τέροις ἔλθοι, τοὺς τῶν πρεσβυτέρων ἀνέκρινον λόγους· τί Ἀνδρέας ἢ τί Πέτρος
εἶπεν ἢ τί Φίλιππος ἢ τί Θωμᾶς ἢ Ἰάκωβος ἢ τί Ἰωάννης ἢ Ματθαῖος ἤ τις
ἕτερος τῶν τοῦ κυρίου μαθητῶν, ἅ τε Ἀριστίων καὶ ὁ πρεσβύτερος Ἰωάννης οἱ
τοῦ κυρίου μαθηταὶ λέγουσιν· οὐ γὰρ τὰ ἐκ τῶν βιβλίων τοσοῦτόν με ὠφελεῖν
ὑπελάμβανον, ὅσον τὰ παρὰ ζώσης φωνῆς καὶ μενούσης. 55

Neuerdings haben verschiedene den Text beanstandet. Renan vermutet (vgl. l᾽Anti-
christ p. 345 Anm. 2), daß Presbyter Johannes und Aristion (er nennt sie beide Presbyter) einem jüngeren Traditionsgliede angehörten und daß darum zu lesen ist: οἱ τοῦ
κυρίου μαθητῶν μαθηταί. Er schiebt also μαθητῶν ein. Bacon (im amerik. Journ.
of bibl. lit. 1899 p. 176—183) will statt τοῦ κυρίου an derselben Stelle τούτων, 60

also οἱ τούτων μαθηταί lefen. Umgekehrt verfucht Th. Mommfen ben Nachweis, daß οἱ τοῦ κυρίου μαθηταί an berfelben Stelle (in ber brittletzten Zeile obigen Fragments) interpoliert fei (Papianifches in Ztfchr. f. neut. Wiff. 1902 S. 156 ff.), wird aber von Corffen widerlegt (Ebb.). Endlich hat Hausleiter vom entgegengefetzten Standpunkt aus,
5 daß der Presbyter Johannes der Apoftel fei (im ThLB 1896, S. 495 ff.), nachzuweifen gefucht, daß bie Worte ἤ τί Ἰωάννης ein Gloffem feien; ein zweites Einfchiebfel ἤ τί Σίμων (bei Nicephorus Callifthi) fei auch auszumerzen.

Das in Rede ftehende größere P.-Fragment ift ein Ausfchnitt aus der Widmungs= zufchrift des P. am Eingang feines Werkes. Und was fagt P. dort aus? „Ich werbe
10 aber kein Bedenken tragen, bir auch alles bas, was ich einft von ben ‚Alten‘ (Pres= bytern, Gemeinbevorftehern) wohl gelernt unb wohl gemerkt habe, ben Auslegungen mit einzuordnen, indem ich bie Wahrheit berfelben feft verfichere. Denn ich hatte nicht an benen, bie viele Worte machen, meine Freube, wie bie Menge, fondern an benen, bie das Wahre lehren, auch nicht an benen, welche frembartige Ausfprüche (Gebote) berichten
15 (im Gebächtnis haben), fondern an benen, bie vom Herrn bem Glauben gegebene unb von ber Wahrheit felbft ausgehende Ausfprüche (im Gebächtnis hatten). Wenn aber ba unb bort auch einer, ber ben ‚Alten‘ (Gemeinbevorftehern) nachgefolgt war, kam, fo er= forfchte ich bie Worte ber ‚Alten‘, was Andreas ober was Petrus gefagt habe ober was Philippus ober was Thomas ober Jakobus ober was Johannes ober Matthäus ober
20 irgend ein anderer ber Jünger bes Herrn unb was Arifton unb ‚ber Alte‘ Johannes, bie Jünger bes Herrn, fagen. Denn ich fetzte voraus, daß bas aus ben Büchern Ge= fchöpfte mir nicht foviel nütze, wie bas aus ber lebenbigen unb feftftehenden münblichen Rede Stammende.“

Auf ben Begriff πρεσβύτεροι kommt alles an. Kann er ober muß er bie Ge=
25 meindevorfteher bebeuten? Ober muß er durch bie „Alten“ ober bie „ehrwürdigen Väter“ überfetzt werden, wie wir es gethan? Stilting hat bereits vor Jahrhunderten bargelegt, daß der Begriff ὁ πρεσβύτερός als Beiname bes Johannes am Schluß bes Fragmentes nichts anderes bebeuten könne, als was οἱ πρεσβύτεροι, bie vorher fchon breimal er= wähnt find, auch bebeuten. War Johannes nichts als Presbyter, fo waren bie anderen
30 auch Presbyter; waren biefe aber als Jünger bes Herrn Vertreter ber erften Tradition nach Chrifto, fo war auch Johannes ὁ πρεσβύτερος niemand anders als Johannes aus ber erften Traditionsreihe, ber Alte fchlechthin, ber Apoftel bes Herrn. Und in biefem Sinne war auch Arifton ein πρεσβύτερος unb wird auch fo genannt. (Vgl. Armen. Evang.=Hbfchr. zu Etfchmiabzin vom J. 989, wo Arifton ber Presbyter genannt wird,
35 unb bie fyrifche Verfion: Ἀρίστων καὶ Ἰωάννης οἱ πρεσβύτεροι.) Wenn aber ber Begriff οἱ πρεσβύτεροι in ber erften chriftlichen Zeit feftgeprägt war, eine beftimmte Klaffe von Männern umfaßte, fo war er ficher nicht eins mit ber zweiten Stufe bes Priefterantes, fondern bem Ausbruck bebeutete bie höhere Traditionsftufe unb zwar bei Irenäus ebenfo wie bei Papias, nur mit bem Unterfchiebe, daß für Irenäus fchon Igna=
40 tius, Polykarp unb Papias πρεσβύτεροι waren, während zwifchen P. unb Chrifto nur eine Traditionsreihe ftanb, bie Herrenjünger, mit Einfchluß ber Apoftel. So läßt fich πρεσβύτεροι burch (ehrwürdige) Väter überfetzen im Gegenfatz zu benen, bie ber folgen= ben Traditionsreihe angehörten unb fich Brüder nennen konnten.

Der Inhalt bes P.=Werkes ift nicht zweifelhaft. Es handelt fich um Auslegung
45 von Herrenworten. Unter ben Herrenworten brauchen wir nach bem Sprachgebrauch bes P. nicht nur Ausfprüche zu verftehen. Wenn P. bie beiden Evangelien bes Matthäus unb Markus in ihrer erften Geftalt als λόγια κυριακά bezeichnet, fo fehen wir, daß P. auch bie Thaten bes Herrn nicht außer acht ließ, mochte er nun bie Thaten als Rahmen ber Ausfprüche nötig halten ober ben Begriff λόγια im weiteren Sinn faffen,
50 als wie es gewöhnlich thun, etwa im Sinne bes Evangeliums von Chrifto. Außer bem erften unb zweiten Evangelium kannte P. bas Ebräerevangelium, aber auch bas vierte (wie auch Corffen a. a. O. nachgewiefen hat). Unficher bleibt, ob P. bas Lukasevange= lium unb bie AG unbekannt waren ober, was wahrfcheinlicher ift, ob alle (fogar fünf) Evangelien von P. gekannt, feinem Werke zu Grunde gelegt unb burch andere Quellen
55 ergänzt worden find. Für biefes letzte Glieb ber Alternative fpricht aber, baß bie Nichtbeachtung bes britten Evangeliums bem Irenäus, ber unfere vier Evangelien kennt, unb Eufebius ficher aufgefallen wäre. Außer biefen Evangelien hat P. auch ben 1. Jo= hannis= unb ben 1. Petrusbrief verwertet, alfo Stücke aus benfelben als Auslegungen von Herrenworten benutzt. Doch barüber wird unten noch ausführlicher zu reden fein.
60 Der Zweck ber Nachforfchungen bes P. war aber nicht fowohl bie Ergänzung ber

Herrenworte, wie sie in den Evangelien vorlagen, durch mündliche Quellen, als vielmehr, Material zur Erklärung der Herrenworte zu erhalten. Und nun ergaben sich für P. zwei Möglichkeiten, Aufschlüsse über Herrenworte aus der ersten Traditionsreihe zu erhalten. Die erste Quelle war sein eigenes Gedächtnis. Was er von den ehrwürdigen Vätern einst wohl gelernt und sich fest eingeprägt hatte, das hat er kein Bedenken ge= 5 tragen, den Auslegungen mit einzureihen. Solche προεσβύτεροι waren aber nach der Überlieferung nicht nur der Apostel Johannes und der Diakon (oder auch der Apostel) Philippus, sondern auch andere Apostel, wie denn von Polykarp bezeugt wird, daß er eine Reihe von Herrenjüngern gesehen habe. Zu diesen Presbyteroi gehörte für P. auch Ariston (Aristion), der Jünger des Herrn. Die zweite Quelle war abgeleitet. P. fragte 10 Schüler von Herrenjüngern, wo immer er mit einem solchen zusammentraf, nach Aus= sprüchen von Herrenjüngern, die zugleich als Auslegungen von Herrenworten gelten konnten, was Andreas oder Petrus 2c. gesagt habe und zwar zu einer Zeit, wo Lehrer und Schüler noch im Verkehr standen, und er fragte schließlich auch Schüler nach er= klärenden Aussprüchen von Aristion und dem Alten, dem Johannes, und zwar zu einer 15 Zeit, wo diese beiden noch lebten (λέγουσιν im Gegensatz zu εἶπεν). Unter diesen Um= ständen bedürfen wir nicht der Annahme von Einschiebseln oder von ausgefallenen Worten. Weder Hausleiter noch Renan, weder Bacon noch Mommsen scheinen uns auf der rechten Fährte zu sein. Da es P. nur um Aussprüche (zur Erklärung von Herrenworten) aus dem ersten Traditionsglied zu thun war, so konnte P. mit Philippus den Diakon und 20 mit Jakobus auch den Bruder des Herrn meinen. Diese beiden standen ihm für seine Aufgabe ebenso nahe wie die Apostel, und ihnen reihte sich auch Aristion an. Aus der Präsensform λέγουσι aber können wir auch schließen, daß P. mit der Stoffsammlung für sein Werk noch am Ende des ersten Jahrhunderts begonnen hat. Die Notwendig= keit zu solchen Fragen ergab sich aber für P., als dieser Bischof in Hierapolis war, in 25 all den Fällen, wenn Schüler von Johannes oder Aristion zu ihm nach Hierapolis kamen. So wuchsen nach und nach die Schätze, die P. sammelte, zu dem fünf Bücher umfassen= den Werke an. Daß er auch kritisch neuen Aufschlüssen gegenüber sich verhielt, wäre an sich selbstverständlich, auch wenn es nicht durch ἀνέκρινον ausdrücklich betont wäre. Die von Eusebius mitgeteilten Proben aus dem Werke des P. lassen auf einen besonders 30 hohen kritischen Scharfsinn nicht schließen. — Die zwiefache Erwähnung des Johannes läßt sich dann so erklären, daß Aussprüche aus dessen Aufenthalt in Jerusalem durch εἶπεν, solche aus der ephesinischen Zeit durch λέγουσι ermittelt werden (andernfalls müßte man mit Hausleiter an ein Einschiebsel denken!). Damit würden wir nun allerdings die Herausgabe des Werkes sehr hoch hinausschieben; denn über das erste Jahrzehnt des 35 2. Jahrhunderts dürfte die Präsensfrage λέγουσι nicht mehr als richtig angesehen werden können.

Dieses ist unsere Auffassung vom Papiasfragmente; sie ist in dreißig Jahren nur befestigt worden. (Aufgegeben wird die Lesart ἢ τίς ἕτερος — bei Leimbach a. a. O. und in der vorigen Bearbeitung dieses Artikels.) 40

Besäßen wir dieses Fragment nicht, so stünde es in der alten christlichen Litteratur als unbezweifelt da, daß P. des Herrenjüngers Johannes Schüler war (Irenäus V, 33, 4 würde es bezeugen), daß der Herrenjünger Jo in Ephesus seine letzten Jahrzehnte verlebt und bis zur Regierung Trajans gelebt hat. Unter diesem Herrenjünger aber verstand Irenäus nie den Apostel Johannes, den Bruder des älteren Jakobus, den Zebe= 45 daiden, obgleich er ihn nie als Apostel, sondern stets nur als Herrenjünger bezeichnet. (Über die letztere Eigentümlichkeit und ihren Grund vgl. Leimbach, Das Papiasfragment, S. 16 und Jren. II, 21, 1). Die neutestamentlichen Schriften, welche des Johannes Namen tragen, konnten nur echt oder unecht sein. Ein von dem Apostel Johannes zu unterscheidender Herrenjünger, der Presbyter Johannes, kam jedenfalls nicht in Frage. 50 Da nahm aber Dionysius Alexandrinus (Bischof in Alexandrien 248—64) Anstoß daran, daß der Apostel Johannes Verfasser der Apokalypse sei und suchte nach einem anderen kleinasiatischen Johannes: Eusebius glaubte ihn in der Vorrede des Papias zu finden, s. d. A. Johannes Bd IX S. 276, 16 ff.

Im 16. Jahrhundert hat Stilting (AS Sept. VII, p. 387) die Frage nach dem 55 Presbyter oder Senior Johannes wieder aufgenommen. Sein Ergebnis war: Jener Jo= hannes Presbyter, an den vor Eusebius kein Mensch auch nur mit einem Gedanken gedacht hat, scheint einzig und allein des Eusebius verwirrtem Hirne entsprungen zu sein.

Mit Schleiermacher beginnt eine neue Phase der Ausnutzung des P. Während aber Schl. ein anderes Fragment des P. und danach die Entstehung unserer beiden ersten Ka= 60

nonischen Evangelien untersuchte und Guerike die Hypothese von dem Presbyter Johannes als Verf. der Apk neu prüfte, begann mit Lützelburger (a. a. O.) eine ganz neue Reihe von Kritiken. Nur schied jetzt Markus ganz aus, soweit die Apk in Frage stand; diese schien entweder für den Apostel Johannes nicht mehr anstößig, oder sie kam als apo=
5 krophe Schrift nicht mehr in Betracht. Aber das 4. Evangelium und die Briefe mußten dem Apostel abgesprochen werden. So tauchte der Presbyter wieder auf, ja bald fand die Urform neben dieser Nebenform in Ephesus keinen Raum mehr. Die beiden Denk= mäler konnten in eins zusammenschrumpfen. Das 4. Evangelium sollte den Presbyter zum Verfasser haben.

10 Seitdem ist um dies P.=Fragment ein Kampf entbrannt, wie er in kaum einer der grundlegenden Fragen heißer getobt hat.

Kehren wir zum Anfang unserer Untersuchung zurück. Unter den Vertretern der Wissenschaft in diesem Jahrhundert haben einige in Übereinstimmung mit Irenäus den P. für einen Schüler des Apostels Johannes und die oben S. 645, 23 erwähnte Auslegung
15 der Vorrede durch Eusebius für unrichtig erklärt; so Zahn (a. a. O. S. 949 ff.), Hengsten= berg (Die Offenbarung des hl. Johannes, 1. Ausg. II, 2, S. 108; 2. Ausg. 1862, II, S. 387 ff.), Riggenbach (Die Zeugnisse des Evangelisten Johannes neu untersucht, Basel 1866, S. 110; Johannes der Apostel und der Presbyter, JbTh 1868. II, S. 319 ff.), Leuschner (Das Evang. Joh. und seine neuesten Widersacher, 1873, S. 72), nicht un=
20 bedingt Luthardt (Der johanneische Ursprung des 4. Evang. 1874, S. 71. 104 ff.), wohl aber Steitz (vgl. den Art. P. in der 1. Aufl. dieser Encyklopädie und dann: Des Papias von Hierapolis „Auslegungen der Reden des Herrn" nach ihren Quellen und nach ihrem mutmaßlichen Charakter, ThStK 1868, I, S. 63 ff. — Einige Bemerkungen zu Riggen= bachs Abhandlung: Johannes der Apostel und Johannes der Presbyter, JbTh 1869, I,
25 S. 138), Hilgenfeld (a. a. O. S. 235; vgl. dessen frühere entgegengesetzte Ansicht: ZwTh 1865, S. 333 ff.; 1867, S. 180 ff.) und Leimbach (a. a. O. S. 10 ff., S. 114 ff.). Unter diesen stehen einige (Zahn, Hengstenberg, Riggenbach, Leimbach, Guerike u. a.) nicht mehr an, den Apostel Johannes und den im Proömium des Papiasfragments ge= nannten „Presbyter" Johannes für ein und dieselbe Person zu erklären. Andere ver=
30 neinen, daß P. ein Schüler des Apostels Johannes gewesen sei (C. von Tischendorff [Wann wurden unsere Evangelien verfaßt? 1. Aufl. 1865, S. 51 ff.; 4. Aufl. 1866, S. 118 ff.], Keim, Scholten, Martens, Donaldson, Weiffenbach, der anonyme Verf. von Supernatural religion, an inquiry into the reality of divine revelation (London 1874, Vol. I, p. 449, 4. Aufl. 1875, I, p. 444 ff.), Lomann, Lüdemann (der übrigens
35 sehr selbstständige Vermutungen aufstellt) u. a. Die erstgenannte Reihe hält auch, unter= stützt durch C. von Tischendorff, Martens und Max Krenkel (Der Apostel Johannes, 1871, S. 113 ff.) an dem ephesinischen Aufenthalte des Apostels Johannes fest, während die zweite, etwas gelichtete Reihe, verstärkt u. a. durch Dorner (Lehre von der Person Christi, I, 217), den Irenäus beschuldigt, den Presbyter für den Apostel ausgegeben zu
40 haben, und von P. nicht nur behauptet, daß er als Apostel Johannes Schüler nicht gewesen sei, sondern auch ihn als Zeugen gegen den ephesinischen Aufenthalt des Apo= stels Johannes und gegen den apostolischen Ursprung des 4. Evangeliums verwertet, und Weiffenbach sogar die persönliche Bekanntschaft des P. mit dem „Presbyter" Jo= hannes für ausgeschlossen hält.

45 Zweifelhaft ist, ob die von P. aus mündlichen Quellen erlangten Stoffe haupt= sächlich Erläuterungen von Herrenworten oder ob sie Herrenworte selbst enthielten. Ersteres ist freilich das Wahrscheinlichere. Bestritten ist ferner, ob das Fragment mit seinem Anfange: οὐκ ὀκνήσω δέ σοι καὶ auf einen vorausgehenden Satz hinweist, was die meisten Erklärer annehmen, Weiffenbach anfänglich verneinte, indem er jenes καὶ und
50 das im dritten Satze des Fragments vorkommende zweite καὶ (εἰ δέ που καὶ) als ein „sowohl — als auch" faßte. Auch diejenigen, welche in dem καὶ ein auch und einen Rückweis auf das Vorausgehende sehen, sind nicht darüber einig, ob es sich im nächsten Zusammenhange wesentlich um eigene Erläuterungen des Herrn zu Herren= worten im Gegensatze zu fremden, wenn auch nicht schriftlichen, Erläuterungen der Herren=
55 worte (Düsterdieck, GgA 1876, Stück 2, S. 46—54) oder um schriftliche Quellen für Erläuterungen der Herrenworte im Gegensatze zu mündlichen Quellen (Leimbach a. a. O. S. 90 ff. 103 ff.) handelt, oder ob in der Vorrede vor und in dem Fragmente die Quellen für die Herrenworte selbst besprochen und charakterisiert wurden (vgl. Hilgenfeld, ZwTh 1875, S. 602 ff. u. a.). Viel wichtiger ist die Frage, wen P. unter den „οἱ
60 πρεσβύτεροι" verstand, die er dreimal im Fragmente erwähnt. Verständen wir darunter

mit Jrenäus, wie gewöhnlich bezüglich IV, 27, 1 ausgelegt wird, diejenigen Ältesten oder Bischöfe der kleinasiatischen Kirche, welche zugleich Apostelschüler waren, so würde, wie schon Steitz hervorhebt, P. allerdings keine seiner Mitteilungen direkt von den Aposteln empfangen haben; und Eusebius hätte Recht mit der Behauptung, P. habe in diesem Proömium nirgends gesagt, daß er die Apostel selbst gesehen oder ihre Aussprüche aus 5 ihrem Munde gehört habe; allein, wie Hilgenfeld (a. a. D. S. 236) hervorhebt, Eusebius berichtet selbst (KG III, 39, 9), daß P. mit dem Apostel (vielleicht ward dabei aller-dings der Diakon und Bekehrer Samariens mit dem Zwölfapostel verwechselt) Philippus in Hierapolis zusammengelebt und mit den Töchtern des Philippus verkehrt habe. Auch war P. nach Hieronymus (de vir. ill. 18) älter als Jrenäus und als Claudius Apolli= 10 naris, welcher nach P. Bischof in Hierapolis wurde und zu Mark Aurels Zeiten als Ver-fasser einer Apologie für die Christen auftrat (Eusebius KG IV, 27; Hieron. de vir. ill. c. 26), also indirekt die Angaben der Paschachronik über den gleichzeitigen Tod des Polykarp und des Papias bestätigt. Unter solchen Umständen ist es gar nicht gewagt, wie von Polykarp, so auch von P. anzunehmen, daß er den Apostel Johannes in seiner 15 frühen Jugend noch kennen gelernt und gehört habe. Um die Unsicherheit des Schlusses, welchen Eusebius aus dem dritten Satze des Papiasfragmentes gezogen hat, noch zu er-höhen, braucht nur auf die eigenen Worte des Eusebius (KG III, 39, 7) hingewiesen zu werden, in welchen derselbe die Worte des P. kommentiert und den Wert ἀπόστολοι für πρεσβύτεροι einsetzt. Wir lesen bei 20

Papias:	Eusebius:
εἰ δέ που καὶ παρηκολουθηκώς τις τοῖς πρεσβυτέροις ἔλθοι, τοὺς τῶν πρεσβυτέρων ἀνέκρινον λό-γους· τί Ἀνδρέας, ἤ τί Πέτρος εἶπεν —————— ἅ τε Ἀριστίων καὶ ὁ πρεσ-βύτερος Ἰωάννης, οἱ τοῦ κυρίου μα-θηταὶ, λέγουσιν.	καὶ ὁ νῦν δὲ ἡμῖν δηλούμενος Παπίας τοὺς μὲν τῶν ἀποστόλων λό-γους παρὰ τῶν αὐτοῖς παρηκο-λουθηκότων ὁμολογεῖ παρειληφέναι, Ἀριστίωνος δὲ καὶ τοῦ πρεσβυτέρου Ἰωάννου αὐτήκοον ἑαυτόν φησι γε-νέσθαι.

(Vgl. Leimbach a. a. D. S. 110ff. und Lüdemann, der, auf entgegengesetztem Stand= 30 punkte stehend, doch den Widerspruch des Eusebius mit sich selbst voll anerkennt, a. a. D. 561ff.) Aus diesem Vergleiche geht so viel klar hervor, daß Eusebius die οἱ πρεσβύ-τεροι für die Apostel, den ὁ πρεσβύτερος Ἰωάννης aber für einen vom Apostel Johannes zu unterscheidenden Gemeindevorsteher gleichen Namens gehalten hat und daß er diesem die Apokalypse zuweisen möchte, als deren Verfasser den Apostel Johannes anzunehmen er aus 35 inneren Gründen bedenklich fand. Somit ist Eusebius in seiner Auslegung des Fragmentes in den doppelten Jrrtum verfallen, zu übersehen, daß der eigentliche Zusammenhang des Frag-mentes zu der Auslegung führte, Papias habe direkt von (παρά) den Presbytern (i. e. Aposteln) bestimmte Mitteilungen (wohl Erläuterungen von Herrenworten) persönlich und mündlich empfangen und später indirekt ebensolche Mitteilungen aus dem Munde von 40 Herrenschülern oder Aposteln, durch Apostelschüler vermittelt, sich zu verschaffen gewußt, und sodann, in seiner Voreingenommenheit gegen die Apokalypse dem „ὁ πρεσβύτερος" Ἰωάννης eine durchaus andere Deutung (= Gemeindeälteste), als den οἱ πρεσβύτεροι zu geben und den Unterschied im Tempus (εἶπεν — λέγουσιν) dahin zu verstehen, als bezeichne der Aorist die früher verstorbenen, den Papias nicht persönlich nahegetretenen 45 Apostel, das Präsens aber die wirklichen Lehrer des P., zwei Nichtapostel, wenn auch Herrenjünger: Aristion und den „Presbyter" Johannes. Aber auch Jrenäus hat in den Gewährsmännern des P. nicht nur Apostelschüler, sondern auch die Apostel selbst be-zeichnet; so erklärt wenigstens Leimbach (a. a. D. S. 12ff.) des Jrenäus Worte: Que-madmodum audivi a quodam presbytero, qui audierat ab his, qui apostolos 50 viderant, et ab his, qui didicerant (IV, 37, 1) und apostolorum discipulus (IV, 32, 1) gegen Ziegler (Jrenäus S. 18ff.), freilich, ohne Lüdemanns Beifall zu finden (a. a. D. 545). Auch Zahn (Die Apostelschüler in der Prov. Asien. Forschungen VI, S. 64ff.) kann sich nicht Leimbach anschließen. Zahn findet zwar vielfach discentes im Tert. wie discipuli gebraucht, aber andere Verbalformen von disco, didicisse = 55 Schüler sein, gewesen sein, suche man vergeblich. Solche Belege giebt es aber in der klassischen Prosa und Poesie. Dort heißt discere Litteratur oder Redekunst studieren und steht absolut. Cic. Brut. 71; Or. 2, 1; Or. 42 (von der Jurisprudenz); Ov. Trist. 2, 343. Hei mihi, quod didici, quod me docuere parentes. Ov. A. Amat.

I, 428 ne didicisse juvet. So kann auch hier didicerant für discipuli fuerant stehen, und dann fragt man nicht mehr: Wessen Jünger waren sie? Leimbach hält sich also noch nicht für widerlegt. Aber er giebt zu, daß der Überseßer des Irenäus nicht nur bei didicerant sich geschickter hätte ausdrücken können. — Ferner weist das ποτὲ
5 im Eingang des Fragmentes auf eine längst entschwundene Zeit hin und damit die Presbyter in eine Zeit, in welcher dies Traditionsglied das erste nach Christo selbst sein konnte und sein mußte, und auch sonst erinnert das παρηκολουθηκὼς an den ausgesandten Jüngern (Aposteln, Herrenschülern) nachfolgende Schüler, die αὐτὴ ἡ ἀλήθεια an den Herrn Christus selbst. Endlich ist οἱ πρεσβύτεροι ein Begriff, welcher im
10 2. Jahrhundert eine Gesamtheit von Lehrern eines höheren Traditionsgliedes bezeichnet, die „Alten", wie neuerdings Leimbach gegen Weiffenbach und später gegen den zweiten Versuch des leßteren, seine Erklärung „Gemeindeälteste" zu retten, siegreich Lüdemann (a. a. O. S. 537ff.) nachgewiesen hat. Der Erklärung Weiffenbachs hat nur Lomann zugestimmt. Die Mehrzahl aller Ausleger sieht in den Presbytern des P. eine bestimmte,
15 aber umfängliche kleine Kategorie von Personen, die Männer der Vorzeit, des ersten Traditionsgliedes nach Christo, Herrenjünger mit Einschluß der Apostel, oder auch wohl das erste Traditionsglied nach Christo bezw. den Aposteln mit Ausschluß der Apostel selbst (so Kattenbusch in der Rezens. des Weiffenb. „Papiasfragmentes" 1875, JdTh S. 342 und Lüdemann a. a. O. S. 375). Die Erklärungen des Wortes sind im einzelnen sehr
20 verschieden. Ritschl (altkath. Kirche, 2. Aufl., S. 411) faßt das Wort im Sinne von 1 Pt 5, 1; Rothe (Anfänge der christl. Kirche, S. 417) als „Männer, welche in nächster Beziehung mit der Geburtszeit des Christentums standen und darum bei dem folgenden Geschlechte eine besondere Aufmerksamkeit fanden". So sagt auch Routh l. c. S. 23: quibus verbis, sc. εἰ δέ που καὶ etc. significare videtur Papias se apostolorum
25 discipulos, si quis eorum forte aduenerit, pariter atque ipsos apostolos sciscitari consuevisse. Und wir müssen somit im Fragmente eine doppelte mündliche Quelle für Erläuterungen von Herrenworten unterscheiden, eine unmittelbare = Apostel und Herrenjünger überhaupt (= οἱ πρεσβύτεροι), eine für den ἀρχαῖος ἀνὴρ P. noch bestehende, im Alter und in der direkten Beziehung zu Christo begründete Autorität, und
30 eine mittelbare, durch Presbyterschüler oder Apostelnachfolger dargebotene Quelle. So wenig umfangreich jenes „aus erster Hand" in früher Jugend Empfangene war, es ward doch dem Gedächtnis unauslöschlich eingeprägt (vgl. den Anfang des Fragmentes) und bildete den Kryſtallkern, an welchen die späteren, „aus zweiter Hand" empfangenen Mitteilungen sich anschloſſen. — Beſtritten ist nur die Stellung, welche Aristion und der
35 Presbyter-Johannes einnehmen. Aus dem Wechsel des Tempus haben viele (so auch Hilgenfeld a. a. O. S. 256) auf zwei nach-apostolische Männer geschlossen, das Prädikat πρεσβύτερος als Gemeindevorstehers dem Johannes zu-, dem Aristion abgesprochen, dagegen andere πρεσβύτερος in demselben Sinne wie oben den Plural aufgefaßt und mit „der ehrwürdige Vater" überseßt. Lüdemann stimmt mit Leimbach darin überein, daß
40 er in Aristion einen Mann des ersten Traditionsgliedes, in Johannes einen ebensolchen sieht und unterscheidet sich von Leimbach wohl sowohl darin, daß dieser (a. a. O. S. 116) den Johannes als τὸν πρεσβύτερον κατ' ἐξοχήν auffaßt (das thut auch Lüdemann a. a. O. S. 383. 537ff.), sondern darin, daß Lüdemann im „altehrwürdigen Johannes" die Nebensonne neben dem Apostel, die große kleinasiatische Persönlichkeit sieht, der die
45 Abfassung des 2. und 3. Briefes, wenn nicht zuzuschreiben, doch zugeschoben ist, während Leimbach mit diesem ehrenden Prädikate nur den Apostel, den lange lebenden und alle Mitapostel weit überlebenden Johannes bezeichnet findet. Übrigens hat auch Hilgenfeld (a. a. O. S. 256) sowohl den Aristion als den Presbyter Johannes in die apostolische Zeit hoch hinaufgerückt, wenn er den Aristion mit an sich plausiblen Gründen für iden-
50 tisch mit Ariston von Pella (einem Apostelschüler, aus Jerusalem vor der Zerstörung geflohen, Euseb. KG IV, 6, 3) hält und für den Presbyterbischof Johannes in Unterschied von dem Apostel auf die Constit. apost. (VII, 46) verweist: τῆς δὲ Ἐφέσου Τιμόθεος ὑπὸ Παύλου, Ἰωάννης δὲ ὑπ' ἐμοῦ Ἰωάννου. Nur hindert ihn seine Auslegung des πρεσβύτερος als Gemeindevorstehers im Schlußsaße des Fragmentes, bei Aristion als
55 den ersten, bezw. dritten Bischof Ariston von Smyrna zu denken, während wir bei Annahme eines singulären Ehrennamens des Johannes recht wohl an einen Ariston von Smyrna denken dürfen. Es will uns noch immer so scheinen, daß P., was auch Eusebius nicht nur auf Grund der Kenntnis des Fragmentes, sondern der Lektüre des gesamten papianischen Werkes behauptet, außer dem hierapolitanischen „Apostel" Philippus, dessen
60 Schüler P. sich bei aller persönlichen Bekanntschaft nicht eigentlich nennen kann, nur des

Apostels Johannes und des Herrenjüngers Aristion Schüler gewesen sei (vgl. Leimbach a. a. O. S. 117 ff.). Die Verschiedenheit des Tempus kann man mit Hilgenfeld (Evang. S. 239 und sonst) betonen, und dann kommt man zu dem Schlusse, daß, als Papias sein Werk schrieb (vielleicht um 130), beide Männer noch lebten; woraus dann folgen müßte, daß sie keine Herrenschüler im eigentlichen Sinne gewesen sein können, was doch P., 5 falls man ihm nicht allzu große Unklarheit des Geistes zuschreiben will, durch den Zusatz οἱ τοῦ κυρίου μαθηταί von ihnen prädiziert hat; oder man kann mit Steitz (Realenz. 1. Aufl. XI, S. 80) den Wechsel als auf Nachlässigkeit beruhend ansehen, oder auch als ein Zeichen der im Gedächtnis des P. lebendigen und bleibenden Rede seiner unmittelbaren Quellen (vgl. Leimbach a. a. O. S. 117 ff.). Noch eine Auslegungsmöglichkeit ist 10 vorhanden. Sie führt auf eine frühere Abfassungszeit des Werkes unsers P., als gewöhnlich angenommen wird. (Vgl. oben!) Alle diejenigen, welche in den Presbytern des P. das erste Traditionsglied nach Christo sehen, legen des P. Worte: τοὺς τῶν πρεσβυτέρων ἀνέκρινον λόγους aus: so oft fragte ich sie nach den Worten der Presbyter, und sehen in dem folgenden, mit τί beginnenden Satze eine Auseinanderfaltung der λόγοι 15 τῶν πρεσβυτέρων, nach denen sich P. erkundigen will; die auf dem entgegengesetzten Standpunkte stehen, übersetzen entweder ebenso, lassen aber den P. Presbyterschüler nach Presbyterworten über Apostelworte, bezw. über Mitteilungen der Apostel von Herrenworten fragen, oder sie übersetzen mit Weiffenbach (a. a. O. S. 69): ich untersuchte genau die Worte der Presbyter darüber, was Andreas ꝛc. gesagt habe. (Diese Übersetzung hat Weiffenbach im 20 Rückblick S. 417 auf Grund der Gegenbemerkungen Leimbachs und Straatmanns aufgegeben.) Trotz Weiffenbachs zweiter Abhandlung ist mit den von Holtzmann, Hilgenfeld, Leimbach, Lüdemann, Weizsäcker und Straatmann u. v. a. gegen ihn vorgebrachten Gründen an der zuerst dargelegten Konstruktion des τί festzuhalten. Den Schlußsatz ἅ τε κ.τ.λ. fassen die meisten als Fragesatz (so Weiffenbach, Rückblick S. 410), obgleich ἅτε 25 im Interrogativsatze durch qualia (= οἷα) zu übersetzen sein würde, was einen bedenklichen Sinn giebt, andere, z. B. Ewald (GgA 1875, Stück 4 = wie), Martens (a. a. O. S. 29. 46 = wie auch zum Beispiel) und Weizsäcker (ThLZ 1876, Nr. 4 = καθάπερ „was irgend einer") als Erläuterung zu ἕτερός τις; Leimbach früher unter Accentuierung von ἢ τίς ἕτερος als einen Relativsatz („oder welcher andere von den Jüngern des Herrn 30 das gesagt habe, was sowohl Aristion, als auch der altehrwürdige Vater Johannes, die Herrenschüler, sagen" S. 50. 102). Die sprachliche Möglichkeit dieser Übersetzung ist nicht zu bestreiten; die Annahme der gänzlichen Unangemessenheit des Sinnes, welche Keim (Prot. Kirchenztg. 1875, S. 884), Weizsäcker (a. a. O. S. 110), Straatmann (a. a. O. I, S. 196. 197. II, S. 286—288), Weiffenbach (Rückblick S. 410 ff.) und Lüdemann 35 (a. a. O. S. 555) mit mehr oder minder starken Worten oder geringschätzigen Bemerkungen über den Vertreter jener Auslegung behaupten, beruht auf einem bloßen Mißverständnisse. Zahn und Riggenbach trennen ebenso wie Holtzmann und Lüdemann den Satz vor ἅτε, jene, um aus dem Präsens die Gegenwärtigkeit der Aussagen der beiden letzten Männer zu folgern, diese, um dieselben von den Aposteln definitiv zu scheiden. 40 Auch Leimbach trennte den dritten Satz des Fragments in zwei Hälften und zwar vor ἢ τίς ἕτερος κ.τ.λ. und findet zweierlei durch Fragen von Presbyterschülern erforscht: 1. neue (erläuternde) Worte von Aposteln (Presbytern) über Herrenaussprüche und 2. Bestätigung der bereits aus dem Munde Aristions und des Presbyters Johannes gehörten Worte durch indirekt erfahrene Auslegungen anderer Herrenjünger. Selbstverständlich 45 dachte Leimbach nicht daran, die Ungenannten unter den Herrenjüngern zu einer kontrollierenden Instanz über Aristion oder gar den Apostel Johannes zu machen, um dadurch den Worten jenes oder dieses erst die volle Glaubwürdigkeit zu verschaffen; vielmehr sprach er nur von Fällen, in welchen Papias auf Bestätigung der Erläuterungen seiner Gewährsmänner durch Worte aus anderen Apostelkreisen Wert legte oder etwaige eigene 50 Mißverständnisse zu korrigieren beflissen war. Es handelt sich für P. nur um eine möglichste Sicherstellung des einstmals Gelernten gegen sich einschleichende Mißverständnisse oder Gedächtnisschwäche.

Sicherlich legte P. für sein Werk einen besonderen Wert auf die mündliche, in der lebendigen Erinnerung noch erhaltene Tradition der ersten Augenzeugen. Ja er scheint 55 dieser vor der schriftlichen Aufzeichnung den Vorzug einzuräumen. Er sagt: οὐ γὰρ τὰ ἐκ τῶν βιβλίων τοσοῦτόν με ὠφελεῖν ὑπελάμβανον, ὅσον τὰ παρὰ ζώσης φωνῆς καὶ μενούσης (Euseb. l. c. § 4). [Weiffenbach] (Papiasfragm. S. 133) erklärt μένουσα als „eine sich stets fortsetzende, andauernde, kontinuierliche" und vergleicht sie „mit der frisch sprudelnden, unversieglichen Quelle, dem ewig sich wiedergebärenden Brunnen 60

mit gleichbleibender Wasserhöhe". Leimbach erklärte früher (a. a. O. S. 98) φωνή μένουσα als direkte Rede oder auch verba ipsissima; jetzt möchte er μένουσα durch
fortlebend übersetzen und zwar unter Verweisung auf den im Neuen Testamente überaus
häufig konstatierbaren Gebrauch des Wortes μένειν in der Bedeutung von fortleben, am
5 Leben bleiben. Beachtenswert ist, daß unter den 8 einschlägigen Stellen (Jo 21, 22. 23;
1 Ko 15, 6; Offenb. 17, 10; Jo 12, 34; Hbr 7, 24; 1 Pt 1, 23; 1 Jo 2, 17) des
NTs fünf in johanneischen, vier in sogen. deuterojohanneischen Schriften sich finden. Das
gehörte Wort ist nicht nur lebendig, sondern es bleibt auch lebendig in weit höherem
Grade als das gelesene Wort.]

10 Sonst teilt uns Eusebius über den Inhalt des papianischen Werkes nur sehr weniges
mit, und dies ist kaum geeignet, uns einen wirklichen Einblick in die Einrichtung und
den Inhalt des Werkes zu verschaffen. Doch ist so viel klar, daß Eusebius es gar nicht
für seine Aufgabe gehalten hat, irgend einen der Aussprüche des Herrn oder der Apostel
über Herrenworte zu reproduzieren, sondern daß er nur geschichtliche Notizen aus dem
15 papian. Werke anführen will, welche zur Illustration oder Bestätigung von Herrenworten
dienen könnten, und auch nur solche, welche Eusebius nicht in den Schriften des NTs
las, und meist solche, an welchen er die Urteilslosigkeit bezw. geringe objektive Glaubwürdigkeit des P. (sein σφόδρα γάρ τοι σμικρὸς ὢν τὸν νοῦν — φαίνεται) illu-
strieren konnte. Eusebius berichtet aus einem Buche des P., daß diesem die Töchter des
20 Philippus von einer, vermutlich durch ihren Vater bewirkten, Totenerweckung erzählt
hätten, ferner, daß Justus Barsabas ohne Schaden Gift getrunken habe. Es liegt nahe,
anzunehmen, P. habe jene Erzählung zur Erklärung des auch Mc 16, 18, diese zur Bestätigung des Mt 10, 8 berichteten Herrenwortes beigefügt. Eusebius erwähnt dann
flüchtig einige von P. mitgeteilte Parabeln und Lehrworte des Herrn, welche dieser in
25 den Evangelien nicht gefunden habe, und nennt diese schon darum unglaubwürdig, ja
mythisch. Die auch im Hebräerevangelium mitgeteilte Erzählung von einem Weibe,
welches wegen vieler Sünden beim Herrn verklagt war, erwähnt Eusebius auch noch, wie
nachträglich und nebenbei, als im papianischen Werke sich vorfindend. Es ist nicht unmöglich, daß gerade diese Erzählung an das Gespräch über die Ehescheidung (Mt 19, 3 ff.)
30 sich anschloß, wahrscheinlicher jedoch, daß der jetzt im Johannesevangelium berichtete Vorgang (Jo 8, 1 ff.) hier gemeint ist.

Aus dem Gesagten ist zunächst zu ersehen, daß P. Herrenworte zusammengestellt
und erläutert, nicht aber, ob er die kanonischen Evangelien sämtlich gekannt, noch wie
er sie benutzt habe. Ein Fragment zeigt uns, daß P. von den beiden Evangelien des
35 Markus und Matthäus gewußt hat. Wir finden dies Fragment schon bei Irenäus, und
auch Eusebius reproduziert dasselbe mit dem Hinzufügen, daß P. diese Mitteilung auf
den „Presbyter" Johannes zurückführe. Das Fragment berichtet, Markus sei der her-
meneut (Dolmetscher) des Petrus gewesen und habe als solcher aus dem Gedächtnisse,
aber genau, freilich nicht in geordneter Reihenfolge niedergeschrieben, was Petrus von
40 Worten und Thaten des Herrn mitgeteilt habe. Matthäus habe sein Evangelium in
hebräischer Sprache niedergeschrieben, und es habe sich ein jeder dasselbe, so gut er ge-
konnt habe, übersetzt. Diese beiden Mitteilungen haben bekanntlich seit Schleiermacher
in der evangelischen Kritik unendlich viel Staub aufgewirbelt (man vgl. über diese uns
hier nicht berührenden Fragen die Monographie Weiffenbachs: Die Papiasfragmente über
45 Markus und Matthäus f. o.), und doch hat offenbar dem Eusebius nur daran gelegen,
zwei, ihm nicht völlig wertlos erscheinende Notizen über die Entstehung zweier Evangelien
mitzuteilen, während er nicht entfernt daran dachte, den Schein erwecken zu können, daß
P. nur diese beiden Evangelien gekannt und benutzt habe. Von der Art der Benutzung
dieser und aller Evangelien durch P. ist bei Eusebius überhaupt nicht die Rede. Eine
50 Benutzung schriftlicher Quellen behauptet allerdings Eusebius auch, aber ausdrücklich erwähnt er als schriftliche Quellen nur den ersten Brief des Johannes, den 1. Petribrief
und das Hebräerevangelium. Die Zeugnisse aus den beiden Briefen erwähnt Eusebius,
wie es scheint, nur, um zu beweisen, daß der je erste Brief der beiden Männer echt sei,
nicht aber der zweite, bezw. (bei Johannes) dritte, welche Eusebius für zweifelhaft hält
55 (Eus. III, 25). Über das Hebräerevangelium hat sich Eusebius an derselben Stelle
(III, 25) ausgesprochen und es den Antilegomena zugezählt. Wenn aber Eusebius selbst
eigentlich nur den Zweck hat, bezüglich der Auswahl seiner Exzerpte aus P. die Unglaubwürdigkeit des P. nachzuweisen, und bezüglich der Mitteilungen und Untersuchungen über
den „Presbyter" Johannes den weiteren Zweck, diesen von dem Evangelisten und Apostel
60 loszulösen, so sind die Schlüsse, welche aus dem angeblichen Schweigen des P. über das

vierte Evangelium abgeleitet werden, überaus voreilig. Nicht Papias schweigt über das
dritte und vierte Evangelium, über die Apostelgeschichte, die paulinischen Briefe, den Ja=
kobusbrief, sondern Eusebius verschweigt, was P. über diese Schriften oder aus diesen
Schriften mitgeteilt hat, offenbar, weil es nicht zu dem gehörte, was er an P. als cha=
rakteristisch herausheben wollte. Von der Apokalypse des Johannes erwähnt Eusebius 5
nicht ausdrücklich, daß sie dem P. bekannt und von ihm benutzt war; man kann dies
höchstens aus der Stelle herauslesen, in welcher er der chiliastischen Aussprüche des P.
Erwähnung thut und über P. urteilt, derselbe habe wohl den mystischen Sinn der apo=
stolischen Worte nicht, sondern alles buchstäblich verstanden. (So folgert auch Hilgenfeld,
P. von Hierapolis, S. 261. 266.) Dagegen ruft Andreas von Cäsarea ausdrücklich in 10
seinem Kommentar über die Apokalypse als Zeugen für die Echtheit des Buches den
Papias an. Dieses von Arethas aufbewahrte Zeugnis ist kritisch unanfechtbar und be=
zeugt außer dem johanneischen Ursprunge der Apokalypse auch den Aufenthalt des Apostels
Johannes in Kleinasien. Ja man kann fast aus Eusebius schließen, daß P. die Apoka=
lypse so häufig erwähnt habe, daß Eusebius gerade deshalb den „Presbyter" Johannes 15
bei Papias, dem Lehrer des P., die Verfasserschaft der Apokalypse aufzudrängen suchte.

Nun hat die neuere Kritik aus dem Schweigen des Eusebius über die Benutzung
der übrigen biblischen Bücher durch P. geschlossen, P. habe diese Bücher nicht gekannt.
Das gilt zunächst bezüglich der zwei letzten kanonischen Evangelien, ja eigentlich hinsichtlich
aller vier Evangelien, da man die Notizen des P. über das erste und zweite Evangelium 20
kaum unter die kritische Lupe zu nehmen braucht, um zu erkennen, daß die von P. ge=
kannten Urschriften des Matthäus und Markus nicht unser erstes und zweites Evangelium
sein können. Und ganz besonders schließt man aus dem Schweigen des Eusebius über
die Bekanntschaft des P. mit dem vierten Evangelium darauf, daß dasselbe damals noch
nicht vorhanden gewesen sein könne. Sogar Hilgenfeld, welcher früher schon (die Evan= 25
gelien S. 344) den Satz Zellers (Theol. Jahrb. 1847, S. 199): „Das Schweigen des
P. wird fortwährend einen starken Beweisgrund gegen die Authentie des Evangeliums
des Johannes abgeben", wesentlich durch die Behauptung verschärft hatte: „Hätte P. das
Geringste von einem Evangelium des Johannes gesagt, so würde es Eusebius unmöglich
übersehen haben, und da er den Überlieferungen des Johannes nachgeforscht hat, so hätte 30
er über ein schriftliches Evangelium desselben gar nicht schweigen können", hält noch
immer (P. von Hierapolis, Ztschr. f. wiss. Theol. 1875, S. 270) diese Ansicht in den
Worten fest: „Blicken wir auf den echten P. zurück, so wird derselbe allerdings in jungen
Jahren noch den Apostel Johannes gehört haben, hat aber, noch als er sein Buch schrieb,
von einem Evangelium des Johannes nichts gewußt oder nichts wissen wollen". Für 35
andere Gelehrte, wie Keim (Prot. Kirchenztg, 1875, S. 886) und Weiffenbach (vgl. Rück=
blick a. a. O. S. 435 ff.) ist dies und noch vieles andere selbstverständlich.

Zunächst ist nichts sicherer, als daß hier mit einem Argumentum e silentio gegen
den apostolischen Ursprung des 4. Evangeliums operiert wird. Auf ein solches Argument
aber darf man nicht allzu viel bauen. Im Gegenteil läßt sich vielmehr behaupten: Der 40
erstangezogene Satz Hilgenfelds ist nicht beweiskräftig, da aus einem Nichterwähnen des
4. Evangeliums in einem von anderen Gesichtspunkte aus ausgehobenen Citate nicht ge=
folgert werden darf, daß P. das 4. Evangelium nicht im Werke selbst genannt und citiert
haben könne. Zugleich läßt sich sagen: Aus dem Umstande, daß Eusebius nicht erwähnt,
daß P. nur zwei Evangelien gekannt, auch nicht erwähnt, daß er diese beiden Evan= 45
gelien benutzt habe, läßt sich nicht schließen, daß P. das dritte und vierte Evangelium
nicht gekannt und nicht benutzt habe. Vielmehr hat doch Eusebius aus dem 5 Bücher
umfassenden Werke des P. nicht das mit den Evangelien Übereinstimmende, sondern das
Fremdartige, Unglaubwürdige herausheben und damit den Wert der papianischen Schrift
herabdrücken wollen; nur gegen den Schluß seines Referates läßt er sich noch zu einer 50
Erwähnung zweier kanonischer Bücher und eines akanonischen Buches herbei, welche Eu=
sebius als von P. benutzt oder bezüglich des Ebräerevangeliums als mit den Mitteilungen
des P. zusammenstimmend bezeichnet. Eine enge Verknüpfung des über neutestamentliche
Bücher Berichteten und namentlich der Notizen über die Entstehung der beiden ersten
Evangelien mit dem Schlußsatze des Fragmentes der Vorrede ist aber durchaus ausge= 55
schlossen.

Doch noch ein anderes ist sehr wichtig. Eusebius sagt bezüglich des 4. Evangeliums
(Hist. eccl. III, 24): Τῶν δὲ Ἰωάννου συγγραμμάτων, πρὸς τῷ εὐαγγελίῳ καὶ
ἡ προτέρα τῶν ἐπιστολῶν παρά τε τοῖς νῦν καὶ τοῖς ἔτ' ἀρχαίοις ἀναμφίλεκτος
ὡμολόγηται, ἀντιλέγονται, δὲ αἱ λοιπαὶ δύο. Einer unbestrittenen allgemeinen Aner= 60

kennung gegenüber verzichtet Eusebius auf Herbeischaffung von früheren Zeugnissen, wie
er denn auch sonst fast nirgends Citate für andere Homologumena beibringt. Es darf
uns darum auch nicht wundern, daß er den Papias nicht als Gewährsmann für die
Authentie des 4. Evangeliums citierte, auch wenn das Werk des P. an Citaten dieses
5 4. Evangeliums Überfluß gehabt hat. Aber auffallend würde es für Eusebius gewesen
sein, wenn er bei Papias gefunden hätte, derselbe habe nur das Hebräerevangelium, das
Evangelium Matthäi und das des Markus benutzt, dagegen die des Lukas und des Johannes mit keiner Silbe erwähnt. Das hätte ganz gewiß Eusebius nicht zu berichten
unterlassen; allerdings nicht aus dem Grunde, um den neueren Kritikern Wasser auf ihre
10 Mühle zuzutragen, wohl aber, um einen neuen Beleg für die Beschränktheit und Einseitigkeit des P. beizubringen. Und wie vortrefflich hätte Eusebius dieses Moment benutzen können, um die von Irenäus behauptete, von ihm bezweifelte Jüngerschaft des P.
gegenüber dem Apostel und Evangelisten Johannes als nicht denkbar nachzuweisen: „P.
kennt nicht einmal das Johannesevangelium, und er sollte sein Jünger gewesen sein!"
15 Das Schweigen des Eusebius über die Art der Benutzung der vier und besonders des
vierten Evangeliums kann nun und nimmer anders aufgefaßt werden, denn als ein Zeichen,
daß P. fünf Evangelien benutzt habe, und damit als ein indirektes Zeugnis für die Echtheit des 4. Evangeliums. Für die kanonische Vierzahl beruft sich Eusebius nicht auf P.,
sondern nur auf Irenäus und Clemens Alexandrinus (vgl. Hist. eccl. III, 24. 25).
20 Doch lassen sich für die Bekanntschaft des P. mit dem 4. Evangelium noch andere
Momente anführen; so verweist schon Steitz (Real-Encykl. 1. Aufl., Papias) auf einen
Ausspruch der offenbar kleinasiatischen Senioren (Iren. V, 36, 1—3), in welchem Jo 14, 2
citiert wird, und in welchem das Gepräge papianischer Schriftauslegung und Ansicht so
unverkennbar ist, daß Routh diesen Ausspruch unter die papianischen Fragmente aufzu-
25 nehmen kein Bedenken trug (Nr. 5) und auch Dorner (a. a. O. S. 216) es sehr wahrscheinlich findet, daß das Werk des P. für jenen Ausspruch der Fundort war, aus welchem
Irenäus schöpfte. Aber auch Lüdemann (a. a. O. S. 565 ff.) giebt, obwohl er Gegner
der Authentie des 4. Evangeliums ist, zu, daß die Ausdrücke ἐντολαί und ἀλήθεια im
Fragmente mit der „johanneischen Redeweise" übereinstimmen, wie er es auch nicht leugnen
30 kann, daß die Folge der drei ersten Apostelnamen im Fragmente mit der Reihenfolge in
der Berufungsgeschichte des 1. Kap. im Johannisevangelium sich deckt. Auch die Stelle
bei Irenäus (adv. haeres. Alter Jesu, könne aus Papias
entlehnt sein; das dort angehängte Citat Jo 8, 57 würde dann sicher auch aus P. geschöpft sein können. Aber alle diese „zufälligen" Berührungen sind nach Lüdemann nur
35 „neckische Schatten" oder „Herolde, welche das vierte Evangelium vor sich hergesandt
habe".
Corssen folgert aus der von Eusebius bezeugten Bekanntschaft des P. mit dem 1. Jo-
hannesbrief, daß P. auch das 4. Evangelium gekannt hat. Die Reihenfolge der Apostelnamen im Fragment klinge an Jo 1 an, die Worte ἀπ᾽ αὐτῆς τῆς ἀληθείας (a Christo)
40 sei johanneisch gefärbt; das Herrenwort, von den Presbytern berichtet und von Irenäus
festgehalten, stimme auffallend mit Jo 14, 2. Vor allem legt Corssen Wert auf eine
Stelle, wonach Jesus in höherem Lebensalter, als im Alter von 30 Jahren gelehrt habe
(Iren. II, 22, 5). Daraus sei auf Jo 8, 57 zu schließen, als auf eine dem P. bekannte
Stelle. Es ist aber nicht anzunehmen, daß P. über die Entstehung des 4. Evangeliums
45 eine besondere Anekdote zu erzählen wußte, und damit ist die anonyme Mitteilung in
einer lateinischen Evangelienhandschrift des 9. Jahrhunderts, nach der das 4. Evangelium
keinem Geringeren als dem Papias von dem Apostel Johannes diktiert worden sei, in
ihrer Glaubwürdigkeit genügend charakterisiert. Also steht Corssen auf dem Standpunkte,
daß P. das 4. Evangelium für apostolisch gehalten und dem Apostel Johannes zugeschrieben
50 habe; doch habe dem P. ein äußeres Zeugnis zur Bestätigung dieser Überzeugung gefehlt. (Über diese anonyme Nachricht vgl. das weiter unten S. 654,15 Gesagte.)
Aber einen Satz Lüdemanns vermögen wir uns ganz anzueignen, das Schlußresultat
seiner Untersuchung: „Die Zustimmung der andern zu den eigenen Resultaten zu erzwingen, ist hier nicht überall möglich, und der Subjektivität wird einstweilen auch ihr
55 Spielraum belassen bleiben müssen". „Die Meinungen über ihn (P.) sind und bleiben
geteilt; bleibe denn jeder bei seiner Meinung, bis einmal neues Material zu Gebote steht,
sei es, daß wir noch weitere Fragmente des Buches finden, sei es, daß ein unverhofft
gütiges Geschick uns das Ganze wieder entdecken läßt".
Noch gilt es, einen Blick auf die übrigen Fragmente zu werfen, welche wir nicht
60 bei Eusebius, sondern anderwärts aufbewahrt finden.

Aus dem 1. Buche des P. hat uns Maximus Confessor (Scholia in Dionysii
Areopagitae de caelesti hierarchia c. 2, p. 32) die Notiz aufbewahrt: τοὺς κατὰ
θεὸν ἀκακίαν ἀσκοῦντας παῖδας ἐκάλουν (sc. primi Christiani), eine Sitte, für
welche der Scholiast auch Clemens Alexandrinus als Gewährsmann neben P. anführt.
(Routh vergleicht hiermit Herrenworte wie Mt 18, 3; 19, 14.)

Wunderbarerweise sagt eine von Georgius Hamartolos im 9. Jahrhundert verfaßte
Chronik, unter Angabe des 2. papianischen Buches als des Fundortes, von Johannes,
dem Bruder des Jakobus, aus, daß er von den Juden zu Ephesus getötet worden sei
und beruft sich für die Wahrheit dieser Mitteilung auf die Weissagung Christi (Mt 20,
22 ff.; Mc 10, 38) und auf des Origenes Kommentar zum Matthäus (Opp. III, 719 sq.).
Allein diese späte Nachricht widerspricht allen sonstigen Angaben der Alten so durchaus,
daß sie gar keinen Glauben verdient, zumal Origenes an der citierten Stelle, die wir
noch unversehrt besitzen, von dem vollen Martyrium des Johannes gar nichts sagt, vielmehr das Wort des Herrn von dem Kelch und von der Taufe durch die Verbannung
des Johannes nach Patmos für erfüllt hält; am allerwenigsten aber durfte diese Notiz
als Beweismittel gegen den Aufenthalt des Johannes in Kleinasien mißbraucht werden,
und doch ist auch dies geschehen, und zwar durch Hausrath (NTl. Zeitgeschichte III, S. 59),
für welchen es festzustehen scheint, daß Johannes gleichzeitig mit Jakobus dem Gerechten
62 n. Chr. den Zeugentod in Jerusalem erlitten habe. — Irenäus übermittelt uns einen
angeblichen Ausspruch Christi (V, 33, 3), den er von den Presbytern erhalten haben will,
welche den Apostel Johannes persönlich kannten, und für dessen Authentie er insbesondere
den Papias und sein Werk (Buch 4) als Quelle aufruft. Dieser Ausspruch schildert die
Seligkeit der Gläubigen nach der ersten Auferstehung während des tausendjährigen Reiches.
In dieser Zeit würden sie von der Frucht des neuen Weinstockes genießen, dessen Beschaffenheit dem neuen Fleische der Auferstandenen entsprechen würde. „Dann werden"
(so berichten auch nach Eusebius die Presbyter) „Weinstöcke erstehen, deren jeder 10 000
Reben, jede Rebe 10 000 Zweige, jeder Zweig 10 000 Triebe, jeder Trieb 10 000 Trauben
tragen, jede Traube 25 Metreten (d. i. 525 württemb. Maß) Weins geben wird, und
wenn einer (der Seligen) eine Traube ergreifen will, wird eine andere ihm zurufen: Ich
bin eine bessere Traube, nimm mich und preise durch mich den Herrn! Ebenso wird ein
Weizenkorn 10 000 Ähren, jede Ähre 10 000 Körner, jedes Korn fünf Kilogramm (bi-
lances) reinen Weizenmehles geben". Auch die übrigen Pflanzen werden in entsprechenden
Maße Erträgnisse liefern, „und alle Tiere werden sich von dem Ertrage der Ernte in
gegenseitigem Frieden nähren und dem Menschen in völliger Unterwerfung dienen. Das
ist glaubhaft den Gläubigen." Als hierauf Judas ungläubig fragte: Wie mögen solche
Erzeugnisse vom Herrn gemacht werden? antwortete ihm Jesus: „Die werden es erfahren,
welche dazu gelangen". Diese Stelle bezeugt als im 4. Buche der Erläuterungen des P.
stehend auch Maximus Confessor (im Komm. zu Dionys. Ar. c. 7 de ecclesiastica
hierarchia) und indirekt (ohne Angabe des Standortes) Eusebius, welcher hist. eccl.
III, 39 sagt, daß P. die Lehre vom zukünftigen 1000jährigen, in sinnlicher Weise bestehenden Reiche Christi auf Erden vertreten und vermutlich die apostolischen Aussprüche
über diesen Gegenstand mißverstanden habe, indem er den parabolischen und mystischen
Charakter der Worte nicht erkannt habe. Zudem macht Eusebius den P. dafür verantwortlich, daß durch sein Ansehen, sein an die Anfangszeit hinanreichendes hohes Alter
Irenäus und spätere Schriftsteller der Kirche zu derselben chiliastischen Irrlehre verführt
seien. — Ob man diesen Ausspruch mit Hilgenfeld (a. a. O. S. 262) als Erläuterung
zu Mt 19, 27—30 oder, was wohl vorzuziehen ist, als einen selbständigen ansieht, ist
für die Beurteilung desselben gleichgiltig. Hilgenfeld weist uns auf analoge apokryphe
Stellen im Buche Henoch (c. 10, 19) und in der Apokalypse des Baruch (c. 29) hin.
Aber jedenfalls sind diese Anschauungen des P. nicht ein Zeichen judaisierender Richtung;
vielmehr findet sich der Chiliasmus auch bei antijudaistischen Männern, wie Barnabas,
und bei Vertretern des heidenchristlichen Katholicismus, wie Justinus und Irenäus.

Mehrere andere Fragmente des papianischen Werkes lassen uns eine gewisse Vorliebe
des P. für typisch-allegorische Schriftauslegung erkennen (vgl. Anastasius Sinaita, Lib. I.
Contemplationum in Hexaëmeron cf. Halloix, vitt. Patr. orient. p. 851, Lib. VII,
[Bibl. Patr. Paris 1609, I, p. 223]).

Ein Fragment, welches über die letzte Krankheit des Verräters Judas handelt und
inhaltlich ebenso vom Lukas- als vom Matthäusbericht abweicht, gehört dem 4. Buche
an. (Vgl. Catena in Acta SS. Apostt. ed. J. A. Cramer. Oxon. 1838, p. 12 sq.
und Theophylact zu Apg. 1, 18 ff.). Dasselbe berichtet: Als ein großes Beispiel von

Gottlofigkeit habe Judas in diefer Welt gewandelt, äußerft aufgefchwollen am ganzen Leibe, an den Augenlidern 2c. Sein eigenes Grundftück, auf welchem er nach vielen Qualen geftorben, fei wegen des Geftanks noch heute unbewohnt geblieben, und noch heutzutage könne an dem Orte niemand vorübergehen, ohne fich die Nafe zuzuhalten.
5 (Vgl. Zahn, Pap. v. Hierap. VI. Bd der Forfchungen, S. 153 ff.)

Es ift wohl ebenfowenig zutreffend, in diefem Berichte mit Zahn einen Verfuch zu erblicken, die beiden kanonifchen Berichte zu vereinigen, als mit Overbeck und Hilgenfeld hierin einen Beweis zu fehen, daß P. weder das kanonifche Matthäusevangelium noch die Apoftelgefchichte des Lukas gekannt habe. Vielmehr handelt es fich um einen dritten,
10 mündlich weiter verbreiteten Bericht, deffen innere Unglaubwürdigkeit P. nicht erkannt haben mag.

(Offenbar einem anderen P., nicht unferem hierapolitanifchen Bifchofe, ift zuzuweifen ein wunderliches Bruchftück von den 4 Marien des N.T.s [vgl. Grabe, Spicileg. Patr. et haeret. seculi II. Tom. 1. Oxon. 1800, p. 34].)
15 Erwähnt fei noch die Notiz einer vatikanifchen Vulgatahandfchrift der Evangelien aus dem 9. Jahrhundert (Vat. Alex. 14), in deren Vorwort zum Johannesevangelium Papias zum Schreiber des 4. Evangeliums gemacht wird, womit die **Catena patrum graecorum** in S. Joann. (ed. Corder. Antwerp. 1630) übereinftimmt, in welcher P. den Ehrenbeinamen εὐθίως empfängt und in der, fonft in voller Abhängigkeit von
20 den einfchlägigen Stellen bei Irenäus und Eufebius, ausdrücklich gefagt wird, Johannes habe dem redlichen Jünger Papias von Hierapolis das Evangelium in die Feder diktiert. Diefe Nachrichten find um deswillen fchwer glaublich, da Eufebius von einem fo nahen Verhältniffe des P. mit dem Evangeliften Johannes nichts wiffen will, alfo auch wohl keine Ahnung davon hatte, daß P. bei der Herftellung des 4. Evangeliums direkt be=
25 teiligt gewefen fein follte.

Das Urteil des Eufebius über P. ift unklar. Wenn er ihn III, 39 σμικρὸς τὸν νοῦν nennt, fo begreift man dies Urteil in dem Zufammenhange mit den von Eufebius fcharf verurteilten chiliaftifchen Lehren des P., aber man begreift nicht, daß er ihn III, 36, 2 nennt ἀνὴρ τὰ πάντα ὅτι μάλιστα λογιώτατος καὶ τῆς γραφῆς εἰδήμων;
30 man muß darum letztere Stelle, die auch handfchriftlich nicht befonders gut beglaubigt ift, für Interpolation halten. Daß die fpäteren Jahrhunderte den P. fehr hoch hielten, dafür find oben fchon Spuren angeführt, denen noch das Wort des Anaftafius Sinaita (ὁ ἐν τῷ ἐπιστηθίῳ φοιτήσας) zugefügt werden könnte. Leider fehlt uns mit dem Werke der fichere Maßftab für ein eigenes Urteil.
35 Zwar hat Hausleiter am Schluß feines Auffatzes über den kleinafiatifchen Presbyter Johannes (a. a. O. S. 468) von Eufebius gefagt: „Er citierte das Gefpenft und fchickte es als Spukgeftalt in die Welt. Seitdem geht der Presbyter Johannes um. Es ift Zeit, daß wir ihm den verdienten Frieden im Grabe zu Ephefus gönnen." Aber auch Spukgeifter haben mitunter ein zähes Leben. Und der Apoftel Johannes wird ihn
40 fchwerlich in feinem Grabe dulden. Noch zuverfichtlicher als Hausleiter war der alte Stilting in dem Ausfpruche: Et sic omnis conjectura de gemino Joanne in fumos abit. Vielleicht erleben wir, was er vorausgefagt hat. —

Vorläufig aber wird wohl das Fragment des Vorwortes einer der größten Mär= tyrer bleiben. **Karl L. Leimbach.**

45 **Pappus**, Johannes, lutherifcher Theologe, geft. 1610. — Litteratur: W. Horning, D. Joh. Pappus, Straßburg 1841; H. Heppe, Gefchichte des deutfchen Pro= teftantismus III, 314 ff., IV, 312 ff.; Guft. Frank, Gefch. d. proteft. Theologie I, 266 ff.; W. Röhrich, Gefch. d. Reformation in Elfaß, III, 149 ff.; Ch. Schmidt, La vie et les travaux de Jean Sturm, Strasbourg 1855; Richard Zoepffel, Joh. Sturm, Rektoratsrede, Straß=
50 burg 1887.

Johannes Pappus wurde am 16. Januar 1549 zu Lindau aus Patriziergefchlecht geboren. Er kam fchon 1562 nach Straßburg, zunächft als Schüler des Gymnafiums, dann als Studierender der Theologie. 1564 begab er fich nach Tübingen. 1566 wurde er praeceptor zweier Grafen von Falkenftein, kehrte jedoch im folgenden Jahre nach
55 Straßburg zurück, um feine theologifchen Studien zu vollenden. Kurze Zeit war er Vikar in dem oberelfäffifchen Städtchen Reichenweyer, das damals mit der Graffchaft Hor= burg unter württembergifcher Hoheit ftand. 1570 finden wir ihn wieder in Straß= burg mit hebräifchen Vorlefungen betraut und als Freiprediger im Kirchendienfte thätig. 1571 erwarb er fich in Bafel den Grad eines Magifters, 1573 in Tübingen den Doktor=

hut, und las nun ständig über Exegese und Kirchengeschichte. Zur selben Zeit trat
er als Scholarch in die Aufsichtsbehörde der Hochschule, 1575 als Stiftsherr in das
Thomaskapitel, 1578 wurde er zugleich Münsterprediger und ordentlicher Professor der
Theologie.

Die Straßburger Kirche stand seit Butzers Weggang unter dem mächtigen Einfluß
eines Landsmanns . von Pappus, des Professors und Präsidenten des Kirchenkonvents
Johannes Marbach (s. b. A. Bd XII S. 245 ff.), der sich zum Ziel gesetzt hatte, Straß=
burg aus seiner vermittelnden Stellung herauszutreiben und zum strengen Luthertum
überzuführen. Es war ihm auch schon teilweise gelungen. Peter Martyr, der 1553 aus
England zurückgekehrt war, fand keinen Boden mehr in Straßburg und folgte schon
zwei Jahre später einem Rufe nach Zürich. Hieron. Zanchi wurde genötigt, ein von Jak.
Andreae verfaßtes Bekenntnis über die Prädestination (die sog. Straßburger Konkordie
vom 18. März 1563) zu unterschreiben und blieb trotzdem ein Gegenstand des Miß=
trauens, bis er noch im selben Jahre die Stadt verließ. Der Pfarrer der französischen
Gemeinde, der die Unterschrift verweigerte, wurde sogleich abgesetzt. Der Kirchenkonvent
war völlig auf Marbachs Seite. Ebenso das Thomaskapitel, mit Ausnahme des Konrad
Hubert, der unter dem Protest des Marbach die Werke Butzers herauszugeben unternahm,
es aber freilich nur zu einem Bande brachte. Dagegen hielten die meisten Lehrer der
Hochschule fest an der freieren Richtung, vorab der berühmte Gründer und erste Rektor
derselben, der 1507 geborene Johannes Sturm. Sturm war so sehr Diplomat als Ge=
lehrer. Er hatte sich bemüht ein Bündnis der evangelischen Fürsten mit dem König
Franz I. zu stande zu bringen. Jetzt war er unablässig daran den Hugenotten in Deutsch=
land Bundesgenossen zu werben, was ihn nicht hinderte, zeitweilig im Sinn einer fried=
lichen Unterwerfung der reformierten Stände unter die Regierung zu wirken. Auch der
Kaiser nahm einmal seine Dienste in Anspruch und belohnte ihn dafür mit dem Adels=
titel. Das bedeutende Vermögen, das der vielseitige und weltgewandte Mann sich auf seinen
diplomatischen Kreuzfahrten gewonnen hatte, war als Darlehen in die Kriegskasse des
Prinzen von Condé geflossen. So lag es nicht bloß in seiner klassischen Bildung, son=
dern auch an seinem persönlichen Interesse, wenn er alles that, um einen Bruch der
Stadt mit den reformierten Kirchen zu verhindern. Der Magistrat endlich schwankte.
Er ließ sich durch Sturm bestimmen, Heßhusen und Flacius die Gastfreundschaft der Stadt
zu versagen. Er war unzufrieden über das ungestüme Drängen der Geistlichkeit und das
selbstherrliche Wesen des Kirchenkonvents. Dann gab er wieder im Sinne der Geistlich=
keit die Erklärung ab, daß nicht die Städtische (Tetrapolitana), sondern die Fürstliche
Augsb. Konf. Bekenntnis der Stadt sei (1563). Im Aug. 1577 sandte Herzog Ludwig
von Württemberg das Bergische Buch an den Rat; im September ließ er ihn durch
Osiander und Resch zur Unterschrift auffordern. Marbach war an der Entstehung des
Buches nicht unbeteiligt und mit seinen Verfassern eng befreundet. Schon lange sammelte
er Materialien zu einer streng lutherischen Kirchenordnung. Er drängte auf Annahme
der Konkordienformel. Allein der Rat zögerte. Das damnamus mißfiel ihm, es war
ihm ein peinlicher Gedanke Kirchengemeinschaften, mit welchen die Stadt bis jetzt Freund=
schaft gehalten hatte, durch so scharfe Verdammungsurteile „für immer abzuschneiden und
dem Erbfeind zu überliefern."

Jetzt trat Pappus in die Schranken. Zu den theologischen Disputationen, die damals
jeden Sonnabend stattzufinden pflegten, stellte er 68 Thesen auf, de caritate christiana,
die alle darauf hinzielten, daß es kein Verstoß gegen die Liebe sei, wenn Prediger und
Lehrer Irrlehren verdammen und rechtgläubige Kirchen sich von den irrgläubigen
trennen (März 1578). Die zwei ersten Verhandlungen verliefen ohne Zwischenfall. Am
22. März ergriff ein junger Pole, Joh. Mirisch, der sich als Pädagog Dr. Beuthers in
Straßburg aufhielt, das Wort zu einer leidenschaftlichen Verteidigung des Calvinismus
und zu heftigen Ausfällen gegen den Kirchenkonvent. Sturm, der zum erstenmale der
Disputation beiwohnte, und den man später in Verdacht bekam, er habe Mirisch an=
gestellt, mochte merken, daß der junge Mann einen übeln Eindruck hervorbrachte. Er
legte sich ins Mittel, beschwerte sich, daß man ihm als Rektor die Thesen nicht vorgelegt
und schloß die Sitzung, indem er für die nächste eine Erwiderung in Aussicht stellte.
Der Rat ließ Mirisch sogleich einsperren und verbot die Fortsetzung des Streits. Auf
das Drängen des Kirchenkonvents kam es doch dazu. Am 5. April trug Sturm vor
den versammelten Scholarchen, Professoren und Geistlichen seinen reich und mit attischem Salz
gewürzten Antipappus primus vor. Am 18. brachte P. seine Antwort. Von da an
wurde der Kampf schriftlich geführt. Sturm übersandte den Scholarchen den zweiten und

britten Antipappus. Die Herren fanden es für gut, sie dem Angegriffenen nicht mitzu=
teilen. Dieser lernte sie erst kennen, als sie in Frankfurt im Druck erschienen waren und
setzte ihnen zwei neue defensiones (Tübingen 1580) entgegen. Vorher hatte sich Osiander
in den Kampf gemischt und heftiger als Pappus es hätte wagen dürfen, den Rektor
5 bloßgestellt als einen verkappten Zwinglianer, ja, mehr noch, als einen Unchristen, der
seit zwanzig Jahren an keinem Gottesdienste teilgenommen habe und der gänzlich unfähig
sei in theologischen Dingen mitzureden. Ihm antworte ein junger Anhänger Sturms (Her-
manni Sturmiani contra Osiandri Antisturmium velitatio, 1579). Und wieder
ergriff der greise Rektor die Feder und bekämpfte seine Gegner in einem vierteiligen
10 Antipappus quartus (Neustadt 1580), worauf Pappus seine 4. defensio setzte. Es
folgten Sturms epistolae eucharisticae und eine neue Schrift desselben gegen Osiander.
Zugleich veranstaltete er in Neustadt eine Ausgabe der Tetrapolitana, deren Vertrieb in
Straßburg jedoch vom Magistrat verboten wurde.

Fassen wir die Streitpunkte kurz zusammen. Prinzipiell giebt Sturm dem Pappus
15 recht, es sei nicht wider die Liebe Lehren zu rügen und zu verdammen, die den Heils=
grund umstoßen, das sei aber nicht mit der reformierten Abendmahlslehre der Fall; wenn
die Augsb. Konfession richtig verstanden wird, so können die Calvinisten sich ganz wohl
mit ihr befreunden. Er beruft sich auf die vielen freundschaftlichen Beziehungen Straß=
burgs zu den oberdeutschen und französischen Gemeinden. Die letzteren haben sich in
20 schweren Verfolgungen bewährt; wer sie verdammt, stellt sich auf Seite der Verfolger. Die
Tetrapolitana habe in Straßburg noch gesetzliche Giltigkeit und würde neben der Wit=
tenberger Konkordie völlig genügen. Auch er sei für Einigung, aber eine Einigung, die
alle evangelischen Kirchen umfaßt. Will man ein neues Bekenntnis, so berufe man eine
·evangelische Synode, das „Sechsmännerbuch" (die Konkordienformel) ist nicht die Stimme
25 der Kirche. Die Lehre von der Ubiquität, auf welche es im Konkordienbuch hauptsächlich
ankommt, ist in Widerspruch mit der Himmelfahrt des Herrn, hat die greulichsten Kon=
sequenzen und ist nur zu dem Zweck erfunden, den Riß in der evangelischen Kirche un=
heilbar zu machen. — Pappus, der unleugbar mit viel größerer Besonnenheit kämpft
als der jugendlich ungestüme, betagte Rektor, betont die Größe des Lehrunterschieds. Wer
30 die Lehre von der Allgegenwart des Leibes Christi verwirft, der zerreißt die Gottmenschheit
des Herrn und leugnet die Allmacht Gottes, es bleibt ihm also vom Christentum nicht
viel übrig. Doch will Pappus nicht die reformierten Kirchen verdammen, die Gemeinden
seien oft besser als ihre Hirten. Er versichert, daß ihm das traurige Schicksal der Ver=
folgten sehr zu Herzen gehe und daß er täglich für sie bete. Das Recht der Obrigkeit,
35 über die Lehre zu urteilen und die Erhaltung der Religion zu wachen, werde durch den
Mißbrauch, den die französische Regierung damit mache, nicht abgeschafft. Ist es Sturm
hauptsächlich um ein gutes Verhältnis zu den auswärtigen Kirchen zu thun, so fürchtet
Pappus, es mögen, wenn die Konkordienformel länger ununterschrieben bleibe, die guten
Beziehungen zu den deutschen Fürsten darunter leiden und die Straßburger Hochschule
40 in Mißkredit geraten.

Während der Kampf so hin= und herwogte, beharrte der Magistrat in seiner ab=
lehnenden Haltung der Konkordienformel gegenüber. Am 5. Mai 1578 antwortete er in
diesem Sinn dem Herzog von Württemberg. Im April 1581 machten die drei Kurfürsten
und der Herzog einen neuen Versuch, die Stadt zu gewinnen, wieder ohne Erfolg. Am
45 29. desf. Mts. verbot der Rat unter schweren Strafen die Fortsetzung des Streits, der jetzt
ganz besonders auf den Kanzeln wütete und die gesamte Bürgerschaft in Aufruhr versetzte.
Den Württembergern war das natürlich nicht recht. Jakob Andreae sandte einen „Gründ=
lichen Bericht" an den Rat und hielt ihm vor, wie wichtig es sei, zu einer Entscheidung
zu kommen. Kaum hatte Sturm, der sich wohl schmeichelte er habe das letzte Wort
50 zu behalten, davon Kenntnis, so überschüttete er ihn in einer neuen Schrift (Vortrab.
Wahrhaftiger und beständiger Gegenbericht wider Jakob Andreæ Schmidtleins ungründ=
lichen Lesterbericht, Neustadt 1581) mit einer unerhörten Flut von Invektiven. Dieser
Zornausbruch war sein Untergang. Am 29. Juni forderte der Kirchenkonvent den Rat
ernstlich auf, den wortbrüchigen Rektor zu bestrafen und die Bürgerschaft nicht länger
55 über den wahren Glauben in Zweifel zu lassen. Der Rat erließ noch am selben Tag
einen scharfen Tadel wider Sturm. Das genügte jedoch dem in seiner Ehre gekränkten
Herzog von Württemberg nicht, um so weniger, als der durch seine zerrütteten Vermögens=
verhältnisse offenbar verbitterte Rektor nicht abließ, sich über die Ungerechtigkeit und den
Undank der städtischen Behörden zu beschweren. Am 18. November hob der Rat die
60 Lebenslänglichkeit der Rektoratswürde auf, am 7. Dezember versetzte der Schulkonvent

mit 20 gegen 11 Stimmen Sturm in den Ruhestand und am 9. Dezember wurde
Melchior Junius dessen Nachfolger. Die Proteste des unglücklichen Mannes blieben erfolglos.
Marbach hatte, durch Krankheit geschwächt, sich nicht am Kampf beteiligt. Am
17. März 1581 war er gestorben und Pappus wurde an seiner Stelle Vorsitzender des Kirchen=
konvents. Obwohl die Konkordienformel immer noch nicht offiziell eingeführt war, wurden 5
in ihrem Sinne strenge Maßregeln ergriffen. Der junge Freiprediger Michael Philipp
Beuther, der sich geweigert hatte, sie zu unterschreiben, wurde vom Kirchenkonvent aus=
geschlossen und appellierte umsonst an den Rat. Der reformierte Gottesdienst wurde
untersagt, dem reformierten Prediger von Bischweiler die Stadt verboten, die Bürger vor
der Teilnahme an reformierten Konventikeln gewarnt (Mandat vom 9. Dezember 1597). 10
Umsonst nahmen sich die Schweizer ihrer Glaubensgenossen an, umsonst die Beschwerden
des Pfalzgrafen Friedrich und des Markgrafen Ernst Friedrich von Baden. Am 19. De=
zember 1597 gestattete endlich der Rat die Abfassung einer neuen Kirchenordnung.
Marbach hatte alle Vorarbeiten zu einer solchen gemacht, so daß das Unternehmen
rasch gefördert werden konnte. Am 24. März 1598 wurde die Kirchenordnung vom Rate 15
gutgeheißen. Mit ihr wurde die Konkordienformel genehmigt. Das Luthertum hatte
entgiltig gesiegt.

Beuther, der inzwischen Hofprediger in Zweibrücken geworden war, schrieb gegen die
Kirchenordnung, besonders gegen deren geschichtliche Einleitung. Pappus verfaßte eine Wider=
legung, doch erschien sie erst nach seinem Tode, der Mal wünschte, daß es still werde in 20
der Kirche. Die strengen Maßregeln, die der Kirchenkonvent fort und fort ergriff, um
den calvinischen Sauerteig auszurotten, erregten wiederholt die Unzufriedenheit des Rates.
Pappus gab ihm zu bedenken, daß die Duldung der Irrlehre notwendig der Untergang
der Stadt wäre. Andererseits hörte der Kirchenkonvent nicht auf, sich über den Rat zu
beschweren, daß er es leide, daß noch in einigen Klöstern katholischer Gottesdienst gehalten 25
werde. Im Juni 1590 wohnte Pappus dem Colloquium zwischen evangelischen und
katholischen Theologen bei, das Markgraf Jakob von Baden zu Emmendingen veran=
staltete, bevor er zur römischen Kirche übertrat. Es wurde in sieben Sitzungen über die
Frage verhandelt, ob die Kirche irren könne und dem Pappus recht schwer gemacht,
wie er selber klagte, den Satz aufrecht zu erhalten, daß die Kirchenväter im wesentlichen 30
evangelisch gelehrt haben. Eine Frucht dieser Kontroverse war die Schrift: Confessionis
Augustanae et Augustinianae παράλληλα, Frankfurt 1591 (dagegen Parallela con=
fessionis Augustinianae et Augustanae von dem Freiburger Professor G. Haenlin,
Frib. Helv. 1591).

Über die zahlreichen Schriften des Pappus vgl. Elenchus scriptorum Joh. P. 35
(Argent. 1596); Jöcher, Gelehrtenlexikon III, 1242. V, 1540. Außer den bereits er=
wähnten Streitschriften sind zu nennen: Commentarius in Conf. August. (1589);
Articuli praecipui doctrinae christianae in theses digesti (1591); Contradictiones
doctorum nunc romanae ecclesiae (1597). Ferner, als Ertrag seiner kirchen=
geschichtlichen Vorlesungen das wiederholt gedruckte Epitome historiae ecclesiasticae 40
de conversionibus gentium, persecutionibus eccl., haeresibus et Conciliis oecu=
menicis (1584). Ferner verschiedene Predigtsammlungen, darunter die recht ansprechen=
den Homiliae academicae (1603. 1607). Das Lied Ich hab' mein Sach' Gott
heimgestellt, als dessen Verfasser P. seit 1648 genannt wurde, wird jetzt allgemein dem
Joh. Leo (aus Ohrdruff) zugeschrieben. 45

Pappus starb am 13. Juli 1610. Ein hervorragender Theologe ist er nicht ge=
wesen. Was ihn berühmt und berüchtigt gemacht hat, ist sein Sieg über den freier
gerichteten Protestantismus in Straßburg und dessen letzten Vertreter Joh. Sturm. So
bedauerlich der traurige Lebensabend des großen Schulmanns ist, so darf man doch zur
Entlastung des Pappus nicht aus dem Auge lassen, daß es Sturm war, der den Kampf 50
so leidenschaftlich gestaltete und daß das Charakterbild desselben nicht ohne dunkle Züge
ist. Endlich vergesse man nicht, daß bereits Butzer den Rückzug aus der vermittelnden
Stellung angetreten, die Straßburg auf dem Reichstag zu Augsburg eingenommen hatte,
und daß eine kirchliche Neutralität der Stadt zwischen den lutherischen und den refor=
mierten Ländern so unhaltbar war, wie die politische Neutralität zwischen dem Kaiser 55
und dem Reich, die genau hundert Jahre später ihr Ende in der Übergabe der Stadt an
Frankreich fand.   D. Hackenschmidt.

Papst, Papsttum, Papalsystem. — Litteratur: Rothensee, Der Primat des Papstes
in allen Jahrhunderten, herausgegeben von Räß u. Weis, Mainz 1846, 4 Bde; Ellendorf,

Der Primat der römischen Päpste, Darmstadt 1841 u. 1846, 2 Bde; F. Maassen, Der Primat des Bischofs von Rom, Bonn 1853; J. Friedrich, Zur ältesten Geschichte des Primates in der Kirche, Bonn 1879; Brüll, Zur älteren Geschichte des Primates in der Tübinger theologischen Quartalschrift Bd 62 (1880), S. 452; E. Löning, Geschichte d. deutschen Kirchenrechts, Straß-
5 burg 1878, 1, 422; 2, 62ff.; W. Wattenbach, Gesch. d. römischen Papsttums, Vorträge, Berlin 1876; Joh. Langen, Gesch. d. röm. Kirche bis zum Pontifikate Leos I., Bonn 1881; Phillips Kirchenrecht, Bd 5; P. Hinschius, Kirchenrecht, Bd I. §§ 22—25. 74, wo die ältere Littera-tur angegeben ist. Scherer, Kirchenrecht I, § 80; Sohm, Kirchenrecht I, § 29 ff.; Funk, Kirchen-geschichtliche Abhandlungen, Nr. 1, Paderborn 1897; Grisar, Gesch. Roms und der Päpste im
10 Mittelalter, Freiburg 1902; Mirbt, Quellen zur Gesch. des Papsttums, 2. Aufl., Tübingen 1901. — Das italienische Garantiegesetz vom 13. Mai 1871 abgedruckt in Z. f. KR 13, 124. Vgl. dazu Bluntschli, Rechtliche Unverantwortlichkeit und Verantwortlichkeit des röm. Papstes, Nördlingen 1876 und desselben gesammelte kleine Schriften 2, 236 ff.; v. Holtzendorff, Völker-rechtl. Erläuterungen z. italien. Garantiegesetz in dessen Jahrbuch für Gesetzgeb. d. deutschen
15 Reichs, 4. Jahrg. (1876), S. 303; Ernest Nys, Le droit international et la papauté i. d. Revue de droit international et législation comparée, t. X (1878), p. 50 u. dazu Lorimer in der angef. Z. f. KR, 15, 1893. Nürnberger, Zur Kirchengesch. des 19. Jahrhunderts, Mainz 1897—1900; Geffcken, Die völkerrechtl. Stellung des Papstes, Berlin 1885; Geigel, Ital. Staatskirchenrecht, 2. Aufl., Mainz 1886; Scaduto Guarentigie pontificie, Torino 1899
20 Giobbio, Lezioni di diplomazia ecclesiastica, Rom 1899.

Papst (abgeleitet von πάππας, Vater) bezeichnet den römischen Bischof in seiner Stellung als Oberhaupt der katholischen Kirche. Nach katholischer Lehre hat Christus bei der Stiftung der Kirche als sichtbarer Anstalt dem Apostel Petrus den Vorrang vor den übrigen Aposteln verliehen und ihn zu seinem Stellvertreter und zum Mittelpunkt der
25 Kirche gemacht, indem er ihm die oberste priesterliche (Schlüssel-) Gewalt, die oberste Lehr-gewalt und die oberste Leitung der Kirche übertragen hat (Evangel. Mt 16, 18. 19; Lc 22, 32; Jo 21, 15—17). Da aber die Kirche für alle Zeiten gegründet ist, so mußte Petrus einen Nachfolger erhalten und die kirchliche Succession in seiner Stellung für alle Zeiten gesichert werden. Wegen der Verbindung des Petrus mit dem angeblich von
30 ihm gestifteten Bistum Rom ist die letztere mit den daraus herfließenden Rechten, dem sog. Primat, dauernd an das römische Bistum geknüpft; nicht aber gerade an den Sitz in der Stadt Rom (so unrichtig Hollweck, Der apostol. Stuhl und Rom, Mainz 1895). Sie geht auf den jeweiligen Bischof von Rom über und in diesen Bischöfen, den römischen Päpsten, lebt Petrus fort. Diese eben charakterisierten Lehren sind Dogmen der katho-
35 lischen Kirche und bilden daher unabänderliche Fundamentalsätze ihrer Verfassung (vgl. das Unionsdekret des Konzils von Florenz von 1439, Mansi, 31, 1031: „Diffinimus s. apostolicam sedem et Romanum pontificem in universum orbem tenere primatum et ipsum pontificem successorem esse S. Petri principis apostolorum et verum Christi vicarium totiusque ecclesiae caput et omnium christianorum
40 patrem et doctorem existere et ipsi in b. Petro pascendi, regendi et guber-nandi universalem ecclesiam a domino nostro Jesu Christo plenam potestatem traditam esse"; römischer Katechismus P. I, c. 10 qu. 11 u. P. II, c. 7 qu. 24; nunmehr vor allem die constitutio dogmatica I. des vatikanischen Konzils Pastor aeternus vom 18. Juli 1870 (u. a. bei Friedberg, Aktenstücke z. ersten vatik. Konzil,
45 Tübingen 1872, S. 740).

Nach objektiver historischer Betrachtung, welche nicht von vornherein durch eine be-stimmte dogmatische Anschauung beeinflußt ist, erscheint der Primat des Papstes aber lediglich als das Produkt einer Jahrhunderte langen Entwickelung und ebenso hat sich jene vorhin charakterisierte Auffassung der katholischen Kirche erst nach und nach ausgebildet.
50 Die letztere kann die Thatsache, daß der römische Bischof keineswegs in den ersten Zeiten nach der Entstehung der christlichen Kirche die ihm später allseitig beigelegten Primatial-rechte ausgeübt hat, nur durch die Annahme beseitigen, daß sie ihm zwar materiell von jeher zugestanden haben, daß er sie indessen bloß früher nicht bethätigt, sie also in den ältesten Zeiten immerhin als latent besessen hat.
55 Nicht zu leugnen ist es, daß schon seit dem 2. und im 3. Jahrhundert die römische Gemeinde und der dortige Bischofssitz im Abendlande eines bedeutenden faktischen An-sehens genossen haben. Die römische Kirche galt nicht nur als Stiftung des Apostels Petrus, sondern sie war auch die einzige Kirche im Abendlande, welche sich der aposto-lischen Gründung rühmen konnte, und außerdem war ihr Sitz der Mittelpunkt der antiken
60 Welt, wodurch ihr ein weitreichender Verkehr mit den anderen Kirchen und Gemeinden ermöglicht wurde (s. Irenäus von Lyon [vgl. Bd IX S. 401] advers. omn. haeres. III, 3: „Ad hanc enim ecclesiam propter potiorem principalitatem necesse

est, omnem convenire ecclesiam, hoc est eos, qui sunt undique fideles, in qua semper ab his, qui sunt undique, conservata est ea quae est ab apostolis traditio, womit sicherlich nicht irgendwelche rechtliche Primatialstellung gemeint ist). Wenn nun schon auch im 3. Jahrhundert in Rom das besondere Ansehen und der Vorrang der römischen Kirche auf die Succession in die Rechte des Apostelfürsten Petrus gestützt worden ist, so weiß doch selbst das nicänische Konzil von 325 nichts von einem römischen Primat über die ganze Kirche. Der viel erörterte Kan. 6 desselben („die alte Sitte, welche in Agypten, Libyen und · in der Pentapolis obwaltet, soll auch ferner Bestand haben, daß nämlich der Bischof von Alexandrien über alle diese Provinzen die Gewalt besitze, da auch für den Bischof von Rom ein gleiches Verhältnis besteht") stellt den Bischof von Rom wegen seiner höheren Gewalt, d. h. seines Ordinationsrechtes der Bischöfe von ganz Italien in Parallele mit dem Bischof von Alexandrien, legt ihm aber über die übrigen Bezirke der Kirche, namentlich über den Orient nicht im entferntesten eine oberste, an den Primat erinnernde Gewalt bei.

Aber gerade seit dem 4. Jahrhundert die Kirche bewegenden dogmatischen Streitigkeiten, in welchen die Stellungnahme des römischen Bischofs bei dem hohen Ansehen seiner Kirche von maßgebendem Gewicht war und in denen Rom für die Erhaltung der orthodoxen Lehre eintrat, waren für die Erringung wirklich rechtlicher Machtbefugnisse seitens des römischen Bischofs von entscheidendem Einfluß. Schon das Konzil von Sardica von 343, welches freilich nicht das Ansehen einer ökumenischen Synode hat erlangen können, gestattete einem von der Metropolitansynode (vor allem wegen Irrlehre) abgesetzten Bischof, von einem solchen Spruch mit Suspensivkraft an den römischen Bischof zu appellieren, welcher dann je nach Lage der Sache das frühere Erkenntnis zu bestätigen oder eine erneuerte Untersuchung durch Bischöfe der Nachbarschaft unter Teilnahme der von ihm abgeordneten Legaten zu veranstalten befugt sein sollte. Wie hierin schon ein oberstrichterliches Recht des römischen Bischofs, für welches man sich in Rom nicht lange nachher wegen der Verbindung der sardicenischen Beschlüsse mit den Kanonen des Konzils von Nicäa auf das letztere berufen konnte, lag, so wurde sodann von Innocenz I. (a. 404 ad Victric. Rotomag. c. 6, Coustant, Epist. Romanor. pontific. p. 749) ein oberstes Entscheidungsrecht in allen „causae graviores et maiores" und um dieselbe Zeit auch das Recht, verbindliche Anordnungen für die einzelnen Teile der Kirche zu erlassen, in Anspruch genommen. Vorerst waren dies aber nur Prätensionen, welche die römischen Bischöfe außerhalb des ihrer Metropolitangewalt unterstehenden Italiens nur in einzelnen Ländern, so in Illyrien und Südgallien, wegen der günstigen Lage der dortigen Verhältnisse und bei dem von dort aus gesuchten engen Anschluß an Rom zu praktischer Bethätigung zu bringen vermochten. Allerdings erlangte Leo I. im Jahre 445 von Valentinian III. durch kaiserliches Gesetz (Novellae Valentiniani III. tit. 16) die Anerkennung des Primates, insbesondere des oberstrichterlichen und des Gesetzgebungsrechtes des römischen Stuhles, indessen galt dieses Gesetz nur für das Abendland und ferner lag darin weder ein Verzicht des Kaisers auf das früher und auch später geübte oberste kaiserliche Gesetzgebungsrecht in kirchlichen Dingen, noch eine Beseitigung des bei dem unter kaiserlicher Autorität berufenen allgemeinen Synoden zustehenden Rechte. Aber nicht auf dem Wege der Gesetzgebung, sondern wesentlich durch das Eingreifen in einzelne spezielle wichtige Angelegenheiten und Fragen hat wie schon vor dem gedachten Gesetz, so auch nachher ein römischer Bischof seine beanspruchte Oberleitung der Kirche bethätigen und schon im 5. Jahrhundert entscheidend auch in die Verhältnisse des Orients eingreifen können. Noch bedeutender wird die Stellung des römischen Bischofs seit Ende desselben Jahrhunderts, als die Germanen auf dem Boden Italiens selbst einzelne Reiche gründen. Aber gleichzeitig wird die lokale Machtsphäre desselben dadurch verringert, daß die Festsetzung der Germanen in Gallien, Spanien und England dem Fortschreiten des begonnenen Centralisationsprozesses in diesen Ländern Halt gebietet, und daß selbst nach der Bekehrung der Germanen zum Katholicismus bei der politischen und kirchlichen Organisation ihrer Reiche für einen direkten und rechtlichen Zusammenhang der dortigen Kirchen mit Rom kein Raum bleibt.

Vor allem in dem bedeutendsten dieser neuen Staaten, im merovingischen Frankenreich, ist jede direkte Einwirkung und Leitung der kirchlichen Angelegenheiten durch den römischen Bischof rechtlich ausgeschlossen, eine solche kann, einschließlich der Verleihung von Ehrenauszeichnungen, wie z. B. des Palliums, allein mit königlicher Genehmigung stattfinden, während allerdings andererseits der Papst als der erste Bischof der Christenheit anerkannt und die Erhaltung der Glaubensgemeinschaft mit ihm für notwendig er-

42*

achtet wird. Die entscheidende Gewalt über das Recht der Kirche besitzt dagegen der König und die von ihm berufene Reichs- oder Nationalsynode, deren Beschlüsse nur durch seine Genehmigung für das Gebiet des Staates zu verbindlichen Normen werden können. Erst im Laufe des 8. Jahrhunderts tritt unter den karolingischen Hausmeiern infolge
5 ihrer Verbindung mit Bonifatius und ihrem Bestreben, in Gemeinschaft mit diesem die von ihm in Angriff genommene Reorganisation und Reform der verweltlichten fränkischen Kirche durchzuführen, eine Wendung ein. Der in den Zeiten der sinkenden Merovingerherrschaft völlig abgebrochene Zusammenhang mit Rom wird durch Bonifatius wieder hergestellt. Bonifatius handelt bei seinem Bestreben, die römischen Ordnungen in der
10 fränkischen Kirche aufzurichten als Legat des Papstes nach dessen Instruktionen und Belehrungen, welche ihm der letztere unabhängig von der weltlichen Gewalt erteilt, er ist der geistige Leiter der ganzen damaligen Bewegung, aber formell bleibt das alte fränkische Staatsrecht bestehen. In Ausführung gebracht werden die Reformen durch die Majores Domus mit den als Synoden fungierenden Reichstagen, und nur auf diesem Wege er
15 langen die erlassenen Reformgesetze kirchliche und staatliche Geltung. Der Papst kann den von ihm beanspruchten Primat nunmehr über die fränkische Kirche wieder materiell bethätigen, aber als rechtlich höchste Macht über dieselbe ist er noch nicht anerkannt. Dasselbe Verhältnis dauert im wesentlichen noch unter der Königs- und Kaiserherrschaft Karls d. Gr. fort. Er hat in dem universalen christlichen Staate, als welcher sein
20 Kaiserreich betrachtet wurde, nicht nur die weltliche Oberherrschaft ausgeübt, sondern auch die oberste und entscheidende Leitung der kirchlichen Angelegenheiten geführt, indem er die Förderung der Kirche und die Beaufsichtigung der kirchlichen Verwaltung in den Kreis der Aufgaben seines Herrscheramtes einbezog und noch größeren Eifer als seine Vorfahren bethätigte, das von den letzteren angebahnte Werk, die fränkische Kirche in ihren
25 Einrichtungen den Kanones und der römischen Praxis gemäß zu gestalten, zur Durchführung zu bringen. Der Papst gilt ihm nur als der erste Bischof der Christenheit und seines Reiches, welcher zwar vor den übrigen Bischöfen gewisse Vorrechte besitzt, insbesondere an erster und oberster Stellung berufen ist, über die geistliche Seite der Kirche und über die Aufrechterhaltung der Kanones und Lehre der Kirche zu wachen, aber kein
30 selbstständiges, vom Kaiser unabhängiges Leitungsrecht über die Kirche des fränkischen Reiches zu beanspruchen hat.

Die Schwäche der Nachfolger Karls d. Gr., die politischen, durch die Kämpfe Ludwigs d. Fr. mit seinen Söhnen und dieser untereinander hervorgerufenen Wirren, die Streitigkeiten unter den fränkischen Bischöfen wegen der Metropolitan- und Primatrechte
35 führten aber zu einer Umgestaltung des früheren Verhältnisses. Die kaiserliche und königliche Macht ist nicht im stande, ihre kirchliche Oberleitung aufrecht zu erhalten, und der wesentlich moralische Einfluß, welcher vom Papst bisher geübt wird, geht jetzt um so mehr, als derselbe wiederholt von den hadernden Parteien selbst zur Entscheidung angerufen wird und dieselben sich durch seine Autorität zu stärken suchen, in ein selbst
40 ständiges, entscheidendes Eingreifen in die kirchlichen und politischen Dinge über, welches als Betätigung der von Rom schon seit langer Zeit beanspruchten Primatialrechte gelten konnte. Vor allem war es Nikolaus I. (858—867), welcher alle diese Verhältnisse für seine Politik, die fürstliche und weltliche Gewalt der Kirche unterzuordnen, in der letzteren aber die Selbstständigkeit der kirchlichen Leitungsinstanzen in den einzelnen Ländern zu
45 brechen und dem römischen Bischof die allein maßgebende Stellung zu geben, geschickt zu benutzen verstand, und für diese seine Bestrebungen in der gerade damals entstandenen, dieselben Anschauungen vertretenden Sammlung Pseudo-Isidors (s. d. A.) eine wesentliche Stütze fand.

Die mit der Auflösung des karolingischen Reiches auch für Italien hereinbrechende
50 Verwirrung, sowie der Niedergang des Papsttums hinderte bald die Weiterverfolgung jener von Nikolaus I. erfolgreich angebahnten Politik. Es bedurfte, um das Papsttum aus seiner tiefen Erniedrigung zu erheben, erst der Neuerrichtung des deutschen Kaisertums unter Otto I. Aber nunmehr übte das letztere bis in die Mitte des 11. Jahrhunderts mit Unterstützung der von ihm selbständig eingesetzten und von ihm abhängigen
55 Bischöfe thatsächlich die Herrschaft über den Papst und über die Kirche, indem es zugleich dieselbe im Innern zu reformieren bestrebt war, von neuem aus. Auf den Grundsatz des karolingischen Staatsrechtes, daß rechtlich die oberste Gewalt in kirchlichen Dingen, vor allem das Gesetzgebungsrecht in diesen ausschließlich dem Kaiser zustehe, hat freilich das ottonische Kaisertum nicht zurückgegriffen, vielmehr hat es der damals schon fest
60 stehenden Anschauung, daß ebenso wie der universale Staat seine Spitze im Kaiser habe,

auch die universale Kirche ihren Mittelpunkt im Papste besitze, Rechnung getragen, indem es wichtige Verwaltungsangelegenheiten, wie z. B. die Neubegründung von Bistümern, die Wiedererneuerung der älteren kirchlichen Gesetze und die Durchführung von Reformen im Einverständnis mit dem Papste, vielfach durch die mit demselben gemeinsam abgehaltenen Synoden erledigte. So hat dasselbe gerade durch diese Politik die 5 Anerkennung der Primatialstellung des Papstes in der Kirche befördern und die Entwickelung, welche bald nach der Mitte des 11. Jahrhunderts eingetreten ist, mitvorbereiten helfen.

Um die Mitte des 11. Jahrhunderts beginnt in Rom die Herrschaft jener kirchlichen Partei, welche die Kirche von dem bisher geübten Einfluß der weltlichen Gewalt zu befreien 10 und die Leitung derselben nicht nur in die Hände des Papstes zu legen, sondern auch die weltlichen Herrscher, vor allem das deutsche Kaisertum dem Papsttum als der maßgebenden Weltmacht zu unterwerfen suchte. Ihr Hauptvertreter Hildebrand, nachmals Gregor VII. (1073—1085) nimmt für den Papst das Privilegium, keinem Richter unterworfen zu sein, aber seinerseits die Kaiser absetzen zu können, in Anspruch, ferner das Recht, die 15 kaiserlichen Insignien zu tragen, neue Gesetze zu erlassen, allein allgemeine Konzilien zu halten, neue Bistümer zu errichten, solche zu teilen und zu vereinigen, die Bischöfe abzusetzen und von einem Bistum auf das andere zu versetzen, Kleriker aller Kirchen zu weihen, in allen Sachen Berufungen anzunehmen und in allen wichtigen Angelegenheiten jeder Kirche allein zu entscheiden (dictatus Gregorii, reg. II. 55a, bei Jaffé, Mon. 20 Gregor. p. 174). Unter seiner Leitung der Kurie und später unter seinem Pontifikat wird der Einfluß des römischen Adels und des Volkes auf die Papstwahl ausgeschlossen, das frühere kaiserliche Ernennungs= bezw. Bestätigungsrecht beseitigt, die kirchliche Reform in seinem Sinn durch eine Reihe von allein seitens des Papstes berufenen und aus ergebenen Anhängern des letzteren bestehenden Synoden, welche lediglich als Senat des= 25 selben fungierten, unter Beseitigung der früheren kaiserlichen Synoden, durchgeführt, wiederholt die Absetzung von Bischöfen verhängt und endlich das bisherige Besetzungs= oder Investiturrecht auf die Bischofsstühle dem Kaiser abgesprochen.

Gerade wegen des zuletzt gedachten Punktes entbrannte der Kampf mit dem deutschen Kaisertum und dieser, der sog. Investiturstreit (s. diesen A. Bd IX S. 214) endete mit der 30 Emanzipation des Papsttums von der früheren kaiserlichen Oberherrschaft. Dasselbe ist jetzt in den kirchlichen Angelegenheiten die entscheidende Instanz geworden und erstrebt nunmehr in den weiteren Kämpfen mit den Kaisern, in denen die kirchlichen Fragen gegenüber den politischen schon zurückgetreten, auch die Stellung der maßgebenden und leitenden Macht in dem damaligen europäischen Staatensystem zu erringen. Unter In= 35 nocenz III. hat es dieses Ziel erreicht, gleichzeitig ist aber auch damit die Selbständigkeit der Lokalinstanzen, insbesondere der Bischöfe, gebrochen, welche selbst zum großen Teil die seit der Mitte des 11. Jahrhunderts von der Kurie inaugurierte Politik gefördert und mit der Untergrabung der kaiserlichen und fürstlichen Macht sich gegenüber dem Papsttum der wesentlichen Stütze ihrer Selbständigkeit beraubt hatten. Der Papst, welcher 40 jetzt als Stellvertreter Gottes oder Christi betrachtet wird und sich auch nunmehr als solcher (seit Innocenz III.) bezeichnet, beansprucht die oberste Herrschaft sowohl über die Kirche, wie über die Welt, die oberste potestas spiritualis und temporalis, welche letztere allerdings zur Ausübung dem Kaiser und den übrigen Fürsten, aber unter der Kontrolle des Papstes, überlassen ist. In der Kirche selbst dagegen steht ihm allein die oberste 45 und höchste Gewalt zu, welche ihn jeder Verantwortung vor einem menschlichen Richter, insbesondere auch vor einem allgemeinen Konzile, überhebt. Er besitzt allein das nicht mehr durch die alten Kanones, sondern nur noch durch das Dogma und das sog. ius divinum gebundene Gesetzgebungsrecht, welches er freilich noch bis in das 13. Jahrhundert herkömmlicherweise unter Beirat von ihm berufenen und geleiteten allgemeinen 50 Konziles, dann aber auch ohne ein solches selbständig ausübt; er hat ein allgemeines Dispensations= und Absolutionsrecht, er allein versetzt die Bischöfe, von denen ihm die Erzbischöfe und die von ihm geweihten einfachen Bischöfe ein dem Vasalleneid nachgebildetes iuramentum obedientiae ableisten müssen; er setzt sie allein ab und greift bei streitigen Bischofswahlen mit seiner Entscheidung ein; er nimmt aus allen 55 Teilen der Kirche Appellationen, Beschwerden, ja auch schon in erster Instanz an ihn gebrachte Sachen zur eigenen Entscheidung an, er reserviert sich einzelne und ganze Kategorien von Benefizien, er besteuert die einzelnen Kirchen und den Klerus in den einzelnen Ländern für allgemein kirchliche, oft freilich auch rein politische Zwecke und endlich sendet er in alle Teile der damaligen katholischen Welt seine Legaten aus, welche dort in seiner 60

Stellvertretung ſeine Gerechtſame unter Beiſeitſchiebung der geordneten Lokalinſtanzen, insbeſondere der Biſchöfe, ausüben. Den Höhepunkt dieſer Anſchauungen, welche man in ihrer Geſamtheit das Papalſyſtem nennt, und welche in der viel berufenen Bulle Bonifatius VIII.: Unam sanctam ecclesiam (c. 1 de maior. et obed. in Extr. 5 comm. I, 8) ihren klaſſiſchen Ausdruck gefunden haben, bildet der Anfang des 14. Jahr- hunderts. Mit demſelben beginnt aber zunächſt in Frankreich die Reaktion der weltlichen Gewalt gegen ihre Überſpannung der päpſtlichen Macht und gegen ihre Übergriffe in das weltliche Gebiet und noch gegen Ende desſelben Jahrhunderts tritt in der Kirche, her- vorgerufen durch das 1378 beginnende große Schisma, eine neue, das Papalſyſtem 10 negierende Richtung, das ſog. Epiſkopalſyſtem (ſ. d. A. Bd V S. 427) hervor. Ueber den Kampf dieſer beiden Richtungen iſt bereits an dem angeführten Orte des Näheren gehandelt und es iſt hier nur noch zu bemerken, daß jetzt das Epiſkopalſyſtem durch das vatikaniſche Konzil von 1869 und 1870, deſſen Rezeption ſeitens der katholiſchen Kirche vollendet erſcheint, dogmatiſch verworfen iſt.

15 Die heutige kirchenrechtliche Doktrin ſcheidet die Rechte des Papſtes in zwei Gruppen, den primatus iurisdictionis und den primatus honoris.

Kraft des primatus iurisdictionis kommt ihm die geſamte oberſte Regierungs- und Leitungsgewalt über die Kirche zu, bei deren Ausübung er nur durch das Dogma und das göttliche Recht gebunden iſt, während er das ſonſtige, in der Kirche geltende (menſch- 20 liche) Recht, das allerdings ſeiner Abänderung und Dispenſation unterliegt, ſo lange zu achten hat, wie es beſteht.

Die wichtigſten in dem Primat enthaltenen Rechte ſind das oberſte und allgemeine Geſetzgebungsrecht (einſchließlich des Rechtes, Dispenſationen und Privilegien zu erteilen), die oberſte Leitung und Entſcheidung der das kirchliche Amtweſen betreffenden Ange- 25 legenheiten (namentlich die Errichtung, Veränderung von Bistümern, die Beſtätigung oder Ernennung, ſowie die Konſekration, Verſetzung, Abſetzung von Biſchöfen, Beſtellung von Koadjutoren, Verleihung des Palliums, ſowie die Annahme von Reſignationen auf Bistümer), die oberſte Gerichtsbarkeit in ſtreitigen, Straf- und Disziplinarſachen, die Regelung der beſonderen religiöſen Inſtitute, insbeſondere des Ordens- und Kongregations- 30 weſens, die oberſte Leitung des Finanz- und Vermögensweſens der Kirche, das Recht, die Einheit in der Liturgie, ſowie in der Verwaltung der Sakramente und Sakramentalien aufrecht zu erhalten, die Feſtfeier in der ganzen Kirche (durch Beſtimmung der Reihen- folge der Feſte, Einführung neuer, Aufhebung älterer Feſte u. ſ. w.) zu leiten, das Recht zur Selig- und Heiligſprechung (Beatifikation und Kanoniſation), das Recht Abläſſe zu 35 erteilen, das Faſtenweſen zu regeln, ſowie ſich die Losſprechung von Sünden für das Gewiſſensgebiet (forum internum) zu reſervieren.

Endlich iſt in dem Primat auch die oberſte Lehrautorität (suprema magisterii potestas) enthalten, und zwar kommt ſeinen desfallſigen Entſcheidungen, wenn er ſie ex cathedra erläßt, d. h. wenn er als Hirt und Lehrer aller Chriſten kraft ſeiner apo- 40 ſtoliſchen Autorität einen den Glauben oder die Sitten betreffenden Satz für die ganze Kirche feſtſtellt, nach der constitutio Vaticana vom 18. Juli 1870 „Pastor aeternus" c. 4, welche keine weiteren äußeren Kriterien der Kathedralentſcheidungen aufſtellt, die Unfehlbarkeit kraft göttlichen Beiſtandes, ohne daß es einer Zuſtimmung der Kirche, d. h. eines allgemeinen Konziles bedarf, zu. Kraft dieſer Lehrautorität kann er zur Weiter- 45 entwickelung des Dogmas und zur Feſtſtellung zweifelhafter dogmatiſcher Fragen Glau- bensdekrete erlaſſen, häretiſche Irrtümer verdammen, Miſſionen errichten und leiten, Lehr- anſtalten gründen und den Unterricht an denſelben überwachen.

Nach der angeführten vatikaniſchen Konſtitution c. 3 hat der Papſt alle dieſe in ſeinem Primate enthaltenen Rechte aber nicht bloß in oberſter Inſtanz auszuüben, ſon- 50 dern er iſt kraft des Primates auch zugleich der Univerſalbiſchof in der ganzen Kirche, d. h. er hat eine unmittelbare ordentliche biſchöfliche Gewalt über alle einzelnen Kirchen, Diözeſen und Gläubigen. Wenn es gleich übertrieben iſt, daß, wie namentlich altkatho- liſcherſeits behauptet wird, durch dieſes vatikaniſche Dogma die Biſchöfe zu bloßen päpſt- lichen Vikaren oder Mandataren des abſoluten Papſtes rechtlich herabgedrückt worden ſind, 55 ſo erſcheint es nicht minder unhaltbar, wenn ſeitens der Ultramontanen geleugnet wird, daß durch das Vatikanum irgend welche Änderung in der Stellung der Biſchöfe herbei- geführt worden ſei. Allerdings hat dasſelbe das Biſchofsamt als ſelbſtſtändiges Amt nicht beſeitigt, aber die neben jeder biſchöflichen Juriſdiktion konkurrierende Leitungsgewalt des Papſtes, kraft welcher derſelbe jede biſchöfliche Amtshandlung in jeder Diöceſe ſelbſt vor- 60 zunehmen berechtigt iſt, macht es allen Biſchöfen unmöglich, thatſächlich die Selbſtſtändigkeit ihres Amtes zu wahren, und dadurch sind sie faktisch in dieselbe Lage, wie die vom Papst abhängigen Vikare gebracht.

Infolge seiner obersten Leitungsgewalt über die Kirche vertritt der Papst endlich auch dieselbe nach außen, insbesondere gegenüber den Regierungen der einzelnen Staaten und zwar mit völkerrechtlich anerkannter Stellung. Daraus folgt aber nicht, daß er auch 5 in den Staaten, in denen Katholiken wohnen, über die letzteren eine der staatlichen gleiche. Souveränität besitzt und daß sein Verhältnis zu den Regierungen dem zweier selbständiger Souveräne und Staaten zueinander gleichzustellen ist.

Der primatus honoris, der Ehrenvorrang des Papstes äußert sich 1. in bestimmten, ihm allein zukommenden Bezeichnungen, Titeln und Anreden, namentlich in den Bezeich= 10 nungen: papa, pontifex maximus oder summus pontifex, vicarius Petri, vicarius Dei oder Christi, servus servorum dei, ferner in den Anreden: Sanctitas tua oder vestra oder sanctissime pater, 2. in den besonderen Insignien der päpstlichen Würde, nämlich der tiara (auch triregnum), einer aus der Verbindung von Mitra und Krone hervorgegangenen Hauptbedeckung mit drei um die Mitra herumlaufenden Gold= 15 reifen (Wuscher=Becchi, Ursprung der päpstl. tiara, Röm. Quartalschr. 1899, S. 77), dem pedum rectum (dem geraden Hirtenstabe) und dem Pallium (s. d. Art. oben S. 613), welches er im Gegensatz zu den Erzbischöfen bei der Verrichtung des Meßopfers immer und überall trägt. 3. Hat der Papst das Recht auf die sog. adoratio, d. h. auf die ihm von den Gläubigen durch Niederknien und Fußkuß darzubringende Huldigung, welche 20 sich aber jetzt allein auf feierliche Audienzen und Huldigungsakte beschränkt, und bei regierenden Fürsten nur in einem Handkuß besteht.

Abgesehen von seiner Stellung als Leiter der ganzen Kirche ist der Papst zugleich Bischof von Rom, ferner Erzbischof der römischen Kirchenprovinz, sodann Primas von Italien nebst den anliegenden Inseln und Patriarch des Abendlandes, jedoch haben die 25 beiden letztgedachten Würden keine reale Bedeutung, weil sie durch die umfangreicheren Rechte des obersten Primates völlig absorbiert werden.

Endlich war der Papst auch früher weltlicher Souverän des Kirchenstaates und nahm als dieser völkerrechtlich unter den katholischen Fürsten den höchsten Rang ein. Im Jahre 1860 wurden aber infolge des italienischen Krieges und der Einheitsbestrebungen Italiens 30 die Marken und Umbrien mit dem Königreich Italien vereinigt und auch das damals noch dem Papste verbliebene Drittel seines früheren Gebietes mit der Stadt Rom ist dem neuen Reiche zufolge der Niederwerfung Frankreichs im deutsch=französischen Kriege im Jahre 1870 einverleibt worden. Der päpstliche Stuhl hat diese Depossedierung bisher nicht anerkannt, dagegen hat die italienische Regierung in dem Garantiegesetz vom 13. Juni 35 1871 eine nähere Regelung der Stellung des Papstes versucht, und demselben die persönliche Souveränität und Unverletzlichkeit, sowie das aktive und passive Gesandtschaftsrecht und eine (allerdings bisher noch nicht in Anspruch genommene) Jahresdotation von 3 225 000 Lire gewährleistet.   (P. Hinschius †) Sehling.

Papstwahl. — Litteratur: Außer den in der Darstellung Citierten s. noch Phillips, 40 Kirchenrecht, Bd 5, §§ 246 ff., S. 701 ff.; P. Hinschius, Kirchenrecht, Bd 1, §§ 26 ff., S. 217 und weitere Litteraturnachweisungen ebendaselbst u. bei Richter=Dove=Kahl § 123; Friedberg, Lehrbuch des KR., 5. Aufl. § 59.

I. Geschichte. In ältester Zeit wurde der römische Bischof, wie die der übrigen Städte, von Klerus und Volk unter Beteiligung der benachbarten Bischöfe gewählt, c. 5. 45 6 (Cyprian.) C. VII qu. 1. Später haben die römischen Kaiser und dann die ostgotischen Könige ein Mitwirkungs= und namentlich ein Entscheidungsrecht bei zwiespältigen Wahlen geübt, c. 2. Dist. XCVII, c. 8 (Honor. aug. a. 420) Dist. LXXIX; c. 1. § 1. Dist. XCVI (conc. Rom. 502), während der Versuch der römischen Synode von 499 unter Symmachus (Mansi 8, 229) dem regierenden Bischofe die Bestimmung seines 50 Nachfolgers zu überweisen, in Ermangelung einer solchen aber dem Klerus unter Ausschluß der Laien allein das Wahlrecht zu erteilen, gescheitert ist. Nach der Vernichtung der Ostgotenherrschaft in Italien gestaltete sich das Verfahren dahin: die Erledigung des römischen Stuhles wurde von dem Archipresbyter, dem Archidiakon und dem Primicerius der Notare der römischen Kirche, welche während der Erledigung derselben die Verwal= 55 tung führten, dem Vertreter des Kaisers, dem Exarchen in Ravenna, angezeigt. Die Wahl, welche für die Regel am 3. Tage nach der Bestattung des verstorbenen Papstes vorgenommen werden sollte, c. 1 (römische Synode von 606) Dist. LXXIX, erfolgte durch den Klerus, die römischen Großen und das römische Volk, ohne daß aber Näheres über

den Modus der Wahl überliefert iſt. Unter Überſendung eines Wahlprotokolles oder
decretum electionis wurde darauf durch Vermittelung des Exarchen in Ravenna die Be=
ſtätigung des Kaiſers eingeholt und nach dem Eingang der letzteren der Gewählte, welcher
vorher ſein Glaubensbekenntnis abzulegen hatte, konſekriert (vgl. die Formeln LVII ff. und
5 LXXXII in dem liber diurnus ed. Sickel S. 46. 87). Während der Zeit der ſinkenden
Langobardenherrſchaft in Italien geſchah die Wahl ohne jede Mitwirkung eines weltlichen
Herrſchers. Die infolgedeſſen im Jahre 768 entſtandenen Kämpfe der römiſchen Adels=
parteien um den römiſchen Stuhl veranlaßten indes eine 769 von Stephan III. (IV.)
abgehaltene Lateranſynode, die Beteiligung der Laien auf ein Akklamationsrecht zu der vom
10 Klerus erfolgten Auswahl und auf das Recht der Mitvollziehung des Wahlprotokolls zu
beſchränken (Manſi 12, 719).

Was die karolingiſche Zeit betrifft, ſo iſt die Nachricht, daß Papſt Hadrian I.
Karl d. Gr. das Recht der Beſetzung des päpſtlichen Stuhles überlaſſen haben ſoll, c. 22
(Auctar. Aquicin., Monum. Germ. SS. 6, 393) Dist. LXIII, wie jetzt allſeitig an=
15 erkannt wird (ſ. Bernheim in Forſch. z. deutſchen Geſch. 15, 618) eine ſpätere Erfindung.
Ob dagegen eine gewiſſe Beteiligung des fränkiſchen Königs und Kaiſers ſtattgehabt hat,
namentlich die vollzogene Wahl durch den Kaiſer oder ſeine Abgeſandten geprüft und
nach Ablegung des Eides der Treue ſeitens des Gewählten beſtätigt worden iſt, oder nur
von dem neuen Papſt ſeine Wahl und Konſekration angezeigt werden mußte, iſt eine
20 bisher noch nicht zum Austrag gebrachte Streitfrage, für deren Löſung die ihrer Echtheit
nach anzuzweifelnde Verordnung Stephans V. (IV.) von 816 (c. 28. Dist. LXIII) mit in
Betracht kommt (vgl. einerſeits Richter=Dove=Kahl, KR., 8. Aufl., § 123, andererſeits Hin=
ſchius, KR. 1, 230 ff.). Jedenfalls iſt es aber ſicher, daß im Jahre 824 der Kaiſer ein
eidliches Verſprechen von den Römern erhalten hat, daß die Konſekration des Gewählten
25 nicht eher erfolgen ſolle, als bis derſelbe den Boten des Kaiſers geſchworen habe (LL. 1,
240). Wenigſtens hat damit die Praxis der ſpäteren Zeit, wenn auch nicht ausnahmslos,
übereingeſtimmt und ferner derſelben entſprechend das römiſche Konzil von 898 c. 10
(Manſi 18, 325) angeordnet, daß die Konſekration des Gewählten nur im Beiſein der
kaiſerlichen Geſandten ſtatthaben dürfe.

30 Nachdem in der kaiſerloſen Zeit die Verfügung über den päpſtlichen Stuhl that=
ſächlich in die Hand der römiſchen Adelsparteien gekommen war, erlangte das neu auf=
gerichtete Kaiſertum unter Otto I., welchem die Römer hatten verſprechen müſſen, daß
ohne ſeine und ſeines Sohnes Genehmigung kein Papſt gewählt und geweiht werden
ſollte, einen ſo entſcheidenden Einfluß auf die Beſetzung des päpſtlichen Stuhles — aller=
35 dings iſt das Privilegium Leos VIII., in welchem Otto I. das Recht der Ernennung
des Papſtes eingeräumt wird, ſowohl in ſeiner kürzeren Form, LL. 2 app. p. 167;
c. 23. Dist. LXIII, wie in der längeren, Floß, Leonis privileg. VIII. Freiburg
i. Breisg. 1858 p. LXXXI und derſelbe, Papſtwahl und die Ottonen, Freiburg 1858,
welcher die letztere für echt erklärt, eine ſpätere Fälſchung, Hinſchius a. a. O. S. 240
40 und Richter=Dove a. a. O., wie es früher niemals beſeſſen hatte. Die hergebrachten
Formen der Wahl wurden zwar aufrecht erhalten, aber in der That war die Wahl ledig=
lich eine Scheinwahl, welche ſich auf den vorher vom Kaiſer beſtimmten Kandidaten richtete.
Nach dem Tode Ottos III. aber verſuchten die Adelsfamilien Roms von neuem ihre
Herrſchaft über den päpſtlichen Stuhl geltend zu machen, bis Heinrich III. auf Anrufen
45 eines Teils des römiſchen Klerus wieder eingriff und von den Römern im Jahre 1046
mit dem Patriziat auch das Recht übertragen erhielt, fortan den apoſtoliſchen Stuhl zu
beſetzen (Zöpffel, Die Papſtwahlen, Göttingen 1872, S. 75; Steindorff, Jahrb. d. deut=
ſchen Reichs unter Heinrich III., Leipzig 1874, 1, 317. 430. 506 und 2, 468 ff.).

Nach dem Tode Heinrichs III., während ein unmündiger Knabe (Heinrich IV.) an
50 der Spitze des deutſchen Reiches ſtand, erachtete es die in Rom tonangebende Reform=
partei an der Zeit, nunmehr die kirchliche Wahlfreiheit für den römiſchen Stuhl zur Gel=
tung zu bringen. Dies geſchah durch das auf der römiſchen Synode von 1059 unter
Nikolaus II. erlaſſene Wahldekret, an welches ſich, da es in zwei verſchiedenen Faſſungen,
einer ſog. päpſtlichen Faſſung, jetzt am beſten bei Scheffer=Boichorſt, Die Neuordnung der
55 Papſtwahl durch Nikolaus II., Straßburg 1879, S. 14, und einer kaiſerlichen, a. a. O.
S. 32, vorliegt, eine umfangreiche Litteratur angeſchloſſen hat (vgl. Friedberg, KR. 5. Aufl.
S. 168; Grauert, Hiſtor. Jahrb. 19 (1898), S. 827. Nach der herrſchenden Anſicht,
welche die erſtgedachte Faſſung im weſentlichen für die authentiſche hält, ſoll danach 1. die
Wahl in die Hand der Kardinalbiſchöfe gelegt und zu dieſer die Zuziehung der übrigen
60 Kardinalkleriker angeordnet, dagegen dem ſonſtigen Klerus und dem Volk zu der ſo er=

folgten Einigung bloß ein Recht der Zuſtimmung belaſſen worden ſein, während Grauert
mit mehr Recht die Vorſchlagung der Kandidaten den Kardinalbiſchöfen und die eigent=
liche Wahl dieſen und den Kardinalklerikern gemeinſam zuweiſt, auf Grund deren für
die Regel die Immantation mit dem Purpurmantel als ſymboliſche Inveſtitur erfolgte,
und dem übrigen Klerus und Volk nur eine rechtlich nicht relevante Akklamation zuge= 5
ſteht. 2. Soll dem König und ſeinen Nachfolgern, welche dieſes Privilegium vom römi=
ſchen Stuhl perſönlich erhalten haben, das Recht der Beſtätigung der getroffenen Wahl
gebühren, nach anderen, ſo namentlich Grauert, dagegen bloß ein Veto gegen nicht ge=
nehme Perſonen vor der Wahl eingeräumt worden ſein. Jedenfalls ſteht ſo viel feſt,
daß das Vorrecht der Kardinalbiſchöfe und das dem König eingeräumte Recht in der 10
folgenden Zeit nicht zur dauernden Verwirklichung gekommen iſt. Wie das Wahldekret
Nikolaus' II. den Zweck hatte, gewiſſe bei ſeiner Wahl vorgekommene Unregelmäßigkeiten
— er war namentlich ohne Mitwirkung des Königs gewählt — nachträglich zu legali=
ſieren, ſo hat im folgenden Jahrhundert Alexander III. aus Anlaß ſeiner zwieſpältigen
Wahl, auf der Verordnung von 1059 und der bisherigen Praxis weiter bauend, auf dem 15
dritten lateranenſiſchen Konzil von 1179 (c. 6 X. de elect. I, 6), indem er den Fort=
fall des kaiſerlichen Rechtes und des Anteils des Klerus und Volkes, ſowie die alleinige
Wahlberechtigung der Kardinäle ſtillſchweigend vorausſetzt, angeordnet, daß nur derjenige,
welcher zwei Drittel der Stimmen aller Kardinäle bei der Wahl erlangt habe, als recht=
mäßig gewählter Papſt — und zwar ohne jede Einwendung — gelten ſolle. An dieſe 20
Beſtimmung, welche noch die Grundlage des heutigen Rechtes bildet, ſchließen ſich die
weiteren Verordnungen des zweiten Konzils von Lyon von 1274, c. 3 in VI. de elect.
I, 6, und von Clemens V. (ob zu Vienne 1311?), c. 2 de elect. in Clem. I, 3 (beide
über das Konklave) an. Zu dieſen traten ſpäter noch die Konſtitutionen Clemens' VI.
von 1351, Magn. bull. 1, 258, Julius' II. von 1505, l. c. p. 466, Pius' IV. von 25
1562, l. c. 2, 97, Gregors' XV., Aeterni patris von 1621 mit dem Ceremoniale
in electione Romani pontificis obſervandum von demſelben Jahr, l. c. 3, 444.
454. 465, Urbans VIII. von 1626, l. c. 4, 95 und Clemens' XII. von 1732, l. c.
13, 302.

I. Geltendes Recht. 1. Das Konklave. Nach dem Tode des Papſtes ſind 30
die erſten 10 Tage zur Beſorgung der Totenfeier und zur Vorbereitung der Wahl, na=
mentlich zur Einrichtung des Konklaves, zu verwenden. Zugleich dient dieſe Friſt dazu,
den auswärtigen Kardinälen das Eintreffen in Rom behufs ihrer Beteiligung an der
Wahl zu ermöglichen. Das Konklave, ein Raum, in welchem die Kardinäle unter Be=
wachung und Abſchließung von der Außenwelt die Wahl vornehmen müſſen und welchen 35
ſie vor Beendigung der letzteren nicht verlaſſen dürfen, wird gewöhnlich in einem der
päpſtlichen Paläſte (jetzt dem Vatikan) hergerichtet und umfaßt eine Kapelle (für die
Wahlhandlung), ſowie damit zuſammenhängende Säle, in denen die Zellen zum Wohnen
für die Kardinäle und die Konklaviſten aufgezimmert werden. Die letzteren ſind diejenigen
Perſonen, welche mit den Kardinälen in das Konklave einzuziehen haben, wie die Diener 40
derſelben, zwei Ärzte, ein Beichtvater, zwei Barbiere, zwei Maurer und Zimmerleute u. ſ. w.
Am 11. Tage nach einem feierlichen Hochamt beziehen die Kardinäle und die Konklaviſten
den Raum. Hierauf werden zunächſt die Konſtitutionen über die Papſtwahl verleſen und
von den Kardinälen beſchworen, auch die Konklaviſten vereidigt. Am Abend müſſen alle
nichtberechtigten Perſonen das Konklave verlaſſen und nunmehr werden die Zugänge mit 45
Ausnahme eines einzigen, durch welchen auch die Speiſen für die Perſonen im Konklave
täglich zugeſtellt werden und welcher ſtreng bewacht wird, vermauert.

II. Die Wahl. Zur Vornahme der Wahl ſind ausſchließlich diejenigen Kar=
dinäle berechtigt, welche die Diakonatsweihe beſitzen. Eine gegen einen ſolchen verhängte
Exkommunikation, Suspenſion oder das Interdikt beſeitigt das Wahlrecht nicht. Abweſende 50
können weder brieflich noch durch einen Vertreter ihre Stimme abgeben.

Paſſiv wählbar iſt jeder katholiſche, nicht in Ketzerei verfallene, männliche Chriſt,
auch ein Laie. Seit Urban VI. (1378—1389), früher Erzbiſchof von Bari, iſt aber
ohne Ausnahme nur ein Kardinal gewählt worden. (Vgl. auch Berthelet, Muß der
Papſt ein Italiäner ſein?, Leipzig 1894.) Über das Recht gewiſſer Staaten je einen 55
Kardinal für paſſiv wahlunfähig zu erklären (Exclusiva) ſ. den Art. Bd V S. 687.
Dort iſt nachzutragen, daß bei der Wahl Pius X. Öſterreich zu Ungunſten des Kardi=
nals Rampolla von dieſem Rechte Gebrauch gemacht hat, und daß, Zeitungsnachrichten
zufolge, wegen Abſchaffung des Veto=Rechtes an der Kurie Verhandlungen ſtattgefunden
haben. 60

Was die Wahl selbst betrifft, so ist zunächst die Aufstellung von Wahlkapitulationen bei Strafe der Nichtigkeit verboten. Jeder anwesende Kardinal ist verpflichtet, bei Vermeidung der Exkommunikation sich an der Wahlhandlung, welche bis zur Erreichung eines Resultates täglich zweimal, vormittags und Nachmittags, vorzunehmen ist, zu beteiligen.
5 Von Kranken, welche ihre Zellen nicht verlassen können, wird nötigenfalls ihre Stimme durch eigens dazu mittelst Los gewählte Kardinäle (infirmarii) eingeholt.
Die allein zulässigen Arten der Wahl sind a) die electio quasi per inspirationem, d. h. modern gesprochen die Wahl durch Akklamation, b) die electio per compromissum, darin bestehend, daß die Kardinäle einstimmig einer bestimmten Anzahl
10 ihrer Kollegen (mindestens zweien) die Befugnis, statt der Gesamtheit den Papst zu wählen, übertragen und diesen das Nähern das dabei zu beobachtende Verfahren, z. B. ob Einstimmigkeit oder bloße Majorität erforderlich sein soll, vorschreiben, wobei aber keine ungesetzlichen Formen, wie z. B. Wahl durch Loos festgesetzt werden dürfen, c) die electio per scrutinium (diejenige, welche thatsächlich am häufigsten vorgekommen ist),
15 die Wahl durch Stimmzettel. Bei dieser haben sämtliche Wähler den Namen ihres Kandidaten auf einen der besonders eingerichteten, mit Vordruck versehenen und verschließbaren Stimmzettel (schedula) zu schreiben und nacheinander in den auf dem Altar befindlichen Kelch angesichts der drei gewählten Skrutatoren zu legen. Darauf erfolgt zunächst die Zählung der abgegebenen Stimmzettel. Stimmt ihre Zahl mit der der anwesenden
20 Kardinäle überein, so muß das Skrutinium abgebrochen werden, und die Zettel werden verbrannt. Andernfalls wird das Resultat der Abstimmung zusammengestellt und die Wahl ist beendet, wenn dabei ein Kandidat mehr als die erforderliche Zweidrittel-Majorität erhalten hat. Für den Fall, daß er aber nur gerade eine solche erlangt hat, muß noch zunächst durch Eröffnung seines Zettels festgestellt werden, ob er sich auch nicht
25 selbst, was verboten ist und die Wahl nichtig macht, seine Stimme gegeben hat. Stimmzettel, welche die Namen mehrerer Kandidaten enthalten, sind nichtig und werden nicht mitgezählt.
Ergiebt das Skrutinium nicht die vorgeschriebene Majorität für einen der Kandidaten, so tritt noch ein eigentümliches Verfahren ein, der sog. accessus, ein, um zu versuchen,
30 ob nicht ein Teil der Wähler seinen Kandidaten fallen läßt und sich für einen der anderen erklärt. Das Wesen des Accesses besteht darin, daß er eine Nachtragsabstimmung zu dem ersten Skrutinium bildet, d. h. die in dem letzteren abgegebenen Vota bleiben für das Wahlresultat giltig und die Stimmen im Acceß werden ihnen zugezählt. Damit aber bei diesem Verfahren ein Resultat erreicht, andererseits aber die Stimme des einzelnen
35 Wählers nicht doppelt für seinen Kandidaten gezählt wird, bestehen folgende Bestimmungen über den Acceß. Niemand darf dem Kandidaten, welchen er schon im Skrutinium gewählt hat, im Acceß wieder seine Stimme geben, er kann aber an demselben dadurch festhalten, daß er auf seinen Zettel schreibt: Accedo nemini. Niemand kann im Acceß eine Stimme erhalten, auf den nicht schon im Skrutinium eine solche gefallen ist. Führt
40 der Acceß zu keinem Resultate, so hört der ganze Wahlakt auf und es muß in der nächsten Wahlversammlung von neuem mit dem Skrutinium begonnen werden. Ein mehrmaliger Acceß ist unzulässig.
III. Annahme der Wahl, Konsekration und Krönung des Papstes. Der gewählte Kandidat wird nach Feststellung des Wahlresultates feierlich befragt, ob er
45 die Wahl annimmt. Mit der Acceptation erlangt er alle päpstlichen Jurisdiktionsrechte, also das päpstliche Amt. Gleichzeitig erklärt er gemäß einer seit dem 11. Jahrhundert feststehenden Sitte, welchen Namen er statt seines bisherigen als Papst führen will. Darauf wird der Gewählte mit den päpstlichen Gewändern bekleidet und empfängt nun die erste Adoration der Kardinäle. Während dessen ist die Klausur des Konklaves beseitigt worden und der erste Kardinaldiakon verkündet nunmehr dem Volk: Annucio vobis
50 gaudium magnum, papam habemus Eminentissimum et Reverendissimum dominum ... qui sibi imposuit nomen ... Am Nachmittag desselben Tages erfolgt zuerst in der sixtinischen Kapelle und dann in der Peterskirche die zweite und dritte, und zwar öffentliche Adoration der Kardinäle.
55 Hat der Gewählte noch nicht die Bischofsweihe, sondern nur einen der unteren Weihegrade, so hat er sich die ihm noch fehlenden ordines bis zur Priesterweihe einschließlich seitens eines der Kardinalbischöfe geben zu lassen. Die bischöfliche Konsekration, welche früher mit der Krönung zusammen vorgenommen wurde, erfolgt jetzt gewöhnlich vor derselben an einem Sonn- oder Festtage. Vollzogen wird sie von dem Dekan des
60 Kardinalkollegiums. War der Gewählte schon Bischof, so tritt an Stelle der Konsekration

eine bloße Benediktion. Nach der Konsekration oder Benediktion erfolgt dann die Krö=
nung mit dem Triregnum (f. d. Art. „Papst" S. 663, 13) in der Peterskirche und darauf
an einem anderen Tage die Inbesitznahme des Laterans (I possesso (über die Bedeutung
dieser Akte im Mittelalter vgl. Zöpffel a. a. O. S. 185 ff., über die Papstkrönung ins=
besondere noch desselben Abhandl. in ZKR 12, 1 ff.).

Eine andere Besetzung des päpstlichen Stuhles als durch Wahl der Kardinäle kennt
das jetzige positive Recht der katholischen Kirche nicht, insbesondere gilt es nach demselben
als unstatthaft, daß sich der regierende Papst seinen Nachfolger selbst bestellt, obwohl der=
artige Versuche mehrfach (f. Hinschius, Kirchenrecht 1, 227 und 292) in früheren Jahr=
hunderten vorgekommen sind. Vgl. Holder, Die Designation der Nachfolger durch die
Päpste, Freiburg 1892; derselbe im Archiv f. K. KR. 72 (1894) S. 409 ff., 76 (1896)
S. 352 ff., im Katholik 1895, 2, 385 ff.; Hollweck, im Archiv f. K. KR. 74 (1895)
S. 329 ff., 77 (1897) S. 411 ff. Daß die Päpste das geltende Recht in dieser Richtung
zu ändern vermögen, kann kaum bezweifelt werden, und es erscheint nur fraglich, ob diese
Abänderung durch die konkludente Handlung der Ernennung des Nachfolgers geschehen
kann.   (P. Hinschius †) Sehling.

Papyrus und Papyri. — G. Adolf Deißmann, Art. „Papyri" in Encyclopaedia
Biblica, Vol. III, col. 3556—3563 (dieser Artikel ist im folgenden benutzt). Für die Ein=
führung in das Studium der Papyri vorzüglich geeignet ist die kleine Schrift von Ulrich
Wilcken, Die griechischen Papyrusurkunden, Berlin 1897; auch der Vortrag desselben Gelehrten:
Der heutige Stand der Papyrusforschung, Neue Jahrbb. für das klass. Altertum 2c., 1901,
677—691. Hauptsächlich juristischen Interessen dient Otto Gradenwitz, Einführung in die
Papyruskunde I, Lpz. 1900. — Für die Paläographie: Frederic G. Kenyon, The Palaeo=
graphy of Greek Papyri, Oxford 1899; U. Wilcken, Tafeln zur älteren griechischen Paläo=
graphie 2c., Lpz. 1891; E. Wessely, Papyrorum Scripturae Graecae Specimina Isagogica,
Lpz. 1900; E. M. Thompson, Handbook of Greek and Latin palaeography, London 1893.
Die Publikationen der Papyri und die umfangreiche Litteratur, die hier unmöglich aufgeführt
werden kann, verzeichnet am sorgfältigsten: Paul Viereck, Bericht über die ältere Papyrus=
litteratur, Jahresbericht über die Fortschritte der klassischen Altertumswissenschaft Bd 98 (1898)
III, 135—186, und Die Papyruslitteratur von den 70er Jahren bis 1898, ebenda CII (1899)
III, 244—311. Alles weitere findet man in der Zeitschrift „Archiv für Papyrusforschung u.
verwandte Gebiete" herausg. von Ulrich Wilcken (Leipzig, B. G. Teubner) 1900 ff. Vgl. auch
Studien zur Paläographie und Papyruskunde, herausg. von C. Wessely, Leipzig 1901 ff. und
besonders die eingehenden Jahresberichte von F. G. Kenyon in dem zu London jährlich er=
scheinenden Archaeological Report des Egypt Exploration Fund, das in der Revue des
Etudes Grecques zuerst 1901 erschienene Bulletin Papyrologique von Seymour de Ricci und
das im Musée Belge zuerst 1902 erschienene Bulletin Papyrologique von Nic. Hohlwein. —
Für die Bibelforschung versuchte die Papyri fruchtbar zu machen G. A. Deißmann, Bibel=
studien . . ., Marburg 1895 und Neue Bibelstudien . . ., Marburg 1897; beide Schriften sind
von Alexander Grieve in einem Band ins Englische übersetzt: Bible Studies. Contributions
chiefly from Papyri and Inscriptions to the history of the Language, the Literature, and
the Religion of Hellenistic Judaism and Primitive Christianity, Edinburgh 1901. Weitere
ähnliche Studien publizierte James Hope Moulton, Grammatical Notes from the Papyri,
Classical Review vol. XV (1901), 31—38, und Notes from the Papyri I—III, The Ex=
positor, April 1901, Febr. und Dez. 1903. Vgl. auch G. Adolf Deißmann, Die sprachliche
Erforschung der griechischen Bibel, ihr gegenwärtiger Stand und ihre Aufgaben, Gießen 1898.
— Weitere ausgewählte Litteratur ist im Texte citiert.

Inhalt: 1. Das Wort „Papyrus". 2. Die Papyruspflanze. 3. Der Papyrus als
Schreibstoff. 4. Erwähnungen des Papyrus in der Bibel. 5. Die neueren Papyrus=Funde und
ihre allgemeine wissenschaftliche Bedeutung. 6. Die direkte Bedeutung der Papyrus=Funde für
die Erforschung der Bibel und des christlichen Altertums. 7. Die indirekte Bedeutung der
Papyrus=Funde für die Erforschung der Bibel und des christlichen Altertums.

1. Die Etymologie des Wortes „Papyrus" ist noch nicht sicher festgestellt (Nestle,
Einführung², 41). P. de Lagarde (Mitteilungen 2, 260) hat die Frage aufgeworfen,
ob „Papyrus" das aus Bûra am Menzaleh=See stammende Fabrikat sei, wobei pa der
ägyptische Artikel wäre. Wir notieren diese wie die unten erwähnte Vermutung Bondis,
ohne selbst Stellung zu der Frage nehmen zu können. Ist sie richtig, so wäre das Wort
„Papyrus" ähnlich entstanden, wie das wohl jüngere Wort „Pergament", und das y
wäre lang, wie auch die antiken Dichter das Wort betonen (Nestle² 41): Papȳrus, nicht
Papýrus. Über die Aussprache des Wortes spricht sich W. Crönert in der Beilage zur
Allgem. Zeitung 1901 Nr. 246 ähnlich: „Zwar hat der Dichter Antipatros von Thessa=
lonike in einem Epigramm die zweite Silbe kurz gebraucht (in der Anthologie der Pfälzer

Handschrift VI, 249), aber lang ist sie in den anakreontischen Liedern, und überall in der lateinischen Dichtkunst, woraus sich für uns ergiebt, daß der Ton auf die Mittelsilbe zu legen und also Papyrus zu sprechen ist." — In einem Zusatz zu unserem Artikel „Papyri" in der Encyclopaedia Biblica spricht sich W. M[ax] Müller für die zuerst von 5 Bondi (Zeitschr. für ägypt. Sprache und Altertumskunde 1892, 64) vertretene Etymologie aus, die von der talmudischen Schreibung פפיור ausgehe: pa-p-yôr = die zu dem Fluß in Beziehung stehende Sache, die Flußpflanze.

2. Die Papyrusstaude (Cyperus papyrus L., Papyrus Antiquorum Willd.) kommt heute außer in Ägypten (B. de Montfaucon, Dissertation sur la plante 10 appellée Papyrus, Mémoires de l'Acad. royale des Inscriptions et Belles Lettres, T. VI, Paris 1729, 592 ff.; Franz Woenig, Die Pflanzen im alten Ägypten, ihre Heimat, Geschichte, Kultur, Leipzig 1886, 74 ff.) auch in Sicilien vor, besonders bei Syrakus, aber auch am Trasimener See (J. Hoskyns-Abrahall, The papyrus in Europe, The Academy 19. March 1887, Nr. 776 [Nestle² 40]). Wohl in den meisten botanischen 15 Gärten wird sie kultiviert, z. B. in Berlin (briefliche Mitteilung der Direktion vom 20. Okt. 1902), Bonn-Poppelsdorf (desgl. 17. Okt. 1902), Breslau (desgl. 21. Okt. 1902), Heidelberg (mündliche Mitteilung der Direktion). Käuflich zu beziehen ist die Pflanze von der Firma J. C. Schmidt in Erfurt, die uns am 18. Oktober 1902 schrieb: „Cyperus Papyrus hat sich als schnellwachsende und dekorative Pflanze für größere Wasser- 20 partieen, Aquarien ꝛc. bewährt. Im Freien gedeiht sie hier nur im Sommer und nur in geschützter warmer Lage. Die Vermehrung geschieht durch Aussaat oder Blattquirle; letztere werden um ungefähr die Hälfte ihrer Länge gekürzt und ins Wasser gelegt." Gute Abbildungen der Staude finden sich z. B. in Encyclopaedia Biblica III, 3557 und in Guthes Kurzem Bibelwörterbuch 502. Am letztgenannten Ort giebt A. Wiedemann fol- 25 gende Beschreibung der Staude: „Eine in niedrigem Wasser wachsende Sumpfpflanze mit fast armdicker querliegender Wurzel mit vielen nach unten laufenden Wurzelfasern, mehreren nackten, graden, dreieckigen, 10—18′ langen Schaften mit feuchtem Mark (daher der hebr. Name von gāmā' trinken, schlürfen und Lucan IV, 136 bibula papyrus), oben eine Blumenhülle mit pinselartigen Büscheln."

30 3. Der Gebrauch des Papyrus als Schreibstoffes ist uralt. Nach Kenyon (The Palaeography of Greek Papyri 14) ist der älteste uns erhaltene beschriebene Papyrus ein Blatt mit Rechnungen aus der Regierungszeit des Königs Assa von Ägypten, der ungefähr 3580—3536 vor Christus anzusetzen ist. Seit diesen grauen Zeiten bis tief in die Tage der arabischen Okkupation Ägyptens ist der Papyrus recht eigentlich der klassische 35 Schreibstoff des Wunderlandes am Nil. Er ist, obwohl dem oberflächlichen Blick zerbrechlich und vergänglich erscheinend, thatsächlich so unverwüstlich wie die Pyramiden und Obelisken, und dieser großartigen Widerstandsfähigkeit der Papyri verdankt das alte Ägypten zum guten Teil seine Wiederauferstehung in unserer Zeit.

Über die Herstellung der Papyrus-Blätter liest man häufig falsche Angaben. Noch 40 Gregory (Textkritik des Neuen Testaments I, Leipzig 1900, 7) schreibt, sie würden aus dem „Bast" der Papyrusstaude hergestellt. Das ist nicht richtig. Wir besitzen eine Beschreibung der Fabrikation vom älteren Plinius, Nat. Hist. 13, 11—13 (popularisiert ist diese Beschreibung durch Georg Ebers in seinem Kaiser Hadrian. Vgl. auch Ebers, The Writing Material of Antiquity, Cosmopolitan Magazine, New-York, November 45 1893 [Nestle² 40]), deren Verständnis durch die technische Untersuchung der erhaltenen Papyri gefördert wird. Kenyon (The Palaeography 15) giebt danach folgendes an: Das Mark des Schaftes der Papyrusstaude wurde in dünne Streifen zerschnitten, die zur Form eines Schreibblattes vertikal nebeneinander gelegt wurden. Darüber wurde eine horizontal laufende Querschicht derselben Streifen gelegt. Beide Lagen wurden durch 50 Klebstoff aneinander geleimt, wobei das Nilwasser eine gewisse Rolle spielte. Die so gewonnenen Blätter wurden gepreßt, in der Sonne getrocknet und von etwaigen Unebenheiten durch Politur befreit. Dann war das Blatt zum Gebrauche fertig.

Noch heute werden Papyrusblätter in ähnlicher Weise hergestellt. Adalbert Merx lernte (nach mündlicher Mitteilung) im Herbst 1902 in Sizilien eine Dame kennen, 55 welche die Fabrikation der Papyrusblätter von ihrem Vater erlernt hatte und diese Kunst gelegentlich wohl auch ausübte.

Die Größe des einzelnen Papyrus-Blattes ist, was man nie hätte bezweifeln sollen, nicht konstant. Kenyon (The Palaeography 16 f.) hat einige Maße zusammengestellt. Für die meisten nichtlitterarischen Schriftstücke (Briefe, Rechnungen, Quittungen u. s. w.) 60 genügte ein einzelnes Blatt; für längere Texte, besonders für die litterarischen, wurden

die nötigen Blätter zu einer Rolle zusammengeklebt (Näheres ebenda 17 ff.). Die Papyrus=
Rolle ist die klassische Form der antiken Litteraturwerke gewesen. Ein großes Fragment
einer Papyrusrolle ist in den Leipziger Psalmenfragmenten erhalten. Man schrieb gewöhnlich
auf diejenige Seite des Blattes, bei welcher die Fasern horizontal laufen (Recto), die
Rückseite (Verso) wurde nur ausnahmsweise benutzt (U. Wilcken, Recto oder Verso, 5
Hermes XXII [1887] 487 ff.). Trägt ein Papyrusblatt auf beiden Seiten Schrift von
verschiedenen Händen, so ist im allgemeinen anzunehmen, daß die Schrift des Recto die
frühere ist. Nur in Ausnahmefällen wurden die Blätter einer Papyrus-Rolle doppelseitig
beschrieben; Nestle (Einführung² 41) erinnert an Apk Jo 5, 1 βιβλίον γεγραμμένον
ἔσωθεν καὶ ὄπισθεν, wo einige Textzeugen ἔσωθεν καὶ ἔξωθεν oder ἔμπροσθεν καὶ 10
ὄπισθεν lesen. Neben der Rolle finden wir in den letzten Jahrhunderten des Altertums
aber auch das Papyrus-Buch, den Kodex, der schließlich über die Rolle den Sieg davon=
getragen hat. Es ist nicht richtig, daß erst das Pergament den Übergang von der Rolle
zum Kodex mit sich gebracht habe. Nur einige Beispiele: Das Britische Museum besitzt
das Fragment eines Ilias-Kodex auf Papyrus wahrscheinlich aus dem 3. Jahrhundert 15
n. Chr. (Kenyon, The Palaeography 25. Dort finden sich noch andere Beispiele); unter
den Oxyrhynchos-Papyri ist ein Blatt aus einem Kodex der Evangelien oder des NT mit
Mt 1, 1—9. 12. 14—20 aus dem 3. Jahrhundert, außerdem andere biblische Kodex=
fragmente; die Heidelberger Universitäts-Bibliothek besitzt 27 Papyrus-Blätter eines alten
Septuaginta-Kodex. Auch das berühmte sogenannte Logia-Fragment von Oxyrhynchos 20
stammt aus einem Kodex.

4. Bei der großen Bedeutung des Papyrus für das antike Leben ist es nicht auf=
fallend, daß auch die heilige Schrift ihn erwähnt. Die Papyrusstaube ist genannt Hi
8, 11 und Jes 35, 7 אגם, was LXX an erster Stelle durch πάπυρος übersetzen. Auch
אחו Hi 40, 16 (21) und סוף Jes 19, 6 geben LXX durch πάπυρος wieder. Kleine 25
Papyruskähne sind erwähnt Ex 2, 3 (Aquila übersetzt παπυρεών) und Jes 18, 2. Als
Schreibmaterial erwähnt den Papyrus der Verfasser des 2. Johannesbriefes: der Vs. 12
genannte χάρτης dürfte ein Papyrusblatt sein. Wenn ferner 2 Ti 4, 13 der Brief=
schreiber um τὰ βιβλία, besonders aber um τὰς μεμβράνας bittet, so sind unter den
βιβλία jedenfalls Papyrusbücher zu verstehen. 30

Indessen diese wenigen Stellen würden nicht genügen, einen längeren Artikel „Pa=
pyri" in einer theologischen Encyklopädie zu rechtfertigen. Der Grund, weshalb der
Theolog sich heute eingehender mit den Papyri zu beschäftigen hat, liegt in der großen
Bedeutung der neueren Papyrusfunde für die Erforschung der Bibel und des Christen=
tums überhaupt. Werfen wir zunächst einen Blick auf diese Funde und ihre allgemeine 35
wissenschaftliche Bedeutung.

5. Seitdem im Jahre 1778 ein unbekannter europäischer Antiquitätenhändler von
ägyptischen Bauern eine Urkundenrolle aus Papyrus vom Jahr 191/92 n. Chr. angekauft
und mitzugesehen hatte, wie sie etwa 50 andere anzündeten und sich an dem aromati=
schen Dufte des Rauches ergötzten (Wilcken, Die griechischen Papyrusurkunden 10, der 40
auch zum Folgenden zu vergleichen ist), hat uns der geheimnisvolle Boden des alten
Kulturlandes am Nil eine unübersehbare Fülle beschriebener Papyri in allen möglichen
Sprachen und aus mehreren Jahrtausenden geschenkt. Schon in den zwanziger und dreißiger
Jahren des 19. Jahrhunderts gelangte eine nicht unbedeutende Zahl von Papyri aus
Memphis und Letopolis in Mittelägypten, aus This, Panopolis, Theben, Hermonthis, 45
Elephantine und Syene in Oberägypten in unsere europäischen Museen, zunächst von
nicht vielen Gelehrten beachtet, von nur sehr wenigen gelesen und verarbeitet. Dann
brachte, von einzelnen Funden anderer Jahre abgesehen, das Jahr 1877 die gewaltige
Entdeckung in der mittelägyptischen Provinz El-Faijûm. Namentlich die zahlreichen
Trümmer= und Schutthügel nördlich von der Hauptstadt der Provinz Medinet el-Faijûm, 50
die Reste der antiken Stadt ἡ τῶν Κροκοδείλων πόλις, später ἡ τῶν Ἀρσινοϊτῶν πόλις
genannt, spendeten Hunderte und Tausende der kostbaren Blätter und Blattfragmente.
Seit dieser Zeit hat ein großer Fund den anderen abgelöst und wir stehen gegenwärtig
noch recht inmitten einer bedeutsamen Entdeckungsperiode. Das Merkwürdigste der äußeren
Fundgeschichte ist der Umstand, daß die meisten Papyri mit dem Spaten aus dem ägyp= 55
tischen Schutt herausgegraben worden sind. Wie man nach Fundamenten antiker Tempel
und nach prähistorischen Scherben gräbt, so gräbt man jetzt nach Papyri. Die Thatsache,
daß man die meisten Papyri in dem Schutt antiker Städte findet, giebt einen wertvollen
Fingerzeig für ihre allgemeinste Beurteilung. In den Papyrusmassen vom Faijûm, von
Oxyrhynchos-Behnesa u. s. w. haben wir nicht die Reste einiger großen Archive zu sehen, 60

wie man zuerst wohl glaubte, sondern die Überbleibsel antiker Abfall- und Schuttablage-
rungsstätten, auf die vor Zeiten ausrangierte Altenbündel öffentlicher und privater Kanz-
leien, alte zerlesene Bücher und Buchteile und dergleichen geworfen wurden, um ungeahnten
künftigen Schicksalen entgegenzuschlummern.

5 Die große Masse der Papyri ist nichtlitterarischer Art: Rechtsurkunden des aller-
verschiedensten · Inhalts, z. B. Pacht- und Mietverträge, Rechnungen und Quittungen,
Heiratsverträge und Testamente, Bescheinigungen, Erlasse von Behörden, Anzeigen und
Strafanträge, Protokolle von Gerichtsverhandlungen, Steuerakten in großer Zahl; dann
auch Briefe und Briefchen, Schülerhefte, Zaubertexte, Horoskope, Tagebücher und so fort.
10 Der Inhalt dieser nichtlitterarischen Stücke ist so mannigfaltig, wie das Leben selbst. Die
griechischen nach vielen Tausenden zählenden Stücke umspannen einen Zeitraum von etwa
tausend Jahren. Die ältesten reichen in die frühe Ptolemäerzeit zurück, also ins 3. Jahrhundert vor Christus (neuerdings hat man sogar einen griechischen litterarischen Papyrus
des vierten vorchristlichen Jahrhunderts gefunden, „Die Perser" des Dichters Timotheos,
15 herausgegeben von U. von Wilamowitz-Moellendorff, Leipzig 1903. Wie F. Blaß, GgA
1903, 655 mitteilt, denkt B. Grenfell an die Jahre zwischen 330 und 280 vor Chr.
als Entstehungszeit dieser Handschrift), die jüngsten führen uns tief in die byzantinische
Zeit. Die ganze wechselvolle Geschichte des gräcisierten und romanisierten Ägypten
in jenem Jahrtausend zieht auf diesen Blättern an unserem Auge vorüber. Was diese
20 griechischen Urkunden, denen sich demotische, koptische, arabische, lateinische, hebräische,
persische in größerer Zahl anreihen (wir sehen hier von den uralten hieroglyphi-
schen Papyri ab), für die Altertumswissenschaft im weitesten Sinne bedeuten, darüber
sollte eine Meinungsverschiedenheit nicht möglich sein. Sie repräsentieren ein großes
wiederauferstandenes Stück antiken Lebens. Von Thatbeständen der Vergangenheit legen
25 sie mit einer Treue, Wärme und Treuherzigkeit Zeugnis ab, wie sie von keinem antiken
Schriftsteller, ja von den wenigsten antiken Inschriften gerühmt werden kann. Die Überlieferung der antiken Autoren ist immer, auch im besten Falle, eine mittelbare, ist immer
irgendwie gekünstelt und zurechtgemacht. Die Inschriften sind oft kalt und tot, wie der
Marmor, der sie trägt. Das Papyrusblatt ist etwas viel Lebendigeres: man sieht Hand-
30 schriften, krause Schriftzüge, man sieht Menschen; man blickt in die intimen Winkel und
Falten des persönlichen Lebens, für welches die Historie keine Augen und der Historiker
keine Brille hat. Eine kräftige Welle frischen warmen Blutes werden diese schlichten unscheinbaren Blätter vor allem der Rechtsgeschichte zuführen, aber auch der Kulturgeschichte
überhaupt und ganz besonders der Sprachgeschichte. Und es sei die vielen paradox vor-
35 kommende Meinung hier ausgesprochen, daß die unlitterarischen Papyri für die große
historische Forschung einen höheren Wert besitzen, als die litterarischen. Gewiß, wir wollen
uns freuen, wenn der Boden Ägyptens uns antike Bücher und Bücherreste schenkt, namentlich
wenn er verlorene Schätze der Litteratur uns finden läßt. Aber der eigentliche wissenschaftliche Schatz im Acker der ägyptischen Bauern ist nicht das Stück antiker Kunst und
40 Litteratur, das in ihm ruht, sondern das Stück antiken Lebens, antiker Wirklichkeit, greif-
barer Wirklichkeit, das hier seiner Wiederbelebung harrt. Es ist deshalb zu bedauern, daß
man jeden Fetzen eines antiken Buches wie eine Heiligenreliquie behandelt, sofort faksimiliert
und publiziert, und wäre es auch nur ein Stück eines der mit Recht vergessenen Skribenten,
daß man dagegen die nichtlitterarischen Stücke oft nur teilweise veröffentlicht. Ein einziger
45 trivialer Mietsvertrag z. B. kann eine Sprachform enthalten, das lang gesuchte Mittelglied zwischen einer Form der beginnenden κοινή und einer daraus entwickelten Form
eines neugriechischen Dialektes bezeichnen. Was der für bestimmte Gebiete interessierte
Herausgeber vielleicht als „unwichtig" unterdrückt, das kann für ein anderes Auge eine
unschätzbare Entdeckung bedeuten.
50 Nahe verwandt mit den Papyri sind ihrer Art und wissenschaftlichen Bedeutung nach
die massenhaften beschriebenen Thonscherben, die Ostraka. Die wichtigsten Editionen:
U. Wilcken, Griechische Ostraka aus Ägypten und Nubien, 2 Bde, Leipzig 1899 (vgl.
ThLZ XXVI, 1901, 65 ff.) und W. E. Crum, Coptic Ostraca from the Collections
of the Egypt Exploration Fund, the Cairo Museum and others, London 1902.
55 Noch ein kurzes Wort über die Papyruspublikationen. Ihre Zahl ist Legion. Man
findet sie in den im Litteraturverzeichnis genannten Werken genau zusammengestellt. Sie
sind benannt entweder nach den Aufbewahrungsorten (z. B. Berliner Urkunden, Londoner
Papyri, Genfer, Heidelberger, Straßburger ꝛc. Papyri), oder nach den Besitzern (z. B.
Papyri des Erzherzogs Rainer, Amherst-Papyri), oder nach den Fundorten (z. B. Oxy-
60 rhynchos-Papyri, Tebtunis-Papyri). Die letztere Methode ist wissenschaftlich zweifellos

die beste und wird überall da durchführbar sein, wo größere Bestände von Papyri an
einem Ort gefunden und zusammengehalten worden sind. In jedem Falle sollte man
beim Citieren eines einzelnen Papyrus niemals vergessen, Ort und Zeit seiner Abfassung
anzugeben; was diese Texte zu so vorzüglichen Quellen macht, ist ja nicht zum mindesten
der Umstand, daß sie zum großen Teil bis auf Jahr und Tag datiert sind und daß auch 5
ihre Provenienz fast immer feststeht. Einer späteren Zukunft bleibt es vorbehalten, ein
Corpus oder mehrere Corpora Papyrorum zu schaffen; einstweilen ist die Zusammenfassung des Ertrags der noch lange nicht zum Stillstand gekommenen Entdeckungen noch
unmöglich.

6. a) Es ist bei der herrschenden Überschätzung des Litterarischen nicht auffallend, 10
daß die theologische Forschung sich vor allem durch die Fragmente aus biblischen und
altchristlichen Büchern bereichert gefühlt hat. Und es ist gewiß richtig, daß wir alle Ursache haben, für die Erweiterung unseres Vorrates an Quellen und Textzeugen aus der
ehrwürdigen Urzeit unseres Glaubens dankbar zu sein. Die wichtigsten wenigstens der
griechischen Fragmente seien hier kurz zusammengestellt. Verzeichnisse geben auch C. Häberlin 15
(Griechische Papyri, Centralblatt für Bibliothekswesen XIV 1 ff.) und F. G. Kenyon (The
Palaeography 131 ff.).

A. Septuaginta.

1. Gen 14, 17, British Museum Pap. 212;
2. Gen-Fragmente der Sammlung des Erzherzogs Rainer in Wien (auch der 20
vierte Band der Oxyrhynchos-Papyri wird ein Gen-Fragment bringen);
3. Pf 10 (11), 2—18 (19), 6 und 20 (21), 14—34 (35), 6, British Museum,
Papyrus 37;
4. Pf 11 (12), 7—14 (15) 4, British Museum, Papyrus 230;
5. Pf 39 (40), 16—40 (41), 4, Berliner Museum; 25
6. Fragmente der Pf 5, 108, 118, 135, 138—140 in den Amherst-Papyri Nr. 5, 6;
7. Pf-Fragmente der Sammlung des Erzherzogs Rainer in Wien (auch der Louvre
und die Nationalbibliothek zu Paris besitzen Psalmenfragmente auf Papyrus, die noch
nicht ediert sind);
7ª. Pf 30—55, Fragment einer Rolle, Leipziger Universitätsbibliothek, herausg. von 30
C. F. G. Heinrici (Beiträge zur Gesch. und Erklärung des NT IV) Leipzig 1903;
8. Hi 1, 21—22 und 2, 3 in den Amherst-Papyri Nr. 4;
9. HL 1, 6—9, Oxford, Bodleiana MSG g. 1 (P);
10. Jes 38, 3—5. 13—16, Sammlung Erzherzog Rainer, Inv. Nr. 8024 (Führer
Nr. 536); 35
11. Ez 5, 12—6, 3 mit den biakritischen Zeichen des Origenes, Oxford Bodl. MSG
d. 4 (b);
12. Sach 4—14 und Mal 1—4, 27 doppelseitig beschriebene Blätter, früher im
Besitz von Theodor Graf, jetzt in der Heidelberger Universitätsbibliothek (dieselben werden
von dem Verfasser dieses Artikels ediert in den „Veröffentlichungen aus der Heidelberger 40
Papyrus-Sammlung" I, Heidelberg 1904).

B. Septuaginta und Aquila.

13. Gen 1, 1—5, Amherst-Papyri Nr. 3 c.

C. Judaica.

14. Mehrere Fragmente zur Geschichte des ägyptischen Judentums, in Berlin, Paris, 45
London, Gizeh und bei den Oxyrhynchos-Papyri, siehe ThLZ XXIII (1898) 602 ff.;
15. Philo-Fragmente der Pariser Nationalbibliothek (Kenyon, The Palaeography
145 verzeichnet sie als Besitz des Museums von Gizeh).

D. Neues Testament.

(Die von Kenyon, The Palaeography 132 genannten Fragmente Mt 15, 12—16. 50
18; Mc 15, 29—38; Jo 1, 29 sind keine Papyrus-, sondern Pergamentblätter. Per-
gamentfragmente finden sich häufig zusammen mit Papyri. Ein Evangelienbuch · aus
Papyrus besaß die S. Markus-Bibliothek in Venedig, siehe Häberlin Nr. 166.)

16. Mt 1, 1—9. 12. 14—20, Oxyrhynchos-Papyri Nr. 2;
16ª. Mt 1 und 2, Oxyrhynchos-Papyri Nr. 401; 55
17. Mt-Fragmente der Pariser Nationalbibliothek am Ende des Philo-Papyrus;
18. Mt-Fragmente der Sammlung des Erzherzogs Rainer in Wien;
19. Lc 5, 30—6, 4, Pariser Nationalbibliothek am Ende des Philo-Papyrus;
20. Lc 7, 36—43 und 10, 38—42, Sammlung des Erzherzogs Rainer in Wien,
Inventar-Nr. 8021 (Führer Nr. 539); 60

21. Jo 1, 23—31 u. 33—41 und 20, 11—17 u. 19—25, Oxyrhynchos-Papyri Nr. 208;

22. Evangelienfragmente der Sammlung des Erzherzogs Rainer in Wien, s. Häberlin Nr. 168 a und b;

23. Rö 1, 1—7, Oxyrhynchos-Papyri Nr. 209;

24. 1 Ko 1, 17—20; 6, 13—18; 7, 3. 4. 10—14, Kiew, Bibliothek des Bischofs Porfiri Uspensky;

25. 1 Ko 1, 25—27; 2, 6—8; 3, 8—10 und 20, Sinai;

26. Hbr 1, 1, Amherst-Papyri 3 b (der Louvre zu Paris besitzt ein noch nicht ediertes Fragment der Judasepistel, der vierte Band der Oxyrhynchos-Papyri wird ein großes Fragment der Hebräerepistel bringen);

26ᵃ. 1 Jo 4, 11—17, Oxyrhynchos-Papyri Nr. 402;

27. Amulett enthaltend Stellen aus LXX Psalm 90 (91), Rö 12 und Ev. Jo 2, Sammlung des Erzherzogs Rainer in Wien, Inventar-Nr. 8032 (Führer Nr. 528).

E. Sonstige altchristliche litterarische Texte.

28. Fragmente eines außerkanonischen Evangeliums (?), Sammlung des Erzherzogs Rainer in Wien: Stücke der Erzählung von der Verleugnung Jesu. Eine eingehende Neuuntersuchung dieses Fragmentes mit genauer Berücksichtigung der massenhaften über dasselbe erschienenen Litteratur ist von Professor Dr. Heinrich Müller in Paderborn zu erwarten.

29. Das sog. Logia-Fragment, Oxyrhynchos-Papyri Nr. 1, auch separat: Λογια Ιησου Sayings of Our Lord from an early Greek Papyrus discovered and edited, with Translation and Commentary by Bernard P. Grenfell and Arthur S. Hunt, London 1897. Auch über dieses Fragment ist eine riesige Litteratur erschienen, die aufzuzählen hier zu weit führen würde. Die Aufrollung der durch den Fund gestellten Frage würde die uns hier gesteckten Grenzen ebenfalls überschreiten. Aber soviel darf bemerkt werden: die entscheidende Frage ist nicht die nach der Herkunft des Blattes (ob aus dem Agypter- oder einem anderen nichtkanonischen Evangelium oder einer anderen Schrift), sondern die lediglich aus inneren Gründen zu beantwortende Frage nach der Echtheit der hier überlieferten Jesusworte. — Grenfell und Hunt stellten 1903 die Ver-öffentlichung eines zweiten Fragmentes mit Aussprüchen Jesu in Aussicht.

30. Fragment eines hebräisch-griechischen Onomasticon sacrum, Heidelberger Uni-versitätsbibliothek (wird von dem Verfasser dieses Art. ediert in den „Veröffentlichungen aus der Heidelberger Papyrus-Sammlung“ I, Heidelberg 1904);

31. Pastor Hermae Sim 2, 7—10 und 4, 2—5, Berliner Museum;

31ᵃ. Pastor Hermae Sim 10, 3, 2—4, 4, Oxyrhynchos-Papyri Nr. 404;

32. Fragment eines Buches (des Melito von Sardes?) über die Prophetie mit einem Citat aus Pastor Hermae Mand. 11, 9 f. (So erklärt A. Harnack, SAB 1898, 516—520. Bei Kenyon, The Palaeography 137 steht das Fragment als Stück des Pastor Hermae selbst), Oxyrhynchos-Papyri Nr. 5;

33. Fragment einer gnostischen (valentinianischen?) Schrift, Oxyrhynchos-Papyri Nr. 4, Verso;

33ᵃ. Irenäus adv. Haer. III 9 (griechischer Urtext), Oxyrhynchos-Papyri Nr. 405, nachträglich erkannt von Armitage Robinson, Athenaeum, Okt. 24, 1903;

34. Fragmente von Basileios von Cäsarea epp. 5, 6, 293, 150, 2, Berliner Museum;

35. Fragmente von Gregorios von Nyssa θεωρια εις τον του Μωυσεως βιον, Berliner Museum;

36. Vitae Sanctorum, Paris Musées Nationaux Nr. 7403, 7404, 7405, 7408 und Fond du Faioum Nr. 261;

37. Theologische Fragmente des British Museum, Papyrus Nr. 455;

38. Desgl. Nr. 113, beide noch nicht bestimmt;

39. Fragmente des Kyrillos von Alexandria de adoratione in spiritu et veri-tate, Dublin;

40. Kyrillos-Fragmente der Sammlung des Erzherzogs Rainer in Wien;

41. Brief eines Patriarchen von Alexandria an die ägyptischen Kirchen mit Citaten aus dem Kommentar des Kyrillos zum Jo-Evangelium, British Museum, Papyrus Nr. 729;

42. Ascensio Isaiae 2, 4—4, 4, Amherst-Papyri Nr. 1;

43. Fragmente der griechischen Baruch-Apokalypse, Oxyrhynchos-Papyri Nr. 403;

44. Noch nicht identifiziertes Fragment, Oxyrhynchos-Papyri Nr. 406.

Dazu kommen mehrere liturgische und homiletische Fragmente.

Sehr bedeutsam für die Theologie sind auch die in koptischer Sprache geschriebenen
Papyrusfragmente biblischer, gnostischer und anderer altchristlichen Schriften, von denen
hier nur die Acta Pauli genannt seien, die der Heidelberger Universitätsbibliothek gehören.
und von Carl Schmidt publiziert worden sind: Acta Pauli aus der Heidelberger koptischen Papyrushandschrift Nr. 1 herausgegeben (Veröffentlichungen aus der Heidelberger 5
Papyrus-Sammlung II, Leipzig 1904).

b) Auch die nichtlitterarischen Papyri enthalten einzelnes, was für die Erforschung
des biblischen und christlichen Altertums von direkter Bedeutung ist. Hier sind zunächst
diejenigen Urkunden zu nennen, die von der Ptolemäerzeit bis tief in die römische Kaiserzeit hinein jüdische Bewohner der verschiedensten Orte Ägyptens nennen und dadurch 10
Beiträge zur Statistik jenes Weltjudentums geben, welches religionsgeschichtlich von
großer Wichtigkeit für die christliche Weltmission geworden ist. Ferner die Papyri, die
uns die Chronologie des ägyptischen Präfekten Munatius Felix und damit die Chronologie einer wichtigen Schrift des Justinus Martyr ermitteln lassen, oder die es ermöglichen, bis jetzt nicht feststellbare ägyptische Orte in altchristlichen Texten zu identifizieren. 15
Für die Geschichte der Christenverfolgungen haben uns die Funde einige kostbare Original-
dokumente geschenkt: drei Libelli von christlichen Libellatici (oder, wie U. Wilcken in
einem Briefe vom 1. März 1902 zu bedenken giebt, von fälschlich verdächtigten Heiden?)
aus der decianischen Christenverfolgung (Nr. 1 publiziert von F. Krebs, SAB 1893,
1007—1014; Nr. 2 publiziert von K. Wessely, Anzeiger der kaiserl. Ak. d. W. zu Wien 20
Phil.-hist. Klasse XXXI, 1894, 3—9; zu Nr. 3 vgl. Seymour de Ricci, Bulletin
Papyrologique, Revue des Études Grecques 1901, 203 und U. Wilcken, Archiv für
Papyrusforschung I, 174) und den Brief eines christlichen Presbyters in der Großen Oase
an einen andern Presbyter in Sachen einer verbannten Christin (A. Deißmann, Ein
Originaldokument aus der diocletianischen Christenverfolgung, Tübingen und Leipzig 1902, 25
auch englisch unter dem Titel The Epistle of Psenosiris, London 1902, vgl. auch
P. Franchi de' Cavalieri, Una lettera del tempo della persecuzione Dioclezianèa,
Nuovo Bullettino di Archeologia Cristiana VIII, 1902, 15—25. Eine von der
Deutung des Herausgebers stark abweichende Interpretation einer wichtigen Stelle des
Briefes schlug Albrecht Dieterich, GgA 1903, 550—555 vor; vgl. dagegen die Replik von 30
Deißmann in der Monatsschrift „Die Studierstube" I [1903] 532—540). Hochbedeutsam
ist der christliche Brief aus Rom nach dem Faijûm aus dem letzten Drittel des 3. Jahrhunderts in den Amherst-Papyri I, Nr. 3a p. 28 ff. (Faksimile Amherst-Papyri II,
Tafel 25), vgl. A. Harnack, SAB 1900, 987 ff., und auch eine ganze Anzahl anderer
altchristlicher Briefe vom 4. Jahrhundert an abwärts, die längst publiziert sind, verdienten 35
wohl ein größeres Interesse, als sie bisher gefunden haben: sind sie doch Kundgebungen
aus denjenigen Schichten der Christenheit, für die wir fast gar keine Originalquellen mehr
besitzen. Selbst die Rechtsurkunden aus byzantinischer Zeit, z. B. die Kircheninventare,
die noch nicht alle publiziert sind, enthalten manches interessante Detail. Auf gewisse
Einzelheiten, wie die paläographische Vergangenheit des sog. Monogramms Christi ☧, 40
fällt durch die Papyri ebenfalls ein neues Licht. Auf die theologische Bedeutung einiger
Papyruspublikationen ist hingewiesen ThLZ XXI, 1896, 609 ff.; XXIII, 1898, 628 ff.;
XXVI, 1901, 69 ff.; Beilage zur Allgemeinen Zeitung 1900, Nr. 250 und 1901, Nr. 251.

7. Wenn wir schon oben die hohe Bedeutung der nichtlitterarischen griechischen Papyri betont haben, so leitete uns dabei hauptsächlich der Gedanke an ihren großen Wert 45
für die gräcistische Forschung. Für kein Gebiet der Philologie sind nun aber die durch
die Papyri ermöglichten sprachhistorischen Erkenntnisse von größerer Bedeutung, als für
die Erforschung der griechischen Bibel: der Septuaginta und des Neuen Testaments. Vgl.
schon unseren Artikel „Hellenistisches Griechisch" Bd VII S. 627—639.

Bis zur Entdeckung der Papyri hatte man für diejenige Phase und Form des Griechi- 50
schen, die in LXX und NT vorliegen, fast keine gleichzeitigen sonstigen Denkmäler beachtet.
In der griechischen Bibel liegt uns im allgemeinen, sowohl was den Wortschatz, als auch
was die Morphologie und nicht zuletzt auch die Syntax betrifft, die Umgangssprache der
Mittelmeerwelt vor, nicht die nach strengen Regeln sich künstlich einengende Kunstsprache
der dem Trugbild der Klassizität nachjagenden Rhetoren und Autoren. Diese Umgangs- 55
sprache, dieses Weltgriechisch trägt die deutlichen Spuren einer noch im Werden begriffenen
lebendigen Entwickelung und hebt sich an vielen Punkten charakteristisch von den alten
Dialekten, etwa dem klassischen Attisch, ab. Nun gab es zwar auch außerhalb der griechischen Bibel einige andere Denkmäler dieses Spätgriechischen, z. B. Inschriften aus den
alten Diadochenreichen, deren Wortschatz namentlich oft überraschende Analogien zu dem 60

biblischen zeigt. Aber man hatte die Inschriften kaum beachtet. ·Und so kam es, daß
die Meinung nicht nur aufkam, sondern bis auf den heutigen Tag bei vielen noch die herr=
schende ist, die Bibel oder doch das Neue Testament sei in einem besonderen Griechisch
abgefaßt. Man isolierte ein „biblisches" oder ein „neutestamentliches" Griechisch. Es
5 ist das Verdienst der neuen Funde, zu denen wir auch die Ostraka und die Inschriften
rechnen dürfen, daß sie die griechische Bibel Alten und Neuen Testamentes mit einem
frischen Kranze gleichzeitiger Texte umrahmen und die Philologia Sacra zwingen, sich
— im guten Sinne des Wortes — zu verweltlichen.

Nur auf einige Punkte sei hier aufmerksam gemacht. a) Die Papyri ermöglichen
10 ein genaues Verständnis der Thatsache, daß die Septuaginta ein ägyptisches Buch ist.
Das konnte man freilich auch vorher wissen, aber erst die neuen Funde schenken die alte
ehrwürdige Weltbibel des Diasporajudentums und des ältesten Christentums wirklich ihrer
Heimat wieder. Es ist ja fast märchenhaft, daß wir jetzt Hunderte von Blättern im
Original besitzen, die genau so alt sind wie das Buch der Siebenzig, und die unter dem=
15 selben Himmel und in derselben Luft geschrieben sind. Während das heilige Buch draußen
in der großen Welt seine providentiellen kata erlebte, schlummerten jene Ptolemäer=Papyri
in dem trockenen Boden ihrer Heimat, um erst nach zwei Jahrtausenden wieder ans Licht
zu kommen und durch ihr schlichtes Zeugnis auch dem Verständnis des heiligen Buches
einen Dienst zu leisten. Jede Übersetzung bedeutet ja eine Veränderung. Die Lutherbibel
20 ist eine deutsche Bibel, nicht nur, weil sie äußerlich ins Deutsche übersetzt ist, sondern
auch, weil sie durch das deutsche Gemüt ihres genialen Übersetzers nicht hindurchgehen
konnte, ohne etwas von seiner Art anzunehmen. So ist auch die Septuaginta nicht bloß
eine Gräcisierung, sondern auch eine Ägyptisierung des Alten Testamentes. Wenn im
hebräischen AT. Gen. 50, 2 ff. den „Ärzten" erzählt wird, welche die Leiche Jakobs
25 einbalsamierten und die Übersetzer statt dessen „Einbalsamierer" einsetzen, so haben sie aus
den Verhältnissen ihrer Umgebung heraus einen konkreten Einzelzug hineingetragen: ἐν-
ταφιαστής war, wie ein Papyrus vom Jahre 99 v. Chr. lehrt, der technische Name des
mit der Einbalsamierung in Ägypten betrauten Standes (Deißmann, Bibelstudien 117
= Bible Studies 120 f.). Oder wenn Joel 1, 20 und Thren. 3, 47 „Wasserströme"
30 durch ἀφέσεις ὑδάτων übertragen ist, so liegt hierin dieselbe Ägyptisierung der Vorlage:
ein Papyrus vom Jahre 258 v. Chr. lehrt, daß ἄφεσις τοῦ ὕδατος der technische Aus=
druck für das durch das Öffnen der Nilschleusen bewirkte Loslassen des Wassers ist; die
Übersetzer lassen den ägyptischen Leser, der Wasserbäche nicht kennt, an Kanäle denken
(ebenda 94 ff. = Bible Studies 98 ff.).

35 b) Die Papyri ermöglichen eine genauere Erforschung der orthographischen Probleme,
die dem Herausgeber unserer heiligen Texte gestellt sind. Massenhafte Beispiele bei Deiß=
mann, Neue Bibelstudien 9 ff.) und Bible Studies 181 ff.) und Moulton, Grammatical
Notes from the Papyri 31 ff., Notes from the Papyri I, 281 u. a.

c) Dasselbe gilt von der Formenlehre, siehe Deißmann, Neue Bibelstudien 14 ff.
40 (= Bible Studies 186 ff.) und Moulton, Grammatical Notes 34 ff., Notes I,
281 ff. u. a.

d) Auch die Syntax der biblischen Texte wird durch die Papyri in ein besseres Licht
gestellt; siehe Deißmann, Neue Bibelstudien 22 ff. (= Bible Studies 194 ff.) und Moulton,
Notes I, 282 u. a. Hier nur ein Beispiel. Vgl. ThLZ XXIII (1898) 630 f. und RE³ VII, 638.
45 Wir kennen aus dem NT. den Gebrauch, ein distributives Verhältnis durch Wiederholung
der Grundzahl auszudrücken: καὶ ἤρξατο αὐτοὺς ἀποστέλλειν δύο δύο Mc 6, 7. Diesen
Gebrauch, den noch Blaß in der ersten (nicht mehr in der zweiten) Auflage der Gram=
matik des Neutest. Griechisch 141 für semitisch erklärt, kann man bis in die vorchristliche
Zeit zurückverfolgen: δύο δύο finden wir schon LXX Gen 7, 15 u. öfter. (Winer=Lüne=
50 mann, Grammatik des neutestamentlichen Sprachidioms 234 verweist sogar auf Aesch.
Pers. 981 μυρία μυρία = κατὰ μυριάδας). Nach vorwärts reicht die sprachhistorische
Linie bis ins Neugriechische. Wir können also eine eigentümliche Spracherscheinung durch
zwei Jahrtausende verfolgen: Äschylus, LXX, NT., Neugriechisch; ein Beleg aus dem
Zeitraum zwischen NT. und dem Neugriechischen fehlte aber seither, und Karl Dieterich
55 der Belege aus den Apophth. Patr. (500 n. Chr.) beibringt (Untersuchungen zur Ge=
schichte der griechischen Sprache = Byzantinisches Archiv I, Leipzig 1898, 188), vermißt
einen Beleg aus Inschriften oder Papyri. Der Oxyrhynchos=Papyrus Nr. 121 (3. Jahrh.
n. Chr.) giebt jetzt das missing link: ein gewisser Isidoros schreibt einem Aurelios, er
solle die Zweige in Bündel zu je drei Stück binden (εἶνα [sic] δήση τρία τρία).
60 e) Am meisten wird das Lexikon der LXX und des NT.s durch die neuen Funde

bereichert werden. Dieser Punkt ist schon oben VII, 636 näher behandelt worden und braucht deshalb hier nicht weiter ausgeführt zu werden.

f) Nur mit ein paar Worten sei schließlich darauf hingewiesen, daß die Erforschung der Papyri dem Theologen, speziell dem Erforscher des Urchristentums, noch einen anderen als den eben charakterisierten sprachwissenschaftlichen Dienst leistet: sie zeigt ihm auch ein 5 gut Teil des Kulturbodens, in den die Samenkörner der evangelischen Weltmission eingesenkt worden sind. Die Menschen aus dem Zeitalter der Weltsonnenwende, aus dem πλήρωμα τοῦ χρόνου (Ga 4, 4), werden in diesen Blättern vor unserem Auge wieder lebendig, mit ihrer Arbeit und ihrer Sorge, mit ihrer Gottesferne und ihrer Gottessehnsucht, insbesondere die Menschen der mittleren und unteren Schicht, an die sich das Evan= 10 gelium hauptsächlich gewandt und unter denen es seine hauptsächlichsten Erfolge errungen hat. Wenn der Forscher ein mehr als bloß philologisches Interesse und ein mehr als die bloße Oberfläche der Dinge erkennendes Auge besitzt, wird er vom Studium der Papyri auch nach der kultur= und religionsgeschichtlichen Seite hin bereichert werden. Daß es aber der theologischen Forschung zu gute kommt, wenn der historische Hintergrund der 15 Bibel und des alten Christentums deutlichere Umrisse erhält, das bedarf keines langwierigen Beweises.　　　　　　　　　　　　　　　　　　　　**Adolf Deißmann.**

Parabolanen. — Bingham=Grischowius II, 47 ff.; Tillemont, Mémoires etc., Venedig 1732, XIV, 276 ff.; Suicer, Thesaurus s. v.

Παραβολάνοι „die ihr Leben aufs Spiel setzen" (vgl. Phi 2, 30) hieß im 5. Jahr= 20 hundert eine Korporation in Alexandrien, die sich der Krankenpflege widmete. Nach der alten Vermutung Stolbergs wäre sie schon während der Pest unter Dionysius dem Großen (247—64) gegründet worden, was aber wenig wahrscheinlich ist, da die ersten Nachrichten aus sehr viel späterer Zeit stammen. Die Mitglieder waren mit klerikalen Privilegien ausgestattet; daher drängten sich viele zu dem Amte, um sich dadurch den öffentlichen 25 Lasten zu entziehen; was dem Kaiser Theodosius II. Veranlassung gab, den honorati und curiales den Eintritt in die Korporation zu verbieten, und die Zahl ihrer Mitglieder auf 500, später auf 600 zu beschränken (Gesetze vom Jahre 416 und 418 im Codex Theodosianus XVI 2 de episc. 42. 43). Ihre Ernennung lag in der Hand des Bischofs (nur vorübergehend in der des Praefectus Augustalis), und die Parabolanen 30 fühlten sich als seine Leibwache, stets bereit, als bewaffneter Hand die vermeintlichen Interessen des Episkopats zu vertreten. Bei der Thronbesteigung Cyrills (vgl. Bd IV S. 378), bei der Ermordung Hypatias und auf der Synode von Ephesus 449 (vgl. Bd V S. 643) spielten sie eine wüste Rolle, die ihren Namen in Verruf brachte. Sie müssen zeitweise Alexandrien terrorisiert haben. Die angeführten kaiserlichen Gesetze sind wohl durch den 35 Tod der Hypatia veranlaßt.

Den alexandrinischen Parabolanen entsprach in Konstantinopel und anderwärts (z. B. in Ravenna: Agnellus MSL 106, 588) das Kollegium der Dekane. Vgl. über sie Bd XI S. 36, 23 ff.　　　　　　　　　　　　　　　　　　　　　　　　　　　　**H. Achelis.**

Paradies s. b. A. **Eden** Bd V S. 158, 25 ff.　　　　　　　　　　　　　　　　　　40

Paraguay. — Litteratur: Gothein, Der christlich=soziale Staat der Jesuiten in Paraguay 1883; Welter, Kathol. Kirchenlexikon; W Sievers, Mittel= und Südamerika 1903; (außerdem Konsulatsmitteilungen).

Die Republik Paraguay wurde nach dem mit verderblicher Ausdauer geführten Kriege gegen ihre drei Nachbarstaaten (1865—70) auf den jetzigen Umfang von 253 000 qkm 45 zurückgeführt. Die Bewohnerzahl (1872 nur 231 000) beträgt nach dem Census von 1899 635 600 Seelen, unter welchen sich 18 300 Fremde befinden. In der Gesamtbevölkerung wiegt das indianische und Mestizenelement vor. Dies um so natürlicher, da der berühmte Jesuitenstaat, von welchem das heutige Paraguay einen Teil bildete, von (1606) 1631 bis 1767 der indianischen und geschützten Entwickelung der indianischen Stämme so 50 dienlich war. Denn dieser merkwürdige Staat in seiner Vereinigung von Kommunismus und privater Besitzverwaltung, ein theokratisches Gemeinwesen von seltener Friedlichkeit, ließ auch die öffentlichen Dienste durch die Kaziken und gewählte indianische Beamte versehen. Dies vermochte man um so leichter, da der Jesuitenorden es beim König von Spanien (Philipp III.) ausgewirkt hatte, daß die christlich gewordenen Indianer und der 55 Gesetze mit den Spaniern gleichberechtigt seien. Die mannigfach entwickelte Kultur der Einzelgebiete und großen Dorfschaften, „Reduktionen" genannt, sank nach Ausweisung der

43*

Jesuiten (1767) trotz der Einführung anderer Orden an deren Stelle (besonders der Franziskaner) ziemlich rasch, da sich die Indianer mit den nun eindringenden spanischen Kolonisten nicht vertragen konnten, von ihnen auch mit mancher Gewaltthätigkeit verdrängt wurden. Die Entwickelung im 19. Jahrhundert brachte aber allmählich Ersatz in Bezug
5 auf Volkszahl und Landnutzung bis zu oben erwähntem Kriege. Von diesem hat erst neuestens das Land sich im ganzen erholt; nur erinnert auch jetzt noch ein Vorwalten des weiblichen Geschlechtes an jene Verluste der waffenfähigen Bevölkerung. Der Konfession nach ist natürlich auch hier der Katholicismus fast alleinherrschend, und der Staat leistet nur für ihn Beiträge zum Unterhalt der Geistlichkeit, welche vom Bischof von Assun-
10 cion regiert wird (Bistum seit 1547), soweit nicht die Ordensexemtionen in Betracht kommen. Da ein Teil der Indianer (etwa 100 000), besonders im Westen und Norden, noch heidnisch ist, arbeiten Dominikaner und Franziskaner hier auch in Heidenmission. Dies geschieht auch von englischen Kongregationalisten. Diese wirken im Westen, im Chaco, bei den Lengua-Indianern, wo in Carayo-Buelta eine Gemeinde mit Kirche und Internat-
15 schule und europäisch eingerichteten Wohnhäusern besteht. Eines der letzteren besitzt eine Druckerei, in welcher u. a. das Neue Testament in der Lenguasprache hergestellt wird. Auch noch an zwei anderen Orten bestehen englische Volksschulen, eine in der sozialdemokratisch organisierten Kolonie Cosme. — Die Deutschen zählten 920 Volksangehörige im Jahre 1899, werden aber jetzt (Ende 1903) bereits auf nahezu 1200 geschätzt, zum größten
20 Teile Protestanten. Es bestehen daher drei Kirchengemeinden (Assuncion, San Bernhardino, Altos), jedoch nur zu Assuncion ein Pfarramt. Diese Hauptstadt (52 000 Einwohner) ist auch der Sitz des evangelischen Kirchen- und deutschen Schulgemeindevorstandes, welcher die Aufsicht über die vorhandenen 4 deutschen Schulen führt (außer in den drei Gemeindeorten auch in Hohenau), während der deutsch geleitete Kindergarten der Haupt-
25 stadt von der Regierung abhängt. — Das Schulwesen des Staates besitzt 5 Gymnasien, zwei Lehrerseminare und 210 Volksschulen. **W. Göt.**

Parakletike oder **Paralletikon**. — Litteratur: Im allgemeinen Krumbacher, Geschichte der Byz. Litt. 1897, S. 655 ff. Im besonderen: Leo Allatius, De libris et rebus ecclesiasticis Graecorum dissertationes, Paris 1646, S. 68 u. 283 f.; Christ et Paranikas,
30 Anthologia graeca carminum christianorum, Leipzig 1871 in den Prolegomena. Die ältesten Ausgaben bei Ph. Meyer, Die theol. Litteratur der griech. Kirche. Leipzig 1899, S. 146.

Παρακλητική (sc. βίβλος) oder παρακλητικόν heißt eines der liturgischen Bücher der orthodoxen griechischen Kirche, das Kirchenlieder in der Art wie die ὀκτώηχος, d. h. nach den 8 Tönen der griechischen Kirchenmusik enthält. Von der Oktoëchos unterscheidet
35 sich die P. aber dadurch, daß sie Lieder nicht allein für den Sonntag, sondern auch für andere Tage der Woche hat. Den Namen leitet Leo Allatius namentlich davon ab, quod tota sit in deo, sanctisque exorandis, divinoque sibi auxilio, variis supplicationibus, et Christi et virginis et aliorum sanctorum intercessionibus impetrando. Theodoros und Josephos von Studion sollen aus der Oktoëchos die Parakletike entwickelt
40 haben. Eine handschriftliche P. in Cod. Monac. bomb. n. 205 saec. XIII. Der erste Druck des Buchs stammt von Herakles Geraldis, Venedig 1522. Eine spätere Ausgabe von 1538 ist in der Münchener Hof- und Staatsbibliothek mit dem Zeichen: Bibl. Liturg. 326 fol. vorhanden. Ein neuester Druck führt den Titel: Παρακλητική ἤτοι ὀκτώηχος ἡ μεγάλη. Ἐπεξεργασθ. μὲν ὑπὸ Ἀ. Ἰδρωμένου, ἐπιθεωρηθ. δὲ ὑπὸ
45 Ἰ. Ζέρβου. Ἐν Βενετίᾳ 1897 fol. **Ph. Meyer.**

Paramente. — Litteratur: Franz Bock, Geschichte der liturgischen Gewänder des Mittelalters, Bonn 1859—1871, 3 Bde, mit zahlreichen farbigen Tafeln (grundlegend); derselbe, Die kirchliche Stickkunst ehemals und heute. Wien 1865; Gottfried Semper, Der Stil. I. Die textile Kunst. 2. Aufl., München 1878; Bruno Bucher, Geschichte der technischen Künste
50 3. Bd, Stuttgart 1893, S. 335 ff.; A. Riegl, Die textile Kunst; Fischbach, Geschichte der Textilkunst, Hanau 1882; Rohault de Fleury, La Messe (die reichhaltigste Sammlung des bildlichen Materials); Lessing, Wandteppiche und Decken des Mittelalters, Lief. 1—3, Berlin 1900—1903; die neueren Publikationen der Bau- und Kunstdenkmäler in den Ländern und Provinzen Deutschlands. Die litterarischen Quellen, ausgenommen die Inventare, bei Jul. v. Schlosser,
55 Quellenbuch zur Kunstgeschichte des abendländischen Mittelalters, Wien 1896; Albert Ilg, Beiträge zur Geschichte der Kunst und Kunsttechnik aus mittelalterlichen Dichtungen. Wien 1892; (Quellenschriften für Kunstgeschichte und Kunsttechnik des Mittelalters und der Neuzeit Bd VII. V N. F.). — Zur Paramentik in der katholischen Kirche der Gegenwart: Thalhofer, Handbuch der katholischen Liturgik I, Freiburg 1887; K. Atz, Die christliche Kunst in Wort und
60 Bild, 3. Aufl., Regensburg 1899; G. Jakob, Die Kunst im Dienste der Kirche, 5. Aufl.,

Landshut 1901. — In der evangelischen Kirche: Moritz Meurer, Altarschmuck, ein Beitrag zur Paramentik in der evangelischen Kirche, Leipzig 1867; derselbe, Der Kirchenbau vom Standpunkte und nach dem Brauche der lutherischen Kirche, Leipzig 1877; Victor Schultze, Oskar Mothes, Theodor Prüfer, Das evangelische Kirchengebäude, Leipzig 1886; Richard Bürkner, Kirchenschmuck und Kirchengerät, Gotha 1892 (Zimmers Handbibliothek der praktischen Theologie V, 6). — Von Zeitschriften sind in erster Linie zu nennen: Organ für christliche Kunst, Köln 1851—1873; Kirchenschmuck, Archiv für kirchliche Kunstschöpfungen und christliche Altertumskunde, Stuttgart 1857—1870; Zeitschrift für christliche Kunst, Düsseldorf 1888 ff. (kath.); Christliches Kunstblatt für Kirche, Schule und Haus, Stuttgart 1858 ff.; Monatsschrift für Gottesdienst und kirchliche Kunst, Göttingen 1896 ff. (evangel.). Hinzuweisen ist endlich auf die Werke zur christlichen Kunst und Archäologie von Otte, F. X. Kraus, Lübke und die hier und da zerstreuten Aufsätzen zur Paramentik der Vergangenheit und Gegenwart, sowie auf die umfangreichen Sammlungen in Berlin, Wien, Paris, London und in den Museen anderer Orte. — Ueber liturgische Farben: Augusti, Beiträge zur christlichen Kunstgeschichte und Liturgik, 1. Bd, Leipzig 1841, S. 180 ff.; W. Wackernagel, Die Farben- und Blumensprache des Mittelalters (Kleine Schriften I, 143 ff. 1872); Rohault de Fleury, La Messe VIII, S. 25 ff.; Legg, History of the liturgical colours, London 1882 (mir unbek.); Jos. Braun, Zur Symbolik der liturgischen Farben (Zeitschr. für christl. Kunst XIV, S. 185 ff.); vgl. auch Otte, Handbuch der kirchl. Kunstarchäologie des deutschen Mittelalters, 5. Aufl., 1. Bd, Leipzig 1883, S. 272 f.; Thalhofer a. a. O. I, S. 911ff. und Jos. Sauer, Symbolik des Kirchengebäudes und seiner Ausstattung in der Auffassung des Mittelalters, Freiburg 1902.

Mit paramentum (v. parare) bezeichnete das Mittelalter den Besitz des Gotteshauses an Gegenständen, welche der Kultus dauernd oder zu Zeiten, mittelbar oder unmittelbar forderte. Dazu zählten also z. B. ebenso die Altargeräte und die geistlichen Gewänder wie Teppiche und Vorhänge. Das griechische Wort σκεῦος hat denselben Inhalt. Im Verlaufe der Zeit verengerte sich jedoch die Bedeutung dahin, daß mit paramentum bezw. paramenta die Textilien, die liturgischen Stoffe, ausschließlich der Gewänder, benannt wurden.

In großen und reichen Kirchen wuchsen im Gange der Jahrhunderte die Paramente zu einem umfangreichen Bestande heran, über den genaue Inventare geführt wurden, die so in großer Zahl auf uns gekommen sind. Sie waren in einem eigenen Raume (camera paramenti) untergebracht, und über ihre Aufbewahrung bestanden besondere Vorschriften.

In der privaten und öffentlichen Architektur des klassischen Altertums fanden aus praktischen und ästhetischen Gründen Vorhänge und Decken (παραπετάσματα, ἀμφίθυρα, vela, alae, cortinae) reichliche Verwendung. Die bauliche Anlage war von vornherein auf diese Ergänzung angewiesen. Da nun die altchristliche Basilika durchaus noch der antiken Bauweise angehört und nicht minder der kirchliche Kuppelbau, so bestand hier dieselbe Notwendigkeit. Die Eingänge und die Zwischenräume der Säulen kamen in erster Linie dafür in Betracht, weiterhin der Chor und die dauernd oder ausnahmsweise auf diese Dekoration angewiesenen Wandflächen (Beispiele Garrucci, Storia della arte cristiana VI, 441, 212, 211; V, 323, 338, 340; Paul. Nol. De nat. S. Fel. XVIII, 31 MSL 41, XV, 491; Greg. Tur. Hist. II, 31; Paul. Silent. De Hagia Sophia v. 338 ff., Ausg. Corp. script. hist. byz. S. 37; Peregrinatio Silviae Aquit. ed. Gamurrini c. 51). Die sog. Charta Cornutiana aus dem Jahre 471 (Duchesne, Lib. Pont. Introd. CXLVI) zählt bereits eine ganze Anzahl solcher Stoffe als Besitz einer Dorfkirche auf. Für den Übergang zum Mittelalter und die ersten Jahrhunderte desselben ist der Liber Pontificalis eine reichlich fließende Quelle. So überwies Hadrian I. (gest. 795) an St. Peter 67, St. Paul 72, S. Maria Maggiore 44, S. Lorenzo 87, an die Lateranbasilika 58 Altartücher, Teppiche und Vorhänge (weitere Einzelheiten bei Beissel, Bilder aus der Geschichte der altchristlichen Kunst und Liturgie in Italien, Freiburg 1899, S. 262 ff.). Das Material war Seide, Halbseide und Leinen; der Orient, besonders Byzanz, Tyrus und Alexandrien, betrieben einen lebhaften Import von Geweben sowohl für weltliche wie für kirchliche Zwecke. Ägyptische Stoffe aus dieser Zeit sind neuerdings zahlreich aus den Grabstätten Ägyptens erhoben worden (R. Forrer, Die Gräber- und Textilfunde von Achmim-Panopolis, Straßburg 1891. — Die frühchristlichen Altertümer aus den Gräberfelde von Achmim-Panopolis, Straßburg 1893; Gayet, L'art copte, Paris 1902, S. 317 ff.). Der Schmuck bewegt sich vom geometrischen und Pflanzenornament bis zu biblischen Darstellungen und Heiligenlegenden; beliebt war das Kreuz (J. Strzygowski, Orient oder Rom, Leipzig 1901, S. 90 ff.; Forrer a. a. O., dazu Epiphan. Ep. ad Joh. Hieros. IX, MSG 43, p. 390; Asterius, Hom. XI in Euphem. MSG 40, S. 335; Paul. Silent. a. a. O.).

Die von der Antike gelösten Kirchenbaustile des Mittelalters führten zwar dazu, die

Art der Verwendung dieser Gegenstände einzuschränken, aber diese selbst behauptete sich nicht nur, sondern gewann noch an Intensität. Der Chor und die Seitenkapellen kamen dabei besonders in Betracht; aber bei festlichen Gelegenheiten prangten auch die Wände des Langhauses und die Eingänge im Schmucke der Teppiche und Vorhänge. Der gleich-
5 falls aus dem Süden übernommene Fußteppich behauptete sich im Chor und auf den Stufen des Altars. Durch Kunst und Material bildeten diese Stücke, und zwar nicht nur in den großen Kirchen, einen wertvollen Besitz, von dem noch ein beträchtlicher Bestand auf uns gekommen ist (die Aufzählungen bei Bock a. a. O. bleiben weit hinter unserer jetzigen Kenntnis zurück) und über den, wie schon bemerkt, zahlreiche Inventarien uns
10 nähere Auskunft geben (die Revue de l'art chrétien in Lille veröffentlicht seit einer Reihe von Jahren solche Inventare; einiges weitere bei Kraus a. a. O. II, S. 458 Anm. 1; Otte I, S. 186 f.; das meiste noch ungedruckt).

Das Material des einheimischen abendländischen Teppichs war Wolle oder Leinen, und seine Herstellung geht durch das ganze Mittelalter hindurch. Die Fabrikation war
15 besonders in den Klöstern heimisch, wenigstens in der älteren Zeit; hernach nahmen sie in steigendem Maße die Städte in die Hand. In der ausgehenden Gotik erfolgte ein bedeutender Aufschwung, und daher sind gerade aus dieser Periode zahlreiche Stücke auf uns gekommen (Germanisches Museum, Museum in Basel und fast alle größeren Samm- lungen, ganz abgesehen von den Kirchen), während naturgemäß die Zahl der romanischen
20 Webereien eine geringere ist (Halberstadt, Quedlinburg).

Ein erfolgreicher Konkurrent dieser Weberei war und blieb freilich die Seidenmanu- faktur, vorzüglich seit sie im Abendlande Boden gefaßt und weithin sich verbreitet hatte. Außerdem ging daneben der frühere Import aus dem Osten weiter. Zu dem kostbareren und vornehmeren Material trat immer die reichere Farbenskala, die phantastische Ornamentik
25 und die vollendetere Technik. Alle diese Arten der Weberei machen einen umfassenden, oft luxuriösen Gebrauch von der Stickkunst. Lehrmeisterin für die feineren Nadelarbeiten (opus Phrygium, phrygiones) war lange der Orient, doch machte sich schon seit der frühromanischen Zeit das Abendland immer selbständiger und erwies sich je länger desto mehr den größten malerischen Aufgaben gewachsen. Im 14. Jahrhundert erreichte
30 am Rhein, in Burgund und Flandern die Stickkunst ihre höchste Blüte.

Die Heimatsverschiedenheit dieser Erzeugnisse prägt sich deutlich aus in den Ver- zierungen. Nicht nur in den direkt importierten, sondern auch in den unter östlichem Einfluß entstandenen Stücken kommt in den Ornamenten und noch mehr in bestimmten Tiergestalten (Greif, Pfau, Adler, Löwe u. s. w.) die Herkunft aus dem Orient zum Aus-
35 druck. Nur allmählich gewannen die abendländischen Wirker und Stickerinnen eine immer größere Selbständigkeit. Biblische Stoffe sind zumeist verwertet; aber daneben ist auch der übrige inhaltreiche kirchliche Bilderkreis in umfassender Weise benutzt; auch weltliche Scenen fehlen nicht. Oft erreichen die Kompositionen einen mächtigen Eindruck. Den strengen Kanon der älteren Kunst löst die spätere Zeit mehr und mehr auf und erstrebt
40 die Nachahmung des Gemäldes. Die Renaissance trug hier schneller dort langsamer ihre Formen ein und führte hierdurch wie durch eine neue Technik tiefer die Auflösung der mittel- alterlichen Weberei und Stickerei herbei. Zugleich nahm der Gebrauch in der Kirche ab, so daß im 17. und 18. Jahrhundert die Paramentkunst nur noch ein dürftiges Dasein fristete.

45 Neben der Ausschmückung des Innenraums geht von Anfang an aus dekorativen oder praktischen Gründen die Verwendung von Stoffen an einzelnen Gegenständen. Darunter nimmt der Altar den ersten Platz ein. Alte Sitte ist die Bedeckung des Altartisches mit einem weißen Linnentuche, welches entweder nur mit einem schmalen Saume über die Kante griff oder an den Seiten tiefer herunterfiel (Fleury I, 2; 7).
50 In letzterem Falle lag es nahe, die dem Auge sich bietende Fläche künstlerisch durch Stickerei und Weberei künstlerisch zu gestalten. Daneben bleibt noch die echt antike Vorliebe für plastischen Schmuck und schönen architektonischen Aufbau lebendig (Fl. I, 5—8; 16; 20; 27; 28 u. sonst). Indes finden sich auch jetzt schon Beispiele einer fast völligen Umhüllung des Altars und zwar entweder so, daß das Linnen selbst, wie eben bemerkt, oder ein
55 darunter liegender dunkler Stoff dazu gebraucht wurde (Fl. I, 3; 2). Gegen Ausgang des Mittelalters bemächtigte sich der ursprünglich einfachen Ausstattung in steigendem Maße der Luxus; seidene, goldgewirkte und überhaupt kostbare, oft figurenreiche Stoffe wurden besonders in den großen Kirchen mit Vorliebe gebraucht (Greg. Tur. X, 16; Agnellus, Liber. pont. II, 6 MSL 106 S. 610; Paulus Silent. Descript. S. Sophiae
60 v. 338 ff., Ausgabe Corp. script. histor., byz. S. 37; der römische Liber pont.

an verschiedenen Do.; vgl. Beissel S. 235; 272, dazu die Bemerkungen von Bock III, S. 5).

Vielleicht schon im christlichen Altertume, jedenfalls schon im frühen Mittelalter wurde die weiße, linnene Altardecke (linteamentum altaris) Vorschrift. Die Fläche des überfallenden Randes (aurifrisium, praetexta) lud zu reicher Verzierung ein, während das die Platte deckende Tuch in der Regel auf einfachen Schmucke sich beschränkte oder ganz darauf verzichtete (Fl. I, 18; 19; VI, 510 u. sonst). Im 17. Jahrhundert drängte sich die Spitze als Randverzierung ein und führte zu allerlei Geschmacklosigkeiten. In Beziehung auf die Altarbekleidung (vestes, pallia altaris) entfernte sich das Mittelalter weiter von der älteren Überlieferung; es führte z. B. die Vorsetztafeln, Antependien, aus Gold- und Silberblech ein (f. d. A. Altar Bd I S. 395) und überzog den Altarkörper mit in Mustern gesetzten edelen Steinen (Fl. I, 8; 9; 38). Doch überwog die vorgefundene Umhüllung mit Stoff. Gern griff man zu der wertvollen Seide und bestickte sie mit Gold und Silber oder ließ Figuren und Scenen darauf sich entfalten. Die Schatz-verzeichnisse enthalten reiche Angaben darüber. Die vier oder Seiten oder auch nur die Front des Altars (die Bezeichnung frontale) kamen dabei in Betracht. Besonders in späterer Zeit pflegte den Übergang von der Altardecke zum Vestimentum eine breite gestickte Borte zu decken. Die Aufgabe des Altaraufsatzes oder der Altarwand über-nahmen in einzelnen Fällen aufgespannte Stoffbehänge (sog. retrofrontalia) mit figür-lichen Darstellungen (Fl. VI, 459). Die Ciborienaltäre waren von vornherein auf Vor-hänge zwischen den Säulen (tetravela) angelegt, von denen der vordere zweigeteilt und so eingerichtet war, daß er im Verlaufe der Messe geöffnet und geschlossen werden konnte (Bock III, S. 84ff. u. Taf. XVI, dazu Fl. II, 12; VI, 489a). Aber auch sonst ist im Mittelalter der Altar mit Schranken aus Stoff an zwei oder drei Seiten umhegt worden (Bock III, Taf. XV, Fl. VI, 459; 484; 495; 500; 512). Als ein dürftiger Ersatz des Ciborienaltars muß der Baldachinaltar angesehen werden mit seiner zeltartigen Über-dachung aus Stoff, die durch ein Gerüst aus Holz oder Eisen ihren Halt erhielt. In allen diesen Fällen wurde Kunstweberei und Stickerei in Anspruch genommen. Seit dem 17. Jahrhundert pflegte man die faltigen Paramente womöglich durch in Rahmen ge-spannte steife Stoffe zu ersetzen.

Die gegenwärtigen liturgischen Vorschriften der römischen Kirche, die ihre Vor-geschichte schon im Mittelalter haben, fordern drei leinene Altartücher, von denen zwei dazu bestimmt sind, die Altarplatte zu bedecken, während das dritte, obere, den ganzen Altar bis nahe an den Fuß bedecken soll. Unmittelbar auf dem Steine liegt das so-genannte Chrismale, ein wachsgetränktes Leinentuch; seinen Namen soll es danach führen, daß es das Durchdringen des geweihten Öls bei der Altarweihe zu hindern be-stimmt ist. Hauptsächlich aber dient es als Schutz für die obern Lagen. Die Altar-bekleidung tritt naturgemäß ganz zurück, da ihre Dienste die Altardecke mitversieht. Außer-halb der Meßfeier soll eine Schutzdecke (vesperale) über dem Altar liegen, wie schon im Mittelalter.

Der Altardienst erfordert noch folgende kurz anzuführende Paramente: die palla corporalis, ein Linnentuch von mindestens 58 cm im Quadrat, welches dem Priester dazu dient, nach der Konsekration das geweihte Brot (corpus domini, daher die Bezeichnung) darauf auszubreiten und dann darin einzuschließen. Deshalb findet eine Weihe desselben statt. Während es früher zugleich für den Kelch benutzt wurde (Fl. VI, 495), hat dieser jetzt in der gleichfalls leinenen, geweihten palla calicis eine eigene, auf der Kuppa liegende Bedeckung erhalten (Fleury VI, 503; 504; 510; 512 und sonst). Von dieser ist zu unterscheiden das velum calicis (palla major), welches den Kelch bis zum Beginn des Offertoriums verhüllt; es ist aus Leinen hergestellt, während früher Seide dazu verwendet wurde. Eine Parallele zum Corporale bietet das früher gebräuchliche velum pyxidis, ein für die Verhüllung des schwebenden Hostienträgers bestimmtes Tuch (Bock III, Taf. 17). Nebensächliche Stücke sind das leinene Kommunikantentuch (palla dominicalis) zur Bedeckung der im 16. Jahrhundert hauptsächlich aufgekommenen Kommunionbänke und das purificatorium, ein feines Leinentuch zur Reinigung des Kelches.

Geringe Bedeutung hatten die Paramente stets für Ambon und Kanzel (s. die A. Bd I S. 435; Bd X S. 25). Regel war für beide die Bedeckung des Pultes, auf welchem das Buch ruhte, durch ein vorn herabfallendes verziertes schmales Tuchstück (Fl. III, 194), daneben pflegte die Brüstung mit Stoff belegt zu werden, während eine Bekleidung des Ganzen nur bei festlichen Gelegenheiten stattfand. Denn wie im christlichen Altertume, so waren auch im Mittelalter die Flächen des Ambon bezw. der Kanzel plastischem

Schmuck vorbehalten. Erst die Geschmacklosigkeit der neueren Zeit ·führte vielfach eine dauernde Umhüllung der Kanzel ein.

Wenn in diesen Fällen ästhetische Erwägungen entschieden, so waren es dagegen praktische Gründe, welche in der alten Kirche die Umschließung des Taufbrunnens mit 5 Vorhängen forderten, da die Taufe lange Zeit vorwiegend an Erwachsenen und durch Untertauchen vollzogen wurde. Es muß angenommen werden, daß sowohl der Tauf= brunnen im Atrium der Basilika wie die Piscina der Baptisterien durch Vorhänge ab= geschlossen werden konnten. Bei den Baptisterien mit innerem Säulenumgang werden die Vela zwischen den einzelnen Säulen gehangen haben. Auch im Mittelalter scheint diese 10 Gepflogenheit unter ganz andern Verhältnissen noch lange angedauert zu haben. Die gegenwärtige Beschaffenheit läßt nur einen seidenen Überwurf über dem Becken erwünscht erscheinen; eine Vorschrift besteht in dieser Hinsicht nicht.

Die Beteiligung der bischöflichen Kathedra an den Paramenten ist nicht deutlich; in der älteren Zeit wird sie sehr wenig bedeutet haben, da man für die Auszeichnung in 15 erster Linie Architektur und Plastik in Anspruch nahm. Das schließt natürlich nicht aus, daß bei festlichen Anlässen der Thron mit kostbaren Stoffen behangen wurde. Seit dem Anfange des 13. Jahrhunderts ungefähr rückte die Kathedra von dem Ostabschlusse des Chors westlich über den Altar hinweg an die Evangelistenseite vor, und dies scheint den Anstoß gegeben zu haben, sie zu überdachen und mit Vorhängen zu umziehen. Hernach 20 nahm dieser Thronhimmel oft schwerfällige und geschmacklose Formen an.

Verschwunden ist aus dem Gebrauche das mittelalterliche Fasten= oder Hungertuch (velum quadragesimale), ein mächtiger, zwischen Chor und Langhaus in der Fasten= zeit ausgespannter weißer oder grauer Vorhang aus Leinen, der mit Bildern, gewöhnlich aus der Passionsgeschichte, bemalt, bestickt oder bedruckt war. Er diente dazu, den innern 25 Chorraum den Blicken zu entziehen, und wurde nur gelegentlich, z. B. während der Messe, zurückgezogen (Bock III, S. 135 ff.).

Die wollenen Fußbodenteppiche (pedalia), ein direktes Erbe aus der Antike, scheinen von Anfang an ein festes Inventarstück des Kirchengebäudes gewesen zu sein und zwar wohl immer nur des Chors. Als hernach der Altar auf Stufen sich erhob, wurden auch 30 diese in die Sitte hineingezogen (Fl. I, 20; Bock III, Taf. 8). Bis in die romanische Zeit hinein lieferte diese Teppiche der Orient; besonders in der Fabrikation der Velours= stoffe wurde das Abendland erst ziemlich spät selbständig (die Bezeichnung tapetia transmarina); dem entsprechen die bildlichen Verzierungen. Genauere Vorschriften über Stoff, Farbe und Zeichnung besaß die römische Kirche nicht, daher hat dieses Parament 35 alle Stile und Launen durchgemacht.

Die in der ersten Hälfte des Mittelalters innerhalb einer ziemlichen Gleichförmig= keit noch wahrnehmbare Freiheit hinsichtlich des Stoffes, der Farbe und des Gebrauches der Paramente verlor sich hernach vor den wachsenden liturgischen Einzelvorschriften und ist jetzt gänzlich verschwunden (vgl. die Angaben bei Atz und Thalhofer a. a. O. zu den 40 einzelnen Stücken). Dadurch ist allerdings einer Verwilderung vorgebeugt worden, aber dafür andererseits eine gewisse Armut und Monotonie eingezogen. Das unter der Wir= kung der Romantik erwachende Verständnis für mittelalterliche Kunst kam auch den Pa= ramenten zu gute; in neuerer Zeit bemühte sich besonders Franz Bock mit Erfolg darum, der Verflachung und Geschmacklosigkeit auf diesem Gebiete entgegenzuarbeiten und auf 45 die klassischen Vorlagen des Mittelalters wieder hinzuweisen, und es sind seitdem Ver= einigungen zur Pflege stilgerechter Paramentik entstanden oder weibliche Kongregationen haben sich derselben angenommen. Den Ausgang bezeichnet die 1850 in Mecheln ins Leben gerufene, von Pius IX. mit reichen Ablässen ausgestattete „Erzbruderschaft von der immerwährenden Anbetung des allerheiligsten Altarsakraments und des Werkes für 50 die armen Kirchen", welche sich auch als Aufgabe gesetzt hat, arme Kirchen mit Para= menten zu versorgen. Indes die moderne süßlich=sinnliche Volksfrömmigkeit des Katho= licismus findet an diesen ernsten, strengen Mustern wenig Gefallen, und die leitenden Personen in Rom leben in einem unklaren, aus Mittelalter und Renaissance gemischten Kunstideal. Dennoch sind, z. B. in Belgien, große Fortschritte unleugbar.

55 In Beziehung auf die griechische Kirche muß von vornherein angenommen werden, daß die Paramentik dort eine glanzvollere Geschichte hatte als im Abendlande. Der Osten umschloß die Ursprungsländer der feinsten und kostbarsten Gewebe und betrieb viele Jahrhunderte hindurch den umfassendsten Export nach dem Westen. Dazu kam die größere Freude der Byzantiner an gottesdienstlichem Prunk und die leichtere Möglichkeit, 60 dieser Neigung Befriedigung zu verschaffen. Die anatolischen Kirchen müssen einst einen

außerordentlichen Reichtum an liturgischen Stoffen besessen haben. Leider haben die
Räubereien der Kreuzfahrer und die Verarmung der Kirche unter der Ausbeutung durch
die Türken den Verlust des Meisten herbeigeführt, so daß der gegenwärtige Bestand an
älteren Stücken nur ein geringer ist. Wir sind fast ausschließlich auf die jetzt in abend=
ländischen Kirchen und Sammlungen befindlichen einstigen Paramente der griechischen 5
Kirche angewiesen. Die Übereinstimmung zwischen lateinischer und anatolischer Sitte
ist jedoch ein großer, was sich daraus erklärt, daß die westliche Kirche offenbar bis
tief in das Mittelalter hinein von der anatolischen in dieser Richtung stark beeinflußt
worden ist.

Dahin gehört die reiche Verwendung der Kirchenvorhänge. Die Ikonostasis, welche 10
jetzt als eine feste Wand Chor und Langhaus scheidet, hat als Vorläufer sicherlich irgend
eine Anordnung von Hängeteppichen gehabt. Die hl. Thür, welche heute die Verbindung
herstellt, ist durch einen Vorhang geschlossen. Vor allem fehlten dem Chore nicht Wand=
behänge (vgl. Fl. VI, 480; 489ᵃ; 515 u. sonst). Im bildlichen Schmuck ist den Griechen 15
charakteristisch die Vorliebe für das Kreuz und für Engelfiguren. Deutlicher tritt in mittel=
alterlichen Darstellungen der Altar hervor. Da die Griechen die Tischform festhielten, so
waren sie schon hierdurch auf möglichst vollständige Umhüllung des Altars gewiesen. Ein
Athos=Psalter des 9/10. Jahrhunderts zeigt noch ganz die Form, welche das Apsismosaik
in S. Vitale bietet: ein straffgezogenes Tuch umspannt die Seiten des vierfüßigen 20
Tisches, ein zweites mit breiter Randverzierung bedeckt die Platte (H. Brockhaus, Die Kunst
in den Athosklöstern, Leipzig 1891, Taf. 17). Daß die Bekleidung ganz fehlte (Fl. VI,
480), war seltene Ausnahme; Regel ist, daß sie den Tisch ganz oder bis auf die Fuß=
enden umhüllt (VI, 506; IV, 213). Mit einer breiten Kante greift die Decke über.
Auch der Ciborienaltar mit Vorhängen ist häufig (VI, 489ᵃ). Beliebt ist als Ornament 25
das Kreuz in breiter Ausführung; nicht nur die Bekleidung, sondern auch die Decke zeigt
es, oft in Verbindung mit den gleichfalls altkirchlichen Gammazeichen (II, 105; 106).
Die Altarparamente bestehen in der Gegenwart aus folgenden Stücken: 1. τὸ κατασάρ=
κιον, τὸ κατὰ σάρκα, das vestimentum der Lateiner. Der Name ist aus derselben
Vorstellung wie corporale zu erklären. 2. ἡ ἐνδυτή, τὸ ἐνδύτιον, auch ἐφάπλωμα, die 30
Altardecke. 3. τὸ ἀντιμήνσιον, ein weißes Leinen von 50—60 cm im Quadrat mit
Darstellungen der Passionswerkzeuge und des Begräbnisses Jesu. An einem Zipfel sind
Reliquien befestigt. Das Antimension wird ebenso feierlich geweiht wie der Altar, weil
es früher den ungeweihten Altar ersetzte. Jetzt bildet es die oberste Decke jedes
Altars (Abb. bei Sokolow, Darstellung des Gottesdienstes der orthodox katholischen 35
Kirche des Morgenlandes, deutsch Berlin 1893, S. 7). 4. Drei verschiedene Tücher und
zwar zwei kleinere zur Bedeckung der vom Asteriskos (vgl. Bd VI, S. 414) geschützten
Patene (τὸ πρῶτον κάλυμμα, τὸ δισκοκάλυμμα) und des Kelches (τὸ δεύτερον κά=
λυμμα) und ein größeres für beide Gegenstände (ὁ ἀήρ oder kurzweg τὸ κάλυμμα,
vgl. darüber Leon Clugnet, Dictionnaire grec-français des noms liturgiques, 40
Paris 1895). Die Verhängung des bischöflichen Thrones war Sitte auch in der
griechischen Kirche (Fl. VI, 479; 480; 515), ebenso der Gebrauch der Teppiche. Wesent=
liche Differenzen scheinen nicht vorhanden zu sein.

Ein ganz anderes Bild bietet der Protestantismus. Die Umgestaltung des katho=
lischen Kultus durch die Reformation machte sofort eine Anzahl Paramente überflüssig 45
und mobilizierte andere, ja auf reformiertem Boden räumte man gänzlich mit ihnen auf.
Vorhänge, Teppiche, Decken, geistliche Gewänder kamen zum Verkauf, oder man verfügte
in anderer Weise über sie. Wenn sich vereinzelt, z. B. in Merseburg, Halberstadt, Danzig,
Quedlinburg größere Bestände erhalten haben, so wirkten dabei besondere Umstände mit.
Nur der Altar behauptete in stärkerem Maße seine Ausstattung, aber doch nur im luthe= 50
rischen Protestantismus, während die reformierten Kirchen auch ihm gegenüber radikal
vorgingen. Der feste Zusammenhang mit der Vergangenheit löste sich indes allerorten,
und damit zogen Unordnung, Willkür und Gleichgiltigkeit ein. Was das alte Luthertum
mit Pietät und Verständnis noch festhielt, verwüsteten der Pietismus und der Rationa=
lismus. Es blieb nur wenig mehr als ein dürftiger Rest aus schwarzem Tuch. Es scheint, 55
daß erst unter der Rückwirkung der Reformbestrebungen innerhalb der katholischen Kirche,
von denen oben die Rede war, die Empfindung wieder erwachte, daß es auch eine
evangelische Paramentik gebe. Die besonders durch Heinrich Otte (s. o. S. 525) mit Eifer
und Erfolg in weitere protestantische Kreise getragene Kenntnis der mittelalterlichen
Kunst lieferte die notwendigen geschichtlichen Unterlagen. In dem seit 1858 in Stutt= 60
gart erscheinenden vortrefflichen „Christlichen Kunstblatt" fanden die neuen Bestrebungen

einen Mittelpunkt und Sprechsaal, vor allem aber stellte sich mit seinem Sachverständnis und lebhafter Thätigkeit der sächsische Pfarrer Moritz Meurer (gest. 1877, s. d. A. Bd XIII S. 36) in ihren Dienst, besonders in seinem Büchlein: „Altarschmuck. Ein Beitrag zur Paramentik in der evangelischen Kirche" (Leipzig 1867), und auf seine Anregung hin trat 1868 der Herrenhuter Martin Eugen Beck mit zwölf „Musterblättern für kirchliche Stickerei" hervor, welche allerdings durch ihre weiche, subjektive Art noch nicht das Richtige trafen, aber doch den Weg bahnten. Seitdem sind zahlreiche evangelische Paramenten= vereine und Mittelpunkte ihr dienender Thätigkeit entstanden (Neuen=Dettelsau, Dia= konissenhaus in Altona, Henriettenstift in Hannover, Kloster Marienberg in Braunschweig, Mecklenburgischer Verein in Ludwigslust, Diakonissenhaus in Dresden u. s. w.), und es ist kein Mangel an Firmen, welche gute und richtige Arbeiten liefern.

Die Paramente treten entweder als liturgischer Schmuck auf oder als liturgisch= praktische Forderung. In jenem Falle beruhen sie auf Freiheit, in diesem auf Not= wendigkeit. Indes da der Gottesdienst auf Kunst und Würde angewiesen ist, so besteht für den Schmuck im Grunde auch eine gewisse Nötigung. Vorschriften über Form, Stoff und Farbe der Paramente besitzt die evangelische Kirche nicht, doch ist innerhalb des Luthertums ein ziemlicher Konsensus vorhanden, während die Gemeinden reformierten Bekenntnisses ganz verschiedene Wege gehen. Daher sind die folgenden Ausführungen aus dem Verständnis und dem Gebrauch der lutherischen Kirche geschöpft.

Als Maßstäbe sind anzusehen das praktische Bedürfnis und die würdevolle, in die Form edler Kunst sich kleidende Erscheinung. Während jenes allein aus dem Kultus, wie er ist, zu erheben ist, so muß für das Zweite die Tradition mit ihrem reichen und angemessenen Inhalte so lange als Quelle gelten, bis eine vollkommenere Entwickelung sie ablöst, was bisher noch nicht eingetreten ist. Von diesen Voraussetzungen aus ist eine Einigung in den Hauptsachen leicht zu erzielen; die daneben etwa hervortretenden Diffe= renzen werden immer wenig verschlagen. Sie beziehen sich hauptsächlich auf den Inhalt des bildlichen Schmuckes.

Als unumstößliche Forderung muß in dieser Hinsicht festgehalten werden, daß das Dargestellte verständlich ist und die Ausführung sich stilistisch dem Zwecke anfügt. Damit sind zunächst alle Symbole und Bilder ausgeschlossen, welche dem Bewußtsein der Gemeinde fremd geworden sind, wie das griechische und das lateinische Monogramm Christi (⳩, IHS), der Fisch (ἰχθύς), Pelikan (Sinnbild des Opfertodes Christi), Phöniz, Adler (Auferstehung), Hirsch (Ps 42); auch A—Ω (Offenb. 1, 8) dürften hierher gehören. Völlig überlebt hat sich auch die Typologie der mittelalterlichen Kunst, und es empfiehlt sich nicht, sie wieder einzuführen. Das im 17. und 18. Jahrhundert bei Katholiken und Protestanten beliebte gleichseitige Dreieck mit einem Auge als Symbol der Dreifaltigkeit verbietet sich durch seine Geschmacklosigkeit. Fernzuhalten sind ferner die nicht kirchlichen Symbole von Glaube, Liebe, Hoffnung. Auch dem Bilde des Guten Hirten stehen Bedenken ent= gegen; denn durch die Stilisierung, welcher alle diese Darstellungen unterliegen, verliert es seine Eigenart. Ohne jeden Zweifel dagegen sind statthaft als durchaus verständlich und unmittelbar wirksam: die Taube (hl. Geist), die vier Sinnbilder der Evangelisten (Engel, Löwe, Stier, Adler), das Lamm mit der Kreuzesfahne, das Kreuz. Wert der Einführung wäre die schöne mittelalterliche Darstellung der Kirche in Gestalt einer Jungfrau mit Krone, Kelch und Kreuzesfahne. In allen Fällen ist ein geeigneter Spruch oder ein schön ge= formtes Kreuz in richtiger Umrahmung allen Künsteleien vorzuziehen, und wo Figür= liches nicht in wirklich guter Ausführung zu haben ist, soll man lieber darauf verzichten und zu dem Reichtum der mittelalterlichen Ornamentik, in erster Linie zu der Pflanzen= ornamentik (Epheu= und Weinranken, Lilie, Rose, Passionsblume u. s. w.) zurückgreifen.

Eine wichtige Forderung ist ferner, daß der Schmuck der Paramente seine Aufgabe nicht in Wiedergabe der Natur, in Nachahmung der Malerei sucht, sondern in den Schranken bleibt, welche auch dem Glasmosaik und dem Teppichmuster durch ihre Eigen= art gezogen sind. „Die Behandlung des Ornaments darf nicht naturalistisch, sondern sie muß stilistisch sein. Bei der Bildstickerei kann es nicht die Aufgabe sein, historische Tableaux zu liefern mit perspektivischen Hintergründen und dramatisch bewegter Hand= lung; bei der Stickerei von Sinnbildern sollen wir nicht Blumen=, Frucht= und Tier= stücke liefern wollen" (Meurer).

Im Mittelpunkte der evangelischen Paramentik steht der Altar. Den Altarkörper umkleidet ein solider farbiger Stoff — Seide oder Tuch — entweder durchweg straff gespannt oder nur an den Seitenwänden faltig geordnet. Die Bekleidung der Rück= wand kommt nur ausnahmsweise in Frage. Ganz fällt diese aus, wo der Aufbau schon

durch Architektur und Plastik auf eine künstlerische Wirkung angelegt ist. Für die Front=
seite empfiehlt sich als passendster Schmuck das Kreuz in ornamentaler Umrahmung oder
das Lamm mit Kelch und Fahne nebst einem kräftig hervortretenden Spruche. Auf der
Platte liegt auf einem gröberen, widerstandsfähigeren Tuche eine Decke von feinem weißen
Leinen, das Altartuch, dessen überhängender schmaler Rand mit Pflanzenornament, gestickt 5
aus farbigem Garn oder waschechter Seide, verziert ist; dafür können aber auch ein=
fache leinene Spitzen eintreten. Als Unterlage für die Abendmahlsgeräte dient das
Corporale, ein breiter Läufer, der über die Kanten der Seitenwände etwas herabsteigen
kann. Auch dieses Stück gewährt an seinen Enden Gelegenheit für Nadelstickerei. Ge=
bräuchlich sind ferner Pallen aus weißem gestärkten Leinen für Kelch und Patene, und 10
in vielen Gemeinden auch das Velum. Unerläßlich ist, obwohl nicht allgemein im Ge=
brauch, ein weiches leinenes Tüchlein zur Reinigung des Kelches. Das kleine Altarpult
sollte so gestaltet sein, daß es keiner Bedeckung bedarf. Wo dies nicht der Fall ist,
wird es mit demselben Stoffe der Altarbekleidung überzogen.

Für die Kanzel wird gewöhnlich nur das in Stoff und Farbe des Altarkleides ge= 15
haltene Kanzelpultdeckchen in Frage kommen, dessen sichtbarer Teil am angemessensten
mit einem stilisierten Kreuz geschmückt wird; für einen Spruch ist es zu klein. Sonst
sollte, wenn irgend möglich, die Kanzel von Paramenten unberührt bleiben; am ehesten
wäre noch die Brüstung in Betracht zu ziehen. Dieser Kanzelumhang darf jedoch nur ein
schmaler Behang sein, da alles vermieden werden muß, was den architektonischen Aufbau 20
der Kanzel, und sei er noch so einfach, stört und drückt. Die in manchen Kirchen üb=
lichen gesonderten Lesepulte für die Schriftverlesung bedürfen, wenn sie eine würdige
Form haben, keinerlei Paramente. Zu einer völligen Bekleidung wird man nur in wirk=
licher Notlage greifen dürfen.

Dasselbe gilt von dem Taufstein. So selten die Fälle sein werden, daß eine Stoff= 25
umhüllung unumgänglich ist, ebenso häufig wird eine Schutzdecke nötig sein, da Tauf=
steine mit massivem Deckel zu den Seltenheiten gehören. Jener Deckel, ein weißes
Leinentuch, das kurz über den Rand herunterfällt, läßt sich mit Pflanzenornamenten oder
mit einem Spruch, auch mit beiden, entsprechend umsäumen.

Der Altarteppich hat in den evangelischen Kirchen erfreulicherweise jetzt sich fest ein= 30
gebürgert. Die selbstverständliche Bedeckung der obersten Altarstufe, des Platzes für den
Liturgen, ist das Mindeste des zu Erstrebenden. Die Altarstufen ferner und der Raum
ringsum, der bei der Abendmahlsfeier, bei Trauungen und Konfirmationen in Anspruch
genommen wird, müssen, wenn irgend möglich, bedeckt werden. Als Schmuck empfehlen sich
geometrische und Pflanzenornamente und die durch die orientalischen Muster gebotenen 35
stilisierten Tiergestalten. Christliche Zeichen und Figuren sind auszuschließen; nicht minder
Salonmuster. Da der Teppich seiner Idee nach das Steinmosaik ersetzt, so sind dem=
gemäß die Zeichnung und die Farbe zu gestalten.

Wandteppiche werden nur selten, etwa als Behang der untern Chorseiten, zur Ver=
wendung kommen. 40

In Beziehung auf weitere Einzelheiten sei auf die angeführten Schriften von
Meurer und Bürkner, sowie auf Theod. Schäfer, Ratgeber für Anschaffung und Erhal=
tung von Paramenten (Berlin 1897) und auf das von dem bayerischen evangelischen
Verein für christliche Kunst herausgegebene Heftchen: Über kirchlichen Schmuck (Nürnberg
1887) verwiesen (weitere Anleitungen unterlasse ich hier anzuführen). So sehr zur Zeit 45
das Verständnis für Paramentik in der evangelischen Kirche in erfreulichem Wachstum
begriffen ist und in neuerbauten Kirchen sich fast ausnahmslos geltend macht, so dauern
doch Versäumnisse aus früherer Zeit in großem Umfange noch fort.

In die Geschichte der Paramentik tritt schon früh die Farbensymbolik ein und schafft
sich schließlich in den römisch=katholischen Kultus eine feste Stellung; auch in der ana= 50
tolischen Kirche erlangte sie zwar nicht durch Gesetz, sondern durch Gewohnheit und in
weit einfacherer Form Geltung, und ebenso hat die evangelische Paramentik an dem Er=
gebnis der abendländischen Entwickelung mit gewissen Abzügen teilgenommen.

Die Farbensymbolik ist nur ein Bestandteil der umfassenden Symbolik, in welche
die Phantasie des Mittelalters, ja zum Teil schon des christlichen Altertums, das ganze 55
Kirchengebäude, seine Einzelheiten und seine Ausstattung in steigendem Maße hinein=
gezogen hat (vgl. Sauer a. a. O.). Daher teilt sie mit dem Ganzen, zu dem sie gehört, das
Schwanken und die Willkürlichkeit. Biblische Typologie, die wechselnden Meinungen der
weltlichen Gesellschaft (z. B. hinsichtlich der Blumensprache), die Mode in Beziehung auf
Farbe und Stoff, die Beschaffenheit der aus dem Osten importierten Gewänder und andere 60

Zufälligkeiten kreuzten sich und lösten sich ab. Nur die weiße Farbe erscheint schon früh als festes Element. Doch muß im 12. Jahrhundert, wenn auch nur in einzelnen Kirchengebieten, eine Fixierung der schwankenden Symbolik mit Erfolg vollzogen worden sein. Denn nur von dieser Voraussetzung aus konnte Innocenz III. in seinem Traktat de sacro altaris 5 mysterio (I, 64: de quatuor coloribus principalibus, quibus secundum proprietates dierum vestes sunt distinguendae) mit Bestimmtheit vier liturgische Farben aufführen und ihre Sphäre umgrenzen: Weiß, Rot, Schwarz, Grün (nach Ex 28, 5ff.). Andererseits fügt er selbst hinzu, daß volle Übereinstimmung nicht vorhanden sei. Jedenfalls muß das Ansehen des Papstes wesentlich dazu beigetragen haben, daß man der 10 Einheit immer näher kam. Wilhelm Durandus (gest. 1296) hat sich ihm durchaus angeschlossen (Rationale divin. officiorum III, 18), und das durch Pius V. in seinen Generalrubriken entwickelte und verbindlich gemachte Schema (in der Ausgabe des Missale Rom. Regensburg 1901 p. 18) ruht trotz einzelner Abweichungen durchaus auf dieser Grundlage. Der gegenwärtige Gebrauch in der römischen Kirche ist dementsprechend 15 folgender:

Weiß (Licht und Freude): Trinitatissonntag, alle Christusfeste, ausgenommen die Passion, Feste der Engel, der Maria, der Konfessoren und Jungfrauen, die nicht Märtyrer sind, Taufe, Hochzeitsmesse, Kirchweihe, Prozession mit Corpus domini. — Rot (Blut und Feuer): Kreuzesfeste, Passion, Märtyrer, Pfingsten. — Grün (Hoffnung): alle 20 Tage ohne Trauer- und Bußcharakter (ausgenommen demnach Advent, Septuagesima bis Ostern; auch Osterzeit). — Schwarz (Finsternis und Unglück): Karfreitag, Totenoffizium. — Violett: Advent, Septuagesima bis zum Hochamt des Karsamstag, Vigilien, Buß- und Bittprozessionen, Fest der unschuldigen Kindlein u. s. w. Daß diese Ordnung sich erst allmählich durchgesetzt hat, zeigt die instruktive Tabelle bei Fleury a. a. O. S. 42. Die 25 Griechen beschränken sich fast ausschließlich auf Weiß und Purpur; sie haben die spätere Entwickelung nicht mitgemacht.

Die evangelische Kirche weist die Anwendung der liturgischen Farben auf die geistliche Amtstracht ab, hält aber, wenigstens auf lutherischem Boden, mit Recht den Wechsel der Farbe an ihren Paramenten im Zusammenhang mit dem Gange des Kirchenjahres fest, 30 allerdings mit einer durch äußere und innere Gründe gebotene Einschränkung. Denn die Übernahme der fünf Farben (Meurer, Bürkner) setzt eine Detaillierung des Kirchenjahres voraus, welche den evangelischen Gemeinden durchaus fremd ist und kaum wird verständlich gemacht werden können. Dagegen sollte unter die drei ausgeprägtesten Farben, Rot, Grün, Schwarz, nicht heruntergegangen werden. Die Gebietsteilung würde sich 35 so gestalten: Rot für die Festzeiten Weihnachten bis Epiphanias, Ostern bis Quasimodogeniti, Pfingsten bis Trinitatis — Grün für die festlose Zeit (Epiphaniaszeit und Trinitatiszeit) — Schwarz für Advent, Passion, Bußtag, Totensonntag.

Es würde eine schöne Aufgabe der Eisenacher Kirchenkonferenz sein, die bekannten Sätze über evangelischen Kirchenbau durch eine entsprechende Belehrung über evangelische 40 Paramentik zu ergänzen. **Viktor Schultze.**

Paran. — Litteratur: J. L. Burckhardts Reisen in Syrien, Palästina und der Gegend des Berges Sinai. Herausgeg. von W. Gesenius, II (1823), 975f. 1080; Ed. Robinson, Palästina I (1841), 285—312; Fr. Tuch, Bemerkungen zu Genesis Kap. 14 in ZdmG I (1846), 161—194, abgedruckt in Tuchs Kommentar über die Genesis² (1871), 257—283; 45 E. H. Palmer, Der Schauplatz der vierzigjährigen Wüstenwanderung Israels (aus dem Englischen übersetzt 1876), 219—268, 396f.; J. G. Wetzstein in Frz. Delitzsch' Kommentar über die Genesis⁴ (1872), 587ff.; W. Vold, Der Segen Moses Dt 33 (1873), 10—12; Angaben arabischer Schriftsteller s. RdPV VI, 11; VII, 229: VIII, 119f. 139; J. Euting, Sinaitische Inschriften (1891), 41f.; T. K. Cheyne, Art. Paran in Encyclopaedia Biblica III (1902). 50 Vgl. die Litteratur zu dem Art. Negeb Bd XIII S. 692.

Paran oder Pharan ist im AT Name einer Wüste, eines Gebirges (oder Berges) Dt 33, 2; Hab 3, 3 und wohl auch eines Ortes Dt 1, 1; 1 Kg 11, 18. Welches die ursprüngliche Beziehung des Wortes ist, läßt sich kaum entscheiden. Wüsten pflegen in dem Sprachgebrauch des AT freilich nach Örtlichkeiten benannt zu werden; ob aber in 55 diesem Falle das Gebirge oder der Ort zuerst den Namen P. getragen hat, bleibt unsicher. Das Gebirge P. wird Dt 33, 2 und Hab 3, 3 mit dem Sinai (vgl. den Art.), mit Seir (vgl. Edom Bd V S. 164) und mit Kades (vgl. Bd XIII S. 698f.) zugleich genannt; danach muß es unweit der Südgrenze Kanaans zwischen Israel und Edom gelegen haben (vgl. Palästina oben S. 559). Der Ort P., der in dem unverständlichen Zusatz Dt 60 1, 1ᵇ und wahrscheinlich auch 1 Kg 11, 18 gemeint ist, würde nach der letzteren Stelle

zwischen Midian (oder Edom) und Ägypten anzusetzen sein. Ihn kennt auch das Onomasticon des Eusebius ed. de Lagarde 298; 122 in der Wüste der Saracenen, drei
Tagereisen von Aila (= Elath) nach Osten. Diese letztere Angabe paßt jedoch zu dem,
was Eusebius sonst über den Ort sagt, gar nicht; man sollte vielmehr erwarten „nach
Westen." Nimmt man dieses als die von ihm beabsichtigte Himmelsrichtung an, so 5
würde man mit den drei Tagereisen, die Tagereise zu 40 km gerechnet, in die Gegend
des heutigen kal'at en-nachl kommen, des festen Wachtpostens, der an dem Wege von
Sues nach Aila neben dem oberen wâdi el-'arîsch gelegen ist. Über die Wüste P.,
richtiger wohl Wüste von P., haben wir im AT folgende Angaben. Sie wird als die
Gegend des Stammes Ismael bezeichnet, nachdem er sich von Abraham, der damals nach 10
Gen 20, 1 in Gerar wohnte (vgl. Bd XIII S. 693, 9—16), getrennt hatte. Ferner ist
sie Ausgangs= und Endpunkt der von den Kundschaftern unternommenen Reise Nu 13, 3.
26, wie sie der Priesterkoder darstellt, d. h. sie stieß unmittelbar an die Südgrenze Kanaans (vgl. Palästina S. 564). Sie wird von der Wüste von Zin (s. oben S. 564, 29)
Nu 13, 21 und auch von Kades Nu 20, 1ᵃ. 22 unterschieden; daher ist „nach Kades" 15
Nu 13, 26 Zusatz oder ein Rest aus der Darstellung des Jahwisten. Die Angabe Nu
10, 12; 12, 16, daß die Israeliten unmittelbar vom Sinai aus die Wüste P. erreichten,
läßt sich hier nicht verwerten, da die Lage des Sinai (vgl. den Art.) ganz unsicher ist.
Aus den übrigen Erwähnungen folgt jedoch, daß die Wüste P. südlich von Kades und
der Wüste Zin, auch südlich von Gerar anzusetzen ist. Dann entspricht ihr das Gebiet 20
zwischen dem dschebel el-makräh im Norden und der Wasserscheide gegen die Sinaihalbinsel hin im Süden, zwischen dem Randgebirge des wâdi el-'araba im Osten und
dem mittleren wâdi el-'arîsch im Westen, also die Gegend, die heute bâdijet et-tîh
genannt wird, d. i. Wüste der Wanderung (der Israeliten). Zu der natürlichen Beschaffen=
heit der Gegend vgl. Palästina S. 564, 40—56. Sie wurde einst von der Römerstraße 25
durchschnitten, die die Tabula Peutingeriana verzeichnet, von Beerseba über Elusa, Oboda,
Lysa, Cypsaria, Rasa (?) und ab Dianam nach Aila (vgl. Bd XIII S. 695, 11—16).
Heute ist sie völlig öde und verlassen. Während man über den Ort und die Wüste P.
ziemlich befriedigende Auskunft geben kann, läßt sich in Betreff des Gebirges P. kein so
festes Ergebnis erlangen. Zunächst ist unsicher, ob man einen einzelnen Berg oder eine 30
Gruppe von Bergen, ein Gebirge, zu verstehen hat. Wäre ersteres der Fall, so könnte
man vielleicht an den dschebel 'arâîf denken, der zu dem westlichen Teil der Wüste P.
zu rechnen wäre, oder auch an den dschebel ichrimm (vgl. Palästina S. 564, 56; 565, 6).
Bei der Auffassung „Gebirge P." muß man hingegen an die östlichen oder südöstlichen
Grenzen der Wüste P. denken, nämlich entweder an die Höhen, die den wâdi el-'araba 35
oberhalb Ailas begrenzen, oder an die Bergkette, die im Süden die Wüste P. die Wasser=
scheide gegen die Sinaihalbinsel hin bildet. Letzteres ist das Wahrscheinlichere. Denn für
die Höhen oberhalb Ailas giebt es jetzt keinen besonderen Namen (außer 'akabe, Anstieg,
oder nabk, Paß), während das südliche Randgebirge heute von der nördlich angrenzenden
Wüste bâdijet et-tîh den Namen dschebel et-tîh führt. Das wäre das gleiche Ver= 40
hältnis in der Benennung, wie es im Altertum nach dieser Annahme zwischen der Wüste
P. und dem Gebirge P. vorhanden gewesen wäre. Wetzstein deutet das Gebirge P. von
der Wurzel פאר = aushöhlen als „das durch die Ravinen ausgehöhlte und aufgerissene
Gebirge" und versteht es von dem dschebel makräh, dem Bergland der 'azâzime
(vgl. Palästina S. 564, 38), wie schon vor ihm Palmer a. a. O. 396 und neuerdings 45
T. K. Cheyne. Dieser ansprechende Vorschlag läßt sich deshalb nicht mit Sicherheit beurteilen, weil das Innere des Berglandes noch nicht genau bekannt ist. Es ist jedoch zu
erwägen, ob etwa dessen südlicher Teil, soweit er außerhalb der Grenzen Kanaans lag (Nu
34, 4; Jos 15, 3; vgl. Palästina S. 564, 32) den Namen Gebirge P. getragen hat.
Endlich begegnet Gen 14, 6 der Ausdruck איל פארן, der ohne Zweifel einen in oder bei 50
P. gelegenen Ort bezeichnen soll. Nach der Auffassung des Targums, des samaritanischen
Pentateuchs und des Hieronymus soll איל „Ebene" bedeuten; daraus erklärt sich Luthers
Uebersetzung „Breite Pharan". Aber איל ist der Singular zu dem öfter begegnenden
Plural אילים Jes 1, 29; 57, 5, „Bäume" (unsicher, ob Eichen oder Terebinthen);
er ist neben dem nomen unitatis אילה wahrscheinlich das nomen collectivum. Der 55
Name bedeutet demnach „Bäume, Hain bei P." Nun kennen wir an der Ostseite des
oben besprochenen Landstrichs den Ort Elath oder Eloth, der seinen Namen von den dort
wachsenden Bäumen erhalten hat (vgl. Bd V S. 285). Es ist daher im hohen Grade
wahrscheinlich, daß El Paran ein anderer und zwar vollständigerer Name für Elath ist.
So wie Gen 14, 6 dieser Ort nach der Wüste (östlich von der Wüste) bestimmt wird, 60

fo fagen auch arabifche Geographen, Ibn Ḥaukal und Iṣṭachri, daß bei Aila die Wüſte beginne, in der die Jsraeliten umhergezogen feien. — 1 Sa 25, 1 ift ſtatt P. mit LXX (*Maûν*) zu leſen Maon; es ift die Stadt auf dem Gebirge Juda Joſ 15, 55 gemeint, die Heimat des Kalebiters Nabal 1 Sa 25, 2, heute chirbet (tell) ma'în. Die von 5 Joſephus, Bell. jud. IV 9, 4 § 512 erwähnte Schlucht *Φαράν* hat mit unſerem P. nichts zu thun; übrigens ift nach Nieſe *Φεφεταλ* zu leſen. Ebenſo ift zu unterſcheiden das von Plinius V, 17 genannte *Φαράν* und das Phara der Peutingerſchen Karte; es handelt ſich dort um die heutige Oaſe ſeirān (ſarān) der Sinaihalbinſel. Euting hat den Namen P. auf den ſinaitiſchen Jnſchriften in den Formen ſarrān und ſarān ge= 10 funden.　　　　　　　　　　　　　　　　　　　　　　　　　　**Guthe.**

Paraſchen ſ. d. A. Bibeltext des Alten Teſtaments Bd II S. 721, 60 ff.

Pardel, Leopard ſ. d. A. Jagd Bd VIII S. 521, 17.

Pareus, David, geſt. 1622. — Litt.: Narratio historica de curriculo vitae etc. D. Davidis Parei etc. a Phil. Pareo Dav. fil. im Eingange zu dem von Phil. Pareus 1647 15 zu Frankfurt herausgegebenen Werke: D. Davidis Parei operum theologicorum tomi I pars prima. Neben dieſer Hauptquelle die Art. Pareus in Bayles Dict. hist. und Jöchers Ge= lehrtenlexikon, Eckſteins bei Erſch und Gruber, Henkes in der erſten Auflage dieſer Encykl., F. W. Cunos im Pfälz. Memorabile X, 90 ff. und in der ADB, ſowie die bekannten Werke zur pfälziſchen Kirchengeſchichte von Struve, Wundt, Vierordt, Häußer ꝛc.

20　　David Pareus wurde zu Frankenſtein in Schleſien den 30. Dezember 1548 geboren. Sein Vater, Johann Wängler, war ein begüterter Bürger und Beiſitzer des Schöffen= gerichts daſelbſt und ließ ihn bis zu ſeinem vierzehnten Lebensjahre die Schule ſeiner Vaterſtadt beſuchen. Dann ſchickte er ihn nach Breslau zu einem Apotheker in die Lehre. Als David jedoch an dieſem Berufe wenig Gefallen fand und bald in ſeine Vaterſtadt 25 zurückkehrte, übergab ihn ſein Vater auf Antrieb einer harten Stiefmutter einem Schuſter, um deſſen Handwerk zu erlernen. Doch ſetzte es der ſtrebſame Knabe ſpäter durch, daß ihm ſein Vater 1564 geſtattete, die begonnenen Studien zu Hirſchberg fortzuſetzen, wo damals der gelehrte Chriſtoph Schilling, ein Schüler und eifriger Anhänger Melanchthons, eine blühende Schule leitete. Unter Schillings Einfluß änderte P. nicht bloß nach der 30 Sitte der Zeit ſeinen Namen (nach παρειά, Wange) in Pareus, ſondern wurde auch für die philippiſtiſche Lehre gewonnen. Jnfolge heftiger Streitigkeiten mit dem ſtreng luthe= riſchen Stadtpfarrer Balth. Tileſius mußte Schilling 1566 ſeine Stelle niederlegen, wurde aber auf Urſins Empfehlung bald darauf durch den Kurfürſten Friedrich III. an das Pädagogium nach Amberg berufen. Mit Mühe rang P. ſeinem Vater, welcher die Glau= 35 bensrichtung Davids mit großem Mißtrauen betrachtete, die Erlaubnis ab, ſeinen ver= ehrten Lehrer mit anderen Schülern nach Amberg begleiten zu dürfen. Von dort wurde er mit anderen gereifteren Genoſſen alsbald nach Heidelberg weiter geſandt, um in das von Zacharias Urſinus geleitete, unter dem Namen collegium sapientiae bekannte theo= logiſche Alumnat einzutreten. Hier am 16. April 1566 immatrikuliert, ſuchte ſich P. 40 zunächſt durch gründliches Studium der alten Sprachen, auch der hebräiſchen, und der Philoſophie für die Theologie vorzubereiten. Von ſeinen Lehrern Boquin, Tremellius, Zanchius und Urſinus übte beſonders der Letztgenannte bedeutenden Einfluß auf den geiſtesverwandten Schüler aus. Nach Vollendung ſeiner theologiſchen Studien durch Friedrich III. am 13. Mai 1571 als erſter evangeliſcher Pfarrer nach Niederſchlettenbach 45 bei Weißenburg berufen, fand er bei der katholiſchen Bevölkerung des unter der Mithoheit des Speierer Biſchofs ſtehenden Ortes ſo viele Schwierigkeiten, daß er dringend um ſeine Abberufung bat. Er wurde nun im Oktober 1571 Lehrer an dem Pädagogium in Heidelberg. Als aber hier unter den beiden älteren Lehrern der Anſtalt Diſſidien aus= brachen, in welche P. verwickelt zu werden fürchtete, wünſchte er in den Kirchendienſt 50 zurückzutreten. Er wurde durch den Kurfürſten zum Pfarrer in Hemsbach an der Berg= ſtraße ernannt. Dieſes im Bistum Worms gelegene Dorf hatte bisher katholiſche Pfarrer gehabt, deren Wandel ſo anſtößig war, daß die dadurch geärgerten Einwohner den neuen Pfarrer gern annahmen. Am 24. Auguſt 1573 wurde P. eingeführt und begann auch hier ſeine Thätigkeit mit Entfernung der Bilder, die er dann mit Zuſtimmung des Volkes 55 verbrennen ließ. Nach dem Tode Friedrichs III. wurde auch P. ſeines Amtes entlaſſen, fand aber ſofort in dem von dem Pfalzgrafen Johann Caſimir regierten Teile der Pfalz Aufnahme und wurde noch 1577 Pfarrer in Oggersheim. Von hier aus beſuchte er

1578 seine Vaterstadt und gewann durch eine dort am Pfingstmontage gehaltene Predigt die volle Liebe seines Vaters wieder. 1580 wurde P. nach Winzingen versetzt, von wo aus er häufig in dem nahen Neustadt a. H. predigte, und die erwünschte Gelegenheit hatte, mit den an dem dortigen, damals in höchster Blüte stehenden „Casimirianum" wirkenden Lehrern, besonders mit Ursinus, vertrauten Umgang zu pflegen.

Als Pfalzgraf Casimir nach dem Tode Ludwigs VI. die vormundschaftliche Regierung der ganzen Pfalz antrat, übernahm P. zunächst auf kurze Zeit die durch Tossans Rückkehr nach Heidelberg erledigte Predigerstelle in Neustadt und wurde dann im September 1584 nach Heidelberg berufen, welches von nun an sein Wohnsitz blieb. Zuerst zweiter Lehrer, dann seit 1591 Vorsteher des Sapienzkollegiums, trat er, nachdem er 1587 die philosophische und 1593 die theologische Doktorwürde sich erworben hatte, 1598 in die theologische Fakultät ein, welcher er, zuerst als Lehrer des alten und seit 1602 des neuen Testaments, bis zu seinem Tode angehörte. Seit 1592 war er zugleich Mitglied des Kirchenrats. In der pfälzischen Kirche genoß er das höchste Ansehen. Sein Ruf als Lehrer wuchs von Jahr zu Jahr und zog zahlreiche Studierende, selbst aus der Ferne, aus Ungarn, Polen, Frankreich, England und den Niederlanden, nach Heidelberg.

Am 5. Januar 1574 hatte sich P. in Hemsbach mit Magdalena Stibel, der Schwester des 1595 in Kreuznach verstorbenen Nachbarpfarrers Joh. Stibel in Heppenheim, verehelicht und lebte mit ihr bis zu ihrem 1615 erfolgten Tode in glücklicher Ehe. Von fünf Kindern starben ihm drei in zartem Alter. Ein Sohn, David, starb 1606 als Kandidat der Rechte. Sein ältester Sohn Philipp P., geb. 1576, gest. 1648, war Rektor in Kreuznach, sodann in Neuhausen bei Worms, hierauf von 1610 bis 1622 in Neustadt und zuletzt in Hanau und hat sich durch zahlreiche gediegene Schriften philologischen und auch theologischen Inhalts einen Namen erworben. Auch Philipps Sohn Daniel P., geb. 1605, gest. 1635, war ein geachteter Schriftsteller und sorgfältiger Geschichtsforscher (s. die betr. Artikel bei Jöcher, Ersch und Gruber und in Bayles Dict.).

Die letzten Lebensjahre des P. waren viel bewegt. Von einem heftigen Fieber, das ihn 1584 in Winzingen ergriffen hatte, war er bald wieder genesen. Nun aber begann seine Gesundheit zu wanken. Unruhige Träume störten seinen Schlaf und schienen ihm kommendes Unheil zu verkündigen. Die kriegerischen Verwirrungen im Anfange des dreißigjährigen Krieges bekümmerten ihn sehr, und als im September 1621 das spanische Heer der Pfalz nahte, glaubte er in Heidelberg nicht mehr sicher zu sein. Er flüchtete nach Annweiler, seinem „Patmos", und dann im Januar 1622 zu seinem Sohne Philipp nach Neustadt. Hier schrieb er im Vorgefühle seines Todes mit eigener Hand sein Testament. Als bald darauf Kurfürst Friedrich V. unter dem Schutze der Mansfeldischen Waffen auf kurze Zeit in die Pfalz zurückkam, kehrte auch P. am 17. Mai 1622 nach dem geliebten Heidelberg zurück, um seine letzten Tage in seinem „Pareanum", wie er ein 1607 von ihm erworbenes, am Schloßberge schön gelegenes Haus nannte, zu verleben. Nachdem er noch am 9. Juni, dem ersten Pfingsttage, mit dem Kurfürsten und der ganzen Gemeinde in der hl. Geistkirche das hl. Abendmahl empfangen und sein Haus nach allen Seiten bestellt hatte, entschlief er am 15. Juni 1622 im Glauben an seinen Erlöser. In der St. Peterskirche wurde sein Leichnam mit großer Feierlichkeit beigesetzt.

Die Schriften des P., von denen sein Sohn am Schlusse seiner Lebensbeschreibung ein vollständiges Verzeichnis giebt, sind sehr zahlreich und umfassen fast alle Zweige der Theologie. Erst spät begann er seine litterarische Thätigkeit. Zwar hatte er sich früh gewöhnt, die Früchte seiner Studien niederzuschreiben, und namentlich umfassende wohlgeordnete Notizen zu den biblischen Büchern gesammelt, welche seinen später herausgegebenen Kommentarien und Adversarien zu sämtlichen Büchern der hl. Schrift als Grundlage dienten. Aber er dachte nicht an die Veröffentlichung derselben. Die erste von P. publizierte Schrift (Methodus ubiquitariae controversiae brevis et perspicua, Neost. 1586) richtete sich gegen die Ubiquitätslehre. 1587 gab er die sog. Neustadter Bibel heraus, eine Ausgabe der Bibelübersetzung Luthers mit von P. herrührenden Inhaltsangaben und Anmerkungen, und widmete dieselbe dem jungen Kurfürsten Friedrich IV. Daran knüpfte sich eine überaus ärgerliche Polemik, welche von Jakob Andreä durch eine demselben Fürsten gewidmete „Christliche Erinnerung" (Tübingen 1589) eröffnet wurde. Andreä erklärt darin, P. habe 18 „greuliche Artikel, darob ein Christenmensch sich entsetzen müsse," in die Bibel eingeschoben und unter Luthers Namen in ganz Deutschland ausgebreitet. Er nennt das ein Erzbubenstück, welches, wenn es in weltlichen Dingen geschähe, billig mit dem Henker gestraft würde, und rät dem Kurfürsten, seinen Namen wieder aus dem Buche auskratzen zu lassen. P. setzte dagegen die Schrift: „Rettung der

zu Newstadt an der Hardt . . . gedruckten Teutschen Bibel" (Neust. 1589, in 2. Aufl.
Amberg 1592). Er verteidigte darin in maßvollerem, aber zuweilen ebenfalls in den
Stil der damaligen Streittheologie verfallendem Tone seine Zusätze gegen die Anklagen
Andreäs, der als ein „sonderbarer Friedens= und Konkordienstifter" seit nun 20 Jahren
5 stets in das brennende Feuer der Uneinigkeit geblasen habe, und bezeugt vor Gott, daß
er bei der Herausgabe der Bibel nur die Ehre Gottes und Erbauung seiner Kirche ge=
sucht habe. Als nach Andreäs Tode J. G. Siegwart den Streit fortsetzte (Antwort auf
die nichtige und kraftlose Rettung Parei, Tüb. 1590), entgegnete P. mit der Schrift:
„Sieg der Newstädtischen Teutschen Bibel" (Neust. 1591). In eine weitere ausgedehnte
10 Polemik trat P. ein, als Ägidius Hunnius 1593 in seinem Calvinus judaizans die
Reformierten judaisierender Irrlehren beschuldigte. Er schrieb dagegen seinen Clypeus
veritatis catholicae de sacrosancta trinitate, und antwortete, als Hunnius in seinem
Antipareus 1594 und Antipareus alter 1599 entgegnete, mit der Schrift: Ortho-
doxus Calvinus oppositus Pseudo-Calvino judaizanti. Wegen einer 1603 von
15 ihm edierten Schrift: Controversiarum eucharisticarum una de litera et sententia
verborum domini wurde er von Albert Grauer in seinem Anti-Pareanum propug-
naculum angegriffen, wegen seiner Synopsis chronologiae scripturae vindicata a
Gethi Calvisii cavillis (Francof. 1607) von Calvisius und Scaliger. Ein 1609 von
P. herausgegebener Kommentar über den Römerbrief wurde sofort von zwei anonymen
20 katholischen Schriftstellern und später von David Owen heftig angegriffen. Weil P. hier
bei der Auslegung von Rö 13, 2 bemerkte, daß unter gewissen Umständen auch bewaff=
neter Widerstand gegen die Obrigkeit gutgeheißen werden könne, ließ Jakob II. dieses
Buch in England öffentlich verbrennen. Sehr scharf trat P. gegen das Papsttum auf.
1603 lud er die Speierer Jesuiten zu einer öffentlichen Disputation nach Heidelberg ein.
25 Dieselben erschienen nicht; aber zwischen dem Jesuiten Johann Magirus (gest. 1609) und
P. entwickelte sich deshalb eine Korrespondenz, welche 1604 dem Drucke übergeben wurde.
Gegen Bellarmin richtete er außer einigen kleineren Schriften besonders die Castigatio-
nes et explicationes in Rob. Bellarmini tomum IV. controv. und beschäftigte sich
noch kurz vor seinem Tode in Annweiler mit den Vorbereitungen zu einer zweiten Auf=
30 lage dieses Buches. Beim Reformationsjubiläum 1617 ließ er unter seinem Präsidium
die These verteidigen: „Quicunque vult salvus esse, ante omnia necesse est, ut
fugiat papatum Romanum", und verteidigte diesen Satz gegen darauf erfolgte Angriffe
eines Jesuiten in der Schrift: Babia meretrix.
Trotz aller dieser litterarischen Fehden war die Grundrichtung des P. eine irenische.
35 Zwar trat er mit voller Überzeugung für die reformierten Anschauungen ein und sprach
sich noch 1618 in einer an die Dortrechter Synode gerichteten Denkschrift entschieden
gegen die Neuerungen der Arminianer aus. Aber er beklagte aufs tiefste die gehässigen
Streitigkeiten in der Kirche und suchte seine Hauptaufgabe in positiv aufbauender Thätig=
keit. Den Beweis dafür geben seine sehr zahlreichen exegetischen Schriften (z. B. com-
40 mentar. in Hoseam prophetam, 1605 und 1609, in epist. ad Hebr., Frcf. 1608,
in I epist. ad Cor., Frcf. 1609, in epist. ad Rom. 1609, in Genesin 1609, in
apoc. Joann. 1618 etc.). Mit großer Pietät hing P. an seinem Lehrer Zach. Ursinus,
aus dessen hinterlassenen Manuskripten er einen Kommentar zu dem Heidelberger Kate=
chismus herstellte. Derselbe erschien zuerst 1591 unter dem Titel Explicationes cate-
45 cheticae und wurde später nach sorgfältiger Umarbeitung und Ausmerzung aller dem
Ursin selbst nicht angehörenden Zusätze „Corpus doctrinae christianae ecclesiarum a papatu reformatarum", in zahlreichen Ausgaben 1598, 1616, 1621 und 1623
neu aufgelegt.
1593 hatte P. eine schon vorher in lateinischer Sprache herausgegebene Schrift er=
50 scheinen lassen: „Summarische Erklärung der wahren katholischen Lehr, so in der Chur
Pfalz bei Rhein geübt wird" (1. Aufl. Heidelb., spätere Amberg 1593, 1598 und 1606).
Er sucht darin in ruhiger Sprache die völlige Übereinstimmung der Lehre der Pfälzer
mit der hl. Schrift und mit der Augsburger Konfession nachzuweisen und spricht sein
sehnliches Verlangen aus, daß Gott seiner betrübten Kirche wieder aus dem Streite helfe
55 und die Lehrer durch Sanftmut zur Liebe des Friedens lenke. Dann würden sich die
Irrtümer, ohne mühsame Widerlegung, von selbst verlieren. Weil er aber 1603 den
Wunsch äußerte, daß die Reformierten ihre Ausdrucksweise bei der Lehre vom heiligen
Abendmahl der der Lutheraner annähern und namentlich die Formeln essentialiter und
substantialiter dabei gebrauchen möchten, geriet er auch mit den Heidelberger reformierten
60 Predigern in Konflikt, auf deren Seite sich auch Kurfürst Friedrich IV. stellte. Durch

ein Mandat vom 25. Mai 1604 verbot derselbe ausdrücklich, solche Ausdrücke zu ge=
brauchen.

Am schönsten trat die Friedensliebe des P. in seinem berühmten Buche hervor:
„Irenicum sive de unione et synodo evangelicorum liber votivus" (Heidelberg
1614 und 1615, deutsch durch G. Zonsius, Frankf. 1615). Mit Recht sagt Plank von 5
dieser Schrift, sie atme einen Geist evangelischer Sanftmut, den man in dieser Periode nicht
erwarten würde. P. schlägt darin, wie das bereits 1606 in einer „treuherzigen Ver=
mahnung" des pfälzischen Hofpredigers Barth. Pitiskus geschehen war, eine Vereinigung
der Lutheraner und Reformierten vor und empfiehlt zu diesem Zwecke eine Generalsynode
aller Evangelischen, welche von den deutschen evangelischen Reichsständen in Verbindung 10
mit den Königen von England und Dänemark berufen und beschickt werden könne. Er
hält eine solche durchaus nicht für unausführbar. Aber auch jetzt schon vor Herstellung
der vollen Einigkeit könne es geschehen, daß jeder Teil seine besondere Anschauung be=
halte, die abweichenden Meinungen anderer als menschliche Irrtümer betrachte, aber sich
dadurch nicht hindern lasse, die irrenden Brüder nach Rö 14, 1 ff. in christlicher Liebe 15
sanftmütig zu tragen. Das sei keine verwerfliche Religionsmengerei. In allem Wesent=
lichen herrsche ja Einverständnis. Nur in einem, den Heilsgrund nicht direkt berühren=
den, Punkte bestehe ein Dissensus, der aber das Fundament der Lehre nicht berühre
(c. 13, p. 69). Angesichts der drohenden Gefahr eines neuen schmalkaldischen Krieges
sei es doppelt nötig, sich in Einigkeit des Geistes durch das Band des Friedens zu tragen 20
und die streitigen Artikel auf sich beruhen zu lassen. Man solle doch nicht auf die Ein=
flüsterungen der Papisten hören, welche den Unfrieden unter den Evangelischen schüren,
um sie desto sicherer zu verderben (c. 14, p. 77). Nur durch die Uneinigkeit der Evan=
gelischen sei des päpstlichen Antichrists Macht so sehr gewachsen. Auch in der alten Kirche
habe man Differenzen in der Lehre, z. B. zwischen Cyprian und Bischof Stephanus von 25
Rom, geduldet. 1529 sei in Marburg, 1537 in der Wittenberger Konkordie, 1570 zu
Sendomir, 1575 in Böhmen eine Einigung beider Teile erfolgt und ihre Übereinstimmung
in den Fundamentalartikeln anerkannt worden (c. 15—23). Nur die Theologen seien
das Hindernis des Friedens. Die Behauptung Pol. Leysers, daß Lutheraner und Katho=
liken mehr Gemeinsames hätten, als Lutheraner und Reformierte, widerlegt P. durch 30
ausführlichen Nachweis des zwischen den Evangelischen bestehenden Konsensus (c. 24. 25)
und des fundamentalen Gegensatzes zwischen katholischer und protestantischer Lehre (c. 27).
Eindringlich mahnt er: „Arrigite quaeso aures, o Proceres Evangelici (Theologi
enim surdi sunt), neque an syncretismo cruento syncretismo pacis opponere
debeatis, diutius cunctamini vel dubitate, ne serio tandem subeat Bucolicus 35
luctus: Hem! quo discordia cives Perduxit miseros? Hem! queis consevimus
agros?" — Aber die Zeit zu einer solchen Betrachtung der Dinge war noch nicht ge=
kommen. Der aus tiefster Seele kommende, fast prophetisch klingende und auch für unsere
Zeit beherzigenswerte, Notschrei des Pareus fand bei seinen Zeitgenossen wenig Wider=
hall. Zur Freude der gemeinsamen Gegner (vgl. eine gegen P. gerichtete Schrift des 40
Jesuiten Adam Contzen in Mainz: Consultatio de unione et syn. gen. Evangelic.)
wiesen die lutherischen Theologen Hutter (Irenicum vere christianum etc., Vit.
1616) und Siegwart (Admonitio christiana etc., Tub. 1616) den Friedensvorschlag
des P. schroff zurück, wobei Siegwart die gewünschte gegenseitige Toleranz als eine
Erfindung der Hölle und als den gottlosesten Synkretismus bezeichnete. Philipp P. 45
nennt am Schlusse der Lebensbeschreibung seines Vaters dieses voluminum multi-
tudine Augustinum, suavitate Chrysostomum, dexteritate Athanasium, per-
spicuitate Basilium, pietate Timotheum, fidelitate Jesu Christi servum. Es ist
das ein Lob, dessen Überschwänglichkeit man dem Sohne zu gut halten wird. Aber auch
die unparteiische Nachwelt wird ihm das Zeugnis eines liebenswürdigen und reinen Cha= 50
rakters und eines hervorragenden Theologen nicht versagen, der, unbeirrt von den eng=
herzigen Anschauungen seiner Zeit, einen weiten Blick bewahrte und die erkannte Wahr=
heit mutig aussprach.   **Ney.**

Parität als kirchenrechtlich=technischer Ausdruck gebraucht, bedeutet eine Gleichheit der
Behandlung verschiedener kirchlicher Genossenschaften, insbesondere der evangelischen und 55
katholischen Konfessionskirchen seitens des Staates, dergestalt, daß derselbe keiner von ihnen
eine vor der anderen bevorzugte Stellung einräumt. So lange das vorreformatorische
Ketzerrecht galt und sonach der Staat nur eine Kirche anerkannte, gab es keine Parität.
Als aber im Augsburger Religionsfrieden von 1555 das deutsche Reich jenes Ketzerrecht

für nicht mehr anwendbar erklärte, stellte es protestantische und katholische Reichsstände insofern einander gleich, als es für Wiederherstellung der kirchlichen Einheit nur noch den Weg des „friedlichen, freundlichen" Verhandelns gestattete. Von da an ist, was in Be-treff der Parität das Reich gethan hat, zu unterscheiden von demjenigen, was seine Glied-
5 staaten gethan haben. Das Reich hat niemals allgemein vorgeschrieben, daß von den Territorialregierungen die beiden Konfessionskirchen einander gleichgestellt werden sollen: im Gegenteil, der westfälische Friede, in welchem der durch den Augsburger Religions-frieden begründete Zustand näher geordnet und dabei der Ausdruck „Parität" zuerst ge-braucht wird, geht allenthalben von der Voraussetzung aus, daß innerhalb der Territorien
10 Nicht-Parität gelte, und ordnet nur so viel an, daß der einzelne Protestant oder Katholik .ba, wo er zugelassen ist, auch bürgerlich seiner Konfession wegen nicht benachteiligt werden soll (pari cum concivibus jure habeatur: J. P. O. a. 5, § 35). Die „Parität", welche der Friede in der That vorschreibt, ist die Gleichheit der Behandlung katholischer und protestantischer Reichsstände in Angelegenheiten des Reichs. Hier wird nicht nur
15 das Prinzip ausdrücklich an die Spitze gestellt — in reliquis omnibus (articulis) inter utriusque religionis Electores, Principes, Status omnes et singulos sit aequalitas exacta mutuaque . . ., ita ut, quod uni parti justum est, alteri quoque sit justum (J. P. O. a. 5, § 1), — sondern die Parität wird auch in einer Reihe von Einzelanwendungen (§ 51—58) näher normiert. — Am Reichstage soll in
20 Sachen, welche die katholische oder die protestantische Konfession betreffen, oder in Betreff deren wenigstens durch die Majorität eines Religionsteiles das Auseinandertreten nach .Konfessionen (itio in partes) verlangt wird, kein Kollegialbeschluß durch Stimmenmehr-heit gefaßt werden; sondern der katholische und der protestantische Religionsteil am Reichs-.tage beschließt dann jeder für sich, und der eine Beschluß gilt genau so viel, wie der
25 andere, so daß ein Reichstagsbeschluß nicht anders als durch Transigieren zu stande kommt. .Bei Kommissionen und Deputationen des Reichstages sollen beide Religionsteile gleich stark vertreten sein. Auch die Reichsgerichte dürfen in Sachen, welche die Konfession an-gehen, nicht durch Stimmenmehrheit beschließen: können sie sich nicht gütlich einigen, so geht die Sache zur Behandlung in obiger paritätischer Art an den Reichstag. Dies und
30 nur dies verstand die deutsche Reichspraxis unter Parität.

Unter den deutschen Landesregierungen ging zuerst die brandenburgische über das wie vorreformatorische Prinzip, nur eine Kirche im Lande als vollberechtigte zu behandeln, hinaus: Kurfürst Johann Sigismund räumte 1611 in Ostpreußen der katholischen Kirche und, nachdem er reformiert geworden war, 1615 in
35 seinen gesamten Landen der reformierten die Gleichstellung mit der bisherigen lutherischen Landeskirche ein. Letztere Gleichstellung ging, in etwas generalisiert, auch in den west-fälischen Frieden (J. P. O. a. 7) über, während er für Gleichstellung der katholischen .mit der protestantischen Kirche ähnliche Bestimmungen bloß in Betreff einiger Reichsstädte (Augsburg, Dinkelsbühl, Biberach, Ravensburg, Kaufbeuren a. 5, § 3 f.) aufnahm. Der-
40 gleichen Einrichtungen blieben aber Singularitäten, bis der deutsche Staat anfing, natur-rechtliche Gesichtspunkte, erst territorialistische, dann kollegialistische (s. b. A. Kollegialismus Bb X S. 642) zu gewinnen und demgemäß die Konfessionskirchen nicht mehr als zum Landesorganismus gehörig, sondern als Genossenschaften zu behandeln, die mehr oder minder selbstständig, und staatsseitig im wesentlichen nur zu beaufsichtigen seien.
45 Wiederum ging Preußen voran: die Parität datiert hier vom Religionsedikte vom 9. Juli 1788 und dem sechs Jahre später publizierten Allgemeinen Landrechte. Für das übrige Deutschland waren die Veränderungen im Länderbesitze von Einfluß, welche der Reichs-deputationshauptschluß vom 25. Februar 1803 herbeiführte, indem er katholische Gebiete vielfach in protestantische Hand gab und dabei die „bisherige Religionsübung" garantierte
50 (R.D.H.Schluß a. 60. 63). Dann führte Bayern (Religionsedikte vom 10. Jan. 1803, 24. März 1809, 26. Mai 1818), Baden u. a. die Parität ein. Napoleon ließ sämtliche protestantische Rheinbundesregierungen, welche er nach Stiftung des Bundes (die Stif-tungsakte vom 12. Juli 1806 selbst enthält nichts darüber) aufnahm, in ihren betreffenden Accessionsurkunden versprechen, l'exercice du culte catholique sera pleinement as-
55 similé à l'exercice du culte luthérien, also Einführung der Parität, und die meisten dieser Regierungen erfüllten die Zusage. Die deutsche Bundesakte ließ dann den Punkt unberührt, und beschränkte sich darauf, für die christlichen Konfessionsangehörigen als Ein-zelne Gleichheit der bürgerlichen und politischen Rechte zu stipulieren. Die volle bürgerliche und staatsbürgerliche Gleichheit aller Deutschen ohne Rücksicht auf Religion und Kon-
60 fession brachte das Bundes- und jetzige Reichsgesetz vom 3. Juli 1869. Anders steht es

mit den Religionsgesellschaften als solchen. Daß die drei großen christlichen Konfessionen, „die Kirchen", überall ein besonderes Maß von staatlichen Privilegien genießen, entspricht ihrer historischen Stellung und ihrer öffentlichen Bedeutung. Aber in manchen deutschen Staaten besitzen auch nur sie das volle Maß der Religionsübung. Die für die katholische Kirche noch hie und da, insbesondere in Mecklenburg, vorhandene Disparität zu besei- 5 tigen, war ein Hauptzweck des vom Zentrum am 23. November 1900 im Reichstage eingebrachten „Toleranzantrages", und dieser Zweck wird auch, wie es scheint, infolge landesrechtlicher Maßnahmen erreicht werden, wogegen der Toleranzantrag selbst, als über die Kompetenz des Reiches hinausgehend, nach einer Erklärung des Reichskanzlers auf Annahme seitens des Bundesrates nicht zu rechnen hat.   (Meyer †) Sehling. 10

Parker, Matthew, erster protestantischer Erzbischof von Canterbury, gest. 1575. — Litteratur über ihn: J. Strype, Life and Acts of M. P., 1st Archbishop of Canterb., London 1711, Fol.; Ausg. der Clarendon Press in 3 Bdd., Oxf. 1821; J. Josselin, Histo- riola Coll. Corp. Christi, edit. by J. W. Clark; Nasmith's Catal. Libr. MSS., quos Coll. Corp. Cr. Canterb. . . . legavit M. P., Cambr. 1777; Masters's Hist. of the Coll. of Corp. 15 Cr., 1753 (p. 75—101); Correspondence edit. by the Parker Soc. by J. Bruce and T. T. Perowne, Cambr. 1853; Lemon's Cal. of State Pap. 1547—1580; Hook's Lives of the Archb. of Canterb., N. Ser. vol. IV (reicher Stoff, aber nicht immer zuverlässig); Mullinger, Hist. of the Univ. of Cambr. vol. II (Mullingers Aufsatz über P. in dem Dict. of Nat. Biogr. vol. 43 geht im wesentlichen auf seine größere Arbeit zurück); Denny u. Lacey, De 20 Hierarch. Anglicana 1895.

P., am 6. August 1504 in Norwich als Sohn eines Kleinkaufmanns geboren und dort von W. Neve für die Universität vorbereitet, trat 1522 in das Corpus Christi College, Cambridge, ein und durchlief in rascher Folge (B. A. 1525, Subdeacon 1526, Deacon 1527, Priest 1527, Fellow und M. A. 1528), die akademischen Grade; er 25 zog früh Wolseys Aufmerksamkeit auf sich, der ihm eine Stelle in dem von ihm neu gegründeten Cardinal (später Christ Church) College anbot; aber P., der den von Deutschland herübergekommenen neuen Anschauungen sich zugewandt und damals als Führer der Cambridge Reformers galt, lehnte, für seine innere Freiheit fürchtend, ab. Mit seinen nachmals berühmt gewordenen Freunden Barnes, Bilney, Coverdale, Hugh 30 Latimer, Cecil, Bacon, Stafford betrieb er in einem abgelegenen Hause, das den Spott- namen Germany bekam, eifrig das Studium der Lutherschen Schriften, für deren Sätze er mit den anderen Brauseköpfen des C. C. College öffentlich eintrat; indes schon damals nicht ohne Vorbehalt den letzten Forderungen des deutschen Meisters gegenüber. Diesem und seinen eingehenden patristischen Studien verdankt er die gehaltene Mäßigung, 35 die ihn später bei seinem Aufstieg zu den Höhen des Lebens in Fragen der Lehre und Zucht von der wilden Rücksichtslosigkeit der unter den Namen der Marian Exiles be- kannt gewordenen Puritaner unterschied: die Spuren der Via Media, die seiner theo- logischen und kirchlichen Arbeit das Gepräge gegeben, treten früh zu Tage.

Aber die Gedankenwelt der Väter hatte ihm doch die Klarheit über seinen Gegensatz 40 zur überkommenen Theologie gebracht; von 1533 an, nachdem er Cranmers Auge auf sich gezogen und, gegen seinen Willen, zum Hoftaplan der Königin A. Boleyn (30. März 1535) ernannt war, kommen die inneren Mächte seiner Seele zum befreienden Durch- bruch. Als Prediger der südlichen Provinz von Canterbury trug er die neue Lehre vor, wurde 1537 auch Hoftaplan des Königs, dessen Gunst er in den dreißiger Jahren eine 45 Anzahl z. T. reicher Pfründen verdankte (Stoke-by-Clare, Ashdon, Ely, Burlingham), und im Dezember 1544 Vorstand seines Cambridger College, Corpus Christi, das in diesen Jahren der Herd des gefürchteten Neuglaubens wurde. Durch eine Neuorganisation machte er das College zwar verdient; als aber dort die jungen Treiber in einem von Ausfällen auf den Papst und die alten Kultformen strotzenden Schaustücke (Pam- 50 machius) ihrem schäumenden Übermute die Zügel schießen ließen, fiel Gardiners don- nernder Zorn auf den Vorstand, der in einem Augenblicke ängstlicher Beklommenheit die Thatsachen zu beschönigen suchte, schwer nieder; es kam zwischen beiden Männern zum Bruche, der auch in der Folgezeit anhielt. Als Vizekanzler der Universität vertrat er diese mannhaft gegen die Regierung Heinrichs VIII., die wie nach den Klöstern so nach den 55 Collegegütern ihre habgierigen Hände ausstreckte. Dem von der strupellosen Hofpartei drohenden Schlage kam P. zuvor, indem er mit Genehmigung des Königs die Bildung eines Ausschusses durchsetzte, der aus einsichtigen, mit den Universitätsverhältnissen wohl- vertrauten Männern bestand und infolge der Fürsprache Kath. Parrs für seine rettenden Vorschläge das Wohlwollen des alternden Königs gewann. Aber die Erhaltung der Univer- 60

44*

fität mußte P. mit der Vernichtung des von ihm früher gegründeten und 12 Jahre lang ver=
walteten **Stoke-Clare-College** erkaufen; und nachdem die Gefahr abgewandt war, setzte er,
zuletzt siegreich gegen die Stürmer, die innere und äußere Ordnung der Universität durch,
gab ihr Statuten, regelte den Studiengang und die äußeren Lebensbedingungen der Stu=
5 denten, legte Inventare und Rentbücher an und leitete die geschichtlichen Studien über
das College in die Wege.

Hier an der Universität fand er die Arbeit, die seiner inneren Art entsprach; er
war eine scheue Natur, schüchtern und bedächtig, die dem öffentlichen Kampfe auswich,
im kleinen Kreise ihre Kraft am besten zur Auswirkung brachte, ein Mann, der einen
10 Schatz im Gemüte trug und mit der eigenen Seele gern Zwiesprache hielt; aber der
Blick in die Weite, selbstsichere Geschlossenheit, der mächtige himmelstürmende Wille, der
die Wirkung auf die Massen, auf Volk und Land sucht, fehlte ihm. Vom Schreibtisch aus
griff er in die kirchlichen Fragen der Zeit, die in Anspannung ungeheurer Kräfte um ein
neues Lebensideal rang, je und dann wohl ein, aber in die Öffentlichkeit mußte er (von
15 Cranmer und Latimer) fast mit Gewalt gedrängt werden. Es ist wahr, als der gefähr=
liche Kettsche Aufruhr 1549 ausbrach, ist er ins Lager der Rebellen gegangen und hat, nicht
ohne persönliche Gefahr, den Aufrührern ins Gewissen geredet. Er hat in Predigten je und
dann ein kräftiges Wort in jener von wilden Leidenschaften bewegten Zeit vor den Macht=
habern gewagt; aber über den edlen, überzeugten Freimut seiner Freunde, die den Feuer=
20 brand der neuen Gedanken ins Gewissen der Zeit warfen, hat er nicht verfügt. Auch
unter Eduard VI. hielt er sich in der Stille und zog die geistliche Arbeit in der abgelegenen
Deanery von Lincoln (seit Oktober 1552) den Kämpfen, in denen die leidenschaftlichen,
nach England zurückgekehrten Marianischen Theologen um die Vormacht rangen, vor.
Es sind die Jahre, die ihn in enger Freundschaft an den nach beim mißlungenen Ver=
25 söhnungsversuche mit Luther aus Straßburg nach Cambridge berufenen Martin Bucer
banden. Das Mißfallen Mary Tudors hatte er durch seine Begünstigung der Sache
Jane Greys erregt; als verheirateter Priester (seit 24. Juni 1547 mit Marg. Harlestone),
wurde er seiner Ämter entsetzt, blieb aber in einem Schlupfwinkel, dessen Namen er ge=
heim zu halten wußte, von den Schrecken der Marianischen Verfolgungen unberührt, im
30 Gegensatz zu den meisten seiner Gesinnungsgenossen, die, in langer Verbannung dem
Vaterlande fern, in Genf, Zürich, Frankfurt in jene enge Berührung mit den streng
calvinistischen Reformideen kamen, die sie nach ihrer Rückkehr in den unversöhnlichen
Gegensatz zu den romanisierenden Vermittelungen der Elisabethanischen Theologen brachten.

Sofort nach dem Thronwechsel trat P., gegen seinen Willen, aus der Verborgenheit
35 zurück ins öffentliche Leben. An der Revision des „Gebetbuchs" zu der er von der
Königin im Dezember 1558 berufen worden war, hat er infolge einer Krankheit, die ihn
von London fernhielt, sich nicht beteiligt. Seine eigene Neigung ging auf Wiedereintritt
in die Organisationsarbeiten der Universität Cambridge, deren damaligen Zustand er als
miserable bezeichnete. Einer Aufforderung Lord Bacons, in persönlicher Sache an den
40 Hof zu kommen, folgte er nicht; erst als sie im Namen der Königin wiederholt wurde,
ging er, lehnte aber das ihm nunmehr angetragene Erzbistum Canterbury und den Primat
der englischen Kirche entschieden ab. Erst den von maßgebender Seite, von Cecil und Bacon
kommenden Drucke opferte er sein ‚nolo'. Daß sein Sträuben aufrichtig und ohne in=
trigante Nebenabsichten war, kann nicht wohl bezweifelt werden. „Wäre ich der Mutter
45 (A. Boleyn) nicht so tief verpflichtet gewesen, so hätte mich niemand dazu gebracht, der
Tochter zu dienen," hat er damals verlauten lassen (Strype II, 121); denn auf verhei=
ratete Priester sah Elisabeth mit Abgunst; sie hätte die Priesterehen am liebsten ganz ver=
boten; die von ihr eben ausgegebenen Injunctions brachten aber nur beschränkende Ver=
ordnungen gegen die häufig anstößigen und den Stand herabwürdigenden Verbindungen.
50 Noch viele Jahre später, als P. im Lambethpalast der Königin ein glänzendes Fest ge=
geben, verabschiedete sich diese von der Wirtin mit den „gnädigen" Worten: „Madam
mag ich nicht, Mistreß (Maitresse) schäme ich mich euch zu nennen, aber ich danke euch"
(Nugae Antiquae II, 46).

Nachdem er seine Bedenken überwunden, vertrat er vielgeschäftig und mutig seine
55 Aufgabe. Unbekümmert um das königliche Mißfallen wies er noch vor seiner Weihe die
habgierigen Eingriffe des Hofes in das Bischofsgut zurück und machte die Königin auf
die ungehörigen Lichter und Kruzifixe in der Hofkapelle aufmerksam. Am 18. Juli 1559
zum Erzbischof gewählt, konnte er erst im Dezember geweiht werden, da die für den Alt
abgeordneten Bischöfe Tunstall, Browne und Poole ablehnten. Von der neuernannten
60 Siebenerkommission verweigerten drei Bischöfe abermals die Assistenz, und nur Barlow

(früher Bischof von Bath und Wells), Scory (von Chichester), Coverdale (Exeter) und Hodg=
kins (Bedford) vollzogen am 17. Dezember die bedeutsame Zeremonie in der Kapelle des
erzbischöflichen Palastes, bei der zum erstenmale das römische Ritual nicht zur Anwen=
dung kam. Die Weihe ist von der katholischen Gegenpartei in der Folge als ein un=
gesetzlicher „Kneipenskandal" (Nag's Head) verurteilt worden, „fehlerhaft in der Form und 5
lästerlich in der Ausführung". Indes nach der von P. unmittelbar nach dem Akte auf=
gesetzten Denkschrift, deren Echtheit einem Zweifel nicht unterliegt, sind die gesetzlichen
Formen peinlich innegehalten worden; insbesondere hat der Erzbischof die umstrittene
Handauflegung der vier Bischöfe, von denen ihrerseits zwei nach römischem, zwei nach
reformiertem Ritus konsekriert waren, empfangen und danach das hl. Abendmahl ge= 10
nommen. Der ganze Vorgang ist kein privater Akt geblieben, sondern hat sich vor vielen
geistlichen Zeugen (u. a. Grindal, dem Bischof von London) vollzogen (vgl. Goodwin,
Account of the Rites and Ceremonies at the Consecr. of Archb. P., Cambr. 1841).
Warf man ein, daß keiner der Vier thatsächlich im Besitze eines Bistums gewesen, so
erklärte die Königin, „da Zeit und Umstände es fordern, jeden Mangel betreffend das 15
staatliche oder kirchliche Gewohnheitsrecht für aufgehoben und ergänzt"; es sei genug,
daß das Geheimnis der bischöflichen Succession nicht unterbrochen sei (Ranke, Engl. Gesch.
I, 308). Von P. aber empfingen die neuen Bischöfe, die berufen waren, den Grund=
gedanken des Bistums in seiner urchristlichen Form in Verbindung mit einer auf bibli=
schem Grunde erneuten Lehre darzustellen, Handauflegung und Weihe. 20
Die neue Gestalt, die Elisabeth Staat und Kirche gab, sicherte dem königlichen Arm
einen starken Einfluß; aber auch für die geistliche Gewalt als solche setzte sie unter ihrer
eigenen obersten Autorität die Anerkennung durch und verlieh ihr eine ihrer hohen Stel=
lung entsprechende Repräsentation. —
Parker, dem Manne der Mitte, dem freilich in der harten Zeit der harte Charakter 25
fehlte, der aber durch seine kirchliche Vergangenheit die Gewähr für versöhnliche Maß=
nahmen bot, von unzweifelhaft evangelischer, konservativer Gesinnung, fiel nun die Auf=
gabe zu, den kirchlichen Kompromiß in die Wirklichkeit überzuführen. Die Grundlagen
des Neubaues waren in der Supremats= und Uniformitätsakte gegeben, und in einer Reihe
königlicher Mandate war ihre Durchführung bis ins einzelnste vorgezeichnet. Indes eben 30
diese Durchführung stieß bei der wilden Unordnung, in die das englische Kirchentum
fast ein halbes Jahrhundert hindurch unter der Willkür der Herrscher und Großen ge=
stürzt war, auf die größten Schwierigkeiten. Daß P. im wesentlichen zu einer Ordnung
der Dinge gelangt ist, sichert ihm einen Ehrenplatz in der Geschichte Englands. Die
Bistümer und Pfarreien unbesetzt oder durch unwürdige Subjekte verwaltet, im Kultus 35
nach der Willkür der jeweiligen Pfarrer oder Gemeinden die größte Verschiedenheit, die
Pfarrgüter von gewissenlosen Nepoten verschleudert, das Volk selbst von drei einander
heftig befehdenden Parteien zerrissen, der römischen, die in Oxford, an den Gerichtshöfen
und teilweise am Hofe ihre Stützen hatte, den Puritanern, die, von der Londoner Bürger=
schaft und den Cambridger Gelehrten unterstützt, rücksichtslos das calvinische Kirchenideal 40
durchzusetzen suchte, und zwischen beiden in täglicher Zerreibung, gepriesen und verlästert
zugleich, der neue Primas mit einer schwachen konservativen Minorität; daneben die
Königin, die, verschlagen und launisch, durch ihre Politik die kirchlichen Gegner in Schach
hielt, heute P.s Freunden, Cecil und Bacon, ihr Ohr lieh und morgen ihrem Günst=
linge Leicester zulächelte, der aus Opposition gegen jene sich der Puritaner annahm, das 45
einemal von P. die strenge Durchführung der Uniformität verlangte und ihn das andere=
mal im Stich ließ.
In diesem leidenschaftlichen Kampfe bedeutete P.s Name ein kirchenpolitisches Pro=
gramm: die Versöhnung. Als drei Monate nach seiner Weihe der Erzbischof von York,
Heath, den Suprematseid in einem Briefe an P. als Treubruch gegen 50
den Papst brandmarkte, wies P. noch einmal den Anspruch Roms auf die Rechts= und
Lehrgewalt über die Staatskirche als endgiltig beseitigt zurück. Dann wandte er sich,
als Führer der neu aufkommenden Partei, der kirchlichen Erneuerung auf der Linie der
„anglikanischen" Theologie zu, die den „Mittelweg" zwischen der puritanischen und römi=
schen Glaubensform sucht, und legte der jungen Kirche jene verhängnisvolle Gabe in die 55
Wiege, deren nachwirkende Kraft durch die schweren Erschütterungen des Staats und der
Kirche im 16. und 17. Jahrhundert und durch die Oxforder Bewegung hindurch bis in
die jüngsten Entwickelungen hinein andauert.
Seiner Doppelaufgabe, Beseitigung der Mißbräuche und Herstellung der Ordnung,
widmete P. sich nun mit kräftiger Hand. Von den neuen Bischöfen forderte er eingehende 60

Berichte über den geistlichen Stand der Diöcesen, über Zahl, Amtsthätigkeit, Bildung
und sittliche Führung der Geistlichen, über Lehre, Gottesdienstordnung, Kirchenbesuch, über
die Geldwirtschaft, den Stand der Kirchschulen, die Art des Unterrichts und die Einhal=
tung der königlichen Verordnungen; die Universitäten und die Gerichtshöfe, sonderlich den
5 der neuen Reform abgünstigen Arches Court ließ er visitieren, verlieh den Colleges neue
Satzungen — die von ihm 1570 veranlaßten Elizabethan Statutes bedeuteten den
völligen Umsturz der akademischen Verfassung von Cambridge im „anglikanischen" Sinne —,
gab der Konvokation ihre alten Rechte zurück, brachte in die Erhaltung und Rückerstattung
der Kircheneinkünfte Ordnung, schied unwürdige Elemente aus den Kirchenämtern aus und
10 besetzte Pfarreien und Bistümer mit gebildeten, sittlich einwandfreien Männern, immer
mit linder Hand zwischen den Gegensätzen vermittelnd und noch ohne die Härte seiner
späteren verbitterten Jahre. Aber den Anfechtungen des ehrlichen Maklers entging er nicht. Um
die Strenge der Parlamentsakte vom 1. Januar 1565, die die Verweigerer des Supre=
matseides mit dem Praemunire bedrohte, zu mildern, wies er die Bischöfe an, den Eid
15 ohne seine Zustimmung nicht zum zweitenmale zu fordern. Keiner Partei zu Danke:
Puritaner, Katholiken und selbst die Königin gossen die Schalen ihres Unmuts über die
schwächliche Saumseligkeit oder die Härte des „Papstes vom Lambeth" aus.

Wir sehen, die Politik der Wiederherstellung, nicht der Neuerung (restoration, not
innovation, sagte er selbst) beherrscht seine Maßnahmen, jene heilige und gottgewollte
20 Form des Lebens, die der Urkirche eigen war, dem Establishment zurückzugeben. Mit der
Konvokation arbeitete er 1562 die 42 Artikel in 39 um und gab ihnen 1571 ihre end=
giltige Form; in der von W. Haddon bearbeiteten lateinischen Neuausgabe des Allgemeinen
Gebetbuchs kam er in Bezug auf die Heiligenfeste den römischen Wünschen entgegen und
betrieb unter weitgehender persönlicher Teilnahme (1563—78) — nach einem Briefe an Cecil
25 5. Oktober 1568, waren ihm selbst die Einleitungen, Genesis, Exodus, Matth., Mark. und
die Paulin. Briefe überwiesen —, die Herausgabe der sog. Bischofsbibel, die im Gegensatz
zu Tindals und der Genfer Übersetzung die vielfach angefochtenen polemischen Beigaben
dieser beseitigte. — Aber der von ihm und einem Ausschuß von Bischöfen bearbeitete Ent=
wurf der „Advertisements", die die Feier des hl. Abendmahls und die priesterliche
30 Kleidung in der Weise ordneten, daß Chorrock, Chorhemd und Barett als Mindestforde=
rung der Königin beibehalten wurden, führte zu neuen Verfeindungen. Elisabeth versagte
unter Leicesters Einfluß die Veröffentlichung; P. führte indes die Bestimmungen streng durch
und wurde infolgedes von der Königin und den Puritanern zugleich aufs heftigste befehdet.
Es brach der berüchtigte Streit propter lanam et linum aus, der mit der Ausscheidung
35 der Puritaner aus der Staatskirche endigte. P. klagte (nach Strype), daß die Irrung
ihm von da an sein Leben schwer verbittert habe. Die Uniformität im Sinne der Angli=
kaner war durchgeführt, die Staatskirchenform geborgen, die puritanischen Überspannungen
beseitigt; aber auch die Spaltung, die für Land und Volk von den verhängnisvollsten
Folgen begleitet war, war da. P. verfügte nicht über das weitschauende Auge des ge=
40 nialen Reformers, über den Tiefblick ins Wesen der Dinge; er stellte als ausführender
Beamter, von bureaukratischen Gesichtspunkten beherrscht, seine Maßnahmen auf den Buch=
staben der königlichen Verordnungen, die von einer launenhaften Herrin und einem über=
zeugungslosen Hofschranzentum kamen, und ging, vielleicht allzu friedliebend, aber ehrlich
und gerade den Weg des Beamten. Ihm war es um Rettung und Befestigung des
45 neuen Kirchentums zu thun, wie er später geklagt hat, darum, Gott, seinem Fürsten und
den Gesetzen des Landes in reinem Gewissen zu dienen. Anglikaner aus Ueberzeugung
hat er sich den Puritanern, deren Niederhaltung Elisabeth forderte, in dem Maße, daß
sie P. wiederholt zu verstehen gab, sie werde, wenn jene nicht beseitigt würden, sich den
Römischen wieder zuwenden, ebenso offen bewiesen wie dem Papste, von dem für das
50 neue Wesen nichts zu erwarten war; wenigstens ein ehrlicher, gerader Mann, der, auch
wenn er irrt, Achtung verdient. So wird es in den großen Zeiten der Völker immer
sein: die Kräfte, die empordrängen zu neuem Leben, hart und eckig, sind aus sich weder
des Rechts noch der Zukunft sicher; sie müssen mit Gegenkräften ringen und im Abschliff
des Kampfes das, was wahr und lebendig ist, entwickeln und durchsetzen.
55 Glücklicher als in der kirchenpolitischen war P. in seiner wissenschaftlichen Arbeit.
Er ist der Vater der Studien über das englische Altertum geworden, namentlich der angel=
sächsischen Vorzeit. Seitdem sich ihm in Corpus Christi die Pforten zu der Schönheit
der klassischen Welt aufgethan, und er, dauernd in ihrem Banne gehalten, in allen seinen
Ämtern, den kirchlichen und akademischen, seine intimste Neigung dem Studium der
60 Sprachen, besonders aber der Geschichte der Kirche zugewandt. Er war der Hauptbegründer

einer Altertumsgesellschaft und verwandte die großen Mittel, über die er in den späteren Jahren seines Lebens verfügte, auf die Sammlung der alten, unschätzbaren Handschriften, die in dem Klostersturm in Verlust zu geraten drohten. Sein Sammeleifer ging über England, wo Bale, Batman, Stowe und Lambarde seine Helfer waren, hinaus bis nach den Niederlanden und Deutschland. Im Mai 1561 schrieb ihm Flacius Illyricus von 5 Jena aus, daß seine Agenten mit Erfolg in Deutschland arbeiteten, und bezeichnete vorausschauend die Sammlung, sichere Aufbewahrung und Nutzbarmachung dieser unersetzlichen Handschriften, insonderheit der kirchengeschichtlichen, als eine Angelegenheit des Staates. Stephan Batman giebt an (vgl. The Doome warning all men to judgment, p. 400), daß er innerhalb von vier Jahren in England und anderwärts nicht weniger als 6700 10 Handschriftenbände für seinen Auftraggeber erworben habe. P.s Absehen ging dabei in erster Linie auf alte Chroniken, Bibelübersetzungen und erklärungen. Um die reichen Schätze nutzbar zu machen, richtete er ein Skriptorium im Lambethpalast ein, wo unter Leitung von Dale, Robinson, Jocelyn, seinen Kaplänen, zahlreiche Schreiber, Maler, Holzschneider, Drucker und Buchbinder beschäftigt waren, die Handschriften zu ordnen, abzuschreiben und 15 zu drucken. Die kostbaren Sammlungen selbst überwies er später seiner alma mater Cambridge; dort sind sie jetzt noch der Stolz der Corpus Christi Bibliothek, die Fuller nach ihnen „die Sonne des englischen Altertums" genannt hat; das erste Verzeichnis der überwiesenen Bücher von P.s Hand (mit Zusätzen von seinem Sohne John P.) wird in der Corpus Christi Bibliothek aufbewahrt. 20

Diesen Handschriften verdanken wir die ersten Ausgaben von Gildas, Asser, Aelfric, Matthaeus Paris, der Flores Historiarum und anderer alter Chronisten (eine Anzahl derselben sind in der bekannten Rolls Series in guten Ausgaben veröffentlicht); P. hat die Bedeutung dieses angelsächsischen Schrifttums für Geschichte, Recht, Sprache und Glauben des Landes zuerst erkannt. Auch vom kirchlichen Interesse aus ermutigte er zum Studium 25 des Sächsischen; in den alten Homilien und Schriftauslegungen waren von manchen römischen Irrlehren, u. a. der Wandlung, keine Spuren nachzuweisen.

In Verfolg dieser litterarischen Unternehmungen hat er endlich auch die ersten Versuche des englischen Buchdrucks unter seine fördernde Hand genommen; er ließ von Assers „Leben Alfreds" altsächsische Lettern schneiden, sie von dem bekannten Drucker John Day 30 1566 in Metall gießen und veranlaßte die Herstellung eines angelsächsischen Glossars (Strype II, 514), das freilich erst lange nach seinem Tode vollendet wurde. —

Durch die kirchlichen Händel und die Hofränke war ihm sein Lebensabend schwer verbittert worden; bis zur höchsten kirchlichen Stelle aufgestiegen, hatte er in den großen Fragen seinen Willen niemals durchsetzen können, nur vermitteln. Halbe Erfolge waren 35 sein Schicksal geworden; matt und vergrämt starb er am 17. Mai 1575; in dem erzbischöflichen Lambethpalaste ist er beigesetzt. —

Von den zahlreichen Schriften P.s nenne ich nur die wichtigsten (ein genaues Verzeichnis giebt Cooper in den Athenae Cantabr. I, 332—36; Hooks Abdruck in seinem Life of P. ist ungenau und lückenhaft). I. Werke: De Antiquitate Ecclesiae et 40 Privil. Eccl. Cantuar. cum archiepisc. eiusdem septuaginta, gedruckt von J. Day in einem Folioband 1572 (enthält 6 Traktate: 1. De Vetustate Brit. Eccl. Testimonia; 2. De Archiepisc. Cantuar., 70 Monographien der Erzbisch. von Cant. von Augustin bis Kardinal Pole; die vita Matthaei (d. h. Parkers), die 70. Nummer, von Jocelyn zusammengestellt und (nach Strype) von P. „korrigiert und vollendet", erschien 45 später; 3. Catalogus Cancellariorum, Procanc. etc. Cantab. ab anno 1500—1571; 4. Indulta Regum (königliche die Universit. betr. Verordnungen); 5. Catal. librorum donatorum ab archiep. (1574); 6. De Scholarum Collegiorumque Cantabr. Patronis et Fundatoribus, Neuausg. 1605 in Hannover (ohne den Matthaeus) und von S. Drake in London 1729). — The Whole Psalter transl. into Engl. Metre, 50 print. at London by John Day (s. a.) — A Testim. of Antiquitie shewing the Auncient Fayth in the Ch. of E. touching the Sacram. of the Body & Bloude of the Lord above 600 years ago, London (1567), Oxford 1675. — An Admonition for the necessity of the . . . state of Matrimony, godly et agreeable to law, London 1560; 1563 (in Wilkins Concilia IV, 244). — A Defence of Priest's 55 Marriages, London s. a. — A godly Admonition of the Decrees . . . of the Counc. of Trent, London 1564. — Correspondence (letters by and to P. 1535—75) edit. by J. Bruce and Rev. Perowne (Parker Soc.), Cambr. 1853. — II. Ausgaben (älterer Werke): Flores Historiarum per Matth. Westmonasteriensem collecti, de rebus Brit. ab exordio mundi usque ad a. d. 1307, London 1567—70. — 60

Alfredi Regis res gestae ab Asserio . . . conscr., London 1570. — Matth. Paris.
Mon. Alban., Angli, Hist. Major, a Guilelmo Conquaest. ad ultim. ann.
Henr. III, London 1571. — The Gospels of the Fower Evangelists, transl. in
the olde Saxons tyme . . . into the vulgar tongue of the Saxons etc., London
5 4°, 1571. — Hist. Brev. Th. Walsingham ab Edw. I ad Henr. V et Ypodigma
Neustriae vel Normanniae, London, Fol. 1574; (außer den genannten sind von P.
eine große Anzahl kleiner Schriften liturgischen, disziplinellen, kirchenpolitischen Inhalts,
die nur zeitgeschichtlichen Wert haben, gedruckt).   **Rudolf Buddensieg.**

Parker, Theodor, gest. 1860. — Vgl. über Theodor Parker: Weiß, Life of Parker,
10 London 1863. — Ferner die in seinem Todesjahre gehaltenen kurzen Gedächtnisreden: Vinus,
Lecture on Parker, London 1860; Barnett, The late T. Parker, London 1860; Channing,
Life of T. Parker, London 1860. — Endlich die zu derselben Zeit in verschiedenen periodischen
Zeitschriften erschienenen Aufsätze, wie in der Revue Suisse, Januar 1861. — Revue des
deux mondes, Oktober 1861. Bibliotheca sacra von Park und Taylor. Vol. 18. —
15 The American Quarterly Church Review, 1859, p. 543. — The Christian Observer, 1860.
p. 467. — In deutschen Uebersetzungen erschienen: Der Discourse of matters pertaining to
religion, übersetzt von Wolf, Archidiakonus in Kiel, Kiel 1848. — Zehn Predigten über
Religion, Leipzig 1853. — Sämtliche Werke, übersetzt von Ziethen, Leipzig 1854.

Th. Parker, der Hauptvertreter der neueren unitarischen Schule in Nordamerika, wurde
20 geboren am 24. August 1810 in der Nähe von Lexington im Staate Massachusetts. Sein
Vater, ein Farmer, war Freidenker. Die Sorge für die religiöse Erziehung der Kinder
fiel der Mutter anheim. Sie war wohl bewandert in der hl. Schrift, und ihre subjektive Frömmigkeit konnte nicht ohne Einfluß bleiben auf die Entwickelung ihrer Kinder.
Wir werden uns nicht irren, wenn wir in den negativen Tendenzen Parkers den Ein-
25 fluß der väterlichen Denkweisen erkennen und dagegen den hie und da in seinen Schriften
sich offenbarenden allgemein religiösen Enthusiasmus als eine Mitgift seiner frommen
Mutter betrachten. Th. Parker zeichnete · sich von frühester Jugend an durch einen ungewöhnlichen Wissensdurst aus. Alle seine Ersparnisse benutzte er, sich eine kleine
Bibliothek anzuschaffen, und jede freie Stunde verwendete er zum Studium. Als die
30 Schule, welche Parker besuchte, eine Zeit lang von einem Geistlichen versehen wurde,
unterrichtete ihn dieser in den Anfangsgründen des Lateinischen und Griechischen, und
Parker brachte es in kurzer Zeit so weit, daß er die wichtigsten Klassiker lesen konnte.
Mit seinem 17. Lebensjahre bezog er die Universität (Harvard College) in Cambridge,
nahe bei Boston, wo er sich mit allgemein wissenschaftlichen Studien beschäftigte, um sich
35 für den Eintritt in die theologische Schule vorzubereiten. Da ihm jedoch hierzu die
Mittel fehlten, so sah er sich genötigt, seine Zuflucht zum Unterrichtgeben zu nehmen.
Im Jahre 1831 ging er als Hilfslehrer nach Boston und 1832 errichtete er eine
eigene Schule in Watertown. Während dieser ganzen Zeit arbeitete Parker mit Energie
an seiner eigenen Fortbildung. Neben dem Hebräischen, Griechischen und Lateinischen
40 beschäftigte er sich mit dem Spanischen, Französischen und Deutschen; außerdem lernte er
Italienisch, Portugiesisch, Holländisch, Isländisch, Chaldäisch, Arabisch, Persisch, Koptisch,
Aethiopisch und später auch Schwedisch und Dänisch.

Im Jahre 1834 trat er mit vorzüglichen Vorkenntnissen in die theologische Schule
von Harvard College zu Cambridge ein. Es ist interessant, zu sehen, wie er damals
45 noch am traditionellen, orthodox-unitarischen Glauben festhielt. In einem Briefe vom
2. April 1834 schreibt er: „Du fragst nach meinem Glauben? Ich glaube an die Bibel.
Ich glaube, es giebt Einen Gott, der von Ewigkeit gewesen ist, der die Guten belohnen
und die Bösen bestrafen wird, sowohl in diesem Leben, als auch in dem zukünftigen.
Diese Bestrafung mag vielleicht ewig sein. Ich glaube, daß Christus Gottes Sohn war,
50 wunderbar empfangen und geboren. Ich glaube nicht, daß unsere Sünden vergeben
werden, weil Jesus gestorben ist. Ich kann nicht begreifen, wie das möglich sein soll.“
So stand er damals noch ganz auf dem altunitarischen Standpunkte. Aber jetzt bereitete sich der Wechsel vor, der ihn nachher zum Haupte einer neuunitarischen Schule
gemacht hat. Er begann seine theologischen Arbeiten mit dem Studium der deutschen
55 Rationalisten. Er eignete sich die kritischen Ansichten de Wettes an, studierte die Werke
von Eichhorn, Ammon, Paulus, Wegscheider, aber auch Stäudlin und Storr, schrieb
„Winke über deutsche Theologie“ und las daneben Spinoza, Descartes, Leibnitz, die
Wolfenbütteler Fragmente, Lessing, Herder. Als er mit seinen so gewonnenen Ansichten
offen hervortrat, fand er mannigfachen Widerspruch. Es herrschte damals eine eigentüm-
60 liche konservative Richtung im amerikanischen Unitarismus. Er hatte sich erst seit kurzer

Zeit die Stellung einer anerkannten christlichen Denomination erkämpft, die sich von den übrigen nur durch Verwerfung der Trinitäts- und Versöhnungslehre unterschied, und während er vorher der Sammelplatz aller negativen Elemente gewesen war, regte sich jetzt das Bestreben, durch Beibehaltung möglichst vieler supranaturaler Elemente den übrigen Sekten ebenbürtig zur Seite zu stehen. Daher der Widerspruch, den Parker fand, und 5 schon jetzt bereitete sich die Scheidung der alten und neuen Schule vor, die später im Jahre 1841 durch Parkers Auftreten in Boston zum Ausbruch kam.

Als Kandidat setzte Parker seine Studien der deutsch-rationalistischen Schule fort und wurde von Schritt zu Schritt weiter getrieben auf dem Wege des Zweifels und der Negation. Im Jahre 1837 fand er seine erste Anstellung als Prediger in West-Roz- 10 burg. Im Mai 1841 wurde er aufgefordert, bei der Ordination eines unitarischen Geistlichen in Boston die Predigt zu halten. Er predigte in Gegenwart vieler Geistlichen „über das Bleibende und Vergängliche im Christentum". Dies war die Krisis, sagt Parker selbst. Seine Bostoner Amtsbrüder wollten ihn jetzt auf ihren Kanzeln nicht mehr predigen lassen, aber diese Maßregel diente nur dazu, die Popularität Parkers zu 15 mehren. Da man ihn auf den Kanzeln Bostons nicht mehr hören konnte, so wurde er aufgefordert, Vorlesungen zu halten. Das that er denn auch, und im Frühjahr 1842 gab er diese Vorlesungen heraus unter dem Titel: A Discourse of matters pertaining to religion.

Die Bostoner Predigt über das Bleibende und Vergängliche im Christentum und 20 dieser Discourse waren ein lauter Aufruf an alle Unitarier, ihren inkonsequenten alt-unitarisch-supranaturalistischen Standpunkt aufzugeben. Dieser Aufruf fand bei der schon vorher berührten kirchlichen Stimmung wenig Anklang unter den Geistlichen. Nachdem die Gottheit Christi aufgegeben war, hatte man, um als eine wahrhaft christliche Denomination gelten zu können, die Idee eines göttlichen Lehrers substituiert. Dies ließ sich 25 jedoch nur aufrecht erhalten, wenn man sich für seine Autorität auf die Wunder und für seine Infallibilität auf die Inspiration berief. Parker stieß mit seinen Theorien Beides um, und obgleich es die Konsequenzen des eigentlich unitarischen Charakters waren, die er damit enthüllte, so zog man sich doch erschrocken von diesen letzten Konsequenzen zurück. 30

Mit dem Discourse of matters pertaining to religion war Parkers theologische Entwickelung zum Abschluß gekommen. Sein Pfarramt in Rozburg behielt er vorläufig bei. Im Jahre 1843 unternahm er eine Erholungsreise nach Europa, bereiste England, Frankreich, Italien und Deutschland, wo er sich namentlich auf den Universitäten umsah. In Berlin hörte er Vorlesungen von Schelling, Vatke, Twesten. In Halle besuchte er 35 Tholuck, in Heidelberg Ullmann und Gervinus, in Tübingen Ewald und Baur, in Basel de Wette. Im September 1844 kehrte er nach Amerika zurück, trat zunächst sein Amt in Rozburg wieder an, siedelte aber bald nach Boston über, wo er vierzehn Jahre lang in den beiden größten Konzertsälen als Geistlicher der kongregationalistischen Gemeinde predigte. Hier entfaltete er auch eine bedeutende soziale Wirksamkeit im Kampfe gegen die 40 Trunksucht und Sklaverei. Im Jahre 1859 machte ein Blutsturz seiner Wirksamkeit ein Ende. Er ging nach Italien, wo er 1860 zu Florenz starb. Die Schriften Parkers erschienen einzeln und gesammelt zu verschiedenen Malen in Boston. In Europa erschienen: The collected works of Th. Parker. Edited by F. T. Cobbe, London 1863.

Th. Parker ist seiner theologischen und kirchlichen Stellung nach der Hauptvertreter 45 der neueren Schule des amerikanischen Unitarismus, die sich von der alten Schule dadurch unterscheidet, daß sie die Autorität der hl. Schrift verwirft und in einem reinen Theismus die Religion der Zukunft meint gefunden zu haben, die aber dabei auf bedenkliche Weise dem Pantheismus entgegensteuert. Damit hat der Unitarismus dieselbe Entwickelung durchgemacht, wie der deutsche Rationalismus. Auf dem exegetischen Felde 50 geschlagen, hat er sich auf das philosophische Gebiet begeben. Er verhehlt sich seinen Widerspruch gegen die hl. Schrift nicht länger und proklamiert nun das ausschließliche Recht der reinen Vernunft. Coleridge ruft den Unitariern zu: „Die Sozinianer würden nicht mehr für ehrliche Leute gehalten werden, wenn sie ihres Nachbars Testament mit ebenderselben freien Interpretation auslegen wollten, wie die hl. Schrift." Ebenso auch 55 Parker: „Wenn das Athanasianische Symbolum, die 39 Artikel der Kirche von England und die päpstliche Bulle Unigenitus heutiges Tages in einem griechischen Manuskript aufgefunden und als das Werk eines Apostels nachgewiesen würden, so würde der Unitarismus sie in gutem Glauben interpretieren und leugnen, daß das Dogma von der Dreieinigkeit oder von dem Falle des Menschen darin enthalten sei". Parker hatte es 60

klar erkannt, daß seine unitarischen Vorgänger im Unrecht waren, wenn sie ihren Uni=
tarismus aus der Bibel rechtfertigen wollten. Da thaten sich ihm nun zwei Wege auf.
Entweder mußte er das Unrecht des Unitarismus erkennen und zu einer offenbarungs=
gläubigen Denomination zurückkehren, oder er mußte an seinem Unitarismus festhalten,
5 dann aber die Autorität der hl. Schrift gänzlich verwerfen. Parker wählte das letztere
und betrachtete sich von nun an als den großen Reformator, der seine Zeit von „dem
Götzen der Bibel" befreien sollte.

Zur Aufstellung einer neuen und reineren Religionslehre sah sich Parker nun auf
seine eigenen Hilfsquellen angewiesen. Er fand in seiner Seele drei instinktive religiöse
10 Vorstellungen. Zuerst eine instinktive Vorstellung des Göttlichen, das Bewußtsein, daß
es einen Gott giebt. Ferner eine instinktive Vorstellung dessen, was recht ist: das Be=
wußtsein, daß es ein Moralgesetz giebt, das wir zu beobachten haben. Und endlich eine
instinktive Vorstellung der Unsterblichkeit. Das ist die von den deutschen Rationalisten
herübergenommene Trias von Gott, Tugend und Unsterblichkeit. Von diesen drei Grund=
15 begriffen aus entwickelt nun Parker sein System teilweise auf dem Wege der Induktion,
teilweise auf dem Wege der Deduktion. Auf dem Wege der Induktion, indem er sammelte,
was die verschiedensten Völker über Gott, Tugend und Unsterblichkeit gedacht haben.
Hier weist er denn auch der Bibel und der Lehre Jesu ihren Platz an. Auf dem Wege
der Deduktion, indem er die instiktiven Vorstellungen seiner Seele über Gott, Tugend
20 und Unsterblichkeit begrifflich formulierte und die Konsequenzen daraus zog. So ge=
winnt Parker dasjenige, was er „absolute Religion" nennt, die als das eigentlich
ewige Element den wechselnden und in einem fortwährenden Fluß befindlichen Erschei=
nungen der verschiedenen Volksreligionen und Theologien zu Grunde liegt.

Wir haben nun noch zu sehen, wie sich die Lehre Parkers im einzelnen gestaltete.
25 Der Gottesbegriff Parkers ist am wenigsten anstößig, obgleich sich hier sehr bedeutende
pantheistische Hinneigungen zeigen. Er hält mit einer gewissen Energie an der Idee
eines persönlichen Gottes fest, obgleich er den philosophischen Wert solcher Bestimmungen
bezweifelt. „Wir sprechen von einem persönlichen Gotte. Wenn wir damit allein ver=
neinen, daß er die Beschränkung der unbewußten Materie hat, so ist das nicht unrecht."
30 „Kann er unbewußt und unpersönlich sein, wie ein Moos oder der himmlische Äther?
Kein Mensch wird das behaupten." Daneben finden wir aber eine Reihe ganz pan=
theistisch klingender Sätze: „Gott ist der Grund der Natur, er ist das Bleibende in dem
Vorübergehenden, das Reale in der Welt der Erscheinung. Die ganze Natur ist nur
eine Darstellung Gottes für die Sinne". „Die Naturkräfte, Schwerkraft, Elektrizität,
35 Wachstum, was sind sie anders, als verschiedene Weisen der göttlichen Thätigkeit." „Das
ist das Verhältnis Gottes zur Materie. Er ist immanent in derselben und fortwährend
thätig." „Diese Immanenz Gottes in der Materie ist die Basis seiner Wirksamkeit."

An diese Lehre von der Immanenz Gottes in der Materie schließt Parker im
zweiten Buche seines Diskurses die Lehre von der Inspiration an: „Wenn Gott gegen=
40 wärtig ist in der Materie, so ist das Analogon, daß er auch gegenwärtig ist im
Menschen." „Die Inspiration ist, wie Gottes Allgegenwart, nicht beschränkt auf die
wenigen Schriftsteller, für welche Juden, Christen und Muhammedaner sie in Anspruch
nehmen, sondern sie erstreckt sich über das ganze menschliche Geschlecht. Minos und
Moses, David und Pindar, Leibniz und Paulus, Newton und Simon Petrus empfangen
45 alle in ihren verschiedenen Weisen den einen Geist vom höchsten Gott." In dieser Be=
stimmung der Inspiration und namentlich in der Vermischung derselben mit Gottes All=
gegenwart ist es wieder leicht, den pantheistischen Zug zu erkennen, der sich durch das
ganze System hindurchzieht.

Ein Schuldgefühl kennt Parker nicht. Er hat keine Ahnung davon, daß die Ge=
50 meinschaft des Menschen mit Gott durch die Sünde aufgehoben und durchbrochen ist.
Aber er ist damit nur das legitime Kind des alten Unitarismus, der durch die Leug=
nung der Versöhnung, die durch Christum Jesum geschehen ist, dem konsequenten Denker
nur diese Alternative offen gelassen hat. Natürlich muß nun auch Parkers Lehre vom
Menschen der Lehre der hl. Schrift geradezu entgegengesetzt sein. Er legt sich die Frage
55 vor: „Von welchem Punkte ging die menschliche Entwickelung aus? Von der Zivili=
sation und der wahren Verehrung des einen Gottes, oder vom Kannibalismus und der
Vergottung der Natur? Ist das Menschengeschlecht gefallen oder hat es sich erhoben?"
Die Antwort ist: „Entwickelung vom Niederen zum Höheren, und nicht umgekehrt."

Über die Sünde spricht sich Parker zuerst mit ganz besonderer moralischer Energie
60 aus. „Sünde ist eine bewußte, freiwillige Verletzung eines uns bekannten göttlichen

Gesetzes. Gottlos handeln, das ist Sünde. Sie stammt nicht aus einem Mangel intellektueller oder moralischer Begriffe, sondern aus einem Widerwillen, das uns bekannte, Rechte zu thun, und aus einer Willensneigung, das uns bekannte Unrecht zu thun. Das Gewissen ruft dem Menschen zu: „du sollst", aber es läßt uns frei, ob wir gehorchen wollen, oder nicht. Dann setzt er in sehr schöner Weise auseinander, daß, wenn das 5 Gewissen ihn zwingen würde, gut zu handeln, er dazu nur „gravitieren" würde und aufhören müßte, eine freie Persönlichkeit zu sein. Aber bald fällt er in ganz laxe, pantheistische Ansichten zurück. „Wie wir die Herrschaft über unseren Körper nur durch Experimente erlangen, indem wir nur durch allerlei Versuche es lernen, zu laufen, so müssen wir auch durch Experimente lernen, unseren Willen recht zu gebrauchen, daß wir 10 das Gesetz Gottes halten. Man sagt, daß die Sünde ein Fall ist. Ja sie ist ein Fall, wie des Kindes erster Versuch, zu gehen, ein Stolpern ist. Aber das Kind lernt durch Stolpern aufrecht gehen. Jeder Fall ist ein Fall aufwärts." Das ist offenbar die Lehre des Pantheismus und zeigt deutlich, wie schwankend die Grenze ist, die seinen Theismus von dem Pantheismus scheidet. 15

Wir enthalten uns weiterer Mitteilungen aus den Lehren Parkers, da mit den gegebenen sein naturalistischer Standpunkt genügend gekennzeichnet ist, und fügen nur noch einen Auszug aus seiner Predigt über die populäre Theologie hinzu, um zu zeigen, mit welcher Leichtfertigkeit, ja mit welcher blasphemischen Erbitterung Parker gegen alle supranaturalen Elemente der kirchlichen Lehre polemisiert. Er schildert seinen Zuhörern 20 die populäre Theologie in folgender Weise: „Nach der populären Theologie giebt es in der Gottheit drei anerkannte Personen. — Da ist zuerst „„Gott der Vater"", der Schöpfer Himmels und der Erde und alles, was darinnen ist, besonders bemerkenswert wegen dreier Stücke. Zuerst wegen seiner großen Willens- und Thatkraft; zweitens wegen seiner großen Selbstsucht; brittens wegen seiner großen zerstörenden Gewalt. Gott 25 der Vater ist das grimmigste Wesen im ganzen Universum; weder liebevoll, noch liebens- wert. — Da ist ferner „„Gott der Sohn"", welcher der Vater im Fleische ist, mit mehr Menschlichkeit und viel weniger Selbstsucht und Verderblichkeit, als man den Vater zu- schreibt. Nichtsdestoweniger ist in der populären Theologie die Liebe des Sohnes gegen die Menschen stets nur eine beschränkte. Es ist nicht Lehre der populären Theologie, 30 daß der Sohn wirklich die Übertreter liebt. — Da ist brittens „„Gott der hl. Geist"", der sich fortwährend ausbreitet, ohne geteilt zu werden, und wirkt, ohne sich zu erschöpfen. Aber weit breiter er sich selbst aus und viel wirkt er nicht, und ist leicht betrübt und verscheucht. — Man behauptet gewöhnlich, es gäbe nur drei Personen in der Gottheit. Aber in Wahrheit hat man noch eine vierte Person in dem populären Gottesbegriffe 35 der christlichen Theologie, nämlich den Teufel 2c. Es finden sich Aeußerungen, die noch blasphemischer sind, als diese, und es ist jedenfalls ein trauriges Zeichen, daß Parker es wagen durfte, die gebildeten Klassen Nordamerikas mit einer solchen Polemik zu unter- halten.

Welchen Einfluß Parker auf die Geschichte des Unitarismus ausüben wird, läßt sich 40 nicht übersehen, aber von vornherein sollte man ein Doppeltes erwarten. Parker hat den inneren Widerspruch des alten Unitarismus unwidersprechlich dargelegt. Wenn dieser Widerspruch erkannt wird, so werden die ernsteren Gemüter sich den orthodoxen Deno- minationen wieder zuwenden, eine Vermutung, die durch den in den letzten Jahren in Amerika häufig vorgekommenen Übertritt unitarischer Prediger zu presbyterianischen Kirchen 45 bestätigt zu werden scheint. Die anderen werden sich eine Zeit lang mit dem Naturalis- mus und Theismus Parkers begnügen, aber mehr und mehr dem Pantheismus und Atheismus in die Arme getrieben werden. Aber dem alten Unitarismus hat seine Stunde geschlagen, und wie Parker sagt: „Er muß aufhören, den Fortschritt der Theologie zu repräsentieren." Eine andere Schule wird dieses Amt auf sich nehmen und dem Kinde 50 einen Namen geben, das der Unitarismus in die Welt gebracht hat, aber nicht anzu- erkennen wagt."

Fr. Lährs.

Parmenian s. d. A. Donatismus Bd IV S. 795, 8 ff.

Parochie s. Pfarrei.

Parsismus. — Litteratur: Hyde, Historia religionis veterum Persarum eorumque 55 magorum, Oxford 1700; Rhode, Die heilige Sage und das gesamte Religionssystem der Baktrer, Meder und Perser oder des Zendvolkes, Frankfurt a. M. 1820; Spiegel, Avesta die

heiligen Schriften der Parsen übers., Leipz. 1852. 59; ders., Eranische Altertumskunde, Leipzig
1871—78; Windischmann, Zoroastrische Studien, Berlin 1863; Haug, Essays on the sacred
language writings and religion of the Parsis, 3. Aufl. herausgeg. von West, London 1884;
Darmesteter, Haurvatât et Ameretât, Paris 1875; ders., Ormazd et Ahriman, Paris 1877;
5 Duncker, Geschichte des Altertums, Bd IV; Justi, Geschichte des alten Persiens, Berlin 1879;
Jackson, Zoroaster the Prophet of Ancient Iran, New-York 1899; Geiger, Ostiranische Kultur
im Altertum, Erlangen 1882; Söderblom, La vie future d'après le Mazdéisme, Paris 1901;
Dosabhai Framji Karaka, History of the Parsis, London 1884; Stave, Ueber den Einfluß
des Parsismus auf das Judentum, Haarlem 1898; Jackson, Die iranische Religion (Grundr.
10 der iran. Phil. II, 612—710; Tiele, Geschichte der Religion im Altertum übers. v. Gerich,
Bd II, Gotha 1903.

Parsismus ist der gebräuchliche Name für die Religion, die in geschichtlicher Zeit
über ganz Iran verbreitet war, der also vor allem die Perser, Meder und Baktrer ergeben waren, bis sie durch den Islam verdrängt wurde. Die Bezeichnung stammt daher,
15 daß die heutigen Bekenner der Religion in Indien Parsi genannt werden. Andere Namen
dafür sind: Zoroastrismus nach dem Stifter der Religion oder Mazdaismus nach dem
Namen des höchsten Gottes; auch bezeichnet man wohl die Parsen als Feueranbeter, weil
der Kult des Feuers besondere Bedeutung in der Religion hat.

Der Parsismus ist religionsgeschichtlich von größtem Interesse einmal, weil durch
20 seine Vergleichung mit der nahe verwandten indischen Religion sich die ursprüngliche
arische Religion erschließen läßt und damit sicheres Material gewonnen wird für eine
Zeit, die jenseits direkter geschichtlicher Bezeugung liegt; andererseits, weil er entschieden
den Höhepunkt der selbständigen Entwickelung heidnischer Religion bezeichnet. In keiner
anderen heidnischen Religion sind die religiösen Probleme so tief erfaßt und so befrie-
25 digend gelöst, wie hier; in vielen Punkten kommt der Parsismus den Offenbarungsreligionen sehr nahe, obgleich es nicht zweifelhaft sein kann, daß er ursprünglich ebenso,
wie die übrigen heidnischen Religionen, auf Naturverehrung beruhte. Infolgedessen bietet
er auch für Theologen hervorragendes Interesse. Dazu kommen noch die vielfachen
Berührungen, die zwischen seinen Bekennern und dem jüdischen Volke stattgefunden haben,
30 so daß die geschichtliche Möglichkeit gegenseitiger Beeinflußung damit gegeben ist. Das
hat natürlich dazu geführt, daß man auf der einen oder andern Seite Entlehnungen
religiöser Vorstellungen und Lehren angenommen hat, wobei es merkwürdig ist, daß alttestamentliche Theologen parsische Elemente im Judentum und danach auch im Christentum annehmen, während die Iranisten mehr geneigt sind, den Parsismus durch jüdische
35 Lehren beeinflußt sein zu lassen. Was die letztere Ansicht betrifft, so ist zu bemerken,
daß die Religion, wie sie im Avesta vorliegt, bereits ein so festgefügtes System darstellt,
daß es unmöglich ist, für die spätere Zeit noch das Eindringen fremder Lehren anzunehmen; es müßte also Entlehnung aus anderen Religionen in die Zeit vor Zoroaster
verlegt werden oder man müßte annehmen, daß der Stifter bei der Ausbildung seines
40 Systems durch fremde Ideen beeinflußt war. Eine sichere Entscheidung darüber ist nicht
möglich, da wir die vorzoroastrische Gestalt der iranischen Religion nicht kennen, sondern
sie nur durch Vergleichung mit der ältesten indischen Religion bis zu einem gewissen
Grade erschließen können. Doch ist alle Wahrscheinlichkeit dafür, daß wir es im Parsismus mit einer genuinen, allerdings durch eine mächtige prophetische Persönlichkeit
45 bestimmten, Entwickelung der altarischen Naturreligion zu thun haben. Ob dabei nun
aber geschichtlicher Zusammenhang vorliegt, oder nicht: jedenfalls sind die Ähnlichkeiten und
Übereinstimmungen zwischen Parsismus und Judentum resp. Christentum für den Religions-
forscher und Theologen von höchstem Interesse.

Die Hauptquelle für unsere Kenntnis des alten Parsismus ist die hl. Schrift des-
50 selben, das Avesta. Außerdem haben wir für die ältere Zeit nur einige Notizen bei
griechischen Schriftstellern (bei Herodot, Ktesias, Theopomp, Plutarch), die für die Alters-
bestimmung des Avesta und des darin enthaltenen religiösen Systems von Wichtigkeit
sind. Das Avesta ist uns nicht in seiner ursprünglichen Gestalt und seinem einstigen
Umfange erhalten, sondern in neuer Anordnung und mit Verlust umfangreicher Stücke
55 der früheren Sammlung. Doch sind wir berechtigt anzunehmen, daß nichts verloren gegangen ist, das für die Religion oder wenigstens für die religiöse Praxis von Bedeutung
war, und wir dürfen den jetzigen Text unbedenklich als Bestandteil des ursprünglichen
Avesta betrachten. Einzelne verlorene Teile sind uns auch noch in der mittelpersischen
Litteratur erhalten. Die parsische Tradition berichtet, daß zur Zeit der Achämeniden
60 zwei vollständige Exemplare des Avesta vorhanden waren; davon soll das eine bei dem
Brande von Persepolis zu Grunde gegangen, das andere von Alexander d. Gr. nach

Griechenland verſchleppt worden ſein, ſo daß die Parſen in der folgenden Zeit auf die mündliche Überlieferung der heiligen Texte angewieſen waren. Es iſt verſtändlich, daß ſich dabei nur das erhielt, was für die religiöſe Praxis notwendig war. Eine ſyſtematiſche Darſtellung der religiöſen Lehre hat das Aveſta allem Anſchein nach ebenſowenig ent= halten, wie die hl. Schriften der Inder, ſondern es war wohl urſprünglich lediglich für 5 die religiöſe Praxis beſtimmt. Unſer Aveſta enthält liturgiſche Stücke, daneben urſprüng= lich epiſche Beſtandteile, die aber ebenfalls für die liturgiſche Recitation eingerichtet worden ſind (die ſog. Yaſcht), und endlich das Cermonialgeſetz. Das alte Aveſta war nicht nur Religionsbuch, ſondern enthielt auch Stücke mehr weltlichen Charakters, über Recht und Geſetz, Heilkunde, Naturwiſſenſchaft u. ſ. w. Nach der parſiſchen Tradition ſind nun 10 in der ſpäteren Zeit nach dem Untergang der griechiſchen Herrſchaft mehrfach ſchriftliche Neuredaktionen des Aveſta veranſtaltet worden, und zwar auf Grund der mündlichen Überlieferung und der nach verſchiedenen Ländern verſtreuten Stücke des urſprünglichen Textes. Die erſte Redaktion wird dem Arſaciden Valkhaſch (Volageſes I. 54—78 nach anderen Vol. III 148—191) zugeſchrieben. Dann folgt die des erſten Saſaniden 15 Artakſchatr Sohn des Papak (226—240), an der beſonders der Ratgeber des Königs Tanſar beteiligt war. Eine dritte Redaktion veranſtaltete deſſen Nachfolger Schahpuhar I. (240—271), wohl veranlaßt durch die zu ſeiner Zeit auftretende Ketzerei des Mani ; er ſoll die in Indien, Griechenland u. ſ. w. verſtreuten Stücke des alten Aveſta wieder damit vereinigt haben. Als vierte Redaktion wird die des Schahpuhar II. (309—379) genannt, 20 und als deren Verfaſſer Aturpat, Sohn des Maraspand. Endlich iſt eine abſchließende Feſtſetzung des Textes erfolgt unter Khusroi Anoſcharavan (531—579). Auch dieſe ſteht wohl in Zuſammenhang mit einer Ketzerei, die ſich innerhalb des Parſismus erhoben hatte, der des Mazdak, die kurz vor dem Regierungsantritt des Königs 528 unterdrückt worden war. Aus dieſen Neuredaktionen ging das Aveſta hervor als eine Sammlung von be= 25 deutendem Umfange, und es hat ſich in dieſer Geſtalt noch erhalten bis weit in die Zeit der arabiſchen Herrſchaft hinein. Wir beſitzen aus dem Ende des 9. Jahrhunderts eine ausführliche Überſicht über den Inhalt dieſes ſaſanidiſchen Aveſta, von dem damals nur ein geringer Teil bereits verloren gegangen war ; das heutige Aveſta aber ſtellt nur einen verhältnismäßig geringen Bruchteil desſelben dar. Wie viel neue Beſtandteile durch 30 dieſe Neuredaktionen dem alten Texte hinzugefügt wurden, entzieht ſich natürlich unſerer Beurteilung ; dieſelben ſind aber jedenfalls in der folgenden Zeit wieder davon abgefallen, ſo daß der uns verbliebene Reſt unbedenklich als Überreſt des urſprünglichen Aveſta angeſehen werden darf. In ſaſanidiſcher Zeit iſt außerdem eine Überſetzung der heiligen Schriften in die damals herrſchende Sprache, das Pehlevi oder Mittelperſiſch, veranſtaltet 35 worden, die noch heute bei den Parſen ebenſogut kanoniſches Anſehen genießt, wie die heiligen Schriften ſelbſt. Daher ſtammt der Name Aveſta va Zend, d. h. heiliger Text und Erklärung, woraus die gewöhnliche Bezeichnung Zend Aveſta entſtanden iſt. An das Aveſta ſchließt ſich dann in ſaſanidiſcher und arabiſcher Zeit eine reiche theologiſche Litteratur in mittelperſiſcher Sprache an, aus der einige Hauptwerke hier genannt ſein 40 mögen: Bündahiſchn, wichtig für die Kosmogonie und Kosmologie, wahrſcheinlich durchweg auf einem uns verlorenen Aveſtatext beruhend ; Dinkart, eine ſehr umfang= reiche Sammlung von Erörterungen über religiöſe Fragen, darin auch die oben gegebenen geſchichtlichen Notizen und die Überſicht über den Inhalt des Aveſta ; Ardā Virāf nāmak das Buch von A. V. eine Schilderung von Himmel und Hölle ; Maīnyō i Khard, die 45 Ausſprüche des Geiſtes der Weisheit, hauptſächlich ethiſche Fragen behandelnd. Für die iraniſche Mythologie iſt das Schāhnāmeh von Firdanſi von großer Bedeutung.

Die Frage nach dem Alter und Entſtehungsort der Aveſta hängt auf das engſte zuſammen mit der anderen nach Heimat und Zeitalter des Zarathuschtra. Dieſer iſt der Stifter der Religion und nach parſiſcher Anſicht auch der Verfaſſer der ganzen Aveſta. 50 Thatſächlich ſtammt das Aveſta aus verſchiedenen Zeiten und nur die älteſten Stücke (die ſog. Gāthā) gehören dem Z. oder wenigſtens den Anfängen der Gemeinde an. Nach ſpäterer parſiſcher Überlieferung war Z. ein Weſtiranier ; er war danach in der mediſchen Provinz Atropatene geboren zur Zeit des Kyros. Aber dieſe Angabe kann nicht als zu= verläſſig gelten : die Sprache des Aveſta iſt oſtiraniſch und alle darin ſich findenden geo= 55 graphiſchen Angaben weiſen nach dem Oſten (Perſien und Medien ſind dem Av. unbekannt); und die geſchichtlichen Verhältniſſe, die darin erſcheinen, paſſen nur auf die Zeit vor der mediſchen Herrſchaft oder wenigſtens vor der Ausdehnung derſelben über den Oſten. Aller Wahrſcheinlichkeit nach iſt die Religion in Oſtiran entſtanden und hat ſich von da am Nordrand des iraniſchen Hochlandes zunächſt nach Medien und weiter nach Perſien ver= 60

breitet. Natürlich war Zarathuschtra Stifter der Religion nicht in dem Sinne, daß er
etwas ganz neues verkündigt hätte, sondern er knüpft überall an an die altiranischen Vorstellungen und gestaltet sie nur im Geiste seines Systems um. Daraus erklärt sich auch
die Verbreitung der Religion über ganz Iran. Natürlich hat Z. dem Schicksal aller
5 Religionsstifter, für eine mythische Person erklärt zu werden, nicht entgehen können.
Demgegenüber ist daran festzuhalten, daß die Nachrichten über das Leben und die Wirksamkeit des Propheten, wenigstens in ihrem Kerne geschichtlich sind, wenn sich auch in
späterer Zeit mancher legendarischer Zug daran angeschlossen hat und in der späteren
Legende einzelne mythische Elemente sich finden mögen. Das zeigt schon der Name, der
10 durchaus nicht mythisch ist und keine Beziehung zu seiner religiösen Bedeutung hat, sondern ein gewöhnlicher iranischer Personenname ist. (Der zweite Bestandteil des Namens
ist sicher uschtra Kamel; das griech. Ζωροάστρης geht wahrscheinlich auf eine persische
Nebenform Zara-uschtra zurück.)
   Die alte arische Religion war eine Lichtreligion, beherrscht von dem Gegensatz zwischen
15 Licht und Dunkel: göttlich und mythologisch in göttlichen Personen verkörpert sind das
Licht und alle Lichterscheinungen; dagegen sind die Finsternis und alle Naturerscheinungen,
die die Wirksamkeit des Lichtes unterbrechen und hemmen, der Tummelplatz von dämonischen Wesen oder in dämonischen Personen verkörpert. Doch hat dieser Gegensatz keine
ethische Bedeutung, insofern zwar die lichten Götter Urheber und Hüter der sittlichen
20 Weltordnung sind, aber die Dämonen nicht als Urheber des sittlich Bösen gelten, sondern nur das materielle Wohl der Menschen bedrohen. Im Parsismus ist der Gegensatz
ethisch vertieft und zu entschiedenem Dualismus weitergebildet. Auf der einen Seite steht
das Reich des Lichtes und des Guten, auf der anderen Seite ebenso ein Reich der
Finsternis und des Bösen. Die alte mythologische Anschauung ist nicht völlig über-
25 wunden, aber sie tritt in der eigenen Verkündigung des Propheten (in den sog. Gâthâ)
völlig zurück und hat auch in den späteren Stücken des Avesta nur untergeordnete Bedeutung. Daher ist der Parsismus seinem Ursprunge nach als polytheistische Naturreligion
zu bezeichnen, aber er hat diese Stufe überwunden und ist zu einer vorwiegend ethischen
Religion geworden. Die alte arische Religion hatte schon vor der Trennung der Inder
30 und Iranier eine reiche Mythologie entwickelt, aber die beiden Völker haben nach ihrer
Trennung ganz verschiedene Wege eingeschlagen. Die Inder haben das Erbe aus der
gemeinsamen Vorzeit nicht nur bewahrt, sondern haben es beständig weiter ausgebildet,
so daß schließlich die Mythologie die eigentlich religiösen Vorstellungen völlig überwucherte
und erstickte; dagegen hat der Parsismus die alten Mythen zwar nicht völlig über Bord
35 geworfen, aber er hat ihnen keinen Einfluß auf das religiöse Denken und Fühlen eingeräumt, ja er hat ihnen ihre ursprüngliche religiöse Bedeutung dadurch genommen, daß
in ihm nicht mehr Götter, sondern fast durchweg Heroen als Träger der mythischen Handlung erscheinen. Charakteristisch für den Gegensatz indischer und iranischer Religion ist
es vor allem, daß von den zwei alten Gottesnamen der eine, der das geistige Wesen
40 der Gottheit ausdrückt, nämlich asura, bei den Indern später zur Bezeichnung der Dämonen geworden ist, dagegen bei den Iraniern Name des höchsten Gottes geblieben ist
(in der Form ahura), indes der andere, durch den die Götter als mythologische Personen
gekennzeichnet werden, deva, im Indischen Gottesname geblieben ist und bei den Iraniern
(daeva) Dämonen bezeichnet (vgl. griech. θεός und δαίμων). Man hat daraus ge-
45 schlossen, daß die Trennung der beiden Völker durch die Verschiedenheit der religiösen
Grundanschauung veranlaßt worden ist, und diese Ansicht ist wohl insoweit richtig, als
sie das Auseinandergehen in religiösen Anschauungen bereits in die Zeit vor der Trennung verlegt, und der religiösen Verschiedenheit Einfluß auf die schließliche Trennung zuschreibt; der einzige Grund dafür wird sie wohl nicht gewesen sein.
50   An der Spitze des parsischen Göttersystems steht **Ahura Mazdâh** (der Lebendige,
Weise oder nach anderer Deutung der weise Herr), der Schöpfer, Erhalter und Regierer
der Welt, Urheber und Hüter der natürlichen wie der sittlichen Weltordnung, Schöpfer
der übrigen Götter und der Menschen. Seine Stellung auch den übrigen Göttern gegenüber ist eine so erhabene, daß die modernen Parsen mit einem gewissen Recht ihre Reli-
55 gion als monotheistisch bezeichnen, indem sie die Bedeutung der anderen Götter mit der
der Engel im Judentum und Christentum vergleichen. Im Gegensatz zu seinem Widersacher wird A. M. auch bezeichnet als der heilige oder heiligste Geist. Von der Ewigkeit
Gottes ist in unsern Quellen nicht die Rede, denn für die Religion ist vor allem sein
schöpferisches Wirken, das sich innerhalb der Zeit vollzieht, von Bedeutung: die Dauer
60 der gesamten Weltentwickelung von den Anfängen der Schöpfung bis zum endgültigen

Sieg des Guten wird in ſpäteren Quellen auf 12 000 Jahre berechnet, von denen die Hälfte durch den Kampf der beiden Mächte um die Herrſchaft über die Welt ausgefüllt werden. Mit ſeiner beſondern Betonung der göttlichen Weltſchöpfung ſteht der Parſis= mus ganz allein da unter den heidniſchen Religionen, wir finden ſonſt nirgends eine reli= giöſe Lehre über den Urſprung der Welt und des Menſchen. Da A. M. der Urheber der 5 ſittlichen Weltordnung iſt, wird er auch am letzten Ende als Richter erſcheinen, und weil er der Schöpfer der Welt und des Menſchen iſt, wird er dann die Auferſtehung der Toten und die Neuſchöpfung der Welt bewirken. Sein Wohnſitz iſt der höchſte Himmel, das garō demāna (garō nmāna, garōtmān), das Haus der Höhe oder des Lobpreiſes. Neben A. M. ſtehen ſechs andere Götter, die Amescha spenta (die Unſterblichen, Hei= 10 .ligen), deren Namen ſämtlich Abſtrakta ſind (grammatiſch Neutra oder Feminina), Be= zeichnungen göttlicher oder menſchlicher Eigenſchaften: Vohu manō gute Geſinnung, als göttliche Eigenſchaft Wohlwollen, Gnade, als menſchliche Frömmigkeit bezeichnend; Ascha vahischta beſte Gerechtigkeit; Khschathra vairya vorzügliche Herrſchaft; Āra= maiti Gehorſam; Haurvatāt und Ameretāt Fülle und Unſterblichkeit. In den Gāthā 15 iſt die Lehre von den A. sp. noch nicht völlig ausgebildet, wir können da ihre allmäh= liche Entwickelung verfolgen: die Namen erſcheinen dort noch nicht überall als Bezeich= nungen göttlicher Perſonen, ſondern ſind vielfach noch Appellativa. Deshalb iſt auch nicht daran zu denken,. daß die Lehre von auswärts entlehnt ſein ſollte (nach Darme= ſteter aus der philoniſchen Philoſophie mit ihrem λόγος und den verſchiedenen δυνάμεις), 20 ſondern ſie iſt echt parſiſch und die 7 A. sp. (mit Einrechnung des Ahura Mazdā) er= innern an die 7 Āditya der älteſten indiſchen Religion, ſo daß wohl beide aus einer gemeinſamen ariſchen Vorſtellung herausgewachſen ſind. Die Aufgabe der A. sp. iſt es, dem höchſten Gott bei der Erhaltung und Regierung der Welt zur Seite zu ſtehen und ſeine Befehle auszuführen; ſelbſtſtändige Bedeutung haben ſie für die Religion nicht. Die 25 übrigen Götter werden als Yadschata, Verehrungswürdige, bezeichnet; dazu gehören die Götter der alten ariſchen Mythologie: Mithra der alte Licht= und Sonnengott, Rāman oder Vayu der Wind, der Stern Tischtrya, die Waſſergöttin Ardvi Sūra Anāhita, die Waſſergötter Nairyōsaṅha und Apām napāt, Verethraghna der Gott des Sieges, urſprünglich Gewittergott, das Feuer und Haoma, der Genius des berauſchenden Opfer= 30 tranks. Der Kult des zuletztgenannten iſt altariſch, er ſteht bei den Indern (als Soma) im Mittelpunkt des geſamten Opferrituals und hat auch im Parſismus ſeine Bedeutung nicht völlig eingebüßt. Ferner gehören zu dieſer Götterklaſſe Perſonifikationen ſittlicher und religiöſer Ideen, ſo Sraoscha Genius des Gehorſams, Raschnu Gerechtigkeit, Aschi vanuhi gute Ordnung u. a. Alle dieſe Gottheiten ſind Geſchöpfe des höchſten 35 Gottes und ihm vollſtändig untergeordnet; der Geſchlechtsunterſchied hat bei ihnen keine mythologiſche Bedeutung. Neben den genannten Bezeichnungen verſchiedener Götterklaſſen bietet das Aveſta kein Wort für „Gott" (ſoweit nicht ahura dafür gebraucht wird), im Altperſ. findet ſich baga (Herr) als Gottesname im Sing. und Plur.

Den Göttern ſtehen Dämonen gegenüber, an ihrer Spitze der oberſte Teufel Angra 40 mainyu, der böſe oder verderbliche Geiſt; wie Ahura Mazdā iſt auch er nicht geſchaffen, ſondern von Anfang an Gegner Gottes. Sein Beſtreben iſt es, durch phyſiſche und mo= raliſche Übel zerſtörend in die Schöpfung Gottes einzugreifen, vor allem iſt die Exiſtenz der Sünde in der Welt ſein Werk und die beſtändige Verlockung zur Sünde das Ziel ſeines Wirkens. Darin unterſtützen ihn die übrigen Dämonen, ſeine Geſchöpfe (daeva oder 45 drudsch). Die Namen derſelben einzeln aufzuführen, iſt überflüſſig: es ſind zu wenig feſt umſchriebene Perſönlichkeiten, meiſt bloße Abſtraktionen, nur wenige ſcheinen der alten ari= ſchen Mythologie anzugehören. Am meiſten tritt unter ihnen noch Aeschma daeva hervor, der Dämon des blutigen Zornes, der ja auch als Asmodaios, allerdings mit ver= änderter Bedeutung, im ſpäteren Judentum Eingang gefunden hat. . 50

Der Dualismus, der ſich danach in der Geiſterwelt zeigt, geht durch die geſamte Schöpfung hindurch: alles iſt entweder von Gott oder vom Teufel geſchaffen und trägt .danach ſeinen Charakter bis zum Ende der Weltentwickelung, bei welchem die geſamte teufliſche Schöpfung zu Grunde gehen wird. Der Menſch gehört ſeinem Urſprung nach dem Reiche des Guten an, denn er iſt von Ahura Mazdā geſchaffen, aber er kann ver= 55 möge ſeines freien Willens ſich für den Widerſacher Gottes entſcheiden. Über die Schöpfung des Menſchen und den Sündenfall haben wir im Aveſta keine ausgeführte Lehre, es wird nur immer betont, daß er ein Geſchöpf Gottes iſt, aber durch die Lüge von Gott abgefallen iſt. Jedenfalls erſcheint auch da die Sünde als bewußte Auflehnung gegen Gott und als Übergang in das Reich des Teufels. Dagegen finden wir eine ausführ= 60

liche Darstellung des Sündenfalles im Bundahischn, die wohl im ganzen avestische An=
schauungen wiedergiebt, wenn auch vielleicht in der Einzelausführung manches dem alt=
testamentlichen Bericht entlehnt ist. Danach ist der erstgeschaffene Mensch Gayōmart
(im Av. Gayō maretan); dieser wird von Ahriman getötet, aber aus seinem Samen
5 entsteht das erste Menschenpaar, Māschya und Māschyōi (Māschya bedeutet einfach
„Mensch"). Die beiden verehren zunächst Gott als ihren Schöpfer, dann aber erklären
sie: Ahriman hat uns geschaffen, und verehren ihn demgemäß. Also auch hier ist die
Lüge die Ursünde, wie im Avesta. Durch den Sündenfall der Menschen ist die Macht
der Dämonen auf Erden außerordentlich gewachsen, so daß sie ungescheut ihr Wesen treiben
10 und die Menschen weiter zum Abfall von Gott verleiten können. Den Kampf gegen sie
führen zunächst die Heroen, vor allem Yima, Keresaspa und Thraetaona (Dschemschid,
Gerschasp und Feridun); zuletzt am Beginn der letzten drei Jahrtausende sendet Ahura
Mazdā den Propheten Zarathuschtra, damit er durch die Verkündigung der Wahrheit
und durch das heilige Gebet die Macht der Dämonen bricht und die Menschen zum Ge=
15 horsam gegen den göttlichen Willen zurückführt. Am Beginn jedes folgenden Jahr=
tausends soll dann ein neuer, aus dem Samen Zarathuschtras stammender, Prophet auf=
treten, bis am Ende der Weltentwickelung der Saoschyant (part. fut. von su fördern,
helfen, also = der zukünftige Helfer) erscheinen wird, Astvatereta der Sohn der Jungfrau
Eredhatfedhri. Er wird Ahura Mazdā und den übrigen Göttern zur Seite stehen in
20 dem letzten Kampfe, in dem die Macht des Teufels völlig gebrochen und sein Reich end=
gültig vernichtet werden wird, und er wird mit thätig sein bei der Bewirkung der Auf=
erstehung. Denn am Ende werden die Toten auferstehen zu neuem leiblichen Leben, und
sie werden eine neue Erde als Wohnsitz erhalten, in der nichts von der teuflischen
Schöpfung mehr vorhanden ist. Die alte Erde wird durch Feuer zerstört werden; in
25 den in diesem Weltbrand schmelzenden Metallen werden die Seelen der Bösen, die bis
dahin im Reich des Angra mainyu, in der Hölle, sich aufhalten mußten, gereinigt werden,
so daß sie von nun an wieder im Reiche Gottes leben können, dem sie durch ihre
Schöpfung angehörten, von dem sie sich aber losgesagt hatten. Der Dualismus, der die
gesamte Weltentwickelung von Anfang an beherrscht hat, ist damit am Ende völlig auf=
30 gehoben, und es giebt nur noch ein Reich Gottes. Die Lehre von der Auferstehung des
Leibes ist als persisch bezeugt durch Herodot (III, 62) und Plutarch (De Is. et Os. 47),
der jedenfalls Theopomp benutzt hat; Plutarchs Schilderung stimmt völlig überein mit
der Darstellung des Bundahischn, sogar in einzelnen Ausdrücken. In der Zeit der Achä=
meniden war also die Lehre sicher bereits völlig ausgebildet und ist danach als eine echt
35 persische anzusehen.
　　Durch die eben kurz skizzierte Weltanschauung des Parsismus ist nun auch seine
Ethik bestimmt. Der Mensch gehört seiner Schöpfung nach dem Reiche Gottes an, und
er soll diese Zugehörigkeit in jeder Weise bethätigen. Er soll den Geboten Gottes gemäß
leben, gerecht sein in Gedanken, Worten und Werken und außerdem mit allen Kräften
40 die göttliche Schöpfung fördern, die des Teufels bekämpfen und soweit er es vermag zer=
stören. So soll er die der guten Schöpfung angehörenden Tiere, vor allem Rind und
Hund, pflegen und den Ackerbau fleißig betreiben. Nach dem Verhalten im Leben richtet
sich das Schicksal der Seele nach dem Tode; die Entscheidung findet statt an der „Brücke
des Richters" (cinvatō peretu). Die Gerechten können dann in das Reich des Ahura
45 Mazdā eingehen, während die Bösen bis zur Auferstehung Bewohner der Hölle werden.
Für die, bei denen gute und böse Thaten gleich sind, kennt die spätere Lehre einen be=
sonderen Ort, Hamēstakān genannt. Von großer Bedeutung für den Parsismus ist
der Begriff der Reinheit und Unreinheit: alles Unreine ist dämonischen Ursprungs und
bringt den Menschen in die Macht der Dämonen, darum soll er seine Zugehörigkeit zum
50 Reiche Gottes auch durch physische Reinheit bethätigen, oder wo er diese mit oder ohne
seine Schuld verloren hat, sie durch genau vorgeschriebene Reinigungen wieder gewinnen.
Als unrein gilt alles Tote, die Ausscheidungen des menschlichen Körpers, sowie das ganze
Geschlechtsleben, soweit es nicht der Fortpflanzung dient. Reine Elemente sind vor allem:
Feuer, Wasser und Erde, d. h. die fruchtbare Erde, nicht der unfruchtbare Fels oder
55 Sandboden. Da nun Reines nicht mit Unreinem in Berührung gebracht und dadurch
verunreinigt werden darf, können die Toten weder beerdigt noch verbrannt werden; sie
werden daher auf Türmen (dakhma, die sog. Türme des Schweigens) zum Fraß für
die Raubvögel ausgesetzt, und dann die von allem Fleisch entblößten Knochen im Erd=
geschoß der Türme aufbewahrt.
60 　　Da somit der Mensch seine Unterthänigkeit der Gottheit gegenüber durch thatkräf=

tiges Handeln, durch energiſche Beteiligung an dem großen Kampfe bethätigen ſoll, hat
der Kult, beſonders das Opfer, für den Parſismus faſt gar keine Bedeutung. Als kräf=
tigſte Waffe im Kampfe gegen die Dämonen gilt das Gebet, beſonders das Herſagen der
im Av. enthaltenen heiligen Gebete, und die Rezitation der heiligen Schriften. Die letz=
tere iſt lediglich Sache der Prieſter und die Laien können nur inſoweit daran ſich betei= 5
ligen, als ſie die Prieſter dafür bezahlen; dagegen iſt eifrige Gebetsübung die Pflicht
jedes Parſen. Von Kulthandlungen finden wir nur äußerſt wenig im Parſismus, es
läßt ſich da eigentlich nur die ſog. Darunceremonie (av. draona) nennen, eine Dar=
bringung von haoma (ſ. o.) und kleinen runden mit Fleiſch belegten Kuchen, verbunden
mit Rezitationen aus dem Aveſta. Doch wird dieſelbe lediglich von den Prieſtern voll= 10
zogen und die Laiengemeinde nimmt gar nicht daran teil. Außerdem trägt die Unter=
haltung der heiligen Feuer kultiſchen Charakter. Jetzt haben für das religiöſe Leben
der Parſen die großen jährlichen Feſte hervorragende Bedeutung, ſie werden durch Gebet,
wozu ſich vielfach die Gemeinde in den Tempeln verſammelt, gefeiert, ſind aber vorzugs=
weiſe der Erholung und weltlichen Luſtbarkeiten gewidmet. Von einem wirklichen Ge= 15
meindegottesdienſt in unſerem Sinne weiß auch der Parſismus nichts. Da der Kult ſo
gering ausgebildet und für die Religion von ſo geringer Bedeutung iſt, kann auch die
Stellung der Prieſter nicht eine ſo hervorragende ſein, wie bei anderen Völkern, nament=
lich bei den Indern. Zwar wird im Aveſta der Prieſterſtand als der erſte bezeichnet und
immer vor den Kriegern genannt, aber das bedeutet wohl mehr einen Anſpruch, als daß 20
es den wirklichen Verhältniſſen entſprach. Im Aveſta finden wir als allgemeinen Prieſter=
titel âthravan (= Feuerprieſter), daneben einzelne Bezeichnungen von Prieſtern nach
ihren verſchiedenen Funktionen; bei den Perſern zur Zeit der Achämeniden war der (nach
Herodot) mediſche Stamm der magu Inhaber des Prieſtertums. Heute iſt das Prieſter=
tum in beſtimmten Familien erblich und der Zutritt dazu allen anderen verſchloſſen. 25
Übrigens klagen jetzt ſelbſt Parſen über den Mangel an Bildung bei ihren Prieſtern:
die meiſten können nur die Worte des Aveſta herſagen, ohne vom Sinn das Geringſte
zu verſtehen. Erſt neuerdings hat man durch Errichtung von Hochſchulen dieſem Übel=
ſtande abzuhelfen geſucht, und unter den höheren Prieſtern findet ſich eine Anzahl ge=
lehrter Leute.   •   **B. Lindner.**   30

Parwaim ſteht 2 Chr 3, 6 zur näheren Beſtimmung des Goldes, mit dem Salomo
die inneren Wandflächen des großen Tempelraums überzogen haben ſoll, זָהָב פַּרְוָיִם,
LXX χρυσίον τὸ ἐκ Φαρουάιμ. Wie in den Verbindungen Gold aus Ophir 1 Chr
29, 4, Gold aus Saba Pſ 72, 15 das zweite Wort das Goldland bezeichnet, ſo wird
auch in der oben angeführten Stelle P. die Gegend bezeichnen, aus der das betreffende 35
Gold kommt, eine Annahme, die bereits der griechiſchen Überſetzung zu Grunde liegt.
Aber wo iſt P. zu ſuchen? Da ausdrückliche Hinweiſe fehlen, ſo wird man zunächſt an
das Land denken, das auch ſonſt das Goldland für das AT iſt, an Arabien. Hier giebt
es in der That zwei Namen, die mit P. zuſammenhängen können. A. Sprenger führt
in ſeiner Schrift „Die alte Geographie Arabiens, S. 54 f. (Bern 1875), aus dem arabi= 40
ſchen Schriftſteller Hamdâni um 940 n. Chr. den Ort farwa im ſüdweſtlichen Arabien,
im Lande der Chanlän in Jemen, an und ſetzt ihn mit P. gleich. Ed. Glaſer (Skizze
der Geſchichte und Geographie Arabiens II, 1890, 347 f.) vergleicht dagegen sâk el-far=
wain, das von demſelben Schriftſteller als ein Goldbergwerk im nordöſtlichen Arabien,
in Jemâma, genannt wird. Eine ſichere Entſcheidung zwiſchen den beiden Vorſchlägen 45
zu treffen, iſt kaum möglich; doch ſind, wie Sprenger angiebt, in farwa ſelbſt keine
Minen geweſen, wohl in dem eine Stunde davon entfernten el-koka̓a. Die früher, ſeit
Bochart u. a. üblichen etymologiſchen Verſuche, dem Worte P. einen Sinn abzugewinnen,
müſſen jedenfalls hinter dieſen Vorſchlägen zurücktreten. Vgl. auch Ophir, oben S. 400.
Guthe.   50

Paſagier. — C. Schmidt, Histoire et doctrine des Cathares, II (Paris 1849), p. 294.
A. Neander, Geſch. d. chr. Rel. und Kirche⁴ II, 649. Molinier, Les Passagiens, in d. Mém.
de l'acad. des sc. de Toulouse, Sér. VIII, vol. 10 (1888), p. 428. Floß, Art. „Paſagier"
im KRL² IX, 1556.

Seit der zweiten Hälfte des 12. Jahrhunderts kommen vereinzelt Nachrichten über 55
eine Sekte vor, die bald Pasagii, bald Passagini (auch Passageros) genannt wird.
Zum erſtenmal wird ſie auf dem Konzil zu Verona 1184 unter Lucius III. verdammt,
jedoch ohne Angabe ihrer eigentümlichen Lehre (Mansi XXII, 477). Die einzigen Stellen,
aus denen man etwas über ihre Anſichten erſieht, finden ſich bei Bonacurſus (in deſſen

Manifestatio haeresis Catharorum, bei d'Achéry, Spicilegium 1, 212), und in einem um 1230 geſchriebenen Traktat des Gregor von Bergamo (Specimen opusculi contra Catharos et Pasagios, bei Muratori, Antiquitt. ital. medii aevi, 5, 152). Beide behaupten, die Paſagier hätten gelehrt, daß das moſaiſche Geſetz buchſtäblich ge-
5 halten werden müſſe, daß der Sabbat, die Beſchneidung und die übrigen geſetzlichen Vor-ſchriften, mit Ausnahme der Opfer, immer noch ihre Geltung haben, daß die Trinität ein Irrtum und Chriſtus nur das erſte, reinſte Geſchöpf Gottes ſei. Es war demnach eine judaiſierende, ſubordinatianiſche Partei. Friedrich II. nennt ſie in ſeinem Ketzergeſetze von 1224 circumcisi. Sie ſcheinen ſich bis gegen Ende des 13. Jahrhunderts erhalten
10 zu haben; Clemens IV. (1267) und Gregor X. (1274) befahlen den Inquiſitoren, „quam plurimos christianos qui. . . . se ad ritum judaicum . . . transtulerunt", als Ketzer zu beſtrafen. Nach Landulphus dem Jüngern (Historia Mediolan., c. 41, bei Muratori, Scr. rer. Ital., V, 513) ſoll die Exkommunikation, mit welcher der Erz-biſchof von Mailand im Jahre 1133 die Gegner des Kaiſers Konrad und des Papſtes
15 Anaklet belegte, die Veranlaſſung geweſen ſein, daß zu Rom und in der Lombardei viele ſich von Chriſto ab- und dem Judentum zuwandten. Wir möchten jedoch die Richtigkeit dieſer Angabe über den Urſprung der Paſagier bezweifeln, und eher mit Neander (a. a. O.) annehmen, daß die Sekte aus dem Verkehr der Chriſten mit den Juden entſtanden ſei. Zahlreiche Zeugniſſe beweiſen dieſen Verkehr. Durch ihr Geld hatten ſich die Juden unter
20 Fürſten und Großen Freunde und Beſchützer erworben und durch ihre Gelehrſamkeit ſelbſt auf Geiſtliche Einfluß ausgeübt (Lucas Tudensis, Adversus Albig. errores, Ingolst. 1613, 4°, p. 159; vgl. Neander l. c.). Vielleicht iſt der Urſprung der Paſa-gier bei den Juden in Paläſtina zu ſuchen; der Name bedeutet darauf hin: passagium, passage, Wanderung, wurde ganz beſonders von den Pilgerreiſen nach dem heiligen
25 Grabe gebraucht (Ducange, s. v. passagium); die Paſagier wären ſomit aus dem Morgenlande zurückkehrende, judaiſierende Pilger. Mehrere Schriftſteller haben den Namen durch vagabundi erklärt, mit Beziehung auf das Herumreiſen der Juden. Da man über-haupt ſo wenig von der Sekte weiß, ſo könnte auch dieſe Ableitung annehmbar ſein. Dagegen iſt die von πᾶς ἅγιος, bei Ducange, jedenfalls unrichtig. Ebenſo irrig iſt die
30 Meinung, daß es eine Bezeichnung der Katharer war; dieſe verwarfen ſchlechterdings das moſaiſche Geſetz. Ob die Paſagier eine geſchloſſene geordnete Gemeinſchaft bildeten, iſt unbekannt; vielleicht traten ſie bloß vereinzelt auf, vornehmlich in Italien, und zumal in der jeder Oppoſition gegen die Kirche offenen Lombardei. (C. Schmidt †) Zöckler.

Pascal, Blaiſe, geſt. 1662. — Litteratur: 1. P.s Werke: Oeuvres de Bl. P.,
35 La Haye, Detune 1779, 5 Bde (ed. Boſſut); Oeuvres complètes de Bl. P., Paris, Hachette, 3 Bde (ed. Lahure). Les Provinciales: 1. Ausgabe 1656 (ohne Ort): Lettres escrites à un provincial par un de ses amis sur la doctrine des Jésuites; neuere Ausgaben: von Abbé Maynard, Paris 1851, 2 Bde; von Leſieur (krit. Text), Hachette 1867, von E. Havet, Paris, Delagrave 1889, 2 Bde; von John de Soyres, Cambridge and London 1880; von Molinier,
40 Paris, Lemerre 1891. Ins Lateiniſche überſetzt 1658 von Wendrock; ins Spaniſche von Gratian Cordero; ins Italieniſche von Coſimo Brunetti; ins Engliſche von Royſton 1657; ins Deutſche von Hartmann 1830 u. ö. Les Pensées: 1. Ausgabe von Nicole éd. de Port Royal, Paris, Desprez 1670; von Condorcet (mit Voltaires Anmerkungen, Paris 1776); von Faugère (nach den Manuſkripten), Paris, Andrieux 1844; von Havet, Paris, Delagrave
45 1852—1887; von Molinier, Paris, Lemerre 1877—79; von G. Michaud (krit. Text), Fribourg 1896; von Brunſchwicg, Paris, Hachette 1896; J. F. Aſtié, Les Pensées disposées suivant un plan nouveau, Lauſanne, Bridel; deutſch von J. G. Dreydorff, Leipzig 1875. L'entretien de P. avec M. de Saci nach einem neuen Manuſkript veröffentlicht von Gazier in Revue d'histoire littér. de la France 1895. L'Abrégé de la vie de Jésus-Christ (krit. Text) von
50 G. Michaut, Fribourg 1897.

2. Litteratur über P. a) Franzöſiſche: vgl. die Einleitungen zu den oben genannten Ausgaben der Pensées; Sainte-Beuve, Port-Royal 1860, Bd 2 u. 3; derſ., Portraits contem-porains, Paris 1846; Couſin, Etudes sur Bl. P., Paris 1857; Vinet, Etudes sur Bl. P. neu aufgelegt Paris, Fiſchbacher 1904 (gehört zum Gediegenſten und Schönſten, was über P.
55 geſchrieben worden iſt); Nouriſſon, P. physicien et philosophe, Paris 1885; J. Bertrand, Bl. P., Paris 1891; V. Giraud, P., l'homme, l'oeuvre, l'influence, Fribourg 1898; E. Bou-troux, P., Paris 1900 (die reifſte Frucht der neueren P.-Forſchung, im Nachſtehenden mannig-fach benützt); vgl. auch E. Faguet, disseptième siècle, Etudes littéraires, Paris 1894; F. Brunetière, Etudes critiques sur l'histoire de la Littérature française, Paris, Hachette,
60 Bd 1. 3. 4; J.P. de Julleville, Histoire de la langue et de la litt. franç., Paris 1897, Bd 4; P. Bourget, P. in Etudes et portraits, Paris, Lemerre 1879; Droz, Sur le scepticisme de P., Paris, Alcan 1886; Ed. Schérer, La religion de P. in Etudes litt. cont., 1887; Ravaiſſon,

La philosophie de P. in Revue des deux Mondes 15. Mai 1887; C. Adam, Études diverses
sur P., 1887—1891 vgl. die Ausgabe v. Michaut; Rauß, La philosophie de P. in Annales
de la Faculté de Bordeaux 1871; Sully Prudhomme in Revue des deux Mondes 1890
und Revue de Paris 1894; Lanson, P. in Histoire de la litt. franç., Paris, Hachette 1894;
Gazier, P. et les écrivains de Port-Royal in Hist. de la langue et de la litt. franç., 5
Paris, A. Colin, 1897.

b) Deutsche: H. Reuchlin, P.s Leben und der Geist seiner Schriften, Stuttgart 1840;
J. G. Dreydorff, P., sein Leben und seine Kämpfe, Leipzig 1870; ders., P.s Gedanken über
die Religion, Leipzig 1875; Neander, Ueber die geschichtliche Bedeutung des Pensées P.s für
die Religionsgeschichte insbesondere, Berlin 1847; H. Weingarten, P. als Apologet des Christen- 10
tums, Leipzig 1863; F. Lotheißen, Geschichte der franz. Litteratur im 17. Jahrh., Bd 3, Wien
1883; Warmuth, Das religiös-ethische Ideal P.s, Leipzig 1901; ders., Wissen und Glauben
bei P., Berlin 1902 (tüchtige Arbeit mit wertvollen bibliograph. Notizen).

c) Englische: Isaak Taylor, Thougts on Religion and Philosophy by Bl. P., London
1894; über P. als Mathematiker: Cantor in Preuß. Jahrbücher 1873, I; über Jac- 15
queline P.: B. Cousin, Jacqueline P., Paris 1845; M. Dutoit, J. P., Lausanne 1901.

Blaise Pascal ist in Clermont-Ferrand am 19. Juni 1623 geboren als Sproß eines
alten durch Ludwig XI. geadelten Geschlechtes der Auvergne. Sein Vater, Etienne P.,
war zuletzt zweiter Präsident an dem 1630 nach Clermont verlegten cour des aides.
Aus seiner Ehe mit der frommen und geistreichen Antoinette, geb. Bégon, waren vier 20
Kinder hervorgegangen. Ein Jahr nach der Geburt des jüngsten Kindes Jacqueline (geb.
1625) starb die Mutter (1626). Auch eines der Kinder ist früh gestorben. Die ältere
Schwester Gilberte, die nachmalige Frau Perier (geb. 1620) nahm sich mit besonderer
Liebe um den jüngeren Bruder an. Um sich ganz der Erziehung seiner Kinder widmen
zu können, verkaufte Etienne P. 1631 sein Amt und siedelte nach Paris über, angezogen 25
durch einen Freundeskreis, dessen Mittelpunkt die Familie des 1619 verstorbenen Advo-
katen Antoine Arnauld, eines Hauptgegners der Jesuiten, bildete. Das geistige Interesse
dieses Kreises ging auf die Probleme der Mathematik und Naturwissenschaften. Man bekämpfte die eben erscheinenden Schriften Descartes' und dachte geringschätzig von den philosophischen Fragen, bei deren Lösung die experimentelle Methode versagte. Mit der Freude 30
an den exakten Wissenschaften und dem Mißtrauen gegen die Kompetenz der menschlichen
Vernunft auf metaphysischem Gebiet verband sich ein äußerlicher, aber ehrlicher Gehorsam
gegen die Lehren und Gebräuche der römischen Kirche. In dieser geistigen Atmosphäre
verbrachte der junge P. seine Jugendjahre. Der Vater hatte einen sorgfältigen Plan
für seine Erziehung ausgearbeitet. Vor dem 12. Lebensjahr sollte er keine der alten 35
Sprachen lernen; auch von der Mathematik wollte ihn der Vater bis zum 16. Jahr
fern halten. Aber des Knaben lebhafter Geist band sich nicht an das väterliche Programm:
der Vater überraschte einmal den Zwölfjährigen, wie er den Beweis für den 32. Satz
Euklids, wonach die Summe der Winkel eines Dreiecks gleich zwei Rechten ist, darstellte. So wiesen persönliche Anlage und Neigung, wie der regelmäßige Verkehr mit 40
den gelehrten Freunden des Vaterhauses den jungen Blaise frühzeitig auf das natur-
wissenschaftlich-mathematische Gebiet. Daneben kam seine humanistisch-litterarische Ausbildung etwas kurz weg. Wohl erwarb er sich genügende Kenntnisse im Lateinischen und
Griechischen, auch ein italienisches Buch vermochte er zu lesen, aber den Schätzen der
alten und neueren Litteratur ist er erst in seinen späteren Jahren näher getreten. Mit 45
welchem Verständnis er das Studium der Mathematik betrieb, zeigt sein Essai pour
les coniques, eine Abhandlung über die Kegelschnitte, die er — noch nicht 17 Jahre
alt — 1639 und 1640 verfaßte, und die Rechenmaschine, mit der er nach zweijähriger
Arbeit 1642 vor die Öffentlichkeit trat. Eine glänzende Zukunft lag vor dem jungen,
auch in der eleganten Welt wohl gelittenen Gelehrten. Da trat ein Ereignis ein, das 50
für die ganze Familie P. tief einschneidende Bedeutung hatte. Im Jahr 1646 verrenkte
der damals 50jährige Vater Pascal den Fuß durch Ausgleiten auf dem Eis in Rouen,
wohin er 1640 als Intendant der Normandie versetzt worden war. Zwei fromme Edelleute, die Brüder de la Bouteillerie und des Landes, angesehene Dilettanten der ärztlichen
Kunst, brachten ihm Hilfe und wußten zugleich das Interesse des Kranken auf die letzten und 55
höchsten Fragen des Lebens zu lenken, wie sie in der mit jansenistischem Geist erfüllten asketischen
Litteratur erörtert wurden. So machte Etienne P. Bekanntschaft mit Jansens Discours
sur la réformation de l'homme intérieur, Arnaulds De la fréquente communion,
St. Cyrans Lettres spirituelles und ähnlichen Schriften. Der entschiedene Ernst, mit
dem die jansenistische Frömmigkeit jeden Kompromiß mit der Welt ablehnte, verfehlte 60
auch bei dem jungen P. seinen Eindruck nicht. Die erste Phase seiner Bekehrung fällt in

diese Zeit. Noch stärker als Blaise wurde seine Schwester Jacqueline vom Geist dieser Schriften ergriffen. Sie war damals 20 Jahre alt, ein reich begabtes, auch poetisch veranlagtes Mädchen mit weltaufgeschlossenem Sinn und energischem Charakter, und sollte sich mit einem Parlamentsrat in Rouen vermählen. Aber unter dem Einfluß des Geistes
5 von Port-Royal reifte schon damals in ihr der Entschluß, mit der Welt zu brechen und ihr Leben ungeteilt Gott zu weihen. Zunächst galt es, den Vater P. für die religiösen Ideale der Geschwister zu gewinnen. Ihrem vereinigten Eifer gelang es, wie den Vater so auch die ältere Schwester Gilberte, als sie Ende 1646 mit ihrem Gatten Perier nach Rouen kam, unter den Einfluß des frommen Geistes der Einsiedler von Port-
10 Royal zu stellen. Im Herbst 1647 ging Blaise mit Jacqueline nach Paris, um dort Heilung für seine durch übermäßige Arbeit erschütterte Gesundheit zu suchen: er war am ganzen Körper wie gelähmt und konnte nur an Krücken gehen. In Paris hörte er häufig die Predigten des Abbé Singlin, des Beichtvaters von Port-Royal. Seine schlichte ernste Sprache, seine tiefe Kenntnis des menschlichen Herzens, seines natürlichen
15 Elendes und seines Ewigkeitsbedürfnisses, zog suchende Gemüter an und trieb sie zu heiligen Entschlüssen. Bald trat Jacqueline durch ihren Beichtvater Guillebert in nahe Beziehung zu Port-Royal und unter die persönliche Leitung des Abbé Singlin. Schon jetzt wäre sie gerne in Port-Royal eingetreten. Aber der Vater P., der 1548 wieder nach Paris gezogen war, wollte sich von seiner Tochter nicht trennen. Doch ließ er ihr völlige
20 Freiheit für ihr inneres Leben.

Es entspricht nicht dem geschichtlichen Thatbestand, wenn P.s Schwester und erste Biographin, Frau Gilberte Perier, ihn von dieser „Bekehrung" des Jahres 1646 an allem weltlichen Wissen, auch seinen naturwissenschaftlichen und mathematischen Lieblingsstudien, den Abschied geben läßt. Fallen doch gerade in die nächsten Jahre seine epochemachenden
25 physikalischen Entdeckungen und die Schriften, in denen er Rechenschaft giebt von seinen Untersuchungen über den Luftdruck, über den horror vacui, über barometrische Höhenmessung, über das Gleichgewicht der Flüssigkeiten u. s. w. (1647 nouvelles expériences touchant le vide und Préface sur le traité du vide; 1651 Traité de l'équilibre des liqueurs und Traité de la pesanteur de la masse de l'air). Es ist
30 hier nicht der Ort, auf die naturwissenschaftlichen Leistungen P.s näher einzugehen. Nur das sei erwähnt, daß P. schon auf physikalischem Gebiete ein ernstliches Zusammentreffen mit den Jesuiten hatte, die ihn fälschlich des Plagiats beschuldigten und bezichtigten, er gebe die Entdeckung Torricellis für seine eigene aus. Andererseits schrieb Descartes, der am 23. u. 24. September 1647 mit P. eine Zusammenkunft in Paris gehabt hatte, in zwei
35 Briefen an Carcavi (vom 11. und 17. Juni 1649) sich das Verdienst zu, Pascal, der ursprünglich gegenteiliger Ansicht gewesen sei, das Prinzip der barometrischen Höhenmessung suggeriert zu haben, das P. durch seinen Schwager Perier am 19. September 1648 auf dem Puy de Dôme untersuchen ließ und in Paris am Tour St. Jaques de la Boucherie selbst erprobte. Doch steht fest, daß der Vater P. schon 1636 die Idee gehabt hat,
40 durch Beobachtungen auf verschiedenen Höhenlagen zu untersuchen, ob die Schwere eine Eigenschaft des fallenden Körpers ist oder aus der Anziehungskraft eines andern Körpers resultiert. Sicher ist auch, daß die Meinungsverschiedenheit über die Priorität jener Entdeckung keine dauernde Verstimmung zwischen Descartes und der Familie P. zur Folge gehabt hat.
45 Um 1649 finden wir Blaise P. in einer eigentümlich zwiespältigen Stimmung. Er trägt zwei Seelen in seiner Brust. Die Eindrücke von Port-Royal kann er nicht vergessen. Aber an einem völligen Verzicht auf die Welt und das eitle weltliche Wissen hindert ihn seine leidenschaftliche Liebe zur Wissenschaft. Daß es zwischen Vernunft und Glauben, zwischen Philosophie und Religion nur ein Entweder — Oder gebe, stand ihm
50 wohl damals schon fest. Aber die religiösen und wissenschaftlichen Bedürfnisse hielten sich in ihm die Wage. Zu einer klaren Entscheidung konnte er auch in den nächsten Jahren nicht kommen.

Er hatte den Sommer 1649 in der heimatlichen Auvergne verlebt. Da seine Gesundheit durch das Übermaß geistiger Arbeit, dem er in Paris sich hingegeben hatte, aufs
55 tiefste erschüttert war, suchte der Vater P. durch einen Aufenthalt in der alten Heimat den Sohn seinen Studien und zugleich Jacqueline dem immer stärker werdenden Einfluß Port-Royals zu entziehen. Blaise fand Freude an den Zerstreuungen der jungen Welt. Nach Paris zurückgekehrt (November 1649) schloß er Freundschaft mit einigen jungen Edelleuten, an deren lustigem Treiben er sich beteiligte, soweit sein mäßiges Vermögen
60 es ihm erlaubte. Am 24. September 1651 starb der Vater P. Damit war für Jac-

queline der Zeitpunkt gekommen, ihren längst gefaßten Entschluß auszuführen. Am
4. Januar 1652 trat sie, trotz der Bitten des Bruders, ihn nicht zu verlassen, in Port-
Royal auf dem Felde als Novize ein. Ehe sie Profeß ablegte (5. Juni 1653), bat sie
ihre Geschwister um das väterliche Erbteil. P. hatte es als lebenslängliche Rente angelegt, die an dem Tag erlöschen sollte, da Jacqueline ins Kloster eintrete. Nun, da sie 5
als Schwester St. Euphemie die ewigen Gelübde ablegen wollte, bäumte sich ihr Stolz
dagegen auf, daß sie mittellos dem Kloster zur Last fallen solle. In Port-Royal freilich
hätte man sie lieber ohne Mitgift aufgenommen als mit einem Vermögen, das einer
lieblosen Gesinnung erst abgerungen werden mußte. Als Jacqueline bei ihrem Entschluß
blieb, unterzeichnete P. eine Schenkung an Port-Royal. An seiner Versicherung, daß er 10
der Schwester Erbteil gerne herausgebe, zu zweifeln hat man kein Recht.

Den Schmerz über den Tod des Vaters suchte er in vermehrten Zerstreuungen zu
übertäuben. Die philosophischen Prinzipien für diese oberflächliche Lebensführung fand
er in den Schriften Montaignes, den er neben Epiktet in dieser Zeit eifrig studierte.
Aber auch in Scherz und Spiel bethätigte sich sein Wissenstrieb: er gab sich mathe- 15
matischen Untersuchungen über den Zufall und die Wahrscheinlichkeit hin. So fallen in die
Jahre 1653 und 1654 seine hauptsächlichsten mathematischen Entdeckungen. Er schrieb
damals den Traité du triangle arithmétique, den Traité des ordres numériques
(erst 1665 veröffentlicht) und mehrere kleinere Schriften, die er an die Académie
parisienne des sciences richtete. Entwickelte er in diesen Abhandlungen die Theorien 20
der Wahrscheinlichkeitsrechnung, so enthält der Traité de la sommation des puis-
sances numériques die Grundzüge der Differential- und Integralrechnung.

Durch das weltliche Treiben einerseits und die Vertiefung in die mathematischen
Probleme andererseits sind die religiösen Regungen P.s in den Hintergrund gedrängt
worden. Er dachte nicht mehr an einen Kompromiß zwischen der Welt und Gott, wie 25
ihn einst die Frömmigkeit des Vaterhauses geschlossen hatte. Aber auch das jansenistische
Lebensideal war wieder vor ihm erblaßt. Der Geist Port-Royals hatte wohl stark auf seinen
Intellekt gewirkt, aber die Gefühls- und Willensseite seines Wesens nicht fest gefaßt.
Was ihm an dieser Weltanschauung imponierte, war weniger ihre religiöse Kraft, als
die straffe Logik ihrer Gedanken, das exakte Raisonnement, die Abneigung gegen Kom- 30
promisse mit Ideen, die auf dem Boden einer anderen Auffassung des Lebens erwachsen
sind, also das gleiche, was seinen Geist immer wieder zu den exakten Wissenschaften hinzog. Vorerst gehörte er noch ganz der Welt. Welt und Wissen sind die beiden Pole,
um die sein Streben sich dreht. Allseitige Ausbildung des ganzen Menschen, der Bedürfnisse seines Geistes wie der Leidenschaften seines Herzens ist für ihn des Lebens Ziel. 35
1652 oder 1653 schrieb er den von Cousin wieder aufgefundenen discours sur les
passions d'amour. Er will ein Amt annehmen und sich verheiraten.

Da wurden auf einmal jene alten Fragen, die seit der ersten Lektüre der jansenistischen Schriften ungelöst in seinem Herzen schlummerten, wieder in ihm wach. Tiefe
religiöse Bedürfnisse rangen sich in seiner Seele zum Licht. Er fand schal und reizlos, 40
was ihm bisher Genuß und Befriedigung gewährt hatte. Er litt unter dem Mißverhältnis
zwischen dem, was seine Seele suchte und dem, was die Welt und ihr Wissen ihm bot.
Der Friede floh ihn. Nach Gott dürstete er, nicht nach dem Gott der Mathematiker,
der nur ein algebraisches Zeichen ist, auch nicht nach dem Gott der Philosophen, der
bloß als metaphysischer Begriff existiert, sondern nach dem Gott Abrahams, Isaaks und 45
Jakobs, nach dem Vater Jesu Christi. Von diesem lebendigen Gott fühlte er sein Herz
angezogen. Gottes Gnade suchte ihn. Und wie seine Seele sich sehnt nach der Gnade,
von der sie gesucht wird, so hat sie in diesem Sehnen die Gewißheit, Gott gefunden
zu haben. „Du würdest mich nicht suchen, wenn du mich nicht gefunden hättest."
In solcher Stimmung ging er oft hinaus nach Port-Royal und machte seine Schwester 50
Jacqueline zur Vertrauten seiner Leiden. Bei einem dieser Besuche — es war am
21. November 1653 — hörte er in der Kirche eine Predigt des Abbé Singlin über den
Anfang des christlichen Lebens: wie es nicht nur eine Sache der Gewohnheit sein dürfe,
sondern eine ernste Entscheidung vor Gott und einen völligen Bruch mit der Welt vor-
aussetze. P. schien es, als wären diese Worte gerade für ihn gesprochen. Zwei Tage 55
darauf, am Montag, den 23. November 1653, hatte er ein wunderbares Erlebnis: wie
verzückt sah und fühlte er die Gegenwart Gottes. Es war abends von 10½ Uhr bis
um Mitternacht. Von dieser Stunde datiert seine Bekehrung: nicht durch Raisonnement,
sondern durch unmittelbares Anschauen ist er Gottes inne geworden. Sein Herz hatte
gefunden, was ihm fehlte. Nun strömte es über vor Freude und triumphierte in einer 60

Gewißheit, die alle Zweifel der Vernunft erstickte. Von den Gefühlen, die in jener ent=
scheidenden Nacht durch seine Seele wogten, zeugen die abgerissenen Worte, die er in
hastiger, unleserlicher Schrift auf ein Stück Papier warf: jubelnde Klänge einer Seele,
die ihres Gottes froh geworden ist. Auf einen Pergamentstreifen geschrieben trug er
5 diese heilige Erinnerung bis an sein Ende bei sich. Nach seinem Tod fand man das
Pergament — eine glaubenslose, spöttische Zeit hat es sein „Amulet" genannt — in
sein Kleid eingenäht.

Schutz und Festigung für das neu erwachte innere Leben suchte er in der Einsamkeit
von Port=Royal. Dort war man voll Danks gegen die göttliche Gnade, die diesen stolzen
10 Geist gedemütigt und zur Erkenntnis von der Eitelkeit der Welt geführt hatte. Zugleich
sah man in P.s Kommen einen besonderen Beweis der göttlichen Huld für das so hart
angefeindete Kloster. P. unterwarf sich trotz des Abratens der Ärzte den strengen Lebens=
gewohnheiten der Einsiedler und versagte unter Fasten, Nachtwachen und Selbstpeinigungen
seinem zarten Körper jegliche Schonung. Doch wahrte er sich völlige Unabhängigkeit. Er
15 ist oft in Paris. Mit den Einsiedlern vertieft er sich in die Bibel und die Schriften
der Kirchenväter, aber er nahm auch gelegentlich Anlaß, den Ansichten der Väter von
Port=Royal seine eigene Überzeugung gegenüberzustellen; so z. B. in der Frage nach dem
Verhältnis zwischen Wissen und Glauben. Das Gespräch mit de Saci (l'Entretien de
Pascal avec M. de Saci) zeigt, daß er weder das skeptische Mißtrauen Singlins und
20 de Sacis gegen die theoretische Vernunft teilt, noch von einer völligen Trennung zwischen
Theologie und Philosophie im Sinne Descartes' und Arnaulds etwas wissen will. Der Mensch
ist ein Problem, dessen Lösung sich in Gott findet. Die Philosophie kann diese Lösung
nicht geben. Die zwei Grundtypen aller Philosophie haben wir an Epiktet und Mon=
taigne, an den Stoikern und Skeptikern. Die stoische Philosophie vermag wohl für die
25 Größe des Menschen zu begeistern, aber sie versagt gegenüber seinem thatsächlichen
Elend, seiner sittlichen Ohnmacht. Die Skeptiker wissen sich wohl mit dem Elend des
Menschen abzufinden, aber sie verschließen die Augen vor seiner Größe, vor seiner gött=
lichen Bestimmung. Aus dieser Antinomie zwischen der grandeur und der misère
des Menschen führt keine Philosophie hinaus, sondern allein der Glaube. Wenn also
30 der Vernunft gegenüber dem Glauben kein selbständiger Wert zukommt, hat sie dann zu
Gunsten des Glaubens abzudanken? Nein; ihre Bedeutung ist eine formale: sie übt
unsern Geist im folgerichtigen Denken, und eine bescheidene: sie macht uns für den
Glauben empfänglich. P. trug sich in dieser Zeit mit dem Plan zu einem großen
apologetischen Werk, das die Philosophen und die Atheisten (Libertiner) für den Glauben
35 gewinnen sollte.

Von diesen Gedanken wurde er abgelenkt durch seine Verwickelung in den Streit
Port=Royals mit den Jesuiten.

Am 31. Januar 1655 (oder 1. Februar 1655, aber nicht am 24. Februar 1654, wie
Bd VIII S. 595,16 zu lesen ist) verweigerte der Priester Picots von St. Sulpice in
40 Paris seinem Beichtkind, dem Herzog von Liancourt, die Absolution, weil er einen Freund
von Port=Royal, dem Abbé de Bourzeis von der Académie française, bei sich auf=
genommen hatte und seine Enkel in den Schulen von Port=Royal erziehen ließ. Dies
veranlaßte Arnauld zu seinem Lettre à une personne de condition, der von den
Jesuiten, besonders von dem Pater Annat heftig angegriffen wurde. Arnauld erwiderte am
45 10. Juli 1655 mit einem Seconde lettre à un duc et pair de France (Herzog von
Luynes). Dieser Brief gab den Jesuiten erwünschte Gelegenheit, den Streit über das
fait und droit (s. den A. Jansen Bd VIII S. 594 f.) von neuem aufzurollen. Arnauld
bezweifelt in diesem Schreiben, daß die fünf Sätze thatsächlich in dem Buch Jansens sich
finden (question de fait) und bekennt sich zu der Überzeugung, daß die grâce efficace
50 manchmal auch den Gerechten fehle, z. B. dem Petrus bei der Verleugnung. Diese Über=
zeugung deckt sich mit den ersten der fünf Sätze des Jansenius (question de droit).
Arnauld wurde bei der Sorbonne denunziert. Es sollte nun ein Hauptschlag gegen ihn
geführt werden. Am 14. Januar 1656 wurde er in betreff der question de fait mit
180 gegen 71 Stimmen und 15 Enthaltungen verurteilt. Wegen der question de droit
55 waren die Thomisten geneigt, Arnauld freizusprechen, wenn er in der Seele des Gerechten
eine grâce suffisante (im Unterschied von der grâce efficace) anerkenne. In Port=
Royal hatte man wenig Hoffnung auf eine Freisprechung Arnaulds. Darum wollte man
den Streit vor ein anderes Forum tragen, vor die Öffentlichkeit. Arnauld schien hierzu
nicht geeignet. Seine Gelehrtennatur hätte nicht den richtigen Ton getroffen. So wurde
60 P. beauftragt, das Interesse der Laienwelt auf diesen Streit zu lenken. Er that dies

im ersten der Provinzialbriefe (Lettres écrites à un provincial par un de ses amis). Es galt, Arnauld eine Verurteilung wegen der question de droit zu ersparen. Die Entscheidung lag bei den Dominikanern (Neuthomisten), die sich im Wortlaut auf die Seite der Molinisten stellten, obwohl sie sachlich die Ansicht Arnaulds teilten. Der Streit dreht sich um den Ausdruck pouvoir prochain. Nach molinistischer Deutung will dieser Ausdruck besagen, daß der Gerechte im pouvoir prochain alles hat, was zu einer Handlung nötig ist. Nach neuthomistischer Lehre bleibt der pouvoir prochain wirkungslos, wenn nicht die grâce efficace dazu kommt, die den Willen determiniert, aber nicht allen gegeben ist. Der Brief erschien anonym am 23. Januar 1656. P. nahm die Maske eines Edelmanns, Louis de Montalte, an, der einen in der Provinz wohnenden Freund unterrichten will über die Streitigkeiten, die gegenwärtig die Sorbonne beschäftigen. Da Montalte selbst von diesen theologischen Spitzfindigkeiten nichts versteht, befragt er sich je bei einem Thomisten, Jansenisten, Molinisten und Neuthomisten und kommt zu der Erkenntnis: Arnaulds Ketzerei besteht einfach darin, daß er den Ausdruck pouvoir prochain nicht anwendet. In Port-Royal hatte man Bedenken wegen des Tons des Briefes. Aber sein Erfolg war ein großartiger: 60 Freunde Arnaulds protestierten gegen das gesetzwidrige Verfahren der Sorbonne. Ermutigt durch die Wirkung des ersten Briefes schrieb P. einen zweiten (20. Januar 1656), in dem er nachwies, daß auch in der Lehre von der grâce suffisante die Neuthomisten thatsächlich auf der Seite der Jansenisten stehen und nur aus Furcht vor den Jesuiten die grâce efficace zu einer grâce suffisante „temperieren". Wie vorauszusehen war, wurde Arnauld auch in der question de droit verurteilt (31. Jan. 1656). Im dritten Brief vom 9. Febr. 1656 erhebt P. Protest dagegen. Arnauld hat zwar Augustin und die Kirchenväter auf seiner Seite: aber was nützt es ihn? Er mußte verurteilt werden. Der ganze Streit war nur ein Vorwand. Der Haß der Jesuiten richtet sich gegen Arnaulds Person. Nun geht P. im vierten Brief (25. Februar 1656) zum Angriff auf die Jesuiten über. Er wendet sich gegen ihre Moral. Eine Sünde kommt nur da zu stande, — so läßt sich Montalte von einem gutmütigen Jesuitenpater, der ihn mit Vergnügen in die verwegensten Aussprüche der Moraltheologen seines Ordens einweiht, belehren — wo die Erkenntnis des Bösen, das in der Sünde ist, und eine Inspiration, die von diesem Bösen abhält, vorhanden ist. Giebt es dann überhaupt noch Sünde? Kann man nicht beim Blick auf einen solchen Moraltheologen sagen: ecce qui tollit peccata mundi? Die Jesuiten untergraben die Moral. Sie normieren das ethische Ideal nicht nach dem, was der Mensch soll, sondern nach dem, was der Durchschnittsmensch kann. Sie degradieren die Religion zur Politik und die Moral zur Kasuistik. Am Tag des Erscheinens des fünften Briefes (20. März 1656) mußten die Einsiedler Port-Royal verlassen. Vier Tage darauf wurde P.s Nichte Margarethe Perier durch die Berührung des hl. Dorns von einem Geschwür am Auge befreit. In Port-Royal pries man diese wunderbare Heilung als Glaubensstärkung. Die Jesuiten sahen darin den letzten Versuch Gottes, die Ungläubigen zu bekehren. Bald darauf durften die Einsiedler wieder zurückkehren.

Inzwischen rüstete sich P. durch das Studium Escobars und der jesuitischen Beichtstuhlpraxis zu neuen Angriffen. Am 10. April 1656 erschien der sechste Brief. Nun führt er Hieb auf Hieb und legt in den folgenden Briefen (6.—10. Brief von 25. April bis 2. August 1656) alle Schliche der frommen Väter, alle ihre schändlichen Konzessionen an die Sünde bloß: die Grundsätze des Probabilismus, die Methodus dirigendae intentionis, die Lehre von den zweideutigen Ausdrücken, von den günstigen Umständen, von den Mentalreservationen. Vom 11. Briefe an (18. August 1656) läßt P. die Maske fallen. Er tritt nun persönlich den Jesuiten gegenüber. Sie warfen ihm vor, er mache das Heilige lächerlich, er spekuliere auf die niedrigen Instinkte seiner Leser, und citiere nicht genau, er mache die Jesuiten verantwortlich für Lehren, die gar nicht aus dem Orden stammen und schiebe die gewagten Anschauungen einiger unbedeutenden Lehrer dem ganzen Orden zu. In allem dem sei er der Sekretär von Port-Royal! So holte P. noch einmal zum Angriff aus, um einen vernichtenden Schlag gegen seine Gegner zu führen und weist an den Aussprüchen ihrer gefeiertsten Lehrer nach, welche Verwüstung des sittlichen Gefühls sie durch ihre Lehren vom Almosen, von der Simonie, vom Bankrott, vom Duell anrichten (11.—13. Brief, 18. August bis 30. September 1656). Am 16. Oktober 1656 erklärte Papst Alexander VII. durch die Konstitution Ad Sanctam Beati Petri Sedem, daß Jansen die fünf Sätze in verwerflichem Sinne gelehrt habe. P. ging zunächst auf diese dogmatische Frage nicht ein, sondern wandte sich in einer gewaltigen Philippika (14. Brief, 23. Oktober 1656) gegen die jesui-

tische Lehre vom Mord: man erlaube den Mord wegen einer Ohrfeige, wegen eines be=
leidigenden Worts.

Aber wie ist es zu erklären, daß die Jesuiten trotz ihrer leichtfertigen Moral auch
viele ernste, fromme Seelen verführen? Das gelingt ihnen durch ihre Taktik der Ver=
5 leumbung. Man darf andere verleumden, um seine eigene Ehre zu retten. So verdäch=
tigen sie ihre Gegner der Ketzerei, des Einverständnisses mit Genf. Was ein Jesuit gegen
seine Feinde vorbringt, verdient nur die einzige Antwort: mentiris impudentissime.
Eine Lüge ist auch die Behauptung, daß P. zu Port-Royal gehöre. Selbst wenn man
in Port-Royal häretische Ansichten hätte — „je vous déclare que vous n'en pouvez
10 rien conclure contre moi, parceque, grâces à Dieu, je n'ai d'attache sur la
terre qu'à la seule Eglise catholique, apostolique et romaine, dans laquelle
je veux vivre et mourir, et dans la communion avec le pape son souverain
chef, hors de laquelle je suis très persuadé qu'il n'y a point de salut" (17.
Brief vom 23. Jan. 1657). Aber auch die Jansenisten sind keine Ketzer. Sie leugnen
15 nur das Faktum, daß die 5 Sätze bei Jansenius sich finden. In einer question de
fait können auch der Papst und die Konzilien irren. Galilei ist wegen einer question
de fait verurteilt worden: das hindert die Erde nicht, sich um die Sonne zu drehen.
So kommt P. in den letzten Briefen (15.—18. Brief, 25. November 1656 bis 24. März
1657) wieder auf die Affaire Arnauld zurück: der Kampf gegen Arnauld richte sich
20 eigentlich gegen Augustin und die Lehre Christi, an deren Maßstäben gemessen die Jesuiten
als Heiden und Gottlose sich entpuppen. Darum sollte mit Jansen auch Augustin fallen.
Die Versammlung des Klerus, die am 17. März 1657 die Bulle Alexanders VII. er=
halten hatte, redigierte ein Formular, das alle Geistlichen unterzeichnen sollten. Noch
einmal griff P. zur Feder, um durch einen 19. Brief (an den Jesuitenpater Annat) die
25 Freunde von Port-Royal zum Widerstand zu stärken. Aber mitten in einem Satz bricht
der Brief ab. Wollte er den Streit, der sich um das Formular erhob, nicht noch erbit=
tern? Hoffte er, daß der Widerstand der Bischöfe gegen das Formular siegen werde?

Die Provinzialbriefe hatten einen unbeschreiblichen Erfolg. In der lateinischen Über=
setzung Nicoles (1658) wurden sie rasch in ganz Europa populär. Das öffentliche Ge=
30 wissen war mit P. In Rom wurde das Werk als häretisch verdammt, ebenso unter
dem Druck der Regierung von der Versammlung des französischen Klerus und von der
Sorbonne. Nach Beschluß des Staatsrats vom 23. September 1660 wurde das Buch
Ludovici Montaltii Litterae provinciales durch den Henker verbrannt. Auf P. machte
die Verurteilung keinen Eindruck: „wenn meine Briefe in Rom verdammt sind, so ist das,
35 was ich darin verurteile, im Himmel verdammt: ad tuum, domine Jesu, tribunal
appello". Als er ein Jahr vor seinem Tode gefragt wurde, ob er bereue, die Briefe
geschrieben zu haben, gab er die Antwort: „bien loin de m'en repentir, si j'étais
à les faire, je les ferais encore plus fortes".

Die Bewunderung, die den petites lettres bei ihrem Erscheinen zu teil wurde, ver=
40 dienen sie heute noch im höchsten Maß. Zunächst waren sie eine kühne sittliche That.
Unter den heftigsten körperlichen Leiden stellte sich P. als Verteidiger der Gewissens=
freiheit, der Wahrheit und Gerechtigkeit den in der Gunst des Hofes allmächtig ge=
wordenen Jesuiten entgegen ohne Angst vor der Bastille oder den Galeeren. Und dieser
flammende Protest gegen die Unmoral der trockenen Schleicher ist aus P.s Feder als
45 litterarisches Meisterwerk geflossen. Die Briefe sind Gelegenheitsschriften. Es lag ihnen
kein Plan zu Grunde. Und doch fügen sie sich in dramatischer Steigerung zu einem
künstlerischen Ganzen. Statt ungenießbarer Diskussionen über scholastische Subtilitäten
und kasuistische Distinktionen formt P. aus dem spröden Stoff eine lebensvolle, von köst=
licher Komik übersprudelnde Konversation: die prächtige Gestalt des jovialen Paters, der
50 mit dummpfiffigem Schmunzeln dem neugierigen Montalte in die gewagtesten Nummern
seiner kasuistischen Bibliothek Einblick gewährt, erinnert an Molières beste Figuren. Die
von straffer Logik gezügelte Leidenschaft des empörten Gewissens, wie sie uns im 14. Brief
entgegentritt, hat den Vergleich mit Demosthenes nahegelegt. Der sehnige, kraftvolle und
nüchterne Stil stellt P. unter die ersten französischen Prosaisten. Dazu kommt noch, daß
55 P. die raffiniertesten theologischen Probleme als Laie vor Laien zu erörtern versteht.
Wie er alle Schulformeln, jeden Gelehrtenjargon vermeidet, so setzt er bei seinen Lesern
nichts voraus als gesunden Menschenverstand und ein unverdorbenes sittliches Empfinden.
Aber auch als wissenschaftliche Leistung sind die Briefe von bleibendem Wert. P. hat,
unterstützt von Nicole und anderen Freunden, die Waffen geschmiedet, nach denen die
60 Polemik gegen die Jesuiten in der Folgezeit immer wieder gegriffen hat. Mag es auch

richtig sein, daß der Probabilismus und die übrigen bedenklichen sittlichen Maximen nicht von den Jesuiten erfunden wurden, die Ehre oder die Schmach, diese Dinge in ein System gebracht zu haben, bleibt ihnen für alle Zeiten. Mag auch manches Zitat vor einer genaueren Prüfung nicht standhalten, manches Urteil einseitig sein: P. tritt als Ankläger, nicht als Richter den Jesuiten gegenüber, er hat nicht die Wage in der Hand, sondern das Schwert.

Während des Streites mit den Jesuiten ist sein inneres Leben im Wachstum nicht still gestanden. Das Wunder mit dem heiligen Dorn trug viel zur Festigung seiner religiösen Überzeugungen bei. Nun, nachdem er wieder frei war für seine apologetischen Studien, hätte er das Werk, das in seinem Geist fertig vorlag und im Plan den Freunden von Port-Royal bekannt war, in kurzer Zeit niederschreiben können. Aber er schrieb wenig und arbeitete das Geschriebene immer wieder um. Erst als die fortwährenden Kopfschmerzen sein Gedächtnis schwächten, gab er sich dazu her, seine Gedanken auf einzelnen Blättern zu fixieren. Daß von dem geplanten apologetischen Werk P.s nicht mehr auf uns kam, als diese zerstreuten Blätter, ist begründet in P.s zunehmender Kränklichkeit. Er legte seinem schwächlichen Körper die größten Entbehrungen auf. Zumal die letzten Jahre seines Lebens verbrachte er in der strengsten Askese. Um den Leib trug er einen Gürtel mit eisernen Stacheln, mit dem er sich selbst peinigte, wenn ihm ein eitler Gedanke kam. Die frommen Übungen beobachtete er gewissenhaft. Die heilige Schrift wußte er fast auswendig: besonders lieb war ihm der 118. Psalm. Mit Jesus stand er in innigem Gebetsumgang (le mystère de Jésus). Er diente ihm an den Armen, denen er in unbegrenztem Wohlthun zugethan war. Dagegen that er sich selbst Zwang an, um seine Liebe zu seinen Verwandten und Freunden einzudämmen. Er will völlig brechen mit der Welt und seiner eigenen Natur. Und doch wacht noch einmal die alte Liebe zur Mathematik in ihm auf. Er arbeitet an der Lösung mathematischer Probleme und findet die Grundgedanken der Infinitesimalrechnung.

Durch den von neuem entfachten Kampf gegen Port-Royal wird er aus diesen Studien herausgerissen. Am 23. April 1661 kam der königliche Befehl an Port-Royal, alle Zöglinge und Novizen zu entlassen. Ein Hirtenbrief der Generalvikare des Erzbischofs von Paris vom 8. Juni 1661 verlangte die Unterzeichnung des Formulars. Er war so (vielleicht unter P.s Mitwirkung) so abgefaßt, daß er die Härten des Formulars erweichte, um es auch für die Jansenisten annehmbar zu machen. Aber die Nonnen verweigerten die Unterschrift, allen voran Jacqueline. „Nur die Wahrheit macht frei, — schrieb sie im Juni 1661 an die Unterpriorin im Pariser Kloster von Port-Royal — wenn Bischöfe den Mut von Mädchen haben, dann müssen Mädchen den Mut von Bischöfen zeigen. Können wir die Wahrheit nicht verteidigen, so wollen wir für sie sterben." Trotzdem unterzeichnete, durch Arnauld bestimmt, Port-Royal auf dem Felde wie vorher das Haus in Paris. Drei Monate später, am 4. Oktober 1661, starb Jacqueline, 36 Jahre alt. Als ein zweiter Hirtenbrief kategorischer als der erste die Unterzeichnung des Formulars verlangte, zeigte sich P. im Gegensatz zu den Freunden von Port-Royal unerschütterlich. Die vorbehaltlose Unterwerfung unter das Formular wäre in seinen Augen einer Verdammung nicht nur des Jansenius, sondern auch des Augustin, des Paulus und der grâce efficace gleichgekommen. Der Schmerz über den Wankelmut Arnaulds und Nicoles gab seiner Gesundheit den letzten Stoß. Seit Juni 1661 verschlimmerte sich sein Zustand. Um eine arme Familie mit einem pockenkranken Kinde, die er in sein Haus aufgenommen hatte, nicht vertreiben zu müssen und die Kinder seiner Schwester, die ihn häufig besuchten, nicht der Gefahr der Ansteckung auszusetzen, ließ er sein Haus diesen Armen und siedelte zu Frau Perier über. Die Freunde von Port-Royal waren viel um ihn. In frommen Gesprächen mit ihnen und in selbstloser Fürsorge für die Armen verbrachte er seine letzten Tage. Er beichtete oft und empfing noch vor seinem Tode die heilige Kommunion. „Mein Gott, verlaß mich nicht" waren seine letzten Worte. Am 19. August 1662 entschlief er im Alter von 39 Jahren. In der Kirche St. Etienne du Mont hat er sein Grab gefunden. In der Halle des Turmes St. Jacques steht sein ehernes Standbild.

In P.s Nachlaß fanden sich zahlreiche lose Blätter und Papierschnitzel, beschrieben mit einzelnen Gedanken und persönlichen Bekenntnissen: Skizzen und Vorarbeiten für die projektierte Apologie des christlichen Glaubens gegenüber den Atheisten. Acht Jahre nach seinem Tod wurde das Manuskript von seinen Freunden veröffentlicht unter dem Titel: **Pensées de M. Pascal sur la religion et sur quelques autres sujets qui ont été trouvées après sa mort parmi ses papiers.** Leider war diese Publikation nichts

weniger als eine treue Wiedergabe des Originals. Wir finden in der ersten und den
folgenden Ausgaben keine zwanzig Zeilen im Zusammenhang, die nicht irgendwelche
größere oder kleinere Abweichungen vom ursprünglichen Text enthielten. Aus Gründen
der Furcht und der Klugheit haben sich Arnauld und Nicole verpflichtet gefühlt, bald die
5 Gedanken P.s zu unterdrücken, bald durch Zusätze zu erläutern, Disparates zusammenzustellen und Zusammengehöriges auseinanderzureißen. Erst 1843 ist durch V. Cousins
Schrift „Des Pensées de Pascal" die Aufmerksamkeit auf den originalen Text gelenkt
worden. Die erste vollständige Ausgabe ist die von Faugère 1844. Heute haben wir
in der Ausgabe von Michaut eine getreue Reproduktion der Pensées in ihrem ursprüng-
10 lichen Zustand mit all den unvollendeten Sätzen, einzelnen Worten, Streichungen, Ra-
suren, verschiedenen Lesarten, wie P. sie hinterlassen hat. Auf Grund dieser Skizzen
und Andeutungen ist je und je versucht worden, den Grundriß der geplanten Verteidigungsschrift P.s festzustellen. Aber die zerstreuten Bruchstücke wollen sich nicht ineinander
fügen. Bei manchem Stück hat man den Eindruck, als hätten wir gar nicht P.s eigene
15 Gedanken vor uns, sondern die seiner Gegner, die er niedergeschrieben hatte, um sie gelegentlich zu widerlegen. Auch darf nicht vergessen werden, daß die Pensées aus verschiedenen Zeiten stammen und daß P. über die wichtigsten Fragen, z. B. über das
Verhältnis von Wissen und Glauben, zu verschiedenen Zeiten verschieden dachte. Aber so bedauerlich auch die fragmentarische Form der Pensées sein mag, so liegt doch der besondere
20 Reiz dieser Bekenntnisse gerade darin, daß sie in dieser Form nicht für die Welt bestimmt
waren, daß wir hineinsehen dürfen in das reiche Innenleben eines frommen Gemütes
und in die geheime Werkstatt seiner Gedanken. Darum finden die Pensées ihren Platz
neben Augustins Konfessionen. Wir haben an ihnen nach Vinets schönem Wort, „das
Wanderbuch einer Seele auf dem Weg zum Glauben".
25 Unbefriedigt vom Studium der abstrakten Wissenschaften, die für die letzten und
höchsten Rätsel des Lebens keine Lösung wissen und darum die tiefsten Bedürfnisse des
Herzens unbefriedigt lassen, wendet sich P. dem Studium des Menschen zu. Die Mathematik liefert wohl unserem Denken eine unwiderlegliche Methode, aber nicht eine einzige
konkrete Wahrheit. Ihre Grundprinzipien setzt sie als elementare Wahrheiten voraus und
30 alle ihre Operationen bestehen einzig darin, durch jeden neuen Schluß den vorhergehenden
abzuwandeln. Gott selbst ist für die Wissenschaft nur erreichbar als mathematischer
Schluß, als philosophischer Grenzbegriff. Nur eine ethische Wirkung geht von der Beschäftigung mit der Mathematik aus: durch die Begriffe des unendlich Kleinen und des
unendlich Großen führt sie den Menschen zur Selbsterkenntnis und zur Ehrfurcht vor
35 dem Unendlichen. Das Studium, zu dem der Mensch seiner Bestimmung nach berufen
ist, ist das Studium des Menschen.
Der Mensch ist ein Chaos, eine Chimäre, ein unverständliches Monstrum, ein Wesen
voller Widersprüche. Wir verlangen nach Wahrheit und finden in uns nur Ungewißheit.
Wir sehnen uns nach Ruhe und suchen immer die Zerstreuung. Wir dürsten nach Glück
40 und finden in uns nur Elend. Dieses Verlangen und diese Ohnmacht ist ein Beweis,
daß der Mensch einst ein wirkliches Glück besessen hat, von dem ihm nichts geblieben ist
als eine leere Spur, die er vergeblich zu füllen sucht mit allem, was ihn umgiebt: er
sucht in dem, was er nicht hat, die Hilfe, die er nicht findet in dem, was er hat, während doch weder das eine noch das andere im stande ist, ihm diese Hilfe zu reichen,
45 weil dieser unendliche Abgrund nur durch ein unendliches Objekt ausgefüllt werden kann.
Sein Elend stammt aus dem Fall: er ist ein abgesetzter König. Über diese Kluft zwischen
unserer ewigen Bestimmung, die wir nicht vergessen können und zwischen der natürlichen
Ohnmacht, in der wir seufzen, führt keine Brücke. Zwar versprechen die Philosophen die
Lösung des Problems. Allein entweder enttäuschen sie uns, indem sie wohl unsere Größe
50 uns vorhalten, aber unser Elend übersehen (Epiktet und die Stoiker), oder degradieren sie
den Menschen, indem sie mit einem Elend sich abfinden und seine Größe aus den Augen
verlieren. Deshalb besteht das größte Verdienst der Philosophie darin, daß sie über sich
selbst hinausweist und zur Theologie, dem Centrum aller Wahrheit, führt.
Wäre nämlich auch ein Mensch durch seine Vernunft zur Erkenntnis Gottes als eines
55 wissenschaftlichen und philosophischen Postulats gelangt, für sein Heil hätte er damit noch
nichts gewonnen. Denn die Erkenntnis, daß Gott ist, genügt hierfür nicht. Wir müssen wissen,
wie er ist, wie er sich uns gegenüber verhält. Darüber geben die Religionen Aufschluß.
Sie erheben den Anspruch, Gott zu offenbaren. Um die wahre Religion zu suchen, haben
wir zunächst kein anderes Instrument als unsere Vernunft. Die göttliche Offenbarung
60 muß also für unsere Vernunft erkennlich, sie darf wenigstens nicht wider die Vernunft

sein. Durch Wunder und Weissagung, wie durch den geschichtlichen Verlauf des Lebens Jesu erweist sich das Christentum vor unserer Vernunft als die wahre Religion. Dieser Erweis hat freilich nicht die Evidenz einer mathematischen Wahrheit: die Beweise für die Wahrheit der göttlichen Offenbarung sind nicht géometriquement convaincantes. Aber sie zeigen die christliche Lehre als eine Hypothese, die unsere Vernunft befriedigt. Die 5 Lehren von der Natur und der Gnade, vom Fall und vom gottmenschlichen Erlöser bieten die notwendige Ergänzung zur Erfahrung des Menschen von seinem Elend und seiner Größe. So hilft die Vernunft den Glauben vorbereiten. Da sich aber unsere gottfeind= lichen Leidenschaften dieser vernunftmäßigen Erkenntnis Gottes und seiner Offenbarung widersetzen, so giebt es ein zweites Mittel, um den durch die Vernunft gewonnenen 10 Glauben zu befestigen: die Gewohnheit. Den Widerstand unseres Herzens können wir dadurch abschwächen, daß wir thun, als ob wir glaubten. Wir sind ebensosehr Auto= maten als geistige Wesen: erst die Gewohnheit macht die von unserer Vernunft erkannte Wahrheit uns vertraut und unverlierbar. Jedoch haben beide, Vernunft und Gewohnheit, nur vorbereitende Bedeutung für den Glauben. Der Glaube selbst ist ein Geschenk der 15 göttlichen Gnade. Gott neigt unser Herz zum Glauben. Nicht die Vernunft, sondern das Herz ist das Organ des Glaubens. Ohne Vermittlung der Vernunft wirkt Gott unmittelbar auf unser Herz durch die Inspiration. Die, denen Gott durch das unmittel= bare Erleben ihres Herzens geschenkt wird, sind glücklich und haben eine unerschütterliche Gewißheit; wer die persönliche Erfahrung von der Wirkung der göttlichen Gnade an 20 seinem Herzen noch nicht gemacht hat, kann nur auf dem Weg des Raisonnements zur Religion geführt werden, bis es Gott gefällt, an seinem Herzen sich zu bezeugen. Die Inspiration, durch die unser Herz zum Glauben geneigt wird, geht aus von Christus; nur durch Christus erkennen wir Gott. Nicht in der Natur oder durch metaphysische Be= weise, die uns nicht über den Deismus hinausführen. In Christo erkennen wir unser 25 Elend als Folge des Falles und Gott als den Gott der Liebe und des Erbarmens, der mit seiner Fülle unsern Mangel deckt. Wie aber Christus diejenigen erleuchtet, die Gott in Liebe zum Glauben erwählt hat, so geht von ihm auch die Verblendung derer aus, die nach Gottes verborgenem Willen nicht zum Glauben bestimmt sind.

In diesen religiösen Grundgedanken der Pensées erkennen wir leicht P.s persönliche 30 Erlebnisse in der Sprache der jansenistischen Frömmigkeit Port=Royals. Aus ihr ist auch das ethische Ideal erwachsen, das P. in seinem Leben angestrebt und in den Pensées dargestellt hat. Die christliche Vollkommenheit besteht für ihn in der Nachfolge des armen Lebens Jesu: bußfertige Selbstbetrachtung, mönchische Abtötung des natürlichen Menschen, mystische Hingabe an Jesum, kontemplative Erhebung zu Gott sind die wesentlichsten 35 Mittel der Heiligung. Nach dem Verhältnis zur Welt ist P.s Lebensideal vorwiegend negativ bestimmt. Die Pflicht der Liebe gegen die Armen und Kranken erscheint als die einzige positive Pflicht. Für das Berufs= und Staatsleben hat P. wenig Sinn. Das Wort „Familie" kommt in den Pensées gar nicht vor. Die Ehe nennt er la plus périlleuse et la plus basse des conditions du christianisme. So leuchtend P.s 40 religiös=sittliches Ideal mit seinem Dringen auf Innerlichkeit und persönliche Lebens= heiligung sich abhebt von der jesuitischen Allerweltsmoral, die er in den Provinzialbriefen bekämpft, so zeigt doch die mönchisch=asketische Färbung desselben aufs deutlichste, wie fremd die evangelische Auffassung von christlicher Vollkommenheit zeitlebens ihm geblieben ist. Er war kein „Protestant in katholischer Hülle". So wenig als die Jansenisten oder 45 die modernen Reformkatholiken hat er durch seine eigenen Äußerungen über den Pro= testantismus und seine großen Männer den Verdacht aufkommen lassen, daß er Sympa= thien, oder auch nur ein Verständnis für sie besitze. Aber er ist, wie seine Freunde von Port=Royal, auch in der römischen Kirche ein Fremdling geblieben bis auf den heutigen Tag. Dafür war von Anfang an der Einfluß seiner Gedanken an keine konfessionellen 50 Schranken gebunden. Durch seine Frömmigkeit, die im Evangelium von Jesu Christo wurzelt, ist er wie Paulus und Augustin, seine großen Lehrmeister, ein Pfadweiser ge= worden für alle, die Gott suchen. Es giebt wohl einen Standpunkt, auf dem sich das Urteil Lotheißens verstehen läßt: „wir können nur bedauern, daß er seine seltene geistige Kraft nicht der Erforschung der Naturgesetze zugewandt hat, wie er in seiner Jugend so 55 erfolgreich begonnen. Dann besäße Frankreich wahrscheinlich in ihm einen Mann, den es neben Newton stellen könnte". Aber gewiß ist auch noch eine andere Schätzung P.s möglich. Ein Geistesverwandter P.s, Alexander Vinet, hat sie ausgesprochen in den schönen Worten: „Pascal kannte noch edlere Bedürfnisse als das Wissen. Seine Seele dürstete nach Gerechtigkeit mehr als sein Geist nach Erkenntnis. Das öffnet die Augen, 60

oder vielmehr das giebt Augen. Um sich von der Wahrheit des Evangeliums zu ver=
sichern, hatte er von da an einen Sinn, der den Geschicktesten und Begabtesten fehlen
kann. Er wußte von da an, daß Wahrheit und Leben nicht zwei Dinge sind, sondern
daß es eine wesenhafte Wahrheit giebt, die allein die Wahrheit ist. So durfte er schauen,
was in keines Menschen Herz gekommen, was Gott offenbart denen, die ihn lieben. Er
hatte teil an dem Segen, der denen verheißen ist, die nach Gerechtigkeit hungern und
dürsten". Ein Fürst im Reich des Wissens, steht er noch größer da in der Welt des
Glaubens als einer, „von des Leibe Ströme des lebendigen Wassers fließen".

Eugen Lachenmann.

Paschalis, Gegenpapst 687, s. d. A. Sergius I.

Paschalis I., Papst 817—824. — Quellen: Jaffé 1, S. 318—320; Liber Pontificalis ed. Duchesne 2, S. 52—68; Annales Einhardi S. 87—824 ed. Kurze, Annales Regni
Francorum; Theganus, V. Ludovici c. 30 Bd 2, S. 507; Vita Hludovici c. 37, ebd. S. 627;
das sogenannte pactum Ludovicianum bei Sickel, Das Privilegium Ottos I. für die römische
Kirche, Innsbruck 1883, S. 173 ff., und Boretius, Capitularia regum Francorum 1, S. 253 ff. —
Litteratur: Baxmann, Die Politik der Päpste 1, S. 329 ff.; Simson, Jahrbücher des
deutschen Reiches unter Ludwig dem Frommen Bd 1; Mühlbacher, Deutsche Geschichte unter
den Karolingern, S. 328 f. 341 f.; Niehues, Verhältnis von Kaisertum u. Papsttum 2, S. 69 ff.;
Hauck, Kirchengeschichte Deutschlands 2¹, S. 481 ff.; Langen, Geschichte der römischen Kirche
von Leo I. bis Nikolaus I., S. 800 ff. Speziell zur Wahl des Paschalis und dem Ludovicianum
vgl. Hinschius, Kirchenrecht 1, S. 231; Ficker, Forschungen zur Reichs= und Rechtsgeschichte
Italiens 2, S. 299 ff., 322 ff.; Sickel a. a. O. S. 50 ff., woselbst auch die ältere Litteratur;
Bayet, Revue historique 24, S. 15 ff.; Lamprecht, Die römische Frage, S. 26 ff.; Döpffel,
Kaisertum und Papstwechsel, S. 58 ff.; Heimbucher, Die Papstwahlen unter den Karolingern,
S. 116 ff.; Lindner, Die sogenannten Schenkungen Pippins, Karls d. Gr. und Ottos I. an
die römische Kirche, S. 60 ff.; Grauert, HJG 20 (1899), S. 292 ff.

Paschalis, der Sohn des Römers Bonosus und der Theodora Episcopa, erlernte im
Patriarchium des Lateran den Kirchendienst, wurde daselbst Subdiakon und Presbyter
und unter Leo III. Leiter des Klosters und der Pilgerherberge St. Stephanus Major
bei St. Peter. Als Stephan IV. starb — 24./25. Januar 817 —, wurde er noch am
selben Tage zum Papste gewählt und bereits am nächsten Tage 25./26. Januar kon=
sekriert. Diese Eilfertigkeit ist auffällig. Es scheint doch, daß man einer Einmischung
des fränkischen Hofes in die Wahl zuvorkommen wollte. Dafür spricht auch, daß der
neue Papst für nötig hielt, alsbald ein „Entschuldigungsschreiben" und eine Gesandtschaft
an Kaiser Ludwig zu richten. Ludwig erhob jedoch keinerlei Einspruch. Er erneuerte
auch auf Antrag einer zweiten Gesandtschaft des Papstes noch im selben Jahre das
pactum seiner Vorgänger mit dem hl. Petrus und stellte darüber der römischen Kirche
eine Urkunde aus, sogenanntes pactum Ludovicianum. Über die uns erhaltene Fassung
dieser Urkunde, deren älteste Gewährsmänner Anselm von Lucca und Deusdedit sind (s. die
AA.), ist im Laufe der Jahrhunderte eine ganze Litteratur entstanden. Heute erklärt man
sie allgemein nicht mehr für unecht, sondern nur für verunechtet. Aber über den Umfang
der späteren Interpolationen gehen die Ansichten noch weit auseinander. Meist hielt man
nur die Worte et insulas Corsicam et Sardiniam et Siciliam für eingeschoben,
eine Anzahl Forscher (Richter=Dove, Hinschius, Simson, Döpffel) bezeichnen jedoch auch
den Passus über die Papstwahl als sehr verdächtig. Noch weiter geht Hauck: er be=
trachtet den ganzen Schlußabschnitt nullumque in eis bis consuetudo erat faciendi
als spätere Zuthat. Entscheidend für die Frage ist 1. die Thatsache, daß in der Nach=
urkunde, dem Ottonianum von 962/963, nirgends die von Hauck beanstandeten Sätze
anklingen, 2. die fränkische Politik der Jahre 817—824. Es ist nicht anzunehmen, daß
Ludwig 823 Anspruch auf die oberste Gerichtsbarkeit in Rom und 824 außerdem auch
Anspruch auf Mitwirkung bei der Papstwahl erhoben hätte, wenn er 817 förmlich und
feierlich auf diese Rechte verzichtet hätte. D. i. auch der ganze Schlußabschnitt ist ge=
fälscht. — Die Beziehungen des Papstes zum fränkischen Hofe waren zunächst freundliche.
Im Mai 821 nahmen päpstliche Gesandte an dem Reichstage zu Nymwegen teil, im Oktober
desselben Jahres ließ der Papst den jungen Kaiser Lothar durch eine eigene Gesandt=
schaft zu seiner Vermählung beglückwünschen. Im Frühjahr 823 ging der junge Kaiser
Lothar nach der einen Quelle auf Bitten des Papstes, nach der anderen im Auftrage
seines Vaters nach Rom, woselbst ihn Paschalis am 5. April in St. Peter krönte. Auch
auf dem Gebiete der Mission gingen Kaiser und Papst Hand in Hand: Halitgar von
Cambrai erhielt in Rom den gewünschten Empfehlungsbrief, und den Milchbruder des

Kaisers, Ebo von Reims, ernannte Paschalis sogar unaufgefordert 823 zum päpstlichen
Vikar für die annoch heidnischen Länder des Nordens. Allein noch im Jahre 823
langte am Hoflager zu Compiègne die Nachricht an, daß der Primicerius Theodor und
der Nomenklator Leo, beide im Frankenreiche wohlbekannte Personen, von Dienstleuten
des Papstes im Lateran geblendet und getötet worden seien —, weil sie die Interessen 5
des jungen „Kaisers Lothar in jeder Beziehung getreulich vertreten hätten." Kaiser
Ludwig beschloß sogleich durch kaiserliche Gewaltboten an Ort und Stelle eine Untersuchung vornehmen zu lassen und ließ sich hiervon auch nicht durch eine päpstliche Gesandtschaft abhalten, die den Hof über den Vorfall beruhigen sollte. Aber die kaiserlichen
Gewaltboten konnten nichts ausrichten. Papst P. schützte sich durch einen Reinigungseid 10
gegen den Verdacht, daß die Blutthat von ihm selber angeordnet worden sei, erklärte aber
zugleich die Getöteten für Majestätsverbrecher und ihre Henker für schuldlos. Damit war
jede weitere Untersuchung so gut wie abgeschnitten. Daher ließ der Kaiser die Sache
fürs erste fallen. — Der Wiederausbruch des Bilderstreits gab dem Papsttum Gelegenheit, wieder einmal im Oriente als Anwalt des rechten Glaubens aufzutreten. Aber 15
auch Paschalis hatte in dieser Rolle kein Glück. Kaiser Leo der Armenier kehrte sich
nicht an die Vorstellungen des römischen Gesandten. Aber der Papst hatte wenigstens
die Genugthuung, daß der römische Stuhl in der Not der Zeit von den Bilderfreunden
als oberster Stuhl der Kirche gepriesen wurde und die griechischen Mönche scharenweise
wie einst im 8. Jahrhundert in seiner Stadt eine Zuflucht suchten. — In Rom selbst 20
schuf sich Paschalis durch seine lebhafte Bauthätigkeit ein Andenken: er gründete nicht
weniger als drei Klöster und restaurierte unter anderem die Kirche St. Maria in
Dominika, die berühmte Basilika der hl. Cäcilia, deren Grab ihm angeblich durch eine
Vision gezeigt wurde, die Kirche St. Prassede. Unter den barbarischen Mosaiken der
letzteren Kirche finden sich noch heute sein Bild und das Bild seiner Mutter, der Theodora 25
Episcopa. — Das Papstbuch rühmt P. als einen überaus sanften, milden und wohl-
thätigen Regenten. Aus den fränkischen Quellen ergiebt sich ein ganz anderes Bild.
Danach war P. ein überaus herrischer Papst (vgl. Forschungen zur deutschen Geschichte 5,
S. 385). Die Gesandten des Abtes Hraban von Fulda ließ er z. B. kurzerhand ein-
kerkern und den Abt selbst exkommunizierte er, nur weil er nichts von der nachgesuchten 30
Privilegierung des Klosters wissen wollte. Das römische Volk liebte ihn darum nicht.
Es suchte, als er April, Mai (Jaffé), 1. Juni (Langen) 824 starb, die Beisetzung des
Leichnams zu verhindern. Doch hatte P. auch gewisse Vorzüge. Vor allem war er ein
ergebener Freund der Mönche, ein eifriger Förderer des Reliquien- und Heiligenkults.
Diesen Tugenden verdankt er wohl seine Versetzung unter die Heiligen der Kirche (Tag: 35
14. Mai). **H. Böhmer.**

Paschalis II., Papst, gest. 1118. — **Quellen:** Epistolae et privilegia Paschalis II.
(538 Nr.): MSL tom. 163, p. 31—447; 106 Epistolae Paschalis II: Recueil des historiens des Gaules et de la France, tome XV, Paris 1808, p. 17—63; MG Epp. tom. III
p. 106 f.; MA III p. 169—178; VI p. 292; VII p. 87, 166, 198 ff.; XIII p. 595; XVII 40
p. 11, 222; XX p. 277, 285; XXI p. 574; XXII p. 647; XXIII p. 396 ff., 611, 635,
643, 646, 653; XXV p. 532, 536, 881; S. Löwenfeld, Epistolae pontificum romanorum
ineditae, Lipsiae 1885, S. 67 ff.; J. v. Pflugk-Harttung, Iter Italicum, Stuttgart 1833,
vgl. Index nominum; ders., Acta pontificum romanorum inedita, 1. Bd, Tübingen 1881,
S. 69—115; 2. Bd, Stuttgart 1884, S. 168—216; 3. Bd, ebend. 1886, S. 19—26; HJG V, 45
München 1884, S. 507 ff. 543 f.; M. Sdralek, Wolfenbüttler Fragmente, Münster i. W.
1891, S. 111—117; C. B. Graf v. Hacke, Die Palliumsverleihungen bis 1143, Marburg
1898, S. 153 f.; P. Kehr, Nachrichten der Kgl. Gesellschaft der Wissenschaften zu Göttingen,
Philolog.-historische Klasse, 1898, S. 66 ff. S. 218 ff. S. 314 ff. S. 377 ff.; ebend. 1899
S. 221 f.; ebend. 1900 S. 23 ff. S. 152 ff. S. 221 ff. S. 310 ff. S. 403 ff.; ebend. 1901 50
S. 89 ff. S. 251 ff.; ebend. 1902 S. 86 ff. S. 422 ff.; ebend. 1903 S. 100 ff. S. 551 f.;
H. Hagenmeyer, Epistulae et chartae ad historiam primi belli sacri Spectantes, Innsbruck
1901, S. 178 ff.; 26 Briefe an Paschalis: MSL tom. 163 p. 447—476; Codex Udalrici:
Ph. Jaffé, Bibliotheca rerum germanicarum, tom. V, Berlin 1869; Mansi XX, XXI;
Ekkehardi Chronicon, MG SS VI p. 211 ff.; Annales Patherbrunnenses, wiederhergestellt 55
von P. Scheffer-Boichorst, Innsbruck 1870, S. 106 ff.; Annales Hildesheimenses (Script.
rer. germ. in usum scholarum), Hannover 1878, S. 50 ff.; Chronica monasterii Casinensis,
MG SS VII p. 771 ff.; Chronicon S. Andreae castri Cameracesii, ib. p. 545 ff. u. a.;
Ph. Jaffé, Regesta pontificum romanorum Ed. II tom. I, Lipsiae 1885, p. 702—772,
Nr. 5807—6630; tom. II p. 714; Vita Paschalis a Petro Pisano conscripta: Liber ponti- 60
ficalis ed. L. Duchesne (Bibliothèque des écoles françaises d'Athènes et de Rome 2e série),
tome II, Paris 1892, p. 296—306; Annales Romani p. 338 ff. p. 369 ff.; J. M. Watterich,

Pontificum Romanorum vitae, tom. II, Lipsiae 1862, p. 1—17, MSL tom. 163 p. 13—28.
— Litteratur: Chr. W. Walch, Entwurf einer vollſtändigen Hiſtorie der römiſchen Päpſte,
2. Aufl., Göttingen 1758, S. 230 ff.; Arch. Bower, Unparth. Hiſtorie der römiſchen Päpſte,
überſ. v. Rambach, Bd VII, Magdeburg und Leipzig 1768, S. 56 ff.; G. A. Stenzel, Geſchichte Deutſchlands unter den fränkiſchen Kaiſern, 1. Bd, Leipzig 1827, S. 571 ff.; S. Sugenheim, Das Staatsleben des Klerus im Mittelalter, 1. Bd, Berlin 1839, S. 217 f.; E. Gervais,
Politiſche Geſchichte Deutſchlands unter der Regierung Heinrich V. und Lothar III., 1. Bd,
Leipzig 1841, S. 28 ff.; G. Schöne, Kardinallegat Kuno, Biſchof von Präneſte, Weimar 1857;
A. v. Druffel, Kaiſer Heinrich IV. und ſeine Söhne, Regensburg 1862; A. v. Reumont, Geſchichte der Stadt Rom, 2. Bd, Berlin 1867, S. 390 ff.; Fr. Kolbe, Erzb. Adalbert I. von
Mainz und Heinrich V., Heidelberg 1872; F. Gregorovius, Geſchichte der Stadt Rom, 4. Bd,
3. Aufl., Stuttgart 1877, S. 299 ff.; W. Schum, Die Politik Papſt Paſchals II. gegen Kaiſer
Heinrich V. im J. 1112 (Jahrb. d. Akademie gemeinnütziger Wiſſenſchaften zu Erfurt, Heft VIII,
1877); E. Franz, Papſt Paſchalis II., 1. Tl. (Diſſ.), Breslau 1877; E. Stutzer, Zur Kritik
der Inveſtiturverhandlungen im Jahre 1119, in FdG XVIII, Göttingen 1878, S. 225 ff.;
Th. Klemm, Der engliſche Inveſtiturſtreit unter Heinrich I. (Diſſ.), Leipzig 1880; H. Guleke.
Der Bericht des David über den Römerzug Heinrich V. vom Jahre 1111 in FdG XX, Göt-
tingen 1880, S. 406—423; derſ., Deutſchlands innere Kirchenpolitik von 1105 bis 1111
(Diſſ.), Dorpat 1882; G. Schneider, Der Vertrag von Sante Maria bel Turri und ſeine
Folgen (Roſt. Diſſ.), 1881; E. Bernheim, Artikel gegen Eingriffe des Papſtes Paſchalis II.
in die Kölner Metropolitanrechte, Weſtdeutſche Monatsſchrift 1882, S. 374—382; G. Peiſer,
Der deutſche Inveſtiturſtreit unter Kaiſer Heinrich V. bis zu dem päpſtlichen Privileg vom
3. April 1111, Berlin 1883; M. Schmitz, Der engl. Inveſtiturſtreit, Innsbruck 1884; R. Nee-
don, Beiträge z. Geſchichte Heinrichs V. (Diſſ.), Leipzig 1885; A. Wagner, Die unteritaliſchen
Normannen u. b. Papſtum in ihren beiderſeitigen Beziehungen (Diſſ.), Breslau 1885, S. 16 ff.;
F. Rösskens, Heinrich V. u. Paſchalis II., Eſſen 1885; E. J. v. Hefele, Conciliengeſchichte,
5. Bd, 2. Aufl., beſorgt von A. Knöpfler, Freiburg i. Br. (1886), S. 259—339; D. Schäfer,
Die Quellen für Heinrichs V. Romzug: Hiſtoriſche Aufſätze, dem Andenken von G. Waitz
gewidmet, Hannover 1886, S. 144 ff.; W. Maurer, Papſt Calixt II. 1. 2, München 1886, 1889;
Buchholz, Ekkehard von Aura I, Leipzig 1888; M. Manitius, Deutſche Geſchichte unter
den ſächſiſchen und ſaliſchen Kaiſern (911—1125), Stuttgart 1889, S. 599 ff.; E. Gernandt,
Die erſte Romfahrt Heinrich V. (Diſſ.), Heidelberg 1890; W. v. Gieſebrecht, Geſchichte der
deutſchen Kaiſerzeit, 3. Bd 5. Aufl., Leipzig 1890, S. 697 ff.; J. Langen, Geſchichte der römi-
ſchen Kirche von Gregor VII. bis Innocenz III., Bonn 1893, S. 214—270; C. Mirbt, Die
Publiziſtik im Zeitalter Gregors VII, Leipzig 1894; A. Hauck, Kirchengeſchichte Deutſchlands
III, Leipzig 1896, S. 874 ff.; H. Gerdes, Geſchichte des deutſchen Volks und ſeine Kultur im
Mittelalter, 2. Bd, Geſch. der ſaliſchen Kaiſer, Leipzig 1898, S. 319 ff.; G. Richter, Annalen
der deutſchen Geſchichte im Mittelalter, III. Abt. 2. Bd, Halle a. S. 1898, S. 458 ff.;
R. Röhricht, Geſchichte des Königreichs Jeruſalem (1100—1291), Innsbruck 1898; J. v. Pflugk-
Harttung, Die Bullen der Päpſte bis zum Ende des zwölften Jahrhunderts, Gotha 1901,
S. 234—263; W. Norden, Das Papſtum und Byzanz, Berlin 1903, S. 67 ff.; U. Chevalier,
Répertoire des sources historiques du moyen âge, Paris 1877 ff. S. 1721. 2761; Fr. Cer-
roti, Bibliografia di Roma medievale e moderna, vol. I, Roma 1893, S. 411 f.; vgl. b. Art.
Calixt II. Bd III S. 641, Inveſtitur Bd IX S. 214 ff.

Paſchalis II., der vor ſeiner Erhebung zum Papſt den Namen Rainerius führte,
ſtammte aus Galliata im Ravennatiſchen (Ann. Rom.; Petrus Piſanus: Bleda, vgl.
Duchesne p. 306 n. 1), war als Knabe ins Kloſter getreten und als er im Alter von
20 Jahren in Angelegenheiten ſeines Kloſters nach Rom kam, von Gregor VII. hier
feſtgehalten und zum Presbyter an St. Clemente geweiht worden (Duchesne p. 296).
Nach dem Tode Urbans II. (29. Juli 1099) wurde Rainerius eben in St. Clemente
von den Kardinälen am 13. Auguſt zum Papſt erwählt und am 14. in der Peterskirche
konſekriert (Jaffé, Reg. p. 703); Petrus von Piſa giebt eine ausführliche Beſchreibung
der Wahlceremonien vgl. Duchesne p. 306 n. 4).
Zahlreiche und ſchwierige Aufgaben harrten der Löſung durch den neuen Papſt.
Daher war es ein Ereignis von nicht geringer Bedeutung, daß Wibert von Ravenna
(Clemens III.), der einſt von Heinrich IV. aufgeſtellte Gegenpapſt, aus Rom vertrieben
wurde (Duchesne p. 297 f.) und bald darauf, September 1099, in Caſtellum ſtarb (Jaffé,
Reg. p. 655). Allerdings ſind von ſeiten der Wibertiſten noch weitere Verſuche unternommen worden, das Gegenpapſttum fortzuſetzen, aber ohne dauernden Erfolg. Theoderich, Biſchof von St. Rufina, der nachts in der Peterskirche geweiht und inthroniſiert wurde,
fiel bereits den nächſten Tag, und ſein Rom fliehen mußte, Paſchalis in die Hand und
wurde von dieſem in dem Trinitatiskloſter zu Cava in Apulien gefangen geſetzt (Duchesne p. 298; Annales Romani MG SS V p. 477). Zwar wurde nun ſofort Biſchof Albert von Sabina in der Baſilika des hl. Marcellus gewählt und er hat ſich auch

105 Tage in Rom behauptet. Aber dann fielen seine Anhänger infolge von Bestechung von ihm ab und lieferten ihn an Paschalis aus, der ihn in dem Laurentiuskloster zu Aversa in Apulien einkerkern ließ (Duchesne p. 298; Ann. Rom. l. c. p. 477). Die Erhebung des römischen Erzpriesters Maginulf durch den römischen Adel und den Markgrafen Werner von Ankona am 18. November 1105 hatte anfänglich allerdings einen 5 bedrohlicheren Charakter, denn es gelang, den in der Kirche St. Maria Rotunda Gewählten im Lateran zu inthronisieren, so daß Paschalis sich zur Flucht in die Johanneskirche auf der Tiberinsel Lycaonia gezwungen sah. Aber das Papsttum Silvesters IV., wie Maginulf sich nannte, hatte kurzen Bestand, schon am 19. November mußte er „deficiente pecunia" (Ann. Rom.) Rom verlassen, er zog sich nach Tibur zurück. Obwohl er fortan 10 keine politische Rolle mehr gespielt hat, ist er im April d. J. 1111 von dem deutschen König Heinrich V., nach dessen Verständigung mit dem Papste, gezwungen worden, Paschalis auch formell sich zu unterwerfen und ihm Gehorsam zu geloben. Seine Auslieferung an den Papst ist aber nicht erfolgt, den Rest seines Lebens verlebte er bei dem Markgrafen Werner (Duchesne p. 298; Ann. Rom. l. c. p. 477 f.; Sigeberti chro- 15 nicon z. J. 1105, MG SS VI p. 368; NA X p. 464; Ann. Ceccanenses, MG SS XIX p. 281; Jaffé, Reg. p. 773 f.).

Die deutsche Frage lag für Paschalis bei seinem Regierungsantritt insofern günstig, als in Deutschland selbst, auch bei Heinrich IV., eine Kampfesmüdigkeit sich eingestellt hatte. Kaum hatte der Kaiser den Tod Clemens III. erfahren, so entbot er die Fürsten auf 20 Weihnachten 1100 nach Mainz zu einer Beratung über die Wiederherstellung des kirchlichen Friedens (Constitutiones et acta publica imperatorum et regum ed. L. Weiland, tom. I, MG SS Sect. IV Nr. 73 S. 124 f.). Sie erschienen zahlreich und rieten, Gesandte nach Rom zu schicken (Ann. Hildesheimenses z. J. 1101, Hannover 1878, S. 50); Heinrich soll sogar bereit gewesen sein, zu einem Anfang Februar 1102 in Rom 25 einzuberufenden Konzil persönlich zu erscheinen: quatinus tam sua quam domni apostolici causa canonice ventilata catholica inter regnum et sacerdotium confirmaretur unitas. Aber weder das eine noch das andere ist zur Ausführung gelangt, nicht einmal die Gesandten gingen ab (Ekkehardi Chronicon z. J. 1102, MG SS VI p. 222; vgl. Hauck S. 874). 30

Paschalis war dagegen vom Beginn seiner Regierung an zu einer energischen Fortsetzung des Kampfes entschlossen (Brief an Bischof Gebhard von Konstanz 18. Jan. 1100, Jaffé Nr. 5817). Graf Robert von Flandern wurde von ihm zum heiligen Krieg gegen Heinrich „haereticorum caput" aufgerufen (21. Januar 1102, Jaffé Nr. 5889), in Schwaben und Baiern suchte er die Kampfesfreude neu zu entfachen (2. Febr. 1104, 35 Jaffé Nr. 5970. 5971) und verkündete bereits auf der Fastensynode im März 1102 das anathema perpetuum gegen Heinrich (Ekkehardi Chronicon, MG SS VI p. 224). Aber dieses Vorgehen fand keinen Widerhall, das Friedensbedürfnis war ein allgemeines (Bernold, Chronik z. J. 1100, MG SS V p. 467) und jenes Schreiben an Robert von Flandern trug Paschalis eine scharfe Zurückweisung ein (Sigebert von Gemblour, Epistola 40 Leodicensium, MG libelli de lite imperatorum et pontificum saeculis XI. et XII. conscripti, tom. II, Hannoverae 1892, II, p. 449 ff., vgl. Mirbt, Publizistik S. 72 f.). Der Papst gestattete jedoch diesem Umschwung der öffentlichen Meinung keinen Einfluß auf seine Politik, ja er trat sogar auf die Seite des gegen den Kaiser sich empörenden Sohnes (nuncios Romam direxit, quaerens consilium ab apostolico propter iuramen- 45 tum, quod patri iuraverat, numquam se regnum sine eius licentia et consensu invasurum. Apostolicus autem ut audivit inter patrem et filium discidium, sperans haec a Deo evenisse, mandavit ei apostolicam benedictionem per Gebehardum Constantiensem episcopum, de tali commisso sibi promittens absolutionem in iudicio futuro, Ann. Hildesh. z. J. 1104, S. 52) und legitimierte 50 den Eidbruch und die Rebellion. Heinrichs V. Haltung entsprach anfangs allen Erwartungen und Hoffnungen des Papstes (Landtag zu Goslar nach Ostern 1105, Synode zu Nordhausen 10. Mai, vgl. Ekkehardi Chron.; Ann. Hildesheim.; Ann. Patherbrunnenses), er ließ es an Äußerungen der Demut, ja der Unterwürfigkeit nicht fehlen und schien durch die Entfernung der schismatischen Bischöfe (Hauck S. 880 ff.), die Deutsch- 55 land die lang entbehrte Einheit zurückgab, den Beweis seiner Aufrichtigkeit zu liefern. Als Kaiser Heinrich IV. den aufregenden Wechselfällen der letzten Jahre nicht mehr gewachsen, am 7. August 1106 gestorben war, trat nach päpstlicher Auffassung der größte Feind des kirchlichen Friedens vom Schauplatz ab. Wenige Jahre später hätte das Urteil anders gelautet. 60

Die kirchenpolitische Situation verlor durch das Hinscheiden Heinrichs IV. an Kompliziertheit, denn es ermöglichte in eine Revision der bisherigen Fragestellungen einzutreten. Daß dies auf eine Einschränkung der Streitobjekte hinauslief, war die Folge davon, daß Papst Paschalis sein Interesse auf die Investitur konzentrierte (Brief an Bischof Ruthard 5 von Mainz vom 11. Nov. 1105; Jaffé, Reg. Nr. 6050) und in deren Sicherstellung gegenüber dem staatlichen Einfluß nicht nur das wichtigste, sondern fast das einzige Ziel seiner Politik erblickte. Paschalis hatte zuerst die Absicht, die Verhandlungen mit Heinrich V. in Deutschland zu führen und sich selbst dorthin zu begeben, bereits war auch von der Kaiserkrönung die Rede (Hauck S. 883). Aber die Reise unterblieb und die in 10 Aussicht genommene Synode fand nicht in Deutschland, sondern am 27. Oktober 1106 in Guastalla, zwischen Parma und Mantua, statt. Daß Paschalis hier das Investiturverbot erneuerte, bedeutete die Wahrung des beanspruchten Rechts, keinen Fortschritt zur Regelung der Materie; aufs neue versprach er, zu Verhandlungen nach Deutschland zu kommen. Aber auch diese Reise hat nicht stattgefunden. Daß Heinrich in voller Über-15 einstimmung mit der Praxis seines Vaters das Investiturrecht fortgesetzt ausübte, machte den Papst stutzig und erregte sein Mißtrauen. Es mußte sich steigern, als die Gesandten des Königs ihn im Mai 1107 in Châlons begrüßten. Denn Erzbischof Bruno von Trier, ihr Führer, hielt hier fest an dem Recht des Königs auf die Investitur und begründete es durch die Geschichte der Bischofswahlen und die Herkunft der weltlichen Gerechtsame der 20 Bischöfe. Als der Papst diese Forderung scharf zurückwies, fiel bereits das Wort, die Sache werde in Rom durch das Schwert entschieden werden (Suger vita Ludovici VI. Francorum regis 9, MG SS XXVI S. 50). Auf der bald darauf, c. 23. Mai, in Troyes abgehaltenen Synode (vgl. Jaffé, Reg. S. 730) hat jedoch Paschalis sich zu seiner Auffassung aufs neue bekannt, indem er die Synode beschließen ließ, daß fortan 25 jeder durch einen Laien Investierte samt seinem Ordinator abgesetzt werden solle (Const. Imp. Nr. 396 S. 567). König Heinrich, der durch seine Gesandten gegen die Verhandlung deutscher Angelegenheiten „in alieno regno" protestiert hatte, wurde eine einjährige Frist zugestanden, um nach Rom zu kommen und dort seine Ansprüche auf die Investitur vor einem allgemeinen Konzil zu vertreten (Ekkehardi Chron. z. J. 1107, l. c. S. 242). 30 Zu diesen Verhandlungen ist es nicht gekommen. Dagegen verschärften sich die Beziehungen zwischen Papst und König. Der im Beisein von Paschalis gefaßte Beschluß der Synode zu Benevent im Oktober 1108, der die Erteilung wie den Empfang der Laieninvestitur mit der Strafe des Bannes bedrohte, hat wegen seiner offenbaren Spitze gegen den deutschen König (vgl. Brief des Papstes an Anselm von Canterbury vom 12. Okt. 35 1108, Jaffé, Reg. 6206) symptomatische Bedeutung, aber dieses Gesetz ist doch ohne unmittelbare Wirkung geblieben, mag es in Deutschland unbekannt geblieben (Hauck S. 889) oder mit Bedacht ignoriert worden sein. Der Anstoß zu der unvermeidlichen Auseinandersetzung über die Investiturfrage ging aus von dem König, als dieser an den Papst die Forderung der Kaiserkrönung richtete. 40 Aber es gelang der Gesandtschaft, die zur Vorbereitung der Romfahrt 1109 an den Papst abgeordnet wurde, nicht, mehr als die Zusicherung freundlicher Aufnahme zu erreichen (Ann. Patherbr. z. J. 1109, Ekkehardi Chron. z. J. 1110 l. c. 243. Über den bamaligen Standpunkt des Königs zu dem Investiturproblem vgl. den Traktat De investitura episcoporum: Libelli de lite II p. 498—504; vgl. Hauck S. 589 Anm. 3; Mirbt, 45 Publizistik S. 516 ff.). Das Festhalten der bisherigen Grundsätze durch Paschalis beweisen die Beschlüsse der Lateransynode vom 7. März 1110 (Const. Imp. Nr. 397 S. 568 ff.). Ein Jahr später erfolgte die Katastrophe. Heinrich V. hatte mit großer Heeresmacht seine Romfahrt im August 1110 angetreten, von Arezzo aus kündigte er Januar 1111 den Römern sein Kommen an (Const. Imp. Nr. 82, S. 134) und schickte Gesandte an den 50 Papst (Ekkehardi Chron. z. J. 1111 l. c. S. 244). aber ohne zunächst eine Verständigung zu erzielen. Dann aber führten die Verhandlungen in der Kirche S. Maria in Turri am 4. Februar 1111 zu folgendem Ergebnis. Der König versprach am Tage seiner Kaiserkrönung in Gegenwart des Klerus und des Volkes auf die Investitur zu verzichten, ferner wenn der Papst sein Versprechen in Bezug auf die Regalien eingelöst habe, 55 den Eid zu leisten, niemals wieder in die Investitur sich einzumischen; sodann seine Unterthanen von ihren den Bischöfen geleisteten Eiden zu entbinden; schließlich den Papst in den Besitz der gesamten Güter des hl. Petrus zu setzen und ihm durch Stellung von Geiseln persönliche Sicherheit zu gewährleisten. Die Versprechungen des Petrus Leonis, des Führers der päpstlichen Gesandten, gingen dahin, daß der Papst, wenn der König die 60 von ihm übernommenen Zusagen eingelöst habe, am Krönungstage den anwesenden deutschen Bischöfen befehlen werde, dem König und dem Reiche die Regalien zurückzugeben, die zur Zeit Karls, Ludwigs, Heinrichs und seiner anderen Regierungsvorgänger dem Reiche gehört haben; der Papst wird ferner bei Strafe des Anathems den Bischöfen, den anwesenden wie den abwesenden, wie ihren Nachfolgern verbieten, diese Regalien (id est civitates, ducatus, marchias, comitatus, monetas, teloneum, mercatum, advo- 5 catias regni, iura centurionum et curtes, quae regni erant, cum pertinentiis suis, militiam et castra) in Zukunft aufs neue zu beanspruchen und auszuüben, und er wird, ebenfalls bei Strafe des Anathems, seine Nachfolger zur Anerkennung dieser Abmachung nötigen; er wird endlich den König zum Kaiser krönen und ihm zur Erhaltung seines Reichs mit seiner Hilfe zur Seite stehen. Auch der Papst, sollte Geiseln 10 stellen (Const. Imp. I, Nr. 83—86 S. 137ff.). — Am 9. Februar wurde diese Abmachung in Sutri von Heinrich V. bestätigt, freilich mit einer nicht unwichtigen Einschränkung. Der von ihm geleistete Schwur (Nr. 87 ebend. S. 139f.) erstreckte sich lediglich auf die Vereinbarungen über die persönliche Sicherheit des Papstes und knüpfte auch diese Zusage an die Bedingung, daß Paschalis seinerseits an dem nächsten Sonntag 15 die übernommenen Verpflichtungen einlösen würde. Nach Ekkehard (Chron. z. J. 1111 l. c. S. 244) hat der König seine Zustimmung noch an die weitere Bedingung geknüpft, daß sämtliche geistliche und weltliche Fürsten der Preisgabe der Regalien zustimmten. — Die Durchführung des Vertrages war eine Lösung von Rechtsverhältnissen, die auf einer mehrhundertjährigen Vergangenheit fußten, machte die Bischöfe mit einem Schlage 20 aus Fürsten zu Bettlern, warf die ganze deutsche Kirche aus ihrer bisherigen Entwickelung heraus und war eine Revolution von oben, die in ihren Konsequenzen das gesamte kirchliche Leben berührte, und diese Umwälzung sollte vor sich gehen, ohne daß die zunächst davon Betroffenen, die deutschen Bischöfe, auch nur Gelegenheit erhalten hatten, ihr Urteil abzugeben. Ob unter anderen Zeitverhältnissen ein derartiges Projekt Aussicht 25 auf Verwirklichung gehabt hätte, ist eine müssige Frage. Jedenfalls war es damals schlechthin unausführbar, denn es stand Paschalis kein anderes Zwangsmittel gegenüber dem zu erwartenden und von ihm auch in Rechnung gezogenen Widerspruch zur Verfügung, als die Verhängung des Bannes d. h. einer Strafe, deren Ansehen gerade in dem vorangegangenen halben Jahrhundert an Kredit schwerlich gewonnen hatte und in dem 30 Augenblick noch weiter an Geltung verlor, wenn sie als Kollektivstrafe in einer Angelegenheit verhängt wurde, bei der die Gestraften Recht und Herkommen und die öffentliche Meinung gerade der einflußreichen Kreise auf ihrer Seite hatten. Sobald Paschalis diese Erwägungen anstellte, mußte er, so scheint es, vom politischen wie vom kirchlichen Standpunkt aus zur Erkenntnis der Aussichtslosigkeit der getroffenen Übereinkunft ge- 35 langen, dann aber war ihr Abschluß ein doloses Verfahren; das hat Heinrich V. auch angenommen (Encyklika, Const. Imp. I, S. 150). Und doch ist von dem Verhalten Paschalis' der Vorwurf der Unehrlichkeit fern zu halten. „Die Annahme, daß der ehemalige Mönch vor die Frage gestellt, ob er um der Freiheit der Kirche willen von neuem einen Kampf mit allen seinen Schrecken beginnen wollte, davor zurückbebte und lieber den 40 Ausweg traf, auf ihre äußere Macht zu verzichten" (Hauck S. 893), beseitigt den größten Teil der psychologischen Schwierigkeiten, wenn der Zustand, in dem der Papst seine Entscheidung traf, als eine auch seine Umgebung erfassender panischer Schrecken aufgefaßt wird, der die ruhige Überlegung ausschaltete, und zugleich im Auge behalten wird, daß Paschalis ohne Einsicht in die innere Gliederung des gregorianischen Systems durch die 45 Behauptung der Investitur dessen wichtigste Forderung durchgesetzt zu haben meinte. Was der Mensch Paschalis bei dieser Erklärung gewinnt, verliert freilich der Politiker.

Am 12. Februar hielt Heinrich V. seinen Einzug in Rom und wurde von Paschalis feierlichst empfangen. Als dann aber in der Peterskirche die vereinbarten Urkunden zur Verlesung gelangten, erhob sich unter den geistlichen wie weltlichen Fürsten über die Be- 50 raubung der Kirchen und der kirchlichen Lehen ein solcher Sturm der Entrüstung, daß der Vollzug des geschlossenen Vertrags zur Unmöglichkeit wurde (Ekkehardi Chron. l. c. S. 244; Ann. Hildesh. Patherbr. S. 61). Die ergebnislosen Verhandlungen endeten am Abend des Tages damit, daß der Papst samt den Kardinälen durch Heinrich gefangen genommen und trotz der tumultuarischen Erhebungen der Römer im Gewahrsam 55 festgehalten wurden. Eine zweimonatliche Haft hat genügt, den Widerstand des Papstes gegen die Wünsche des Königs zu brechen. Am 11. April wurde in agro iuxta pontem Mammeum folgender, von beiden Kontrahenten beschworener, Vertrag abgeschlossen. Paschalis gesteht zu, daß der frei, ohne Simonie, und mit Zustimmung des Königs gewählte Bischof und Abt von dem König die Investitur mit Ring und Stab 60 und danach die Konsekration von dem zuständigen Bischof bezw. Erzbischof erhalten soll, letztere aber darf nur nach vorangegangener Investitur erteilt werden; der Papst verspricht ferner den König und sein Reich weder wegen der Investitur noch wegen der ihm zugefügten Unbilden zu beunruhigen und niemals das Anathem gegen Heinrich zu verhängen; verpflichtet sich, den König zu krönen und Reich und Kaisertum nach Kräften zu unterstützen. Heinrich V. seinerseits beschwor, am 12. oder 13. April den Papst, die Bischöfe, die Kardinäle und alle übrigen Gefangenen frei zu lassen und nicht mehr an ihm sich zu vergreifen, dem römischen Volk Frieden zu gewähren, Paschalis als Papst anzuerkennen (vgl. oben Maginulf), der römischen Kirche ihre Patrimonien und Güter zu erhalten bzw. wiederzuverschaffen und Paschalis den ihm als Papst zukommenden Gehorsam zu leisten, doch salvo honore regni et imperii. Am 13. April erfolgte die Krönung Heinrichs in der Peterskirche, der Papst erhielt die Freiheit und der Kaiser das Investiturprivileg, das jeden Geistlichen und Laien, der es angreifen würde, mit Anathem und Absetzung bedrohte (Const. Imp. I Nr. 91 ff. S. 142 ff.; Ann. Romani; Ann. Hildesh.).

Daß Paschalis, offenbar unter dem Einfluß starker Depressionen, sich diese Zugeständnisse an den Kaiser hatte abringen lassen, hat er schwer büßen müssen. Denn sie kosteten ihm das Vertrauen der Kreise, die bisher zu ihm gestanden hatten, und haben den Rest seines Pontifikats zu einer Leidenszeit gemacht. Das Entsetzen der gregorianischen Kreise war wohl begreiflich. Denn der von Paschalis geschlossene Vertrag bedeutete das Fallenlassen Dezennien hindurch erhobener und mit nicht geringen Opfern von kirchlicher Seite vertretener Forderungen, entwertete mit einem Schlag die auf eine Umgestaltung der öffentlichen Meinung in Bezug auf die Investitur abzielenden Bemühungen und versperrte, wenn durchgeführt, sogar den Weg zu ihrer Wiederaufnahme in der Zukunft. Über das dem Papst und seiner Nachgiebigkeit gegenüber einzuschlagende Verfahren sind die Meinungen geteilt gewesen und zwar aus guten Gründen. War das Papsttum die von Gott eingesetzte Institution, die auf bedingungslose Unterwerfung unter ihre Entscheidungen Anspruch machen konnte und war das von Gregor VII. gezeichnete Bild seiner Machtvollkommenheit im innerkirchlichen wie im politischen Leben (vgl. d. A. Gregor VII. Bd VII S. 96) zutreffend, so schien die logische Konsequenz auf eine Anerkennung der getroffenen Maßnahmen hinzuweisen, ja hinzudrängen und demütige Unterwerfung unter sie zur Pflicht zu machen. Wurden dagegen die von Gregor VII. wie seinen letzten Vorgängern und Nachfolgern in der Investiturfrage aufgestellten und verfochtenen Prinzipien als der Kirche nicht nur heilsame, sondern notwendige erkannt, so war das Verhalten des Papstes ein Mißgriff von geradezu unberechenbaren Folgen und forderte schleunige Retraktation. Die dogmatische Schätzung des Papsttums empfing demnach die Unterwerfung unter die Maßnahmen des damaligen Inhabers, ihre kirchenpolitische Beurteilung dagegen führte zu einer scharfen Kritik, in der That eine höchst verwickelte Situation, die für jede Entscheidung, wie immer sie ausfiel, mit Gewissenskonflikten verbunden war.

Ein Sturm der Entrüstung erhob sich gegen Paschalis. In Rom selbst kehrte ihm eine Gruppe von Klerikern den Rücken (Ekkehard z. J. 1112 S. 246) und auch im übrigen Italien kam es zu nachdrücklichen und ernsten Protesten (Mirbt, Publizistik S. 75 ff. 512 ff. vgl. d. Art. Bruno v. Segni Bd III S. 514 f.; Placidus v. Nonantula, de honore ecclesiae, freilich wurden auch andere Stimmen laut vgl. Disputatio vel defensio papae Paschalis, Publ. S. 78 f. 523 f.), der französische und burgundische Klerus war unter der Führung des Erzbischofs Guido von Vienne (vgl. den Art. Calixt II. Bd III S. 641), des Abtes Gottfried von Vendôme (vgl. d. Art. G. v. V. Bd VII S. 37), und des Bischofs Josceramus von Lyon so rebellisch, daß Ekkehard erzählt, sie hätten ein novum schisma schaffen wollen; daß ein solches unterblieb, war zum Teil gering sten Teil das Verdienst der Besonnenheit des Bischofs Ivo von Chartres (vgl. den Art. Bd IX S. 664 ff.). Auch Deutschland hat sich von dieser aufsässigen Stimmung nicht ganz frei gehalten, mochten auch hier infolge der Haltung des Kaisers und weil es den Gregorianern an einem großen Führer fehlte für den Papst die Verhältnisse günstiger liegen.

Paschalis war in der Gefangenschaft der Mut des Martyriums oder auch nur des passiven Widerstandes versagt geblieben, jetzt raubte ihm der Einspruch seiner Gesinnungsgenossen das Selbstvertrauen. Er wird irre an dem Recht seiner Handlungen (Brief an Joh. von Tusculum, Juli 1111, Jaffé 6301) und blieb doch durch seinen Eid an sie gekettet, daher die Halbheiten seines Verfahrens in den nächsten Jahren. Dieser Zustand wurde weiteren Kreisen offenbar durch die Lateransynode vom 18.—23. März 1112.

Hier hat Paschalis nicht nur, um die Zweifel an seiner Rechtgläubigkeit zu zerstreuen, vor den Synodalen ein Bekenntnis seines Glaubens abgelegt, in dem er vornehmlich (praecipue) die Dekrete Gregors VII. und Urbans II. anerkannte, sondern er hat auch dem von dem Bischof Gerard von Angoulême eingebrachten und von dem Konzil angenommenen Dekret zugestimmt, daß das dem Papst durch die Gewaltsamkeit des Königs 5 Heinrich abgezwungene Privilegium, das in Wahrheit Pravilegium heißen müsse, nach dem Urteil des hl. Geistes zu verdammen, für ungiltig zu erklären und außer Kraft zu setzen sei, weil es die Investitur durch den König festsetze, die gegen den hl. Geist und gegen das kirchliche Recht verstoße (Const. Imp. I Nr. 399 S. 571 ff.).

Nachdem Paschalis in dieser Weise den ersten Teil seines im April d. J. 1111 ge- 10 leisteten Eides gebrochen, hat er sich dem Drängen der Gregorianer auf kirchliche Censurierung Heinrichs V. auch nicht zu entziehen vermocht. Denn als die Synode von Vienne am 16. September 1112 unter dem Vorsitz des päpstlichen Legaten Erzbischof Guido die Laieninvestitur als Häresie verurteilte, gegen Heinrich V. (alter Judas) die Exkommunikation aussprach und eben diese Beschlüsse dem Papst zur Bestätigung über- 15 sandte, unter Hinzufügung der Drohung mit Abfall für den Fall, daß sie versagt würde, hat er nicht gesäumt, sie zu erteilen (20. Okt., Jaffé Nr. 6330); die Synodalen wurden sogar noch belobt (Cum alicuius morbi detentione caput afficitur, membris omnibus communiter ac summopere laborandum est, ut ab eo penitus expellatur. Mansi XXI S. 76). Daß er für seine persönlichen Beziehungen zu dem Kaiser aus 20 dieser Exkommunikation die Konsequenzen nicht gezogen hat (Jaffé 6339; vgl. Hauck S. 900), änderte an der Thatsache dieses zweiten Eidbruchs nichts. Nachdem der Bann gegen Heinrich in den folgenden Jahren mehrfach von den Legaten Kuno und Dietrich wiederholt worden war (Beauvais, Rheims, Köln, Goslar), wurde er im Jahre 1116 auf der am 6. März eröffneten Lateransynode Gegenstand eingehender Erörterungen. Hier 25 fand zuerst das Investiturprivileg seine Verurteilung. Paschalis selbst sagte sich von ihm feierlichst los und verurteilte es sub perpetuo anathemate; trotzdem entspann sich eine peinliche Debatte darüber, ob der Papst sich einer Häresie schuldig gemacht habe (Ekkehard, Chron. z. J. 1116, l. c. S. 250 f.). An einer Beschlußfassung über den Bann des Königs war besonders der Kardinallegat Kuno interessiert, er trug daher auch die 30 Kosten der Diskussion. Wenn er in Wahrheit sein Legat gewesen — so redete er den Papst an — und seine Handlungen seinen Beifall gefunden hätten, solle Paschalis dies vor der Synode erklären und seine Handlungen durch seine Autorität decken. Der Papst gab die Erklärung ab. Nunmehr berichtete Kuno von Präneste, wie er als päpstlicher Legat in Jerusalem auf die Nachricht von der Gefangennahme des Papstes über den 35 König die Exkommunikation verhängte und sie in Griechenland, Ungarn, Sachsen, Lothringen, Frankreich auf Konzilen wiederholt habe und richtete an das Konzil die Bitte, daß es ebenso wie der Papst seine Thätigkeit als Legat anerkennen möge. Die gleiche Forderung erhob Erzbischof Guido von Vienne durch seine Gesandten. Die Synode entsprach diesen Anträgen. Paschalis hatte also auch den zweiten Teil seines Eides öffentlich preis- 40 gegeben.

Trotz dieser Beschlüsse der Lateransynode kam es zu keinem völligen Abbruch der Beziehungen zwischen Papst und Kaiser. Nach Briefen des letzteren an Bischof Hartwig von Regensburg (Cod. Udalr. Nr. 178. 177; Jaffé V S. 313. 307) hat sogar Paschalis später erklärt, daß er die Bannung Heinrichs selbst weder früher noch gebilligt 45 und den einen periurus und sacrilegus genannt habe, der dem König die Treue gebrochen habe. Ob Paschalis wirklich diese Selbstverleugnung geübt hat oder nicht, sie würde seinem Charakterbild keinen neuen Zug hinzufügen, in jedem Fall haben diese weiteren Verhandlungen kein positives Ergebnis gehabt — nach Ekkehard, Chron. z. J. 1117 l. c. S. 253 erklärte der Papst die von den Bischöfen gegen den Kaiser aus- 50 gesprochene Exkommunikation nur auf Grund der Zustimmung einer neuen Synode lösen zu können — und sind wohl überhaupt „kaum für ernstgemeint" (Hauck S. 905) zu halten. Als Heinrich V., der Anfang 1116 aufs neue in Italien erschien, im Frühjahr 1117 gegen Rom vorrückte, entfloh der Papst nach dem Süden.

Die anderen Staaten haben für die Regierung Paschalis' II. nicht entfernt die gleiche 55 Bedeutung gehabt. Zwar kam es auch in England zwischen dem Königtum und der Kirche zu einem heftigen Kampf um die Investitur (vgl. über ihn den Art. Anselm von Canterbury Bd I S. 564 und den Art. Investitur Bd IX S. 217 f.), aber er fand bereits durch das Konkordat von 1107 seinen Abschluß, also vor dem großen Zusammenstoß zwischen dem Papst und dem deutschen König, und übte infolge seiner Lokalisierung 60

keine ähnliche allgemeingeschichtlich bedeutsamen Wirkungen aus wie der deutsche Investitur=
streit. Paschalis verlor übrigens auch in den folgenden Jahren England nicht ganz aus
den Augen. Als Bischof Radulf von Rochester ohne seine Erlaubnis zum Erzbischof von
Canterbury gewählt wurde, hat er dies ernstlich gerügt, erteilte aber dann doch das Pal=
5 lium (Jaffé, Reg. 6449. 6482); er versuchte König Heinrich I. gegenüber die pseudoisi=
dorischen Grundsätze hinsichtlich der Appellationen an den apostolischen Stuhl und betreffs
der Abhaltung von Synoden zur Geltung zu bringen, beanspruchte für seine Legaten und
Erlasse den Wegfall des königlichen Placet (Jaffé, Reg. 6450; vgl. außerdem Nr. 6525)
und forderte größeren Eifer in der Entrichtung des Peterspfennigs (Jaffé, Reg. 5883 cen=
10 sus, Jaffé, Reg. 6525 eleemosyna s. Petri genannt, vgl. O. Jensen, Der englische
Peterspfennig, Heidelberg 1903, S. 41 ff.). — In Frankreich gab die Fortsetzung des
Verhältnisses des Königs Philipp I., der sich von seiner Gattin getrennt und Bertrade von
Montfort, die ihrem Gemahl Graf Fulco von Anjou entlaufen war, 1092 geheiratet hatte,
dem Papst Gelegenheit zum Eingreifen. Schon Urban II. hatte sich mit diesem Ehehandel
15 befassen müssen und gegen den König den Bann verhängt, ihn dann allerdings wieder davon
gelöst (1097), als er in Nimes die Entlassung der Bertrade zugesagt. Gegen den rück=
fälligen König wurde nun von der im Beisein der päpstlichen Legaten abgehaltenen
Synode zu Poitiers im J. 1100 (Hefele V, S. 262) der Bann erneuert und erst am
2. Dezember 1104 auf der Synode zu Paris im Auftrag des Papstes die Absolution erteilt,
20 nachdem Philipp eidlich gelobt, jeden Verkehr mit Bertrade einzustellen (Hefele V, S. 272 ff.)
— Der erste große Erfolg der von Urban II. eingeleiteten Kreuzzugsbewegung, die
Eroberung Jerusalems kam nicht mehr diesem Papst zu statten, denn erst am Anfang
der Regierung Paschalis' II. gelangte die Nachricht davon nach Rom. Die aus der Be=
gründung des Königreichs Jerusalem erwachsenden kirchlichen Aufgaben haben ihn dann
25 mehrfach in Anspruch genommen, vor allem die Streitigkeiten über die Besetzung des
Patriarchats von Jerusalem und die Rivalität zwischen den Patriarchenstühlen von An=
tiochien und Jerusalem. In der Hoffnung, daß die Niederwerfung des griechischen Kaiser=
reichs die Ausrottung des griechischen Schismas zur Folge haben werde, hat er die anti=
byzantinische Politik des Normannenfürsten Boemund von Antiochia unterstützt, aber dessen
30 hochfliegende Pläne scheiterten vor Dyrrachium (1107/1108).

Paschalis II. starb in Rom am 21. Januar 1118.　　　　　　　　**Carl Mirbt.**

Paschalis III., Gegenpapst, 1164—1168. — Quellen: Jaffé, 2², S. 426—429.
Liber Pontificalis ed. Duchesne 2, S. 410—420. Weiteres und die Litteratur s. b. A.
Alexander III. Bd I S. 340 f.; speziell Reuter, Geschichte Alexanders III. Bd 2; dazu Hauck,
35 Kirchengeschichte Deutschlands 4, S. 258 ff.

Unter den vier oder fünf Kardinälen, die am 7. September 1159 Oktavian =
Viktor IV. gegen Alexander III. zum Papste wählten, genoß das größte Ansehen der
Kardinalpriester von S. Calixt Guido von Crema. Denn er war von vornehmster Her=
kunft, sowohl mit dem französischen (Jaffé nr. 14486), wie mit dem englischen Hofe
40 (Johann von Salisbury SS XX, p. 531 f.) verwandt und zugleich, da er anscheinend
schon seit Innocenz II. in päpstlichen Diensten stand, ein „Veteran" der Kurie (Gottfried
von Viterbo). Daraus erklärt es sich, daß er nach dem Ableben Viktors IV. (20. April)
bereits am 22. April 1164 zu Lucca von den viktorianischen Kardinälen und Reinald
von Dassel zum Papste gewählt und am 26. April als solcher unter dem Namen Pa=
45 schalis III. von dem Bischof Heinrich von Lüttich geweiht wurde. Kaiser Friedrich I.
erkannte ihn sofort an. Aber in Italien und Burgund fand seine Erhebung keinen
Anklang, in Deutschland sagten sich jetzt auch der Erzbischof von Trier und der neue
Erzbischof von Salzburg von der kaiserlichen Partei los. Um eine weitere Zerbröckelung
derselben zu verhindern, griff der Kaiser zu einem ungewöhnlichen Mittel. Auf dem Hof=
50 tage zu Würzburg 22. Mai 1165 gelobte er eidlich mit allen anwesenden Fürsten,
niemals Alexander III. als Papst anzuerkennen. Das gleiche Versprechen leisteten im
Namen ihres Herrn die Gesandten Heinrichs II. von England. Um den Anhang
Alexanders im Volke mundtot zu machen, sollte aber dieser Eid auch von sämtlichen Laien
und Klerikern gefordert werden. Gleichzeitig nahm sich der Kaiser in Burgund und
55 Italien rührig der Sache seines Papstes an. Toskana, die Maritima und Campagna
wurden genötigt, Paschalis anzuerkennen, Pisa erklärte sich aus freien Stücken für ihn,
selbst Rom machte eine Zeit lang Miene, Alexander aufzugeben. 1166 mußten dann in
Pisa und anderwärts die alexandrinisch gesinnten Bischöfe kaisertreuen Gegenbischöfen
weichen, und im Juli 1167 nach dem glänzenden Siege von Tuskulum konnte sogar

Paschalis mit dem Kaiser in Rom einziehen, am 22. Juli in St. Peter sich inthronisieren lassen, am 30. Juli auf einmal 15 Patriarchen, Erzbischöfe und Bischöfe weihen und am 1. August die Kaiserin Beatrix krönen. Aber die Katastrophe, welche im August das kaiserliche Heer fast aufrieb, nötigte auch ihn die ewige Stadt fürs erste wieder zu verlassen. Erst Anfang 1168 führte ihn Erzbischof Christian von Mainz zurück. Doch gehorchte ihm allein der Stadtteil am rechten Tiberufer und auch dieser nur, weil der römische Senat wegen der Verhandlungen über die Freilassung der Kriegsgefangenen keinen Gewaltstreich wagte. Schon glaubte man im Lager der Alexandriner den Tag angeben zu können, an dem diese Schonung ein Ende erreichen werde (Johann von Salisbury epist. 261), als der greise Veteran der kaiserlichen Partei am 20. September 1168 in dem päpstlichen Haus bei St. Peter starb. — Das merkwürdigste Ereignis von P.s Pontifikat ist die Heiligsprechung Karls d. Gr. am 8. Januar 1166. Aber es scheint nicht, daß P. dabei beteiligt war.   H. Böhmer.

Paschasius s. Rabbert Paschasius.

Passah, altkirchliches und Passahstreitigkeiten. — Bingham, Origines l. XX, 5 (ed. Grischovius² IX, 87 sqq.); Mosheim, De rebus ante Constant. M. commentarii (Helmstedt 1753) p. 435 sqq.; A. Neander, Erläuterungen über die Veranlassung und Beschaffenheit d. ältesten Passahstreitigkeiten in der christl. Kirche (Kirchenhist. Archiv hgg. v. Stäudlin, Tzschirner und Vater, Halle 1823, 2, 90 ff.); ders., Allgem. Gesch. d. christl. Religion u. Kirche¹ I, 2, 518 ff.; ² I, 2, 512 ff.; Rettberg, Der Paschastreit d. alten Kirche in s. Verlauf, ZhTh 20 II [1832], 2, 93 ff. — Im Zusammenhang mit der Kritik des Johannesev., ist die Frage lebhaft von den Tübingern und ihren Gegnern erörtert worden und hat zu einer lebhaften Kontroverse geführt; s. Schwegler, D. Montanismus, S. 191 ff.; ders., D. Nachapostol. Zeitalter II, 352 ff.; Baur in zahlreichen Aufsätzen: Theol. Jahrb. 1844, 638 ff.; 1847, 89 ff.; 1857, 242 ff.; ZwTh 1858, 298 ff.; 1870, 171 ff.; Hilgenfeld, D. Paschastreit in d. alten Kirche 1860. Dazu ThJ 1849, 209 ff.; 1857, 523 ff.; ZwTh 1858, 121 ff. u. b. Ketzergesch. d. Urchristentums, S. 601 ff.; Weitzel, D. christl. Passafeier 1848; Steitz in d. StKr 1856, 721 ff.; 1857, 772 ff.; 1859, 716 ff.; JdTh 1861, S. 102 ff. Die älteren Untersuchungen faßt zusammen und führt an einigen Punkten weiter Schürer, De controv. Paschalibus 1869 (Diss.; in dieser sorgfältigen Arbeit findet man auch die ältere Litteratur; deutsche Bearbeitung ZhTh 1870, 182 ff.); Renan, L'église chrétienne 445 ss.; Marc Aurèle 194 ss. DchrA I, p. 588 ff.; Duchesne, La question de la Pâque au Concile de Nicée: Revue des questions histor. XXVIII (1880), p. 1 ss.; ders., Origines du culte chrétien, Paris 1889, p. 226 ss.; Zahn, Geschichte d. Neutestl. Kanons I, 180 ff.; ders., Forschungen z. Gesch. d. neutestl. Kanons IV (1891), 283 ff. Ueber die Entstehung des Osterfestes ist meist bei Gelegenheit der Passahstreitigkeiten gehandelt worden. Einige ältere Dissertationen s. bei Winer, Handbuch d. theolog. Litteratur² I (1838), 618. Vgl. d. A. „Fasten in d. Kirche" Bd V, S. 770 ff.

I. Die Passahfeier in der alten Kirche. Für diejenigen Christen, die vom Judentume herkamen und am Gesetz festhielten, verstand sich die Bewahrung der alten Festsitte von selbst. Sie feierten wie ihre Väter das Passahfest in üblicher Weise und wenn sie vielleicht auch dabei des Todes Jesu in irgend einer Form gedacht haben mögen, so ist doch darüber nichts mehr auszumachen. Anders stand die Sache in den paulinischen Kreisen. Mit der Verbindlichkeit des Gesetzes war auch die Verpflichtung gefallen, die alttestamentlichen Festgebote zu halten. Daß die Heiden, wenn sie messiasgläubig wurden, an sich keine Neigung verspürten, sich die jüdische Festsitte anzueignen, liegt auf der Hand. Daher wird Kol 2, 17 die Feier der Feste, Sabbathe und Neumonde als unterchristlich, als eine σκιὰ τῶν μελλόντων bezeichnet, und der Spott über das παρατηρεῖσθαι ἡμέρας καὶ μῆνας καὶ καιροὺς καὶ ἐνιαυτούς Gal 4, 10 ist nicht anders zu verstehen. Und wenn Paulus 1 Kor 5, 6 f. den Ritus des Rüsttags und die Passahfeier geistig umdeutet, so ergiebt sich daraus, daß er von einer Feier des jüdischen Passah in seinen Gemeinden nichts wußte und auch keinen Grund fand, diese Sitte etwa einzuführen. Daß er 1 Kor 16, 8 nach dem Pfingstfest datiert, ist kein Beweis, daß die korinthische Gemeinde dies Fest und damit auch das Passahfest zu feiern pflegte. So wird man eine Trennung der Christenheit nach der Sitte anzunehmen haben. Der judaisierende Teil behielt die Feier des jüdischen Passah bei, wie er die Feier der anderen Jahresfeste, der Neumonde und Sabbathe ebenfalls beibehielt. Der andere Teil kannte keine derartige Feier; nur am Tag nach dem Sabbath, also an dem Tage, der als Auferstehungstag Jesu eine besondere Bedeutung hatte, kam man zu einer Feier zusammen, bei der man auch die Gemeindeangelegenheiten geordnet und Kollekten eingesammelt zu haben scheint (1 Kor 16, 2; AG 20, 7 vgl. d. A. „Sonntag").

Wie lange ſich dieſer Zuſtand gehalten hat, iſt nicht mehr auszumachen. Die Nicht=
erwähnung des Paſſahfeſtes oder eines Erſatzes dafür iſt an ſich noch kein Grund, der
Mehrheit der chriſtlichen Gemeinden ein derartiges Feſt überhaupt abzuſprechen (Steitz
StKr 1856, 737 f.). Für die Ebioniten wird die Feier des Paſſahfeſtes ausdrücklich
5 bezeugt. Euſeb (h. e. III, 27, 5) ſagt beſtimmt, daß ſie den Sabbath und die übrige
jüdiſche Weiſe (καὶ τὴν ἄλλην ᾿Ιουδαϊκὴν ἀγωγήν) ebenſo wie die Juden beibehielten.
Daß ſie das jüdiſche Paſſah feierten, bemerkt Epiphanius ausdrücklich (haer. XXX, 16);
und Origenes bezeichnet es als Rückfall in Ebionitismus, wenn jemand das Paſſah in
jüdiſcher Weiſe begehe (in Matth. ser. 79 [IV, 406 Lommatzſch]: secundum haec
10 forsitan aliquis imperitorum requiret cadens in Ebionismum ex eo, quod
Jesus celebravit more Judaico pascha corporaliter sicut et primam diem azy-
morum et pascha, dicens quia convenit et nos imitatores Christi similiter
facere, non considerans quoniam Jesus, cum venisset temporis plenitudo et
missus fuisset, factus est de muliere ... ut educeret eos ex lege). Gegen
15 dieſe Sitte, die jüdiſchen Feſte auch in chriſtlichen Kreiſen weiterzufeiern, iſt auch die
Polemik des Kerygma Petri gerichtet, wenn es darin heißt, man ſolle nicht Gott in der
Weiſe der Juden dienen, die ihre Feſte genau nach dem Monde regelten und Sabbath,
Neumonde, Paſſah, Pfingſten und den Verſöhnungstag nicht feierten, wenn nicht die
Mondphaſe vorhanden wäre (Clemens Al., Strom. VI, 5, 41; vgl. Origenes, in Joh.
20 XIII, 17, 104; Preuſchen, Antilegomena S. 52, 13 ff.).

Andererſeits iſt die Thatſache bezeugt, daß die jüdiſche Feſtſitte in den Kreiſen der
antijudaiſtiſchen Gnoſis wie in der Großkirche verlaſſen wurde. Juſtin (dial. 12) ver=
wirft den Genuß des Ungeſäuerten und damit die Feier des Paſſah. Der Chriſt feiert
Paſſah, indem er den alten Sauerteig ausfegt, d. h. ſein Leben zu einem neuen Wandel
25 ſittlich umgeſtaltet (dial. 14); und er erfährt daher von Trypho mit Recht den Vorwurf,
daß die Chriſten den Heiden gleichſtehen, weil ſie weder die jüdiſchen Feſte noch die Sab=
bathe feiern (dial. 10: ἐν τῷ μήτε τὰς ἑορτὰς μήτε τὰ σάββατα τηρεῖν μήτε τὴν
περιτομὴν ἔχειν). Beweiſend iſt ferner das Schweigen der Didache. Hätte man dort,
wo ſie entſtanden iſt, eine Feier des Oſterfeſtes gekannt, ſo wäre ſie in der Schrift er=
30 wähnt worden. Für die Sitte der Gnoſtiker, deren Antinomismus von vornehrein eine
Beibehaltung der geſetzlichen Feſte des Judentums in Frage ſtellte, iſt das Zeugnis des
Ptolemäus ausſchlaggebend (ep. ad Floram bei Epiphan., haer. XXXIII, 3 f. [Text
bei Harnack, SBA 1902, 536 ff.]). Zu den ſymboliſch zu verſtehenden Stücken des Ge=
ſetzes rechnet er (3, 9; nach Harnacks Verteilung) Opfer, Beſchneidung, Sabbath, Faſten,
35 Paſſah= und Mazzenfeſt (τὸ δὲ ἐστι μέρος αὐτοῦ τυπικόν, τὸ κατ᾿ εἰκόνα τῶν πνευ-
ματικῶν καὶ διαφερόντων κείμενον, τὸ ἐν προσφοραῖς λέγω καὶ περιτομῇ καὶ
σαββάτῳ καὶ νηστείᾳ καὶ πάσχα καὶ ἀζύμοις καὶ τοῖς τοιούτοις νομοθετηθέντα).

Als Tertullian ſeine Schrift vom Faſten ſchrieb, konnte er ſeinen Gegnern vor=
halten, die die montaniſtiſche Faſtenſitte als judaiſierend ablehnten: „wenn der Apoſtel
40 jede Beobachtung von Zeiten, Tagen, Monaten und Jahren völlig ausrottete, warum
feiern wir dann im erſten Monat in jährlicher Wiederkehr das Paſſah?“ (de jejun. 14:
si omnem in totum devotionem temporum et dierum et mensium et annorum
erasit apostolus, cur pascha celebramus annuo circulo in mense primo?)
Mag auch die Art der Feier noch ſo verſchieden geweſen ſein und mag gerade hierbei
45 der örtliche Brauch an Einzelheiten der Feſtfeier beſonders zähe feſtgehalten haben, ſo iſt
doch jedenfalls die Feier eines Jahresfeſtes „im erſten Monat“ d. h. im März nach der
altrömiſchen Monatsrechnung (Ideler, Handbuch d. Chronol. II, 17), durch die Notiz
ſichergeſtellt. Wie es dazu kam, daß ſich in der Kirche hie an das jüdiſche Feſt angelehnte
Sitte durchſetzte, und wann ihre Durchſetzung erfolgte, iſt nicht mehr zu ermitteln. Daß
50 die Kämpfe mit der Gnoſis, die im zweiten Jahrhundert die Kirche erſchüttert haben und
deren Reſultat die katholiſche Kirche war, auch hierauf einwirkten, kann man wohl ver=
muten, aber nicht mehr beweiſen. Immerhin iſt eine Phaſe dieſer Kämpfe noch genauer
bekannt und von hier aus iſt der Verſuch zu unternehmen, eine Aufklärung über die
Durchſetzung des Feſtes zu gewinnen.

55 2. Die Paſſahſtreitigkeiten des 2. Jahrhunderts. Das wichtigſte Material
zur Geſchichte der Streitigkeiten hat Euſeb geſammelt (h. e. V, 23 ff.); einiges iſt in der
Vorrede des Chronicon paschale (p. 14 sqq. Dindorf) erhalten. Was die Ketzer=
beſtreiter über die Quartodezimaner berichten, iſt meiſt von geringem Belang (Pſeudo=
tertullian, De praescr. haeret. 53. Philaſtr. 58. Hippolyt, Philosoph. VIII, 18.
60 Epiph. haer. 50); ſie haben ſich das richtige Verſtändnis der ganzen Frage von vorne=

herein dadurch erschwert, daß sie die Angelegenheit unter die Beleuchtung einer falschen Fragestellung brachten und eine Kezerei witterten, wo es sich um eine uralte Differenz der Sitte handelte. Zudem ist der eigentliche Streitpunkt offenbar früh in Vergessenheit geraten und dadurch gewinnen die zudem teilweise unter ganz anderen Gesichtspunkten veranstalteten Exzerpte nicht eben an Deutlichkeit. Das gilt namentlich von den Auszügen 5 aus Hippolyt, Clemens Alex. und Apollinaris, die uns das Chronicon paschale aufbewahrt hat, dessen Verfasser ein anderes Interesse hatte, als die Schriftsteller des 2. und 3. Jahrhunderts. Den modernen Darstellungen des Paßahstreites hat es nicht zum Vorteil gereicht, daß man sie fast durchweg zu dem Zweck unternahm, mit ihrer Hilfe Gründe gegen oder für die Echtheit des 4. Evangeliums zu gewinnen. Dadurch mußten 10 sich von selbst die Gesichtspunkte verschieben. Bei der folgenden Darstellung der Streitigkeiten ist der Versuch gemacht, von den Fragmenten der alten Streitlitteratur aus ein Verständnis der Frage zu gewinnen und die späteren Darstellungen erst in zweiter Linie heranzuziehen.

Über die Frage, was den Gegenstand des Streites ausgemacht habe, gehen die 15 Ansichten auseinander. Nach der Meinung zahlreicher Forscher (s. die Aufzählung bei Schürer, ZhTh XL, S. 183 f.) feierten die Kleinasiaten am 14. Nisan das jüdische Paßah, indem sie damit die Erinnerung an den Abschied Jesu von seinen Jüngern und die Einsetzung des heiligen Abendmahles verbanden. Andere nahmen an (s. Schürer a. a. O. S. 185 f.), die Kleinasiaten hätten den Tag lediglich in strenger Befolgung des jüdischen 20 Gesetzes gefeiert. Dabei sei die evangelische Geschichte überhaupt nicht in Frage gekommen, sondern nur ein streng gesetzlicher Standpunkt sei das Motiv der Feier gewesen. Nach einer dritten Ansicht (s. Schürer a. a. O. S. 186 ff.) haben die Kleinasiaten am 14. Nisan das Andenken an den Tod Jesu festlich begangen. Da der Tod die Erlösung zum Abschluß gebracht habe, sei die Erinnerungsfeier dementsprechend als festliche Feier betrachtet 25 worden. Man habe daher am Nachmittag dieses Tages das Fasten beendet. Die römische Gemeinde, die ihr Fasten erst am Morgen des Sonntages beendete, habe aus dieser Differenz Anlaß zum Kampf genommen. Schürer, dem man die gründlichste Untersuchung der Frage aus neuerer Zeit verdankt, ist zu dem Resultat gekommen, daß die Kleinasiaten den Tag als Tag des gesetzlichen Paßahmahles gefeiert hätten; aber 30 diese Feier sei nicht rein jüdisch gewesen, sondern sie habe dem Gedächtnis der christlichen Erlösung gegolten und zwar der Erlösung überhaupt, nicht einem einzelnen Moment in ihr (Schürer a. a. O. S. 258 ff.). Prüft man unbefangen die Quellen, ohne Rücksicht auf die Bedeutung der Resultate für die Evangelienkritik, so muß man zu einem andern Resultat über Sinn und Bedeutung der Feier kommen. 35

Euseb sagt (h. e. V, 23, 2), auf Grund zahlreicher Konferenzen der Bischöfe habe man beschlossen und den Beschluß allen Gemeinden mitgeteilt, daß man an keinem andern Tage als dem Tage des Herrn das Mysterium der Auferstehung des Herrn von den Toten feiern dürfe und daß man an eben diesem Tage die österlichen Fasten beenden müsse (σύνοδοι δὴ καὶ συγκροτήσεις ἐπισκόπων ἐπὶ ταὐτὸν ἐγίνοντο, πάντας τε 40 μιᾷ γνώμῃ δι᾽ ἐπιστολῶν ἐκκλησιαστικὸν δόγμα τοῖς πανταχόσε διετυποῦντο, ὡς ἂν μηδ᾽ ἐν ἄλλῃ ποτὲ τῆς κυριακῆς ἡμέρᾳ τὸ τῆς ἐκ νεκρῶν ἀναστάσεως ἐπιτελοῖτο τοῦ κυρίου μυστήριον, καὶ ὅπως ἐν ταύτῃ μόνῃ τῶν κατὰ τὸ πάσχα νηστειῶν φυλαττοίμεθα τὰς ἐπιλύσεις). Daraus ergiebt sich mit aller Deutlichkeit, daß die in den Konferenzen bekämpfte Partei an eben dem Tage, an dem sie das Fasten ab- 45 brach, auch das Mysterium der Auferstehung festlich beging und daß dieser Tag nicht der Sonntag war, sondern der 14. Nisan, um den sich der Streit drehte. Daß dieser Schluß berechtigt ist, beweist auch der Bericht des Epiphanius über die Quartodezimaner (haer. 50, 1 [II, p. 447, 18 ff. Dindorf]), der angiebt, daß man den Tag faste und zugleich an ihm auch die Mysterien feiere (ἕτεροι δὲ ἐξ αὐτῶν τὴν αὐτὴν μίαν ἡμέραν 50 ἄγοντες καὶ τὴν αὐτὴν μίαν ἡμέραν νηστεύοντες καὶ τὰ μυστήρια ἐπιτελοῦντες). Die Feier des Mysteriums der Auferstehung ist nicht etwa das Abendmahl. Dies hat man nicht so genannt und konnte es nicht so nennen, wenn die Bezeichnung irgend einen Sinn haben sollte. Wohl aber versteht man die Bezeichnung, wenn man sich der Beschreibung der Ostergottesdienste erinnert, die Silvia in ihrem Itinerar aus Palästina 55 geliefert hat (Itinera Hierosol. ed. Geyer p. 78 sqq.). Die Auferstehung Jesu wurde in der That durch Mysteriengottesdienste gefeiert. Dann aber gewinnt die von Euseb und Epiphanius übereinstimmend berichtete Thatsache, daß die Kleinasiaten Tod und Auferstehung an einem Tage feierten, eine besondere Bedeutung. Für sie gab es noch eine Ueberlieferung, auf die man sich berief und die man auf die Apostel selbst zurück- 60

führte, nach der Jeſus noch an dem Abend des Todestages auferſtanden war (Polykrates bei Euſeb., h, e. V, 24, 1 ff. ſ. u.). Den Tag, den man feierte, beging man als Ge= dächtnistag für Tod und Auferſtehung zugleich und dagegen richtete ſich der Kampf der Abendländer. Daß man über die Frage, ob man einen oder zwei oder drei Tage zu
5 faſten habe, einen ſo energiſchen Kampf begonnen haben ſollte, iſt von vorneherein wenig wahrſcheinlich und völlig unverſtändlich iſt es, daß die Kleinaſiaten wegen dieſer gering= fügigen Differenz hätten aus der Kirchengemeinſchaft ausgeſchloſſen werden ſollen. Da= gegen wird die Differenz allerdings bedeutungsvoll, wenn die Kleinaſiaten der Tradition der Evangelien zum Trotz von einer Auferſtehung am dritten Tag überhaupt nichts wiſſen
10 wollten und demgegenüber eine Überlieferung bewahrten, für die ſie ſchriftliche Autoritäten offenbar überhaupt nicht ins Feld führen konnten.

Die· vorſtehenden Schlußfolgerungen aus dem Wortlaut der kirchlichen Satzung, die Euſeb jedenfalls den ihm vorliegenden Synodalſchreiben entnommen hat, ſchwebten ſo= lange in der Luft, als der Nachweis nicht gelingt, daß es in der That einen derartigen
15 Auferſtehungsbericht gegeben hat. Der Ausdruck ὀψὲ δὲ σαββάτῳ (Mt 28, 1, ſo nach LΔ Syr Sin Arm. Latt.) läßt ſich ungezwungen nur ſo verſtehen, daß damit die Auf= erſtehung auf den Abend verlegt werden ſoll. Damit ſteht freilich das τῇ ἐπιφωσκούσῃ εἰς μίαν τῶν σαββάτων in unlösbarem Widerſpruch, wenn man es nicht als die un= genaue rechneriſche Bezeichnung für den anbrechenden Tag verſtehen will (Merz,
20 D. vier kanon. Evv. II, 1. S. 437). Doch iſt damit allein nicht viel gewonnen, da der Tag nicht ſtimmt. Dagegen beſitzen wir in der ſyr. Didaskalia c. 21 (p. 88, 13 ff. Lagarde; vgl. die Überſetzung von Fleming, TU, NF X, 2, S. 106 f.) einen Bericht, der offenbar zum Zweck hat, beide Traditionen, die kanoniſchen Evangelien und die andere auszugleichen. Er lautet: „und als nun der Morgen anbrach am Freitag verklagten ſie
25 ihn viel vor Pilatus und etwas Wahres vermochten ſie nicht nachzuweiſen, ſondern ſie gaben falſche Zeugniſſe gegen ihn ab und erbaten von Pilatus die Hinrichtung. Und ſie kreuzigten ihn an eben demſelben Freitag. Sechs Stunden nämlich am Freitag litt er, und dieſe Stunden, während deren unſer Herr litt, werden als ein Tag gerechnet. Und danach war ferner eine Finſternis drei Stunden und das wird als Nacht gerechnet. Und
30 weiter von der 9. Stunde bis zum Abend drei Stunden: ein Tag. Und weiter danach die Nacht des Leidensſabbaths. Im Evangelium des Matthäus aber iſt alſo geſchrieben: Am Abend, am Sabbath, als der erſte Tag der Woche anbrach, kam Maria“ u. ſ. w. Die Rechnung iſt ſonderbar; aber ihr Zweck iſt leicht zu erkennen. Der Verfaſſer weiß es nicht anders, als daß Jeſus am Abend eben des Freitags, an dem er den Tod er=
35 litten hat, auferſtanden iſt. Um nun dieſe Tradition mit der andern, die eine Auf= erſtehung am dritten Tage annahm, auszugleichen, rechnet er die Tagesſtunden des Freitags um in Tage und Nächte, nämlich 1.—6. Stunde = 1 Tag; 3 Stunden Finſter= nis = 1 Nacht; 3 Stunden bis zum Abend = 1 Tag, Anbruch des Leidensſabbaths = 1 Nacht. So kann er denn annehmen, daß Jeſus wirklich nach 2 Tagen und 2 Nächten auferſtanden
40 iſt, obwohl überhaupt erſt ein Tag verfloſſen iſt. In ähnlicher Weiſe hat Aphraates (hom. XII, 5) die Schwierigkeiten zu beſeitigen geſucht. Vielleicht hat Irenäus eine ähnliche Berechnungsweiſe im Auge, wenn er ſchreibt τεσσεράκοντα ὥρας ἡμεριvάς τε καὶ νυκτερινὰς συμμετροῦσιν τὴν ἡμέραν αὐτῶν (bei Euſeb., h. e. V, 24, 12). Allerdings ergiebt die Addition der Tag= und Nachtſtunden in der Didaskalia 48 Stun=
45 den; die Zahl 40 iſt wohl gewählt mit Rückſicht auf das vierzigtägige Faſten Jeſu. Dieſe Erörterung iſt darum wertvoll, weil ſie uns den Zwieſpalt zwiſchen der, dem Ver= faſſer der Didaskalia bekannten Überlieferung der Evangelien und dem Brauche zeigt, den Freitag als Tag des Todes, und die Nacht von Freitag auf Sonnabend als Zeit der Auferſtehung zu feiern. Dieſer Brauch aber iſt der der Kleinaſiaten, der jedoch nicht
50 nur auf Kleinaſien beſchränkt war.

Über die Art der Feier des Tages lehrt uns der Streit nichts Beſtimmtes. Da man den Sonntag nicht als Auferſtehungstag kannte, ſo ergiebt ſich von ſelbſt, daß eine wöchentliche Feier dieſes Tages nicht ſtattfand. Ob man ſtatt deſſen den jüdiſchen Sab= bath feſthielt, läßt ſich nicht mehr ausmachen. Auf Grund der Annahme, daß Jeſus am
55 Freitag, dem 14. Niſan, geſtorben und auferſtanden ſei, war eine dreifache Feſtſitte mög= lich: entweder man feierte den Freitag jeder Woche durch Faſten und durch die Myſterien der Auferſtehung, oder man beging den 14. jeden Monats in demſelben Sinn oder man verzichtete auf Wochenfeſte und beging als Erinnerungsfeſt jährlich einmal den 14. Niſan. Nach Sokrates (h. e. V, 22, 14) könnte es ſcheinen, als habe man den 14. jeden Monats
60 gefeiert; aber aus ſeinen Worten iſt nur zu entnehmen, daß man den Sonntag nicht

feierte. Im übrigen kannte er als kleinaſiatiſche Sitte, wie es ſcheint, auch nur das
Jahresfeſt am 14. Niſan. Welche Wochenfeſte etwa ſonſt gefeiert wurden, bleibt fraglich.
Da das Martyrium des Polykarp auf den „großen Sabbath" datiert iſt (c. 21), ſo kann
man daran denken, daß Kleinaſien die Sabbathfeier beibehalten hat. Doch iſt der Schluß
zum mindeſten unſicher. 5

Ebenſowenig läßt ſich über die der kleinaſiatiſchen entgegenſtehende abendländiſche
Sitte ſicher ausmachen. Daß man hier zwei Tage in der Woche, den Mittwoch und Freitag
regelmäßig faſtete (ſ. o. Bd V, S. 770 ff.) und den Sonntag als Auferſtehungstag feſtlich
beging, iſt bekannt. Ob man aber daneben noch ein Jahresfeſt beſaß, an dem doch nur
dieſelben Gedanken zum Ausdruck kommen konnten, wie bei den Wochenfeſten, iſt zweifel- 10
haft. Wenn das Abendland zu Anfang des 3. Jahrhunderts auch ein Jahresfeſt beging,
ſo könnte man darin einen Erfolg der Streitigkeiten ſehen, ſofern etwa der Brauch einer
neutralen Partei (Paläſtina, Ägypten) adoptiert wurde. Da die Zeugniſſe hier völlig ver-
ſagen, darf man nichts ausmachen wollen.

Auf die Differenz hinſichtlich der Sitte des Abendlandes und Morgenlandes iſt man 15
überhaupt erſt ſpät aufmerkſam geworden. Als Polykarp ſeinen Beſuch bei Aniket in
Rom machte (man ſetzt dieſen Beſuch in das Jahr 154 ſ. Lightfoot, Ignatius² I,
p. 676; Zahn, Forſchungen IV, S. 274; das Datum läßt ſich nicht mehr ermitteln),
kam auch die Paſſahfeier zur Sprache. Irenäus, der in ſeinem Brief an Victor von Rom
(bei Euſeb., h. e. V, 24, 16 f.) davon redet, hat ſich nicht ſo deutlich ausgeſprochen, daß 20
ſeine Worte jeden Irrtum ausſchlöſſen. Er nennt die Angelegenheit eine Hauptſache
(l. c. § 16 περὶ τούτου τοῦ κεφαλαίου μὴ φιλεριστήσαντες εἰς ἑαυτούς), ſagt aber
nicht ausdrücklich, was ſie betraf. Daß den Gegenſatz das τηρεῖν und μὴ τηρεῖν bildete,
iſt freilich klar (l. c. § 14. 16 f.). Aber das Verbum hat kein Objekt und damit iſt allen
Vermutungen freier Spielraum gelaſſen. Nach dem vorausgehenden Fragment des Briefes 25
(l. c. § 12 f.) könnte man annehmen, daß es ſich um die Faſtenfrage gehandelt habe.
Aber das iſt unmöglich; denn Irenäus betont, daß die römiſchen Biſchöfe „nicht beobachtet" hätten, während die Stationsfaſten nach Hermas (Sim. V, 1) bereits um die
Mitte des 2. Jahrhunderts in Rom in Brauch waren. Daher kann man dem ganzen
Zuſammenhang nach nur an die Beobachtung des jüdiſchen Paſſahgeſetzes denken. In 30
Kleinaſien war ſie üblich, in Rom war ſie unbekannt. Dort pflegte man den 14. Niſan
zu feiern, hier wußte man nur von einer wöchentlichen Sonntagsfeier, die das Gedächtnis
der Auferſtehung Jeſu wacherhielt, wie die Stationsfaſten am Mittwoch und Freitag die
Gemeinde immer wieder an Jeſu Gefangennahme und Tod erinnerte; dort blieb man bei
der judenchriſtlichen Treue gegen das Geſetz wenigſtens in dieſer Hinſicht ſtehen, hier nahm 35
man den paulinischen Standpunkt ein und machte von dem Geſetz keinen Gebrauch mehr.
Es kam zwiſchen Aniket und Polykarp zu keinem Ausgleich. Polykarp berief ſich auf das
Alter der kleinaſiatiſchen Auffaſſung, Aniket auf die römiſche Tradition. Keiner gab nach,
aber beide hielten die Gemeinſchaft aufrecht, ja in der Gemeindeverſammlung überließ
Aniket aus Höflichkeit dem Polykarp die Leitung der euchariſtiſchen Feier (Euſeb., h. e. 40
V, 24, 17: καὶ ἐν τῇ ἐκκλεσίᾳ παρεχώρησεν ὁ Ἀνίκητος τὴν εὐχαριστίαν τῷ Πο-
λυκάρπῳ, κατ' ἐντροπὴν δηλονότι). Eine Änderung der beſtehenden Sitte iſt weder in
dem einen noch in dem andern Kirchengebiet erfolgt.

Ungefähr in dieſelbe Zeit, in der Polykarp ſeinen Beſuch in Rom machte, fallen die
Anfänge des Montanismus in Kleinaſien (ſ. Bd XIII S. 418 f.; Zahn, Forſchungen 45
V, S. 1 ff.). Es wird kaum ein Zufall ſein, daß die Streitigkeiten über die Paſſahfeier
um etwa dieſelbe Zeit beginnen und daß einer der energiſchſten litterariſchen Verfechter
der kirchlichen Sitte, Melito von Sardes, zugleich in zahlreichen Schriften die Montaniſten
bekämpfte und eine Auseinanderſetzung über das Paſſah verfaßte (ſ. Bd XII S. 564,35 ff.,
565,1, 567,2), in der er die alte Sitte in Schutz nahm. Wenig ſpäter lebte Apollinaris 50
von Hierapolis (Euſeb., Chronic. ad. ann. X Commodi [II, p. 173 Schöne]:
Apollinaris Asianus Hierapolitanus episcopus insignis habetur; der Armenier
ſetzt die Notiz ins 11. Jahr des Commodus), Euſeb (h. e. IV, 17) kennt von ihm
eine an Commodus gerichtete Apologie, eine Streitſchrift πρὸς Ἕλληνας, zwei Bücher
περὶ ἀληθείας, wohl eine Darſtellung der chriſtlichen Religion enthaltend, zwei Bücher 55
gegen die Juden (dieſer Titel fehlt bei Rufin, Hieron., de viris inl. 26 und im Cod.
Paris. 1430) und eine Bekämpfung des Montanismus, der ſich eben auszubreiten begann
(Euſeb., l. c.: καὶ ἃ μετὰ ταῦτα συνέγραψε κατὰ τῆς τῶν Φρυγῶν αἱρέσεως,
μετ' οὐ πολὺν καινοτομηθείσης χρόνον, τότε γε μὴν ὥσπερ ἐκφύειν ἀρχομένης,
ἔτι τοῦ Μοντανοῦ ἅμα ταῖς αὐτοῦ ψευδοπροφήτισιν ἀρχὰς τῆς παρεκτροπῆς 60

ποιουμένου). Aus dieſer letzteren Schrift wird wohl das Fragment entnommen ſein, das im Chronicon paschale p. 13 sq. Dindorf als aus einer Abhandlung περὶ τοῦ Πάσχα ſtammend citiert wird. Hier ſagt Apollinaris ausdrücklich, daß der 14. das wahre Paſſah des Herrn ſei ἥ ιδ' τὸ ἀληθινὸν τοῦ κυρίου πάσχα, ἡ θυσία ἡ μεγάλη, ὁ
5 ἀντὶ τοῦ ἀμνοῦ παῖς τοῦ θεοῦ κτλ.). Man hat auf Grund dieſer Ausführung mit Unrecht Apollinaris zu einem Gegner der Quartodezimaner geſtempelt. Faßt man die Streitfrage ſo, wie oben geſchehen iſt, ſo liegt dazu nicht der mindeſte Anlaß vor. Apollinaris ſtand im Gegenteil ausdrücklich auf ſeiten derer, die an der Feier des 14. feſthielten. Daß die großen antimontaniſtiſchen Schriftſteller auch für die überlieferte
10 Paſſahfeier der Kirche eintraten, wird wohl nicht ohne Grund geſchehen ſein. Sozomenus weiß davon zu berichten (h. e. VII, 18, 12 ff. vgl. Bonwetſch, Geſch. des Montanismus S. 166 ff.), daß die Montaniſten eine „fremdartige Methode" befolgt hätten, um das Oſterfeſt zu berechnen. Sie benutzten einen Kalender, dem das Sonnenjahr zu Grunde gelegt war; ſie zählten daher, genau wie die Ägypter (Ideler, Handb. der Chronol.
15 I, S. 94 ff.), zwölf Monate zu 30 Tagen, denen ſie am Schluß des Jahres fünf und alle vier Jahre ſechs Tage zufügten. Dieſe Kalenderform entſpricht den aus dem ägyptiſchen Kalender gefloſſenen Kalendern der Kopten, Araber und Abeſſynier. In Kleinaſien iſt m. W. eine derartige Kalenderform nirgends nachweisbar. Hiernach berechneten ſie Oſtern. Der erſte Monat iſt für ſie, wie für die altrömiſche Zeitrechnung
20 (ſ. o. S. 726, 47), der mit dem Frühlingsäquinoctium (bei ihnen IX Kal. Apr. [Sozom., l. c. § 12 I, 740, 4 Huſſey]; VIII Kal. April. im julianiſchen Kalender) beginnende, da man auf den Tag des Äquinoctiums allgemein auch den Beginn der Weltſchöpfung ſetzte (Ideler, Handb. b. Chronol. II, 279¹. 452 f.). Indem ſie den 14. Tag dieſes erſten Monats berechnen, kommen ſie auf den 1. a. Id. Apr. (bei Sozomenus [I, p. 741, 3
25 Huſſey] ſteht VIII a. Id. Apr. = 6. April; dann muß es oben heißen VIII a. Kal. Apr., wie auch Epiphanius Scholaſtikus hat), b. h. auf den 7. April, an dem ſie ohne Rückſicht auf den Wochentag und die Mondphaſe ihr Paſſah feiern. Nun gab es im 2. Jahrhundert in Ägypten bei den Gnoſtikern noch eine Überlieferung, die Clemens von Alexandrien (Strom. I, 21, 146) aufbewahrt hat nach der Jeſus am 7. April
30 geſtorben ſei (ſ. Preuſchen, Z㎖W V, S. 5 ff.). Auf Ägypten weiſt der Kalender; dorthin weiſt auch dieſe verlorene Kunde von dem wahren Todestag Jeſu. Auf welchem Weg von dort die Kunde zu den Montaniſten gedrungen iſt und wie es zuſammenhängt, daß man in den montaniſtiſchen Kreiſen mit dem ägyptiſchen Kalender zugleich ein feſtes Datum für das Oſterfeſt annahm, iſt hier nicht weiter zu unterſuchen. Jedenfalls iſt
35 aber ſoviel deutlich, daß dieſe Berechnung des Oſterfeſtes in den montaniſtiſchen Kreiſen alt iſt; älter jedenfalls als Sozomenus. Man wird eine ſolche Entlehnung eben nur im 2. Jahrhundert wahrſcheinlich machen können, da ſich in Ägypten ſelbſt ſpäter die Kunde von dem wahren Todestag Jeſu völlig verlor, die ägyptiſche Feſtſitte zudem nie von ihr Gebrauch gemacht hatte. Im Rahmen der Geſamtbeurteilung des Montanismus iſt
40 dieſe Thatſache intereſſant; ſie zeigt, daß der neue Geiſt, der in Montanus wirkt, kühn auch die Schranken der feſtgefügten kirchlichen Sitte überſpringt. Zu dem revolutionären Zug, der dieſer ganzen Bewegung anhaftet, paßt das vortrefflich.

Gegen dieſen revolutionären Geiſt aber kämpfte die kleinaſiatiſche Kirche, und darum kämpfte ſie auch gegen die montaniſtiſche Paſſahfeier. Wodurch der Streit über Klein-
45 aſien hinausgetragen wird, wie iſt nicht vor allem das allzuſtürmiſche Vorgehen des römiſchen Biſchofs Victor erklärt, läßt ſich nur noch vermuten. Daß man auch im Abendlande ſehr bald auf die Montaniſten aufmerkſam wurde, war erklärlich. In den Kreiſen, deren Stimmung der Hirte des Hermas entſprach, mußte der Montanismus günſtigen Boden finden. Daß daher der in Kleinaſien durch Schriften und auf Synoden
50 mit Erbitterung geführte Kampf gegen die Montaniſten Aufmerkſamkeit erregte, war klar. Daß dabei auch die altertümliche und ſinguläre Paſſahfeier der Kleinaſiaten auffallen mußte, war ebenfalls zu erwarten. Die Entſcheidung über die Kirchlichkeit des Montanismus iſt in Rom nicht ſofort gefallen. Aber vielleicht war es gerade Victor, der zunächſt die Montaniſten begünſtigte, und der eben im Begriffe ſtand, für den Montanis-
55 mus offen einzutreten, als ihm Praxeas in die Arme fiel und die der phrygiſchen Häreſie günſtige Entſcheidung zu verhindern wußte (Tertullian, adv. Prax. 1, der leider den Biſchof nicht nennt; vgl. dazu Zahn, Forſchungen V, S. 49; andere denken an Eleutherus, ſo Bonwetſch, Geſch. d. Montanismus S. 140; Bb XIII, S. 425, 2). Iſt Victor der montaniſtenfreundliche Biſchof geweſen, ſo iſt ſein Vorgehen gegen die Klein-
60 aſiaten in der Oſterfrage ſchwerlich ohne Zuſammenhang mit jener Angelegenheit geweſen.

Wie dem auch ſei, Victor ſagte den Gemeinden der Provinz Aſien, ſowie den ihnen be=
nachbarten Kirchen die Gemeinſchaft auf, indem er ein leider verlorenes Rundſchreiben
erließ, in dem er anordnete, daß die Brüder als heterodox auszuſchließen ſeien (Euſeb.,
h. e. V, 24, 9: ἐπὶ τούτων ὁ μὲν τῆς Ῥωμαίων προεστὼς Βίκτωρ ἀθρόως τῆς
Ἀσίας πάσης ἅμα ταῖς ὁμόροις ἐκκλησίαις τὰς παροικίας ἀποτέμνειν, ὡς ἂν ἑτε= 5
ροδοξούσας, τῆς κοινῆς ἑνώσεως πειρᾶται, καὶ στηλιτεύει γε διὰ γραμμάτων
ἀκοινωνήτους πάντας ἄρδην τοὺς ἐκεῖσε ἀνακηρύττων ἀδελφούς. Vgl. Socr.,
h, e. V, 22, 15. Sozom., h. e. VII, 18, 1). Victor drang jedoch mit dieſer Maßregel
nicht durch. Von ſeiten der Kleinaſiaten trat Polykrates von Epheſus als Verteidiger
für die alte Sitte ein (Fragmente ſeines Schreibens bei Euſeb, h. e. V, 24, 2). Er 10
berief ſich dafür, daß ihre Feier nicht leichtfertig gegen den Brauch eingeführt ſei, auf
die uralte Tradition ſeiner Kirche. Apoſtel und geiſtbegabte Männer ſind ſeine Zeugen:
der Apoſtel Philippus, deſſen jungfräulich gebliebene Töchter, der Apoſtel Johannes, die
Märtyrer Polykarp von Smyrna, Thraſeas von Eumeneia, Sagaris von Laodicea;
ferner Papirius und Melito von Sardes, der Eunuch. Von allen dieſen Zeugen iſt nur 15
die Erwähnung des Papirius nicht mehr zu erklären. Alle andern ſind für Polykrates
unbedingt verbindliche Autoritäten weil ſie in beſonderer Weiſe Träger des hl. Geiſtes ſind,
Philippus als Apoſtel, die Biſchöfe als Märtyrer, die Töchter des Philippus als Prophetinnen,
Melito von Sardes als Eunuch. Der pneumatiſchen Autorität der Montaniſten und der kirchen=
regimentlichen Victors ſetzt er die kirchlich beglaubigte Autorität dieſer Träger des Geiſtes 20
entgegen. Sie alle haben den 14. Tag des Paſſahfeſtes gefeiert dem Evangelium ent=
ſprechend, ohne deswegen in den Verdacht zu kommen, daß ſie Häretiker ſeien (Euſeb.,
l. c. § 6: οὗτοι πάντες ἐτήρησαν τὴν ἡμέραν τῆς πεντεκαιδεκάτης τοῦ πάσχα κατὰ
τὸ εὐαγγέλιον, μηδὲν παραβαίνοντες, ἀλλὰ κατὰ τὸν κανόνα τῆς πίστεως ἀκολου-
θοῦντες). Polykrates hatte, dem Verlangen Victors entſprechend, eine Verſammlung von 25
Biſchöfen einberufen, die in dieſer Sache ihr Urteil abgeben ſollten; auch ſie hatten ſich
auf ſeine Seite geſtellt (Euſeb., l. c. § 8).

Auch von anderer Seite erſtanden den Kleinaſiaten Bundesgenoſſen. In Irenäus
regte ſich die alte Heimatliebe; ſeine Erinnerungen an Polykarp wurden wieder wach; ſo
ſchrieb er im Namen der galliſchen Biſchöfe an Victor und mahnte zum Frieden (Reſte des 30
Schreibens bei Euſeb., h. e. V, 24, 12 ff.). Eine Übereinſtimmung, ſchrieb er, herrſche
ja doch auch anderwärts nicht. Über den Tag und die Dauer des Faſtens ſeien
Differenzen in den einzelnen Ländern. In aller Einfalt bewahrten zahlreiche Gemeinden
ihre alten Sitten und doch bräche man die Gemeinſchaft mit ihnen darum nicht ab. So
hätten auch Victors Amtsvorgänger trotz der Differenz nicht daran gedacht, den Klein= 35
aſiaten die Gemeinſchaft aufzuſagen, ja Aniket habe Polykarp aus Höflichkeit in der
Gemeindeverſammlung die Leitung des Abendmahlsgottesdienſtes überlaſſen. Derſelben
Meinung waren auch andere Biſchöfe, die ebenfalls rieten, wegen dieſer Sache den Frieden
nicht zu brechen (Euſeb., l. c. § 10). Irenäus begnügte ſich nicht damit, Victor zur
Friedfertigkeit zu ermahnen. Er wandte ſich auch an andere Biſchöfe in demſelben Sinne 40
und wirkte auch bei ihnen für die kirchliche Einheit.

Intereſſant war die Stellung der Paläſtiner. Narkiſſus von Jeruſalem, Theophilus von
Cäſarea, Kaſſius von Thrus, Clarus von Ptolemais u. a. hielten eine Synode ab und erließen
dann ein leider bis auf den Schluß verlorenes Synodalſchreiben (bei Euſeb., l. c. 25), in
dem ſie bie von der apoſtoliſchen Zeit bis jetzt bewahrte Tradition eingehend auseinander= 45
ſetzten. Zum Schluß fordern ſie auf, Abſchriften ihrer Briefe in allen Gemeinden zu verbreiten,
„damit wir nicht die Schuld tragen an denen, die leichtfertig ihre Seele betrügen." Sie
berufen ſich dann noch darauf, daß ſie die Feier des Tages gemeinſchaftlich mit den
Alexandrinern begehen, mit denen ſie ſich über den Termin verſtändigten (Euſeb., l. c.
δηλοῦμεν δὲ ὑμῖν, ὅτι τῇ αὐτῇ ἡμέρᾳ καὶ ἐν Ἀλεξανδρείᾳ ἄγουσιν ἧπερ καὶ 50
ἡμεῖς· παρ᾽ ἡμῶν γὰρ τὰ γράμματα κομίζεται αὐτοῖς καὶ ἡμῖν παρ᾽ αὐτῶν ὥστε
συμφώνως καὶ ὁμοῦ ἄγειν ἡμᾶς τὴν ἁγίαν ἡμέραν). So ſtand Tradition gegen
Tradition. Die Kleinaſiaten konnten auf zwei Apoſtel hinweiſen, die ihre Sitte begründet
oder zum mindeſtens gebilligt hatten. Die Paläſtiner beriefen ſich in etwas hochfahren=
der Weiſe, wie es ſcheint, auf die apoſtoliſche Tradition ſchlechthin. Dazu wurde bie an 55
ſich ſchon beträchtliche Autorität der Paläſtiner unterſtützt durch die mächtige Kirche von
Alexandria. Damit war der Schwerpunkt zu Ungunſten der Kleinaſiaten verſchoben.

Die Bewegung ergriff nun noch weitere Kreiſe. Auf zahlreichen Synoden ſcheint
man über die Sache verhandelt zu haben (Euſeb., h. e. V, 23, 1). Gegen die Klein=
aſiaten ſtanden außer den Paläſtinern und Victor von Rom die Biſchöfe von Pontus, 60

deren Altersprähident Palmas war, die Gallier, in deren Namen Jrenäus schrieb, die
Bischöfe von Osroëne und Bakchyllus von Korinth. Die Verteilung der Parteien ist
einfach und verständlich: der Westen (Gallien, Italien, Griechenland und dazu Pontus) stand
zusammen. Auf dieser Seite stand von den östlichen Ländern nur Osroëne. Das ist
aus der Geschichte des Reiches verständlich. Die Christianisierung des Landes erfolgte in
einer Zeit, als die Dynastie in völlige Abhängigkeit von Rom geraten war, unter Ab-
gar IX. Severos, der 188 n. Chr. zur Regierung kam (v. Gutschmid, Untersuchungen
über d. Gesch. d. Königreichs Osroëne in den Mémoires de l'Académie impér. des
sciences de S. Pétersbourg Sér. VII, t. 35 p. 13 ff. 29 ff.). Die Einzelheiten der
Belehrungsgeschichte dieses Fürsten, die sich in der edessenischen Abgarsage noch wiederzu-
spiegeln scheinen (s. Lipsius, D. edess. Abgarsage S. 8 ff.), sind dunkel; doch wird wohl
sein Besuch in Rom (Dio Cassius [Xiphilinus] LXXIX, 16) nicht ohne Einfluß geblieben
sein. Dann aber begreift sich vollkommen, daß die Bischöfe der Osroëne auf seiten Victors standen. Daß Pontus nicht mit den andern Kleinasiaten ging, erklärt sich vielleicht
daraus, daß von hier aus zu allen Zeiten eine Verbindung mit dem Abendland aufrecht
erhalten wurde. Aquila stammte aus Pontus, ebenso Marcion; beide wandten sich nach
Rom. Dionysius von Korinth schrieb an die Gemeinden in Pontus (Euseb., h. e. IV,
23). Schon 112 hat man in Bithynien offenbar die römische Sitte der Sonntagsfeier
gehabt (Plin., ep. 96). Auf der Seite der Kleinasiaten stand Syrien und Mesopotamien
(Athanas., ep. ad Afr. 2; de Synod. 5; Epiphan., h. 70), sowie Persien (Aphraates, hom. XII, 8). Eine selbständige Stellung nahmen Palästina und Ägypten ein.
Dort berief man sich auf die eigne Tradition, die man auf die Apostel zurückführte und
den Zusammenschluß mit Ägypten. Demgegenüber schien jede abweichende Sitte, einerlei
ob sie im Abendland oder in Kleinasien heimisch war, ein Abfall von der Wahrheit.

Wer in diesem Streite gesiegt hat, läßt sich nicht so einfach sagen. Victor nicht;
denn sein Beschluß, die Kleinasiaten als Heterodoxe aus der Kirchengemeinschaft auszuschließen, ging nicht durch. Eine Sache, die nur das Gebiet kirchlicher Sitte berührte,
wollte man offenbar in dieser Zeit, in der man sich noch der Gnosis zu erwehren hatte,
nicht zu einer Glaubensfrage stempeln. Auch die Kleinasiaten drangen nicht durch. Schon
von allem Anfang an stand ihre Sache verzweifelt schlecht. Es war nicht zu erwarten,
daß eine Kirche, die von jeher den Sonntag gefeiert hatte, nun auf diese Feier verzichten
sollte, und das zu Gunsten eines Auferstehungsberichtes, der in offenbarem Widerspruch
mit der alttestamentlichen Weissagung, der paulinischen Tradition und den anerkannten
Evangelien stand, und zu Gunsten einer Sitte, die nur begründet werden konnte durch
die Berufung auf Autoritäten, denen man nicht dieselbe Bedeutung zuschreiben konnte,
wie den Evangelien und dem Apostolos. Entscheidend scheint hier schließlich die palästinisch-
ägyptische Tradition den endlichen Ausgang des Streites beeinflußt zu haben. Von Clemens v. Alex. wissen wir, daß er in der Sache eine Schrift verfaßt hat (s. Bd IV
S. 158, 29 ff.), die sich nach seiner eigenen Angabe (Euseb., h. e. IV, 26, 4) gegen die
von Melito versuchte Verteidigung des quartodezimanischen Brauches richtete. Auch die
an Alexander von Jerusalem gerichtete Schrift κανὼν ἐκκλησιαστικὸς ἢ πρὸς τοὺς
Ἰουδαΐζοντας wird sich vermutlich mit derselben Angelegenheit befaßt haben. In welchem
Sinne Clemens die Frage erörterte, geht aus dem von dem Chronicon paschale
p. 14 sq. aufbewahrten Fragment hervor. Seine Chronologie ist: am 13., als an dem
Tage, an dem die Heiligung des Ungesäuerten erfolgte, belehrte er die Jünger über die
typische Bedeutung des Festes; am 14. starb er und am 3. Tag fand die Auferstehung
statt. Für die Bedeutung des 14. als des Todestages Jesu beruft sich Clemens auf das
übereinstimmende Zeugnis der Evangelien. Das starke Betonen des 14. als des Todestages hat nur dann Sinn, wenn damit geleugnet werden soll, daß die Auferstehung an
demselben Tage statt hatte.

Wichtiger für die Folgezeit war die in Alexandria wohl zuerst aufgekommene Berechnung des Termines. In Kleinasien hat man sich offenbar darüber gar keine Gedanken
gemacht, sondern sich einfach an das jüdische Passahfest gehalten. Die Juden hielten
streng darauf, daß das Fest am Vollmond stattfand, versuchten im übrigen aber gar keine
genaue Bestimmung (Schürer, Gesch. d. jüd. Volkes², II, S. 747 ff.). Diese Abhängigkeit von der jüdischen Monatsbestimmung, die rein empirisch geschah, mußte als unerträglich empfunden werden, sobald das Christentum aus dem Schatten der jüdischen
Gemeinde heraustrat und das Selbstbewußtsein der christlichen Gemeinde soweit wuchs,
daß man die Unzulänglichkeit der jüdischen Kalenderbestimmung erkannte. In Ägypten
wird man daher zuerst als festen Punkt das Frühlingsäquinoctium ins Auge gefaßt haben.

Dies war der früheste Termin, da nach der in Ägypten (wie auch im Abendland) geläu=
figen Chronologie Jesus an diesem Tage gestorben war. Indem man von diesem Termin
aus den nächsten Vollmond bestimmte, kam man zu der später allgemein rezipierten Oster=
berechnung, die in Ägypten zur Zeit des Athanasius geläufig war, die man aber unbe=
denklich als älter bezeichnen darf. Daß sie sich ohne weiteres empfahl, leuchtete ein. 5
Dazu war sie durch das gewichtige Zusammengehen zweier Landeskirchen gestützt; sie war
getragen von einer, wenn auch wohl nicht aufgezeichneten, so doch präsumierten aposto=
lischen Tradition, und sie stand im Einklang mit den Evangelien. So läßt sich ihr Sieg
verstehen.

3. Der weitere Verlauf der Streitigkeiten. In Rom scheint sich nun in= 10
zwischen eine andere Berechnung des Osterfestes durchgesetzt zu haben, die sich bis in die Tage
dieses Streites zurückverfolgen läßt und die neben der Feier des Sonntags als des Auf=
erstehungstages einen Gegenstand des Streites zwischen beiden Parteien abgab. Tertullian
sagt (de jejun. 14), daß man Ostern in jährlicher Wiederkehr im ersten Monat feiere.
Berechnete man Ostern nach dem Vollmond, der auf das Frühlingsäquinoctium folgt, so 15
fällt Ostern durchaus nicht immer in den Monat März. Der Widerspruch, der in dieser
Bemerkung zu liegen scheint, löst sich nur dann, wenn man annimmt, daß, als Tertullian
jene Schrift schrieb (Anfang des 3. Jahrhunderts), Ostern in Karthago und wahrschein=
lich im Abendland überhaupt an einem festen Termin lag, und zwar an einem, der in
den Monat März fiel. Da Tertullian an anderer Stelle (adv. Jud. 8; vgl. adv. Marc. 20
I, 15) als Todestag Jesu VIII Kal. Apr. = 25. März bezeichnet, die Tradition sich im
ganzen Abendland sehr häufig findet (Lactanz, Instit. IV, 10, 18; De persec. mort. 2;
Augustin, de civit. dei XVIII, 54; Chronograph von 354 [Monum. Germ. Anti=
quiss. IX, 57]; auch Acta Pilati 1 u. v. a.; vgl. Ideler, Handbuch der Chrono=
logie II, S. 413 ff.), so liegt es nahe, daran zu denken, daß man im Abendland, von 25
diesem Datum ausgehend, am 25. März und den nächsten Tagen bis zum folgenden
Sonntag fastete und dann durch die Feier der Eucharistie die Fasten beendete. Daß die
Gallier ursprünglich ihr Osterfest am 25. März gefeiert hätten, berichtet ausdrücklich Beda
(de tempor. ratione 45), und Epiphanius weiß zu erzählen, daß man in Kappadozien
das Osterfest an eben demselben Tage begangen habe (haer. 50, 1 [II, p. 447, 20 30
Dindorf]). Hierin wird wohl eine Spur der alten abendländischen Sitte zu erblicken sein,
die auch Tertullian bezeugt. Doch lassen sich hierfür sichere Zeugnisse nicht beibringen
und die Stelle bei Tertullian kann auch anders erklärt werden (vgl. Ideler, Handbuch
d. Chronol. II, S. 227). In den folgenden Jahrzehnten haben wiederholt Versuche
stattgefunden, die Ostertermine nach einer festen Regel zu bestimmen (Ostertafel Hippolyts, 35
Computus paschalis von 243 [Opera Cypriani ed. Hartel III, 248 sqq.] Oster=
kanon des Anatolius [Euseb., h. e. VII, 32] u. a.). Doch scheint sich keine bestimmte
Methode durchgesetzt zu haben (die Einzelheiten f. im Art. „Zeitrechnung, christliche").

Um eine Einheit herbeizuführen setzte Konstantin auf dem Konzil zu Nicäa auch die
Paffahfrage auf die Tagesordnung. Über den Termin bestand die größte Unsicherheit, 40
auch die kleinasiatische Sitte, die man jetzt als häretisch empfand, war nicht erloschen
(Euseb., Vita Constant. III, 5). Man suchte nun der Verschiedenheit dadurch ein
Ende zu machen, daß man die ägyptische Berechnung, die mit der der Paläftiner über=
einstimmte, für alle Provinzen adoptierte (Synodalschreiben an die Kirche von Alexandria
bei Theodoret, h. e. I, 8; Cirkularschreiben an die Bischöfe bei Euseb., Vita Const. 45
III, 17; Theodoret l. c. I, 9; Athanasius, de Synod. 5; ep. ad Afros 2). Man
feierte demnach Ostern am Sonntag und berechnete diesen, dem 19jährigen Cyklus des
Anatolius folgend, nach dem ersten Vollmond nach dem Frühlingsäquinoctium. Aber
auch durch diese Beschlüsse war eine einheitliche Regelung der Frage noch nicht garantiert.
Auf der Synode zu Antiochien im J. 341 verhandelte man abermals über den Oster= 50
termin und schärfte die Nicänischen Beschlüsse von neuem ein (c. 1 bei Bruns, Canones
Apostol. et Conc. I p. 80 sq.), was beweist, daß man sich nicht überall nach den Be=
stimmungen von 325 richtete. Das lebhafte antijüdische Interesse, das sich bei der Rege=
lung der Frage seit dem 3. Jahrhundert erkennen läßt, hat später wohl in erster Linie
bewirkt, daß die paläftinisch-ägyptische Sitte zum Siege kam. Ein wichtiges Zeugnis aus 55
dieser späteren Phase der Streitigkeiten, wenn man sie so nennen kann, ist die 3. Homilie
des Chrysostomus gegen die Juden (I, p. 606 sq. Montf. um d. Jahr 387). In diesem
Jahre fiel der 14. Nisan auf den 18. April (Frühlingsvollmond: 19. April 3—4 Nm.);
dieser Tag war ein Sonntag und die ägyptische Regel schrieb in diesem Fall Verschiebung
des Festes auf den nächsten Sonntag vor, damit nicht die Christen mit den Juden zu= 60

gleich feierten. Da die antiochenischen Christen an sich große Neigung zeigten, sich an den jüdischen Festen zu beteiligen, hielt es Chrysostomus für seine Pflicht, seine Gemeinde auf die Bedeutung und die rechtmäßige Feier des Festes hinzuweisen. Aus seinen Worten geht aber hervor, daß es Christen gab, die entgegen den nicänischen Beschlüssen das Fest
5 einen ganzen Monat früher feierten. Demnach hatte man auch am Ende des Jahrhunderts noch keine Einheit durchzuführen vermocht.

Zu derselben Zeit war in Mesopotamien ein Mönchsorden verbreitet, den Epiphanius (haer. 70) nach seinem Stifter Audius. die Audianer nennt (s. b. Art. Bd II S. 425). Sie feierten das jüdische Passah (Epiphan., l. c. § 9) und beriefen sich dafür auf eine apostolische
10 Anordnung (Epiphan., l. c. § 10: παραφέρουσι τὴν τῶν ἀποστόλων διάταξιν); die Anweisung stimmt mit Didascalia syriaca c. 21. Die auch in Antiochien bestehende und von Chrysostomus bekämpfte Neigung, den Konzilsbeschlüssen zum Trotz an dem uralten Brauch festzuhalten, erstreckte sich demnach auch auf Mesopotamien. Für etwa dieselbe Zeit besitzen wir in Aphraates (hom. XII) einen Zeugen, der uns die kirchliche
15 Sitte Ostsyriens, die sich von der mesopotamischen schwerlich unterschieden haben wird, mit genügender Deutlichkeit kennen lehrt. Aphraates trägt (hom. XII, 4) eine sehr gekünstelte Berechnung vor, die er ersonnen hat, um die synoptische Leidenschronologie mit der Passahfeier, wie er sie kennt, zu vereinigen. Jesus hat am 14. Nisan (d. h. nach unserer Tageseinteilung am Abend des 13.), so führt er aus, mit seinen Jüngern das
20 Passahmahl gegessen. Da er ihnen seinen Leib und sein Blut gab, so ist dies Mahl mit seinem Tode gleichzusetzen. „Denn wer sein Fleisch zu essen und sein Blut zu trinken giebt, wird unter die Toten gerechnet". Indem nun Aphraates ebenso rechnet, wie die Didaskalia (s. oben 728,20), erhält er von der Stunde des Mahles bis zur Nacht des Sonntag (der Samstag Abend beginnt) drei Tage und drei Nächte. Sein Auferstehungsbericht hat
25 sich also mit dem der Didaskalia, nur ist aus Freitag Abend durch Ausgleich Samstag Abend geworden. Dabei begegnet ihm das seltsame Mißverständnis, daß er diesen 14. Nisan für den Festtag der Juden hält und demgemäß den 15. Nisan für den christlichen Hauptfesttag. Fällt der „große Festtag", d. h. nach dem Mondkalender der 15. Nisan, auf einen Sonntag, so ist er am Montag zu feiern. Die nächsten sieben Tage folgt
30 darauf das Fest der ungesäuerten Brote (l. c. § 8). Übrigens scheint Aphraates auch Leute zu kennen, die am Freitag jeder Woche trauern und am 14. jeden Monats feiern (s. oben 728,48). Doch läßt sich nicht mehr erkennen, ob und wie sich etwa diese Sitte erhalten hat.   Erwin Preuschen.

Paſſah, altkirchliches, liturgiſch. — Litteratur: Vgl. die Litteraturangaben zum
35 vorstehenden Artikel: Paſſah und Paſſahstreitigkeiten. Außerdem: Steitz, Art. Paſſah, christliches in RE², Bd XI, S. 280 ff.; Binterim, Denkwürdigkeiten der christ.-kath. Kirche, Bd V, 1. Teil (1829), S. 177 ff.; Augusti, Denkwürdigkeiten aus der christl. Archäologie Bd II (1818); Kliefoth, Liturg. Abhandlungen Bd IV², 1. Teil (1858), S. 344 ff.; Rietschel, Lehrbuch der Liturgik I (1900), S. 172 ff.; Thalhofer, Handbuch der kath. Liturgik II (1890), S. 544 ff.;
40 Achelis, Lehrbuch der praktischen Theologie I² (1898), S. 292 ff. — Außerdem lag mir der vorstehende Artikel von Preuschen im Manuskript vor.

1. **Entstehung und Alter des christlichen Passahfestes.** Während wir über die Entstehung der christlichen Passahfeier in der Großkirche völlig im Dunkeln sind (über die Feier bei Judenchristen und Ebioniten vgl. den Art. „Passahstreitigkeiten" S. 725,38 ff. und
45 726,4 ff.), können wir in Bezug auf ihr Alter nur so viel sagen, daß am Ausgang des 2. Jahrhunderts eine christliche Passahfeier allgemein war. Weder die apostolischen Väter noch Justin noch auch die Didache erwähnen überhaupt ein Jahresfest. Aus dem Schweigen der Didache zu schließen, daß sie ein Osterfest überhaupt in ihrem Bereich nicht kannte (Art. „Fasten in der Kirche" Bd V, S. 173,3 ff. und Art. „Passahstreitigkeiten" oben S. 726,23)
50 erscheint mir gewagt, denn der Verfasser bringt nicht alles, was sich auf das kultische Leben der Gemeinde bezieht, zur Sprache, sondern nur das, was ihm reformbedürftig erscheint. Recht wohl kann in Syrien, denn dahin ist die Didache wohl mit Sicherheit zu verlegen, bereits ein christliches Ostern gefeiert worden sein, als die vorliegende Gestalt der Didache entstand, ohne daß dasselbe hier Erwähnung findet. Man hat andererseits
55 schon in 1 Ko 5, 7 u. 8 eine Bezeugung des christlichen Passahfestes sehen wollen (z. B. Weitzel, S. 184 ff.; Lechler, Apost. und nachapostol. Zeitalter, S. 350; Thalhofer a. a. O., II, 544; Schmiedel z. St. in Holtzmanns Handkommentar z. NT), allein die betreffende Stelle gestattet auch eine andere Auffassung (vgl. z. B. Heinrici z. St. in Meyers Kommentar), und so ist aus ihr etwas Sicheres nicht zu entnehmen. Auch daß sich Polykrates auf

ben Apoſtel Johannes für ſeine Oſterfeier berief (Euſeb., hist. eccl. V, 24, 6), beweiſt
noch nicht, daß Johannes ein chriſtliches Oſtern gefeiert hat (vgl. Schürer in ZhTh 40, S. 257).
Daß aber die Sitte, Paſſah zu feiern, unter den Chriſten ſehr alt geweſen ſein muß, be=
weiſt die ausnahmslos allgemeine Verbreitung, die dieſes Feſt gegen Ende des 2. Jahr=
hunderts gehabt hat. Allgemeinheit ſpricht aber faſt immer für hohes Alter. Der Be= 5
richt bei Euſeb (hist. eccl. V, 23), der auf alten Akten beruht, verrät mit keiner Silbe,
daß über das Daß einer Oſterfeier in der Kirche eine Meinungsverſchiedenheit geweſen
ſei. Im Gegenteil hebt er hervor, daß den Kleinaſiaten αἱ ἀνὰ τὴν λοιπὴν ἅπασαν
οἰκουμένην ἐκκλησίαι gegenüber ſtanden mit ihrer bisher geübten Oſterſitte. An dieſer
Angabe zu zweifeln haben wir um ſo weniger Grund, als ſich doch im Oſterſtreit eine 10
dritte Partei faſt notwendig hätte erheben müſſen, die für das Nichtfeiern der chriſtlichen
Oſtern eingetreten wäre, wenn dies der Überlieferung entſprochen hätte. Allein nur dies
dürfen wir mit Sicherheit behaupten, daß um 200 in der Kirche nicht nur überall eine
chriſtliche Oſterfeier Brauch war, ſondern auch daß dieſer Brauch offenbar ſchon alt und
eingewurzelt war. 15

2. Die Bedeutung des Wortes πάσχα und der Gegenſtand der Paſſah=
feier. — Wo immer wir auf eine chriſtliche Oſterfeier ſtoßen, begegnet uns dafür der
Name πάσχα oder pascha. Indem man dem Sprachgebrauch nachgeht, wird zugleich
ſich ergeben, was die Chriſten am Paſſahfeſt eigentlich feierten. Während man früher
annahm, daß die chriſtliche Paſſahfeier ſchon im 2. Jahrhundert den zweifachen Charakter 20
der Paſſionstrauer und der Auferſtehungsfreude in ſich vereinigt habe (ſo z. B. Neander,
Weitzel, Hilgenfeld), ſtellte Steitz die Behauptung auf, daß ſich jene beiden Stimmungen
urſprünglich auf zwei getrennte, wenn auch äußerlich aufeinanderfolgende Feſtzeiten, auf
das Paſſah und die Pentekoſte verteilt hätten. Die Paſſahfeier des 2. und 3. Jahr=
hunderts ſei ausſchließlich Paſſionsfeier geweſen und erſt ſeit dem 4. Jahrhundert ſei das 25
Wort πάσχα ein Kollektivbegriff geworden, der die Feier von Tod und Auferſtehung Jeſu
umfaßte. Abweichend davon und im Gegenſatz dazu behauptete Schürer, daß das Paſſah
ein Feſt bedeutet habe, „welches ganz allgemein dem Gedächtnis der durch Chriſtum voll=
brachten Erlöſung galt, abgeſehen davon, daß dieſes Erlöſungswerk in einzelne Momente,
wie Tod und Auferſtehung, zerfiel“ (a. a. O. S. 193; vgl. auch S. 199, wo es von den 30
Kleinaſiaten heißt: „Nicht ſowohl der Auferſtehung, als vielmehr der Erlöſung im all=
gemeinen werden ſie bei ihrer Feier des chriſtlichen Paſſahmahls gedacht haben“; S. 207 ff.;
S. 238; S. 259 f.). Dieſe von Schürer vertretene Auffaſſung hat weite Anerkennung
gefunden (vgl. z. B. Hefele, Konziliengeſch. I², S. 88; S. 97 f.; K. Müller, Kirchengeſch. I,
S. 104; Möller=von Schubert, Kirchengeſch. I², S. 276; Rietſchel, Liturgik I, S. 173). Jeden= 35
falls hat ſie darin Recht, daß, ſobald die erbauliche Betrachtung über das chriſtliche Paſſah
ſich erging, der Gedanke von der Erlöſung hervortrat und daß dieſer Gedanke je länger
deſto kräftiger in den Vordergrund rückte (vgl. z. B. die Feſtbriefe des Athanaſius unten S. 740).
Allein dieſe richtige Erkenntnis giebt uns doch keine Antwort auf die Frage, ob die
Paſſahfeier dem Tod und der Auferſtehung oder nur dem Tode allein oder welchen Er= 40
eigniſſen aus der heiligen Geſchichte ſonſt ſie galt. Wie mir ſcheint, hat nun Steitz im
weſentlichen das Richtige geſehen. Sicher richtig iſt, daß etwa ſeit dem 4. Jahrhundert
das Wort πάσχα Todes= und Auferſtehungsfeier bezeichnet; was man an dem Paſſah
genannten Feſt begeht, ſind beide Ereigniſſe, aber die Auferſtehung ſteht im Vordergrund,
ſie giebt dem Feſte den Charakter eines Freudenfeſtes, ſie macht das Feſt zu einem Feſt 45
der Erlöſung. Richtig iſt auch dies, daß ſich im 2. und 3. Jahrhundert, aber in ab=
gelegeneren Kirchengebieten auch noch ſpäter, ziemlich deutlich erkennen läßt, daß Paſſah
eigentlich ein ſelbſtſtändiges Feſt war, an das ſich zwar in der Regel die Feier der Auf=
erſtehung unmittelbar anſchloß, aber deſſen Charakter nicht dieſe, ſondern die Erinnerung
an Tod, Leiden und Grabesruhe Jeſu, bez. ſein Weilen im Totenreich beſtimmte. Man 50
kann deutlich dieſe Entwickelung in der Großkirche verfolgen. Abgelegene Kirchengebiete
halten, wie geſagt, die ältere Auffaſſung noch ziemlich lange feſt. Ich möchte dies im
folgenden nun im einzelnen beweiſen.

Die Entwickelung verrät ſich ſchon in der ſprachlichen Deutung, die man zu verſchie=
denen Zeiten dem Worte πάσχα gegeben hat. Man leitete es nämlich anfangs von πάσχειν 55
ab — ein Beweis, daß der Gedanke des Leidens und dementſprechend die Trauer bei dieſem
Feſte im Vordergrunde ſtanden. So thut es Tertullian (adv. Jud. 10; de bapt. 19),
Irenäus (adv. haer. IV, 23, ed. Stieren I, 588), Laktanz (div. inst. IV, 26 CSEL 19,
384), während ſchon Gregor von Nazianz, dem das Feſt durchaus den Charakter der Aufer=
ſtehungs= und Erlöſungsfreude trägt, auf dieſe Ableitung als auf einen Irrtum der 60

Vergangenheit herabſieht (serm. 45, 10 MSG 36, 636f.). Ebenſo bekämpft Auguſtin (ep. 55, 1 MSL 33, 205) dieſe vulgäre Ableitung mit Entſchiedenheit. Gregor überſetzt das Wort πάσχα mit διάβασις (a. a. O. 636; vgl. auch Athanaſius, Feſtbriefe, deutſch von Larſow S. 63; 84; 148; vgl. Lagarde, Onomastica sacra p. 64, 22; 70, 70; 5 197, 17; 204, 24), während es Origenes mit διαβατήρια, d. i. eigentlich Opfer für den glücklichen Übergang über die Grenze, wiedergiebt; hier aber iſt das Wort vom Übergang ſelbſt gebraucht (ſo auch bei Euſeb, περὶ τῆς τοῦ πάσχα ἑορτῆς, bei Mai, Patr. nova biblioth. IV, 209f.; Gregor von Nazianz ep. 120 MSG 37, 213 u. a.). Die ſpä= teren Lateiner überſetzen πάσχα meiſt mit transitus, ſo z. B. Auguſtin ep. 55, 1 MSL 10 33, 205; Ambroſius sermo 34, 4 MSL 17, 694, der aber auch noch die Bedeutung passio kennt (sermo 35, 1 MSL 17, 695). Was jene Deutung empfahl, war einmal der Gedanke, daß Chriſtus durch die Auferſtehung vom Tode zum Leben hinübergegangen war, ſodann daß dieſer Übergang ſich bei den Chriſten in der öſterlichen Taufe vollzog und ſich im Chriſtenleben immer wieder vollziehen ſollte. Hier tritt alſo, bei dem Be= 15 griff des Paſſah der Gedanke an die Erlöſung ſtark hervor, ein Beweis, daß das Paſſah= feſt jetzt vorwiegend das Auferſtehungsfeſt geworden iſt.

Das älteſte Zeugnis, um feſtzuſtellen, was man unter πάσχα verſtand und was man an dieſem Feſte feierte, bietet uns Euſeb (hist. eccl. V, 23f.) in dem Bericht über den Paſſahſtreit. Dieſe Stelle ſagt uns, daß die Kleinaſiaten am 14. Niſan 20 Paſſah feierten, aber die Frage iſt, ob ſie dabei wirklich Tod und Auferſtehung des Herrn feierten. Die Gegner der Kleinaſiaten faßten offenbar das Faſtenbrechen am Tage, wo man das Paſſah feierte, als eine Feier der Auferſtehung auf. Dafür ſpricht auch die Notiz aus dem Briefe des Biſchofs Polykrates an Viktor von Rom, den Euſeb c. 24, 2 mitteilt: ἡμεῖς οὖν ἀρραδιούργητον ἄγομεν τὴν ἡμέραν, μήτε προστι= 25 θέντες μήτε ἀφαιρούμενοι. Dieſer letztere Zuſatz (μήτε προσ. μήτε ἀφ.) iſt jedenfalls nicht bloße ſchriftſtelleriſche Phraſe, ſondern wendet ſich wohl gegen einen gegneriſchen Vorwurf, der etwa ſo lauten mochte: Ihr Kleinaſiaten ſetzt zum Paſſahtag etwas hinzu, nämlich die Auf= erſtehungsfeier, und ihr verkürzt den Tag, nämlich um die ſchuldigen Faſten. Ferner ſpricht dafür die Angabe, daß Irenäus an Viktor geſchrieben habe, δεῖν ἐν μόνῃ τῇ τῆς κυ= 30 ριακῆς ἡμέρᾳ τὸ τῆς τοῦ κυρίου ἀναστάσεως ἐπιτελεῖσθαι μυστήριον (c. 24, 11). Das alſo hat den Römer ſo erbittert, daß die Kleinaſiaten Tod und Auferſtehungsfeier an einem Tage abhielten und damit dem Sonntag nicht die ihm gebührende Ehre zu teil werden ließen. Nun zeigt aber die Stelle hist. eccl. V, 23, 2, in der Euſeb wohl ſicher aus den Akten citiert, daß man damals in der Großkirche ſcharf voneinander die Feier 35 des Tages τῆς ἐκ νεκρῶν ἀναστάσεως τοῦ κυρίου und τὸ πάσχα ſchied; denn die Wendung „τῶν κατὰ τὸ πάσχα νηστευῶν ἐπιλύσεις" zeigt deutlich, daß Faſten und Paſſah ebenſo zuſammengehörten, wie Nichtfaſten und Auferſtehungsfeſt. Über den Sprachgebrauch von πάσχα in der Großkirche um 200 ſind wir alſo damit genügend unterrichtet: feiert man πάσχα, ſo feiert man faſtend nur Leiden und Tod des Herrn, 40 nicht ſeine Auferſtehung. Ob freilich die Kleinaſiaten ihr Faſtenbrechen an ihrem Paſſahtage, am 14. Niſan, als Auferſtehungsfeier meinten, läßt ſich nicht ausmachen (anders Preuſchen, o. S. 727, 44ff.; gegen die Berufung Preuſchens auf die Berechnung der Zeit zwiſchen Tod und Auferſtehung Jeſu in c. 21 der Didaskalie vgl. Achelis in TU, NF X, 2 S. 353f. u. 375f.; auch Harnack, TU IX, 2 S. 40f.). Aus den Auszügen aus dem Verteidigungsbrief 45 Polykarps, die uns Euſeb giebt, geht darüber nichts hervor. Hier verteidigt jener nur die Wahl des Tages, des 14. Niſan als Paſſahfeſttages, und behauptet, daß ſie ihn der Überlieferung gemäß halten. Da ſie offenbar ſich ſtreng an die jüdiſche Sitte hielten, ſo liegt es nahe anzunehmen, daß ſie entſprechend dem jüdiſchen Paſſahmahl die Euchariſtie (vielleicht noch in der Form einer wirklichen Mahlzeit) am Abend des Paſſahtages feierten 50 (ſo auch Schürer in ZhTh 40, S. 198; 224; 253), ohne damit ſchon eine Auferſtehungsfeier zu verbinden: am Morgen war das Paſſahlamm, Chriſtus, geſchlachtet, am Abend wurde es in der Euchariſtie genoſſen; damit war die jüdiſche Sitte ins Chriſtliche umgeſetzt. Auch Appol= linaris (bei Dindorf, Chron. Pasch. p. 13f.), der mit Recht von Preuſchen auf die Seite der Quartodezimaner geſtellt wird (ſ. oben S. 730, 5ff.), redet nur von Tod, Kreuzigung, 55 Begräbnis, aber nicht von Auferſtehung, was kaum auf die Rechnung der Verkürzung des Citats zu ſetzen iſt. Wurde doch in Syrien noch zur Zeit des Chryſoſtomus am Karfreitag auf den Friedhöfen die Euchariſtie gefeiert zur Erinnerung an Chriſti Todes= fahrt, nicht als Feier der Auferſtehung (Chrysost. hom. de coemet. et de cruce MSG 49, 393ff.). Außerdem dürfen wir aus einem koptiſch erhaltenen gnoſtiſchen Evangelien= 60 fragment ſchließen, daß in gnoſtiſchen Kreiſen zur Paſſah= b. h. Todesfeier Jeſu die Feier des

„Gedächtnisses Jesu", d. h. das Liebesmahl gehörte (vgl. Hennecke, neut. Apokryphen I, S. 39). Ferner verweise ich auf eine Bestimmung im Testamentum Jesu Christi. Hier wird nach der koptisch-arabischen Version L II, 11 bestimmt: Am Freitag (gemeint ist der Karfreitag) soll der Priester am Abend (ad vesperas) Brot und Kelch, gemischt mit Wasser und Wein, darbringen, um das Geheimnis des Passah zu erfüllen (ad implendum mysterium 5 paschae); ebenso soll es als am Sabbath geschehen. Unter dem implere mysterium paschae ist gemeint, daß durch diesen Brauch das in der jüdischen Passah-sitte liegende Geheimnis, das darin enthaltene Typische zur Erfüllung komme, mit anderen Worten: dem jüdischen Passahmahle entsprechend soll das christliche gefeiert werden. Ein weiteres Beispiel einer solchen christlichen Passahfeier ohne Auferstehungsfest, aber mit 10 der Feier des Abendmahls giebt uns auch Aphraates in seiner 12. Homilie: „Die Unterweisung vom Passah" (deutsch aus dem Syrischen von Bert in TU III, Heft 3 und 4 [1888], S. 179 ff.; die Homilien des Aphraates gehören in die Jahre 337—345). Von einer Auferstehungsfeier am christlichen Passah weiß jener nichts, aber zur Festfeier gehört ihm das heilige Abendmahl (S. 193). Mit Recht sagt Bert: „Hier bei Aphraat 15 fehlt in der Passahfeier die Feier der Auferstehung noch vollständig" (S. 179 Anm. 1); und: „Hier bei Aphraat bildet die Abendmahlsfeier einen Hauptbestandteil der Passah-feier" (S. 183 Anm.). Das Passahfest gilt der Kreuzigung, dem Leiden und der Grabes-ruhe oder dem „Unter den Toten sein" des Herrn: „Wir gedenken der Kreuzigung und der Schmach unseres Erlösers" (S. 189). Das alles drängte sich aber zusammen auf 20 den Freitag (und den folgenden Sabbath), den 15. Nisan, den Todestag des Herrn. „Das Paschah der Juden ist der 14. Nisan, seine Nacht und sein Tag. Und unser Tag des großen Leidens ist der Freitag, der 15. Nisan, seine Nacht und sein Tag" (S. 189). „Sie (die Juden) entkamen an dem Paschahfest aus der Knechtschaft Pharaos; und wir wurden am Tage der Kreuzigung von dem Dienste Satans erlöst" (S. 189 f.). „Wenn 25 man nach der Zahl der Monatstage den Tag der Kreuzigung, und an dem unser Er-löser litt [also Aphraates denkt bei dem Leiden immer nur an das Kreuzesleiden] und unter den Toten war, seine Nacht und seinen Tag bestimmen will, so ist es der 15. [Nisan], von der sechsten Stunde am Freitag, bis der Sonntag anbricht" (S. 194). In diesen Sätzen ist mit aller Deutlichkeit ausgesprochen, was die ostsyrischen Christen, wenn 30 sie Passah hielten, feierten. Sie feierten Passah im Gegensatz zu den Juden nicht am 14., sondern am 15. Nisan, und zwar eine Woche lang. Der Hauptfesttag ist alle-mal der Freitag. Das Passah schließt also keineswegs immer mit einem Sonntag, dem Auferstehungstage ab, ein Zeichen, daß es auf die Auferstehung gar nicht ankam. Daß es sich bei diesem christlichen Passah um eine Fortsetzung des jüdischen Passah handelt, 35 kann schon nach den angeführten Stellen nicht zweifelhaft sein. Das Passah des alten Israel war nur ein „Geheimnis", ein Vorbild, Typus des christlichen Passah, das die Christen feiern (vgl. S. 185. 187. 191). Denn das wahre Passahlamm ist Christus: „Unser Erlöser aß mit seinen Jüngern in der gewohnten Nacht des 14. Nisan das Paschah und verwandelte das vorbildliche Paschah in das wahre Paschah, indem er sprach: Das ist 40 mein Leib, nehmet, esset u. s. w." (S. 188). In dieser Passahfeier des Herrn mit seinen Jüngern hat die christliche Passahfeier ihre Grundlage. Wir sehen also auch hier, und darauf kommt es uns hauptsächlich an, und zwar noch im 4. Jahrhundert, eine christliche Passahfeier, die von der Auferstehung gar nichts weiß. Passah feiern heißt Tod, Leiden u. s. w. feiern. — Bleiben wir im Osten, so reiht sich jetzt die Didaskalia an, und zwar in 45 c. 21 (vgl. H. Achelis und Flemming: Die syr. Didask. übersetzt und erklärt [1904] TU, NF X, Heft 2, S. 103 ff.). Schon die Überschrift: „Über das Passah und die Auf-erstehung Christi, unseres Heilandes" zeigt, daß für die herrschende Anschauung unter das Passah keineswegs die Auferstehung mit fällt (eine andere Überschrift S. 205 f.). Und der Inhalt bestätigt das: Passah ist Zeit des Fastens, der Trauer (S. 105, 13 ff.; S. 107; 50 S. 110 ff.). Ganz unmißverständlich unterscheidet der folgende Satz Passah und Aufer-stehung: „Darum sollt auch ihr um sie (die Juden) trauern am Sabbat des Passah bis zur dritten Stunde der kommenden Nacht, und dann, an (dem Tage) der Auferstehung Christi: Freut euch und ... brechet euer Fasten" (S. 114, 1 ff.). Auch hier ist deutlich, daß der eigentliche Gegenstand der Feier die Kreuzigung und die Grabesruhe des Herrn ist: 55 „Fastet am Freitag, denn an ihm tötete das Volk sich selbst, das unsern Heiland kreu-zigte; und wiederum am Sonnabend, denn er ist der Ruhetag unsers Herrn. Dieser Tag ist es nämlich, an dem ganz besonders gefastet werden muß" (S. 112, 31 ff.). Die Feier des Passah in der Didaskalia erstreckt sich auf die Tage Montag bis Samstag der Woche, in die der 14. Nisan fällt: „Ihr müßt fasten, wenn jenes Volk (die Juden) 60

das Paſſah feiert, und eifrig ſein, um euer Wachen zu erfüllen, mitten im (Feſt) ihrer
Ungeſäuerten" (S. 114,12 und 110,14; vgl. dazu Achelis, S. 372f., der aber irrig
unter dem Paſſah der Chriſten die Auferſtehungsfeier verſteht). Auch die apoſtoli=
ſchen Konſtitutionen, in ihrer Bearbeitung der ſyriſchen Didaskalia im 5. Buch, halten
5 an dieſer Anſchauung feſt, daß πάσχα und Auferſtehung verſchieden ſind. Kap. 18 z. B.
heißt es: Ἐν ταῖς ἡμέραις οὖν τοῦ πάσχα νηστεύετε, ἀρχόμενοι ἀπὸ δευτέρας
μέχρι τῆς παρασκευῆς καὶ σαββάτου, ἓξ ἡμέρας, ... ἡμέραι γάρ εἰσι πένθους,
ἀλλ᾽ οὐχ ἑορτῆς" (vgl. c. 13); dagegen wird c. 19, 4 aufgefordert, das Auferſtehungs=
feſt „εὐφραινόμενοι καὶ ἑορτάζοντες" zu feiern. — Wenden wir uns mehr nach Weſten,
10 ſo kommt für uns Dionyſius von Alexandrien (geſt. 264) in Betracht, der über den
Oſterſabbath geſchrieben hat (Routh, Reliquiae sacrae III², p. 223ff.). Auch ihm iſt
πάσχα Trauerzeit, ſcharf geſchieden vom Auferſtehungsfeſt. Wir gehen zu Origenes
weiter. Wichtig iſt bei ihm beſonders die Stelle contra Celsum VIII, 22. Hier verteidigt
Origenes die Chriſten in ihrer Feſtſitte: Chriſten feiern, ſtreng genommen, allezeit die
15 ἡμέραι κυριακαί und die παρασκευαί, halten allezeit das πάσχα und die πεντηκοστή.
„Denn wer weiß, daß ‚als unſer Paſſah Chriſtus geſchlachtet iſt' und daß man
feiern muß, indem man von dem Fleiſche des Wortes ißt, der kann nicht anders als
allezeit das Paſſah halten, indem er — Paſſah bedeutet ja Hinübergang (διαβατήρια)
— immer in ſeinem Denken, mit jedem Wort und jeder That hinübergeht von den
20 Dingen des Lebens zu Gott und ſeiner Stadt zuſtrebt. Wer aber in Wahrheit ſagen
kann: ‚wir ſind mit Chriſtus auferſtanden' und auch: ‚er hat uns mit auferweckt und
mitverſetzt in das himmliſche Weſen in Chriſtus', der lebt immer in den Tagen der
Pentekoſte". Aus dieſer Stelle hat Steitz (Art. Paſſah, chriſtliches, 2. Aufl., Bd XI,
S. 272) geſchloſſen, Origenes könne die Feier der Auferſtehung, da er die Feier der
25 Pfingſtzeit im Gegenſatze zum Paſſah ausführe, nicht zu dieſem, ſondern er müſſe ſie
zu jener gezogen haben. Iſt das richtig? Für Steitz' Auffaſſung ſpricht nicht nur, was
er ſelbſt dafür anführt, ſondern auch die poſitive Charakteriſierung, die Origenes dem
Paſſah zu teil werden läßt. Drei Momente ſind ihm für dasſelbe bemerkenswert: die
Opferung, nämlich Chriſti, der Genuß, nämlich des Fleiſches des Wortes und die Be=
30 deutung des Wortes Paſſah, wobei er offenbar an den Auszug Iſraels aus Ägypten
denkt. Man könnte nun meinen, daß der zweite Punkt: Genuß des Fleiſches des Wortes
aufs Abendmahl ſich beziehe und daß deshalb Origenes, wenn er an das chriſtliche Paſſah
denkt, auch den durch Abendmahlsfeier ausgezeichneten Oſterſonntag mitdenke. Allein bei
dem Ausdruck: „eſſen von dem Fleiſch des Wortes" denkt er nur an das Hören des
35 Wortes, wie aus der Homilie 23, 6 in Numeri (MSG 12, 752) unmißverſtändlich her=
vorgeht: „Judaei carnali sensu comedant carnes agni, nos autem comedamus
carnem verbi Dei ... Hoc quod modo loquimur, carnes sunt verbi Dei ...
Si perfecta loquimur, si robusta, si fortiora, carnes vobis verbi Dei apponi-
mus comedendas." Alſo wer recht Paſſah feiert, muß das Wort genießen, die Pre=
40 digt. An die Feier des Herrenmahles am Oſterſonntag iſt nicht gedacht. Die gleiche
Betrachtungsweiſe liegt in der 12. Jeremiashomilie c. 12 (zu Jer 13, 12—17) vor. Auch
hier beſteht die chriſtliche Feier des Paſſah im Genuſſe „des Opferlammes Chriſti", „des
Fleiſches des Wortes" (Griech. chriſtl. Schriftſt., herausg. v. der Preuß. Akad. d. Wiſſ.,
Origenes 3, p. 99). Eine andere Jeremiashomilie, die 19. über Jer 20, 1—7 (11), iſt
45 ſelbſt eine Paſſahpredigt (vgl. a. a. O. S. 169: ἀλλὰ καὶ Ἰησοῦς ταύτην τὴν ἑορτὴν
ἧς τὸ σύμβολον ποιοῦμεν τὸ πάσχα μέλλων ἑορτάζειν und p. 176: δικαιωθείη-
μεν ἀξίως τῶν ἑορτῶν τῶν ἐπουρανίων καὶ ⟨τοῦ⟩ πάσχα τοῦ ἐκεῖ; vgl. auch
die Bemerkung in der 12. Homilie: ἐγγὺς γάρ ἐστι τὸ πάσχα, κ. a. O. p. 100). Ihr
liegt — allerdings iſt ſie nicht ganz vollſtändig erhalten, aber das Vorhandene genügt
50 wohl, um das Urteil zu rechtfertigen — jeder Gedanke an die Auferſtehung fern, dagegen
iſt vom Leiden des Herrn, der Anregung des Textes entſprechend, die Rede (vgl. p. 167f.).
Die Worte des Textes: „Du ſollteſt [in Babel] ſterben und dort begraben werden" (v. 6),
werden mit Berufung auf Rö 6,4 auf die Taufe gedeutet (p. 172). Auch für Origenes iſt
alſo das Paſſahfeſt ein Feſt nicht der Auferſtehung, ſondern des Todes Chriſti. — Hier
55 wird es am Platze ſein, die ſog. canones Hippolyti zu Worte kommen zu laſſen, die,
wenn ſie nicht überhaupt nach Ägypten gehören, doch mit dieſem Lande in enger Beziehung
ſtehen. In Betracht kommt can. 22, der folgenden Wortlaut hat: „Hebdomas, qua Judaei pascha agunt, ob omni populo summo cum studio observetur, caveantque
imprimis, ut illis diebus ieiuni maneant ab omni cupiditate, ita ut in omni ser-
60 mone non loquantur cum hilaritate, sed cum tristitia, quia norunt, dominum

universi impassibilem pro nobis passum esse eo tempore . . . Cibus autem,
qui tempore πάσχα convenit, est panis cum sale et aqua. Si quis morbo
affectus est vel ruri vitam agit, ubi christianos non novit, ita ut tempore
πάσχα laetitiae se permittat ignorans terminum eius, vel si morbo extremo
coactus erat — hi omnes ieiunent post pentecosten et πάσχα religiose ob- 5
servent, ut appareat, eorum intentionem non eam fuisse, ut abiecto timore
et neglecto ieiunio proprium sibi constituerent πάσχα, ponentes fundamentum
aliud ac illud, quod positum est" (Achelis in TU VI, 4 [1891], S. 115 f. und
Riedel, Die Kirchenrechtsquellen des Patriarchats Alexandrien [1900], S. 215). Dieſen
Kanon faſt ganz mitzuteilen empfahl ſich deshalb, weil gerade aus ihm deutlich hervor- 10
geht, daß ſich mit dem πάσχα für den Verfaſſer weder die leiſeſte Erinnerung an Oſtern,
noch der leiſeſte Gedanke an feſtlicher Freude verbindet; πάσχα iſt Zeit des Trauerns.
Wer in der Vorſtellung lebt, daß Paſſah beides ſei, eine Zeit der Trauer und der Freude,
oder gar der Freude allein, der kann unmöglich ſo ſchreiben, wie der Verfaſſer dieſes
Kanons thatſächlich geſchrieben hat (über can. 38 vgl. unten). Dieſes Moment iſt 15
aber auch von Bedeutung für das Alter dieſer canones: unmöglich konnte jemand
im 4. Jahrhundert dieſen Kanon zu Papier bringen, denn da war Paſſah (ſ. unten)
thatſächlich ein Freudenfeſt geworden. Die gleiche Anſchauung liegt auch dem Kanon 55
der Ägyptiſchen KD zu Grunde (Achelis in TU VI, 4 [1891], S. 115 f.). Und auch
in dem in ſeinem liturgiſchen Teil nach Ägypten gehörenden Testamentum do- 20
mini nostri Jesu Christi (ed. Rahmani 1899) tritt noch deutlich, obwohl
es in ſeiner jetzigen Geſtalt dem Ende des 5. oder dem Anfang des 6. Jahrhunderts
zugehören mag, die alte Auffaſſung vom Paſſah hervor. In l. II, c. 12 heißt es:
„Paschae solutio (vgl. zu dieſem Wort den Ausdruck: ἐπιλύσεις bei Euſeb, hist.
eccl. V, 23, 1 und 2) fiat media nocte, quae sequitur sabbatum. In pen- 25
tecoste nemo ieiunet neque genua flectat: sunt enim illi dies dies quietis
et laetitiae" (p. 135); und l. II, c. 18: „Diebus paschae, praesertim ultimis
(nempe) feria sexta et sabbato, diu noctuque fiant tot orationes quot can-
tica" (p. 139). Das Paſſahfeſt geht alſo am Sabbath vor dem Oſterſonntag zu Ende
und iſt deutlich ein Feſt der Trauer. — Gehen wir nun nach dem Weſten, ſo iſt der 30
für unſere Zwecke ausgiebigſte Schriftſteller Tertullian. Bei ihm iſt pascha die
ganze Paſſahwoche, in der Faſten gehalten werden, in den Stellen de ieiun. c. 13 und
c. 14 (vgl. c. 2; opp. ed. Oehler I, 871, 874, 853), während davon die Pentekoſte
als Zeit der Freude auf das Schärfſte unterſchieden wird (de bapt. c. 19; de orat.
c. 23; de idol. c. 14; opp. I, 639, 580, 92); ſo heißt es de ieiun. c. 14 (opp. I, 873): 35
„cur pascha celebramus? . . . cur quinquaginta exinde diebus in omni exul-
tatione decurrimus?" Mit dem Ausdruck dies paschae iſt contra Judaeos c. 10
(opp. II, 731) und de orat. c. 18 (opp. I, 571) der Karfreitag, de bapt. c. 19
(opp. I, 639) der Oſterſabbath bezeichnet. Der Ausdruck kehrt noch einmal de cor. c. 3
(opp. I, 423) wieder: „die dominica ieiunium nefas ducimus vel de geniculis 40
adorare; eadem immunitate a die paschae in pentecosten usque gaudemus".
Wenn hier nicht auch der Oſterſabbath, ſondern der Oſterſonntag gemeint iſt (ſo Hülgen-
feld, Paſſahſtreit, S. 110 Anm. 2 u. S. 313 und Schürer in ZhTh 40, S. 267, Anm. 296),
ſo kann dies die Thatſache nicht umſtoßen, daß für Tertullian Paſſah durchaus ein Feſt
des Ernſtes, der Trauer iſt, kein Freudenfeſt, was ſich nur daraus erklärt, daß man 45
beim Paſſah an Tod und Leiden Jeſu, nicht an ſeine Auferſtehung denkt. — Wir wenden
uns endlich Hippolyt zu, von deſſen Schrift: περὶ τοῦ ἁγίου πάσχα wir nur dürftige
Reſte haben (Griech. chriſtl. Schriftſt., herausg. v. d. Preuß. Akad. d. Wiſſ. I [Hippolyt 5],
S. 267—271). Sie laſſen ſoviel erkennen, daß ſich die Schrift wohl mit der Kreuzigung, der Hadesfahrt, der Einſetzung des Abendmahls, auch mit der Gethſemaneſcene be- 50
ſchäftigt, nicht aber mit der Auferſtehung, die nur eben geſtreift wird.
  Dieſe Ueberſicht, die nicht den Anſpruch auf Vollſtändigkeit erhebt, genügt doch, um das
Urteil abgeben zu können, daß im 2. und 3. Jahrhundert und zum Teil auch noch ſpäter das
chriſtliche Paſſah als ein Feſt des Todes und des Leidens des Herrn in Trauer und Ernſt
gefeiert wurde, während das Feſt der Auferſtehung ſich wohl meiſt überall daran anſchloß, 55
aber als ſelbſtſtändig daneben ſtand und jedenfalls nicht Paſſah hieß. Es will mir
ſcheinen, daß aus dieſer Thatſache der urſprüngliche Zuſtand wieder zu erkennen iſt, wonach das chriſtliche Paſſah eine Fortſetzung des jüdiſchen Paſſah war. Die Entwickelung
dürfte alſo nicht ſo geweſen ſein, daß man erſt ein jährliches Auferſtehungsfeſt feierte und
dem als eine Art Vorfeier die Erinnerung an Tod und Leiden voranſtellte, ſondern man 60

feierte zunächſt in judenchriſtlichen Kreiſen das jüdiſche Paſſah in verchriſtlichter Weiſe mit, unbeſorgt um die Feier der Auferſtehung; dieſes verchriſtlichte Paſſah verbreitete ſich in der Großkirche, doch feierte man es ſo, daß ſich ein Sonntag als Auferſtehungstag un= mittelbar daran anſchloß. Damit war es ſehr nahe gelegt, daß beide Feſte zu einem
5 verſchmolzen. Wenn das nicht eher geſchah, wenn ſich, wie wir geſehen haben, im 2. und 3. Jahrhundert beide Feſte noch ſcharf getrennt gegenüberſtehen, ſo erklärt ſich dies wohl am beſten als Folge der Paſſahſtreitigkeiten, bei denen es ſich ja gerade in der Auffaſſung der Großkirche um eine unberechtigte Zuſammenlegung von Paſſah= und Auferſtehungs= feier handelte. Aber die Entwickelung war doch nicht aufzuhalten. Im 4. Jahrhundert
10 erſcheint faſt immer Todesfeier und Auferſtehungsfeier zu einem verſchmolzen, zuſammen= gehalten durch den Begriff der Erlöſung, der ſich immer kräftiger hervordrängte und in dem ſich die Gedanken über Tod, Höllenfahrt und Auferſtehung zuſammenfanden. Trotz der Faſten wurden auch die Tage vor dem Auferſtehungsſonntag als Freudentage bezeichnet; es iſt ein einziges großes Freudenfeſt, das man begeht. Und ſo mußte es kommen, daß man
15 auch den alten Sinn von πάσχα verließ und mit dieſem Worte nicht nur die Tage vor dem Oſterſonntag, ſondern dieſen ſelbſt mit bezeichnete. Seit dieſer Zeit gewinnt das Oſterfeſt unbedingt an Anſehen. Man wendet darauf die vollklingendſten Prädikate an, was vorher in dieſer Weiſe nicht der Fall war. Man brauchte Formeln wie: ἡ ἁγία ἑορτὴ τοῦ σωτηριώδους πάσχα (Konz. b. Antiochien a. 341 can. I Bruns I,
20 80; Lauchert S. 43) oder solemnissimi paschales dies (Konz. v. Karthago III a. 397 can. 5 Bruns I, 123; Lauchert S. 163), oder ἡ τοῦ σωτηρίου πάσχα ἑορτή (Euseb hist. eccl. V, 23, 1). Es wird üblich, den Oſterſonntag als „heilig“, als „groß“ (μεγάλη) zu be= zeichnen; die ganze Woche wird ebenſo genannt. Gregor von Nazianz nennt Oſtern einmal in ſeiner blühenden Sprache ἡ βασίλισσα τῶν ἡμερῶν ἡμέρα (MSG 35, 1017).
25 Es iſt, als ob auf einmal das Oſterfeſt mit neuen Augen angeſehen würde, als ob alle Pulſe der Andacht und der Freude ſchlügen, wenn man von Oſtern ſpricht. Man kann ſich vielleicht den ſtarken Umſchwung in der Stimmung nicht beſſer vergegenwärtigen, als wenn man ben oben citierten Kanon aus den Kanones des Hippolyt oder das 21. Kapitel der ſy= riſchen Didaskalia und auch nur einen der Feſtbriefe des Athanaſius nacheinander lieſt.
30 In dieſen (aus dem Syriſchen überſ. von Larſow, 1852, wonach im folgenden citiert iſt; latein. MSG 26, 1360 ff.) — es lohnt ſich, ſie hier etwas näher ins Auge zu faſſen — iſt Paſſah durchaus ein Freudenfeſt. „Laſſet nun auch uns, meine Brüder! Oſtern feiern, indem wir nichts, was Kummer und Trauer angeht, . . . ſondern das thun, was nur zur Fröhlichkeit und Freude der Seele gereicht . . . Nicht Tage der Trauer oder des
35 Kummers veranlaſſen wir, wie man die des [jüdiſchen] Paſſahfeſtes verkündigt, ſondern erfüllt von Freude und Wonne feiern wir Oſtern“ (S. 124; vgl. außerdem S. 64, 69, 77, 78, 90, 91 f., 97, 112, 123, 125 f., 127, 133 f., 149, 152). Die Juden feiern Tage der Trauer (S. 90, 125), nicht die rechtgläubigen Chriſten. Was ſie feiern, iſt eigentlich der Herr ſelbſt; mehrfach heißt es: „Dem Herrn feiern wir Oſtern“ (z. B. S. 90, 112 f.)
40 oder „den Herrn feiern wir, ihn, der ſich geopfert hat in den Tagen des Oſterfeſtes, der den Tod vernichtet hat, den er den Teufel zu Schanden machen wird“ (S. 134); ja es heißt ſogar: „Der Herr iſt das Feſt“ (z. B. S. 135). Gewiß gedenkt man ſeiner Leiden, ſeiner Selbſtaufopferung (die Stelle 1 Ko 5, 7 wird häufig citiert: S. 58, 69, 71, 87, 97, 112, 126, 134, 135, 142), ſeines Todes (z. B. S. 88, 95: „an den Tagen des
45 Oſterfeſtes, wo das Andenken an den Tod unſers Erlöſers gefeiert wird“; S. 134, 152), — der Gedanke an die Grabesruhe bezw. die Höllenfahrt iſt, ſoviel ich ſehe, bei Atha= naſius ganz geſchwunden; dagegen anderwärts wird von der Hadesfahrt und der dabei erfolgten Befreiung der Gläubigen, der Zerbrechung der Todesfeſſeln und Höllenbanden noch reichlich Gebrauch gemacht. Hier im Hades hat eigentlich die Todesüberwindung
50 durch Chriſtus ſtattgefunden — daneben ſteht natürlich die Auferſtehung. Tod und Auf= erſtehung haben erlöſende Bedeutung, und ſo iſt das Feſt ein Feſt der Erlöſung (z. B. S. 84 f., 87, 92), es iſt „ein Heilstag“ (S. 88), es wird das „große und erlöſende Feſt“ (S. 60), das „erlöſende Oſterfeſt“ genannt (S. 104, 129); Freude und lauter Jubel iſt des Feſtes Grundton. Man ſieht: Gedächtnis des Todes und Gedächtnis der Auferſtehung
55 ſind zu einem verwachſen, aber die Grundſtimmung geht vom Oſterſonntag, dem Auf= erſtehungstag aus, der das Oſterfeſt im eigentlichen Sinne (S. 139, 150), oder der „heilige“ (S. 63, 79, 85, 94, 103 f., 126), oder der „große“ Sonntag (S. 76, 134) genannt wird. — Es mögen hier noch einige Belegſtellen für den veränderten Sprach= gebrauch angeführt ſein. So nennt Konſtantin in ſeinem Brief an die nicäniſche
60 Synode (bei Euseb, vita Constantini III, 18 MSG 20, 1073 und 1077; Griech.

christl. Schriftst., herausg. v. b. Preuß. Akad. b. Wiss. VIII [Euseb 1], S. 85 f.) den Passahtag sowohl Tag des heiligsten Leidens des Erlösers, als auch „das Fest, dem wir die Hoffnung der Unsterblichkeit verdanken". Für Epiphanius (gest. 404) ist Passah die Woche vor dem Ostersonntag: „παρατηρεῖται ἡ ἐκκλησία ἄγειν τὴν ἑορτὴν τοῦ πάσχα, τουτέστι τὴν ἑβδομάδα τὴν ὡρισμένην καὶ ἀπ᾽ αὐτῶν τῶν 5 ἀποστόλων ἐν τῇ διατάξει, ἀπὸ δευτέρας σαββάτων" (adv. haer. 70, 12; vgl. 75, 7 und 3); aber auch der Auferstehungstag heißt πανήγυρις μεγάλη ἡμέρα τοῦ πάσχα (expos. fidei c. 22). In der Passahchronik wird berichtet, daß sich gegen die Anwendung des Namens Passah auch auf das Auferstehungsfest Widerspruch erhoben habe: τινὲς δὲ . . . . . οὐκ ὤκνησαν καὶ ἐν τούτῳ τὴν 10 ἁγίαν τοῦ θεοῦ ἐκκλησίαν ἐπισκῆψαι, διότι τὴν σεπτὴν τῆς ἐκ νεκρῶν ἀναστά-σεως Χριστοῦ τοῦ θεοῦ ἡμῶν ἑορτὴν πάσχα προσαγορεύει (ed. Dindorf I, p. 424, 12 ff.). Der Brauch wird aber mit der Bedeutung des hebräischen πάσχα (oder φασόχ) verteidigt: es bedeute διάβασις, ἔκβασις, ὑπέρβασις. Denn durch Leiden und Auferstehung hat die menschliche Natur empfangen διάβασιν καὶ ἔκβασιν 15 καὶ ὑπέρβασιν τοῦ ἔχοντος τὸ κράτος τοῦ θανάτου, αὐτοῦ τε τοῦ θανάτου καὶ τοῦ ᾅδου καὶ τῆς φθορᾶς (a. a. O. p. 425, 1 ff.). Darum nenne die Kirche mit Recht nicht allein das Leiden des Herrn, sondern auch seine Auferstehung πάσχα (a. a. O. p. 424, 21 ff.; 427, 14 ff.; 429, 10 ff.). Schon diese Zeugnisse beweisen, daß dieser Sprachgebrauch nicht ausschließlich abendländisch gewesen ist (Rietschel a. a. O. S. 174). Auch 20 von einem altkirchlichen Sprachgebrauch, wonach ein πάσχα σταυρώσιμον und ein πάσχα ἀναστάσιμον voneinander unterschieden worden seien, kann nach Schürers Nachweis (ZhTh 40, S. 276), daß diese Unterscheidung erst im 17. Jahrhundert aufkommt und wahrscheinlich zuerst von Vossius (de vitiis sermonis et glossematis latino-barbaris, 1645) gebraucht worden ist, nicht die Rede mehr sein. — Es war ein letzter Schritt 25 in dieser Entwickelung, daß der Name πάσχα nur für den Ostersonntag selbst angewendet wurde — ein Sprachgebrauch, der allmählich ganz zur Herrschaft gekommen ist. So nennt z. B. Basilius (hom. 13: exhort. ad sanct. baptisma MSG 31, 424) den Passahtag μνημόσυνον τῆς ἀναστάσεως, und Gregor von Nazian gebraucht in seiner Oster-predigt das Wort πάσχα anstandslos für das Auferstehungsfest (MSG 36, 624. 625), 30 und in seinem Hymnus auf Christus ἐν τῷ πάσχα besingt er die Auferstehung: Σήμε-ρον ἐκ νεκύων Χριστὸς μέγας, οὖσιν ἐμίχθη, Ἔγειρο, καὶ θανάτου κέντρον ἀπε-σκέδασε (MSG 37, 1328). So ist in den Konzilskanones des 4. Jahrhunderts πάσχα oder pascha, bezw. paschalis dies wohl ausnahmslos der Auferstehungstag, der Oster-sonntag (vgl. z. B. Konzil von Arles a. 314 can. 1, Bruns II, S. 107; Lauchert 35 S. 26; 3. Konzil von Karthago a. 397 can. 1 und can. 41, Bruns I, S. 123 und 129; Lauchert S. 162 und 169; 1. Konzil von Toledo a. 400 can. 20, Bruns I, S. 207; Lauchert S. 181). Ja jetzt heißen die acht Tage nach Ostern dies paschales (peregrinatio Silviae c. 39 in CSEL 39, p. 91).

Jener Umschwung in der Auffassung des christlichen Passah, von der soeben die Rede 40 war, und der sich natürlich lange während des 3. Jahrhunderts vorbereitet hat — wir könnten diesen Prozeß vielleicht genau verfolgen, wenn wir die zahlreichen Schriften noch besäßen, die im 3. Jahrhundert über die Passahfrage geschrieben worden sind —, fällt zeitlich ungefähr zusammen mit den Versuchen, in die Osterberechnung Ordnung zu bringen. Wie verschieden der Ostertermin berechnet wurde, mag man aus dem Artikel „Passahstreitig- 45 keiten" ersehen. Schon im Jahre 314 versuchte die Synode von Arles (Bruns II, S. 107; Lauchert S. 26) eine einheitliche Osterfeier durchzusetzen, indem sie in ihrem 1. Kanon bestimmte, daß Ostern an einem Tage, d. h. Wochentage, und in einem Monat (uno die et uno tempore) in der ganzen Welt gefeiert werden solle, und zwar sollte der römische Bischof „nach seiner Gewohnheit" durch ein Rundschreiben die nötigen Anord- 50 nungen geben. Allein dieser Beschluß änderte an der Lage der Sache gar nichts. Daher war es notwendig, daß die Angelegenheit durch Reichsgesetz geregelt wurde, und eine der Hauptfragen, die die Synode von Nicäa beschäftigte, war die über den Ostertermin (das Nähere s. im vorstehenden Art. S. 733, 39 ff.). Man beschloß hier, das Passah am Sonntag zu feiern. Damit war die ganze innere Situation verschoben: Die Quartodezimaner be- 55 gingen das Passah am 14. Nisan als Todestag des Herrn, die Neuordnung, die absichtlich recht energisch mit allem jüdischen Brauche brechen wollte, machte das Auferstehungsfest, den Sonntag nach dem 14. Nisan, zum Passah, der palästinisch-alexandrinischen Sitte folgend. Man sieht also, daß jener Umschwung auf dem Gegensatz gegen die Quartodezi-maner beruht, bezw. gegen die Juden; denn es will beachtet sein, daß z. B. Athanasius in 60

ſeinen Feſtbriefen häufig gegen die Paſſahfeier der Juden polemiſiert. So giebt man dem chriſtlichen Paſſah den Charakter der Freude, indem man den Gedanken der Erlöſung, der nie in Verbindung mit dem Paſſah gefehlt hatte, in außerordentlicher Weiſe betonte und heraushob. Damit hängt es auch zuſammen, daß der Karfreitag, der ja in den ab=
5 gelegeneren öſtlichen Kirchen beſonders ernſt gefeiert wurde, in der Großkirche an Bedeu= tung verlor.

3. Die gottesdienſtlichen Feiern und Sitten. — Im Nachſtehenden werde ich weder ·die Faſtenfrage, noch die Berechnung des Oſtertermins beſonders verfolgen, da die erſtere bereits im Art. „Faſten" Bd V S. 774,50 und die letztere im vorhergehenden
10 Artikel genügende Erörterung gefunden hat, bezw. im Art. „Zeitrechnung, kirchliche" berückſichtigt werden wird. Es wird ſich empfehlen, zunächſt einmal das Wenige zu= ſammenzuſtellen, was wir über das gottesdienſtliche Feier des chriſtlichen Paſſah etwa bis zum Jahre 300 wiſſen, und zwar, dem Sprachgebrauch folgend, einſchließlich der Tage vor Oſtern, während vom Jahre 300 ab ſich die Darſtellung auf den Oſterſonntag,
15 bezw. den Oſterſonnabend und die folgende Oſterwoche beſchränken wird, da eine Dar= ſtellung des gottesdienſtlichen Lebens der Karwoche einem Artikel: „Woche, die große", vorbehalten bleiben ſoll.

a) Die Zeit bis zum Jahre 300. — Was zunächſt die Kleinaſiaten betrifft, ſo können wir aus dem, was uns Euſeb meldet, nicht mehr ſchließen als dies, daß ſie am
20 14. Niſan, ihrem Paſſahtage, ihr Faſten brachen. Daß ſie darin beſtand, daß ſie die Euchariſtie (vielleicht mit Agape) feierten, iſt ſehr wahrſcheinlich (vgl. oben S. 736,49), aber ob ſich noch andere Bräuche daran anſchloſſen, wiſſen wir nicht. — Weit mehr erfahren wir durch die Dibaskalie, c. 21. Die wichtigſten Stellen lauten folgendermaßen: „Darum ſollt ihr vom zehnten an, das iſt der Montag unter den Tagen des Paſſah, faſten und
25 nur Brot, Salz und Waſſer in der neunten Stunde genießen bis zum Donnerstag; Freitag und Sonnabend aber ſollt ihr gänzlich faſten und gar nichts genießen. Seid miteinander verſammelt, bleibt ſchlaflos und ſeid wach die ganze Nacht unter Gebeten und Bitten, unter Verleſung der Propheten, des Evangeliums und der Pſalmen, in Furcht und Zittern und eifrigem Flehen bis an die dritte Stunde der Nacht, die auf den Sonn=
30 abend folgt, und dann brecht euer Faſten" (Ausgabe v. Achelis und Flemming, S. 111 f.) . . . „Ganz beſonders alſo ziemt ſich für euch das Faſten am Freitag und Sonnabend und auch das Aufbleiben und Wachen am Sonnabend, und das Vorleſen der Schriften und Pſalmen, und Gebet und Flehen für diejenigen, die geſündigt haben, und die Erwartung und Hoffnung der Auferſtehung unſeres Herrn Jeſu bis zur dritten Stunde in der Nacht,
35 die auf den Sonnabend folgt. Und dann bringt eure Opfergaben dar: und nun eſſet und ſeid guter Dinge, freuet euch und ſeid fröhlich, denn als Unterpfand unſerer Aufer= ſtehung iſt Chriſtus auferſtanden" . . . „Faſtet alſo am Freitag, denn an ihm tötete das Volk ſich ſelbſt, das unſern Heiland kreuzigte; und wiederum am Sonnabend, denn er iſt der Ruhetag unſeres Herrn. Dieſer Tag iſt es nämlich, an dem ganz beſonders ge=
40 faſtet werden muß, wie auch Moſes, jener gottſelige Prophet aller dieſer (Dinge), befohlen hat" (S. 112) . . . „Darum ſollt auch ihr um ſie (die Juden) trauern am Sabbath des Paſſah, bis zur dritten Stunde der kommenden Nacht, und dann, an (dem Tage) der Auferſtehung Chriſti: freut euch und ſeid ihretwegen guter Dinge und brechet euer Faſten und den Gewinn eures ſechstägigen Faſtens bringet Gott dem Herrn dar. Ihr, die ihr
45 weltlichen Beſitz im Überfluß habt, helfet den Armen und Bedürftigen und erquicket ſie ſorgſam, daß ihr Lohn eures Faſtens in Empfang genommen werde" (S. 114). Aus dieſen Vorſchriften geht hervor, 1. daß das Faſten vom Montag bis zu der auf Sonnabend folgenden Nacht, und zwar bis zur dritten Stunde dauert; die Tage von Montag bis Donnerstag ſind weniger ſtreng zu halten, da an ihnen Brot, Salz und
50 Waſſer, und zwar zur neunten Stunde genoſſen werden durfte. 2. Beſonders ſtrenge Faſttage waren Freitag und Sonnabend, an denen überhaupt nichts genoſſen werden ſoll. Am Freitag iſt zu faſten als dem Todestag, am Sonnabend als dem Ruhetag des Herrn. Der Sonnabend iſt noch wichtiger als Faſttag als der Freitag. 3. Während dieſer ganzen Zeit findet kein beſonderer Gottesdienſt, keine Euchariſtie ſtatt. 4. In ſolenner Weiſe
55 wird die Vigilie des Oſterſonnabends gefeiert; die ganze Gemeinde verſammelt ſich, der Gottesdienſt beſteht in Gebet und zwar in ängſtlichem, eifrigem Flehen, beſonders für die ungläubigen Juden; ſodann in reichlicher Schriftverleſung, wobei beſonders die Pro= pheten, die Evangelien und die Pſalmen berückſichtigt werden; endlich ſoll die Erwartung der Auferſtehung lebendig gehalten werden, wie, wird nicht geſagt. Vom Geſang iſt nicht
60 die Rede; aber vielleicht darf man aus S. 105,12 die Lobgeſänge ergänzen. 5. Zur dritten

Nachtſtunde wird das Faſten gebrochen, denn nun beginnt der Auferſtehungstag, und zwar offenbar in einer gemeinſamen fröhlichen Mahlzeit, einer Agape, in der die Armen von den Reichen reichlich „erquickt" werden, ein Ausdruck, der ſolenn iſt und ſich in allen Feſtbriefen des Athanaſius (mit zwei Ausnahmen) wiederfindet. Mit dieſer Agape war jedenfalls die Feier des Herrenmahls verbunden (vgl. Achelis a. a. O. S. 288 u. 374 f.; 5 auch er nimmt eine „euchariſtiſche Mahlzeit" an, eine Euchariſtie in der Form einer wirk=lichen Mahlzeit). Die Erſparniſſe der ſechs Faſttage werden außerdem Gott dargebracht und den Armen gegeben. Auffallend iſt es, daß von einer Tauffeier am Oſtermorgen nicht die Rede iſt. Doch wäre es voreilig, daraus Schlüſſe zu ziehen. — Die ſonſtigen Nachrichten über die Feier des Paſſah= und Oſterfeſtes aus jener Zeit ſind ſehr dürftig. 10 Aus Tertullian erfahren wir, daß zu ſeiner Zeit die Vigilie am Oſterſonnabend ſchon im Gebrauch war (ad uxor. II, 4 opp. I, 689: quis denique solemnibus Paschae adnoctantem securus sustinebit? Das Wort vigilia für nächtlichen Gottesdienſt zuerſt bei Tertullian de orat. 29 opp. I, 584). Ebenſo war um 200 die Oſtervigilie in Rom Sitte: man pflegte dort bis zum erſten Hahnenſchrei zu wachen (Dionyſius von Alexandrien 15 bei Routh, Reliquiae sacrae III², p. 224; vgl. auch Hieronymus in Mat. 25, 6 MSL 26, 184 f.). Es galt dies als apoſtoliſche Verordnung. Ferner iſt aus Euſebs Bericht (hist. eccl. V, 23, 2) zu entnehmen, daß die Gegner der Kleinaſiaten es als ſtehende Sitte kennen, daß am Oſterſonntag *τὸ τῆς ἐκ νεκρῶν ἀναστάσεως ἐπιτελοῖτο τοῦ κυρίου μυστήριον*". Unter dieſem *μυστήριον* verſtehen Weitzel (Paſſahfeier, S. 97), 20 Hilgenfeld (Paſſahſtreit, S. 288 Anm.), Schürer (ZhTh 40, 197), Steitz (Art. in der 2. Aufl. S. 273) das Abendmahl, während Preuſchen (oben S. 727, 52 ff.) die Oſterbräuche überhaupt darunter verſtehen will, unter Hinweis auf die Oſtergottesdienſte in Jeruſalem, deren Kenntnis wir der Pilgerin Silvia verdanken. Allein man wird ſchwerlich entſcheiden können, ob unter jenem Auferſtehungsmyſterium nur das Abendmahl oder auch noch ſon= 25 ſtige gottesdienſtliche Bräuche zu verſtehen ſind (wäre dies letztere der Fall, ſo ſtünde wohl eher *μυστήρια*, wie thatſächlich bei Epiphanius, haer. 50, 1 zu leſen iſt). Jedenfalls kennen die Gegner der Kleinaſiaten einen ſolennen Gottesdienſt am Oſterſonntag, Einzel=heiten darüber erfahren wir aber leider nicht.

b) Die Zeit nach dem Jahre 300. — Nach der Sitte der Großkirche beginnt 30 die eigentliche Oſterzeit mit der Oſtervigilie am Sonnabend Abend (vgl. den Art. „Vi=gilien"). Der Charakter dieſer Feier, die, ſo viel wir ſehen, ganz allgemein und im weſentlichen überall gleich war, iſt ſchon ganz der der Freude, obwohl man während der=ſelben noch faſtete. Mit geſpannter Erwartung ſah man dem Auferſtehungsmorgen ent=gegen; die Stimmung war um ſo erregter, als man des Glaubens war, der Herr werde 35 in dieſer Nacht einſt ſeine Wiederkunft halten (Lactanz, div. inst. VII, 19: „nox quae a nobis propter adventum regis ac dei nostri pervigilis celebratur: cuius noctis duplex ratio est, quod in ea et vitam tum recipit, cum passus est, et postea regnum orbis terrae recepturus est" CSEL XIX, 645; Hieronymus, in Mat. 25, 6 MSL 26, 184 f.). Es war die feierlichſte Vigilie des Jahres. Auguſtin 40 nennt ſie mater omnium sanctarum vigiliarum (serm. 219 MSL 38, 1088). Die Kirchen waren feſtlich erleuchtet (z. B. Gregor v. Nazianz orat. 19 (18), c. 28 MSG 35, 1017). Ja aus Konſtantinopel wiſſen wir, daß ſogar die Stadt in dieſer Nacht illuminiert war: Säulen von Wachs wurden allenthalben angezündet, Fackeln und Lampen verbreiteten Tages=helle (Euſeb, vita Constant. IV, 22 MSG 20, 1169). Dem Gebet in dieſer heilbringenden 45 Nacht traute man beſondere Wirkung zu (Gregor v. Nazianz, orat. 19 (18), c. 28 MSG 35, 1020). Kein Wunder, daß auch die Heiden dieſe Nacht wachend verbrachten (Augu=ſtin, serm. 219 MSL 38, 1088). Der Gottesdienſt beſtand wohl überall in Schriftverleſungen, Hymnengeſang, Gebeten und an vielen Orten auch in Predigt. Allgemein war es Sitte, daß in dieſer Oſtervigilie die Katechumenen getauft wurden. Auch in Oſtſyrien, wo nach 50 Aphraates eine andere Zeit für die Oſterfeier üblich war, findet ſich doch dieſer Brauch, den Aphraates folgendermaßen begründet: „Israel wurde im Meere getauft in der Nacht des Paſſah, am Tage der Erlöſung; und unſer Erlöſer wuſch die Füße ſeiner Jünger in der Paſſahnacht, welches die Vorbedeutung iſt der Taufe" (a. a. O., S. 191; vgl. S. 192 f.). Wie man in dieſer Nacht taufte, ſo weihte man auch in ihr das Taufwaſſer 55 (vgl. darüber Art. „Taufe"). Ihren Abſchluß fand die Vigilie in einer feierlichen Kom=munion. Die lokale Sitte war im einzelnen ſicher ſehr mannigfach. Leider haben wir darüber für den Oſten nur wenige Nachrichten. Nur über Jeruſalem ſind wir leidlich unterrichtet. Dort begannen, wie wir aus dem Berichte der Pilgerin Silvia wiſſen, die Vigilien ſchon am Sonnabend Nachmittag 3 Uhr (peregr. Silviae c. 38 CSEL 39, 90) 60

und wurden in der ecclesia maior, in der Martyriumskirche, gehalten. Silvia sagt, daß sie genau so verliefen, wie in ihrer Heimat. Aber leider sagt sie uns nicht, wie dieser ihr heimischer Brauch gewesen ist. Nur das hebt sie hervor, was die Sitte in Jerusalem Eigentümliches hat, und dies ist, daß die neugetauften Kinder, sobald sie aus dem
5 Taufbrunnen kommen, unter Führung des Bischofs zur Auferstehungskirche ziehen, wo ein Hymnus gesungen und vom Bischof über ihnen ein Gebet gesprochen wird, worauf man sich zur Martyriumskirche begiebt, wo die ganze Gemeinde ihre Vigilien gehalten hat. Daß in einigen paläftinensischen Kirchen um 440 in der Vigilie auch die Apokalypse des Petrus gelesen worden sei (Sozomenos, hist. eccl. VII, 19 MSG 67, 1477), wie Zahn
10 (Gesch. des Kanons I, 1 S. 144 und II, 2, 813) annimmt, scheint mir nicht zutreffend zu sein, da παρασκευή immer der Karfreitag ist. — In den apostolischen Konstitutionen haben wir im 5. Buch (c. 19) Vorschriften über die Feier der Osternacht, die sich bekanntlich auf Didask. c. 21 stützen. Danach soll sich die Gemeinde versammeln zu gemeinsamem Wachen vom Abend bis zum Hahnenschrei, zu gemeinsamem Gebet und zur
15 Schriftlektion: Gesetz, Propheten und Psalmen sollen gelesen werden, offenbar Stellen, die auf die Auferstehung gedeutet wurden. — Aus Chryfostomus ersehen wir, daß die Paffionsgeschichte Mt 27 gelesen wurde (vgl. MSG 58, 770). Für Alexandrien bezeugt Dionyfius die Oftervigilie (Routh, reliquiae sacrae III², S. 223 ff.). Daß dabei gepredigt wurde, sagt uns Hieronymus (de viris illustr. 76 MSL 23, 686). Hier
20 möchte ich den Anfang des 38. Kanons der canones Hippolyti einfügen, der mir fehr verdächtig und als ein fpäterer Zusatz erscheint (vgl. auch Achelis, TU VI, 4, S. 136). Er lautet: „Die Nacht der Auferstehung unseres Herrn soll streng beobachtet werden, so daß niemand bis zum Morgen schläft. Ihr sollt euren Körper mit Wasser waschen, bevor ihr das Paffah begeht; und die ganze Gemeinde soll ein Licht haben: denn in dieser
25 Stunde machte der Erlöser die ganze Schöpfung frei, und es diente ihm alles, was im Himmel und was auf Erden ist, weil er von den Toten auferstand und zum Himmel aufstieg und sich zur Rechten Gottes setzte und kommen wird in der Herrlichkeit des Vaters mit seinen Engeln und einem jeden nach seinen Werken, die er gethan, vergelten wird, den Guten zur Auferstehung des Lebens, denen, die Böses gethan haben, zur Auf-
30 erstehung des Gerichts, wie geschrieben steht" (Riedel, Kirchenrechtsquellen, S. 224). An dieser Stelle ist folgendes beachtenswert: 1. das Gebot des Sichwaschens, ein gewisser Brauch, der sich aus der Sitte, in der Oftervigilie zu taufen, erklärt: es soll gewiffermaßen dadurch an die Taufe und ihre Bedeutung von neuem erinnert werden; 2. ist hier ein „Licht" erwähnt; ist das etwas der Osterkerze Entsprechendes? 3. ist bemerkens-
35 wert, wie hier von der Wiederkunft Christi die Rede ist: hat der Verfaffer die Vorstellung, daß Christus in der Osternacht wiederkommen wird? oder reiht er diese Gedankengruppe gewissermaßen nur mechanisch an an das „und sich zur Rechten Gottes setzte"? Die ausführlichste Schilderung einer Oftervigilie im Often verdanken wir dem Testamentum Jesu Christi (ed. Rahmani). In Betracht kommen besonders I. II, c. 8; 12;
40 18; 19; 20. Danach gewinnen wir von dieser nächtlichen Feier folgendes Bild: Die Vigilie begann am Abend und schloß um Mitternacht (c. 8 u. 12 p. 127 u. 135); die Feier bestand in Gebeten, Gesängen und Schriftverlesungen, wahrscheinlich wurde auch eine Predigt gehalten (c. 18 p. 139). Der Bischof nimmt an diesem Gottesdienst nicht teil, weil er die Taufe zu verrichten hat; aber er forgt dafür, daß dem Volke bekannt
45 gegeben wird, daß niemand vor der Abendmahlsfeier etwas effe (c. 20 p. 141); bis zur Mitternacht muß strenges Fasten beobachtet werden, auch die Kranken und Elenden müssen sich diesem Gebote fügen (c. 19 p. 141); wer nicht krank daheim liegt, nimmt an diesem Gottesdienst teil. Doch müssen ärgerliche Dinge während desselben vorgekommen sein, denn die Diakonen, unterstützt von den Lektoren und Subdiakonen, halten strenge Aufsicht, daß
50 sich nicht unordentliche Buben unter das Weibervolk mischen (c. 19 p. 139). Während die Gemeinde so wachend bis zur Mitternacht zubringt, findet vom Abend an unter dem Bischof in der Taufkapelle die Taufe der Katechumenen statt, und zwar nach nur einer Lektion, wie der Verfaffer mit Nachdruck hervorhebt. Nach ihrer Taufe nehmen die Neophyten am Gottesdienst der Gemeinde teil, in dem sie zunächst eine Oblatio dar-
55 bringen, ein Brot, das der Diakon in Empfang nimmt und dem Bischof zuträgt, der es segnet (c. 10 p. 131; vgl. c. 8 p. 127). Um Mitternacht — denn zu dieser Stunde ist der Herr auferstanden — wird das Fasten gebrochen, d. h. es wird die Eucharistie gefeiert, an der alle außer den Katechumenen teilnehmen. Den abwesenden kranken Gemeindegliedern trägt der Diakon die heiligen Elemente zu (c. 20 p. 141); ist's
60 ein Presbyter, der nicht hat teilnehmen können, so bringt sie ihm ein anderer Presbyter

(c. 20 p. 143); iſt's eine Frau, ſo leiſtet ihr eine Diakoniſſe dieſen Liebesdienſt (c. 20 p. 143). Vor der euchariſtiſchen Feier werden die Katechumenen (nicht zu verwechſeln mit den Neugetauften) unter Handauflegung entlaſſen (c. 20 p. 141); auch empfangen ſie zum Erſatz der Euchariſtie ein geſegnetes Brot, eine Eulogie (c. 19 p. 141). Die Gemeinde der Gläubigen ſoll ſich nach dem Genuß des Abendmahls ordentlich und ſittſam nach Hauſe 5 verfügen: die Weiber mit ihren Männern, die jungen Mädchen mit ihren Müttern (c. 19 p. 141). Daheim ſetzen ſie ſich zum Mahle, bei dem ſie aber das Gebet nicht vergeſſen dürfen (c. 19 p. 141). Das Gotteshaus bleibt dennoch nicht leer: Die Prieſter bleiben, ebenſo bis zum frühen Morgen die heiligen Wittwen, die heiligen Jungfrauen, die Presbyterinnen und die Neugetauften; ſie halten ihre Mahlzeit, die der Biſchof ſpendet, im 10 Gotteshaus (c. 19 p. 141). Es verdient Beachtung, daß hier wie in Jeruſalem die Vigilie und der Taufgottesdienſt voneinander getrennt gehalten werden.

Reichlicher als für den Oſten fließen uns die Quellen für die Oſtervigilie im Weſten, allein ſie gehören alle einer ſpäteren Zeit an. Charakteriſtiſch iſt hier, daß die Taufe der Katechumenen, die in dieſer Nacht gehalten wird, auf die ſonſtigen Handlungen von 15 bemerkenswertem Einfluß geworden iſt.

Wie die Oſtervigilie in der galliſaniſchen Kirche etwa ſeit dem 5. Jahrhundert verlief, können wir uns ohne Mühe aus dem Missale Gothicum (MSL 72, p. 268 ff.), aus dem Missale Gallicanum vetus (ebenda, p. 363 ff.), aus dem Sacramentarium Gallicanum (ebenda, p. 497 ff.) und aus dem Lectionarium von Luxeuil (ebenda, 20 p. 194 ff.) rekonſtruieren. Danach begann die Feier mit der Vesper um 6 Uhr und zerfiel in vier Hauptteile: 1. die Vesper mit der Kerzenweihe; 2. die eigentliche Vigilie, beſtehend in Schriftvorleſungen, Geſängen und Gebeten; 3. der Taufakt mit Waſſerweihe und Konfirmation; 4. die Meſſe. Daß urſprünglich Vesper und Vigilie ſcharf geſchieden waren, verraten noch deutlich die Gebete, bez. die Präfationen. So ſchließt z. B. im 25 Missale Gothicum (p. 270) die Vesper mit einer Kollekte, die die Worte enthält: „sollemnia diei consummationis et noctis inchoationis celebrantes", und die eigentliche Vigilie beginnt ebenda mit den Worten: „Exspectatio, fratres carissimi, et desideratum nobis Paschae diem adepti, gratias agamus" etc.; ebenſo im Missale Gallicanum (p. 365), wo die Anſprache (praefatio) der Vigilie beginnt: 30 „Inter prima celebrandae sanctae Paschae sollemnia votorum contestatione et gratiarum actione sumamus exordium" (vgl. auch p. 497). Die Kerzenweihe in der Vesper beginnt mit einer Präfation d. h. Anſprache, in der die Gemeinde unter Hinweis auf die abendliche Stunde und ihr Gebetsopfer aufgefordert wird, Gott zu bitten, daß er ihr die Sünde vergebe und ihr die bevorſtehenden Feiern ſegne. Das wichtigſte Stück 35 iſt der Hymnus Exsultet iam angelica turba, der fälſchlich auf Auguſtin zurückgeführt wird. Dieſer Hymnus wurde im Mittelalter, wenigſtens in Italien, häufig auf Pergamentrollen kunſtvoll geſchrieben und mit Miniaturen verſehen, die, dem Texte folgend, ihn illuſtrierten. So wurde der Chor der Engel, die Erde im himmliſchen Glanze, die Kirche, der miniſtrierende Diakon, Chriſtus als Sieger in die Vorhölle hinabſteigend und 40 die Dämonen niederſtoßend, der Auferſtandene die Geretteten aus dem Limbus der Väter hinaufziehend, der Oſterfürſt von Engeln gekrönt und angebetet, der Verklärte ſitzend auf dem Stuhle ſeiner Herrlichkeit, das Lamm umgeben von den Symbolen der vier Evangeliſten dargeſtellt (über Miniaturen für Karſamstag überhaupt vgl. Ebner, Quellen und Forſch. zur Kunſtgeſch. des Missale Rom. [1896], S. 58. 68. 264. 274. 451). 45 Zwei Gebete leiten dann zum zweiten Akt, zur eigentlichen Vigilie über. Dieſer verläuft ſo, daß zwölf altteſtamentliche Lektionen abwechſeln mit kurzen Anſprachen (praefationes) und darauffolgenden kurzen Gebeten. In der Auswahl der Lektionen zeigt ſich deutlich die Rückſicht auf die Taufe. „Es iſt der Gang, den Gott und der Menſchheit gemacht hat, der hier noch einmal den Täuflingen als Repetition alles deſſen, was ſie bisher ſchon 50 gehört haben, teils in hiſtoriſcher Erzählung, teils in Prophetenworten zu Gemüte geführt wird" (Wiegand, Die Stellung des apoſtol. Symbols I [1899], S. 158). Die beiden erſten Lektionen ſind durch eine Lücke in der Handſchrift nicht feſtzuſtellen; die dritte war Gen 7, 10—8, 21; die vierte Gen 22, 1—19; die fünfte Gen 27, 1—40; die ſechſte Ex 12, 1—50; die ſiebente Ex 13, 18—14, 9; darauf folgte der Geſang Moſis 55 Ex 15, 13—21; die achte Vorleſung war Ez 27, 1—14; die neunte Jeſ 1, 1—?; die zehnte Joſ 3 und 4; die elfte Jon c. 1 mit dem ſich daran anſchließenden Gebet des Jonas c. 2 f.; die zwölfte Da 3, 1—40, daran ſich anſchließend der Geſang der drei Männer aus dem griechiſchen Da 3, 64—90. Die dazwiſchen ſich einſchiebenden Präfationen und Gebete, ebenfalls je zwölf an Zahl, nehmen auf die Taufe oder auf die Vor- 60

leſungen keine Rückſicht, nur die letzten, bez. die letzte Präfation und Gebet gedenken der
Täuflinge; ſonſt wird für allerlei, ähnlich wie im großen Kirchengebet, gebetet. Im
Missale Gothicum z. B. haben die Gebete, nachdem ein Eingangsgebet im allgemeinen
Gottes Beiſtand herabgerufen hat, folgende Gegenſtände: pro exulibus; pro sacer-
5 dotibus; pro virginibus; pro eleemosynas facientibus; pro peregrinantibus;
pro infirmis; pro poenitentibus; pro unitate; pro pace regum; pro spiritibus
pausantium; pro catechumenis. In demſelben Typus ſind die Gebete in den anderen
beiden Meßbüchern gehalten, nur daß die Ordnung und dieſer und jener Gegenſtand anders
iſt. Ob bei dieſer Vigilienfeier Hymnen geſungen worden ſind, geht aus unſeren Quellen nicht
10 hervor, doch iſt es anzunehmen. Der dritte Akt, die Taufhandlung, kann hier nicht zur Darſtellung kommen (vgl. darüber den A. „Taufe"). Über die ſich anſchließende, die Feier
beendende Meſſe iſt etwas beſonders nicht zu ſagen, außer daß die Lektionen für dieſelbe, Rö 6, 3—12 und Mt 28 (MSL 72, 196), die Beziehung auf Taufe und Auferſtehung deutlich verbinden. — Weit reicher iſt die Vigilie in der mozarabiſchen
15 Liturgie ausgeſtattet (MSL 85, p. 436—478). Trotz römiſchen Einfluſſes ſchaut die
Verwandtſchaft mit der gallikaniſchen Form noch deutlich durch. Auch hier geht der eigentlichen Vigilie (vgl. p. 445: „Expectati temporis, dilectissimi fratres, festa
solemnitas et annuum per secula sacrae resurrectionis arcanum votivae noctis
advenit") die in der Veſper vollzogene Kerzenweihe voraus; auch hier beſteht die Vigilie
20 ſelbſt in langen Schriftverleſungen und dazwiſchentretenden Gebeten und Geſängen;
auch hier findet ſich die Taufwaſſerweihe und die Taufe und endlich die Meſſe. Allein die
die Verſchiedenheiten ſind nicht unweſentlich. So ſteht am Anfang der Vigilie eine Segnung
des „neuen Feuers". In der finſteren Sakriſtei, in die kein Lichtſtrahl hineinfallen darf,
wird dem Biſchof petra et esca et excussorium ignis gebracht, alſo alles, was nötig
25 iſt, um Feuer zu ſchlagen. Der Biſchof thut dies und entzündet einen Zunder, womit
man wieder ein Wachslicht anzündet und damit wieder eine Lampe, die der Diakon hält,
der nachher die Lampenweihe und damit die Weihe des neuen Feuers vornimmt. Daß
ſowohl dieſe als auch die darauf folgende Kerzenweihe im Anfang des 7. Jahrhunderts
in Gefahr war, zu verſchwinden, geht aus dem 9. Kanon der 4. Synode von Toledo
30 a. 633 hervor (Bruns I, 225). Danach iſt die Sitte nicht mehr allgemein in Spanien,
und ſie droht in Abgang zu kommen, weil man ſich über den Sinn der Feier nicht
klar iſt. Es heißt, die Sitte ſei per multarum loca terrarum regionesque
Hispaniae verbreitet, ſie ſoll aber propter unitatem pacis in den gallicianiſchen Kirchen
feſtgehalten werden (conservetur): jeder werde ſich den Vorſchriften der Väter unter-
35 werfen. Über den Sinn der Feier, die als einheitlich gedacht iſt, ſagt der Kanon:
„propter gloriosum noctis ipsius sacramentum solemniter haec benedicimus, ut
sacrae resurrectionis Christi mysterium, quod tempore huius votivae noctis
advenit (Worte aus der Liturgie MSL 85, 445), in benedictione sanctificati luminis suscipiamus." Daß in der That ſchon im 4. Jahrhundert dieſe gottesdienſt-
40 lichen Sitten in Spanien heimiſch waren, beweiſen zwei Gedichte des Aurelius Prudentius (geb. 348): versus de novo lumine pascalis sabbathi (oder auch: ad incensum cerei Paschalis) und: ad accensionem caerei paschalis hymnus (oder
auch: in vigilia paschae ad consecrationem ignis hymnus), worin ſich übrigens
auch Reminiſcenzen aus der Liturgie finden (Wackernagel, Das deutſche Kirchenlied
45 I [1864], S. 30 und 32). Die Weihe der Lampe und der Kerze vollziehen zwei
Diakonen, die hierzu beſonders vom Biſchof oder Prieſter geſegnet werden, denn ſie
müſſen die Segensgebete entweder ſelbſt komponieren oder wenigſtens auswendig gelernt
haben und frei ſprechen. Bei der benedictio cerei fehlt der Hymnus: Exsultet iam
angelica turba, nur das zweite Stück (aequum et iustum est.) wird gebetet.
50 An dieſe Lichterweihe ſchließt ſich die eigentliche Vigilie an. Auch ſie beginnt mit einer
Anſprache an die Gemeinde und beſteht im weſentlichen aus Lektionen und daran ſich
anſchließenden Gebeten. Lektionen ſind nur zehn; jedoch bietet das Lektionar von Toledo deren zwölf (Anecd. Mareds. ed. Morin I, 171—201), was jedenfalls das ältere
iſt. Sie decken ſich zum Teil mit denen der gallikaniſchen Liturgie. Die daran ſich an-
55 ſchließenden Gebete ſtehen in keinem Zuſammenhang mit den verleſenen Schriftſtellen,
ſondern gelten etwa denſelben Gegenſtänden, wie in jener Liturgie. Den dritten Akt
bildet die Taufwaſſerweihe: in Prozeſſion unter Geſang der Litanei zieht der geſamte Klerus zum Taufbecken und vollzieht hier die Weihe; ſind Kinder da, ſo werden
ſie getauft. Die Prozeſſion geht in die Kirche zurück, wo nun die Meſſe beginnt; die
60 Lektionen dabei ſind die der gallikaniſchen Liturgie. Nach Schluß der Meſſe werden ad

vesperas noch die laudes geſungen und ein Gebet geſprochen. Den Abſchluß bildet eine benedictio agni in illaria Paschae. Es handelt ſich dabei um ein lebendes Lamm (hanc creaturam agni), nicht um ein Lamm aus Wachs, wie es ſpäter nach römiſchem Brauch ge=weiht wurde. Jenes Lamm wurde gegeſſen. Man berief ſich für dieſe Sitte auf die Vorſchrift Moſis und auf 1 Kg 7, 9 (Vulg.), vgl. zu dieſer Sitte Sacrament. Gallic. MSL 72, 5 572; ordo Romanus bei Hittorpius, de divinis eccl. cath. officiis [1610], p. 87; Mi-crolog. c. 54; Walf. Strabo, de reb. eccl. c. 18; vgl. Bingham=Griſchovius, origines eccl. VI, 262. — Wir wenden uns endlich Rom zu. Für Rom iſt die Feier der Oſtervigilie ſchon für die erſte Hälfte des 3. Jahrhunderts bezeugt (vgl. o.). Dieſe Feier wird aber, wie in den meiſten Kirchen des Oſtens, nur in der eigentlichen Vigilienfeier 10 und der Taufe mit folgender Meſſe beſtanden haben. Jedenfalls war die Sitte der Kerzen=, bez. der Feuer= oder Lampenweihe, wie wir ſie in Gallien, in Spanien fanden, in Rom urſprünglich unbekannt. In Oberitalien war ſie heimiſch, vielleicht auch in Afrika, wie aus einigen von Auguſtin in laude quadam cerei gedichteten und in de civitate Dei I. 15, c. 22 (MSL 41, 467) citierten Verſen geſchloſſen werden kann. In Rom 15 hat ſich die Sitte erſt ſeit der Mitte des 6. Jahrhunderts eingebürgert. Wenn dem liber pon-tificalis (ed. Ducheſne, I, p. 225) Glauben zu ſchenken iſt, ſo war es Papſt Zoſimus, (417—418) der ſie zuerſt geſtattete, aber nur für die Kirchen der römiſchen Diöceſe, nicht für die päpſtliche Kapelle. So fehlt die Kerzenweihe z. B. in dem ordo Romanus für die päpſtliche Oſtervigilie, den Ducheſne, origines etc. ', p. 464 mitteilt. Für Ravenna 20 iſt ſie durch eine Notiz in einem Briefe Gregors d. Gr. an Biſchof Marinianus von Ravenna (vom Februar d. J. 601) bezeugt (IX, ep. 33; in MG epist. II, Gregorii I. registr. ep. t. II [1899], ep. 21 p. 281 ff.). Wir erfahren an dieſer Stelle auch, daß in Ravenna nicht die Diakonen, ſondern die Prieſter, bez. der Biſchof ſelbſt die Kerzen-weihe vornahmen; die betreffenden Gebete waren ſo lang, daß ſie nicht ohne Anſtrengung 25 vorzutragen waren. Wir beſitzen unter den opuscula des Ennodius (geſt. 521) zwei Weihegebete über die Kerze (Nr. 8 u. 9 CSEL VI, p. 415 u. 419), die er vermutlich als Biſchof von Pavia (ſeit 514, ſ. b. A. Bb V, 394) verfaßt hat. Wir dürfen wohl annehmen, — und damit fällt ein erklärendes Licht auf die eben erwähnte Briefſtelle des Papſtes Gregor, — daß, wie in Spanien die Diakonen, ſo in Oberitalien vielfach 30 die Biſchöfe dieſe Gebete ſelbſt entwarfen, und zwar mitunter in poetiſcher Form. Ein weit älteres Zeugnis für die Sitte in Oberitalien, ſpez. in Piacenza enthält ein dem Hieronymus zugeſchriebener Brief aus dem Jahre 384 an Präſidius, Diakon in der ge-nannten Stadt, der den Verfaſſer um Abfaſſung eines praeconium paschale über die Oſterkerze gebeten hatte (MSL 30, p. 182). Aus dem Brief geht hervor, daß in Pia= 35 cenza der Diakon die Kerzenweihe vorzunehmen hatte, und zwar mit einem ſelbſt ver-faßten Gebet. Für Neapel iſt uns die Sitte im 8. Jahrhundert bezeugt (Gesta episc. Neap. in MG Script. reg. Langob. et Ital. saec. VI—IX, p. 426). Im Sacramen-tarium Gelasianum (ed. Wilſon p. 79 f.) iſt die Kerzenweihe der benedictio super incensum bereits vorangeſtellt, und daß ſie nicht urſprünglich, wie in Gallien, der Veſper 40 angehörte und mit dieſer an die Vigilie angeſchoben worden iſt, zeigen ſchon die Worte am Anfang des Weihegebets ſelbſt: „in hac sacratissima noctis vigilia de donis tuis cereum tuae suppliciter offerimus maiestati". Man ſieht, daß dieſer Weiheakt unmittelbar als Akt der Vigilie gedacht, in ſie erſt eingeſetzt iſt. Die ganze Handlung beginnt damit, daß unter Litaneigeſang des Klerus der Prieſter ſich mit ſeiner 45 Begleitung an den Altar begiebt; vor demſelben ſprechen ſie das Agnus Dei. Darauf tritt der Archidiakon vor den Altar, zündet mit einer der Altarkerzen die Oſterkerze an nachdem er über ſie das Kreuzeszeichen gemacht hat und ſpricht das Segensgebet: Deus, mundi conditor etc., das einen eigentümlichen Lobpreis der Biene enthält, die mit der hl. Jungfrau verglichen wird. Der Hymnus Exsultet etc. fehlt. Darauf folgt eine 50 Segnung des Weihrauchs, bez. einzelner Weihrauchskörner (ſ. u.), und danach beginnt, indem ſich der Prieſter von ſeinem Sitz erhebt, die eigentliche Vigilie (Nr. XLIII). Geleſen werden elf Lektionen, umrahmt von Gebeten. Die Lektionen ſind denen der gallikaniſchen Liturgie ganz verwandt; als Geſänge ſind eingelegt der Geſang des Moſes (Ex 15), das Lied vom Weinberg (Jeſ 5), der Segen des Moſes (Dt 32). Die Gebete nehmen auf die Vor= 55 leſungen jedesmal Bezug, deren Inhalt kurz zuſammenfaſſend. Darauf folgt als dritter Akt die Taufwaſſerweihe, die Taufe und die Konfirmation: unter Abſingung der Litanei zieht die Prozeſſion zum Baptiſterium, wo die heiligen Handlungen vollzogen werden (Nr. XLIV). Endlich folgt die Meſſe (Nr. XLV). Sie hat auch heute noch viel Altertümliches bewahrt: nach dem Geſang der Litanei wird das Gloria in excelsis 60

gesungen, das nur am Osterfest gebräuchlich war (vgl. A. „Liturgische Formeln" Bd XI S. 549, 9 ff.). Dagegen fehlen Introitus, Offertorium, die Antiphone, die communio heißt, und natürlich das Agnus Dei. — Nun hat sich aber diese Vigilienfeier um manchen merkwürdigen Brauch bereichert. Zunächst sei die Weihe des neuen Feuers erwähnt.
5 Wir haben von ihr schon bei der mozarabischen Ostervigilie gehört. Die alten galli= kanischen Liturgien wissen nichts von ihr. Wohl aber berichten über diesen eigentümlichen Gebrauch Amalarius (de ordine antiphon. c. 44 MSL 105, 1292 f.) und Alkuin (de divin. offic. 16. 17 MSL 101, 1205). Etwa seit dem Jahre 600 sei er in der fränkischen Kirche aufgekommen und zwar am Gründonnerstag: „faciunt excuti ignem
10 de lapide in loco foris basilicam ... ita ut ex eo possit candela accendi." Auch Bonifatius weiß davon. Er berichtet nämlich darüber in einem leider verlorenen Brief an Papst Zacharias (741—752). Aus der Antwort des letzteren (MSL 89, 951) können wir entnehmen, daß man in Deutschland zu Ostern einen den „ignis paschalis" betreffen= den kultischen Brauch hatte; man gewann das Feuer nicht durch Feuerstein, sondern durch
15 Brenngläser („de crystallis autem, ut asseruisti, nullam habemus traditionem"; schon die Griechen benutzten Gläser zur Entzündung des delphischen Feuers vgl. Pauly, Real=Encycl. d. klass. Alterthumswissensch. VI [1852], S. 2503). Daß bei diesem ignis paschalis an die noch heute da und dort in Deutschland im Volksbrauch lebendigen „Osterfeuer" zu denken sei, wie Steitz (A. S. 282) will, ist sehr wenig wahrscheinlich. Denn
20 aus der Briefstelle des Papstes Zacharias geht deutlich hervor, daß es sich nicht nur um einen Volksbrauch außerhalb der Kirchenmauern handelt, sondern um eine kultische Sitte. Sodann werden diese „Osterfeuer" gar nicht am Ostersonnabend, sondern am Abend des ersten oder dritten Ostertages angezündet (J. Grimm=Meyer, Deutsche Mythologie⁴ [1875], I, S. 511 f.). Außerdem wollen diese Osterfeuer die Dämonen scheuchen, ein Gedanke,
25 der dem neuen Feuer ganz fern liegt. Duchesne (a. a. O. p. 240) glaubt unter Hinweis auf die Legende des hl. Patricius den Ursprung dieser Sitte in Irland suchen zu können: dort sei wenigstens seit dem 6. Jahrhundert am Ostersonnabend große Feuer anzuzünden. Er kombiniert diese Thatsache mit der Briefnotiz des Zacharias und meint, man habe diese Feuer mit „Linsengläsern" (lentilles) angezündet. Mit den
30 Missionaren des 8. Jahrhunderts sei diese Sitte auf den Kontinent verpflanzt worden. Allein dagegen ist geltend zu machen, daß Missionare schwerlich solche Sitten zu verpflanzen willens oder im stande sind, und dann, daß ein Anstecken solcher Feuer mittelst Linsen= gläser, also mit Brenngläsern, den hellen Sonnenschein voraussetzt, am Abend konnten daher die Gläser wohl nichts nützen. Vielmehr handelt es sich bei der von Bonifatius
35 vorgefundenen Sitte um ein „neues Feuer", das in der Vigilienfeier, die damals schon am zeitigen Nachmittag begann, mittelst „Krystalle" entzündet wurde. Sodann zeigt uns die Briefstelle auch, daß man in Rom damals einen anderen ähnlichen Brauch hatte. Man goß nämlich am Gründonnerstag in der Basilika im Lateran während der Konsekration des hl. Öles auf drei Lampen von ziemlicher Größe soviel Öl aus den verschiedenen an=
40 deren Lampen der Kirche, als nötig war, sie drei Tage lang, bis zum hl. Sabbath, brennend zu erhalten; sie fanden ihren Platz in einem verborgenen Winkel der Kirche. Von diesen Lampen wurde am hl. Sabbath durch einen Priester das „Feuer" „erneut" (renovabitur) — offenbar Ausdrücke aus dem Schreiben des Bonifatius —, indem man es zur Beleuchtung bei der Taufe benutzte. Dieser Brauch ist insofern anders, als der sonst
45 bekannte Brauch des neuen Feuers, als von einer Weihe des Feuers oder der Lichter nicht die Rede ist, auch insofern, als es sich eigentlich um ein „neues Feuer" gar nicht handelt, sondern im Gegenteil um einen Brauch, durch den, nachdem am Gründonnerstag alle Lichter ausgelöscht waren, das alte hl. Licht über diese lichtlose Zeit hinweg fortgepflanzt werden sollte. Durch andere Zeugnisse ist uns diese römische Sitte nicht überliefert. Aber die von
50 Spanien her bekannte Sitte des neuen Feuers drang auch in die römische Liturgie ein. In der sogen. Homilie Leos IV. (a. 847) heißt es nach der Recension im Codex Lu= censis und der editio Labbei: „In sabbato paschae extincto veteri novus ignis benedicatur" und bei ed. Labbei fügt sogar noch hinzu: „et per populum dividatur et aqua benedicta similiter" (Mansi, conc. XIV, 895 f.). Auch bei ordo Romanus
55 scheint die Sitte zu kennen (Hittorpius a. a. O. p. 76). Heute wird, während in der Kirche die Horen gesungen werden, vor der Kirche aus dem Stein Feuer geschlagen, um damit Kohlen in Brand zu setzen, und darauf folgt die Weihe des neuen Feuers durch ein Gebet, worin Christus der Eckstein genannt wird, durch welchen Gott sein hellleuchtendes Feuer den Gläubigen geschenkt hat. Es kann keinem Zweifel unterliegen, daß die Sitte
60 des „neuen Feuers" die Fortsetzung eines heidnischen Brauches ist: am 1. März (dem alten

Neujahr) jedes Jahres wurde das Feuer der Veſta erneuert (Wiſſowa, Religion und Kultus der Römer [1902], S. 143). Dem Oſten iſt dieſer Brauch gänzlich fremd, nur in Jeruſalem iſt er üblich. Ob er vom Weſten dorthin gekommen iſt? Ob ihn dort ſchon die Silvia vorgefunden hat? — Eine weitere mit der Segnung des „neuen Feuers“ verbundene Sitte, die ſich auch in der mozarabiſchen Liturgie findet, iſt die, fünf Weihrauchkörner zu weihen, die in fünf Löcher der Oſterkerze, die die Wundenmale Chriſti abbilden ſollen, geſchoben werden. — Endlich kennt die römiſche Liturgie auch die Segnung des Oſterlammes (Sacr. Gregorianum: benedictio agni et aliarum carnium in opp. Gregorii, Venedig 1773, t. X, 403). Später wurde es üblich, dafür aus einer mit Öl geſättigten Wachsmaſſe modellierte Lämmer zu ſegnen und nach acht Tagen unter das Volk zu verteilen, damit ſie in den Häuſern angezündet würden (Amalarius von Metz, de offic. eccl. I, c. 17 bei Hittorpius a. a. O. p. 341; MSL 105, 1033; Durandus, rationale div. off. VI, 79, Venedig 1609, fol. 232). Der ordo Romanus bietet ein Gebet zur Segnung von Käſe (bei Hittorpius a. a. O. p. 84); das Sacr. Gregorianum ein ſolches für Käſe und Eier, auch eines für Milch und Honig (a. a. O. p. 404). Daß in dieſer Sitte heidniſche Bräuche weiterleben, iſt außer Zweifel. Jene Gaben brachte ſchon in alter Zeit der Hirt und der Bauer als erſte Erträgniſſe des Frühlings dar. Über die Segnung von Milch und Honig vgl. Uſener im Rhein. Muſeum f. Philol. N.F., Bd LVII, S. 177ff. Jetzt wurden dieſe Speiſen geſegnet zum Genuß. Uebrigens wurde ſpäter dieſe Speiſeſegnung auf den Morgen des Oſterſonntags verſchoben.

Da bei den Vigilien allerlei Unzuträglichkeiten verübt wurden und viel Vorſicht gebraucht werden mußte, um ſolche zu vermeiden (vgl. z. B. Test. Jesu Christi, l. II, c. 19; Hieronymus, ep. ad Laetam c. 9 MSL 22, 875), ſo wurden ſie ſpäter, vielleicht ſchon ſeit dem 7. Jahrhundert, auf den Nachmittag verlegt.

Die auf die Vigilie folgende Oſterfeier wurde auf volle acht Tage ausgedehnt, die den ausgeſprochenen Charakter der Freude trugen. Man feierte eben zu Oſtern nicht nur die Auferſtehung Jeſu, ſondern den Anfang des Jahres, das Frühlingsfeſt, das Feſt der Weltſchöpfung. Darin ſetzen ſich z. T. vorchriſtliche Anſchauungen fort. So ſagt z. B. Ambroſius in ſeiner Predigt de mysterio Paschae c. 2: „Est enim Pascha vere anni principium, primi mensis exordium, novella germinum reparatio et tetrae hiemis nocte discussa primi veris restituta iucunditas. Hoc, inquam, tempore visibilium et invisibilium conditor Deus defixo hamo coeli machinam suspendens, idem solis ardore radiavit, splendorem lunae solutio noctis attribuit etc.“ (MSL 17, 695). Kein Wunder alſo, daß kein Feſt im Jahre dem Paſſah an Freuden gleichkam. Kaiſerliche Verordnungen (Cod. Theod. l. II. tit. 8. lex 2 v. J. 389; Cod. Justin. I. III. tit. 12. lex 8 v. J. 392) und kirchliche Beſchlüſſe (2. Konzil z. Macon b. 585, can. 2; Quinisext. a. 692 can. 66 Bruns II, 249 u. I, 56; Conc. Meldense b. 845, can. 77 Harduin, conc. IV, 1499) halfen dem Feſte dieſen Charakter noch wahren. In dieſen Tagen ſchickt man ſich Geſchenke zu (vgl. z. B. bei Gregor v. Nazianz MSG 37, 213). Die gerichtliche Freilaſſung der Sklaven finden in dieſen Tagen ſtatt (Cod. Justin. I. III. tit. 12. lex 8; Cod. Theod. l. II. tit. 8. lex 1). Die Reichen bewieſen durch Spenden und Veranſtaltungen von öffentlichen Mahlzeiten ihre Milde gegen die Dürftigen. Aber auch die heilige Witwe wird im Testamentum Jesu Christi (ed. Rahmani p. 101) angewieſen, am Oſtertag von ihrem Beſitz den Armen zu geben, ſich zu waſchen und ſo zu beten. Während der 15 Tage vom Palmſonntag bis zum Sonntag nach Oſtern ruhten ſämtliche Geſchäfte; ſelbſt die Sklaven ruhten von ihrer Arbeit (Chryſoſtomus, hom. 30 in Gen. X MSG 53, 274; Concil. Quinisext. a. 692 can. 66 Bruns I, 56). Die Gerichtsverhandlungen wurden eingeſtellt. Alle Schauſpiele waren unterſagt. Die Heiden durften keine Prozeſſionen veranſtalten und den Juden war es durch weltliche Erlaſſe und Konzilsbeſchlüſſe verboten, vom Gründonnerstag bis zum zweiten Oſtertag, alſo vier Tage lang, die Straße zu betreten und ſich unter Chriſten zu miſchen, weil man ihr Erſcheinen in dieſen Tagen wie eine Beleidigung und Verhöhnung empfand (3. Konzil zu Orléans v. 538, can. 30 und 1. Konzil zu Macon a. 581, can. 11. Bruns II, 200 u. 245). Leichtere Verbrecher wurden von den chriſtlichen Kaiſern begnadigt (Cod. Theod. l. IX. tit. 38. lex 3 v. J. 368; lex 7 v. J. 384), eine Sitte, die Chryſoſtomus mit unſerer Befreiung aus dem Gefängnis des Todes durch Chriſtus begründet (hom. 30 in Gen. MSG 53, 274). An weltlichen Freuden aller Art es natürlich in dieſen Tagen auch nicht gefehlt.

Im Vordergrund der kirchlichen Feiern ſtanden in dieſen Tagen noch durchaus die Neugetauften. Daher war der Name für dieſe achttägige Feier der Auferſtehung auch

octo dies neophytorum (Auguſtin ep. 55, c. 32 MSL 33, 220) ober hebdomas
neophytorum ober einfach Alba (Sacr. Gelasian. ed. Wilſon p. 91), denn die Neo=
phyten trugen während dieſer Tage ihre weißen Gewänder. Erſt am Sonntag nach Oſtern
legten ſie ſie ab, daher trug dieſer Sonntag den Namen κυριακὴ ἐν λευκοῖς, dominica
5 in albis, octava infantium, heute noch: weißer Sonntag. Da an dieſem Sonntag
die Oſterfeier ſchloß, nannten ihn die Griechen auch ἀντίπασχα ober καινὴ κυριακή,
die Lateiner octava paschae ober pascha clausum.
Während der Oſterwoche fand täglich Meſſe ſtatt. Die Meſſe am Oſterſonntag
wurde beſonders feierlich gehalten. So las in Konſtantinopel der Biſchof ausnahmsweiſe
10 ſelbſt am erſten Tage τῆς ἀναστασίμου ἑορτῆς die Schriftverleſung, und zwar das Evan=
gelium (nach Niceph. Callistus X, 34 vgl. Sozomenos, hist. eccl. VII, 19 MSG 67,
1477). Ebenſo predigte nach allgemeiner Sitte an dieſem Tage der Biſchof. Sozomenos
ſagt freilich (hist. eccl. VII, 19 MSG 67, 1476), baß in Rom ſelbſt an dieſem Tag
der Biſchof nicht predige, allein es fragt ſich, ob er damit Recht hat. Eine Reihe altkirchlicher
15 Oſterpredigten finden ſich zuſammengeſtellt und ins Deutſche überſetzt bei Auguſti a. a. O.
S. 240 ff. Nach dem Testamentum Jesu Christi (ed. Rahmani p. 67) wird die „my=
stagogia“ vor der Darbringung (vgl. p. 59 ff.) verleſen (vgl. bazu die Kanones des
Hippolyt can. 29 bei Riedel, Kirchenrechtsquellen S. 220). Der Gottesdienſt war reich
mit Pſalmen ausgeſtattet. In Mailand z. B. ſang man den 118. Pſalm (Ambroſius,
20 sermo 35, 9 MSL 17, 697). Jetzt erklang auch das jubelnde Halleluja (vgl. Art. „Li=
turgiſche Formeln“ Bb XI S. 550). Noch zweimal fand in den öſtlichen Kirchen und
in Rom Gottesdienſt ſtatt: das Stundengebet in verkürzter Form, die Vesper um ſo
länger und feierlicher. Die Neugetauften nahmen an allem teil, in weißen Kleidern und
mit brennenden Lichtern, benn auf ſie war an allen liturgiſchen Formen Rückſicht ge=
25 nommen. In der gallikaniſchen Kirche fanden ſogar zwei Meſſen ſtatt. — Ähnlich wie
am Sonntag verlief der Gottesdienſt an allen folgenden Tagen. Daß täglich Meſſe und
Predigt war, bezeugt uns Chryſoſtomus (hom. de resurr. c. 5 MSG 50, 440); die
erhaltenen Sakramentarien ſagen uns für den beſtimmten Fall, baß wenigſtens täglich Meſſe ſtatt=
fand. Ebenſo wurden beſonders feierliche Vespergottesdienſte gehalten. Ein Bild von dem
30 reichen gottesdienſtlichen Leben in dieſer Woche giebt uns für Jeruſalem die Silvia. Sie
ſagt ausdrücklich, baß im weſentlichen hier die Feier ſo ſei, wie überall, alſo zu=
nächſt wie in ihrer Heimat. Am Abend des Oſterſonntags findet Gottesdienſt und Vesper in der Aufer=
ſtehungskirche ſtatt. Danach begleitet das Volk den Biſchof unter Hymnengeſang zur Zions=
kirche. Dort wird nach Geſang und Gebet die Erſcheinungsgeſchichte Jo 20, 19 ff. geleſen,
35 weil ſie an dieſem Orte und an dieſem Tage geſchehen ſein ſoll. An jebem folgenden
Tag findet der Gottesdienſt in einer anderen Kirche ſtatt. Täglich aber zieht der Biſchof
post prandium mit dem geſamten Klerus, mit allen getauften Kindern und allen „apu=
tacticae“, Männern und Frauen, und wer ſonſt aus der Gemeinde ſich anſchließen will
hinauf nach dem Ölberg. Dort ſingt und betet man, und bann gehts wieder hinab in
40 die Auferſtehungskirche zur Vesper (peregrin. Silviae c. 39 CSEL 39, 91 f.).
Im Mittelalter wurde die achttägige Feier des Oſterfeſtes vom Volke ſelbſt beſchränkt.
Verſchiedene Konzile ſchärften die alte Sitte ein; ſo das Konzil von Mainz v. J. 813
(can. 36. Manſi, conc. XIV, 63 ff.; Harduin, conc. IV, 1015); das Konzil von Konſtanz
v. J. 1094 beſtimmte für die Dauer des Feſtes nur die brei erſten Wochentage (Manſi,
45 XX, 497). **Drews.**

Paſſah, israelitiſch=jüdiſches. — Siehe die Bb VII S. 19, 4 angeführte Litteratur
und außerdem: S. Bochart, Hierozoicon (London 1663) I, p. 551 s.; J. Spencer, De legibus
Hebraeorum ritualibus (Leipzig 1705); F. Hitzig, Oſtern und Pfingſten (Heidelberg 1837. 8);
Bähr, Symbolik des moſ. Kultus II (1839) S. 613 ff. 627 ff.; Redslob, Die bibl. Angaben
50 über die Stiftung der Paſſahfeier 1856; Kurtz, Der altteſt. Opferkultus 1862, S. 307 ff.;
J. Wellhauſen, Prolegomena zur Geſch. Jsr., 5. Aufl., 1899; Franz Delitzſch, ZtWL 1880,
S. 337 ff.; J. Müller, Krit. Verſuch über die Entſtehung des Peſach=Mazzothfeſtes, Bonn
1883; W. Riedel, ZatW 1900, 319 ff.; derſelbe, Altteſt. Unterſuchungen I (Leipzig 1902) 52 ff.;
R. Schäfer, Das Paſſah=Mazzoth=Feſt, Güterſl. 1900; S. A. Fries, Die Geſetzesſchrift des
55 Königs Joſia, Leipzig 1903; S. J. Curtiß, Urſemitiſche Religion im Volksleben des heutigen
Orients, Leipzig 1903. Vgl. die Handbücher der altteſt. Archäologie und Theologie und die
Artt. Paſſah in den Wörterbüchern von Winer, Schenkel (Dillmann), Riehm (Delitzſch) u. ſ. w.
Ueber die ſpäteren jüdiſchen Satzungen ſind zu vergleichen: J. H. Hottinger, Juris Hebraeo-
rum leges CCLXI (1655) p. 17 s.; Otho, Lex. rabbin. phil.; J. F. Schröder, Satzungen
60 und Gebräuche des talmudiſch=rabbin. Judentums 1851 (wo jedoch die verſchiedenen Zeiten

wenig auseinandergehalten ſind; Franz Delitzſch, Der Paſſahritus zur Zeit des zweiten Tem=
pels ZlThK 1855, S. 257 ff.

Eines der drei Hauptfeſte des alten Israel (vgl. den Art. Gottesdienſtliche Zeiten
im AT Bd VII, 19 ff.) führt den Namen Paſſah, פֶּסַח (aram. mit Art. פַּסְחָא; griech. 5
dagegen πάσχα), mit welchem das für die Eröffnungsfeier desſelben charakteriſtiſche Lamm
als ein Verſchonungsopfer bezeichnet wird; denn das Verbum פָּסַח (Jeſ 31, 5) bedeutet
ſchonendes Vorübergehen, Verſchonung. Vgl. die Erklärung Ex 12, 13. 23. 27, welche
jedenfalls zeigt, was das israelitiſche Sprachbewußtſein ſich bei dieſem Ausdruck dachte.
Einſtimmig führt die in der Bibel erhaltene Tradition dieſes Feſt auf den Auszug Israels 10
aus Ägypten zurück. Damals wurde zuerſt auf das Geheiß des Herrn jenes Lamm auf
eigentümliche Weiſe geſchlachtet und gegeſſen und damit dem Volke die Verſchonung vor
dem Würgeengel erwirkt, welcher in jener Nacht die Erſtgeburt Ägyptens tötete, Ex 12.
Damals wurde auch ſchon die jährliche Wiederholung des Brauches angeordnet. Zu dieſer
Gedenkfeier gehörte aber auch als integrierendes Moment, daß im Anſchluß an dieſes 15
Lammopfer ſieben Tage lang ungeſäuerte Brote, Mazzoth, gegeſſen werden mußten, daher
auch das ganze Oſterfeſt oft das „Feſt der Mazzoth" genannt wird. Geſetzliche Beſtim=
mungen über dasſelbe finden ſich in allen pentateuchiſchen Geſetzesſammlungen. Im alten
Bundesbuch (B) wird Ex 23, 15 das Feſt der Mazzoth als eines der drei großen Wall=
fahrtsfeſte kurz aufgeführt; desgleichen Ex 34, 18. 25 im ſog. Zweitafelgeſetz, beidemal 20
mit Hinweis auf das Vorhandenſein ausführlicherer Beſtimmungen darüber: „wie ich dir
geboten habe". Deutlicher treten Form und Bedeutung der Paſſahfeier in der Erzählung
vom Auszug bei J E hervor: Ex 12, 21—27; 13, 3—16. Im Deuteronomium (D)
finden ſich ebenfalls 16, 1—8. 16. 17 unter Anlehnung an die eben genannten Quellen
die nötigſten Verordnungen über Mazzothfeſt und Paſſahopfer. Zum „Heiligkeitsgeſetz" 25
(H) ſcheinen die kurzen Vorſchriften Le 23, 5—8 zu gehören; ob 23, 9—14 damit zu=
ſammenhangen, iſt fraglich. Am ausführlichſten ſind die in die Geſchichte des Auszugs
eingeflochtenen Anordnungen des prieſterlichen Geſetzes (P): Ex 12, 1—20. 43—50; dazu
die nachträglichen Beſtimmungen Nu 9, 10—14; 28, 16—25. Eine Überſicht und Er=
örterung dieſer Quellen und der verſchiedenen Anſichten darüber ſ. bei Schäfer. 30

Durch die vollſtändigſte Darſtellung bei P erhält man folgendes Bild der Feier,
wobei freilich hinſichtlich einiger Züge fraglich, ob ſie nur für die erſtmalige Begehung
in Ägypten gelten ſollten. Im Monat des Auszugs, der um dieſes Ereigniſſes willen
als der erſte im Jahr ſoll gezählt werden (Ex 12, 2) hat jeder Hausvater zunächſt am
10. Tage ein fehlerfreies, einjähriges, männliches Lamm von Schafen oder Ziegen aus= 35
zuſondern, dann am 14. dasſelbe zu ſchlachten, und zwar „zwiſchen beiden Abenden",
welche altertümliche Bezeichnung der Stunde den Späteren nicht mehr verſtändlich war.
Die Karaiten und Samaritaner deuteten ſie auf die Zeit zwiſchen Sonnenuntergang und
Dunkelheit, Raſchi und Kimchi auf den Moment unmittelbar vor und nach Sonnen=
untergang, dagegen die Phariſäer nach der ſpäteren Praxis: zwiſchen 3 Uhr nachmittags 40
und Sonnenuntergang. Das Blut des Tieres wurde in Ägypten an die Pfoſten und
die Oberſchwelle der Haustüre geſtrichen, als ein Zeichen für den richtenden Engel, daß
er nicht eintrete, ſondern ſchonend vorübergehe. Das Lamm ſelbſt wurde gebraten, nicht
geſotten, und mit ungeſäuerten Broten und bitteren Kräutern (wildem Lattich, End=
vien u. ſ. w.) verzehrt. Es durfte daran kein Bein gebrochen und nichts davon aus dem 45
Hauſe getragen werden oder auf den Morgen übrig bleiben, weshalb kleine Haushaltungen
ſich zur Mahlzeit vereinigten. Das Eſſen ſollte eilig geſchehen, mit gegürteten Lenden
und beſchuhten Füßen, den Stab in der Hand, 12, 11, was die Späteren allerdings bloß
auf das erſte Paſſahmahl bezogen, während die Samaritaner es bis heute wiederholen.
Unerläßliche Vorbedingung für die von allem Volke geforderte Teilnahme an der Mahl= 50
zeit war die Beſchneidung (12, 43 ff.). Wer auf Reiſen oder durch augenblickliche Un=
reinheit (vgl. das Beiſpiel Nu 9, 7) am Mitgenuß verhindert war, ſollte am 14. des
2. Monats die Feier nachholen, welche ganz zu verſäumen bei Strafe der Ausrottung
verboten war Nu 9, 9 ff. — Dieſes Opfermahl eröffnete das ſiebentägige Feſt der un=
geſäuerten Brote. Es durfte nämlich auch vom 15.—21. Tage bei Strafe der Ausrot= 55
tung nichts Geſäuertes gegeſſen werden. Der erſte (15.) und ſiebente (21.) Tag dieſer
Feſtzeit waren Hochfeiertage, an welchen die Arbeit ruhen und eine heilige Verſammlung
der Gemeinde ſtattfinden ſollte, Ex 12, 14 ff.; Le 23, 1 ff. Auch ſollten alle ſieben Tage
durch beſondere „Feueropfer" ausgezeichnet ſein, Le 23, 8; Nu 28, 16 ff.

Fraglich iſt, ob auch die Darbringung der Erſtlingsgarbe von der Gerſtenernte 60
(Le 23, 10 ff.) zum Ritus des Paſſah=Mazzothfeſtes gehöre. Unter שָׁמִיר iſt nämlich hier

schwerlich das Getreidemaß zu verstehen, als ob etwa zermahlene Körner hätten dar=
gebracht werden sollen, wiewohl schon eine alte Tradition (Josephus, Ant. 3, 10, 5) es
so verstand, sondern eine Garbe (Hi 24, 10) wie LXX, Vulg., Syr. übersetzen. Diese
wurde naturgemäß von der zuerst reifenden Gerste genommen (Jos. Ant. 3, 10, 5; Philo
5 De septenario p. 1192) und in Verbindung mit einem Brand= und Speisopfer dem
Herrn dargebracht, so zwar, daß der Priester sie „wob", wozu vgl. oben S. 393,3. Erst
nach dieser Ceremonie war der Genuß der neuen Ernte erlaubt. Nach manchen Neueren
nun hätte dieser Akt .mit dem Mazzothfeste überhaupt nichts zu thun. Die Zeitbestim=
mung Le 23, 11 „am Tag nach dem Sabbath" beziehe sich einfach auf den ersten Sabbath
10 in der Ernte, wofür man sich auf Dt 16, 9 berufen kann. Man hätte also den Tag
unabhängig vom Osterfeste nach dem Stand der Ernte bestimmt und darnach das Wochenfest
(Le 23, 15 f.) angesetzt. So die samaritanischen Sabuäer und mit verschiedenen Modifi=
kationen George, Saalschütz, Herzfeld, Merx, Wellhausen, Strack, Schäfer. Allein der
Beginn der Ernte variert in den verschiedenen Gegenden Palästinas um etwa 6 Wochen
15 (Riedel S. 71 f.). Es mußte daher ein bestimmterer Termin gelten; auch ist nicht wahr=
scheinlich, daß das Wochenfest gar nicht mit dem Osterfest kombiniert war; das Gegenteil
legt schon Jos 5, 11 nahe. Die jüdische Tradition sieht in jenem „Sabbath" den 15. Nisan,
der ja Ruhetag war, verlegt also den Weiheakt auf den 16. So LXX, Philo, Josephus
im Einklang mit der Praxis, Bähr, Keil u. a. (während Jos 5, 11 auf den 15. führen
20 würde). Allein dafür ist der Ausdruck „am auf den Sabbath folgenden Tag" gar un=
deutlich; er könnte ja nach P auch auf den 22. gehen, und der allgemeinere Gebrauch
von „Sabbath" als Ruhetag ist überhaupt nicht belegbar (anders ist die Bezeichnung des
Versöhnungstages als שבת שבתון Le 23, 32; 16, 31). Dazu kommt, daß nach Le 23, 15 f.
(vgl. Jos. Ant. 13, 8, 4) das Wochenfest (Pfingsten) immer auf den ersten Tag der
25 Woche fallen mußte, ebenso demnach jener Garbentag, während keine Spur darauf deutet,
daß man die Begehung des Passah nach dem Wochensabbat oder gar diesen nach dem
Passah, bezw. dem 1. Nisan gerichtet hätte. Besser stimmt also zum Wortlaut des Ge=
setzes die Annahme der Boethusäer und Karäer, nach welchen die Garbe nach dem in das
Osterfest fallenden Sabbath darzubringen war. So auch Fr. W. Schultz und Dillmann.
30 Gestattete man dann nach Jos 5, 11 die Darbringung schon am 15. Nisan, so vermied
man, daß sie eventuell erst nach dem Fest am 22. erfolgte. Doch ist gegen diese Deutung
der Zeitbestimmung zu sagen, daß der Sabbath bestimmter als der in die Osterwoche
fallende bezeichnet sein sollte, zumal da Le 23, 9 ff. nicht eng mit 23, 4—8 verbunden ist.
Vielleicht lautete einst die Angabe bestimmter und wurde dann so dehnbar gefaßt, weil
35 es nicht möglich war, die Erstlingsgarbe schon in der Mitte des Nisan zu beschaffen, in
welchem sie auch nach dem alten Monatsnamen Abib zur Ernte heranreifte.

Vergleichen wir nun die Angaben der verschiedenen Gesetzes= und Geschichtsquellen,
so sind sie darin einig, daß Passah= und Mazzothfeier mosaischen Ursprungs seien und
das Volk an den Auszug erinnern sollten. Zwar findet sich der Name Passah nicht im
40 B. Hier steht aber Mazzothfest im allgemeinen Sinn für die ganze Osterfeier, so gut
wie Ex 34, 18, wo nachher (v. 25) das Passah bei besonderem Anlaß genannt ist. Die
historische Bedeutung, die für das Passahopfer in J E so gut bezeugt ist wie in P, tritt
hinsichtlich der ungesäuerten Brote bei jenem noch stärker hervor als bei diesem, da das
Mangeln des Sauerteigs dort auf die Eile des Auszugs zurückgeführt wird (Ex 12, 34.39),
45 während es in P im voraus nach rituellem Kanon gefordert scheint 12, 8. 15—20.
Näher an ersteren schließt sich D, welcher die Mazzen „Elendbrot" nennt zur Erinnerung
an die ängstliche Stimmung beim Auszug (Dt 16, 3). — Ferner stimmen die Quellen
darin überein, daß die Feier am centralen Heiligtum Jahves geschehen soll. Denn schon
B Ex 23, 15 und Ex 34, 20 nennen sie als eines der drei Wallfahrtsfeste und schärfen
50 ein, daß dabei alle männlichen Glieder des Volks erscheinen sollen, und zwar nicht mit
leerer Hand, was auf freiwillige Privatopfer geht wie auch Dt 16, 17 vgl. 10. Dagegen
spricht H Le 23, 8. P Nu 28, 19 ff. von Gemeindeopfern, welche die Priester darzu=
bringen haben. Daß darin eine spätere Steigerung des Festaufwandes liege, ist keines=
wegs ausgemacht, da es sich aus dem Charakter der Quellen B, J E, D erklärt, daß sie
55 die priesterlichen Darbringungen nicht nennen. Auch bemerkt Schäfer S. 267 mit Recht,
daß schon die ältesten Schriftpropheten das Vorhandensein eines reichausgestatteten Opfer=
dienstes bei den Festen bezeugen, und der Inhalt dieser Bestimmungen auf alte Priester=
thoroth zurückgehen kann. Dasselbe wird gelten hinsichtlich der Daten des Festes, die
nur P mit H genau angiebt, während J E und D bloß den Monat Abib, „Ährenmonat"
60 nennen Ex 13, 4; 23, 15; Dt 16, 1. P allein nennt diesen Monat den ersten des

Jahrs, was noch nicht zu dem Schluſſe berechtigt, daß die Hebräer erſt im Exil den Jahresanfang im Frühling angenommen haben (Wellhauſen). Vielmehr giebt ſich die= ſelbe Anſchauung auch bei B und D darin kund, daß unter den drei großen Jahresfeſten das Paſſah-Mazzothfeſt die erſte Stelle einnimmt. Siehe Dillmann zu Ex 12, 2 und: Über das Kalenderweſen der Israeliten vor dem babyloniſchen Exil im Monatsbericht der 5 k. Akad. der Wiſſenſchaften zu Berlin 1881, S. 914 ff. — Das Deuteronomium betont angelegentlicher, daß dieſes Feſt wie Pfingſten und Laubhütten Wallfahrtsfeſt ſei, wobei alle männlichen Volksgenoſſen am Sitze des Heiligtums vor dem Angeſicht Jahves zu erſcheinen haben, da man nicht an jedem Wohnort das Paſſah ſchlachten könne. Sum= mariſch werden dabei die Feſtopfer „Kleinvieh und Rindvieh" genannt (16, 2), wobei 10 nicht gemeint ſein kann, daß auch Rinder an die Stelle des Paſſahlammes treten können, ſondern die ſonſtigen Opfer der Feſttage inbegriffen ſind. Vgl. auch 2 Chr 35, 7 ff. Daß D einfach vom Kochen des Lammes redet (16, 7), iſt nicht zu einem Widerſpruch mit der Vorſchrift Ex 12, 8 f., wonach es gebraten, nicht geſotten werden ſoll, zu ſtempeln. Das allgemeine בשל Dt 16, 7 braucht nicht im Sinn von בטימ (Ex 12, 9) genommen 15 zu werden, ſondern kann allgemeiner vom Kochen oder Garmachen überhaupt ſtehen, ſo daß auch das Braten (באש בשל, 2 Chr 35, 13) inbegriffen iſt. Eine formale Differenz findet ſich darin, daß D (16, 8) wie B (Ex 13, 6) nur den 7. Mazzothtag als Hauptfeiertag kenntlich macht, während H Le 23, 7 f. und P Ex 12, 16; Nu 28, 18. 25 den erſten und ſiebenten Tag als Hauptfeiertage auszuzeichnen. Die Differenz iſt aber unbedeutend, 20 da der erſte Tag durch das vorhergehende Paſſah ohnehin eine beſondere Weihe erhielt. Daß P oder H das Feſt zu einem achttägigen verlängert habe, beruht auf unrichtiger Zählung. Abweichende Beſtimmungen trifft dagegen der prophetiſch unabhängige Ezechiel 45, 21 ff. (wo v. 21 der Text nach Nu 28, 16 f. zu berichtigen iſt), indem er zwar die Paſſahfeier und das Mazzothfeſt ganz wie P unterſcheidet und ſie einander folgen läßt, 25 aber für die Tage der Feſtwoche anders bemeſſene Opfer vorſchreibt, die der Fürſt für ſich und ſein Volk darbringen ſoll.

In den geſchichtlichen Büchern ſind nur einige Paſſahfeſte ausdrücklich als ſolche erwähnt. Und obgleich nicht daran zu zweifeln iſt, daß dieſes Feſt als Hauptfeſt des Volkes ſeit Moſes Zeit wirklich begangen wurde, heben dieſe Quellen ſelber hervor, daß 30 es nicht immer korrekt nach moſaiſcher Vorſchrift geſchah. Als das erſte in Kanaan ge= feierte Paſſah bedeutſam war dasjenige, welches nach Joſ 5, 10 unmittelbar auf den Einzug ins Land nach vorausgegangener Beſchneidung folgte, und in der Jordansaue um Jericho ſtattfand. Weiterhin werden vor dem Exil nur zwei Paſſahfeſte als außer= ordentliche ausdrücklich namhaft gemacht, zunächſt dasjenige, das unter Hiskia gefeiert 35 wurde nach 2 Chr 30, wozu V. 26 bemerkt, daß ſeit Salomos Tagen ſolch ein Feſt zu Jeruſalem nicht ſei gefeiert worden. Dieſer Vergleich beziehet ſich nach dem Zuſammen= hang vor allem auf die Dauer der Feier und den dabei gemachten Aufwand. Währte doch die Feſtfreude nach 30, 23 ſogar 14 Tage lang und ließ ſich ſo nur mit dem Feſt der Tempelweihe unter Salomo 2 Chr 7, 8 f. vergleichen. Aber 2 Chr 30, 5 ſagt auch 40 ausdrücklich, daß die geſetzliche Korrektheit der Feier bisher gewöhnlich zu wünſchen übrig gelaſſen habe. War doch namentlich die Beteiligung des ganzen Israel „von Dan bis Beerſeba" und die Einheit des Feſtortes ſeit Salomos Tod durch die politiſchen Verhält= niſſe ſtark beeinträchtigt worden. Auch bei dieſer hiskianiſchen Feier freilich entſprach der Ritus nur annähernd dem Geſetz, ſofern der zweite ſtatt des erſten Monats wegen Ver= 45 ſpätung der Vorbereitungen gewählt werden mußte (30, 2 f.) und auch nur wenige aus den nördlichen Stämmen teilnahmen (30, 10 f.); die ſiebentägige Nachfeier war desgleichen eine Unregelmäßigkeit. So erklärt ſich, daß derſelbe Chroniſt (II, 35, 18) zu der zweiten Paſſahfeier, von welcher er Meldung thut, der im 18. Jahr Joſias abgehaltenen, die Be= merkung macht, eine ſolche ſei ſeit Samuel nicht vorgekommen. Gemeint iſt hier, im 50 Unterſchied von der an der Parallelſtelle 2 Kg 23, 21 ff. eine ſo genau dem Bundesgeſetz (Dt 16, 5 ff.; anders Fries, der an Ex 34 denkt) entſprechende. Auch hier erſcheint Hiskia als Vorkämpfer der mo= ſaiſchen Kultusideen, in deſſen Fußtapfen Joſia mit durchſchlagenderem Erfolge tritt. In Bezug auf den ſpeziellen Ritus des Paſſahlammes wird 2 Chr 30, 16 f. hervorgehoben, daß unter Hiskia die Leviten an Stelle der durch Unreinigkeit Gehinderten dasſelbe ſchlach= 55 teten und die Prieſter das Blut an den Altar ſprengten. Bei dem erſten Paſſah nach dem Exil (Esr 6, 19 ff.) ſchlachteten ſogar die Leviten für die ganze Gemeinde. Die ſpätere Praxis war noch anders. Siehe darüber unten.

Was läßt ſich aus dieſen Quellen und Nachrichten über die Entſtehung und Grundbedeutung des Feſtes folgern? Für den Namen פסח hat man verſucht eine 60

andere, außerhebräiſche Ableitung zu finden, indem ja jene Deutung auf das Vorüber-
ſchreiten eine Hebraiſierung ſein könnte. Riedel ſchlägt dafür das ägyptiſche pôseḥ, Ernte,
vor. Allein abgeſehen von der lautlichen Verſchiedenheit iſt, wie oben gezeigt, gerade die
Beziehung zur Ernte hier zweifelhaft. Andere weiſen auf das babyloniſche Verbum pa-
5 ṣâḥu, ſ. beruhigen, ſ. beſänftigen, welches, in tranſitiver Bedeutung genommen, für einen
Verſchonungsritus gut paſſen würde. Doch erwartete man dann die hebr. Schreibung
חסף. — Was die Entſtehung der Sache anlangt, ſo ſieht Wellhauſen in dem Paſſah
urſprünglich nichts anderes als ein Hirtendankfeſt, wobei man erſtgeborene Lämmer opferte.
Aus dieſem Brauch ſoll nach ihm auch die Sage von der Tötung der ägyptiſchen Erſt-
10 geburt erwachſen ſein. Ebenſo ſei das jedenfalls erſt in Kanaan angenommene, vom
Paſſah ganz unabhängige Feſt der ungeſäuerten Brote eigentlich ein Erntefeſt, indem man
ſich beim Anfang der Ernte die Zeit nicht genommen habe, die aus friſcher Frucht ge-
backenen Brote erſt zu ſäuern. Die hiſtoriſche Beziehung auf den Auszug ſei dem Feſte
erſt ſpäter beigelegt; bei D ſei ſie zuerſt vollzogen; Ex 13, 1—16 ſei deuteronomiſtiſch
15 überarbeitet. Dieſe Erklärung, die vielen Beifall gefunden hat, ſetzt ſich doch gewaltſam
über den wirklichen Stand der Quellen hinweg. Daß das Paſſah ein Erſtgeburtsopfer
ſei, iſt nirgends geſagt. Allerdings erſcheint die Verordnung der Abgabe der Erſtlinge
in unmittelbarer Nähe der Anordnung des Paſſah, ſie gehört jedoch nicht zu dieſer, ſondern geſellt ſich nur zu ihr, weil beide Stiftungen mit dem Auszug und der Tötung der
20 ägyptiſchen Erſtgeburt zuſammenhangen. Daß das Paſſahlamm ein Erſtlingslamm ſei,
verlautet nirgends; wohl aber geht das Gegenteil daraus hervor, daß mit den Erſtlings-
lämmern anders verfahren werden ſollte, und zwar ſchon nach B (Ex 22, 29), dem älteſten
Geſetzbuch. Man hat demnach kein Recht, von einer ſpäter erfolgten Ablöſung des Paſſah
vom Erſtgeburtsopfer zu reden. Sodann iſt die hiſtoriſche Deutung des Feſtes ſchon bei
25 J E ſehr ſtark bezeugt und läßt ſich nicht durch Verweiſung auf Überarbeitung entfernen.
Vgl. Kittel, Geſch. d. Hebr. I, 104 f.; Schäfer, S. 136 ff. Dies alles ſchließt freilich die
Möglichkeit nicht aus, daß das moſaiſche Paſſahfeſt ein altes Frühlingsdankfeſt, wobei
Erſtlinge der Herde und der Feldfrüchte dargebracht werden mochten, in ſich aufgenommen
habe. Wird doch ausdrücklich bezeugt, daß die Israeliten um die Zeit des Auszugs vom
30 Pharao begehrten, ein Feſt dem Jahve zu feiern. Aber jedenfalls war, ſo weit unſere
Quellen hinaufreichen, der Paſſahbrauch mit jenem Ereignis der Erlöſung aus Ägypten
unzertrennlich verbunden. Nach ihrem einſtimmigen Zeugnis iſt dieſer Brauch wirklich
unter der Bangigkeit der letzten ägyptiſchen Bedrückung und dem Herzklopfen vor dem
furchtbaren Richter und Rächer der Sünden jenes Landes erwachſen — ein Ausdruck
35 davon, daß der Herr denen, die zerſchlagenen Herzens ſind, ſeine Gnade zuwendet, doch
ſo, daß auch ſie inne werden, es ſei lauter Gnade, wenn er ſein Gericht an ihnen
vorübergehen laſſe.

Eindrücklich wird dies inſonderheit durch das Paſſahopfer dargeſtellt, deſſen nähere
Bedeutung wir noch zu betrachten haben. Es iſt ein wirkliches Opfer, obwohl der rö-
40 miſch-katholiſchen Ausbeutung dieſes Moments für die Meſſe gegenüber die älteren Proteſtanten dem Paſſah den Charakter eines Opfers meiſt abſprachen und noch Hofmann
(Schriftbeweis II, 270 ff., 2. Aufl.) wenigſtens dem ſakrifiziellen und gottesdienſtlichen Charakter des erſten, in Ägypten gehaltenen Paſſahmahles beſtritt, wogegen zu vergleichen
Kurtz, Opferkultus S. 312 ff. Daß das Paſſahmahl im allgemeinen unter die Kategorie
45 der Opfermahlzeiten gehört, zeigt ſchon der Ausdruck זבח פסח לי׳ Ex 12, 27, ferner die
vielen Stellen, wo von זבח פסח die Rede iſt, und die Bezeichnung der Handlung als
einer זבחה Ex 12, 26; Nu 9, 7 heißt es geradezu ein קרבן, das Gott dargebracht
werde. Sonſt trat allerdings dieſes Moment der oblatio wenigſtens bei dem in
Ägypten geſchlachteten Lamm zurück, aber nur deshalb, weil es dort für die Darbringung
50 ſo wenig einen Altar als eine Prieſterſchaft gab. Späterhin wurde das Blut an den
Altar gegoſſen und wohl auch die Fettſtücke (Ex 23, 18; 34, 25) auf demſelben verbrannt. Näher aber gehört das Paſſah nicht zu den Sühnopfern (Hengſtenberg), ſondern
zu den Schelamim oder זבחים (ſiehe Bd XIV S. 392,25), d. h. zu jener Opferart, wo die
Mahlzeit ein Hauptakt iſt, welche die Gemeinſchaft zwiſchen Gott und den Menſchen
55 ausdrückt, ſo zwar, daß es unter jenen, dank ſeinem hiſtoriſchen Charakter, eine einzigartige Stellung einnimmt und ſich durch beſondere Eigentümlichkeiten auszeichnet. Seiner
Form nach iſts ein Haus- oder Familienopfer. Durch Teilnahme an demſelben einheitlich
verbunden, bekennen ſich die Hausgenoſſen zum Volke Gottes und werden ſo des dieſem
von Gott zugedachten Heiles teilhaftig. Daß (abgeſehen von Esr 6, 19 ff.) jeder Haus-
60 vater ſein Lamm ſchlachtet auch in ſpäterer Zeit, wo das Blut vor den Altar gegoſſen

wird, und das Verzehren des Lammes in den Häuſern ſtattfindet, ſowie daß jeder An=
gehörige bei Androhung der Ausrottung an der Mahlzeit teilnehmen ſoll, aber unter der
ſtreng vorgeſchriebenen Bedingung der Beſchneidung und geſetzlichen Reinheit — das alles
zeigt, wie jedes Haus für ſich eine kleine Gemeinde darſtellen ſoll (Joſ 24, 15), die dem
Herrn dient; daß es aber zugleich nur ein Glied der Geſamtgemeinde ſei, ruft der na= 5
tionale Charakter und die geſetzlich geforderte lokale Einheit des Paſſahkultus in Erinne=
rung. So zeigt die Feier aufs ſchönſte die Durchdringung des häuslichen Lebens durch
den Dienſt Jahves. Seiner erſten Beſtimmung nach iſt das Paſſah ein Abwendungs=
opfer; in der Opfermahlzeit tritt aber die Aneignung des Heils, die Gemeinſchaft mit
dem gnädigen Gott von Anfang an ſtark hervor. In erſterer Hinſicht ſoll unzweifelhaft 10
das Blut ſühnende Wirkung haben, indem es den Zorn Gottes vom Hauſe abhält, wie
immer man ſich dieſelbe theologiſch ausdenken möge. Siehe darüber Bd XIV S. 395, 22.
Das Blut an der Thüre iſt dem Würgengel das Zeichen, daß er über die im Hauſe Be=
findlichen keine Gewalt habe. Die Blutſtreichung an Pfoſten und Oberſchwelle ſcheint
altſemitiſcher Ritus, den man auch in Babylonien gefunden haben will. Siehe jedoch 15
KAT³ 599. Vgl. auch Curtiß S. 259. Als ein Gott zu weihendes Opfertier läßt
jenes Lamm ſchon ſeine Beſchreibung erkennen. Es ſoll ſorgfältig ausgewählt werden
wie andere Opfertiere, wie dieſe (Le 1, 3, 10; 3, 6; 22, 17 ff.) fehlerfrei ſein, männlich
(da dieſes Geſchlecht als das vorzüglichere galt, Le 1, 3, 10; 22, 19), einjährig (wie auch
für Brandopfer und andere vorgeſchrieben war Le 9, 3; 23, 12. 18 u. ö.), ein Schaf, 20
was auch ſonſt das gewöhnlichſte Opfertier war; doch auch die Ziege wird zugelaſſen
(wie Le 22, 19; Nu 15, 11). Daß dem Tier kein Bein zerbrochen werden dürfe, was
nicht ſo faſt beim Schlachten, wo es überhaupt nicht Sitte war, als vielmehr beim Eſſen
eingeſchärft wird, erinnert wohl bloß daran, daß es nicht wie gemeines Schlachtvieh,
ſondern als ein geweihtes Tier zu behandeln ſei; es ſollte zugleich die integrale Einheit 25
des Opferlammes und damit die der davon Eſſenden gewahrt werden (vgl. 1 Kor 10, 17),
ebenſo durch die Verordnung (Ex 12, 46), daß nichts von dem Lamme aus dem Hauſe
dürfe getragen werden. Vor Profanation ſollte die heilige Speiſe auch durch die Ex 12, 10
getroffene Beſtimmung bewahrt werden. Die ſpeziell geforderte Zubereitung des Bratens
— das Tier ſoll natürlich nicht roh gegeſſen werden dürfen, aber auch nicht im Waſſer 30
geſotten — hat wohl weniger Bezug auf die Eiligkeit der Herrichtung als darauf, daß
das Lamm nicht von anderen Subſtanzen durchdrungen und zerſetzt werden ſoll. Dagegen
in dem eiligen reiſefertigen Verzehren desſelben, welches die Samaritaner bis heute bei=
behalten haben, ſtellt ſich die Wichtigkeit des Augenblicks der Erlöſung dar, wo man
ängſtlich auf Befreiung harrte. Desgleichen erinnerten die bitteren Kräuter an die ägyp= 35
tiſche Mühſal und Drangſal, aus welcher die göttliche Befreiungstat erlöſte. Ebenſo war
die Bedeutung der ungeſäuerten Brote eine hiſtoriſche (Ex 13, 8; Dt 16, 3), womit ſich
aber eine kultiſch-ſymboliſche verband. Siehe das über die Bedeutung des Sauerteiges
Bd XIV S. 390, 35 Geſagte und vergleiche Ex 29, 30 ff. vgl. V. 2, wonach die neugeweihten
Prieſter 7 Tage lang ſich desſelben zu enthalten hatten. 40

Im Neuen Teſtament iſt das Paſſahlamm Vorbild Jeſu Chriſti geworden (1 Kor
5, 7), deſſen Opfertod Verſchonung mit dem Zorne Gottes bewirkt für ſeine Gemeinde,
welche durch den Genuß ſeines Leibes und Blutes (vgl. Jo 6 und das hl. Abendmahl)
der Gemeinſchaft mit ihm und durch ihn mit Gott teilhaftig und zu Einem Leibe ver=
bunden wird. Dieſe innere Verwandtſchaft war auch äußerlich nahegelegt durch den Zeit= 45
punkt des Todes Chriſti und ſein bei der Paſſahfeier eingeſetztes Abendmahl. Jenes
Jüngermahl in der Leidensnacht war übrigens ein anticipiertes Paſſahmahl, da der
14. Niſan erſt auf den Freitag fiel, wie aus dem Johannesevangelium (Jo 19, 14) er=
ſichtlich, welches mit Bewußtſein den Tod Chriſti als den des wahren Oſterlammes dar=
ſtellt. Wir geben ſchließlich eine kurze Beſchreibung der häuslichen Feſtfeier, wie ſie in neuteſta= 50
mentlicher Zeit gehalten worden, wobei wir freilich zum großen Teil auf die ſpäteren
talmudiſchen und rabbiniſchen Quellen angewieſen ſind. Vgl. beſonders Traktat Peſachim
und Franz Delitzſch, ZlThK 1855, S. 257 ff. (aus dem archäologiſchen Werke Shilte
ha-Gibborim von Abraham ben David im Mantua 1612).

Das Paſſah durfte nur in Jeruſalem geſchlachtet werden, im Vorhofe des Tempels, 55
gleich den anderen Opfern. Deshalb führte dieſes Feſt eine ungeheure Menge Volkes in
die Hauptſtadt und die Beſorgnis eines Aufſtandes bei dieſem Anlaß (Mt 26, 5) lag
nahe. Ein ſolcher iſt am Paſſahfeſte wiederholt von den Römern gefürchtet worden oder
wirklich eingetreten. Joſephus Ant. 17, 9, 3; 20, 5, 3. Vgl. Bell. Jud. 1, 4, 3 μάλιστα γὰρ ἐν ταῖς εὐωχίαις αὐτῶν στάσις ἅπτεται. Hinrichtungen liebte man zur Ab= 60

ſchreckung des verſammelten Volkes am Feſte zu vollziehen. Anderſeits hatte die Ge=
wohnheit des Landpflegers, ihm an dieſem Feſt einen Gefangenen frei zu geben (Mt 27, 15)
ohne Zweifel die Abſicht, die Juden günſtig zu ſtimmen. Am verhängnisvollſten wurde
der Andrang des Volkes vor der letzten Belagerung Jeruſalems durch die Römer (Titus),
5 indem die zur Paſſahfeier verſammelte Menge in der Stadt eingeſchloſſen und in den
Untergang derſelben hereingezogen wurde. Bei dieſem Anlaſſe teilt Joſephus (Bell. Jud.
6, 9, 3), mit, daß einige Jahre früher auf den Wunſch des Ceſtius, auf dem Nero einen
Begriff von der Stärke der judäiſchen Bevölkerung beibringen wollte, die Hohenprieſter
die Zahl der Paſſahlämmer gezählt hätten, die ſich damals auf 256,500 belief, welche
10 Zahl, da man mindeſtens 10 Männer auf ein Lamm zu rechnen habe, etwa 2,700,000
Männer ergebe, wobei erſt noch die Unreinen nicht mitgezählt ſeien. (Die Zählung des
Volkes nach Paſſahlämmern, welche die Rabbinen irrtümlich ſchon 1 Sa 15, 4 heraus=
leſen, berichtet der Talmud von König Agrippa I., wobei ſich eine Menge von 2 Millionen
ergeben haben ſoll.) Ebenſo wird von Joſephus Bell. Jud. 2, 14, 3 die Zahl der den
15 Ceſtius am Oſterfeſt umgebenden Volksmenge auf 3 Millionen angeſchlagen. Mögen
nun auch dieſe Zahlen übertrieben ſein, jedenfalls fand die Maſſe der Feſtgäſte in der
Stadt nicht genügenden Raum, ſondern verteilte ſich auch auf die umliegenden Dörfer
und ſchlug Zelte oder Hütten in der Nähe Jeruſalems auf. Den Gaſtfreunden, in deren
Häuſern man die Mahlzeit hielt, überließ man dafür das Fell des Oſterlammes. — Der
20 Zeitpunkt der Feſtfeier beſtimmte ſich zunächſt durch den Stand der Ernte. Zeigten ſich
die Feldfrüchte in der Mitte des 12. Monats noch nicht genug vorgeſchritten, um in
4 Wochen die Ernte zu beginnen, und war auch die junge Tierwelt (Tauben und Lämmer)
noch nicht genug entwickelt zum Opfer, ſo wurde der laufende 12. Monat als Schalt=
monat erklärt und ein 13. eingefügt. Der Anfang des Paſſahmonats wurde vom Syn=
25 edrium erſt erklärt, wenn der neue Mond von Augenzeugen geſehen worden war. Man
meldete dann den Monatanfang durch Feuerſignale über die Landſchaft hin; da aber die
Samaritaner durch ſolche Feuer die Juden irreführten, verordnete man, daß Boten die
Nachricht dem Lande zu bringen hätten Rosch haschana 2, 1 f. — Nachdem ſchon von
15. Adar an die Wege und Brücken ausgebeſſert, die Gräber durch Übertünchen kenntlich
30 gemacht und andere Vorbereitungen getroffen worden waren, wurden in den letzten Tagen
vor dem Feſte die Gefäße ſorgfältig gereinigt und am 14. Niſan als dem Rüſttage des
Feſtes das Geſäuerte und der Sauerteig mit peinlicher Ängſtlichkeit aus den Wohnungen
entfernt. Wer über das Feſt Geſäuertes aß, verfiel der Strafe der Geißelung. Dagegen
buken die Hausfrauen ungeſäuerte Kuchen, womöglich aus Weizenmehl. Am Nachmittag
35 wurden im Tempelvorhof die Paſſahlämmer geſchlachtet und zwar um 8½ Uhr (nach
unſerer Rechnung 2½ nachmittags), Miſchna Pesachim 5, 1 f. 58a) oder 7½ (= 1½)
Uhr; eine Stunde ſpäter ſollten die Lämmer dargebracht werden. Der Zeitpunkt war
ſo früh gewählt, daß jedem Zeit bleibe, ſein Lamm zu Hauſe zu braten. Wenn dagegen
dieſer Paſſahrüſttag zugleich Rüſttag des Sabbaths war, ſollte ſchon um 6½ geſchlachtet,
40 um 7½ dargebracht werden, womit Jo 19, 14 zu vergleichen. Das Schlachten geſchah
in drei Abteilungen, deren eine um die andere in den Tempelvorhof eingelaſſen wurde.
Die in Reihen aufgeſtellten Prieſter, von denen die einen ſilberne, die anderen goldene
Schalen in den Händen hielten, fingen das Blut darin auf und reichten die volle Schale
ihrem Nebenmann, ſo daß ſie bis an den Altar gelangte, wo ſie vor dem dort befind=
45 lichen auf einmal ausgegoſſen wurde. Die Tiere wurden an Nägeln oder Stäben auf=
gehangen und enthäutet, ihre Eingeweide ausgenommen und die zu opfernden Stücke in
einem Gefäß von dem Prieſter zum Altare gebracht. Unterdeſſen ſangen die Leviten das
Hallel. Ging dieſes zu Ende, ehe die Darbringung durch die betreffende Abteilung voll=
zogen war, ſo ſollte es zum zweiten und drittenmal (welch letzteres jedoch nie nötig ge=
50 worden ſei) vorgetragen werden. War die erſte Abteilung fertig, ſo folgte die zweite
und die dritte (Miſchna Pesachim 5, 6ff.). Die Schlachtenden hatten anzugeben, wie
viele Teilnehmer von ihrem Lamme genießen würden. Es durften nicht unter 10 Männer
ſein und waren ſelten mehr als 20. Eine talmudiſche Beſtimmung giebt an, daß min=
deſtens jeder Teilnehmer ein Stück Paſſahfleiſch von der Größe einer Olive erhalten ſolle.
55 Daß die Frauen an der Mahlzeit teilnahmen, ſetzen Joſephus und Miſchna voraus; da=
gegen waren ſie dazu nach der Gemara (vgl. Dt 16, 16) nicht eigentlich verpflichtet. —
Das Lamm wurde an hölzernem Bratſpieß (von Granatholz, damit kein Saft heraus=
tropfe) gebraten; bei der Zubereitung und beim Eſſen durfte ihm kein Bein zerbrochen
werden bei Strafe der Geißelung. Nach Ex 12, 26 f.; 13, 8 fragte bei der Mahlzeit,
60 d. h. nachdem der erſte Becher getrunken war, der erſtgeborene Sohn den Vater um die

Bedeutung des Gebrauchs, worauf dieſer, ſpäter ein Vorleſer, die Geſchichte des Auszugs mit Anknüpfung an die verſchiedenen Teile der Mahlzeit erzählte. Die Geſellſchaft ſtimmte darauf das ·Hallel (Pſalm 113—118; vgl. Delitzſch zu Pſalm 113) an, und ſang zunächſt Pſalm 113. 114; dann folgte der zweite Feſtbecher, darauf die eigentliche Mahlzeit. Dann wurde der dritte Becher (μετὰ τὸ δειπνῆσαι) getrunken, welcher alſo wohl 5 Lc 22, 20 gemeint iſt als derjenige, den der Herr zur Stiftung des Abendmahls benützte. Auf die Analogie zwiſchen der Bedeutung des Paſſahopfers und derjenigen, die Chriſtus ſeinem eigenen Sterben beilegt und im Abendmahl abbildet, wurde ſchon oben hingewieſen. Auf dieſen dritten folgte aber noch ein vierter Feſtbecher, nach deſſen Einſchenken der zweite Teil des Hallel (Pſ 115—118) geſungen wurde, worauf ſich jenes 10 ὑμνήσαντες Mt 26, 30; Mc 14, 26 zu beziehen ſcheint. — Während von den Juden das Beſtreichen der Thürpfoſten mit dem Paſſahblut und die Eilfertigkeit des Eſſens als etwas nur für die erſte Mahlzeit in Ägypten Giltiges nicht berückſichtigt wurde, halten ſich die Samaritaner bis heute in dieſem wie anderen Punkten ſtrenger an das Geſetz, indem ſie wenigſtens eine eigentümliche Beſtreichung ihrer Kinder mit dem Blute vor- 15 nehmen und die Mahlzeit eilig, den Stab in der Hand, halten. Siehe die Beſchreibung eines ſolchen ſamaritaniſchen Paſſahfeſtes auf dem Garizim in Bädekers Paläſtina und Syrien.   v. Orelli.

Paſſahſtreitigkeiten ſ. oben S. 725, 15 ff.

Paſſau, Bistum. — Urkunden in den Monumenta Boica XXVIII, 2 u. XXIX, 2, 20 im UB. des Landes o. E., Wien 1852 ff., vgl. auch Hanſiz, Germania sacra I, Augsburg 1727. Biſchofsliſten MG SS XIII S. 361 und XV S. 1310. — Rettberg, KG Deutſchlands I, 1846 S. 226 ff. u. II, 1848 S. 245 ff.; Friedrich, KG Deutſchlands I, 1867 S. 199 ff. 343 ff.; Hauck, KG Deutſchlands I, 3. Aufl. S. 379 u. 505 II, 2. Aufl. S. 460 ff., III S. 150 ff.; Schröbl, Passavia sacra, Paſſau 1879.   25

Das Bistum Paſſau iſt durch Bonifatius, gleichzeitig mit den übrigen baieriſchen Bistümern im Jahre 739 organiſiert, ſ. Bd III S. 304, 33. Sein Sprengel umfaßte das Land auf beiden Ufern der Donau vom Einfluß der Iſar an abwärts. Die Nordgrenze bildete der Böhmerwald, die Südgrenze fällt nahezu mit der jetzigen Grenze von Oberöſterreich gegen Salzburg und die Steiermark zuſammen. Im Oſten bildete die Enns 30 die Grenze. Das Chriſtentum war in dieſem Landſtrich längſt verbreitet. Es reicht zurück in die Römerzeit. Damals war Lauriacum, die bedeutendſte römiſche Feſtung an der Donaulinie, Sitz eines Biſchofs, ſ. Vita Sever. 30 S. 48; in Batava, dem heutigen Paſſau, dem gegenüber auf dem rechten Donauufer gelegenen Boioburum, in Quintana (Plattling oder Künzing) und an anderen Orten gab es Kirchen, Vita Sever. 15 S. 32 35 u. 23, S. 41. Aber das Chriſtentum in den Römerorten an der Donau erlag dem Vorbringen der deutſchen Stämme, ſ. b. A. Severin, das Bistum ging ein und die Kirchen zerfielen; doch iſt es nicht ganz unmöglich, daß einzelne Reſte des Chriſtentums ſich durch die Stürme der Völkerwanderung hindurch gerettet haben. In der baieriſchen Zeit begegnet man zuerſt der Thätigkeit von Wanderbiſchöfen. Als ſolche werden Erchanfrid 40 und Otkar genannt, M. B. XXVIII, 2 S. 35, 39, 63. Einen dritten, Vivilo, weihte Gregor III. Als Bonifatius das Bistum Paſſau gründete, wurde er an die Spitze geſtellt. Paſſau war neben Salzburg das ſüdöſtliche Miſſionsbistum. Schon die Stiftung des Kloſters Kremsmünſter im Jahre 777 (UB. b. L. o. Enns II, S. 2 Nr. 2) wird im Hinblick auf die kirchliche Arbeit unter den Slaven geſchehen ſein. Nach der 45 Vernichtung des Avarenreiches im Jahre 796 wurde das Land zwiſchen Enns und Raab zum Paſſauer Sprengel geſchlagen, ſ. b. A. Avaren Bd II S. 314, 46 ff. Die Pflanzung des Chriſtentums in dem neugewonnenen Land iſt das Verdienſt von Paſſauer Prieſtern. Zwar wurde ihr glücklich begonnenes Werk durch das Vordringen der Ungarn wieder vernichtet. Im Anfang des 10. Jahrhunderts ging die Oſtmark Deutſchland verloren. 50 Aber ſchon um die Mitte desſelben begann die Neubeſetzung, ſ. KG D.s III S. 153 ff., und ſofort erſchien auch die Paſſauer Kirche auf dem Plan, um ihre Arbeit wieder aufzunehmen, a. a. O. S. 165. Auch weiter oſtwärts hat ſie gearbeitet. Biſchof Piligrim (971—991) ſandte ſchon im Beginn ſeines Epiſkopats Paſſauer Prieſter zur Miſſionspredigt nach Ungarn, Brief P.s an Papſt Benedikt, UB. b. L. o. E. II S. 711. 55 In dieſen Verhältniſſen lag die Vorausſetzung für den ehrgeizigen Plan, Paſſau zum Rang eines Erzbistums zu erheben. Durch eine vermeſſene Fälſchung ſuchte Biſchof Piligrim (ſ. b. A.) ihn zu verwirklichen. Aber der Plan mißlang. Paſſau blieb Bistum. Die ungariſche Kirche organiſierte ſich unabhängig von der deutſchen. Später, durch die Gründung der Bistümer Wien im Jahre 1468, Linz und St. Pölten im Jahre 1783, verlor Paſſau die größere Hälfte ſeiner Diöceſe.

Biſchöfe: Vivilo 739—?, Beatus, Sidonius 754 erwähnt, Anthelm, Wiſurich geſt. 770—774, Waldrich geſt. 804 oder 805, Urolf geſt. 806, Hatto geſt. 817, Reginhar geſt. 837 oder 838, Hartwich geſt. 864 oder 865, Ermanrich 865—874, Engilmar geſt. 899, Wiching 899 abgeſetzt, Richar 899—902, Burchard 903—?, Gundbolt geſt. 930, Gerhard geſt. 945, Adalbert geſt. 970, Piligrim 971—991, Chriſtian geſt. 1013, Be-ringer 1013—1045, Engilbert geſt. 1065, Altmann 1065—1091, Udalrich I. 1092—1121, Reginmar geſt. 1138, Reginbert 1138—1147 oder 1148, Konrad 1147 oder 1148 bis 1164, Rupert 1164—1165, Albo 1165—1169, Heinrich I. v. Berg 1169—1171, Diet-bald v. Berg 1172—1190, Wolfger v. Ellenbrechtskirchen 1191—1204, Poppo 1204 bis 1206, Manegold 1206—1215, Ulrich II. 1215—1221, Gebhard v. Plain 1222—1232, Rudiger v. Radeck 1233—1249, Berthold v. Sigmaringen 1250—1254, Otto v. Lons-dorf 1254—1265, Ladislaus 1265, Peter 1265—1280, Wichard v. Pollheim 1280 bis 1282, Gottfried 1283—1285, Bernhard v. Prambach 1285—1313, Heinrich 1317 bis 1319, Albert v. Sachſen 1320—1342, Gottfried von Weißeneck 1344—1362, Albert v. Winkel 1364—1380, Johann v. Scharffenberg 1381—1387, Rupert v. Berg 1387 bis 1389, Georg v. Hohenlohe 1389—1423, Leonhard v. Laiming 1424—1451, Ulrich Nußdorfer 1454—1479, Georg Heßler 1480—1482, Friedrich Mauerkirchner 1482 bis 1485, Friedrich v. Öttingen 1486—1490, Chriſtof Schachner 1490—1500, Wiguleus Fröſchel 1500—1516. **Hauck.**

Paſſauer Vertrag, ſ. b. A. Augsburger Religionsfriede, Bd II S. 250, 26 ff.

Paſſioniſten. — (Diſchinger), Leben des ehrw. Dieners Gottes P. Paul vom Kreuze, Stifters der Kongregation der unbeſchuhten Kleriker des hl. Kreuzes und des Leidens Chriſti oder der Paſſioniſten; aus dem Ital. von einem kath. Prieſter, Regensburg 1846. Auguſtin Theiner, Geſchichte des Pontifikats Clemens XIV. (Leipz. und Paris 1853) II, 344. Derſ., Epistolae ac Brevia Clementis XIV. (Paris 1852), p. 80 sq. Mitterrutzner, Der hl. Paul vom Kreuz; aus b. Ital., Innsbruck 1860. Pius a Spiritu Sancto, The Life of St. Paul of the Cross, Founder of the Passionists, Dublin 1868. Luca di San Giuseppe, Vita della serva di Dio M. Maria crocifissa di Gesù, prima superiora della religiose Passioniste, Civita-Vechia 1878. Hergenröther, Handb. der allg. Kirchengeſch.[3], III, 515. Helmsing, Art. „Paulus v. Kreuz", im KKL[2], IX, 1719 f. Helmbucher, Kath. Ordensgeſch. II, 285—288.

Die durch die Inbrunſt ihres Andachtslebens und ihren Miſſionseifer ſich auszeich-nende Kongregation der Paſſioniſten oder der regulierten Kleriker vom hl. Kreuz und vom Leiden Chriſti (Congregatio clericorum excalceatorum S. S. Crucis et Passionis) verdankt ihre Entſtehung dem Zeitalter des Ankämpfens der Päpſte und der römiſchen Hierarchie gegen die von allen Seiten her auf ſie losſtürmende Aufklärungsbewegung des vorigen Jahrhunderts. Der Stifter Francesco Danei, genannt Paulus vom Kreuze (Paolo della Croce), wurde geboren zu Ovada in der Diöceſe Acqui in Piemont am 3. Januar 1694. Er erſcheint in mehrfacher Hinſicht als Geiſtesverwandter ſeines ſüd-italieniſchen Landsmannes und Zeitgenoſſen Liguori. Von ſeinen Eltern, Luca Danei und Maria, geb. Maſſari, wurde er ſchon in früher Jugend zu frommen Andachtsübungen, zur Lektüre von Heiligenleben u. dgl. angehalten. Die eine Zeit lang ihn beſeelenden kriegeriſchen Neigungen, kraft deren er in venetianiſchen Dienſten gegen die Türken zu kämpfen gedachte, wichen allmählich friedlicheren Beſtrebungen. Schon 1720, noch vor er-langter Prieſterweihe, trug er ſich mit dem Projekt der Stiftung eines Ordens vom Kreuze, nahm deshalb ſelbſt dieſen Namen mit Genehmigung des Biſchofs von Aleſſandria an und bezog, angethan mit einer ſchwarzen Tunika, die dieſer geiſtliche Obere ihm ge-ſchenkt hatte, eine Klauſe bei der Kirche von San Carlo bi Caſtellazo. Später trat er als wandernder Bußprediger öffentlich hervor; auch ſammelten ſich, nachdem die päpſtliche Genehmigung zur Vereinsgründung 1725 erlangt worden, einzelne Novizen um ihn und ſeinen Bruder Johann Baptiſt, mit welchem zuſammen Paul im Jahre 1727 die Prieſter-weihe aus den Händen des Biſchofs Aurelio Cavalieri von Troja in Neapolitaniſchen (Provinz Capitanata) empfing. Doch wurde erſt zehn Jahre ſpäter (1737) auf dem Monte Argentano ein erſtes Haus von Klerikern vom Kreuz und der hl. Paſſion oder Paſſioniſten gegründet; ſpäter zu Orbitello in Toskana ein zweites u. ſ. f. Dem langſam ſich mehrenden und durch glaubenseifriges Miſſionswirken ſich verdient machenden Orden erteilte Benedikt XIV. 1741 eine erſte, ſowie Clemens XIV. 1769 eine wiederholte Be-ſtätigung (Theiner, l. c.). Der letztere Papſt ehrte den ſchon bei ſeinen Lebzeiten kraft

ſeiner Bußſtrenge und ſeiner großen Seelſorgererfolge in den Ruf ungewöhnlicher Heilig=
keit gelangten Stifter durch ein beſonderes Breve; auch überwies er ihm als römiſchen
Sitz für ſeine Genoſſenſchaft das St. Johannes= und Paulus-Kloſter am Monte Celio.
Paul vom Kreuze ſtarb ein Jahr nach dieſem päpſtlichen Gönner in Rom, am 18. Ok=
tober 1775, kurz nachdem er ſeine letzte öffentliche Miſſion gehalten hatte. — Zweck ſeiner 5
Kongregation iſt, laut dem beſonderen vierten Gelübde, welches ihre Mitglieder nach voll=
endeten einjährigen Noviziat abzugeben haben: „das treueſte Andenken an Chriſti heil=
bringendes Leiden und ſeinen Tod eifrigſt zu fördern“. — Dem angehenden Profeſſen wird
ein Kreuz und eine Dornenkrone aufgelegt und das Namenszeichen Jeſu Chriſti auf die
Bruſt geheftet; während dieſer Ceremonie wird die Leidensgeſchichte des Herrn nach Jo= 10
hannes verleſen, worauf dann die feierliche Ablegung jener Gelübde erfolgt. — Die ſchwarze
grobe Tunika und das ähnliche Pallium, woraus ihre Ordenstracht beſteht, haben an der
linken Seite den Namen Jeſu, ein kleines Herz und ein weißes Kreuz darüber. Schon
Pius VI. (der die Regel der Kongregation 1785 nochmals, nach Vornahme einiger Mil=
derung mit ihren Satzungen, beſtätigte) übertrug den Paſſioniſten Miſſionen zur Aus= 15
breitung römiſchen Chriſtentums, und zwar zunächſt (ſeit 1782) in Bulgarien und der
Wallachei, wohin bis zu Anfang der vierziger Jahre unſeres Jahrhunderts nach und nach
24 ihrer Mitglieder entſandt wurden. Dazu traten ſpäter Belgien, England und beſon=
ders Neuholland als weitere Schauplätze ihres Miſſionswirkens. Zu ſehr großer Mit=
gliederzahl iſt die Kongregation bisher weder in ihrer männlichen Abteilung noch in dem 20
ſpäter hinzugetretenen weiblichen Zweige gelangt. Zu dem letzteren hatte ſchon Paul
v. Kreuz den Grund gelegt. Erſte Oberin der Paſſioniſtinnen wurde Maria Crociſiſſa
di Jeſu (vgl. o.), eine ſpätere Erneuerung erfuhr ihre Genoſſenſchaft durch die Gräfin
Maddalena Caponi (1819). Das einzige Kloſter derſelben befindet ſich in Florenz. —
Den Stifter des Ordens hat Pius IX. am 1. Mai 1867 heilig geſprochen (vgl. Helm= 25
ling a. a. O., 1720). — Das Haupthaus der Kongregation iſt das zur Kirche San Gio=
vanni e Paolo (auf dem Monte Celio) in Rom gehörige Kloſter. Andere Häuſer be=
finden ſich in Aquila, Bordeaux, Tournay, London, Sutton, Pittsburg 2c. Von den acht
Provinzen des Ordens gehören vier zu Italien; die vier übrigen ſind: Spanien, Frank=
reich (nebſt Belgien, England, Nordamerika (Heimbucher, 287). 30
　　Über das Miſſionswirken der Paſſioniſten berichtet die Zeitſchrift: „Die kathol.
Miſſionen“, z. B. Jahrg. 1893, S. 138; 1894, S. 171f. 　　　　　　　　**Zöckler.**

Paſtor, Adam, geſt. um 1560 oder 1570. — Grouwelen der voornaemſten Hooft=
Ketteren v. D. u. J.; Herm. Hamelmann, Opera geneal. hist., hrsg. von Waſſerbach, Lemgo
1711, S. 1181; Sandius, Bibl. Antitrin., Freiſtadii 1684, S. 387; Ottius, Annal. anab., 35
Baſel 1672, S. 109 und 112; Joach. Chriſt. Jehring, Gründliche Hiſtorie von denen Be=
gebenheiten . . . ſo unter den Taufgeſinnten . . . biß aufs Jahr 1615 vorgegangen, Jena
1728, S. 103; Feuerlein, Diſſertatio hist.-theol. de Formula Cons. Lubec., Göttingen 1755,
S. 26; Krohn, Geſch. d. ſanat. und enthuſiaſt. Wiedertäufer, Leipzig 1758, S. 241; Bock, Hist.
Antitrin. II. Leipz. 1784, S. 277; F. Trechſel, Die proteſtantiſchen Antitrinitarier vor Fauſtus 40
Socin, I, Heidelberg 1839, S. 36 f.; K. Rembert, Die „Wiedertäufer“ im Herzogtum Jülich,
Berlin 1899, S. 485 ff.
　　Adam Paſtor, urſprünglich Rudolf Martens, auch Martini, ſtammt aus Weſtfalen.
Von ſeinem Leben iſt wenig bekannt. In der Mitte des 16. Jahrhunderts hat er unter
den Täufern am Niederrhein eine Rolle geſpielt und namentlich in Cleve gewirkt. Im 45
Jahre 1547 finden wir ihn als einen der vornehmſten Teilnehmer zweier unter Menno
Simons Vorſitz zu Emden und Goch abgehaltenen Synoden; auf letzterer wird er von
jenem als Apoſtel abgeordnet, bald darauf jedoch — vielleicht noch in demſelben Jahre
— wegen abweichender Lehranſchauungen in den Bann getan. Namentlich wird er des
Antitrinitarismus beſchuldigt. Um 1550 hat er mit Menno eine Zuſammenkunft in 50
Lübeck, von der der „Disput zwiſchen M. und A. P. über die Lehre der Dreieinigkeit“
Zeugnis gibt. Außer ihm orientiert uns die einzige von ihm erhaltene Schrift: „Under=
ſcheit tuſſchen rechte leer vnde valſche leer der twiſtigen articulen“ (mit dem „Diſput“ zu=
ſammengebunden in der Bibliothek der Taufgeſinntengemeinde in Amſterdam) über Adams
Theologie: Chriſtus iſt ihm Gottes Sohn und iſt wahrer Gott, aber Gott Vater iſt eher 55
geweſen, als der Sohn, und iſt mächtiger als dieſer; die Gottheit Chriſti iſt des Vaters
Weisheit, Wort, Wille, Kraft und Wirkung in ihm; geſtorben iſt an Chriſto nur, was
Menſchliches in ihm war. Der heilige Geiſt aber iſt kein ſelbſtſtändiges, perſönliches
Weſen, ebenſowenig, wie der Wind ein Weſen iſt; dennoch ſoll man im Namen des
Geiſtes taufen (weiteres bei Rembert a. a. O.). In ſeiner Abendmahlslehre iſt Adam 60

ganz von Campanus (f. Bd III, namentlich S. 697,20 ff.) abhängig, deffen Einfluß feine
Lehranfchauungen überhaupt verraten. Hinfichtlich feiner Lehre von der Taufe nennt er
felbft einmal Erasmus von Rotterdam als feinen geiftigen Vater. Als andere Schriften
Adams werden genannt: „Disputation mit Dirk Philipps" und „Von der Barmherzig=
5 keit Gottes". In feinen letzten Lebensjahren fcheint Adam, wie faft alle feine Geiftes=
verwandten, ein fehr unftätes Leben geführt zu haben. Geftorben ift er nach einer An=
gabe in Emden, nach einer anderen in Münfter, und in Überwaffer begraben.

Ferdinand Cohrs.

Paftoralbriefe f. b. A. Paulus.

10 **Paftoraltheologie** f. b. A. Theologie, prakt.

Paftorellen (Pastorels, Pastouraux), religiös=foziale Volksbewegungen in Frankreich
im 13. und 14. Jahrhundert. — Die Quellen finden fich im Recueil des historiens de la
France, Bd XX—XXIII; Röhricht, Die Paftorellen, ZKG VI, 290—296 (dort S. 291 A.
auch nähere Angabe der Quellen).

15 Zu der Zeit als Ludwig IX. von Frankreich auf feinem erften Kreuzzuge bei Da=
miette in Gefangenfchaft geraten war, trat 1251 in den Gegenden des nördlichen Frank=
reichs ein Mann auf, der als Meifter Jakob aus Ungarn bezeichnet wurde, über deffen
früheres Leben nichts Sicheres bekannt ift (entlaufener Ciftercienfer? es wurde viel über
ihn gefabelt); er war der lateinifchen, deutfchen und franzöfifchen Sprache mächtig und
20 ein gefchickter Demagog, ohne das Talent eines wirklichen Führers zu befitzen. Mit dem
Vorgeben, von Gott gefandt zu fein, um einen neuen Zug zur Befreiung des heiligen
Landes zu unternehmen, aber nicht mit Rittern und Vornehmen, fondern mit dem ge=
ringen Volk, durch welches Gott helfen wolle, gelang es ihm, die Maffen in Bewegung
zu bringen. In Menge ftrömte ihm das Landvolk zu, befonders die Hirten, woher der
25 Name des Aufftandes; bis zu 100 000 Mann follen die Scharen angewachfen fein, die
fich in 50 Fähnlein teilten. An Vifionen, angeblichen Engelserfcheinungen u. f. w. fehlte
es nicht. Anfangs fetzte man auch in höheren Kreifen Hoffnungen auf das Unternehmen,
und felbft die Königin Blanka, Mutter Ludwigs IX. und damals Regentin, zeigte fich
ihm günftig, weil fie von dem beabfichtigten Kreuzzuge Hilfe für ihren Sohn erwartete.
30 Aber bald genug enthüllte fich der gewaltthätige und revolutionäre Charakter der Be=
wegung; man begann mit Verfolgung und Ausplünderung der Juden, man ging vom
Schelten auf Welt= und Klostergeiftlichkeit (auch auf die Bettelmönche als Heuchler und
Landftreicher) zu Angriffen auf fie über. Zu Bourges wurde um Pfingften eine Synode
gefprengt, der Erzbifchof verjagt, in Orleans kam es zu einem förmlichen Kampfe mit
35 der Geiftlichkeit, in dem viele umkamen. Nun verhängten die Prälaten den Bann, und
die Königin ergriff Maßregeln, durch welche die Maffen, denen es an Ordnung und an
feldtüchtigen Führern fehlte, fchnell zerfprengt wurden; Jakob felbft fand dabei feinen
Tod. Viele ließen fich übrigens jetzt von den Prieftern das Kreuz geben und gingen
nach dem Morgenlande. — Ohne Zweifel war im Anfang ein großer Teil wirklicher
40 Kreuzzugsbegeifterung vorhanden, dann aber, als die Maffen anfingen, fich zu fühlen,
kam der Haß gegen die Geiftlichkeit, von der fie bedrückt und ausgefogen wurden, zu
elementarem Ausbruch, und infofern fehen wir hier ein Symptom vorhandener fozialer
Mißftände; von irgend einem Programm nach diefer Seite läßt fich jedoch nichts erkennen.

Eine ähnliche und mit dem gleichen Namen bezeichnete Bewegung entftand etwa zwei
45 Menfchenalter fpäter, und auch diesmal fchloß fie fich an Kreuzzugsgedanken an. König
Philipp V. hatte 1319 dem Papfte Johann XXII. den Wunfch ausgefprochen, einen
folchen Zug zu unternehmen, der Papft hatte jedoch mit Hinweis auf die ungünftige
Weltlage abgeraten. Aber der Gedanke verbreitete fich im Volke, und fand befonders bei
den niederen Klaffen Anklang. Ohne daß ein einzelner Führer befonders hervorgetreten
50 wäre, vereinigten fich Volksmengen, hielten Umzüge mit Kreuzesfahnen, befuchten ge=
meinfam die Kirchen und fammelten Geldbeiträge. Bald aber wurde die befonnene Hal=
tung verlaffen; Weiber und Kinder nahmen teil; es kam zu Ausfchreitungen, und als
deshalb hier und da einige gefangen gefetzt wurden, wurden fie von ihren Genoffen ge=
waltfam befreit, wie das auch in Paris gefchah. Bei dem weiteren Zuge nach Süden
55 wurden in den Gegenden von Touloufe und Carcaffonne Gewaltthätigkeiten gegen die
Juden verübt, aber auch Chriften und felbft Kirchen blieben nicht verfchont; Ende Juni
1320 waren fie zu Albi, dann wendeten fie fich gegen Avignon und fetzten den Papft

in Schrecken. Nun aber sammelte der Seneschall von Carcessonne Truppen, denen sie bald erlagen; die Gefangenen wurden in Menge hier und da zu zwanzigen und dreißigen aufgehängt und damit die Bewegung erstickt.   **S. M. Deutsch.**

Pataria. — Quellen: Arnulfi gesta archiepiscoporum Mediolanensium, MG SS VIII p. 1 ff.; Landulfi historia Mediolanensis, ib. p. 32 ff.; Andreas vita Arialdi, MSL 143 p. 1437 ff.; Bonizo v. Sutri, Liber ad amicum: MG Libelli de lite imperatorum et pontificum saeculis XI et XII conscripti tom. I, Hannoverae 1891, p. 568 ff. Littera= tur: C. Hegel, Geschichte der Städteverfassung von Italien II, Leipzig 1847, S. 140 ff.; Paech, Die Pataria in Mailand 1056—1077, Sondershausen 1872; A. Krüger, Die Pataria in Mailand, I. II. Progr. d. Friedrichsgymnasiums, Breslau 1873. 1874; W. Wicherkiewicz, Die kirchliche Stellung der Erzbischöfe v. Mailand zur Zeit der Pataria. Diff. Breslau 1875; J. Wattendorf, Papst Stephan IX., Paderborn 1883; G. Meyer von Knonau, Jahrbücher des Deutschen Reichs unter Heinrich IV., Bd I, Leipzig 1890, S. 669 ff.; C. J. v. Hefele, Con= ciliengeschichte 2. Aufl., Bd IV. V, Freiburg i. Br. 1879. 1886; W. v. Giesebrecht, Geschichte der deutschen Kaiserzeit III. Bd 5. Aufl., Leipzig 1890; A. Dresdner, Kultur= und Sitten= geschichte der italienischen Geistlichkeit im 10. und 11. Jahrhundert, Breslau 1890; C. Mirbt, Die Publizistik im Zeitalter Gregors VII, Leipz. 1894, S. 244 ff. 264 f. 447 ff.; W. Martens, Gregor VII., Leipzig 1894; A. Hauck, KG Deutschlands III, Leipzig 1896, S. 692 ff. 747 ff.

Mailand hatte unter seinem Erzbischof Aribert (1018—1045) unruhige Zeiten er= lebt, erst den Kampf des hohen Adels, der Kapitane, gegen den niederen Adel, die Valvassoren, der mit dem Sieg der Letzteren endete, dann den Kampf des vereinigten Adels gegen die Bürger, in dem diese ihre Freiheit behaupteten. Daß die Macht des Erzbischofs unter diesen Wirren stark verkürzt worden war, und sein von dem deutschen König bestellter Nachfolger Wido nicht der Mann war, sie unter den außerordentlich schwierigen Verhältnissen, die er vorfand, zurückzuerobern, wurde für die Folgezeit ver= hängnisvoll, da die Gegensätze zwischen den verschiedenen Schichten der Bevölkerung durchaus nicht ausgeglichen waren und die Unzufriedenheit mit der deutschen Herrschaft sich zwar zur Zeit Heinrichs III. nicht hervorwagte, aber in ihrer Stärke offenbarte, so= bald dessen kraftvolles Regiment durch die Regentschaft der Kaiserin Agnes an Stelle des unmündigen Heinrich IV. abgelöst wurde (Paech S. 12 ff.). Noch in demselben Jahr 1056 brachen aufs neue Unruhen in Mailand aus, die zwar einen anderen Charakter als die bisherigen Kämpfe trugen, insofern als jetzt kirchliche und religiöse Fragen zeitweise in den Mittelpunkt traten, aber doch mit ihnen aufs engste verknüpft waren.

Arialb, ein mailändischer Diakon aus dem Stande der Valvassoren, erkannte den Widerspruch zwischen dem göttlichen Gesetz und dem damaligen weltlichen Treiben des Klerus, und begann, zuerst in Varese, einem Ort zwischen dem Lago Maggiore und dem Komersee, dann in Mailand selbst dagegen zu predigen, vor allem gegen das Zusammen= leben der Geistlichen mit Frauen (Arnulph III 10; Andreas c. 3. 4. 11). Von großer Bedeutung war es, daß Landulph aus dem Stande der Kapitane sich ihm anschloß, ein Mann von hoher rednerischer Begabung, der mit der Befriedigung seines Dranges nach öffentlicher Wirksamkeit nicht wartete, bis er die Priesterweihe empfangen, sondern sich in die Agitation hineinstürzte und die Führung an sich riß. Auch der Presbyter Anselm wurde gewonnen, der 1057 den bischöflichen Stuhl von Lucca bestieg, und der Münz= meister Nazarius, der durch seinen Reichtum sich nützlich machte. Daß es um den Mailänder Klerus wesentlich schlechter stand als um die Geistlichkeit anderer Städte Italiens wird schwerlich anzunehmen sein. Es wird ihm vielmehr nachgerühmt wissen= schaftlicher Sinn, Sorgfalt in der Gestaltung des Gottesdienstes und Tüchtigkeit im Predigen, ernste Lebenshaltung und Übung der Werke der Barmherzigkeit. Daß aber in ihren Kreisen nicht selten die Priester regelrechte Ehebündnisse eingingen, belastete sie nach dem Urteil der Zeitgenossen hier so wenig als anderwärts; auch über die besondere Ver= schuldung des mailändischen Klerus auf dem Gebiet der simonistischen Vergehen ist das Urteil nicht leicht, wenn man deren Verbreitung und Gestaltung um die Mitte des 11. Jahrhunderts in Betracht zieht (Mirbt, Publizistik S. 343 ff.). Aber die Mailänder Reformatoren waren derartigen Erwägungen begreiflicherweise nicht zugänglich, sondern verfolgten nur das eine konkrete Ziel, die als Laster erkannten Unsitten zu beseitigen und, wenn nötig, ihre Ab= stellung zu erzwingen. Dieser Fall trat ein. Die Art des Vorgehens zeugte von einer beispiellosen Erbitterung. Von Landulph ging die Rede, er habe die Sakramente der verheirateten Priester „Hundemist" und ihre Kirche „Pferdeställe" genannt (Arnulph MG SS VIII 19. 21). Zu dieser Verhöhnung gesellte sich bald der Appell an die niedrigsten Instinkte der Masse und die offene Predigt der Revolution. Der Besitz der wider=

spenstigen Geistlichen wurde der Plünderung des Pöbels überlassen (Arnulph III 11) und nun „erhob sich das Volk gegen den Klerus" (ib. III 12), das Volk b. h. nicht nur der Bürgerstand, sondern gerade die niedrigsten Schichten der Bevölkerung, die Armen und Verschuldeten, die Handwerker, die Eseltreiber (Bonizo VI l. c. p. 591). Landulph 5 konnte es wagen, einen von dem Erzbischof selbst geleiteten Gottesdienst tumultarisch zu stören; die Geistlichen werden gezwungen, sich schriftlich zu keuschem Leben zu verpflichten, die verheirateten entfernt man mit Gewalt von den Altären, ihre Wohnungen werden gestürmt. Der Mailänder Klerus, von seinem Erzbischof nicht geschützt, wendet sich nach fruchtlosen persönlichen Verhandlungen mit Arialb und Landulph an die Suffragan= 10 bischöfe des Mailänder Sprengels, und als sie auch hier keine Hilfe finden (Arnulph c. 12), an den Papst. Auf Befehl Victors II. (vgl. Meyer v. Knonau I S. 672) trat nun eine Bischofsversammlung zu Fontanetum in der Nähe von Novara zusammen, aber Arialb und Landulph ließen sich auch durch den hier gegen sie verhängten Bann nicht einschüchtern (Arnulph III 13). Vielmehr schritten sie dazu fort, ihre Anhänger als 15 Partei zu organisieren (Andr. c. 47), auch nach außen erschienen sie jetzt als eine solche. Von gegnerischer Seite erhält sie den Namen Pataria. In Bezug auf diese schon von den Zeitgenossen verschieden gedeutete Parteibezeichnung berichtet Arnulph III c. 13: Hos tales cetera vulgaritas hyronice Patarinos appellat und bemerkt IV c. 11: vocabulum patarinum non quidem industria sed casu est prolatum, um dann die ihn 20 selbst nicht befriedigende Etymologie hinzuzufügen, daß das Wort von dem griechischen Pathos herstamme, was lateinisch perturbatio heiße, also perturbatores bedeute. Bonizo schrieb lib. VI l. c. p. 591: symoniaci ... eis paupertatem improperantes, paterinos id est pannosos vocabant („Lumpen"). Wahrscheinlich stammt die Bezeichnung von dem Quartier im Centrum Mailands, wo es noch im 18. Jahrhundert eine Straße der Pataria gab, der 25 Händler mit alten Kleidern, da eben hier die innumerabilis virorum ac mulierum caterva wohnte, die (Arnulph c. 13) Landulph zu begleiten pflegte (vgl. Krüger S. 20 f., Meyer v. Knonau I S. 672 f.). Unter Stephan IX. erfuhr diese patarenische Bewegung noch einen weiteren Aufschwung, sie nahm in ihr Programm die Bekämpfung der Simonie auf, entwarf eine Eidesformel, durch die der Klerus ihr wie dem Nikolaitismus entsagen 30 sollte, und erreichte durch eine Reise Arialbs nach Rom, daß nicht nur der Beschluß von Fontanetum stillschweigend ignoriert wurde, sondern der apostolische Stuhl durch die Sen= dung Hildebrands offen seine Sympathien zu erkennen gab (Nov. 1057 vgl. Meyer v. Knonau I S. 72). Papst Nikolaus II. ging noch einen Schritt weiter, als er Petrus Damiani und Anselm von Lucca 1059 mit der Legation nach Mailand betraute, denn 35 diese Männer erreichten ihre Demütigung der Mailänder Kirche durch eine rückhaltlose Parteinahme für die patarenische Bewegung (vgl. A. Nikolaus II. Bb XIV S. 74, 10 ff.). Unter Alexander II. war ihr anfangs die Erhebung des Bischofs Cadalus von Parma zum Gegenpapst nachteilig, da ihre Gegner daraus neuen Mut zum Widerstand schöpften, auch verlor sie ihren Vorkämpfer Landulph, der einem Lungenleiden erlag — das Todes= 40 jahr ist nicht zu ermitteln — aber Arialb gelang es, in der Person Erlembalds, dem Bruder des Verstorbenen, einen ausgezeichnet qualifizierten Nachfolger zu gewinnen. Dadurch, daß Erlembald erst nach Rom ging, ehe er dem Ruf Folge leistete, erhielt sein Eintritt in die Führerstellung erhöhte Bedeutung; er hat alle auf ihn gesetzten Hoffnungen erfüllt. Unter seiner Leitung wächst die Zahl der Patarener gerade aus den höheren 45 Ständen, und aufs neue beginnen die Angriffe auf die verheirateten und simonistische Geistlichkeit und die Störung ihrer Gottesdienste. Die Autorität Roms stand hinter ihm und er fühlte sich als sein Diener, hatte ihn doch Alexander II. durch die Überreichung eines Banners gewissermaßen zum Streiter der Kirche bestellt. Im Frühsommer 1066 hatte die Spannung der Mailänder Bevölkerung eine unerträgliche Höhe erreicht, so daß es nur 50 noch eines Anstoßes bedurfte und zwischen Patarenern und Antipatarenern brach der offene Kampf aus; das Pfingstfest am 4. Juni brachte ihn. Als Erzbischof Wido gegen die von seinen Gegnern in Rom erwirkte Exkommunikation im Dom vor dem Volk Klage führte, brach der patarenische Pöbel wider ihn los, fügte ihm in der Kirche selbst schwere Mißhandlungen zu und stürmte dann den erzbischöflichen Palast. Diese wilden Exzesse 55 führten endlich zu einer kräftigen Reaktion der übrigen Bürgerschaft. Erzbischof Wido konnte es wagen, über die Stadt das Interdikt auszusprechen bis Arialb sie verlassen haben würde und er erreichte, daß der große Agitator in der That das Feld räumte. Am 27. Juni ist Arialb auf Veranlassung einer Nichte des Erzbischofs auf einer Insel des Lago Maggiore grausam ermordet worden (Andreas § 61; Arnulph c. 20). Die ungünstige Rückwirkung 60 dieses Ereignisses auf die Lage der Pataria in Mailand war nicht von Dauer. Erlembald hat bereits im folgenden Jahr 1067 durch neue eidliche Verpflichtungen seinen Anhang soweit konsolidiert, daß er die alte Praxis tumultarischen Vorgehens gegen die ihm entgegenstehenden Geistlichen wieder aufnehmen kann, die feierliche Einholung und Beisetzung der Leiche Arialds in der Kirche San Celso in Mailand am 27. Mai (Andreas § 74, Bonizo VI l. c. p. 597) weiß er mit großem Geschick für seine Parteizwecke auszubeuten, außerdem hat die patarenische Propaganda eben jetzt nicht unbedeutende Erfolge außerhalb der Stadt zu verzeichnen, Cremona wird gewonnen, auch Piacenza. Auf der anderen Seite wurde freilich durch Alexander II. weiteren Ausschreitungen jetzt ein Ziel gesetzt, indem zwei nach Mailand gesandte Kardinäle Bestimmungen trafen, die den sich vergehenden Priester der Volksjustiz entzog und vor das geistliche Gericht stellte und damit auch dem Erzbischof Wido — von seinem Bann war nicht mehr die Rede — wieder die Möglichkeit einer geordneten Verwaltung seiner Kirche eröffneten; allerdings nur für kurze Zeit, so daß Erzbischof Wido auf sein Amt freiwillig verzichtete. Mailand aber kam dadurch nicht zur Ruhe, vielmehr trat jetzt die patarenische Bewegung in ein neues Stadium ihrer Entwickelung, indem sie den Anweisungen Hildebrands folgend nunmehr ihr Reformprogramm auf die Beseitigung der königlichen Investitur ausdehnte. Als der von Erzbischof Wido zu seinem Nachfolger ausersehene Kleriker Gottfried sich in Deutschland von Heinrich IV. die Investitur geholt hatte, wurde ihm bei seiner Rückkehr der Antritt des Amtes unmöglich gemacht. Der von Alexander II. gegen ihn wegen angeblicher Simonie und gegen Erzbischof Wido wegen unerlaubter Amtsniederlegung verhängte Bann that seine Wirkung. Gottfried muß sich nach dem nordwestlich von Mailand gelegenen Castiglione auf seinen Erbsitz zurückziehen, wo er von Erlembald und seinem Anhang regelrecht belagert wird, bis eine große Feuersbrunst in Mailand am 3. oder 12. März 1071 die Bürger zum Abzug zwingt. Auch das Ableben Widos (22. August) verbesserte seine Aussichten nicht. Vielmehr konnte Erlembald es wagen, am 6. Januar 1072 im Beisein eines römischen Legaten an seiner Statt einen jungen Mailänder Kleriker namens Atto zum Erzbischof wählen zu lassen. Allerdings nahm dieser Tag ein trauriges Ende, indem der Neugewählte durch eine tumultarische Erhebung der über die Vernachlässigung früherer, in Bezug auf die Besetzung des erzbischöflichen Stuhles getroffenen Abmachungen erregten Bürgerschaft gezwungen wurde, durch einen Eidschwur für alle Zukunft auf dieses Amt zu verzichten. Aber auch dieser Mißerfolg vermochte nicht die Machtstellung Erlembalds zu erschüttern. Schon den folgenden Tag hatte er wieder die Herrschaft über die Stadt in der Hand, sein Anhang erfuhr erneute Verstärkung, eine Synode zu Rom erklärte den Eid Attos für unverbindlich (Arnulf IV c. 2) und zugleich wurde der deutsche Hof um seine Zustimmung zu seiner Wahl angegangen (Meyer v. Knonau II S. 179). Aber Heinrich IV. gab nicht nach, trat vielmehr jetzt energisch auf die Seite Gottfrieds und veranlaßte dessen Weihe auf der Synode zu Novara. — Mit Gregor VII. bestieg ein langjähriger Freund und Berater der Pataria den päpstlichen Stuhl und wenn auch am Anfang seiner Regierung sich günstige Aussichten auf eine friedliche Verständigung mit dem König in Bezug auf den Mailänder Bistumsstreit infolge seines Briefes an den Papst (Gregorii VII. Registrum I 29 a; Jaffé, Bibliotheca rerum germanicaeum t. II p. 46 ff.) eröffneten, so haben doch die Beziehungen Gregors zu Erlembald darunter nicht gelitten, und dieser strenuissimus miles Christi, wie Gregor ihn nennt (Reg. I 27), hat in Rom bei ihm von dieser Seite gebührende Schätzung gefunden. In Mailand selbst wurde freilich seine Gewaltherrschaft auf die Dauer unerträglich, so daß sich ein Gegenbund bildete, dessen Mitglieder sich eidlich verpflichteten, die Gerechtigkeit und die Ehre des hl. Ambrosius wiederherzustellen und als Erzbischof den von dem König dazu Bestellten anzuerkennen (Arnulph c. 10). Bei dem ersten Zusammenstoß mit diesen Antipatarenern ist Erlembald kurz vor Ostern 1075 ums Leben gekommen. (Zu den Berichten über den Hergang und der Beurteilung seines Todes vgl. Meyer v. Knonau I S. 476 Anm. 43); dieses Datum bezeichnet zugleich das Ende der Pataria als geschlossener Partei, wenn es auch an Versuchen Gregors, sie 1076 neu zu beleben, nicht gefehlt hat (Reg. III 15, IV 7; Jaffé, Reg. 4989. 5007).

Die Geschichte der Pataria umspannt also einen Zeitraum von nur 20 Jahren, aber ihre Wirkungen beschränken sich nicht auf das kirchliche Gebiet, sie waren ebenso kirchenpolitischer Natur und greifen hinüber in die Sphäre der rein politischen Verhältnisse. Zunächst war sie der Träger jener großen, in der Mitte des 11. Jahrhunderts einsetzenden und auf die Hebung des kirchlichen Lebens abzielenden Reformbewegung, deren Triumph in Oberitalien wesentlich ihr Verdienst war; sie hat ferner den Stuhl des hl. Ambrosius der Autorität des römischen Bischofs unterworfen und damit diesem die

Lombardei erobert; sie hat endlich für den späteren großen Kampf zwischen Papsttum und deutschem Kaisertum ein wichtige vorbereitende Rolle gespielt, indem infolge der Beseitigung des erzbischöflichen Regiments in Mailand und infolge der aus den kirchlichen Kämpfen hervorwachsenden gegenseitigen Anerkennung der Stände die Einheit und Selbst-
5 regierung der republikanischen Gemeinde begründet wurde (Hegel II S. 155).

In späterer Zeit findet sich der Name „Patarener" unter den zahlreichen Bezeich-nungen katharisch gearteter Ketzer. Auf einen inneren Zusammenhang zwischen den Alt-Patarenern und den Neu-Patarenern ist aber daraus nicht zu schließen, da die Festhal-tung eines zum allgemeinen Schmähwort verblaßten Namens (vgl. die Entwickelung des
10 Wortes simoniacus) erklärlich ist und der Ursprung der Patarea, wie oben berichtet, ein anderer war. Allerdings macht schon der mailändische Geschichtsschreiber Landulph der Ältere den Versuch, seine Gegner mit diesem Makel zu belasten und bringt die Partei Arialds mit Gerhard v. Monteforte, dem Haupt der lombardischen Katharer in Verbindung (Historia Mediolanensis lib. III c. 18, MG SS VIII p. 87, 85),
15 aber diese Verdächtigung kann bei der tendenziösen Art dieses Berichterstatters keinen Anlaß geben, die oben vertretene Auffassung der Anfänge der Pataria aufzugeben (vgl. J. v. Döllinger, Beiträge zur Sektengeschichte des Mittelalters I, München 1890, S. 128 f.). **Carl Mirbt.**

Paten s. d. A. Taufe.

20 **Patena** s. d. A. Gefäße, gottesdienstliche Bd VI S. 413, 50 ff.

Patriarchen in der christlichen Kirche. — Litteratur: Bingham, Orig. I p. 232 sqq.; Augusti, Denkwürdigkeiten, Bd XI S. 148 ff.; Hinschius, System des katholischen Kirchenrechtes I (1869), S. 538 ff., hier auch eine genaue Litteraturangabe; Friedberg, Lehrbuch des kath. und ev. Kirchenrechts, 5. Aufl. (1903) S. 30 f.; Löning, Geschichte des deutschen Kirchenrechts
25 I (1878), S. 424 ff.; Sohm, Kirchenrecht I (1892) S. 400 ff.; Lübeck, Reichseinteilung und kirchliche Hierarchie des Orients bis zum Ausgange des 4. Jahrhunderts, Münster 1901. Vgl. auch Kattenbusch, Vergl. Konfessionskunde I (1892) S. 79 ff. u. ö.

Πατριάρχης kommt im 4. Jahrhundert als ein den Bischöfen beigelegter Ehren-name vor (Belege bei Suicer. Thesaur. II, p. 640 sq., bes. Greg. Naz. Orat. 42
30 [32], 23: πρεσβυτέρων ἐπισκόπων οἰκειότερον δὲ πατριαρχῶν εἰπεῖν σφαγὰς δη-μοσίας κτλ. So in Gallien noch im 5. und 6. Jahrh. vgl. Vit. Romani c. 2: Hila-rius venerabilem Celidonium supradictae metropolis (Besançon) patriarcham . . . a sede episcopali . . deiecerat. A. S. Boll. Febr. III, 742. Greg. Tur. H. Fr. 5, 20 S. 217 von Nicetius von Lyon.) Später, nachdem die Bischöfe von Alexandria,
35 Antiochia, Konstantinopel und Jerusalem sich über die Metropoliten erhoben hatten und an die Spitze größerer kirchlicher Provinzen getreten waren, wird Patriarch der Titel für die Bischöfe der genannten Städte.

Die Fortbildung der kirchlichen Verfassung, die in der Entstehung der Patriarchate liegt, geschah nach Analogie, wenn auch nicht eigentlich im Anschluß an die politische
40 Einteilung des Reichs. Es gliederte sich seit Diokletian und Konstantin in 4 Prä-fekturen, diese in eine Anzahl Diöcesen, die letzteren in die Provinzen oder Eparchien. Die Praefectura Orientis umfaßte die Diöcesen Oriens, Asia, Pontus und Thracia mit den Hauptorten Antiochia, Ephesus, Cäsarea Cappadociä und Heraklea (s. Mommsen in den ABA 1862, S. 389 ff. Wie den Stadtgebieten die Bistümer, so entsprachen den
45 Provinzen die Sprengel der Metropoliten (s. d. Art. Erzbischof Bd V S. 489), kirchliche Verbände dagegen, die den Diöcesen entsprochen hätten, gab es anfangs nicht. Frühzeitig bemerkt man nun das Bestreben der Metropoliten hervorragender Städte, ihre Gewalt über die Grenzen ihres Sprengels auszudehnen und einen Einfluß über mehrere Metropolitanbezirke zu erringen. In Alexandria war dieses Ziel im Beginn des 4. Jahrhunderts erreicht.
50 Daß Alexandria bei der Entstehung der Patriarchate in erster Linie steht, ist deshalb be-sonders bemerkenswert, da Ägypten damals politisch noch nicht eine eigene Diöcese bildete, sondern zur Diöcese des Orients gehörte; es wurde erst nach 365 zu einer eigenen Diö-cese erhoben (vgl. Mommsen S. 496). Was Alexandria errungen hatte, erkannte die nicänische Synode in ihrem 6. Kanon an: τὰ ἀρχαῖα ἔθη κρατείτω τὰ ἐν Αἰγύπτῳ
55 καὶ Λιβύῃ καὶ Πενταπόλει, ὥστε τὸν Ἀλεξανδρείας ἐπίσκοπον πάντων τούτων ἔχειν τὴν ἐξουσίαν, ἐπειδὴ καὶ τῷ ἐν τῇ Ῥώμῃ ἐπισκόπῳ τοῦτο συνηθές ἐστιν, ὁμοίως δὲ καὶ κατὰ Ἀντιόχειαν, καὶ ἐν ταῖς ἄλλαις ἐπαρχίαις τὰ πρεσβεῖα σώ-

ζεσθαι ταῖς ἐκκλησίαις (Mansi II, p. 670). So wenig klar die Fassung dieses Kanons ist, so steht doch fest, daß nach ihm der alexandrinische Bischof gewohnheitsmäßig eine Obergewalt über mehrere Eparchien hatte. Man könnte nun an eine Ausdehnung des alexandrinischen Metropolitansprengels über mehrere Provinzen denken; allein, das ist dadurch ausgeschlossen, daß die Pentapolis ihren Metropoliten in Ptolemais hatte (Synes. ep. 67 opp. ed. Pet. p. 210). Während demnach der Bischof von Alexandria für Ägypten Metropolit war, besaß er für die Pentapolis und, wie man nun annehmen darf, auch für Libyen und die Thebais eine den Metropoliten übergeordnete Gewalt. Ihren Inhalt giebt der nicänische Kanon nicht an; man lernt ihn aus der Geschichte des meletianischen Schismas kennen. Meletius (vgl. d. Art. Bd XII S. 558) war Bischof von Lykopolis in der Thebais. Epiphanius (haer. 69, 3 vgl. 68, 1) hält ihn für den Metropoliten dieser Provinz, wahrscheinlich mit Recht. Meletius ignorierte nun konsequent die Rechte von Alexandria. Bei seinem Verfahren gegen die Gefallenen nahm er keine Rücksicht auf die von Petrus von Alexandria aufgestellten Grundsätze (dessen Pönitentialschreiben bei Mansi I, p. 1270; über die Stellung des Meletius vgl. den freilich wirren Bericht des Epiphanius h. 68, 1 ff.). Er ordinierte in fremden Bistümern, ohne die Rechte der Bischöfe und des „großen Bischofs und Vaters" von Alexandria zu beachten (Schreiben des Hesychius ꝛc. an Meletius bei Routh, Reliq. sacr. III, 381 sq.). Die Folge war, daß Petrus von Alexandria eine gemeinsame Synode der Bischöfe hielt und auf ihr Meletius absetzen ließ; dieser erkannte das Urteil nicht an; seitdem bestand bis die Spaltung (Athan. Apol. c. Ar. 59). Man sieht: der Bischof von Alexandria nahm folgende Rechte in Anspruch: 1. verbindliche Bestimmungen hinsichtlich der Disziplin zu erlassen, 2. gemeinsame Synoden der mit ihm verbundenen Metropolitansprengel zu halten, 3. mit der Synode über die Bischöfe zu richten, dazu 4. bei Erledigung von Bistümern die Aufsicht über die Verwaltung derselben zu führen (vgl. Routh S. 383: Si forte quidam persuadebant tibi decentes de nobis finem esse factum; quod nec tibi ipsi erat ignotum, quod essent multi euntes et redeuntes ad nos, qui poterant visitare; etsi hoc fuisset, oportebat te majoris patris [des Bischofs von Alexandria] expectare iudicium et huius rei [der Ordinationen] permissionem). Die ἐξουσία, die der nicänische Kanon im Sinne hat, bestand also in dem Oberaufsichtsrecht über das kirchliche Leben der Diöcesen, die Person und das Verhalten der Bischöfe; dazu kam noch das Recht der Ordination der Bischöfe im ganzen Bezirk, das die späteren Patriarchen nachweislich übten (s. u.), und das wohl auch die früheren schon besaßen. Eine Grenze hatte die Macht des alexandrinischen Bischofs an den Befugnissen der Metropoliten. Sie wahrt der weitere Satz des 6. nicänischen Kanons vor völliger Absorption: καθόλου δὲ πρόδηλον ἐκεῖνο ὅτι εἴ τις χωρὶς γνώμης τοῦ μητροπολίτου γένοιτο ἐπίσκοπος τὸν τοιοῦτον ἡ μεγάλη σύνοδος ὥρισε μὴ δεῖν εἶναι ἐπίσκοπον. Denn man hat keinen Grund, bei dem Metropoliten hier an den alexandrinischen Bischof zu denken. Daß die Metropolitanrechte in diesem eingeschränkten Maße in Ägypten auch später fortbestanden, sieht man aus dem 76. Briefe des Synesius: der Patriarch Theophilus ordiniert den Bischof von Olbia, aber der Metropolit Synesius erklärt sein Einverständnis hinsichtlich der Person des neuen Bischofs (S. 222 f.).

Ähnliche Verhältnisse wie in Alexandria bestanden in Rom und wahrscheinlich auch in Antiochia, vgl. Conc. Const. can. 2. Darf man von späteren Verhältnissen zurückschließen, so war die Macht des Bischofs von Antiochia insofern geringer als die des alexandrinischen Bischofs, als er nur die Metropoliten, nicht aber die Bischöfe selbst ordinierte; die Ordination der letzteren durch den Metropoliten war jedoch gebunden an sein Vorwissen und seine Zustimmung (Innoc. I. ep. XVIII, ad Alex. Ant. Mansi III, 1054 sq.).

Dies, d. h. der Einfluß der Metropoliten hervorragender Städte auf die benachbarten Metropolitansprengel, ist der Anfang der Patriarchalverfassung. Es lag nun in der Natur der Sache, daß das Bestreben hervortreten mußte, die begonnene Bildung größerer kirchlicher Verbände durchzuführen, d. h. der kirchlichen Metropolitanverfassung eine kirchliche Diöcesanverfassung überzuordnen. Es ist nicht unmöglich, daß der Anstoß dazu von der staatlichen Seite ausging (Kattenbusch S. 84), der eigentliche Motor aber war ohne Zweifel der Ehrgeiz der Bischöfe der Hauptstädte. Bei der ganzen Entwickelung bleibt das Abendland außer Betracht; hier standen das überwiegende Ansehen Roms und dessen Ansprüche auf den Primat hindernd im Wege; dagegen gelangte im Morgenland jenes Bestreben zum Ziele und zwar bereits auf der Synode von Konstantinopel 381. Der 2. Kanon trifft Bestimmungen über diese Verhältnisse; er lautet: τοὺς ὑπὲρ διοίκησιν ἐπισκόπους

ταῖς ὑπερορίοις ἐκκλησίαις μὴ ἐπιέναι μηδὲ συγχέειν τὰς ἐκκλησίας· ἀλλὰ κατὰ
τοὺς κάνονας τὸν μὲν Ἀλεξανδρείας ἐπίσκοπον τὰ ἐν Αἰγύπτῳ μόνον οἰκονομεῖν,
τοὺς δὲ τῆς ἀνατολῆς ἐπισκόπους τὴν ἀνατολὴν μόνην διοικεῖν, φυλαττομένων
τῶν ἐν τοῖς κάνοσι τοῖς κατὰ Νίκαιαν πρεσβείων τῇ Ἀντιοχέων ἐκκλησίᾳ, καὶ τοὺς
5 τῆς Ἀσιανῆς διοικήσεως ἐπισκόπους τὰ κατὰ τὴν Ἀσίαν μόνην οἰκονομεῖν, καὶ τοὺς
τῆς Ποντικῆς τὰ τῆς Ποντικῆς μόνον καὶ τοὺς τῆς Θρᾴκης τὰ τῆς Θρᾳκικῆς μόνον
οἰκονομεῖν (Mans. III, 560). Wie ersichtlich sind hier für das Morgenland fünf größere
Komplexe vorausgesetzt, deren Grenzen bei allem kirchlichen Handeln beobachtet werden
sollen: Ägypten, Oriens, Asia, Pontus, Thrazien; der kirchlichen Einteilung aber wird
10 ausdrücklich die politische zu Grunde gelegt. Der Kanon soll das Übergreifen in fremde
Sprengel verhüten; ein solches aber ist nur denkbar bei Alexandria und Antiochia; dem=
nach ist der Kanon gerichtet gegen das weitere Vordringen dieser Bischöfe, und die An=
erkennung von Asien, Pontus und Thracien als geschlossener kirchlicher Gebiete hat die
Bedeutung, daß die Bischöfe von Antiochia und Alexandria auf die Diöcesen Ägypten
15 und Orient beschränkt werden. Daß dies im Interesse von Konstantinopel geschah, zeigt
der dritte Kanon (τὸν μέντοι Κωνσταντινουπόλεως ἐπίσκοπον ἔχειν τὰ πρεσβεῖα
τῆς τιμῆς μετὰ τὸν τῆς Ῥώμης ἐπίσκοπον διὰ τὸ εἶναι αὐτὴν νέαν Ῥώμην). Kon=
stantinopel war also bereits an der Stelle Herakleas an die Spitze der thracischen Diö=
cese getreten.
20 Es ist verständlich, daß die Bischöfe von Ephesus und Cäsarea Cap., der Hauptstädte
der Diöcesen Asien und Pontus, den übrigen Patriarchen gegenüber sich in ungünstigerer
Stellung befanden. In der That konnten sie sich auch nicht lange als gleichberechtigt
halten. Erben ihrer Macht waren die Bischöfe von Konstantinopel. Nachdem einmal
die Reichseinteilung als entscheidend anerkannt war, mußte ihnen die Bedeutung Kon=
25 stantinopels als Hauptstadt zu Hilfe kommen. Ihr Ziel erreichten sie durch das Konzil
zu Chalcedon; der 28. Kanon bestimmte, τοὺς τῆς Ποντικῆς καὶ τῆς Ἀσιανῆς καὶ τῆς
Θρᾳκικῆς διοικήσεως μητροπολίτας ... χειροτονεῖσθαι ἀπὸ τοῦ ἁγιωτάτου θρόνου
τῆς κατὰ Κωνσταντινούπολιν ἁγιωτάτης ἐκκλησίας (Mansi VII, 369). Dadurch
waren Pontus und Asien in das gleiche Abhängigkeitsverhältnis zu Konstantinopel ver=
30 setzt, in dem sich Thracien befand. Die Bischöfe von Ephesus und Cäsarea hörten auf,
dem von Konstantinopel gleichgestellt zu sein. Wenn hierdurch aus den fünf Patriarchaten
drei wurden, so kam gerade in Chalcedon ein neuer hinzu, der von Jerusalem. Jerusalem
hatte schon in Nicäa einen gewissen Ehrenvorrang erhalten unter ausdrücklicher Wahrung
der Rechte des Metropoliten von Cäsarea Pal., can. 7, Mansi II, 672, vgl. den Art.
35 Jerusalem Patriarchat Bd VIII S. 699, 24. Die jerusalemischen Bischöfe griffen daraufhin
gelegentlich in dessen Rechte ein (Maximus hält ein Synode Socr. h. e. II, 24). Auf
der Synode von Ephesus 431 folgte der Versuch, Jerusalem aus dem Verbande der
Diöcese des Orients zu lösen; er war noch vergeblich (Leo M. ep. CXIX, 4, ad Max.
Ant. Mans. VI, 240). Dagegen gelang er mit Hilfe des Kaisers Theodosius II., der
40 Palästina, Phönicien und Arabien von der orientalischen Diöcese lostrennte und dem
Stuhle von Jerusalem unterwarf. Antiochia protestierte; schließlich kam es zu einem
Vergleich, wonach Phönicien und Arabien bei Antiochia verbleiben sollten, während die
drei palästinensischen Eparchien Jerusalem zufielen. Die 7. Sitzung der Synode von Chal=
cedon bestätigte das Abkommen (Mans. VII, 178 sqq., vgl. d. A. Juvenal Bd IX
45 S. 659, 58 ff.). Das chalcedonensische Konzil ist für die Patriarchalverfassung auch da=
durch von Bedeutung, daß es dem Ehrenvorrang, den Konstantinopel seit 381 besaß, eine
Erweiterung der Macht hinzufügte, wodurch Konstantinopel sich thatsächlich über die an=
dern Patriarchate erhob: can. 9 εἰ (τις) πρὸς τὸν τῆς αὐτῆς ἐπαρχίας μητροπολίτην
ἐπίσκοπος ἢ κληρικὸς ἀμφισβητοίη καταλαμβανέτω ἢ τὸν Ἔξαρχον τῆς διοικήσεως
50 ἢ τὸν τῆς βασιλευούσης Κωνσταντινουπόλεως θρόνον καὶ ἐπ᾽ αὐτῷ δικαζέσθω
(Mans. VII, 361, vgl. can. 17 p. 375). Man sieht, die Appellation an den zunächst
berechtigten Patriarchen ist nicht aufgehoben, aber Konstantinopel konkurriert mit ihm nach
freier Wahl des betreffenden Appellanten, ein rechtlich höchst unklares Verhältnis, das
sich nur als Frucht eines Kompromisses begreift.
55 In Chalcedon führten die Patriarchen noch den Titel Exarchen (can. 9; can. 17
steht dafür ἔπαρχος τῆς διοικήσεως, wenn hier nicht ein Schreibfehler vorliegt), der
in Sardica (can. 6, Mans. III, p. 9) noch von den Metropoliten gebraucht worden
war. Seitdem sich der Titel Patriarch für die Bischöfe von Konstantinopel, Alexandria,
Antiochia und Jerusalem fixierte (Schreiben Justinians II. an Papst Johann V. von 687,
60 Mans. XI, 737, konstantinopolitanische Synode von 869, can. 21, Mans. XVI, 174),

blieb der Titel Exarch den Bischöfen von Ephesus und Cäsarea (vgl. die Unterschriften Mans. XI, 687 und 689); ihre Macht unterschied sich aber nicht wesentlich von der der Metropoliten.

Über die gegenwärtige Lage der Patriarchate s. d. Art. Orientalische Kirche, Bd XIV S. 445 f.

Im Abendlande führten die Bischöfe von Aquileja und Grado den Titel Patriarchen. Der Patriarchat von Grado wurde 1451 nach Venedig verlegt, den von Aquileja aufgehoben. Später erhielten der Bischof von Lissabon und der von Goa den Titel Patriarch. Aber das alles ist gehaltlose Spielerei: denn dem Titel entspricht weder ein Recht noch eine Macht.   **Hauck.**

Patriarchen, Testamente der zwölf, s. d. A. Pseudepigraphen des ATs.

Patricius b. H., s. d. A. Keltische Kirche Bd X S. 207 ff.

Patrimonium Petri. — Quellen: Von mittelalterlichen Scriptores kommt vor allem der Liber Pontificalis (ed. L. Duchesne, Paris 1886, 1892) in Betracht. Für die übrigen Scriptores ist zu vergleichen: W. Wattenbach, Deutschlands Geschichtsquellen im Mittelalter bis zur Mitte des 13. Jahrhunderts, 2 Bde, 6. Aufl., Berlin 1893, 1894. — Außer den Scriptores sind die Briefe und Urkunden der Päpste wichtig, gesammelt von Phil. Jaffé und Wilh. Wattenbach in der Regesta Pontificum Romanorum (— 1198) 2 Bde, Leipzig 1885, 1888 (cit. als Jaffé-Kaltenbrunner, Jaffé-Ewald, Jaffé-Löwenfeld), und als Ergänzung die in den Nachrichten der K Gesellschaft der Wissenschaften zu Göttingen seit 1896 veröffentlichten Berichte über die Sammlung der älteren Papsturkunden. Für die Briefe kommt ferner die Abteilung „Epistolae" der Monumenta Germaniae hist. in Betracht; wichtig namentlich der Codex Carolinus (auch ediert von Phil. Jaffé in den Monumenta Carolina = Bibliotheca Rerum Germanicarum, Tom. IV, Berolini 1867). Ferner die Sammlung von Briefformeln der päpstl. Kanzlei: Liber diurnus Romanorum Pontificum (ediert von Th. E. v. Sickel, Vindobonae 1889, und von Achilles Ratti, Mediolani 1891). Die Papstbriefe und -Urkunden des 13. Jahrhunderts sind, allerdings sehr unvollständig, gesammelt von Aug. Potthast, Regesta pontificum Romanorum inde ab a. 1198 ad a. 1304, 2 Bde, Berlin 1874, 1875. Als Ergänzung dienen die großen französischen Publikationen der päpstl. Registerbände, die noch nicht vollendet sind.

Außerdem sind zu vergleichen die deutschen Kaiserurkunden: a) die Regesta imperii I (2. Aufl.) von Böhmer-Mühlbacher; V von Böhmer-Ficker und Winkelmann; VIII von Böhmer-Huber, Innsbruck 1877 ff. b) In den MG = Die Urkunden der deutschen Könige und Kaiser Tom. I (Konrad I., Heinrich I., Otto I.), Tom. II (Otto II., Otto III.), Tom. III (Heinrich II., Arduin), Hannover 1879 ff. c) Ebendort die Constitutiones et Acta publica imperatorum et regum Tom. I—III, 1893 ff. — Viel zu wenig sind bisher die Privaturkunden der älteren Zeit für die Geschichte des Patrimoniums nutzbar gemacht. Zusammenstellungen der wichtigsten italienischen Urkundenpublikationen finden sich bei J.=W., Regesta Pontif. Roman., Tom. I, p. XIII—XXVIII, und in der Ausgabe der Kaiserurkunden in den MG. Beachtenswert ist vor allem: Theiner, Codex diplomaticus dominii temporalis s. sedis, Romae 1861. — Sehr wichtig ist: der Liber censuum sanctae Romanae ecclesiae des Cencius Camerarius v. Jahre 1192 (ed. Paul Fabre „Le Liber censuum de l'église Romaine. Texte, introduction et notes." Fasc. 1, Paris 1889; die Fortsetzung hat L. Duchesne übernommen. Einstweilen ist immer noch wichtig die Ausgabe bei Muratori Antiquitates Italicae V [1741] p. 851—908). Die Hauptquellen für die Geschichte des Patrimoniums im späteren Mittelalter sind am besten einzusehen bei Muratori, „Rerum Italicarum scriptores", Mediolani 1723—1751, 28 voll. und Muratori, „Antiquitates Italicae medii aevi post declinationem Romani imperii ad a. 1500", Mediolani 1738—1742, 6 voll. Daneben sind zu Rate zu ziehen die zahlreichen Geschichten und Chroniken der zum Patrimonium gehörenden Städte und Landschaften, zum Teil aufgezählt bei Aug Potthast, „Bibliotheca Historica medii aevi" Bd I, Berlin 1896, p. XXVI ff., vollständiger, doch mit Beschränkung auf die ältere Zeit, bei Jaffé-Wattenbach a. a. O.

Für die Neuzeit haben einen großen Wert namentlich die Gesandtschaftsberichte, besonders die der Venetier (ed. N. Barozzi e G. Berchet, Le relazioni degli stati Europei lette al senato dagli ambasciatori Veneziani nel sec. 17; darin die Relazioni di Roma 1877, 1879; und E. Albèri, Relazioni degli ambasciatori Veneti al senato, Firenze 1839—1862); ferner eine Reihe Memoiren und die Werke zeitgenössischer Historiker; am besten instruiert man sich auch heute noch über diese Quellen bei Leopold von Ranke, Die römischen Päpste in den letzten vier Jahrhunderten, 9. Aufl., Leipzig 1889 (Ges. Werke 37—39).

Litteratur: Eine Arbeit über die gesamte Geschichte des Patrimoniums giebt es nicht. Einen großen Teil der Geschichte behandeln die verschiedenen Geschichten der Stadt Rom, namentlich F. Gregorovius, „Geschichte der Stadt Rom im Mittelalter", 8 Bde, 4. Auflage,

1886 ff. Wo Gregorovius aufhört, setzt Ranke ein. Ferner Moritz Brosch, Gesch des Kirchen=
staats, Gotha 1880, 1882 (in der Geschichte der europäischen Staaten von Heeren, Ukert,
Giesebrecht). Außerdem sind zu vergleichen die allgemeinen Werke über die Geschichte und
Kirchengeschichte des Mittelalters, sowie die Papstgeschichten, Biographien der einzelnen Päpste,
5 Geschichten Italiens und einzelner italienischer Staaten 2c. Auch die Rechtsgeschichten pflegen
einzelne Fragen aus der Verfassungsgeschichte des Patrimoniums zu behandeln. — Sehr um=
fangreich ist die Litteratur zur sogenannten „römischen Frage" d. h. zur Frage nach der
Echtheit der Pippinschen und Karolingischen Schenkungen. Die ältere Litteratur über diese
Frage ist zusammengestellt bei L. Oelsner, Jahrbücher des fränk. Reiches unter König Pippin,
10 Leipzig 1871, S. 129; Abel=Simson, Jahrbücher des Fränk. Reiches unter Karl d. Gr., Leip=
zig 1888, Bd I S. 156 ff.; Wilh. Martens, Die römische Frage unter Pippin und Karl d. Gr.,
Stuttgart 1881, S. V—IX. Die neuere Litteratur ist zusammengestellt und besprochen bei
P. Kehr, „Die sogenannte Karolingische Schenkung von 774" in der HZ, Bd 70 (1893),
S. 388 Anm. 1; P. Kehr in GgA, Jahrg. 1895, S. 694 ff.; eine Aufzählung auch bei S. Mühl=
15 bacher, „Deutsche Geschichte unter den Karolingern", Stuttgart 1896, S. 1 ff. Vgl. auch den
Art. „Hadrian I." in dieser Encyklopädie, Bd VII S. 302 f. — Es genügt hier, die Haupt=
werke zu nennen. Für die Echtheit der in der Vita Hadriani I. des Liber pontificalis auf=
geführten Schenkung sind: J. Ficker, Forschungen zur Reichs= und Rechtsgeschichte Italiens,
Bd II (Innsbruck 1869), S. 329 ff.; L. Duchesne, Le Liber Pontificalis, Tom. I, Introduc-
20 tion p. 234 ff.; P. Kehr a. a. O. — Gegen die Echtheit: Th. Sickel, Das Privilegium Ottos I.
für die römische Kirche, Innsbruck 1883, S. 132 ff.; P. Scheffer=Boichorst, Pippins und Karls
d. Gr. Schenkungsversprechen, in den Mt des Instituts für österreich. Geschichtsf. Bd IV
(1885), S. 193—212. Wesentlich neue Momente hat die spätere Diskussion nicht zu Tage
gefördert.

25   Von der Geschichte des Patrimoniums sind vor allem die älteren Teile in vielen Mono=
graphien behandelt worden; für die spätere Geschichte vom 13. Jahrhundert an ist weniger
geschehen. Allgemeine Geschichten, Kirchengeschichten, Papstgeschichten, Lokalgeschichten sind in
der folgenden Zusammenstellung nicht namhaft gemacht.
    Analecta iuris pontificii, Rome 1855, Ser. 1—19; Archivio storico, artistico, archeo-
30 logico e letterario della città e provincia di Roma, Roma 1875, vol. 1—3; Armbrust, Die
territoriale Politik der Päpste von 500—800, Diss., Göttingen 1885; Bayet, Remarques sur
le caractère et les conséquences du voyage d'Étienne III en France, in der Revue historique
1882 (t. XX), p. 88—105 (vgl. b. Art. von A. Gasquet in derselben Zeitschrift 1887, tom. 33,
S. 58—92); Bibliografia storica delle città e luoghi dello stato pontificio, con suppl.,
35 Roma 1792, 1793; Bibliografia Romana, Notizie della vita e delle opere degli scrittori
romani dal sec. XI fino ai nostri giorni, Roma 1880 ff.; Biblioteca storica Italiana. Cata-
logo . . . di opere antiche e moderne relative alla storia generale e particolare d'Italia,
Firenze, Torino, Roma 1881; H. Bloch, Das Privileg Heinrichs für die römische Kirche, im
NA XXV (1900), S. 681—693; (St. Borgia); Breve istoria del dominio temporale della
40 sede apostolica nelle due Sicilie, Roma 1789; Moritz Brosch, Papst Julius II. und die
Gründung des Kirchenstaates, Gotha 1878; Brunengo, Le origini della sovranità tem-
porale dei papi, Roma 1862; Brunengo, Il patriziato Romano di Carlomagno, Prato 1893;
W. Castendyk, Italien und das fränk. Reich zur Zeit K. Pippins, Diss., Rostok 1875; Cenni,
Monumenta dominationis pontificiae, Romae 1760, Tom. 1. 2; Franc. Cerroti, Bibliografia
45 di Roma medievale e moderna. Opera postuma. Accresciuta a cura di Enrico Celani. Vol. I,
Storia ecclesiast.-civile, Roma 1893; A. Coppi, Discorso sulle Finanze dello stato Pontificio etc., Roma 1855; Diehl, Études sur l'administration byzantine dans l'exarchat de Ra-
venne, Paris 1888; A. Dove, Korsika und Sardinien in den Schenkungen der Päpste, in den
SBM 1894; L. Duchesne, Les premiers temps de l'état pontifical, in der Revue d'histoire
50 et de littérature réligieuses I (1896), S. 105 ff.; H. Engelen, Die ersten Versuche zur Gründung des Kirchenstaats, Diss., Halle 1882; P. Fabre, De patrimoniis Romanae ecclesiae,
Lille 1892; J. Ficker, Das deutsche Kaiserreich in seinen universalen und nationalen Be=
ziehungen, 2. Aufl., Innsbruck 1862; ders., Forschungen zur Reichs= und Rechtsgeschichte
Italiens, Bd II, Innsbruck 1869; Floß, Die Papstwahl unter den Ottonen, Freiburg i. B.
55 1858; ders., Leonis VIII. privilegium etc., Friburgi 1858; Galletti, Del primicero della
santa sede apostolica, Roma 1776; ders., Del vestario della santa Romana chiesa, Roma
1758; P. Grisar, S.J., „Ein Rundgang durch die Patrimonien des hl. Stuhles um das Jahr
600" in ZkTh (Innsbruck 1880), S. 321—360; ders., Verwaltung und Haushalt der päpstl.
Patrimonien um das Jahr 600, a. a. O. S. 526—1580; Guiraud, L'État pontifical après
60 le grand schisme, Paris 1898; W. Gundlach, Die Entstehung des Kirchenstaats und der cu-
riale Begriff Respublica Romanorum, in den Untersuchungen zur deutschen Staats= u. Rechts=
geschichte herausgeg. von Otto Gierke, Heft 59 (Breslau 1899); H. Hamel, Untersuchungen
zur älteren Territorialgeschichte des Kirchenstaates, Diss., Göttingen 1899; L. M. Hartmann,
Untersuchungen zur Geschichte der byzantin. Verwaltung in Italien, Leipzig 1889; L.v.Heine=
65 mann, Der Patriziat der deutschen Könige, Halle 1888; ders., Heinrichs VI. angeblicher Plan
von einer Säkularisation des Kirchenstaats, in den Mt d. Inst. f. österreich. Gesch. IX (1888),
S. 134—136; F. Hirsch, Papst Hadrian I. und das Fürstentum Benevent, in d. Forschungen

z. deutschen Gesch., Bd XIII, S. 35—62; J. Hirsch, Das sogen. Paktum Ottos I., Diss.,
München 1896; J. Jung, Organisationen Italiens von Augustus bis auf Karl d. Gr., in d.
Mt des Instituts f. österreich. Geschichtsf., Ergänzungsband V, S. 1—51; Joh Ad. Ketterer,
Karl d. Gr. und die Kirche, München und Leipzig 1898; O. Kühl, Der Verkehr Karls d. Gr.
mit P. Hadrian I., Diss., Königsberg 1879; K. Lamprecht, Die römische Frage von König   5
Pippin bis auf Kaiser Ludwig den Frommen in ihren urkundlichen Kernpunkten erläutert,
Leipzig 1889; Jos. Langen, Geschichte der römischen Kirche bis Innocenz III., Bonn 1881
bis 1893, 4 Bde; Lechler, Der Kirchenstaat und die Opposition gegen den päpstl. Absolut.
im Anf. des 14. Jahrhunderts, Leipzig 1870; Lenz, Das Verhältnis Venedigs zu Byzanz
nach dem Fall des Exarchats, Diss., Berlin 1891; Th. Lindner, Die sogenannten Schenkungen   10
Pippins, Karls d. Gr. und Ottos I. an die Päpste, Stuttgart 1896 (Recension von P. Kehr
in den GgA 1896 S. 128ff.); Liverani, Opere, Orvieto-Macerata 1858; P. Luther, Rom
und Ravenna bis zum 9. Jahrhundert, Berlin 1889; B. Malfatti, Imperatori e papi ai
tempi della signoria dei Franchi in Italia, Milano 1876; W. Martens a. a. O.; W. Martens, Neue Erörterungen über die römische Frage unter Pippin und Karl, Stuttgart 1882;   15
ders., Beleuchtung der neuesten Kontroversen über die römische Frage, München 1898; Mis-
cellanea di storia Italiana, Torino 1862 ff.; Th. Mommsen, Die Bewirtschaftung der Kirchengüter unter Papst Gregor I., in der Zeitschrift für Sozial- und Wirtschaftsgesch. Bd I (1893),
H. 1; F. Mutinelli, Storia arcana aneddotica d'Italia raccontata dai Veneti Ambasciatori, Venezia 1856; Nlehues, De stirpis Carolinae patriciatu, Monast. 1864; ders., Geschichte   20
des Verhältnisses zwischen Kaisertum und Papsttum im Mittelalter, 2. Aufl., Münster 1887;
A. F. Ozanam, Documents inédits pour servir à l'histoire littéraire d'Italie depuis le
8. siècle jusqu'au 13°, Paris 1851; P. Pinton, Le donazioni barbariche ai papi 1890;
Leopold von Ranke a. a. O.; A. Rolando, Geografia politica e corografia dell' Italia im-
periale nei secoli IX e X, im Archivio storico italiano Ser. IV, Bd V (1880); E. Sackur,   25
Die promissio Pippins vom Jahre 754 und ihre Bestätigung durch Karl. d. Gr., in den Mt
des Instituts f. österr. Geschichtsf. XVI, 385 f.; ders., Die Promissio von Kiersy, ebendaselbst
XIX (1898), S. 55—74; ders., Das römische Paktum Ottos I., im NA Bd 25 (1900),
S. 411—424; A. Schaube, Zur Verständigung über das Schenkungsversprechen von Kiersy
und Rom, in der HZ Bd 71 (1894), S. 193ff.; G. Schnürer, Die Entstehung des Kirchen-   30
staats, Köln 1894 (Rec. von P. Kehr in den GgA 1895, S. 694ff.); Karl Schwarzlose, Die
Patrimonien der römischen Kirche bis zur Gründung des Kirchenstaats, Diss., Berlin 1887;
ders., Die Verwaltung und finanzielle Bedeutung der Patrimonien der römischen Kirche bis
zur Gründung des Kirchenstaats, in ZKG Bd XI (1890) (vgl. L. M. Hartmann in den Mt
des Instituts für österreich. Geschichtsf. 1890, S. 466); W. Sickel, Ueber die Verträge der   35
Päpste mit den Karolingern und das neue Kaisertum, in Quiddes Deutscher Zeitschrift für
Geschichtswissensch. XI, 301 ff., und XII, 1 ff. (1894/1895); ders., Alberich II und der Kirchenstaat,
in den Mt des Inst. f. österreich. Gesch. Bd 23 (1902), S. 50—126; Sugenheim, Gesch. der
Entstehung und Ausbildung des Kirchenstaates, Leipzig 1854; Tomassetti, Della campagna
Romana nel medio evo, Roma 1884; Tosti, La Contessa Matilde e i Romani Pontefici,   40
2. Aufl., Rom 1887; H. J. Wurm, Kardinal Albornoz, Paderborn 1892.

Der Ausdruck „patrimonium" bedeutet ursprünglich das Allodialgut; daher bezeichnet „patrimonium beati Petri" in der ältesten Zeit den Grundbesitz der römischen
Kirche. Diese Bedeutung behält der Ausdruck bis etwa zum 12. Jahrhundert; in dieser
Zeit wird er auf das Gebiet übertragen, in dem der Papst landeshoheitliche Rechte aus-   45
übte oder beanspruchte, d. h. auf das Gebiet, welches im 8. Jahrhundert als ducatus
Romanus oder sancta dei ecclesiae Romanorum respublica oder Romana pro-
vincia, vom 9. bis 11. Jahrhundert als terra oder territorium sancti Petri in den
Quellen erscheint. Im 13. Jahrhundert wird dann der Ausdruck auf das gesamte vom
Papste beanspruchte Gebiet ausgedehnt d. h. auf den ganzen späteren Kirchenstaat, wäh-   50
rend er daneben auch noch im alten Sinne der vormaligen byzantinischen provincia
Romana vorkommt; in beiden Bedeutungen wird der Ausdruck noch heute verwandt.

Die römische Kirche war durch das Mailänder Edikt Konstantins vom Jahre 321
vermögensfähig geworden, und seitdem hatte sich ihr Grundbesitz schnell vermehrt. Der
Liber pontificalis und die Papstbriefe geben uns ein Bild sowohl von der Ausdehnung   55
dieses Grundbesitzes wie von der Art seiner Verwaltung. Wir erfahren, daß die römische
Kirche patrimonia in ganz Italien, auf den Inseln Sizilien, Korsika, Sardinien, in
Dalmatien, Gallien, Afrika besaß. Das bedeutendste war das patrimonium Siciliae,
etwa 400 Landgüter umfassend, mit umfangreicher Verwaltung, die in Palermo und Syrakus centralisiert war. Jedes patrimonium wurde von einem römischen Geistlichen als   60
rector verwaltet, in Rom bestand im palatium als Centralverwaltung, von der die
Ämter des arcarius und saccellarius bekannt sind.

Durch diesen Grundbesitz war die Kirche der größte Großgrundbesitzer und die größte
Finanzmacht Italiens. Sie empfing von ihren Bauern (coloni) die dem Grundbesitzer

gebührende pensio und die angariae; burdatio und Heeresfolge leisteten die Gutsfassen dem byzantinischen Kaiser; er war der Landesherr (vgl. Gregors des Gr. Anweisung an die rectores, daß sie die scribones, die Aushebungskommission, gut aufnehmen sollten, Ep. Gregorii Magni II, 38, ed. Ewald p. 137).

5 So lagen die Verhältnisse bis zum Anfange des 8. Jahrhunderts. In dieser Zeit ging durch die Ungunst der politischen Verhältnisse ein großer Teil der Patrimonien verloren (zuerst in Jllyrien, Afrika, Gallien; 733 in Sizilien und Unteritalien durch Leo den Jsaurier; in Mittel- und Oberitalien durch die Langobarden), und diese Schicksalsschläge sind der Anlaß geworden für eine neue Periode des Patrimoniums; aus dem 10 Rest der mittelitalienischen Patrimonien ist das patrimonium Petri entstanden. — Die politische Lage des Papsttums war damals sehr böse. Mit ihren Landesherrn, den byzantinischen Kaisern, waren die Päpste erst durch den monotheletischen, dann durch den Bilderstreit zerfallen, und eben diesem Zerwürfnis hatten sie es zu verdanken, daß ihre wertvollsten Patrimonien verloren gingen; die Verfügung Leos des Jsauriers im Jahre 15 733 sollte auf die päpstlichen Finanzverhältnisse etwa wie eine moderne Gehaltssperre wirken. Wenn sie es nicht in dem Maße that, wie der Kaiser erwartet haben mochte, so lag das daran, daß die Päpste seit dem Anfang des 8. Jahrhunderts ihre in der Nähe Roms gelegenen Besitzungen intensiver bewirtschafteten. Denn das wird doch wohl die Bedeutung der zahlreichen Gründungen von sogenannten domuscultae sein, von 20 denen der Liber pontificalis in dieser Zeit zu erzählen weiß. Der Ertrag dieser großen Domänen war eine sichere Einkunftsquelle, welche die Verluste einigermaßen verschmerzen ließ, und — was noch wichtiger ist — die Gutsfassen dieser domuscultae lieferten eine stets schlagbereite Miliz, welche als wirksame Waffe gegen unbequeme Verfügungen der Kaiser wohl verwendbar war. Diese militia Romana war es beispielsweise, welche den 25 Exhilaratus, den byzantinischen dux des ducatus Romanus, schlug und tötete, als er es wagte, das kaiserliche Edikt gegen die Bilderverehrung im ducatus zur Durchführung zu bringen; man wird nicht fehlgehen, wenn man annimmt, daß sie auch der Grund gewesen ist, warum Leo der Jsaurier nicht auch die Einziehung der römischen Patrimonien verfügte. In diesen Patrimonien in der Nähe Roms ist der Papst bereits 30 am Anfange des 8. Jahrhunderts der thatsächliche Landesherr; der byzantinische dux, der im Namen des Exarchen von Ravenna den ducatus Romanus leitete, hat hier nichts zu sagen, sein Name verschwindet allmählich aus den Quellen, ohne daß wir genau sagen könnten, wie und wann das Amt beseitigt wurde.

Freilich blieb der byzantinische Kaiser noch längere Zeit der nominelle Landesherr. 35 Ja, die Päpste Gregor II. (715—731) sowohl wie Gregor III. (731—741) haben mit einer gewissen Absichtlichkeit in manchen Fällen diese Oberherrschaft betont, haben sogar ihre militia, wenn es ihnen paßte, zum kaiserlichen Heere stoßen lassen, z. B. zum Heere des Exarchen Eutychius, als es galt, einen Aufstand in Tuszien niederzuwerfen (Duchesne, Le liber pontif. I, p. 408). Sie brauchten die Thatsache der staatsrechtlichen Zugehörig- 40 keit zum byzantinischen Reiche als eine Waffe gegen den anderen Feind, der sie bedrohte, die Langobarden. Dieser Feind war bei weitem gefährlicher. Wenn hier einmal ein kräftiger König erstand, welcher die centrifugalen Gewalten der Herzoge zu bändigen wußte, so war es um den Rest der byzantinischen Herrschaft in Ober- und Mittelitalien, um das Exarchat von Ravenna mit seinen Unterprovinzen, den Dukaten von Jstrien, 45 Venetien, Ravenna, der Pentapolis, Perugia, Rom und um Rom selbst geschehen. Im eigenen Interesse durften die Päpste nicht dulden, daß dieses Schlimmste eintrat; sie wären dadurch in eine Abhängigkeit geraten, welche für ihre Machtstellung äußerst verhängnisvoll hätte werden können. Am Anfang des 8. Jahrhunderts war nun im Langobardenreiche endlich ein Mann König geworden, der die Herzoge unterwarf und eine energische auswärtige Politik 50 einleitete, Liutprand. Die Päpste befanden sich seinen wiederholten Angriffen gegenüber in einer äußerst schwierigen Lage. Sie haben in dieser Not wohl zu geistlichen Mitteln ihre Zuflucht genommen, erreichten damit aber nur vorübergehende Wirkung. Gregor III. hat die Herzoge von Spoleto und Benevent gegen Liutprand auszuspielen versucht, aber auch dies Mittel verfing nicht; Liutprand schlug den Herzog Trasamund, bemächtigte sich 55 der wichtigsten Plätze des ducatus Romanus und belagerte Rom (739). Ebenso geringen Erfolg hatte eine Bitte um Hilfe, die Gregor an Karl Martell richtete. Erst sein Nachfolger Zacharias (741—752) war glücklicher. Als Preis für den Übertritt in das Lager des Liutprand und für die Aufgabe des bisherigen Bündnisses mit den der Königsgewalt widerstrebenden langobardischen Herzogen erreichte er nicht nur die Rückgabe mehrerer 60 Patrimonien, sondern auch — und das ist sehr wichtig — die Übergabe von 4 tuszischen

Plätzen Amelia, Orte, Bomarzo und Bieda. Diese Städte wurden dem Papste „zurück-
geschenkt", und dieser nahm die „Schenkung" an; von den Rechten des byzantinischen
Kaisers ist überhaupt nicht die Rede. Der Papst erhält in diesen Städten dieselben Rechte,
welche früher der Kaiser besessen hatte; die feierliche Übergabe der Schlüssel an die Gesandten des Papstes beweist, daß man in ihm den neuen Landesherrn sah. Das ist der 5
Moment, in dem der Papst zum erstenmale von einer politischen Macht als Landesherr
anerkannt wird, und darin liegt die Bedeutung dieser „Schenkung" des Liutprand für
die Geschichte des Patrimoniums.

Natürlich hatte Liutprand nicht aus reiner Liebe zum heiligen Petrus die Städte
wieder herausgegeben. Man wird wohl nicht irren, wenn man seine nun folgenden Unter- 10
nehmungen gegen Ravenna mit diesen „Schenkungen" in Zusammenhang bringt. Wahrscheinlich hoffte er, Zacharias durch diese Abschlagszahlung sich verpflichtet zu haben, so
daß er ihm freie Hand gegen jene Stadt lassen würde. Als er aber noch im Jahre
742 einen Zug gegen den Exarchen unternahm, mußte er bald einsehen, daß er sich getäuscht hatte. Zacharias remonstrierte lebhaft im Namen des byzantinischen Kaisers, an 15
den er sich hier plötzlich wieder erinnerte, und Liutprand gab wenigstens teilweise nach.—
Bis zum Jahre 751 gelang es dem Papste dann, durch geschicktes Lavieren zwischen Pavia
und Byzanz im großen und ganzen den Frieden zu erhalten. Alle seine diplomatische
Kunst scheiterte aber an dem Ungestüm und der Energie des Aistulf, der seit 749 König
der Langobarden war. Dieser eroberte 751 Ravenna und drohte, seine Scharen nach 20
Süden zu führen, um das ganze Exarchat samt dem ducatus Romanus einzunehmen.
In diesem Momente trafen die Boten des fränkischen Hausmeiers Pippin in Rom ein.
Zacharias trug kein Bedenken, die bekannten Forderungen hinsichtlich der Königskrone zu
bewilligen, und den Lohn erntete sein Nachfolger Stephan II. (752—757). Als Aistulf 752
seine Hand nach dem römischen Dukate ausstreckte und von Byzanz keine Hilfe kam, wandte 25
sich Stephan an Pippin. Es folgten die denkwürdigen Zusammenkünfte zu Ponthion und
Kiersy. Damals soll nun Pippin dem Papste nicht nur Rettung vor Aistulf und die Restitution
der den Kirchen entrissenen Patrimonien zugesichert, sondern ein noch weitergehendes Versprechen,
die sogenannte Pippinsche Schenkung, gegeben haben. Urkunden über eine solche promissio
oder donatio — beide Ausdrücke erscheinen nebeneinander — sind nicht erhalten. Wir sind 30
für diese bedeutsame Epoche in der Geschichte des Patrimoniums, abgesehen von den
Briefen der Päpste im Codex Carolinus und den Kaiserprivilegien für die römische
Kirche im wesentlichen auf die Berichte des Liber pontificalis angewiesen. Dort werden
diese Ereignisse sowohl in der Vita Stephani II. wie in der Vita Hadriani I. erzählt.
Die Vita Stephani II. berichtet einfach, daß Pippin eidlich versprochen habe, exarcha- 35
tum Ravennae et reipublicae iura seu loca reddere modis omnibus, ferner, daß
die Großen in Kiersy beschlossen hätten, quae (Pippinus) una cum eodem papa de-
creverat, perficere. Bemerkenswert ist zunächst dieselbe Unbestimmtheit der Ausdrücke
wie bei der „Schenkung" Liutprands; vom byzantinischen Kaiser kein Wort, der Papst
ist der, dem „zurückgegeben" wird; er erscheint als der Erbe der kaiserlichen Besitzungen. 40
Im übrigen wird hier nichts weiter gesagt, als daß Pippin dem Papste helfen will, die
Rechte und Plätze der respublica (vgl. über diesen Begriff auch Hauck, Kirchengeschichte
Deutschlands, II (2. Aufl.) S. 25 Anm. 2) wiederzugewinnen. Demgegenüber berichtet
die vita Hadriani I., daß zu Kiersy dem Papste noch ein besonderes Versprechen gegeben
sei, und daß diese promissio denselben Inhalt gehabt habe wie die promissio Karls 45
des Gr. vom Jahre 774. Es folgt eine Aufzählung der in der promissio versprochenen
Gebiete. Der große Umfang dieses Komplexes ist seit langer Zeit die Veranlassung gewesen, daß die Echtheit des Schenkungstextes in Zweifel gezogen wurde, und erst in der
neueren Zeit sind gewichtige Stimmen für die Zuverlässigkeit laut geworden (vgl. oben
die Litteraturangaben zur sogenannten römischen Frage). Die Verteidiger der Echtheit 50
nehmen neuerdings an, daß zu Kiersy zwischen König und Papst ein Vertrag abgeschlossen
sei, demzufolge im Falle des Sieges über die Langobarden das eroberte Reich in 2 Teile
geteilt werden sollte: alles, was nördlich von einer Grenzlinie Luni-Reggio-Mantua-Mon-
felice gelegen sei, sollte Pippin bekommen, der Papst dagegen alles, was südlich von jener
Linie liege, d. h. das langobardische Tuszien, einen Teil der Emilia, das Gebiet am unteren 55
Po, dazu die Herzogtümer Spoleto und Benevent. So scharfsinnig nun auch diese Annahme begründet worden ist, so darf dem doch wohl entgegengehalten werden, daß bis
jetzt noch kein direkter Beweis dafür erbracht ist, daß ein derartiger Teilungsvertrag über
ein noch gar nicht erobertes Reich in Kiersy geschlossen ist. Und so lange dies nicht geschehen ist, muß die Thatsache einer solchen umfassenden Pippinschen Schenkung mehr als 60

zweifelhaft bleiben. Der Papst hatte damals sicherlich andere Sorgen; es handelte sich für ihn um die Rettung aus äußerster Gefahr; und ob Pippin bereits an eine Vernich= tung des Langobardenreiches gedacht hat, ist ebenfalls sehr ungewiß (die Beweggründe, welche Pippin zum Bündnis mit dem Papste treiben mochten, legt treffend dar Hauck, Kirchengeschichte Deutschlands, II [2. Aufl.] S. 19 f.); die Ära der fränkischen Weltpolitik beginnt erst mit Karl d. Gr. Thatsächlich hat denn auch Aistulf nach kurzer Zeit durch Vermittelung der fränkischen Großen einen billigen Frieden erreicht; er mußte nur seine letzten Eroberungen herausgeben, durfte dagegen die Erwerbungen des Liutprand behalten, sehr zum Kummer des Papstes. Es liegt kein zwingender Grund vor, die zahlreichen Klagen des Papstes, die sich fortan in seinen Briefen finden, auf etwas anderes zu be= ziehen als auf diese noch nicht ausgelieferten Eroberungen des Liutprand. Stephan bittet ausdrücklich gleich nach dem Friedensschlusse (Cod. Carolin. ep. 11), daß Pippin ple= nariam iustitiam dei ecclesiae tribuere dignetur, und zwar, daß er reliquas civitates, quae sub unius dominii ditione erant connexae (d. h. einst unter By= zanz), ecclesiae restituere praecipiat, nämlich die Städte Faenza, Imola, Ferrara, Bologna im Norden, Osimo, Ancona, Umana im Süden. Das sind die einzigen For= berungen, die der Papst erhebt.

Somit hat das Gebiet, welches durch die Friedensschlüsse von 754 und 756 der römischen Kirche überwiesen wird, nur einen Teil des früheren byzantinischen Gebietes umfaßt; die Quellen lassen erkennen, daß es ein Gebiet war, welches etwa von Civita= vecchia im Norden bis Terracina im Süden reichte, nach Osten eine Grenzlinie hatte, die über Perugia, Todi (vgl. den Vertrag zwischen Desiderius und Paul I. vom Jahre 760 über die Grenze der sancta dei ecclesiae Romanorum respublica zwischen Perugia und Spoleto bei Troya, Codice diplom. Longobardo V, p. 73), Narni, Otricoli, Alatri, Ceperano lief und augenscheinlich 4 Verwaltungsbezirke einschloß: 1. Rom cum ducatu suo, 2. das südliche Tuszien, 3. den ducatus von Perugia, 4. das nördliche Campanien (vgl. hierzu Hamel a. a. O. S. 12 f.; Duchesne, Le Liber pontif. I p. 478 und 493: Hadrian I. bietet uns: populum Tusciae, Campaniae et ducatus Peru- sini; die römische Miliz ist nicht besonders genannt). Die Päpste erscheinen in diesem Gebiete als Landesherren; sie leiten die Politik, ernennen Beamte und Richter, berufen die Miliz ein. Aber sie erkennen Pippin und seine Nachfolger in gewisser Weise als Oberherren an; denn diese sind durch den Vertrag zu Ponthion der patricii der neuen respublica. Die Bedeutung des Titels „patricius" ist umstritten. Pippin hat ihn offenbar mit Absicht gewählt (Hauck a. a. O. II S. 21, Anm. 6 hat Recht, wenn er gegen die Annahme protestiert, als habe der Papst dem Könige diesen Titel verliehen); denn die Römer kannten ihn; er war der Titel des Exarchen von Ravenna. Mit ihm verband sich für Rom der Inbegriff der weltlichen Hoheitsrechte; Pippin tritt als patri- cius gleichsam an die Stelle des Exarchen, er gilt als Stellvertreter des Kaisers, wie vordem die patricii Odoaker, Theoderich u. a. Daher zeigt der Papst ihm künftig seine Wahl mit den Worten desselben Formulars an, das man früher gegenüber dem Exarchen zu benutzen pflegte (Liber diurnus nr. 60); daher empfängt Hadrian I. den patricius Karl mit denselben Ehrenbezeugungen, mit denen man vordem den Exarchen empfing; daher sehen die Päpste auch fernerhin als ihren eigentlichen Oberherrn den Kaiser an und datieren ihre Schreiben wie bisher nach kaiserlichen Regierungsjahren. Selbstverständlich gewann dieser Titel zunächst einen anderen Inhalt als zur byzantinischen Zeit; er schloß anfangs mehr Pflichten als Rechte in sich, namentlich die Schutzpflicht gegenüber den Langobarden: daneben aber doch auch Rechte, die man vielleicht zu gelegenerer Zeit aus= nutzen konnte; ein so weitblickender Politiker wie Pippin ist sich darüber gewiß nicht im Unklaren gewesen.

Pippin starb 768; in dem Streit zwischen seinem Sohne Karl und dem Langobarden Desiderius entschied sich der damalige Papst Hadrian I. (772—795) für Karl. Die Folge war, daß Desiderius in das Exarchat einfiel, zahlreiche Städte eroberte und auf Rom loszog. Auf die dringenden Bitten des Papstes hin erschien Karl in Italien; in dem hier in Betracht kommenden Briefe Hadrians (Mon. Germ. Epist. III, 587) bittet der Papst lediglich darum, daß Karl sich der bedrängten Kirche Gottes annehmen und die von Desi- derius fortgenommenen Städte zurückfordern möge. Von der Erneuerung eines angeblich unter Pippin verabredeten Teilungsvertrages ist nicht die Rede. Hadrian befand sich 773 in derselben üblen Lage wie Stephan II. im Jahre 752; er mußte froh sein, wenn Karl ihn rettete. Ebensowenig passen weitergehende Abmachungen in die Situation während des Besuches Karls in Rom anläßlich des Osterfestes 774. In der Korrespon=

benz des Papstes mit Karl in der folgenden Zeit ist, abgesehen von den Klagen über den Erzbischof Leo von Ravenna, der einen großen Teil des Exarchates, vor allem die Städte Imola und Bologna, unter Berufung auf eine Schenkung Karls (Cod. Carol. nr. 55) in Besitz genommen hatte, nur noch von der Rückgabe des Herzogtums Spoleto die Rede. Gerade diese Forderung hat man für die Echtheit der „Schenkung" ins Feld 5 geführt, weil ja die Herzogtümer Spoleto und Benevent einen Hauptbestandteil der „Schen= kung" bilden. Aber dieses Argument ist nicht beweiskräftig; denn Spoleto hatte sich in der Zeit zwischen September bis Dezember 773 freiwillig dem Papste unterworfen (Du= chesne, Liber pontif. I, S. 495f.), und die Privaturkunden beispielsweise des spoleta= nischen Klosters Farfa zeigen in der That, daß in den Jahren 774 bis 775 der Papst als 10 Landesherr in Spoleto anerkannt war (vgl. die Datierungen jener Urkunden), im Januar 776 dagegen bereits Karl als solcher fungierte. Daher erscheint es doch am nächsten anzunehmen, daß alle Klagen des Papstes sich auf das von Karl nicht berücksichtigte An= recht beziehen, das er hier durch die freiwillige Unterwerfung der Spoletaner besaß. Karl hat das Herzogtum offenbar, so lange er noch vor Pavia engagiert war, dem Papste 15 überlassen („geschenkt") und ist erst später anderer Ansicht geworden. Auch hier nötigt kein Umstand, die promissio der Vita Hadriani als Veranlassung jener Klagen anzu= nehmen (die Erklärung der promissio vgl. unten); Karl hat sich ganz ersichtlich 774 in den Grenzen der thatsächlichen Pippinschen Schenkung gehalten.

Später ist Karl dann infolge veränderter politischer Verhältnisse etwas weiter ge= 20 gangen. Ob er im Jahre 781 die ganze Sabina, einen Teil des Herzogtums Spoleto, dem Papste überwiesen hat oder bloß das alte patrimonium Sabinense, mag dahin= gestellt bleiben (das „antiquitus" und die Erwähnung der „massae" in Cod. Carolin. ep. 73 scheinen für das letztere zu sprechen). Dagegen hat er im Jahre 787 gelegentlich des Zuges gegen den aufrührerischen Herzog Arichis von Benevent seinem päpstlichen 25 Bundesgenossen mehrere Städte des langobardischen Tusziens und des Herzogtums Bene= vent abgetreten. Ein großer Teil dieser Schenkung ist jedoch nie zur Ausführung ge= kommen; denn Karl hat kurz darauf unter dem Drucke eines drohenden Krieges mit den Griechen Süditaliens (788) eine politische Schwenkung vollzogen, sich mit dem neuen Herzog Grimoald von Benevent ausgesöhnt und ihm ruhig den größten Teil der soeben 30 dem Papste geschenkten Gebiete überlassen. Auf diese Thatsache beziehen sich alle Klagen Hadrians über die Nichterfüllung eines Versprechens, von denen wir in seinen Briefen aus dieser Zeit lesen. — Immerhin war durch diese Schenkung die sancta dei eccle= siae Romanorum respublica beträchtlich erweitert. Städte wie Viterbo, Toscanella, Rosellae bei Grosseto, Soana, Bagnorea, Orvieto kamen damals an die Kirche, so daß 35 die Grenzlinie bedeutend nach Norden gerückt wurde und etwa von Populonia östlich sich erstreckte. Was im Süden hinzukam, können wir nicht genau feststellen; wahrscheinlich die im Ludovicianum von 817 genannten Städte Sora, Arce, Aquino, Arpino und Teano; Capua dagegen blieb bei Benevent.

Wie kommt nun aber der Biograph des Papstes Hadrian dazu, von jener oft er= 40 wähnten großen „Schenkung" zu berichten, die, man mag über sie denken wie man will, jedenfalls niemals zur Ausführung gekommen ist? Um diesen Bericht zu verstehen, muß man sich erinnern, daß damals die Zeit war, in der jene große Fälschung der donatio Constantini entstand, jene Schenkung, der zufolge Konstantin der Gr. dem Papste Sil= vester die Herrschaft über die Stadt Rom und omnes Italiae seu occidentalium re= 45 gionum provintias, loca et civitates übertragen haben sollte. Hadrian selbst hat diese Fälschung gekannt; er hat sich Karl gegenüber auf diese Fälschung berufen (Cod. Carolin. ep. 61); ja, es scheint, als ob in den Worten jenes Briefes bereits auch die Ausdrücke der Vita Hadriani anklingen. In diesem Zusammenhang gehört die „Schen= kung" der Vita; sie ist gleichsam das politische Programm der Kurie, sie enthält das, was 50 die Kurie von der großen donatio Constantini zur Zeit für erreichbar hielt; sie fixiert Ansprüche, die, wenn sie auch in der Gegenwart nicht durchzusetzen sind, künftig nicht ver= gessen werden.

Die Kurie hat mit alledem Karl gegenüber keinen Erfolg gehabt. Im Gegenteil — er hat Rechte beansprucht und ausgeübt, an deren Geltendmachung sein Vater nicht ge= 55 dacht hatte. Die Berechtigung zu solchem Vorgehen fand er in seinem patricius-Titel, und jetzt erst zeigte sich die wahre Bedeutung dieses Titels. Karl hat nicht nur die aus= wärtige Politik der respublica Romana geleitet, er hat auch direkt in die innere Ver= waltung eingegriffen, Appellationen von Unterthanen des Papstes angenommen u. s. w., kurzum er ist durchaus als Herrscher in der respublica aufgetreten, sobald er es für 60

nötig hielt. Schon Ficker (a. a. O. II, S. 352) und nach ihm Brunner (Deutsche Rechts=
geschichte II, S. 57) haben zur Charakteristik dieses eigentümlichen Verhältnisses Karls
zur republica Romana auf die Immunitätsverhältnisse hingewiesen: wie der Bischof
oder Abt zum advocatus, so verhielt sich der Papst zum patricius. — Die schwierige
Lage, in der Leo III. (795—816) sich nach seiner Wahl befand, hat diese Machtstellung
Karls noch gesteigert. Wenn Leo III. dem König die Schlüssel zur Konfession des Apo=
stels Petrus und die Fahne der Stadt Rom übersandte sowie die Bitte aussprach, daß
Karl den Treueid seiner römischen Unterthanen entgegennehmen wolle, so kann die staats=
rechtliche Stellung des Frankenkönigs zur republica · nicht deutlicher zum Ausdruck
kommen. Es war nur die Konsequenz dieser Anschauungen, wenn Karl am 23. Dezember
800 in der Peterskirche feierlich über den Herrn der republica zu Gericht saß. Die
Annahme der Kaiserwürde am 25. Dezember änderte an dieser staatsrechtlichen Stellung
Karls nicht das Geringste; nur bewies vielleicht der neue Titel „imperator" der da=
maligen Welt schlagender als der alte die Abhängigkeit des Papstes und seines weltlichen
Besitzes von den Königen der Franken.

Mit dem Tode Karls des Gr. änderte sich das Verhältnis der Kaiser zur res=
publica Romana. Aus den wenigen uns erhaltenen großen Pakten, die in der folgenden
Zeit zwischen Kaisern und Päpsten geschlossen wurden (in den Jahren 817, 824, 850,
875, 891, 898, 915, 962, 1020; erhalten sind nur die von 817, 962, 1020), läßt sich
für die Geschichte der republica allerdings nur wenig entnehmen. Wichtig ist das so=
genannte Ludovicianum vom Jahre 817, weil hier der Kaiser außer den uns bekannten
Gebieten der republica als Schenkung Karls aufführt: die Inseln Korsika, Sardinien
und Sizilien. Aber diese Worte sind Fälschung. Korsika war zwar schon in der Schen=
kung der Vita Hadriani genannt und wird auch in der Korrespondenz zwischen Leo und
Karl erwähnt, aber wir wissen so wenig über die politischen Verhältnisse der Insel, um
uns ein Urteil bilden zu können; Sardinien und Sizilien dagegen hat Karl sicher nicht
verschenkt; es ist in der betreffenden Korrespondenz immer nur von den dortigen Patri=
monien die Rede. — Der Umfang der republica ist also derselbe geblieben. Die Ver=
änderung der Dinge nach Karl dem Gr. beruht auf dem veränderten Verhältnis der
Kaiser zur Verwaltung dieses Gebietes. Ludwig der Fromme raffte sich gewiß hin und
wieder auf, um das alte Verhältnis herzustellen. So sandte er im Herbste 824 seinen
Sohn Lothar I. nach Rom, um den neuen Papst Eugen II. an seine Unterthanenstellung
zu erinnern. Das wichtigste Ergebnis war die Constitutio Romana vom November
824, die nicht nur die Papstwahl ordnete, sondern dauernde Einrichtungen treffen wollte
hinsichtlich des Verhältnisses zwischen dem Kaiser und der republica: Kaiserliche missi
sollten zusammen mit päpstlichen jährlich die Rechenschaftsablage der Verwaltungsbeamten
(duces) und Richter (iudices) prüfen, die Namen aller Beamten und
Richter sollten dem Kaiser mitgeteilt werden, das kaiserliche Gericht sollte oberste Instanz
sein. Die Rechte, die Karl der Gr. thatsächlich geübt hatte, wurden hier erstmalig kodi=
fiziert, aber indem sie niedergeschrieben wurden, hörten sie auf lebendig zu sein. Die poli=
tischen Ereignisse haben die constitutio bald überholt; der Sieg Gregors IV. auf dem
„Lügenfelde" bei Colmar 833 bedeutete auch den Anfang vom Ende der karolingischen
Herrschaft über die respublica Romana.

Die karolingischen Kaiser werden abgelöst von den italienischen; wie sie in der res=
publica wirtschaften, zeigt das Verhalten Lamberts auf der Leichensynode zu Rom. Im
Norden, Süden und Osten wird vom Gebiet der respublica ein Teil nach dem anderen
losgerissen: im Norden von den Erzbischöfen von Ravenna, im Osten von den Herzogen
von Spoleto, im Süden von den Herzogen von Benevent, den Fürsten von Gaeta u. a.
Sogar in Rom selbst werden die Päpste vom Adel verdrängt. Zeitweise wird aus dem
päpstlichen Gebiet ein kleiner italienischer Staat, regiert von Alberich als princeps at=
que omnium Romanorum senator. Der Verfasser des um 950 entstandenen Li=
bellus de imperatoria potestate in urbe Roma (MG SS III, S. 719—722) kann
nicht genug über den Verfall der respublica klagen und sehnt sich nach einem zweiten
Karl d. Gr., der den Übermut des Adels brechen möge.

Der ersehnte Kaiser kam in der Person Ottos I., gerufen von Alberichs Sohn Ok=
tavian, der auf kurze Zeit wieder als Johannes XII. die geistliche und weltliche Herrschaft
vereinte. Seit Karl d. Gr. hatten sich jedoch die Verhältnisse so sehr geändert, daß Otto
sich den Eintritt in die Stadt Rom durch einen Eid erschließen mußte, in dem er die
Hoheitsrechte des Papstes zu wahren und auf eigene bezügliche Rechte zu verzichten ge=
lobte, auch versprach, daß er für die Integrität der terra sancti Petri Sorge tragen

wollte. Als er Rom in Besitz genommen hatte, ist er dann allerdings energischer auf=
getreten; das pactum Ottonianum vom 13. Februar 962 enthält die scharfen Bestim=
mungen der constitutio Romana von 824 über die kaiserliche Oberherrschaft im päpst=
lichen Gebiet, während die Versprechungen des kurz vorher geleisteten Eides mit Still=
schweigen übergangen werden, und diesen Bestimmungen gemäß hat Otto stets ein strenges 5
Regiment in Rom geführt. Merkwürdigerweise finden sich in demselben Paktum auch
die Worte der karolingischen Schenkung aus der Vita Hadriani I.; ihre Aufnahme paßt
anscheinend sehr schlecht zu der Aufnahme der eben erwähnten Bestimmungen des 2. Teiles
der Urkunde. Früher hat man deswegen auf die Unechtheit der Urkunde geschlossen; aber
das müßte ein merkwürdiger Fälscher gewesen sein, der jene ungünstigen Bestimmungen 10
des 2. Teils hätte bestehen lassen. Die ganze Schwierigkeit löst sich am besten bei der
Annahme, daß die Worte der karolingischen Schenkung einfach aus einer der uns ver=
lorenen Vorurkunden übernommen sind, genau so, wie sie im Jahre 1020 Heinrich II.
unbesehens aus unserer Urkunde in sein Paktum aufnahm. Thatsache ist jedenfalls, daß
die Schenkung auch jetzt nicht trotz der Aufnahme in das Paktum zur Ausführung ge= 15
kommen ist. Ebenso sind die anderen Schenkungen, die Otto I. zu den alten hinzufügte,
nämlich einige süditalienische Patrimonien, die Städte Gaeta und Fondi, sowie eine Reihe
von Städten im Süden des Herzogtums Spoleto (letzteres beachtenswert, nachdem Otto
eben mit den Worten der karolingischen Schenkung das ganze Herzogtum Spoleto ver=
schenkt hat! Auch dieser Umstand spricht für die obige Deutung der Aufnahme jener 20
Worte), nicht Wirklichkeit geworden. Auch hier werden vorerst nur Ansprüche erworben,
keine thatsächlichen Gebietserweiterungen.

Nach der kurzen Herrschaft Ottos III., die eine Erneuerung karolingischer Ideen und
Zustände schafft, folgt dann abermals eine Periode des Niedergangs der päpstlichen Herr=
schaft und fortwährender Gebietsverluste. Selbst die Zeit Gregors VII. bringt nur geringe 25
Veränderungen. Hinzu kommt Benevent (schon 1051 von Leo IX. okkupiert, dann im
Eide Roberts als päpstlicher Besitz anerkannt, aber nicht immer als solcher respektiert, wie
die Ereignisse des Jahres 1077 und die mannigfachen Einfälle Rogers und Wilhelms
von Sizilien beweisen). Im übrigen aber liegt die Bedeutung dieser Zeit für die Ge=
schichte der terra sancti Petri einmal darin, daß Gregor VII. in einem alles Bisherige 30
weit überragendem Maße Ansprüche auf alle möglichen Gebiete erhob (auf Grund der
donatio Constantini), und andererseits darin, daß die Normannen auf einen Teil dieser
Ansprüche eingingen. Indem Robert Guiscard Apulien, Calabrien und Sizilien, Richard
Capua aus der Hand Nikolaus' II. annahmen, erkannten sie das Besitzrecht des Papstes
auf diese Länder an; die Länder galten fortan als terrae sancti Petri. Dadurch, 35
daß Gregor diese und andere Ansprüche (z. B. auch auf Sardinien cf. Jaffé-Löwenfeld,
Regesta etc. nr. 4800. 4817, auf Korsika a. a. O. nr. 5046. 5048. 5093) immer und
immer wieder betonte, hat er die Grundlage für die Ansprüche späterer Päpste gelegt,
die unter günstigeren politischen Verhältnissen größere Erfolge hatten als er. Zunächst
bleibt aber die Lage der Dinge in der terra sancti Petri nach Gregors Tode genau 40
so unbeständig wie vorher. Selbst die andere große Neuerwerbung, zu der unter ihm der
Grund gelegt wurde, die Schenkung der Allodien der Markgräfin Mathilde von Tus=
zien, die im Jahre 1115 an den Papst fallen sollten, bedeutete keine thatsächliche Ge=
bietserweiterung; denn sie sind zunächst nicht in päpstliche Verwaltung gekommen, sondern
werden von den kaiserlichen Markgrafen, später von den Welfen im Namen des Kaisers 45
verwaltet.

Über den wirklichen Umfang des päpstlichen Gebietes in diesen Jahrhunderten vom
Tode Ottos I. bis zum Ende des 12. Jahrhunderts geben die Urkunden die beste Aus=
kunft. Das Exarchat ist fast ganz im Besitze des Erzbischofs von Ravenna (Mon. Germ.
Dipl. Ottonis III. nr. 330; Dipl. Henrici II. nr. 290 bis: Jaffé-Löwenfeld, Re= 50
gesta nr. 7233), später machen sich die Städte selbständig, bis Friedrich I. sie durch
seine Beamten verwalten läßt. Die Pentapolis gehört beständig zum Herzogtum Spo=
leto (Mon. Germ. Dipl. Ottonis III. nr. 228. 389 cf. Ficker a. a. O. II, S. 320 f.).
Das Herzogtum Spoleto ist nur vorübergehend von Victor II. (1054—1057) in Besitz
genommen, sonst erst langobardisch, später im Besitze verschiedener Herzoge (Welf, Konrad 55
von Urslingen). Die eigentliche terra sancti Petri, welche durch die Pippinsche Schen=
kung begründet wurde, ist meist in der Gewalt kleiner Fürsten, deren Namen wir kaum
kennen. In Rom selbst lösen sich die Crescentier, die Grafen von Tusculum, die Pier=
leoni und die Frangipani, Arnold von Brescia ab. Kurz, von einer Landeshoheit der
Päpste kann in dieser ganzen Zeit nur in sehr beschränktem Maße die Rede sein. Selbst 60

Alexanders III. Sieg brachte keine wesentlichen Veränderungen; im Frieden von Venedig 1177 wurden nur die alten päpstlichen Besitzungen (omne patrimonium beati Petri ab Aquapendente usque ad Cepranum, cf. Vita Alexandri III.) ausgeliefert, nicht aber die Mathildinischen Güter oder andere beanspruchte Gebiete. Und wie wenig Auto=
5 rität damals die Päpste selbst im eigentlichen patrimonium besaßen, zeigt die Thatsache, daß Alexander III. sowohl wie seine Nachfolger flüchtend von einer Stadt zur anderen ziehen mußten.

Heinrich VI. machte dann seinen Bruder Philipp zeitweise zum Herzog fast des ge= samten päpstlichen Besitztums; die päpstliche Herrschaft hörte für kurze Zeit überhaupt auf.
10 Der Rückschlag blieb nicht aus. Sofort nach dem Tode des Kaisers Heinrichs VI. begannen die Päpste ihre Ansprüche auf das patrimonium beati Petri energisch geltend zu machen. Zustatten kam ihnen dabei die nationale Reaktion, die sich damals namentlich in Mittelitalien erhob. Ohne Kampf darum führen zu müssen, erhielten sie fast alles wieder, was sie verloren hatten. Das alte patrimonium Petri wurde wieder ganz
15 päpstlich; freiwillig unterwarf sich ganz Spoleto und der größte Teil der Pentapolis. Nur das Exarchat und die Mathildinischen Güter blieben auch jetzt noch in fremdem Besitz. Aber der Verfall der Reichsgewalt in Italien und die deutschen Thronstreitigkeiten haben den Päpsten endlich doch die Erfüllung ihrer Forderungen gebracht. Innocenz III. gelang es, im Jahre 1201 von Otto IV. ein großes Privileg zu erhalten, durch das Otto dem
20 Papste bestätigt: tota terra, quae est a Radicofano usque Ceperanum (d. h. das alte patrimonium sancti Petri), exarchatus Ravennae, Pentapolis, Marchia (d. h. An- cona), ducatus Spoletanus, terra comitissae Mathildis, comitatus Brittenorii (d. h. Bertinoro) cum aliis adiacentibus terris; dazu das regnum Siciliae. Dieses Privileg ist die Grundlage für den späteren Umfang des Patrimoniums geworden (cf.
25 Ficker a. a. O. II, S. 390); hier zum erstenmal sind alle die Ansprüche, die seit der angeblichen karolingischen Schenkung und der donatio Constantini von den Päpsten erhoben wurden, von kaiserlicher Seite anerkannt. Otto IV. hat zwar später trotz seines Privilegs die Hoheit des Reiches fast in allen eben aufgezählten Gebieten wieder schroff zur Geltung gebracht, ebenso Friedrich II. trotz seiner Privilegien von 1213 und 1219.
30 Aber infolge der günstigen politischen Verhältnisse nach dem Tode Friedrichs II. und durch den Sieg der päpstlichen Partei bei Benevent im Jahre 1266 sind die Päpste doch endlich in den vollen Besitz der genannten Gebiete mit Ausnahme Siziliens gekommen. Abgeschlossen wurden die Erwerbungen im Jahre 1278 durch den Verzicht Rudolfs von Habsburg auf alle kaiserlichen Rechte im alten Exarchat, in der Romagna, welche dadurch
35 als letztes Glied zum patrimonium hinzukam.

Wiederum beginnt dann, schon gegen Ende des 13. Jahrhunderts, eine böse Zeit für das patrimonium Petri. Die Päpste verlassen Rom, die Colonna und Orsini, seit Innocenz III. die Conti, seit Honorius III. die Savelli, seit Bonifaz VIII. die Gaetani, daneben die Frangipani, Cola di Rienzi und andere Machthaber befehden sich in der
40 Hauptstadt des Patrimoniums; in Mittel= und Oberitalien reißen die großen Städte die Macht an sich, zahlreiche Adelsgeschlechter ergreifen Besitz von den Städten und Land= schaften des Patrimoniums. Nach dem Tode Cola di Rienzis versucht Kardinal Albornoz eine Reorganisation des päpstlichen Gebietes: er teilt es in eine Menge kleiner Vikariate, belehnt mit ihnen jene Adelsgeschlechter (die Malatesta, die Montefeltro, die Man=
45 fredi, die Ordelaffi 2c.) und rettet auf diese Weise die gefährdeten Gebiete wenigstens dem Namen nach für das Patrimonium. Endlich kehrt der Papst nach Rom zurück. Trotz= dem nimmt die Zersplitterung unter den folgenden Päpsten zu; es kommen hoch die Bentivogli in Bologna, die Este in Ferrara, die Polenta in Ravenna und viele andere kleinere Dynastien. Alle diese befehden sich unter einander und werden von den Päpsten
50 vergeblich zu bezwingen versucht. Rechnet man dazu die Belästigungen, welche die ara= gonesischen Herrscher dem Süden des Patrimoniums, die Franzosen Rom selbst bereiteten, so ist es klar, daß man auch jetzt noch nicht von einer wirklichen Herrschaft des Papstes reden kann.

Erst Nikolaus V. (1447—1455) gelingt es, einen großen Teil der widerspenstigen
55 Adelsgeschlechter zu unterwerfen, und in noch höherem Maße dem verrufenen Papste Alexander VI. (1492—1503). Er stützt sich dabei anfangs auf die Spanier, dann auf Ludwig XII., aber weil er darauf ausgeht, aus dem Patrimonium ein Fürstentum der Borgias zu machen, muß er scheitern. Uneigennütziger ist Julius II. (1503—1513). Er setzt das Werk Alexanders fort, erobert im venetianischen Kriege Perugia, Bologna,
60 die Städte der Romagna nebst Parma und Piacenza und verleibt diese Städte dem Kirchen=

staat ein. Er ist der eigentliche Begründer des Kirchenstaats, und erst seit ihm kann man überhaupt von einem Kirchenstaat reden. — Das sicherste Zeichen für die Konsolidierung des Patrimoniums ist, daß die Päpste von jetzt an ihre Finanzen auf die Finanzkraft des Kirchenstaates zu gründen versuchen.

Das war bisher unmöglich gewesen. Man weiß, wie die Päpste sich im Mittelalter 5 geholfen hatten, um die Kosten der Kurie und ihrer Hofhaltung zu bestreiten. Jetzt wird es anders. Die schönen Zeiten, in denen ganz Rom von dem Gelde der Gläubigen lebte, hören auf. Schon Paul III. (1534—1549) führt eine direkte Steuer (sussidio) ein, wie sie in anderen Ländern längst bestand; der berühmte Reorganisator des Kirchen= staates, Sixtus V. (1585—1590), vermehrt die direkten und indirekten Steuern in er= 10 schreckender Weise und nimmt ebenso wie seine Vorgänger seine Zuflucht zu dem System der Anleihen (monti), die vorbildlich geworden sind für das moderne Staatsschulden= system. Für die Bewohner des Patrimoniums ist daher die Konsolidierung des Kirchen= staates durch die Päpste des 16. Jahrhunderts begreiflicherweise wenig vorteilhaft gewesen. Mit dem 17. Jahrhundert beginnt für sie ein wirtschaftlicher Niedergang ohnegleichen. 15 Durch die beständigen Anleihen bekamen die großen Bankiers einen direkten Anteil an der Verwaltung des Landes; sie waren die Pächter der Einkünfte, die Steuererheber in den Landschaften. Der Großgrundbesitz vernichtet den kleinen Grundbesitz, die Monopoli= sierung der wichtigsten Lebensmittel in der Hand des prefetto d'annona läßt das Volk gänzlich verarmen. Es ist kein Wunder, wenn die Bevölkerung des alten Patrimoniums 20 noch heute zu den ärmsten in Italien gehört, sie ist den Bedürfnissen der Weltstellung der Päpste zum Opfer gefallen. — Die äußere Geschichte des Kirchenstaates von Alexan= der VI. an bis zum Ende des 18. Jahrhunderts ist ebenso unerquicklich wie unwichtig; sie ist eine Geschichte der Familien, aus denen die Päpste gewählt wurden, der Riario, Borgia, Medici, Farnese, Caraffa, Peretti, Aldobrandini, Borghese, Ludovisi, Barberini, 25 Chigi, Rospigliosi, Ottoboni, Albani und anderer. Sie alle suchen Erweiterung ihrer Familienmacht durch das Verhältnis zu dem jeweiligen Papst, anfangs durch Loslösung päpstlicher Gebiete, und als das durch eine Bulle des Reformpapstes Pius' V. (1566—1572) verboten wurde, durch Bereicherung ihrer Finanzen. Der Umfang des Kirchenstaates ändert sich nur wenig. Paul III. (1534—1549) gab Parma und Piacenza an die Farneses, 30 nach deren Aussterben es an die Bourbons kam. Ferrara kam an die Estes, doch 1598 an den Kirchenstaat zurück. 1631 fiel das Herzogtum Urbino an den Kirchenstaat.

So hielt der Kirchenstaat mit seiner Nepotenwirtschaft und seiner Prälatenver= waltung bis zu den Zeiten Napoleons I. Napoleon trennt zuerst 1800 Ferrara, Bo= logna und die Romagna ab und hebt ihn 1809 überhaupt auf. Der Wiener Kongreß 35 stellt ihn 1814 wieder in seiner alten Ausdehnung her, 1848 giebt ihm Pius IX. eine Verfassung, 1860 fällt der größte Teil an das neugegründete Königreich Italien. Rom und die nächste Umgebung halten sich mit französischer Hilfe, bis die Katastrophe von Sedan auch in Rom selbst am 20. September 1870 der päpstlichen Herrschaft ein Ende bereitet. 40

Immer klarer ist es seitdem geworden, wie sehr der Besitz des patrimoniums Petri der päpstlichen Macht geschadet hat. Gerade die Zeiten der größten Ausdehnung des Patrimoniums und der unumschränkten Herrschaft der Päpste über ihr weltliches Gebiet sind die Zeiten des tiefsten Verfalls der päpstlichen Macht gewesen. Schon ist es mit Händen zu greifen, wie der Verlust des Patrimoniums eine neue Glanzperiode der Ge= 45 schichte des Papsttums begründet hat. „Der Gefangene des Vatikans" wird in der Welt mehr respektiert als einst der Herr des Patrimoniums. Das patrimonium Petri im alten Sinne ist dahin, ein neues patrimonium Petri dehnt seine Grenzen über Länder und Meere. **Dr. A. Brackmann.**

Morus, Thomas (latinisiert aus More oder Moore), Lord=Kanzler von England, 50 (gest. 1535), Verfasser der Utopia. — **Werke.** Eine Gesamtausgabe fehlt. Die lateini= schen sind auf dem Kontinent häufig zu finden, die englischen sind auch in England selten. Sie werden einzeln unten genannt. — Die Utopia lateinisch geschrieben (ins Englische übersetzt 1551 von Robinson, 1684 von G. Burnet, 1808 von Morley; ins Deutsche übersetzt zuerst 1524 Basel) ist neu herausgegeben von Michelis und Ziegler in den lateinischen Litt.=Denk= 55 mälern des 15. u. 16. Jahrh.; von M. Herrmann 1895, Berlin und von Lupton 1895, Ox= ford. Sammlungen seiner Opera latina erschienen Basel 1563, Löwen 1565 u. 1566, Frank= furt u. Leipzig 1689. — Eine Sammlung seiner English Workes erschien 1557, veranstaltet

von seinem Neffen Rastell. Sie ist nicht ganz vollständig. — Litteratur: W. Roper (M.s Schwiegersohn) schrieb The life arraignement and death of u. s. w. Syr Thomas More, ge= druckt zuerst Paris 1626; Stapeltons Tres Thomae 1588, Antwerpen; Cresacre More (M.s Urenkel), Life of Th. M., um 1631, auch ins Deutsche übersetzt; J. Mackintosh, Life of
5 More, 1844; Seebohm, Oxford Reformers; Lupton, Colet; Brewer, The reign of Henry VIII. 1884, I und II; P. Friedmann, Anne Boleyn; Warner, Memoirs of Th. More, London 1758; Froude, History of England, I—III; F. E. Bridgett, Life and writings of Sir Tho- mas More 1891 (streng katholisch, die beste bisherige Biographie); Sidney Lee, Th. More in Dictionary of National Biography, 1894, mit reichhaltiger Bibliographie; Kerker, John
10 Fisher, 1860, Tübingen; G. L. Rudhart, Th. Morus, Nürnberg 1829; K. Baumstark, Th. Morus, Freiburg 1879; Henke, Das häusliche Leben des Thomas Morus in Sybels Hist. Zeitschr. Bd XXI.

Ueber die Utopia vgl. die Einleitungen von Michelis und Ziegler, 1895, u. von Lupton 1895, dann G. Louis, Th. Morus und seine Utopia, Wiss. Beilage zum Jahresbericht der
15 11. städt. Realschule in Berlin, Ostern 1895; K. Kautsky, Th. Morus und seine Utopie, Stuttgart 1888 und Th. More 1895; Seebohm, The Oxford Reformers; Ludwig Stein, Zur Sozialphilosophie der Staatsromane (Archiv für Philosophie 1895, S. 458); Lina Beger, Th. Morus und Plato, Tübingen 1879.

Thomas Morus ist der älteste Sohn von Sir John More, Ritter und Richter von
20 der Bank des Königs zur Zeit Heinrichs VIII., und seiner Gattin Agnes Graunger. Thomas wurde zu London geboren am 7. Februar 1478. Den ersten Unterricht genoß er in der St. Anthonyschule von Nicholas Holt. Dann trat er in die Dienste des Kar- dinals Morton, Erzbischofs von Canterbury, in dessem Hause er weiter unterrichtet wurde. Ungefähr 1492, als Morus 14 Jahre alt war, bezog er die Universität Oxford, wo ihm
25 der Kardinal Morton in Canterbury Hall Aufnahme verschaffte.

M. studierte 2 Jahre lang Latein und mit Thomas Linacre's Hilfe Griechisch, dessen Studium Grocyn in Oxford eingeführt hatte (vgl. Morus an Dorpius). Daneben lernte er Französisch, Musik, Arithmethik, Geometrie und las alle Geschichtswerke, die er erreichen konnte. Er liebte Musik und spielte gern auf der Geige oder Flöte. Er schrieb ein gutes
30 Humanistenlatein und machte gewandte Verse in seiner Muttersprache. M. begann seine juristische Laufbahn als Utterbarrister (Praktikant) in New Jnn 1494; 1496 wurde er in Lincolns Jnn aufgenommen und bald zum Reader (Dozenten) in Furnivals Jnn er- nannt. 1509 wurde er Bencher (Richter) in Lincolns Jnn und 1511 und 1516 ·auch ·hier Reader. 1497 kam Erasmus nach England. Wohl bei Mountjoy lernte er Morus
35 kennen. Im Jahre darauf korrespondieren sie als Freunde. „Thomae Mori ingenio quid unquam finxit natura vel mollius vel dulcius vel felicius" (Ep. 14). Offenbar aus der Zeit ihres ersten Verkehrs schreibt Erasmus von Morus: „Cum aetas ferret non abhorruit a puellarum amoribus, sed citra infamiam et sic, ut ob- latis frueretur magis quam captatis". M.s Lebenswandel war damals leichtfertig,
40 aber ein gewissenloser Mädchenverführer war er doch nicht.

Seit 1499 ging M. mit dem Gedanken um, Mönch (Franziskaner) oder Priester zu werden. Vier Jahre lang (1499—1503) lebte er in der Nähe von Charterhouse, machte die Exerzitien der Karthäuser mit, wachte, fastete, betete, geißelte sich, schlief nur 4 bis 5 Stunden täglich und trug auf der Haut ein härenes Hemd. Wohl auf Grocyns Wunsch
45 hielt er in dessen Kirche (St. Lawrence) Vorlesungen über Augustins de civitate, die großen Zulauf fanden. Wahrscheinlich hat er damals seine Ideen vom Idealstaat kon- cipiert, wozu ihn auch Plato angeregt hat. M. begriff zuletzt, daß er die Gabe der Kontinenz nicht besaß, verzichtete auf die perfectio der Mönche und beschloß auf Colets Rat zu heiraten. Er zog es vor, lieber ein keuscher Ehegatte als ein unkeuscher Mönch
50 zu sein (Erasmus ep. 447; vgl. Stapleton: Mori Vita, cap. II). Von der Mönchs- askese behielt er vieles bei und trug an bestimmten Tagen ein härenes Gewand unter dem Hemde. M. heiratete 1505 Jane Colte aus Essex. Die nüchterne Vernunstehe war glücklich und mit drei Töchtern und einem Sohn gesegnet. 1511 starb seine Frau und M. heiratete noch vor Ablauf eines Monats auf Rat seines Beichtigers John Bouge
55 oder Bonge eine 7 Jahre ältere Witwe Alice Middleton (vgl. English Historical Re- view 1892 VII, 712 ff.). Auch diese Ehe war normal aber kinderlos. Seine Praxis gab ihm ein Einkommen von ca. 400 Pfd. St. jährlich. Er baute sich in Chelsea ein Haus und bildete mit seinen Töchtern, seinem Sohn und seinen Schwiegersöhnen, die auch unter seinem Dache wohnten, einen großen Familienkreis (über sein Häusliches vgl.
60 Erasmus an Budée 1521). M. war frei von der damaligen pädagogischen Brutalität. Er schlug seine Kinder selten und nur mit einem Bündel Pfauenfedern. M.s Töchter verstanden Latein und lasen Livius. — Vgl. M.s Brief an ihren Lehrer W. Gunnell.

Seine zweite Frau lernte, obgleich sie nec bella, nec puella und 7 Jahre älter war, ihm zu Liebe zu spielen cithara testudine monochordo tibiis. Sie besaß sein Vertrauen, vgl. Morus Briefe an sie 1529 (English Works p. 1419). Im Frühling 1504 ins Parlament gewählt, opponierte M. den Geldforderungen Heinrichs VII., aber so taktvoll, daß ihm nichts geschah. Sein Vater wurde dagegen in den Tower geworfen 5 und mußte 100 Pfd. St. zahlen. Ende 1505 kehrte Erasmus nach England zurück und war M.s Gast. M. wurde jetzt humanistischer Schriftsteller. Sie übersetzten zusammen einige Dialoge des Lucian ins Lateinische. M. wählte sich den Cynicus, Menippus und Philopseudes. In der Dedikation an Ruthal, nachmals Bischof von Durham, rühmt M. den Lucian als Bekämpfer der Superstition, ohne sein Heidentum zu loben. 10 In seiner im lucianischen Stile verfaßten, der Übersetzung beigefügten Deklamation über den Thrannenmord übte er seinen dialektischen Scharfsinn. 1508 reiste er nach Löwen und Paris·

1508 war Erasmus wieder in England und schrieb in M.s Hause sein Encomium Moriae. Diese Satire sollte der katholischen Reformation dienen und fand M.s vollen 15 Beifall. 1532 schrieb M. an Erasmus: er würde gewiß seine Satire mitius et dilutius geformt haben, wenn er geahnt hätte, welche pestilentialischen Häresien sich erheben und ausbreiten würden. 1510 publizierte Morus sein Leben des Grafen Giovanni Pico della Mirandula und verherrlicht ihn als beschaulichen Christen und Asketen. Pico sei mit Recht vom gelehrten und heiligen Savonarola getadelt worden, als er es hinaus= 20 schob Dominikaner zu werden. Daneben schrieb M. comödiolas, die verloren sind.

Die Ausgabe des NT, welche Erasmus 1516 publizierte, erregte einen Sturm der Entrüstung unter den Bettelmönchen. M. ergriff des Erasmus Partei. In seinem offenen Briefe (dissertatio epistolica) an Martin Dorpius in Löwen, verteidigte er das Recht der biblischen und patristischen Studien gegen die Übermacht der Scholastik und recht= 25 fertigte die Satire seines Freundes. Dorpius nahm zurück, was er gegen Erasmus gesagt hatte. Schärfer war M.s Brief an einen Mönch, der E. angegriffen hatte (zuerst gedruckt in Basel bei Froben 1520). Zusammen mit der Basler Ausgabe der Utopia 1518 erschien eine Sammlung lateinischer Epigramme (Progymnasmata) von Morus und Lilly samt Zusätzen von Erasmus. 1520 erschien die Sammlung vervollständigt mit 30 einer Vorrede des Erasmus in Form eines Briefes an Froben, worin er seiner Bewunderung für M. Ausdruck beileicht. — 1510, 3. Sept., wurde M. Under-Sheriff (Richter in Civilsachen) in London. 1514 lenkte er des Kanzlers und Erzbischofs Warham Aufmerksamkeit auf sich beim Streit der Londoner Kaufleute mit dem Stahlhofe. Er wurde Bischof Tunstall beigegeben, der am 12. Mai 1515 nach Brügge abging, um die Ver= 35 hältnisse mit den niederländischen Kaufleuten zu ordnen. In Antwerpen traf M. mit Giles (Petrus Ägidius) zusammen (vgl. Utopia). Bald nach der Rückkehr schrieb er das zweite Buch der Utopia und auf Drängen der Freunde das erste zur Einleitung.

Die Utopia (= ού-τοπια, von Morus mit Nusquama [Nirgendsheim] übersetzt), wurde gedruckt in Löwen bei Martius im Dezember 1516. Erasmus, Peter Giles und 40 andere waren als Herausgeber beteiligt und übernahmen die Verantwortung. Die Utopia ist eine Kritik der englischen Staats= und Religionsverhältnisse (Erasmus ep. 447) und M. fürchtete, daß manche Aussprüche ihn gefährden könnten (Utopia II, 3: die Staaten eine conspiratio divitum, welche reipublicae nomine tituloque ihren Vorteil allein wahrnehmen und die Armen aussaugen). Dem Kardinal Warham von Canterbury, der durch 45 Wolsey von der Macht verdrängt worden war, übersendet Morus die Utopia, aber leugnet ohne Scheu es ab, die Edition selbst veranlaßt zu haben. Dieselbe wahrheitswidrige Behauptung erlaubt sich Morus in einem Briefe ad primarium aliquem aulae regiae virum (Wolsey?); Petrus Ägidius (Giles) habe die Schrift ohne sein Wissen veröffentlicht. Morus hat absichtlich seinen ausländischen Freund als Editor vorgeschoben um 50 die Schuld der Herausgabe von sich abwälzen zu können. Morus will durch die Utopia wirken und die Staatsmänner anregen. Er denkt dabei an einen Mann, den er Erasmus nicht nennen will, von dem er aber erwartet, daß er das Programm der Utopia in 9 Jahren realisieren werde und dann sagen könne, ich habe getan was du nur maltest. Morus wird an Wolsey, den kommenden Mann, gedacht haben (vgl. Briefe an Erasmus 55 ep. 227 und Erasmus an Wolsey ep. 307). Seine Hoffnungen sind fast gar nicht in Erfüllung gegangen. Die Utopia ist ernst gemeint, aber auch reich an Parabozien und Mystifikationen. Es wird nie ganz klar zu entscheiden sein, wo der praktische Politiker aufhört und der Poet und Humorist beginnt. Ernst gemeint sind die deutlichen Anspielungen auf englische Mißstände und die Vernachlässigung des Gemeinwohls. Ernst 60

gemeint der streng naturalwirtschaftliche Standpunkt. Interempta pecunia würden Armut, Verbrechen und Hinrichtungen fast ganz aufhören (Utopia II, 9). Auch das Lob des allgemeinen staatlichen Arbeitszwanges und des gemeinschaftlichen Betriebes der Landwirtschaft wird seinem Ideal entsprechen. M. war nicht Monarchist wie Wolsey, Crom-
5 well, Raleigh und Bacon, aber durchaus Mann der Autorität und Ordnung, Feind des Aufruhrs. Er ist nicht Republikaner, aber so viel zu sehen ist, Anwalt parlamentarischer Suprematie. Das Parlament kann Könige ein- und absetzen. Die politische Verfassung der Utopier mit ihrem populären Wahlfürstentum mag M.s Ideal sein.

Auch die Bemerkungen über den Feindesmord — um als humani und misericor-
10 des Blut zu sparen, setzen die Utopier im Kriege einen Preis auf den Kopf des feindlichen Fürsten und derer, die ihm zum Kriege geraten, — und die Freude der Utopier, wenn recht viele ihrer Söldner von der barbarischen Nachbarinsel (Irland) umkommen, mögen seiner politischen Moral entsprechen. Als leidenschaftsloser Asket und Epikuräer sehnte sich M. aus seiner stürmischen und derben Zeit in eine andere Welt. Die Utopier
15 gleichen ihm. Es ist ein temperiertes Volk, fleißig und einer vernünftigen Askese zugethan. Von den beiden „Haereses" enthält sich die eine der Ehe, des Fleischessens, aller vitae praesentis voluptates und erwirbt durch vigilias und sudores zukünftiges Vergnügen, die andere wählt die Ehe als tröstlich, zeugt Kinder aus Patriotismus, ißt Fleisch. „Nullam voluptatem refugiunt, quae nihil eos ab labore demoretur". Die
20 Utopier halten die einen für sanctiores, die anderen für prudentiores. Das katholische Lebensideal wird im wesentlichen bejaht und die kühle Beurteilung des Cölibats bei den Utopiern daraus erklärt, daß sie nur auf ihre Vernunft angewiesen sind. — M. war von Natur Mann der Institution und der Ordnung und niemals Mann des Dogmas; die Reformation wurde gemacht von Männern des Dogmas. War die Institution, an
25 der alles hing, gesichert, dann war für M. das Dogma relativ irrelevant. Sein Ideal war noch zuletzt (vgl. Dialogue) ein Zustand, wo Heiden und Christen alle violence and compulsion vermieden, jeden nach Belieben zu Gott oder zum Teufel gehen ließen. Das thaten die Protestanten, wie M. meinte, nicht und mußten verfolgt werden. Der selbstgewisse Dogmenglaube der Protestanten und ihre Verachtung der Institutionen war
30 ihm unerträglich. Von Toleranz dem selbstgewissen Irrtum gegenüber wußte M. auch damals nichts, als er die Utopia schrieb. Er hielt damals das Papsttum nicht für göttlich und war noch weniger Mann des Dogmas wie später, aber von Toleranz weiß auch die Utopia nichts. In Utopia, wo ihre Ordnung festbegründet ist, kann freilich viel Freiheit im und vom Dogma vertragen werden. Wer nicht an die Providenz und die Un-
35 sterblichkeit der Seele glaubt, muß freilich darüber vor dem vulgus schweigen, um nicht die patriae leges zu schwächen und wird von allen Ämtern ausgeschlossen. Utopus, der Reichsgründer, hat um des Friedens willen nichts über die Gottheit temere definirt, denn es sei insolens et ineptum vi et minis, was einer glaubte, von allen zu fordern. Quod credendum putaret liberum cuique reliquit. Es gilt nicht Glaubensfreiheit,
40 sondern skeptische Dogmenwahl. Wer nicht placide ac modeste für seine religio Propaganda machte, sondern schmähte, wurde servus oder verbannt. Auch die christlichen Missionare wurden vertrieben, als sie durch Schmähungen Tumult erregten. Es giebt bei den Utopiern variae religiones (Verehrung von Gestirnen und tugendhaften Heroen). Die meisten und klügsten verehrten allein den Parens, den unbegreiflichen, durch das
45 Universum virtute non mole ausgegossenen, den die anderen Mythra nennen und neben ihren Gestirnen auch verehren. Ein idealer, dogmatisch unbestimmter Theismus wird geschildert. Die Utopia vertritt einen dogmatisch unbestimmten staatlichen Unionismus und verwirft jede dogmatisch entschiedene Propaganda. Sie ist ebenso intolerant, wie M. als Kanzler es war.
50 M. war humanistischer Reformkatholik, aber viel mehr Katholik als Erasmus, der das katholische Lebensideal und das göttliche Recht der Hierarchie verwarf und vom Heiligenkult innerlich los war. M. huldigte dem katholischen Lebensideal, hielt an der Heiligenanrufung, der Messe und den Wallfahrten fest. Er hat anfangs ebenso wie Erasmus das Papsttum nicht für jure divino, sondern für eine geschichtlich entstandene
55 kirchliche Institution gehalten. Er gab an, er sei durch Heinrichs Buch gegen Luther eines anderen belehrt worden und seine Studien hätten ihn darin bestärkt. Doch stellte er das Konzil über den Papst (M. an Cromwell; vgl. Bridgett, Life of More S. 343). Stapelton sagt, daß ihre Freundschaft dem Erasmus zur Ehre, dem Morus aber nicht zum Heil gereichte (Vita cap. 4). Das wird für die erste Zeit gelten, aber sehr früh zeigt
60 M. einen scharfen Eifer in der Bekämpfung der Reformation, der Erasmus immer fern-

lag. Morus älteste Tochter Margarethe heiratete 1521 William Roper, der bald darauf durch Luthers Schriften de libertate Christiana und de Captivitate babylonica ergriffen wurde und nur allmählich unter M.s Einfluß seine lutherischen Neigungen ab= legte. Anfangs zurückhaltend, warf sich M., seit Heinrich VIII. mit Luther angebunden hatte (M. hatte den Index zu H.s Defensio Septem Sacramentorum verfaßt, 1521), unter dem Namen William Roß, dann unter seinem eigenen Namen in den Federkampf und bat das edle Germanien, dem Papste die Treue zu halten. Wenn auch etliche Päpste lasterhaft gewesen seien, so sei doch ihr Amt selbst heilig und Gott werde schon Päpste erwecken, des apostolischen Stuhles würdig. Um die Polemik offen und ohne Verdacht betreiben zu können, ließ er sich von Bischof Tunstall 1527 die Erlaubnis geben, häretische Bücher zu lesen, während er zugleich mit Wolsey den Import lutherischer Schriften unterdrückte. 1528 vollendete M. seine gegen Tyndale gerichtete englische Streit= schrift Dialogue. Mit Tyndale, Frith und den anderen protestantischen Führern war er seitdem im offenen Kampfe bis zum Tode. Dem Dialog folgte The Supplication of Souls auf Simon Fishs Supplication of Beggars, eine Verspottung der Mönche, der hernach seine antiklerikale Haltung aufgab. Gegen M.s Dialog schrieb Tyndale seine Antwort, der M. seine Confutacyon folgen ließ. 1518 trat M. in die Dienste des Königs und wurde master of requests. Er hatte das Bittschriftenwesen unter sich und mußte den König auch auf seinen Reisen begleiten. Im selben Jahre wurde er als Ge= heimrat vereidigt; er erscheint als offizieller Festredner, wenn Legaten und Gesandte empfangen wurden. Die Verfügungen vom Jahre 1521 gegen das Bauernlegen und das Überhandnehmen der Schafzucht gehen wohl auf ihn zurück. 1521 wurde er zum Ritter geschlagen. Als Sekretär des Königs vermittelte er den Geschäftsverkehr mit dem Kanzler Wolsey. Als Heinrich und Franz I. sich zwischen Calais und Boulogne im Juni 1520 begegneten, war M. im Gefolge seines Herrn und sah in Calais Erasmus wieder und lernte Budée kennen. Im Sommer 1521 erscheint M. als Unterschatzmeister und Gehilfe des Lord Schatzmeisters Herzogs von Norfolk (Erasmus an Pace ep. 553 und an Budée ep. 609). Als Wolsey 1521 nach Calais fuhr, um wieder zwischen Karl und Franz Frieden zu stiften, erscheint M. in seiner Umgebung und ging mit ihm nach Brügge, wo über die Heirat Karls mit Prinzessin Maria von England verhandelt wurde. 1523 trat das Parlament zusammen und Wolsey setzte M.s Wahl zum Sprecher durch. Er erwarb sich die volle Zufriedenheit des Kanzlers durch die Geschicklichkeit und den Eifer, womit er die Regierungsvorlagen durchsetzte (vgl. Wolseys Brief an den König vom 24. August 1523).

Bei den Friedens= und Freundschaftsverhandlungen zwischen England und Frank= reich 1525—1527 ist M. als einer der Kommissare tätig. 1527 geht er mit Wolsey als sein Berater nach Frankreich. 15. August wurde der Vertrag in der Kathedrale von Amiens beschworen. Vor der Abreise hat M. in seiner Kirche zu London und auf der Reise mit Wolsey und Erzbischof Warham in Canterbury um Errettung des Papstes von dem Kaiser gebetet. Auf dem Kongreß zu Cambray vertrat Morus mit Tunstall, Bischof von London, und Hacket sein Vaterland.

Im Juli 1525 wird M. Kanzler des Herzogtums Lancaster, ohne aufzuhören Unterschatzmeister, Sekretär des Königs und master of requests zu sein. Heinrich verkehrte gern mit M., lud ihn oft zu sich ein und besuchte ihn in seinem Hause. Den Arm um M.s Nacken geschlungen sah man den König neben M. einhergehen und mit ihm über Theologie, Astronomie, Geometrie, zuweilen auch über Politik sich unterhalten (vgl. Roper). In Heinrichs Ehescheidungshandel hielt sich M. zurück.

1527 hatte Heinrich auch Morus zu beweisen gesucht, daß nach dem mosaischen Eherecht seine Ehe mit Katharina nichtig sei trotz päpstlicher Dispensation. M. scheint sein Urteil sich vorbehalten und alles dem Papste anheimgestellt zu haben. Zum Kanzler ernannt, erklärte er nach längerer Prüfung sich gegen die Scheidung, ließ aber den Dingen ihren Lauf und wurde vom Könige zu anderen Geschäften gebraucht. Am 19. Oktober 1529 gab Wolsey das große Siegel ab und am 25. erhielt es M. als Lordkanzler. Er wurde damit auch Vorsitzender des Oberhauses und der Sternkammer. Der Chef der Regierung war Anne Boleyns Oheim, der Herzog von Norfolk. Die neuen Machthaber standen in französischem Solde. Auch M. bezog eine Pension von König Franz (vgl. Fried= mann, Anne Boleyn). Während das Parlament von 1529 die kirchliche Gerichtsbarkeit einzuschränken und zu reformieren suchte, tagte auch die Konvokation und faßte Beschlüsse gegen die Ketzer und gegen die Bibelverbreitung. Man gewann den König für den Kampf gegen die Tyndalesche Übersetzung der Bibel, in dem man ihm baldigst eine fehlerfreie

Ueberſetzung der Bibel ins Engliſche zu verſchaffen verſprach. Die kgl. Proklamation von 1530 ſchärfte allen Behörden Strenge gegen die Verbreiter häretiſcher Bücher ein. Die Verfolgung, die jetzt begann, war viel härter als zu Wolſeys Zeit, weil M. mehr als ſein Vorgänger die Biſchöfe in der Verfolgung unterſtützte. Die Verhaftung von
5 Tewlesbury, Bainham, Frith, Petit u. ſ. w. hat er veranlaßt. Foxe und Burnet werfen ihm vor, daß er die gefangenen Proteſtanten hat peitſchen und foltern laſſen. M. beſtreitet es. Er habe, wie er behauptet (Apology cap. 36), wohl ein Kind in ſeinen Dienſten peitſchen laſſen, weil es häretiſches gelernt, hatte und noch einen halbwahnſinnigen Menſchen, der den Gottesdienſt geſtört hat, an einen Baum binden und züchtigen laſſen „till
10 he waxed weary and som ewhat longer." Sonſt habe er nie. einem Ketzer einen Schlag gegeben. Er leugnet es, andere als Kirchenſchänder, Mörder oder ſolche, welche mit der Hoſtie Mutwillen getrieben, der Folter überliefert zu haben. Es wird wahrſcheinlich, was Foxe (Book of Martyrs) über M.s Grauſamkeit gegen Bainham erzählt, der M. auf dem Richtplatz ſeinen Richter und Verkläger nannte, übertrieben ſein. Auch
15 die Klage Fields, von M. zwei Jahre lang in widerrechtlicher Haft gehalten worden zu ſein (Letters and Papers of H. VIII VI, 1059; Froude, History Vol. II; Morus, Apology cap. 38) iſt wahrſcheinlich unbegründet. Aber ein Richter, der mit den Ketzern härter als Wolſey verfuhr, war M. ſicher; wenn er auch Ketzer nicht gepeitſcht haben mag, ſo hat er doch Teil an der rechtswidrigen Behandlung des Th. Philips, den Biſchof Stokesley als Ketzer
20 erkommunizierte, obgleich nichts erwieſen war, und den M. im Tower feſthielt, bis das Parlament ſeine Freilaſſung durchſetzte. Auch gegen Bainham ſcheint er Formwidrigkeiten ſich erlaubt zu haben.

Die Scherze M.s über den Tod Richard Hunne's, der der Ketzerei verdächtig eingekerkert und vom biſchöflichen Kanzler Horſey ermordet wurde, den des Königs Gnade
25 der verdienten Strafe enthob, gereichen M.s Unparteilichkeit nicht zur Ehre (Dialogue). Erasmus billigte M.s Strenge gegen die „Ketzer" als ſtaatserhaltend (Ep. 1223). M. rühmte ſich ihrer (ambitiose feci) und wünſchte, daß auf ſeinem Epitaph ſtünde furibus homicidis haereticis molestus. Er haßte, wie er verſichert, ihre Laſter, nicht ihre Perſonen (Apology cap. 49; English Works S. 925).
30 Die Ketzer ſind ihm proud poisoned obstinate Dogmatiſten auf eigne Fauſt, die den Frieden ſtören und Aufruhr erregen. Ihre Verfolgung iſt im Staatsintereſſe geboten als Defenſivmaßregel (English Works S. 275). M. billigt die Hinrichtung der Ketzer durchaus. Als die Konvokation den Supremat des Königs prinzipiell anerkannte, um nicht dem Statut Praemunire zu verfallen (Februar 1531), wollte M. den Ab
35 ſchied nehmen. Am 13. Mai 1532 ſprach M. im geheimen Rat gegen die Suſpenſion der Annaten und lobte Throgmorons Oppoſition im Parlament; drei Tage ſpäter erhielt er in Gnaden den Abſchied, den er ſich aus Geſundheitsgründen erbat. Im ketzeriſch infizierten London war er verhaßt, ſonſt aber als gerechter und unbeſtechlicher Richter geachtet. M. hielt ſich ſeit ſeiner Entlaſſung von der Öffentlichkeit fern und ſetzte nur ſeinen
40 litterariſchen Kampf gegen den Proteſtantismus weiter fort. 1532 erſchien ſeine Confutacyon of Tyndal's answere, eine weitläufige breite Schrift, die nicht viel Leſer fand. Den Prieſter Hitton, der 1529 verbrannt worden war, nennt er the devil's stinking martyr. Luthers Ehe reizt ihn zu rohen Spöttereien. Es folgte 1533 ſeine Apology, eine Rechtfertigung der Ketzerverfolgung und ſeine Debellacion of Salem
45 and Bizance. Die letzte Schrift des Mr. Mocke (Spötter) (ſo nannte ihn Tyndale) verteidigt die katholiſche Abendmahlslehre gegen Frith und Tyndale. M. vollendete nur das erſte Buch, eine Erklärung und Beſprechung von Jo 6; von der Abfaſſung des zweiten Buches hielt ihn ſeine Verhaftung ab.

Cromwell und Heinrich VIII. hatten, getragen von einer ſtarken prieſterfeindlichen
50 Laienbewegung, die Scheidung des Königs durchgeſetzt und eine katholiſche, aber von der römiſchen Juriſdiktion befreite Staatskirche geſchaffen. Die Oppoſition war aber im Land ſehr ſtark. Der Norden hoffte durch einen Aufruhr mit Hilfe des Kaiſers Cromwell zu ſtürzen. Lords wie Darcy und Huſſey mahnten den Kaiſer zum Einfall. Ebenſo die verſtoßene Königin und ihre Tochter. Die große in Bildung begriffene Verſchwörung
55 wurde gefördert durch Eliſabeth Barton, „die heilige Maid von Kent", ein ſomnambules Bauernmädchen, ſpäter Nonne in Canterbury, von E. B. Warham als inſpiriert anerkannt, als Prophetin weit und breit verehrt. Sie verkündete dem König den Tod eines „Villain", wenn er nicht umkehre. Gefangen geſetzt, bekannte ſie mit einigen Mönchen ihre Prophezeihungen gefälſcht zu haben. Das Parlament verurteilte die Nonne ſamt
60 einigen Benediktiner- und Franziskanermönchen für Hochverrat durch bill of attainder

zum Tode (Februar 1534). Als Mitschuldige wurden durch dieselbe Bill zur Haft nach des Königs Besinnen und zur Konfiskation verurteilt Fisher, Bischof von Rochester, Abel, Beichtiger der Exkönigin, und einige andere. Auch M. sollte dasselbe Schicksal treffen, aber seine Freunde im Oberhause verhinderten es. Er hatte die Maid von Kent in Sion House 1533 bei den Karthäusern gesehen, ihre Betrügereien durchschaut, es aber 5 unterlassen, sie zu denunzieren. So blieb er ungeschädigt. Quod di(ertur non au(ertur sagte er zu den Seinen. Er blieb verdächtig.

Am 23. März 1534 erklärte Papst Clemens definitiv Heinrichs erste Ehe für giltig. Unterwerfe sich der König nicht diesem Urteil, so sei er aus der Kirche ausgeschlossen und seine Unterthanen ihres Treueides entbunden. Ungefähr gleichzeitig wurde Elisabeth 10 vom Parlament zur Thronfolgerin mit Ausschluß Marias erhoben und alle mündigen Engländer angewiesen, den Successionseid zu leisten. Wer ihn nicht leistete, sollte als mitschuldig des Hochverrats bestraft werden. Die Eidesformel wurde von der Regierung entworfen und erst auf der nächsten Session vom Parlament sanktioniert, sie enthielt eine Lossage von allen Eiden, die „to any foreign authority prince or potentate" 15 geschworen waren und sollte gelten auch dann, wenn eine ausländische Macht von ihm löste. M., zum 13. April 1534 vor die Kommission nach Lambeth geladen (Cranmer, Cromwell u. s. w.), war bereit, die Succession zu beschwören, aber lehnte die Formel als seine Seele zur ewigen Verdammnis gefährdend ab. Er verdamme niemandes Gewissen, aber das seine erlaube es nicht. Cranmer wollte auf seine Wünsche eingehen, aber Cromwell 20 hielt an der Formel fest. M. kam in den Tower und verlor als „mitschuldig des Hochverrats" nach dem Gesetz Freiheit und Habe. Seine Frau und seine Kinder leisteten den Eid, auch seine Freunde, die Karthäuser thaten es; er verdammte sie nicht, aber wollte follow my own conscience, welches ihm vorschrieb, an die eidlösende Gewalt des Papstes zu glauben. 25

M.s Güter, die ihm der König geschenkt hatte, wurden konfisziert. Seine Familie petionierte vergeblich um seine Begnadigung. Er verfaßte im Tower seinen Dialogue of Comfort against Tribulation und eine Anzahl Gebete, Betrachtungen, empfing Besuche von seiner Familie und unterhielt einen Briefwechsel auch mit Fisher, der gleich ihm gefangen war. 30

Das Parlament schrieb im November 1534 den Suprematseid vor, der dem Könige die Stellung des einzigen höchsten Hauptes der ecclesia anglicana als Recht, die Kirche zu regieren und zu reformieren zusprach. Wer nach dem 1. Februar 1535 den Supremat des Königs bestritt und ihn für einen Häretiker und Schismatiker u. s. w. erklärte, sollte den Tod als Verräter erleiden. Dieses Ausnahmegesetz sollte die katho- 35 lische Opposition einschüchtern. Im April 1535 schärfte der König den Lordlieutenants Wachsamkeit ein wider alle, welche den Bischof von Rom, Papst nannten, zu einem Gott machten. Der Aufruhr in Irland und die oppositionelle Haltung des Nordens ließ es geboten erscheinen, Strenge walten zu lassen. Die ersten Opfer dieses blutigen Gesetzes waren die Karthäuser, welche den Suprematseid verweigerten. Ihre Führer wurden am 40 4. Mai und 19. Juni 1535 als Verräter gehängt, ausgeweidet und geviertelt. Fisher und Morus kamen an die Reihe, als Fisher die Kardinalswürde erhielt. Fisher starb am 22. Juni 1535. M. wurde am 30. April 1535 von Cromwell in Tower verhört. Darauf am 7. Mai, 3. u. 12. Juni über den Supremat befragt und blieb bei seinem Gewissensstandpunkt. In weltliche Dinge wolle er sich mischen, aber schwören könne 45 er nicht. Die Briefe, die er im Kerker mit Fisher gewechselt, wurden als Beweise einer Konspiration gedeutet auf Grund dieser Aussagen. Das Urteil wurde zu Westminster-Hall von einer Spezialkommission, deren Vorsitzender Norfolk war, gefällt (1. Juli 1535) und M. zum Verrätertode durch Hängen und Vierteilen verdammt. Der König milderte es zur Enthauptung. Am 6.(?) Juli wurde es vollzogen. M. starb mit dem Humor 50 vollkommenen Seelenfriedens.

Fisher und M. werden als Märtyrer des Glaubens an das göttliche Recht des Papsttums angesehen. Fisher war ein Verräter (vgl. Friedmann, Anne Boleyn Vol. I über seine Korrespondenz mit Chaputs, dem kaiserlichen Gesandten), ob M. es war, ist noch nicht erwiesen, obgleich seine Beziehungen zu Peto diesen Verdacht nahelegen. Fisher 55 wurde hingerichtet, weil der Papst durch seine Erhebung zum Kardinal den König provoziert hatte und M. mußte sterben, weil sein persönliches Ansehen trotz seiner Haft die katholische Opposition stärkte. Sie fielen als Opfer des Cromwellschen Schreckenssystems.

Friedrich Lezius.

Nordamerika, Vereinigte Staaten — d) Die Episkopalkirche (The American Church; gesetzlicher Name The Protestant Episcopal Church in the United States of America. — Litteratur: A history of the American Church to the Close of the 19th Century by the Right Rev. Leighton Coleman, Bishop of Delaware, New York, 5 Edwin S. Gorham, 1903. Fiske, Beginnings of New England; Beardsley, History of the Episcopal Church in Connecticut; Annals of an old Parish by Rev. Edmund Guilbert; Hooper, History Saint Peters Church in the City of Albany; Slafter, John Checkley or the Evolution of Religions Toleration in Massachusetts Bay; Goodwin, The Mac Sparran Diary; White, Memoirs of the Church; The Life of Dr. Breck.

10   Wenn die protestantische Episkopalkirche sich „Amerikanische Kirche" nennt, so ist das nur ein geographischer Name und wird lediglich der Bequemlichkeit halber gebraucht. Die Episkopalkirche in Amerika betrachtet sich als einen untrennbaren Teil der katholischen Kirche, welche „die Kirche" ist; alle anderen christlichen Bekenntnisse sind für sie Sekten, Häretiker, Ketzer.

15   Die ersten Anfänge sind wie bei allen andern amerikanischen Kirchen gering. Der erste Gottesdienst nach dem anglikanischen Prayer Book wurde von dem Kaplan des Sir Francis Drake, Pastor Francis Fletcher, Ende Juni 1579 in Drakes Bay, California, gehalten. Weiterhin existieren Nachrichten, daß mindestens 1587 schon in Nordcarolina und Virginia anglikanische Gottesdienste stattfanden und Indianer getauft wurden. Auch 20 sind um den Beginn des 17. Jahrhunderts in den Neuenglandkolonien da und dort von Laien anglikanische Gottesdienste geleitet worden. Im J. 1607 landete eine Anzahl englischer Kolonisten bei Jamestown, Virginia; unter ihnen befand sich der Pastor Robert Hunt, der aus Missionseifer seine Stelle in Kent aufgegeben hatte und nun den Kolonisten unter den denkbar einfachsten Umständen unter freiem Himmel im Urwald Gottes25 dienst hielt. Am 21. Juni 1607, III. p. T., teilte er zum erstenmal in Amerika das hl. Abendmahl aus. Um diese Feier wiederholen zu können, pflegten die Kolonisten mit ihrem spärlichen Weinvorrate sorgsam hauszuhalten. Vor dem Ende des J. 1607 wurde am Ufer des Kennebecflusses im jetzigen Staate Maine die erste Kirche erbaut. Alle diese gottesdienstlichen Übungen fallen also eine ganze Reihe von Jahren früher als die der 30 Pilgerväter (die erst 1620, 6. Dezember, landeten). Während des ganzen 17. Jahrhunderts fehlte es nicht an Bestrebungen, die Evangelisation der neuerworbenen Territorien von England aus zu betätigen. Eine Anzahl Geistlicher übersiedelten zu diesem Zwecke nach Amerika, so finden wir 1623 in Weymouth William Morrell, 1624 in Plymouth John Lyford, 1627 daselbst Roger Conan. In Maryland arbeitete in Kent Is-35 land bereits 1629 Richard James, 1650 war eine Kirche in St. Marys County vorhanden, 1676 berichtete der (römisch-katholische) Lord Baltimore, daß in seiner Provinz fünf vier Geistliche der Kirche von England befanden. Lange ehe der erste römisch-katholische Bischof, John Carroll, anlangte, war die anglikanische Kirche organisiert, hatte drei Bischöfe und sonstige kirchliche Organisation. Deshalb betrachtet die anglikanische Kirche die Rö-40 misch-Katholischen als Eindringlinge. Weitere Anfänge der Kirche sind zu verzeichnen in New Hampshire 1638, Süd-Carolina 1660, Delaware 1677, New-York, New-Jersey und Pennsylvania 1694 und 1695.

Es liegt in der Natur der Verhältnisse, daß die Geistlichen, sonderlich wenn sie ihr Amt ohne Menschenfurcht führen wollten, keineswegs auf Rosen gebettet waren. Ein 45 Geistlicher, der den bezeichnenden Vornamen Thoroughgood trug, verweigerte dem Leutnant-Gouverneur von New-Jersey wegen unordentlichen Lebenswandels die Zulassung zum hl. Abendmahl und wurde deshalb gefangen gesetzt. Den Bemühungen eines Amtsbruders gelang es zwar, seine Freiheit zu erwirken, aber schließlich mußten doch beide Geistliche das Feld räumen. Auf der Rückreise nach England starben sie beide. Viel 50 wird auch geklagt über den Mangel an Opferwilligkeit der Gemeindeglieder. Ein Missionar sagt, die Leute seien gerne bereit, gemäß Jes 55, 1 den Himmel „ohne Geld und umsonst zu kaufen". Der Gehalt wurde häufig ganz oder teilweise mit Tabak (in natura) bezahlt. In einigen Gemeinden betrug der Pfarrgehalt 16000 Pfd. Tabak, welche ungefähr auf 80—100 Pfd. Sterling geschätzt wurden. Drei Chorhemden wurden auf 55 500 Pfd. Tabak geschätzt. Beim Bischof von London liefen Klagen ein, daß die Geistlichen das hl. Abendmahl ohne Ornat und heilige Gefäße austeilen mußten. Gasthäuser gab es in jenen Zeiten noch nicht im Lande, es kam daher die Gastfreundschaft, die man üben mußte, beträchtlich hoch. Aber als Gasthäuser eingerichtet waren, wurden nur die Gemeindeglieder von vieler Bewirtung von Freunden befreit, die Pfarrhäuser wurden da-60 gegen nach wie vor gebrandschatzt und konnten sich dem nicht gut entziehen; die Pfarrer mußten sich damit trösten, daß sie dadurch mit ihren Gemeindegliedern besser bekannt wurden und viel Einfluß auf dieselben ausüben konnten. Der Pastor war in jenen Tagen alles in allem; sein Rat wurde auch in weltlichen Angelegenheiten viel begehrt, auch war er der Lehrer der Kinder. Übrigens standen auch die Gemeindeglieder unter strenger Kirchenzucht. Auf die Vernachlässigung der Taufe stand eine Strafe von 2000 Pfund 5 Tabak, welche Verordnung selbst auf Sklavenkinder Anwendung fand; die letzteren wurden allerdings durch die Taufe zur seligen Freiheit der Kinder Gottes berufen, nicht aber zur leiblichen Freiheit. 500 Pfd. Tabak waren als Strafe auf schuldbares Versäumen des Gottesdienstes gesetzt, was viel heißen will in einer Zeit, in welcher der Weg zur Kirche weit und gefährlich war und die Kirchenbesucher neben dem Gebetbuche zum Schutze gegen 10 mögliche Überfälle der Indianer auch Feuerwaffen mit sich tragen mußten. Im J. 1700 wurde in Virginia das „Wilhelm und Maria College" errichtet, außerdem existierte eine Anzahl von seitens Gemeinden unterhaltenen Freischulen, in denen teilweise sogar die klassischen Sprachen gelehrt wurden.

In einigen Provinzen bestand eine Verbindung zwischen Staat und Kirche; in Vir- 15 ginien war dieselbe gesetzlich geregelt, doch kam diese Verbindung häufig mehr dem Staate als der Kirche zu gute. Da die kirchlichen Bedürfnisse durch Steuern aufgebracht wurden und in einzelnen Teilen Neuenglands die Kongregationalisten in der Überzahl waren, so empfanden es die Glieder der Episkopalkirche als eine Härte, daß sie durch ihre Steuern die Ketzerei unterstützen mußten. Gelegentlich erreichten sie Ausnahmebestimmungen, die 20 aber in praxi nahezu gegenstandslos waren. Das Ziel der Pilgerväter war eine regelrechte Theokratie, in welcher für Andersgläubige kein Raum war. Nur Mitglieder der Kongregationalistenkirche konnten in solchen Landesteilen Beamte sein. 1746 wurde den Gliedern der Episkopalkirche sogar das Stimmrecht entzogen, während man doch Steuern von ihnen forderte. Ihr hiegegen eingeleiteter Protest war im Prinzip vorbildlich für 25 das spätere Verhalten der Kolonien im Kampfe gegen England: ohne Rechte keine Steuern! Man trachtete sogar danach, den Kirchen einen Teil ihrer Revenuen zu entziehen und den Geistlichen allerhand Auflagen zu machen, ja man verbot ihnen, sich zu Konferenzen unter sich zu versammeln.

Dagegen wurde in den Gegenden, in welchen die Kirche die Mehrheit hatte, keine Wieder- 30 vergeltung geübt. In Virginien lebten unangefochten — was freilich von nicht hochkirchlicher Seite bestritten wird — viele Puritaner. Als in Maryland der Gebrauch des Prayer Book allgemein angeordnet wurde, wurde dieses Gesetz auf eingelegten Protest hin widerrufen. Ungerechte Maßregeln, die in Maryland gegen die römisch-katholische Kirche getroffen wurden, gingen nicht von den Episkopalen aus, die sich zu der Zeit von den öffentlichen 35 Angelegenheiten gänzlich zurückgezogen hatten. Das erste Toleranzgesetz, welches jede Art von Verfolgung einer christlichen Religionsgesellschaft verbot, wurde in Maryland erlassen. Entgegen der gewöhnlichen Annahme, daß dieses Gesetz von den Römisch-Katholischen ausgegangen sei, wird von episkopaler Seite behauptet, daß die Mehrzahl derer, denen das Gesetz zu verdanken sei, „der Kirche" angehört habe. 40

Die Puritaner werden von den Episkopalen des Weiteren angeklagt, daß sie bie von ihnen übernommene Verpflichtung, die Indianer zu bekehren, sehr leicht genommen hätten, ja im Gegenteile wären die Indianer von ihnen sehr grausam behandelt worden. Bischof Williams von Connecticut soll den Ausspruch gethan haben: „Erst landeten die Puritaner und fielen auf ihre Knie; dann standen sie auf und fielen über die Eingeborenen her" 45 (they first landed and fell upon their knees; then they arose and fell upon the aborigines). Den Episkopalgeistlichen, die der Verfolgung müde zu den Puritanern übertraten, wurde Neu-Ordination aufgelegt.

Der Beginn des 18. Jahrhunderts sah einen bedeutenden Fortschritt in der Evangelisation der westlichen Hemisphäre. Der Bischof von London, unter dessen Aufsicht alle 50 amerikanischen Kolonien standen, sandte einen Kommissär nach Maryland in der Person des Pastors Dr. Thomas Bray. Nach der Rückkehr desselben wurde auf sein Betreiben die „Gesellschaft zur Ausbreitung des Evangeliums in auswärtigen Gebieten" (Society for Propagation of the Gospel in Foreign Parts, abgekürzt S. P. G.)" gegründet. Etwas früher schon war die „Gesellschaft zur Beförderung christlichen Wissens" gegründet 55 worden, durch welche Bibliotheken für die Gemeinden in Amerika eingerichtet wurden. Die erstgenannte Gesellschaft sorgte nun ernstlich dafür, daß zahlreiche Geistliche nach Amerika gesandt wurden, um die aller Beschreibung spottende geistliche Not zu lindern. Außerdem wurden Missionare mit der Bekehrung der Indianer und Neger betraut, wiewohl von manchen ernsthaften Leuten erklärt wurde, die Weißen lebten schlimmer als die 60

Noten und Schwarzen. In dem Missionswerk waren auch vielfach die Weißen die Fort=
schrittshinderer, so einerseits die Römisch=Katholischen, welche den Indianern rieten, die
Engländer auszurotten, weil diese den Erlöser getötet hätten (!), andererseits die Gottlosen,
auf deren Treiben hinweisend Indianer und Neger sagten, eine Religion, deren eigene
5 Bekenner nicht nach ihren Vorschriften lebten, könne man ihnen nicht anzunehmen zu=
muten. Trotzdem wurden viele und erfreuliche Erfolge erzielt. Es war Fortschritt des
Evangelisationswerkes auf der ganzen Linie vorhanden.

Die S. P. G. hatte ihren Missionären aufgetragen, gegen Andersgläubige milde,
friedfertig und versöhnlich zu sein. Das war manchmal nicht leicht; ein Geistlicher schreibt,
10 er wohne mitten unter lauter Quäkern, Anabaptisten, Levellers, Sabbatarianern, Muggle=
tanianern und Brownisten, welche nur in dem einzigen Punkte der Feindschaft gegen „die
Kirche" einig seien und behaupteten, das Zeichen des Kreuzes sei das Zeichen des Tieres
und des Teufels und die, welche es empfangen, würden dadurch dem Teufel übergeben,
zuweilen drängen solche Feinde auch in die Kirchen ein und zerstörten Schmuck, Ornat
15 und Bücher.

Unter den Geistlichen, die von der S. P. G. nach Amerika ausgesandt wurden
waren auch John und Charles Wesley und Whitefield. John Wesley lehnte bei seiner
Aussendung die Annahme des ausgesetzten Gehaltes von 50 Pfd. St. per Jahr zuerst
ab, ließ sich dann aber doch umstimmen, da er ja für andere das Geld nötig haben
20 könne. Auf seinem Arbeitsfelde in Georgia fand er eine sehr laxe Moral vor, welcher
er durch sehr strenge Kirchenzucht begegnen wollte. Er vollzog die Taufe mittelst Unter=
tauchen, ließ bloß Kommunikanten als Taufpaten zu, verweigerte die Zulassung zum
hl. Abendmahl den unbekehrten Dissentern und das kirchliche Begräbnis den Ungetauften.
Man warf ihm Formalismus, Heuchelei und geheime Zuneigung zur römisch=katholischen
25 Kirche vor, weil er versuchte, Ohrenbeichte und Buße einzuführen. Weiter hierhergehöriges
über ihn s. RE. Bd XII S. 756 f. Charles Wesley machte sich ebenfalls mißliebig und
zwar in solchem Maße, daß er schreiben konnte: „Man hätte mich nicht mehr mit Füßen
treten können, wenn ich ein gestürzter Staatsminister gewesen wäre. Meine wenigen
Freunde fürchteten sich, mit mir zu sprechen; die Magd, die meine Wäsche besorgte,
30 sandte sie ungewaschen zurück. Gott sei Dank, es ist noch nicht als Kapitalverbrechen
erklärt worden, mir ein Stücklein Brot zu geben!" Georg Whitefields Thätigkeit in
Amerika ist in Bd XII S. 759, so ff., S. 763 ff., ausführlich dargestellt, wozu noch
folgendes erwähnt sein mag. Einer der Missionare der S. P. G. schreibt: W. brachte
der Kirche mehr Schaden als Nutzen, er war mehr als exzentrisch, verlachte hervorragende
35 Geistliche, weigerte sich Chorrock und Chorhemd zu tragen, ermahnte seine Hörer, in seiner
Abwesenheit die presbyterischen und anabaptistischen Gottesdienste zu besuchen. Dieser
vazierende Prediger mit der musikalischen Stimme, angenehmem Vortrage und der
ehernen Stirne ... Dieser Betrüger giebt vor, der einzige wahre Geistliche der Kirche
von England in Amerika zu sein, und dabei hat er eine verbrecherische Achtung für alle,
40 welche jemals ihre geschworenen Feinde waren." Einst verfiel W. auf den merkwürdigen
Plan, alle kongregationalistischen Geistlichen zu gleicher Zeit zu vertreiben und sie, die er
samt und sonders als unbekehrt bezeichnete, durch Leute zu ersetzen, die er selbst von
Großbritannien „importieren" wollte.

Im Jahre 1719 fand die erste Kirchenversammlung (Church Convention) in
45 Williamsburg, Va., statt; 1722 wurden die Bischöfe Welton und Talbot in England
konsekriert, 1735 wurden die ersten Sonntagschulen eingerichtet. Auf der Kirchen=
versammlung zu Annapolis im Jahre 1783 änderte die amerikanische Kirche ihre
Stellung zur englischen, indem sie fortan nicht mehr Tochter=, sondern Schwester=
kirche sein wollte. In dem hierüber verfaßten Dokumente erscheint zum erstenmal der
50 Name „The Protestant Episcopal Church". Die Zusammensetzung der Kirchen=
versammlungen war Gegenstand ernster Erwägungen, über die Teilnahme der Laien waren
die Meinungen geteilt. Auf der Generalversammlung in Philadelphia (28. Sept. bis
7. Okt. 1785) waren mehr Laien als Geistliche anwesend. Neuengland war in dieser
Versammlung gar nicht vertreten, da die dortigen Geistlichen überhaupt keine gemischte
55 Versammlung wünschten; es waren daher auf dieser ersten Generalversammlung bloß die
Diöcesen von New=York, New=Jersey, Pennsylvania, Delaware, Maryland, Virginia und
Süd=Carolina vertreten. Auf dieser Versammlung wurden auch Schritte unternommen,
das Common Prayer Book den amerikanischen Verhältnissen anzupassen und weitere
Bischöfe von England zu erhalten. Außer dem im Jahre 1784 konsekrierten Bischof
60 Seabury, mit dessen Anerkennung bis 1789 zurückgehalten wurde, da er schottischer Suc=

cession war, erhielt die Kirche 1786 zwei weitere Bischöfe, Provoost von New-York und Dr. White von Pennsylvania, die beide in England konsekriert wurden. Auf der Generalversammlung in Wilimington, Delaware, wurde das apostolische Glaubensbekenntnis in seiner ganzen Unantastbarkeit bestätigt und das Nicänische Bekenntnis dem Prayer Book beigefügt; abgelehnt wurde die Aufnahme des Athanasianischen Bekenntnisses. 1792 wurde zum erstenmal in Amerika ein Bischof konsekriert, nämlich Thomas John Claggett, D. theol., welcher von den Bischöfen von Connecticut, Pennsylvania und Virginia zum Bischof von Maryland geweiht wurde.

Die Stellung der Glieder der rasch in die Höhe kommenden Methodistenkirche (damals Methodistical Society genannt) war längere Zeit eine unklare. Die Geistlichen der Methodisten spendeten anfänglich das hl. Abendmahl nicht selbst, sondern sie wie ihre Gemeindeglieder hielten sich zur Episkopalkirche. Dr. Coke, der von dem altersschwachen John Wesley privatim im Krankenzimmer zum Superintendenten der amerikanischen Methodisten geweiht worden war, und Pastor Asbury, den Coke unter Beihilfe des deutsch-reformierten Pastors Otterbein in Baltimore zu gleicher Eigenschaft geweiht hatte, nahmen den Titel Bischöfe an, nachdem ihre Bemühungen, diese Weihe von den Bischöfen der Episkopalkirche zu erhalten, fehlgeschlagen waren. Dadurch wurde die Lostrennung der Methodisten von der Episkopalkirche entschieden. Beide Wesleys sollen über die Handlungsweise von Coke und Asbury sehr aufgebracht gewesen sein.

Am Anfang des 19. Jahrhunderts befand sich die Episkopalkirche in Amerika in trauriger Verfassung und der Blick in die Zukunft war keineswegs ermutigend. Die Ursache dieses traurigen Zustandes war der Revolutionskrieg, der die Sitten verderbt hatte. Die Seelsorge war in jenen Zeiten ein dornenvolles Amt. Das Verhältnis der Kirche zum Staate wurde im Jahre 1801 endgiltig geregelt. Der 21. Artikel des Prayer Book wurde ausgelassen und der 39. Artikel durch folgenden ersetzt: „Die Macht der Staatsgewalt erstreckt sich auf alle Menschen, sowohl Geistliche als Laien, in allen zeitlichen Dingen, hat aber keinerlei Autorität in rein geistlichen Dingen. Wir halten es für die Pflicht aller Menschen, welche Bekenner des Evangeliums sind, ehrerbietigen Gehorsam der regelrecht und gesetzmäßig zu stande gekommenen staatlichen Autorität zu beweisen." Um die Einheit der Kirche mit der Kirche von England darzuthun, ließen 1814 die Bischöfe mit Einwilligung der Geistlichen- und Laiendeputierten eine Erklärung ausgehen, daß die Protestant Episcopal Church in the U. St. of America diejenige Kirche sei, welche früher den Namen Church of England in America geführt habe.

Man ging nun mit Eifer daran, für die Ausbreitung der Kirche zu sorgen. Die Generalversammlung von 1817 beschloß, daß den kirchlichen Behörden jedes Staates ernstlich empfohlen werde, Maßregeln zur Sendung von Missionaren zu den kirchlich unversorgten Brüdern in den westlichen Staaten zu treffen. Damals wurde auch in Philadelphia The Episcopal Missionary Society gegründet, welche viel zur Ausbreitung der Kirche beigetragen hat. Die Ausdehnung und der innere Ausbau der Episkopalkirche hat sich im Laufe des Jahrhunderts immer fortschreitend entwickelt, obwohl es an Streitigkeiten nicht gefehlt hat. Die Art, wie die Episkopalkirche solche Streitigkeiten zu überwinden wußte, muß bewundert werden. Die Sklavenfrage hat andere amerikanische Kirchenkörper gespalten, und selbst nach Beendigung des Secessionskrieges (1861—1865) blieben die in den Südstaaten organisierten neuen Kirchen getrennt. Nicht so bei der Episkopalkirche. Wohl wurde die Differenz auch hier empfunden. Auf der Generalversammlung von 1862 in New-York war von den Diöcesen der Südstaaten nicht eine vertreten; trotzdem wurden für ihre Vertreter die Sitze reserviert und ihre Namen aufgerufen, als wenn sie anwesend gewesen wären. Ängstlich wurde alles vermieden, was dazu hätte führen können, daß aus der politischen Trennung auch eine kirchliche geworden wäre. Trotzdem bildete sich „The Prot. Ep. Church in the Confederate States". Aber diese Kirche erklärte ausdrücklich, daß die Kirche jetzt zwar verschiedenen politischen Gebieten angehöre, substantiell aber nur eine sei und bleibe. Im Prayer Book wurde von dem südlichen Zweige als einzige Änderung vorgenommen, daß an Stelle von United States gesetzt wurde Confederate States. Nach dem Friedensschlusse gelang es dank den entgegenkommenden Bemühungen der Kirche der nördlichen Staaten bald wieder, die alte Einheit auch äußerlich wiederherzustellen.

Ganz ohne Spaltung ist es aber auch in der Episkopalkirche nicht abgegangen. Eine Anzahl Geistlicher und Laien hatten Bedenken über den Gebrauch des Wortes „wiedergeboren" im Taufformular. Um diese Bedenken zu zerstreuen, erklärte das Haus der

Bischöfe 1871, daß dieses Wort im Taufformular nicht so gemeint sei, als wenn eine moralische Veränderung im Täufling durch das Sakrament bewirkt werde. Mit dieser ziemlich nichtssagenden und vieldeutigen Erklärung waren viele zufrieden. Die Unzufriedenen aber fanden einen Führer in der Person des Right Rev. D. Cummins, Hilfs-
5 bischof in Kentucky. Dieser griff alles auf, was er im Prayer Book und in den gottesdienstlichen Gebräuchen der von ihm sogenannten „ritualistischen" Kirche für unrichtig und irreführend hielt. Als er sah, daß er mit seinen Reformvorschlägen nicht durchbringe, berief er 1873 eine Versammlung aller unzufriedenen Elemente und gründete mit ihnen The Reformed Episcopal Church. Die meisten seiner Mitläufer waren abgesetzte
10 Episkopalpriester. Die von ihm gegründete Kirche fristet bis heute ein kümmerliches Dasein, schließlich wird sie wohl wieder zur alten Kirche zurückkehren. Alle anderen Streitigkeiten, mochten sie sich nun auf die Lehre oder auf liturgische Gebräuche beziehen, konnten in Frieden beigelegt werden, so sehr sie auch manchmal die Gemüter erhitzten.

Besonderer Wert wird in der Episkopalkirche auf die Kirchenmusik gelegt. Während
15 man sich früher auf den Gesang von Psalmen beschränkte, wurden nach und nach auch andere geistliche Lieder als zulässig befunden. 1826 wurde die Zahl der Lieder auf 112 erhöht und 1832 allen Gemeinden erlaubt, sich einer Auswahl von 124 metrisch gesetzten Psalmen und 213 Liedern zu bedienen. 1871 wurde ein neues Gesangbuch angenommen, welches im ganzen 520 Lieder enthielt unter Aufnahme der besten Psalmdichtungen und
20 Lieder der alten Sammlung und mit Hinzufügung einer Anzahl neuer Gesänge. 1874, 1892 und 1895 wurde wieder geändert, und das jetzt gebrauchte offizielle Gesangbuch hat 679 Gesänge. Der Kirchenchor besteht meistens aus Knaben und Männern, welche bei Ausübung ihrer Funktion weiße Chorhemden tragen.

Zur Revision des Prayer Book wurde im Jahre 1880 ein Komitee eingesetzt. Die
25 Änderungen, die vollzogen wurden, betrafen nur die Ersetzung veralteter Ausdrücke durch moderne und Zusätze neuer Formularien, z. B. für Danksagungstag, Weihung von Kirchen. Beigefügt wurde auch das Magnificat und Nunc dimittis, besondere Gebete für Einheit der Kirche, Mission, Bittage u. s. w. und eine zweite Kollekte, Epistel und Evangelium für Weihnachten und Ostern.

30 Bemerkenswert sind die Bestrebungen der Kirche für die Einheit der Christen. 1856 wurde eine Kommission für Kircheneinheit vom Hause der Bischöfe erwählt. 1886 wurde auf Verlangen des Deputierten-Hauses eine gemischte Kommission zu gleichem Zwecke eingesetzt, welche zu einer stehenden Einrichtung wurde. Sie sollte sich mit solchen christlichen Kirchenkörpern, welche Geneigtheit zu einer Einigung zeigten, behufs Besprechung in Ver-
35 bindung setzen. Seitdem wurden von dieser Kommission Unterhandlungen gepflogen mit der Presbyterischen Kirche, der lutherischen Generalsynode, dem Vereinigten Generalkonzil der südlichen Lutheraner, dem Provinzialkonzil der Moravianer (Brüdergemeinde). Greifbare Resultate wurden allerdings noch nicht erzielt. Als Einheitsbasis wurde 1888 aufgestellt:
40 1. Die hl. Schrift alten und neuen Testaments als alles zur Seligkeit Nötige enthaltend und als Regel und „ultimate standard" des Glaubens. 2. Das apostolische Glaubensbekenntnis als Taufsymbol und das Nicänische Glaubensbekenntnis als genügende Feststellung des christlichen Glaubens. 3. Die zwei von Christo selbst eingesetzten Sakramente, Taufe und Abendmahl, verwaltet mit Benützung der Einsetzungsworte Christi und
45 der von ihm verordneten Elemente. 4. Der historische Episkopat, in den Methoden seiner Verwaltung den örtlichen Verhältnissen angepaßt.

Man kann aus dieser Einigungsbasis unschwer erkennen, daß die Episkopalkirche unter Einigung die Rückkehr zu ihr als der una sancta catholica versteht, wie überhaupt diese Kirche sehr hoch von ihrer Bedeutung hält. Den anderen Kirchen schreibt sie
50 zu, daß alle die Episkopalkirche nächst der eigenen für die beste erklären („Wenn ich nicht Alexander wäre ꝛc. ꝛc."). Leighton Coleman führt in seiner Geschichte der Episkopalkirche einen Ausspruch des Politikers Henry Clay an, welcher als Antwort auf die Frage, worauf nach seiner Meinung die Hoffnung des Landes beruhe, in einer der dunkelsten Stunden der amerikanischen Geschichte gesagt haben soll: „Meine Hoffnung auf die Zu-
55 kunft meines Landes beruht auf dem Obergerichte der V. St. und auf der protestantischen Episkopalkirche, den beiden großen Bollwerken von Freiheit und Ordnung, Beständigkeit und Frieden."

Die Zusammensetzung der mehrfach erwähnten Generalversammlungen (General Conventions) ist folgende. Die Generalversammlung besteht aus dem Hause der Bi-
60 schöfe und dem Hause der Geistlichen- und Laiendeputierten. Im Hause der Bischöfe sind

alle Diöcesan= und ·Missionsbischöfe, auch die aus ordnungsmäßigen Gründen vom Amte zurückgetretenen, stimmberechtigt. Diese Körperschaft hält nur geheime Sitzungen ab, aus denen ohne besonderen Beschluß nichts veröffentlicht werden darf. Das Haus der Deputierten besteht aus den Deputierten der Diöcesen, und zwar von jeder Diöcese 4 Geistliche und 4 Laien. Diese werden von der Diöcesanversammlung gewählt. Die Sitzungen des Hauses der Deputierten sind öffentlich. Beide Häuser können die Initiative zu gesetzgeberischen Akten ergreifen, aber zur Gesetzmäßigkeit eines Beschlusses ist Übereinstimmung beider Häuser nötig. Die Laiendelegaten müssen Kommunikanten der Kirche sein. Im Hause der Bischöfe führt der der Konsekration nach älteste Bischof den Vorsitz, das Deputiertenhaus wählt sich seinen Präsidenten von Versammlung zu Versammlung. Die Opposition gegen Laiendelegaten ist völlig verstummt, in einem einzelnen Falle wurde sogar ein Laie zum Bischof erwählt.

Die Ausbreitung der Kirche und ihre vielseitige Thätigkeit kann aus folgender Statistik ersehen werden.

Am 31. Dezember 1903 hatte die Kirche 78 Diöcesen, 85 Bischöfe, 5050 Geistliche, 6789 Gemeinden und Missionen, 724 Predigtamtskandidaten, 773 261 Kommunikanten, 2 426 372 Gesamtzahl aller getauften Glieder, 488 278 Sonntagsschullehrer und =Schüler, 15 626 782 Doll. Beiträge für kirchl. Zwecke 1903, 7052 Kirchengebäude, 1 840 357 Sitzplätze, 95 236 518 Doll. Wert des Kircheneigentums, 638 199 Doll. für Missionszwecke 1903.

Heidenmission wird betrieben in Mexiko, Brasilien, Kuba, Porto Rico, Haýti, Westafrika, China, Japan, auf den Philippinen und Hawaischen Inseln. Diese Mission geschieht durch 10 Bischöfe und 169 Geistliche, 10 Missionsärzte und eine große Anzahl eingeborener Katechisten und Lehrer. In den Missionsgebieten zählt man 9000 Kommunikanten; während des Jahres 1903 wurden über 2000 Personen getauft.

Für Lehrzwecke bestehen 10 theol. Seminarien, 5 Colleges, 40 Schulen für Knaben und Mädchen.

Es erscheinen 7 monatliche und 5 wöchentliche Kirchenzeitungen.

Folgende Vereine sind vorhanden:

Verein für Innere und Äußere Mission; der Amerikanische Kirchenmissionsverein; Judenmissionsverein; Negermissionsverein; Allgemeiner Hilfsverein für Geistliche; Verein für den Pensionsfonds der Geistlichen; Verein für Vermehrung der Geistlichen; Verein für Ausbreitung evangelischen Wissens; Kirchlicher Sparverein; Taubstummenmissionsverein; Mäßigkeitsverein; Verein für totale Abstinenz; das amerikanische Sonntagsschulinstitut; Kirchenbauverein; Verein für Kircheneinheit; Bibel und Common Prayer Book-Verein; the order of the daughters of the King; the brotherhood of St. Andrew.

L. Brendel.

g) Kongregationalisten s. am Schluß von Bd XV.

h) Presbyterianische Kirchen. 1. Die presbyterianische, oder wie man besser sagen sollte, presbyterische Kirche in den Vereinigten Staaten von Amerika (The Presbyterian Church in The United States of America). Sprague's Annals of the Presbyterian Pulpit; Presbyterian Handbook; Dr. W. H. Roberts: Sketch of Presbyterian History; Presbyterians by Dr. Geo P. Hays; Ch. Hodge Constitutional History of The Presb. Church in The U. S., Appletons Cyclopedia; The Minutes of the different churches.

Presbyterianismus ist das System der Kirchenregierung durch Presbyter. Man unterscheidet zwei Klassen von Presbytern (oder Ältesten, elders), nämlich Älteste der Lehre (teaching elders) und Älteste der Verwaltung (ruling elders); die ersteren sind die Geistlichen, die letzteren die von der Gemeinde erwählten Vorsteher. Jede Gemeinde wird geleitet von dem Pastor und zwei oder mehr Ältesten; die sämtlichen an der Leitung der Gemeinde beteiligten Personen bilden eine Session. Ein Presbyterium besteht aus der Gesamtheit der ordinierten Geistlichen eines bestimmten Gebietes und ·zwar einerlei, ob dieselben eine Gemeinde bedienen oder nicht, und je einem Vertreter von jeder Gemeinde. Eine Synode besteht aus allen Geistlichen oder aus Repräsentanten der Presbyterien in einem größeren Gebiete, z. B. einem Staate, mit einer gleichen Anzahl von Gemeindevertretern. Die Generalversammlung (General Assembly) endlich setzt sich aus Vertretern der sämtlichen Presbyterien der Gesamtkirche zusammen.

Der Presbyterianismus in Amerika ist verschiedenen Ursprunges; Einwanderer englischer, schottischer, schottisch=irischer, welscher, holländischer, französischer und deutscher Ab-

stammung brachten ihre Weise mit. Solche Einwanderung begann im Jahre 1614. Vor diesem Jahre bediente ein presbyterischer Geistlicher eine Gemeinde im Staate Virginia; um seines Glaubens willen verfolgt, zog er im Jahre 1649 mit seiner Gemeinde nach Maryland. Es haben nachweislich drei Geistliche dieses Glaubens zerstreuten Häuflein
5 gepredigt, aber die erste Gemeinde wurde erst 1683 gegründet, nämlich die Gemeinde von Snow Hill, gegründet von Pastor Francis Makemie.

John Robinson, der Pastor der Pilger, welche im Jahre 1620 nach Plymouth kamen, nahm das presbyterische Prinzip von der Gleichheit des geistlichen Amtes an und stimmte mit den Presbyteriern in der Lehre überein. Aber als der Presbyterier Richard
10 Denton mit einem Teil seiner bereits in England von ihm bedienten Gemeinde nach Massachusetts kam, fand er dort kein Entgegenkommen; er zog deshalb weiter nach Connecticut und später nach Long Island. Er kehrte im Jahre 1659 nach England zurück, aber seine Söhne gründeten eine Gemeinde in Jamaica, Long Island, in den Jahren zwischen 1656 und 1662; diese Gemeinde besteht heute noch. Die älteste Gemeinde auf
15 der Liste der Generalversammlung ist Southold, Long Island, gegründet 1640. In der Stadt New-York wurde von presbyterischen Geistlichen bereits 1643 gepredigt, aber unter beständiger Gefahr von Geldstrafen und Gefängnis, und vor dem Jahre 1717 wurde keine Gemeinde organisiert. Die Presbyterier in New Jersey, Long Island und Connecticut waren zumeist englischer Abstammung, aber in Freehold, New Jersey, wurde
20 eine Gemeinde von schottischen Einwanderern gegründet. Jedebiah Andrews, der in Harvard studiert hatte, predigte seit 1698 in Philadelphia und wurde als Pastor der dortigen Gemeinde 1701 ordiniert. Benjamin Franklin unterstützte diese Gemeinde durch Beiträge und besuchte gelegentlich ihre Gottesdienste, war aber kein Mitglied derselben. Im Jahre 1705 oder 1706 organisierten 7 Pastoren das erste Presbyterium. Die
25 erste Versammlung fand am 29. Dezember 1706 in Freehold, N. J., statt; bei dieser Gelegenheit wurde John Boyd ordiniert als der allererste, der in Amerika die Ordination empfing. Gemeinden, die in dem Presbyterium nicht vertreten waren, bestanden in den beiden Carolinas und New-York. 1717 wurde das Presbyterium in 4 Presbyterien geteilt und eine Synode über dieselben eingerichtet. Um diese Zeit kamen viele
30 Presbyterier von Nord-Irland nach Neu-England. Bald wurden 3 Gemeinden organisiert, je eine in Maine, New Hampshire und Massachusetts. Ein Presbyterium wurde 1745, eine Synode 1775 gebildet.

Obwohl alle Geistlichen der presbyterischen Kirche die Westminster Konfession als ihr Glaubensbekenntnis annahmen, wurde doch erst im Jahre 1729 von der General-
35 synode die Erklärung abgegeben, daß bei der Aufnahme in ein Presbyterium die Zustimmung zu dieser Bekenntnisschrift gefordert werden solle. Die in England von Presbyteriern Englands und Schottlands verfaßte Westminster Konfession wurde nur insoweit modifiziert, als die Kirche vom Staate unabhängig erklärt wurde. Es wurde erklärt, daß keine staatliche Behörde die Macht haben solle, irgend jemand seiner Religion wegen zu
40 verfolgen (to persecute any for their religion). Das war die erste auf amerikanischem Boden erfolgte Erklärung einer organisierten Kirche, daß die Kirche frei sein solle von der Aufsicht des Staates.

Die erste Spaltung der Kirche im Jahre 1745 entstand infolge einer in Neu-England unter Jonathan Edwards begonnenen und durch die Predigt Whitefields
45 gestärkten religiösen Erweckung. Die „neue Seite" (new side), angeführt von den Tenants, den Gründern des Log Colleges in Pennsylvania, vertrat die Ansicht, man solle begabte und fromme junge Männer für das Predigtamt licensieren, ohne daß sie ein College absolviert und Theologie studiert hätten. Die „alte Seite" (old side) hielt an der ursprünglichen presbyterischen Ansicht fest, daß die Geistlichkeit vollständig aus-
50 gebildet sein müsse. Ehe diese getrennten Synoden sich wieder vereinigten, war von der „neuen Seite" das „College von New Jersey", jetzt die Universität Princeton, gegründet worden, und als der Riß wieder geheilt war, vereinigte man sich, daß jeder Kandidat, der um Ordination nachsuche, von dem zuständigen Presbyterium examiniert werden sollte, und zwar sollte er sowohl bezüglich seiner Kenntnisse als bezüglich seiner Frömmigkeit
55 geprüft werden.

Im J. 1755 wurde ein neues Presbyterium in Virginien gegründet; in dasselbe waren West-Pennsylvania und Georgia eingeschlossen. Der führende Geist dieses Presbyteriums war Samuel Davies, von Wales abstammend, der beredteste amerikanische Theologe seiner Zeit. Zur Zeit der Wiedervereinigung im J. 1758 zählte die Kirche
60 98 Pastoren, 200 Gemeinden und über 10000 Glieder. Seit dieser Zeit wuchs die

Kirche rascher als je. Die sämtliche Presbyterien umschließende Generalsynode schloß im
J. 1766 einen Unionsvertrag (plan of union) mit der kongregationalistischen Allge=
meinen Vereinigung von Connecticut (General Association of Conn.) um die Kirche
zu verteidigen gegen die Bestrebungen einiger Staaten, die englische (Episkopal=)Kirche zur
Staatskirche zu erklären. Auch ließ die Synode 1775 einen Brief an alle ihre Gemeinden 5
ausgehen mit der Mahnung, treu zu der Vereinigung der Kolonien und dem Kontinental=
kongresse zu halten. Eine Versammlung in Mecklenburg, Nord=Carolina, beschloß eine
Unabhängigkeitserklärung; die meisten Teilnehmer derselben waren Presbyterier. Dr. John
Witherspoon, Präsident des Princeton Colleges, der einzige Geistliche, welcher die Un=
abhängigkeitserklärung von 1776 mitunterzeichnete, war auch ein Mitglied des Kongresses 10
(1776—1792). Diese Thatsachen zeigen, daß die Presbyterier in allen Kolonien einmütig
auf seiten der Revolution gegen Großbritannien waren (1775—1783).

Im J. 1788 wurde die Synode in vier Synoden geteilt und eine Generalversamm=
lung eingerichtet, die Westminster Konfession mit den Katechismen, eine neue Form des
Kirchenregimentes und der Gottesdienstordnung angenommen. Die erste Generalversamm= 15
lung fand im J. 1789 unter dem Vorsitze John Witherspoons in Philadelphia statt, im
gleichen Jahre, in welchem die Konstitution der V. St. angenommen wurde. Die gleichen
Prinzipien bürgerlicher und religiöser Freiheit und der Regierung durch erwählte Vertreter
finden sich in beiden Konstitutionen.

Verhandlungen mit einer Anzahl kongregationalistischer Konzilien in Neu=England, 20
welche allein vom Namen abgesehen in allen Dingen presbyterisch waren, führten nach
neunjähriger Dauer im J. 1801 zu einem Unionsvertrag (plan of union) zwischen diesen
und der presbyterischen Kirche, zufolge welchem ihre Vertreter, Geistliche und Laien, in
der Generalversammlung Sitz und Stimme hatten, und Geistliche beider Kirchen Gemeinden
in dem anderen Kirchenkörper übernehmen konnten ohne ihre Verbindung mit der eigenen 25
Kirche zu lösen (vgl. hierzu Bd VIII 172,22 ff.). Das Missionswerk (d. i. Innere M.)
beider Kirchen war fast ausschließlich in den Händen der Kongregationalisten, und eine
freisinnigere Art des Glaubens, die in Connecticut aufgekommen war, wurde von vielen
der neuen Gemeinden und Presbyterien in New=York und Ohio angenommen. Nach
mancherlei über viele Jahre sich erstreckenden Verhandlungen schloß die Generalversamm= 30
lung im J. 1837 verschiedene Presbyterien von der Verbindung mit der presbyterischen
Kirche aus. Eine ansehnliche Minderheit hielt diesen Schritt für ungerecht, trat aus und
nannte sich fortan „Presbyterische Kirche der Neuen Schule (New School Presbyterian
Church)", während die Zurückbleibenden sich „Presbyterische Kirche der Alten Schule
(Old School P. C.)" nannten. Zwei Jahre nach der Trennung hatte die „neue Schule" 35
1093, die „alte Schule" 1615 Pastoren.

Nach einem Jahrzehnte religiöser Depression entstand in den Kirchen eine religiöse
Erweckung. In Kentucky wurden viele Gemeinden davon ergriffen, die Versammlungen
wurden in Hainen gehalten, weil keine Kirche groß genug war, die Massen aufzunehmen.
Das Presbyterium von Cumberland entschloß sich, um den dringenden Bedürfnisse zu 40
Geistlichen abzuhelfen, junge Männer ohne theologische Bildung für das Predigtamt zu
licensieren. Die (1802 gebildete) Synode von Kentucky löste das Presbyterium im J. 1806
auf. Im J. 1810 bildeten diejenigen, welche mit der Handlungsweise des Presbyteriums
einverstanden waren, die „Cumberland Presbyterische Kirche", welche im Jahre 1888 eine
Statistik von 1563 Pastoren, 2540 Gemeinden, 146 653 Gliedern aufwies. 45

Eine weitere Trennung war durch die Sklaverei verursacht. Im J. 1857 faßte der
Zweig der „neuen Schule" Resolutionen, welche das System der Sklaverei verdammten.
Daraufhin traten die Presbyterien der Südstaaten aus und organisierten eine eigene Synode.

Als der Bürgerkrieg ausbrach (1861), faßte die Versammlung der „alten Schule"
Beschlüsse, durch welche die Administration (die Regierung der V. St.) in ihren Bestre= 50
bungen zur Erhaltung der Union bestärkt wurde. Daraufhin traten sämtliche in den
konföderierten Staaten befindlichen Presbyterien aus und bildeten „die presb. Kirche in
den konföderierten Staaten" jetzt „die presb. Kirche in den Vereinigten Staaten" genannt.
Im J. 1863 vereinigte sich die Synode, welche sich 1857 von dem Zweige der „neuen
Schule" abgetrennt hatte, mit der südlichen Kirche. Im J. 1887 zählte dieselbe 1116 Pa= 55
storen, 2236 Gemeinden, 150 398 Kommunikanten. Nach der Sezession der südlichen
Kirchen wurden Verhandlungen eingeleitet, die „alte" und „neue Schule" wieder zu ver=
einigen, was im J. 1869 gelang. Als Dankopfer hierfür wurde ein Gedächtnisfonds
gesammelt, der beinahe acht Millionen Dollars erreichte.

Die presbyterische Kirche in Amerika entstand durch Organisation von aus Europa 60

eingewanderten Presbyteriern zu Gemeinden. Sie hat aus derselben Quelle seitdem viele Glieder gewonnen. Außerdem geschah ihr Wachstum durch Bekehrung von Unkirchlichen und Übertritten von Nichtpresbyteriern und durch die Kinder presbyterischer Familien. Wenig hat sie gewonnen durch Aufnahme organisierter Kirchenkörper. 1809 wurde ein
5 Presbyterium von Neu-England aufgenommen, die letzten Reste eines unabhängigen Presbyteriums, das 1718 gegründet worden war. 1822 kamen viele Geistliche und Gemeinden von der Vereinigten (Associate) Presb. Kirche zu ihr (s. unten).

　　Die presb. Kirche bestand immer auf vollständiger Ausbildung ihrer Geistlichen. Die Gründer hatten auf den Universitäten Cambridge, Glasgow, Harvard, Yale oder anderen
10 studiert. Eine große Zahl ihrer ersten Geistlichen eröffnete in Verbindung mit ihren Kirchen Bildungsanstalten, in welchen Knaben vollständig für den Besuch der Colleges vorbereitet wurden in den klassischen Sprachen, Mathematik und Elementarwissenschaften. Colleges wurden gegründet, hauptsächlich zur Ausbildung von Geistlichen, z. B. in Princeton, N. J., 1746; Jefferson, Pa. (als Akademie 1794, als College 1802); Washington,
15 Tenn., 1794; und viele andere, gegenwärtig zählt man 42. Von diesen sind 5 ausschließlich für das weibliche Geschlecht bestimmt, während viele andere beide Geschlechter unter gleichen Bedingungen zulassen. Zwei, Lincoln und Bibdle, sind für Neger.

　　Wenn in den früheren Tagen Kandidaten für das Predigtamt ihren Collegekurs beendet hatten, studierten sie Theologie bei Pastoren. In manchen Colleges war ein Kursus
20 in Hebräisch, Theologie und Kirchengeschichte vorgesehen. Aber 1812 richtete die Generalversammlung ein besonderes theologisches Seminar in Princeton ein, getrennt von dem dort befindlichen College; dieses Seminar hat z. B. 172 Studenten. In den Jahren von 1812 bis 1891 wurden 13 weitere Seminarien gegründet: Auburn, N.-Y., 1819, jetzt mit 59 Studenten; Western, Pa., 1827, jetzt 48 Stud.; Union, N.-Y., 1835, nicht mehr
25 zugehörig; Danville, Ky., 1853, jetzt in Louisville, Ky., 56 Stud.; McCormick, Ill., 1830, 120 St.; German, Ja., 1852, 24 Stud.; German, N.-J., 1869, 25 St., Lincoln, Pa., 1871, 62 Negerstudenten; Bibdle, N.-C., 1868, 17 Neger; Omaha, Neb., 1891, 20 Stud.; San Francisco, Cal., 1871, 12 Stud., zwei andere, eines in Pa. und das andere in S.-C. gehören nun der südlichen Kirche an.
30　　Nach der Abschaffung der Sklaverei traf die Kirche Vorsorge für die Erziehung der ehemaligen Sklaven und hat ihrer so viele als möglich in Gemeinden gesammelt. Unter ihrer Fürsorge hat sie 111 Pastoren (wovon 93 Neger), 217 Gemeinden, meist im Süden, 15 880 Kommunikanten, 9743 Schüler in 88 Schulen.

　　Das Finanzwesen der Kirche wird von den Behörden der verschiedenen Abteilungen
35 besorgt. Es folgt hier eine Liste dieser Behörden mit dem Datum ihrer Organisation: Home Missions = Innere Mission 1816; Education 1819; Foreign Mission = Heidenmission 1837; Publication 1838; Church Erection = Kirchbau 1844; Ministerial Relief = Pastorenhilfsbehörde 1855; Freedmen = Freigelassene 1865; Aid for Colleges = Hilfsfonds für Colleges 1883.
40　　Die presbyterische Kirche hat Missionsfelder in Südamerika, Mexiko, Afrika, Siam, Laos, China, Persien, Indien und Korea, den Philippineninseln und Syrien. Ungefähr 1 Million Dollars wurden im J. 1903 zu diesem Zwecke beigesteuert.

　　Gegenwärtig zählt die Kirche im ganzen 7705 Pastoren; 255 Licentiaten; b. i. nicht ordinierte Kandidaten des Predigtamtes, die auf bestimmte Zeit (meist 1 Jahr) die Er-
45 laubnis zur Vornahme geistlicher Funktionen auf Grund einer „Licenz" erhalten haben; 7822 Gemeinden; 1 076 457 Glieder; 17 561 417 Doll. Beisteuer für kirchliche Zwecke 1903. Außerdem hat die Kirche ein fundiertes Jahreseinkommen von 4 40000 Doll.

　　Die südliche Kirche oder „presbyterische Kirche der V. St." hat 1517 Pastoren; 52 Licentiaten; 3044 Gemeinden; 235 132 Glieder; zwei Seminarien, Union mit 57,
50 Columbia mit 27 Studenten; Beiträge 1903: 2 374 648 Doll.

　　Die Cumberland Presbyterische Kirche hat 1616 Pastoren, 169 Licentiaten, 2960 Kirchen, 185 113 Glieder, 6 Colleges, 1 Seminar mit 56 Studenten, Beiträge 1903: 1 001 667 Doll.　　　　　　　　　　　　　　　　　　　　　　　　　Dr. Jeffers.

　　Nachschrift des Übersetzers.
55　　Es ist im Obigen erwähnt, daß von der presbyterischen Kirche in Amerika die Westminsterkonfession mit einer kleinen Änderung, die sie den amerikanischen Verhältnissen anpaßte, als Bekenntnis übernommen wurde. Am Ende des 19. Jahrhunderts haben die Presbyterier Amerikas neuerdings das Bedürfnis gefühlt das Bekenntnis den herrschenden Ansichten anzupassen, und es wurde der Ruf nach Veränderung laut. Und es wurde
60 wirklich von der Generalversammlung ein Revisionskomitee eingesetzt. Die Notwendigkeit

einer Veränderung in der Lehrdarstellung wurde anerkannt, aber auf welche Weise man ändern solle, wurde auf gar zu verschiedene Art vorgeschlagen. Man einigte sich schließlich dahin, daß man an der Konfession selbst nichts ändern wolle, ihr aber einen Anhang geben, der die Auffassung der Kirche bezüglich der in den gegenwärtigen Tagen ange= griffenen Lehrpunkte präzisieren solle. Die Generalversammlung von 1901 gab dem Re= 5 visionskomitee den Auftrag, eine kurze Darstellung des reformierten Glaubens in populärer Sprache zu geben, der dann dem Volke zwar nicht als Ersatz, doch als eine Erklärung der Westminsterkonfession dienen solle. Schließlich kam es aber doch zu einer Revision, d. h. zur Annahme einer Anzahl von Zusätzen zur Westminsterkonfession. Am 28. Mai 1903 wurde in Los Angelos, Cal., dieser bedeutsame Schritt gethan. Besonders wichtig 10 ist die Erklärung betreffs der Gnadenwahl: „Die Menschen tragen die volle Verant= wortung für ihr Verhalten zu Gottes gnädigem Anerbieten; sein Ratschluß hindert nie= mand, dieses Anerbieten anzunehmen; niemand wird aus einem anderen Grunde verdammt als wegen seiner Sünde. Auch soll es nicht als Kirchenlehre erachtet werden, daß irgend= welche, die in der Kindheit sterben, verloren sind. Wir glauben, daß alle, die in der 15 Kindheit sterben, eingeschlossen sind in die Gnadenwahl und wiedergeboren und errettet werden in Christo durch den Heiligen Geist, welcher wirkt, wo und wie er will." Aus= drücklich aber wurde erklärt, daß diese Revision nicht gemeint sei, die Glaubensgrundlagen der presbyterischen Kirche auch nur einen Zoll breit zu verändern, sondern sie breiter und stärker zu machen. Ihre Lehre von der göttlichen Souveränität solle niemals so gedeutet 20 werden, als wolle dadurch Fatalismus gelehrt werden. (Im wesentlichen nach Mag. f. Ev. Theologie, St. Louis 1903.) L. Brendel.

2. Die Vereinigte Presbyterierkirche in den Vereinigten Staaten (The United Presbyterian Church in the U. St.). — Spraque's Annals of the Pul- pit of Associate and Associate Reformed Churches; Memorial Volume by Dr. R. D. Harper; 25 Miller's Sketches; Presbyterians by Dr. Geo. P. Hays; Appleton Cyclopedia; James B. Scouller . . D., The United Presbyterian Church in The American Church History Series Vol. XI, 1894; A Manual of The U. P. Church of North America 1751—1887 by James Brown Scouller, Pittsburgh 1887; Wm. Reid, United Presbyterianism 1894; W. W. Barr, Doctrines and Distinctive Principles of the U. P. Church, 1894; The minutes 30 (Protokolle) of the several churches.

Die United Presbyterian-Kirche wurde im Jahre 1858 gebildet. Aber um ein getreues Bild ihrer Geschichte zu geben, müssen wir zu dem Ursprunge der zwei Kirchen, aus deren Vereinigung sie entstanden ist, zurückgehen, nämlich der Associate Presbyte- rian Church, gewöhnlich „Seceders" genannt (Sezessionisten), und der Reformed 35 Presbyterian Church, gemeinhin bekannt als „Covenanters" (eig. die Bundesschließen= den). Die Associate Church entstand in Schottland im J. 1733, als die Pastoren Erskine, Wilson, Moncrieff und Fischer sich von der presbyterischen Kirche Schottlands lossagten (seceded) und in Verbindung mit vier anderen Austretenden das Associate Presbytery (vereinigte Presbyterium) bildeten. Die Schwierigkeit, die zu dieser Be= 40 wegung führte, datierte vom Jahre 1688, als die presbyterische Kirche wieder nach dreißig= jähriger Unterdrückung in Schottland Staatskirche wurde. Viele Geistliche der bischöflichen Kirche, von welchen Bischof Burnet sagt, sie waren die schlimmsten ihrer Art, durften um des Friedens willen ihre Stellen behalten. Laxheit der Lehre breitete sich über einen großen Teil des Landes aus, die an den Seminarien angestellten Professoren der Theo= 45 logie lehrten nicht mehr die Gnadenlehre gemäß dem Glaubensbekenntnisse, und diejenigen, welchen die Wohlfahrt des Landes und der Kirche am Herzen lag, wurden beunruhigt. Die obengenannten Geistlichen und andere mit ihnen predigten gegen den Abfall, beson= ders that dies Pastor Erskine. Dieser wurde disziplinarisch bestraft, achtete aber mit anderen der Strafe nicht. Die Widerstrebenden wurden suspendiert und gründeten dann 50 ihre eigene Kirche.

Ein anderer Grund zur Unzufriedenheit war, daß die Gemeinden ihre Geistlichen nicht selbst wählen durften. Der Patron sandte, wen er wollte, und dieser Patron mochte der Episkopalkirche oder überhaupt keiner Kirche angehören. Die acht Männer, welche das ursprüngliche Presbyterium bildeten, wurden ihrer Stellen entsetzt und aus ihren Ge= 55 meinden vertrieben, aber die Gemeinden und viele andere vereinigten sich mit ihnen, bauten neue Kirchen und stiegen in öffentlicher Gunst. Neue Gemeinden wurden in Schott= land und im Norden Irlands unter der dortigen Bevölkerung von den schottischen Pres= byteriern gegründet. Viele Sezessionisten von Schottland und Irland wanderten nach Amerika aus, und im Jahre 1736 wurde von einigen derselben, die nahe bei Oxford in 60

Chester County, Pa., und in andern Teilen des Staates wohnten, eine Petition um Geistliche nach Schottland gesandt. Die heimatliche Kirche, deren Seminar neu war, fand es schwierig alle in Amerika gebildeten Gemeinden zu befriedigen, so daß erst 1752 zwei Pastoren in die Kolonien entsandt wurden. Pastor Alexander Gellatly kam im folgenden
5 Jahre, begleitet von Pastor Andreas Arnot, der nur ein Jahr dablieb. Gellatly dagegen brachte den Rest seines Lebens unter den neuen Gemeinden, die er gründete, zu. Mit Pastor James Proudfit, der 1754 anlangte, um an des zurückgekehrten Arnots Stelle zu treten, bildete er das erste Associate Presbytery in Amerika. Die ersten Gemeinden, die organisiert wurden, waren die in Orford, Chester County, Oktoraro, Lancaster Co., und
10 Guinston, York Co., Pa. Diese Gemeinden stehen noch heute in Blüte. Die presbyterische Kirche in den Kolonien verbreitete Traktate, in welchen sie ihre Gemeinden vor den Sezessionisten als Schismatikern warnte; aber Gellatly war fähig sich zu verteidigen, wie aus einer von ihm gedruckten und noch vorhandenen Flugschrift von 240 Seiten ersichtlich ist. Als diese von den Presbyteriern beantwortet wurde, ließ er eine weitere von
15 203 Seiten nachfolgen. Später dachte man auf beiden Seiten besser voneinander und beiderseits wurden von 1769 bis 1785 Vereinigungsversuche gemacht. Diese schlugen zwar fehl, aber man einigte sich auf gegenseitige gute Meinung und Mitarbeit.

Die Associate-Kirche Schottlands spaltete sich infolge der Frage, ob der Bürgereid gesetzlich oder sittlich zulässig sei. Infolge davon spaltete sich auch die Kirche in Amerika,
20 obwohl die Mehrzahl derselben Anti-Burghers, Gegner des Bürgereides, waren. Die Spaltung in Schottland wurde später geheilt und die Kirchen in Amerika wurden nicht mehr dadurch beunruhigt. Zu dem Presbyterium von Pennsylvania kam 1776 das von New-York. Bis dahin waren diese Presbyterien der Synode der Associate-Kirche in Schottland untergeben. Als aber der amerikanische Revolutionskrieg begann, war dies
25 nicht mehr möglich oder wünschenswert, und die Presbyterien wurden unabhängige Körperschaften.

Im Jahre 1782 vereinigten sich die Associate und die Reformed Presbyterian Church. Die Reformed oder Covenanter Church entstand infolge des „Revolution Settlement (Revolutionsausgleichs)" in Schottland, auf welchen ja auch der Austritt der
30 Sezessionskirche zurückzuführen ist. Viele schottische Presbyterier waren mit den Bedingungen dieses Ausgleichs so unzufrieden, daß sie sich weigerten, die Kirche zu besuchen. Sie waren ohne Geistliche bis 1706, in welchem Jahre sich ein Pastor zu ihnen gesellte; ein Presbyterium konnte 1743 gebildet werden, nachdem im Jahre 1740 ein zweiter Geistlicher dazu gekommen war. Einige Covenanters kamen nach Amerika, und 1752
35 folgte ihnen Pastor John Cuthbertson dahin nach, um die zerstreuten Häuflein zu besuchen. 1774 kamen noch zwei Pastoren, worauf ein Presbyterium gebildet wurde. Im Jahre 1782 vereinigten sich nach vielen vorausgegangenen Verhandlungen und Detailbesprechungen die Associate- und die Reformed-Presbyterien in Pequea, Lancaster Co., Pa., am schönen Susquehanna und bildeten die Associate Reformed Church. Alle
40 Pastoren der Reformed Church traten der neuen Kirche bei, nur eine Anzahl von Gemeindegliedern verweigerte den Anschluß. Diese blieben dann für sich ohne einen Geistlichen zu haben, bis im Jahre 1789 ein Pastor aus Irland zu ihnen kam; erst 1798 wurde wieder ein reformiert-presbyterisches Presbyterium gebildet. Im Jahre 1823 wurde die Reformed Presbyterian Synod mit 24 Pastoren und 40 Gemeinden ge-
45 bildet.

Der ursprüngliche „Covenant", welchen die Glieder 1689 unterzeichnet hatten, von dem auch die Kirche ihren Namen hatte, verbot seinen Gliedern die Staatsgewalt in Schottland anzuerkennen, und da die englische Regierung auch die amerikanischen Kolonien regierte, so waren die Glieder der Kirche auch in Amerika an dies Prinzip gebunden.
50 Aber als die Kolonien unabhängig wurden und ihre eigene Regierung einsetzten, so machten viele von ihrem Stimmrecht Gebrauch und erkannten in andern Beziehungen die Staatsgewalt an. Aber im Jahre 1833 spalteten diejenigen, welche dieser Freiheit abhold waren, endlich die Kirche. Jeder Teil beansprucht die wahre reformiert-presbyterische Kirche Amerikas zu sein. Die „Alte Seite", umfassend diejenigen, welche
55 kein Stimmrecht ausüben, und sich „Synod of the Reformed Church" nennend, hatte 1869 ein theologisches Seminar in Allegheny, Pa., und 70 Pastoren. Die „Neue Seite", die sich „General Synod of the Reformed Church" nennt, hatte ein theologisches Seminar in Philadelphia und 61 Pastoren.

Nachdem im Jahre 1783 die Associate Presbyterian und Reformed Pres-
60 byterian Church sich vereinigt hatten, begann für die vereinigte Kirche eine Blütezeit.

Die Kirche breitete sich aus von Canada bis Carolina und südwestlich bis Kentucky. 1802 wurde eine Generalsynode, ein Repräsentativkörper, gebildet, den vier Synoden, nämlich von New-York, Pennsylvania, Sciota und Carolina, untergeordnet waren. Eifersucht des centralen Teiles der .Generalsynode veranlaßte die Sciota= und Carolinasynoden zum Austritt, so daß nur noch die New-York= und Pennsylvaniasynoden überblieben. 5 Verhandlungen, die eine Union mit der presbyterischen Kirche bezweckten, führten zu dem Resultate, daß drei Fünftel der Presbyterien sich dagegen aussprachen. Trotzdem wurde die Frage auf der sehr schwach besuchten Generalsynode in Philadelphia 1822 zur Diskussion gestellt; die Abstimmung ergab für die Union sieben Stimmen, dagegen fünf, während vier Delegaten sich der Abstimmung enthielten. Trotzdem erklärte 10 der Vorsitzende die [später gerichtlich für ungültig erklärte, d. Übers.] Annahme des Antrages, und die Synode vertagte sich. Nun schlossen sich viele Gemeinden und Pastoren der presbyterischen Kirche an, eine große Anzahl dagegen blieb zurück. Da nun die meisten Gemeinden und Pastoren, welche zur presbyterischen Kirche übergegangen waren, der Pennsylvaniasynode angehört hatten, so beanspruchte die New-York= 15 synode, welche ihre Stellung nicht verändert hatte, alle Rechte der Generalsynode.

Ungefähr ums Jahr 1800 wurden Versuche gemacht ein theologisches Seminar zur Ausbildung von Geistlichen für die eigene Kirche in New-York zu gründen. Pastor John Mason reiste nach Großbritannien, um Geld zu diesem Zwecke zu kollektieren; die von ihm mitgebrachte Summe wurde hauptsächlich zu einer Bibliothek verwendet. Das 20 Seminar wurde später nach Newburg am Hudson verlegt. Infolge der Unionsbedingungen von 1822 mußte diese Bibliothek nach Princeton, dem Seminar der presbyterischen Kirche überführt werden. Aber die New-Yorksynode beanspruchte die Rechte der Generalsynode und verlangte unter anderem auch die Bibliothek und das Seminar in Newburg. Die Bibliothek war bereits von den Presbyteriern nach Princeton geschafft worden, aber 25 sie wurde nach langem Streite wiedergewonnen und nach Newburg zurückgebracht.

Die Associate Reformierte Kirche umfaßte außer der New-Yorksynode noch die erste und zweite Synode des Westens, gebildet 1820 bezw. 1839. Die Synode von Illinois bildete sich 1852, die Synode des Südens 1821. Alle diese Synoden mit Ausnahme der des Südens vereinigten sich 1855 zu einer Generalsynode. Bereits frühe in der 30 Geschichte des Landes haben sowohl die Associate als die Reformed Church ihre Glieder instruiert, keine Sklaven zu halten, oder wenn sie solche nennen, sie freizulassen. Die A. R.-Synode des Süden stimmte damit natürlich nicht überein und ist deshalb stets ein eigener Kirchenkörper für sich geblieben. Zur Zeit als die United Presbyterian Church gebildet wurde (1858), hatte A. R. Church 4 Synoden, 35 28 Presbyterien, 253 Pastoren, 367 Gemeinden, 31 284 Kommunikanten, 3 theologische Seminarien und 6 Heidenmissionare.

Als im Jahre 1782 das Presbyterium der Associate Presb. Church beschloß sich mit der Reformed Presb. Church zu vereinigen, weigerte sich eine beträchtliche Minderheit, der Vereinigung beizutreten, und der Versuch, zwei Kirchen zu vereinigen, endete, 40 wie jeder solche Versuch, damit, daß nun drei entstanden. Die Associate Church schien jedoch an denen, welche sie verließen, wenig verloren zu haben: Viele Pastoren kamen von Schottland und Irland, viele junge Männer studierten Theologie bei Pastoren, und im Jahre 1794 wurde ein Blockhaus erbaut in Beaver Co., Pa., welches als theologisches Seminar dienen sollte, Dr. John Anderson aus Schottland war Professor desselben. 45 Im Jahre 1801 wurde aus vier Presbyterien, Philadelphia, Cambridge, N.=Y., Chartiers, West=Pa., und Kentucky, eine Synode gebildet. Im Jahre 1800 wurde Stellung genommen gegen das Halten von Sklaven. Die Glieder der Kirche in Kentucky, welche mit dieser Stellungnahme einverstanden waren, verzogen nach Ohio und Indiana, und das Presbyterium von Kentucky hörte zu existieren auf. Zur Zeit der Bildung der 50 United Presb. Church (1858) hatte die Associate Presb. Church 21 Presbyterien, 198 Pastoren, 33 Licentiaten, 293 Gemeinden, 23 504 Glieder und steuerte 12 585 Doll. jährlich für kirchliche Zwecke bei. Wie in früheren Fällen bei Kirchenvereinigungen, so blieben auch bei Bildung der U. P. Church eine Anzahl der Glieder eines jeden der die Union schließenden Kirchenkörper zurück und setzten die Existenz ihrer eigenen Deno= 55 mination fort, aber doch begann die U. P.-Kirche mit 419 Pastoren, 66 Licentiaten, 14 Missionaren, 660 Gemeinden, 54 789 Kommunikanten. Sie hatten 6 Colleges, 4 theologische Seminarien und veröffentlichte 6 Zeitschriften.

Anm. Die Kirchenkörper, welche sich im Jahre 1858 vereinigten und seitdem die United Presbyterian-Kirche bilden, sind die Associate Reformed und die Associate Pres= 60

byterian Church. Die Reformed Presbyterian Church, welche 1837 die Einigungs=
bestrebungen veranlaßt hatte, trat wieder zurück. Die Vereinigung kam in Pittsburg zu
stande; die Basis derselben war die Westminster Konfession mit einer Modifikation mit
Bezug auf die Gewalt der Staatsbehörden circa sacra, so daß sie frei sei von allem
5 Erastianismus, ferner die Katechismen und ein „Judicial Testimony", welches wichtige
Punkte enthält, die entweder in der Konfession nicht stehen oder auf die gegenwärtigen
Verhältnisse nicht passen. Sie besteht aus 18 Erklärungen mit Argumenten und Illu=
strationen (d. i. Erläuterungen). Der Übersetzer.

Seit der Zeit, als die zwei Kirchen im Jahre 1858 die General Assembly of
10 the U. P. Church bildeten, ist die vereinigte Kirche rasch und sicher gewachsen. Sie
hat Gemeinden von Massachusetts bis Californien, aber keine in den südlichen
Staaten. Die Stellungnahme der Kirche gegen die Sklaverei nimmt die Bevölkerung
des Südens gegen sie ein, obwohl die Sklaverei inzwischen gesetzlich abgeschafft ist. Zwei
Schulen, eine in Tennessee und eine in Virginien, wurden zur Erziehung von Negern
15 errichtet, und beide haben eine Anzahl Unterabteilungen. Verschiedene Versuche wurden
gemacht, eine Vereinigung mit der Associate Reformed Church des Südens herbei=
zuführen, aber ohne Erfolg. Auch Andeutungen, daß man bereit wäre, sich mit der
presbyterischen Kirche zu vereinigen, waren ebenfalls fruchtlos.

Die U. P.=Kirche und alle diejenigen Kirchen, die in Verbindung mit ihrer Geschichte
20 genannt wurden, haben als Glaubensbekenntnis die Westminsterkonfession, welche nur in
ihrer Stellung in Bezug auf die Staatsgewalt modifiziert ist. Jede Kirche hat ihre
eigene Form der Leitung ihrer Gemeinden. Die U. P.=Kirche hatte zuerst einen Artikel,
gemäß welchem der Gebrauch von Orgeln oder irgendwelchen anderen musikalischen In=
strumenten in Verbindung mit dem Kirchengesang verboten war. Dieser Artikel wurde
25 1882 abgeschafft. Alle diese Kirchen gebrauchen als Kirchenlieder ausschließlich Davids
Psalmen. Sie halten strenge an der Verbalinspiration der hl. Schrift fest. Auch
schließen sie alle Andersgläubigen von der Teilnahme an ihrem Abendmahl aus. Die
U. P.=Kirche mildert dies einigermaßen und man redet bei ihr nur von „beschränkter"
Zulassung (restricted communion), indem die Geistlichen nicht alle Christen ganz all=
30 gemein zur Teilnahme am Abendmahl einladen, sondern verlangen, daß Nichtmitglieder
bei einem der Beamten der Gemeinde um Zulassung nachsuchen. In die U. P.=Kirche
können Mitglieder von geheimen Gesellschaften, die ihren Gliedern Eide abverlangen,
nicht aufgenommen werden.

Statistik von 1903: Pastoren 1017, Lizentiaten 81, Gemeinden 998, Kommunikanten
35 135651, Beiträge zu allen kirchlichen Zwecken 1860219 Doll. Der Durchschnittsgehalt
eines Pastors ist 1500 Doll. Es sind vorhanden 5 Colleges: Cooper mit 275 Studenten;
Monmouth 350; Muskingum 203; Tarkio 257; Westminster 284; zwei theologische
Seminarien in Xenia mit 28 Studenten, und in Allegheny mit 103, außerdem zwei
Akademien in Pawnee und Waitsburg. Behörden sind vorhanden für Heidenmission,
40 Innere Mission und Mission unter Freigelassenen, für Kirchenausbreitung (Church
Extension), Publikation, Erziehung, Pastoren Hilfsfond und eine Frauenbehörde. Die
Missionsfelder liegen in Indien und Ägypten. Letzteres wird oft erwähnt als das best=
eingerichtete von allen Missionsfeldern amerikanischer Kirchen.

Die Synod of the Reformed Presbyterian Church (old side covenanters) hat
45 128 Pastoren, 9640 Glieder, Beiträge 196064 Doll. Studenten in Geneva College
268, im Seminar 13.

Die Associate Reformed Church of the South hat 106 Pastoren, 152 Ge=
meinden, 12454 Glieder, Erskine College 110 Studenten, Erskine Seminar 6 Studenten,
weibliches College 115 Studenten. Alle diese Anstalten sind in Due=West, Südcarolina,
50 sie haben einen Wert von 250000 Doll. Beiträge 1903: 73394 Doll.

Die General Synod, Reformed Presbyterian Church (new side Cove=
nanters) hat 41 Pastoren, 40 Gemeinden, 8 Licentiaten, 5000 Glieder, eine College in
Cedarville, Ohio mit 82 Studenten, ein Seminar in Philadelphia mit 5 Studenten.

Die Associate Presbyterian Church (Seceder) eine Gemeinde in Pittsburg,
55 1 Pastor und weniger als 100 Glieder. Dr. Jeffers.

i) Die reformierte Kirche. 1. Deutsch=reformierte Kirche. — The history of the
Reformed Church in the United States by Dr. Joseph Henry Dubbs, in the American
Church History Series, New=York 1895; Dr. Leonard Woolsey Bacon's American Church
History, New=York 1895, and the Reformed Church Almanac for 1904, Philadelphia.

Die reformierte Kirche in den Vereinigten Staaten (The Reformed Church in the United States) führt ihren Ursprung auf die reformierten Kirchen der Schweiz, Deutschlands und Hollands zurück. Man bezeichnete sie früher als „deutsch-reformierte Kirche" zum Unterschied von der „holländisch-reformierten Kirche". Die Geschichte der reformierten Kirche in den V. St. kann, obwohl es auch früher schon einzelne zer- 5 streute Häuflein Reformierter gab, ihren Ausgangspunkt erst nehmen von der großen Einwanderung deutsch sprechender Bevölkerung, welche im letzten Jahrzehnt des 17. Jahrhunderts begann und unter beständiger Zunahme beinahe bis zur Zeit der amerikanischen Revolution andauerte. Diese ersten deutschen Ansiedler kamen von der Pfalz an die Ufer des Delaware im Staate Pennsylvania. Dorthin wurden sie verbracht unter freund- 10 licher Beihilfe der Königin Anna von England. Außer den großen Ansiedlungen in Pennsylvania wurden auch Kolonien errichtet in den Staaten New-York und Nordkarolina. Etwas später kam ansehnlicher Zuwachs aus der Schweiz. Die Ankömmlinge waren in der Regel arm, da sie ihr Hab und Gut durch die ihr Vaterland verwüstenden Kriege verloren hatten, aber sie brachten ihre Religion mit. Sie waren noch nicht lange in der 15 neuen Heimat, als sie mit Ernst daran gingen, die Bedürfnisse des Gottesdienstes und der Kindererziehung zu befriedigen. Die Hauptschwierigkeit bei der Ausführung dieser edlen Absicht lag in dem Mangel an Geistlichen. Lehrer für ihre Schulen waren genug vorhanden; aber viele derselben waren herabgekommene Subjekte. Von der besseren Sorte dieser Lehrer ließen sich viele bereit finden, Predigten vorzulesen und Gottesdienste zu 20 leiten. Einer derselben war Friedrich Hager, Kandidat der Theologie, im Staate New-York. In Nordkarolina war Heinrich Höger solch ein würdiger Lehrer; zu seiner Zeit wurde die südliche Ansiedlung beinahe vollständig von den Indianern ausgerottet, worauf Höger mit den Überlebenden nach Virginia floh und die reformierte Kirche in diesem Staate gründete. 25

Der erste ordinierte deutsche Geistliche der reformierten Kirche in Pennsylvania scheint Samuel Gulden gewesen zu sein. Er war einer der Pfarrer an der Hauptkirche in Bern gewesen. Er war ein Pietist, aber kein Fanatiker. Im Jahre 1720 kam der Schulmeister Johann Philipp Böhm nach Amerika; er ließ sich nach vielem ernstlichen Zureden bewegen, als Pastor einiger Ansiedlungen zu fungieren. Der nächste Ankömm- 30 ling war Georg Michael Weiß, ein ordinierter Geistlicher; er war gesandt vom Oberkonsistorium der Pfalz. Er organisierte eine Gemeinde in Philadelphia. Bewogen durch die Erfolge dieses ordinierten Geistlichen, drang die Gemeinde des vorerwähnten Schulmeisters Böhm in ihren Seelsorger, er solle sich ordinieren lassen. Böhm zog die Pastoren der holländisch-reformierten Kirche in New-York zu Rate, welche ihn an ihre 35 Classis in Amsterdam verwiesen. Dadurch wurde die Aufmerksamkeit der reformierten Kirche in den Niederlanden auf die Lage der Glaubensbrüder in Amerika gerichtet, und die Folge war, daß alle reformierten Gemeinden in Amerika unter die Obhut der niederländischen Kirche kamen. Dieses Verhältnis bestand bis 1793, als der deutsche Teil der reformierten Kirche unter dankbarer Anerkennung der erfahrenen mütterlichen 40 Liebe und Fürsorge sich für selbstständig erklärte. In diesen frühen Zeiten finden sich auch Bestrebungen einer Vereinigung mit den Lutherischen; und besonders nach Ankunft des Grafen Zinzendorf wurde ein Versuch gemacht, alle deutschen Protestanten in Amerika zu vereinigen.

Am 1. August 1746 beginnt eine wichtige Epoche in der Geschichte der reformierten 45 Kirche in den V. St., dem Tage der Ankunft des Pastors Michael Schlatter. Er war ausgesandt von den Synoden Hollands, um die zerstreuten Kirchen in Amerika zu besuchen und sobald als möglich eine kirchliche Organisation herzustellen. Mich. Schlatter war ein Schweizer aus angesehener Familie, seine Mutter stammt von dem älteren Zollikofer ab. Er begann sein Werk mit wundervoller Energie, indem er die weitzerstreuten 50 Ansiedlungen aufsuchte. Am 29. September 1748 wurde die erste Sitzung des Coetus (oder Synode) in Philadelphia gehalten; sie war von 31 Pastoren und Ältesten besucht. Schlatter arbeitete als Missionar unermüdlich bis 1751, in welchem Jahre der Coetus ihn nach Europa sandte, um Mittel zur Aufrechthaltung und Weiterbetreibung des Missionswerkes unter den Kirchen der Kolonien zu beschaffen. In kurzer Zeit brachte er 12 000 55 Pfd. St. zusammen, deren Zinsen jährlich den amerikanischen Kirchen zu gute kommen sollten. Bei seiner Rückkehr brachte er sechs junge Geistliche mit. Später wurden 20 000 Pfd. St. für Schulen in Pennsylvania gesammelt, und Schlatter wurde zum Superintendenten des Erziehungswesens erwählt und ist somit der erste Generalsuperintendent derjenigen Einrichtung, welche sich seitdem zu dem großartigen Common School-System des großen 60

Staates von Pennsylvania ausgewachsen hat. Die reformierte Kirche stand bis 1793 unter dem Coetus. In diesem Jahre kam es zu einer friedlichen Trennung, weil die Notwendigkeit, alle Beschlüsse des Coetus an die Synode in Holland zu berichten, viele lästige Verzögerungen mit sich brachte. Auch ließ die jüngst erfolgte Trennung der
5 amerikanischen Kolonien von Großbritannien das Gefühl aufkommen, daß man auch in kirchlichen Angelegenheiten frei sein solle. Infolgedessen wurde am 27. April 1793 in der Stadt Lancaster in Pennsylvania die Synode der deutsch-reformierten Kirche in den V. St. organisiert.

Das ganze weite Gebiet der V. St., soweit es bis dahin erforscht war, war Missions-
10 gebiet, aber der Mangel an Geistlichen war groß. Das erste große Problem, das man zu lösen hatte, war also, wie man Geistliche herbeischaffen könne. Bis zu dieser Zeit war die deutsche Sprache in den Gottesdiensten ausschließlich gebraucht worden. Man fühlte aber die Notwendigkeit, daß wenigstens einige der Pastoren im stande sein sollten in englischer Sprache zu amtieren. All das führte zu einer Bewegung, eine Schule für
15 höheres Wissen zu errichten, und man hielt es für das Beste, mit einer theologischen Schule den Anfang zu machen. Verschiedentlich wurde der Versuch gemacht, mit den Presbyteriern zusammenzugehen und später mit den Lutherischen, um eine solche Schule zu stande zu bringen, aber alle diese Versuche schlugen fehl. Endlich im Jahre 1825 gelang es der Synode der reformierten Kirche eine theologische Schule zu beginnen und
20 zwar in Carlisle, Pennsylvania; der erste Professor derselben war Pastor Dr. Ludwig Mayer. Im gleichen Jahre wurde ein Kommissär nach Europa gesandt, um Geld und Bücher für das neue theologische Seminar zu sammeln. Der Versuch war mit Erfolg gekrönt. Unter denen, die freigebig beisteuerten, war der König von Preußen. Die Bücher, welche er dem Seminar verehrte, befinden sich heute noch in der Seminar-
25 bibliothek und werden zu ihren besonderen Schätzen gerechnet. Im ganzen wurden etwa 7000 Dollars und 5000 Bücher geschenkt. Vier Jahre später wurde das Seminar nach York, Pennsylvania, verlegt und ein Gymnasium mit ihm verbunden. Im Jahre 1835 wurde ein College in Mercresburg, Pennsylvania, errichtet, welches Marshall-College genannt wurde nach dem großen John Marshall, oberstem Richter des obersten Gerichts-
30 hofes der V. St. (Chief Justice of the Supreme Court of the U. S.).

Der erste Präsident des Marshall Colleges war Pastor Dr. Friedrich August Rauch, geb. 27. Juli 1806 in Kirch Bracht, Hessen-Darmstadt, wo sein Vater reformierter Pfarrer war. Seine Ausbildung hatte er in Marburg, Gießen und Heidelberg empfangen. Er war in Heidelberg der Lieblingsschüler Karl Daubs. Es war das goldene Zeitalter deut-
35 scher Philosophie, und Dr. Rauch hatte tief aus ihrer Quelle getrunken. Ein Jahr lang war er außerordentlicher Professor in Gießen und hatte bereits einen Ruf als ordentlicher Professor in Heidelberg erhalten, als er es aus politischen Gründen für ratsam erachtete, außer Landes zu gehen. Er wandte sich nach Amerika; dort ward seine vorzügliche Kraft bald bemerkt, und er wurde an die Spitze des neuen Colleges berufen. Er warf sich
40 mit ganzer Seele auf seine Arbeit und war der erste, der modernes deutsches Denken nach Amerika gebracht hat, welches seitdem das ganze Land durchdrungen hat.

Als Mayer im Jahre 1839 von seiner Professorstelle zurücktrat und die Synode sich um einen Nachfolger umsah, wurde ihre Aufmerksamkeit auf Pastor Dr. John Williamson Nevin, Professor in Western Theological-Seminar der presbyterischen Kirche, gelenkt.
45 Es war bekannt, daß er sich mit dem Studium der deutschen Philosophie beschäftigte, und diese Thatsache und seine offenkundige ernstliche Frömmigkeit führten dazu, ihn als den für die wichtige Stelle geeigneten Mann zu erachten. Er wurde mit großer Begeisterung erwählt und nahm nach genügender Bedenkzeit die Wahl an. Er war schottisch-irischer Abstammung; unter seinen Vorfahren waren viele in der Geschichte früherer Zeiten
50 hervorragende Männer. Er hatte im Union College und im Princetoner theologischen Seminar studiert, und hatte trotz seiner Jugend schon wertvolle religiöse Werke verfaßt. Dr. Nevin kam in die reformierte Kirche mit voller Kenntnis ihrer reichen Geschichte und er unternahm es, den amerikanischen Zweig derselben zu rechter Würdigung seiner Wichtigkeit auf der westlichen Hemisphäre zu erwecken. Er veröffentlichte eine Anzahl von Büchern,
55 aber seine Hauptarbeit vollzog sich im Hörsaal und durch zahlreiche Artikel in theologischen Zeitschriften seiner eigenen und anderer Kirchen. Er und Dr. Rauch arbeiteten in voller Einmütigkeit miteinander in dieser Arbeit als Pioniere, die amerikanische Christenheit zur Thätigkeit auf kirchenhistorischem Gebiete zu erwecken. Leider wurde diese gemeinsame Arbeit durch den frühen Tod Dr. Rauchs bereits im Jahre 1841 vorzeitig unterbrochen.
60 Zwei Jahre später im Januar stand die Synode wieder vor der Wahl eines Prä-

sidenten für das Marshall Collexe. In einer zu diesem Zwecke einberufenen Extrasitzung wurde der Name Friedrich Wilhelm Krummacher genannt und günstig aufgenommen. Obwohl man sich gar keine Vorstellung darüber machen konnte, ob er überhaupt auf einen derartigen Ruf eingehen würde, wurde er erwählt, worauf eine Kommission an ihn entsandt wurde, um ihm die Sache vorzulegen. Krummacher empfing die Kommission freundlich 5 und wäre vielleicht nicht ungeneigt gewesen anzunehmen, wenn nicht die große Opposition, die sich gegen diesen Plan erhob, ihm gezeigt hätte, daß er Elberfeld nicht verlassen dürfe. Darauf empfahl er an seiner Stelle den Dr. Philipp Schaff, damals Privatdozent in Berlin, welche Empfehlung von Männern wie Neander und Julius Müller lebhaft unterstützt wurde. Schaff nahm die an ihn ergangene Berufung an und wurde im Herbste 10 1844 als Professor für Kirchengeschichte und Exegese im theologischen Seminar in Mercersburg eingeführt. Er hielt seine Antrittsvorlesung über „das Prinzip des Protestantismus" und zeigte durch dieselbe, daß er auf dem gleichen Boden stand wie seine beiden Vorgänger Rauch und Nevin. Die wissenschaftliche Stellung dieser Männer wurde von den führenden Geistern der meisten amerikanischen Denominationen angegriffen. Über 15 diese Periode der Geschichte der reformierten Kirche in den V. St. schreibt Dr. Leonhard Bacon, ein hervorragender Kongregationalistenprediger und Schriftsteller in seiner Geschichte der amerikanischen Christenheit (New-York 1897, S. 377): „Eine heilsame und erbauliche Debatte wurde bewirkt durch die Publikationen, die von dem College und Seminar der reformierten Kirche in Mercersburg ausgingen. In dieser Anstalt wurde eine 20 fruchtbare Vereinigung amerikanischer und deutscher Theologie vollzogen. Das Resultat davon war, daß der allgemeinen Aufmerksamkeit Auffassungen der Wahrheit in philosophischer, theologischer und historischer Beziehung vorgelegt wurden, welche bisher unter den amerikanischen Protestanten nicht gang und gäbe waren. Das Buch Nevins, betitelt „Die mystische Gegenwart, eine Verteidigung der reformierten oder calvinischen Lehre vom 25 heiligen Abendmahl" (The mystical presence, a vindication of the reformed or calvinistic doctrine of the holy eucharist) offenbarte der großen Menge von Kirchen und Geistlichen, welche sich des Namens Calvinisten rühmten, die Thatsache, daß sie bezüglich der Hauptunterscheidungslehre des Calvinismus durchaus nicht Calvinisten, sondern Zwinglianer seien. Die Verkündigung der Hauptlehre der verschiedenen presbyteri- 30 schen Kirchen erregte unter denselben den Ruf „Ketzerei", und die Lehre Calvins wurde vor das Gericht der Calvinisten gestellt. Der Erfolg dieser Diskussion, der sich weit über die Grenzen der reformierten Kirche hinaus erstreckte, war, daß der Standpunkt derer, welche die Gründung und Geschichte der Kirche studierten, erhöht und ihr Horizont erweitert wurde. Spätere Generationen solcher Studenten schulden nicht geringen Dank 35 der Treue und dem Mute Dr. Nevins, wie auch der gediegenen wissenschaftlichen Bildung und dem immensen produktiven Fleiße seines Mitarbeiters Dr. Philipp Schaff.

Im Jahre 1865 verließ Dr. Schaff Mercersburg und übernahm eine Professur im Union Theological-Seminar in New-York. Bereits 1853 war das Marshall College vom theologischen Seminar in Mercersburg abgetrennt und nach Lancaster verlegt wor- 40 den, woselbst es mit dem 1787 von Benjamin Franklin gegründeten Franklin College vereinigt wurde. Im Jahre 1872 wurde auch das theologische Seminar nach Lancaster verlegt.

Die Kontroverse, welche durch die sogenannte Mercersburger Theologie entfacht worden war, legte sich, und die Kirche hielt sich mit erhöhter Hingebung an ihr histori- 45 sches Symbol, den Heidelberger Katechismus. Man begann nun mit großem Ernste das der Kirche vorgesetzte Missionswerk im eigenen Lande und in der Ferne. Viele Jahre hatte man sich an der Missionsarbeit der Kongregationalisten in Syrien beteiligt, später an der deutsch-evangelischen Missionsarbeit in Indien, welche 1884 von der „Deutschen evangelischen Synode" (s. d. A. oben S. 183, 80) übernommen wurde. Im Jahre 1879 50 begann die reformierte Kirche ihr eigenes Missionswerk in Japan und einige Jahre später in China. Das japanische Arbeitsfeld liegt hauptsächlich im Norden mit Sendai als Mittelpunkt. Hier, wie auch in Yau Tschau in China sind ausgedehnte Lehranstalten für Männer und Frauen vorhanden.

Die Behörde für Innere Mission (Home Mission Board) ist mit der Aufgabe der 55 Gründung neuer Gemeinden beschäftigt. Obwohl auch in der reformierten Kirche wie in allen ursprünglich deutschen Kirchen die englische Sprache immer mächtiger wird, besteht doch noch eine große Zahl deutscher Gemeinden, ja es werden sogar noch solche neu gegründet. Es finden sich im Westen und Süden infolge der Thätigkeit der Behörde für Innere Mission viele aufblühende Missionsgemeinden. 60

Die Kirche wird geleitet von der Generalsynode, acht Distriktssynoden und 56 Classes. Diese besitzen und betreiben siebzehn litterarische und theologische Anstalten mit großen Fonds und trefflicher Gelegenheit zu gründlicher Ausbildung. Ende 1903 zählte man 1117 Pastoren, 1697 Gemeinden, 255880 Kommunikanten, 131048 nicht konfirmierte 5 Glieder, 226000 Sonntagsschüler; 1732140 Dollar wurden im Jahre 1903 für alle kirch= lichen Zwecke beigesteuert.   **Dr. Pannebecker.**

2. **Holländisch=reformierte Kirche.** — History of the Reformed Church (Dutch) by Rev. E. T. Corwin, D. D., in American Church History Series, New=York 1895; New-York World Almanac for 1904.

10 Die reformierte Kirche in Amerika nannte sich bis zum Jahre 1867 „Holländisch= reformierte Kirche" (Reformed Protestant Dutch Church), weil sie ihren Ursprung hat in der Ansiedlung von Holländern auf der Insel Manhattan, wo jetzt die Stadt New=York liegt. Die Ansiedlung bestand aus vielen Tausend Holländern, welche als Kaufleute der Westindischen Gesellschaft nach Amerika kamen. Sie organisierten im 15 Jahre 1628 eine Gemeinde. Die Westindische Gesellschaft nahm sie unter ihren Schutz und machte später die reformierte Kirche zur Staatskirche der Provinz und reichte ihr finanzielle Unterstützung dar. Der erste Geistliche, der sich dort niederließ, war Jonas Michaelius. Er und die Gemeinde gehörten in kirchlicher Beziehung zu der Amsterdamer Classis. Im Jahre 1664 übergaben die Holländer die Kolonie als eine holländische Be= 20 sitzung an die Engländer. Zu dieser Zeit zählte man 13 Geistliche und 11 Gemeinden. Die Einwanderung ließ nach, als die 10000 Einwohner britische Unterthanen wurden, wobei es denselben gelang, sich Religionsfreiheit zu sichern, so daß sie, obwohl die angli= kanische Kirche nun zur Staatskirche wurde, doch nicht als Dissenters betrachtet wurden. Zuerst ging alles gut, aber im Jahre 1673 kam es zur Störung des guten Verhältnisses. 25 Aber die Reformierten waren wachsam, und es gelang ihnen den Bestand ihrer Kirche aufrecht zu erhalten bis nach dem Revolutionskriege, als unter der Regierung der V. St. völlige Religionsfreiheit eingerichtet wurde. Während ihres Kampfes gegen das britische Kirchentum wuchs die holländische Kirche mächtig und breitete sich auf das angrenzende Territorium aus. Die Gemeinden fühlten in hohem Maße die „große Erweckung", die 30 wunderbare Woge der von George Whitefield und Jonathan Edwards angezündeten Be= geisterung. Der Evangelist der Holländer war Frelinghuysen.

Infolge des raschen Wachstums der Kirche machte sich die Notwendigkeit zahlreicherer Geistlicher stark fühlbar. Wenig junge Männer waren bereit von Holland hinüberzu= kommen, und die Gefahren und Kosten, die erwachsen wären, wenn man junge Männer 35 nach Holland zur Ausbildung gesandt hätte, wären zu groß gewesen. Eine Anzahl pres= byterischer Geistlicher wurden aufgenommen und verschiedene Männer wurden auf recht unregelmäßige Weise ordiniert. Diese Übelstände führten zur Organisation einer Ver= sammlung (Assembly) oder Coetus im Jahre 1737. Zur selben Zeit drang man auf Einrichtung eines Colleges. 40 Der Plan des Coetus wurde nach Holland zur Genehmigung gesandt. Während des langen Aufschubs, der nun folgte, machte die Amsterdamer Classis den Versuch, die Holländer, Deutschen und Presbyterier in e i n e n Kirchenkörper zu vereinigen. Der Coetus bestand 11 Jahre, als man seine Unwirksamkeit erkannte, denn alle seine Beschlüsse mußten der Amsterdamer Classis zur Genehmigung vorgelegt werden. Im Jahre 1753 wurde 45 der Vorschlag gemacht, eine Classis einzurichten. Dieser Vorschlag wurde noch im selben Jahre in die That umgesetzt, aber die konservativ gerichteten Glieder hielten am Coetus fest und nannten sich „Konferenz". Der Streit zwischen beiden Körpern entbehrte häufig der Höflichkeit. Der Classis gelang es nach verschiedenen vergeblichen Versuchen vom Gouverneur von New=Jersey einen Freibrief zur Errichtung eines Colleges in diesem 50 Staate zu erhalten, ein zweiter wurde genehmigt 1770, nämlich der für das Rudgers College, heute in New=Brunswick, New=Jersey. Im gleichen Jahre vereinigten sich Classis und Konferenz auf Grund der von der Classis angebotenen Bedingungen. Sie organi= sierten sich nun auch als eine Synode, bestehend aus fünf Classes.

Die Kirche litt sehr während des Unabhängigkeitskrieges, da viele Schlachten des= 55 selben auf ihrem Territorium ausgefochten wurden, aber mit dem Frieden und der bür= gerlichen Freiheit kam auch die kirchliche Freiheit. Die Organisation der Kirche war jetzt vollendet. Die Bekenntnisschriften, die Liturgie und die Kirchengesetze der Kirche Hollands wurden ins Englische übersetzt und so verändert, daß sie mit den amerikanischen Ver= hältnissen in Einklang standen, und wurden als die Gesetze der holländischen Kirche an=

erkannt. Der Gebrauch der Liturgie wurde den Gemeinden freigestellt. Seitdem ist sie fast ganz außer Gebrauch gekommen. Die 1749 organisierte Generalsynode versammelte sich zuerst alle 3 Jahre, seit 1821 versammelt sie sich alle Jahre. Zuerst nahmen alle Pastoren und je ein Ältester von jeder Gemeinde daran teil, seit 1812 ist die General= synode ein Repräsentativkörper. 5

Rudgers College, jetzt ein verehrungswürdiges Institut mit rühmlicher Vergangenheit, ist die wichtigste Bildungsanstalt der Kirche. Es hat große Fonds und viele wertvolle Stipendien. Es besteht aus zwei Abteilungen, einer wissenschaftlichen und einer klassischen (scientific and classical). Die Fakultät besteht aus 25 Professoren. Auf angren= zendem Grunde steht das theologische Seminar, seinen Ursprung bis 1784 zurückführend. 10 Ein anderes College liegt in Holland, Michigan, gegründet 1866. Die Kirche hat drei auswärtige Missionsfelder, in Arcot, Indien, in Amoy, China, in Japan.

Im allgemeinen ist die Mitgliedschaft der Kirche wohlhabend und sind die Beiträge für kirchliche Zwecke groß. Es findet ohne Schwierigkeit häufiger Wechsel von Geistlichen zwischen dieser Kirche und der presbyterischen, mit welcher sie fast durchweg übereinstimmt, 15 statt. Vor mehreren Jahren machte die numerisch bedeutend stärkere reformierte Kirche in den V. St. den Vorschlag einer Vereinigung, welcher nach langer Diskussion leider von der holländischen Kirche zurückgewiesen wurde.

Am Ende des Jahres 1903 zählte die Kirche 695 Pastoren, 628 Gemeinden und 330 456 Glieder. Dr. **Pannebecker.** 20

Nachträge und Berichtigungen.

1. Band.

S. 233 Z. 55 lies Miſſion unter den Heiden, katholiſche ſtatt Propaganda.
„ 313 „ 46 und S. 434, 44. Nach Tſchackert, Ztſchr. f. niederſächſ. KG VIII S. 7 war
            J. Amandus nicht Auguſtinermönch.
„ 735 „ 30 Inzwiſchen ſind drei Ueberſetzungen der Didaskalia erſchienen, eine franzöſiſche
            von F. Nau, La didascalie (zuerſt im Canoniste contemporain 1901 und 1902,
            dann ſelbſtſtändig = Ancienne littérature canonique syriaque, Fasc. I, Paris
            1902) auf Grund der Lagardeſchen Ausgabe; dann eine engliſche von Mrs. M.
            D. Gibſon, The didascalia apostolorum in syriac (= Horae semiticae Nr. I
            und II, London 1903, Bd 1 der ſyriſche Text auf Grund neu gefundener Hſſ.,
            Bd 2 die engliſche Ueberſetzung); endlich eine deutſche: Die ſyriſche Didaskalia
            überſetzt und erklärt von H. Achelis und J. Flemming (= H. Achelis, Die älte=
            ſten Quellen des orientaliſchen Kirchenrechtes, Bd 2, Leipzig 1904; die Ueber=
            ſetzung auf Grund des geſamten, vorliegenden Materials, mit textkritiſchen
            Beilagen und ausführlichen Abhandlungen über den Inhalt der Didaskalia.
                                                  H. Achelis.

2. Band.

S. 353 Z. 39 Die Angabe, daß Bader das Teſtament des Herzogs Alexander von Zweibrücken
            als Zeuge mitunterzeichnete, beruht auf einem Irrtum.   Rey.

10. Band.

S. 116 Z. 56 lies Bd VII S. 72, 60—73, 47 ſtatt Miſſion, proteſtantiſche.
„ 776 „ 39 lies Dei ſtatt Deo.

12. Band.

S. 493 Z. 22 iſt hinter CR 7, 230 hinzuzufügen: vgl. Köſtlin, Die Baccalaurei und Magiſtri
            II, 16; III, 14 f.
„ 495 „ 43 iſt hinter „Borna“ einzuſchalten: und Koburg, vgl. O. Clemen, Beitr. z. Ref.=
            Geſch. 2. Heft (1902) S. 36; O. Albrecht in den ThStK 1904, S. 81.
„ 495 „ 59 lies 425 f. ſtatt 125 f.
„ 496 „ 30 iſt ſtatt des ? einzuſchalten: vgl. Bindſeil, Supplem. z. CR (1874) S. 228.
                                                  O. Albrecht.

13. Band.

S. 395 Z. 42 füge nach 537 ein: konfekriert.
„ 397 „ 52 lies 577 ſtatt 477.
„ 429 „ 11 lies Gregorovius ſtatt Gregoravius.
„ 479 „ 38 lies VII ſtatt XII.
„ 483 „ 43 lies von Bd XIV ſtatt des Werkes.
„ 516 „ 19 lies Hadmersleben ſtatt Heimersleben. Herr Paſtor Steinecke in Stariz ſchreibt
            mir mit Bezug auf dieſe Stelle: „Ein Heimersleben giebt es überhaupt nicht,
            und G. Müller ſelbſt hat mir auf meine Anfrage mitgeteilt, daß in ſeiner Auto=
            biographie nur infolge eines Druckfehlers, der ſich durch alle Auflagen hindurch
            geſchleppt habe, als Wohnort ſeines Vaters ſtatt Hadmersleben Heimersleben ge=
            nannt werde.“   H.

S. 645 Z. 19 füge bei: J. Faurey, Henri IV. et l'édit de Nantes, Bordeaux 1903.
„ 662 „ 4 füge bei: A. Heidenheim, Die Unionspolitik Landgraf Philipps von Hessen, 1557 bis 1562, Halle a. S. 1890 S. 185—286.
„ 672 „ 34 schalte nach Schriften ein: Privatbriefe.
„ 688 „ 10 füge bei: In dem besonderen Verzeichnis der Theologie=Studierenden (G. Töple, Die Matrikel der Universität Heidelberg II. Anh. V S. 579) ist unter dem De= kanat von J. Friedr. Mieg als am 26. Mai 1673 immatrikuliert eingetragen: Joachim Neander Bremensis. **Simons.**
„ 738 „ 34 lies des Theodosius statt als Th.
„ 739 „ 48 lies Garniers statt Gerniers.

14. Band.

S. 1 Z. 21 schalte hinter Nr. 12 und 13 ein: W. S. L(illy), Art. John Henry Newman im Dictionary of National Biography ed. by Sidney Lee vol. XI, 1894, S. 340 bis 351. Hier eine sonst nirgends zu treffende vollständige Uebersicht über alle Arten von litterarischen Arbeiten N.s. Diese Arbeiten sind längst nicht sämtlich in die Gesamtausgabe aufgenommen; für letztere hat N. vielmehr nur die ihm dauernd wichtig erscheinenden herangezogen.
„ 1 „ 30 schalte hinter 1899 ein: Der Art. in der Nat. Biogr. bietet eine vollständige Uebersicht der englischen Arbeiten bis 1894. **Kattenbusch.**
„ 4 „ 35 lies wenigsten statt wenigstens.
„ 110 „ 13 lies 2 Kg 25, 27 statt 25, 57.
„ 110 „ 13 und 14 lies 570—560 statt 580—570.
„ 124 „ 46 ff. ist die Uebersetzung der LXX Jes 37, 38 irrig aus Verlesung von אלהיך [בְּיֹשְׁדֵ] zu אבתיו (א)[כי] erklärt worden. Das πάταχρον ist, worauf Professor E. Nestle den Verf. des Artikels freundlichst aufmerksam macht, eine Korruption von

πάταχρον und πάταχρος Wiedergabe des syrischen ‎ ptakrâ „Götze“, also

= אלהיו. Schon de Lagarde (Mt II, 1887, S. 354) hat in Jes. 8, 21 die rezipierte Lesart καὶ τὰ πάτρια für ובאלהיו nach seinem Kodex m (Kodex 93 Parsons) und Theodoret 2, 230 in καὶ τὰ πάταχρα verbessert und Nestle in Transactions of the ninth International Congress of Orientalists II, London 1893, S. 58 f. hierauf verwiesen. Das vollständige Material de Lagardes hatte übrigens bereits Field (Hexapla 1875 zu d. St.) angegeben und πάταχρα der LXX richtig mit ptakrâ identifiziert. Für Symmachus ist Jes 8, 21 bezeugt (καὶ) πατρῷα εἴδωλα (Field zu d. St. und dazu Qᵐᵍ), eine doppelte Ueber= setzung mit Korruption von πάταχρα, dieses wahrscheinlich als LXX, dagegen εἴδωλα die Uebersetzung des Symmachus. Obgleich für Jes 37, 38 die Lesung πάταχρα oder πάταχρον sich handschriftlich nicht nachweisen läßt und nur πάταρ= χον B* ihr näher kommt, kann an der Verbesserung auch hier nicht gezweifelt werden. Uebrigens lesen statt τὸν πάταρχον αὐτοῦ 18 Codices Sergii bei Par= sons: εἴδωλα αὐτοῦ, was Uebersetzung sein wird des als Plural verstandenen πάταχρα „Götze“, eigentlich „Bild“. Das τὸν πάταρχον oder τὸν πάταχρον statt τὸν πάταχρον scheint nach der Uebersetzung mit εἴδωλα in den Codd. Serg. aus ursprünglichem πάταχρα entstanden zu sein, das von dem Urheber des εἴδωλα als Plural aufgefaßt wurde (wie in τὰ πάταχρα Jes 8, 21). Vielleicht hat man aus der Artikellosigkeit von εἴδωλα zu entnehmen, daß auch das ursprüngliche πάταχρα des Artikels entbehrte; vgl. das artikellose πάταρχα εἴδωλα bei Sym= machus Jes 8, 21. Der Uebersetzer behandelt πάταχρα εἴδωλα richtig als determiniert. Der ursprüngliche Text von Jes 37, 38 scheint also gelautet zu haben: ἐν (τῷ) οἴκῳ (Ν)ασαράχ πάταχρα αὐτοῦ. Ob dabei πάταχρα als Apposition zu (Ν)ασαράχ gedacht wäre und dieses als Genetiv, somit als Gottesname, entsprechend 2 Kg 19, 37: ἐν οἴκῳ 'Εσδράχ θεοῦ αὐτοῦ, oder ob πάταχρα Akkusativ wäre und (Ν)ασαράχ Name des οἴκος, ließe sich nicht er= sehen. Uebrigens könnte auch als die ursprüngliche Lesung τὸν πάταχρα anzu= nehmen sein. Bei der Auffassung von πάταχρα als Plural (εἴδωλα) mußte τὸν als fehlerhaft gestrichen werden. So würde die Entstehung der Lesart τὸν πά= ταρχον (πάταρχον) einfacher sein. Dann wäre als der ursprüngliche Text an= zusehen: ἐν τῷ αὐτὸν προσκυνεῖν ἐν (τῷ) οἴκῳ (Ν)ασαράχ τὸν πάταχρα αὐτοῦ. In diesem Texte würde (Ν)ασαράχ am wahrscheinlichsten als Name des οἴκος zu verstehen sein. So scheint jedenfalls der Text der 18 Codd. Serg.: ἐν τῷ αὐτὸν προσκυνεῖν ἐν οἴκῳ Νασαρὰχ εἴδωλα αὐτοῦ aufgefaßt werden zu müssen, da die εἴδωλα doch nicht wohl mit dem einzigen Namen Ναραχ be= zeichnet sein können. Ganz entsprechend 2 Kg 19, 37 Kod. 93 Parsons: ἐν τῷ

οικῳ Ασραχ τους θεους αυτου (auch Kod. 56 θεους αυτου), als hätte der Ueber=
ſetzer geleſen בָּאֱלֹהֵי ſtatt אֱלֹהָיו.　　　　　　　　**W. Baudiſſin.**

„ 140 „ 19 füge ein: Eine eingehende Unterſuchung hat den Sintflutſagen H. Uſener ge=
widmet (Religionsgeſchichtl. Unterſuchungen 3. Teil, Bonn 1899). Nach Uſener
ſind die Berichte der Geneſis jüngere monotheiſtiſche Ausbildungen der heid=
niſchen Flutſagen Babyloniens; die betreffenden Sagen der Inder und Griechen
nicht, wie man gemeint hat, der ſemitiſchen Sage entlehnt, ſondern beide ohne
ſemitiſchen Einfluß zu ihrer Ausbildung gelangt. Entwachſen iſt nach Uſener
die ſemitiſche demſelben Bilde, wie die ariſche, nämlich dem alten mythologiſchen
Bild für den Aufgang des Lichts. Das ſagenhafte Motiv des Strafgerichts,
das ſich durch die Flut unmittelbar mit dem Hauptmotiv berührt, iſt, wie für
den Aufbau der griechiſchen Sage, ſo auch als Faktor der ſemitiſchen Sagenbil=
dung vorauszuſetzen. Mit dieſem, die Vernichtung aller Lebeweſen bis auf die
Auserwählten in ſich ſchließenden Motiv iſt unmittelbar auch die Notwendigkeit
geſetzt, die Erneuerung der Lebeweſen durch Einſchiffung von Paaren jeder Gat=
tung zu ſichern. Vgl. gegen die Reduktion der Sintfluterzählung auf Allegorien
einer Naturerſcheinung Franz Delitzſch a. a. O. S. 156.　　　　　**Volck.**

S. 174 Z. 40 lies Schaff ſtatt Scharff.
„ 178 „ 1 The Banner of Truth wird jetzt in Holland Mich. herausgegeben.
„ 222 „ 29 lies S. 107 ſtatt 101.
„ 258 „ 31 lies Edwards VI. ſtatt IV.
„ 444 „ 34 füge zum Schluß ein: Dieſe im Buchhandel längſt vergriffene Sammlung iſt mit
gewiſſen Modifikationen neu ediert von Jon Michalcescu, Θησαυρὸς τῆς ὀρθοδοξίας, Die Bekenntniſſe und die wichtigſten Glaubenszeugniſſe der griech.=orient.
Kirche, 1904.
„ 447 „ 53 ſchalte hinter beſte Ausgabe ein: des Nomokanon.
„ 448 „ 30 lies praktiſch ſtatt praktiſe.
„ 449 „ 46 ſetze hinter durchgedrungen ein Klammerſchlußzeichen.
„ 453 „ 58 lies bisher ſieben ſtatt bisher ſechs.
„ 455 „ 20 ſchalte hinter Lektien ein: A. „Bibelüberſetzungen".
„ 460 „ 22ff. Herr Prof. Nilles S.J. in Innsbruck teilt mir mit, daß Maltzew falſch über=
ſetzt hat, wenn er unter den „drei Hierarchen" neben Baſilius und Chryſoſtomus
den „Gregorios Dialogos" (d. i. Papſt Gregor I.) als Feſtheiligen des 30. Ja=
nuars erſcheinen läßt. Der ſlawiſche Text des Menologions ergiebt, daß „Gre=
gorios Theologos" (d. i. Gregor von Nazianz) gemeint iſt, und das Feſt wirklich
den „drei ökumeniſchen Lehrern" gilt.
„ 463 „ 10 ſchalte ein: H. Gelzer, Vom heiligen Berge und aus Makedonien, 1904.
„ 463 „ 25 Die Schrift von Radulowitz gehört nicht in dieſen Zuſammenhang, ſie betrifft
lediglich ſozial-ökonomiſche Verhältniſſe.　　　　　**Kattenbuſch.**

26. März 1904.

Lightning Source UK Ltd.
Milton Keynes UK
UKHW031353031218
333390UK00013B/821/P